DICIONARIO

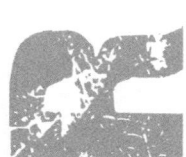

TUPI ANTIGO

A LÍNGUA INDÍGENA CLÁSSICA DO BRASIL

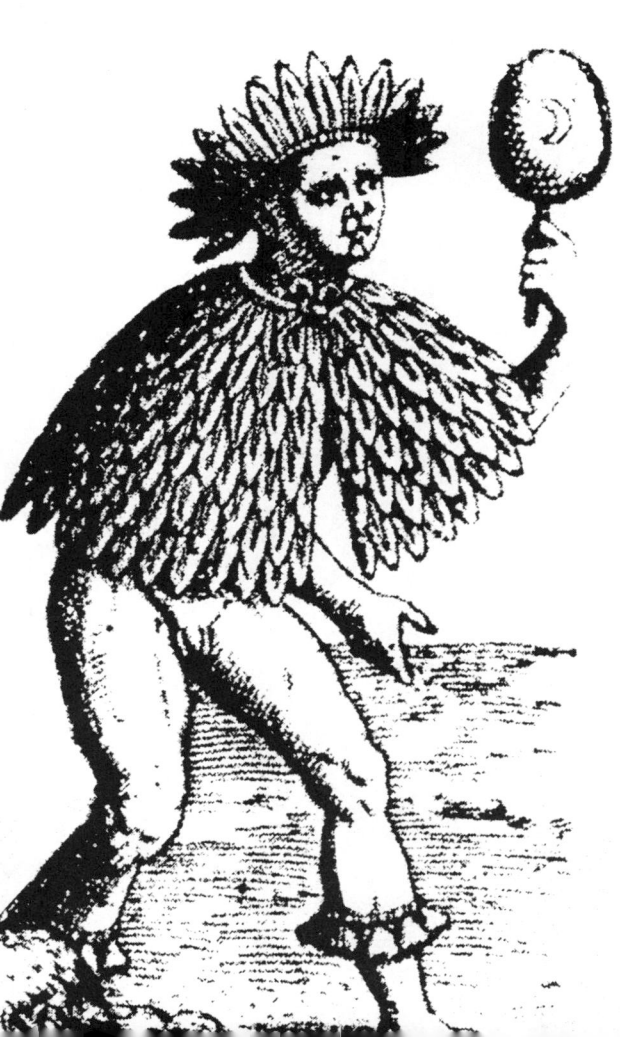

EDUARDO DE ALMEIDA NAVARRO

DICIONÁRIO

TUPI ANTIGO

A LÍNGUA INDÍGENA CLÁSSICA DO BRASIL

Vocabulário português-tupi e dicionário tupi-português
Tupinismos no português do Brasil
Etimologias de topônimos e antropônimos de origem tupi

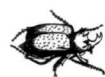

Prefácio de Ariano Suassuna
(da Academia Brasileira de Letras)

global
editora

© **Eduardo de Almeida Navarro, 2007**
1ª Edição, Global Editora, São Paulo 2013
3ª Reimpressão, 2022

Jefferson L. Alves – diretor editorial
Dulce S. Seabra – gerente editorial
**Juliana L. Campoi, Salvine Maciel
e Tamara Castro** – revisão de texto
Célio Cardoso – ilustrações

**CIP-BRASIL. CATALOGAÇÃO NA PUBLICAÇÃO
SINDICATO NACIONAL DOS EDITORES DE LIVROS, RJ**

N24d

    Navarro, Eduardo de Almeida
      Dicionário de tupi antigo : a língua indígena clássica do Brasil
/ Eduardo de Almeida Navarro ; prefácio Ariano Suassuna ;
[ilustrações Célio Cardoso]. – 1. ed. – São Paulo : Global, 2013.
    il.

      Vocabulário português-tupi e dicionário tupi-português,
Tupinismo no português do Brasil, Etimologia de topônimos
e antropônimos de origem tupi

    ISBN 978-85-260-1933-1

    1. Língua tupi-guarani – Dicionários – Português. 2. Língua
portuguesa – Dicionários – Tupi. I. Suassuna, Ariano, 1927-
II. Título.

13-02933   CDD: 498.3829
                                            CDU: 811.87(038)

Obra atualizada conforme o
NOVO ACORDO ORTOGRÁFICO DA LÍNGUA PORTUGUESA

Global Editora e Distribuidora Ltda.
Rua Pirapitingui, 111 — Liberdade
CEP 01508-020 — São Paulo — SP
Tel.: (11) 3277-7999
e-mail: global@globaleditora.com.br

- globaleditora.com.br
- @globaleditora
- /globaleditora
- @globaleditora
- /globaleditora
- /globaleditora
- blog.grupoeditorialglobal.com.br

Direitos reservados.
Colabore com a produção científica e cultural.
Proibida a reprodução total ou parcial desta
obra sem a autorização do editor.

Nº de Catálogo: **3000**

Assessoria científica nas áreas de Botânica e Zoologia

Gilson Evaristo Iack Ximenes (Doutor em Ciências Biológicas, na área de Zoologia, pela Universidade de São Paulo. Docente da Universidade Estadual de Santa Cruz.)

Lúcia Rossi (Doutora em Ciências Biológicas, na área de Botânica, pela Universidade de São Paulo. Pesquisadora científica do Instituto Botânico do Estado de São Paulo.)

Miguel Trefaut Urbano Rodrigues (Professor titular do Instituto de Biociências da Universidade de São Paulo. Ex-diretor do Museu de Zoologia da USP.)

Revisão de língua tupi

Júlio César de Assunção Pedrosa (Bacharel em Linguística pela Universidade de São Paulo. Tradutor e revisor de textos.)

Ricardo Tupiniquim Ramos (Doutor em Letras e Linguística pela Universidade Federal da Bahia. Professor da Universidade Estadual da Bahia.)

Revisão de topônimos

Benedito Prezia (Doutor em Ciências Sociais pela Pontifícia Universidade Católica, PUC, de São Paulo.)

Marcel T. Ávila (Doutorando em Estudos da Tradução pela Universidade de São Paulo.)

Ilustrações

Célio Cardoso (Professor de Educação Artística e desenhista.)

Colaboradores bolsistas

Cássio da Silveira (Bolsista do CNPq – Iniciação Científica)

Hugo Leonardo Barbosa (Bolsista do CNPq – Iniciação Científica)

Roberta Kobayashi (Bolsista do CNPq – Iniciação Científica)

A Lourdes Volpe Navarro,
com meu reconhecimento e admiração.

Ao professor Alfredo Bosi.
(in memoriam)

"*Tu se' lo mio maestro e 'l mio autore.*"
(Dante, *Inf.*, I, 85)

PREFÁCIO

A primeira aula-espetáculo que dei em minha vida aconteceu no teatro de Santa Isabel, no Recife, em 26 de setembro de 1946. Teve como assunto central o nosso rico e variado romanceiro, e para ela contei com a ajuda de um poeta popular, Manuel de Lima Flores, e de três dos maiores cantadores que o Brasil já teve, os irmãos Batista – Dimas, Otacílio e Lourival (mais conhecido como Louro do Pajeú).

No dia 26 de setembro de 1996, comemorando os 50 anos daquela aula, organizei a *Grande Cantoria Louro do Pajeú*, da qual participaram duas cantadoras, Mocinha de Passira e Minervina Ferreira, e dois cantadores, Oliveira de Panelas e Otacílio Batista, este último o único sobrevivente da aula de 1946.

Um dado a ser levado em conta é que, em ambas as aulas, enfatizei a origem ibérica do nosso romanceiro; mas, ao mesmo tempo, não me esqueci de fazer o que normalmente faço em tais ocasiões: lembrar que, quando os portugueses chegaram ao Brasil, já encontraram por aqui um teatro, uma pintura, uma dança, uma literatura oral, uma escultura em pedra, uma cerâmica – enfim, uma cultura que, juntamente com a negra e outras que vieram depois, não pode ser deixada de lado em qualquer reflexão que se faça sobre nosso povo.

Faço essa introdução pessoal e arbitrária para me referir a Eduardo Navarro, cujo excelente trabalho de artista e filólogo de certa maneira reúne aquelas duas vertentes da cultura brasileira a que me referi, das quais normalmente uma é esquecida. Em 1999, Navarro publicou um livro sobre o teatro de Anchieta, que, como diz o artista-filólogo, escrevia "nas três línguas mais faladas na América portuguesa" – o português, o castelhano e a língua brasílica, aquele "grego da terra" ao qual se referem os cronistas dos três primeiros séculos da presença ibérica em nosso país.

Assim é que, no autointitulado *Na Aldeia de Guaraparim*, graças a Eduardo Navarro, encontramos, em português, versos como os que se seguem e em que um demônio chamado Tatapitera fala de um jeito que lembra os personagens de Aristófanes:

> "Transtorno o coração das velhas, irritando-as, fazendo-as brigar. Por isso mesmo as malditas correm como faíscas de fogo, para ficar atacando as pessoas, insultando-se muito umas às outras."

Eduardo Navarro costuma falar na "beleza e musicalidade" do nosso "grego da terra", da "língua-geral", uma das causas do infortúnio que acabou por aniquilar o imortal personagem de Lima Barreto, Policarpo Quaresma. Defendendo a cultura brasileira, às vezes zombo de mim mesmo, sentindo-me como um descendente de

Quaresma, um Quaresma contemporâneo, mas tão extraviado e inoportuno quanto o primeiro.

Mas recobro o ânimo e sigo adiante. O que importa é teimar na luta, anunciando que agora Eduardo Navarro publica um *Dicionário de Tupi Antigo*, que vai prestar mais um valioso serviço aos que se interessam pelo povo do Brasil real e desejam vê-lo liberto das cadeias com as quais, desde 1500, o país oficial o vem subjugando e sufocando.

Ariano Suassuna,
membro da Academia Brasileira de Letras

INTRODUÇÃO

O tupi (ou tupi antigo) é a língua indígena clássica do Brasil, a que mais importância teve na construção espiritual e cultural de nosso país, a velha *língua brasílica* dos primeiros dois séculos do período colonial. *Clássica* porque falada em largos tratos do território efetivamente colonizado por Portugal nos dois primeiros séculos da história do Brasil, possuindo literatura com mais de quatrocentos anos. Assemelha-se, nesse particular, ao náuatle antigo do México, língua do império asteca, ao quíchua do antigo império inca, falado hodiernamente em países andinos da América do Sul, e ao guarani do período das missões jesuíticas do Paraguai. Para a definição dessas línguas indígenas como *clássicas* concorre, ademais, o fato de terem sido ensinadas no período colonial americano nas escolas dos colonizadores, inclusive em cadeiras universitárias, como aconteceu no Peru e no México quinhentistas.

Ao aqui chegar a armada de Pedro Álvares Cabral, em 1500, essa foi a língua que seus marinheiros ouviram. Foi língua falada por Tibiriçá, Caiobi, Arariboia, Felipe Camarão, Cunhambebe, Bartira, João Ramalho, Diogo Álvares Correia, Martim Soares Moreno, Martim Afonso Leitão, Fernão Dias Paes, Catarina Paraguaçu, pelos patriarcas e pelas matriarcas do Brasil. Foi essa a língua descrita por Anchieta, por Luís Figueira, falada por Antônio Vieira, por Bettendorff, por Simão de Vasconcelos. Foi a língua matriz da língua geral setentrional, falada na Amazônia e em partes do Nordeste no século XVIII, da língua geral meridional, que as bandeiras levaram para regiões interioranas do Brasil como Mato Grosso, Goiás, Minas Gerais e para o sul do país e que esteve presente na formação da cultura cabocla, sertaneja e caipira, respectivamente da Amazônia, do sertão nordestino e das regiões meridionais que foram colonizadas pelos paulistas.

Em poucos países da América uma língua indígena teve a difusão que o tupi antigo conheceu, contribuindo para a unidade política de nosso país. Forneceu milhares de termos para a língua portuguesa do Brasil, milhares de topônimos, esteve presente na literatura colonial, no Romantismo, no Modernismo. Da literatura sua influência estendeu-se ainda mais para a onomástica do país: *Moema, Iracema, Ubirajara, Peri, Moacir, Marabá, Pindorama, Urupês,* todos esses são nomes que primeiro as penas dos escritores sacramentaram antes de passar a nomear pessoas e lugares no Brasil. O tupi foi a referência fundamental de todos os que quiseram afirmar a identidade cultural do nosso país. *"O seu conhecimento, sequer superficial, faz parte da cultura nacional"* (Barbosa, 1956).

Pertencendo à família linguística tupi-guarani, do tronco Tupi, o tupi antigo deixou de ser falado no final do século XVII, quando se acham seus últimos documentos escritos. Hoje são vinte e uma as línguas que compõem aquela família linguística, algumas faladas por menos de cem indivíduos. No entanto, haja vista a antiguidade de sua descrição e a abundância de textos nela escritos, é a língua indígena brasileira mais bem conhecida. Este dicionário corrobora tal asserção: atingimos nele quase oito mil palavras-entradas (chamadas hodiernamente pela lexicografia *lemas* ou *lexemas*) superando de longe, nesse aspecto, todas as outras produções lexicográficas congêneres, mesmo o *Tesoro de la Lengua Guarani*, de Antonio Ruiz de Montoya, e o *Dictionnaire Wayãpi-Français*, de Françoise Grenand, que exibem cerca de cinco mil entradas.

Assim, os missionários, os cronistas e os viajantes coloniais, cujas obras são as fontes para o conhecimento do tupi antigo, deram uma contribuição que supera de longe a que dão muitos linguistas contemporâneos para o conhecimento de línguas indígenas vivas.

Algumas das obras daqueles autores foram publicadas ainda no período colonial, outras somente no século XX. Este trabalho, nelas fundado, é, assim, de cunho eminentemente filológico, e seu instrumental são textos antigos e não o contato com falantes da língua. Trata-se, portanto, de um *dicionário histórico*.

O presente dicionário, ademais, é translíngue, tupi-português, organizando o léxico do tupi antigo em ordem alfabética e dando informações de natureza gramatical, semântica, pragmática, histórica, antropológica e científica, muitas vezes com digressões de caráter enciclopédico, mormente no trato dos nomes de plantas ou animais. Vem dar, assim, contribuição para o conhecimento das línguas indígenas brasileiras, especificamente daquela da qual se desenvolveram historicamente muitas delas. Também foi inserido um vocabulário português-tupi de mais de dois mil verbetes, que se articula com o dicionário tupi-português, permitindo mais fácil acesso a este. Finalmente, acrescentamos uma relação de mais de dois mil topônimos e antropônimos de origem tupi, número pequeno em relação à sua presença na onomástica brasileira. Buscaremos, no futuro, em outro trabalho mais específico, realizar a tarefa de analisar um número bem maior deles.

Até a publicação por Plínio Ayrosa, em 1938, do *Vocabulário na Língua Brasílica*, obra de um jesuíta do século XVI, era praticamente desconhecido o léxico do tupi antigo. Assim, quaisquer dicionários feitos antes daquela data não tiveram aquela obra por fonte e não são, destarte, confiáveis nem corretos. É o caso, por exemplo, do dicionário elaborado no século XIX por Gonçalves Dias, que está inçado de erros e imperfeições. Mesmo a obra *O Tupi na Geografia Nacional*, de Teodoro Sampaio, ainda que somente um dicionário de topônimos, não foge a tal indigitada precariedade, pecando pelo grande número de etimologias fantasiosas que apresenta.

Somente a partir da década de 1950 é que vieram à luz os vocabulários de Antônio Lemos Barbosa, professor de tupi antigo na Pontifícia Universidade Católica do Rio de Janeiro. Seu *Pequeno Vocabulário Tupi-Português*, de 1951, e seu *Pequeno Vocabulário Português-Tupi*, de 1970, embora incompletos e resumidos, são os únicos que se fundamentaram amplamente no *Vocabulário na Língua Brasílica* do século XVI e nos textos de autores quinhentistas e seiscentistas. São, portanto, os únicos trabalhos confiáveis que existem no gênero. Contudo, conforme aduz o autor no introito de sua obra de 1951:

> (...) *O Pequeno Vocabulário Tupi-Português* (...) *só deve ser julgado dentro do caráter popular e prático que lhe dei. "Prático", porque não tem preocupações científicas, não explica, não decompõe, não documenta nem compara, mas apenas apresenta as palavras da língua. "Popular", na simplicidade da exposição e até na falta de técnica lexicográfica. Não traz indicações gramaticais* (...) *a não ser quando indispensáveis à exata compreensão do sentido. Os nomes de animais e plantas são traduzidos sem rigor de sistemática, pelos correspondentes nomes populares, quando os há, ou por outros aproximados.* (...)
> *A ninguém ocorrerá, espero, ter tido eu a intenção de ser completo. Pelo contrário, dominou-me a preocupação da brevidade, o que se pode ver até pelas dimensões dos verbetes, que raramente ultrapassam uma linha.* (...) *Quanto aos nomes e verbos compostos, arrolei quase só os mais usuais e aqueles em que já se obliterou a consciência da composição.* (...)
> *Levado pelo mesmo critério de simplificação, dentro do objetivo popular deste vocabulário, deixo de assinalar as semivogais î, û, ŷ, que, em estudos de outra natureza, distingo cuidadosamente das vogais correspondentes i, u, y.* (...) *Observo, entretanto, que nenhum autor moderno faz a distinção, mesmo em obras de caráter técnico, a não ser eu e o dr. Frederico Edelweiss, professor de tupi na faculdade de Letras da Bahia. Não é de admirar que tampouco eu a faça aqui, reservando essas minúcias para* **um projetado Dicionário da Língua Tupi**, *de que este é apenas um resumo e adaptação popular. (grifos nossos)*

Assim, o próprio Lemos Barbosa, em 1951, dava conta da necessidade de se publicar um dicionário da língua tupi, haja vista o caráter resumido e simplificado de seu *Pequeno Vocabulário Tupi-Português*, que, apesar disso, tem sido o único trabalho sério e confiável sobre o assunto. Nas décadas posteriores, outros dicionários vieram à luz, mas escritos por autores pernibambos no conhecimento do tupi antigo. Tal é o caso do *Vocabulário Tupi-Guarani-Português*, de Silveira Bueno, que, apesar de sua pouca qualidade, tem recebido sucessivas edições, e também do *Dicionário Tupi-Português*, de Luís Caldas Tibiriçá. Esses dois precários trabalhos são os de que dispõe o interessado em estudar o tupi antigo, haja vista que os vocabulários de Lemos Barbosa esgotaram-se desde a década de 1970.

Esta pesquisa iniciou-se no ano de 1999, tendo sido morosa em alguns momentos em razão de outras atividades irrecusáveis que se nos depararam por diante. Contou com a participação de três bolsistas em nível de iniciação científica e com a colaboração de profissionais das áreas de Zoologia e Botânica, principalmente da Faculdade de Biologia da USP.

Fazia-se, com efeito, imperiosa a necessidade de publicação de um dicionário que, além de fundado em todos os textos quinhentistas e seiscentistas utilizáveis e disponíveis, documentasse os seus verbetes com frases ilustrativas extraídas deles, que fosse mais preciso na grafia da língua, registrando consoantes e vogais que não figuram sempre e de forma correta em autores antigos, que utilizasse uma metalinguagem mais consentânea com os fatos do idioma.

Chegamos, assim, a elaborar para o tupi antigo algo semelhante ao *Tesoro de la Lengua Guarany*, de Antonio Ruiz de Montoya, de 1640, que nos permite ter do guarani antigo um conhecimento bastante profundo. Infelizmente, nunca tivemos para o tupi um trabalho semelhante no período colonial brasileiro. O *Vocabulário na Língua Brasílica*, com efeito, não tem, nem de longe, as virtudes do *Tesoro* de Montoya.

Assim, há séculos faz-se necessário tal trabalho. Tal era o desiderato de Lemos Barbosa. Sua morte prematura, contudo, impediu a realização desse importante projeto. Esperamos, aqui, ter feito algo que se aproxime daquilo que seu espírito lúcido e nobre intentava.

Após muitos anos de pesquisas, em contato com raríssimas edições e manuscritos quinhentistas e seiscentistas, podemos afirmar que lemos e analisamos quase tudo o que existe escrito em tupi antigo. É certo que novos textos poderão ser revelados no futuro. Mas acreditamos que não alargarão consideravelmente o que se conhece, agora, com este dicionário, do léxico dessa língua.

Reunimos e organizamos tudo o que estava disperso, disseminado por obras diversas, algumas quase inacessíveis ao grande público, e durante anos procedemos à organização de uma grande massa de informações que nunca antes haviam sido analisadas. Textos que jaziam mal traduzidos nas páginas dos viajantes e cronistas, textos que não foram até hoje traduzidos e, às vezes, nem sequer publicados, agora são utilizados largamente neste dicionário nos exemplos ilustrativos de que nos servimos. Em se tratando de uma língua indígena tão importante para o passado do Brasil, tal dispersão de informações, tal dificuldade de acesso às fontes tiveram a consequência funesta de entregar, muitas vezes, os estudos tupinológicos ao mais absoluto amadorismo. Dicionários inçados de erros, onde nem sequer se distingue o que seja tupi de guarani e de nheengatu, foram publicados, tornando os estudos de tupi antigo uma seara de imprecisões e erros crassos, com poucas e honrosas exceções no século XX.

Assim, tudo o que estava disperso e vago jaz agora organizado em ordem alfabética, concentrado num único volume, para o fácil acesso e a rápida consulta dos interessados pelas raízes indígenas do Brasil.

Com o *Dicionário de Tupi Antigo* e durante sua feitura pudemos alargar o conhecimento de processos gramaticais daquela língua. Assim, não somente o léxico, mas também a gramática dessa língua ficou mais bem conhecida com este trabalho, donde retiramos informações para inseri-las pela primeira vez na 3ª edição do *Método Moderno de Tupi Antigo* (Global Editora, São Paulo, 2005), que, assim, muito se beneficiou das descobertas feitas durante as pesquisas.

O léxico do tupi antigo reflete a cultura do Brasil nos séculos XVI e XVII, fruto do encontro das culturas europeias com a dos índios da costa e com culturas africanas. A leitura do dicionário revela que o tupi antigo já havia penetrado nos meios urbanos e era falado também por não índios. Ele enriquece, assim, o conhecimento sobre detalhes da vida cotidiana do Brasil colonial.

Com este dicionário alargou-se imensamente o conhecimento da polissemia e da homonímia dos lexemas tupis, somente perceptíveis pela leitura detida dos textos. Lexemas apresentados singelamente no *Vocabulário na Língua Brasílica* como tendo um único significado mostraram, neste dicionário, ser polissêmicos. É, entre outros inúmeros casos, o do verbo **ikobé**, traduzido no *VLB* unicamente por *viver*:

> **ikobé / ekobé (t)** (etim. – *estar ainda*) (v. intr. irreg.) – **1)** viver, estar vivo (Fig., *Arte*, 66): *Orébe t'oré mondyki, nde irũmo t'oroîkobé.* – Que ela nos destrua para que vivamos contigo. (Anch., *Poemas*, 124); *Osem oîkobébo, o tym-y roîré...* – Saiu vivendo após o enterrarem. (Anch., *Poemas*, 124); **2)** estar bem, estar são, estar bem disposto:

Aîkobé. – Estou bem, estou são. (Fig., *Arte*, 60) (Em forma de saudação é equivalente ao *Vale*, do latim.): ... *Eîkobé-katu, xe mbo'esar gûy...!* – Estejas bem, ó meu mestre! (Ar., *Cat.*, 54); **3)** existir, haver: *Oîkobé îemombe'u, mosanga mûeîrabyîara.* – Existe a confissão, remédio portador de cura. (Anch., *Teatro*, 38); *Oîkobé xe pytybõanameté..., tubixakatu Aîmbiré...* – Existe meu auxiliar verdadeiro, o chefão Aimbirê. (Anch., *Teatro*, 8); *Oîkobépe amõ abá sekobîaramo?* – Há algum homem na condição de seu substituto? (Ar., *Cat.*, 50v); **4)** estar presente, ser, aqui estar (Fig., *Arte*, 66): *Aîkobé, n'aîepe'aî i xuí.* – Aqui estou, não me afasto deles. (Anch., *Teatro*, 88); *Oîkobé nde arûara é...* – Aqui está teu danador. (Anch., *Teatro*, 90); *Nde rembiarama é oîkobé morubixaba.* – Os que tu apresarás são reis. (Anch., *Teatro*, 60); **5)** permanecer, continuar a ser ou estar: *Aîkobé n'ixé sarõana...* – Permaneço seu guardião. (Anch., *Teatro*, 40) • **oîkobeba'e** – o que vive, o que está bem, o que existe etc.: *A'e suí turi oîkobeba'e omanõba'epûera pabẽ rekomonhangane.* – Daí virá para julgar todos os que vivem e os que morreram. (Anch., *Doutr. Cristã*, I, 142); **ekobesaba (t)** – tempo, lugar, meio, instrumento etc. de viver, de existir etc.; vida: *'Y i mongaraibypyra t'oîkó xe 'anga rekobesabamo...* – A água benta seja o meio de viver de minha alma. (Ar., *Cat.*, 24v); ... *o 'anga rekobesaba* – a vida de sua alma (Ar., *Cat.*, 241)

O dicionário reflete também aspectos centrais da cultura dos primitivos índios da costa do Brasil, sua forma específica de ver a realidade, sua cosmologia etc., mostrando certos elementos culturais ainda não conhecidos nos textos da Antropologia e da Sociologia, como os de Métraux (1979) ou de Fernandes (1948):

Gûaîupîá (ou **Ûaîupîá**) (s.) – GUAJUPIÁ, **1)** nome de uma entidade sobrenatural; espírito dos pajés bons: *Ererobîarype... Gûaîupîá moraseîa...?* – Acreditas na dança do Guajupiá? (Anch., *Doutr. Cristã*, II, 83); **2)** lugar para onde, na religião dos tupis, iriam as almas após a morte corporal, o qual se localiza além das montanhas e onde se encontrariam os antepassados dos índios (D'Abbeville, *Histoire*, 323)

Como se vê, este dicionário revela, assim, pela primeira vez, a relação entre a busca da Terra sem Mal, elemento central da cosmologia dos antigos tupis, com uma dança que se praticava em homenagem a uma entidade sobrenatural, *Guajupiá*. Essa dança era, certamente, aquela que Léry (1578) descreveu em sua *Histoire*, praticada após a chegada de um caraíba à aldeia onde o francês estava.

Também de grande valia será o *Dicionário do Tupi Antigo* para o melhor conhecimento das variantes dialetais da língua da costa do Brasil nos primórdios de sua história. Reunindo tudo o que se conhece sobre o assunto, pudemos perceber as variações diatópicas que antes quedavam imprecisamente conhecidas, dando margem a teorias infundadas sobre a existência de uma língua *tupinambá* ao lado de uma língua *tupi*, ideia sem fundamento difundida por Aryon Rodrigues.

Este dicionário permite um melhor conhecimento do significado das palavras portuguesas de origem tupi, geralmente muito mal explicadas nos dicionários contemporâneos. Nenhum dos dicionaristas do século XX, desde Nascentes até Aurélio Ferreira, atinou, por exemplo, com a etimologia do substantivo *caipira*. A consulta ao dicionário e o domínio de certos fenômenos da língua tupi revelam-na:

kopir (etim. - *mondar a roça*) (v. intr.) - lavrar a terra, fazer lavoura, fazer roça; CARPIR, roçar: *Akopir.* - Faço roça. (*VLB*, II, 19) •
kopirara - carpidor, roçador: *Kopirarûera ké aîur.* - Venho aqui depois de ter roçado (lit., *aqui venho, o que foi roçador*). (D'Evreux, *Viagem*, 144)

kopira (etim. - *monda-roça*) (s.) - roçado; roçador: *Ereîkó kopira resé kó tyma.* - Estiveste no roçado para plantar roça. (Anch., *Teatro*, 166)

Caipira provém seguramente de **kopira**, *o que carpe, o roceiro*, do verbo tupi **kopir**, *fazer roça*.

Muito hão de beneficiar-se, doravante, os estudos de Filologia Portuguesa com as informações trazidas por este dicionário. Ademais, ele será muito útil para a melhor compreensão da onomástica brasileira, notadamente dos nomes dos lugares. Finalmente, os estudos zoológicos e botânicos poderão tirar grande proveito das etimologias que aqui apresentamos. Durante a pesquisa, verificando com um zoólogo ictiólogo do Museu de Zoologia da USP uma gravura de Eckhout que consta do *Theatrum Rerum Naturalium Brasiliae*, de 1660, apresentamos a etimologia de um peixe chamado **piraroba**: *peixe vesgo folha*. O zoólogo que nos assistia disse, então, que esse era um peixe que, além de ser extremamente delgado, possuía ambos os olhos de um mesmo lado do corpo, confirmando plenamente a etimologia dada.

Se nenhum registro temos hoje do que foi a língua dos guaianás, dos goitacazes, dos tremembés e de centenas de outros grupos, cujas vozes silenciaram para sempre porque ninguém nos legou nada de suas gramáticas e de seus léxicos, o tupi antigo é uma língua mais bem conhecida hoje que as línguas indígenas ainda faladas pelo Brasil afora, apesar da *histeria estruturalista* que insiste, sem resultados, em atacar a Tupinologia.

Acreditamos ter feito avançar o conhecimento nesse campo de estudos, esperando que o tempo nos mostre onde ele deva e onde possa ser aperfeiçoado, para que muitas luzes sejam lançadas para o passado do Brasil em busca da melhor compreensão de seu presente.

AS EDIÇÕES E OS MANUSCRITOS UTILIZADOS COMO FONTES

A amplitude da documentação histórica por nós utilizada foi definida pela decisão prévia de nos servirmos somente de obras escritas ou publicadas nos séculos XVI e XVII, o período histórico em que o tupi antigo foi falado. É certo que há evidências de que, no final do século XVII, já passavam as línguas gerais a dominar, enquanto a língua brasílica clássica ia desaparecendo. Mas acreditamos que definir o ano de 1700 como limite máximo para a existência do tupi clássico, embora procedimento aleatório, é bastante aceitável.

Quanto às fontes, são elas, em sua maioria, quinhentistas e seiscentistas ou fac-similares. Em obras lexicográficas de natureza predominantemente histórica, tal procedimento é sumamente desejável.

A maior parte de tais fontes (textos impressos e manuscritos) está disponível na biblioteca do Instituto de Estudos Brasileiros (IEB) – USP, no Acervo Plínio Ayrosa da FFLCH da USP, na Biblioteca Mário de Andrade da Prefeitura Municipal de São Paulo, ou na Biblioteca Nacional do Rio de Janeiro. Também recebemos textos de bibliotecas e arquivos estrangeiros, como a Real Biblioteca de Haia, na Holanda, e o Arquivo Nacional da Torre do Tombo, de Lisboa, Portugal.

Mas se nem sempre foi possível utilizar edições dos séculos XVI e XVII, as edições modernas utilizadas por nós merecem total confiança, ou por serem documentárias (fac-similares ou diplomáticas) ou por terem sido publicadas por instituições respeitáveis. Recorremos, assim, a textos transcritos publicados nos Anais da Biblioteca Nacional, na *Revista do Instituto Histórico e Geográfico Brasileiro* e também em coleções de grande credibilidade, como as da *Brasiliana* ou, ainda, na *História da Companhia de Jesus* e nos *Monumenta Brasiliae*, organizados pelo Padre Serafim Leite.

No caso dos manuscritos, publicados somente séculos depois de seu aparecimento, recorremos, algumas vezes, a microfilmes. Foi o que aconteceu, por exemplo, com as Cartas dos Camarões, cujos microfilmes foram cedidos pela Real Biblioteca de Haia.

As frases ilustrativas (ou *passos abonatórios*) de textos antigos foram apresentadas na ortografia que adotamos e não transcritas fielmente na ortografia antiga. Assim, o dígrafo **qu** foi substituído por **k**, e o **ig** foi grafado como **y** etc.

BREVE HISTÓRIA DOS ESTUDOS DE TUPI ANTIGO NO BRASIL: UM TRISTE BALANÇO NO SÉCULO XX

O tupi foi objeto de estudos formais no período colonial brasileiro, mormente nos colégios dos jesuítas. Com efeito, em 1556 iniciava-se o curso de língua tupi no Colégio da Bahia. O visitador Inácio de Azevedo determinou a obrigatoriedade de seu estudo para os membros da Província brasileira da Companhia de Jesus, pelo menos no que concerne à doutrina e às orações. O conhecimento do tupi foi, desde logo, considerado condição *sine qua non* para a admissão de um candidato à Companhia de Jesus. A Congregação Provincial de 1568 pede que se eximam os que conheçam aquela língua da exigência de estudos muito aprofundados para a ordenação sacerdotal e para a profissão dos votos (Leite, 1940, livro V, p. 563). O próprio conhecimento de latim passou a ser considerado dispensável se o candidato fosse versado na língua do Brasil. Saber tupi era condição fundamental para o bom êxito da catequese e a *Arte* de Anchieta, segundo seu biógrafo Pero Rodrigues (1897, p. 199),"he o instrumento principal de que se ajudão os nossos P.es e Irmãos que se ocupam na conversam da gentilidade que ha por toda a costa do Brasil".

A partir de 1621 seria a *Arte da Língua Brasílica*, publicada pelo Padre Luís Figueira, a obra usada para o ensino dessa língua no Brasil colonial. Ela recebeu várias edições e, em suas páginas, Gonçalves Dias obteve conhecimentos de tupi, do qual chegou, inclusive, a escrever um dicionário, tão pequeno quanto imperfeito.

No século XVIII, após as perseguições pombalinas, o ensino formal da língua geral amazônica (desenvolvimento histórico do tupi antigo), que acontecia nas escolas dos missionários das grandes ordens religiosas no norte do Brasil, sofria um sério revés. Com seu Diretório de 1757 e o Alvará de 1758, Pombal proibia o ensino na língua geral no Estado do Maranhão e Grão-Pará e no Estado do Brasil.

A ausência de ensino formal acelerou a transformação da língua geral setentrional, que no século XIX já era chamada nheengatu (a *língua boa*). O Amazonas e o Pará falaram-na mais que o português até o ano de 1877, quando uma grande seca no Nordeste levou para a Amazônia milhares de pessoas e, com elas, a língua portuguesa. Assim, o nheengatu perdia sua primazia para o português naquela época.

Um ano antes, vinha ao prelo a obra do General Couto de Magalhães, *O Selvagem* (1876), obra clássica da etnolinguística brasileira. Muitas de suas informações eram questionáveis ou fantasiosas. Contudo, importantes informações sobre o nheengatu eram ali apresentadas. Numa obra de 1863, intitulada *Viagem ao Araguaya*, Couto de Magalhães, ao introduzir o vocabulário Avá-Canoeiro, língua extinta falada no passado ao longo de certos trechos do rio Tocantins, fez importante referência à língua geral meridional, sobre a qual são escassíssimos os documentos escritos:

> *Accrescentarei que, muitos dos nomes constantes do vocabulario, são hoje correntes entre os paulistas do povo, chamados caepiras naquella Provincia; citarei entre outros: tiguera ['palhada'], avaxi ['milho'], itanhaen ['tacho'], ajuruhy ['papagaio'], itá ['pedra'] etc.*

Mas a língua geral meridional ia desaparecendo à medida que se intensificava a imigração europeia. O mundo caipira defrontava-se, então, com as culturas dos imigrantes, que iam modificando profundamente as feições humanas dessas partes do país.

Em 1901, o engenheiro Theodoro Sampaio publicava *O Tupi na Geografia Nacional*, um marco no renascimento desses estudos no Brasil do século XX, livro útil que deve ser conhecido pelos interessados no assunto, mas cujas etimologias pecam, muitas vezes, por fantasiosas.

Os estudos de tupi em cadeiras universitárias nasceram na década de trinta do século XX, sendo a Universidade de São Paulo a primeira do Brasil a mantê--los, a partir de 1935, com Plínio Ayrosa à sua frente. Esse engenheiro autodidata ministrava cursos livres no Centro do Professorado Paulista de São Paulo, quando foi convidado pelo reitor da novel universidade para criar aquela cadeira na USP. A partir daí e, principalmente após 1954, foram surgindo cadeiras de tupi em outras cidades do Brasil, por força de uma lei que o determinava.

Contudo, excetuando-se as obras e os artigos de Lemos Barbosa, da PUC do Rio de Janeiro, Frederico Edelweiss, da Faculdade de Filosofia da Bahia, e de Aryon Rodrigues, da Universidade de Campinas, quase nada podemos aproveitar do que escreveram os tupinistas do século XX sobre o tupi antigo. Rodrigues, contudo, teve da língua conhecimento somente em nível estrutural. Nunca traduziu nada de importante, nem mesmo as cartas dos índios Camarões que foi buscar nos arquivos da Holanda, por não conhecer bem a literatura tupi, já que se dedicou prioritariamente a línguas faladas por poucas dezenas de índios, que ele julgava mais importantes que o tupi... Já os artigos de Carlos Drummond e de seu mestre Plínio Ayrosa, ambos da USP, estão inçados de erros. Ambos chamaram ao tupi clássico "tupi-guarani", demonstrando quão fraco foi seu conhecimento do assunto. O que foi louvável da parte desses dois últimos autores foi terem eles publicado preciosos textos dos séculos XVI, XVII e XVIII. No caso de Carlos Drummond, contudo, mui pequena contribuição deixou em relação ao longo tempo em que ocupou a cadeira de Línguas Indígenas da USP. Quanto a Maria Vicentina Dick, Erasmo Magalhães e seu discípulo Waldemar Ferreira Netto, todos antigos professores da Área (antiga Cadeira) de Línguas Indígenas do Brasil da USP, nunca provaram conhecimento significativo de tupi antigo naquilo que escreveram. É possível que mui pequeno fosse o conhecimento deles daquela língua clássica do Brasil. Waldemar Ferreira, por exemplo, por anos ensinou ali guarani crioulo do Paraguai como se fosse a mesma coisa que tupi antigo...

Outros autores que publicaram sobre o assunto foram Silveira Bueno, Luiz Caldas Tibiriçá, Eduardo Tuffani e Wolf Dietrich. O primeiro foi muito consultado nas décadas de quarenta e cinquenta para criar nomes para as cidades que surgiam nas frentes pioneiras de São Paulo, do Paraná, de Mato Grosso etc. Contribuiu para fazer surgir nomes sem sentido, como Umuarama, por exemplo (v. Rel. Top. e Antrop. no final). Seu *Vocabulário Tupi-Guarani-Português* é um trabalho de pouco valor. Tibiriçá tinha pouca base gramatical e Tuffani, que escreveu uns três artigos sobre o Tupi antigo, não avançou além daquilo que aprendeu na gramática de Lemos Barbosa: *cave hominem unius libri*. Não deu contribuição nenhuma para o melhor conhecimento da língua por não conseguir ler seus textos. Finalmente, Wolf Dietrich, que organizou recentemente um livro chamado *O Português e o Tupi no Brasil*, evidenciou que, sem conhecimento da literatura, a Linguística, armada somente de instrumental teórico para descrição de línguas, comete equívocos iguais aos que cometeram os tupinistas das primeiras décadas do século XX. Seu livro está repleto de erros e tem pouco valor, exceto no que tange a alguns artigos nele insertos.

Com o advento do Estruturalismo, na década de sessenta, os estudos de filologia tupi foram sendo gradativamente abandonados em benefício da descrição das línguas indígenas vivas. Ganhou-se em precisão científica e perdeu-se em abrangência: muitas dessas línguas são faladas somente por algumas dezenas de pessoas e não deixaram rastro algum na formação do português do Brasil, da toponímia brasileira, em nossa literatura. Seu estudo interessa somente a meios altamente especializados. Mestres notáveis como Lemos Barbosa e Frederico Edelweiss passaram, nessa época, a ser muito hostilizados por uma corrente de especialistas bem à americana (isto é, os que sabem cada vez mais sobre cada vez menos), que julgavam o valor de uma pesquisa pelo uso de jargão estruturalista, mesmo que mínimo fosse o conhecimento do léxico das línguas indígenas, que facultasse, por exemplo, ler textos nelas escritos.

Assim, um estudo tão importante para a compreensão da formação do Brasil ficou, em muitos casos, relegado ao mais absoluto amadorismo ou ao mais absoluto desprezo.

SINAIS CONVENCIONAIS

... [...] –   indica texto suprimido nos exemplos ilustrativos transcritos.

= –   significa sinônimo de, com o sentido de.

- • – indica usos específicos de uma palavra em determinados contextos, expressões idiomáticas que a incluam, as lexias compostas estáveis e lexias contextuais, além dos derivados que sistematicamente se formam a partir da afixação.
- * – indica palavra de existência hipotética, isto é, que aparece em composições, mas que não foi usada como morfema independente nos textos históricos. Indica também palavra de língua geral colonial cuja existência é reconhecível na língua portuguesa do Brasil ou na toponímia brasileira, mas não em textos dos primeiros séculos do país.
- (hífen) – o uso do hífen, neste dicionário, é essencialmente didático. Nos textos coloniais ele não era usado. Ele será aqui empregado para que se possam reconhecer os principais elementos mórficos do tupi, para mais fácil compreensão pelos leitores. Às vezes ele será omitido, às vezes será usado com uma mesma palavra.
- /a – indica palavras em forma adjetival, predicativa, que não figuram, assim, como lemas no dicionário, mas, sim, com o sufixo -**a** de sua forma substantiva (ou argumentativa). Assim, ao escrevermos **porang**/a remetemos o consulente a **poranga**, forma que figura como lema (i.e., palavra que abre um verbete).

LETRAS MAIÚSCULAS

Serão escritas no corpo do dicionário com LETRAS MAIÚSCULAS E EM **NEGRITO** as palavras portuguesas que pudemos identificar como sendo de origem tupi, com base na pesquisa em três dicionários: o ***Dicionário Caldas Aulete***, o ***Novo Dicionário Aurélio*** e o ***Pequeno Dicionário Brasileiro da Língua Portuguesa***. Assim, tivemos, a todo momento, a preocupação de mostrar a influência do tupi antigo na formação do português do Brasil. Também figurarão em letras maiúsculas e em negrito os nomes geográficos (topônimos) e os nomes de pessoas (antropônimos) cuja origem tupi for indicada nos verbetes do dicionário. Serão feitas, então, remissões à relação de topônimos e antropônimos que apresentamos no final deste trabalho.

AS PALAVRAS PLURIFORMES

Há, em tupi antigo, palavras que recebem prefixos de relação. Elas aparecerão no vocabulário português-tupi com *t* sem negrito: **toryba** (alegria); **taûsuba** (amor); **tera** (nome) etc. Nessas palavras o *t* não faz parte do tema, mas indica a sua forma absoluta, isto é, sem determinantes. Para encontrá-las no dicionário tupi-português o consulente deverá retirar o prefixo *t*. Nós chamamos essas palavras de *pluriformes*, pois elas, com determinantes, recebem outros prefixos: **r**- (*xe* **roryba** – "minha alegria"); **s**- (*sera* – "nome dele"). Elas figurarão no dicionário com os prefixos entre parênteses: **(t), (t, t), (r, s)** etc., indicando diferentes padrões de combinações desses prefixos com os temas.

ABREVIATURAS UTILIZADAS

absol. – absoluto (a)
AC – Acre
adapt. – adaptado
adj. – adjetivo
adv. – advérbio
afirm. – afirmativa
AL – Alagoas
AM – Amazonas
Amaz. – Amazônia
antrop. – antropônimo
AP – Amapá
astron. – astronomia; astronômico
aument. – aumentativo
BA – Bahia
cach. – cachoeira
CE – Ceará
circunst. – circunstancial
comp. – companhia
compl. – complemento
compos. – composição
condic. – condicional
conj. – conjunção
córr. – córrego
dat. – dativo
dem. – demonstrativo
dem. adj. – demonstrativo adjetival
dem. pron. – demonstrativo pronominal
dem. pron. e adj. – demonstrativo pronominal e adjetival
desus. – desusado
dicion. – dicionário
dimin. – diminutivo
ES – Espírito Santo
etim. – etimologia
etnôn. – etnônimo
excl. – exclusivo
fal. – falando-se
fam. – familiar
fig. – figurado; figurativo
final. – finalidade

fut. – futuro
ger. – gerúndio
GO – Goiás
h. – homem
i.e. – isto é
ig. – igarapé
imper. – imperativo
incl. – inclusivo
indic. – indicativo
interj. – interjeição
interr. – interrogativo; interrogativa
intr. – intransitivo
irreg. – irregular
lit. – literalmente
loc. – locativo
loc. posp. – locução pospositiva
m. – mulher
MA – Maranhão
MG – Minas Gerais
MS – Mato Grosso do Sul
MT – Mato Grosso
N – Norte (do Brasil)
n. vis. – não visível
nasal. – nasalizado(a); nasalização
NE – Nordeste (do Brasil)
neg. – negativa; negativo; negação
neg. interr. – negativa interrogativa
nom. – nominal
nominal. – nominalizador
num. – numeral
ms. – manuscrito
obj. – objeto
onomat. – onomatopaico
ord. – ordinal
p. – pessoa
p. ext. – por extensão
P.B. – português do Brasil
p.ex. – por exemplo
PA – Pará
part. – partícula

part. interr. – partícula interrogativa
PB – Paraíba
PE – Pernambuco
permiss. – permissivo
pess. – pessoal
PI – Piauí
pl. – plural
pop. – popular
port. – portuguesismo; português
posp. – posposição; posposicionado
poss. – possessivo
pp. – pessoas
PR – Paraná
pref. núm.-pess. – prefixo número-pessoal
pron. – pronome
pron. dat. – pronome dativo
pron. tratam. – pronome de tratamento
provav. – provavelmente; provável
recípr. – recíproco
redupl. – reduplicação; reduplicado
ref. – referência; referente
refl. – reflexivo
rel. – relacionado; relativo
rib. – ribeirão
RJ – Rio de Janeiro
RN – Rio Grande do Norte
RO – Rondônia
RR – Roraima
RS – Rio Grande do Sul

S – Sul (do Brasil)
s. – substantivo
SC – Santa Catarina
SE – Sergipe
SE – Sudeste (do Brasil)
sent. – sentido
sing. – singular
SO – Sudoeste (do Brasil)
sinôn. – sinônimo
SP – São Paulo
suf. – sufixo
suj. – sujeito
tb. – também
temp. – temporal
TO – Tocantins
topôn. – topônimo
tr. – transitivo
trat. – tratamento
v. – ver; verbo; verso
v. da 2ª classe – verbo da segunda classe
v. intr. – verbo intransitivo
v. intr. compl. posp. – verbo intransitivo com complemento posposicionado
v. tr. – verbo transitivo
var. – variedade; variante
vis. – visível
voc. – vocativo
vol. – volume

CHAVE DE PRONÚNCIA

Apresentamos, a seguir, os fonemas do tupi antigo, assim como suas variantes, que são os *alofones*, isto é, as diferentes maneiras de se realizarem, sem que isso resulte em diferenças de significado, como ocorre, por exemplo, em *tio*, pronunciado pelos portugueses como **tíu** [tʃw] e por muitos brasileiros como **tchíu** [tʃiw]. Assim, em português, **tch**, no exemplo considerado, é alofone de **t**, i.e., uma realização diferente de um mesmo fonema, que não muda o significado da palavra **tio**.

Os fonemas do tupi antigo são:

VOGAIS

a

Como em português *mala, bala, baú, lata*: **ka'a** – *mata*; **a-karu** – (*eu*) *como*; **taba** – *aldeia*.

e

Com timbre provavelmente aberto, como no português *pé, rapé, pétala*: **ere-ker** – (*tu*) *dormes*; **ixé** – *eu*; **pereba** – *ferida*.

i

Como no português *aí, caqui, dia*, nunca formando ditongo com outras vogais: **itá** – *pedra*; **pirá** – *peixe*; **maíra** – *francês*.

o

Com timbre provavelmente aberto, como no português *avó, pó, farol, nódoa*: **a-só** (leia *assó*) – (*eu*) *vou*; **oka** (leia *óca*) – *casa*.

u

Como no português *usar, tabu, paul*, nunca formando ditongo com outras vogais: **upaba** – *lago*; **sumarã** – *inimigo*; **puká** – *rir*; **a'ub** – *falsamente*.

y

Representaremos com **y** um fonema que não existe no português, mas existe no russo e no romeno. Em transcrições fonéticas, geralmente representa-se por: **ybytyra** [iβɨ'tɨra] – *montanha*; **'y** [ʔɨ] – *água*. É uma vogal média, intermediária entre **u** e **i**, com a língua na posição para **u** e os lábios estendidos para **i**. (Sugestão prática: diga **u** e vá abrindo os lábios até chegar à posição em que você pronuncia **i**.)

Todas as vogais citadas têm suas correspondentes nasais (que são seus alofones):

- ã como no português *maçã, irmã, romã*: **akaûã** – *acauã* (nome de uma ave); **marã** – *mal, maldade*
- ẽ **moka'ẽ** – *moquear, assar como churrasco*; **nha'ẽ** – *prato*
- ĩ **potĩi** – *camarão*; **mirĩ** – *pequeno*
- õ **potyrõ** – *trabalhar em grupo*; **manõ** – *morrer*
- ũ **irũ** – *companheiro*
- ỹ **ybỹîa** – *parte interior, oco, vão*

Consoantes e semivogais

O sinal ' representa a consoante oclusiva glotal, que não existe em português e corresponde ao hamza do árabe. Representa-se no Alfabeto Fonético Internacional por ʔ: **mba'e** [mba'ʔe] – *coisa*; **ka'a** [ka'ʔa] – *mata, floresta*; **kane'õ** [kane'ʔo] – *cansaço*; **'ab** [ʔ'aβ] – *cortar, abrir*; **'aba** [ʔaβa] – *cabelo*. Tal fonema realiza-se com uma pequena interrupção da corrente de ar, seguida por um súbito relaxamento da glote.

b

Pronuncia-se como o **v** do castelhano em *huevo*. É um **b** fricativo e não oclusivo, i.e., para pronunciá-lo, os lábios não se fecham, apenas friccionam-se. Sua representação no Alfabeto Fonético Internacional é β, como em **abá** [a'βa] – *homem*; **ybyrá** [ɨβɨ'ra] – *árvore*; **tobá** [tɔ'βa] – *rosto*.

î

Como a semivogal **i** do português, em *vai, falai, caiar, boia, lei, dói*: **îuká** – *matar*; **îase'o** – *chorar*; **îakaré** – *jacaré*. Às vezes realiza-se em -**nh**-, quando estiver num ambiente nasal, ou como o **j** do português, em início de sílaba, se não houver fonema nasal na mesma palavra: **a-î-ybõ** (leia *aiyβõ*) ou **a-nh-ybõ** (leia *anhyβõ*) – *flecho-o*; **îetyka** (leia *ietyca* ou *jetyca*) – *batata-doce*.

nh

É um alofone de **î** e pronuncia-se como no português *ganhar, banha, rainha*: **kunhã** – *mulher*; **nhan** – *correr*; **nharõ** – *raiva, ferocidade*; **nhandu'î** – *aranha*.

k

Como o **q** ou o **c** do português antes de **a**, **o** ou **u**, como em *casa, colo, querer*: **ker** – *dormir*; **îuká** – *matar*; **paka** – *paca*; **ybaka** – *céu*.

m (ou mb)

Como em português *mar, mel, manto, ambos, samba*: **momorang** – *embelezar*; **mokaba** – *arma de fogo*; **moasy** – *arrepender-se*. Às vezes o **m** muda-se em **mb**, que é um alofone. Em **mb**, o **b** é *oclusivo*, devendo-se encostar os lábios para pronunciá-lo. [**Mb** é uma *consoante nasal oralizada* ou *nasal com distensão oral*: começa nasal (**m**) e termina oral (**b**).]

Ex.: **ma'e** ou **mba'e** – *coisa*; **moby-pe?** ou **mboby-pe?** – *quantos?*

Além de nasalizar a vogal que o precede, o **m** final deve ser sempre pronunciado, i.e., devem-se fechar os lábios no final da pronúncia da palavra, como no inglês *room*: **a-sem** – (*eu*) *saio*.

n (ou nd)

Como no português *nada, nicho, nódoa, andar, indo*: **nupã** – *castigar*; **nem** – *fedorento*; **nong** – *pôr, colocar*. Às vezes o **n** muda-se em **nd**, que é seu alofone. Em **nd** também temos uma consoante nasal oralizada (começa como nasal e termina como oral).

Ex.: **ne** ou **nde** – *tu*   **amã'-ndykyra** – *gotas de chuva*

O **n** final deve ser sempre pronunciado: você deverá estar com a língua nos dentes incisivos superiores ao finalizar a pronúncia da palavra: **nhan** – *correr*; **momaran** – *fazer brigar*.

ng

Como no inglês *thing* – *coisa* ou *sing* – *cantar*. Representa-se no Alfabeto Fonético Internacional por ŋ : **monhang** [mɔñaŋ] – *fazer*; **nhe'eng** [ñɛ'ʔɛŋ] – *falar*.

p

Como no português *pé, porta, pedra*: **potĩ** – *camarão*; **potar** – *querer*; **pepó** – *asa*.

r

É sempre brando, como no português *aranha, Maria, arado*, mesmo no início dos vocábulos: **ro'y** – *frio*; **aruru** – *tristonho*; **paranã** – *mar*; **ryryî** – *tremer*.

s

Sempre soa como no português *Sara, assunto, semana, pedaço* (nunca tem som de **z**): **a-só** (leia *assó*) – *vou*; **sema** – *saída*. Às vezes, após **i** e **î**, o **s** realiza-se como **x** (seu alofone): **i xy** – *mãe dele*; **su'u** – *morder*, **a-î-xu'u** – *mordo-o*.

t

Como em *antena, matar, tato*: **tutyra** – *tio*; **taba** – *aldeia*; **tukura** – *gafanhoto*.

û

Como a semivogal **u** do português em *água, mau, nau, audácia, igual*. Em início de sílaba pode ser pronunciado como **gû**: **ûyrá** ou **gûyrá** – *pássaro*; **ûi-tu** ou **gûi-tu** – *vindo eu*; **ûatá** ou **gûatá** – *caminhar*.

x

Como o **ch** ou o **x** do português em *chácara, chapéu, xereta, feixe*: **ixé** – *eu*; **t-aîxó** – *sogra*; **i xy** – *sua mãe*.

ŷ

Como em **apŷaba** – *homem*, **abŷabo** – *transgredindo* e **kapŷaba** – *casa na roça*.

Observações importantes

Regras sobre as diferentes possibilidades de realização dos fonemas:

1 **m** ou **mb**

n ou **nd**

Quando uma sílaba com as consoantes **m** e **n** for seguida por uma sílaba tônica ou pré-tônica sem fonema nasal, **m** e **n** podem mudar-se em **mb** e **nd**, respectivamente.

Ex.:

temi-'u	ou	**tembi-'u** – *comida*
ma'e	ou	**mba'e** – *coisa*
moasy	ou	**mboasy** – *arrepender-se*
n'a-só-î	ou	**nd'a-só-î** – *não fui*

Em começo de sílabas tônicas sem fonemas nasais e não vindo depois outra sílaba com fonema nasal, **m** e **n** sempre se mudam em **mb** e **nd**, respectivamente.

Ex.:

kam + 'y > **kamby** (e não *kamy*) − *leite* (lit., *líquido de seio*)
nhan + -ara > **nhandara** (e não *nhanara*) − *corredor, o que corre*

2   **y** ou **yg**

Quando uma sílaba terminada em **y** for seguida de outra iniciada por vogal, o **y** pode mudar-se em **yg** (ou seja, a mesma vogal seguida de uma consoante fricativa velar sonora [ɣ], semelhante ao **g** do português, mas não oclusiva como este), de modo a se evitar o hiato.

Ex.:

yara > **ygara** [ɨ'ɣara] − *canoa*
yasaba > **ygasaba** [ɨɣa'saβa] − *talha* (de fazer cauim)

O acento

Todas as palavras terminadas em consoante, em semivogal, em vogal **i**, **u** e **y** ou qualquer vogal nasal **ã, ẽ, ĩ, õ, ũ, ỹ** são oxítonas.

Ex.:

a-gûapyk − (leia *aguapýk*)
karu − (leia *karú*)
r-upi (leia *rupí*)

As formas átonas que incidirem sobre um termo anterior fazem que este mantenha seu acento tônico e, foneticamente, constituem uma só palavra com ele. Tais formas são os sufixos átonos e as ênclises (**-a, -i, -û, -pe, -te, -ne, -mo, -no**), as posposições átonas [**-pe, -i, -bo, -(r)eme, -(r)amo**] e a vogal de ligação **-y-**.

Ex.:

Morubixaba-pe o-só? (leia *Morubixábape ossó?*)
mondó-reme (leia *mondóreme*)
îukáû (leia *iukáu*)
o-ker-y-ne (leia *okéryne*)
'ari (leia *'ári*)
pytun-y-bo (leia *pytúnybo*)

Os sufixos **-(s)ab(a), -pyr(a), -(s)ar(a), -sûar(a)** etc. não terminam em vogal **a**, mas, neles, o **-a** é um outro sufixo. Eles são formas *tônicas*.

Ex.:

gûatasaba − (leia *guatassába*)
i îuká-pyra − (leia *ijukapýra* ou *i iukapýra*)

A vogal que segue uma consoante oclusiva glotal é sempre tônica. Só usaremos acento gráfico após oclusiva glotal em poucos casos (p.ex., com temas verbais formados por uma única vogal que segue uma oclusiva glotal).

Ex.:
so'o (leia *so'ó*)
poti'a (leia *poti'á*)

Usaremos, aqui, o acento agudo com os oxítonos e com os monossílabos tônicos terminados em **a**, **e** e **o**. Acentuaremos também o **i** tônico que não formar ditongo com vogal precedente, às vezes, também o **u** que for hiato tônico, quando isso for necessário para a clareza. Em poucos casos usaremos acento diferencial.

Ex.:
îuká; **kysé**, **mondó**, **é**
o-u – (*ele*) *vem* e **o-ú** – *vindo ele* (neste caso, o acento é diferencial)
a-ín – *estou sentado*
aíb – *ruim*
oúpa – *estando ele deitado*

VOCABULÁRIO PORTUGUÊS-TUPI

É importante lembrar que a fonte da maior parte das palavras tupis que relacionamos a seguir é o *Vocabulário na Língua Brasílica*, do Padre Leonardo do Valle (dado por muito tempo como anônimo). Essa obra é do início do século XVII, quando o tupi já penetrara meios urbanos e já era falado por colonos europeus ou de origem europeia e por escravos de origem africana. Assim, termos para designar fatos naturais e culturais não indígenas foram criados, geralmente composições descritivas. É o caso, por exemplo, de **'ybarema** (*alho*, planta não nativa), cuja etimologia é *fruto fedorento*.

É, assim, o universo físico e cultural do Brasil seiscentista que vislumbramos a seguir e não a realidade de índios isolados e sem contato com a civilização.

A

abacaxi – **naná**
abaixar – **mogûeîyb**
abaixar-se – **îeaŷbyk**
abaixo (de) – **gûyri, gûyrype**
abalar – **mongué**
abanar (o fogo) – **peîu**
abandonar – **eîar (s)**
abano (para o fogo) – **tatapekûaba**
abarrotar – **esemõ (s)**
abater – **monguî**
abatido – **abangab**
abdômen – **tygé**
abelha – **eíra; eiruba; eirasy;** (variedades): **eirapu'a, eirusu, îate'i, aîbu, amanasãîa, eîru, kapûerusu** etc.
abençoar – **mongaraíb**
abertura – **îaîa; puka (mb)**
abóbora – **îurumũ**
aborrecer – **mopytubar**
aborto – **akyrara**
abraçar – **aîuban**
abrasar – **apy (s)**
abrigar – **mo'ang**
abrigo – (no mato): **taîupara, 'anga**; (para barcos ou navios, abrigada): **'anga**
abrir – **'ab; pirar**
absolutamente (= de modo algum) – **angá**
absolutamente! (= não! de modo algum!) – **erimã!**
abundância – **tesemõ; tynysema; tyba**
acabado (= findo, concluído) – **aûîé**
acabar – (intr.): **pab**; (tr.): **moaûîé; mondyk; mombab**
acalmar – **monhyrõ; nongatu**
acalmar-se – **putusok** # rel. a vento: **pyk**
acariciar – **momorang**
acaso – **p'ipó?; serã?**
aceitar – **mboryb; pysyrõ**[4]
acenar – **îepoeîtyk**
acender – (o fogo): **mondyk**; (a luz): **moendy**
achar – **gûasem; basem**
achatado – **peb**
achatar – **mombeb**
acidez – **taîa**
ácido – **aî (r, s)**
acima (de) – **sosé**
açoitar – **nupã**
acolher – **pysyrõ**[4]
acomodar-se – **by'ar**
aconselhar – **ekomonhang (s)**

acontecer – **por (xe)**
acordado – **pak** # jazer acordado: **îubé**
acordar – (intr.): **pak**; (tr.): **mombak**
acostumar-se – **ikó / ekó (t)**
acreditar (em) – **erobîar**
acudir – **openhan**[2] **(s)**
acusar – **mombe'u**
adiantar-se – **kuabĩ**
admiração – **putupaba (mb)**
admirado – **putupab**
admirar-se – **putupab (xe)**
adoecer – **mara'ar (xe)**
adorar – **moeté**
adormecer – (intr.): **ker**; (tr.): **monger**
adornar – **moîegûak; moporang**
adornar-se – **îegûak**
adultério – **agûasá**
adulto – **teburusu**
adversário – **tupîara**
afamado – **i moerapûanymbyra** (v. moerapûan)
afamar (= tornar famoso) – **moerapûan**
afastado – **i pe'apyra** (v. pe'a)
afastar – **eîyî (s); pe'a; pe'arung; moîepe'a**
afastar-se – **syryk; tyryk; îeîyî**
afável – **îerekûab**
afazeres – **tekó**
afiado – **aembé (r, s)**
afiar – **aembe'e (s)**
afinal – **ko'yté**
aflição – **tekotebẽ; marana; moreaûsuba**
afligir-se – **ikotebẽ / ekotebẽ (t)**
aflito – **'angekoaíb; maran; moreaûsub**
afrouxar – **mongué**
afugentar – **monhegûasem**
afundar – (tr.): **pumĩ**; (intr.): **nhepumĩ**
agarrar – **pysyk**
agasalhar (= hospedar) – **mombytá**
ágil – **ara'a**
agir – **ikó / ekó (t)**
agitado – **ara'a**
agitar – **mongué**
agitar-se – **îemosusun; îepubur; îereb; nhemongué; amaran (xe)**
agora – **ko'yr** # agora mesmo: **ko'yré**
agouro – **morangygûana** # fazer agouros: **anong (s)**
agradar – **moapysyk**
agradável – **aysó; matueté; porambyrambyk**
agradecer – **kugûab**
agredir – **epenhan (s)**
agressão – **porepenhana (m)**
água – **'y; ty**[2]

aguado – **'a'y**
aguar – **ypyî (s)**
aguardar – **arõ (s)**
aguçar – **aembe'e (s)**; **apûapin (s)**; **moapûá²**; **moapûaobyr**; **mobyr²**
agudo – **apûá (r, s)**
aguentar – **porará**
ah! – **mã!**
ah! oh! (como que entendendo algo ou lembrando-se disso) – **to!**
aí – **a'epe**; **ebapó**
ai! (de dor, desgosto ou irritação – de h.) – **akaî**; **akaîgûá**; **teté**; (de m.): **akaîgûé**; **akaîguy**
ainda – **abé**; **bé** # ainda bem que: **îá**; **iîá muru**; (na neg.): **ranhẽ**
aipim – **aîpĩ**
ajudante – **pytybõana (m)** (v. **pytybõ**)
ajudar – **pytybõ**
ajuntamento – **tyba**
ajuntar – **irumõ**; **moîerobyk**; **moîese'ar**; **mono'ong**
ajuntar-se – **no'ong**; **nhemondysyk**; **nheŷnhang²**
alaranjado – **pytang**
alargar – **moatã²** # alargar as bordas de: **oba'ok (s)**
alargar-se – **îoba'u**
alcançar – **upytyk (s)**
alçar – **upir (s)**
alcoviteiro – **manhana**
aldeia – **taba**
alegrar – **moesãî**; **mooryb**
alegrar-se – **îemooryb**
alegre – **esãî (r, s)**; **oryb (r, s)**
alegria – **toryba**; **tesãîa**
aleijado (adj.) – **asyk**
além – **amõngoty, amõ**
algo – **mba'e**; **mba'e amõ**
algodão – **amynyîu**; **amyniîu**
alguém – **abá**; **amõ abá**
algum (s, a, as) – **amõ**
alho – **'ybarema**
alhures (= mais para lá, para longe, em outra parte) – **amõngoty**
ali – (n. vis.): **akûeîpe, a'epe**; (vis.): **ãme**; **ûĩme**
aliado – **îekotŷara**
alimentar – **poî (-îo-)**
alimento – **tembi'u**; **i 'upyra**
alisar – **mosym**
alma – **'anga** # alma fora do corpo: **'angûera**
almoçar – **karu**
almofada – **akangupaba**
almofariz – **unguá**
altibaixos – **asura**

alto – (fal. de pessoas): **puku**; (rel. a coisas ou lugares): **ybaté** # para o alto, para as alturas; às alturas, ao alto: **ybaté**
aluno (i.e., o que é ensinado por alguém) – **temimbo'e**
amado – **saûsupyra** [v. **aûsub (s)**]
amadurecer (intr.) – **aîub (xe)**
amaldiçoar – **momburu**
amamentar – **mokambu**
amanhã – **oîrã**; **oîrandé**
amanhecer – **ko'em (xe)**
amansar – **mombub**; **momby'ar**; **nongatu**
amante – **agûasá**
amar – **aûsub (s)**; **amotar**
amarelar – **moîub**
amarelo (s.) – **îuba**
amarelo (adj.) – **îub**
amargo – **rob**
amargor – **roba**
amarrar – **apytĩ** # amarrar pelas mãos: **popûar**
amassar – **sok**
ambos – **mokõîbé**
ameaça – **angagûaba** (v. **anga'o**)
ameaçar – **momburu**; **anga'o**; **momboî**
amedrontar – **mosykyîé**
amendoim – **mandubi**
amigo – **temiaûsuba**; **taûsupara**
amizade – **poraûsuba (m)**; **îoaûsuba**
amolecer – **membek**; **mombub**
amontoado – **atyra**; **tapûá**
amontoar – **moatyr**
amor – **taûsuba**; **îoaûsuba** # amor erótico: **poropotara (m)**
andar – **gûatá** # andar com; fazer andar consigo: **erogûatá**
andorinha – **taperá**; **myîu'i**
anguloso – **pem**
angústia – **tekotebẽ**
angustiar-se – **ekotebẽ (r, s) (xe)**
animal – (quadrúpede): **so'o**; (doméstico): **mimbaba**; **temimbaba**
anjo – **apŷabebé**; **karaibebé**
ano – **akaîu**; **ro'y**
anoitecer – **pytun (xe)**
anta – **tapi'ira**
antecessor – **tenondeara**
anteontem – **kûesé kûesé**
antepassado – **tamŷîpagûama**
antes (adv.) – **ranhẽ**; (antes de): **e'ymebé**; **enondé (r, s)**; **îanondé**
antigamente – **akûeîme**; **erimba'e**; **kûesenhe'ym**; **raka'e**
antigo – **umûan**

antropofagia – **poru**
antropófago – **poru**
anunciar – **eronhe'eng; mombe'u**
ânus – **teîkûara**
anzol – **pindá**
aonde? – **mamõpe?**
apagado – **gûeb**
apagar – (intr.): **gûeb**; (tr.): **mogûeb**
apalpar – **abyky**
apanhar – **ekyî (s); pysyk**
aparar – **etab (s); pin (-îo-)**
aparecer – **obasem (r, s); îekugûab**
apartar – **pe'a**
apartar-se – **îepe'a**
apavorar – **mosykyîé**
apaziguar – **monhyrõ**
apedrejar – **api**
apenas (= tão somente) – **sãî**
aperfeiçoar – **moaûîekatu**
apertar – **pyk (-îo-)**
apesar (de) – **îepé**
apodrecer – **tuîuk**
apoiar – **kok (-îo-)**
apoiar-se – **îekok**
após – **riré; roîré; ré** # logo após, logo depois de: **bé**
aposento – **koty**
apreciar – **momorang**
aprender – **nhembo'e**
aprendiz (adj.) – **nhembo'e**
apressadamente – **anhẽ**
apressado – **anhẽ (r, s)**
apressar – **moanhẽ**
apressar-se – **apûan (xe)**
aprisionar – **pysyk**
aproximar-se – **syk; kakar; erobyk; erosyk**
aquecer – **moakub; pé (-îo-)**
aquele (s, a, as) – (vis.): **kûeî; ûî**; (n. vis.): **a'e; aîpó; akó; akûeî**
aqui – **iké; ké** # por aqui, para cá: **kybõ**; os daqui, os habitantes daqui: **kybõygûara; keygûara**
aquietar – **moarybé; nongatu**
aquietar-se – **arybé (xe); pyk**
aquilo – (n. vis.): **a'e; aîpó; akó; akûeîa**; (vis.): **kûeîa**
ar – **'ara**
aranha – **nhandu'ĩ**
arar – **yby'ab**
arco – **ybyrapara**
arco-íris – **îy'yba**
arder (= queimar) – **kaî**
ardido – **taî**

árduo – **aíb**
areia – **ybyku'i**
argola – **apỹîa; apynha**
arisco – **tyryk**
arma – **popesûara (m)** # arma de fogo: **pokaba (m); pororokaba (m)**
armação – **ytá; kanga**
armadilha – **koty** # armadilha que tomba com peso ou estalando: **mundé**
arpoar – **kutuk**
arquear (para cima) – **kandab**
arraia – **îabebyra**
arrancar – **'ok (-îo-)**
arranhar – **karãî**
arranjar – **rung** (tr. irr.)
arrastar – **ekyî (s)**
arrastar-se – **syryryk**
arrebatar – **ekyî (s)**
arrebentar (tr.) – **mombuk; mobok**
arrebentar-se – **puk; pok; bok**
arredondar – **moamandab** # deixar esférico: **moapu'a**
arremessar – **ityk / eîtyk(a) (t)**
arrepender-se – **moasy**
arrependimento – **moasy**
arrepiar-se – **nhemoatyrá**
arrepio – **tyrá**
arrotar – **eú (xe)**
arruinar – **moangaîpab; moingotebẽ; momoxy**
articulação – (dos membros): **îeapasaba**; (dos dedos): **pûapendaba (m)**
árvore – **ybyrá**
asa – **pepó (mb)**
aspereza – **korõîa**
aspergir – **ypyî (s); epyî (s)**
aspergir-se – **îeypyî**
áspero – **korõî**
assado – (s.): **mixyra**; (adj.): **mixyr**
assaltar (= fazer ataque) – **pu'am**
assalto (= ataque) – **pu'ama (m)**
assar (na brasa) – **esyr (s)**
assassinar – **apiti**
assassino – **poroapitîara (m)** (v. **apiti**)
assento – **apykaba**
assim – (= desta maneira aqui): **nã**; (= dessa maneira aí): **emonã** # assim que: **upibé (r, s)**
assoar-se (o nariz) – **nheambubok**
assustar – **mosykyîé; mondyî**
atacar – (tr.): **epenhan (s)**; (intr.): **pu'am**
ataque – **tepenhandaba; pu'ama**
atar – **tĩ, apytĩ** # atar as mãos a: **popûar**
atenção – (dar atenção): **îeapysaká**; (atenção!): **tîaté!**

atentar – **îeapysaká**
atirar – **ityk / eîtyk(a) (t)**
atolamento – **pykûaba**
atolar-se – **pykûab (xe)**
atoleiro – **tuîuka**
atrair – **momotar** # atrair com iscas: **monharõ**
atrair-se – **nhemomotar**
atrás (de) – **atuaî; akypûeri (r, s)**
atrasar – **moabaíb**
através (de) – **upi (r, s)**
atravessar – **asab (s)**
audácia – **kyre'ymbaba**
audaz – **kyre'ymbab**
aumentar – **irumõ**
autêntico – **eté (r, s)**
avareza – **tekoate'yma**
avaro – **ekoate'ym (r, s)**
ave – **gûyrá**
avermelhado – **pytang**
avermelhar-se (= tingir-se de vermelho) – **îemopyrang**
avesso – **py (mb)**
avisar – **momorandub** # avisar para reunião, para guerra: **amanaîé**
avó – **aryîa**
avô – **tamũîa; tamỹîa**
avós (= os antepassados) – **tamũîa; tamỹîa**
axila – **îybagûyra**
azar – **panema**
azarento – **panem**
azedo – **aî (r, s)**
azia – **pusu'umukaîa**
azul (adj.) – **oby (r, s); obyeté (r, s)**

B

baba – **tendysyryka**
babar – **endysyryk (r, s) (xe)**
bacia – **(e)nha'ẽ (r, s); nha'ẽ**
baço – **peré**
bafo – **timbora**
bagre – (variedades): **îundi'a, pirá-akãmuku, kuri** etc.
baía – **kûá**
bailar – **poraseî**
bainha – **uru (r, s)**
baixar (intr.) – **gûeîyb**
baixar (tr.) – **mogûeîyb**
baixo (rel. a som ou voz) – **mbegûé**
baixo (rel. a pessoa) – **mirĩ**
balançar – (tr.): **moîatimung**; (intr.): **atimung**
baleia – **pirapu'ama**
bambu – **takûara**

banana – **pakoba**
banco – **apykapuku**
bando – **te'yîa**
banhar – **moîasuk**
banquete (antropofágico) – **pepyra (m)**
barata – **arabé**
barba – **tendybaaba**
barco – **ygara**
barragem (para pesca) – **pari**
barriga – **tygé**
barro – **nhau'uma** # barro branco: **tobatinga**; barro vermelho ou amarelo: **tagûá**
barulhento – **pu; sunung**
barulho – **pu (mb); sununga**
base – **ypy; aŷpy**
bastante – **eté; katu; katutenhẽ**
bastar – **apysyk (xe)** # basta!: **aûîé!**
batalha – **marana; marãtekó**
batata-doce – **îetyka**
batedor (de pilão) – **unguá**
bater – (intr.): **pûar**; (tr.): **pan; sok (-îo-)**; # bater com mão espalmada: **petek**
batizar – **erok (s); mongaraíb**
batizar-se – **îerok**
bêbado – **sabeypora; kagûara**
bebedeira – **ka'u**
beber – **'u (v. tr. irr.)** # beber cauim: **ka'u**; beber água: **'y'u**
beberrão – **kagûara**
beiço (inferior) – **tembé**
beija-flor – (variedades): **gûaînumby; gûarasyaba** etc.
beijar – **pyter**
beiju – **mbeîu**
beira – **tembe'yba**
beleza – **poranga (m)**
beliscar – **pixam**
belo – **porang**
bem (adv.) – **katu; katutenhẽ** # bem feito!: **îamuru!**
benzer – **obasab (s)**
bens – **mba'e**
benzer-se – **îobasab**
berne – **ura**
besouro – (variedades): **mangangá, unaúna** etc.
bexiga – **tyuru**
bica (d'água) – **'ytororoma**
bicar – **pixam**
bicho – v. animal
bico – **tĩ**
bigode – **amotaba**
biscoito (indígena) – **miapé**

bispo – **abaregûasu**
boca – **îuru**
bocejar – **îeîurupirar**
bochecha – **tetobapé**
bofetada – **îoatypeteka**
boi – **tapi'irusu**
boiar – **bebuî**
bola – **apu'a; i moapu'apyra** (v. **moapu'a**)
bolha – **piru'a; kuruba** # bolha de ar na água: **kamambu**
bolor – **tygynõ**
bolorento – **ygynõ (r, s)**
bolota – **kuruba**
bolsa – **aîó**
bom – **angaturam; katu; marangatu**
bondade – **angaturama**
bondoso – **angaturam; marangatu**
bonito – **porang**
boquiaberto – **iurupukĩ**
borboleta – **panama**
borbotar – **bur; bubur**
borda – **tembé; tembe'yba**
borrachudo – **pi'ũ**
borrifar – **epyî (s)**
botar – v. **pôr**
boto – **pukusĩ**
braço – **îybá**
bradar – **sapukaî**
branco – **ting** # homem branco, civilizado: **karaíba**
brancura – **tinga**
brando – **pub**
brandura – **puba**
branquear – **moting**
brasa – **tatapynha**
bravo – **nharõ**
brejo – **uparana**
brevemente – **koromõ**
briga – **nhoepenhana**
brigar – **akab** (v. tr.)
brilhante – **berab**
brilhar – **berab**
brilho – **beraba**
brincadeira – **nhemosaraîa**
brincar – **nhemosaraî**
brotar – **enhũî (xe)**
broto – **amykyra**
bulir – **mỹî**
buraco – **kûara; puka (mb)**
buscar – **ekar (s)**
buzina (= cornetim indígena) – **îombyá**
búzio – (variedades): **gûatapy, sakurá, kupasy** etc.

C

cabeça – **akanga**
cabelo – **'aba**
cabo – **'yba**
caça – **so'o**
caçada – **îeporakasaba** (v. **îeporakar**)
caçador – **ka'amondoara; ka'abondûara**
cação – **sucuri**
cacarejar – **nhe'eng**
cachimbo – **petymbûaba**
cacho – **taryba**
cachoeira – **ytu**
cacique – **morubixaba; tubixaba**[1]
cada – **îabi'õ**
cadáver – **te'õmbûera**
cadeia – **mundeoka**
cadeira – **apykaba**
cair – **'ar; kuî** # cair com: **ero'ar**
caixa – **karamemûã**
cajá – **akaîá**
caju – **akaîu**
calado – **kyrirĩ**
calar-se – **nhe'endok; nhemokyrirĩ; pyk**
calcanhar – **pytá (mb)** # no calcanhar: **pytáî**
caldo – **ty**[2]**; typûera**
calo – **piru'a (mb)**
calor – **takuba**
calvo – **'akuîa; 'apytekuîa; 'apytereba**
cama – **kesaba; inimbeba**
camarão – **potĩ**
caminhada – **gûatá**
caminhante – **atara; ogûataba'e** (v. **gûatá**)
caminhar – **gûatá**
caminho – (em relação a quem passa por ele): (a)**pé (r, s)**; (em relação ao lugar aonde ele leva): **piara (mb)**
campo – **nhũ** # campo de batalha: **maranaba** (v. **marana**[2])
cana-de-açúcar – **takûare'ẽ**
canal (para apanhar peixes) – **pari**
cana-ubá – **u'ubá**
canavial – **takûare'ẽndyba**
canela (parte do corpo) – **tymãkanga**
canindé – **kanindé**
canoa – **ygara**
cansaço – **kane'õ; pûeraîa (mb)**
cansado – **kane'õ; pûeraî**
cansar – **mokane'õ**
cansar-se – **kane'õ (xe)**
cantar – **nhe'engar;** (a ave): **nhe'eng**
canto (da casa etc.) – **koty**
canto – **nhe'engara;** (de ave): **nhe'enga**

Eduardo Navarro XXXV

cão – **îagûara; îagûamimbaba**
capão (= ilha de mata) – **ka'apa'ũ**
capim – **kapi'ĩ**
capivara – **kapibara**
capturar – **îar / ar(a) (t, t); pysyk**
cara – **tobá**
cará (var. de peixe) – **akará**
caracol – **urugûá**
caranguejo – (variedades): **usá, gûanhumĩ, aratu** etc.
carapinha – **akangapixa'ĩ**
carga – **posyîa**
carícia (sensual) – **nhomomoranga**
carnaúba – **karana'yba**
carne – **to'o**; (de caça): **so'o**
caroço – **kuruba; ta'ynha**
carrancudo – **esakûarasy (r, s)**
carregar (= pôr carga em) – **mombosyî**
carta – **papera** (port.); **kûatiara**
carvão – **tatapynha**
casa – **oka (r, s)** # casa na roça: **kapŷaba**
casado (s.) – **mendara**
casamento – **mendara**
casar (tr.) – **momendar**
casar-se – **mendar**
casca – **apé; pé; pepûera; pira**
cascavel (= var. de cobra) – **mboîsininga**
casco – **pé; apé**
caspa (da cabeça) – **'apiku'i**
caspa (do corpo, carepa) – **piku'i**
castanha (de caju) – **akaîu-'akaîá; akaîutĩ**
castigar – **nupã**
catinga – **katinga**
cativar – **momiaûsub**
cauda – **tûaîa**
cauim – **kaûĩ**
cauinar (= beber cauim) – **ka'u**
caule – **'yba**
cavar – **ybykoî (s)**
caverna – **ybykûarusu**
cedo – **esapy'a**
cego – (adj.): **ró; esab (r, s)**; (s.): **abaesaba**
cegueira – **tesaúna**
célebre – **erapûan (r, s)**
celestial – **ybakygûar**
centopeia – **ambu'a**
centro – (de coisa esférica): **apytera**; (de coisa plana): **pytera** # no centro de, no meio de (coisa plana): **pyteri**
cera – **iraîty**
cerca – **ka'aysá; ybyrá**
cercado – **tokaîa**
cercar – **aman; pîar (-îo-)**

certamente – **anhẽ; aûîeté; ipó; nipó; anheté; anhẽ serã**
certeiro – **pûakatu**
cessar – (tr.): **mombyk**; (intr.): **pyk**
cessar (de) – **po'ir**
cesto – **uru (r, s); panakũ** # cesto de taquara com tampa: **karamemûã**
céu – **ybaka** # habitante do céu: **ybakygûara**
chama – **tataendy**
chamar – **enõî (s)** # chamar para reunião: **amanaîé²**
chamuscar – **apek (s)**
chamusco – **pixé**
chão – **yby**
chapéu – **akangaoba**
charco – **'yno'onga**
chato – **peb (v. peba)**
chefe – **tubixaba¹; morubixaba**
chegada – **sykaba (v. syk¹)**
chegar – **syk**; (chegar com): **erobasem**; (por mar ou por rio): **îepotar**; (por terra): **syk, gûasem** # chega!: **aûîé!**
cheio – **ynysem (r, t)**
cheirar – (intr.) – (cheirar bem): **yapûan (r, s) (xe)**; (cheirar mal): **yapûanusu (r, s) (xe)**; (tr.) # sentir o cheiro de: **etun (s)**
cheiro – (cheiro bom): **tyapûana**; (cheiro de peixe): **pyti'u**; (cheiro de mofo): **tygynõ**; (cheiro de urina): **taby'aka**; (cheiro mau, bodum): **katinga**
cheiroso – **yapûan (r, s)**
chifre – **'aka**
choça – **tapyîa, tapuîa**
chocalho – **maraká**
chocar (intr.) – **îoupi'aerub**
chorar – **îase'o**
choro – **îase'o**
choupana – **tapyîa, tapuîa**
chover – **kyr**
chupar – **pyter**; (os doentes, para arrancar-lhes a doença): **suban**
chuva – **amana**
cidade – **tabusu**
cigarra – **îakyrana**
cilada – **koty**
cintura – **ku'a** # na cintura: **ku'aî**
cinza (de fogo) – **tanimbuka**
cio – **tygûyrõ**
cipó – **ysypó**
circular – **amandab**
círculo – **amandaba**
cisco – **yty**
ciúme – **tygûyrõ** # ter ciúme: **mondar**

clara (de ovo) – **tupi'atinga**
claro – **ting**
coalhado – **ypy'ak (r, t)**
coar – **mogûab**
cobertura – **aso'îaba**
cobra – **mboîa, moîa**
cobrir – **aso'i**
cocar – **akangatara**
coçar – **e'ỹî (s)**
cócegas (fazer) – **pokirik; mokyxyk**
cochilar – **kerar**
coco – **inaîagûasu**
coelho – **tapiti**
cogumelo – (variedades): **karapuku; urupé** etc.
coisa – **mba'e, ma'e**
coitado (adj.) – **poreaûsub**
colar[1] (v.) – **moîepotar**
colar[2] (s.) – **po'yra (m)**
colega – **tapixara**
colher[1] (de pau) – **ybyrapesẽ**
colher[2] (v.) – **yky; po'o**
colocar – **moín; mondeb; nong (-îo-)**
com – (de companhia): **esebé (r, s); ndi; ndibé; esé (r, s); irũnamo; irũmo**; (instrumental): **pupé**
combate – **marana**
começar – **ypy; ypyrung**
começo – **ypyrunga, ypyrungaba** (v. **ypyrung**)
comer – (tr.): **'u**; (intr.): **karu** # comer gente: **poru**
comida – **tembi'u; i 'upyra** (v. **'u**)
comilão – **karu**
como – (de comparação): **îá; îabé**; (= na condição de): **-(r)amo** # como... assim também; assim como... assim também: **îabé... îabé**
como? – **marã îabépe? marãpe? marãngatupe?**
cômodo – **koty**
compadecer-se (de) – **aûsubar (s)**
compadre – **atûasaba**
compaixão – **poraûsubara (m)**
companheiro – **atûasaba; irũ**
completar – **mopor; moaûîé**
comprido – **puku**
compromisso – **tekó**
concepção – **nhemonhangaba** (v. **nhemonhang**)
concha – **apé; itã**
concluído – **aûîé**
concluir – **mondyk**
conclusão – **mondykaba; sykaba** (v. **syk**[1])
concórdia – **îoaûsuba**
concubinato – **agûasá**
concubino (a) – **agûasá**

conduzir – **erasó**
confessar – **mombe'u**
confiar – **îerobîar**
conforme – **upi (r, s)**
confundir – **erekorekó; moapaîugûá; moapatynã; monan; apamonan; mombe'uabaíb; mbo'eaíb**
confuso – **abaíb** (v. **abaíba**)
conhecedor – **kuapara** (v. **kuab**)
conhecer – **kuab**
conhecido – **kuabypyr** (v. **kuab**)
conhecimento – **tekokugûaba**
cônjuge – **me'engaba**
consentir – **moryb, mboryb**
consertar – **mongaturõ, mongatyrõ**
consolar – **moapysyk**
consolar-se – **apysyk (xe)**
contar – **mombe'u** # contar número ou quantidade: **papar**
conteúdo – **pora**
continuar – (intr.): **îepotabẽ**; (tr.): **moîepotabẽ**
continuidade – **îepotabẽ**
contra – **supé**
contrário (adj.) – **obaîar (r, s)**
convencer – **moîesuer**
conversa – **nhomongetá, îomongetá**
conversar (com) – **mongetá**
converter – **erobak**
convidar – **so'o**
convocar (para guerra ou reunião) – **amanaîé**
copular (= ter relações sexuais) – **ikó / ekó (t)**
coqueiro – **inaîagûasu**
coração – **nhy'ã; py'a**
coragem – **pyatã (mb); tekoeté**
corajoso – **kyre'ymbab; pyatã; ekoeté (r, s)**
corda – **sama** # corda para o sacrifício ritual, para amarrar o prisioneiro que será morto: **musurana**
corpo – **teté**[1]
correr – **nhan**
corrida – **nhana**
corrigir – **enonhen**
cortado – **asyk** (v. **asyka**)
cortar – **'ab; mondok**; (com instrumento cortante): **kytĩ**
coruja – (variedades): **kaburé; îakurutu; suîndara** etc.
costa (de mar, de rio) – **'y rembe'yba**
costas – **aseîa; atukupé; kupé** # às costas: **aseî**; de costas – **o atukupé pyterybo**
costela – **arukanga**
costume – **tekoaba**
costumeiramente – **îaby; amẽ**

cotia – **akuti**
cotovelo – **tendybangã; puraké**
couro – **so'oragûera**
cova – **kûara; ybykûara**
covardia – **abangaba; panema (m); membeka**
covarde – **abangab; panem; membek**
covo – **îeke'a**
coxa – **uba**
coxo – **parĩ**
cozer – **moîyb**
cozido – **mimõî** [v. **(e)mimõîa**]
cozinhar – **moîyb**
crânio – **akangapé**
crença – **terobîara**
crepúsculo – **'are'yma**
crer (em) – **erobîar**
crescer – **kakuab**
crespo – **apixa'ĩ**
cria – **mimbaba**
criado – **mimbûaîa; boîá**
criança – **pitanga (m)**
criar – **mongakuab**
cristão – **karaíba**
crosta – **pé**
cru – **pyr** (v. **pyra**)
cruz – **ybyrá-îoasaba; kurusá; îoasaba**
cruzar – **asab (s)**
cuia – **kuîa; kuîeté**
cuidado – **tesaetá**
cuidar – **angerekó; nhemosaînan**
cume – **apyra**
cumeeira – **îapyrytá**
cumprir – **mopor**
cunha – **kasaba**
cupim – **kupi'ĩ**
curado – **pûerab**
curandeiro – **posanongara (m)** (v. **posanong**)
curar – **mombûerab; posanong**
curral – **tokaîa**
curto – **akyta'ĩ; apûa'ĩ**
curvar – **apar**
curvar-se – **îeaŷbyk; nhemoapyr**
cuspir – (tr.): **mun (-îo-); endy;** (intr.): **nhenomum**
cutucar – **kutuk; pekãî**

D

daí – **ebanõî**
dali – **ebanõî**
dança – **poraseîa (m)**
dançar – **poraseî**
dar – **me'eng**

de (rel. a origem, a procedência) – **suí**
debaixo (de) – **gûyri; gûyrype**
debulhar – **yky**
decididamente – **ipó**
declarar – **mombe'u**
dedo – (da mão): **pûã (m);** (do pé): **pysã (m);** (dedo indicador): **pobe'engaba (m)**
defecar – **poti / epoti; ka'apîasó; ka'ab**
defender – **pîar (-îo-)**
defensor – **pysyrõana** (v. **pysyrõ**)
defumar – **motimbor**
deixar – **eîar (s)** # deixar de: **po'ir**
deleitar – **moapysyk**
delgado – **po'ĩ**
demônio – **anhanga; îurupari; tagûaíba**
demoradamente – **puku**
demorar – **ikopuku / ekopuku (t)**
denso – **anam** (v. **anama**)
dentada – **tãîbora**
dente – **tãîa, tanha**
dentro (de) – **pupé**
denunciar – **kuaukar**
depois (de) – **riré, iré** # depois disso: **a'e riré**
depressa – **korite'ĩ; taûîé**
derramar – **en (-nho-s-)**
derramar-se – **nheen**
derreter – **moyku**
derrotar – **moaûîé**
derrubar – **mo'ar; ityk / eîtyk(a) (t)**
desafiar – **momburu**
desaparecer – **kanhem**
descalçar-se – **îepyaobok**
descansar – **putu'u**
descanso – **putu'u**
descarregar – **enosem**
descascar – **pe'ok; pin (-îo-)**
descer – **gûeîyb** # descer com; fazer descer consigo: **erogûeîyb**
descida (de morro) – **teroapy'ambaba**
descobrir – **aso'îabok**
desconhecido – **kuabypyre'ym** (v. **kuab**)
descrever – **mombe'u**
desde – **abé; bé**
desejar – **potar**
desejo – **temimotara;** (sensual): **poropotara (m)**
desembarcar – (intr.): **pear;** (tr.): **enosem**
desenhar – **kûatiar**
desenrolar – **rab**
deserto – **tabe'yma**
desgraça – **poxy (m)**
desgrudar-se – **'ir**
desimpedido – **aîereb** (v. **aîereba**)

desinchar – **rurunhyng**
desistir – **apor (xe)**
desligar – **rab (-îo-)**
deslizar – **syryk**
desmaiar – **e'õ'ar (r, s) (xe); nhemote'õ'ar; manõaíb**
desmanchar-se – **apakuî**
desobedecer – **momarã**
desonestidade – **poxy (m)**
desonrar – **motĩbyk**
despedir – **mosem**
despejar – **en (-nho-s-); ekoabok; porok**
desperdiçar – **mombukab**
despertar – (intr.): **pak**; (tr.): **mombak**
despido – **ikatupe**
despir – **aobok**
despovoado – **tabe'ym** (v. **tabe'yma**)
desprender-se – **'ir**
desprezar – **eroŷrõ**
desprezível – **aíb** (v. **aíba**)
destampar – **aso'îabok**
desterrar – **pe'a**
destilar – **mondykyr**
destruído – **tygûer** (v. **tygûera**)
destruir – **mombab; mondyk**
desviar – **eîyî (s)**
detentor – **îara**
deter (= parar, retardar) – **mombytá; mombuku**
deterioração – **poxy (m)**
detestar – **eroŷrõ; amotare'ym**
Deus – **Tupã**
devagar – **mbegûé** # devagarinho: **mbegûé-mbegûé**
devolver – **moîebyr; eroîebyr; me'engyîeby**
devorar – **'u**
dia – **'ara**
diabo – **anhanga; îurupari**
diante (de) – **obaké (r, s)**
dianteira (= vanguarda) – **tĩapyra**
diarreia – **teîkûarugûy**
difamar – **îuru'ar (xe)**
diferenciar (= tornar diferente) – **moingoé**
diferir (= ser diferente) – **ikoé / ekoé (t)**
difícil – **abaíb** (v. **abaíba**)
dificultar – **moabaíb**
dilatar – **oba'ok (s)**
dilúvio – **'yporu**
dinheiro – **itaîuba**
direita – **'ekatûaba** # à direita de: **'ekatûaba koty**
dirigir (embarcação) – **ebikok (s)**
discípulo – **boîá; temimbo'e**

discutir – **apore'ym (xe)**
dispersar – **mosasãî**
distinguir – **moingoé**
dito (o que alguém diz) – **'esaba; 'îaba** (v. **'i / 'é**)
diversos – **amõaé; amõ amõ**
divertir-se – **nhemosaraî**
dividir – **mbo'ir; moîa'ok**
dizer – **'i / 'é**
doador – **me'engara** (v. **me'eng**)
doar – **me'eng**
dobrar – **moapyr; moakaar; apapûar**
doce – **e'ẽ (r, s)**
doença – **mara'ara; mba'easy**
doente – (s.): **mara'ara; mba'easybora**; (adj.): **mara'ar; mba'easybor**
doer – **asy (r, s) (xe)**
doido (s.) – **'angaingaíba**
dois (duas) – **mokõî**
dolorido – **asy (r, s)**
dono – **îara**
dor – **tasy**
doravante – **angiré; ko'yré**
dormir – **ker** # dormir com; fazer dormir consigo: **eroker**
duramente – **atã (r, s)**
durante – **pukuî; remebé**
durar – **ikopuku / ekopuku (t)**
dureza – **tatã**
duro – **atã (r, s)**
dúvida – **akasanga**
duvidoso – **akasang**

E

eco – **'anga**
efetivamente – **nhẽ**
eia! (= vamos!) – **ene'ĩ! enẽ!**
eis (que) – **kó; ikó; akó; iã; ã**
eixo – **agûeá**[2]
ele (s, a, as) – **a'e; ahẽ; i** # para ele: **i xupé**
elegante – **matueté**
elevado – **ybaté**
elevar-se – **îeupir** # elevar-se com; fazer elevar-se consigo: **eroîeupir**
em – (rel. a lugar): **-pe; -i; pupé**; (rel. a tempo): **esé (r, s)**
emagrecer – **nhemoangaîbar**
embaixo (de) – (ponto preciso): **gûyri; gûyrype**; (sentido difuso): **gûyrybo**
embarcar – **'ar**
embebedar – **mondabeypor**
embebedar-se – **sabeypor**
embelezar – **momorang; moporang**

embora (= apesar de que) – îepé; aûîebé-te; tiruã
embranquecer (tr.) – moting
embriagar – mondabeypor
embrulhar – pokek
emendar-se – nhenonhen
emergir – bur
emigrar – îeakasó
empalidecer – obaîub (r, s) (xe)
empanturrado – ebykatã (r, s)
empanturrar – moebykatã
empapar – moruru
emparelhado – amỹî
emplumar – amongy (s)
empobrecer – mondyabor
empoeirado – tubyr (v. tubyra); yî (v. yîa)
emprestar – poruukar
empurrar – moanhan
enaltecer – momba'eté; momorang
encalhar (navio) – îar
encaroçado – apaîugûá; apatynã
encaroçar (tr.) – moapaîugûá
enchente (do mar) – 'yura
encher – mopor; porakar; moynysem
encobrir – kuakub
encolher-se – nheỹnhang # encolher-se (o pano): ponhea'ĩ
encolhido (pano) – ponhea'ĩ
encomendar – pûaî (-îo-)
encontrar – gûasem; basem; obaîtĩ (s)
encostar – kok (-îo-)
encostar-se – îekok
encosto – kokaba
encruzilhada (do caminho) – pe-îoasapaba
encurralar – moîar
encurtar – apûapyk; mombeb; eỹnhang² (s); moapûa'ĩ
encurvado – apar (v. apara)
encurvar – apar
endireitar – aparok
endurecer – moatã
enfeiar – moaíb
enfeitar – moîegûak
enfeitar-se – îegûak
enfeite – posanga (m)
enfeixar – man (-îo-); moapytam
enfiar – mondeb
enfileirar – moysyrung
enfim – irõ; te; ko'yté
enforcar – îubyk
enfraquecer – (intr.): membek; tumbek; (tr.): moatãe'ym; mopopyatambab
enfrentar (= fazer frente) – pytá

enfurecer-se – maramotar (xe); sapukaî²
enganar – erekomemûã; moaby
engano – tekomemûã
engolir – mokong
engordar – (intr.): nhemongyrá; (tr.): mongyrá
engrandecer (= tornar grande) – moeburusu
engravidar – momburu'a
engrossar – mopungá
enjoar (tr.) – moting
enjoativo – ting (v. tinga)
enjoo – tesagûyryba
enlameado – u'um (r, s) [v. u'uma (r, s)]
enojar-se – îegûaru
enorme – tubixab (v. tubixaba)
enquanto – remebé; pukuî
enraivecer – moabaîté
enraivecer-se – nhemoŷrõ², îemoŷrõ²
enrolar – maman; apûapyk; mopokyrirĩ
enroscar-se – îekundab; îeapapûar
enrugado – apixa'ĩ
ensanguentado – ugûy (r, s) [v. ugûy (t)]
enseada – kûá
ensinamento – mbo'esaba
ensinar – mbo'e
ensopado (s.) – mindypyrõ; temindypyrõ
ensurdecer – moapysakûaîe'o
entalhe – nhã; anhã²
então – ra'e; (= por ocasião disso): a'e-reme
enteado (a) – temirekó-membyra
entender – kuab; tekokuab; moang; py'arĩ
entendimento – 'ara; tekokuaba
enterrar – tym (-îo-)
entornar – (intr.): ẽ; (tr.): en (-îo-s-)
entorpecente (para peixes) – tingy; timbó
entortar – apar; moapẽ
entrada – teîké
entranhas – ybynha, bỹîa
entrar – iké / eîké (t) # entrar com; fazer entrar consigo: eroîké
entre (prep.) – pa'ũme
entregar – me'eng
entregar-se – nheme'eng
entristecer (tr.) – moingotebẽ
entristecer-se – nhemoingotebẽ
entupir (tr.) – 'o (-îo-)
envelhecer – kakuab¹; nhemoaíb³
envelhecido – aíb (v. aíba); tuîba'e
envergonhado – mara'ar (v. mara'ara)
envergonhar – momara'ar; motĩ
envergonhar-se – tĩ
enviado – mimondó; paresara; temimondó
enviar – mondó
envoltório – ubandaba

envolver – **aman; uban; pokek**
enxada – **syra**
enxergar – **epîak (s)**
enxugar – **monga'ẽ; mokang**
enxuto – **aku'i; kang** (v. **kanga**); **aku'ixa'ĩ**[1]; **ka'ẽ**
erguer – **mopu'am; upir (s)**
erguer-se – **byr**
erguido – **byr**
ermo (= desértico) – **tabe'ym** (v. **tabe'yma**)
erradamente – **a'ub**
errar – **ikomemûã; aby**
erva – **ka'a**
esbofetear – **petek**
esburacado – **puk; pupuk; kûar** (v. **kûara**)
escama – **pé**
escandalizar – **moŷrõ; erekomemûã**
escandalizar-se – **îemoŷrõ**[2]
escarrar – **nhenomun; u'u (xe)**
escola – **nhembo'esaba**
escolher – **katu'ok**
esconder – **kuakub; mim (-îo-)**
esconder-se – **nhemim**
escondido – **nhemim** # às escondidas: **nhemim**
escorar – **kok (-îo-)**
escorregadio – **sym** (v. **syma**); **syryk**
escorregar – **syryk**
escorrer (um líquido) – **syryk**
escovar – **abyky**[1]
escravizar – **momiaûsub**
escravo – **temiaûsuba; miaûsuba; tapy'yîa**
escrever – **kûatiar**
escurecer – (intr.): **nhemopytun**; (tr.): **mopytun**
escuridão – **putumimbyka; putuna; putunusu**
escuro – **un (r, s)** [v. **una (t)**]; **pytun** (v. **pytuna**)
escutar – **endub (s)**
esforçar-se – **nhemoaîu; îeîukaaíb; nhemopyatã; kane'õ (xe); nhemoatã**[1]
esfregar – **kytyk**
esfriar – **moro'y**
engasgar (tr.) – **pytym**
esgotado – **pab** (v. **paba**); **kane'õ**
esgotar (bebida ou conteúdo de vasilha) – **moapy**
esmagar – **kumirik**
esmurrar – **atyká**
espalhar – **mosãî; mosasãî**
espantado – **putupab** (v. **putupaba**)
espantar – **mondyî**
espelho – **arugûá**
esperança – **îerobîasaba**
esperar – **ambé** (só se emprega na 2ª p. s. do imper.: **eambé!** – espera!); **arõ (s)**

espetar – **kutuk**
espia – **manhana**
espiar – **manhan**
espiga – **tara**
espinha – (de peixe): **kanga**; (da pele): **kuruba**
espinho – **îu; îuatĩ**
espionagem – **manhana**
espirrar – **atîam (xe)**
espirro – **atîama**
esposa – **temirekó**
esposo – **mena**
espreguiçar-se – **îepoká**
espremedor (de massa de mandioca) – **tepiti**
espremer – **amĩ**
espuma – **tyîuîa**
esquecer-se – **esaraî (r, s) (xe)**
esquecimento – **tesaraîa**
esquentar – **moakub; pé (-îo-)**
esquentar-se – **îepe'e**
esquerda (s.) – **asu**
esse (s, a, as) – (vis.): **ûĩ; ebokûeî; ebokûé; ebokûea; eboûî; eboûing; eboûîba'e; eboûinga**; (n. vis.): **a'e; aîpó; akó; akûeî**
estalar (intr.) – **pok; puruk; tirik**
estar – **ikó / ekó; kûab; kub** # estar com; fazer estar consigo: **erokub; erekó**; estar de pé: **'am**; estar deitado: **îub / ub(a) (t, t)**; estar deitado com: **erub**; estar em movimento: **ikó / ekó (t)**; estar presente: **ikobé / ekobé (t)**; estar sentado, parado, quieto: **in / en(a) (t)**
este (s, a, as) – **ã; kó; ang; ikó**
esteio – **okytá**
estender – **poekyî; pysó; moatã; pirar**
estender-se – **nhemoatã**[2]
esterco – **tepoti**
estéril (mulher, fêmea) – **membyre'yma**
estimar – **amotar; aûsub (s)**
estirar – **moatã**
estirar-se – **nhemoatã; îepysó**
estourar – (tr.): **mobok**; (intr.): **pok**
estouro – **poka (m)**
estrada – **(a)pé (r, s)**
estragado – **aíb** (v. **aíba**)
estragar (tr.) – **moangaîpab; momoxy; moaíb; erekomemûã; moaikatu**
estrago – **poxy (m); paba (mb); erekomemûã- saba (t)** (v. **erekomemûã**)
estrangeiro – **maíra; atara; mamõygûaraé** # estrangeiro louro: **aîuruîuba**
estrela – **îasytatá**
estremecer – (intr.): **syî; tumung; tytyk**; (tr.): **mondyî; mopiring; motumung**
esvaziar – **porok; mboapy**

eternamente – **aûîeramanhẽ**
eu – **ixé; xe**
excitação – **piringa; ara'a**; (excitação sexual): **tegûyrõ; aninga**[2]
excitar – **kapyrok; moaning; mopyring; pokyram**
experimentar – **a'ang (s)**
expulsar – **mombor**
extinto – **pûer**
extremidade – **tapûá; apyra**

F

faca – **kysé**
faísca – **piririka (m)**
fala – **nhe'enga**
falador – **nhe'engixûera**
falar – **nhe'eng**
falhar – **rambûer**
falsamente – **a'ub; tenhẽ**
falsidade – **a'uba**
falso – **a'ub** (v. **a'uba**); **memûã**
faltar – **mopanem; gûatar; por**
fama – **terapûana**
família – **anama; ta'yra**
faminto – **ambyasy**
famoso – **erapûan (r, s)** [v. **erapûana (t)**]
fantasia – **a'uba**
farelo – **ku'i**
farinha – **u'i** # farinha mole, farinha-d'água, farinha puba, feita de certo gênero de mandioca, o *aipim*, amolecido em água durante vários dias: **u'i-puba**
farpa – **arupare'aka**
fartar – **moapysyk**
fartar-se – **apysyk (xe)**
farto – **apysyk** (v. **apysyka**)
fava – **komandagûasu**
fazedor – **monhangara** (v. **monhang**)
fazer – **apó; monhang; ikó / ekó (t)**
febre – **takuba; akanunduka**
febril – **akanunduk** (v. **akanunduka**)
fechar – **moîar; 'o (-îo-)** # fechar com tranca: **mopotãî**; fechar a porta de: **okendab (s)**
feder – **nem (xe); kating (xe)**
fedor – **nema; katinga**
fedorento – **nem** (v. **nema**); **rem** (v. **rema**); **kating** (v. **katinga**)
feijão – **komandamirĩ**
feio – **poxy**
feiticeiro – **paîé (m)**
feitiço – **posanga (m)**
feiura – **poxy (m)**

feixe – **mana**
fel – **py'aûpîara**
felicidade – **toryba; torypaba** [v. **oryba (t)**]; **tekokatu**
feliz – **oryb (r, s)** [v. **oryba (t)**]
fenda – **puka (mb)**
fender – (intr.): **puk**; (tr.): **mobok**
fender-se – **bok** # fender-se em muitas partes: **bobok**
feriado – **'areté**
ferida – **pereba (m)**
ferir – **apixab; mopereb**
feroz – **poroîukaíb** (v. **poroîukaíba**); **kagûaíb** (v. **kagûaíba**); **marãmotar** (v. **marãmotara**); **nharõ**[1]
ferro – **itá**
ferrugem – **tepoti**
ferver – (tr.): **mopupur**; (intr.): **pupur**
festa (ritual de comer e beber) – **pepyra (m); nhemosaraîa**
festejar – **momorang**
fezes – **(e)poti (r, s)**
fiar (= fazer fios) – **poban**
fibra – **pó; tabiîu**
fibroso – **aîu (r, s); îyk** (v. **îyka**)
ficar – **pytá**
fígado – **py'a (mb)**
fila – **tysy**
fileira – **tysy**
filha (de h.) – **taîyra**
filho (de h.) – **ta'yra**
filho (a) (em relação à mãe) – **membyra**
filhote (macho em relação ao pai) – **ta'yra**
filhote (fêmea em relação ao pai) – **taîyra**
filhote (em relação à fêmea) – **membyra**
fim – **paba; papaba; sykaba**
finalmente – **té; ko'yté**
fincar – **atyká**
fingidamente – **a'ub**
fingido – **a'ub; memûã;** (nas palavras): **nhe'engyrygûan(a)**
fingir – **mo'ang; mo'anga'ub; moran**
fio – **(e)nimbó (r, s)**
firmar – **moten**
firme – **atã (r, s); ten**
firmeza – **tatã**
fixar – **moten**
flauta – **mimby**
flecha – **u'uba (r, s)** # flecha incendiária: **tatá-u'uba**
flechado – **u'ubor/a**
flechar – **ybõ**
flor – **potyra (mb); 'ybotyra**

florescer – **potyr (xe)**
floresta – **ka'a**
florido – **potyr** [v. **potyra (mb)**]
focinho – **tĩ**
fogão – **tataupaba**
fogo – **tatá**
foice – **îyapara**
fojo (armadilha para animais) – **ye'ẽ**
fôlego – **pytu (m)**
folha – **toba; ka'a**
fome – **ambyasy; matĩaré**
fonte – **nhãîa**
fora – **kûepe; mamõ**
forasteiro – **mamõygûara; atara**
força – **tatãngatu**
formiga – (variedades): **tasyba; ysá, akekẽ; arará, guaîu** etc.
formoso – **aysó**
formosura – **aysó; poranga**
forno – **tapŷaba** # forno de fazer farinha: **nha'ẽpesẽ**[2]; **nha'ẽpyúna**
francês – **maíra**
frente – **teseîa; tenondé**[2]; **tobaîa** # na frente de: **eseî (r, s); obaî (r, s); obaké (r, s)**
frequentar (= visitar frequentemente) – **apekó (s)**
frequentemente – **îaby; py'i**
frio (s. e adj.) – **ro'y**
fritar – **moxyryryk**
frito – **i moxyryrykypyr** (v. **moxyryryk**)
fronteira – **tatobapy**
frouxo – **kué; membek** (v. **membeka**)
frustrar – **morambûer**
frustrar-se – **rambûer (xe)**
fruta – **'ybá**
fruto – **'ybá**
fugido – **kanhem; îabab**
fugir – **îabab; nheguasem; kanhem** # fugir com; fazer fugir consigo: **eroîabab**
fugitivo – **kanhembara; kanhembora; îabapara**
fumaça – **tatatinga; timbora**
fumar – **petymbu**
fumegar – **timbor**
fumo (= tabaco) – **petyma**
fundo (= parte inferior) – **gûyra; typy**
furado – **kûar** (v. **kûara**)
furar – **kutuk; mombuk**
furar-se – **puk**
fúria – **marãmotara**
furioso – **marãmotar** (v. **marãmotara**)
furo – **puka (mb); kûara**
furtar – **mondá (xe); mondarõ**[2]
furto – **mondá; mondarõ**[3]
futuramente – **irã; mirã**
futuro (adj.) – **ram**

G

gado – **so'omimbaba**
gafanhoto – **tukura**
gago – **nhe'ẽrueru; nhe'engaíba**
gaguejar – **nhe'ẽrueru (xe)**
gaiola – **tokaîa**
gaivota – (variedades): **aty; gûakagûasu** etc.
galho – **takã; takãpyra**
galinha – **gûyrasapukaîa**
galo – **gûyrasapukaîa**
gambá – **sarigûeîa**
gancho – **tyãîa**
garça – **gûyratinga**
garganta – **aseoka**
gastar – **mombab; mongûy**
gastar-se – **îarok; îearok; apakuî**
gato-do-mato – **marakaîá**
gavião – (variedades): **tagûató; karakará** etc.
geada – **amanarypy'aka; ro'y-îukyra**
gema (de ovo) – **apyteîuba**
gêmeo – **kõîa; kõîgûera**
gemer – **poasem (xe)**
gemido – **poasema (m)**
gengiva – **tãîbyra**
gente – pref. **poro-** # a gente: **asé**
geração – **îeapyká; nhemonhangaba**
gerar – **poromonhang**
girar – (intr.): **îereb; îatiman;** (tr.): **moîereb**
goela – **aseoka**
golpear – **petek; apixab**
gordo – **kyrá**
gordura – **kaba** # gordura fora do corpo: **kagûera**
gostoso – **é (r, s)**
gota – **tykyra**
governar – **ekomonhang (s)**
gozar – **îekosub**
gozo – **morypaba** (v. **mboryb**)
grande – **eburusu (r, s);** sufixos **-usu, -ûasu, -gûasu**
grandemente – **nãetenhẽ**
grandeza – **teburusu**
granizo – **amanybá**
grão – **kuruba; ta'ỹnha**
grávida – **puru'a (m)**
grelha – **îurá; moka'ẽ**
grenha – **'abebó**
grilo – **kyîu**

gritar – **asem (r, s) (xe); sapukaî**
grito – **tasema** # grito de guerra: **posema (m)**
grosso – **poanam**/a; **anam**/a
grudar – (tr.): **moîar**; (intr.): **nhemoîar; pomong (xe)**
grude – **monga**
guarda – **morerekoara**
guardar – **arõ (s); erekó**
guardião – **tarõana; terekoara**
guerra – **marana; gûarinĩ** # ir à guerra: **gûarinĩ-namo só**
guerreiro – **gûarinĩ; kyre'ymbaba**
guia – **'yba**
guiar – **pokok; pekuabe'eng; erekó**
gula – **mba'e'ueteeté**
guloso – **karu**

H

hábil – **pokarugûar**/a
habitante – **pora; tekoara**
hábito – **tekoaba**
habitualmente (= de costume) – **amẽ**
hálito – **pytu (mb)**
haver – **i tyb** (impessoal: há, havia); **ikó / ekó (t); ikobé / ekobé (t)**
hoje – (rel. ao tempo que ainda não chegou): **kori**; (rel. ao tempo já passado): **oîeí; îeí**
homem – (índio): **abá; apŷaba**; (negro): **tapy'yîuna**; (branco): **karaíba**; (em oposição a mulher): **apŷaba; abá**; (em oposição a animal bruto): **abá**
honrado – **abaeté; eté (r, s)**
honrar – **moeté; momba'eté; moangaturam**
horta – **mityma; temityma**
hospedar – **mombytá**
humilde – **nherane'ym**/a
humilhar – **momboreaûsub**
humilhar-se – **nhemomboreaûsub**

I

ida – **só**
idioma – **nhe'enga**
ignorância – **tekokuabe'yma**
ignorante – **tekokuabe'ym**/a
igreja – **tupãoka**
igual (a; igualha) – **nungara**
igualar – (tr.): **moîoîab**; (intr.): **îakatu**
igualar-se (= ser igual) – **îakatu**
ilha – **'ypa'ũ**
iluminar – **esapé (s); moendy**
imagem – **ta'angaba**

imaginar – **mo'ang**
imediatamente – **aûnhenhẽ**
imenso – **ubixab**/a **(r, s); katupabé; matueté**
imigrar – **îeakasó**
imitar – **a'ang (s)**
impedimento – **tarûaba**
impedir – **aru (s); moarûab**
importunar – **moaîu**
imprestável – **panem**/a
inchaço – **ruru; pungá**
inchar – (tr.): **mopungá; moruru**; (intr.): **pungá (xe); ruru (xe)**
inclinação – **apy'ama**
inclinado – **apy'am**/a
inclinar – **moapy'am**
inclinar-se – (para saudar): **îeroky**; (inclinar-se a cabeça): **îeaŷbyk**
incomodar – **moaîu**
índia – **kunhã**
indicar – **kuabe'eng**
indignar-se – **îemoŷrõ**
índio – (em oposição ao africano ou ao branco europeu): **abá**; (índio livre; índio da mata): **apŷaba**
infeliz – **poreaûsub**/a; **panem**/a
inferno – **anhanga ratá**
informar – **momorandub**
ingerir (comida, bebida, fumo) – **'u** (v. tr. irr.)
inglês – **aîuruîuba**
íngreme – **abaíb**/a
-inho (suf. dimin.) – **-'i; -'ĩ**
iniciar – **ypyrung; ypy**
início – **ypy; ypyrunga**
inimigo – **amotare'ymbara; tupîara**; (inimigo de uma nação indígena, pertencente a grupo diferente, considerado hostil): **tobaîara**[1]; (inimigo pessoal): **sumarã**
injuriar – **a'o; erekoaíb**
injustamente – **tenhẽ**
injustiça – **tekomemûã**
inocente (s.) – **marãtekoarûere'yma**
insistir – **îeîukaíb; apore'ym; apysá**[2] **(xe)**
instruir – **motekokuab**
inteiramente – **gûetépe**
intenção – **tekopotasaba**
intercalar – **monhopa'ũmondoar; moîoparab; mopa'ũ**
interessar-se – **nhemoryryî; putupab (xe)**
interior (s.) – **py (mb); ybŷîa**
interrogar – **porandub**
interromper – **mopa'ũ**
intervalo – **pa'ũ; nhopa'ũ**
intestino – **tygeapûá**

introduzir – **moingé**
inútil – **panem**/a
invejar (tr.) – **moasy**
inverno – **ro'y**
invocar – **enõî (s); ekyî (s)**
ir – **só**
ira – **nhemoŷrõ**
irar – **moŷrõ; moabaeté**[1]
irmã – (mais nova de m.): **pyky'yra (m)**; (mais velha de m.): **tykera**; (de h.): **tendyra**
irmão – (de m.): **kybyra**; (mais moço de h.): **tybyra**; (mais velho de h.): **tyke'yra**
irritar – **irarõ; monharõ**
isca – **potaba (m)**
isso – **a'e; akó; ûĩ; aîpó; eboûinga**

J

já – (= logo): **ra'a**; (rel. ao passado): **umã**
jabuticaba – **îabutikaba**
jacaré – **îakaré**
jangada – **ygapeba**
jato – **tororõma**
jazer – **îub / ub(a) (t, t)**
jazida – **tyba**
jejuar – **îekuakub**
jejum – **îekuakupaba**
jiboia – **îyboîa**
joelho – **tendypy'ã** # de joelhos: **endypyãe'ybo**
jogar (= lançar fora) – **ityk / eîtyk(a) (t)**
jorro – **tororõma**
juízo – **tekokuaba**
julgar – **ekomonhang (s)**
juntamente – **abé; esebé (r, s)**
juntar – **mono'ong; eŷnhang (s); irumõ; moîepotar**
juntar-se – **nheŷnhang; îese'ar; îerobyk; îepotar**
junto (de, a) – **supé; pé; pyri**
juntura – **îepotasaba**

L

lá – (vis.): **ebapó; ûĩme**; (n. vis.): **akûeîpe; a'epe**
lábio – (inferior): **tembé**; (superior): **apûã**
laçar – **îurar**
laço – **îusana**
ladrão – **mondá; abá-mondá**
lagarto – (variedades): **teîu; teîugûasu; teîunhana; senemby; karapopeba; ameresyma; ameîuá** etc.
lago – **upaba**
lagoa – **upaba; 'yno'onga**
lágrima – **tesa'y**
lama – **tuîuka; u'uma (r, s); ybyu'uma**
lamaçal – **tuîukusu**
lamacento – **tuîuk**/a; **u'um**/a **(r, s)**
lamber – **ereb (s)**
lambuzar – **mong**
lamentar – **eroîase'o; apirõ (s)**
lampreia – **karamuru**
lança – **mimbuku; itamina**
lançar – **ityk / eîtyk(a) (t); mombor**
largar – **mondó**
largo – **popeb**/a; **obeb**/a **(r, s); py**
largura – **popeba; peba; tobeba**
latir – **nhe'eng**
lavar – **eî (-îo-s-); moîasuk**; (lavar roupa, batendo): **patuká**
lavoura – **kopisaba, kó; 'ybapaara**
lebre (do mato) – **tapiti**
legítimo – **eté (r, s)**
lei – **tekó**
leite – **kamby**
leito – **tupaba**
lembrança – **ma'enduasaba (v. ma'enduar)**
lembrar (tr. = fazer lembrar-se) – **moma'enduar**
lembrar-se – **ma'enduar (xe)**
lêndea – **kyba'yra**
lenha – **îepe'aba**
lentamente – **mbegûé**
lento – **mbegûé**
lepra – **piraíba (m); piryty (m)**
leproso – **piraíb**/a
levantado – **byr**
levantar – **mopu'am; upir (s)**
levantar-se – **byr**
levar – **erasó**
leve – **bebuî**/a
libertar – **pysyrõ**
ligeiro – **apûan**/a
limite – **yby'îaba; sykaba**
limo – **'ygûá**
limpar – **syb (-îo-); kytyngok; tybyrok**
limpo – **katu**; (fal. de campo, de trilha etc.): **asym; pe'yb**/a
língua – **apekũ**; (= idioma): **nhe'enga**
linha – (linha grossa): **inimbó**; (linha de pescar): **pindasama**; (linha fina de pescar): **gûe'esama**
líquido – **ty**[2]; **tyku**
liso – **sym**/a
listra – **piriana (m)**
listrado (ao comprido) – **pirian**/a
livrar – **pysyrõ**
lixo – **yty**

lobo-guará – **agûaragûasu**
logo – **aûnhenhẽ**; **korite'ĩ**; **koromõ**; **sapy'a**; **taûîé** # logo após, logo depois de: **abé**; logo então: **a'ebé**; logo mais: **koromõ**
lombada – **asura**; **kandura**
lombriga – **sapoaîobaîa**; **teîkûatatina**
longe – **kûepe**; **mamõ**
longo – **puku**
louco – **angaingaíba**
louva-a-deus – **ka'aîara**
louvar – **mombe'ukatu**
lua – **îasy**
luar – **îasyendy**
lugar – suf. **-sab**(a), **-ab**(a)
luta – **marãtekó**
lutar – **marãmonhang**
luxúria – **poropotara (m)**
luz – (do dia): **'ara**; (luz de fogo, das estrelas etc.): **tendy**
luzir – **endy (r, s) (xe)**

M

macaco – (variedades): **ka'i**; **gûariba**; **mbyryki**; **sagûi**; **akyky** etc.
machado – **îy**
macho – **sakûaîmba'e**
machucar – **apatuká**; **patuká** # machucar a cabeça de: **'apirungá**
macio – **pub**/a
madeira – **ybyrá**
madrasta – **sy'yra**
madrugada – **ka'amutuma** # de madrugada: **ka'amutumo**
maduro – (fal. de fruto): **'aîub**/a; **apaîé**; **'apub**/a
mãe – **sy**; **a'i**; (voc.: mãe!): **a'i**!
magro – **angaîbar**/a
mais – **abé**; **bé**; **bé-no**; **abé-no**; **benhẽ**
mal¹ (s.) – **marã**
mal² (adv.) – **aíb**/a; **memûã**
mal-cheiroso – **ygynõ (r, s)**
maldade – **tekopoxy**; **marã**; **angaîpaba**; **poxy (m)**
maldição! (interj.) – **erĩ**!
maldito – **muru**; **moxy**
maldizer – **momburu**
maltratar – **apypyk**; **erekomemûã**
mamar – **kambu**
manar – **'ẽ**; **'em** # manar em borbotões: **bur**
mancha – **pinima**; **paraba**
manchado – **parab**/a; **pinim**/a
manco – **parĩ**
mandar¹ (= ordenar) – **pûaî**; **ukar**

mandar² (= fazer ir) – **mondó**
mandioca – **mandi'oka**
maneta – (s.): **asyka**; (adj.): **asyk**
mangue – **gûapara'yba**; **sere'yba**
manhã – **ko'ema** # de manhã – **ko'ẽme**
manso – **by'ar**; **nherane'ym**/a
mantimento – **i 'upyra** (v. **'u**)
manto (de penas) – **aso'îaba**
mão – **pó (mb)** # mão direita: **'ekatûaba**
mar – **paranã**
maracá – **maraká**
maracujá – **murukuîá**
maravilhado – **putupab**/a
maravilhar – **angerasó**
marca – **îekuapaba**; (marca de pancada, de facada, de dentada): **pora**
maré – **'yura** # maré descendente, maré baixa: **'ysyryka**
margem – **tembé**; **tembe'yba**
marido – **mena**
mas – **a'e**; **-te**
máscara – **tobara'angaba**
mastigar – **su'u**; **su'u-su'u**
mata – **ka'a**
matador – **îukasara** (v. **îuká**)
matança – **îoapiti**; **paba (mb)**; **porapiti (m)**
matar – **îuká**
mato – **ka'a**
mau – **aíb**/a; **memûã**; **poxy**; **angaîpab**/a
me (pron. pess. obj.) – **xe, ixé**
mediano – **boîá**²
medicar – **posanong**
médico – **poroposanongara (m)**
medida – **ta'angaba**
médio – **boîá**; **boîakatu**
medir – **a'ang (s)**
medo – **sykyîé**; **sykyîéba**; (ter medo): **sykyîé**
medonho – **abaîté**
meio – **ku'a**; **agûé**; (meio de coisa esférica): **apytera**; (meio de coisa plana): **pytera**
mel – **eíra**; **tyapira**
melancia – **'ybae'ẽ**; **anhumatiroba**
melancolia – **pytubara (m)**; **karukasy**; **aruru**
melancólico – **pytubar**/a; **karukasy**; **aruru**
melhorar (da dor, da doença etc.) – **arybé (xe)**
menina – **kunhataĩ**
menino – **kunumĩ**
mensageiro – **paresara**; **mimondó**; **temimondó**
mentir – **(e)mo'em (r, s) (xe)**
mentira – **(e)mo'ema (r, s)**
mentiroso – **temo'emiîara**
mergulhar – (intr.): **nheapumĩ**; **nhepumĩ**; (tr.): **pumĩ**; **'apiramõ**

mesmo – **aé**; é # nem mesmo: **tiruã**
mesquinho – **a'ub**/a
metade – **ku'a**
metal – **itá**
meu (s), minha (s) – **xe**
mexer – **pukuî**
mexerico – **mba'epûera**
mexer-se – **mỹî**
miar – **nhe'eng**
migalha – **kurubipûera**
milho – **abati**
mim – **ixé, xe** # para mim: **ixébe, xebe**
mingau – **minga'u**
miserável – **poreaûsub**/a; **tyabor**/a
miséria – **poreaûsuba (m); tyabora**
miçanga – **po'yra (m)**
misturar – **monan; moapatynã; moîese'ar; moîoparab; momemûã; apamonan**
moça – **kunhãmuku** # mocinha (de doze a quinze anos): **kunhãmuku'ĩ**
moço – **kunumĩgûasu**
modéstia – **kunusãî**
modesto – **kunusãî**/a
modificar – **ekoabok (s)**
moer – **mongu'i**
mofado – **ygynõ (r, s)**
mofo – **tygynõ**
moita – **ka'apûanama**
mole – **pub**/a; **membek**/a
molhado – **akym**/a
molhar – **moakym**
molhar-se – **nhemoakym**
montanha – **ybytyra**
moquear (= assar sobre uma grelha) – **moka'ẽ**
moquém – **moka'ẽ**
morada – **tekoaba**
morador – **tapiîara; tekoara; suf. -ygûar(a)**
morar – **ikó / ekó (t)**
morcego – **andyrá**
morder – **su'u**
moreno (adj.) – **pytang**/a
morno – **akubaíb**/a **(r, s)**
morrer – **îekyî; manõ / e'õ (t)** # morrer com; fazer morrer consigo: **eromanõ**
morro – **ybytyra**
mortandade – **paba (mb)**
morte – **te'õ**
mosca – (variedades): **meru; mberuoby; îetinga; mutukusu** etc.
mosquito – (variedades): **îati'ũ; marigûi; nhetingaruru**
mostrar – **kuame'eng; kuabe'eng**
mover – **momỹî**

mover-se – **mỹî**
mudar (tr.) – **ekoabok (s); ekobîarõ (s)**
mudar-se (de aldeia, de terra) – **îeakasó; sem**
mudo – **nhe'enge'ym**/a
mugir – **nhe'eng**
muitíssimos (as) – **katupabẽ**
muito (adv.) – **eté; tekatu; katutenhẽ**
muitos – **e'yî (r, s); etá (r, s)**
mulher – **kunhã**
multidão – **te'yîa**
multiplicar – **irumõ; moetá; moîo'ar**
mundo – **'ara**
murchar – (intr.): **nhynhyng**; (tr.): **monhynhyng**
murcho – **nhynhyng**/a
murmurar – **nhe'engaíb (xe); îuru'ar (xe)**
música – **nhe'engara**
músico – **nhe'engasara**

N

nação – **anama**
nada – **na mba'e ruã**; (na neg.): **mba'e**
nadar – **'ytab**
nádega – **tebira**
namorada – **kunhã'yba**
namorado – **aba'yba**
não – **aan; aani; na... -i; na... ruã; umẽ**; (referente a um fato futuro): **aan umẽ-ne**
nariz – **tĩ**
narrar – **mombe'u**
nascentes (de águas) – **'yapyra**
nascer – **'ar**[1]
nascimento – **'araba** (v. **'ar**[1])
nata (do leite) – **kaba**[2]
navalha – **marupá**
navio – **ygarusu**
neblina – **ybytinga**
necessidade – **tekotebẽ**
negar – **kuakub**
negro – (adj.): **un**/a **(r, s)**; (s.): **tapy'yîuna**
neném – **pitangĩ**
nervo – **taîyka**
neto (a) – (de h.): **temiminõ**; (de m.): **tembiarirõ**
névoa – **ybytinga**
nevoeiro – **ybytinga**
ninguém – **na abá ruã**; (na neg.): **abá**
ninho – **tayty**
nó – **kytã; tesakytã; pokytã**
noite – **pytuna** # às noites, pelas noites, todas as noites, de noite: **pytunybo**; a noite toda, toda a noite: **pysaré**
noivo (a) – **me'engaba**

nojento – **poxy**
nojo – **îegûaru**; (ter nojo): **îegûaru**
nome – **tera**
nomear – **enõî (s)**
nora – (de h.): **ta'yraty**; (de m.): **membyraty**
nós – **oré** (excl.); **îandé** (incl.) # a nós: **orébe**; **orébo** (excl.); **îandébe**; **îandébo** (incl.)
nos (pron. pess. obj.) – **oré** (excl.); **îandé** (incl.)
nosso (s, a, as) – **oré** (excl.); **îandé** (incl.)
notícia – **nhomongakugûaba**; **poranduba (m)**
novamente – **abé**; **bé**; **-no**
novidade – **poranduba (m)**
novo – **pysasu** # de novo: **bé**; **benhẽ**
nu – **ikatupe**
nuca – **atuá**
número – **papasaba**
numerosos – **e'yî/a (r, s)**; **etá (r, s)**; **ypyó**
nunca – **aan**
nuvem – **ybatinga**; **ybytinga**

O

obedecer – **apîar (s)**
obra – **temimonhanga**; **marãtekoaba**
obrigar – **ukar**
obstáculo – **tarûaba**
obter – **îekosub**
oceano – **paranãgûasu**
ociosidade – **tekotenhẽ**
ocioso – **ekotenhẽ (r, s)**
oco – (s.) **ybỹîa**; (adj.): **ybỹî/a**
ocultar – **kuakub**
ocultar-se – **îekuakub**
odiar – **amotare'ym**; **eroŷrõ**
ódio – **amotare'yma**
oeste – **kûarasy reîkeaba**
ofegante – **aŷbu**
ofegar – **aŷbu (xe)**
ofender – **erekomemûã**
ofender-se – **nhemoasy**
oferecer – **kuabe'eng**; **erekûab**
oferenda – **îetanongaba**
oh! (interj.) – **mã!**; (de h.): **gûé!**; **gûy!** (de m.): **îu!**; **îó!**
óleo – **îandy**
olhar – **ma'ẽ**
olheira – **tesagûyrumbyka**
olho – **tesá**
ombro – **ati'yba**
onça – **îagûara**; **îagûareté**
onda – **ygapenunga (r, t)**
onde? – **mamõpe?** **umãmepe?** **umãpe?** # de onde?: **mamõ suípe?**
ontem – **kûesé**

oposto – (adj.): **obaîar/a (r, s)**; (s.): **obaîara (t)**
oprimir – **apypyk**; **pyk (-îo-)**
oração – **îeruresaba**
ordem – **tekomonhangaba**
ordenar – **ekomonhang (s)**; **pûaî (-îo)**
orelha – **nambi**
órfão – (de mãe): **sye'yma**; (de pai): **tube'yma**
orgulho – **porerobîare'yma**[1] **(m)**
orgulhoso – **porerobîare'ym/a**
orientar – **ekomonhang (s)**
origem – **'yba**; **ypy**; **ypyrunga**
ornar – **moîegûak**
ornar-se – **îegûak**; **îemongatyrõ**
osso – **kanga**
ostra – **reri**
ótimo – **matueté**
ou (conj.) – **konipó**; **koîpó**
ouro – **itaîuba**
outro (s, a, as) – **amõaé**; **amõ**
outrora – **erimba'e**
ouvido – **apysá**
ouvir – **endub (s)**; **apysá (xe)**
ova (de peixe) – **tuba**[2]
ovo – **tupi'a**
oxalá – **temo! mã!**

P

paca – **paka**
paciência – **osanga (t)**
paciente – **osang/a (r, s)**
pacífico – **by'ar**; **nhyrõ (xe)**
padrasto – **symena**
padre – **abaré**
padrinho – **porerokarûera (m)**
pagamento – **tepy**
pagar – **epyme'eng (s)**; **moepy**
pai – **tuba**[2]
pajé – **paîé (m)**
palavra – **nhe'enga**
pálido – **obaîub/a (r, s)**
palmeira – (variedades): **pindoba**; **tukũ**; **pati**; **pysandó**; **îeîsara**; **inaîá**; **karaná**; **îupati**; **maraîa'yba**; **karana'yba** etc.
palmito – **u'ã**
pálpebra – **topé**
palpitar – **tytyk**
pântano – **tuîuka**
pão – **miapé**
papa – **minga'u**; **mindypyrõ**; **temindypyrõ**
papada – **tendybagûyaîa**
papagaio – (variedades): **aîuru**; **anaká**; **tiriba**; **îandaîusu**; **îendaîa**; **îuruba** etc.

papo − **aîa; îurubyra; tendybagûyra**
para − (lugar): **-pe**; (pessoa): **supé; pé**
parar − (= cessar): **pyk**; (= estacionar): **pytá** # parar de: **po'ir**
pardo − **pytang**/a
parecer − **berame'ĩ**
parecido − **abŷare'ym**/a
parede − **pyá; opyá (r, s)**
parente − **mũ**
parir − **membyrar (xe)**
partir[1] (= quebrar) − **mondok; pese'õ**
partir[2] (= ir embora) − **po'ir**
parto − **membyrara; membyrasaba** (v. membyrar)
passagem − **tasapaba** [v. **asab (s)**]
passar − (intr.): **kûab**; (tr): **asab (s)**
pássaro − **gûyrá**; (passarinho): **guyra'ĩ**
passear − **îebyîebyr**
pasto − **karûaba**
pato − **ypeka**
pátria − **tetama**
pau − **ybyrá**
pau-brasil − **ybyrapytanga**
pé − **py (mb)**
pecador − **angaîpabora**
peçonhento − **tegûam**/a; **anhasy (r, s)**
pedaço − **pesembûera; asyka; asykûera**
pedido − **îeruresaba** (v. **îeruré**)
pedir − **îeruré**
pedra − **itá**
pedregulho − **itakurubi**
pedreira − **itatyba** (v. **itá**)
pegada − **takypûera; pypora (mb)**
pegajoso − **mong**/a; **pomong**/a
pegar − **îar / ar(a) (t, t); pysyk**
peito − **poti'a (m)**
peixe − **pirá**
pelado − **apin**/a
pelar − **abo'o (s)**
pele − **pira (mb)**
pelo − **taba**
pena − **saba** [v. **aba (s, r, s)**]
penca − **pema**[2] **(mb)**
pendurado − **îasekó**
pendurar − **moîasekó**
peneirar − **mogûab**
peneira − **urupema**
pênis − **takûãîa**
pensamento − **py'anhemongetá (m); îemongetá; 'anga**
pensar − **mo'ang**
pente − **kygûaba**
pentear − **abyky**

pentear-se − **îeabyky**
pequeno − **mirĩ; a'yrĩ (r, t)**
perante − **obaké (r, s)**
perceber − **andub**
perdão − **nhyrõ**
perder (= fazer sumir) − **mokanhem**
perder-se − (= extraviar-se): **opar (r, s) (xe)**; (= sumir): **kanhem**
perdido − **kanhem**/a
perdoar − **nhyrõ (xe)**
peregrino − **atara**
pergunta − **poranduba (m)**
perguntar − **porandub**
periquito − (variedades): **anakã; tu'ĩ; tu'ĩtyryka** etc.
permanecer − **pytá**
permitir (= não se importar com) − **epîakĩ (s)**
perna − **tetymã**
pernilongo − **nhati'ũasu**
peroba − **yperoba**
perseguidor − **piara (mb)**
perseguir − **momosem**
perto − **mbype**; (perto de): **pyri; ypype**
perverter − **moangaîpab**
pesado − **posyî**/a; **anam**/a
pescador − **îeporakasara** (v. **îeporakar**); **pindaîtykara**
pescar − (tr.): **ekyî (s)**; (intr.): **pindaeîtyk**; (pescar com rede): **îeporakar**
pescaria (com rede) − **îeporakasaba** (v. **îeporakar**)
pescoço − **aîura** # no pescoço: **aîuri**
peso − **posyîa (m)**
pessoa − **abá**
pestana − **topeaba**
pião − **pyryryma (m)**
piar − **nhe'eng**
pica-pau − **ipekũ**
picar − **kutuk**
pico − **tapûá**
pilar − **sok (-îo-)**
pimenta − **ky'ynha**
pingar − **tykyr (xe)**
pinta − **pinima (m); pitinga**
pintado (= que tem pintas): **pinim**/a; **piting**/a; (= que tem pintura): **kûatiar**/a
pintar − **kûatîar**; (pintar de branco): **moting**; (pintar de vermelho): **mopyrang**; (pintar de preto): **moún**; (pintar de amarelo): **moîub**
pintar-se − **îegûak**; (pintar-se de vermelho): **îemopyrang**; (pintar-se de preto): **îemoún**
pio − **nhe'enga**
piolho − **kyba**

piranha – **pirãîa, piranha**
pirilampo – **mamûá**
pisar – **pyrung**
piscar – **nhemoesabyk (r, s) (xe); sapumim**
pitanga (= var. de planta mirtácea) – **'ybapytanga**
planta[1] – **'yba**
planta[2] (dos pés) – **pypytera (m)**
plantação – **(e)mityma (r, s); mityma**
plantar – (tr.): **tym (-îo-)**; (intr.): **mba'etym**
pó – **ku'i; tybyra**
pobre – **mba'ee'ym**/a
pobreza – **mba'ee'yma**
poça – **'yno'onga**
poção – **posanga (m)**
poço – **'ykûara**
poder[1] (s.) – **tatãngatu; 'ekatu**
poder[2] (v.) – **'ikatu / 'ekatu**
podre – **îuk**/a; **aíb**/a; **tuîuk**/a
podridão – **îuka; tuîuka**
poeira – **tubyra; ybytimbora**
pois – **irõ; rõ**
poleiro – **kesaba; tendaba**
polpa (de fruta) – **to'o**
polvo – **kaîakanga**
pólvora – **pokaku'i (m)**
pomba – **pykasu**
ponta – **tapûá; apyra** # na ponta de: **apyri**
ponte – **nharybobõ**
pontiagudo – **atîaî**/a **(r, s)**
pontudo – **atîaî**/a **(r, s)**
por – (= através de): **upi (r, s)**; (= por causa de): **suí; -reme; esé (r, s); ri**
pôr (v.) – **moín; mondeb; nong (-îo-); rung**; (pôr em pé): **mo'am**; (pôr deitado): **moúb**
porção – **potaba (m)**
porco – (porco-do-mato): **taîasu**; (porco doméstico): **taîasugûaîa**
porém – **a'e**
porque – **-reme**
porta – **okena (r, s); okendaba (r, s)** # abrir a porta: **okendabok (s)**
portador – **îara**
portanto – **emonãnamo; irõ; ra'e; rõ**
porto – **peasaba**
português – **peró**
porventura – **nipó**; (na interr.): **iã? ipó? -pipó?**
possuir – **erekó**
pote – **kamusi; ygasaba**
poucos – **mokonhõ; mboby**
pousada – **pytasaba (m)**
pouso – **tendaba**
povo – **anama**

povoação – **taba**
praça – **okara**
praia (de mar ou rio) – **'yembe'yba; 'yembiîeîa**
prantear (alguém que morreu ou alguém que chega, como forma de saudação) – **apirõ (s)**
praticar – **poru**
prato – **(e)nha'ẽ (r, s)**
preço – **tepy**
precursor – **tenotara**
preencher – **esemõ (s); mopor**
preferir – **potarĩ**
pregar (= fixar com pregos) – **moîar**
preguiça – **ate'yma**
preguiçoso – **ate'ym**/a; **ekotenhẽ (r, s)**
prejudicar – **moingotebẽ; momarã**
prender – **pysysk**
prenhe – **puru'a**
prensa (para retirar o sumo de plantas) – **tepiti**
preocupado – **putupab**
preocupar-se – **nhemoryryî; nhemosaînan**
preparar – **rung**
presa – **tembiara**
presente (= dádiva) – **îetanongaba**
presentear – **îetanong**
pressa – **tanhẽ**
prestes (a) – **apyrĩ**
pretejar-se (= pintar-se de preto) – **îemoún**
preto – **un**/a **(r, s)**
prezar – **amotar**
prima – (de h.): **tendyra**; (de m.): **tykera** (quando mais velha); **pyky'yra** (quando mais moça)
primeiro – (adj.): **ypy**; (adv.): **ranhẽ**
primo – (paterno de h.): **tybyra** (quando mais moço); **tyky'yra** (quando mais velho); (de m.): **kybyra**
prisioneiro (de guerra) – **pu'amagûera (m)**
proceder – **ikó / ekó (t)**
procurar – **ekar (s)**
professor – **mbo'esara; porombo'esara (m)**
prometer – **mombe'u; momboî; kuabe'eng; kuambe'u; enõî (s)**
pronto – **aûîé; ekoaûîé (r, s)**
pronunciar – **a'ang (s)**
prostituição – **sygûaraîy**
prostituta – **sygûaraîy; kakuabe'yma; patakûera**
proteção – **tarõaba [v. arõ[2] (s)]**
proteger – **arõ[2] (s)**
provar – **a'ang (s)**
provavelmente – **ipó re'a; serã; ruã**
prover-se – **nhemosaînan**
provocar – **monharõ; monheran**
publicamente – **te'yîpe; ikatupe**

pular – **por; popor**
pulmão – **nhy'ãbebuîa**
pulso – **papy**
punir – **erekomarã**
pupila – **tesa'yra**
purgante – **posanga (m)**
puro – **oîeperemõ**
pus – **peú**
puxar – **ekyî (s)**; (puxar por corda): **samysyk; motyk**

Q

quadril – **tenangupy**
qual? – **marãpe?; mba'epe?; umãba'epe?;** (quais?): **marã-marãpe?; mba'e-mba'epe?**
qualquer (quaisquer) – **tetiruã**
quando[1] (= por ocasião de) – **reme**
quando?[2] – (referindo-se ao futuro): **moîrãpe?;** (referindo-se ao futuro ou ao passado): **erimba'epe?** – (= em que ocasiões?; referindo-se a fatos habituais): **marã-neme**pe?
quanto? – **nãbo?; nãmo?; mobype?**
quantos (as)? – **mbobype?; mobype?** # quantas vezes?: **mbobype?**
quarto (num. ord.) – **oîoirundyka**
quase – **só; sûer**
quatro – **oîoirundyk**
quê? – (= que coisa?): **mba'epe?; marãpe?;** (referindo-se a mais de um): **mba'e-mba'epe?; marã-marãpe** # que mais?: **mba'epe amõ?;** de quê?: **mba'e suí**pe?; com quê?: **mba'e pupé**pe?; por quê?: **mba'e resé**pe?; (com sentido futuro): **mba'erama resé**pe?; **mba'erama ripe?**
quebrar (tr.) – **ká (-îo-); mopen; mondok; mombuk; monarang** # quebrar a cabeça de: **akangá**
quebrar-se – **îe'ab; îeká; pen**[2]**; sok**
queda – **gûyapy**[1]**; kuîa** (v. **kuî**); **'araba** (v. **'ar**[4])
queimar – (tr.): **apy (s)**; (intr.): **kaî**
queixar-se – (intr.): **nhemoŷrõ**; (tr.): **mombe'u**
queixo – **tendybá; taîyba**
quem? – **abá**pe?; (referindo-se a mais de uma pessoa): **abá-abá**pe? # de quem? (ref. a origem, a procedência): **abá suí**pe?; para quem?: **abá supé**pe?
quente – **akub/a (r, s)**
querer – **potar; seî** (só com temas verbais incorporados)
quieto – **arybé**; (= silencioso): **kyrirĩ** # ficar quieto (= ficar tranquilo): **by'ar; ikonhote**
quotidiano – **'ara îabi'õndûar/a**

R

rã – (variedades): **îu'i; tataka; kotorá** etc.
rabo – **tûaîa**
raça – **anama; ta'ysé**
rachadura – **'apaba** (v. **'ab**); **boka**
rachar – (intr.): **bok**; (tr.): **mobok**
raio – **tupãberaba**
raiva – **nharõ; îemoŷrõ**
raiz – **sapó** [v. **apó (s, r, s)**]
ralar – **eé (s)**
ramo – **takã**
ranger (tr.) – **mongyrỹî**
rapado – **apin/a**
rapar – **pin (-îo-)** # rapar a cabeça de: **'apin**
rapaz – **kunumĩgûasu**
rapidamente – **korite'ĩ; taûîé**
rápido – (adj.): **py'i; apûan/a**; (adv.): **sapy'a; esapy'a; korite'ĩ**
raro – **kûaî/a; pokang/a; etapokang/a (r, s)**
rasgar – **mondorok**
rasgar-se – **sorok**
raso – **apererá; peb/a; aîereb/a**
rastro – **takypûera; pypora**
rato – (variedades): **gûabiru; punaré; karukuoka** etc.
realizar – **mopor**
realmente (= de verdade, na verdade) – **anhẽ**
rebentar – (intr.): **bok; pok; puk**; (tr.): **mobok; mombuk**
recear – **posykyîé; poûsub; eroangu; eronheangu**
receber – **îar / ar(a) (t, t)**
recente – **pysasu**
recipiente – **uru (r, s)**; (em relação à pessoa que o leva): **(ep)uru (r, s)**
recolher – **eŷnhang (s)**
recompensar – **moepy**
reconciliar – **moîerekûab; monhemũ**
reconhecer – **kuab**
recuar – **îeakypûereroîebyr; syî; syryk**
recusar – **kuakub; poûsub**
rede[1] (de dormir) – **inĩ**
rede[2] (de pesca) – **pysá**; (rede para apanhar camarões, jereré): **îareré**
redondo – (esférico): **apu'a**; (circular): **amandab/a; apỹî/a**
refém – **porepy**[1] **(m)**
reformar – **ekonongatu (s); ekomonhangab (s)**
regar – **ypy (s); amõ; 'apiramõ**
região (= terra em que se habita) – **tetama**
relâmpago – **amãberaba**
remar – (tr.): **pukuî**; (intr.): **ygapukuî**
remédio – **posanga (m); posanongaba (m)**

remendar – 'o (-îo-)
remo – ygapukuîtaba
repartir – moîa'ok # repartir em pedaços: pyse'ong; pese'õ
repentinamente – sapy'a; esapy'a
repetir – eroîebyr; momokõî
repreender – enonhen
resfolegar – aŷbu (xe)
resgatar – epyme'eng (s)
resgate – tepy
resistir – (intr.): nheran; nhemobabak; (tr. – resistir a): momarã; popyatã; moabangab²
resmungão – kuruk
resmungar – kuruk; kururuk
respeitar – moabaeté; motyb
respirar – pytu (xe)
responder – obaîxûar (s); nhe'eng; nhe'ẽpoepyk
resposta – po'epykaba (m); nhe'enga
restituir – epy (s)
retalhar – mbo'ir; mondosok
retardar – mombuku
retirar – enosem
reto (= direito) – atã¹ (r, s)
retorcer – mopokyrirĩ; poká
retribuir – (intr.): îepyme'eng; (tr.): poepyk
reunir – mono'ong; eŷnhang (s)
revelar-se – îepîakukar
revidar – poepyk
revirar – pobur; poekar
revirar-se – îepubur; îereb
rezar – îeruré; tupãmongetá
riacho – 'ye'ẽkûaba; 'yekûabusu
rim – pyrykytỹ'i (m)
rio – 'y; ty²; îy
riqueza – mba'e
rir – puká
riscar – aír (s)
roça – kó; 'ybapa'ara
roçar – (intr.): kopir; (tr.): gûyrok
rodar (intr.) – nhatiman; pararang; (rodar como pião): pyryrym
rodopiar – pyryrym
rodopio – pyryryma (m)
roer – karãî
rogar – îeruré
romper – mondorok; ká (-îo-)
romper-se – sorok; bok; îepirok; puk
roncar – ambu (xe)
rosto – tobá
roubar – mondá (xe); mondarõ
roubo – mondá
rouco – îase'opyoú; nhe'ẽpyoú

roupa – aoba
ruga – nhynhynga
ruim – aíb/a; memûã; poxy
rumo (a = na direção de) – koty

S

sabedor – kuapara (v. kuab)
saber – kuab # sei lá!: sé!
sabiá – sabîá
sabor – té; te'ẽ
saboroso – é (r, s)
saco – aîó
sagrado – karaíb/a
saída – sema
sair – sem
sal – îukyra
salgado – e'ẽ (r, s)
salgar – moe'ẽ
saliva – tendy
saltar – pererek; por
saltitar – pererek
salto – pora
salvar – pysyrõ
sangue – tugûy
santificar – mongaraíb
santo – karaíb
sapé – sapé
sapecar – apek (s)
sapo – kururu
sarar – pûerab
sarna – kuruba; piremonã (m)
saudades – tepîaka'uba # ter saudades de: epîaka'ub (s)
saúde – marane'yma
se¹ (índice de indeterminação do sujeito) – gûá; ybá; ybŷá
se² (= no caso de) – -reme
se³ – (pron. recipr.): -îo-; (pron. reflexivo): -îe-
secar – (intr.): tining; (tr.): motining; monga'ẽ
seco – aku'i; ka'ẽ; tining
sede – 'useîa
sedento – (s.): 'useîbora; 'useîbor/a
seguir – (intr.): gûatá; kuabĩ; (tr.): mosẽmosem; akypûembour (s); akypûemomosem (s); akypûemondó (s)
segundo¹ (= de acordo com) – upi (r, s)
segundo² (num. ord.) – mokõîa
segurar (com as mãos) – pysyk
seio – kama
sem – -e'ym (suf.); suí
semelhante – abŷare'ym/a
sêmen – ta'yra

sempre – **ko'arapukuî; îepi (nhẽ); memẽ; memẽ îepi** # para sempre: **aûîeramanhẽ**
senhor – **pa'i; îara**
senhora – **îara**
sensual – **poropotar**/a
sentar-se – **gûapyk**
sentir – **andub**
separar – **pe'a; mbo'ir; mombo'ir**
separar-se – **'ir; îa'ok; po'ir; sandok**
sepultar – **tym (-îo-)**
sepultura – **tyby**
sequer – **tiruã**
ser – **ikó / ekó (t)... -ramo**
serra[1] (= conjunto de montanhas) – **ybytyrusu; ybytyra**
serra[2] (= instrumento de serrar) – **ybyrakytĩaba**
servir – **erokûab**; (servir bebida): **e'ym (s)**
seu (s, sua, s) – **i; s; t-**; (seu próprio): **o; og; ogû; oû**
silêncio – **kyrirĩ**
silencioso – **kyrirĩ**
sim – (de h. e m.): **eẽ**; (de h.): **pá**
sinal – **ta'angaba; îekuapaba; pora (mb)**
siri – **seri; siri**
só (adj. ou adv.) – **anhõ**; (adv.): **nhõ**
soar – **pu (xe); yapu (r, s) (xe); pong**
sob – (ponto preciso): **gûyri; gûyrype**; (sentido difuso): **gûyrybo**
sobra – **tembyra**
sobrancelha – **tybytaba**
sobrar – **embyrûer (r, s) (xe)** (v. **tembyra**); (sobrar a alguém): **esemõ (s)**
sobre – (ponto preciso): **'ari; sosé**; (sentido difuso): **'arybo**
sobrinha – (filha do irmão ou primo de h.): **taîyra**; (filha da irmã ou prima de h.): **îetypera**; (filha do irmão ou primo de m.): **penga (m)**; (filha da irmã ou prima da m.): **tykera** (quando mais velha); **piky'yra** (quando mais moça)
sobrinho – (filho do irmão ou primo de h.): **ta'yra, tyky'yra**[2] (quando mais velho); (filho do irmão ou primo de m.): **penga (m)**; (filho da irmã ou prima de m.): **i'yra**
socador – **unguá**
socar – **sok (-îo-)**
socorrer – **pysyrõ**
sofrer – **porará** # sofrer dor: **asy (r, s) (xe)**
sofrimento – **poreaûsuba (m); porarasaba** (v. **porará**); **nhenupãsabusu**
sogra – (de h.): **taîxó**; (de m.): **mendy**
sogro – (de h.): **tatu'uba**; (de m.): **menduba**
sol – **kûarasy; kûara**

sola (do pé) – **pypytera (mb)**
solo – **yby**
soltar – **mosem; erab**
soltar-se – **'ir**
solteiro – **mendare'yma**
soluçar – **îeîok**/a **(xe)**
soluço – **îeîoka**
som – **pu (mb)**
sombra – **'anga**
somente – **anhõ; nhõte**
sonhar – **posaûsub**
sonho – **posaûsuba (m)**
sono – **topesyîa** # estar com sono: **opesyî (r, s) (xe)**
sonolento – **opesyî**/a **(r, s)**
sonoro – **sunung**/a; **pong**/a
soprar – **py (-îo-)**
sorrir – **pukamirĩ**
sossegado – **pyk; osang**/a **(r, s)**
sossegar (intr.) – **apysyk**/a **(xe); arybé (xe); pytuẽ (xe); nhemoapysyk; nhemongatu**
sossego – **pyka (mb); apysyka; tekokatu**
sozinho – **anhõ; nhote**; (adv.): **anhõ**
suar – **yaî**/a **(r, s) (xe)**
subir – **îeupir** # fazer subir consigo; subir com: **eroîeupir**
substância – **teté**[1]
substituir – **ekobîarõ (s)**
substituto – **tekobîara**
suco – **typûera**
suficiente – **oîá; oîakatu**
sugar (os doentes, para arrancar-lhes a doença) – **suban**
sujar – **mongy'a; mong (-îo-)**
sujeira – **ky'a**
sujo – **ky'a; u'um**/a **(r, s)**
sumir – **kanhem**
suor – **tyaîa**
superfície – **apé**
suportar – **porará**
surdo (s.) – **apysae'yma; apysakarara**
surpreender (= apanhar de surpresa) – **pokosub**
suspeitar – **andub** # suspeitar mal de: **mondar**[2]
suspender (= pendurar) – **moîasekó**
suspirar – **nheangerur**
sustentar – **poî (-îo-)**

T

tabaco – **petyma**
tábua – **ybyrapeba**
tacape – **ybyrapema**
tagarela (s.) – **nhe'engixûera**

talha (de fazer cauim) – **ygasaba**
talvez – **nipó; será;** (na interr.): **ipó?**
tamanduá – **tamandûá**
também – **abé; bé; -no**
tambor – **gûarará**
tapar – **aso'i; obapytym (s)**
tapuia – **tapy'yîa**
taquara – **takûara**
tarde – **karuka** # de tarde: **karúkeme**
tartaruga – (variedades): **îurukûá; îurará; 'ygûara; uruana** etc.
tatu – **tatu**
tear – **ytá**
tecer – **pyasab; pẽ (-îo-)**
temer – **poûsub; sykyîé**
tempestade – **amanusu** (v. **amana**)
tempo (= as condições atmosféricas) – **'ara**
tentar – **a'ang (s)**
ter – **erekó**
terceiro – **mosapyra**
terminar – **pab**
terra – (em seu aspecto físico, natural): **yby**; (no sentido de *pátria*): **tetama**
terreiro (entre as ocas) – **okara**
terrível – **abaeté**
terror – **abaeté**
testa – **sybá**
teu (s, tua, s) – **nde**
tia – (paterna): **aîxé**; (materna): **sy'yra**
tigela – **nha'ẽpygûaîa; temiuru; nha'ẽpyko'ẽ**
tingir – (com urucu): **gûang (-îo-)**; (de preto): **moún**; (de amarelo): **moîub**; (de vermelho): **mopyrang**; (de branco): **moting**
tio – (materno): **tutyra**; (paterno): **tuba**²
tipoia – **typoîa**
tirar – **'ok (-îo-); eno'ẽ; mbo'ir**
toca – **kûara**
tocar¹ (instrumento) – (de sopro): **py (-îo-); mimby**; (de percussão): **mopu**
tocar² – (tr.): **atõî**; (intr.) **byk**; (= passar a mão): **pokok**
todo (s, a, as) – **opab, opabẽ, opabẽngatu, opabenhẽ, opabĩ, opabinhẽ, opakatu; pab**
tomar – **îar / ar(a) (t, t)**
tonto – **esagûyryb/a (r, s)**
tontura – **tesagûyryba**
topete – **tetobapy**
tora – **topytá**
torcer – (tr.): **pepyr; poká**; (torcer como corda): **pomombyk**; (torcer mão ou pé): **mongaraû**; (intr.): **îekundab; îe'ab**; (mão ou pé): **nhemongaraû**
tornozelo – **pynhûãkanga (m)**

torrar – **a'embé (s)**
torto – **apar/a; bang/a; apen/a**
tortuosidade – **apara; banga; apena**
tosar – **moapererá; apin**
tosquiar – **apin; akarãî**
tosse – **u'u**
tossir – **u'u (xe)**
tostado – **ka'ẽ**
totalmente – **pab**
trabalhador (s.) – **marãtekoara**
trabalhar – **porabyky**; (trabalhar em grupo): **potyrõ**
trabalho – **marãtekó; marãtekoaba; porabyky² (m)**
traça – **ysokapé**
trair (o cônjuge) – **mondarõ**
trançar – **pẽ (-îo-)**
transbordante – **ynysem/a (r, t)**
transbordar – (intr.): **tuî**; (tr.): **monduî**
transformar – **monhang**
transgredir – **aby**
tratar – **erekó**
travar (tr.) – **mombyk; moten**
trazer – **erur**
tremer – **ryryî**
tremor – **ryryîa**
trêmulo – **ryryî/a**
trepar – **îeupir**
três – **mosapyr**
triste – **aruru**
tristeza – **angekoaíba; aruru; tekotebẽ**
troco (= o que se dá em troca) – **tepy**
trombeta – (variedades): **mimbygûasu; itamimby; mimbyapara; nhumbugûasu**
tronco (de árvore) – **ypy** # tronco cortado: **topytá**
tropeçar – **pysakang/a (xe)**
trovão – **tupã; amãsununga; tupãsununga**
trucidador – **apitîara** (v. **apiti**)
trucidar – **apiti**
tu – **ne, nde, endé; îepé** # para ti, a ti: **ndebe, endébe; ndebo**
tubarão – **iperu; yperu**
tucano – **tukana**
turvar (a água de) – **mo'ypiting**

U

uivar – **nhe'eng**
ultrapassar – **pûan (-îo-)**
um (a) (num.) – **oîepé** # à uma, em uníssono: **oîepegûasu** (v. **oîepé**)
umbigo – **puru'ã (m)**

umidade – **ty²; yby'y; akymaíba**
úmido – **akymaíb**/a; **y (r, t); yby'y (r, s)**
unha – (da mão): **pûapẽ (m)**; (do pé): **pysãpẽ (m)**
unhada – **pûapẽmbora (m)**
unir-se – **îese'ar**
untar – **mongy; pitub; pixyb; kytyk**
urina – **ty**
urinar – **karuk**
urrar – **nhe'eng**
urro – **nhe'enga**
urubu – **urubu**
usar – **poru, puru**
útero – **pitãnhemonhangaba (m)**

V

vadiar – **ikotenhẽ / ekotenhẽ (t)**
vadio – **ekotenhẽ (r, s)**
vagalume – **mamûá**
vagem – **topé**
vagina – **tapupira; akaîá; kûara**
vale – **ybytygûaîa**
valente – **abaeté; kyre'ymbab**/a; **pyatã**
valentia – **pyatã (m)**
vão (s.) – **ybỹîa; pa'ũ**
vapor – **timbora**
vara – **ybyrá; ybyrá'ĩ**; (de pescar): **pinda'yba (m)**
vários (as) – **amõ**
varrer – **peir**
vasilha – **(ep)uru (r, s); uru (r, s)**
vazar (intr.) – **ẽ** (ou **en**); **nhe'ẽ**
veado – **sygûasu**
veia – **taîyka**
velar – (intr.): **ma'enan; kerarõ**; (tr.): **arõ (s)**
velha – **gûaîbĩ**
velho – (adj.): **pûer**/a; **umûan**/a; (s.): **tuîba'e**
vencedor – **moroîtykara** [v. **ityk / eîtyk(a) (t)**]
vencer (tr.) – **moaûîé; ityk / eîtyk(a) (t)**
veneno – **mba'etegûama; posangygûaba (m)**
ventar – **pytuur (xe), putuur (xe)**
vento – **ybytu**
ventre – **tygé**
ver – **epîak (s)**
verão – **kûarasy**
verdade – **mba'eeté; supindûara**
verdadeiramente – **eté (r, s); upindûara (r, s)**
verdadeiro – **eté (r, s)**
verde – **oby (r, s)**
vergonha – **tĩ**
verme – (variedades): **sebo'i; turuygûera; ura; ybyrapeasoka; ybyrasoka; tasoka; îaruma'i; taburaá** etc.
vermelho – **pyrang**/a
verruga – **kytã; kuruba**
vesgo – (adj.): **ró; esabang**/a **(r, s)**; (s.): **tesabanga**
vespa – **kaba**; (variedades): **kabapuã; kabatĩ; kabesé; kabobaîuba; kasunununga** etc.
vestido (adj.) – **aob**
vestir – **moaob; mondeb**
vício – **tekoaíba**
vida – **tekobé**
vigiar – **ma'enan**
vinda – **tura**
vingar (tr.) – **poepyk** (o objeto é sempre uma pessoa: *vingar alguém*); **epyk (s)**
vir – **îur / ur(a) (t, t)** # vir com; fazer vir consigo: **erur**
virar – (intr.): **bak; nhemoîereb**; (tr.): **pobur; moîereb** # fazer virar consigo; virar com: **erobak**
virgem (adj.) – **kûare'ym**/a
virilha – **takó**
virtude – **tekokatu**
virtuoso – **karaíb; ekokatu (r, s)**
viscoso – **pomong**/a
visitar – **sub (-îo-)**
visível – **îekuab**/a
vistoso – **matueté; aysó**
viúvo (a) (adj.) – (m.): **mene'õ**; (h.): **emirekoe'õ (r, s)**
viva! (= muito bem!) – **aûîé!, aûîebé!, aûîebeté!, aûîé-katutenhẽ!, aûîé nipó!**
viver – **ikobé / ekobé (t); ikó / ekó (t)** # fazer viver: **moingobé**
vivo – **ekobé (r, s)**
vizinhança – **amỹîoka; amundaba**
vizinho (s.) – **tambyagûá; amundaba; apyrixûara**
voador – **bebé**
voar – **bebé**
volta – **nhatimana; nhemoîereba**
voltar – **îebyr** # voltar com; fazer voltar consigo: **eroîebyr**
voltar-se – **bak; erobak**
vomitar – (tr.): **moîebyr**; (intr.): **gûe'en**
vômito – **gûe'ena**
vontade – **temimotara**
vos (pron. pess. obj.) – **pe; opo-**
vós – **peẽ; pe; peîepé** # a vós, para vós: **peẽme; peẽmo**
vosso (s, a, as) – **pe**
voz – **nhe'enga**

X

xingar – **nhe'engybõ**

Z

zangado – **mari**
zangar-se – **nharõ; îeaseî**
zombar – **moîaru; memûã (xe); îaî (-îo-); nhemosaraî**
zombaria – **memûã**
zombeteiro – **memûã**
zunido – **sununga**
zunir – **sunung; nhe'eng**
zurrar – **nhe'eng**

A

ã (dem. pron.) – **1)** este (s, a, as) (Fig., *Arte*, 85); isso: *Aani ã.* – Isso não. (Fig., *Arte*, 138); **2)** eis que (assinalando o presente ou o futuro, com a 1ª e a 2ª pp., excluindo a possibilidade de passado): *Opá ã îandé moaûîéû...* – Eis que a todos nós vence. (Ar., *Cat.*, 155); *Xe îar, na xe angaturami ã a'emo ereîkê xe py'ape.* – Meu senhor, eis que eu não sou digno de que entres em meu coração. (Ar., *Cat.*, 86v); *Asó ã.* – Eis que vou. (Anch., *Arte*, 21v)

a-¹ (pref. núm.-pess. da 1ª p. do sing.): *Aîur xe roka suí.* – Vim de minha casa. (Anch., *Poemas*, 102); *Asaûsub nde membyrĩ.* – Amo teu filhinho. (Anch., *Poemas*, 102); *Aîemĩngatu kó gûitupa...* – Escondo-me bem, estando deitado aqui... (Anch., *Teatro*, 32)

-a² (suf. de ger. com temas verbais): *sepîaka* – vendo-o; *kaîa* – queimando; *saûsupa* – amando-o; *îukae'yma* – não matando (Anch., *Arte*, 28v); ... *Xe keranama mombaka...* – De meu pesado sono despertando-me. (Anch., *Poemas*, 92)

-a³ (suf. nominal.): *kaîa* – queimada; *sepîaka* – a vista dele (Anch., *Arte*, 27); *Tupana nhe'enga* – a palavra de Deus (Anch., *Teatro*, 146, 2006)

'a¹ (s.) (em compos. somente) – cabeça: *Aî'a-kok.* – Apoio sua cabeça. (*VLB*, I, 18); *Aî'a-su'u* – Mordo-lhe a cabeça. (*VLB*, I, 94) • **'a-pixapaba** – ferida da cabeça ("Às vezes se usa deste nome nas feridas que se dão por outras partes, fora da cabeça, mas impropriamente." – *VLB*, I, 137)

> NOTA – Daí, no P.B., **CAMBURIAPEVA** (*kamuri* + *'a* + *peb* + *-a*, "camuri da cabeça achatada"), nome de um peixe centropomídeo; **POTIATINGA** (*potî* + *'a* + *ting* + *-a*, "camarão da cabeça branca"), espécie de camarão da família dos peneídeos (Marcgrave, *Hist. Nat. Bras.*, 188); **IPECUATI** (*ypeku* + *'a* + *atĩ*, "pica-pau da cabeça pontuda"), nome de uma ave.

'a² (s.) – cabeça do pênis, glande (Castilho, *Nomes*, 27) • **'a-îuru** – orifício do pênis (Castilho, *Nomes*, 28)

'a³ (s. voc., usado por reverência, somente) – **1)** mano: *xe 'a* – meu mano (Castilho, *Nomes*, 27); **2)** companheiro: *Mamõ suípe ereîur, xe 'a?* – Donde vieste, meu companheiro? (Marcgrave, *Hist. Nat. Bras.*, 277); **3)** senhor: *Xe 'a!* – Meu senhor! (*VLB*, II, 116)

'a⁴ (s.) – fruto: *i 'a* – fruto dela (Anch., *Arte*, 5v)

aan¹ (ou **aã**) (part.) – não (de h. ou m.): *Aan, nd'ereîtyki xóne.* – Não, não os derrotarás. (Anch., *Teatro*, 136); *Aã! Xe potaba nde!* – Não! Meu quinhão és tu! (Anch., *Teatro*, 76) • **aan a'e** (ou **aan a'é nhẽ**) – Digo não, digo que não. (*VLB*, II, 99); **aan ipó**, **aan ipó biã** – não deve ser, não será assim (*VLB*, II, 47); **aan-angáî** – não (enfático); de modo algum, de maneira nenhuma: – *I ambyasy bépe, i 'useî bépe asé îabé?...* – *Aan-angáî.* – Tinha também fome, tinha também sede como nós? – De modo algum. (Ar., *Cat.*, 44v); **aan-angáî-katutenhẽ** (ou **aãngatutenhẽ**) – de nenhuma maneira, de nenhuma qualidade (*VLB*, II, 46)

aan² (part.) – **1)** nada (*VLB*, II, 46); **2)** nunca, nenhuma vez (*VLB*, II, 52); **3)** nenhum; ninguém (*VLB*, II, 49) • **aãngatutenhẽ** (ou **aan-angáî**) – absolutamente ninguém (*VLB*, II, 49)

aandé (part.) – mas não foi; não é assim (Fig., *Arte*, 137)

aane'yme (conj.) – senão; quando não: – *Emonãnamo onhemosaînã-eté pabêpe Tupã nhe'enga kuabaûama?...* – *Emonãnamo, aane'yme anhanga ratápe i xóûne.* – Portanto cuidarão bem todos de conhecer a palavra de Deus? – De fato, senão irão para o inferno. (Bettendorff, *Compêndio*, 104); *E'u umẽ ikó 'ybá... aane'yme opabinhẽ pemanõne...* – Não comas este fruto, senão todos morrereis. (Bettendorff, *Compêndio*, 38) • **aane'yme?** (ou **aane'yme é?**) – E quando não? (*VLB*, I, 121)

a'ang¹ (s) (v. tr.) – assinalar, marcar, representar (*VLB*, II, 102): *Marãnamope asé o îurupe sa'angino?* – Por que a gente em sua boca a assinala também (isto é, a cruz)? (Ar., *Cat.*, 21v) • **a'angaba (t)** – tempo, lugar, modo, instrumento etc. de assinalar, de marcar; sinal, marca, imagem, símbolo, significado; molde, exemplar (*VLB*, II, 40): *Pa'i, Sumé pypûera'angaba a'e.* – Padre, aquelas são as marcas dos pés de Sumé. (Vasconcelos, *Crônica* (*Not.*) II, §20, 123); *Santa Cruz ra'angaba resé oré pysyrõ îepé...* – Pelo sinal da Santa Cruz livra-nos tu... (Anch., *Doutr. Cristã*, I, 139); *Osobá-syb aó-tinga pupé; a'e resé sobá ra'angaba pytáû.* – Limpou seu rosto com um pano branco; nele ficou a imagem de seu rosto. (Ar., *Cat.*, 89); *Nde rokangaturamûama oroîmoĩ, nde raûsupa, nde ra'angaba rerokupa.* – Tua casa santa edificamos, amando-te, tua imagem fazendo estar conosco. (Anch.,

a'ang²

Poemas, 146); *abá ra'angaba* – estátua (*VLB*, I, 128); imagem de pessoa (*VLB*, I, 127); *Tupã ra'angaba* – imagem de Deus (*VLB*, II, 10)

a'ang² (s) (v. tr.) – 1) compassar, medir, tirar a medida de: *Asa'ang.* – Medi-o. (*VLB*, I, 78); *Atypy-a'ang.* – Medi a profundidade dele. (*VLB*, II, 121); *Aty-ypy-a'ang.* – Eu meço a profundidade do rio. (*VLB*, II, 63); 2) pesar (com pesos, balanças) (*VLB*, II, 75) • **sa'angymbyra** – o que é (ou deve ser) medido (*VLB*, II, 34); **a'angaba (t)** – tempo, lugar, modo, instrumento etc. de medir; medida, peso (*VLB*, II, 34)

a'ang³ (s) (v. tr.) – fazer traçado, fazer a planta de (p.ex., uma edificação) (*VLB*, II, 134)

a'ang⁴ (s) (v. tr.) – imitar, arremedar: ... *nde rekokatu ra'anga.* – imitando tua virtude (Anch., *Poemas*, 98); *Eresa'angype abá-memûã?* – Imitaste os homens maus? (Anch., *Doutr. Cristã*, II, 100); *Asa'ang-a'ub.* – Imitei-o fingidamente. (*VLB*, I, 81)

a'ang⁵ (s) (v. tr.) – atirar (*VLB*, I, 47); atirar ao alvo (p.ex., flecha): *Asa'ang.* – Atiro-a. (*VLB*, II, 129)

a'ang⁶ (s) (v. tr.) – 1) pronunciar (p.ex., aquilo que se lê), ler, proferir, declarar, dirigir (palavras): *Asa'ang.* – Leio-o. (*VLB*, II, 20); *Abápe aîpoba'e oîmonhang erimba'e, sa'angypŷabo?* – Quem o fez outrora, começando a pronunciá-lo? (Ar., *Cat.*, 25v); *Esa'ãngatu.* – Pronuncia-o bem. (*VLB*, II, 87); 2) celebrar: *Missa ra'anga asébe...* – Celebrando a missa para a gente. (Ar., *Cat.*, 93v) • **a'angara (t)** – o que pronuncia, o que profere etc.: ... *Ladainhas ra'angara...* – o que profere as ladainhas (Ar., *Cat.*, 125, 1686); **a'angaba (t)** – tempo, lugar, modo etc. de celebrar, de proferir; o proferir etc.: *Ladainhas ra'angaba...* – O proferir das ladainhas (Ar., *Cat.*, 126)

a'ang⁷ (s) (v. tr.) – 1) tentar, experimentar, pôr à prova: *I abaí xébo sa'anga.* – É difícil para mim tentá-los. (Anch., *Teatro*, 16); ... *Tupã nhe'enga asa'ang.* – A palavra de Deus experimentei. (Anch., *Teatro*, 172); *T'isa'ang apŷ aba marã îandé irũ.* – Experimentemos a força dos homens conosco. (Léry, *Histoire*, 357); 2) exercitar-se em, ensaiar-se em, esforçar-se por: *Pesa'ang îepé peũ koritéĩ nhõte xe pyri, pekere'yma...* – Embora vos tivésseis esforçado, estivestes deitados só pouco tempo junto a mim, não dormindo. (Ar., *Cat.*, 53); *N'osa'angi-tep'akó nhembo'e ko'arapukuî?* – Mas não se esforçam esses por aprender sempre? (Anch., *Teatro*, 30); 3) provar (dar provas de), demonstrar poder (com um dos verbos no gerúndio): *Esa'ang serasóbo.* – Prova-o, levando-o; prova que o levas. (*VLB*, II, 88); 4) provar, gostar (sentir o gosto de): *Marã e'ipe sa'ang'iré?* – Que disse após prová-la (isto é, a bebida)? (Ar., *Cat.*, 63v); ... *E'i mo'ema monhanga, mosanga ra'ã-ra'anga...* – Mostram-se a urdir mentiras, ficando a provar poções. (Anch., *Teatro*, 36) • **a'ang îepé (s)** – tentar sem que surta efeito: *Asa'ang îepé i monhanga* (ou *Asa'ang îepé i monhangambûera*). – Tentei fazê-lo, sem conseguir. (*VLB*, II, 13); *Mbegûé é ko'yté abá tekokuá kanhemi, sesapysopûera kanhemi, ... o nhe'engabûera ra'ang îepébo...* – Lentamente, enfim, o homem perde entendimento, sua vista aguda de outrora desaparece, tentando inutilmente a fala. (Ar., *Cat.*, 156); **osa'angyba'e** – o que tenta, o que prova etc.: *Apŷaba kunhã resé o ekó osa'angîepéba'e nd'e'ikatuî omendá.* – O homem que tenta, sem êxito, ter relações sexuais com uma mulher, não pode casar. (Ar., *Cat.*, 131v); **a'angara (t)** – tentador: *Emokanhem xe ra'angara...* – Faze sumir meu tentador... (Valente, *Cantigas*, III, in Ar., *Cat.*, 1686)

a'anga (t) (s.) – imagem, representação: *Aó-tinga pupé asé resé sobá ra'anga rari.* – Num pano branco, por nossa causa, a imagem de seu rosto tomou. (Anch., *Diál. da Fé*, 188)

a'angaba (s.) – molde, exemplar (*VLB*, II, 40)

aani¹ (adv.) – não (com ênfase); nunca, de maneira nenhuma, de modo algum, absolutamente (Fig., *Arte*, 129): *Aani! Aîemoŷrõ.* – Não! Irritei-me. (Anch., *Teatro*, 42); – *Setápe asé nhemongaraíbi?* – *Aani.* – A gente batiza-se muitas vezes? – De maneira nenhuma. (Anch., *Doutr. Cristã*, I, 202); – *N'asé ruã-tepe o emi'urama oîmonhang?* – *Aani...* – Mas não é a gente que faz sua comida? – De modo algum... (Ar., *Cat.*, 27v) • **aani nhẽ** – não (Fig., *Arte*, 134); **aani rakó** – não (Fig., *Arte*, 134); **aani re'a** – não é assim (de h.) (Fig., *Arte*, 134); **aanirĩ** – não é assim (de m.) (Fig., *Arte*, 134); **aani xûémo** – não (hipotético): – *Nd'oîporaraî xûémop'asé mba'e amõ 'ara pupé oîkóbomo?* – *Aani xûémo.* – Não sofreria a gente coisa alguma vivendo no mundo? – Não (sofreria). (Anch., *Doutr. Cristã*, I, 162); **Aani xûéne** – não (com relação a fatos futuros); nunca: – *Oîporará bépe mba'e amõ a'epe oîkóbone? – Aani xûéne.* – Sofrerão ainda alguma coisa aí vivendo? – Não. (Ar., *Cat.*, 47); **aani-xûé ipóne** – não há de ser (futuro) (*VLB*, II, 47); **aani xûé ko'yténe** – nunca mais (*VLB*, II, 52); **aani ã** – isso não (Fig., *Arte*, 135)

aani[2] (pron.) – **1)** nada (*VLB*, II, 46): – *Mba'epe aûîeramanhẽ serekopyrama ikó 'ara pupé? – Aani ã biã.* – Que é o que será conservado para sempre neste mundo? – Nada. (Ar., *Cat.*, 165); **2)** ninguém (*VLB*, II, 49): *Abápe kori xe îá? Erĩ, aani!* – Quem, hoje, é como eu? Irra, ninguém! (Anch., *Teatro*, 132)

aanumẽ (ou **aanymẽ**) (part.) – **1)** não: *Aanumẽne! Asabeypó...* – Não! Estou bêbado. (Anch., *Teatro*, 46); **2)** não seja assim (como quando um admoesta ou roga a outra pessoa que desista de algo) (*VLB*, II, 47)

-ab – alomorfe de **-sab** (v.)

'ab (v. tr. irreg.; no indicativo é usado somente com objeto incorporado) – abrir; cortar, rachar, fender, talhar: *Aybyrá-'ab.* – Corto madeira. (Fig., *Arte*, 145); *Ayby-'ab.* – Abro a terra. (Fig., *Arte*, 145); *Aî'ybab.* – Cortei o pé dela (isto é, da parreira, da mandioca etc.). (*VLB*, I, 83); *Aîasy-'ab.* – Cortei um pedaço dela. (*VLB*, I, 83); *Morubixaba ybyragûype ahẽ sóû ybyrá 'apa.* – Para a coutada do rei ele foi para cortar madeira. (*VLB*, II, 141) • **'apaba** – tempo, lugar, modo etc. de abrir, de rachar; abertura, rachadura, corte: *yby 'apaba* – rachadura da terra; cava, cova, buraco, vala, fosso, barreiros (*VLB*, I, 69)

NOTA – Daí, **IBIAPABA** (nome de chapada do Nordeste) (v. Rel. Top. e Antrop. no final).

aba (t) (s.) – **1)** penugem, pena miúda [isto é, aquela que a ave tem pelo corpo todo. A pena grande das asas é **pepó** (v.)]: *xe raba* – minha pena; *saba* – sua pena; *gûyrá raba* – a pena do pássaro (Fig., *Arte*, 71); – *Mba'epe ereru nde karamemûã pupé? – Aoba. – Marãba'e? – Pykasu-aba.* – Que trouxeste dentro de tua caixa? – Roupas. – De que tipo? – De pena de pomba. (Léry, *Histoire*, 342-343); *Moraseîa é i katu, îegûaka, ... sa-mongy...* – A dança é que é boa, enfeitar-se, untar suas penas. (Anch., *Teatro*, 6); **2)** pelo ou cabelo do corpo, de homem ou animal (pelo ou cabelo da cabeça é

'aba – v.) (Castilho, *Nomes*, 37); **3)** lã (*VLB*, II, 17); **4)** felpa: *Xe rabusu.* – Eu tenho muita felpa. (*VLB*, I, 137) • **a-ura (t)** ou **a-popora (t)** – penugem fina de ave que começa a emplumar-se (*VLB*, I, 113; II, 71); **agûera (t)** – pelo retirado do corpo (*VLB*, II, 114); **tukana tá-poraseîa** – pena de tucano para dança (isto é, pena que os índios levavam comumente quando dançavam) (Léry, *Histoire*, 283, 1994)

NOTA – Daí, no P.B., pela língua geral amazônica, **TAPIRAUA** ("pelo de anta"), nome de um povo indígena extinto do Pará. Daí, também, **EMBOABA** (*mbó* + *ab* + *-a*, "patas peludas"), alcunha que os paulistas davam aos portugueses que disputavam consigo a posse das minas de ouro e pedras preciosas das Minas Gerais, no início do século XVIII, o que provocaria a famosa *Guerra dos Emboabas*; **TAPIRANGA** (*taba* + *pirang* + *-a*, "penas vermelhas"), nome de um pássaro traupídeo.

'aba (etim. – *pelo da cabeça* < **'a** + **aba**) (s.) – **1)** cabelo da cabeça (Anch., *Arte*, 15v); *xe 'aba, nde 'aba, i 'aba* – meu cabelo, teu cabelo, o cabelo dele (Castilho, *Nomes*, 27); *'a-tyrá-tyrá* – cabelos muito arrepiados, grenha (*VLB*, I, 150); *'a-tinga* – cabelos brancos, cãs, **ABATINGA**; *Xe 'a-tinga* – meus cabelos brancos; minha abatinga (*VLB*, I, 65); *'a-titinga* – manchas brancas do cabelo (*VLB*, II, 29); **2)** pelo ou penugem da cabeça (de animais mamíferos, de aves): *Aî'abeky-ekyî.* – Fiquei-lhe puxando os pelos; fiquei-o arrepelando. (*VLB*, I, 42) • **andyrá-'aba** – tipo de corte de cabelo dos índios (etim. – *cabelo de morcego*) (*VLB*, II, 137); **'agûera** – cabeleira, peruca (*VLB*, I, 61)

NOTA – Daí, no P.B. (AM), **ABATINGA** ("cabelos brancos"), *pessoa velha, pessoa encanecida*; **ABATIRÁ** (*'aba* + *tyrá*, "cabelos arrepiados"), nome de um antigo grupo indígena de Porto Seguro).

abá?[1] (interr.) – **1)** quem?: *Oporakakab? Abá?...* – Censuram? Quem?... (Anch., *Teatro*, 34); ... *Abá serã ogûeru?* – Quem será que a trouxe? (Anch., *Teatro*, 4); *Abá ra'yrape nde?* – Filho de quem és tu? (*VLB*, I, 87); *Abá rokype erekûá?* – Na casa de quem passaste? (Anch., *Teatro*, 44); *Abápe nde?* – Quem és tu? (Anch., *Teatro*, 44); *Abápe îa'u raêne?* – Quem devoraremos primeiro? (Anch., *Teatro*, 64); **2)** qual? quê?: *Abápe 'ara pora oîkó nde îabé?* – Que habitante do mundo há como tu? (Anch., *Poemas*, 116) • **abá-abá?** – quem? (quando se tratar

abá² de mais de uma pessoa): *Abá-abápe asé resé Tupã mongetasaramo sekóû?* - Quem são os que rogam por nós a Deus? (Ar., *Cat.*, 23v); **abá supé?** - para quem? a quem?: *Abá supépe asé îeruréû...?* - Para quem a gente reza? (Ar., *Cat.*, 23); **Abá-pipó?** - Quem é? Quem está aí? (*VLB*, II, 94)

abá² (s.) - 1) homem (em oposição a mulher): *Abá omanõ.* - Um homem morreu. (Fig., *Arte*, 69); 2) homem, ser humano, pessoa (em oposição a animal irracional): *Abá sosé pabẽ i momorangi...* - Acima de todas as pessoas embelezou-a. (Anch., *Poemas*, 86); *Abá 'anga mara'ara i pupé opûeîrá-katu...* - As doenças da alma do homem com ela saram bem. (Anch., *Teatro*, 38); ... *Sesé abá pûari nde resápe nhẽ.* - Nele as pessoas batem à tua vista. (Anch., *Poemas*, 122); ... *Mokõî abá robaké.* - Diante de duas pessoas. (Ar., *Cat.*, 94v); 3) índio (em oposição ao branco europeu): - *Abá ra'yrape ûî?!* - *Sé! Abá ra'yra, ipó...* - Filhos de quem eram esses?! - Sei lá! Filhos de índios, certamente... (Anch., *Teatro*, 48); ... *abá 'anga momoxŷabo.* - estragando as almas dos índios. (Anch., *Teatro*, 44) • **abá-îurupari** - animais com quem Jurupari convivia, que só andavam à noite, soltando gritos horríveis, servindo a ele de homens na relação sexual (D'Evreux, *Viagem*, 293); **abagûasu** - homem feito, rapaz: *Xe abagûasu.* - Eu sou um homem feito. (*VLB*, I, 153) Fiz-me homem. (*VLB*, II, 30)

NOTA - Daí provêm, em português, **ABAÚNA** (*abá* + *un* + *-a*, "índio escuro"), índio não miscigenado; **ABAJU** (*abá* + *îuba*, "homem amarelo"), pardo, mestiço de índio e branco; **ABANHEÉM**, **ABANHEENGA** ("língua de índio"), nome dado no século XIX ao tupi antigo; **ABAÍBA** (*abá* + *aíb* + *-a*, "índios brutos", i.e., ferozes), povo indígena extinto que ocupava a região da atual Zona da Mata (MG).

ABÁ (homens) (fonte: De Bry)

abá³ (ou **abá amõ** ou **amõ abá**) (pron.) - 1) alguém (na afirm. e interr.): *Ké abá rekóû anhẽ.* - Aqui alguém está, certamente. (Anch., *Teatro*, 26); 2) ninguém (na neg.): *N'opytáî amõ abá maranápe.* - Não ficou ninguém no campo de batalha. (Anch., *Teatro*, 20); *Xe rekó i porangeté; n'aîpotari abá seîtyka.* - Minha lei é muito bela; não quero que ninguém a lance fora. (Anch., *Teatro*, 6); - *Abápe erimba'e a'e pitanga reterama oîmonhang?* - *Na amõ abá ruã.* - Quem fez outrora o corpo daquela criança? - Ninguém. (Bettendorff, *Compêndio*, 44)

ababykagûere'yma (etim. - *a não tocada de homem*) (s.) - virgem: *Kunhã-angaturama ababykagûere'yma...* - Mulher bondosa, uma virgem. (Ar., *Cat.*, 22v)

abaé (pron.) - outrem (*VLB*, II, 61)

abaekoete'yma (s.) - pessoa tímida (*VLB*, II, 128)

abaesaba (etim. - *homem do olho cortado*) (s.) - cego (*VLB*, I, 70)

abaeté¹ (etim. - *homem a valer*) (s.) - 1) ABAETÊ, homem honrado, digno, de bem; 2) homem forro, escravo alforriado: *Abaetéramo aîmoingó.* - Fi-lo estar como forro, alforriei-o. (*VLB*, I, 142); 3) leigo (*VLB*, II, 20)

NOTA - Daí provém, pelo nheengatu, **AUAETÊ**, povo indígena da família linguística tupi-guarani, que habita a margem direita do médio rio Xingu (PA). Daí, também, **ABAETETUBA** (PA) (v. Rel. Top. e Antrop. no final).

abaeté² (ou **abaîté**) (s.) - 1) ABAETÉ, terror, terribilidade; fereza, fúria, crueldade; coisa medonha: *Saî xe îukae'ymi Tupã sy rera abaîté.* - Apenas não me matou o terror ao nome da mãe de Deus. (Anch., *Teatro*, 126); (adj.) - terrível, espantoso, furioso, tremendo, medonho, temível (*VLB*, II, 34): *I abaeté sepîaka ixébo...* - É terrível para mim vê-los. (Anch., *Teatro*, 26); ... *I abaeté muru supé São Sebastião ru'uba...* - Foram terríveis contra os malditos as flechas de São Sebastião. (Anch., *Teatro*, 52); *I abaeté-katupe irã i angaîpaba'e supé?...* - Será muito terrível futuramente para os que são maus? (Ar., *Cat.*, 46v); *I abaeté pa'i Îesu, îandé sumarã mondyîa.* - É terrível o senhor Jesus, fazendo tremer nosso inimigo. (Anch., *Poemas*, 186); *Îagûarabaeté* - cão furioso (nome de um índio) (D'Evreux,

Viagem, 86); *I **abaeté**-katupe Anhanga...?* – É muito medonho o diabo? (Anch., *Doutr. Cristã*, I, 220); ... *I **abaeté**-katu xe rera*. – É muito terrível meu nome. (Anch., *Teatro*, 144); **2)** força, poder, valentia, bravura: *Xe abé îî ybõmbyrûera Bastião xe moaûîé. N'i tyby xe **abaetepûera**...* – A mim também o flechado Bastião derrotou-me. Não existe mais minha antiga bravura. (Anch., *Teatro*, 48); (adj.) – forte, robusto, valente, poderoso, audacioso: *Tupã oîepé nhõ nhẽ gûekó-karaibetéramo, **abaetéramo***. – Deus é um só, de fato, sendo santíssimo, sendo poderoso. (Anch., *Doutr. Cristã*, I, 134); *Ybytu îabé osunung, i **abaeté** suí osyîa*. – Zune como o vento, tremendo por causa de sua bravura. (Anch., *Poemas*, 190) • **iî abaeteba'e** – o que é temido (*VLB*, II, 125); **abaîtesaba** (ou **abaîtéba**) – tempo, lugar, modo etc. de bravura, de terror; terror; força; bravura etc.: *...Îandé maranirũ, îandé **abaîtéba**...* – Nossa companheira de guerras, causa de nossa bravura. (Anch., *Poemas*, 88)

> NOTA – Daí provém, no P.B., **ABAITÉ**, *pessoa feia, repulsiva*. Daí também se origina o nome geográfico LAGOA DO **ABAETÉ** ("lagoa do terror"), próxima de Salvador, BA, considerada um lugar mal-assombrado. Dorival Caymmi escreveu uma canção dedicada a essa lagoa, cuja letra diz: *"De manhã cedo, se uma lavadeira / Vai lavar roupa no ABAETÉ / Vai-se benzendo porque diz que ouve / Ouve a zoada do batucajé"*.

abagûasu – v. **abá**²

abaíba (s.) – dificuldade, pena, inconveniência: *... T'aîabaíbokyne...* – Hei de tirar-lhe as dificuldades. (Anch., *Doutr. Cristã*, II, 94); (adj.: **abaíb** ou **abaí**) – **1)** difícil, arrevesado, complicado (de entender etc.): *I **abaí** xebo sa'anga.* – É difícil para mim tentá-los. (Anch., *Teatro*, 16); *I **abaíb** aîpó nhe'enga*. – É difícil essa língua. (Anch., *Poemas*, 196); *Iîabaíbeté aîpó!* – Isso é muito difícil! (Anch., *Teatro*, 156); *A'e iîabaíbymo abá supé xe ro'o 'u...* – Mas seria difícil para as pessoas comer minha carne. (Ar., *Cat.*, 84v); **2)** molesto, penoso, fragoso, íngreme (p.ex., o caminho, a montanha etc.): *Ikó pé bé iî abaí...* – Este caminho também é penoso. (Anch., *Teatro*, 162, 2006); *Iîabaíbeté nhẽ rakó... asé atá mysakanga...* – São muito molestos, certamente, os tropeços de nossa caminhada. (Anch., *Doutr. Cristã*, II, 79); **3)** inadequado, inconveniente: *Nd'erékatuî xûé angiré nde remirekó rerobyka, ã tekó-**abaíbeté**-katureme.* – Não poderás doravante juntar-te a tua esposa por ser isso um procedimento muitíssimo inconveniente. (Anch., *Doutr. Cristã*, II, 94); **4)** confuso: *Xe **abaíb***. – Eu sou confuso. (*VLB*, I, 80)

abaîeru (s.) – ABAJERU, GUAJURU, GAJERU, GAJIRU, GAJURU, GUAJARU, GUAJURU, GUAJIRU, **1)** planta da família das crisobalanáceas (*Chrysobalanus icaco* L.) (Sousa, *Trat. Descr.*, 188); **2)** o fruto dessa planta, ... "da feição e tamanho das ameixas... e de cor roxa; come-se como ameixas, mas tem maior caroço..." (Sousa, *Trat. Descr.*, 188) (o mesmo que **gûaîeru** – v.)

abaîté – v. **abaeté**²

abakatuaîa (s.) – ABACATUAIA, ABACATUIA, ABACATÚXIA, ABACATINA, peixe da família dos carangídeos (Marcgrave, *Hist. Nat. Bras.*, 161)

ABACATUAIA (fonte: Marcgrave)

abakatuaîaba (s.) – var. de **ABACATUAIA**, peixe da família dos carangídeos (*VLB*, II, 70)

abakatuaîatakapá (s.) – nome de um peixe da família dos carangídeos (*Libri Princ.*, 98)

abanga (s.) – covardia; (adj.: **abang**) – covarde: *Xe **abang**.* – Eu sou covarde. (*VLB*, I, 21)

abangaba (s.) – covardia, desânimo; (adj.: **abangab**) – acovardado, desencorajado, desanimado, desalentado, desmaiado de medo: *Erĩ, nd'oré **abangabi**!* – Ah, não estamos acovardados! (Anch., *Teatro*, 178)

abangaíba (etim. – *pessoa da alma ruim*) (s.) – pessoa desprezível: *Xe **abangaíba**.* – Eu sou uma pessoa desprezível. (*VLB*, I, 100)

abangatu (etim. – *homem da alma boa*) (s.) – homem gentil, fino; (adj.): *Xe **abangatu**.* – Eu sou gentil. (*VLB*, I, 148)

abanhẽ

abanhẽ (etim. - *homem, não mais*) (s.) - leigo (*VLB*, II, 20)

Abaosanga (etim. - *homem paciente*) (s. antrop.) - nome de índio tupi (Knivet, *The Adm. Adv.*, 1228)

abápe? - v. **abá?**[1]

abaraba (t) (s.) - mancha; [adj.: **abarab** (r, s)] - manchado (o animal): *Xe rabarab.* - Eu sou manchado. (*VLB*, II, 30); *Xe rabará-barab.* - Eu sou muito manchado. (*VLB*, II, 29)

abaré (s.) - padre, **ABARÉ**, **ABARUNA**; clérigo; frade; sacerdote, religioso (*VLB*, II, 100): *I xupé, ranhẽ, abaré, Tupã mombegûabo, i xóû.* - Junto a ela, primeiramente, os padres foram, anunciando a Deus. (Anch., *Poemas*, 114); *Oú tenhẽ xe pe'abo "abaré" 'îaba...* - Vêm em vão para me afastar os ditos "padres". (Anch., *Teatro*, 8)

> NOTA - Hoje em dia a palavra **ABARÉ**, na umbanda, designa um médium desenvolvido; **ABARÉ-MIRIM** designa, na umbanda, um médium iniciante.
> Desse termo tupi provém, também, o nome do município de **AVARÉ** (SP) (v. Rel. Top. e Antrop. no final).

ABARÉ (padre) (quadro de Portinari)

Abaré-bebé (etim. - *padre voador*) (s. antrop.) - nome dado ao Pe. Leonardo Nunes (jesuíta do século XVI) pela grande rapidez com que se deslocava pelos diferentes lugares (Vasconcelos, *Crônica (Not.)* I, §68, 209)

abaregûasu (etim. - *padre grande*) (s.) - bispo, autoridade eclesiástica, provincial, abade, prelado: *Asé sybápe abaregûasu nhandy-karaíba nonga.* - Pôr o bispo em nossa testa o óleo santo. (Ar., *Cat.*, 17v); *Abaregûasu ogûatá.* - O bispo passeia. (Fig., *Arte*, 6)

> NOTA - Daí provém, no P.B., a palavra **ABARÉ-GUAÇU**, designando, na quimbanda, um grande feiticeiro.

abaremotemõ (s.) - **ABAREMOTEMO**, árvore leguminosa (*Abarema cochliacarpos* Gomes, Barneby & J.W. Grimes), cuja madeira é usada em construções e cuja casca tem empregos medicinais como adstringente (Piso, *De Med. Bras.*, IV, 187)

abati (s.) - **1) AVATI, ABATI, AUATI**, milho, planta da família das gramíneas (*Zea mais* L.) (Staden, *Viagem*, 67): *Atupá-rung abati.* - Estabeleci uma plantação de milho. (*VLB*, II, 81); **2)** o grão dessa planta • **abati-'y** - **ABATINI**, variedade de bebida feita de milho; vinho de milho (D'Abbeville, *Histoire*, 207; Marcgrave, *Hist. Nat. Bras.*, 274; Thevet, *Les Sing. de la France Antarct.*, 56v); **abati-tyba** - milharada, milharal; **abatigûasu** (ou **abati-atã** ou **abati-peba**) - milho zaburro; **abati-una** - milho preto; **abati-eté** - milho verdadeiro (em oposição às suas variedades menos comuns); **abati-tinga** - milho de que se faz pão (*VLB*, II, 38)

> NOTA - Daí provém, no P.B., **ABATIAPÉ** ("milho de casca"), variedade de arroz encontrado em estado silvestre nas margens dos lagos amazônicos, *arroz-bravo*; **ABATIGUERA** (*abati + pûer + -a*, "milho que foi"), milharal já colhido e extinto, roça depois de efetuada a colheita; **BATUERA, BATUEIRA** (*abati + pûer + -a*, "milho que foi"), sabugo de milho; **BATITÉ** (ou **CATETE** ou **CATETO**) (*abati + eté*, "milho muito bom"), certa espécie de milho miúdo. Daí também, pelo nheengatu, o nome geográfico **AUATI-PARANÁ** (AM) (v. Rel. Top. e Antrop. no final).

abati'i (etim. - *milhozinho*) (s.) - **1)** arroz (*VLB*, I, 44); **2)** trigo (*VLB*, II, 137); **3)** xerém, variedade de milho miúdo (*VLB*, II, 149)

> NOTA - Em *Iracema*, de José de Alencar, lemos "*O coração de Iracema está como o ABATI n'água do rio*", significando, aí, *arroz*.

abati'imirĩ (s.) - **ABATIMIRIM**, planta da família das gramíneas, variedade de arroz com grão avermelhado e pequeno (*VLB*, I, 44)

abati'itinga (etim. - *milhozinho branco*) (s.) - trigo (*VLB*, II, 137)

abatimirĩ (etim. - *milho pequeno*) (s.) - **1)** xerém, variedade de milho miúdo (*VLB*, II, 149); **2)** trigo (*VLB*, II, 137)

Abatiposanga (etim. - *remédio de milho*) (s. antrop.) - nome de índio tupi (Staden, *Viagem*, 116)

abatiputá (s.) – JABUTAPITÁ, BATIPUTÁ, o mesmo que **aîabutipytá** (v.) (Brandão, *Diálogos*, 202)

Abatiúna (etim. – *milho escuro*) (s. antrop.) – nome de índio tupi (D'Abbeville, *Histoire*, 186v)

aba'yba (etim. – *homem-guia*) (s.) – namorado (*VLB*, II, 46): *nde raŷra aba'yba* – o namorado de tua filha (Ar., *Cat.*, 267, 1686)

Abaykyîa (etim. – *o arrasta-gente*) (s. antrop.) – nome de índio tupi (Vasconcelos, *Crônica (Not.)* II, §2, 114)

abé¹ (conj.) – **1)** logo após, logo que, logo depois de, tão logo: *Nde rera rendupa abé, Anhanga ryryî okûapa.* – Tão logo ao ouvir o teu nome, o diabo está tremendo. (Anch., *Poemas*, 132); *Aîpó oîoupé 'é abé, o îara repypûera reîtyki Tupãokype.* – Logo depois de dizerem aquilo para ele, lançou o pagamento por seu senhor no templo. (Ar., *Cat.*, 57v); *Oú abé.* – Tão logo vindo ele (Anch., *Arte*, 45v); *Xe só abé turi.* – Tão logo indo eu, ele veio. (Anch., *Arte*, 46); **2)** assim que, enquanto, em (como *em eu fazendo etc.*); no mesmo instante em que: *Gûinhe'enga abé...* – Em eu falando... (*VLB*, I, 110); *Xe só abé...* – Assim que eu vou... (*VLB*, II, 24)

abé² (posp.) – desde: – *Marãpe pe rubixabetae'ym? – Nd'oroerekoî nhẽ oré ramuîa abé.* – Por que vós não tendes muitos reis? – Não os temos desde nossos avós. (Léry, *Histoire*, 362)

abé³ (adv.) – também; mais (é usado, às vezes, com o valor de uma conjunção aditiva *e*): *Onheŷnhang umã sesé kunumĩetá kagûara,... gûabĩ, tuîba'e abé...* – Já se juntaram por causa disso muitos moços bebedores de cauim, velhas e velhos também. (Anch., *Teatro*, 24); *Xe abé taîasugûaîa...* – Eu também sou um porco... (Anch., *Teatro*, 44); *... Kó aîkó sygepûera t'arasó i nhy'ãbebuîa abé xe raîxó-gûabĩ supé.* – Aqui estou para levar seu ventre e também seus pulmões para minha sogra velha. (Anch., *Teatro*, 66); *Osó S. Pedro, São João abé.* – Foram São Pedro e São João. (Ar., *Cat.*, 55)

'abebó (s.) – grenha, cabelo em desalinho; cabelos embaraçados, despenteados (Castilho, *Nomes*, 27); *Xe 'abebogûasu.* – Eu tenho uma grande grenha. (*VLB*, I, 150)

abé-no (adv.) – também (*VLB*, II, 124)

aberame'ĩ – v. **berame'ĩ** (*VLB*, I, 23)

abiã¹ (part.) – ainda mais, quanto mais: *iké abiã* – ainda mais aqui (Fig., *Arte*, 37)

abiã² (conj.) – se (usado com **memetipó** ou **memetiã** ou **memetaé**): *Mene'yma resé oîkoba'e abiã koîpó sesé onhemomotaryba'e oîaby-eté Tupã nhe'enga, memetipó mendara momoxysara koîpó sesé nhemomotasara.* – Se o que tem relações sexuais com uma solteira ou por ela se atrai transgride muito a palavra de Deus, tanto mais o que perverte uma casada ou o que se atrai por ela. (Ar., *Cat.*, 109); *Mba'e sekatuba'e abiã... oîmoting i 'uetébo, memetiã nde nda mba'e-katu ruã euĩ ereîmo'ẽ.* – Se uma coisa que é muito saborosa enjoa, comendo-a muito, eis que tanto mais tu expelirás o que não é coisa boa. (Anch., *Doutr. Cristã*, II, 111); *Kûarasy abiã oporomo'y'useî-eté, memetaé tatápe oína abá o'useî-etéramo.* – Se o Sol faz as pessoas terem muita sede, tanto mais estando no fogo as pessoas desejam beber. (Ar., *Cat.*, 164)

abiîagûasu (s.) – nome de um pássaro [Soares, *Coisas Not. Bras.* (ms. C), 1464-1468]

abiîu¹ (t) (s.) – **1)** pelo de pano, felpa (*VLB*, I, 144); **2)** fibras de madeira de má qualidade ou serrada com serra ruim, que tem uma certa frisa por cima (*VLB*, I, 144); **3)** penugem fina de ave nova (*VLB*, I, 113); **4)** raspa ou raspas como da bota ou de qualquer couro (*VLB*, II, 97) • **aoba rabiîu** – felpas de pano usadas para curar feridas, como se faz hoje com flocos de algodão; **sabiîuakytãba'e** – o que é felpudo (*VLB*, I, 144)

abiîu² (t) (s.) – espécie de roupa usada no século XVI; saia de pano (*VLB*, I, 84)

abiîxûara (s.) – o que está aconchegado, o que está junto: *Ereîtykype kunumĩ amõ nde abiîxûara nde 'arybo moropotara suí?* – Lançaste algum menino que estava aconchegado a ti sobre ti por desejo sensual? (Anch., *Doutr. Cristã*, II, 95)

'abiú (v. tr.) – catar a cabeça de: *Aî'abiú.* – Catei-lhe a cabeça. (*VLB*, I, 69)

-abo [suf. de gerúndio. Sua forma nasal é **-amo**. Apresenta também os alomorfes **-bo** e **-mo** (nasal).]: *... xe 'anga moingó-katûabo!* – fazendo estar bem minha alma! (Anch., *Poemas*, 92); *... Îandé rarõmo...* – Guardando-

abõ

-nos. (Anch., *Poemas*, 90); ... *nde moingóbo xe py'ape...* - fazendo-te viver no meu coração (Anch., *Poemas*, 94)

abõ (v. tr.) - avivar (p.ex., o fogo): ... *O îoesé bé tatá rerekóbo, o endy îandy i abõmo nhẽ.* - Em si também tendo fogo, suas chamas o óleo avivando. (Ar., *Cat.*, 161)

abo'o (s) (v. tr.) - pelar (p.ex., o leitão); depenar (p.ex., ave): *Asabo'o.* - Pelei-o. (*VLB*, II, 70); *Aî'apir-abo'o.* - Eu lhe pelo o couro cabeludo. (*VLB*, II, 70)

'abo'o (v. tr.) - pelar a cabeça de, arrancar os cabelos de: *Aî'abo'o.* - Eu lhe pelo a cabeça. (*VLB*, I, 94; II, 70) ● **'abo'o-bo'o** - escabelar, desfazer o penteado de, desgrenhar o cabelo de etc. (*VLB*, I, 122): *Aî'abo'o-bo'o.* - Escabelei-o. (*VLB*, I, 122)

abuna (etim. - *homem escuro*) (s.) - padre, ABUNA (Vieira, *Cartas*, I, 382)

> NOTA - Daí, o nome geográfico ITABUNA (município da BA) (v. Rel. Top. e Antrop. no final).

abutua (s.) - ABUTUA, ABÚTUA, ABUTA, ABUTINHA, BUTUA, BUTINHA, BUTU, nome comum a várias plantas da família das menispermáceas (Cadornega, *Hist. Guerras Angolanas*, III, 201)

aby[1] (v. tr.) - ser desigual de; não se parecer com; diferir de; ser diferente de: *N'aîabyî.* - Não sou diferente dele, pareço-me com ele. (*VLB*, II, 65); *Oroîoaby.* - Somos desiguais um do outro. (*VLB*, I, 99); *Aîpoba'e tenhẽ n'oîabyî mboîa.* - Aquele, de fato, não é diferente da cobra. (Ar., *Cat.*, 108v); *Oîaby rakó abá rekó xe retama...* - É muito diferente, de fato, a morada dos homens da minha residência. (Ar., *Cat.*, 167); *Nd'oîabyî muru arara...* - O maldito não difere de uma arara... (Anch., *Teatro*, 62)

aby[2] (v. tr.) - errar, falhar com; enganar-se em, deixar de atingir, desviar-se de, não acertar em: *Tatapynha n'oîabyî; oîeí bé muru kaî...* - As brasas não falham com eles; ainda hoje os malditos queimam... (Anch., *Teatro*, 88); *Aîaby-îaby.* - Fiquei-as errando (isto é, as flechas atiradas). (*VLB*, I, 38); *T'oîaby umẽ Tupã o monhangara.* - Que não se desvie de Deus, seu criador. (Ar., *Cat.*, 187)

aby[3] (v. tr.) - transgredir, infringir, violar: *Eîori sa'anga, rõ, t'otupã-nhe'engaby...* - Vai para prová-los, pois, para que transgridam a palavra de Deus. (Anch., *Teatro*, 16); *Abápe aîpoba'e oîaby?* - Quem aquele (mandamento) transgride? (Ar., *Cat.*, 69v) ● **abŷaba** - tempo, lugar, modo etc. de transgredir; transgressão: ... *O angaîpaba, Tupã nhe'enga abŷ agûera reroŷrõmo...* - Detestando seu pecado, a transgressão da palavra de Deus. (Ar., *Cat.*, 80v); **abŷara** - o que transgride, o transgressor: *A'epe cristãos Tupã nhe'enga abŷara, marã?* - E os cristãos transgressores da palavra de Deus, que lhes sucede? (Ar., *Cat.*, 26v)

aby'aka (t) (s.) - ACA, INHACA, IACA, cheiro de urina, fedor de suor; [adj.: **aby'ak (r, s)**] - fedorento; (xe) cheirar mal, ter inhaca: *Xe raby'ak.* - Eu tenho inhaca. (*VLB*, I, 73)

abŷare'yma (etim. - *o que não difere*) (s.) - símile, imitação, coisa semelhante: *Îusana abŷare'yma nhẽ serã tentação?...* - Porventura a tentação é coisa semelhante a um laço? (Anch., *Diál. da Fé*, 232); *Mba'e abŷare'ymape syaîa?* - Semelhante a que coisa era o suor dele? (Ar., *Cat.*, 53v); (adj.: **abŷare'ym**) - parecido com, semelhante a: *Tatá-endy-etá, asé apekũ-abŷare'yma anhõ osepîak.* - Viram somente muitas chamas de fogo, parecidas com nossas línguas. (Ar., *Cat.*, 45)

abyky[1] (v. tr.) - pentear; escovar, cardar (p.ex., algodão) (*VLB*, I, 67): *Aîabyky.* - Penteio-o. (*VLB*, I, 32) ● **abykŷaba** - tempo, lugar, modo, instrumento etc. de pentear, de cardar; carda, prancha de madeira forrada de lata e ouriçada de pontas de ferro para pentear a lã, o algodão, para os tornar fáceis de fiar (*VLB*, I, 67)

abyky[2] (v. tr.) - 1) apalpar, tocar: *Nde rorype abá nde abykyreme?* - Tu te alegras quando um homem te apalpa? (Ar., *Cat.*, 234); 2) fazer de mãos, tratar com as mãos, manusear: *Aîabyky.* - Manuseio-o. (Anch., *Arte*, 49v-50)

abyraru (s.) - umidade fétida; (adj.) - úmido; languinhento (fal. do que "está em algum lugar úmido e que ganha um certo suorzinho de mau cheiro") (*VLB*, II, 20)

a'e[1] (adv.) - aí, ali, lá, esse lugar, aquele lugar (n. vis.) (*VLB*, I, 89): *Osem-y bépe irã a'e suíne?* - Sairão ainda futuramente dali? (Ar., *Cat.*, 47v); 2) esse momento, então: *A'e ré t'asepenhan.* - Depois desse momento hei de atacá-los. (Anch., *Teatro*, 74) ● **a'e remebé**;

a'e remengatutenhẽ – então, nesse tempo (*VLB*, I, 118)

a'e² (dem. pron. e adj.) – **1)** – esse (s, a, as); aquele (s, a, as), isso, aquilo: *A'e ré kori îasó tubixaba akanga kábo.* – Depois disso, hoje vamos quebrar as cabeças dos reis. (Anch., *Teatro*, 60); *N'aîkuabi a'e abá...* – Não conheço esse homem... (Ar., *Cat.*, 57); ... *A'epûera nongatûabo é îandé îabé apŷabetéramo i nhemonhangi erimba'e...* – Para acalmar aquele, como nós ele se fez homem verdadeiro. (Ar., *Cat.*, 84); **2)** ele (s, a, as): *Osobá-syb aó-tinga pupé; a'e resé sobá ra'angaba pytáû.* – Limpou seu rosto com um pano branco; nele ficou a imagem de seu rosto. (Ar., *Cat.*, 62); *Karaibebé a'e, moroîubyka puaîtara.* – Ele é o anjo que encomenda o enforcamento. (Anch., *Teatro*, 62); **3)** aquele (s, a, as) que: *A'e asetobapé-pyténe... peîpysy-katu kori, i popûá...* – Aquele que eu beijar na face, agarrai-o, atando-lhe as mãos. (Ar., *Cat.*, 75) • **a'erama ri** – para tanto, para isso: *A'erama ri Tupã asé rekomonhangaba resé... o ma'enduaramo...* – Para tanto, lembra-se a gente dos mandamentos de Deus. (Bettendorff, *Compêndio*, 92); **a'e îabé** – outro tanto; da mesma maneira (*VLB*, II, 61); **a'e îá** – assim, desse modo: *A'e îá bépe gûá i py rerekôû, itapygûá pupé i moîáno?* – Assim também fizeram com seus pés, pregando-os com cravos? (Anch., *Diál. da Fé*, 189)

a'e³ (conj.) – **1)** na verdade, contudo, mas, porém: *Na setéî; Tupã Ta'yra a'e, îandé îabé apŷ abamo o nhemonhang'iré é, setéramo ko'yté, asé îabé.* – Não têm corpo; Deus Filho, contudo, após fazer-se homem como nós, teve corpo, enfim, como nós. (Bettendorff, *Compêndio*, 43); *A'e ko'y, xe resé, ó-mirĩ pupé ereîkó.* – Mas agora, por minha causa, dentro de uma casinha estás. (Anch., *Poemas*, 128); **2)** mas sim, senão, pelo contrário (afirmando de um o que negamos de outro): *... Na xe remiaûsuba ruã, xe remirekó a'e.* – Não é minha escrava, mas, sim, minha esposa. (Ar., *Cat.*, 95); *Na Pero ruã, tybyra a'e.* – Não era Pedro, mas, sim, seu irmão. (*VLB*, II, 115); **3)** senão que, se não fosse (*VLB*, II, 116)

a'e?⁴ (part.) – e? e porventura? (como no latim *nunquid?*, usada em início de períodos. Serve também para se perguntar sobre fatos já muito bem conhecidos, somente com o intuito de enfatizar a ação ou o processo em questão): – *A'epe ké amboaé?* – Karaibebé serã... – E o outro, aqui? – Talvez seja o anjo. (Anch., *Teatro*, 26); *A'epe marã apŷabetéramo sekóû îandé îabé?* – E de que maneira é homem verdadeiro como nós? (Ar., *Cat.*, 22v); *A'e seräne hóstia pupé Îesu Cristo rekóû?* – E porventura na hóstia está Jesus Cristo? (Ar., *Cat.*, 87); *A'e-p'ikó?* – E este? (*VLB*, I, 153); *A'epe n'osóî?* – E, porventura, ele não foi? (como que dizendo: *todos sabem que foi*. Neste sentido emprega-se mais *a'e-tepe?*) (*VLB*, I, 120, 121) • **a'e emonãnamo** – e portanto (*VLB*, I, 121); **a'e ipó** (ou **a'e nipó**) – e (com **reme** – no caso de): *A'e ipó sekoe'ỹme?* – E no caso de ele não estar? (*VLB*, I, 121); **a'e-tepe?** – E vai bem? E como está? E que me dizes de? E quanto a? E qual é? (perguntando-se a opinião de alguém): *A'e-tepe ahẽ?* (ou *A'e-tep'ahẽ rekóû?*) – E como está ele? *A'e-tepe nde?* – E quanto a ti? (isto é, qual é tua opinião?) *A'e-tepe nde nhe'enga?* – E qual é a tua palavra? (i.e., que dizes sobre isso?) (*VLB*, I, 78). Serve para perguntas em que a resposta já é sabida, mas que tem o efeito de uma ênfase na ação ou no processo em questão: *A'e-te-p'ixé n'a sóî?* – E eu não fui? (como que dizendo: *todos sabem que eu fui*). (*VLB*, I, 120; 121)

aé¹ (s.) – âmago; lugar vital, ponto mortal (usava-se para falar de ferimento grave ou perigoso): *Xe aépe xe ybõû.* – Flechou-me em lugar vital. (*VLB*, II, 42)

aé² (part.) – diferente, vário, outro: *Xe rekó-aé arekó.* – Tenho meu modo de ser diferente. (*VLB*, I, 103); *Oré rekó-rekó-aé oroerekó.* – Temos nossos modos de ser diferentes. (*VLB*, I, 103); *mba'e-aé* – outra coisa (*VLB*, I, 29)

aé³ (part. de ênfase) – **1)** próprio (s, a, as); mesmo (s, a, as): *Ixé aé.* – Eu mesmo. *A'e aé* – ele (s, a, as) mesmo (s, a, as). (*VLB*, II, 36); *Endé aé ereîekûá.* – Tu mesmo és a causa de teu dano. (Anch., *Teatro*, 42); *Nde aé ipó emonã ereîkó.* – Tu mesmo assim procedeste. (Ar., *Cat.*, 57v); *Pedro aé* – o próprio Pedro, Pedro mesmo (Anch., *Arte*, 54); *ebokûeîba'e a'e* – isso mesmo (*VLB*, II, 15); **2)** de fato, realmente: *Perobîar-y-tepe aé Tupã?* – Mas acreditais realmente em Deus? (Anch., *Doutr. Cristã*, I, 157)

aé-amẽ? (part.) – qual outro senão?: *Ma'e-kugûapara aé-amẽ ahẽ?* – Qual outro é co-

a'eba'e

nhecedor senão ele? (*VLB*, II, 91); *Maratekoara aé-amẽ ahẽ?* - Qual outro é guerreiro senão ele? (*VLB*, I, 20)

a'eba'e (dem. pron.) - ele, (s, a, as), aquele (s, a, as): *Nd'e'i te'e Tupã a'eba'e reîtyka tatápe...* - Por isso mesmo Deus aqueles lançou no fogo. (Anch., *Doutr. Cristã*, I, 193); *A'eba'e o'ar Maria abá bykagûere'yma suí.* - Ele nasceu de Maria, a que não foi tocada por homem. (Ar., *Cat.*, 15)

a'ebé - o mesmo que **a'eîbé** (v.) (Anch., *Teatro*, 146, 2006)

a'eboé (adv.) - justamente, perfeitamente, é certo que, corretamente, muito a propósito (Fig., *Arte*, 136); sem mais nem menos (*VLB*, II, 49; 102): *A'eboépe Tupã rasara Tupã rari amõme, îepi?* - É certo que o comungante comungue algumas vezes (ou) sempre? (Ar., *Cat.*, 77); *A'eboé ebokûé 'ara asé oîmoeté-katune.* - Muito a propósito a gente comemorará bem esse dia. (Ar., *Cat.*, 131); *A'eboé tuî.* - Está muito a propósito, está sem mais nem menos (como se queria). (*VLB*, II, 102)

a'eîbé (ou **a'ebé**) (adv.) - 1) logo então, naquele ponto, logo nesse ponto, bem nesse momento: *A'eîbé osóbo.* - Logo então houvera de ir. (Fig., *Arte*, 163); *A'eîbépe ybŷá cruz mo'ami i atykábo?* - Logo então a cruz ergueram, fincando-a? (Ar., *Cat.*, 62); *A'eîbémo osóbo.* - Logo então foi. (Fig., *Arte*, 163); *A'eîbé korite'î-aíb-eté serasóû aûîeramanhẽ tatápe.* - Logo então, muito rapidamente, levou-o para sempre para o fogo. (Ar., *Cat.*, 159v); ... *A'eîbé Pilatos supé oîerekûabamo...* - Bem nesse momento perdoou a Pilatos. (Ar., *Cat.*, 59); **2)** ainda, mesmo: *A'ebé kori... i mbo'ane.* - Ainda hoje fazendo-os cair. (Anch., *Teatro*, 146, 2006); **3)** da mesma maneira (Fig., *Arte*, 148)

a'eîpomã (ou **a'eîponomã**) (conj.) - se não fosse (tudo estaria bem): *Ahẽ ruraba a'eîponomã...* - Se não fosse a vinda do fulano... (*VLB*, II, 116)

a'eîponomã - v. **a'eîpomã**

a'ekeîbé (part.) - logo então (*VLB*, II, 24)

aembé (r, s) (s.) - corte, fio (de faca, machado etc.): *aembé-korõîa* - fio embotado (*VLB*, I, 44); [adj: **aembé (r, s)**] - afiado (p.ex., faca) (*VLB*, I, 27); *Saembé.* - Ela está afiada. (*VLB*, I, 83)

NOTA - Daí, no P.B. (S. e MT), **ITAIMBÉ**, **ITAMBÉ**, **TAIMBÉ** (*itá* + *aembé*, "pedras afiadas"), *despenhadeiro, precipício; monte agudo e escarpado* (in *Dicion. Caldas Aulete*). Daí, também, o nome geográfico **ITAMBÉ** (BA) (v. Rel. Top. e Antrop. no final).

a'embé (s) (v. tr.) - torrar (como o milho no alguidar): *Asa'embé.* - Torrei-o. (*VLB*, II, 133)

aembe'e (s) (v. tr.) - aguçar, afiar, amolar (faca): *Asaembe'e.* - Afio-a. (*VLB*, I, 27)

a'emo[1] (conj.) - para que: ... *Xe porangeté temomã, a'emo abá xe potari...* - Oxalá eu esteja muito bela, para que os homens me desejem. (Ar., *Cat.*, 71); *Xe îar, na xe angaturami ã a'emo ereîké xe py'ape.* - Meu senhor, eis que eu não sou digno para que entres em meu coração. (Ar., *Cat.*, 86v); *A'u temõ mba'eaíba mã, a'emo nhẽ xe re'õû...* - Ah, quem me dera comer veneno para que eu morresse... (Anch., *Doutr. Cristã*, II, 102)

a'emo?[2] (part.) - **1)** E com tudo isso?: *A'emo eresó?* - E, com tudo isso, vais? (Fig., *Arte*, 137); **2)** Por que haveria de? Por que razão haveria de?: *A'emop'ixé serasó-a'ubi é?* - Por que haveria eu de o levar? (*VLB*, II, 82)

a'emopeé (part.) - bem arrumado estaria se (quem fizesse, dissesse etc. Com **a'ubi**): *A'emopeé ixé serasó-a'ubi é.* - Eu estaria bem arrumado se o levasse. (*VLB*, I, 54)

a'enipó (part.) (ou **a'enipoaé, a'enipó** com **ra'e** no final do período) - e parece que: *A'enipó (abá) pûari sesé ra'e.* - E parece que o homem bateu nele. (*VLB*, I, 120, adapt.)

a'eno (part.) - senão que, se não fosse (*VLB*, II, 116)

a'epe[1] (adv.) - **1)** ali, aí (Fig., *Arte*, 129): *Setama rera Mboîy, a'epe i moŷpa, i gûabo.* - O nome da terra deles é Mboijy, ali assando-os e comendo-os. (Anch., *Teatro*, 140); ... *A'epe kunhãmuku repenhana, i potasápe.* - Ali atacando as moças, por desejá-las. (Anch., *Teatro*, 34); ... *Opabenhẽ serã erimba'e a'epe tekoara iî a'o-îa'oû...?* - Por acaso todos os que estavam ali ficaram a injuriá-lo? (Ar., *Cat.*, 56v); **2)** para ali, para lá: ... *a'epe o só îanondé...* - antes de irem para lá (Ar., *Cat.*, 248, 1686); **3)** por ocasião disso, então: *Marãpe Herodes serekó-ukari a'epe?* - Como Herodes mandou tratá-lo então? (Anch., *Diál. da Fé*, 181)

a'epe² – v. a'e⁴

a'epûerabé (conj.) – desde então (*VLB*, I, 97)

a'epûerype (conj.) – desde então: *Nd'e'i te'e Tupã nde pe'abo, a'epûerype tatá aûîerama nde rapŷabo.* – Por isso mesmo Deus te repeliu, desde então o fogo para sempre queimando-te. (Anch., *Teatro*, 18)

a'erame'ĩ (part.) – e outro tanto, e da mesma maneira, e igualmente, e do mesmo modo: *... I mbo'a tiruã, i mbo'ar' e'ymebé, a'erame'ĩ i mbo'ar'iré, omarane'ymamo.* – Estando virgem, mesmo dando-o à luz, antes de dá-lo à luz e, igualmente, após dá-lo à luz. (Ar., *Cat.*, 35)

a'ereme (etim. – *por ocasião disso*) (adv.) – nesse tempo, naquele tempo, então: *A'ereme amõ aîukáne...* – Então matarei alguns. (Anch., *Poemas*, 156); *A'ereme oín uman São João Batista o sy rygépe.* – Então já estava São João Batista no ventre de sua mãe. (Ar., *Cat.*, 6v); *T'îaîuká xe mena, ... a'ereme t'îamendar îandé îoesé.* – Matemos meu marido e, então, casemos um com o outro. (Ar., *Cat.*, 279); *Aîuká umã a'ereme.* – Já eu, então, tinha matado. (Fig., *Arte*, 14) • **a'ereme é** – bem então (Fig., *Arte*, 129); **a'ereme bé** – logo então (*VLB*, II, 24)

a'eserãne (part.) – e parece, segundo isso • **a'eserãne... ra'e** (ou **a'eserãn'ipó... ra'e**) – e parece, segundo isso: *A'eserãn'ipó (abá) pûari sesé ra'e.* – E parece, segundo isso, que o homem bateu nele. (*VLB*, I, 120)

aeté (s.) – fineza (em bondade ou maldade); cousa fina; (adj.) – fino, aprimorado, bem feito, muito bom: *Îî aeté.* – Ele é fino. *Xe aeté.* – Eu sou fino. (*VLB*, I, 1390)

ãgûa (ou **agûã**) (pron. pess.) – eles(as); aqueles(as); os (as): *Pekûaî ãgûa amõ sema repîaka.* – Ide para ver sair alguns deles. (Camarões, *Cartas*, 21 de outubro de 1645); *T'ererur agûã...* – Que os tragas. – (Camarões, *Cartas*, 4 de outubro de 1645)

agûá (s.) – altibaixos (*VLB*, I, 33)

agûaí (s.) – 1) AGUAÍ, arbusto da família das apocináceas [*Thevetia ahoua* (L.) A. DC.], com flores amarelo-pálidas e com látex e sementes venenosos. É também chamado AGAÍ, AUAÍ, *cascaveleira, tingui-de-leite;* 2) nome de sua fruta, de cuja casca faziam-se colares (Marcgrave, *Hist. Nat. Bras.*, 271; *VLB*, I, 68)

NOTA – Daí, os nomes geográficos **AGUAÍ** (SP), **AUAÍ** (AM) etc. (v. Rel. Top. e Antrop. no final).

agûaî (v. tr.) – morder com as gengivas, abocanhar sem morder (como a criança sem dentes): *Anhagûaî.* – Mordo-a (com as gengivas). (*VLB*, I, 18); *Anhagûã-nhagûaî.* – Fico-o mastigando (sem dentes). (*VLB*, II, 33)

agûaîá (s.) – nome de um mamífero (*Theat. Rer. Nat. Bras.*, II, 26)

Agûaîxay (ou **Agûasaí**) (s. antrop.) – nome de um espírito maligno: *Agûaîxay rembiaramo i moingóbo...* – Fazendo-a estar como presa de Aguaixaí. (Anch., *Doutr. Cristã*, II, 112)

agûaîxima (s.) – GUAXIMA, GUAXIMBA, GUANXUMA, o mesmo que **agûaxima¹** (v.) (*VLB*, II, 29)

agûaîxipuranga (etim. – *guaxima vermelha*) (s.) – nome de uma planta (*Theat. Rer. Nat. Bras.*, II, 173)

Agûai'yba (etim. – *pé de aguaí*) (s. antrop.) – nome de índio tupi (D'Abbeville, *Histoire*, 188)

-agûama – contração de -(s)ab + -ûam (v.)

agûamiranga (s.) – grinaldas feitas com penas de aves vermelhas e douradas, com que eram ornados os braços (Marcgrave, *Hist. Nat. Bras.*, 271)

agûana (s.) – cristas de penas de aves que eram grudadas na cabeça com cera ou mel silvestre (Marcgrave, *Hist. Nat. Bras.*, 271)

agûapé (s.) – AGUAPÉ, UAPÉ, UAPÊ, nome comum a plantas aquáticas flutuantes de flores violáceas e ornamentais, que crescem nos rios pantanosos, das quais a *Eichhornia crassipes* (Mart.) Solms e a *Nymphaea ampla* (Salisb.) DC. são as mais comuns. Também conhecidas como *golfão, mururé*, AGUAPÉ-DAS-LAGOAS, *nenúfar, orelha-de-veado* etc. (Marcgrave, *Hist. Nat. Bras.*, 23; *VLB*, I, 149)

agûapeasoka

AGUAPÉ (ilustração de C. Cardoso)

agûapeasoka (s.) – PIAÇOCA, PIAÇÓ, espécie de jaçanã, ave da família dos jacanídeos, do tamanho de um frangão. "Andam essas aves nas lagoas e criam nas junqueiras junto delas." (Sousa, *Trat. Descr.*, 229)

agûapekaka (s.) – JAÇANÃ, cuja plumagem variou de colorido com a idade (Marcgrave, *Hist. Nat. Bras.*, 191)

agûará (s.) – LOBO-GUARÁ, AGUARÁ, GUARÁ, mamífero carnívoro da família dos canídeos que vive principalmente nos cerrados da América do Sul, de cor pardo-avermelhada, de pés e focinho pretos e mancha branca na garganta. Alimenta-se também de aves e frutas e tem hábitos noturnos. É um dos mais belos canídeos do Brasil, sendo conhecido também como *lobo* e *jaguaperi*. (*Theat. Rer. Nat. Bras.*, II, 34)

NOTA – Daí, o nome do município de **GUARAPUAVA** (PR) (v. Rel. Top. e Antrop. no final).

agûaragûasu (s.) – AGUARAÇU, GUARÁ-GUAÇU, também conhecido como AGUARÁ, GUARÁ, JAGUAPERI e *lobo*, mamífero canídeo; o mesmo que **agûará** (v.): *Xe agûaragûasu, îagûara.* – Eu sou um guará-guaçu, uma onça. (Anch., *Teatro*, 66)

agûarãî (v. intr.) – brotar (p.ex., a semente) (*VLB*, I, 42)

agûarakaba (s.) – var. de formiga (*VLB*, I, 142)

agûarakyîa (ou **agûarakynha**) (etim. – *pimenta de aguará*) (s.) – AGUARAQUIÁ, pequena erva cosmopolita, da família das solanáceas (relacionadas a *Solanum americanum* L.), de pequenas flores alvas e diminutos frutos negros. O nome *aguaraquinha* também designa o *Heliotropium elongatum* Hoffm. ex Roem. & Schult., uma borraginácea. A primeira também é conhecida como *caraxixu, araxixu, erva-de-bicho, erva-moura, maria-preta, maria-pretinha, pimenta-de-galinha*. (Marcgrave, *Hist. Nat. Bras.*, 55; *VLB*, I, 121; Piso, *De Med. Bras.*, IV, 198)

agûarakynhusu (s.) (etim. – *pimenta grande do guará*) – AGUARAQUIÁ-AÇU, fedegoso, provavelmente uma borraginácea (Piso, *De Med. Bras.*, IV, 198)

agûarapondá (s.) – AGUARAPONDÁ, nome comum de plantas da família das borragináceas, dos gêneros *Heliotropium* e *Schleidenia*, e a *Stachytarpheta jamaicensis* (L.) Vahl, da família das verbenáceas, com propriedades medicinais (Marcgrave, *Hist. Nat. Bras.*, 6)

agûarausá (s.) – AGUARAUÇÁ, GUARUÇÁ, GRAUÇÁ, CROÇÁ, espécie de crustáceo decápode da família dos ocipodídeos. Habita as praias arenosas, na zona da maré enchente, cavando buracos, nos quais se esconde. É também chamado **GURIÇÁ**. (Marcgrave, *Hist. Nat. Bras.*, 184; *VLB*, I, 67)

NOTA – Daí, o nome do município de **GURUJÁ** (SP) (v. Rel. Top. e Antrop. no final).

agûara'yba (s.) – nome de certas plantas anacardiáceas

agûari (s.) – nome de um peixe da família dos ciclídeos (Soares, *Coisas Not. Bras.* (ms. C), 2288-2292)

agûasá (s.) – 1) mancebia: *Agûasá pupé aîkó.* – Vivo na mancebia, vivo amancebado. (*VLB*, I, 17); ... *I agûasá repîakĩamo...* – Permitindo sua mancebia. (Ar., *Cat.*, 69); 2) mancebo (a), amante, adúltero (a) (*VLB*, II, 30): *Ereîpe'ape nde ra'yra, nde remiaûsuba i agûasá suí?* – Afastaste teu filho e teu escravo de suas amantes? (Ar., *Cat.*, 100v); 3) (adj.) – amante (*VLB*, II, 46); amancebado; **(xe)** amancebar-se, cometer adultério: *Xe agûasá gûitekóbo.* – Eu estou-me amancebando. (*VLB*, I, 33) ● **i agûasaba'e** – o que se amanceba: – *Abápe aîpoba'e oîaby? – I agûasaba'e, o mendasabe'yma resé oîkoba'e abé.* – Quem transgride aquele? – O que se amanceba e também o que tem relações sexuais com quem não é seu cônjuge. (Ar., *Cat.*, 71); **agûasá membyra** – filho bastardo, filho do amante (*VLB*, I, 53)

Agûasaí – v. Agûaîxay

agûaxima¹ (s.) – GUAXIMA, GUAXIMBA, GUANXUMA, planta piperácea (*Piper umbellatum* L.), de propriedades medicinais (D'Abbeville, *Histoire*, 248; *VLB*, II, 29)

agûaxima² (s.) – nome de caranguejo branco das praias arenosas (D'Abbeville, *Histoire*, 248)

agûé (t) (s.) – meio, metade; [adj.: **agûé (r, s)**]: *Xe ragûé rupi aín.* – Estou pela metade (p.ex., afundado n'água). (*VLB*, II, 35, adapt.)

agûeá¹ (s.) – dente molar (Castilho, *Nomes*, 28)

NOTA – Daí, o nome geográfico **JACAREGUEAÚ** (rio do MT) (v. Rel. Top. e Antrop. no final).

agûeá² (s.) – eixo: *ybyrá-pararanga agûeá* – eixo da roda de madeira que gira (no engenho de açúcar) (*VLB*, I, 109)

agûeapopy (s.) – dente do siso (*VLB*, I, 94)

agûerabé (posp.) – desde, desde que: *xe rura agûerabé* – desde minha vinda (*VLB*, I, 101)

agûe'y (interj.) – ô, opa (daquele que chama sem dizer o nome) (*VLB*, II, 60)

agûy¹ – o mesmo que **gûy¹** (v.)

agûy² (interj. de h.) – oh! (dito por aquele que perdeu algo e já não pode recuperar) (*VLB*, II, 53)

agûyb (ou **agûy**) (xe) (v. da 2ª classe) – balançar, menear, cambalear (de doença, enjoo): *Xe agûy-agûy.* – Eu estou cambaleando. (*VLB*, I, 59)

agûyrõ (t) (s.) – pênis excitado ou lubrificado por excitação sexual: *Ereîkytykype nde ragûyrõ?* – Esfregaste teu pênis excitado? (Anch., *Doutr. Cristã*, II, 90)

ahẽ¹ (dem. pron. e adj.) 1) aquele, ele (s, a, as): *Ahẽ xe re'õ-motareme, aîpotá-katu...* – Se ele quiser minha morte, folgo com ela. (D'Abbeville, *Histoire*, 351v); *Oré ma'e îara ahẽ pé.* – Nós somos portadores de riquezas para ele. (Léry, *Histoire*, 362); *... Oré mo'esara ahẽ t'oîkó...* – Que eles sejam nossos mestres (D'Abbeville, *Histoire*, 342); *Tó! Mamõpe ahẽ rekoû?...* – Eh! Onde ele está? (Anch., *Teatro*, 10); *N'i mba'e-katuî xûé-temo ahẽ mã!...* – Oxalá ele não tivesse coisas boas! (Ar., *Cat.*, 73); *Xe momotar ahẽ aoba.* – Atrai-me a roupa daquele. (*VLB*, I, 75); 2) fulano: *Marã îasûaramo ahẽ kûepe se'õ mã...?* – Ah, como será a morte do fulano por aí? (Ar., *Cat.*, 101v); *Anhomim temõ ahẽ mba'e amõ mã!...* – Ah, quem me dera esconder alguma coisa do fulano! (Anch., *Doutr. Cristã*, II, 101); *Ahẽ repîaka suí ké aîur.* – Vim aqui para não ver fulano. (D'Evreux, *Viagem*, 144) • *amõ ahẽ* – alguém (h.) (*VLB*, I, 154)

ahẽ!² (interj. de h.) – 1) oh! upa! (expressa espanto) (*VLB*, I, 125): *Ahẽ, teumẽ serobîá!* – Oh, guarda-te de acreditar neles! (Anch., *Teatro*, 62); *To, ahẽ! Abápe ké sobasẽ...?* – Oh! Quem aqui dá a cara? (Anch., *Teatro*, 138); 2) vede isso! (com admiração) (*VLB*, II, 142)

a'i (s.) – 1) mãe: *Kó a'i Tupã Marie.* – Eis a mãe de Deus, Maria. (D'Evreux, *Viagem*, 73); 2) s. vocativo de 1ª p. – minha mãe! (h. e m.): *A'i, eîori!* – Minha mãe, vem! (Ar., *Cat.*, 268)

a'ĩ (s. voc. de h. e m.) – mano! meu irmão! (Anch., *Arte*, 14v) (Diz um homem a outro ou uma mulher ao irmão.) (*VLB*, II, 31)

ãîa¹ (ou **ãnha**) (t) (s.) – dente (Castilho, *Nomes*, 37): *Kó xe 'akusu, xe rãnha...* – Eis meus chifrões, meus dentes... (Anch., *Teatro*, 40); [adj.: **ãî (r, s)**] – dentado, **(xe)** ter dentes: *Xe rãîasy.* – Eu tenho dentes doloridos. (D'Evreux, *Viagem*, 158); *Na xe rãî.* – Eu não tenho dentes. (*VLB*, I, 97) • **ãîmytera (t)** – dentes incisivos; dentes dianteiros (Castilho, *Nomes*, 38); **ãîmbara** (ou **ãîîoara**) **(t)** – dentes separados uns dos outros: *Xe rãîmbar* (ou *Xe rãîîoar*). – Eu tenho dentes separados. (Castilho, *Nomes*, 37); **anhesyîa (t)** – dentes botos (os que sentem a impressão desagradável que neles causam os ácidos): *Xe rãîesyî* (ou *Xe ranhesyî*). – Eu tenho dentes botos. (*VLB*, I, 94); **ãîmba'ũ (t)** – intervalo, interrupção nos dentes: *Xe rãîmba'ũ* (ou *Xe rãîma'ũ*). – Tenho intervalo, interrupção nos dentes (isto é, faltam-me alguns dentes). (*VLB*, I, 97); **ãî-ngyryî (t)** – dentes que rangem: *Xe rãî-ngyryî.* – Rangem-me os dentes. (*VLB*, II, 96)

NOTA – Daí, no P.B., **PIRANHA** (*pirá + ãî + -a*, "peixe dentado"); **PIABANHA** ("piaba dentada"), peixe caracídeo. Daí, também, o nome da localidade de **SUSSUANHA** (CE) (v. Rel. Top. e Antrop. no final).

ãîa² (ou **anha**) (t) (s.) – ponta, extremidade áspera de flecha (Marcgrave, *Hist. Nat. Bras.*, 278): *gûyrá-ãîmuku* – pássaro da extremidade comprida (*Theat. Rer. Nat. Bras.*, I, 152)

aîa¹ (s.) – 1) papo: *aîusu* – papo grande (*VLB*, II, 64); (adj.: **aî**) – papudo, **(xe)** ter papo: *Xe*

aîa²

aî. – Eu sou papudo; eu tenho papo. *Xe aîusu.* – Eu tenho papo grande. (*VLB*, II, 64); **2)** nó da garganta (*VLB*, II, 50)

aîa² (t) (s.) – acidez, azedume, amargor; [adj.: **aî (r, s)**] – ácido, azedo, amargo, forte (o vinho): – *Nde rory; tynysẽ umã kaûî... – Saî-katupe? – Saî-katu.* – Alegra-te: já transborda o cauim. – Estava bem azedo? – Estava bem azedo. (Anch., *Teatro*, 24)

>NOTA – Daí, no P.B., **UVAIA, UBAIA** ('*ybá* + *aî* + *-a*, "fruta azeda"), nome de árvore mirtácea e de seu fruto, muito azedo, do tamanho de uma pequena pera. Daí, também, **TIAIA** (nome de rio do CE) (v. Rel. Top. e Antrop. no final).

aîabutipytá (s.) – **JABUTAPITÁ, BATIPUTÁ**, arbusto da família das ocnáceas [*Ouratea parviflora* (DC.) Baill.], "do comprimento de cinco, seis palmos; é como amêndoa e preta e assim é o azeite que estimam muito e se untam com ele em suas enfermidades." (Cardim, *Trat. Terra e Gente do Brasil*, 43). Esse óleo é a chamada *manteiga de batiputá*, usada na medicina popular

aîaîá (s.) – **AJAJÁ, AIAIÁ**, colhereiro, variedade de cegonha, ave ciconiforme da família dos tresquiornitídeos, de praias, rios e lagoas. Tem um bico vermelho que parece uma colher. (Marcgrave, *Hist. Nat. Bras.*, 204; *VLB*, I, 88)

aîaingá (s.) – nome de uma ave (*Theat. Rer. Nat. Bras.*, I, 154)

aîaká (s.) – cesto, **JACÁ** (*VLB*, I, 71) (o mesmo que **îaká*** – v.)

>*OBSERVAÇÃO – A forma **aîaká** era usada entre os tupis de São Vicente (*VLB*, I, 71).

aîapá (s.) – nome de uma ave (Lisboa, *Hist. Anim. e Árv. do Maranhão*, fl. 185v)

aîarõ (xe) (v. da 2ª classe) – parecer bem, fazer sentido: *N'i aîarõî Îesu Cristo taté é te'õ suí i îepirapûana, tuba i moingoaba se'õ a'e i aîarõ.* – Não parece bem fazer ele a defesa da morte fora de Jesus Cristo, mas faz sentido que sua morte fosse a finalidade com que seu Pai o fez viver. (Ar., *Cat.*, 4)

aíba¹ (s.) – **1)** maldade, ruindade; **AÍVA**, coisa vil (*VLB*, I, 136; II, 145); *... Îandé aíba t'oîpe'a.* – Que afaste nossa maldade. (Anch., *Poemas*, 182); **2)** feiura: *Anotĩ xe aíba.* – Envergonho-me de minha feiura. (*VLB*, I, 83); **3)** grosseria (*VLB*, I, 151); **4)** aspereza (do mato, do caminho) (*VLB*, I, 44); **5)** incompleteza, superficialidade; (adj.: **aíb**) – **1)** mau, ruim, **AÍVA**, podre (em geral), desprezível, vil (*VLB*, I, 100; II, 80): *Aûîé kunumĩgûasu o ekó-aîbeté oîomim...* – Enfim, os moços escondem seus muito maus procedimentos. (Anch., *Teatro*, 38); *I îasear apŷabaíba...* – Uniram-se os homens maus. (Anch., *Teatro*, 54); *anhangaíba...* – diabo mau (Anch., *Poemas*, 90); **2)** grosseiro, rústico, tosco, bruto: *Xe aíbusu.* – Eu sou grosseirão. (*VLB*, I, 151); **3)** áspero, impraticável (fal. de mato, de caminho): *pé-aíba* – caminho impraticável (*VLB*, I, 45); **4)** debilitado, enfraquecido, de saúde corrompida, estragado com o uso: *Xe aíb.* – Eu estou debilitado. (*VLB*, I, 83; 130); **5)** envelhecido (com o uso; fal. de coisas) (*VLB*, I, 119); velho: *Gûyrá-aibusu* – pássaro muito velho (antropônimo) (D'Abbeville, *Histoire*, 187); **6)** incompleto, superficial: *mba'easy-aíba* – doença superficial, indisposição, doença fraca (*VLB*, II, 28); (adv.) – **1)** mal: *Aîkó-aíb.* – Vivo mal. (Fig., *Arte*, 138); *Arekó-aíb.* – Trato-o mal. (Fig., *Arte*, 138); **2)** falsamente, não completamente, superficialmente: *Amanõ-aíb.* – Morro falsamente, isto é, desmaio, desfaleço. (*VLB*, I, 125); *Asendub-aíb nde nhe'enga.* – Entreouvi tuas palavras (isto é, ouvi-as superficialmente) (*VLB*, I, 119); **3)** com afronta: *Aîmondó-aíb.* – Mando-o com afronta. (Fig., *Arte*, 138); **4)** tirante a, que tende a: *pirangaíb* – tirante a vermelho (*VLB*, II, 128)

>NOTA – Daí, no P.B., **AÍVA**: 1) ruim, mau; 2) mofino; 3) adoentado; 4) desorientado, fora de si; 5) pessoa ou coisa insignificante; 6) doença incurável (in *Dicion. Caldas Aulete*); **CAÍVA, CAÍBA**, mato carrasquento; terreno pobre, impróprio à cultura; **PIRAÍBA** ("peixe ruim"), nome de um peixe pimelodídeo. Daí, também, os nomes geográficos **ABAÍBA, PARAÍBA, PARANAÍBA** etc. (v. Rel. Top. e Antrop. no final).

aíba² (s.) – brenhas (da mata) (*VLB*, I, 59)

aibara (s.) – parte superior das brenhas da mata (*VLB*, I, 59)

aibeté (adv.) – muito, em excesso: *Koriteĩ-aibeté obebébo beramẽî kûepe o emimotarybo i xóreme "karaibebé" asé i 'éû i xupé.* – A gente diz "anjos" para eles por irem eles por sua vontade para longe, como que voando, muito rapidamente. (Ar., *Cat.*, 37)

aibĩ (s.) – coisa vil (*VLB*, II, 145); (adj.) – vil; desprezível, coitado, mísero: *Xe abá-aibĩ anhẽ.*

– Eu sou um mísero índio, de fato. (Anch., *Poemas*, 154); (adv.) – desprezivelmente, miseravelmente (Fig., *Arte*, 138)

NOTA – Daí, no P.B., **AIBI** (BA) (*'y + aibĩ*, "rio desprezível"), riachinho que, na região costeira, sofre a influência das marés (in *Dicion. Caldas Aulete*).

aîbîõte (adv.) – levemente (*VLB*, II, 21)

ãîbitir (r, s) (xe) (v. da 2ª classe) – arreganhar os dentes (como o cão): *Xe rãîbitir*. – Arreganhei os dentes. (*VLB*, I, 42)

aîbu (s.) – IPU, gênero de abelha meliponídea que nidifica no solo (Piso, *De Med. Bras.*, IV, 178)

ãîbyra (t) (s.) – gengiva (*VLB*, I, 148)

aîé[1] – v. **anhẽ**

aîé[2] (ou **aîeî**) (r, s) (posp.) – através de, de través; de revés: *Xe raîé i xemi*. – Saiu-me de través (p.ex., a flecha que me atingiu). (*VLB*, I, 102); *Our xe raîeî*. – Veio-me de través. (Fig., *Arte*, 125)

aîereba[1] (s.) – JEREBA, AIEREBA, espécie de arraia pardo-escura, da família dos dasiatídeos (Marcgrave, *Hist. Nat. Bras.*, 175; *VLB*, I, 41)

aîereba[2] (s.) – lisura; cerceamento; (adj.: **aîereb**) – 1) liso, sem pontas ou protuberâncias (fal. de mastro ou árvore que não tem folhas, nem ramos, do outeiro limpo de árvores ou pedras; da árvore direita e lisa, sem marca de nó) (*VLB*, II, 96); raso (sem que reste sinal do membro cortado) (*VLB*, II, 97); 2) Pode-se usar em metáfora, falando-se de alguém de família numerosa que se ache livre do ônus dela, como que sem obrigação para com a mulher e os filhos; desimpedido: *Xe aîereb* (ou *Xe aîerebĩ*). – Eu estou desimpedido. (*VLB*, II, 23)

aigûera (s.) – refugo, rebotalho, o que sobra depois que o melhor foi escolhido (*VLB*, II, 98)

aigûyra (s.) – parte inferior das brenhas (da mata): *îî aigûyra rupi nhẽ* – por baixo das brenhas dela (*VLB*, I, 59)

ãîîuara (t) (s.) – gengivas (Castilho, *Nomes*, 38)

aîká (s.) – boto, nome comum aos cetáceos odontocetos, delfinídeos (de mar) e platanistídeos (de rios) (*VLB*, I, 58)

aîpi'ĩgûasu

aîmbé (s) (v. tr.) – tostar: *Peîori, perasó muru, supi, îandé ratápe sapeka, ... saîmbé-katûabo...* – Vinde, levai os malditos, erguendo-os, para sapecá-los em nosso fogo, tostando-os bem... (Anch., *Teatro*, 90)

ãîmbira (t) (s.) – gengivas (Castilho, *Nomes*, 37)

Aîmbiré (s. antrop.) – nome de índio tupi (Anch., *Teatro*, 28)

aîmbora (t) (s.) – sinal deixado por mordida (*VLB*, II, 42) (v. tb. **pora**)

ãîngá (s) (v. tr.) – quebrar os dentes em; fazer dentes em (ferramenta): *Asãîngá*. – Fiz-lhe dentes. (*VLB*, II, 43)

ãînhoba'ũ (t) (s.) – vão entre os dentes (Castilho, *Nomes*, 38)

aîó (s.) – AIÓ, alforje (*VLB*, I, 31); bolsa; saco (*VLB*, II, 110); bolso (*VLB*, I, 32): *... N'i pori be'ĩ xe aîó*. – Não contém mais nada minha bolsa. (Anch., *Teatro*, 46) • **aîogûasu** – saca (*VLB*, II, 110); **ambé-aîó** – bolsa do abdômen (dos marsupiais) (*VLB*, I, 57)

NOTA – Em Graciliano Ramos lemos: "*Levava no AIÓ um frasco de creolina.*" (in Vidas Secas, São Paulo, Record, 1996).

aipaba (s.) – maldade, erro: *Eîkuabe'eng xe nhe'engaipaba*. – Mostra o erro de minhas palavras. (Ar., *Cat.*, 55v)

aîpi (s.) – AIPIM, peixe da família dos percofídeos, do Atlântico sul-ocidental (*VLB*, I, 120)

aîpĩ (s.) – AIPIM, UAIPI, AIPI, planta da família das euforbiáceas, gênero *Manihot*; espécie de mandioca também conhecida como *macaxera* (Piso, *De Med. Bras.*, IV, 177)

aîpiã (s.) – PIÃ, mancha negra que aparece debaixo dos dedos dos pés e que depois se alastra pelo corpo na forma de chagas e de postemas (D'Evreux, *Viagem*, 161) (v. tb. **piã**)

aîpi'ĩ (s.) – AIPIM (v. **aîpĩ**) (Vasconcelos, *Crônica (Not.)* II, §72, 148)

aîpi'ĩarendé (s.) – variedade de aipim (Vasconcelos, *Crônica (Not.)* II, §72, 148)

aîpi'ĩgûasu (etim. – *aipim grande*) (s.) – variedade de aipim (Vasconcelos, *Crônica (Not.)* II, §72, 148)

aîpi'ĩurukuîa

aîpi'ĩurukuîa (s.) – variedade de aipim (Vasconcelos, *Crônica* (*Not.*) II, §72, 148)

aîpi'ĩ-îurumũmirĩ (etim. – *aipim-jerimum pequeno*) (s.) – variedade de aipim (Vasconcelos, *Crônica* (*Not.*) II, §72, 148)

aîpi'ĩkaba (etim. – *aipim gorduroso*) (s.) – variedade de aipim (Vasconcelos, *Crônica* (*Not.*) II, §72, 148)

aîpi'ĩkurumũ (s.) – variedade de aipim (Vasconcelos, *Crônica* (*Not.*) II, §72, 148)

aîpi'ĩmaniakaú (s.) – variedade de aipim (Vasconcelos, *Crônica* (*Not.*) II, §72, 148)

aîpi'ĩpoka (etim. – *aipim estourado*) (s.) – variedade de aipim (Vasconcelos, *Crônica* (*Not.*) II, §72, 148)

aîpi'ĩpytanga (etim. – *aipim rosado*) (s.) – variedade de aipim (Vasconcelos, *Crônica* (*Not.*) II, §72, 148)

aîpi'ĩsaborandy (s.) – variedade de aipim (Vasconcelos, *Crônica* (*Not.*) II, §72, 148)

aîpi'ĩtaîapyguapamba (s.) – variedade de aipim (Vasconcelos, *Crônica* (*Not.*) II, §72, 148)

aîpĩmakaxera (s.) – AIPIM MACAXEIRA, espécie de mandioca, *Manihot esculenta* Crantz, euforbiácea (Marcgrave, *Hist. Nat. Bras.*, 67) • **aîpi 'y** – licor de aipim (*VLB*, II, 146)

aîpĩmixyra (etim. – *aipim assado*) (s.) – bodião, peixe da família dos escarídeos, de carne venenosa (Marcgrave, *Hist. Nat. Bras.*, 145; *VLB*, I, 56)

aîpó (dem. pron. e adj.) – esse (s, a, as), aquele (s, a, as), isso, aquilo: *Mbobype aîpó i 'éû? –* Quantas vezes disse isso? (Ar., *Cat.*, 55v); *Aîpó nhẽ-pipó ereîkó?* – Porventura fazes isso à toa? (Anch., *Teatro*, 22); *Aîpó nhõ-pipó nde rera?* – Esse, somente, é de fato teu nome? (Anch., *Teatro*, 44); *T'asó aîpó nhe'enga mopó...* – Hei de ir cumprir essas palavras. (Anch., *Teatro*, 60); *T'asó nde pyri, kori, aîpó tubixaba gûabo.* – Hei de ir junto de ti, hoje, para comer aqueles reis. (Anch., *Teatro*, 66); *Eteumẽ, aîpó tekó kuab'iré, tekó-poxy rerekóbo.* – Guarda-te, após conhecer essa lei, de ter má vida. (Anch., *Poemas*, 158); *Aîporama resé é peîmongaraíb abaré pyri.* – É por isso que o batizais junto ao padre. (Ar., *Cat.*, 127v); *Abá nhe'engûerape aîpó?* – Palavras de quem são essas? (Ar., *Cat.*, 35); (adv.) – eis que esse (s, a, as), eis que aquele (s, a, as): *Aîpó turi.* – Eis que esse vem (ouvindo sua voz, somente, não o vendo). (*VLB*, I, 109); *Aîpó xe me'engarama ruri...* – Eis que veio o que me entregará. (Ar., *Cat.*, 53v) • **aîpó nhẽ!** – É isso! Aí é que está!: *Aîpó nhẽ! Xe putupab nhẽ nde ri.* – Aí é que está! Eu estou surpreso por tua causa. (Léry, *Histoire*, 353); **aîpó suí** – daí, desse lugar (que tu dizes) (*VLB*, I, 89)

aîpoba'e (dem. pron. n.vis. – somente ouvindo ou sentindo, mas não vendo) – esse (s, a, as), aquele (s, a, as); aquilo, isso: *Aîpoba'e ri, ko'y asaûsu xe îara Îesu.* – Por causa disso, agora amo a meu senhor Jesus. (Anch., *Poemas*, 108); *Abápe aîpoba'e oîmomaran?* – Quem desobedece àquele? (Ar., *Cat.*, 67)

aîpoîa (s.) – variedade de aipim (Vasconcelos, *Crônica* (*Not.*) II, §72, 148)

aîpope (adv.) – ali (n. vis.) (*VLB*, I, 32)

aír (s) (v. tr.) – fazer incisão em, riscar: *Eresaírype nde ra'yra îasy semypyreme?* – Fizeste incisões em teu filho quando a lua começou a sair? (Ar., *Cat.*, 99); *Opá nde reté raíri itatiãîa pupé.* – Riscaram todo o teu corpo com ferro pontiagudo. (Anch., *Teatro*, 120) • **aisaba (t)** – tempo, lugar, modo etc. de riscar; risco, risca, incisão (*VLB*, II, 106)

aîriré (s.) – IRERÊ, ave da família dos anatídeos (Brandão, *Diálogos*, 234)

aîry (s.) – AIRI, IRI, COCO-DE-IRI, espécie de palmeira silvestre [*Astrocaryum aculeatissimum* (Schott) Burret], também chamada *brejaúva* ou *brejaúba* (*VLB*, II, 63)

NOTA – Daí provêm os nomes geográficos **AIRI**, **AIRITUBA** etc. (v. Rel. Top. e Antrop. no final).

aîtaty (t) (s.) – nora (de h.) (*VLB*, II, 51)

aîu (ou **aîy**) (t) (s.) – nervo, fibra (*VLB*, I, 129); nervura (de mandioca, batatas etc.) (*VLB*, II, 49); (adj.) – fibroso (fal. de madeira de má qualidade, de batata de má qualidade ou fora de tempo); (xe) ter nervos ou fibras: *Xe raîu-raîu.* – Eu sou fibroso. (*VLB*, II, 49); *Xe raîyîeapar.* – Eu tenho um nervo encolhido. (*VLB*, I, 114)

'aîuã (s.) – lisura; (adj.) – liso (fal. de coisa que tem casco, como a tartaruga) (*VLB*, II, 23)

aîuakara (s.) – var. de colar indígena (Laet, *Novus Orbis*, Livro XVI, cap. XVI, 620)

aîub (xe) (v. da 2ª classe) – madurar, amadurecer; estar maduro e amarelo (fal. de fruta): *Mbobype îasy kanhemi koîpó akaîu aîubamo...?* – Quantas vezes a lua desapareceu ou o caju madurou? (Ar., *Cat.*, 104v); *Okuî rakó amũme 'ybarambûera o 'yba suí 'ybotyramo oîkóbo bé, amõ rakó ogûakyra pupé i kuî, amõ rakó ogûaîub'iré i kuî.* – Caem às vezes os frutos de suas árvores sendo ainda flores, outras vezes em seu estado verde, outras vezes caem após madurarem. (Ar., *Cat.*, 157v)

aîuba (etim. – *pelos amarelos*) (s.) – ruivo; (adj.: 'aîub): *Xe aîub.* – Eu sou ruivo; *Xe rendybá-aîub.* – Eu tenho barba ruiva. (*VLB*, II, 109) ● **i aîuba'e** – o que é ruivo (*VLB*, II, 109)

aîuban (ou **aîubã** ou **anhuban**) (v. tr.) – abraçar: *Nde 'anga moapysykápe, oroîaîubã-îubã.* – Para confortar tua alma, nós o ficamos abraçando. (Anch., *Poemas*, 134); *Peîori, peîaîubã pitangĩ-moraûsubara.* – Vinde, abraçai o neném compadecedor. (Anch., *Poemas*, 162); *Ereîaîubãpe kunhã amõ?* – Abraçaste alguma mulher? (Ar., *Cat.*, 104)

'aîuberaba (etim. – *penugem amarela brilhante*) (s.) – var. de pomba (Soares, *Coisas Not. Bras.* (ms. C), 1355-1357)

aîubesãîrana (s.) – inchaço (fal. de fruta) (adj.: aîubesãîran) – inchado ou quase amarelo (p.ex., o fruto quase maduro) (*VLB*, II, 11)

aîubyk (v. tr.) – enforcar, afogar pela garganta: *Ne'ĩ, taûîé i aîubyka!* – Eia, enforca-os logo! (Anch., *Teatro*, 60) ● **i aîubykypyra** – o que é (ou deve ser) enforcado: *Nd'e'i te'e abá mondá îî aîubykypyramo oîkóbo o mondarõagûera repyramo nhẽ.* – Por isso mesmo o ladrão é o que deve ser enforcado como pena de seus roubos passados. (Ar., *Cat.*, 107v); **aîubykara** – enforcador (*VLB*, I, 31). V. **îubyk**.

'aîubyr (xe) (v. da 2ª classe) – levantar a cabeça (como dizem dos muito doentes): *Xe 'aîubyr.* – Eu levanto a cabeça; *Na xe 'aîubyri.* – Eu não levanto a cabeça. (*VLB*, II, 21)

aîuká (v. tr.) – amassar, sovar (p.ex., massa, pele de animal etc.): *Aîaîuká.* – Sovei-a. (*VLB*, I, 34)

aîura (ou **anhura**) (s.) – **1)** pescoço (Castilho, *Nomes*, 28): *Oîabo asé santos 'ara kuabi, oîabo bé asé i kangûerĩ tiruã momba'etêû, o aîuri serekóbo...* – Assim como a gente reconhece o dia dos santos, do mesmo modo, também, até mesmo seus ossinhos a gente cultua, tendo-os no pescoço. (Ar., *Cat.*, 12v); **2)** gargalo (de pote etc.): **anhurĩ** – gargalo fino (como da cabaça) (*VLB*, I, 93) ● **o aîurybo** – pelo pescoço: *Aîmondeb o aîurybo.* – Meto-o pelo pescoço. (Anch., *Arte*, 43); *Nde mondeb o aîurybo.* – Meteu-te pelo pescoço. (Anch., *Arte*, 43); **aîurar** – ter o pescoço caído: *Xe aîurar.* – Eu tinha o pescoço caído (isto é, por um desmaio. Também se diz do figo derrubado, por estar muito maduro). (*VLB*, I, 95); **aîuri** – no pescoço. (Fig., *Arte*, 126): *O îoaîuri aîmoín.* – Prendi-os um no pescoço do outro. (*VLB*, II, 85); **anhurĩ** – estreitado em forma de pescoço, isto é, com estreitamento entre duas partes bojudas (*VLB*, I, 93)

NOTA – Daí, no P.B., **JUÇANA-JURIPIIARA** (*îusana aîur-ype îara*, "laço que segura no pescoço"), certa armadilha para apanhar pássaros pelo pescoço.

aîurar (v. tr.) – laçar o pescoço de, laçar pelo pescoço: *Aîaîurar.* – Lacei-o pelo pescoço. (*VLB*, II, 130)

aîuru (s.) – AJURU, AJERU, JERU, JURU, nome comum a várias espécies de aves psitaciformes da família dos psitacídeos. Há onze espécies brasileiras, que bem imitam a voz humana. (Marcgrave, *Hist. Nat. Bras.*, 205; *VLB*, II, 64)

NOTA – Daí, o nome geográfico **AJURUOCA** (MG) (v. Rel. Top. e Antrop. no final).

aîuruakãpiranga (etim. – *papagaio da cabeça vermelha*) (s.) – nome de uma ave (*Theat. Rer. Nat. Bras.*, I, 165)

aîuruapara (etim. – *papagaio curvo*) (s.) – AJURUAPARA, ave psitaciforme da família dos psitacídeos (Marcgrave, *Hist. Nat. Bras.*, 207)

aîurûasu[1] (ou **aîuruûasu**) (etim. – *papagaio grande*) (s.) – AJURUAÇU, JURUAÇU, ave psitacídea, variedade de papagaio, todo verde (Sousa, *Trat. Descr.*, 231)

Aîurûasu[2] (ou **Aîuruûasu**) (s. antrop.) – nome de índio tupi (D'Abbeville, *Histoire*, 184)

aîuru'atubira (s.) – AJURUATUBIRA, var. de ajuru, árvore pequena da família das crisobaláneas, produtora de fruto vermelho, com cujo óleo, também vermelho, se untavam os índios (Cardim, *Trat. Terra e Gente do Brasil*, 43)

aîurueté

aîurueté (etim. - *papagaio verdadeiro*) (s.) - AJURUETÊ, ave da família dos psitacídeos, de cor verde, tendo os encontros das asas vermelhos e o toucado da cabeça amarelo. "... Criam nas árvores, em ninhos e comem a fruta delas, de que se mantêm." (Sousa, *Trat. Descr.*, 231)

aîuru'i (etim. - *papagaiozinho*) (s.) - AJURUIM, var. de papagaio, da família dos psitacídeos (Soares, *Coisas Not. Bras.* (ms. C), 1286-1288)

aîuruîu (s.) - var. de papagaio (Lisboa, *Hist. Anim. e Árv. do Maranhão*, fl. 193)

aîuruîuba (etim. - *papagaio amarelo*) (s.) - AIURUJUBA, 1) francês (*VLB*, I, 143): - *Abápe nde? - Saraûaîa, aîuruîubupîarûera.* - Quem és tu? - Sarauaia, adversário antigo de franceses. (Anch., *Teatro*, 44); *Saûsupara, aîuruîuba, mokaba ogûeru tenhẽ...* - Seus amigos, os franceses, pólvora trouxeram em vão. (Anch., *Teatro*, 52); 2) inglês, alemão, belga, estrangeiro de barbas e cabelos ruivos (Marcgrave, *Hist. Nat. Bras.*, 268); 3) europeu loiro, homem branco: *Kûeîsé kó aporapiti, aîuruîuba îukábo.* - Eis que ontem trucidei gente, matando europeus. (Anch., *Teatro*, 66)

NOTA - Daí, JURUJUBA (nome de enseada do RJ) (v. Rel. Top. e Antrop. no final).

aîurukatinga (etim. - *papagaio-catinga*) (s.) - AJURUCATINGA, ave psitacídea (Marcgrave, *Hist. Nat. Bras.*, 207)

aîurukuraú (s.) - CURAU, espécie de papagaio, da família dos psitacídeos. Vive na mata úmida ou seca, em palmais ou beira de rios. (Marcgrave, *Hist. Nat. Bras.*, 205)

aîurukurika (s.) - AJURUCURUCA (v. aîurukuruka) (Lisboa, *Hist. Anim e Arv. do Maranhão*, fl. 192)

aîurukuruka (ou **aîurukurika**) (s.) - AJURU-CURUCA, CURICA, ave psitaciforme da família dos psitacídeos (Marcgrave, *Hist. Nat. Bras.*, 205; 207)

aîurupy¹ (s.) - parte da roupa que cobre o pescoço (*VLB*, I, 76)

aîurupy² (s.) - pé (de árvore frutífera) (*VLB*, II, 68)

aîurupy³ (s.) - talo, cachaço, cerviz, parte traseira do pescoço; (adj.) (**xe**) - ter talo, cachaço: *Xe aîurupygûasu.* - Eu tenho cachaço grande. (*VLB*, I, 62)

aîurupy⁴ (s.) - colo (D'Evreux, *Viagem*, 158)

aîxé (s.) - 1) tia paterna; 2) prima do pai (Ar., *Cat.*, 114; *VLB*, II, 127)

aîxó (t) ou (t, t) (s.) - sogra (de h.): *Oka'u bé xe raîxó...* - Bebe cauim também minha sogra. (Anch., *Teatro*, 46); *Kó aîkó sygepûera t'arasó i nhy'ãbebuîa abé xe raîxó-gûaîbĩ supé.* - Aqui estou para levar seu ventre e também seus pulmões para minha sogra velha. (Anch., *Teatro*, 66)

ãîyba (t) (s.) - dente maxilar (D'Evreux, *Viagem*, 158)

aîyba (t) (s.) - queixo • **aîygûera** (t) - queixo separado do corpo, com ou sem a carne (*VLB*, II, 93)

aîybena (t, t) - o mesmo que **aîymena** (t, t) (v.) (*VLB*, I, 148)

aîyka (t) (s.) - veia, nervo (Castilho, *Nomes*, 38); [adj.: **aîyk** (r, s)] - fibroso, (**xe**) ter fibras ou nervos (p.ex., a carne ou a vara que, por mais que a dobrem, não quebram): *Xe raîy-raîyk.* - Eu sou fibroso. (*VLB*, II, 49)

NOTA - Daí, no P.B. (AM), pelo nheengatu, SAJICA, *rijo, forte, robusto* (in *Dicion. Caldas Aulete*).

aîymena (t, t) (s.) - 1) genro (de h.); 2) marido de sobrinha, filha do irmão; 3) marido da filha do primo (de h.) (Ar., *Cat.*, 115v)

aîyra (t, t) (s.) - 1) filha (de h.): *O aîyra... resé abá n'omendari...* - Com sua própria filha ninguém se casa. (Ar., *Cat.*, 128v); *... Tupã raîyra* - filha de Deus (Anch., *Poemas*, 88); *T'e'i Tupã nde moingóbo o aîyramo ybaté.* - Que Deus te coloque nas alturas como sua própria filha. (Anch., *Poemas*, 158); 2) filha de irmão ou primo (de h.) (Ar., *Cat.*, 115v)

akã (t) (s.) - galho, ramo (de árvore): *Sakã resé i îepokoki.* - Ela embarrou nos seus ramos. (*VLB*, I, 111)

NOTA - Daí, no P.B., SACÃ (SP); SACANGA; SACAÍ (PA), *graveto, galho seco; acendalha: Foi apanhar SACANGA no mato.* (in *Dicion. Caldas Aulete*).

'aka¹ (s.) - amargor; (adj.: **'ak**) - amargo: *Xe 'ak.* - Eu estou amargo. (*VLB*, I, 34)

'aka² (s.) – chifre, corno: *Kó xe 'akusu, xe ranha...* – Eis meus chifrões, meus dentes. (Anch., *Teatro*, 40); *Îabaeté-katu nde 'aka.* – São muito temíveis teus chifres. (Anch., *Teatro*, 162)

NOTA – Daí, o nome **ACAPU** (rio do AM) (v. Rel. Top. e Antrop. no final).

akab (ou **aká**) (v. tr.) – bradar com, gritar com, brigar com: *Xe aká tekatu nhẽ.* – Até mesmo gritou comigo. (*VLB*, I, 46); *Aîakab.* – Gritei com ele. (*VLB*, I, 59; D'Evreux, *Viagem*, 146)

akagûakaîa (s.) – castanha-de-caju (Marcgrave, *Hist. Nat. Bras.*, 95)

akaî (interj. de h.) – 1) (expressa desgosto, enfado, irritação, dó, dor) – ai, oh!: *Akaî! Aseká îepé mytasaba amõ gûitekóbo, erĩ!, xe mosẽ memẽ taba suí abaré...* – Ai, por mais que eu esteja procurando alguma pousada, irra, faz-me sair sempre da aldeia o padre. (Anch., *Teatro*, 126); *Akaî! Teumẽ xe rapŷabo!* – Ai! Guarda-te de me queimar! (Anch., *Teatro*, 44); 2) expressa zombaria (*VLB*, I, 28) (v. tb. **kaî** e **akaîgûá**)

akãî (v. tr.) – tocar sem agarrar (como o que vai fugindo): *Aîakãî-akãî.* – Fiquei-o tocando. (*VLB*, II, 129)

akaîá¹ (ou **kaîá**) (s.) – **ACAIÁ**, **CAJÁ**, **CAJAZEIRA**, frondosa árvore anacardiácea (*Spondias mombin* L.), cujo fruto, o cajá, é muito apreciado, sobretudo para o preparo de doces. Também é chamado **CAJAZEIRO**, **CAJÁ**, **CAJAÍBA**, **ACAJAÍBA**, **CAJAZEIRA**, *taperebazeiro, taperebazeira, taperibazeiro.* (D'Abbeville, *Histoire*, 223; Marcgrave, *Hist. Nat. Bras.*, 129)

NOTA – Daí, os nomes geográficos **CAJAÍBAS** (BA), **CAJAPIÓ** (MA) etc. (v. Rel. Top. e Antrop. no final).

akaîá² (s.) – vagina; útero, madre (Castilho, *Nomes*, 27)

akaîakatinga (s.) – **CAJATI**, variedade de cedro brasileiro, árvore da família das lauráceas (*Cryptocarya mandioccana* Meisn.), da Mata Atlântica (Sousa, *Trat. Descr.*, 212)

akaîa'yba (s.) – **ACAIABA**, **ACAJU**, nomes que se aplicam ao cajueiro, *Anacardium occidentale* L., planta anacardiácea (Marcgrave, *Hist. Nat. Bras.*, 94)

akaîgûá (interj. de h.) – 1) (expressa dor) – ai!: *Akaîgûá! N'i tyb-angáî xe boîá...* – Ai! Não há absolutamente servos meus. (Anch., *Teatro*, 128); *Akaîgûá! Marãpe xe ri erepûá?* – Ai! Por que bates em mim? (Anch., *Teatro*, 32); 2) expressa raiva, incitamento ao ódio: – *Akaîgûá! Ne'ĩ, t'asó nde irũmo, ta xe rembiá...* – Eia, hei de ir contigo, para que eu tenha presas... (Anch., *Teatro*, 64) (v. tb. **akaî** e **kaî**)

akaîgûaî (interj. de h. e m.) – ai! (de dor) (*VLB*, I, 27)

akaîgûé (interj. de h.) – ai! (de desgosto, lamento, indignação): ... *Tekotebẽ-eté rerekóbo, "akaîgûé"* ... *o'îabo.* – Tendo aflições verdadeiras, dizendo: *"ai!".* (Ar., *Cat.*, 163v)

akaîguy (interj. de m.) – ai! (de dor, desgosto, indignação): ... *Tekotebẽ-eté rerekóbo, "akaîgûy"* ... *o'îabo.* – Tendo aflições verdadeiras, dizendo: *"ai!".* (Ar., *Cat.*, 163v)

akaîu (s.) – 1) **CAJUEIRO**, nome dado principalmente a uma árvore da família das anacardiáceas, gênero *Anacardium* (*Anacardium occidentale* L.), de flores pequenas, avermelhadas e perfumadas, que exalam um odor muito forte; 2) **CAJU**, **ACAJU**, o fruto dessa árvore e das demais espécies de cajueiros (D'Abbeville, *Histoire*, 217): *Mbobype îasy kanhemi koîpó akaîu 'aîubamo...?* – Quantas vezes a lua desapareceu ou o caju madurou? (Ar., *Cat.*, 104v); 3) pedicelo tuberizado, comestível, do fruto do cajueiro (Marcgrave, *Hist. Nat. Bras.*, 94) ● **akaîu 'y** – licor de caju (*VLB*, II, 146); **akaîu-kaûĩ** – vinho feito pelos índios com o suco do caju (D'Abbeville, *Histoire*, 218); **akaîu-'akaîá** – castanha-de-caju (Marcgrave, *Hist. Nat. Bras.*, 269)

NOTA – A palavra **CAJU** ainda é usada no Norte e no Nordeste do Brasil com o sentido de *ano*: – *Quantos* **CAJUS** *você tem? Ele tem lá seus cajus. De* **CAJU** *em* **CAJU** (isto é, *de ano em ano*). Isso porque o cajueiro frutifica somente uma vez por ano e era uma prática dos índios tupis da costa guardar a castanha dessa fruta para saber se já eram velhos. Daí, também, os nomes geográficos **ACAJUTIBA** (BA), **ACAJUTIBIRÓ** (PB) etc. (v. Rel. Top. e Antrop. no final).

akaîu-'aîuba (etim. – *amadurecimento dos cajus*) (s.) – ano: *Na mboby nhõ ruã akaîu-'aîubane aûîeramanhẽ-te.* – Não serão somente poucos anos, mas para sempre. (Ar., *Cat.*, 163; Marcgrave, *Hist. Nat. Bras.*, 94)

akaîuakaîpirakoba

NOTA – Daí, no P.B. (SE), os adjetivos **ACAJIBADO** e **ACAJIPADO**, significando *deformado pelo uso; envelhecido* (in *Dicion. Caldas Aulete*).

akaîuakaîpirakoba (s.) – PIRAOBA, PIROABA, nome indígena das chuvas de outubro, no Nordeste, conhecidas por *chuvas-de-caju*; chuvas que prejudicam a floração do cajueiro (Marcgrave, *Hist. Nat. Bras.*, 95)

akaîuba – o mesmo que **murukuîagûasu** (v.)

akaîueté – o mesmo que **akaîu** (v.)

akaîu'ĩ (etim. – *cajuzinho*) (s.) – CAJUÍ, planta da família das anacardiáceas (*Anacardium microcarpum* Duckc), uma das espécies de caju (D'Abbeville, *Histoire*, 217). É muito menor que o cajueiro comum. Não aparece "ao longo do mar, mas nas campinas do sertão, além das caatingas." (Sousa, *Trat. Descr.*, 188)

akaîukatinga (etim. – *caju catinguento*) (s.) – ACAJU-CATINGA, var. de cedro, árvore alta da família das meliáceas (*Cedrela fissilis* Vell.), de casca grossa e de propriedades medicinais (*VLB*, I, 70)

akaîupiranga (etim. – *caju vermelho*) (s.) – uma das espécies de caju; fruto de pele vermelha e suco fortemente ácido (D'Abbeville, *Histoire*, 217)

akaîutĩ (etim. – *saliência do caju*) (s.) – castanha-de-caju (Marcgrave, *Hist. Nat. Bras.*, 95)

akaîuûasu (etim. – *caju grande*) (s.) – CAJUAÇU, a maior das espécies de caju, árvore da família das anacardiáceas (D'Abbeville, *Histoire*, 217)

akaîu'yba (etim. – *pé de caju*) – o mesmo que **akaîu** (v.) (D'Abbeville, *Histoire*, 217; Marcgrave, *Hist. Nat. Bras.*, 94)

akakab (ou **akaká**) (v. tr.) – repreender, censurar: *Morubixaba tuîba'e onhe'eng memẽ i xupé, senonhena, i akakapa.* – Os chefes velhos falam sempre a eles, repreendendo-os, censurando-os. (Anch., *Teatro*, 34); *Nd'e'i te'e o apixara akakapa...* – Por isso mesmo repreendeu a seu companheiro... (Ar., *Cat.*, 63); *N'oîmogûabi o nhemoŷrõ,... îepi nhẽ i porakakabi...* – Não abrandam sua raiva; sempre repreendem as pessoas. (Anch., *Teatro*, 148) • **akakapaba** – tempo, lugar, modo etc. de repreender, de censurar; censura, repreensão: *... Aîpó e'i nhote i xupéne konipó abaré supé i mombe'uû i akakapagûama reséne.* – Isso dirá somente a ele ou contará ao padre para que o repreenda. (Anch., *Doutr. Cristã*, I, 228)

akaka'i (s.) – ACARI, GUACARI, UACARI, CACAJAU, nome comum a macacos da família dos cebídeos (Staden, *Viagem*, 171)

NOTA – Daí, os nomes geográficos **ACARIREMA** (PA), **ACARITUBA** (AM), **ACARI** (MG) etc. (v. Rel. Top. e Antrop. no final).

akambûasaba (s.) – 1) nastro, espécie de fita estreita (*VLB*, II, 48); 2) cordinha de algodão que os índios amarravam na cabeça e da qual pendiam, na parte posterior, algumas compridas penas vermelhas ou azuis (Marcgrave, *Hist. Nat. Bras.*, 270)

akamby[1] (t) (s.) – forquilha: *Asakamby'ok.* – Arranco-lhe a forquilha (p.ex., ao galho da árvore); *ybyrá kamby* – forquilha de madeira (*VLB*, I, 142)

akamby[2] (t) (s.) – o vão entre as coxas, o vão entre as pernas: *Xe rakamby.* – O vão entre minhas pernas. (*VLB*, I, 142)

akanetá (s.) – CANITAR, 1) cocar indígena; 2) coroa: *... Akanetá-pyrã-beraba reroínano.* – Tendo também coroas vermelhas e brilhantes... (Ar., *Cat.*, 168v)

akanga (s.) – cabeça: *Oîké îugûasu, i akanga kutuka.* – Entram grandes espinhos, espetando sua cabeça. (Anch., *Poemas*, 122); *Xe parati 'y suí aîu, rainha repîaka, xe akanga moîegûaka.* – Do rio dos paratis vim para ver a rainha, enfeitando minha cabeça. (Anch., *Poemas*, 152); *Aîakangeky-ekyî.* – Fiquei-lhe puxando a cabeça (pelos cabelos). (*VLB*, I, 42); *A'e ré kori îasó tubixaba akanga kábo.* – Depois disso, vamos quebrar as cabeças dos reis. (Anch., *Teatro*, 60); *Mba'epe onong i akanga 'arybo?* – Que puseram sobre sua cabeça? (Ar., *Cat.*, 60v); *Aîakangok mboîa.* – Corto a cabeça à cobra. (Fig., *Arte*, 88) • **akangûera** – cabeça fora do corpo, cabeça arrancada: *pirá akangûera* – cabeça (arrancada) de peixe (*VLB*, I, 61)

NOTA – Daí, no P.B., **CANGUÇU** (*akangusu*, "cabeça grande"), outro termo que designa *caipira*; **ACANGAPEVA** (*akanga* + *peb* + *-a*, "cabeça achatada"), nome comum a várias espécies de peixes tricomicterídeos; **GANGA**, **CANGA**,

formas reduzidas de **TAPUNHUNACANGA** ("cabeça de negro") ou **TAPIOCANGA, TAPANHOACANGA, ITAPANHOACANGA**, concentração de hidróxidos de ferro na superfície da terra sob a forma de uma carapaça dura, aproveitada, muitas vezes, para se fazerem tijolos; laterita.
Daí, também, os nomes geográficos **JACARACANGA** (BA), **JACUACANGA** (RJ) etc. (v. Rel. Top. e Antrop. no final).

akangá (v. tr.) – quebrar a cabeça de: *Ereîakangá-ngápe nde membyra i akyrar-y îanondé?* – Ficaste quebrando a cabeça de teu filho antes de o abortar? (Anch., *Doutr. Cristã*, II, 88)

akangagûá (s.) – cabeça de virote (arma antiga); maça, clava, qualquer porra de madeira; (adj.) (**xe**) – ser cabeçudo (como o virote) • **i akangagûaba'e** – o que é cabeçudo (como o virote) (*VLB*, I, 61)

akangaíba (s.) – cabelo crespo (de pessoa branca); (adj.: **akangaíb**) (**xe**) – ter cabelo crespo: *Xe akangaíb*. – Eu tenho cabelo crespo. (*VLB*, I, 85)

akangaoba (etim. – *roupa de cabeça*) (s.) – **1)** chapéu; carapuça (*VLB*, I, 67): *Nd'e'i te'e... i xupé o akangaó-'okara Tupã nhe'enga abŷabo...* – Por isso mesmo os que tiram seu chapéu para eles transgridem a palavra de Deus. (Ar., *Cat.*, 179); **2)** touca, toucado (*VLB*, II, 134): *Aîakangaó-rung*. – Pus-lhe touca. (*VLB*, II, 134) • **akangaoburupé** – var. de chapéu em forma de cogumelo (*VLB*, I, 72; Léry, *Histoire*, 342-343); **akangaó-îepepira** – var. de chapéu (*VLB*, I, 72)

akangaobapûã (etim. – *chapéu pontudo*) (s.) – barrete (*VLB*, I, 52)

akangaobĩ (etim. – *paninho de cabeça*) (s.) – var. de véu: *I xy aé ipó opîá o akangaobĩ pupé.* – Cobrindo-o sua própria mãe, na verdade, com seu véu. (Ar., *Cat.*, 62)

akangaobusu (etim. – *grande roupa de cabeça*) (s.) – véu, espécie de touca com bico ou sem ele que cobria a cabeça das mulheres e parte de sua testa, principalmente das viúvas (*VLB*, I, 66)

akangaopotyra (etim. – *flor do pano de cabeça*) (s.) – penacho (*VLB*, II, 71)

akangaopysá (etim. – *chapéu puçá*) (s.) – **1)** rede de fio de seda, linho ou gaze fina em que se mete o cabelo e se aperta no alto da cabeça; **2)** coifa de rede (*VLB*, I, 76)

akanunduka

akangaotinga (etim. – *pano branco de cabeça*) (s.) – coifa, tecido para envolver os cabelos (*VLB*, I, 76)

akangapé – v. **akangyapé**

akangapixa'ĩ – o mesmo que **'apixa'ĩ** (v.)

akangaso'îaba (s.) – ornamento de cabeça dos índios (Laet, *Novus Orbis*, Livro XVI, cap. XVI, 620)

akangatara (s.) – **ACANGATARA, CANITAR, ACANGATAR**, cocar indígena (Staden, *Viagem*, 148)

> NOTA – Em Gonçalves Dias lemos: "*Brilhante enduape no corpo lhe cingem, / Sombreia-lhe a fronte gentil **CANITAR**.*" (in *Antologia Poética*. 5. ed. Rio de Janeiro, Agir, 1969).

ACANGATARA (ilustração de C. Cardoso)

akangupaba (etim. – *lugar de estar deitada a cabeça*) (s.) – almofada (*VLB*, I, 32); travesseiro (*VLB*, I, 61)

akangupabusu (etim. – *almofada grande*) (s.) – var. de travesseiro grande (*VLB*, I, 61)

akangupapuku (etim. – *almofada comprida*) (s.) – var. de travesseiro (*VLB*, I, 61)

akangûyra (etim. – *cabeça baixa*) (s.) – desânimo; (adj.: **akangûyr**) – desanimado, descoroçoado: *Xe akangûyr*. – Eu estou descoroçoado. (*VLB*, I, 95)

akangyapé (ou **akangapé**) (s.) – casco da cabeça, crânio (Castilho, *Nomes*, 28)

akanitara – o mesmo que **akangatara** (v.)

akanunduka (s.) – febre: *akanunduka porarasara...* – o que sofre febre (Ar., *Cat.*, 165); (adj.: **akanunduk**) – febril: *Xe akanunduk*. – Eu estou febril, eu tenho febre. (*VLB*, I, 136)

Eduardo Navarro 23

akapé

akapé (t) (s.) – **1)** o espaço que há do umbigo até a virilha, púbis (Castilho, *Nomes*, 37) • **akapé-aba** (t) – os pelos do púbis (Castilho, *Nomes*, 37); **2)** a frente do corpo, em geral (Léry, *Histoire*, 365)

akãpyra (ou **akambyra**) (t) – ponta de galho de árvore (*VLB*, II, 80)

akará (ou **kará**) (s.) – ACARÁ, CARÁ, nome comum a certos peixes da família dos ciclídeos (D'Abbeville, *Histoire*, 247; Léry, *Histoire*, 348-349; Marcgrave, *Hist. Nat. Bras.*, 168)

NOTA – Daí, **ACARÁ**, nome de vários acidentes geográficos no Brasil (v. Rel. Top. e Antrop. no final).

akaraãîa (ou **karanha**) (etim. – *cará dentado*) (s.) – CARANHA, nome comum a várias espécies de peixes da família dos lutjanídeos, que atingem até 1 m de comprimento, tendo boa carne. Ocorrem em toda a costa brasileira. (Marcgrave, *Hist. Nat. Bras.*, 167; *VLB*, II, 70)

akaraî (v. tr.) – **1)** roer (como osso): *Aîakaraî.* – Roí-o. (*VLB*, II, 107); **2)** tosquiar (os pelos) (*VLB*, II, 137)

akaraîu (s.) – nome de um peixe (D'Abbeville, *Histoire*, 245)

akarakamuku (etim. – *cará da cabeça comprida*) (s.) – nome de um peixe (*Libri Princ.*, vol. II, 57)

akarakorõ (s.) – nome de um peixe (Lisboa, *Hist. Anim. e Árv. do Maranhão*, fl. 168)

akarakorõ'i (s.) – nome de um peixe (Lisboa, *Hist. Anim. e Árv. do Maranhão*, fl. 166)

akaramuku (etim. – *cará comprido*) (s.) – nome de peixe da família dos balistídeos (Marcgrave, *Hist. Nat. Bras.*, 163)

akaraoby (s.) – nome de uma ave da família dos ardeídeos; garça-azul (Lisboa, *Hist. Anim. e Árv. do Maranhão*, fl. 185)

akarapeasaba (s.) – nome de um peixe, sargo-de-rio (*VLB*, II, 113)

akarapeba (etim. – *cará achatado*) (s.) – CARAPEBA, peixe da família dos gerrídeos (Marcgrave, *Hist. Nat. Bras.*, 161-162)

akarapinima (etim. – *cará pintado*) (s.) – nome de um peixe da família dos ciclídeos (Marcgrave, *Hist. Nat. Bras.*, 152)

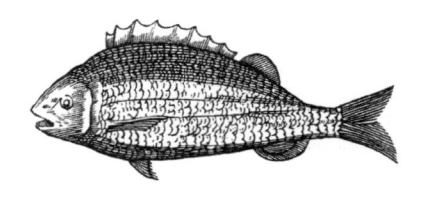

AKARAPINIMA (fonte: Marcgrave)

akarapitamba (s.) – nome de um peixe perciforme (Marcgrave, *Hist. Nat. Bras.*, 155)

akará-pitinga (etim. – *cará pintado*) (s.) – nome de um peixe (Lisboa, *Hist. Anim. e Árv. do Maranhão*, fl. 174)

akarapuku (etim. – *cará comprido*) (s.) – ACARAPUCU, peixe da família dos gerrídeos (Marcgrave, *Hist. Nat. Bras.*, 145)

akarapururu (s.) – nome de um peixe, uma das espécies de cará; é chato, escuro e rajado de amarelo (v. **akará**) (D'Abbeville, *Histoire*, 245)

akarapytanga (etim. – *cará rosado*) (s.) – CARAPUTANGA, nome comum a certos peixes percomorfos da família dos lutjanídeos (D'Abbeville, *Histoire*, 245)

akarapytangîuba (etim. – *cará rosado e amarelo*) (s.) – nome de um peixe perciforme (*Libri Princ.*, vol. II, 67)

akaratinga (etim. – *cará claro*) (s.) – CARATINGA, peixe da família dos gerrídeos (Marcgrave, *Hist. Nat. Bras.*, 161)

akaraûasu (etim. – *cará grande*) (s.) – CARAUAÇU, uma das espécies do peixe acará, da família dos ciclídeos, também chamado ACARÁ-GRANDE, ACARÁ-AÇU, ACARAÇU, ACARÁ-GUAÇU, ACARÁ-GUAÇU, ACARÁ-UÇU, AIARAÇU, CARÁ-UAÇU (Léry, *Histoire*, 349-350)

akaraúna (etim. – *cará escuro*) (s.) – CARAÚNA, ACARÁ-PRETO, ACARAPIXUNA, peixe da família dos ciclídeos, de cor escura (Marcgrave, *Hist. Nat. Bras.*, 144)

akaraxixã (s.) – coisa rugosa, coisa áspera (adj.) – rugoso, áspero: *Xe akaraxixã.* – Eu sou rugoso. (*VLB*, II, 149)

akarisoba (s.) – ACARIÇOBA, erva rasteira da família das umbelíferas, que se alastra pelas praias e adjacências. É medicinal, tendo muitas variedades. (Piso, *De Med. Bras.*, IV, 192)

akasanga (s.) – dúvida; (adj.: **akasang**) – duvidoso; **(xe)** duvidar, estar com dúvida: *Xe akasang.* – Eu estou com dúvida. (*VLB*, I, 107); *... Serobîara resé o akasange'ymamo...* – Por causa de sua crença nele não duvidando. (Ar., *Cat.*, 85)

akãtyrá (s.) – topete (das aves) (*VLB*, I, 66)

akaûã (ou **kaûã**) (s.) – ACAUÃ, MACAGUÃ, MACAUÃ, ACANÃ, NACAUÃ, UACAUÃ, CAUÃ, ave da família dos falconídeos, conhecida por seu canto, que se dá geralmente no crepúsculo e no alvorecer. É predador de cobras, mesmo peçonhentas. "E quando o gentio vai de noite pelo mato que se teme das cobras, vai arremedando estes pássaros para as cobras fugirem." (Sousa, *Trat. Descr.*, 234)

aké[1] (dem.) – esse (s, a, as) (Fig., *Arte*, 85)

aké[2] (interj. de m.) – ai! (de dó, dor ou lamento) (*VLB*, II, 53)

aké[3] (s.) – planta da família das palmáceas (Brandão, *Diálogos*, 195)

akeakoty (posp.) – além de, adiante de, do outro lado de (*VLB*, I, 31)

akekẽ (s.) – QUEM-QUEM, FORMIGA-QUEM-QUEM, formiga-de-monte, inseto himenóptero da família dos formicídeos, formiga pequena que come plantas e que se cria somente à flor da terra (*VLB*, I, 142)

akó[1] (dem. pron. e adj.) – **1)** este (s, a, as), esse (s, a, as), aquele (s, a, as); isto, isso, aquilo (vis. ou n. vis.): *N'osa'angi-tep'akó nhembo'e ko'arapukuî?* – Mas não tentam esses aprender sempre? (Anch., *Teatro*, 30); *Akó xe îubykarûera...* – Esse é meu antigo enforcador. (Anch., *Teatro*, 62); *Akó 'y asé reté moîasuka îabé, akûeîa îabé.* – Assim como esta água lava o corpo da gente, também aquela (lava). (Anch., *Doutr. Cristã*, I, 201); *Akó tubixanẽmbûera?* – Aqueles velhos reis fedorentos? (Anch., *Teatro*, 64); **2)** (adv.) eis que: *Akó ybakype ogûekó îakatu, Îandé Îara... rekoû miapepûera pupé nhẽ abaré pópe re'a...* – Eis que, como está no céu, Nosso Senhor está dentro do pão nas mãos do padre, com certeza. (Ar., *Cat.*, 84v); **3)** aquele que: *Akó oîké rakó Tupãokype...* – Aquele que entrava na igreja. (*VLB*, I, 40) • **akó amõaé** – aquele outro (*VLB*, I, 40)

akûãîypytá

akó[2] (t) (s.) – virilha (Castilho, *Nomes*, 37) • **akó-a'ynha** (t) – íngua na virilha (*VLB*, II, 12)

akoakokûesé (adv.) – trasantontem (*VLB*, I, 36)

akoamõ (adv.) – lá, acolá (local conhecido do ouvinte) (*VLB*, I, 20)

'akok[1] (v. tr.) – apoiar ou encostar a cabeça de, manter abraçado pela cabeça: *Aî'akok.* – Apoio sua cabeça, mantenho-o abraçado pela cabeça. (*VLB*, I, 18)

NOTA – Daí, no P.B. (S.), o verbo **ACOCAR**, *fazer mimos em; mimar, acariciar*; **ACOCAÇÃO**, *carinho, mimo; dengues* (in *Dicion. Caldas Aulete*).

'akok[2] (v. tr.) – arrancar o amargor de: *Aîukyrakok.* – Arranco o amargor do sal. (*VLB*, II, 112)

akokûesé (adv.) – anteontem (*VLB*, I, 37)

akokûesekûesé (adv.) – trasantontem (Fig., *Arte*, 128)

akoraka'e (adv.) – então, naquela época: *Akoraka'e 'ara nhemonhang'iré...* – Naquela época, após criar-se o mundo. (Ar., *Cat.*, 84)

akoroí (xe) (v. da 2ª classe) – assomar em grande número, serem muitos: *Oré akoroí.* – Nós assomamos em grande número, nós éramos muitos. (*VLB*, I, 75)

akoûĩme (adv.) – lá, acolá (local conhecido do falante e do ouvinte) (*VLB*, I, 20)

akûaba (t) (s.) – púbis; pelos da virilha (Castilho, *Nomes*, 37); [adj.: **akûab (r, s)**] – pubescente; **(xe)** pubescer, ser pubescente (*VLB*, II, 89)

'akuabe'ymba'e (etim. – *o que não conhece o mundo*) (s.) – bobo (Marcgrave, *Hist. Nat. Bras.*, 276)

akûãîa (t) (s.) – pênis (Castilho, *Nomes*, 37): *Erepokokype nde rakûãîa resé enhemoagûyrõmo?* – Tocaste no teu pênis, excitando-te? (Anch., *Doutr. Cristã*, II, 90) • **sakûãîba'e** – o que tem pênis, macho (*VLB*, II, 27)

NOTA – Daí, **TACANHUNA** ("pênis preto", grupo indígena extinto do PA) (v. Rel. Top. e Antrop. no final).

akûãîypytá (t) (s.) – **1)** base do pênis (Castilho, *Nomes*, 37); púbis masculino; **2)** pelos das partes pudendas do homem (Castilho, *Nomes*, 37) • **akûãîypytá-aba** (ou **akûãînhypytá-**

akûanhaíba

-aba) – pelos do púbis (*VLB*, II, 89)

akûanhaíba (t) (etim. – *pênis ruim*) (s.) – cavalo (nome vulgar de doença venérea do homem); [adj.: **akûanhaíb (r, s)**] **(xe)** – ter cavalo, ter doença venérea: *Xe rakûanhaíb.* – Eu estou com doença venérea. (*VLB*, I, 69)

akûara (t) (s.) – febre, quentura pela febre (*VLB*, II, 94); [adj.: **akûar (r, s)**] – febril, **(xe)** ter febre: *Xe rakûar.* – Eu estou febril. (*VLB*, II, 94)

akûaur (r, s) (xe) (v. da 2ª classe) – pubescer, passar a ter pelos pubianos (*VLB*, II, 89)

akuba (t) (s.) – 1) quentura, calor, ACU; 2) febre; [adj.: **akub (r, s)**] – 1) quente: *Xe rakubeté kó mã!* – Ah, eu estou muito quente aqui! (Anch., *Teatro*, 90); *'arakubeté* – dia muito quente (Ar., *Cat.*, 7); *mba'e-akuba* – coisa quente, quentura (*VLB*, II, 94); 2) febril: *Xe rakub.* – Eu estou febril, eu tenho febre. (Léry, *Histoire*, 367)

> NOTA – Daí, **JACUBA** (nome de rio de SP) (v. Rel. Top. e Antrop. no final). Daí, também, no P.B., **JACUBA**, 1) *café engrossado com farinha de mandioca;* **2)** *bebida preparada com água, farinha de mandioca, açúcar ou mel e, às vezes, com um pouco de cachaça; tiquara* (in *Dicion. Caldas Aulete*).

akubaíba (t) (etim. – *mau aquecimento*) (s.) – tepidez; [adj.: **akubaíb (r, s)**] – morno (fal. de água ou outro líquido): *Xe rakubaíb.* – Eu estou morno. (*VLB*, II, 42)

akubora (t) (s.) – veemência; animosidade; [adj.: **akubor (r, s)**] – veemente, de muito trabalho, com fúria para lutar, animoso: *Xe rakubor.* – Eu estou animoso. (*VLB*, I, 127)

akûé[1] (s.) – nome de uma ave (*Theat. Rer. Nat. Bras.*, I, 160)

akûé[2] (interj. de m.) – ai! (de dor, lamento, espanto ou zombaria) (*VLB*, I, 27; 28)

akûé[3] – v. **akûeî**

akûea – o mesmo que **akûeîa** (v.)

akûeakoty (posp.) – adiante de, para adiante de, para além de: *Lisboa akûeakoty* – para além de Lisboa (*VLB*, I, 48)

akûeba'e – o mesmo que **akûea** (v.)

akûeî (ou **akûé**) (dem. adj. n. vis.) – aquele (s, a, as); esse (s, a, as): *Akûé tabusu Îerusalém 'îaba pora mombebaûama kuapa nhẽ aîpó i 'éû.* – Disse isso conhecendo o futuro esmagamento dos habitantes daquela cidade chamada Jerusalém. (Ar., *Cat.*, 61v-62)

akûeîa (ou **akûea**) (dem. pron. n. vis.) – aquele (s, a, as), esse (s, a, as), aquilo, isso: *Akó 'y asé reté moîasuka îabé,* **akûeîa** *îabé.* – Assim como esta água lava o corpo da gente, aquela também (lava). (Anch., *Doutr. Cristã*, I, 201) ● **akûea suí** – dali, daquela parte (que tu e eu sabemos – n. vis.) (*VLB*, I, 89; 93)

akûeîba'e – o mesmo que **akûeîa** (v.) (*VLB*, I, 39)

akûeîbé (adv.) – logo então (*VLB*, II, 24)

akûeîgûerabé (adv.) – desde aquele tempo; desde aquilo (que tu e eu sabemos) (*VLB*, I, 97)

akûeîkó (adv.) – assim: *Akûeîkó xe rekóû xe marane'yma rerekóbo rimba'e re'a...* – Assim eu procederei, tendo saúde futuramente. (Ar., *Cat.*, 155v)

akûeîme (adv.) – outrora, antigamente, há tempos, naquela época, naquele tempo, nesse tempo, então: *Aîmomburu* **akûeîme** *tupinambá.* – Ameacei, outrora, os tupinambás. (Anch., *Teatro*, 132); *Akûeîme aîkotebẽ, xe rekopoxy purûabo.* – Antigamente eu estava aflito, praticando meus vícios. (Anch., *Poemas*, 130); *Akûeîme kó tabygûara xe pó gûyrybo sekóû.* – Antigamente estes habitantes da aldeia sob minhas mãos estavam. (Anch., *Teatro*, 126); *N'i tyb-angáî setãmbûera. Opá... akûeîme n'i poretáî.* – Não existem mais absolutamente suas antigas terras. Todas, há tempos, não contêm muita coisa. (Anch., *Teatro*, 52) ● **akûeîme bé** (ou **akûeîmengatutenhẽ**) – então, naquele mesmo tempo (*VLB*, I, 118)

akûeîme'ĩ (interj.) (com *mã!* no final do período) – ai, naquele tempo! (expressa saudade do tempo passado) (*VLB*, II, 120)

akûeîme'îe'õ (interj.) (com *mã!* no final do período) – ai, bons tempos! (expressando saudade do tempo passado) (*VLB*, II, 120)

akûeîme'îka'e (interj.) (com *mã!* no final do período) – ai, bons tempos! (expressando saudade do tempo passado) (*VLB*, II, 120)

akûeîpe (adv.) – ali (n. vis.) (Fig., *Arte*, 129); lá, acolá (*VLB*, I, 20); aí (onde tu e eu sabemos) (*VLB*, I, 27)

akûeme (adv.) - o mesmo que **akûeîme** (v.) (Fig., *Arte*, 128)

akûere'õ (interj.) - ai! que mal! (expressão de dor, de lamento, de arrependimento): *Akûere'õ xe rekóû rimba'e re'ĩ...* - Que mal eu agi outrora... (Ar., *Cat.*, 155v)

aku'i (s.) - qualidade do que é enxuto; (adj.) - enxuto, não aguacento, não úmido (mas não seco, ou seja, como árvore, tábua, terra que se molhou ou como batata, mandioca etc.) (*VLB*, I, 120): *I xy na sugûyî tiruã: i aku'i, n'i kûari nhẽ.* - Sua mãe nem sequer sangrou: ela estava enxuta, ela estava virgem, com efeito. (Anch., *Poemas*, 184)

'akuîa (etim. - *cabelos caídos*) (s.) - calvície; (adj.: **'akuî**) - pelado da cabeça, calvo; **(xe)** pelar-se: *Xe 'akuî.* - Eu sou calvo. (*VLB*, II, 70)

aku'ixa'ĩ¹ (s.) - qualidade do que é enxuto; (adj.) - enxuto, não aguacento (mas não seco, isto é, como batata, mandioca etc.) (*VLB*, I, 120)

aku'ixa'ĩ² (xe) (v. da 2ª classe) - esboroar-se (*VLB*, I, 122)

akura'a (ou **'yakura'a**) (s.) - poços ou remansos de rio; fundo do rio onde a água está parada (*VLB*, II, 79)

NOTA - Daí, o nome geográfico **ACURAÚ** (AM) (v. Rel. Top. e Antrop. no final).

akurẽia (s.) - agitação; (adj.: **akurẽî**) - agitado, sacudido, coleante: *Xe akurẽ-kurẽî.* - Eu estou-me agitando. (*VLB*, I, 76)

akuti (s.) - CUTIA, AGUTI, ACUCHI, ACOUTI, ACUTI, nome genérico de diversos mamíferos roedores da família dos caviídeos ou dasiproctídeos, com nove espécies no território brasileiro, dentre as quais a espécie *Dasyprocta leporina*, que está associada à Mata Atlântica e à Amazônia. Vivem nas matas e capoeiras, de onde saem à tardinha para alimentar-se de frutos e sementes caídos das árvores, tendo predileção por coquinhos. A coloração varia entre as espécies. (D'Abbeville, *Histoire*, 96v; Marcgrave, *Hist. Nat. Bras.*, 224; Thevet, *Les Sing. de la France Antarct.*, 62v)

akypûembour

CUTIA (fonte: Marcgrave)

NOTA - Daí, os nomes geográficos **ACUTIA-CANGA** (AM), **COTIA** (SP) etc. (v. Rel. Top. e Antrop. no final).

akutigûepó (ou **akutitigûepó**) (s.) - AGUTI-GUEPE, erva da família das marantáceas (*Maranta arundinacea* L.), de caule subterrâneo que armazena amido utilizável na alimentação. É também chamada *araruta, araruta-comum, araruta-especial, araruta-gigante* etc. (Marcgrave, *Hist. Nat. Bras.*, 53)

akutimirĩ (s.) - CUTIA-MIRIM, variedade de cutia de cor parda, de rabo muito felpudo,... também conhecida como *cutiara*. Restrito à região amazônica, este animal é incluso no gênero *Myoprocta*, com três espécies reconhecidas. (Sousa, *Trat. Descr.*, 252-253)

akutitere'yba (s.) - CUTIRIBÁ, CUCUTIRIBÁ, CUTITIRIBÁ, árvore grande da família das sapotáceas (D'Abbeville, *Histoire*, 219v)

aky¹ (interj. de dó, dor ou lamento - de h.) (*VLB*, II, 53)

aky² (s.) - tibieza; frouxidão; (adj.) - tíbio, frouxo: *Aîpó gûi'îabo, n'akyî ixé.* - Isso dizendo, eu não estou tíbio. (Anch., *Teatro*, 144)

akyky (s.) - AQUIQUI, var. de macaco da família dos cebídeos (Cardim, *Trat. Terra e Gente do Brasil*, 29; *VLB*, I, 56)

NOTA - Daí, o nome geográfico **AQUIQUI** (v. Rel. Top. e Antrop. no final).

akyma (s.) - molhamento, molha; (adj.: **akym**) - molhado: *Xe akym.* - Eu estou molhado. (*VLB*, II, 40)

akymaíba (etim. - *mal molhado*) (s.) - umidade; (adj.: **akymaíb**) - úmido (como pelo orvalho ou pelo lugar sombrio, mas não molhado): *Xe akymaíb.* - Eu estou úmido. (*VLB*, II, 20)

akypûembour (s) (etim. - *fazer virem as pegadas*) (v. tr.) - seguir o rastro de (na volta):

akypûemomosem

Asakypûembour. – Sigo-lhe o rastro. (*VLB*, II, 115); *I ara'a îagûara îá, îandé rakypûemboú.* – Ele é lampeiro como uma onça, seguindo nosso rastro. (Anch., *Poemas*, 188)

akypûemomosem (s) (etim. – *perseguir as pegadas*) (v. tr.) – seguir o rastro de (acossando-o): *Asakypûemomosem.* – Sigo-lhe o rastro. (*VLB*, II, 115)

akypûemondó (s) (etim. – *fazer ir as pegadas*) (v. tr.) – seguir o rastro de (na ida), ir atrás de, ir no encalço de: *Kunhã rakypûemondóbo...* – Seguindo o rastro das mulheres. (Anch., *Teatro*, 150)

akypûera (t) (s.) – **1)** parte posterior, traseira; retaguarda (*VLB*, II, 135); **2)** pegada, rastro, esteira (p.ex., que faz o navio ao navegar): *ygara rakypûera* – esteira da canoa (*VLB*, I, 128); *Nde rakypûera rupi t'osó xe 'anga îepi.* – Por tuas pegadas há de ir minh'alma sempre. (Valente, *Cantigas*, in Ar., *Cat.*, I, 1618); *Sakypûera rupi é îasó...* – Por seus rastros é que vamos. (Anch., *Teatro*, 138); **3)** vestígio: *Asé 'anga suí asé angaîpaba... rakypûera kanhemagûama resé.* – Para o desaparecimento dos vestígios da maldade de nossa alma. (Ar., *Cat.*, 91-91v)

akypûeri (r, s) (etim. – *nas pegadas*) (loc. posp.) – atrás de, no encalço de, em seguida a, no rastro de, pelo rastro de: *Nd'osoîpe i boîá amô sakypûeri?* – Não foi algum discípulo seu atrás dele? (Ar., *Cat.*, 55); *Sakypûeri aîkó.* – Estou atrás dele (isto é, no seu encalço). (*VLB*, I, 47); *Sakypûeri asó.* – Vou atrás dele. (*VLB*, II, 135); *Abá 'anga mara'ara i pupé opûeîrá-katu; sakypûeri Tupã rara.* – As doenças da alma do homem com ela saram bem; em seguida a ela, a comunhão. (Anch., *Teatro*, 38) • *o îoakypûeri* – um atrás do outro; *o îoakypûé-kypûeri* – uns atrás dos outros (*VLB*, I, 154)

akypûerindûara (ou **akypûerixûara** ou **akypûerygûana**) (t) (s.) – coisa ou pessoa que está atrás na ordem; o menor em idade; o derradeiro (*VLB*, II, 35; 135)

akyra¹ (s.) – imaturidade, estado verde (fal. de fruto): *Okuî rakó amûme 'ybarambûera o 'yba suí 'ybotyramo oîkóbo bé, amõ rakó ogûakyra pupé i kuî, amõ rakó ogûaîub'iré i kuî.* – Caem às vezes os frutos de suas árvores, sendo ainda flores, outras vezes em seu estado verde, outras vezes após amadurecerem caem. (Ar., *Cat.*, 157v); (adj.: **akyr**) – verde (o contrário de maduro, fal. de fruto) (*VLB*, II, 144)

akyra² (s.) – tibieza, frouxidão; enternecimento; (adj.: **akyr**) – tíbio, frouxo; **(xe)** enternecer-se, afrouxar-se: *Erepo'ẽpe kunhã rapopé amõ pupé, nde akyramo?* – Passaste as mãos nalguma virilha de mulher, estando enternecido? (Anch., *Doutr. Cristã*, II, 90); *... Xe repyramo omanõba'epûera ri xe akyre'ymamo...* – Não me enternecendo eu pelo que morreu para me resgatar. (Ar., *Cat.*, 86)

akyrara (etim. – *arrancar verde*) (s.) – aborto (sempre com algum complemento): *Eremosangu'upe nde membyra akyrara potá?* – Tomaste poção querendo o aborto de teu filho? (Anch., *Doutr. Cristã*, II, 88); (adj.: **akyrar**) – abortivo (*VLB*, I, 18); **(xe)** abortar: *Xe membyrakyrar.* – Abortei meu filho. (*VLB*, I, 18)

'akytã (s.) – grão (como de sal, farinha etc., à diferença de grão de milho ou de arroz, que é *a'ỹîa* (t) – v.) (*VLB*, I, 150) • **akytãmbûera** – coisas ou porções miúdas, restos, como as raízes da mandioca ou as batatas miúdas de que não se faz caso: *i akytãmbûera* – as porções miúdas dela, o refugo dela (*VLB*, II, 39)

akytaba (s.) – delgadeza; (adj.: **akytab**) – delgado, com estreitamento entre duas partes bojudas (*VLB*, I, 93)

akyta'ĩ (s.) – curteza; (adj.) – curto (*VLB*, I, 88)

am (alomorfe de **ram** – v.): *menama* – futuro marido (Anch., *Arte*, 34); *îarama* – o futuro senhor (Anch., *Arte*, 33v)

'am (v. intr.) – estar (de pé); estar levantado; levantar-se nas pontas dos pés: *A'am.* – Levanto-me. (*VLB*, II, 21); *Opyk o'ama, i nhe'engobaxûare'yma.* – Calava-se, estando de pé, não respondendo as palavras deles. (Ar., *Cat.*, 56); *yby-'ama* – terra levantada (*VLB*, I, 52) • **o'amba'e** – o que está (de pé): *Amõ 'yba gûemityma pyterype o'amba'e kuabe'enga.* – Mostrando-lhe certa árvore que estava no meio do seu jardim. (Ar., *Cat.*, 39v, 40); **'ambaba** – tempo, lugar, modo etc. de estar em pé (*VLB*, II, 25)

NOTA – Daí, **IBIAMA** (ladeira de Salvador, BA) (v. Rel. Top. e Antrop. no final).

amãberaba (etim. – *brilho de chuva*) (s.) – relâmpago (*VLB*, I, 143)

amaeîu (interj. de m.) - oh! coitado de! (dito por aquela que perdeu algo e já não pode recuperar) (*VLB*, II, 53)

amambykaba (s.) - nastro, espécie de fita estreita (*VLB*, II, 48)

aman (v. tr.) - cercar (em roda), circundar, rodear, envolver, abarcar: *Anhaman.* - Rodeei-o. (*VLB*, I, 43); *Marã e'ipe irã abá a'ereme tobaîá-katupabẽ o amaneme sekyîabone?* - Como, então, futuramente, os homens dirão, invocando-o, ao circundarem-nos muitíssimos inimigos? (Ar., *Cat.*, 162); *I ndi, kori, t'îasó temiminõ repenhana, aûnhenhẽ setama amana.* - Com ele, hoje, vamos atacar os temiminós, cercando imediatamente sua terra. (Anch., *Teatro*, 138); ... *Opá tekotebẽ abá amana ko'yté.* - Toda a aflição envolvendo o homem, enfim. (Ar., *Cat.*, 156)

amana (s.) - chuva; água de chuva: *Opyk amana.* - Cessou a chuva. (*VLB*, I, 122); *Asapé-monhang amana.* - Faço caminho para a água da chuva. (Fig., *Arte*, 88); *Oky-ko'ẽ-ko'ẽ amana, paranã momungábo...* - A chuva ficava amanhecendo a cair, enchendo o mar. (Ar., *Cat.*, 41v) • **amanusu** - grande chuva, tempestade: *Ne emongetá nde Tupã t'okûab é amanusu...* - Roga a teu Deus para que passe a tempestade. (Staden, *Viagem*, 66)

NOTA - Daí, os nomes geográficos **AMANDABA** (SP) e **MANTIQUEIRA** (v. Rel. Top. e Antrop. no final).

amanaîé¹ (s.) - mensageiro que chama outros índios para a guerra (*VLB*, II, 35)

NOTA - Daí, no P.B., **AMANAIÉ**, povo indígena do estado do Pará.

amanaîé² (v. intr. compl. posp.) - fazer convite, mandando recado; chamar (para a guerra, com mensagem); mandar recado (compl. com **supé**): *T'asóne nde pyri... erépe amõ kunhã supé koîpó ereamanaîé i xupé, sesé enhemomotá?...* - Disseste a alguma mulher: "Hei de ir junto a ti" ou mandaste-lhe recado, atraindo-te por ela? (Ar., *Cat.*, 104)

amanarypy'oka (etim. - *coalhada de chuva*) (s.) - neve; geada (os tupinambás diziam *amanarypy'aka*) (*VLB*, II, 49) (v. tb. **ro'ynhemoapysanga** e **ro'yîukyra**)

amanasaîa (s.) - MANDAÇAIA, abelha da família dos meliponídeos, que produz excelente mel (Piso, *De Med. Bras.*, IV, 178)

NOTA - Daí, **MANDASSAIA** (nome de serra do RJ) (v. Rel. Top. e Antrop. no final).

amanasaîmirĩ (etim. - *mandaçaia pequena*) (s.) - MANDAÇAIA-MIRIM, abelha da família dos meliponídeos (Piso, *De Med. Bras.*, IV, 178)

amanasaî-nema (etim. - *mandaçaia fedorenta*) (s.) - abelha meliponídea (Piso, *De Med. Bras.*, 178)

amana-tupaba (etim. - *lugar em que está a chuva*) (s.) - nuvem d'água (Thevet, *Cosm. Univ.*, 913v)

amandaba (s.) - redondeza (de coisa plana); círculo: - *Akó morotinga, i amandaba bé asé osepîak...* - A gente vê aquela coisa branca e sua redondeza também. (Anch., *Doutr. Cristã*, I, 216); (adj.: **amandab**) - redondo, circular: *Xe amandab.* - Eu sou redondo. (*VLB*, II, 99)

amanybá (etim. - *fruta de chuva*) (s.) - saraiva, granizo, chuva de pedra (*VLB*, II, 69)

amãpytuna (etim. - *escuridão de chuva*) (s.) - tempo disposto e pronto para chuva (Léry, *Histoire*, 359): *Amãpytuna ã.* - Eis que o tempo está para chuva. (*VLB*, I, 111)

amaran (xe) (v. da 2ª classe) - alterar-se, mexer-se, agitar-se: *Na xe amarani.* - Eu não me altero. (*VLB*, I, 93)

amãsununga (etim. - *barulho de chuva*) (s.) - trovão (*VLB*, II, 133)

amati'ã (t) (s.) - clítoris (*VLB*, II, 35), **TAMATIÁ** (AM, pop.): *Xe ramati'ã* - meu clítoris, meu tamatiá (Léry, *Histoire*, 366)

ama'yba - v. **amba'yba**

ama'ybeté - o mesmo que **amba'yba** (v.) (*VLB*, I, 127)

ama'ytinga - o mesmo que **amba'ytinga** (v.)

amba'yba (s.) - EMBAÚBA, AMBAÍBA, AMBAÚBA, IMBAÍBA, IMBAÚVA, IMBAÚBA, designação comum a várias espécies de plantas do gênero *Cecropia*, da família das cecropiáceas. É o alimento preferido do bicho-preguiça, abrigando também formigas agressivas. Tem propriedades medicinais e é também chamada *árvore-da-preguiça*. (D'Abbeville, *Histoire*, 220; Marcgrave, *Hist. Nat. Bras.*, 91; *VLB*, I, 138). Serviam-se os índios de sua madeira

amba'ybuna
para acender o fogo. (Marcgrave, *Hist. Nat. Bras.*, 273)

EMBAÚBA (fonte: Marcgrave)

NOTA – Daí, o nome **AMBAÍUA** (igarapé do AM), pelo nheengatu (v. Rel. Top. e Antrop. no final).

amba'ybuna (etim. – *embaúba escura*) (s.) – nome de uma planta (*Theat. Rer. Nat. Bras.*, II, 130; 141)

amba'yrana (etim. – *falsa embaúba*) (s.) – EMBAUBARANA, planta da família das cecropiáceas, do gênero *Porouma*, semelhante à embaúba (*Cecropia*) (*VLB*, I, 127)

amba'ytinga (etim. – *embaúba-branca*) (s.) – EMBAÚBA-BRANCA, **1)** árvore da família das cecropiáceas (*Cecropia palmata* Willd.), também chamada UMBAÚBA, AMBAÚBA, AMBAUBEIRA, AMBAÚVA, árvore-da-preguiça, EMBAÍBA, EMBAUBEIRA, EMBAÚVA, IMBAÍBA, IMBAÚBA, IMBAUBEIRA, pau-de-preguiça, UMBAUBEIRA; **2)** arbusto da família das cactáceas, do gênero *Opuntia*, também conhecido como *figueira-do-inferno* (Marcgrave, *Hist. Nat. Bras.*, 92; *VLB*, I, 127)

ambé¹ (ou **nhambé**) (v. intr. irreg., usado no imper. somente) – espera!: *Enhambé! T'oú-te muru, ranhẽ...* – Espera! Que venha o maldito, primeiro. (Anch., *Teatro*, 138); – *T'asepîak taûîé.* – *Eambé ranhẽ.* – Que as veja logo. – Espera, primeiro. (Léry, *Histoire*, 345-346); *Eambé, xe ranhẽ t'akûáne.* – Espera, eu hei de ir primeiro. (Anch., *Teatro*, 20)

ambé² (t) (s.) – ventrecha (a parte das virilhas) (*VLB*, I, 52)

ambeaîó (t) (s.) – bolsa do abdômen (dos marsupiais) (*VLB*, I, 57)

ambeaoba (t) (etim. – *roupa da virilha*) (s.) – **1)** ceroulas, cueca, calção (*VLB*, I, 63); **2)** espécie de tanga (*VLB*, II, 64)

ambó (etim. – *esta mão*) (num.) – cinco (Fig., *Arte*, 4)

amboaé – o mesmo que **amoaé** (v.)

ambu (s.) – barulho, ronco (*VLB*, II, 107), grunhido (do porco) (*VLB*, II, 108); (adj.) – barulhento; **(xe)** rugir, roncar (também o porco), fazer barulho: *Xe ambu.* – Eu faço barulho; *Xe py-ambu.* – Faço barulho com os pés (ao andar); *Xe py-ambugûasu.* – Faço muito barulho ao andar. (*VLB*, II, 107-108)

ambu'a (s.) – AMBUÁ, EMBUÁ, centopeia, lacraia, designação comum a vários miriápodes das famílias dos júlidas e polidésmidas. São "lagartas verdes pintadas de preto e a cabeça branca, e outras pintadas de vermelho e preto e todas são tão grossas como um dedo e de meio palmo de comprido." (Sousa, *Trat. Descr.*, 266; Marcgrave, *Hist. Nat. Bras.*, 253)

AMBUÁ (fonte: Marcgrave)

ambu'aembó (etim. – *vergôntea da ambuá*) (s.) – planta da família das aristoloquiáceas (*Aristolochia labiata* Willd.), também chamada *jarrinha, papo-de-peru, mil-homem*. É uma trepadeira que se enrola em outras plantas e arbustos. (Marcgrave, *Hist. Nat. Bras.*, 15)

Ambu'aûasu (etim. – *ambuá grande*) (s. antrop.) – nome de índio tupi (D'Abbeville, *Histoire*, 185)

ambuba (s.) – monco, ranho, muco espesso do nariz (D'Evreux, *Viagem*, 158; *VLB*, II, 40)

ambubok (v. tr.) – arrancar o monco, assoar (p.ex., o nariz) (*VLB*, I, 45)

ambûer [alomorfe de **rambûer** (v.) – composição de *ram* e *pûer*]: *I porangeté kunumĩ, miaûsubambûerĩ mã!* – Ah, é muito bonito o menino que poderia ser um escravozinho! (Anch., *Poemas*, 194); *okambûera* – casa que seria, o que seria casa (Anch., *Arte*, 34)

amby (s.) – ventrecha, parte inferior da barriga, parte do corpo entre o umbigo e a virilha; colo (Castilho, *Nomes*, 38): *Xe ambyî arekó.* – Trago-o no meu colo. (*VLB*, I, 77)

ambyagûá (t) (s.) – o que está ao lado; o vizinho: *Erenhemosaînanype nde ra'yra, nde roka* pora... nde **rambyagûá** missa iî ypyrungápe sendubagûama ri? – Tu te preocupaste com que teu filho, os que estão em tua casa, teus vizinhos ouvissem a missa desde o começo dela? (Anch., *Doutr. Cristã*, II, 105)

ambyasy (etim. – *dor de ventrecha*) (s.) – fome: *xe ambyasy posanga...* – lenitivo de minha fome... (Valente, *Cantigas*, VII, in Ar., *Cat.*, 1618); *... ambyasy, 'useîa porarábo...* – sofrendo a fome e a sede (Ar., *Cat.*, 169v); (adj.) – faminto; **(xe)** ter fome: *I ambyasy bépe, i 'useî bépe asé îabé?...* – Tinha também fome, tinha também sede como nós? (Ar., *Cat.*, 44v); *Xe ambyasy.* – Eu estou faminto. (Léry, *Histoire*, 367) • **i ambyasyba'e** – o que tem fome, o faminto (*VLB*, I, 134); **ambyasybora** – faminto (costumeiramente): *Ambyasybora poîa.* – Alimentar os famintos. (Ar., *Cat.*, 18)

ambyî (etim. – *na barriga*) (adv.) – pertinho: *O îoambyî oroîub.* – Estamos pertinho um do outro. (*VLB*, II, 74)

ambype (adv.) – algum dia, futuramente [denotando tempo mais distante que **mbype** (v.)] (*VLB*, I, 31) • **ambype é** (ou **ambype é irã**) – outro dia, já não agora (*VLB*, II, 61)

ambyra (s.) – o defunto, o finado, o falecido [Para *cadáver*, v. **e'õmbûera (t)**]: *Ambyrama pabê îandé...* – Futuros defuntos somos todos nós. (Ar., *Cat.*, 158); *Penhemoma'enduar ambyra 'angûera...* – Lembrai-vos das almas dos defuntos. (Ar., *Cat.*, 49); (adj.: **ambyr**) – defunto, finado, falecido: *... Amõ re'õneme, opytaba'e nd'e'ikatuî omendá o mendasabambyra asykûera amõ resé.* – No caso de morrer algum, o que fica não pode casar-se com algum irmão ou irmã de seu cônjuge falecido. (Ar., *Cat.*, 131)

ãme (adv.) – ali (vis.) (*VLB*, I, 32)

amẽ[1] (adv.) – assim é (às vezes ironicamente) (Fig., *Arte*, 137)

amẽ[2] (adv.) – **1)** de costume, de hábito, geralmente: *Marã erép'amẽ eporombo'ebo?* – Que dizes de costume, ensinando as pessoas? (Ar., *Cat.*, 55v); **2)** necessariamente, forçosamente, por dever: *Abáp'amẽ asé osenõî oîkotebẽmo?* – Quem, necessariamente, a gente chama, estando aflita? (Ar., *Cat.*, 23); *Oîoaûsu-katupe amẽ oîopopysykyba'epûera?* – Amam-se muito, por dever, os que se casaram? (Ar., *Cat.*, 95); *Mobype amẽ abá remirekó-eté?* – Quantas são, necessariamente, as verdadeiras esposas de um homem? (Ar., *Cat.*, 94v)

amẽîepi (adv.) – costumeiramente, de costume: *Asó amẽîepi.* – Ia de costume. (*VLB*, II, 120)

ameîuá (s.) – nome de um lagarto (*Theat. Rer. Nat. Bras.*, II, 56)

ameresyma (s.) – espécie de lagartixa, pequeno lagarto da família dos teídeos (Marcgrave, *Hist. Nat. Bras.*, 238; *VLB*, II, 17)

AMERESYMA (fonte: Marcgrave)

ame'yba (s.) – **AMEIVA**, réptil da família dos teídeos, que vive nas capoeiras, alimentando-se de frutas (Marcgrave, *Hist. Nat. Bras.*, 238)

'amĩ (v. intr.) – estar em pé, sem mudar de lugar: *A'amĩ.* – Eu estou em pé (sem mudar de lugar). (*VLB*, II, 93)

amĩ (v. tr.) – espremer: *Anhamĩ.* – Espremi-o. *Aty-amĩ.* – Espremi o sumo dela. (*VLB*, I, 127)

amikykuruba (s.) – primeiros rebentos ou olhos da planta; (adj.: **amikykurub**) **(xe)** – brotar os olhos ou rebentos da planta (*VLB*, I, 60)

amingûá (s.) – nome de uma árvore muito alta (Lisboa, *Hist. Anim. e Árv. do Maranhão*, fl. 178v)

'amĩote (v. intr.) – estar em pé sem se mexer: *A'amĩote.* – Estou em pé (sem me mexer). (*VLB*, II, 93)

amirigûaîa (s.) – var. de lagarto (*Libri Princ.*, vol. II, 112)

amisagûá (s.) – **AMISAUA**, espécie de vespa, inseto da família dos vespídeos (Sousa, *Trat. Descr.*, 241)

-amo – alomorfe de **-(r)amo** (v.)

amõ[1] (pron. subst. e adj.) – **1)** (na afirm. e interr. afirm.): algum (ns, a, as); certo (s, a, as); alguém; vários (as): *Kó bé xe rembiaretá t'ame'ẽne amõ endébo...* – Eis que também

amõ²

amõ² minhas muitas presas hei de dar algumas a ti. (Anch., *Teatro*, 46); *Tupã amõ kunhãngatu monhangi.* – Deus fez certa mulher bondosa. (Anch., *Poemas*, 86); ... *I xupé o apixara amõ me'enga...* – Dando para ele alguma semelhante a si. (Ar., *Cat.*, 72); *Oîmonhangype Îandé Îara amõ sobaké?* – Fez Nosso Senhor algum (milagre) diante dele? (Ar., *Cat.*, 58v); "*Ixé-temõ aîmombuk mã*", *erépe amõ supé?* – Disseste a alguém: "*Ah, quem me dera desvirginá-la*"? (Ar., *Cat.*, 103v); **2)** (na neg.) – nenhum: *Nd'aruri amõ parati...* – Não trouxe nenhum parati. (Anch., *Poemas*, 152); ... *Abá 'angûera amõ soe'ymi ybakype erimba'e?* – Não ia para o céu outrora a alma de nenhum homem? (Anch., *Doutr. Cristã*, I, 163); **3)** outro (s, a, as): ... *amõ taba rapekóbo.* – ... outras aldeias frequentando. (Anch., *Teatro*, 4); *Eîar-y bé amõ.* – Toma mais outro. (*VLB*, II, 60); *Amõ abá abé mokõî robaké omendare'ymba'e n'omendari.* – Não estão casados os que não se casam diante de duas outras pessoas também. (Ar., *Cat.*, 128); ... *Umãba'e bépe amõ sosé sekóú?...* – Qual está acima dos outros? (Bettendorff, *Compêndio*, 42); **4)** mais, além disso: *Mba'epe amõ?* – Que mais? (Léry, *Histoire*, 343); **5)** um pouco de, uns poucos: *Inimbó'i amõ reru.* – Trazendo um pouco de linha. (*VLB*, I, 154) • **amõ amõ** – **1)** alguns (as); vários (as), diversos (as) (s. ou adj.): ... *Amõ amõ o poti'a resé opûá-pûá...* – Alguns ficavam batendo no peito. (Ar., *Cat.*, 64); ... *amõ amõ santos...* – alguns santos (Ar., *Cat.*, 139, 1686); *Karaíba amõ amõ i angaîpá...* – Vários homens brancos são pecadores. (Anch., *Poesias*, 55); **2)** outros: *Oîmoeté bé asé amõ amõ 'ara, i pupé oporabykye'yma.* – Honra a gente também outros dias, neles não trabalhando. (Ar., *Cat.*, 12v)

amõ² (adv.) – acolá (*VLB*, I, 20); mais para lá, além de (Fig., *Arte*, 129): *Tapuîpe gûaîbĩ aru amõ Magûeá suí...* – Aos tapuias trouxe as velhas de além de Magueá. (Anch., *Teatro*, 12) • **amõ suí** – de acolá, dali (*VLB*, I, 89)

amõ³ (adv.) – alomorfe de **ramõ** (v.) (*VLB*, II, 51)

amõ⁴ (v. tr.) – aguar (a casa etc.), molhar, regar (*VLB*, II, 99): *Aîamõ.* – Aguei-a. (*VLB*, I, 24; Fig., *Arte*, 110)

amõ⁵ (pron.) – um... e um; um... e o outro: *Mokõî mondabora, i 'ekatûaba koty amõ, a'e amõ i asu koty.* – Dois ladrões, um à sua direita e o outro à sua esquerda. (Ar., *Cat.*, 62v)

amõaé (ou **amboaé**) (pron. subst. ou adj.) – **1)** outro (s, a, as): *Amõaé tubixá-katu nde resé oîerobîá.* – Aqueles outros grandes chefes em ti confiam. (Anch., *Poemas*, 104); *Marã e'ipe amõaé asé îeruresaba?* – Como diz a outra petição da gente? (Ar., *Cat.*, 26v); *Nd'e'ikatupe amõaé abá oporomongaraípa abaré suí?* – Não pode outra pessoa batizar em vez do padre? (Ar., *Cat.*, 81); **2)** algum (ns, a, as) (*VLB*, I, 31)

amõamõme (adv.) – algumas vezes; às vezes (*VLB*, I, 31): – *Asé mombûeîrá-tepe îepi?* – *Amõamõme nhote.* – Mas cura sempre a gente? – Às vezes, somente. (Anch., *Doutr. Cristã*, I, 219) • **amõamõme é** – poucas vezes (*VLB*, II, 83)

amõamõnume (ou **amõamõnyme**) (adv.) – às vezes: – *Nd'oîaby-angáîpe omendaryba'e Tupã rekó oîopotá?* – *Amõamõnyme.* – Não transgridem de modo algum os casados a lei de Deus, desejando-se um ao outro? – Às vezes. (Anch., *Doutr. Cristã*, I, 228)

amõba'e (pron. subst.) – outro (s, a, as): ... *I xuí-katu amõba'e rerekóbo...* – Fazendo estar os outros bem longe dele. (Ar., *Cat.*, 66); *N'oîkotebẽî amõba'e...* – Não se afligem os outros? (Anch., *Teatro*, 160, 2006)

amo'ĩ (adv.) – há pouco, agorinha mesmo: *Asẽ amo'ĩ i xuí...* – Saí há pouco dele. (Anch., *Teatro*, 160)

amokó (s.) – MOCÓ, roedor sem cauda da família dos caviídeos (*Kerodon rupestris* Wied) (D'Abbeville, *Histoire*, 251v). É importante na sociedade nordestina, pois sua carne, pelagem e banha são amplamente utilizadas para diversos fins. (D'Abbeville, *Histoire*, 251v)

> NOTA – Daí, o nome do município de **MOCOCA** (SP) (v. Rel. Top. e Antrop. no final).

amombokoty (num.) – cinco: *Îarekó bépe tekomonhangaba amõ Santa Madre Igreja remimonhanga? – Îarekó bé. – Mobype? – Amombokoty.* – Temos também alguns mandamentos que a Santa Madre Igreja faz? – Temos. – Quantos? – Cinco. (Ar., *Cat.*, 75)

amõme (ou **amõneme** ou **amũme** ou **amõnume**) (adv.) – alguma(s) vez(es), às vezes: *Oîepé-ĩombé, nipó, i angaîpab amõme é.* – Um ou outro, porventura, foi mau alguma vez. (Anch., *Teatro*, 36); *E'ikatu bépe amõ 'ara* *pupé* **amõme** *asé tara?* – Pode também (a gente) tomá-lo algumas vezes em outros dias? (Ar., *Cat.*, 155, 1686); *Okuî rakó* **amũme** *'ybarambûera o 'yba suí...* – Caem, às vezes, os frutos de suas árvores. (Ar., *Cat.*, 157v); *Opûerab* **amõnume**... – Cura-se às vezes... (Ar., *Cat.*, 91v) • **amõme é** – algumas poucas vezes, algumas vezes, somente (*VLB*, I, 31); poucas vezes (*VLB*, II, 83); raramente (*VLB*, II, 96): *Oîaby ipó* **amõme é**. – Transgridem, certamente, algumas vezes, somente. (Ar., *Cat.*, 95v); **amõme nhõ** – algumas e poucas vezes (*VLB*, I, 31); poucas vezes (*VLB*, II, 83); raramente (*VLB*, II, 96); **amõneme é** – poucas vezes (*VLB*, II, 83); **amõneme nhõ** – raramente (*VLB*, II, 96)

amõneme – v. **amõme**

amonge'aba (s.) – nome de uma planta da família das gramíneas (Piso, *De Med. Bras.*, IV, 203; *Theat. Rer. Nat. Bras.*, II, 186)

amongoty (adv. e loc. posp.) – **1)** alhures, em outra parte, para outra parte; para lá (Fig., *Arte*, 132): ... *Xe raûsubá-mirĩ temõ abaré,* **amongoty** *nhõte xe moinuká mã!...* – Ah, quem me dera tivesse o padre um pouquinho de piedade de mim, mandando-me pôr em outra parte! (Ar., *Cat.*, 164v); *Serenduba rupibé* **amongoty** *xe nhemimi.* – Logo ao ouvir o nome dela eu me escondo em outra parte. (Anch., *Teatro*, 126); **2)** desde outra parte (*VLB*, I, 100); doutra parte (*VLB*, I, 106); **3)** longe de, afastado de: *Ereîmomaranype nde mena nde reroby-potareme i* **amongoty** *eîupa...?* – Resististe a teu marido quando quis chegar-se a ti, estando deitada longe dele? (Anch., *Doutr. Cristã*, II, 98); **4)** adiante de, para adiante de, para além de, do outro lado de, além de: *Lisboa* **amongoty** – para adiante de Lisboa (*VLB*, I, 48); *ybytyra* **amongoty** – além das montanhas (*VLB*, I, 31) • **amongoty nhõ** – de uma só parte, de um só lado (*VLB*, I, 92)

amongy (s) (v. tr.) – emplumar, untar ou colar penas no corpo de: *Asamongy.* – Emplumei-o. (Anch., *Arte*, 5)

amõnume[1] (ou **amõnumeé**) (adv.) – outro dia, já não agora (*VLB*, II, 61)

amõnume[2] (ou **amõnyme**) (adv.) – v. **amõme**

'amopikytĩ (etim. – *cortar o prepúcio*) (v. tr.) – circuncidar, cortar o prepúcio: *Aî'amopikytĩ.* – Cortei-lhe o prepúcio. (*VLB*, I, 74) • i **'amopikytĩpyra** – o que é circuncidado, o que tem o prepúcio cortado (*VLB*, I, 74)

amopira (s.) – cadilhos, fios primeiros de um tecido que não levam teagem de fios atravessados e que ficam soltos quando se cortam as teias (*VLB*, I, 62)

'amopira (s.) – prepúcio (Castilho, *Nomes*, 28); (adj.: **'amopir**) **(xe)** – ter prepúcio: *Na xe* **'amopiri**. – Eu não tenho prepúcio (isto é, eu sou circuncidado). (*VLB*, I, 74)

amoré (s.) – MOREIA, AMBORÉ, AIMORÉ, AMOREIA, ARAMARÉ, AMORÉ, AMORÉ-GUAÇU, XIMBORÉ, peixe da família dos gobiídeos (*VLB*, II, 42)

amoreatĩ (etim. – *moreia pontuda*) (s.) – peixe da família dos batracoidídeos, que vive na lama da foz dos rios. "Picam por debaixo o pé ou mão que lhes toca." (Cardim, *Trat. Terra e Gente do Brasil*, 56)

amoregûasu (etim. – *moreia grande*) (s.) – AMORÉ-GUAÇU, peixe da família dos gobiídeos (Marcgrave, *Hist. Nat. Bras.*, 166)

amorepinima (etim. – *moreia-pintada*) (s.) – AMOREPINIMA, AMBOREPINIMA, peixe da família dos gobiídeos. Pertence ao grupo das moreias ou caramurus. (Marcgrave, *Hist. Nat. Bras.*, 242)

AMOREPINIMA (fonte: Marcgrave)

amorepyxuna (etim. – *moreia escura*) (s.) – AMOREPIXUNA, AMBOREPIXUNA, peixe da família dos gobiídeos, que tem a nadadeira ventral em forma de ventosa, com que se agarra às pedras (Marcgrave, *Hist. Nat. Bras.*, 166)

amoresyma (etim. – *amoré escorregadio*) (s.) – nome de um peixe (*Theat. Rer. Nat. Bras.*, I, 47)

amoretapuku (etim. – *moreia dos bigodes compridos*) (s.) – nome de um peixe (Lisboa, *Hist. Anim. e Árv. do Maranhão*, fl. 165v)

amoretinga

amoretinga (etim. - *moreia branca*) (s.) - nome de um peixe (Marcgrave, *Hist. Nat. Bras.*, 166)

amõroré (s.) - eternidade; (adj.) - eterno, inextinguível: ... *Yby apyterype tatá-amõroré ogûeba'erame'yma monhanga...* - No meio da terra fazendo um fogo inextinguível, que não se apagará. (Ar., *Cat.*, 38)

amotaba (s.) - bigode (do homem, do gato, do peixe etc.) (Castilho, *Nomes*, 28; *VLB*, I, 51)

amotar (v. tr.) - querer bem: *Xe-te, nde repîaka'upa, oroamotá-katu...* - Mas eu, tendo saudades de ti, quero-te muito bem. (Anch., *Poemas*, 142); *O irũ n'oîamotari...* - A seus próprios companheiros não querem bem. (Anch., *Teatro*, 152); *Nd'oronhoamotari.* - Não nos queremos bem. (*VLB*, II, 54)

amotare'ym (ou **amotare'ỹ**) (v. tr.) - detestar, odiar, querer mal, malquerer, ser inimigo de: *Oîoa'o-a'o gûaîbĩ, oîoamotare'ỹ...* - Insultam-se as velhas, odeiam-se. (Anch., *Teatro*, 36); *I amotare'ym-etébo, perekó-aí-aí.* - Detestando-os muito, tratai-los muito mal. (Anch., *Teatro*, 40) • **amotare'ymbara** - o que quer mal, o que detesta (*VLB*, II, 12); malquerente (*VLB*, II, 29): *Oré pysyrõ îepé... oré amotare'ymbara suí.* - Livra-nos tu dos que nos querem mal. (Anch., *Doutr. Cristã*, I, 139); **emiamotare'yma** (t) - o que alguém detesta, o que alguém odeia: *"Marã îasûaramo ahẽ kûepe se'õ mã" erépe nde remiamotare'yma supé?* - Disseste para o que tu detestas: *"Ah, que bom seria a morte do fulano por aí"?* (Ar., *Cat.*, 101v); **amotare'ymbaba** - tempo, lugar, modo etc. de detestar, de odiar; ódio: *Tupã nhe'enga abŷagûera t'ereîmombe'u: ... nde poroamotare'ymagûera, nde poropotaragûera, nde mondarõagûera...* - Que confesses a transgressão da palavra de Deus: teu antigo ódio às pessoas, teu desejo sensual, teus furtos. (Anch., *Doutr. Cristã*, II, 79); **i amotare'ymymbyra** - o que é (ou deve ser) malquisto (*VLB*, II, 29)

amotare'ymbara (s.) - inimigo [pessoal, não da nação, que é **obaîara** (t) - v.] (*VLB*, II, 12)

amoypyra (etim. - *os que ficaram no lugar de outros* < **amõ** + **oŷpyra**) (s. etnôn.) - AMOIPIRA, nome de povo indígena que vivia às margens do rio São Francisco (Vasconcelos, *Crônica (Not.)* I, §151, 110)

amu'a'yembó (etim. - *planta de vergônteas da ambuá*) - o mesmo que **ambu'aembó** (v.) (*Theat. Rer. Nat. Bras.*, II, 217)

amũîa (t, t) - o mesmo que **amỹîa** (t, t) (v.)

amũme - o mesmo que **amõme** (v.) (Fig., *Arte*, 128)

amundaba (s.) - **1)** aldeias vizinhas, arrabaldes, cercanias, vizinhanças, lugar vizinho do outro (*VLB*, II, 25): ... *Taba Belém pora pitanga i amundaba pora abé apiti-ukari...* - Mandou trucidar as crianças habitantes da aldeia de Belém e também as habitantes das vizinhanças dela. (Ar., *Cat.*, 139); **2)** vizinho: *Amundabamo aîkó.* - Sou um vizinho; *O îoamundabamo oroîub.* - Somos vizinhos uns dos outros. (*VLB*, II, 145)

amũnyme - o mesmo que **amõnume** (v.) (*VLB*, I, 31)

amỹî (adv.) - **1)** na ilharga, debaixo do braço (Anch., *Arte*, 41); **2)** ao lado, emparelhado, do lado: **amỹîoka** - casas do lado, vizinhança (Anch., *Arte*, 41)

amỹîa (ou **amũîa**) (t, t) (s.) - **1)** avô (de h. ou m.) (Ar., *Cat.*, 116): ... *xe ramũîa Îagûaruna* - meu avô Jaguaruna (Anch., *Teatro*, 60); **2)** os antepassados, os avós: *Opá xe ramỹîa ma'epûera aîtyk.* - Todos os bens de meus avós joguei fora. (Léry, *Histoire*, 356); *Aîkó xe ramỹîa rekóbo.* - Vivo pelos costumes de meus avós. (Fig., *Arte*, 7); *Ta xe momotar umẽ xe ramỹîa rekopûera.* - Que não me atraia a lei antiga de meus avós. (Anch., *Poemas*, 168)

NOTA - Daí, o termo **TAMOIO** ("os avós"), nome de grupo indígena do século XVI.

amỹîndaba (etim. - *aldeia ao lado*) (s.) - aldeias vizinhas; arrabalde (Anch., *Arte*, 41)

amyîpagûama (t, t) (s.) - antepassados (de h. ou m.): *Opá ã îandé moaûîéû tamyîpagûama moaûîé ymã îabé bé.* - Eis que a todos nós vence, como também já venceu os antepassados. (Ar., *Cat.*, 116)

amyîu (s.) - ABIU, ABI, ABIIBA, ABIU-GRANDE, ABIEIRO, ABIO, **1)** árvore sapotácea [*Pouteria caimito* (Ruiz & Pav.) Radlk.], de folhas compridas, flores brancas, com fruto de casca vermelha e manchada, também chamada *caimiteiro*; **2)** o fruto dessa árvore (D'Abbeville, *Histoire*, 224v)

NOTA – Daí se originam, no P.B., as palavras **ABIORANA, BIORANA, BIURANA, ABIURANA**, todas com o significado de "falso abiu" e designando uma árvore da família das sapotáceas.

amykyra (s.) – broto, renovo de planta, grelo (*VLB*, I, 149)

NOTA – Daí, no P.B., **SAMBIQUIRA**, uropígio das aves.

amykysyma (s.) – visgo; (adj.: **amykysym**) – viscoso, languinhento (*VLB*, II, 18)

amỹnha (t, t) – o mesmo que **amỹia** (t, t) (v.) (*VLB*, I, 48)

amynyîu (s.) – **1)** árvore do algodão, nome antigo das malváceas do gênero *Gossypium*, cuja espécie mais comum é o *Gossypium barbadense* L., árvore copada, de flores ora amarelas, ora brancas (D'Abbeville, *Histoire*, 226v; Marcgrave, *Hist. Nat. Bras.*, 59); **2)** algodão, penugem que envolve as sementes do algodoeiro: *Aamynyîu-poban*. – Fiei o algodão. (*VLB*, I, 138) • **amynyîu-tyba** – algodoal (*VLB*, I, 31); **amynyîu-aoba** – malha de algodão para a defesa na guerra; **amynyîu-aó-poanama** – malha de algodão grossa para a defesa na guerra (*VLB*, I, 41); **amynyîu-'yba** – pé de algodão, algodoeiro (*VLB*, I, 31)

NOTA – Daí, os nomes geográficos **AMANIÚ** (BA), **AMANIUTUBA** (CE) etc.

amyrĩ (s.) – finado, defunto: *Xe mendûera ipó reĩ, Piraka'ẽ amyrĩ!* – Meu ex-marido há de ser, certamente, o finado Piracaém. (Anch., *Teatro*, 8)

-an(a) – forma nasalizada de *-sar(a)* (v.)

anaîâ-mirĩ (etim. – *anajá pequeno*) (s.) – **ANAJÁ-MIRIM**, tipo de palmeira brava e pequena, de cocos pequenos e formosos palmitos (*Attalea humilis* Mart. ex Spreng.), também chamada *catolé, pindoba, palmeirinha*. Suas palmas também eram usadas para cobrir casas. (Sousa, *Trat. Descr.*, 197-198)

NOTA – Do termo tupi **ANAÎÂ** provêm os nomes geográficos **ANAJATEUA** (PA), **ANAJATUBA** (MA) etc. (v. Rel. Top. e Antrop. no final).

anaká (ou **anakã**) (s.) – **ANACÁ, ANACÃ**, ave psitaciforme da família dos psitacídeos. Não aprende a falar como certos papagaios. (Marcgrave, *Hist. Nat. Bras.*, 207; *Theat. Rer. Nat. Bras.*, I, 169)

anakã (s.) – ave psitacídea; o mesmo que **anaká** (v.) (Brandão, *Diálogos*, 228)

anama¹ (s.) – **1)** família, parentela: *Xe anama poepyka ké ixé aîkó.* – Para vingar minha família aqui eu estou. (Staden, *Viagem*, 157); ... *Xe anama nde raûsu.* – Minha família te ama. (Anch., *Poemas*, 112); *Arekó-angaturã xe anama poreaûsuba.* – Tratei bem das aflições de minha família. (Anch., *Teatro*, 172); **2)** parente: *Nd'e'ikatuîpe abá o anameté resé... omendá?* – Não pode alguém casar-se com seu parente verdadeiro? (Ar., *Cat.*, 165, 1686); *Xe abé xe anametá aroporaseî...* – Eu também danço com meus parentes. (Anch., *Poemas*, 138); **3)** raça, nação, povo, gente do mesmo grupo ou da mesma sociedade: *Nd'ereîkóî xópe nde anama irũmo?* – Não morarás com tua gente? (Léry, *Histoire*, 353); *Aîepyk anhẽ sesé, i anama katu riré...* – Vingo-me, de fato, deles, após tornar-se bom seu povo. (Anch., *Teatro*, 14)

anama² (s.) – espessura, grossura (de tábua, papel, pano, beiju etc.), densidade; (adj.: **anam**) – grosso (*VLB*, I, 93, 151); denso, pesado: *Xe keranama mombaka...* – De meu pesado sono despertando-me. (Anch., *Poemas*, 92)

ananá – o mesmo que **naná** (v.)

NOTA – Daí, o nome geográfico **ANANATUBA** (PA) (v. Rel. Top. e Antrop. no final).

anangatu¹ (s.) – multidão; (adj.) – muitos ou muitas em número: *Oré anangatu.* – Nós somos muitos. (*VLB*, II, 44)

anangatu² (adv.) – muitas vezes (*VLB*, II, 44)

anangûykytinga (s.) – parte superior das coxas traseiras, junto das nádegas (*VLB*, I, 85)

anangûyra (s.) – **1)** curva da perna (D'Evreux, *Viagem*, 159); **2)** coxa, da parte traseira (*VLB*, I, 85)

anapuru (s.) – **ANAPURU**, ave da família dos psitacídeos (Cardim, *Trat. Terra e Gente do Brasil*, 34; Gândavo, *Hist.*, VII, fl. 25v-26)

andá (s.) – **ANDÁ**, árvore frondosa da família das euforbiáceas (*Joannesia princeps* Vell.). Também é conhecida como **ANDÁ-AÇU**, *coco-de-purga, cutieira, cutieiro, fruta-de-arara, fruta-de-cutia* etc. (Marcgrave, *Hist. Nat. Bras.*, 272). "Da fruta se tira um azeite com que os índios se untam." (Cardim, *Trat. Terra e Gente do Brasil*, 43)

andara

andara (ou **enoandara**) (s.) – par para dança, parceiro de dança, o que dança abraçado com: *I nhandaramo aîkó.* – Sou seu parceiro de dança. (*VLB*, I, 18); *Xe andaramo arekó.* – Tenho-o como meu par para dança. (*VLB*, I, 18); (adj.: **andar**) (**xe**) – ter par para dança: *Xe andar (abá) resé.* – Eu tenho, no homem, um par para dança. (*VLB*, I, 18, adapt.)

andub (ou **andu**) (v. tr.) – **1)** perceber, sentir: ... *Putuna nd'îaîandubi xûéne...* – A noite não perceberemos. (Ar., *Cat.*, 167); *Maria i katu-eté; n'onhanduî moropotara.* – Maria é muito bondosa; não sentiu o desejo sensual. (Anch., *Poemas*, 182); *Mbegûé îaîomongetá t'onhandu umẽ abá.* – Baixo conversemos para que não o percebam os índios. (Anch., *Teatro*, 146); *Na pe andubi.* – Não vos perceberam. (Anch., *Teatro*, 66); ... *O angaîpaba posyîûera andube'yma.* – Não sentindo o peso de suas maldades. (Ar., *Cat.*, 92); ... *Anhandub Anhanga ratápe nde só-potara.* – Sinto que tu queres ir para o fogo do diabo. (Ar., *Cat.*, 112); **2)** observar: ... *abá rekó andu-andupa* – ficando a observar o procedimento das pessoas (Ar., *Cat.*, 74); **3)** prognosticar (*VLB*, II, 87); **4)** suspeitar (*VLB*, II, 121) • **emianduba** (t) – o que alguém sente, o que alguém percebe, observa etc.: *Ereîkópe kunhã resé... abá remiandubamo?* – Fizeste sexo com uma mulher com alguém observando-o? (Ar., *Cat.*, 105); **andupaba** – tempo, lugar, modo etc. de sentir, de perceber; percepção: *São João pitangĩ, tygépe o endápe, nde rura andupápe, o por-oporĩ...* – São João criancinha, estando no ventre, ao perceber tua vinda, ficou saltando. (Anch., *Poemas*, 118); **inhandubypyre'yma** – o que não é percebido; a coisa secreta (*VLB*, II, 114)

andurababapari (s.) – árvore da família das leguminosas, espécie de angelim (Sousa, *Trat. Descr.*, LXVI)

andurá-obaîamirĩ (etim. – *pequeno inimigo dos morcegos*) (s.) – nome de uma planta (*Theat. Rer. Nat. Bras.*, II, 225)

andyrá (ou **andurá**) (s.) – ANDIRÁ, GUANDIRA, morcego, nome comum a certos mamíferos quirópteros, animal que se alimenta principalmente de sangue e aparece à noite (D'Abbeville, *Histoire*, 240): *Andyrá ruápe é, panama koîpó gûaîkuíka?* – Será que é um morcego, uma borboleta ou uma cuíca? (Anch., *Teatro*, 42) • **andyrá-'aba** – tipo de corte de cabelo dos índios (etim. – *cabelo de morcego*) (*VLB*, II, 137)

NOTA – Daí, os nomes geográficos **ANDARAÍ** (BA), **ANDIRATUBA** (MG) (v. Rel. Top. e Antrop. no final).

andyrá-'aka (etim. – *morcego de chifre*) (s.) – mamífero da ordem dos quirópteros, da família dos filostomídeos, que se alimenta principalmente de frutos (Marcgrave, *Hist. Nat. Bras.*, 213)

andyraybîaryba (ou **andyraobaîaryba** ou **andyraybaîaryba**) (etim. – *árvore que porta os frutos dos morcegos*) (s.) – angelim (*Andira fraxinifolia* Benth.), planta leguminosa, com ação anti-helmíntica, utilizada na medicina popular (Marcgrave, *Hist. Nat. Bras.*, 100; *VLB*, I, 36)

andyroba – o mesmo que **îandyroba** (v.) (Heriarte, *Descr. Maranhão, Pará*, in Varnhagen, *Hist.*, III, 170)

NOTA – Daí, os nomes geográficos **ANDIROBA** (MG), **ANDIROBAL** (MA) etc. (v. Rel. Top. e Antrop. no final).

ang (dem. adj.) – este (s, a, as), esse (s, a, as): *Marã-tepe ang mba'e-katupabẽ orogûerekóne?* – Mas que faremos com estas muitíssimas riquezas? (Ar., *Cat.*, 7)

anga (dem. pron.) – este (s, a, as), esse (s, a, as), isso: *Anga îá, angaîpabora aîuká...* – Como a esses, mato os que costumam pecar. (Anch., *Teatro*, 92); *Anga îápe pe roka?* – Como estas são vossas casas? (Léry, *Histoire*, 363); ... *Kó anga andupa, aseîá kûesé xe roka...* – Eis que percebendo isso, deixei ontem minha casa. (Anch., *Poemas*, 112); *T'irur ma'e tiruã anga pé.* – Tragamos quaisquer coisas para esses. (Léry, *Histoire*, 356)

angá[1] (adv.) – **1)** (na afirm. e neg.): absolutamente, de modo nenhum, de nenhuma maneira, sequer (*VLB*, II, 116): *Kori, nã, îandé rekó îandé moarûapa angá.* – Hoje, assim, de modo nenhum impedem nossa estada. (Anch., *Teatro*, 148, 2006); – *Ké muru ruri obébo? – Irõ, n'i ate'ym-angáî!* – Não é que o maldito veio voando? – Portanto, não é, de modo nenhum, preguiçoso! (Anch., *Teatro*, 24); *I 'anga 'u-potá é pysaré n'aker-angáî...* – Querendo devorar suas almas, a noite toda não dormi, absolutamente... (Anch., *Teatro*, 30);... *N'i tyb-angáî setãmbûera.*

– Não existem mais absolutamente suas antigas terras. (Anch., *Teatro*, 52); *N'aîpotar-angáî.* – Não quero de nenhuma maneira. (Fig., *Arte*, 146); *N'asó-angáî.* – Não fui de modo algum. (*VLB*, I, 94); **2)** (em neg. interr.): nem mesmo? nem sequer?: *N'oîmomarã-mirĩ-angáîpe ybakygûara Tupã remimotara?* – Não desobedecem nem sequer um pouco os habitantes do céu à vontade de Deus? (Ar., *Cat.*, 27); **3)** (na afirm.): (oh) sim! que bom!: *T'oré pyatã, angá, mba'e-asy porarábo...* – Que sejamos corajosos, sim, suportando as coisas dolorosas. (Anch., *Teatro*, 120)

angá² (adv.) (na afirm. com o verbo 'i / 'é) – supostamente, em suposição: *"Osó ipó re'a" a'é angá.* – "Ele deve ter ido", disse eu em suposição. (*VLB*, II, 10)

'anga¹ (s.) – sombra: *Oîmboapy abá kuîaba; 'anga é semimotara.* – Os homens esvaziam as cuias; sombra é o que eles desejam. (Anch., *Teatro*, 30)

'anga² (s.) – eco: *xe nhe'ẽ-'anga* – eco de minhas palavras (*VLB*, II, 129)

'anga³ (s.) – alma, espírito: *... Ybakype asé 'anga rerasóbo.* – Levando nossa alma para o céu. (Ar., *Cat.*, 27); *... Îandé 'anga îukasara.* – Matador de nossa alma. (Anch., *Poemas*, 90) • **'angûera** – a alma depois que sai do corpo (Léry, *Histoire*, 366); alma separada do corpo (*VLB*, I, 32)

NOTA – Daí, no P.B., as palavras ANGA (PE), *mau-olhado, enguiço*; ANGATECÔ (AM), *susto, sobressalto* (in *Dicion. Caldas Aulete*).

'anga⁴ (s.) – abrigo, abrigada (de pessoas, de ilha para um navio etc.): *'āme* – em abrigo (*VLB*, II, 119); (adj.: **'ang**) – abrigado; **(xe)** ter abrigo: *Xe 'ang.* – Eu tenho abrigo, eu estou abrigado. *Xe 'ãngatu.* – Eu tenho bom abrigo, eu estou bem abrigado. (*VLB*, I, 18)

NOTA – Daí, no P.B., ANGAPORA (*'anga + pora*, "habitante das abrigadas", nome de tartaruga amazônica. Daí, também, o nome geográfico ACUTIANGA (AM) (v. Rel. Top. e Antrop. no final).

'anga⁵ (s.) – imagem, reflexo: *Anhe'angepîak.* – Vejo meu reflexo (p.ex., no espelho). (*VLB*, II, 144)

'anga⁶ (s.) – pensamento, ideia: *xe 'anga* – meu pensamento (Léry, *Histoire*, 366); (adj.: **'ang**) – pensante; **(xe)** pensar • (redupl.) vir à memória, lembrar: *I 'ã i 'ang xe retãme xe rekoa-gûera ixébo.* – Vem-me à memória minha vida passada em minha terra. (*VLB*, II, 102)

'anga⁷ (s.) – a parte traseira: *itá 'angyme* – na parte traseira de uma pedra; detrás de uma pedra; *i 'anga koty* – para a parte traseira dele (*VLB*, I, 102)

angaba (s.) – o bom de (gabando aquele de quem se fala, o dito ou o feito de alguém, ou enaltecendo-o): *"Pe angaturam" e'i xe rubangaba.* – Disse o bom do meu pai: *"Sede bons"*. (*VLB*, II, 24); *Pero* **angaba** – o bom do Pedro (*VLB*, II, 53); – *Marãpe nde rerokaba...?* – *Frasiku Perera-angaba.* – Qual é teu nome de batismo? – O do bom Francisco Pereira. (Anch., *Teatro*, 168, 2006)

angaba'eamẽ (part.) – o que não tem, o que falta (em): *'Y angaba'eamẽ ebokûé 'ypa'ũ.* – Água é o que não tem essa ilha. (*VLB*, II, 15); *Mba'e* **angaba'eamẽ**. – É coisa que falta. (*VLB*, II, 15)

angabatene (part.) – ainda mais, tanto mais: *Pero* **angabatene**... – Ainda mais Pedro... (*VLB*, I, 28)

angabĩme (part.) – mais (*VLB*, I, 20)

angabok (v. intr.) – comprazer-se: *... Nde 'anga... me'enga anhanga pé, oangabó-katu...* – Tua alma entregando para o diabo, ele se compraz muito. (Anch., *Doutr. Cristã*, II, 112)

angaíba (s.) – magreza (*VLB*, II, 28)

angaîbabîara (s.) – héctica, doença em que se manifesta diminuição progressiva das forças, emagrecimento, que vai consumindo o corpo sem febres; tísica; (adj.: **angaîbabîar**) – tísico: *Xe* **angaîbabîar**. – Eu sou tísico. (*VLB*, I, 131)

angaîbara (s.) – magreza; coisa magra (*VLB*, II, 28); (adj.: **angaîbar**) – **1)** magro; **(xe)** emagrecer: *xe remipoîangaîbara* – o magro que convidei (Anch., *Arte*, 52v); *Xe angaîbar.* – Eu estou magro. (D'Evreux, *Viagem*, 151); *Nd'e'i te'e opá abá angaîbaramo...-ne.* – Por isso mesmo todos os homens emagrecerão. (Ar., *Cat.*, 160); **2)** ressequido, mirrado, seco: *Nd'aruri amõ parati; oîepé xe pysá pora. Nd'ere'uî xûémo, senhora: i angaîbar-atã moxy suí!* – Não trouxe nenhum parati; um só é o conteúdo de minha rede. Não o comerás, senhora: ele está duramente ressequido por deterioração. (Anch., *Poemas*, 152)

angaîbĩ

angaîbĩ (adv.) - um pouquinho mais (*VLB*, I, 154) • **angaîbĩ'ĩ nhote** - algum tanto, um pouquinho (*VLB*, II, 123)

angaîbora (s.) - magreza; coisa magra (*VLB*, II, 28); (adj.: **angaîbor**) - magro: *Xe angaîbor.* - Eu sou magro. (*VLB*, I, 112)

'angaingaíba (s.) - mania, loucura (*VLB*, II, 31); (adj.: **'angaingaíb**) - maníaco, doido, desatinado, sem juízo, enlouquecido; (**xe**) endoidecer: *Xe 'angaingaíb.* - Eu sou (ou estou) doido. (*VLB*, I, 115; II, 31) • **'angaingaibora** - desatinado, sem juízo, enlouquecido, maníaco (*VLB*, I, 96; II, 31)

angaîpaba (etim. - *ruindade da alma*) (s.) - **1)** maldade, mau ato; pecado: *T'aîpapáne i angaîpaba ta xe rerobîá îepé.* - Hei de contar os pecados deles para que tu acredites em mim. (Anch., *Teatro*, 34); *Na setaî xe angaîpaba...* - Não são muitos meus pecados... (Anch., *Teatro*, 76); *... Temiminõ 'arybo nhẽ oîmombe'u o angaîpá-mirĩ anhõ.* - Os teminimós de dia confessam seus pecadilhos, somente. (Anch., *Teatro*, 160, 2006); **2)** o pecador, o mau: *Tupã rerobîara mombe'u posykyîee'yma resé, angaîpaba São Mateus... îukáû.* - Por não recear proclamar a fé em Deus, os pecadores mataram São Mateus. (Ar., *Cat.*, 7v); (adj.: **angaîpab** ou **angaîpá**) - maldoso; mau; pecador: *I angaîpá kó nde boîá; na xe rerekó-katuî.* - São maus estes teus servos; não me tratam bem. (Anch., *Poemas*, 154); *Xe angaîpab-eté...* - Eu sou muito pecador. (Anch., *Diál. da Fé*, 229); (**xe**) cometer pecado [com **esé** (**r**, **s**): cometer pecado carnal]: *I angaîpab rakó nde remirekó resé...* - Ele certamente comete pecado com tua mulher. (Ar., *Cat.*, 108); (adv.) - maldosamente, velhacamente: *Aîkó-angaîpab.* - Ajo velhacamente. (*VLB*, II, 143) • **i angaîpaba'e** - o que é pecador: *Etupãmongetá oré i angaîpaba'e resé.* - Roga a Deus por nós, os que somos pecadores. (Anch., *Doutr. Cristã*, I, 139); **angaîpabora** - pecador; o que costuma pecar: *Abá angaîpabora São Mateus... îukáû.* - Os homens pecadores mataram São Mateus. (Ar., *Cat.*, 134, 1686); *'Anga îá, angaîpabora aîuká, xe ratápe sero'ane...* - Como a esses, matarei os que costumam pecar, fazendo-os cair comigo em meu fogo. (Anch., *Teatro*, 92)

angaîpabĩ (s.) - baixo por condição, por casta (*VLB*, I, 51); mísero; escasso (*VLB*, II, 39); vilão, pessoa vil (*VLB*, II, 145)

angaîpagûera (s.) - rebotalho, refugo, o que sobra depois que o melhor foi escolhido (*VLB*, II, 98)

angaîpapaba (s.) - pecado (*VLB*, II, 68); ruindade, maldade (*VLB*, II, 108)

anga'o[1] (v. tr.) - cuidar de, tratar de, importar-se com • **angagûara** - o que se importa com, o que cuida de: *Tekokatu angagûara Tupã sy-angaturama.* - A que cuida da virtude é a mãe de Deus bondosa. (Valente, *Cantigas*, III, in Ar., *Cat.*, 1618)

anga'o[2] (v. tr.) - **1)** ameaçar: *Aîanga'o* (ou *Anhanga'o*). - Ameacei-o. (*VLB*, I, 34; Fig., *Arte*, 118); **2)** ofender, vituperar: *Ereîanga'ope nde ruba, nde sy, nde ramũîa, nde aryîa?* - Vituperaste teu pai, tua mãe, teu avô, tua avó? (Ar., *Cat.*, 100v); *Pe poroanga'o umẽ, xe ra'yry gûé, ta perekó i mba'e.* - Não vitupereis as pessoas, ó meus filhos, para que tenhais seus bens. (Léry, *Histoire*, 356); **3)** afrontar: *Kuîa nhẽ i tĩ-ngá-tĩ-ngábo, ereîanga'o abá...* - Das cuias ficando a quebrar as pontas, afrontaste os homens. (Anch., *Teatro*, 168) • **angagûara** - o que ameaça, o que vitupera etc.; o ameaçador; **angagûaba** - tempo, modo, lugar etc. de ameaçar, de vituperar, de afrontar (Fig., *Arte*, 118) (O gerúndio de **anga'o** é **angagûabo**)

angapeẽamẽ (s.) - o que não há, o que falta: *Ybyrá angapeẽamẽ.* - Madeira é o que falta. (*VLB*, II, 15)

angari (conj.) - portanto, por isso: *Angari abaregûasu kori arogûatá.* - Por isso, ando com o provincial hoje. (Anch., *Poesias*, 56)

angaturama (s.) - **1)** bondade natural, afabilidade, virtude: *Eîori xe poreaûsubara, nde angaturama ri...* - Vem, meu compadecedor, por tua bondade... (Valente, *Cantigas*, VIII, in Ar., *Cat.*, 1618); *Aromanõ xe angaturama.* - Morro com minha virtude. (Fig., *Arte*, 92); **2)** homem franco, liberal (*VLB*, I, 143); nobre (s.) (*VLB*, II, 50); título dado a homem e atribuído àquele que se mostra excelente sobre todos os outros (Thevet, *Cosm. Univ.*, 920v); (adj.: **angaturam**) - bom, bondoso, virtuoso naturalmente, próspero, santo, digno, afável, sagrado, honrado: *'arangaturam-eté...* - dia muito bom (Anch., *Poemas*, 94); *Rerityba, xe retama, tabangaturãngatu.* - Reritiba, minha terra, aldeia muito boa. (Anch., *Poemas*, 112); *I angaturam, ko'yré,... xe remiarõ îandune.*

Serão bons, doravante, os que eu guardo de costume. (Anch., *Teatro*, 50); ... *T'oré angaturãne Cristo remienõîûera resé.* – Que sejamos dignos do que Cristo prometeu. (Ar., *Cat.*, 14v); *Xe nhe'engangaturam.* – Eu tenho palavras afáveis. (*VLB*, I, 22); *Nde angaturam.* – Tu és bondoso. (Fig., *Arte*, 38); (adv.) perfeitamente (*VLB*, II, 73) • **i angaturamba'e** – o que é bom: ... *i angaturamba'e remimonhãngatu* – as boas obras dos que são bons (Ar., *Cat.*, 67, 1686); **angaturambaba** – tempo, lugar, causa, modo, companhia etc. da bondade; bondade: *Tupã syramo oîkóbo é i angaturambabetéramo sekóû.* – Sendo mãe de Deus é que ela é a causa verdadeira da bondade dele. (Ar., *Cat.*, 36, 1686)

> NOTA – Daí, no P.B., o nome de gênio protetor dos índios muras. Daí, também, o nome geográfico **ANGATURAMA** (SP, RS) (v. Rel. Top. e Antrop. no final).

angatutenhẽ (adv.) – nunca (*VLB*, II, 52)

angé (t) (s.) – pressa; [adj.: **angé (r, s)**] – apressado; **(xe)** ter pressa: *Xe rangé.* – Eu estou apressado; eu tenho pressa. (*VLB*, II, 85)

angekoaíba (etim. – *mal-estar da alma*) (s.) – aflição, angústia, tristeza (*VLB*, II, 62): *Marã sekó resépe i angekoaíba îekuabi?* – Por qual estado seu transparecia sua angústia? (Ar., *Cat.*, 53); (adj.: **angekoaíb**) – aflito; angustiado, apreensivo, ansioso; triste: *Xe angekoaíb nde resé.* – Eu estou aflito por ti. (Fig., *Arte*, 124); *I angekoaí-katu serã Îandé Îara i mongetapukûabo?* – Será que Nosso Senhor estava muito angustiado, longamente rezando a Ele? (Ar., *Cat.*, 53); *Xe angekoaíb (mba'e) resé.* – Eu estou apreensivo com as coisas. (*VLB*, I, 24, adapt.)

angekotebẽ (etim. – *aflição da alma*) (s.) – aflição, angústia; (adj.) – aflito; **(xe)** afligir-se: *Memeté rakó pé o eminguabe'yma rupi oguataba'e o angekotebẽnamo, korikorinhẽa'ub 'ara repîaki...* – Quanto mais um caminhante se aflige por um caminho que não conhece, mais deseja logo ver o dia. (Anch., *Doutr. Cristã*, II, 79)

angerasó (etim. – *levar a alma*) (v. tr.) – 1) espantar, atemorizar; apavorar, assombrar (como uma visão, uma coisa má) (*VLB*, I, 46): *Xe angerasó.* – Apavorou-me; *Aîangerasó.* – Apavorei-o. (*VLB*, II, 66); 2) maravilhar, extasiar: *Nde angerasópe abá-porangepîaka?* – Maravilhou-te a vista de homens belos? (Anch., *Doutr. Cristã*, II, 97)

'angetaetá (etim. – *muitíssimos pensamentos*) **(xe)** (v. da 2ª classe) – duvidar, estar com dúvida: *Xe 'angetaetá.* – Eu estou com dúvida. (*VLB*, I, 107)

angĩme (adv.) – pertinho (*VLB*, II, 74)

angiré (etim. – *após isto*) (adv.) – doravante; d'agora em diante: *Peteumẽ, pe poxyramo angiré...* – Guardai-vos de serdes maus doravante. (Anch., *Teatro*, 54); ... *Asapîá-katupe angiré ká.* – Hei de obedecer muito a ele doravante. (Ar., *Cat.*, 77); *Angiré, pe poreaûsub umẽ...* – Doravante, não estejais aflitos. (Anch., *Teatro*, 186)

angyba'e (dem. pron.) – isto, isso (*VLB*, II, 15), este (s, a, as), esse (s, a, as): *Angyba'e roîré teumẽ nde poxyramo...* – Depois disto, guarda-te de ser mau. (Ar., *Cat.*, 106v)

anhã[1] (s.) – castanha-do-pará (Silveira, *Relação do Maranhão*, fl. 11v)

anhã[2] (s.) – entalhe, mossa, cavidade (p.ex., de flecha, onde entra a corda do arco): *u'ubanhã* – entalhe de flecha; *inhanhã* – cavidade dela (*VLB*, II, 43)

anhãî (adv.) – na ponta, no cabo: *u'uba anhãî* – na ponta da flecha (Anch., *Arte*, 41); *apy anhãî* – na ponta, no punho da rede (Anch., *Arte*, 41)

anhaman (xe) (v. da 2ª classe) – desesperar-se, inquietar-se, afligir-se: ... *I anhamãngatu nipó i angaîpaba'e...-ne...* – Desesperar-se-ão muito, certamente, os que são maus. (Ar., *Cat.*, 161v)

Anhanga (s.) – ANHANGA, ANHANGÁ, 1) nome de entidade sobrenatural entre os índios (Staden, *Viagem*, 138): *Anhanga koîpó te'õ koîpó Îurupari rekyîa.* – Invocando o Anhanga ou a morte ou o Jurupari. (Ar., *Cat.*, 70v); 2) diabo, demônio, em sentido genérico: *T'aroŷrõngatu anhanga...* – Que deteste muito o diabo. (Anch., *Poemas*, 98); *Îori anhanga mondyîa oré moaûîé suí!* – Vem espantar o diabo para que não nos vença! (Anch., *Poemas*, 102); *Aîmosem anhanga xe îosuí.* – Lanço o diabo fora de mim. (Fig., *Arte*, 81) • **anhanga ratá** – fogo do diabo; inferno: – *A'epe i 'anga mamõ i xóû?* – *Anhanga ratápe.* – E sua alma para onde foi? – Para o inferno. (Ar., *Cat.*, 58-58v)

anhangakŷaba
NOTA – Daí, no P.B., **ANHANGUERA**, *valentão* (in *Dicion. Caldas Aulete*). Sua etimologia é "diabo velho", sendo alcunha dada por índios de Goiás ao bandeirante Bartolomeu Bueno da Silva; **INHAMBUANHANGA** (*inhambu + anhanga*, "inhambu diabo"), nome de uma ave tinamídea. Daí, também, os nomes geográficos **ANHANGABAÚ**, **ANHANGUERA** (SP) etc. (v. Rel. Top. e Antrop. no final).

anhangakŷaba (etim. – *pente do Anhanga*) (s.) – planta cípoda da família das bignoniáceas, gênero *Pithecoctenium*, também chamada *pente-de-macaco* e *pente-do-diabo* (Sousa, *Trat. Descr.*, 223)

anhangarepoti (etim. – *fezes do diabo*) (s.) – enxofre (*VLB*, I, 120)

Anhangoby (etim. – *Anhanga verde*) (s. antrop.) – nome de índio tupi (Anch., *Teatro*, 154, 2006)

anhangu'i (etim. – *pó do diabo*) (s.) – enxofre (*VLB*, I, 120)

Anhangupîara (etim. – *adversário do Anhanga*) (s. antrop.) – nome de índio tupi (Anch., *Poesias*, 57)

anhangyar (xe) (etim. – *tomar a água do anhanga*) (v. da 2ª classe) – estar de luto, vestir luto: *Xe* **anhangyar**. – Eu estou de luto. (*VLB*, I, 105)

anhangyîara (etim. – *a que porta o Anhanga*) (s.) – feiticeira indígena (Calado, *O Valeroso Lucideno*, V, III, 323)

anhapopûera (ou **anhypypûera**) (t) (etim. – *o que foi base de dente*) (s.) – pedaço, resto de dente que fica na gengiva após ele apodrecer ou quebrar ao ser arrancado; arnela (*VLB*, I, 41)

anhapûá (t) (etim. – *dente pontudo*) (s.) – dente canino (*VLB*, II, 85)

anhasy¹ (t) (etim. – *dente ruim*) (s.) – presa de cobra (*VLB*, II, 85)

anhasy² (t) (etim. – *coisa ruim do dente*) (s.) – peçonha; [adj.: **anhasy (r, s)**] – peçonhento: *Xe* **ranhasy**. – Eu sou peçonhento. (*VLB*, II, 69)

anha'yba (s.) – castanheiro-do-pará, planta da família das lecitidáceas (*Bertholletia excelsa* Bonpl.) (Lisboa, *Hist. Anim e Árv. do Maranhão*, fl. 183-183v)

anha'ybatã (s.) – planta da família das lauráceas. "O entrecasco desta árvore é da cor da canela e cheira... como canela." (Sousa, *Trat. Descr.*, 220)

anhẽ¹ (ou **aîé**) (adv.) – realmente, na verdade, de fato, verdadeiramente; é verdade (*VLB*, II, 144); assim é (Fig., *Arte*, 133); (na interr.) – é certo? não é verdade? não é assim?: *Tupã ra'yreté* **anhẽ** *ikó abá...* – Filho verdadeiro de Deus é, de fato, esse homem. (Ar., *Cat.*, 64); **Anhẽ ûĩ!** – É verdade isso! (Anch., *Teatro*, 138); *Xe abá-aibĩ* **anhẽ**. – Eu sou um mísero índio, de fato. (Anch., *Poemas*, 154); *Aîpó saûsukatupyra, aîpó* **anhẽ**. – Isso é que deve ser bem amado, isso verdadeiramente. (Anch., *Teatro*, 6); *Ké abá rekóû* **anhẽ** *xe renopu'ã-pu'ama*. – Aqui os homens estão, na verdade, para me ficar ameaçando. (Anch., *Teatro*, 26) ● **anhẽ rakó!** – certamente! sem dúvida! assim é! tem razão! é verdade! (certificando o que outra pessoa disse) (*VLB*, II, 105): – *Eresaûsu-potar-etépe Tupã... a'e nde mopûeráme?* – **Anhẽ rakó!** – Queres muito amar a Deus por ele te curar? – Certamente! (Bettendorff, *Compêndio*, 125); **anhẽ anhẽ** (ou **aîekatu**) – é bem certo que, bem certamente, assim é: ... *Mba'easybora-te* **aîekatu** *i 'uû*. – Mas os doentes a comem, bem certamente. (Ar., *Cat.*, 77v); **anhẽ kó** (ou **anhẽ nakó**) – assim é (*VLB*, I, 45); **anhẽp'anhẽ** – mas, de verdade (*VLB*, II, 33); **anhẽ rakó re'a** – assim é (de h.) (Fig., *Arte*, 134); **anhẽ rakó re'ĩ** – assim é (de m.) (Fig., *Arte*, 134); **anhẽ ra'u** – assim é (Fig., *Arte*, 133); **anhẽ re'a** – assim é (de h.) (Fig., *Arte*, 134); **anhẽ re'ĩ** – assim é (de m.) (Fig., *Arte*, 134); **anhẽ ruãp'anhẽ** – mas, de verdade (*VLB*, II, 33); **anhẽ ipó** – nem mais nem menos; absolutamente não (como quem diz: "não tenhais medo disso" ou "não se mete isso em minha cabeça") (*VLB*, II, 49)

anhẽ² (t) (s.) – pressa; [adj.: **anhẽ (r, s)**] – 1) apressado; (xe) ter pressa: *Xe ranhẽ*. – Eu estou apressado. (*VLB*, I, 39); *Reîá-anhẽ ... pitangĩ supé oú*. – Os reis apressados junto ao nenenzinho vieram. (Anch., *Poemas*, 192); 2) temporão (p.ex., o fruto): *Xe ranhẽ*. – Eu sou temporão. (*VLB*, II, 126); (adv.) às pressas; apressadamente: *Aîapó-***anhẽ-anhẽ**. – Faço-o muito apressadamente. (*VLB*, I, 39); ... *Kapi'ĩ* **anhẽ** *rerupa*. – Capim às pressas colocando. (Anch., *Poemas*, 130)

anhera'upe (interj.) - Vamos ver se é verdade! (expressa zombaria) (Ar., *Cat.*, 66; Fig., *Arte*, 134) • **anhẽ ra'upe é?** (de h.); **anhẽ ra'upe re'i?** (de m.) - É possível? (*VLB*, I, 153)

anheté[1] (s.) - algo verdadeiro, a verdade: ... *Tupã koîpó o 'anga koîpó cruz koîpó anheté renõîa.* - Invocando a Deus ou sua própria alma ou a cruz ou algo verdadeiro. (Ar., *Cat.*, 280, 1686); *Anheté a'é.* - Digo a verdade. (Léry, *Histoire*, 357) • **anheté-katunhẽ** (ou **anheté-tekatutenhẽ**) - certissimamente (*VLB*, I, 71)

anheté[2] (adv.) - 1) verdadeiramente, na verdade, de fato, certamente: *Anheté, kó nde rapé, a'e nde remiekara.* - Verdadeiramente, eis aqui teu caminho, o que tu procuras. (Anch., *Teatro*, 162); *Anheté pesepîak irã Tupã Tuba 'ekatuaba koty xe gûapyka xe renane...* - Na verdade, ver-me-eis estar sentado futuramente do lado direito de Deus Pai... (Ar., *Cat.*, 56-56v); **2)** é verdade! é certo!: *"Anheté" eré tenhẽ umẽ, Tupã rera renõîa.* - Não digas em vão: "É verdade!", invocando o nome de Deus. (Ar., *Cat.*, 67)

anhinga (s.) - ANHINGA, ave pelicaniforme da família dos anhingídeos (Marcgrave, *Hist. Nat. Bras.*, 218)

NOTA - Daí, o nome da família dos **ANHINGÍDEOS**, usado pela Zoologia.

ANHINGA (fonte: Marcgrave)

anhõ (adv.) - sozinho, só; somente: *Ixé anhõ asó.* - Eu vou só. (*VLB*, II, 118); ... *Nde anhõ t'oroaûsu.* - Que somente a ti eu ame. (Anch., *Poemas*, 128); *Xe anhõ kó taba pupé aîkó...* - Eu somente nesta aldeia morava. (Anch., *Teatro*, 4); *Ene'ĩ, temiminõ 'arybo nhẽ oîmombe'u o angaîpá-miri anhõ.* - Eia, os temiminós de dia confessam seus pecadilhos somente. (Anch., *Teatro*, 158); *Og uba anhõpe abá osapîá?...* - A seu pai somente o homem obedece? (Ar., *Cat.*, 68v)

anhõte (ou **anhotenhẽ**) (adv.) - tão somente: *Ixé anhotenhẽ.* - Eu, tão somente. (*VLB*, II, 118); - *Mba'epe asé oîmoeté abaré itaîû-kamusi rupireme? Akó itaîû-kamusi anhõtepe?* - *N'aani...* - Que a gente adora quando o padre ergue o cálice de ouro? Aquele cálice de ouro, tão somente? - Não. (Ar., *Cat.*, 153-154)

anhotenhẽ - v. **anhõte**

anhuban - v. **aîuban**

anhuma (s.) - ANHUMA, o mesmo que **anhyma** (v.)

anhumatiroba (etim. - *folha de esporão de anhuma*) (s.) - melancia, planta herbácea da família das cucurbitáceas [*Citrullus lanatus* (Thunb.) Matsum. & Nakai], de origem africana (*VLB*, I, 51)

anhu'yba (s.) - ANIBA, nome comum a várias plantas lauráceas dos gêneros *Nectandra* e *Ocotea*, também chamadas *canela* e *sassafrás* (Piso, *De Med. Bras.*, IV, 195; *VLB*, I, 65)

anhu'ybamirĩ (etim. - *aniba pequena*) (s.) - planta da família das lauráceas (Piso, *De Med. Bras.*, IV, 195)

anhu'ybuna (etim. - *aniba escura*) (s.) - var. de **anhu'yba** (v.) (*VLB*, I, 65)

anhu'ybusu (etim. - *aniba grande*) (s.) - var. de **anhu'yba** (v.) (*VLB*, I, 65)

anhu'ymirĩ (s.) - variedade de **anhu'yba** (v.) de tamanho inferior (Piso, *De Med. Bras.*, 195)

anhu'ypeapuîa (s.) - planta da família das lauráceas [*Ocotea sassafras* (Meisn.) Mez], também denominada *pau-de-funcho*, *canela sassafrás* ou *sassafrás do Brasil* (Piso, *De Med. Bras.*, IV, 195; *VLB*, I, 65)

anhu'ytaîa (etim. - *aniba ardida*) (s.) - var. de **anhu'yba** (v.) (*VLB*, I, 65)

anhu'ytinga (etim. - *aniba clara*) (s.) - var. de **anhu'yba** (v.) (*VLB*, I, 65)

anhyma (s.) - ANHUMA, ANHIMA, INHAÚMA, ave americana anseriforme da família dos anhimídeos (*Anhuma cornuta* L.), das regiões pantanosas tropicais e subtropicais. Apresenta um espinho na testa e dedos muito compridos. É também chamada *alicorne*, *unicorne* etc. (Cardim, *Trat. Terra e Gente do Brasil*, 38; Marcgrave, *Hist. Nat. Bras.*, 215)

NOTA - Daí, o nome geográfico **ANHEMBI** (SP) (v. Rel. Top. e Antrop. no final).

aninga¹

ANHUMA (fonte: Marcgrave)

(Marcgrave, *Hist. Nat. Bras.*, 193; Brandão, *Diálogos*, 227)

ANUM (fonte: Marcgrave)

aninga¹ (s.) – ANINGA, planta da família das aráceas [*Montrichardia linifera* (Arruda) Schott.] (Piso, *De Med. Bras.*, 197)

NOTA – Daí, o nome geográfico **ANINGAL** (PA) (v. Rel. Top. e Antrop. no final).

aninga² (s.) – arrepiamento do corpo; excitação, estímulo sexual; (adj.: **aning**) – arrepiado; **(xe)** ter arrepio, ter arrepiamento: *Xe aning-aning.* – Eu tenho arrepiamentos. (*VLB*, I, 43)

aningaperé (ou **aningaperi** ou **aningapiri**) (s.) – ANINGAPERÊ, ANINGAPIRI, ANHANGA-PICHERICA, NIANGA-PICHERICA, planta melastomácea, provavelmente *Clidemia hirta* (L.) D. Don, comum em quase todo o Brasil, de propriedades medicinais (Piso, *De Med. Bras.*, IV, 201)

aninga'yba (etim. – *pé de aninga*) (s.) – ANINGAÚBA, ANINGAÍBA, planta da família das aráceas (*Montrichardia arborescens* Schott.), de fibras aproveitáveis para cordoalha e no fabrico de papel, e cuja raiz é drástica e anti-hidrópica (Marcgrave, *Hist. Nat. Bras.*, 106; Piso, *De Med. Bras.*, IV, 197)

anõî (adv.) – da outra parte (Fig., *Arte*, 131); de acolá, dali (*VLB*, I, 89); de lá, daquela parte (*VLB*, I, 93)

anõîa (adv.) – outra parte; acolá: *anõîa suí* – de lá, daquela parte; de acolá, dali (*VLB*, I, 89; II, 93)

anong (s) (v. tr.) – prognosticar coisas a, fazer agouros a (geralmente coisas más): *Asanong.* – Fiz agouros a ele. (*VLB*, II, 87)

anu – o mesmo que **anũ** (v.)

anũ (s.) – ANU, ANUM, nome genérico de certas aves da família dos cuculídeos. Vivem em sociedade, nos campos e cerrados.

NOTA – Daí, os nomes geográficos **ANUM** (AL), **ANUTIBA** (ES) (v. Rel. Top. e Antrop. no final).

any (s.) – ANU, ANUM, o mesmo que **anũ** (v.)

anyîuakanga (s.) – ANIJUAGANGA, réptil lacertílio iguanídeo que vive em árvores (Sousa, *Trat. Descr.*, 264)

a'o (v. tr.) – injuriar, desonrar com palavras, insultar: *Opabenhẽ serã erimba'e a'epe tekoara îî a'o-îa'oû...?* – Por acaso todos os que estavam ali ficaram a injuriá-lo? (Ar., *Cat.*, 56v); *Nd'e'i te'e moxy onhana... oîoa'o-marangatûabo...* – Por isso mesmo as malditas correm, insultando-se muito umas às outras. (Anch., *Teatro*, 128); *Oîa'o-îa'ope o mena emonã sekó reséne?* – Ficará injuriando seu marido por ele assim proceder? (Anch., *Doutr. Cristã*, I, 228) [O gerúndio é **agûabo**: *i agûabo* – injuriando-o (Ar., *Cat.*, 74)]

aob (v. tr.) – cobrir (com algum envoltório, como pano, folhas), envolver: *Aîaob.* – Cubro-o. (*VLB*, I, 76)

aoba (s.) – 1) roupa: *Oîaobok serã ybÿa katupe nhẽ i moingóbo?...* – Por acaso arrancaram sua roupa, fazendo-o estar nu? (Ar., *Cat.*, 59v); *Aîeruré aoba resé Pedro supé.* – Peço a Pedro por roupa. (Anch., *Arte*, 44); **2)** fato, vestido (*VLB*, I, 135); **3)** pano; vela (de navio): *Aroîyb aoba.* – Amainei a vela. (*VLB*, I, 33); *Osobá-syb aó-tinga pupé.* – Limpou seu rosto com um pano branco. (Ar., *Cat.*, 62); *ybyraoba* – pano de linho; *amynyîu-aoba* – pano de algodão (*VLB*, II, 64) ● **aopesembûera** – pedaço de roupa, retalho de pano (*VLB*, II, 104); **iî aoba'e** – o que está vestido (*VLB*, II, 144)

aobaíba (etim. – *pano ruim*) (s.) – trapo (*VLB*, II, 135)

aobaigûera (etim. - *pano ruim que foi*) (s.) - trapo (*VLB*, II, 135)

aobasyka (etim. - *roupa cortada*) (s.) - gibão; jaqueta (*VLB*, I, 148)

aobeté (etim. - *pano muito bom*) (s.) - tecido de seda (*VLB*, II, 114)

aobusu (etim. - *roupão*) (s.) - túnica; roupão, saio alto (*VLB*, II, 108): ... *O aobusu mondoró-ndoroka...* - Suas túnicas ficando a rasgar. (Ar., *Cat.*, 56v)

aobybĩ (s.) - roupa esguia, véu: ... *Aobybĩ pupé sobá ubana...* - Envolvendo com véus seu rosto. (Ar., *Cat.*, 79, 1686)

aoîybá (etim. - *braço de roupa*) (s.) - manga (de roupa ou vestido) (*VLB*, II, 30)

aoku'asandoka (etim. - *roupa de metades desunidas*) (s.) - pelote (*VLB*, II, 71)

aomokangaba (s.) - lugar de estender roupa para secar (*VLB*, I, 128)

aomonhangara (etim. - *fazedor de roupas*) (s.) - alfaiate (*VLB*, I, 31)

aomoundara (etim. - *o que escurece roupas*) (s.) - tintureiro de panos (*VLB*, II, 128)

aopiranga (etim. - *roupa vermelha*) (s.) - púrpura: *Amõ aopiranga mondepa sesé.* - Uma púrpura colocando nele. (Ar., *Cat.*, 60)

aopotuká (etim. - *bater roupa*) (v. intr.) - lavar roupa (*VLB*, II, 19) • **aopotukasara** - lavadeira ou lavador de roupas (*VLB*, II, 19); **aopotukasaba** - tempo, lugar, modo etc. de lavar roupa; lavadouro (*VLB*, II, 19)

aopuku (etim. - *roupa comprida*) (s.) - roupão, saio alto; loba (nome de vestido antigo) (*VLB*, II, 23; 108)

aopyasapaba (etim. - *instrumento de tecer roupas*) (s.) - lançadeira (peça de tear) (*VLB*, II, 18)

aosyryryka (etim. - *roupa que se arrasta*) (s.) - vestido comprido, loba (*VLB*, II, 23)

apa- (pref.) - expressa completude ou intensidade

apagué (interj. de h.) - **1)** Ui! Coitado! (expressão de dó, dor, lamento ou escárnio) (*VLB*, II, 53; 139); **2)** diz o que festeja graças ou novidades (Fig., *Arte*, 147)

apagûy (interj. de h.) - Ui! Coitado! (expressão de dó, dor, lamento ou escárnio) (*VLB*, II, 53; 139)

apaîé (s.) - maturação; inchamento (de fruto) (*VLB*, II, 28); (adj.) - maduro, inchado (o fruto): *I apaîé.* - Ele está maduro. *I apaîegûasu.* - Ele está muito maduro. (*VLB*, II, 11, adapt.)

apaîugûá (xe) (v. da 2ª classe) - **1)** fazer confusão, fazer embrulhada, misturar alhos com bugalhos (naquilo que se conta, naquilo a que se refere etc.): *Xe apaîugûá.* - Eu fiz confusão. (*VLB*, II, 71); **2)** estar encaroçado (p.ex., a farinha, o mingau) (*VLB*, I, 148)

apakuî (xe) (v. da 2ª classe) - **1)** cair pouco a pouco (como a parede que se está demolindo etc.) (*VLB*, I, 63): *A'ereme îasytatá o apakuîamo.* - Então as estrelas cairão pouco a pouco. (Ar., *Cat.*, 159v); **2)** desmanchar-se, gastar-se, ir-se acabando, desfazer-se (com o uso, como a casa, a rede etc.) (*VLB*, I, 99)

apamonan (v. tr.) - **1)** mexer (duas coisas de diversas espécies para que se misturem): *Aîapamonan.* - Mexi-as. (*VLB*, II, 37); **2)** misturar (*VLB*, II, 36); **3)** confundir: *Na pe apysáî, îandu, ikó taba apamonana.* - Não tendes ouvidos, como de costume, confundindo esta aldeia. (Anch., *Teatro*, 40) • **i apamonanymbyra** - o que é (ou deve ser) misturado; mistura de diversas coisas (*VLB*, II, 36)

NOTA - Daí, **PAMONÃ**, prato do sertão nordestino preparado com farinha de milho ou de mandioca, feijão, peixe ou carne; revirado (in *Dicion. Caldas Aulete*).

apan (v. tr.) - resvalar em (como a espada que não tomou a cabeça em cheio ou encontrou capacete): *Anhapan.* - Resvalei nele. *Xe apan itaingapema.* - A espada resvalou em mim. *Xe apan ahẽ itaingapema pupé.* - Resvalou em mim o fulano com a espada. (*VLB*, II, 104)

apapa'ũmbirar (s) (v. tr.) - abrir (p.ex., as pernas) (*VLB*, I, 19)

apapa'ũmombok (s) (v. tr.) - abrir (p.ex., as pernas) (*VLB*, I, 19)

apapûar (v. tr.) - dobrar (p.ex., um pano); enroscar: *Aîapapûar.* - Dobrei-o. (*VLB*, I, 105)

apapûara (s.) - dobra [como de pano, cobra etc. Falando-se de fio, usa-se *oîoybyri* (v.)]; rosca; (adj.: **apapûar**) - dobrado; enroscado: - *Mba'epe onong i akanga 'arybo?* - *Îuatĩ-apapûara apy-*

apapuba

nha... – Que puseram sobre sua cabeça? – Uma coroa de espinhos enroscados. (Anch., *Diál. da Fé*, 184)

apapuba (s.) – frouxidão, moleza; (adj.: **apapub**) – frouxo (p.ex., arco), mole, brando; **(xe)** afrouxar: *Xe apapub.* – Eu afrouxei. (*VLB*, I, 23); Eu estou frouxo. (*VLB*, I, 144)

apar (v. tr.) – entortar, arquear, encurvar (p.ex., a vara): *Aîapar.* – Entortei-a. (*VLB*, I, 40)

apara (s.) – **1)** aleijão, deformidade (que impede de andar); coisa torta (como vara) (*VLB*, II, 133); **2)** aleijado que não anda (*VLB*, I, 30); (adj.: **apar**) – aleijado; arqueado, curvado, torto (p.ex., vara): *Xe apar.* – Eu sou aleijado. (*VLB*, I, 30); *Xe aparĩ.* – Eu sou curvadinho. (*VLB*, I, 88; Léry, *Histoire*, 359)

> NOTA – Daí, no P.B., **PIRAPARA** (*pirá* + *apar* + *-a*, "peixe torto"), nome de um peixe caracídeo; **SUAÇUAPARA** ("veado torto"), nome de um animal cervídeo; **ACANGAPARA** (MA) (*akang* + *apar* + *-a*, "cabeça torta"), outro nome para o cágado; **ANINGAPARA** (Amaz.) ("aninga torta"), comigo-ninguém-pode, planta arácea.

aparagûá (s.) – nome de uma planta (Marcgrave, *Hist. Nat. Bras.*, 14)

aparaîereb (xe) (v. da 2ª classe) – cair rodando (como um barril, um pote etc.): *Xe aparaîereb.* – Eu caí rodando. (*VLB*, I, 63)

aparaîtyk (v. tr.) – derrubar (o que está assentado, como panela, pote, vaso etc.): *Aîaparaîtyk.* – Derrubei-o. (*VLB*, I, 95)

Aparaîtykabusu (s. antrop.) – nome de índio tupi (Vasconcelos, *Crônica (Not.)* II, §1, 113)

Aparaîtykamirĩ (s. antrop.) – nome de índio tupi (Vasconcelos, *Crônica (Not.)* II, §1, 113)

aparar (xe) (v. da 2ª classe) – vergar, cair (o que está assentado, como, p.ex., um pote): *Xe ker-aparar.* – Eu caí de sono. (*VLB*, I, 63)

aparatã (s.) – dureza; (adj.) – duro (p.ex., o corpo morto), hirto, espesso, teso (como o arco posto em corda): *Xe aparatã.* – Eu estou hirto. (*VLB*, I, 153); (adv.) duramente, asperamente: *Erenhe'eng-aparatãpe abá supé, i moŷrõmo...?* – Falaste duramente a alguém, irritando-o? (Anch., *Doutr. Cristã*, II, 103)

apare'yba (s.) – árvore de mangue do gênero *Rhizophora*. "... Tem a madeira vermelha e rija, de que se faz carvão... Serve para curtir toda a sorte de peles." (Sousa, *Trat. Descr.*, 205)

aparok (etim. – *arrancar a tortuosidade*) (v. tr.) – endireitar: *Aîaparok.* – Endireitei-o. (*VLB*, I, 115)

'aparupã (v. tr.) – dar porradas na cabeça de: *Aîaparupã.* – Dei-lhe porradas na cabeça. (*VLB*, II, 82)

apasok (v. tr.) – pilar, socar, compactando numa massa: *Aîapasok.* – Soquei-o, compactando. (*VLB*, II, 77)

> NOTA – Daí, no P.B., **PAÇOCA**, com vários significados: 1) *prato feito de carne fresca, seca ou carne de sol previamente cozida, e que, depois de picada, moída ou desfiada, é frita ou refogada em gordura bem quente, e socada com farinha de mandioca ou de milho;* 2) *doce feito de amendoim socado e rapadura ou doce de leite seco;* 3) (fig.) *confusão de coisas amarfanhadas, malcuidadas; misturada;* 4) (fig.) *coisa amassada, amarfanhada;* 5) (AM) *amêndoa de castanha-do-pará assada e socada em pilão com farinha-d'água, sal e açúcar, tudo reduzido a grãos pequeninos;* 6) (S.) *amendoim torrado, pilado com farinha e açúcar;* 7) (S.) *coisa complicada, embrulhada; trapalhada* (in *Novo Dicion. Aurélio*).

apatuká (v. tr.) – **1)** apisoar: *Aîapatuká.* – Apisoei-o. (*VLB*, I, 38); **2)** machucar (*VLB*, II, 27)

apatynã (xe) (v. da 2ª classe) – **1)** fazer confusão, fazer embrulhada, misturar alhos com bugalhos (naquilo que se conta, naquilo a que se refere etc.): *Xe apatynã.* – Eu fiz confusão. (*VLB*, II, 71); **2)** encaroçado; encaroçar (p.ex., a farinha, o mingau) (*VLB*, I, 148)

apaxixã (xe) (v. da 2ª classe) – **1)** fazer confusão, fazer embrulhada, misturar alhos com bugalhos (naquilo que se conta, a que se refere etc.): *Xe apaxixã.* – Eu fiz confusão. (*VLB*, II, 71); **2)** encaroçado; encaroçar (p.ex., a farinha, o mingau) (*VLB*, I, 148)

(a)pé[1] (r, s) (s.) – caminho (em relação a quem passa por ele): *Pé ku'ape, kunumĩ pu'ama'ubi xe ri...* – No meio do caminho, meninos assaltaram-me. (Anch., *Poemas*, 150); *T'îasó sapépe...* – Vamos ao seu caminho. (Ar., *Cat.*, 53v); *Asó xe ruba rapépe.* – Vou ao caminho de meu pai. (*VLB*, II, 111); *sapé* – o caminho dele (Fig., *Arte*, 78); *Asapé-monhang amana.* – Faço caminho para a água da chuva. (Fig.,

Arte, 88) • **'y rapé** – rego-d'água (*VLB*, I, 65); **pé-îoasapaba** (ou **pé-îoasasaba**) – encruzilhada do caminho (*VLB*, I, 115); **pé-mirĩ** – carreirão, caminho pequeno para quem vai a pé (*VLB*, I, 68); **pé kugûapaba** – baliza do caminho (*VLB*, I, 51); **pé pukuî** – ao longo do caminho; todo o caminho (*VLB*, II, 130)

NOTA – Daí, no P.B., **TAPIRAPÉ** (*tapi'ira + apé*, "caminho das antas"), nome de um povo indígena do Mato Grosso; **CURUAPÉ** (*kururu + apé*, "caminho de sapos"), nome de planta, o cipó--cururu; **PERAU** (*pé + a'u* – v. **a'ub** – "caminho ruim"), 1) declive do fundo do mar ou de um rio; barranco; (RS) declive forte que cai para um rio ou arroio; 2) precipício. Daí, também, originam--se os nomes geográficos **JACARAPÉ** (PB), **TATUAPÉ** (SP) etc. (v. Rel. Top. e Antrop. no final).

apé² (s.) – 1) APÉ, APEÍBA, árvore da família das tiliáceas, "de casca muito verde e lisa, ... cuja madeira é muito branca" (Sousa, *Trat. Descr.*, 219). Sua madeira é muito usada para jangadas, e é mais chamada no Norte pau-de--jangada. (*Apeiba tibourbou* Aubl.) (Marcgrave, *Hist. Nat. Bras.*, 273); 2) espécie de amoreira silvestre (Sousa, *Trat. Descr.*, 196); 3) fruto da apeíba (v.) (Brandão, *Diálogos*, 216)

apé³ (s.) – 1) casca (de ovo, noz, fruta mole etc.); 2) vagem, legume: **îakarandá-apé** – vagem de jacarandá (*Theat. Rer. Nat. Bras.*, II, 192); 3) concha (de marisco) (*VLB*, I, 79); 4) crosta, superfície, lado direito (o contrário de *avesso*): *iî apé* – o lado direito dele (*VLB*, I, 103); *i apé koty* – do lado da superfície de, do lado de fora de (p.ex., de um vaso, de algo que tenha lado interior e exterior) (*VLB*, I, 92); 5) casco (de embarcação): *Aîapé-kytyk.* – Breei o casco dele. (*VLB*, I, 59); *apé-'yba* – pau do casco (da canoa) (*VLB*, II, 7); (adj.) – cascudo, de casca, que tem casca, crosta ou casco: *sypó-tinga-apé* – cipó claro de casca (nome de uma planta) (*Theat. Rer. Nat. Bras.*, II, 197); *gûamaîaku-apé* – guamaiacu cascudo (nome de peixe que se abriga sob uma carapaça espinhosa sólida, de onde emergem pontas córneas, grossas e resistentes) (Marcgrave, *Hist. Nat. Bras.*, 142) • **apepûera** – casca arrancada (do ovo, da fruta etc.); concha vazia (sem o marisco) (*VLB*, I, 79): ... *Inaîagûasu apepûera amõ pupé i nhang'iré...* – Após vertê-la dentro de alguma casca de coco... (Ar., *Cat.*, 353, 1686)

NOTA – Daí, no P.B., **ABATIAPÉ** (*abati + apé*, "milho cascudo"), arroz encontrado em estado silvestre nas margens dos lagos amazônicos; arroz-bravo.

apẽ – v. **apena**

apeaob (etim. – *cobrir por fora*) (v. tr.) – forrar (p.ex., barrete, vestido etc.): *Aîapeaob.* – Forrei-o. (*VLB*, I, 142)

ape'ara (etim. – *parte de cima da casca*) (s.) – superfície • **ape'arybo** – na superfície, na parte de cima: *'Y ape'arybo pirá kûáî.* – Na superfície das águas os peixes estavam. (*VLB*, I, 133)

apearé (s.) – nome de um inseto (Marcgrave, *Hist. Nat. Bras.*, 257)

apearõ (s) (etim. – *guardar o caminho*) (v. tr.) – esperar no caminho de, esperar escondido (p.ex., a caça, o inimigo, para apanhá-los) (*VLB*, I, 126): *Oîkuá-katu marana, morapearõ-arõmo.* – Conhece bem as guerras, ficando a esperar escondido as pessoas. (Anch., *Teatro*, 138); *Asapearõ.* – Espero-o no seu caminho. (*VLB*, I, 126)

apeba (s.) – qualidade do que é rechonchudo; (adj.: **apeb**) – rechonchudo, baixo e largo de corpo (*VLB*, I, 37) • **apebusu** – rechonchudão, baixo e largo de corpo (*VLB*, I, 37); **apebĩ** – rechonchudinho: *Xe apebĩ.* – Eu sou rechonchudinho. (*VLB*, I, 37)

apek (s) (v. tr.) – 1) SAPECAR, queimar de leve (os pelos), chamuscar: *Xe posaká, xe ratã; oroapek; oroesyne...* – Eu sou moçacara, eu sou forte; sapecar-te-ei, assar-te-ei. (Anch., *Teatro*, 162); *Peîori, perasó muru, supi, îandé ratápe sapeka...* – Vinde, levai os malditos, erguendo-os, para sapecá-los em nosso fogo. (Anch., *Teatro*, 90); 2) tostar: *Esapek u'i amõ.* – Tosta alguma farinha. (Léry, *Histoire*, 367)

Sapecando o corpo de um prisioneiro morto
(fonte: Staden)

apekera

apekera (s.) - coisa rasa e igual por cima (como mato ou ramos de árvore que parecem podados) (*VLB*, II, 97); (adj.: **apeker**) - raso, tosado, tosquiado; carpido, capinado (p.ex., o terreno, a roça, as ervas, a plantação) (*VLB*, II, 9; 97)

apekó (s) (v. tr.) - frequentar, visitar amiúde: *Koromõ, keygûara temiminõ moaûîébo, asapekóne.* - Logo, vencendo os temiminós, habitantes daqui, frequentá-los-ei. (Anch., *Teatro*, 136); *Kûé suí asó mamõ, amõ taba rapekóbo.* - Daqui vou para longe, outras aldeias frequentando. (Anch., *Teatro*, 4); *Akûeîme eresapekó oré retama, saûsupa.* - Antigamente frequentavas nossa terra, amando-a. (Anch., *Poemas*, 154)

apekũ[1] (s.) - língua (parte da boca) (Castilho, *Nomes*, 28): *Tatá-endy-etá, asé apekũ abŷare'yma anhõ osepîak.* - Viram somente muitas chamas, parecidas com nossas línguas. (Ar., *Cat.*, 45); *Xe apekũ-mombyk ikó 'ybá.* - Trava-me a língua esta fruta. (*VLB*, II, 136) • **apekũ apyra** - a ponta da língua (Castilho, *Nomes*, 28)

> NOTA - Daí, no P.B., **TAPIRAPECU** (*tapi'ira* + *apekũ*, "língua de anta", "língua de vaca"), nome de uma planta; **APECU**, coroa de areia feita pelo mar. Daí, também, o nome geográfico **ITAPECUM** (SC) (v. Rel. Top. e Antrop. no final).

apekũ[2] (s.) - brejo de água salgada à beira-mar; limite da terra firme com o mangue (*ABN*, LXXXII (1962), 257)

> NOTA - Daí, no P.B., **APICUM, APICU, PICUM**, com o mesmo sentido. Daí, também, o nome geográfico **APECUM** (BA) (v. Rel. Top. e Antrop. no final).

apekũgûyra (etim. - *fundo da língua*) (s.) - guelras (de peixe) (*VLB*, I, 152)

apekysym (s) (etim. - *atalhar o caminho*) (v. tr.) - tomar dianteira a: *Asapekysym.* - Tomei-lhe a dianteira. (*VLB*, I, 103)

apena (ou **apẽ**) (s.) - tortuosidade; (adj.: **apen** ou **apẽ**) - torto: *abaîuru-apẽ* - boquitorto, homem da boca torta (Anch., *Arte*, 32v); *Xe apẽ.* - Eu sou torto. (*VLB*, II, 133); (adv.) - tortamente, torto: *Aín-apẽ.* - Estou assentado torto. (*VLB*, II, 133)

apengok (etim. - *arrancar a tortuosidade*) (v. tr.) - endireitar: *Aîapengok.* - Endireitei-o. (*VLB*, I, 115)

apenhugûana (s.) - lâmina • **i apenhugûanyba'e** - o que tem lâminas: *itaoba i apenhugûã-nhugûanyba'e* - couraça que tem muitas lâminas (*VLB*, I, 85)

ape'ok (etim. - *arrancar a casca*) (v. tr.) - descascar (casca grossa, como, p.ex., de árvore, de favas); aparar (como marmelo): *Aîape'ok.* - Descasquei-o. (*VLB*, I, 37; 97)

apepé (s.) - nome de um inseto lampirídeo (*Libri Princ.*, vol. II, 122)

apependûar (s) (v. tr.) - ir ao caminho de, sair a receber ao caminho (como ao amigo que vem): *Asapependûar.* - Fui ao caminho dele. (*VLB*, II, 111)

apepokumã (s.) - **PICUMÃ, PUCUMÃ, TATICUMÃ**, fuligem (da chaminé, das labaredas de fogo etc.) (*VLB*, I, 138)

> NOTA - No P.B., **PICUMÃ** também significa, além de *fuligem, teia de aranha enegrecida pela fuligem*. Em Coelho Neto lemos: "*O teto, de telha-vã, com as vigas fuliginosas, como carbonizadas, estava colgado de flocos negros de PICUMÃ.*" (in *Obra Seleta*, I, apud *Novo Dicion. Aurélio*).

apepu[1] (s.) - leveza (em suas coisas, em seus haveres); (adj.) - leve (em suas coisas, em seus haveres): *Xe apepu*; *Xe apepu-pepu.* - Eu estou leve; *Xe apepu'î.* - Eu estou levezinho; *Xe rekó-apepu-pepu.* - Eu estou muito leve nas minhas coisas. (*VLB*, II, 21)

apepu[2] (etim. - *casco barulhento*) (s.) - **1)** bravateiro, fanfarrão, o que promete muito e nada faz ou faz pouco; **2)** inconstância; (adj.) - inconstante; que fala muito e faz pouco (*VLB*, II, 11)

apepûera - v. **apé**[3]

apepyxagûana (s.) - precinta de embarcação (*VLB*, II, 84)

apepyxugûana - o mesmo que **apepyxagûana** (v.) (*VLB*, II, 84)

apere'a (s.) - **PREÁ, APEREÁ**, nome comum às espécies de mamíferos da família dos caviídeos, do gênero *Cavia* (Marcgrave, *Hist. Nat. Bras.*, 223; *VLB*, II, 18)

> NOTA - Daí, **PRIAOCA** (nome de serra do CE) (v. Rel. Top. e Antrop. no final).

PREÁ (fonte: Marcgrave)

apererá¹ (xe) (v. da 2ª classe) – **1)** fazer confusão, fazer embrulhada, misturar alhos com bugalhos (naquilo que se conta, a que se refere etc.): *Xe apererá.* – Eu fiz confusão. (*VLB*, II, 71); **2)** encaroçar; encaroçado (p.ex., a farinha, o mingau) (*VLB*, I, 148)

apererá² (s.) – coisa rasa e baixa (como o mato, a barba etc.); (adj.) – raso e baixo (como o mato, a caatinga); tosado (fal. de barba) (*VLB*, II, 133)

apesu (s.) – nome de uma ave (Brandão, *Diálogos*, 228)

apetek (v. tr.) – barrear, fazer taipa: *Oka aîyby-apetek.* – Barreei a casa com terra. (*VLB*, II, 123)

ape'yba (etim. – *pau de casca*) (s.) – APEÍBA, árvore tiliácea; o mesmo que **apé²** (v.) (Marcgrave, *Hist. Nat. Bras.*, 273)

api¹ (s.) – var. de rede: *api anhãî* – na ponta da rede, no punho da rede (Anch., *Arte*, 41)

api² (v. tr.) – **1)** golpear; apedrejar, atirar; dar pancadas em; dar pedradas em; acertar (o alvo sem o atravessar ou furar) (*VLB*, II, 63); picar (com coisa sem ponta ou sem penetrar o corpo, atirando algo com a mão, com arco), dar marrada (p.ex., o carneiro etc.) (Difere de **sok** porque o uso deste implica não se largar da mão o objeto com que se pica.) (*VLB*, II, 77): ... *I pupé Îudeus nheŷnhangi Santo Estêvão apîá-apîábo...* – Nele os judeus juntaram-se para ficar atirando pedras em Santo Estêvão. (Ar., *Cat.*, 138-139); *Nde serã i poepyka tekomemûã, ... poropotara... ereîapi ko'arapukuî.* – Tu, talvez, para retribuir, a vida má, o desejo sensual atiras nele o dia todo. (Anch., *Doutr. Cristã*, II, 112); *Aîapi-api.* – Fiquei-o apedrejando. (*VLB*, I, 38); **2)** dar topadas em (p.ex., em parede, como quem anda às escuras): *Aîapi okytá.* – Dou topadas no esteio. (*VLB*, II, 32)

api'a¹ (s.) – **1)** circuncidado: *Xe api'a.* – Eu sou um circuncidado. (*VLB*, I, 74); **2)** pênis circunciso (Castilho, *Nomes*, 28) ● **i api'aba'e** – o que é circuncidado (*VLB*, I, 74)

api'a² (t) (s.) – testículo (Castilho, *Nomes*, 38) ● **api'a sama** (t) – as cordas dos testículos (Castilho, *Nomes*, 38)

api'ab (v. tr.) – castrar, cortar os testículos: *Ereîapi'a'ipe pitangamo i kerype koîpó marandé serekóbo?* – Castraste-o, sem mais, sendo criança, em seu sono, ou de outra maneira tratando-o? (Anch., *Doutr. Cristã*, II, 88)

api'agûasu (t) (etim. – *testículos grandes*) (s.) – hérnia do escroto; [adj.: **api'agûasu (r, s)**] (xe) – ter hérnia: *Xe rapi'agûasu.* – Eu tenho hérnia. (*VLB*, II, 83)

apiagûera (s.) – pedrada; marca de pedrada na pele (*VLB*, II, 69)

api'aîuru'uma (t) (s.) – esmegma, secreção branca que cobre a base da glande (Castilho, *Nomes*, 29)

api'anupã (s) (v. tr.) – castrar (p.ex., bois): *Asapi'anupã.* – Castrei-os. (*VLB*, I, 66)

api'a'ok (s) (etim. – *arrancar os testículos*) (v. tr.) – castrar (*VLB*, I, 66) ● **sapi'a'okypyra** – castrado (*VLB*, I, 66)

apîar (s) (v. tr.) – obedecer (a alguém ou a algo): *Aînhe'engapîar.* – Obedeço às palavras dele. (*VLB*, II, 53); *Oroîmomburu anhanga, nde nhõ nde rapîaretébo.* – Amaldiçoamos o diabo, a ti somente obedecendo muito. (Anch., *Poemas*, 174); *Xe rapîakatu abá.* – Obedecem-me bem os índios. (Anch., *Teatro*, 134); *Asapîakatupe ká.* – Hei de obedecer bem a ele. (Ar., *Cat.*, 25v); *Espîá-te!* – Tu, ao contrário, obedece a ele! (Anch., *Teatro*, 62) ● **apîaraba** – tempo, lugar, modo etc. de obedecer; obediência: *Marãngatupe asé rekóû Tupã o apîaraûama rine?* – Como a gente procederá para obedecer a Deus? (Ar., *Cat.*, 30)

api'aỹîa (t) (etim. – *semente dos testículos*) (s.) – sêmen (Castilho, *Nomes*, 38)

api'a'yĩ'ok (s) (etim. – *arrancar os grãos dos testículos*) (v. tr.) – castrar: *Asapi'a'yĩ'ok.* – Castrei-o. (*VLB*, I, 66) ● **sapi'a'yĩ'okypyra** – castrado (*VLB*, I, 66)

api'aỹnha (t) – grãos dos testículos (*VLB*, I, 150)

'apiku'i (etim. – *pó da pele da cabeça*) (s.) – caspa da cabeça (Castilho, *Nomes*, 29)

'apin

'apin (v. tr.) – rapar a cabeça a: *Aî'apin*. – Rapo-lhe a cabeça. (*VLB*, II, 96)

apin (v. tr. ou intr.) – rapar, tosquiar, tosar: *Aîapin*. – Tosquio-o. (Fig., *Arte*, 101); *Aîeapin-ukar*. – Fiz-me rapar. (Fig., *Arte*, 146); *Asendybá-apin*. – Rapei-lhe a barba. (*VLB*, I, 52); *Nãmo oroapin*. – Rapamos nesta medida. (*VLB*, II, 129)

> NOTA – Daí, no P.B., o verbo **CAPINAR** (*ka'a* + *apin*, "rapar as ervas"), limpar uma área plantada, arrancando o capim ou as ervas daninhas que ali cresceram. Daí, também, o nome geográfico **IBIAPINA** (v. Rel. Top. e Antrop. no final).

apina (s.) – pessoa ou coisa tosquiada, rapada, pelada (*VLB*, II, 137); (adj.: **apin**) – tosquiado, rapado, pelado: *mba'e-apina* – coisa rapada (*VLB*, II, 32)

> NOTA – Daí, os nomes geográficos **IBIAPINA** (chapada do CE), **BAEPENDI** (MG), **BAEPINA** etc. (v. Rel. Top. e Antrop. no final).

apipema (s.) – lombada (como de terra) (*VLB*, II, 24); quina ou quinas (como de pau lavrado) (*VLB*, II, 94)

'apira¹ (etim. – *pele de cabeça*) (s.) – couro cabeludo: *Aî'apirabo'o*. – Eu lhe pelo o couro cabeludo. (*VLB*, II, 70)

'apira² (etim. – *pele da glande*) (s.) – prepúcio: *Mokõî oîoirundyk oito 'ara sykeme,... i 'apira mondoki*. – Ao chegar o dia oitavo (duas vezes quatro), cortaram seu prepúcio. (Ar., *Cat.*, 3)

'apiraíba (etim. – *pele ruim da cabeça*) (s.) – usagre, erupção de pústulas com corrimento e crostas que vêm ao rosto e à cabeça das crianças; (adj.: **'apiraíb**) (xe) – ter usagre: *Xe 'apiraíb*. – Eu tenho usagre. (*VLB*, II, 140)

'apiramõ (etim. – *molhar a pele da cabeça*) (v. tr.) – 1) mergulhar; regar, aguar (p.ex., a casa) (*VLB*, I, 24; II, 99); 2) molhar a cabeça de; batizar: *'Y pupé asé 'apiramoû*. – Com água nos molham a cabeça. (Ar., *Cat.*, 80v); *Marãîasûaramo temõ abaré xe 'apiramõneme xe angaîpab'e'ymebé xe re'õ mã!...* – Ah, que bom seria minha morte ao me batizar o padre, antes de eu pecar. (Ar., *Cat.*, 249, 1686)

apirõ (s) (v. tr.) – fazer **SAPIRÃO**, prantear (Fig., *Arte*, 112), chorar por, lamentar (o morto, o hóspede que chega, no ritual conhecido como *saudação lacrimosa*): *Osó kunhã semimbo'e-etá sapirõmo*. – Iam mulheres, suas discípulas, pranteando-o. (Ar., *Cat.*, 61v); *Ixé-te, Tupã, xe ruba, aîmongetá memẽ nhẽ, xe katurama momboîa, xe angaîpaba rapirõmo...* – Mas eu a Deus, meu pai, rezava sempre, propondo ser bom, pranteando meus pecados. (Anch., *Teatro*, 168) • **apirõaba** (t) – tempo, lugar, modo etc. de prantear; o pranto, o prantear, **SAPIRÃO**: *... Peîori... sapirõagûama resé pe pupé seîkéreme...* – Vinde para prant́eá-lo ao entrar ele em vós. (Ar., *Cat.*, 85v); **sapirõmbyra** – o que é (ou deve ser) pranteado: *Aûîé sapirõmbyre'yma o moetee'yma oîmoasy...* – Enfim, o que não é pranteado ressente-se de não o honrarem. (Ar., *Cat.*, 85v)

SAPIRÃO, a saudação lacrimosa dos antigos tupis da costa (fonte: De Bry)

OBSERVAÇÃO – Assim escreveu o jesuíta Fernão Cardim sobre esse fato cultural: "*Entrando-lhe algum hóspede pela casa, a honra e agasalho que lhe fazem é chorarem-no. Entrando, pois, logo o hóspede na casa, o assentam na rede e, depois de assentado, sem lhe falarem, a mulher e filhas e mais amigas se assentam ao redor, com os cabelos baixos, tocando com a mão na mesma pessoa, e começam a chorar todas em altas vozes, com grande abundância de lágrimas e ali contam em prosas trovadas quantas coisas têm acontecido desde que se não viram até aquela hora e outras muitas que imaginam e trabalhos que o hóspede padeceu pelo caminho e tudo o mais que pode provocar a lástima e o choro. O hóspede, nesse tempo, não fala palavra, mas depois de chorarem por bom espaço de tempo, limpam as lágrimas e ficam tão quietas, modestas, serenas e alegres que parece (que) nunca choraram e logo se saúdam e dão o seu Ereîupe, e lhe trazem de comer etc., e depois dessas cerimônias contam os hóspedes ao que vêm."* (in Tratados da Terra e Gente do Brasil)

'**apirungá** (v. tr.) – machucar a cabeça de: *Aî'apirungá.* – Machuco-lhe a cabeça. (*VLB*, II, 27)

'**apirypé** (s.) – certa caspa negra que toma grande parte da cabeça das crianças (Castilho, *Nomes*, 29)

'**apisukanga** (s.) – moleira de criança; o palpitar dessa parte (*VLB*, II, 40)

apiti (v. tr.) – **1)** matar (gente), fazendo grande estrago, assassinar, chacinar, trucidar: *Eporapiti umẽ ...* – Não assassines gente. (Ar., *Cat.*, 16v); *Kûeîsé kó aporapiti, aîuruîuba îukábo.* – Eis que ontem trucidei gente, matando europeus. (Anch., *Teatro*, 66); **2)** espedaçar, esmagar, quebrar em pedaços: *Sekoaba'e kûe kunhã oré akanga i apiti...* – O que é comum é aquela mulher esmagar nossas cabeças. (Anch., *Teatro*, 182) ● **oîapitiba'e** – o que assassina, o que esmaga etc.: *... Tekoangaîpaba oporapitiba'e...* – Pecado que assassina as pessoas. (Ar., *Cat.*, 220, 1686); **apitîara** – o que assassina, trucidador, matador, assassino: *Gûaîxará kagûara ixé, mboîtiningusu, îagûara,... morapitîara.* – Eu sou Guaixará bebedor de cauim, grande cascavel, onça, trucidador de gente. (Anch., *Teatro*, 26); **apitîaba** – tempo, lugar, modo etc. de assassinar, de chacinar; assassinato, chacina: *Abá-mondá morapitîagûera repyramo mundeokype i mondebypyrûera.* – Um homem ladrão que foi posto na prisão como pena de chacinas. (Ar., *Cat.*, 59v)

'**apititinga** (s.) – malhas ou manchas na cabeça (*VLB*, II, 29); (adj.: '**apititing**) – malhado na cabeça: *Xe 'apititing.* – Eu sou malhado na cabeça. (*VLB*, II, 29)

apiti'yba (s.) – variedade de mandioca (Vasconcelos, *Crônica (Not.)* II, §72, 148)

'**apitumbeka** (s.) – moleira (da criança) (*VLB*, II, 40)

apixá – o mesmo que **apixara** (v.)

apixab (v. tr.) – ferir (geralmente na cabeça), dar cutilada: *S. Pedro itangapema osekyî mo-*

apixara

rubixaba rembiaûsuba Malko seryba'e apixapa... – São Pedro puxou a espada, ferindo um amigo do chefe, chamado Malco... (Ar., *Cat.*, 76, 1686); *... Sabeypora suí bé oîoapixá-pixapa.* – Também por embriaguez ficando a ferirem-se uns aos outros. (Anch., *Teatro*, 34); *Ereî'apixabype amõno?* – Feriste alguém também? (Anch., *Doutr. Cristã*, II, 87)

apixaba[1] (s.) – ferimento; cutilada (geralmente na cabeça): *Peteumẽ pe poxyramo angiré, t'okanhẽ pe rekopûera: marã 'é, îoapixaba, marandûera.* – Guardai-vos de serdes maus doravante, para que desapareça vossa lei antiga: dizer maldades, ferimentos mútuos, antigas guerras. (Anch., *Teatro*, 54) ● **apixapaba** – tempo, lugar, modo etc. de ferir; cutilada; ferida (*VLB*, I, 88)

apixaba[2] (t) (s.) – o colega, o semelhante, o próximo [o mesmo que **apixara (t)** (v.)]: *Eremondarõpe nde rapixaba kópe?* – Furtaste na roça de teu próximo? (Anch., *Doutr. Cristã*, II, 98)

apixãembé (s.) – cachaço de anta (*VLB*, I, 62)

apixa'ĩ[1] (s.) – bolotas pequenas que faziam da mandioca curtida, com que depois davam cor à farinha de guerra (*VLB*, II, 71)

apixa'ĩ[2] (s.) – coisa enrugada; (adj.) – enrugado, amarrotado, PIXAIM: *akangapixa'ĩ* – cabeça "enrugada" (i. e., cabeça com cabelo PIXAIM, ou seja, de pessoa negra, carapinha) (*VLB*, I, 85)

> NOTA – PIXAIM, no P.B., pode ser substantivo ou adjetivo: *Ele tinha* PIXAIM *curto. Seu cabelo* PIXAIM *era bonito.*

apixakûaîa (s.) – risco profundo que atravessa a moleira de criança de orelha a orelha, ou lugar por onde costuma ir tal risco nos que o têm (*VLB*, II, 40).

apixara (t) (s.) – **1)** o colega, o semelhante, o próximo, o companheiro, o da mesma condição na sociedade indígena, o símile; o parceiro no nome, na feição, no ofício: *Tapi'ira osó ogûapixara pyri.* – O boi foi para junto dos seus companheiros. (Fig., *Arte*, 126); *xe rapixara* – meu parceiro (*VLB*, II, 65); *... Sapixara rerasóbono.* – Levando uma outra semelhante a ela. (Ar., *Cat.*, 353); *O apixara robaké... kunhã resé oîkóbo.* – Tendo relações sexuais com mulheres diante de sua companheira. (Ar., *Cat.*, 72); *A'epe marã asé rekóû*

apixarĩ

*o îeaûsuba îabé-katu o **apixara** raûsupa?* – E como a gente procede para amar seu próximo como ama a si mesmo? (Ar., *Cat.*, 75); ... *nde **rapixara** ku'a îubana* – abraçando a cintura de teu parceiro (Anch., *Doutr. Cristã*, II, 96-97); **2)** o que se parece com, o parecido a: *Pitanga i angaîpabe'ymba'e **rapixara**mo nhẽpe asé rekóû?...* – A gente é parecida à criança que não tem pecado? (Anch., *Doutr. Cristã*, I, 201); *Nde **rapixara** pixé, mba'enem-y îu!* – És parecido com um chamusco, ó coisa fedorenta! (Anch., *Teatro*, 128)

NOTA – Daí, no P.B. (AM), **CUNHARAPIXARA** ("parecido a mulheres"), efeminado.

apixarĩ (t) (s.) – o próximo (*VLB*, II, 89), o companheiro: *Nde mba'epûerype, nde **rapixarĩ** nhe'engûera mombegûabo?* – Tu fizeste mexericos, contando as palavras de teu próximo? (Anch., *Doutr. Cristã*, II, 99); *Aûnhenhẽ o **apixarĩ** resé îepyki...* – Imediatamente eles se vingam de seu próximo. (Anch., *Teatro*, 130); *Xe **rapixarĩ** pabẽ, 'areté-angaturama t'asepîâne!* – Meus companheiros, hei de ver o feriado santo. (Anch., *Poemas*, 150)

apixosok (v. tr.) – fazer aos trancos, fazer confusamente (p.ex., o que se lê, o que se conta ou se refere, por se fazer muito às pressas): *Aîapixosok*. – Fi-lo aos trancos, fi-lo confusamente. (*VLB*, I, 47; 116)

'apixyb (v. tr.) – afagar (a cabeça com a mão): *Aî'apixyb*. – Afago-lhe a cabeça. (*VLB*, I, 22)

apó[1] (dem. pron. e adj.) – aquele (s, a, as), aquilo (como quando se esquece do nome): *Apó é*. – Aquele mesmo. (*VLB*, I, 39); *T'i îerobîar apó abá ri*. – Confiemos nesses homens. (Léry, *Histoire*, 355)

apó[2] (s, r, s) (s.) – raiz: *sapó-pema* – raízes esquinadas, angulosas; **SAPOPEMBA** (Léry, *Histoire*, 376); *sapó-rema* – raiz fedorenta, **SAPOREMA**, doença que ataca as plantas (Anch., *Arte*, 3v); *sapó-taîa* – raiz ardida, nome comum a várias plantas da família das caparidáceas (Brandão, *Diálogos*, 197); [adj.: **apó (r, s)**] (xe) – enraizar-se, ter ou lançar raízes: *Xe rapó*. – Eu tenho (ou eu lanço) raízes. (*VLB*, II, 95)

NOTA – Daí, no P.B., **IGAPÓ** (*'y + apó*, "raízes d'água"), a parte da floresta amazônica sempre alagada pelos rios (o mesmo que **CAAIGAPÓ**); **SAPOPEMBA** (*sapó + pem + -a*, "raízes angulo-sas"), raízes tabulares de árvores; **SAPOTAIA** (*sapó + taî + -a*, "raízes ardidas"), arbusto da família das caparidáceas; **SAPOREMA** ou **SAPORÉ** (SP) (*sapó + rem + -a*, "raiz fedorenta"), doença das plantas, em especial da mandioqueira, caracterizada por suberização anormal. Daí, também, o nome geográfico **SAPOPEMBA** (SP) (v. Rel. Top. e Antrop. no final).

SAPOPEMBA (foto de E. Navarro)

apó[3] (v. tr.) – **1)** fazer (coisas, comida, bebida etc.): *Aîapó minga'u*. – Faço mingau. (*VLB*, II, 64); *Mosangape ereîapó...?* – Fizeste poções? (Anch., *Poesias*, 259); **2)** transformar (com **-ramo**): *Emonãnamope Tupã îandé rubypy arukanga nhẽ **apó**û semirekóramo?* – Por isso Deus transformou a costela de nosso pai primeiro em sua esposa? (Anch., *Doutr. Cristã*, I, 228); **3)** arranjar, arrumar, amanhar, concertar, ordenar (p.ex., as trouxas) (*VLB*, I, 33)

NOTA – Daí, no P.B., **CAÇAPÓ** (*ka'a + asab + apó*, "fazedora de travessias de folhas"), a formiga-saúva, que é cortadeira e carregadeira de folhas, uma das grandes pragas agrícolas do Brasil, também chamada *formiga-carregadeira, formiga-de-roça, lavradeira, cortadeira* etc.

apó[4] (s.) – grossura; (adj.) – grosso, cheio: *ty-apogûasu* – água cheia grande, maré alta (*VLB*, I, 24)

aponga (s.) – opilação (*VLB*, II, 57); obstrução; (adj.: **apong**) – opilado, obstruído: *T'aîpobu sygé-aponga!* – Hei de revirar seu ventre opilado! (Anch., *Teatro*, 172); *Xe apong*. – Eu estou opilado. (*VLB*, II, 57)

NOTA – Daí, no P.B., **PUNGA**, 1) ruim, imprestável, o último a chegar (fal. de cavalos de corridas); 2) mole, inepto, tolo.

apopé[1] (t) (s.) – esporão (de galo etc.): ... *Gûyrá-sapukaîa îabé ereîetu'u... Nde atõî nhote abá, aûnhenhẽ eresó nde rokápe enhe'engá, nde rapopé moboka i xupé*. – Como um galo te deitas. Somente te toca alguém, imediatamente vais para o teu terreiro para cantar, teu esporão arrebentando contra ele. (Anch., *Doutr. Cristã*, II, 111)

NOTA – Daí, no P.B., **ENAPUPÊ**, **INHAPUPÊ**, **NHAMPUPÊ**, espécie de perdiz grande, de bico longo.

apopé² (t) – o mesmo que **apupé** (v.)

apopûera (s.) – rebotalho, refugo, o que sobra depois que se escolheu a melhor parte (*VLB*, II, 98)

apor (xe) (v. da 2ª classe) – desistir, abrir mão, deixar passar, relevar (com palavras); ser liberal, ser pacífico, ser condescendente, ser tolerante, deixar as coisas para lá [compl. com **esé** (r, s) ou com gerúndio]: *Na xe apori.* – Não desisto (teimo, sou importuno). (*VLB*, II, 10); *N'i apori oré sumarã îepinhẽ oré ra'anga.* – Não desiste nosso inimigo de sempre nos tentar. (Anch., *Poemas*, 174); *Tynysẽ memẽ ygasaba... N'i apori kaûî resé...* – Estão sempre cheias as igaçabas... Não abrem mão do cauim. (Anch., *Teatro*, 34)

apore'yma (etim. – *não desistência*) (s.) – pertinácia (*VLB*, II, 74); teima (*VLB*, II, 125); (adj.: **apore'ym**) – pertinaz, teimoso; (xe) – 1) teimar; insistir; 2) discutir; brigar por palavras: *Ereîmoîebype kaûî, sesé nde apore'ymamo?* – Vomitaste cauim, brigando por causa dele? (Ar., *Cat.*, 111v) • **apore'ymbaba** – tempo, lugar, modo etc. de teimar, de insistir, de brigar por palavras; teima, insistência; discussão: *Tupã nhe'enga abŷagûera t'ereîmombe'u, ... apore'ymagûera béno.* – Que confesses a transgressão da palavra de Deus, a persistência nisso também. (Anch., *Doutr. Cristã*, II, 79)

apûã (s.) – beiço de cima, lábio superior (Castilho, *Nomes*, 29)

apu'a (s.) – bola; redondeza; (adj.) – redondo como bola, como esfera: *apykabapu'a* – banco redondo (*VLB*, I, 51); *Xe apu'a.* – Eu sou redondo. (*VLB*, II, 99) • *itapu'a* – bola de pedra; *ybyrapu'a* – bola de madeira (*VLB*, I, 56)

NOTA – Daí, no P.B., **IRAPUÁ**, **IRAPUÃ**, **ARAPUÃ** (*eíra* + *apu'a*, "abelha de bola"), nome de abelha meliponídea que constrói ninho em forma de bola, dependurado nas árvores; **ARAPUÁ**, cabeleira emaranhada, em alusão ao ninho da abelha **IRAPUÃ**; **IPUÃ** (AM) ('*y* + *apu'a*, "água redonda"), ilha. Daí, também,

o nome geográfico **APUÁ** (PE) (v. Rel. Top. e Antrop. no final).

apûá¹ (t) (s.) – monte ou amontoado de alguma coisa; (adj.) – amontoado: *Xe rapûá.* – Eu estou amontoado. (*VLB*, II, 41)

apûá² (ou **apûã**) (t) (s.) – 1) ponta, saliência (p.ex., de pau aguçado, de terra) (*VLB*, I, 61; II, 80): *u'u- -tapûá-etá* – flecha de muitas pontas (Marcgrave, *Hist. Nat. Bras.*, 278); *Asapûá-mobyr.* – Aguço a ponta dela. (*VLB*, I, 27); 2) pico, cume, topo, extremidade; cabo (termo geográfico) (*VLB*, II, 80): *Xe rory Ybytyrapé, ybytyrapûá suí.* – Eu sou o alegre Ibitirapé, do topo da montanha. (Anch., *Poemas*, 156); [adj.: **apûá** ou **apûã** (r, s)] – agudo, pontudo, saliente, ressaltado: *Xe rapûá.* – Eu sou pontudo. (*VLB*, I, 27); *anhapûá* (t) – dentes pontudos; presas, caninos (*VLB*, II, 85); *Xe rapûá-obyr.* – Eu tenho a extremidade pontuda. (*VLB*, I, 27) • **etobapy-apûá** (t) – pontinha aguda do cabelo do topete que alguns têm na testa (*VLB*, II, 131)

NOTA – Daí, no P.B., **ITAPUÁ**, **ITAPUÃ** ("ferro pontudo") (AM), arpão curto, com ponta de ferro, usado em pescarias; **ACARAPUÃ** ("cará pontudo"), nome comum de peixes lutjanídeos também chamados *caranha*, *dentão*. Daí, também, o nome da praia de Salvador da BA, **ITAPUÃ** (v. Rel. Top. e Antrop. no final).

apûã (t) – o mesmo que **apûá²** (t) (v.)

apûãaba (etim. – *pelos do lábio superior*) – bigode (*VLB*, I, 56); buço (Castilho, *Nomes*, 29)

apûa'î (xe) (v. da 2ª classe) – ser curto: *Xe apûa'î.* – Eu sou curto. (*VLB*, I, 88)

apûanã (s.) – comunidade; ajuntamento; (adj.) – juntos (muitas pessoas ou coisas): *Oré apûanã.* – Nós estamos juntos. (*VLB*, II, 16)

apûana¹ (s.) – pressa; ligeireza; rapidez; (adj.: **apûan**) – apressado, ligeiro; (xe) apressar- -se: ... *Xe apûãnamo kori, nde rerapûana resé.* – Apresso-me hoje, por causa da tua fama. (Anch., *Poemas*, 156); *Ne'î! T'eresó taûîé! Nde apûan!* – Eia! Que vás logo! Apressa-te! (Anch., *Teatro*, 22); *Aîmbiré, eîori xe robaké! Nde apûan!...* – Aimbirê, vem diante de mim! Apressa-te! (Anch., *Teatro*, 58)

apûana² (s.) – altura, elevação (de voz etc.); (adj.: **apûan**) – elevado, alto (fal. de voz): *Xe nhe'engapûan.* – Eu sou de voz alta, eu levanto a voz. (*VLB*, I, 133)

apûanama

apûanama (s.) – espessura de mato; (adj.: **apûanam**) – basto, espesso (p.ex., o mato) (*VLB*, I, 53)

apûa'ok (s) (v. tr.) – aguçar (ponta): *Asapûa'ok.* – Aguço-a. (*VLB*, I, 27)

apûapin (s) (v. tr.) – aguçar (ponta): *Asapûapin.* – Aguço-a.(*VLB*, I, 27)

apûapyk[1] (v. tr.) – apanhar, agrupar, reunir: *Aîapûapyk.* – Apanhei-as (p.ex., frutas num pano). (*VLB*, I, 37)

apûapyk[2] (v. tr.) – 1) encolher, encurtar (p.ex., pano): *Aîapûapyk.* – Encurtei-o. (*VLB*, I, 114); 2) enrolar, enovelar (p.ex., o fio) (*VLB*, I, 117)

apûar (ou **apugûar**) (v. tr.) – 1) liar (defunto para sepultar ao modo antigo dos índios; qualquer coisa com muitas voltas de corda em diversas partes, como um vaso para levar na mão etc.) (*VLB*, II, 21); 2) embrulhar, entrouxar amarrando ou fazendo envoltório: *Aîapugûar.* – Embrulhei-o. (*VLB*, I, 119)

apûátĩ (s.) – pedra para colocar no lábio superior (*VLB*, II, 69)

'apuba (s.) – fase madura (fal. da fruta; isto é, quando perde a primeira cor e se faz mole); (adj.: **'apub**) – maduro (fal. de fruto) (*VLB*, II, 27): ... *'ybá-'apuba kuîa ra'anga...* – imitando a queda das frutas maduras (Ar., *Cat.*, 157v)

apûé (s.) – distância; longuidão; (adj.) – 1) distante, longínquo, longe (Fig., *Arte*, 130): *N'apûéî.* – Não é longe. (*VLB*, II, 75); *apûé-katu* – muito longe (Fig., *Arte*, 130; *VLB*, II, 24); ... *Oîoîá te'õ rekôû kunumĩgûasu suí tuîba'e suí bé, n'apûéî.* – Igualmente a morte está entre os moços e entre os velhos, não distante. (Ar., *Cat.*, 157v); 2) longo (fal. de caminho) (*VLB*, I, 20)

> NOTA – Daí, provavelmente, o nome da planta **ARAPUÊ** (*ybyrá* + *apûé*, "árvore distante", i.e., dos recessos da mata), da família das apocináceas.

apugûar – o mesmo que **apûar** (v.)

apupa'ũ[1] (t) (s.) – espaço entre um pé e outro; entrepernas; passo, passada: *Aîmoatã xe rapupa'ũ.* – Apertei meus passos. (*VLB*, II, 66); (adj.) **(xe)** – dar passos: *Xe rapupa'ũusu.* – Dou passos largos, dou grandes passos. (*VLB*, II, 66)

apupa'ũ[2] (t) (s.) – lanço, isto é, porção ou extensão de coisas construídas ou de áreas abertas contidas entre elementos arquitetônicos de referência, como pilastras, cantos, moirões, cercas etc.: *okarapupa'ũ* – lanço da ocara, a parte da ocara contida entre, por exemplo, duas ocas (*VLB*, II, 18)

apupa'ũ[3] (t) (s.) – parte do corpo entre a cintura e os joelhos, regaço (Castilho, *Nomes*, 38)

apupa'ũmbirar (s) (v. tr.) – escarrapachar, abrir muito (as pernas) (*VLB*, I, 123)

apupa'ũmeká (s) (v. tr.) – escarrapachar, abrir muito (as pernas) (*VLB*, I, 123)

apupa'ũmombok (s) (v. tr.) – escarrapachar, abrir muito (as pernas) (*VLB*, I, 123)

apupé (ou **apopé**) (t) (s.) – partes erógenas entre as pernas (do h. e da m.); pudendas (Castilho, *Nomes*, 38): *Erepokokype kunhã rapupé resé sesé enhemomotá?* – Tocaste nas partes erógenas de uma mulher, atraindo-te por ela? (Ar., *Cat.*, 105); *Erepo'ẽpe nde rapixara rapupé resé...?* – Meteste a mão nas partes erógenas de teu próximo? (Ar., *Cat.*, 105v); *Erepokokype amõ rapopé resé i moîarûabo?* – Tocaste nas pudendas de alguma, brincando com ela? (Anch., *Doutr. Cristã*, II, 89)

apupeybyra (t) (s.) – raspas, como de cascas de árvore da parte de dentro (como as da figueira-do-inferno para as feridas) (*VLB*, II, 97)

apupira (t) (s.) – partes sexuais, pudendas (Castilho, *Nomes*, 38); vagina (*VLB*, II, 35) • **apupi-îuru** (t) – orifício vaginal (Castilho, *Nomes*, 38)

'apurupã (v. tr.) – dar pancadas na cabeça de: *Aî'apurupã.* – Dou-lhe pancadas na cabeça. (*VLB*, II, 63)

'aputu'uma (s.) – cérebro, miolos; massa encefálica: *I 'aputu'uma t'a'u.* – Hei de comer seus miolos. (Anch., *Teatro*, 66) • **'aputu'ũ-aoba** – saco, teia ou teagem dos miolos (Castilho, *Nomes*, 29; *VLB*, II, 125); **'aputu'ũ-mbira** – tecido dos miolos (Castilho, *Nomes*, 29); **'aputu'umbok** – arrancar o miolo de (p.ex., de cabaços novos): *Aîputu'umbok.* – Arranquei o miolo dele. (*VLB*, I, 125)

apy[1] (adv.) – completamente, totalmente (na forma negativa, expressa o nunca terminar de fazer algo, como que gastando muito tempo): *O'u-apy ahẽ mba'e.* – Fulano come completamente as coisas; *Nd'o'u-apyî ahẽ mba'e.*

– Nunca acaba de comer, não come fulano completamente as coisas. (*VLB*, II, 52)

apy² (s) (v. tr.) – **1)** queimar (o fogo ou com fogo; queimar tocando com brasa, tição, azeite ou água quente); inflamar, pôr fogo; abrasar: *Asapy.* – Queimo-o. (*VLB*, II, 93; Fig., *Arte*, 2); *Xe, Tatapytera, xe tatagûasu îabé, asapy nhemoŷrõmbûera.* – Eu, Tatapitera, assim como meu grande fogo, inflamo os antigos ódios. (Anch., *Teatro*, 128); *Asapy nhũ.* – Queimei o campo. (*VLB*, I, 140); *T'îasó, mbegûé, îapu'ama, t'ixapy moxy retama.* – Vamos, devagar, para fazer o assalto, para queimar a terra dos malditos. (Anch., *Teatro*, 24); ... *Pe rapy tatá-endyne!* – Queimar-vos-ão as chamas! (Anch., *Teatro*, 42); *Nde 'anga osapy satá...* – Abrasou tua alma o fogo dele. (Anch., *Poemas*, 124); **2)** ferrar, marcar (p.ex., o gado): *Asapy.* – Ferrei-o. (*VLB*, I, 138) • **osapyba'e** – o que queima: ... *N'i porangyba'e ruã a'e tatá: sun, i poxy, oporoapyeteba'e...* – Aquele fogo não é aquilo que é belo: ele é escuro, ele é feio, é o que queima muito as pessoas. (Ar., *Cat.*, 163v); **apŷara** (ou **apysara**) (t) – o que queima, queimador: *Ixé aé sapysarûera, sekobeaba resé.* – Eu mesmo sou quem o queimou, no tempo em que ele vivia. (Anch., *Teatro*, 18); **sapypyra** – o que é (ou deve ser) queimado: *Aîpó îandé ratá gûyra porama, sapypyrama.* – Aqueles serão os futuros habitantes do fundo do nosso fogo, os que serão queimados. (Anch., *Teatro*, 160, 2006)

> NOTA – Daí, no P.B. (SP, pop.), **SAPIEIRA** (*sapypyr-era*, "o que foi queimado"), quantidade de sapé e vegetais secos nas capoeiras; **CAPUAVA, CAPUABA** (*ka'a + apy + -aba*, "lugar de queimar a mata"), 1) propriedade rural composta, em geral, de terras de semeadura, montados e casa de habitação; 2) terreno limpo para roças; 3) (RN, PB) cabana; casa mal construída ou em ruínas; 4) (SP) capoeira muito rala, de madeira branca ou só de arbustos; **SAPUÁ** (SP), pequena porção de terreno cultivado (in *Dicion. Caldas Aulete*).

apŷaba¹ (s.) – mancha, malha; (adj.: **apŷab**) – manchado; malhado (o animal): *Xe apŷab.* – Eu sou manchado. (*VLB*, II, 29)

apŷaba² (s.) – **1)** homem, varão (Fig., *Arte*, 3): ... *Sory pakatu apŷaba...* – Felizes estão todos os homens. (Anch., *Poemas*, 146); *Tapîîara, tuîba'e, gûaîbĩ, kunumĩgûasu, apŷaba, kunhãmuku, xe boîâramo pabẽ xe pópe arekó-katu.* – Os moradores da aldeia, velhos, velhas, moços, homens, moças, como meus súditos todos em minhas mãos os tenho. (Anch., *Teatro*, 34); **2)** índio livre (*VLB*, II, 11); gentio: *Oîkobé xe pytybõanameté,... tubixá-katu Aîmbiré, apŷaba moangaîpapara.* – Existe meu auxiliar verdadeiro, o grande chefe Aimbirê, o pervertedor dos índios. (Anch., *Teatro*, 8); *Abá-tepe, erimba'e, pe mba'erama resé apŷaba me'enga'ubi?* – Mas quem, outrora, como vossas coisas os índios deu? (Anch., *Teatro*, 28); *Apŷaba karaíba atûasaba kori oîkó.* – Os índios e os cristãos hoje são companheiros. (D'Abbeville, *Histoire*, 342); **3)** nação (de gente) (*VLB*, II, 46) • **apŷabusu** – homem maduro na idade e no juízo (*VLB*, II, 141); **apŷabeté** – nome genérico dado aos índios que falavam tupi, em oposição aos tapuias: *"Os mais barbaros se chamão in genere Tapuhias, dos quaes ha muitas castas de diversos nomes, diversas lingoas, e inimigos huns dos outros. Os menos barbaros, que por isso se chamão Apuabeté, que quer dizer homens verdadeiros, posto que tambem são de diversas nações, e nomes; [...] comtudo todos fallão hum mesmo lingoagem e este aprendem os Religiosos que os doutrinão por huma arte de grammatica que compoz o Padre Joseph de Anchieta [...]"* (Frei Vicente do Salvador, *História do Brasil*, I, cap. XII)

> NOTA – Daí, no P.B., **PUAVA**, 1) arisco, bravio; 2) (fig.) raivoso, colérico, irado; 3) (s.) pessoa ou animal puava; arisco; 4) indivíduo valente, destemido (in *Dicion. Caldas Aulete*). Daí, também, o nome geográfico **APIAÍ** (SP) (v. Rel. Top. e Antrop. no final).

apŷaba³ (t) (s.) – forno: *kamusi rapŷaba* – forno de potes; *itaku'i-apŷaba* – forno de cal (*VLB*, I, 142)

apŷabaíba (s.) – selvagem, índio sem contato com os brancos (*VLB*, II, 112)

apŷabebé (etim. – *homem voador*) (s.) – anjo (*VLB*, I, 36): *apŷabebé remi'u...* – comida dos anjos... (Valente, *Cantigas*, VIII, in Ar., *Cat.*, 1618)

apyaíb (v. tr.) – abusar de: *Ereîapyaípe pitanga amõ i kerype...?* – Abusaste de alguma criança no seu sono? (Anch., *Doutr. Cristã*, II, 88)

apy'ama (s.) – inclinação; (adj.: **apy'am**) – penso, pendente, inclinado: *Xe apy'am.* – Eu estava pendente. (*VLB*, II, 72)

apy'ambaba

apy'ambaba (s.) – encapeladura de mar ou de rio (*VLB*, I, 38)

apŷapagûama (s.) – antepassados, os antigos (*VLB*, I, 36)

apŷapytanga (etim. – *índio avermelhado*) (s. etnôn.) – nome de antiga nação indígena (Cardim, *Trat. Terra e Gente do Brasil*, 122)

apyear (v. tr.) – amortalhar, envolver o morto num pano, à maneira dos índios: *Aîapyear.* – Amortalhei-os. (*VLB*, I, 35)

apỹia¹ (ou **apynha**) (s.) – ventas (Castilho, *Nomes*, 29); cachagens, ossos abertos do nariz que dão passagem ao ar que se respira (*VLB*, I, 62)

apỹia² (ou **apynha**) (s.) – **1)** argola, aro, círculo; argolas das cadeias das cordoalhas dos navios (*VLB*, I, 143): – *Mba'epe onong i akanga 'arybo? – Îuatî-embó apynha.* – Que puseram sobre sua cabeça? – Uma argola de vergônteas de espinhos. (Ar., *Cat.*, 60v); *itá-apynha* – argola de ferro (*VLB*, I, 41); **2)** redondeza (*VLB*, II, 99); (adj.: **apỹî**) – redondo, circular: *Xe apỹî.* – Eu sou redondo. (*VLB*, II, 99)

> NOTA – Daí, no P.B., **CARAPINHA** [talvez de *'a(ba)* + *kyrá* + *apynha*, "cabelos ensebados e circulares"], o cabelo crespo e lanoso dos negros.

apỹiatĩ (etim. – *aro pontudo*) (s.) – madeiras que eram introduzidas nas narinas perfuradas (Marcgrave, *Hist. Nat. Bras.*, 271)

apỹigûara (s.) – ventas, narinas, fossas nasais (Castilho, *Nomes*, 29) ● **apỹigûaraba** – pelos das ventas, do nariz (Castilho, *Nomes*, 29); **apỹigûaru'uma** – muco nasal (Castilho, *Nomes*, 29)

'apỹînhugûana (s.) – o risco que atravessa a cabeça de orelha a orelha (Castilho, *Nomes*, 29)

apykaba (s.) – assento, cadeira: *Peru apykaba amõ.* – Trazei alguns assentos. (Anch., *Teatro*, 146)

apykanhem (xe) (v. da 2ª classe) – desaparecer ao andar, sumir ao andar, sumir de vista (o que anda a pé, o navio etc.): *Xe apykanhem.* – Eu sumi de vista. (*VLB*, I, 96)

apykapuku (s.) – var. de banco comprido (*VLB*, I, 51)

apymondyk (v. tr.) – dar remate, rematar, acabar: *Aîapymondyk.* – Rematei-o; acabei-o. (*VLB*, II, 100)

apyngûara – variante de **apyîgûara** (v.) (D'Evreux, *Viagem*, 158)

apynha – v. **apỹia**

apynhang (s) (v. tr.) – atiçar (o fogo): *Asapynhang.* – Aticei-o. (*VLB*, I, 47)

apypema (s.) – cume (p.ex., de serra) (*VLB*, I, 87); espigão (*VLB*, I, 126)

apypyîepé (v. tr.) – vencer com razões ou doutra maneira (*VLB*, II, 143)

apypyk (v. tr.) – **1)** oprimir, afligir, maltratar: *Rorẽ-ka'ẽ xe popûá, xe rapŷabo, xe apypyka.* – Lourenço tostado atou minhas mãos, queimando-me, oprimindo-me. (Anch., *Teatro*, 50); *Sugûy turusu, i 'anga apypyka...* – Seu sangue era muito, oprimindo sua alma. (Anch., *Poemas*, 120); *Naetenhẽ ã tekotebẽ xe 'anga apypyki...* – Eis que grandemente a aflição oprime minha alma. (Ar., *Cat.*, 52v); **2)** opor-se a, argumentar contra (coisa ou pessoa): *Xe rarõana opoapypyk îandune.* – Meus guardiães opor-se-ão a vós, como de costume. (Anch., *Teatro*, 164); *Aînhe'engapypyk îepé.* – Argumentei contra suas palavras, em vão. (*VLB*, I, 17); **3)** calcar com as mãos (*VLB*, I, 63)

apyra (s.) – **1)** extremidade, ponta (p.ex., de corda) (*VLB*, I, 61); cume (p.ex., de monte); auge: *okapyra* – cume de casa (*VLB*, I, 87); *apyrytá* – estrutura de cume, cumeeira (*VLB*, I, 87); ... *Ybytyra Olivete seryba'e apyra 'arybo o sy o boîá rerasóû...* – Levou sua mãe e seus discípulos sobre o cume do monte chamado "das Oliveiras". (Ar., *Cat.*, 4v); *Okyr ko'ẽ-ko'ẽ amana, paranã mopungábo, ybytyra apyra sosé-katu i mopu'ama.* – Caiu a chuva sem parar, enchendo o mar, levantando-o bem acima do cume das montanhas. (Ar., *Cat.*, 41v); *xe pó apyra* – extremidades de minhas mãos (*VLB*, I, 131); *sakãpyra* – ponta de galho (*VLB*, II, 80); **2)** final, término; conclusão (*VLB*, I, 127): *Xe nhe'enga apyrûerype ahẽ nhe'engi.* – No final de minha fala, ele falou. (*VLB*, I, 79) ● *apyri* – na ponta, na extremidade (Anch., *Arte*, 41)

> NOTA – Daí, no P.B. (SP), **GUAPIRA, GAPIRA** (de *'y* + *apyra*, "extremidade de rio"), lugar onde começa um vale; nascentes de um rio. Daí, tam-

bém, o nome da localidade de **GUAPITUBA** (Mauá, SP) (v. Rel. Top. e Antrop. no final).

'apyra (s.) – moleira (Castilho, *Nomes*, 29)

apyrapotaba (s.) – água que sai do útero da mulher que está para dar à luz, também chamada *dianteira* (*VLB*, I, 103)

apyrasab (etim. – *passar o cume*) (v. tr.) – **1)** passar por cima de, saltar: *Aîapyrasab*. – Saltei-o. (*VLB*, II, 112); *Akûeîme, i apyrasapa, xe nde moingosaba é*. – Outrora, passando por cima dela, eu fui causa de te fazer agir. (Anch., *Teatro*, 174); **2)** (fig.) dominar: *Nd'eretĩ-piã nde îosuí so'o-aíba poropotara apyrasápe?* – Não te envergonhas, porventura, de ti mesmo, ao dominar-te o desejo sensual da carne podre? (Anch., *Doutr. Cristã*, II, 111)

apyrasaba (s.) – salto: ... *'Ara i 'aragûera pîasaba pupé tatá i apyrasabapé 'îaba îaîmondyk...* – No dia de guarda do nascimento dele, acendemos a fogueira chamada "*caminho do salto*" (Ar., *Cat.*, 6)

apyrasye'yma (s.) – eternidade, infinitude; (adj.: **apyrasye'ym**) – eterno, sem fim, sem extremo: *tekobé-apyrasye'yma* – vida eterna (Anch., *Doutr. Cristã*, II, 112)

apyratotõ (s.) – água que sai do útero da mulher que está para dar à luz, também chamada *dianteira* (*VLB*, I, 103)

apyri (loc. posp.) – junto a, colado a, junto de, à ilharga de (Fig., *Arte*, 123), ao lado de: *T'asóne nde apyri*. – Vou nas tuas ancas, vou colado a ti; *Arasó xe apyri*. – Levo-o junto de mim. (*VLB*, I, 35); *Xe roka apyri tuî*. – Ele mora ao lado de minha casa; *Xe apyri tuî*. – Ele mora a meu lado. *O îoapyri oré roka ruî*. – Nossas casas estão estabelecidas uma junto da outra. (*VLB*, II, 145); (adv.) de parede-meia: *Apyri aîkó*. – Moro de parede-meia. (*VLB*, II, 65)

apyrĩ (ou **apyrĩ'i** ou **apyri'ĩ**) (part.) – prestes, a ponto de, na iminência de, já para (fal. de coisas que se realizam posteriormente, ao contrário de **sûer** (v.), que se refere a coisas que não se realizam); daqui a pouquinho; já, já: *A'ar apyrĩ*. – Estou prestes a cair. *Our apyrĩ*. – Está já para vir. *Asó apyri'ĩ*. – Estou a ponto de ir. Vou daqui a pouquinho. (*VLB*, II, 75); *Aînupã apyri'ĩ*. – Daqui a pouquinho castigo-o. (*VLB*, I, 89)

apyrixûara (s.) – vizinho de casa contígua (*VLB*, II, 145)

apyrûera – v. **apyra** (*VLB*, II, 100)

apysá[1] (s.) – ouvido; (adj.) **(xe)** – ter ouvido: *Na pe apysáî, îandu*. – Não tendes ouvidos, como de costume. (Anch., *Teatro*, 40) ● **apysá-ygugûá** – cera dos ouvidos (*VLB*, I, 70)

apysá[2] **(xe)** (v. da 2ª classe) – **1)** ouvir, dar ouvidos a, importar-se: *Na xe apysáî*. – Não dou ouvidos, não me importo. (*VLB*, II, 46; 122); **2)** na negativa também significa teimar, porfiar, insistir, não desistir (*VLB*, II, 125): *Kunhã rakypûemondóbo, apŷaba n'i apysáî...* – Seguindo o rastro das mulheres, os índios não desistem. (Anch., *Teatro*, 150); *Na xe apysáî*. – Insisti. (*VLB*, I, 118)

apysaba (t) (s.) – marca de ferro em brasa (p.ex., no gado) (*VLB*, I, 138)

apysae'yma[1] (etim. – *sem ouvidos*) (s.) – pertinácia (*VLB*, II, 74); teima (*VLB*, II, 125)

apysae'yma[2] (etim. – *sem ouvidos*) (s.) – surdo (*VLB*, II, 122)

apysagûe (adv.) – detidamente: *Aîpó îandé rekó oîoirundyk mondykaba îabi'õ t'amombe'u apysagûé*. – Cada um daqueles quatro destinos últimos de nossa vida hei de anunciar detidamente. (Ar., *Cat.*, 154v)

apysakarara (s.) – surdo (como se dizia em Piratininga) (*VLB*, II, 122)

apysakûara (s.) – buracos das orelhas, orifícios auriculares (Castilho, *Nomes*, 28): *Asé apysakûá-puka potá*. – Querendo furar os buracos das orelhas da gente. (Ar., *Cat.*, 81v); *Xe apysakûá-kanhem*. – Eu tenho os buracos das orelhas perdidos (isto é, não ouço nada). (*VLB*, I, 118) ● **apysakûaru'uma** – cera do buraco das orelhas (Castilho, *Nomes*, 28); **apysakûarygugûá** – cera de ouvidos (*VLB*, I, 70); **apysakûá-îe'o** – buraco das orelhas tapados (*VLB*, I, 118)

apysakûaraby **(xe)** (v. da 2ª classe) – chegar aos ouvidos imperfeitamente, entreouvindo: *Xe apysakûaraby moranduba*. – Uma notícia chegou-me aos ouvidos. (*VLB*, I, 119)

apysanga (s.) – líquido ou caldo coalhado, isto é, que perdeu a fluidez; coalhada (*VLB*, I, 75); (adj.: **apysang**) – coalhado, espesso, compacto, viscoso (p.ex., a papa) (*VLB*, I, 53)

apysyka (s.) – satisfação; consolo, sossego, agrado; (adj.: **apysyk**) – **1)** satisfeito, farto

apytagûá

(inclusive do que se come): *Xe apysy-katu sekoápe.* – Estava muito satisfeito na morada deles. (Anch., *Teatro*, 10); **2) (xe)** consolar-se; quietar-se internamente consigo; sossegar, estar sossegado; satisfazer-se: *Îasepenhan, îaîpysyk i apysyk' e'ymebé...* – Ataquemo-los, prendamo-los antes que se consolem... (Anch., *Teatro*, 66); *... Sesé nhõ abá resá apysykamo ybakype...* – Somente com Ele os olhos dos homens se satisfazem no céu. (Ar., *Cat.*, 167); *Pe apysykĩ serã peîkóbo pe rekomemûã aty-atyra pupé...?* – Será que estais sossegados, sem mais, com vossos montes de maldades? (Ar., *Cat.*, 166): *Na nde apysyki, tobaîara rekorama kuabe'yma...* – Tu não sossegas, não sabendo as ações dos inimigos. (Ar., *Cat.*, 158); **3) (xe)** agradar-se, regozijar-se, gostar [compl. com **esé (r, s)**]: *Xe apysyk (mba'e) resé.* – Agrado-me com as coisas. (*VLB*, I, 27, adapt.); *I apysyk pabẽ sesé.* – Todos gostaram delas. (Anch., *Poesias*, 259); **4) (xe)** bastar a (compl. verbal no gerúndio): *N'i apysyki xûépemo serobîasara o py'ape nhote serobîá?* – Não bastaria ao crente acreditar nele em seu coração somente? (Bettendorff, *Compêndio*, 33) ● **apysykaba** – tempo, lugar, modo, causa etc. de se consolar; consolo: *Mba'epe asé apysykabamo a'ereme?* – Qual é nosso consolo, então? (Ar., *Cat.*, 92v)

apytagûá (s.) – cabeça de virote (arma antiga); maça, clava; (adj.) **(xe)** – ter cabeça de virote (*VLB*, I, 61) ● **i apytagûaba'e** – o que é cabeçudo (como o virote) (*VLB*, I, 61)

apytaîyka (s.) – visco, polme muito grosso, massa (que se põe sobre queijo, manjar-branco etc.) (*VLB*, II, 146); (adj.: **apytaîyk**) – viscoso (*VLB*, I, 53); **(xe)** formar fios (p.ex., o visco, a clara de açúcar etc.) (*VLB*, I, 127)

apytama (s.) – **1)** cambada, enfiada (de qualquer coisa), isto é, feixe de coisas unidas e enfiadas no mesmo cordão, no mesmo gancho etc. **2)** molho, ramalhete (*VLB*, I, 64)

apytasyka (s.) – visco; (adj.: **apytasyk**) – languinhento, viscoso (*VLB*, II, 18)

'apyteîuba (etim. – *o amarelo do meio*) (s.) – gema de ovo (*VLB*, I, 147)

'apytekuîa (s.) – calva; (adj.: **'apytekuî**) – calvo: *Xe 'apytekuî.* – Eu sou calvo. (*VLB*, I, 64)

'apytera[1] (s.) – o alto da cabeça: *Îandé 'apytera 'arybo 'ara rume, xe ruri.* – Quando o sol estava no alto de nossas cabeças, eu vim. (*VLB*, I, 112; Castilho, *Nomes*, 29)

'apytera[2] (s.) – criança que já não tem a moleira (*VLB*, II, 40)

apytera[1] (s.) – **1)** meio, centro (de coisa esférica): *Ogûeîyb yby apyterype...* – Desceu para o meio da terra. (Anch., *Doutr. Cristã*, I, 141); *apyterybỹia* – vão oco de alguma coisa, o vazio do meio de alguma coisa (*VLB*, II, 141); **2)** miolo (de pão etc.); âmago, cerne (de árvore) (*VLB*, I, 33): *i apytera* – o miolo dele (*VLB*, II, 37)

apytera[2] (s.) – vértice, ápice, alto, cume (de monte ou outeiro): *Ybytyra Olivete seryba'e apyterybo o sy o boîá rerasóû.* – Para o alto do chamado *Monte das Oliveiras* levou sua mãe e seus discípulos. (Ar., *Cat.*, 127) ● **apyteri** – no vértice, no ápice (Anch., *Arte*, 41)

'apyteraname'yma (etim. – *alto da cabeça não espesso*) (s.) – moleira (Castilho, *Nomes*, 29)

'apyteratã (etim. – *o alto da cabeça duro*) (s.) – cocuruto, a parte mais alta e mais dura da cabeça (Castilho, *Nomes*, 29)

'apytereba (etim. – *chamuscamento do meio da cabeça*) (s.) – calvície; (adj.: **'apytereb**) – calvo: *Xe 'apytereb.* – Eu sou calvo. (D'Evreux, *Viagem*, 157; *VLB*, I, 64)

NOTA – Daí, no P.B., **JUÇANA-PITEREBA**, certa armadilha para apanhar pássaros pelo meio do corpo.

'apyterendaba (s.) – rodilha para levar peso à cabeça (*VLB*, II, 107)

apyteruã (s.) – nó de madeira (*VLB*, II, 50)

apytĩ (v. tr.) – amarrar, atar, ligar; dar ou fazer nós em (*VLB*, II, 50): *Aîybõ mbá, i pysyka, i apytĩamo...* – Flechei todos eles, capturando-os, amarrando-os. (Anch., *Teatro*, 132); *Opá sama pupé i apytĩû...* – Com toda uma corda amarraram-no... (Ar., *Cat.*, 62v) ● **apitĩsaba** (ou **apitĩama**) – tempo, lugar, modo etc. de amarrar (Anch., *Arte*, 3)

NOTA – Daí, talvez, o nome do povo indígena **IAUALAPITI** (*îaûara + apytĩ*, "os amarradores de onças"), da família linguística aruaque, que vive no MT. Muitos nomes de grupos indígenas tapuias chegaram até nós na língua tupi ou nas línguas gerais coloniais.

apytĩatã (v. tr.) – reatar: *Aîapytĩatã.* – Reatei-o. (*VLB*, II, 97)

apŷuban (v. tr.) – forrar por fora (p.ex., barrete, vestido etc.): *Aîapŷuban.* – Forrei-o. (*VLB*, I, 142)

'ar¹ (ou **'a**) (v. intr. compl. posp.) – nascer (de fêmea; compl. com a posp. **suí**): *Oîeaparybyri a'ar.* – Nasci com as pernas dobradas. (*VLB*, II, 46); *Tupã Ta'yra o sy suí i 'ar'iré îudeus... i 'apira mondoki...* – Após nascer Deus-Filho de sua mãe, os judeus cortaram seu prepúcio. (Ar., *Cat.*, 3) ● **'araba** (ou **'asaba**) – tempo, lugar, modo etc. de nascer; o nascimento: *... I 'aragûera îaîmoeté...* – Comemoramos seu nascimento. (Ar., *Cat.*, 6); *Eîori, xe îarĩ gûé, ta sorybeté xe 'anga nde 'aragûera resé.* – Vem, ó meu senhorzinho, para que esteja muito feliz minha alma por causa do teu nascimento. (Anch., *Poemas*, 130)

'ar² (ou **'a**) (v. intr.) – surgir; despontar (o dia): *Na tenhẽ ruã 'areté marãtekoaba ri oîoparabamo 'ari îandébo...* – Não foi à toa que os feriados surgiram para nós como uma intercalação no trabalho. (Ar., *Cat.*, 100); *... Tupã 'îaba îandé rubypy i mopore'ym'iré, te'õ 'ari sesé îandé resé béno...* – Após não realizar nosso pai primeiro o que Deus havia dito, a morte surgiu nele e em nós também. (Ar., *Cat.*, 155); *'Arangaturameté o'a îandébo kori.* – Dia muito bom surgiu para nós hoje. (Anch., *Poemas*, 94) ● **o'aba'e** (ou **o'aryba'e**) – o que surge: *N'aîkuabi ikó pytuna o'aba'erama pupé xe re'õnama...* – Não sei se morrerei nesta noite que surgirá. (Ar., *Cat.*, 76v)

'ar³ (v. intr.) – acontecer, ocorrer, suceder: *O'ar 'yaíba ixébo.* – Sucedeu-me uma tormenta. (*VLB*, II, 132); *Na xe resé ruã i îukasaba 'arine...* – Não por minha causa sua morte ocorrerá. (Ar., *Cat.*, 61); *Anhẽ te'õ xe resé i 'ara aîpotar.* – Verdadeiramente quero que a morte suceda em mim. (D'Abbeville, *Histoire*, 351v) ● **'araba** – tempo, lugar, modo etc. de suceder; o suceder; a ocorrência: *... O îoesé te'õ 'aragûama andupa...* – Percebendo que a morte sucederia a si. (Ar., *Cat.*, 84)

'ar⁴ (v. intr.) – cair: *O'ar ybype.* – Caiu no chão. (*VLB*, I, 72); *O'ar so'o mundépe.* – Caiu caça na armadilha; *O'ar mundé.* – A armadilha caiu (apanhando caça). (*VLB*, I, 63); *Opá i îeakypûereroîebyri, o atukupé pyterybo o'á ybype.* – Todos eles voltaram para trás, caindo no chão de costas. (Ar., *Cat.*, 54v) ● **'araba** (ou **'asaba**) – tempo, lugar, modo etc. de cair; queda: *Oîoesé te'õ 'asápe... abá 'anga re'õû nhẽ.* – Ao cair a morte neles, as almas dos homens morrem. (Anch., *Teatro*, 146, 2006)

NOTA – Daí, no P.B., **JAIBARA**, **JABARA**, **JEBARA**, **JARIBARA** ('yb + 'ari + 'yb + 'ara, "queda de paus sobre paus"), galhada de árvores caídas que ficam presas às ramagens de outras e cobertas de trepadeiras e epífitas.

'ar⁵ (v. intr.) – embarcar: *A'ar.* – Embarquei. (*VLB*, I, 110); *Onhemombe'upe abá gûarinĩnamo o só îanondé, ygarusupe o 'ar-y îanondé?* – Confessa-se alguém antes de ir à guerra, antes de embarcar num navio? (Anch., *Doutr. Cristã*, I, 212)

'ar⁶ (v. intr. compl. posp.) – atinar, compreender [compl. com **esé (r, s)**]: *A'ar ko'yté aîpó resé.* – Atinei, enfim, com isso. (Marcgrave, *Hist. Nat. Bras.*, 277)

ará (s.) – ARÁ, nome comum a grandes aves psitacídeas, papagaios de bicos altamente cortantes, corpos vermelhos, com manchas de diversas cores nas asas e em outros lugares (D'Abbeville, *Histoire*, 234)

NOTA – Daí, os nomes geográficos **ARAÍ** (GO), **ARAIM** (MA) etc. (v. Rel. Top. e Antrop. no final).

-ar(a) – alomorfe de **-sar(a)** (v.)

ara (t) (s.) – espiga (p.ex., de milho): *sara* – espiga dele (*VLB*, I, 126)

NOTA – Daí, no P.B., **TARARA** (*tara* + *ara*, "arranca espiga"), aparelho com que se limpa o grão de trigo.

'ara¹ (s.) – dia; luz do dia (*VLB*, II, 25): *'arangaturameté...* – dia muito bom (Anch., *Poemas*, 94); *Osó kó 'ara pupé...* – Vai neste dia. (Anch., *Poemas*, 94); *... Eresó kó 'ara ri.* – Vais neste dia. (Anch., *Poemas*, 94); *Sory karaibebé, ikó 'ara momoranga.* – Estão felizes os anjos, festejando este dia. (Anch., *Poemas*, 130); *Mba'erama ri bépe asé santos 'ara kuabi?* – Por que mais a gente reconhece o dia dos santos? (Ar., *Cat.*, 24) ● **'arybo** – de dia, todo o dia (Anch., *Arte*, 42v): *... Temiminõ 'arybo nhẽ oîmombe'u o angaîpá-mirĩ anhõ.* – Os teminimós, de dia, confessam seus pecadilhos, somente. (Anch., *Teatro*, 160, 2006); **'arybondûara** – o que é de dia (*VLB*, I, 91); **'ara îabi'õ** – cotidianamente, a cada dia (*VLB*, II, 94); **'ara-îabi'õndûara** – coisa cotidiana, o que é de cada dia (*VLB*, II, 94); **'ara pukuî** – todo o dia; o dia todo (*VLB*, II, 130)

'ara²

NOTA – Daí, o nome próprio de mulher GUACIARA (v. Rel. Top. e Antrop. no final). Daí, também, no P.B., ARAGUIRÁ (*'ara* + *gûyrá*, "pássaro do dia"), tico-tico-rei.

'ara² (s.) – sol: *Asé 'apyterype 'ara ruî.* – No alto de nossas cabeças o sol está. *Îandé 'apytera 'arybo 'ara rume, xe ruri.* – Quando o sol estava no alto de nossas cabeças, eu vim. (*VLB*, I, 112); *'Ara yby sokeme, xe ruri.* – Ao fustigar o sol a terra, eu vim. (*VLB*, I, 112)

NOTA – Daí, o nome geográfico ARAPORÃ (MG) (v. Rel. Top. e Antrop. no final).

'ara³ (s.) – 1) ar: *'araíba* – mau ar (Léry, *Histoire*, 359); 2) tempo, as condições atmosféricas (*VLB*, II, 126)

NOTA – Daí, no P.B. (AM), ARACATU, dia de tempo firme. Daí deve originar-se, também, a palavra ARACATI, vento que, em regiões nordestinas, (especialmente no CE) sopra de NE para SO: "*Era o tempo em que o doce ARACATI chega do mar, e derrama a deliciosa frescura pelo árido sertão.*" (José de Alencar, in *Iracema*. São Paulo, FTD, 1996). Daí, também, os nomes geográficos ARACATI, ARACATIMIRIM (CE) etc. (v. Rel. Top. e Antrop. no final).

'ara⁴ (s.) – parte superior: *i 'ara rupi* – na parte superior dele (Fig., *Arte*, 132)

'ara⁵ (s.) – mundo (*VLB*, II, 44): *Abápe 'ara pora oîkó nde îabé?* – Que habitante do mundo há como tu? (Anch., *Poemas*, 116); *'Ara pab'iré, i moingobeîebyri...-ne.* – Após acabar o mundo, fá-los-á voltar a viver... (Ar., *Cat.*, 27); *Oîme'eng-y bépe Tupã ikó 'ara pupé mba'e amõ i angaturamba'e supéno?* – Dá também Deus neste mundo algumas coisas aos que são bons? (Ar., *Cat.*, 50)

'ara⁶ (s.) – entendimento, juízo: *... Asé îemongaraíme o 'ara moíni?...* – Quando a gente se batiza, põe seu próprio entendimento?... (Anch., *Doutr. Cristã*, I, 202); *Eresabeyporype kaûî suí 'ara mokanhema?* – Ficaste bêbado de cauim, perdendo o juízo? (Ar., *Cat.*, 111v); *T'asabeypóne 'ara mokanhema...* – Hei de me embebedar para perder o juízo. (Anch., *Doutr. Cristã*, II, 103)

'ara⁷ (s.) – vez, oportunidade: *'Aramõ.* – Foi agora de primeira vez. (*VLB*, II, 51)

ara'a¹ (s.) – lugar não mortal do corpo: *Iî ara'ape inhybõû.* – Flechou-o em lugar não mortal (ou não perigoso). (*VLB*, II, 42)

ara'a² (s.) – agitação, excitação, açodamento, pressa: *... Mba'e-poxy resé nde ara'a...* – tua excitação pelas coisas más (Anch., *Doutr. Cristã*, II, 79); (adj.) – agitado; açodado, lampeiro, vivo; ativo; ágil; lesto, sôfrego: *I ara'a îagûara îá, îandé rakypûemboû.* – Ele é lampeiro como uma onça, seguindo nosso rastro. (Anch., *Poemas*, 188); *N'i xandoki marana ri; i ara'a.* – Não se desunem na guerra; são ágeis. (Anch., *Teatro*, 154); *Xe ara'a (mba'e) resé.* – Eu sou sôfrego pelas coisas. (*VLB*, II, 119, adapt.)

araakasyka (s.) – garridice, elegância, vanglória; (adj.: **araakasyk**) – garrido, elegante: *Xe araakasyk.* – Eu sou garrido. (*VLB*, II, 141)
• araakasybora – pessoa garrida, elegante, muito enfeitada com cores alegres e brincos; jocosa (*VLB*, I, 146)

ara'apy'ira (s.) – ladinice; (adj.: **ara'apy'ira**) – ladino: *Ereîukaípe kunhã amõ, sesé nde ara'apy'iramo?* – Forçaste alguma mulher, sendo tu ladino com ela? (Anch., *Doutr. Cristã*, II, 90)

arabé (s.) – ARAUÉ, designação comum a certas baratas da madeira (*VLB*, I, 51)

araberi (s.) – nome de um peixe, provavelmente um caracinídeo (Marcgrave, *Hist. Nat. Bras.*, 178; *VLB*, II, 113)

arabó (s.) – serpente venenosa, o mesmo que **araboîa** (v.) (Piso, *De Med. Bras.*, III, 171)

araboîa (s.) – ARABOIA, nome de uma serpente. "Não saem nunca à terra e mantêm-se dos peixes e bichos que tomam na água." (Sousa, *Trat. Descr.*, 260)

araboîara (s. etnôn.) – nome de nação indígena (Vasconcelos, *Crônica (Not.)* I, §151, 110)

arabori – o mesmo que **araberi** (v.) (Sousa, *Trat. Descr.*, 285)

aragûagûá (ou aragûagûa'i) (s.) – ARAGUAGUÁ, ARAGUAGUAÍ, 1) peixe-serra, nome comum a vários peixes marinhos das regiões tropicais, da família dos pristídeos; 2) peixe-espada, espadarte, nome genérico de vários peixes da família dos xifídeos (Marcgrave, *Hist. Nat. Bras.*, 159; *VLB*, I, 125; II, 70)

ARAGUAGUAÍ (fonte: Marcgrave)

aragûama (t, t) – v. îar / ar(a) (t, t) (Ar., *Cat.*, 111)

Aragûasu (s. antrop.) – nome de índio tupi (Anch., *Cartas*, 456)

aragûeré (s.) – calvície, tonsura, coroa na cabeça (*VLB*, I, 82)

'araíb (etim. – *nascer mal*) (v. intr.) – nascer de maneira desacostumada (p.ex., com os pés para diante) (*VLB*, II, 46)

araka'e (adv.) – antigamente (*VLB*, I, 36); então, naquele tempo (*VLB*, I, 118)

arakaîá (s. etnôn.) – ARACAJÁ, nome de nação indígena tapuia: *Emonã sekó suí arakaîá sapekóû...* – Assim, por causa de seu procedimento, os aracajás os frequentam. (Anch., *Teatro*, 36); *Arakaîá-te ombory...* – Mas os aracajás deleitam-se com eles. (Anch., *Teatro*, 36)

arakûã (s.) – ARACUÃ, ARAQUÃ, ARANCUÃ, ARANQUÃ, nome de aves da família dos cracídeos. Vivem mais sobre árvores que no chão. (D'Abbeville, *Histoire*, 236v; Sousa, *Trat. Descr.*, 237)

NOTA – Daí, o nome geográfico ARAQUÁ (PA) (v. Rel. Top. e Antrop. no final).

'arakugûapaba (etim. – *instrumento de se conhecer o sol*) (s.) – relógio (de sol) (*VLB*, II, 100)

arakuí (s. etnôn.) – nome de antigo grupo indígena tapuia do norte do Brasil (D'Abbeville, *Histoire*, 189)

arakukaru (s.) – nome de uma ave (Marcgrave, *Hist. Nat. Bras.*, 271)

aramanda'i (s.) – ARAMANDAIÁ, inseto coleóptero da família dos curculionídeos, variedade de besouro que pica como vespa (*VLB*, I, 56)

aramari (s.) – nome de um peixe (Soares, *Coisas Not. Bras.* (ms. C), 2284)

aramasá (s.) – ARAMAÇÁ, ARAMATÁ, ARAMAÇÃ, ARUMAÇÃ, ARUMAÇÁ, peixe da família dos soleídeos. Possui ambos os olhos em um mesmo lado do corpo e muda de cor em conformidade com a iluminação. (D'Abbeville, *Histoire*, 245v; Marcgrave, *Hist. Nat. Bras.*, 181)

ARAMAÇÁ (fonte: Marcgrave)

arapabaka (s.) – ARAPABACA, espigélia, lombrigueira, planta da família das loganiáceas (*Spigelia anthelmia* L.), catártica e vermífuga (Marcgrave, *Hist. Nat. Bras.*, 34)

arapipoka (s.) – espécie de mandioca (Piso, *De Med. Bras.*, IV, 177)

arara (s.) – ARARA, designação comum a várias espécies de aves psitaciformes da família dos psitacídeos. São todas de grande porte, cauda longa e bico muito forte, com o qual se alimentam de frutas e sementes em geral. (Marcgrave, *Hist. Nat. Bras.*, 270): *Nd'oîabyî muru arara...* – O maldito não difere de uma arara... (Anch., *Teatro*, 62)

NOTA – Daí, os nomes geográficos ARARIPINA (PE), ARARITAGUABA (SP) etc. (v. Rel. Top. e Antrop. no final). Daí, também, no P.B., PIRARARA ("peixe arara"), peixe pimelodídeo com duas séries de pigmentos amarelo-ouro.

arará (s.) – ARARÁ, espécie de formiga alada branca, semelhante ao cupim, também chamada *irará*... "Não saem do ninho senão depois que chove muito... e quando saem fora é voando e sai tanta multidão que cobre o ar..." (Sousa, *Trat. Descr.*, 239)

NOTA – Daí, o nome geográfico ARARAQUARA (SP) (v. Rel. Top. e Antrop. no final).

'arara'angaba (etim. – *instrumento de se medir o sol*) (s.) – relógio (de sol) (*VLB*, II, 100)

ararakanga (s.) – ARARACANGA, ARACANGA, ave psitaciforme da família dos psitacídeos (Cardim, *Trat. Terra e Gente do Brasil*, 34)

araraúna – o mesmo que **araruna** (v.) (Marcgrave, *Hist. Nat. Bras.*, 206)

araré (s.) – nome de um peixe (Brandão, *Diálogos*, 239)

NOTA – Daí, o nome geográfico ARARÉ (PR) (v. Rel. Top. e Antrop. no final).

araruba (etim. – *pau da arara*) (s.) – ARAROBA, planta da família das leguminosas que produz tinta de cor violeta (RIHP, XL (1945), 81)

araruna[1] (etim. – *arara escura*) (s.) – ARARAÚNA, ave psitaciforme da família dos psitacídeos, habitante do cerrado brasileiro, principalmente das regiões onde ocorrem buritizais. É conhecida, também, como *arara-azul*, *arara-preta*. (Marcgrave, *Hist. Nat. Bras.*, 206)

Araruna²

NOTA – Daí, os nomes geográficos **ARARUNA** (PR), **ARARUNAQUARA** (PA) etc. (v. Rel. Top. e Antrop. no final).

Araruna² (etim. – *arara escura*) (s. antrop.) – nome de índio tupi (Vasconcelos, *Crônica (Not.)* II, §2, 114)

Ararusuaîa (etim. – *rabo de arara grande*) (s. antrop.) – nome de índio tupi (D'Abbeville, *Histoire*, 182v)

araryba (etim. – *planta da arara*) (s.) – **ARARIBA, ARARIBÁ, IRIRIBÁ**, árvore da família das leguminosas [*Centrolobium robustum* (Vell.) Mart. ex Benth.], das florestas equatoriais e tropicais, também conhecida como *putumuju* (Marcgrave, *Hist. Nat. Bras.*, 106). "... Dá outra tinta excelente em ser vermelha, muito mais fina e subida na cor que a do pau-do-brasil e dela se aproveitam as mulheres para o rosto." (Brandão, *Diálogos*, 208)

araryboîa¹ (s.) – **ARARAMBOIA, ARAUEMBOIA**, cobra peçonhenta da família dos boídeos, que trepa em árvores, chegando até 2 metros de comprimento (Anch., *Cartas*, 279)

Araryboîa² (s. antrop.) – nome de índio tupi (Anch., *Cartas*, 279)

arasá (s.) – **1) ARAÇÁ, ARAÇAZEIRO, ARAÇÁ-DO-MATO**, nomes genéricos de diversas árvores ou arbustos do gênero *Psidium*, da família das mirtáceas, dentre as quais se destacam as espécies *Psidium cattleianum* Sabine e *Psidium guineense* Sw.; **2)** o fruto dessas árvores, "parecido com uma goiaba pequena" (D'Abbeville, *Histoire*, 225; Cardim, *Trat. Terra e Gente do Brasil*, 39) • *arasá-tyba* – ajuntamento de araçás (Léry, *Histoire*, 349)

NOTA – Daí, os nomes geográficos **ARAÇAGI** (PB), **ARAÇATUBA** (SP) etc. (v. Rel. Top. e Antrop. no final).

ARAÇÁ (fonte: Marcgrave)

arasagûasu (etim. – *araçá grande*) (s.) – **1)** o mesmo que **ARAÇANHUMA, ARAÇAÍBA**, uma das espécies de araçá, planta da família das mirtáceas; **2)** o fruto dessa árvore; **3)** nome com que nossos índios tupis da costa chamavam a goiaba (*Psidium guayava* L.) (Marcgrave, *Hist. Nat. Bras.*, 105; Brandão, *Diálogos*, 218)

arasaíba (etim. – *araçá ruim*) (s.) – **ARAÇAÍBA** (*Psidium guineense* Sw.), uma das espécies de araçá ou araçazeiro, nome comum a várias plantas da família das mirtáceas, tipicamente brasileiras, do gênero *Psidium* (Marcgrave, *Hist. Nat. Bras.*, 105; Sousa, *Trat. Descr.*, 187)

arasamirĩ (etim. – *araçá pequeno*) (s.) – **ARAÇÁ-MIRIM**, planta mirtácea (*Psidium guineense* Sw.); **2)** o fruto dessa árvore (Marcgrave, *Hist. Nat. Bras.*, 62)

arasari (s.) – **ARAÇARI**, ave piciforme da família dos ranfastídeos, cuja espécie mais comum é o *Pteroglossus aracari aracari* L., das matas brasileiras. Suas ventas são visíveis na superfície do bico; alimenta-se de pequenos frutos e bagas na floresta. (D'Abbeville, *Histoire*, 238; Marcgrave, *Hist. Nat. Bras.*, 217)

NOTA – Daí, o nome da localidade de **ARAÇARIGUAMA** (SP) (v. Rel. Top. e Antrop. no final).

ARAÇARI (fonte: Marcgrave)

arasaúna (s.) – nome de um peixe (*Libri Princ.*, vol. I, 115)

araso'iá (etim. – *açoiaba de arara*) (s.) – **ARAÇOIA, ARAZOIA**, ornato feito de penas de nhandu ou de arara que era amarrado nos quadris e que descia quase aos joelhos (Marcgrave, *Hist. Nat. Bras.*, 271; Staden, *Viagem*, 71)

NOTA – Daí, no P.B., o nome do pássaro **ARAÇUAIAVA**. Daí, também, o nome geográfico **ARAÇUAÍ** (MG) (v. Rel. Top. e Antrop. no final).

araso'iapeba (etim. – *araçoia achatada*) (s.) – var. de planta herbácea da família das alismatáceas; espadana (*VLB*, I, 125)

arataka (s.) – variedade de beija-flor, de "azul e verde muito fino" (Soares, *Coisas Not. Bras.* (ms. C), 1315-1317)

NOTA – Daí, o nome geográfico **ARATACÁ** (BA) (v. Rel. Top. e Antrop. no final).

arataratagûasu (s.) – outro nome do **gûaînumby** (v.) (Marcgrave, *Hist. Nat. Bras.*, 196)

aratiku (s.) – ARATICUM, ARATICUNZEIRO, ARATICUZEIRO, **1)** árvore do cerrado (*Annona crassiflora* Mart.), da família das anonáceas, de frutos grandes, pesados e comestíveis; **2)** nome de outras espécies de árvores anonáceas, do gênero *Annona* (*Annona montana* Macfad. e *Annona glabra* L.), também conhecidas como *araticum-cortiça, marolo*; **3)** o fruto dessas árvores (D'Abbeville, *Histoire*, 219v; Marcgrave, *Hist. Nat. Bras.*, 93; Brandão, *Diálogos*, 216)

NOTA – Daí, os nomes geográficos **ARATICU** (PA), **ARATICUM** (BA) etc. (v. Rel. Top. e Antrop. no final).

aratikuapé (etim. – *araticum de casca*) (s.) – ARATICUM-APÊ, árvore anonácea, *Annona montana* Macfad. (Marcgrave, *Hist. Nat. Bras.*, 93)

aratikugûasu (etim. – *araticum grande*) (s.) – nome de uma planta (*Theat. Rer. Nat. Bras.*, II, 171)

aratikupaná (s.) – **1)** ARATICUM-PANÁ, ARATICUM-DO-BREJO, árvore anonácea (*Annona glabra* L.); **2)** outra espécie a que também se aplica a denominação *araticu-paná* é a *Duguetia furfuracea* (A. St.-Hil.) Saff. (Marcgrave, *Hist. Nat. Bras.*, 93). "Das raízes destas árvores fazem boias para redes e são tão leves como cortiças." (Cardim, *Trat. Terra e Gente do Brasil*, 40)

aratikuponhẽ (s.) – ARATICUM-PANÃ, ARATICUM-DE-PACA, árvore anonácea (*Annona montana* Macfad.) (Marcgrave, *Hist. Nat. Bras.*, 93; *Theat. Rer. Nat. Bras.*, II, 97)

aratikurana (etim. – *falso araticum*) (s.) – árvore semelhante ao araticu, de região de mangue, de madeira mole e lisa (Sousa, *Trat. Descr.*, 223)

aratu (s.) – ARATU, nome de várias espécies de caranguejos vermelhos dos manguezais, da família dos grapsídeos (D'Abbeville, *Histoire*, 248; Marcgrave, *Hist. Nat. Bras.*, 185).

"Estes caranguejos habitam nas tocas das árvores que estão nos lamarões do mar." (Cardim, *Trat. Terra e Gente do Brasil*, 59)

NOTA – Daí, os nomes geográficos **ARATUÍPE** (BA), **ARATUM** (PA) (v. Rel. Top. e Antrop. no final).

aratue'ẽ (etim. – *aratu sápido, que tem muito sabor*) (s.) – ARATUÉM, variedade de camarão (Sousa, *Trat. Descr.*, CXLV)

aratupeba (etim. – *aratu achatado*) (s.) – ARATUPEBA, espécie de crustáceo dos mangues, da família dos grapsídeos. Vive em árvores ou arbustos, nos quais sobe facilmente, curiosamente se deixando cair quando ouve um ruído estranho. (D'Abbeville, *Histoire*, 248; Marcgrave, *Hist. Nat. Bras.*, 183; 185)

aratupinima (etim. – *aratu pintado*) (s.) – espécie de crustáceo dos mangues, da família dos grapsídeos (D'Abbeville, *Histoire*, 248; Marcgrave, *Hist. Nat. Bras.*, 183; 185)

ARATUPINIMA (fonte: Marcgrave)

araturé (s.) – variedade de camarão; "Têm pequeno corpo e duas bocas como lacraus e a cabeça de cada um é tamanha como o corpo." (Sousa, *Trat. Descr.*, 297)

araûaûá (s.) – arauauá, o mesmo que **aragûagûá** (v.) (D'Abbeville, *Histoire*, 245v)

araûaûapeba (etim. – *araguaguá achatado*) (s.) – peixe-morcego, da família dos oncocefalídeos (Laet, *Novus Orbis, Livro XV*, cap. XII, §17) (Laet o confundiu com o puraquê)

araûeri – o mesmo que **arabori** (v.) (Lisboa, *Hist. Anim. e Árv. Maranhão*, fl. 166v)

araxaxá (s.) – ARAXIXÁ, XIXÁ, planta da família das esterculiáceas (*Sterculia striata* A.St. Hil. & Naud.) (Lisboa, *Hist. Anim. e Árv. Maranhão*, fl. 178)

'araybysokeme

'araybysokeme (etim. - *o sol, ao fustigar a terra*) (s.) - meio-dia (Marcgrave, *Hist. Nat. Bras.*, 276)

are'a (s.) - pés tortos e com a sola virada para cima (*VLB*, II, 68); (adj.) **(xe)** ter pés tortos: *Xe are'a*. - Eu tenho pés tortos. (*VLB*, II, 68)

'arebo (adv.) - cada dia (*VLB*, I, 62; Fig., *Arte*, 128) • **'arebondûara** (ou **'arebonhẽndûara**) - coisa cotidiana, o que é de cada dia (*VLB*, II, 94); **'arebo nhẽ** (adv.) - cotidianamente (*VLB*, II, 94); cada dia (*VLB*, I, 62); **'aré-'arebo** - todos os dias, a cada dia: *T'e'ikatu oré 'anga serobîá... i mombegûabo 'aré-'arebo...* - Que possa nossa alma crer nele, anunciando-o todos os dias. (Anch., *Poemas*, 84)

arenhã - o mesmo que **arinhama** (v.) (D'Abbeville, *Histoire*, 242v)

arerãîa (s.) - ARIRANHA, mamífero carnívoro da família dos mustelídeos (*VLB*, II, 24)

'areté (etim. - *dia muito bom*) (s.) - feriado, dia santo, dia de guarda: *Ereîmborype nde rapixara 'aretéreme i porabyky-potareme?* - És tolerante com teu próximo ao querer ele trabalhar nos feriados? (Ar., *Cat.*, 100)

'aretegûasu (etim. - *grande feriado*) (s.) - Páscoa: *'Aretegûasu îabi'õ ã mundepora moîepé peîmosemukar ixébe îepi...* - Eis que a cada Páscoa um prisioneiro fazeis-me libertar sempre. (Ar., *Cat.*, 59v)

'areteîoapyra (ou **'areteîoapyapyra**) (s.) - festas religiosas; os oito dias que se seguem a elas (as oitavas) (*VLB*, I, 138); muitos dias santos juntos (*VLB*, II, 55)

'ari (etim. - *na parte superior*) - em cima de, sobre (Anch., *Arte*, 41): *I 'ari oîkó-potá.* - Querendo estar em cima deles. (Anch., *Teatro*, 154, 2006)

> NOTA - Daí, no P.B., **JAIBARA, JABARA, JEBARA, JARIBARA** ('*yb* + '*ari* + '*yb* + '*ara*, "queda de paus sobre paus", 1) galhada de árvores caídas que ficam presas às ramagens de outras e cobertas de trepadeiras e epífitas; 2) (GO) trecho de vegetação arbustiva ou herbácea, à margem de um rio (in *Dicion. Caldas Aulete*).

Arikonta (s. antrop.) - nome de entidade mitológica dos antigos tupis da costa (Thevet, *Cosm. Univ.*, 914v)

arinhama (s.) - nome de ave parecida com a galinha; galinha: *Endé-te, nde resemõ arinhama, taîasu*. - Mas a ti, sobram-te galinhas e porcos. (Anch., *Poemas*, 152); *Pysaré serã ereîkó arinhama mokanhema?* - Será que a noite toda ages para fazer sumir as galinhas? (Anch., *Teatro*, 30); *arinhama rupi'a* - ovo de arinhama (Léry, *Histoire* [1580], 276)

arinhãmiri (etim. - *arinhama pequena*) (s.) - galinha europeia (Léry, *Histoire* [1580], 276)

arinhãmusu (etim. - *arinhama grande*) - o mesmo que **arinhama** (v.) (Léry, *Histoire* [1580], 276)

ariragûã (ou **ariraûã**) (s.) - crista-de-galo (*VLB*, I, 86)

ariraûã - o mesmo que **ariragûã** (v.) (*VLB*, I, 86)

'ariré (adv.) - tardiamente (*VLB*, II, 125) • **'ariré é** - bem tardiamente (*VLB*, II, 125)

aritara (s.) - ARITARA, nome de um pássaro (Soares, *Coisas Not. Bras.* (ms. C), 1464-1468)

arõ^1 (v. intr.) - bem estar em, bem ficar em, convir a, adequar-se a (p.ex., o traje, o feito, o dito etc.): *Xe arõ xe aoba.* - Fica bem em mim minha roupa. *Na nde arôî nde puká.* - Não te convém o riso, não te fica bem o riso. (*VLB*, I, 54); *Tatá nde arõ-eté, i pupé t'ereîesy.* - O fogo te convém verdadeiramente para que nele te asses. (Anch., *Teatro*, 172, 2006)

arõ^2 (s) (v. tr.) - guardar, velar; olhar por (para que não se perca); proteger: *Asarõ.* - Guardo-o. (Fig., *Arte*, 107); *... São Lourenço-angaturama osarõ nhẽ pe retama...* - O bondoso São Lourenço guarda vossa terra. (Anch., *Teatro*, 52); *Esarõ oré retama oré sumarã suí.* - Guarda nossa terra de nossos inimigos. (Anch., *Teatro*, 118) • **arõana** (ou **arõsara**) **(t)** - guardião: *Karaibebé serã, kó taba rarõaneté.* - Talvez seja o anjo, guardião verdadeiro desta aldeia. (Anch., *Teatro*, 26); *tapuîa rarõsara* - guardião dos tapuias (Anch., *Poesias*, 263); **emiarõ (t)** - o que alguém guarda: *I angaturam ko'yré... xe remiarõ îandune.* - Serão bons, doravante, os que eu guardo de costume. (Anch., *Teatro*, 50); **arõsaba** (ou **arõaba** ou **arõama**) **(t)** (Anch., *Arte*, 3) - tempo, lugar, modo etc. de guardar, de proteger: *Oîkó karaibebé... asé rarõaûama resé.* - Há os anjos para nos guardarem. (Bettendorff, *Compêndio*, 37); **sarõmbyra** - o que é (ou deve ser) guardado (Fig., *Arte*, 107)

arõ³ (s) (v. tr.) - esperar, aguardar: ... *Iké nhẽ peîkó xe rarõmo...* - Estai aqui esperando-me. (Ar., *Cat.*, 52v)

arõan (v. tr.) - ter jeito de, ter modo de, ter possibilidade de: *Aîkugûab-arõan.* - Tenho jeito de o saber. (*VLB*, I, 147)

arõana¹ (t) - pastor de gado (*VLB*, II, 67)

arõana² (s.) - o que é igual a; o igual: *xe arõana* - meu igual (*VLB*, II, 9)

arõana³ (s.) - o que tem jeito, modo, maneira, possibilidade para, o que é próprio para; o que está conforme, o que é adequado a; o apropriado para, o conveniente para: *Iî arõana ixé.* - O que tem jeito para ele sou eu. (*VLB*, II, 74); *tupãoka arõana* - apropriada para igreja (p.ex., roupa) (*VLB*, II, 74); *Aîpó tera xe arõana.* - Esse nome é o que me convém. (Anch., *Teatro*, 168, 2006) (v. tb. **arõ¹**)

aroane'ym¹ (adv.) - inconvenientemente, de forma inadequada, de forma imprópria, sem jeito para a coisa: ... *Aroane'ym nakó nhe'engaryba rekóû.* - De forma inadequada, certamente, está o regente do canto. (*VLB*, I, 154)

aroane'ym² (conj.) - em vez de, ao contrário de, em vez de ser (*VLB*, II, 51): - *Abá bépe Tupã n'oîmoetéî?* - *I mba'e-kuá-mo'ang-a'uba'e aroane'ym Tupã rekó oîmombe'uba'e.* - Quem também não honra a Deus? - O que pensa falsamente saber das coisas em vez de ser o que proclama a lei de Deus. (Ar., *Cat.*, 66) • **aroane'ỹngatu** - muito longe, fora ou ao revés do que é (*VLB*, II, 51)

Arõngatu (s. antrop.) - nome de índio tupi (Anch., *Teatro*, 130, 2006)

aru¹ (s) (v. tr.) - **1)** impedir, obstar; **2)** prejudicar, ser nocivo, danar • **arûara** - o que impede; o que prejudica, o que dana; danador: *Oîkobé nde arûara é.* - Aqui está teu danador. (Anch., *Teatro*, 90); **arûaba (t)** - tempo, lugar, finalidade etc. de impedir, de obstar, de prejudicar etc.: ... *Tapi'irusu sarûápe kapi'ĩ anhẽ rerupa.* - Colocando o boi capim às pressas para impedi-lo. (Anch., *Poemas*, 130)

aru² (s.) - ARU, SAPO-ARU, anfíbio anuro pipídeo que vive na água, onde se alimenta de animais aquáticos em geral (D'Abbeville, *Histoire*, 187)

NOTA - Daí, **ARUJÁ** (nome de localidade de SP) (v. Rel. Top. e Antrop. no final).

arûaba (t) (s.) - **1)** impedimento, estorvo (*VLB*, II, 10): *Pe'ĩ ko'yr... sarûaba mombegûabo rõ...* - Eia, agora, contai, pois, os impedimentos dele. (Ar., *Cat.*, 132); **2)** frustração, ineficácia, falta de efeito; [adj.: **arûab (r, s)**] - **1)** impedido, **(xe)** impedir-se: *Sarûab-y bé o endyra... remimonhanga resé abá mendara.* - Está impedido também o homem de casar com os que sua irmã gera. (Ar., *Cat.*, 128v-129); **2) (xe)** frustrar-se, não funcionar, ser ineficaz, não fazer efeito: *Sarûab amõme asé posangygûaba...* - Não faz efeito, às vezes, nosso remédio. (Anch., *Doutr. Cristã*, II, 78); *Xe rarûab.* - Frustrei-me. (*VLB*, II, 10)

arûaíba (ou **arãíba**) (s.) - **1)** rufião, janota: *Ereîubype erimba'e nde agûasá 'arybo nde arãíbamo?* - Estiveste deitado outrora sobre tua amante como um rufião? (Anch., *Doutr. Cristã*, II, 95); **2)** atos de rufião; janotice: *Moropotara semipokuabe'yma, ... arûaíba, tekó-poxy... anga Îandé Îara îandé 'angyme îandé ogûar'iré ybŷá potara oîmoaruab...* - O desejo sensual tornado costumeiro, a janotice, o vício, isso Nosso Senhor, após o recebermos nós em nossa alma, impede de se querer. (Ar., *Cat.*, 88v-89); (adj.: **arûaíb**) **(xe)** - ser ou agir como rufião [compl. com **esé (r, s)**]; falar como rufião (compl. com **supé**): *Xe arûaíb (abá) resé.* - Eu ajo como rufião a respeito das pessoas. (*VLB*, II, 109, adapt.); *Xe arûaíb (abá) supé.* - Eu falo como rufião às pessoas. (*VLB*, II, 109, adapt.); *Xe nhe'engarûaíb.* - Eu tenho palavras de rufião. (*VLB*, II, 109); **3)** chocarrice, gracejo, motejo, escárnio; (adj.: **arûaíb**) - chocarreiro, gracejador, motejador, escarnecedor; folgazão, vanglorioso, garrido: *Nde arûaípe nde rapixara 'arybo eîupa?* - Tu foste chocarreira, estando deitada sobre teu próximo? (Ar., *Cat.*, 235); *Xe arûaíb.* - Eu sou garrido. (*VLB*, II, 141)

aruanã (s.) - ARUANÃ, ARUANÁ, ARAUANÁ, AMANÁ, peixe de rio da família dos osteoglossídeos, da bacia amazônica, tendo até 1 m de comprimento (Lisboa, *Hist. Anim. e Árv. Maranhão*, fl. 175)

arugûá (s.) - espelho (Léry, *Histoire*, 346)

arukanga (s.) - costela: - *Mba'epe Tupã oîmonhang asé rubypy remirekó retéramo?* - *I arukanga nhẽ.* - De que Deus fez o corpo da esposa de nosso pai primeiro? - De sua costela. (Anch., *Doutr. Cristã*, I, 162)

arukangûyra

arukangûyra (s.) – a ponta ou a parte branda das costelas (Castilho, *Nomes*, 29); o vão das costelas da parte de baixo (Castilho, *Nomes*, 30)

arumará (s.) – ARUMARÁ, pássaro da família dos icterídeos, do tamanho de um pombo, de hábitos parasíticos, com cabeça, asas e dorso emplumados de negro (D'Abbeville, *Histoire*, 239)

arumatîá (s.) – ARAMATIÁ, inseto da família dos fasmídeos (Marcgrave, *Hist. Nat. Bras.*, 251)

arupare'aka (s.) – farpa; barba do anzol (*VLB*, I, 51): *Ké turi, arupare'aka îurupara ndi seru.* – Para cá vem, trazendo farpas junto com o arco. (Anch., *Teatro*, 132); *Kobé xe îurupara, kobé arupare'aka.* – Eis aqui meu arco, eis aqui as farpas. (Anch., *Teatro*, 162)

NOTA – Daí, **ARAPIRACA** (nome de município de PE) (v. Rel. Top. e Antrop. no final).

aruru (s.) – tristeza, estado de JURURU, melancolia; (adj.) – triste, JURURU, tristonho, melancólico: *Nde arurupe abá nde rapixara rerekó-katureme?* – Tu te entristeceste ao alguém tratar bem teu próximo? (Ar., *Cat.*, 102); *Xe aruru* (ou *Xe aruru nhẽ*). – Eu estou jururu. (*VLB*, II, 45)

NOTA – Em Coelho Neto lemos: "... *a ouvir o arrulho JURURU dos pombos no sapê...*" (in *Sertão*, apud *Novo Dicion. Aurélio*). É provável que a forma JURURU provenha do emprego de **aruru** como predicado: *I aruru > îaruru > îururu > jururu* – Ele é triste.

aryba (t) – cacho (de bananas, de uvas etc.): *saryba* – o cacho delas (*VLB*, I, 62)

arybé (s.) – **1)** tranquilidade, bonança, quietação; (adj.) tranquilo; quieto, bonançoso (falando-se do mar) (*VLB*, I, 18); **2)** abrandamento, mitigação, melhora, cessação: ... *Asé mba'easy arybé potá.* – Querendo o abrandamento de nossa doença. (Ar., *Cat.*, 91v); (adj.) **(xe)** – amainar (p.ex., a fúria), mitigar-se; aquietar-se, sossegar; parar de, cessar (p.ex., a doença): *Nde arybé. Anhetékó nde rapé...* – Aquieta-te. Verdadeiramente este é teu caminho. (Anch., *Teatro*, 162); *Xe arybé (mba'e) suí.* – Eu sosseguei das coisas. (*VLB*, I, 127, adapt.); *Akanunduka porarasara... "I arybé temõ xe suí mã" e'i...* – O que sofre febre diz: "Ah, oxalá ela cessasse!" (Ar., *Cat.*, 165) • *i* **arybeba'e** – o que se aquieta, o que melhora, o que se mitiga: ... *Opakatu sasyeteba'e i arybeba'erame'yma porarábo.* – Sofrendo tudo o que é doloroso, que não se mitigará. (Ar., *Cat.*, 164)

'arybo[1] (loc. posp.) – sobre (em sentido difuso ou, ainda, sem contato): ... *Pesepîak irã... ybytinga 'arybo xe rura béne...* – Vereis também futuramente minha vinda sobre as nuvens... (Ar., *Cat.*, 56v); ... *Missa pupé miapé rari o pópe, sobasapa, i 'arybo Îandé Îara Îesu Cristo nhe'engûera ra'anga...* – Na missa toma o pão em suas mãos, benzendo-o, sobre ele pronunciando as palavras de Nosso Senhor Jesus Cristo. (Ar., *Cat.*, 84v); *I 'arybo omanõmo Îandé Îara îandé repyme'engagûera resé...* – Sobre ela morrendo Nosso Senhor para nos resgatar. (Ar., *Cat.*, 21)

'arybo[2] (adv.) – de dia (*VLB*, I, 91; Fig., *Arte*, 128)

'arybobé (adv.) – como de dia; de dia (*VLB*, I, 91)

'arybondûara (etim. – *o que está por cima*) (s.) – sela, assento; *i 'arybondûara* – a sela dele; *Aî'arybondûá-rung.* – Ponho sela nele (isto é, no cavalo); selo-o (o cavalo). (*VLB*, II, 115)

aryîa (s.) – avó paterna ou materna (de h. e m.): *Ereîanga'ope... nde aryîa?* – Ofendeste tua avó? (Ar., *Cat.*, 100v)

asab (ou **asá**) (s) (v. tr. e intr.) – **1)** cruzar, atravessar, trespassar (p.ex., com seta, um vau ou rio) (*VLB*, I, 47): *Asasá-benhẽ.* – Atravessei-o, sem mais (sem entrar nem pousar). *A'y-asab.* – Atravessei rios. (*VLB*, II, 67); *Paranãgûasu rasapa,... asó tupi moangaîpapa...* – Atravessando o oceano, fui para fazer pecar os tupis. (Anch., *Teatro*, 140); *Asẽ amoî i xuí; n'aîeasabi pó-pytera...* – Saí há pouco dele; nem me cruzei as palmas das mãos... (Anch., *Teatro*, 160); *Îaîpó-asá-sá i py resébe, krusá sosé nhẽ xe îara moîâ.* – Trespassaram suas mãos juntamente com seus pés, sobre a cruz pregando meu senhor. (Anch., *Poemas*, 122); *Ybaka rasapa osó, nde reîá...* – Atravessando o céu foi, deixando-te. (Anch., *Poemas*, 124); **2)** fazer riscos cruzados em, fazer a cruz em: *Asé sybasab i pupé.* – Faz a cruz em nossa testa com ele (isto é, com óleo). (Ar., *Cat.*, 82v); **3)** ultrapassar: *Marangatuba'e, Santos, ybakype Tupã repîakaretá, osasá 'ara ro'y remierekó papasaba.* – Os bem-aventurados e os santos no céu, que veem a Deus, ultrapassam o número dos dias que o ano tem. (Ar., *Cat.*, 135); **4)** estar atravessado em (a coisa ou o lugar onde se está é o objeto); jazer atravessado em: *Asasab pé gûitupa.* – Estava atravessado no caminho. *Aînĩ-asab.* – Jazi atravessado na rede. (*VLB*, I, 47); **5)** passar: *Ké suí será i asabi India tapyîtinga retãme...* – Daqui, talvez, passou para a Índia, terra dos indianos. (Ar., *Cat.*, 9v) • **asapaba (t)** – tempo, lugar, modo etc. de passar, de atravessar, de trespassar; passagem: *Quarta-feira tanimbu-karaíba rasápe, îekuakupabusu Quaresma 'îaba nheypyrungi.* – Ao passar a quarta-feira das cinzas sagradas, o grande jejum chamado *Quaresma* começa. (Ar., *Cat.*, 122); '*Y-asapá-tyba* – passagem costumeira de rio (*VLB*, II, 67); *ybytu nde rasapápe* – ao te trespassar o vento (Anch., *Poemas*, 130)

> NOTA – Daí, o nome do município de **CAÇAPAVA** (SP) (v. Rel. Top. e Antrop. no final).

asaîé¹ (s.) – meio-dia (*VLB*, II, 35)

asaîé² (adv.) – ao meio-dia (*VLB*, II, 35)

asanga (s.) – curteza, qualidade do que é curto; (adj.: **asang**) – **1)** curto; **2)** rechonchudo, baixo e largo de corpo: *Xe asang.* – Eu sou rechonchudo. (*VLB*, II, 98) • **asangĩ** – curtinho (*VLB*, I, 88); rechonchudinho (isto é, de corpo medianamente largo) (*VLB*, I, 37); **asangusu** – rechonchudão: *Xe asangusu.* – Eu sou rechonchudão (isto é, de corpo muito largo). (*VLB*, I, 37); **asangusugûasu** – muitíssimo rechonchudo (*VLB*, II, 98)

> NOTA – Daí, no P.B., **ARAÇANGA, BURUÇANGA, BURAÇANGA** (*ybyrá* + *asang* + *-a*, "pau curto"), 1) cacete usado pelos jangadeiros para matar o peixe; 2) pedaço de madeira para bater a roupa que se lava; 3) pau de bater algodão (in *Dicion. Caldas Aulete*).

asapy (t) (s.) – detalhe, minúcia: *Îandé îá, Tupã opakatu mba'e rasapy-epîaki.* – Assim como a nós, Deus vê as minúcias de todas as coisas. (Anch., *Doutr. Cristã*, II, 77); ... *Nd'oîkóî mba'e amõ semiasapy-papare'yma re'a...* – Não há coisa alguma de que ele não conte os detalhes. (Anch., *Doutr. Cristã*, II, 78)

asé (pron.) – **1)** a gente; nós (universal: eu, tu e ele; nós, vós e eles): *O mba'e, nipó, asé o py'a pupé saûsubi.* – Suas próprias coisas, na verdade, a gente ama em seu coração. (Anch., *Teatro*, 28); *Ataramo é asé rekoû ikó yby pupé.* – Como peregrinos é que a gente mora nesta terra. (Ar., *Cat.*, 26); **2)** se (índice de indeterminação do sujeito): ... *Emonãnamo é "xe sy" asé 'éû i xupé.* – Por isso é que se diz para ela: "minha mãe". (Ar., *Cat.*, 33v); **3)** da gente, nosso: *Moraûsuberekosápe, asé 'anga ereîosub.* – Por teres misericórdia, nossa alma visitas. (Anch., *Poemas*, 102); *Abápe asé sumarã?* – Quem é o inimigo da gente? (Ar., *Cat.*, 21v)

asébe (pron. dat.) – para a gente; para nós, a nós (Fig., *Arte*, 7): *I nhyrõ bépe Tupã asébe?...* – Perdoa também Deus a nós? (Ar., *Cat.*, 91)

asébo (pron. dat.) – para a gente; para nós, a nós (Fig., *Arte*, 7): *Se'õagûera resépe Tupã tuba nhyrõngaturamo asébo?* – Por sua morte Deus-Pai bem perdoa a nós? (Anch., *Diál. da Fé*, 164)

aseîa (s.) – costas • **aseî** – às costas (Anch., *Arte*, 41): *Aîar xe aseî.* – Tomei-o às costas. (*VLB*, II, 131); *Xe aseî arasó.* – Nas minhas costas levei-o. (*VLB*, I, 84)

asem (r, s) (xe) (v. da 2ª classe) – **1)** gritar (de dor, para que acudam etc.): – *Nde rasẽ, eîeapirõ!* – Grita tu, lamenta-te! (Anch., *Teatro*, 42); *Ta sasẽ, oîasegûabo!* – Que eles gritem, chorando! (Anch., *Teatro*, 56); *Aûnhenhẽ sasẽ-sasemamo...* – Imediatamente ficaram gritando... (Ar., *Cat.*, 59v); **2)** ganir (o cão em que batem) (*VLB*, I, 146)

asema (t) (s.) – grita, grito (*VLB*, I, 150); clamor, brado (de dor, de pedido de socorro etc.) (*VLB*, I, 59)

aseoka (s.) – garganta, goela (Castilho, *Nomes*, 28): *Aîaseó-kytĩ.* – Cortei-lhe a garganta, degolei-o. (*VLB*, I, 92); *Aîaseó-mondok.* – Cortei-lhe a garganta. (*VLB*, I, 92); *aseó-tininga* – garganta seca; secura na garganta: *Xe aseó-tining.* – Eu tenho secura na garganta. (*VLB*, II, 114) • **aseó-kytã** – nó da garganta (*VLB*, II, 50)

aseokãia (etim. – *dente da garganta*) (s.) – úvula (Castilho, *Nomes*, 28)

aseopyãia (s.) – paladar ou céu da boca; véu palatino (*VLB*, II, 62; Castilho, *Nomes*, 28)

asoãia (s.) – peça de um bracelete muito largo, que se compunha de muitas peças, tomando meio braço. Era posto no cotovelo. (*VLB*, I, 58)

aso'i (v. tr.) – cobrir, abafar cobrindo, tapar: *Yby opá ybytinga ybaka suí o'aryba'e i aso'iûne.* – Todas as nuvens que caem do céu cobrirão a terra. (Ar., *Cat.*, 7); *Aîaso'i.* – Cubro-o. (*VLB*,

aso'îaba

I, 76); *I xy i aso'ikatûabo, oîopîá ro'y suí.* – Sua mãe, cobrindo-o bem, defende-o do frio. (Anch., *Poemas*, 162)

aso'îaba (s.) – **1)** manto, cobertura, cobertor (*VLB*, I, 66; 75); **2) AÇOIABA**, carapuça, manto de penas de índios (*VLB*, I, 67); **3)** tampa, tampão (tb. de panela) (*VLB*, II, 124; 127)

NOTA – Daí, o nome geográfico **ARAÇOIABA** (SP) (v. Rel. Top. e Antrop. no final).

aso'îabok (v. tr.) – descobrir, destampar: *Eîaso'îabok nde karamemûã t'asepîak nde ma'e.* – Destampa tua caixa para que eu veja tuas coisas. (Léry, *Histoire*, 346)

asoka (t) (s.) – verme que nasce dentro de frutas, de carne etc.: *I nem-eté, i tuîuk-eté, tasoka, ura remimongûyamone.* – Serão fedorentos, serão muito podres, corroídos de vermes e de bernes. (Ar., *Cat.*, 164); [adj.: **asok (r, s)**] – ter vermes: *Xe rasok.* – Eu tenho vermes (na carne podre). (*VLB*, I, 55)

NOTA – Daí, no P.B., **UBIRAÇOCA** ("verme de madeira"), molusco vermiforme que destrói madeira.

asu (s.) – **1)** mão esquerda (Castilho, *Nomes*, 28); **2)** a esquerda, o lado esquerdo: *Aûîé i asu koty é i angaîpaba'epûera oîkóbone...* – Enfim, à sua esquerda estando os que foram pecadores. (Ar., *Cat.*, 161v)

NOTA – Daí, o nome geográfico **AÇU** (BA) (v. Rel. Top. e Antrop. no final), consagrado na poesia de Gregório de Matos:

"*Um Rolim de Monai, bonzo bramá,
Primaz da cafraria do Pegu,
Que sem ser do Pequim, por ser do AÇU,
Quer ser filho do sol, nascendo cá.*"

(in *Obras Completas*. [Edição organizada por James Amado et al.]. Salvador, Janaína, 1969, 7 vols.)

asura (s.) – **1)** altibaixos (na terra), lombada (como a que, às vezes, tem a faca ou a vara acepilhada e o mais que houvera de ser direito ou igual) (*VLB*, I, 33); **2)** calombo; inchação produzida por golpe, pancada, sem pus (*VLB*, II, 24; 80); corcova; (adj.: **asur**) – calombento; corcovado: *Xe asur.* – Eu estou calombento. (*VLB*, II, 24); *kupé-asura* – costas corcovadas (*VLB*, I, 30)

asusura (s.) – altibaixos na terra (*VLB*, I, 33); (adj.: **asusur**) – apinhado, coalhado, lotado: *Oré asusur.* – Nós estamos apinhados (isto é, por sermos muitos, fazemos que a terra perca sua planura e fique rugosa, cheia de sinuosidades, de altibaixos. Diz-se de quaisquer coisas: gafanhotos, soldados etc.) (*VLB*, I, 33)

asy (t) (s.) – **1)** dor, pena: '*Y berame'î ikó îandé ratá rasy: n'osyki Anhanga ratá rasy resé.* – Eis que a dor de nosso fogo parece a da água: não se equipara à dor do fogo do diabo. (Ar., *Cat.*, 163v); *Oîporará Tupã repîake'yma rasy.* – Sofrem a dor de não verem a Deus. (Ar., *Cat.*, 48); **2)** mal, ruindade; problema: *Na sasyî.* – Não faz mal, não há problema. (Anch., *Teatro*, 148, 2006); [adj.: **asy (r, s)**] – **1)** dolorido, doloroso, penoso, trabalhoso, árduo; **(xe)** doer, ser penoso, ser causa de pesar; pesar; ter dor, sentir dor; sofrer: *T'oré pyatã, angá, mba'e-asy porarábo...* – Que sejamos corajosos, sim, suportando as coisas dolorosas. (Anch., *Teatro*, 120); *Sasy nakó ygá-pukuîa.* – É penoso, de fato, remar canoa. (*VLB*, II, 134); *Sasy nde só ixébe.* – Dói-me tua ida. (Também se emprega com o gerúndio.): *Sasy-eté ahẽ osóbo.* – É doloroso ir-se fulano. *Sasy-eté ahẽ oure'yma ixé o enõîndápe.* – É muito doloroso não vir fulano ao meu chamado. (*VLB*, II, 75); *Xe rybyt, nde nhyrõ xebo; xe rasy, xe mara'a.* – Meu irmão, perdoa tu a mim; eu tenho dor, eu estou doente. (Anch., *Teatro*, 46); *Ta sasy muru supé!* – Que eles sofram junto dos malditos! (Anch., *Teatro*, 56); *Mba'epe sasyeté a'epe tekoara supé?...* – Que é mais penoso aos que estão ali? (Ar., *Cat.*, 47v); *Sasy ixébe.* – Dói a mim; pesa-me (alguma coisa). (*VLB*, I, 105); *Anhanga ratá îabépe satá rasyramo?* – Como o fogo do diabo o fogo dele é penoso? (Ar., *Cat.*, 48v); *Sasy Peró supé.* – Pesa a Pedro (alguma coisa); dói a Pedro (alguma coisa). (*VLB*, I, 105); *Sasy-eté abá supé ogûe'õnama anduba.* – Dói muito ao homem perceber sua morte. (Ar., *Cat.*, 156); **2)** mau, ruim: *nhe'engasy* – palavra ruim (*VLB*, I, 40); *tobasy* – cara ruim, mau humor (*VLB*, I, 140); (adv.) – demais, de doer, dolorosamente: *Saîasy.* – Ele está azedo demais (lit., *azedo de doer*). (*VLB*, I, 143); *Osem okarype oîase'o-asykatûabo.* – Saiu para o pátio chorando muito dolorosamente. (Ar., *Cat.*, 57v) ● **mba'e rasy** – dor (em sentido genérico) (*VLB*, I, 106)

NOTA – Daí, os nomes de pessoas **MOACYR** e **JURACI** (v. Rel. Top. e Antrop. no final). Foi daí, também, que José de Alencar criou o nome **CECI**, a personagem do seu romance *O*

Guarani: de *sasy*, "a dor dele", isto é, a dor de Peri, que, naquele romance, nutria por Ceci um amor não correspondido.

asy'ab (v. tr.) – dividir, repartir, cortar, partir (p.ex., com faca); segar (como o arroz) (*VLB*, II, 114): *Oîopytera rupi aîasy'ab.* – Parti-o pelo meio. (*VLB*, II, 73); *Asykûera aîasy'ab.* – Cortei um pedaço. (*VLB*, II, 66; 123)

'asyb (v. tr.) – tosquiar os cabelos (de modo particular, ou seja, por toda a moleira, quase rente e tudo o mais ao comprido até o pescoço ou, pelo menos, muito mais alto) (*VLB*, II, 137)
• **'asypaba** – tempo, lugar, modo etc. de tosquiar; tosquia (*VLB*, II, 137)

asyka (s.) – **1)** pedaço (de um membro decepado), coto; cepo, toco: *Aîasy-'ab.* – Cortei um pedaço dela. (*VLB*, I, 83); *îybá-asyka* – toco de braço (*VLB*, I, 84); **2)** a pessoa que perdeu um membro, aleijado: *nambi-asyka* – o aleijado de orelhas (*VLB*, I, 134); (adj.: **asyk**) – **1)** de membro cortado; maneta, pitoco: *Ené, rõ, kururu-asyka!* – Eia, pois, sapo maneta! (Anch., *Teatro*, 42); *Îabebyrasyka* – arraia pitoca (Léry, *Histoire*, 349); **2)** cortado: *aobasyka* – roupa cortada; gibão; jaqueta (*VLB*, I, 148); *Xe rûaîasyk.* – Eu tenho o rabo cortado. (*VLB*, I, 95)

NOTA – Daí, o nome geográfico **CARIACICA** (ES) (v. Rel. Top. e Antrop. no final).

asykab (v. tr.) – cortar em pedaços, picar: *Pepo'i i xuí, aîpó n'opoasyk-asykabi.* – Parti dele, para que não vos corte em pedaços! (Anch., *Teatro*, 178)

asykûera[1] (s.) – parte do todo, pedaço (*VLB*, II, 66); posta (de carne, de peixe) (*VLB*, II, 83); toro (de pau) (*VLB*, II, 133): *Asykûera aîasy'ab.* – Cortei um pedaço. (*VLB*, II, 123)

asykûera[2] (s.) – **1)** irmão(s) ou irmã(s); **2)** a irmandade, o conjunto dos irmãos: *O asykûera resé nd'e'ikatuî abá omendá.* – Com seus irmãos não pode ninguém se casar. (Ar., *Cat.*, 113v)

asyma (s.) – qualidade do que é liso, limpo (como campo); (adj.: **asym**) – liso; limpo (como os campos ou campinas que não têm paus nem pedras) (*VLB*, II, 96); *Xe asym* (ou *Xe asymĩ*). – Eu sou liso. (*VLB*, II, 23; 96); *nhũ-asyma* – campo limpo (sem árvores) (*VLB*, II, 84)

NOTA – Daí, no P.B., **GUAXIMA**, **UAICIMA** ('*yb* + *asym* + *-a*, "pau liso"), planta malvácea.

asyra – v. **asura**

asyrõ (t) (s.) – quebranto (*VLB*, II, 92); [adj.: **asyrõ (r, s)**]: quebrantado, com dores no corpo (como, p.ex., com a mudança de tempo ou como a mulher muito pejada): *Xe rasyrõ.* – Eu estou quebrantado. (*VLB*, II, 92)

atá[1] (s.) – caminhada: *Îiabaíb-eté nhẽ rakó îasy putuneme, asé atá mysakanga...* – São muito molestos, certamente, quando a lua está escura, os tropeços de nossa caminhada. (Anch., *Doutr. Cristã*, II, 79); *Xe atá-pûan.* – Eu tenho uma caminhada ligeira, ando depressa. (*VLB*, I, 35); *atá-irũ* – acompanhante de caminhada (*VLB*, II, 73)

atá[2] (t) (s.) – fogo: *Nde 'anga osapy satá...* – Queimou tua alma o fogo dele. (Anch., *Poemas*, 124); *Adão, oré rubypy, oré mokanhemeté, Anhanga ratápe nhẽ oré kaîaûama ri.* – Adão, nosso primeiro pai, fez-nos perder verdadeiramente, para nos queimarmos no fogo do diabo. (Anch., *Poemas*, 130); *Sosang, tatá porarábo...* – Sofreu, suportando o fogo. (Anch., *Teatro*, 54); *Gûaîxará t'osó tatápe.* – Que vá Guaixará para o fogo. (Anch., *Teatro*, 56) • **atá-ar** – acender fogo: *Eresaûsubarype i mba'easyreme, satá-á, i poîa, i poraká?* – Compadeceste-te deles por ocasião de sua doença, acendendo seu fogo, alimentando-os, procurando-lhes alimento? (Anch., *Doutr. Cristã*, II, 86); **kaûĩ ratá** – fogo do cauim, isto é, com que se coze o cauim (Anch., *Arte*, 9)

NOTA – Daí provêm, no P.B., **CATAPORA** (*tatá-pora*, "marcas de fogo"), doença que produz bolhas pela pele; **BOITATA** (*mba'e* + *tatá*, "coisa-fogo"), mito dos antigos índios tupis da costa do Brasil; **TATARANA** ou **TATURANA** (*tatá* + *ran* + *-a*, "falso fogo", "o que parece fogo"), lagarta urticante dos insetos lepidópteros megalopigídeos; **TATAÍRA** (*tatá-eíra*, "abelha de fogo"), nome de inseto meliponídeo; **TATAREMA** (*tatá* + *rem* + *-a*, "fedor de fogo"), nome de árvore morácea etc. Daí, também, provêm os nomes geográficos **TATAÍRA** (SP), **TATAJUBA** (CE) etc. (v. Rel. Top. e Antrop. no final).

atã[1] (ou **atanhẽ**) (t) (s.) – direiteza; direitura; aprumo [adj.: **atã** ou **atanhẽ (r, s)** ou **(r, t)**] – direito, sem sinuosidades, reto (fal. de tronco de árvore, de caminho, de esteiro, de rio etc.), aprumado: *'y-atã* – rio direito (Anch., *Arte*, 6v); *gûyratanhẽúna* – "pássaro aprumado e escuro", nome de uma ave (*Theat. Rer. Nat. Bras.*, I, 137)

atã²

atã² (t) (s.) – o forte, o bravo na guerra e em outras ocasiões; força; coisa tesa (*VLB*, II, 127): *Nd'a'é te'e nde ratãngatu resé gûiîekoka...* – Por isso mesmo em tua grande força apoio-me. (Anch., *Teatro*, 12); **tatã** – o forte, o bravo (Léry, *Histoire*, 368); [adj.: **atã (r, s)** ou **(r, t)**] – forte, firme, duro, rígido, rijo, teso; (fig.) árduo: *Xe posaká, xe ratã...* – Eu sou moçacara, eu sou forte. (Anch., *Teatro*, 162); *T'îasó maranatãûãme...?* – Havemos de ir à árdua guerra? (Anch., *Poemas*, 112); *kunumĩûasu-atã-atã* – rapazes muito fortes (Léry, *Histoire*, 338, 1994); (adv.) firmemente, duramente, rijamente: *Oîar-atã serã i aoba i nupãsagûera i moperé-perebagûera resé?* – Pegou-se firmemente sua roupa com que ele foi castigado às suas chagas? (Ar., *Cat.*, 62); *Anhe'eng-atã.* – Falei duramente. (*VLB*, I, 40); *Esekyî-atã!* – Puxa-o rijamente! (*VLB*, II, 106); *Îapopûar-atã, i moangaîpapa.* – Amarram suas mãos firmemente, fazendo-lhe mal. (Anch., *Poemas*, 120)

> NOTA – Daí se originam os nomes próprios de pessoa **UBIRATÃ** e **UBATÃ** e os nomes geográficos **BUTANTÃ, CATANDUVA, GUARANTÃ** (SP) etc. (v. Rel. Top. e Antrop. no final). Daí, também, no P.B., **JACARANDATÃ** ("jacarandá duro"), árvore da família das leguminosas; **CUNHANTÃ** (de *kunhã-atã*, "mulher firme"), moça, menina etc.

ataara (t) (s.) – fumeiro, defumador (o vão da chaminé aonde se encaminha a fumaça para sair e onde se penduram as carnes e os peixes para serem defumados) (*VLB*, I, 144)

atagûasu (t) (etim. – *grande fogo*) (s.) – bomba de fogo (*VLB*, I, 57)

atãngatu (t) (etim. – *muito firme*) (s.) – **1)** valente, forte, rijo (Segundo D'Abbeville, era como os índios se chamavam quando se consideravam guerreiros. In *Histoire*, 293v); **2)** força, valentia: *Pe ratãngatu resé gûiîekoka, asó-potá...* – Apoiando-me na vossa valentia, quero ir. (Anch., *Teatro*, 146-148); [adj.: **atãngatu (r, t)** ou **(r, s)**] – valente; forte: ... *Eîmombe'u pakatu nde angaîpagûera... nde ratãngaturamo...* – Conta todos os teus pecados, sendo forte. (Ar., *Cat.*, 98); *Epytá! Kagûápe nhõ nde ratãngatu-potá?* – Fica! Somente quando bebes cauim tu queres ser valente? (Anch., *Teatro*, 64)

atãnhẽ – v. atã¹ (t) (*VLB*, I, 103)

atapûana (etim. – *caminhada ligeira*) (s.) – leveza; (adj.: **atapûan**) – leve (Marcgrave, *Hist. Nat. Bras.*, 276)

atapy (s) (v. tr.) – atiçar o fogo para: *Esatapy nde remimõîa.* – Atiça o fogo para o que cozinhas. (*VLB*, I, 47)

atapyî'ok (s) – espevitar (o fogo, tirar a pevide, o morrão às velas ou candeeiros para darem luz mais clara): *Asatapyî'ok.* – Espevitei-o. (*VLB*, I, 126)

atar (v. intr.) – andar, caminhar: *A'emo îandé resé i atarimo.* – Ele conosco caminharia. (Ar., *Cat.*, 5)

atara (s.) – **1)** o que caminha, o caminheiro; **2)** estrangeiro, estranho (*VLB*, I, 130); **3)** viandante, peregrino, viajante (*VLB*, I, 141): *Atara mombytá.* – Hospedar os peregrinos. (Ar., *Cat.*, 18v); *Ataramo é asé rekóû ikó yby pupé.* – Como viajantes é que nós estamos nesta terra. (Ar., *Cat.*, 26); **4)** hóspede (*VLB*, II, 59)
• **atasûera** – andejo, o que anda ou caminha muito (Fig., *Arte*, 140)

atasapé (s.) – var. de lontra, mamífero carnívoro da família dos mustelídeos (Cardim, *Trat. Terra e Gente do Brasil*, 65)

atatinga (t) (s.) – fumaça: *Xe run tatatinga suí.* – Eu estou preto de fumaça. (*VLB*, I, 92); [adj.: **atating (r, s)**] – fumegante: *Xe ratating.* – Eu estou fumegante. (*VLB*, I, 144)

ate'ẽ (s.) – aleijado (que pisa com a ponta dos pés): *Xe ate'ẽ.* – Eu sou um aleijado. (*VLB*, I, 85); (adj.) – aleijado; **(xe)** – manquejar, pondo só as pontas dos pés: *Xe ate'ẽ.* – Manquejo. (*VLB*, II, 31)

aterẽ (s.) – coisa rasa ou tosada de todo (*VLB*, II, 97); (adj.) – raso (como o milho do qual se retiraram os grãos); mocho de todo, sem orelhas (como que se as cortassem sem ficar ponta): *Xe aterẽ.* – Eu sou mocho. (*VLB*, II, 97); *Xe aterẽngatu.* – Sou muito mocho. (*VLB*, II, 39)

ate'yma (s.) – preguiça; (adj.: **ate'ym**) – preguiçoso: *Xe ate'ym.* – Eu sou preguiçoso; *abá-ate'ymusu* – homem muito preguiçoso (*VLB*, II, 73); – *Ké muru ruri obébo?* – *Irõ, n'i ate'ym-angáî!* – Não é que o maldito veio voando? – Portanto, não é, de modo algum, preguiçoso! (Anch., *Teatro*, 24); *Nde mba'easyramo épe nd'eresendubi koîpó nde ate'ymamo nhẽ?* –

Estando doente, de verdade, não a ouviste, ou sendo preguiçoso? (Ar., *Cat.*, 110v)

atĩ (t) (s.) – ponta, extremidade: *itá-atĩ* – ponta de pedra (Anch., *Arte*, 9); *seîkûaratĩba'e* – o que tem ponta em forma de nádegas (Léry, *Histoire*, 346); [adj.: **atĩ (r, s)**] – pontudo: *kabatĩ* – vespa pontuda (*VLB*, I, 55)

NOTA – Daí, no P.B., IGARATIM (*ygar + atĩ*, "canoa pontuda"), var. de canoa indígena. Daí, também, o nome geográfico ITATINS (MT) (v. Rel. Top. e Antrop. no final).

atîãîa¹ (t) (s.) – raio de sol (*VLB*, II, 95)

atîãîa² (t) (s.) – ponta; [adj.: **atîãĩ (r, s)**] – pontiagudo, pontudo, incisivo (p.ex., o raio solar); **(xe)** lançar raios, setas, pontas (p.ex., o sol, o ouriço-cacheiro, o porco-espinho etc.) (*VLB*, II, 95)

NOTA – Daí, o nome geográfico ITATIAIA (RJ) (v. Rel. Top. e Antrop. no final).

atîama (s. onomat.) – espirro (*VLB*, I, 127); (adj.: **atîam**) **(xe)** – espirrar: *Xe atîam.* – Eu espirro. (*VLB*, I, 126)

atĩapyra (t) (s.) – ponta (de faca, de espada etc.) (*VLB*, II, 80)

atiman (v. tr.) – fazer girar; fazer voltar; fazer retornar • **atimandaba** – tempo, lugar, modo etc. de retornar; o retorno: *xe atimandápe* – por ocasião de meu retorno (*VLB*, II, 132)

atimung (v. intr.) – oscilar, balançar: *I ku'a-bok serã moxy oatimunga?* – Por acaso estava com a cintura fendida o maldito, balançando? (Ar., *Cat.*, 57v)

atitara (ou *'ybatitara*) (s.) – TITARA, JACITARA, planta palmácea sarmentosa (Marcgrave, *Hist. Nat. Bras.*, 64)

ati'yba (s.) – ombro: *Okarype senosemi, cruz nonga i ati'yba ri.* – Retiraram-no para o pátio, colocando uma cruz no ombro dele. (Ar., *Cat.*, 61v); *Xe ati'yba ri aîar.* – Tomo-o no meu ombro. (*VLB*, II, 56); *O ati'yba ri krusá osupi.* – No seu próprio ombro levanta a cruz. (Anch., *Poemas*, 122) • **o îoati'yba ri** – sobre os ombros de duas pessoas, de um e do outro ombro (como a levar uma escada muito comprida) (*VLB*, II, 56)

atôî (v. tr.) – tocar: *Anhatôî.* – Toquei-o. (*VLB*, II, 129); *Oîposanong, i nambi atôîa nhõte...* – Curou-o, somente tocando sua orelha. (Ar., *Cat.*, 55); *...'Useîeté, na 'y atôî' îanondé ruã...* – Sede verdadeira, não a de antes de tocar a água. (Ar., *Cat.*, 164); *Pe atôîa n'oîpotari.* – Não querem que vos toquem. (Anch., *Teatro*, 54) • **i atõîmbyra** – o que é (ou deve ser) tocado: *Na tubi; onhemonhang é o sy i atõîmbyre'yma rygépe.* – Não teve pai; gerou-se, na verdade, no ventre de sua mãe não tocada. (Ar., *Cat.*, 23)

atuá (ou **atyá**) (s.) – cogote, ATUÁ, toutiço, nuca, cerviz, parte posterior da cabeça (Castilho, *Nomes*, 30): *Aîatuá-petek.* – Esbofeteei a nuca dele. (*VLB*, II, 75); *karipiratyatinga* – caripirá da nuca branca (nome de uma ave) (*Theat. Rer. Nat. Bras.*, I, 110) • **atuá-pyko'ẽ** – cova da nuca (*VLB*, I, 84; Fig., *Arte*, 126)

NOTA – Daí, no P.B., ATURÁ, cesto usado para o transporte de cargas que se leva às costas, suspenso por alça passada à volta da cabeça.

atuaî (etim. – *na nuca*) (loc. posp.) – na esteira de, detrás de, após: *Xe atuaî turi.* – Veio detrás de mim. (Anch., *Arte*, 41v); *Xe atuaî bé turi.* – Veio logo detrás de mim. (Anch., *Arte*, 41v)

atuasaba (etim. – *o companheiro da nuca*, isto é, o que segue alguém) (s.) – **1)** compadre; comadre: – *Marã e'ipe asé ruba, asé sy asé rerokara supé? – Xe atuasaba e'i.* – Como dizem nosso pai e nossa mãe para o que nos batiza? – Dizem: "Meu compadre (Minha comadre)". (Ar., *Cat.*, 82-82v); *Ata'y-nupã xe atuasaba.* – Açoito o filho de meu compadre. (Fig., *Arte*, 88); **2)** aliado, companheiro: *... Apŷ aba karaíba atuasaba kori oîkó.* – Os índios hoje são aliados dos cristãos. (D'Abbeville, *Histoire*, 342)

atuasara (s.) – aliado, com perfeita aliança, inclusive nas posses: *Ne'ĩ xe atuasar.* – Eia, meu aliado! (Léry, *Histoire*, 358)

atuaupaba (etim. – *lugar de estar deitada a nuca*) (s.) – almofada (*VLB*, I, 32)

atuaupapuku (etim. – *almofada comprida*) (s.) – travesseiro (*VLB*, I, 61)

atukupé (s.) – costas (Castilho, *Nomes*, 30): *xe atukupé* – minhas costas (Léry, *Histoire*, 365); *Sugûy-syryk serã sobá rupi i atukupé rupi bé?* – Por acaso ele tinha o sangue escorrido pelo rosto e pelas costas? (Ar., *Cat.*,

aturõ

60v) ● **o atukupé pyterybo** – de costas: *Opá i îeakypûereroîebyri,* **o atukupé pyterybo** *o'á ybype.* – Todos eles voltaram para trás, caindo no chão de costas. – (Ar., *Cat.*, 54v)

aturõ (adv.) – ordenadamente: *Peîkó-aturõ...* – Agi ordenadamente. (Ar., *Cat.*, 88v)

atu'uba (t, t) (s.) – sogro (de h.) (Ar., *Cat.*, 116)

aty[1] (s.) – **ATI**, gaivota, nome genérico de aves larídeas de penas brancas, cauda grande e estreita, que habitam a costa sul-americana e voam longe no mar para buscar peixes (D'Abbeville, *Histoire*, 241v)

aty[2] – v. **atyb**

atyb (ou **aty**) (v. tr.) – cobrir, vedar com terra, enterrar, soterrar: *Aîatyb.* – Enterro-o. (*VLB*, I, 76); *Xe aty peîepé...* – Enterrai-me vós. (Ar., *Cat.*, 162)

'atyba (s.) – têmporas; fontes da cabeça (Castilho, *Nomes*, 30): *Ereî'atypetekype amõ abá?* – Esbofeteaste as têmporas de alguém? (Anch., *Doutr. Cristã*, II, 87); *Aî'atypetek.* – Esbofeteei suas têmporas. (*VLB*, I, 56)

'atybaîa (s.) – cabelo crescido que os índios tinham sobre as orelhas (*VLB*, I, 151)

NOTA – Daí, o nome geográfico **ATIBAIA** (SP) (v. Rel. Top. e Antrop. no final).

'atybak (xe) (v. da 2ª classe) – voltar o rosto para trás: *Urubu mba'enema 'arybo nhemoîereba... îabé, nde* **atybak.** – Como o revolutear de um urubu sobre coisas fedorentas, tu voltas o rosto para trás. (Anch., *Doutr. Cristã*, II, 111-112)

'atybakã (s.) – os ângulos que formam os cabelos na parte superior do rosto; entradas (Castilho, *Nomes*, 30): *Aî'atybakã-moín.* – Pus entradas nele. (*VLB*, I, 119)

'atybaname'yma (s.) – têmporas, fontes da cabeça (Castilho, *Nomes*, 30; *VLB*, I, 141)

atybasaba – o mesmo que **atuasaba** (v.)

atybi (nhê) (conj.) – em vez de, ao contrário, em vez de ser (*VLB*, I, 101)

atygûasu – o mesmo que **atyûasu** (v.)

atygûasukamusu (s.) – ave cuculídea. Vive na mata, no cerrado e no cerradão. Ocorre em todo o Brasil. (Marcgrave, *Hist. Nat. Bras.*, 216)

atyká[1] (v. tr.) – esmurrar: *... i aŷpy* **atyká-tykábo...** – sua cerviz ficando a esmurrar... (Ar., *Cat.*, 56v)

atyká[2] (v. tr.) – fincar: *A'eîbépe ybŷá cruz mo'ami i* **atykábo?** – Logo, então, a cruz ergueram, fincando-a? (Ar., *Cat.*, 62v)

NOTA – Daí, no P.B., **JATICÁ**, arpão de haste longa com o qual se arpoam tartarugas.

atymirĩ (s.) – var. de ave do mar (v. **aty**[1]) (*VLB*, I, 149)

'atype'apaba (s.) – espertadura, divisão que as mulheres fazem do cabelo em duas partes, na cabeça, ficando uma linha no meio: *Aî'atype'apá-moín.* – Pus espertadura nela. (*VLB*, I, 126)

'atypuba (s.) – têmporas, fontes (Castilho, *Nomes*, 30)

atypy (t) (s.) – bochecha ● **atypygûasu** (t) – bochecha que faz alguém, tendo alguma coisa na boca: *satypygûasu* – a bochecha dele (com a boca cheia); (adj.) – bochechudo; (xe) ter, fazer bochecha: *Xe ratypygûasu.* – Eu faço bochecha (comendo). (*VLB*, I, 56; Castilho, *Nomes*, 38)

atyra (s.) – monte ou amontoado de alguma coisa, pilha: *yby-atyra* – monte de terra (*VLB*, II, 41); *Pe apysykĩ serã peîkôbo pe rekomemûã aty-atyra pupé?...* – Será que estais sossegados, sem mais, nos vossos montes de maldades? (Ar., *Cat.*, 166); [adj.: **atyr** ou **aty**] – amontoado; (xe) amontoar-se, ser um monte: *I aty sekopoxypûera.* – São um monte os seus antigos vícios. (Anch., *Teatro*, 164); *Oré atyr.* – Nós estamos amontoados. (*VLB*, II, 41) ● **iaty-iatyr** (adv.) – aos montes (*VLB*, I, 34)

atyrãbebé – o mesmo que **îatyrãbebé** (v.) (Marcgrave, *Hist. Nat. Bras.*, 278)

atyrabebó (s.) – cabelos arrepiados e desgrenhados; topete; (adj.) – topetudo: *tamandûá-atyrabebó* – tamanduá topetudo (Anch., *Teatro*, 28)

atyûasu (etim. – *ati grande*) (s.) – 1) ATIUAÇU, ATINGAÇU, ave da família dos cuculídeos. Vive na mata e à beira da mata, no cerrado e no cerradão. "... Tem as costas pardas, o peito e a barriga brancas, o rabo comprido, as pernas verdoengas, os olhos vermelhos." (Sousa, *Trat. Descr.*, 238; *VLB*, I, 146)

aty'y (s.) - furúnculo (*VLB*, II, 20)

a'u - v. a'ub

ãûa (dem. pron.) - ele (s, a, as) (*VLB*, I, 109); esse (s, a, as); aquele (s, a, as), isso, aquilo (principalmente no plural): *A'u temõ mba'eaíba mã a'emo nhẽ xe re'oû ãûa suí.* - Ah, quem me dera comer veneno para que eu morresse disso. (Anch., *Doutr. Cristã*, II, 102); *Ãûa o îoirũnamo sekóû.* - Aqueles estão juntos uns dos outros. (Fig., *Arte*, 81)

ãûaé - o mesmo que **ãûa** (v.) (Léry, *Histoire*, 366)

aûaimirĩ (s.) - AGUAÍ-MIRIM, planta apocinácea que era usada como veneno pelos índios e também como ornato nas danças, por ter a casca duríssima e sonora, a modo de campainha (Piso, *De Med. Bras.*, III, 175)

aûaiûasu (s.) - planta apocinácea que era usada como veneno pelos índios e também como ornato nas danças, por ter a casca duríssima e sonora, a modo de campainha (Piso, *De Med. Bras.*, III, 175)

-aûam (suf.) - contração de -(s)ab + ram (v.)

aûana (s.) - argola ou bracelete de pena em qualquer parte do corpo (*VLB*, II, 31) • **aûã-miranga** - var. de argola de penas (*VLB*, II, 31)

a'ua'ub (adv.) - com grande desejo: *Asó-a'ua'ub.* - Vou com grande desejo; desejo muito ir. (Fig., *Arte*, 139)

a'ub (adv.) - 1) (com o verbo ou o nome reduplicados): folgar em, ficar contente em: *Asó-asó-a'ub.* - Fico contente em ir. (Fig., *Arte*, 138); *Arasó-rasó-a'ub.* - Fico contente em o levar. (Fig., *Arte*, 139); 2) (com o verbo na negativa com -e'ym): ter pesar em, lamentar, não ficar contente sem: *N'asoe'ym-a'ubi.* - Lamento não ter ido. (Fig., *Arte*, 139); *N'aîmonhange'ym-a'ubi.* - Lamento não o ter feito, não fico contente sem o fazer. (Fig., *Arte*, 139)

a'uba (s.) - 1) pessoa ou coisa vil (*VLB*, II, 145); 2) trampas, sujeira, excrementos; coisa insignificante, desprezível (*VLB*, II, 46): *A'uba nhote i por re'a.* - Há de ser coisa insignificante somente. (Ar., *Cat.*, 163v); *ahẽ a'uba* - excremento de fulano; *kunumĩ a'uba* - sujeira do menino (*VLB*, II, 135); 3) falsidade, aparência: *A'uba nhote ikó 'ara'uba.* - É aparência, somente, este mundo falso. (Ar., *Cat.*, 169);

(adj.: **a'ub** ou **a'u**) - 1) mesquinho, miserável, vil: *Na sa'ubi iké xe robaké nde rur'e'ymebé...* - Ele não foi mesquinho antes de tua vinda aqui diante de mim. (Ar., *Cat.*, 249); *Nd'e'ikatu béî aîpó i pe'apyra'uba missa renduba resé.* - Também não pode aquele excomungado miserável ouvir a missa. (Ar., *Cat.*, 179); *Aîrumõ-rumõmo xe rekoangaîpagûera'uba ikó yby pupé gûitekóbomo...* - Ficaria aumentando meus miseráveis pecados vivendo nesta terra. (Ar., *Cat.*, 142); 2) falso, na aparência, fingido, fictício, sem consequências: *Ererobîápe îetanonga'uba...?* - Acreditas em falsas oferendas? (Ar., *Cat.*, 98v); *Seba'e-a'uba nhote resé... asé na sesaraî...* - A gente não se esquece do que é saboroso só na aparência. (Ar., *Cat.*, 88v); *... Na sa'ubi nde rekopoxy...* - Não são sem consequências os teus pecados. (Ar., *Cat.*, 112); *N'aîkó-potari ymã ikó 'ara'uba pupé.* - Já não quero viver neste mundo falso. (Ar., *Cat.*, 142); (adv.) - 1) mesquinhamente, miseravelmente; de má vontade, de modo vil: *A'e o mena supé 'ybá-'u-ukar-a'ubi.* - Ela fez seu marido comer o fruto de modo vil. (Anch., *Poemas*, 178); *Asó-a'ub.* - Vou de má vontade. (Fig., *Arte*, 138); 2) fingidamente, falsamente, na imaginação, ilusoriamente, na mente, sem consequências, na aparência, sem efeito, em vão: *Asaûsub-a'ub.* - Amo-o em vão. (Anch., *Arte*, 35; *VLB*, II, 127); *E'i tenhẽ abaré Tupã resé serobaka potara'upa.* - Em vão o padre quer fazê-la voltar para Deus. (Anch., *Teatro*, 148): *... O Tupãnamo i moeté-a'upa.* - Honrando-o falsamente como seu Deus. (Ar., *Cat.*, 66); *Oporombo'e-a'u Tupã nhe'enga ra'anga.* - Ensina falsamente as pessoas a provarem a palavra de Deus. (Anch., *Teatro*, 134); *Nde rory-roryb-a'u, xe boîá momara'a.* - Tu estás muito feliz, ilusoriamente, envergonhando meus súditos. (Anch., *Teatro*, 172) • (com o verbo reduplicado ou com o verbo na negativa com **e'ym**): fingir que, fazer que: *Asó-asó-a'ub.* - Finjo que vou. (Anch., *Arte*, 35); *Arasó-rasó-a'ub.* - Finjo que o levo, faço que o levo. (Anch., *Arte*, 35); *N'asendube'ym-a'ubi.* - Fiz que não o ouvi. *N'asepîake'ym-a'ubi.* - Fiz que não o vi. (*VLB*, I, 104); *N'aîkugûabe'ym-a'ubi.* - Fiz que não o conhecia. (*VLB*, I, 130); *N'asepîake'ym-a'ubi.* - Faço que não o vejo. (*VLB*, I, 139); *N'aîpotare'ym-a'ubi.* - Finjo que não o quero. (Anch., *Arte*, 35)

NOTA - Daí, no P.B., **PERAU** (*pé* + *a'u* - v. **a'ub** - "caminho ruim"), 1) declive do fundo

a'ubar

do mar ou de um rio; barranco; (RS) declive forte que cai para um rio ou arroio; 2) precipício (in *Dicion. Caldas Aulete*).

a'ubar (s) (v. tr.) – errar, tentando agarrar (algo que escapa, como o que quer apanhar a vara com que alguém o bate, ou o gato que quer agarrar a corda com que alguém brinca com ele etc.), tomar em seco: *Asa'ubar.* – Tomei-o em seco. (*VLB*, II, 131)

a'ubĩ (s.) – pessoa vil, coisa vil (*VLB*, II, 145)

a'ubîôte (adv.) – levemente (*VLB*, II, 21)

-aûer (suf.) – contração de -(s)ab + -pûer (v.)

aûîé¹ (s.) – 1) término, conclusão, consumação; madureza, maturidade; perfeição: *Kó tupãoka pupé Maria kakuabi, i aûîé ré é Tupã i me'engi São José pé...* – Nessa igreja Maria cresceu e, após a maturidade dela, Deus entregou-a a São José. (Ar., *Cat.*, 8v); (adj.) – pronto, concluído, acabado; amadurecido, maduro (p.ex., o fruto); apto, conveniente; formado, no ponto, perfeito: *Seté-aûîepûera pupé (i 'anga) i mondebi, tekobé me'nga i xupé.* – Pôs (sua alma) no seu corpo terminado, dando vida para ele. (Ar., *Cat.*, 39); *I aûîé umûã ygara.* – A canoa já está pronta. (*VLB*, II, 118); 2) o bastante; o suficiente: *Aûîépe serã asé Tupã rerobîara ybakype asé soagûama ri?* – Porventura a gente crer em Deus é o bastante para a gente ir para o céu? (Bettendorff, *Compêndio*, 62); *Aûîé ruãpe?* – É o suficiente? (*VLB*, I, 53) • *aûîesaba* – tempo, lugar, modo etc., da consumação, do término, da conclusão; fim, término, conclusão (*VLB*, I, 127): '*Ara kó tekó aûîesaba... cristãos rorybe'ymamo...* – O dia em que esses fatos se consumaram (lit., *tempo da consumação desses fatos*) os cristãos não estavam felizes... (Ar., *Cat.*, 5v)

aûîé² (interj.) – Basta! Chega! Já chega!: *Aûîé ã ko'yté!...* – Eis que enfim já chega! (Ar., *Cat.*, 63v); *Aûîé! Xe rorybeté.* – Basta! Eu estou muito contente. (Anch., *Teatro*, 128); *Aûîé! Anhe'eng, Sarauâí!* – Basta! Falo eu, Sarauaia! (Anch., *Teatro*, 30); *Aûîé! Xe îuká îepé!* – Basta! Tu me matas! (Anch., *Teatro*, 76); *Aûîé ipó!* – Já chega, certamente! (*VLB*, I, 53) • *Aûîé ûî!* (ou *Aûîé ã!*) – Isso basta! (*VLB*, I, 53); *Aûîé ranhẽ!* – Basta já! (Fig., *Arte*, 135)

aûîé³ (ou *aûîeramo*) (adv.) – finalmente, enfim; então; depois disso (Anch., *Arte*, 57; *VLB*, I, 118); acabado isso: *Aîpó oîoupé 'é abé, o îara repypûera reîtyki Tupãokype aûîé osóbo oîeaîubyka...* – Logo depois de dizer aquilo para ele, lançou o pagamento por seu senhor no templo, indo finalmente enforcar-se. (Ar., *Cat.*, 57v); *Aûîé, kunumĩgûasu o ekó-aíbeté oîomim...* – Enfim, os moços escondem seus muito maus procedimentos. (Anch., *Teatro*, 38); *Aûîé xe gûixóbo.* – Depois disso fui. (Fig., *Arte*, 163); *Aûîé-katu i mendari.* – Acabado isso, ele se casa. (Ar., *Cat.*, 94v)

aûîé⁴ (conj.) – no mais (*VLB*, II, 50); ora, ora não mais (*VLB*, II, 58)

aûîé⁵ (interj.) – Que bom! Muito bem! É isso! É certo! Perfeitamente! (em aprovação): *Aûîé ipó xe rapixara... mba'e-katuramo...* – Que bom que meu próximo tenha coisas boas! (Ar., *Cat.*, 109v); *Aûîé a'e!* – É certo isso! (aceitando como opinião própria) (*VLB*, I, 19) • Pode ser acompanhada por partículas ou por temas nominais, ficando com os mesmos sentidos ou com ênfase: **aûîé ipó**, **aûîé nipó**, **aûîé é**, **aûîé-katu**, **aûîé-katu ipó**, **aûîé tiruã**, **aûîé-etéramo**, **aûîé nhẽ**: *Aûîé ipó!* – Muito bem! (consentindo) (*VLB*, I, 33); (em aprovação) (*VLB*, II, 44); *Aûîé-katu, erimba'e i xóû oré retama pupé; n'osoî tenhẽ ebapó.* – Muito bem, eles foram outrora para nossa terra; não foram em vão para lá. (D'Abbeville, *Histoire*, 342); *Aûîé nipó! Kasianamo t'aîkó.* – Muito bem! Hei de ser castelhano. (Anch., *Teatro*, 74)

aûîé⁶ (adv.) – bem, completamente; adequadamente, em boas condições: *Aûîé aîub.* – Estou bem (deitado). *Aûîé aîkó.* – Estou bem. (*VLB*, I, 54) • Também pode receber intensificadores: **aûîé-katu** (ou **aûîé-katutenhẽ**): ... *Peîeroŷrõmo aûîé-katu pe îara moingé îanondé.* – Desprezando-vos completamente antes de fazer entrar vosso senhor. (Ar., *Cat.*, 86); *Ikó aoba niã aûîé-katutenhẽ Tupãnemendarama.* – Eis que esta roupa será, adequadamente, de feriado. (*VLB*, II, 74)

aûîé⁷ (adv.) – ousadamente, afoutamente (*VLB*, I, 37)

aûîé⁸ (xe) (v. da 2ª classe) – render-se, estar vencido: *I aûîé mu'amarûera...* – Renderam-se os oponentes. (Anch., *Teatro*, 52); *Xe aûîé.* – Eu fui rendido. (*VLB*, II, 101)

aûîebé (interj.) – Que bom! Muito bem! É isso! É certo! Perfeitamente! (em aprovação): – *Eîo-*

ri nde retamûama repîaka. – **Aûîebé!** – Vem para ver tua futura terra. – Perfeitamente! (Léry, *Histoire*, 341)

aûîebéramo[1] (ou **aûîebeémo** ou **aûîeémo**) (conj.) – ainda que, mesmo que, embora: *Aûîebeémo asó...* (ou *Aûîebéramo asó...* ou *Aûîeémo asó...*) – Ainda que eu fosse... (Fig., *Arte*, 136)

aûîebéramo[2] (ou **aûîebéramo-te** ou **aûîebéramomo**) (adv.) – a propósito, a bom tempo: *Aûîebéramo asó.* – Fui a bom tempo, fui a propósito. (Anch., *Arte*, 24)

aûîebeté (interj.) – Que bom! Muito bem! É isso! É certo! Perfeitamente! Ainda bem que...! Assim seja! Assim fosse! (em aprovação) (Fig., *Arte*, 137): ... *Aûîebeté ereîkó xe îar-y gûé!* – Ainda bem que existes, ó meu senhor! (Ar., *Cat.*, 86); *Aûîebeté, rõ! T'a'u pá Îakaregûasu pepyra!* – Muito bem, pois! Hei de comer todo o banquete de Jacaré-guaçu! (Anch., *Teatro*, 62); *Aûîebeté! T'oú!* – Muito bem! Que venha! (Anch., *Teatro*, 132)

aûîebé-te[1] (ou **aûîebé-temo**) (conj.) – ainda que, mesmo que, embora: *Aûîebé-te xe só-umani...* – Ainda que eu já fosse... (Anch., *Arte*, 24); *Aûîebé-temo asó...* – Embora eu fosse... (Anch., *Arte*, 23v); *Aûîebé-temo xe só-umani...* – Ainda que eu já tivesse ido... (Anch., *Arte*, 24); *Aûîebé-temo xe nupãû anhe'engîmo.* – Ainda que me castigasse, eu falaria. (VLB, I, 28)

aûîebé-te[2] (adv.) – debalde, em vão: *Aûîebé-te asó.* – Debalde vou. (Anch., *Arte*, 23v)

aûîekatutenhẽ (interj.) – está bem mesmo assim! (Diz isso o que se lastima de não ter conseguido aquilo que queria, mas ainda esperando consegui-lo.) (D'Evreux, *Viagem*, 246)

aûîenhẽ (adv.) – inconsideradamente (VLB, II, 11)

aûîeparab (xe) (v. da 2ª classe) – pintar-se, estar madura e manchada (fal. de fruta) (VLB, II, 78)

aûîerama (ou **aûîeramanhẽ**) – (adv.): **1)** (na afirm.) – para sempre; eternamente, perpetuamente (VLB, II, 74): *Xe mopyatã îepé, t'apu'am muru resé, aûîerama i moaûîebo.* – Faze-me tu valente, para que eu me oponha ao maldito, para sempre vencendo-o. (Anch., *Poemas*, 144); *Endé, Tupã rorypápe aûîeramanhẽ ereîkó.* – Tu, no paraíso para sempre estás.

(Anch., *Teatro*, 122); *'Ara pab'iré i moingobeîebyri o pyri serasóbo aûîeramanhẽne.* – Após acabar o mundo, fará voltar a viver (nossos cadáveres), levando-os para junto de si para sempre. (Ar., *Cat.*, 27); *Anhanga t'ĩaîpe'a ko'yr aûîeramanhẽ.* – Que afastemos o diabo agora e para sempre. (Valente, *Cantigas*, VI, in Ar., *Cat.*, 1618); **2)** (na neg.): jamais, nunca mais: ... *Asé 'anga nhõ nd'opabi xûéne, aûîeramanhẽ omanõba'erame'yma sekóreme.* – Nossa alma somente não acabará, por ser a que não morrerá jamais. (Bettendorff, *Compêndio*, 58)

aûîeramanhẽ – v. aûîerama

aûîeramo – v. aûîé[3]

aûîeté[1] (adv.) – certamente, verdadeiramente, na verdade, decerto: *Aûîeté, kó anga andupa, aseîá kûesé xe roka...* – Certamente, eis que percebendo isso, deixei ontem minha casa. (Anch., *Poemas*, 112); *Aîemĩngatupe ká; aûîeté na xe repîaki...* – Hei de me esconder bem; certamente não me viu... (Anch., *Teatro*, 32); *Erĩ! Aûîeté-pakó aîegûak ûinhemoúna...* – Ah! Na verdade hei de me enfeitar, pintando-me de preto... (Anch., *Teatro*, 60)

aûîeté[2] (ou **auîetépe ...é** ou **aûîetéramo** ou **aûîetéramope ...é**) (adv.) – ainda bem que: *Aûîeté pakó xe soe'ymi é.* – Ainda bem que não fui, pois. (VLB, I, 35); *Aûîetéramo erimba'e bé xe angaîpagûera aîpe'a re'a...* – Ainda bem que, ainda outrora, repeli meus pecados. (Ar., *Cat.*, 158v)

aûîeté[3] (conj.) – embora; contudo, apesar disso: *Aûîeté a'e semimonhangûera, karaibebé amõ amõ oîemoangaîpab...* – Embora eles fossem obra d'Ele, alguns anjos tornaram-se maus. (Anch., *Doutr. Cristã*, I, 193); *Aûîeté a'e îandé rubypy, "E'u umẽ ikó 'ybá" 'îagûera.* – Embora ele fosse nosso pai primeiro, o que (lhe) foi dito foi "Não comas este fruto." (Anch., *Doutr. Cristã*, I, 193); *Aûîeté, gûe'õ ré, 'ara mosapyra resé bé sekobeîebyri.* – Contudo, após sua morte, no terceiro dia voltou a viver. (Anch., *Doutr. Cristã*, I, 195); ... *Sasy tekopoxy, tekomemûã pe'a biã, aûîeté a'e roîré abá apysykaturamo...* – É doloroso deixar o vício, a vida má, contudo, depois disso, o homem consola-se muito. (Ar., *Cat.*, 169)

'aumbaraba (s.) – inchação (de fruto bem maduro); (adj.: **'aumbarab**) – inchado; pintado de preto (o fruto bem maduro) (VLB, II, 11)

'auna

'auna (s.) – madureza (de fruto); (adj.: **'aun**) – maduro (o fruto; isto é, pintado de preto) (*VLB*, II, 27)

aûnhenhẽ (adv.) – imediatamente, logo: ... *Opor-oporĩ, Îesu o îarĩ kuapa* **aûnhenhẽ**. – Ficou saltando, reconhecendo imediatamente Jesus, seu senhorzinho. (Anch., *Poemas*, 118); ... *Nde rokype oîkébo, nde supa* **aûnhenhẽ**. – Entrando em tua casa, visitando-te imediatamente. (Anch., *Poemas*, 124); *Aûnhenhẽ o apixarĩ resé îepyki...* – Imediatamente, de seu próximo eles vingam-se. (Anch., *Teatro*, 130)

aupaba[1] (s.) – páreas, membrana que envolve o feto ou parte do cordão umbilical, que fica na mãe depois do nascimento do bebê (*VLB*, II, 65; Castilho, *Nomes*, 30)

aupaba[2] (s.) – pátria, lugar onde se nasce (*VLB*, II, 68); terra de origem (*VLB*, II, 48)

'ãur (xe) (v. da 2ª classe) – ter alento, alentar-se, sentir alívio, respirar aliviado (com boa notícia): *Xe 'ãur*. – Tive alento. (*VLB*, II, 103)

aûsub (ou **aûsu**) (s) (v. tr.) – amar, estimar, querer bem, ter amizade por: *Asaûsu kunhã-karaíba*. – Amo uma mulher branca. (D'Evreux, *Viagem*, 252); *Asaûsub Tupã*. – Amo a Deus. (Fig., *Arte*, 150); *A'e byter nde raûsupa*. – Ainda te amo. (Fig., *Arte*, 161); *T'îasaûsu pabẽ Santa Maria...* – Amemos todos Santa Maria. (Anch., *Poemas*, 88) • **aûsupara** (t) – o que ama, o que estima, o que tem amizade por: *Nd'e'i te'e, ipó, ko'y opá nde raûsuparûera pysyrõmo nde suí...* – Não é à toa, certamente, que, agora, todos os que te amavam ele liberta de ti... (Anch., *Teatro*, 18); ... *I mondóbo nhẽ nd'ereîkóî César nde rubixaba raûsuparamo...* – Mandando-o ir, sem problemas, não ages como o que estima teu imperador César. (Ar., *Cat.*, 61); **emiaûsuba** (t) – o que alguém ama, o amado de: *I moasŷ abo, Tupã opabinhẽ mba'e sosé o emiaûsu-katu nhe'enga abŷagûeramo sekó resé*. – Arrependendo-se deles por serem transgressões da palavra de Deus, que ele ama mais que todas as coisas. (Bettendorff, *Compêndio*, 93); **aûsupaba** (t) – tempo, lugar, modo etc. de amar; o amor: ... *Ogûaûsukatuagûera repyramo, Tupã ipó serã serasóû seté resebé ybakype...* – Como recompensa de seu muito amor a Ele, Deus levou-o certamente, com seu corpo, para o céu. (Ar., *Cat.*, 139); *Mba'epe Santa Maria asé raûsupaba?* – Qual é a causa de nos amar Santa Maria? (Ar., *Cat.*, 33v)

aûsuba (t) (s.) – amor: *Tynysẽ Tupã raûsuba nde nhy'ãme erimba'e*. – Abundava o amor de Deus em teu coração outrora. (Anch., *Teatro*, 120)

aûsubar (s) (etim. – *tomar amor*) (v. tr.) – compadecer-se de, ter piedade de, ter misericórdia de, ter pena de: *Oré raûsubá îepé...* – Compadece-te de nós. (Anch., *Poemas*, 100); *Eîori, oré raûsubá...* – Vem para te compadeceres de nós. (Anch., *Teatro*, 120); *Ta xe raûsubar...* – Que ele se compadeça de mim... (Ar., *Cat.*, 23v); *Eresaûsubápe nde sy, nde ruba...?* – Compadeceste-te de tua mãe e de teu pai? (Ar., *Cat.*, 101); *N'asaûsubari mba'e*. – Não tenho pena das coisas (isto é, sou pródigo). (*VLB*, II, 87) • **saûsubaryba'e** – o que tem misericórdia, o que tem pena: *Tekokatu-eté rerekoara i poraûsubaryba'e...* – Os que têm a bem-aventurança são os que têm pena das pessoas. (Ar., *Cat.*, 19); **saûsubarypyra** – o que é objeto de compaixão, aquele de quem se tem pena, o que recebe compaixão: *Mbobype saûsubarypyra?* – Quantos são os que recebem compaixão? (Ar., *Cat.*, 41v); **aûsubaraba** (ou **aûsubasaba**) (t) – tempo, lugar, modo, causa etc. de se compadecer; compaixão: *Tupã o aûsubaraûama resé onhemoapysyka*. – Consolando-se com a compaixão de Deus. (Ar., *Cat.*, 41); *Xe raûsubasápe, xe 'anga moteni*. – Por se compadecer de mim, minh'alma faz firme. (Anch., *Poemas*, 108)

aûsupara (t) – v. **aûsub**

axixã (s.) – rugosidade, aspereza; (adj.) – rugoso, áspero: *Xe axixã*. – Eu estou rugoso. (*VLB*, II, 149)

'a'y (s.) – umidade (de fruto ou alimento); (adj.) – úmido, aguacento, aguado (fal. de fruto ou alimento, p.ex., a batata fora do tempo) (*VLB*, I, 24)

a'y (s.) – **AÍ, AÍGUE**, preguiça, mamífero edentado da família dos bradipodídeos. Vive em muitas partes do Brasil e sua espécie mais comum na Mata Atlântica é a *Bradypus tridactylus* L., arborícola, de pelos densos e longos, onde vivem carrapatos e microlepidópteros ou traças. Possui membros compridos e cauda curta e movimenta-se com extrema lentidão. Alimenta-se das folhas da imbaúba. É também chamado *bicho-preguiça* ou *cabeluda*. (Marcgrave, *Hist. Nat. Bras.*, 221; *VLB*, II, 73)

AÍ (PREGUIÇA) (fonte: Marcgrave)

NOTA – Daí, no P.B., **AÍ-MIRIM, AÍ-IBIRETÊ**, nomes de variedades de preguiça. Daí, também, o nome geográfico **AIQUARA** (BA) (v. Rel. Top. e Antrop. no final).

aybõ (v. tr.) – fazer agouro para, fazer prognósticos para: *Asaybõ*. – Faço agouros para ele. (*VLB*, I, 27)

aybu (s.) – ofego; (adj.) – ofegante; **(xe)** resfolegar (como quem leva uma grande carga por ladeira acima): *Xe aybu*. – Eu estou ofegante; *Xe aybu-sem* (ou *Xe aybugûasu*). – Eu estou muito ofegante. (*VLB*, II, 54)

'ayîá (s.) – cabeça do pênis, glande (Castilho, *Nomes*, 28)

a'ỹîa (t) – v. a'ynha (t) (*VLB*, II, 115)

a'ykaba (etim. – *vespa de bicho-preguiça*) (s.) – nome de uma vespa (*VLB*, I, 55)

a'ynha¹ (ou **a'ỹîa**) (t) – 1) semente; grão ou caroço (*VLB*, I, 150): *Asa'ỹî-ok*. – Arranquei-lhe as sementes. (*VLB*, I, 123); 2) testículos (*VLB*, II, 35)

a'ynha² (ou **a'ỹîa**) (t) (s.) – íngua: *akó-a'ynha* – íngua de virilha (*VLB*, II, 12)

a'ypaba (t, t) (s.) – esfalfamento, esgotamento (pela muita atividade sexual); [adj.: **a'ypab** (r, t)] – esfalfado (pela muita atividade sexual): *Xe ra'ypab*. – Eu estou esfalfado. (*VLB*, I, 124)

aŷpy¹ (s.) – cerviz, cachaço, a parte posterior do pescoço (Castilho, *Nomes*, 28): ... *I aŷpy atyká-tykábo*... – Sua cerviz ficando a esmurrar. (Ar., *Cat.*, 56v); (adj.) **(xe)** – ter cerviz, ter cachaço: *Xe aŷpygûasu*. – Eu tenho cachaço grande. (*VLB*, I, 62) • **iî aŷpype** (adv.) – pelo cachaço (*VLB*, II, 100)

aŷpy² (s.) (fig.) – reigada, lugar em que a parte está mais junta a seu todo (como o cacho de frutas à árvore, o dedo à mão, a orelha à cabeça etc.), base, raiz: *Iî aŷpy rupi eîasy'ab*. – Corta-o pela sua base (isto é, cerce). (*VLB*, II, 100) • **iî aŷpype** (adv.) – pela juntura, na juntura, pela base, cerce (*VLB*, II, 100)

aŷpyasura (s.) – corcova (que está muito perto do pescoço); (adj.: **aŷpyasur**) – corcunda: *Xe aŷpyasur*. – Eu estou corcunda. (*VLB*, I, 30)

aŷpypûar (v. tr.) – reatar com corda, encastoar (p.ex., o anzol) (*VLB*, I, 113; 129)

aŷpypûasaba (s.) – estorvo (do anzol), isto é, corda com que se reata o anzol (*VLB*, I, 129)

a'yra¹ (t, t) (s.) – sêmen masculino, semente (da vida humana ou animal): *Ereîkapyrokype nde ra'y-pupuka potá?* – Excitaste-o, querendo expelir teu sêmen? (Anch., *Doutr. Cristã*, II, 90)

a'yra² (t, t) (s.) – família, parentela (de h. ou m.) (*VLB*, I, 134)

a'yra³ (t, t) (s.) – 1) filho (em relação ao pai): – *Abá ra'yrape ûî?!* – *Sé!* – Filhos de quem eram esses?! – Sei lá! (Anch., *Teatro*, 48); *Pe rory, xe ra'yretá, xe ri*. – Alegrai-vos, meus filhos, por minha causa. (Anch., *Teatro*, 50); *Ata'y-nupã xe atuasaba*. – Açoito o filho de meu compadre. (Fig., *Arte*, 88); *Aîta'y-me'eng Pedro*. – Dou-lhe os filhos de Pedro. (Anch., *Arte*, 50v); 2) sobrinho, filho de irmão (de h.) (Ar., *Cat.*, 115v); 3) filho de primo (de h.) (Ar., *Cat.*, 115v); 4) filhote (macho) de animal: *Mokõî pykasu ra'yra i xy ogûerasó îetanongabamo*. – Dois filhotes de pomba sua mãe levou como oferenda. (Ar., *Cat.*, 3v); 5) originário, natural de, filho (de uma dada terra): *Xe Îetu'u ra'yrûera. Anhemonhang i pupé*. – Eu sou antigo filho de Jetuú. Criei-me dentro dela. (Anch., *Poemas*, 152); 6) os filhos, a prole (de h.) (Marcgrave, *Hist. Nat. Bras.*, 276) • **xe ra'yra xe remimonhanga** – meu filho que gerei [para distinguir de outros que também podiam ser chamados **ta'yra** (Anch., *Cartas*, 459)]. Pode formar vocativo em -*t*: *Xe ra'yt!* – Meu filho! (Anch., *Arte*, 8v)

NOTA – Daí, no P.B. (AM, desus.), **MUIRAÍRA** (*ybyrá* + *a'yra*, "filhos das árvores"), replantio.

a'yraty (t, t) (s.) – 1) nora (do h.); 2) a mulher do sobrinho, filho de irmão (de h.) (Ar., *Cat.*, 115v-116)

a'yretá (t, t) (s.) – família (de h. ou m.) (*VLB*, I, 134)

a'yrĩ

NOTA – Daí, o nome geográfico **TAIRETÁ** (RJ) (v. Rel. Top. e Antrop. no final).

a'yrĩ (ou **a'yrĩ'i**) **(t, t)** (s.) – coisa miúda, coisa pequena: *ta'yrĩ-rĩ* – muitas coisas miúdas (*VLB*, II, 39); [adj.: **a'yrĩ** ou **a'yrĩ'i (r, t)**] – delgado; miúdo, pequeno, pequenino (fal. de pessoa): *Xe ra'yrĩ.* – Eu sou miúdo; eu sou pequeno. (*VLB*, II, 39); *Xe ra'yrĩ-a'ub.* – Eu sou de pequeno tamanho. (*VLB*, II, 124); *Ta'yrĩ'i.* – Ele é pequenino. *Ta'yrĩ'i-nhota'ub* (ou *Ta'yrĩ'i-a'ub*). – Ele é pequenino. (*VLB*, II, 78) ● **a'yrĩ'i-muku (r, t)** – fininho (de corpo) e comprido (fal. de pessoas, árvores etc.): *Ta'yrĩ'i-muku.* – Ela é fininha e comprida. (*VLB*, I, 93)

a'ysé (t) (s.) – **1)** parente, parentela, nação, raça: *Îagûara biãé ererasó, gûa'ysé o îoesé posé o ẽme, oîepysyrõ bé'i...* – Pois se levas cães, se estiverem eles ao lado um do outro da sua própria raça, acolhem-se um pouco mais. (Anch., *Doutr. Cristã*, II, 111); **2)** parente da nação ou geração da mulher: *xe ra'ysé* – os parentes de minha mulher (Ar., *Cat.*, 115v)

aysó (s.) – formosura: ... *O aysó abé osepîak.* – Sua própria formosura também viram. (Ar., *Cat.*, 37v); (adj.) – formoso, airoso, vistoso, polido, agradável, bem feito (p.ex., coisa artificial, comida): *Xe aysó.* – Eu sou bem feito. (*VLB*, I, 54); *Î aysó, nipó, îasy, og obagûasu reru.* – É formosa, certamente, a lua, vindo com sua grande face. (Anch., *Poemas*, 142); *Xe aysó-katu.* – Eu sou muito formoso. (*VLB*, I, 138); (adv.) – formosamente: ... *Oberab-aysó...* – Brilhou formosamente. (Ar., *Cat.*, 4v)

a'ysy (t, t) (s.) – mãe dos filhos, a esposa com quem se têm filhos, a esposa verdadeira: *xe ra'ysy* – a mãe de meus filhos (Anch., *Cartas*, 459)

'aysyka (s.) – leite de algum pau ou folha (*VLB*, II, 20); (adj.: **'aysyk**) – leitoso, o que tem leite; **(xe)** ter leite (a árvore): *I 'aysyk.* – Ela é leitosa. (*VLB*, II, 20, adapt.)

a'ytaty (t, t) – o mesmo que **a'yraty (t, t)** (v.)

ayty (t) (s.) – ninho (de ave, rato etc.): *Aîeayty-monhang.* – Fiz-me um ninho; *Asayty-monhang.* – Eu lhe faço ninho. (*VLB*, II, 49)

B

-ba – alomorfe de **-sab(a)** (v.): *tekobéba; sykyîéba; îukába* (Anch., *Arte*, 28v)

babak (v. intr.) – estrebuchar, virar-se de um lado e do outro, debater-se: *Ababak.* – Estrebuchei. (*VLB*, I, 130)

-ba'e (ou **-yba'e** após temas terminados em consoante) (suf. nominalizador): *oîukaba'e* – o que mata; *osoba'e* – o que vai (Anch., *Arte*, 30v); ... *Santa Maria seryba'e...* – a que tem nome Santa Maria (Ar., *Cat.*, 22v); *Abápe aîpoba'e oîmonhang erimba'e...?* – Quem fez isso outrora? (Ar., *Cat.*, 25)

baîaku (ou **maîaku**) (s.) – BAIACU, BAIAGU, sapo-do-mar, nome comum a várias espécies de peixes teleósteos, plectógnatos, de mar ou de água doce, com escamas, espinhos ou placas ósseas no corpo, que inflam a barriga e têm carne venenosa (Sousa, *Trat. Descr.*, 287)

baîakukuruba – o mesmo que **gûamaîakukuruba** (v.)

baîaku-ûará – v. **gûamaîakugûará** (Griebe, *Brasil Holandês*, vol. III, 59)

bak (v. intr.) – virar-se, voltar-se: *Peîori pebaka Tupã koty...* – Vinde para vos voltar para Deus. (Anch., *Teatro*, 56); *A'e roîré ko'yté... i koty obaka onhe'eng-abaetéramo...* – Depois disso, finalmente, volta-se em direção a eles, falando muito terrivelmente. (Ar., *Cat.*, 162v)

NOTA – Daí, no P.B., **CUMBACA** (*apekũ + bak + -a*, "língua virada"), nome de um peixe; **PINDAUACA** (AM) (*anzol que vira*, pelo nheengatu), anzol que pende não de uma vara, mas de uma canoa em movimento (in *Dicion. Caldas Aulete*).

bakori (s.) – BACURI, planta da família das clusiáceas, *Platonia insignis* Mart. (Silveira, *Relação do Maranhão*, fl. 11v). O mesmo que **PAKURI** (v.)

NOTA – Daí, pelo nheengatu, os nomes geográficos **BACURITEUA** (PA), **BACURITUBA** (MA) etc. (v. Rel. Top. e Antrop. no final).

baku (s.) – BACU, VACU, peixe da família dos doradídeos (Lisboa, *Hist. Anim. e Árv. Maranhão*, fl. 175)

NOTA – No Amazonas diz-se BACU também a alguém barrigudo (in *Dicion. Caldas Aulete*). Daí os nomes geográficos **BACU** (AM), **BACUÍ** (RJ) etc. (v. Rel. Top. e Antrop. no final).

bakupûá (s.) – peixe da família dos oncocefalídeos (Sousa, *Trat. Descr.*, 287)

bakutingy (etim. – *tingui de bacu*) (s.) – var. de cauim (Vasconcelos, *Crônica* (*Not.*), 106)

banga (s.) – tortuosidade: *py-banga* – tortuosidade dos pés; *tesá-banga* – tortuosidade dos olhos; (adj.: **bang**) – torto: *Xe py-bang.* – Eu tenho os pés tortos. *Xe resá-bang.* – Eu tenho olhos tortos. (*VLB*, II, 133)

NOTA – Daí provém, no P.B. (SC), a palavra **BANGA**, brasileirismo que designa *casa mal construída, casa torta*.

basem¹ (ou **mbasem** ou **basẽ**) (v. intr. compl. posp.) – chegar: ... *Ybaté t'orobasẽ...* – Que cheguemos ao alto. (Anch., *Poemas*, 148); *Anhangerekó îepé, aîpó supé n'abasemi.* – Embora me interessasse por elas, junto àquelas não cheguei. (Anch., *Teatro*, 176); *Santa Maria resé tekopoxy nd'obasemi.* – A Santa Maria o pecado não chegou. (Anch., *Poemas*, 180); *T'orobasẽne ybakype...* – Havemos de chegar ao céu. (Ar., *Cat.*, 27); ... *T'obasem esapy'a o îukaûáme...* – Que chegue logo ao lugar de o matarem. (Ar., *Cat.*, 61v) • **mbasemaba** (ou **mbasembaba**) – tempo, lugar, modo etc. de chegar: *O îara reká, reîá mbasembápe... sory nde py'a.* – Buscando seu Senhor, ao chegarem os reis, alegrou-se teu coração. (Anch., *Poemas*, 118); *Te'õ mbasembápe, Tupã Tuba pyri Îesu nde rupiri...* – Quando chegou a morte, para junto de Deus-Pai Jesus fez-te subir. (Anch., *Poemas*, 126)

basem² (ou **mbasem** ou **basẽ**) (v. intr. compl. posp.) – achar, encontrar (complemento com **supé** ou **pé**): *Our benhẽ i kera pé nhẽ obasemano.* – Veio de novo, achando-os novamente no sono. (Ar., *Cat.*, 53v); *Mbype erebasẽ i xupé?* – Achaste-os por perto? (Anch., *Teatro*, 46); *N'abasẽ-mirĩ-angáî marãbirĩ ikó abá rekopûera amõ supé...* – Não encontro nem um pouco, absolutamente, algum ato passado deste homem no mal. (Ar., *Cat.*, 58v) • **basemaba** – tempo, lugar, modo etc. de achar; achado, o que alguém acha: *Ereîme'engype mba'e-kanhema nde basemagûera i îara supé?* – Deste as coisas sumidas que tu achaste para seu dono? (Ar., *Cat.*, 107)

ba'u (etim. – *come pau* < **'yba** + **'u**) (s.) – nome genérico de insetos e vermes comestíveis que nascem dentro de paus, canas etc. (*VLB*, I, 55)

bé¹

bé¹ (adv.) – **1)** novamente, de novo, outra vez, de volta, mais; mais outra vez; mais ainda (*VLB*, II, 28): *Our-y bépe irã Îesu Cristo ybaka suíne?* – Virá de novo Jesus Cristo do céu, futuramente? (Anch., *Doutr. Cristã*, I, 172); ... *Nd'oroîkotebẽ béî xóne.* – Não estaremos mais aflitos. (Anch., *Poemas*, 146); *Ne'î bé!* – Eia de novo! (*VLB*, II, 60); *Irõ bé!* – Enfim de volta! (Anch., *Teatro*, 134); *Iîá mosapyr-y bé pekaî oîepegûasune.* – Ainda bem que os três, novamente, queimareis em conjunto. (Anch., *Teatro*, 50); *T'osepîak-y bé umẽ kûarasy!* – Que não vejam mais o sol! (Anch., *Teatro*, 60); **2)** ainda: *Okaru bé.* – Come ainda. (*VLB*, I, 28); *A'ã bé.* – Ainda estou de pé. (*VLB*, I, 112) • **bé amõ** (ou **bé amõno**) – outro mais, mais outro (em número): *Eîar-y bé amõ.* – Toma mais outro. (*VLB*, II, 60); *Enhonong-y bé amõ.* – Põe mais outro. (*VLB*, II, 28)

bé² (adv.) – também (Fig., *Arte*, 148) [o mesmo que **abé** (v.)]: ... *Sabeypora suí bé oîoapixá-pixapa.* – Também por embriaguez ficando a ferirem-se uns aos outros. (Anch., *Teatro*, 34); *Îé, kó bé xe pûãpẽ...* – Sim, eis aqui também minhas garras. (Anch., *Teatro*, 40); *Oka'u bé xe raîxó...* – Bebe cauim também minha sogra. (Anch., *Teatro*, 46); ... *Ingapema bé peru!* – Trazei também o tacape! (Anch., *Teatro*, 64)

bé³ (conj.) – tão logo, assim que: *Nd'e'i te'e asé a'ereme i moetébo sepîaka bé...* – Por isso mesmo a gente, então, o louva assim que o vê. (Ar., *Cat.*, 84v); *osóbo bé* – tão logo indo ele (Anch., *Arte*, 45v)

bé⁴ (posp.) – desde: *Kûesenhe'ym bé sepîâ-potá tenhẽ roîré.* – Depois de querer vê-lo, em vão, desde muito tempo atrás. (Ar., *Cat.*, 58v); ... *Kûesé bé mba'e n'a'uî.* – Desde ontem não como nada. (Anch., *Poemas*, 150)

bé⁵ (adv.) – mesmo, bem: ... *'Ara nde i gûaba pupé bé o'a te'õ nde reséne...* – No mesmo dia em que tu a comeres cairá a morte em ti. (Ar., *Cat.*, 40); ... *Kori bé t'i mokanhẽ...* – Hoje mesmo havemos de fazê-lo sumir... (Anch., *Teatro*, 16); *Xe ku'aî bé arekó.* – Tenho-o bem na minha cintura. (*VLB*, I, 74); *Xe pytaî bé turi.* – Veio bem detrás de mim. (Anch., *Arte*, 41v); *Oîeí bé muru kaî...* – Hoje mesmo os malditos queimam. (Anch., *Teatro*, 88)

bebé (v. intr.) – voar: ... *Obebé îandé suí.* – Voa para longe de nós. (Anch., *Poemas*, 186); *Abe-bé kó ybytu îá.* – Voo como este vento. (Anch., *Teatro*, 40); ... *Ybytyrybo gûibebébo, asó tupi moangaîpapa...* – Pelos montes voando, fui para fazer pecar os tupis. (Anch., *Teatro*, 140); *Irõ, xe îar, abebé.* – Pronto, meu senhor, voei. (Anch., *Teatro*, 146)

> NOTA – Daí, no P.B., a palavra **PIRABEBE** (*peixe voador*), da família dos exocetídeos. Daí, também, a alcunha **ABARÉ-BEBÉ** (*padre voador*), com que o jesuíta Leonardo Nunes era conhecido pelos índios da capitania de São Vicente em meados do século XVI, pela extrema rapidez com que fazia suas viagens missionárias.

bebó (s.) – desgrenhamento; (adj.) – desgrenhado: *'a-bebó* – cabelo desgrenhado (*VLB*, I, 61); *'a-tyrá-bebó* – cabelos arrepiados e desgrenhados (Anch., *Teatro*, 28)

bebuî (v. intr.) – **1)** BUBUIAR, flutuar, boiar: ... *Obebuî-berame'î.* – Parece flutuar. (Ar., *Cat.*, 91v); **2)** ser leve: *Abebuî.* – Sou leve. (*VLB*, II, 21)

> NOTA – Daí se origina, no P.B., a expressão DE **BUBUIA**, usada principalmente no Amazonas e significando *boiando ao sabor da corrente, flutuando*; (fig.) *ao sabor das circunstâncias*: "*Carregam [as águas], DE BUBUIA, a colheita flutuante, para espalhá-la, erraticamente, em outros lugares, numa tarefa inconsciente de reflorestamento.*" (in Raul Bopp, *Putirum*. Rio de Janeiro, Leitura, 1968).

bebuîa (s.) – BUBUIA, leveza (*VLB*, II, 22); (fig.) leviandade; (adj.: **bebuî**) – leve; (adv.) DE **BUBUIA**, fracamente; levemente (*VLB*, II, 21); de leve: *Tupã osaûsupe'a, sesé oîerobîá-bebuîa.* – Deus deixou de amá-los, n'Ele confiando fracamente. (Anch., *Teatro*, 28); ... *nde rekopûera moasy-bebuîa* – ... arrependendo-te fracamente de teus atos passados (Anch., *Doutr. Cristã*, II, 106) • **bebuî-nhõte** – levemente (*VLB*, II, 21)

bebuîkatu (s.) – leveza (*VLB*, II, 22); (adj.) – leve: *Abebuîkatu.* – Sou leve. (*VLB*, II, 22)

bebuînhẽ (v. intr.) – ser leviano, ser ou proceder de maneira inconstante: *Abebuînhẽ.* – Sou leviano. (*VLB*, II, 11)

bebuîtaba (s.) – **1)** BUBUITUBA, boia (tanto de anzol quanto de âncora) (*VLB*, I, 56); **2)** cortiça de rede, pedaços de cortiça que sustentam à tona d'água uma das bordas de certas redes de pesca (*VLB*, I, 83)

beémo (part. que expressa o condicional ou o optativo passados): *Anhandu beémo erimba'e angûama mã!...* – Ah, se tivesse percebido isso outrora! (Ar., *Cat.*, 165v); *Îaîuká umã beémo.* – Já o teríamos matado. (Fig., *Arte*, 19)

be'ĩ (adv.) – 1) (na afirm.): um pouco, algum tanto, um pouquinho; mais um pouco; um pouco mais: *I katu be'ĩ.* – Ele está um pouco melhor. (*VLB*, I, 31; II, 28); ... *Xe angaturã be'ĩ temõ erimba'e mã!...* – Ah, oxalá futuramente eu seja um pouquinho melhor! (Ar., *Cat.*, 158v); 2) (na neg.): mais nada, nada mais: ... *N'i pori be'ĩ xe aîó.* – Não contém mais nada minha bolsa. (Anch., *Teatro*, 46) • Pode dar a ideia de "mal por mal", "ruim por ruim": *Ahẽ nakó i angaturã-be'ĩ.* – Ruim por ruim, ele é, de fato, um pouco melhor (isto é, ele é menos ruim que os outros). (*VLB*, II, 29)

be'ĩmo (part. – usada com a part. **mã**) – oxalá!, bom seria se, deveria por bem (desejando que algo ocorra ou tenha ocorrido): *Our be'ĩmo mã!* – Oxalá ele viesse! (*VLB*, II, 61); *Aîmbo'e be'ĩmo mã.* – Deveria eu por bem ensiná-lo. (*VLB*, II, 64)

benhẽ (ou **benhẽno**) (adv.) – novamente, de novo (*VLB*, II, 60); mais, mais outra vez; mais ainda (*VLB*, II, 28): *A'é benhẽ.* – Digo novamente. (*VLB*, II, 132); *Asó benhẽ.* – Vou novamente. (*VLB*, II, 101); ... *Aîmoangaîpá pá benhẽne.* – Farei todos pecarem de novo. (Anch., *Teatro*, 136); *Our benhẽpe o boîá rupápe...?* – Veio de novo ao lugar em que estavam deitados seus discípulos? (Ar., *Cat.*, 53v); *N'asaûsu benhẽî xûé Anhangane...* – Não mais amarei o diabo. (Ar., *Cat.*, 86)

béno (adv.) – também; mais outra vez; mais ainda (*VLB*, II, 28): ... *Esendu-katu xe nhe'enga, ... i mopó-potá béno.* – Ouve bem minhas palavras, querendo também cumpri-las. (Bettendorff, *Compêndio*, 119); *Osó xe ruba béno.* – Foi meu pai também. (*VLB*, I, 89)

berab (ou **berá**) (v. intr.) – 1) brilhar, ser luzente, resplandecer, reluzir: *Kûarasy nipó oberá putunusu kûab'iré.* – O sol certamente brilha após passar a grande noite. (Anch., *Poemas*, 142); 2) relampejar (*VLB*, I, 143) • **oberaba'e** – o que brilha: *Aó-kereîûá kûarasy sosé oberaba'e nungara...* – Semelhante a uma roupa de querejuá que brilha mais que o sol... (Ar., *Cat.*, 37v)

biã¹

beraba (s.) – brilho, resplendor: *Oî kûarasy osema nde beraba robaké.* – Envergonha-se o sol, nascendo, diante de teu brilho. (Valente, *Cantigas*, IV, in Ar., *Cat.*, 1618); ... *Tupã beraba reru.* – Trazendo o resplendor de Deus. (Anch., *Poemas*, 142); (adj.: **berab**) – brilhante, resplandecente: *Seté-beraba tiruãpe n'osepîaki xûéne?* – Não verão sequer seu corpo brilhante? (Ar., *Cat.*, 46v)

NOTA – Daí, no P.B., **GUIRAGUAÇUBERABA** (*grande pássaro brilhante*), da família dos traupídeos. Daí provêm, também, os nomes geográficos **ITABERABA**, **ITUVERAVA**, **SABARÁ** etc. (v. Rel. Top. e Antrop. no final).

berabe'ĩ – o mesmo que **berame'ĩ** (v.)

beraberapaba (s.) – bandeira (*VLB*, I, 51)

beraberapapuku (s.) – estandarte (*VLB*, I, 128)

berame'ĩ¹ (v. intr.) – 1) parecer, afigurar-se: *Obebé-berame'ĩ.* – Parece voar. (*VLB*, II, 65); *Obebuî-berame'ĩ.* – Parece flutuar. (Ar., *Cat.*, 91v)

berame'ĩ² (conj.) – como, como que, como se fosse, semelhantemente a: *Korite'ĩ-aibeté obebébo berame'ĩ...* – Como que voando muito rapidamente. (Ar., *Cat.*, 37); ... *Akó omanôba'erame'yma berame'ĩ...* – Como se fosse aquele que não morrerá. (Ar., *Cat.*, 155); *Ypy suí berame'ĩ abur.* – Emergi como que do fundo. (*VLB*, I, 31); ... *T'oîese'ar-y berame'ĩ oîkóbo...* – Vivendo como se estivessem unidos. (Anch., *Doutr. Cristã*, I, 228); *Xe ra'yra berame'ĩ arekó.* – Trato-o como se fosse meu filho. (*VLB*, II, 88); *Itá berame'ĩ ixébo.* – A mim é como que pedra (isto é, parece pedra). (*VLB*, I, 23); *Sepîaka nhõ miapé berame'ĩ.* – Vendo-o, somente, é como pão. (Ar., *Cat.*, 84v)

beramete'ĩ (adv.) – semelhantemente (Fig., *Arte*, 149)

beribeba (s.) – árvore que dá "um fruto do tamanho e feição da noz-moscada" (Sousa, *Trat. Descr.*, 224)

beryki (s.) – BURIQUI, o mesmo que **mbyryki** (v.) (Soares, *Coisas Not. Bras.* (ms. C), 1114-1116)

biã¹ (conj.) – se: *Ikó îandé ratá pupé asé po'ẽma biã îî abaeté, memetá a'epe aûîeramanhẽ abá kaîa o abaetéramo...* – Se pôr a mão neste nosso fogo é terrível, tanto mais ali é terrível

biã²

queimarem-se os homens eternamente. (Ar., *Cat.*, 163v)

biã² (part. que expressa ideia adversativa, indicando algo contrário ao que se espera) – **1)** mas... etc., sem resultado: *Asó biã.* – Fui sem resultado. (Anch., *Arte*, 21v); *Xe n'aîu-potari biã, karaíba moabaîtébo.* – Eu não queria vir (mas vim), irando os homens brancos. (Anch., *Poemas*, 194); *Asaûsu biã.* – Amo-o (mas nem por isso ele me ama). (Anch., *Arte*, 21v); *Kunhã iké sekóû biã mã!* – Oxalá houvesse uma mulher aqui (mas não há)! (Anch., *Doutr. Cristã*, II, 93); *Asé ruba oîmonhang (asé reté) biã, Tupã i monhanga potasápe é.* – Nosso pai o fez (i.e., nosso corpo) mas porque Deus o quis fazer, na verdade. (Ar., *Cat.*, 25); *Anhanga ratápe ko'yr oîkoba'e, a'epe o só îanondé "Asó-potar ybakype" e'i biã.* – Os que estão no inferno agora, antes de irem para lá diziam (sem resultado): "Quero ir para o céu". (Ar., *Cat.*, 248); **2)** embora, apesar de, apesar disso: *Xe resy Lorẽ-ka'ẽ, xe morubixaba biã.* – Assa-me o Lourenço tostado, embora eu seja um rei. (Anch., *Teatro*, 90); *Oîepé nhõngatu erimba'e karaibebé Tupã nhe'enga abyûbiã, sesé nhõ Tupã i moingóû Anhangamo...* – Embora tão somente uma vez uns anjos tenham transgredido a palavra de Deus, por causa disso, somente, Deus os fez ser diabos. (Ar., *Cat.*, 112)

biãaûîé (conj.) – embora: *Kaũî biãaûîé, Îandé Îara Îesu Cristo nhe'engûera abaré sa'angireme, sugûyramo nhẽ sekóû.* – Embora seja vinho, tão logo pronuncie o padre as palavras de Nosso Senhor Jesus Cristo, é seu sangue, na verdade. (Ar., *Cat.*, 87v)

biãé (conj.) – pois se: *... Abá biãé o a'yra ogûerekó-katu, memetipó Tupã...* – Pois se um homem trata bem seu próprio filho, quanto mais Deus. (Ar., *Cat.*, 25v); *Îagûara biãé ererasó, gûa'ysé o îoesé posé o ẽme, oîepysyrõ bé'í...* – Pois se levas cães, se estiverem eles ao lado um do outro da sua própria raça, acolhem-se um pouco mais. (Anch., *Doutr. Cristã*, II, 111)

bîar¹ (adv.) – pouco a pouco (*VLB*, II, 83)

bîar² (v. intr.) – estar acostumado, estar prático: *N'abîari.* – Não estou acostumado. (*VLB*, II, 47)

bibîá (s.) – nome de uma ave passeriforme traupídea (Sousa, *Trat. Descr.*, 251)

-bo¹ – alomorfe de **-abo** (v.)

-bo² (posp.) – **1)** em, por, per (locativo, expressando difusão, indeterminação do lugar, não um lugar específico): *kóbo* – nas roças (Anch., *Arte*, 42); pelas roças (Anch., *Arte*, 42v); *ka'abo* – pelas matas (*VLB*, II, 81); *nhũbo* – pelos campos (*VLB*, II, 81); *kóbo* – por aqui (*VLB*, II, 81); **2)** segundo, de acordo com, conforme: *... Cruz resé i moîari, i îerursabo é...* – Conforme seu próprio pedido, na cruz o pregaram. (Ar., *Cat.*, 9); *... Îudeos ekomonhangábo i 'apira mondoki.* – Segundo o rito dos judeus, seu prepúcio cortaram. (Ar., *Cat.*, 3); **3)** para (dativo, com pron. pess.): *O'a îandébo kori.* – Nasceu para nós hoje. (Anch., *Poemas*, 94); **4)** por, no caso de [com deverbais em *-sab(a)*]: *Nde i potasábo-katu é, t'onhemonhang...* – No caso de o desejares muito mesmo, que se faça (tua vontade). (Ar., *Cat.*, 53)

bobok (v. intr.) – fender-se em diversas partes (*VLB*, I, 137)

boîá¹ (s.) – **1)** servo, criado ou criada; serviçal (de h.) (*VLB*, I, 86): *N'i tyb-angáî xe boîá...* – Não há absolutamente servos meus. (Anch., *Teatro*, 128); *Tupã boîáramo nhõ oîkó-potá...* – Querendo ser servo de Deus somente. (Ar., *Cat.*, 26v); **2)** súdito, discípulo, subordinado: *4 cento i boîá ... orogûar.* – Tomamos quatrocentos subordinados deles. (Camarões, *Cartas*, 19 de agosto de 1645)

boîá² (s.) – o meão, o mediano, o médio, o que está no meio, o que está entre o grande e o pequeno (*VLB*, II, 34); (adj.): *Xe boîá.* – Eu sou mediano, eu não sou grande nem pequeno. (*VLB*, II, 34) ● **boîá-katu** (ou **boîá-katu nhote** ou **boîá nhote**) – meão, médio, não muito grande (*VLB*, II, 34)

boîesy (s.) – enfeite muito branco, feito de grandes búzios marinhos, da forma de uma meia-lua, que se pendurava ao pescoço (Staden, *Viagem*, 148)

bok (v. intr.) – rachar, romper-se, fender-se, arregoar (p.ex., o figo); arrebentar (*VLB*, I, 42): *Obok nde nhy'ã saûsuba resé.* – Rompeu-se teu coração por amor a ele. (Anch., *Poemas*, 120); *I ku'a- -bok serã moxy...?* – Acaso estava o maldito com a cintura fendida? (Ar., *Cat.*, 57v); *... Tekotebẽ suí nde nhy'ã-boke'ymi.* – Tu não tens o coração arrebentado de aflição. (Ar., *Cat.*, 157)

NOTA – Daí provêm, no P.B., as palavras **BIBOCA, BABOCA, BOBOCA** (*yby* + *bok* + -*a*, "terra rachada"), que designam: 1) *escavação ou fenda de terreno, em geral produzida por enxurrada; cova*; 2) *vale profundo e de acesso difícil; buraco, grota*; 3) *habitação pequena, pobre, modesta, humilde; baiuca, buraco, toca*; 4) *pequena venda ou botequim modesto; baiuca, bodega* (in *Novo Dicion. Aurélio*). Daí, também, o nome **ITABOCA** (localidade do RJ) (v. Rel. Top. e Antrop. no final).

boka (s.) – fenda, abertura, rachadura (*VLB*, I, 18; 137)

-bor (suf. que expressa o agente habitual, hábito, constância, frequência): *Anga îá, angaîpabora aîuká...* – Como a esses, matarei os que costumam pecar. (Anch., *Teatro*, 92); *mara'abora* – o doente; *miraibora* – o bexigoso; *kanhembora* – o fujão, o que tem costume de fugir (Anch., *Arte*, 31)

NOTA – Daí, no P.B., **CANHEMBORA, CANHAMBORA, CALHAMBORA** (*kanhem* + *bor* + -*a*, "fujão"), escravo fugido, quilombola.

bosyma (s.) – nome de um peixe (Soares, *Coisas Not. Bras.* (ms. C), 2211)

bubur – v. **bur**

buîeîa (s.) – BUIJEJA, espécie de lagarta nativa, "a qual é muito resplandescente...; parece uma candeia acesa e, quando anda, é ainda mais resplandescente" (Sousa, *Trat. Descr.*, 270)

bur (ou **byr**) (v. intr.) – 1) borbotar, manar em borbulhões; borbulhar, vir para cima (o que ferve) (*VLB*, II, 15); 2) emergir (p.ex., o que havia mergulhado), surdir, levantar-se, erguer-se (o que estava deitado, assentado etc.): *Abyr.* – Levanto-me. (*VLB*, II, 21); *Ypy suí berame'ĩ abur.* – Como que do fundo emergi (tb. fig., "livrei-me de um grande aperto", "tornei a mim", como quem saiu de alguma grande aflição em que estava). (*VLB*, I, 31); ... *Yby obu-obur...* – A terra ficou levantada. (Ar., *Cat.*, 64); 3) inchar (o que se molhou): *Abur.* – Inchei. (*VLB*, II, 11) ● **bubur** (redupl.) – jorrar, manar em borbulhões, borbotar (p.ex., a água na fonte) (*VLB*, II, 30)

NOTA – Daí provêm nomes de lugares como **ITABIRA** (MG), **ITAPIRA** (SP) etc. (v. Rel. Top. e Antrop. no final).

bura (s.) – 1) borbotão, borbulho: *'y-bura* – borbotão d'água, água que brota para cima (*VLB*, I, 65); 2) emersão, levantamento, soerguimento, saliência; (adj.: **bur**) – erguido, saliente: *pé-bura* – casca erguida (de ferida prestes a sarar); *Xe pé-bur.* – Eu tenho casca (de ferida) erguida. (*VLB*, I, 60)

NOTA – Daí, no P.B., **ABIBURA** (*yby* + *bura*, "saliência da terra"), var. de cogumelo que cresce na terra.

buri (s.) – BURI, nome comum a duas espécies de palmáceas, a *Allagoptera campestris* (Mart.) Kuntze e a *Allagoptera caudescens* Kuntze (Sousa, *Trat. Descr.*, 191)

NOTA – Daí, o nome geográfico **BURI** (SP) (v. Rel. Top. e Antrop. no final).

BURI (ilustração de C. Cardoso)

bŷá – o mesmo que **ybŷá** (v.)

by'ar (ou **by'a**) (v. intr.) – 1) acomodar-se, ficar sossegado, ser ou ficar manso, ficar quieto; quedar-se, refestelar-se: *Xe-te, xe 'anga raûsupa, aby'arĩ xe retãme.* – Mas eu, amando minh'alma, fico quieto em minha terra. (Anch., *Poemas*, 112); *Peîkó-aturõ t'oby'ar pe ri.* – Agi ordenadamente para que se quede em vós. (Ar., *Cat.*, 88v); 2) apegar-se: *I 'anga t'o'a taûîé, o monhangara reîá, rõ oby'a îandé resé.* – Que suas almas caiam logo, deixando seu criador, apegando-se, pois, a nós. (Anch., *Teatro*, 20); ... *Oroby'a nde resé.* – A ti nos apegamos. (Anch., *Teatro*, 122)

byaryby (s.) – BIARIBI, BIARIBU, 1) carne assada debaixo da terra ou em cova (*VLB*, I, 45); 2) técnica indígena de assar carne em cova no chão (Vasconcelos, *Crônica* (*Not.*) I, §140, 106)

NOTA – Em *Confederação dos Tamoios*, epopeia de Gonçalves de Magalhães, lemos *"Outras [velhas] cavam o chão, e nos buracos / Lançam a carne ou peixe envolto em folhas, / Depois de terra os cobrem, sobre a terra / Fogo acendem; destarte as carnes torram, / E a isto dão de BIARIBI o nome."* (*Confederação dos Tamoios* [Edição fac-similada seguida da polêmica]. 1. ed., Curitiba, Editora da UFPR, 2007).

bybyr

bybyr [redupl. de **byr** (v.)] (v. intr.) - arrepiar-se (p.ex., os pelos): *Xe rá-bybyr*. - Eu tenho os pelos arrepiados; *Opá xe raba bybyri*. - Todos os meus pelos se arrepiaram. (*VLB*, I, 43)

byk (v. intr. compl. posp.) - **1)** tocar; achegar-se (de modo a tocar) [complemento com **esé (r, s)**]: *Osetobapé-pytépe erimba'e, sesé obyka bé?* - Beijou suas faces, nele tocando também? (Ar., *Cat.*, 54); **2)** ter relação sexual, tocar em sentido sexual: *Mbobype abá aîpoba'e oîaby kunhã resé onhemomotar'iré koîpó i mongetá roîré sesé o byke'yma pukuî?* - Quantas vezes o homem transgride aquele (mandamento) após atrair-se por uma mulher ou após conversar com ela enquanto não toca nela? (Ar., *Cat.*, 71v) • **obykyba'e** - o que toca: ..."*T'amendáne nde resé*" *o îoesé obykyba'e supé... e'îara*. - A que diz para o que toca em si: "*Hei de me casar contigo*". (Ar., *Cat.*, 279); **bykaba** - tempo, lugar, modo, objeto etc., do tocar etc.: *kunhã-angaturama abá bykagûere'yma...* - mulher bondosa, não tocada por homem (Ar., *Cat.*, 22v, 1686)

byr - o mesmo que **bur** (v.)

byrybá (s.) - BIRIBÁ, nome de uma planta (v. **ybyryba**) (*Theat. Rer. Nat. Bras.*, II, 103)

byryki (s.) - BURIQUIM, BURIQUI, var. de macaco da família dos cebídeos (o mesmo que **mbyryki** - v.) (*VLB*, I, 56)

NOTA - Daí provém o nome geográfico **BERTIOGA** (SP) (v. Rel. Top. e Antrop. no final).

byter (ou **byterĩ**) (adv.) - ainda (usado com o verbo auxiliar '**i** / '**é**. Leva o verbo principal para o gerúndio): *A'é byter i monhanga*. - Ainda o faço. (*VLB*, I, 28); *A'é byter nde raûsupa*. - Ainda te amo. (Fig., *Arte*, 161); *A'é byter aîpó gûi'îabo*. - Ainda digo isso. *E'i byté-byterĩ ahẽ xe amotare'yma*. - Ainda, ainda me odeia fulano. (*VLB*, II, 74)

E

e- (pref. de 2ª p. do sing.) – **1)** (pref. do modo imperativo): *Eîuká!* – Mata-o! (Anch., *Arte*, 18); *Enhemim!...* – Esconde-te! (Anch., *Teatro*, 32); *Eîepe'a! Ekûá ké suí ra'a!* – Afasta-te! Vai-te daqui já! (Anch., *Teatro*, 32); *Emoîerekûab orébo...* – Faze perdoar a nós. (Anch., *Poemas*, 84); **2)** (pref. do gerúndio com verbos intransitivos da 1ª classe): *Tupãnamo eîkóbo bé.* – Sendo tu Deus também. (Anch., *Poemas*, 100)

'ẽ (ou **'em**) (v. intr.) – **1)** manar, vazar, verter-se, entornar-se, fazer água (p.ex., o navio): *O'ẽ.* – Faz água. (*VLB*, I, 136); ... *Aûnhenhẽ 'y sugûy abé i xuí i 'emi, osyryka.* – Imediatamente, água e seu sangue dele vazaram, escorrendo. (Ar., *Cat.*, 93); **2)** poluir-se, ter poluição por excitação sexual: *O'ẽpe erimba'e nde membyra nde i potasápe?* – Poluiu-se outrora teu filho por tu o desejares? (Anch., *Doutr. Cristã*, II, 97) • **'ẽaba** – tempo, lugar, modo, causa etc. de verter, de manar, de vazar: *Minusu pupé iî yké kutuki... aûnhenhẽ 'y sugûy abé i xuí i 'ẽaûama.* – Com uma lança espetaram seu flanco, causa de verterem imediatamente dele água e seu sangue. (Anch., *Diál. da Fé*, 192)

ẽ (-nho-s) (v. intr.) – v. **en** (-nho-s)

é¹ (part.) – **1)** mesmo, próprio (e não outro), bem: *Endé é aîpó eré...* – Tu mesmo dizes isso. (Ar., *Cat.*, 56); *Na tubi; onhemonhang é...* – Não teve pai; ele mesmo se criou. (Ar., *Cat.*, 23); ... *Cristãos rubixaba nhe'enga rupi é...* – Bem de acordo com as palavras do chefe dos cristãos. (Ar., *Cat.*, 12v); *Kori é.* – Hoje mesmo. (Anch., *Arte*, 54); *I xupé é.* – Para ele mesmo. (Anch., *Arte*, 54); **2)** de *motu* próprio, de própria vontade: *Aîur é.* – Vim de *motu* próprio, vim de própria vontade. (Anch., *Arte*, 53v); **3)** de fato, na verdade, é que: ... *Pytunusupe émo i xóûmo.* – Para uma grande escuridão, na verdade, iriam. (Ar., *Cat.*, 80); ... *Emonãnamo é "xe sy" asé 'éû i xupé.* – Por isso é que se diz para ela: "minha mãe". (Ar., *Cat.*, 33v); *Asóp'ixéne é?* – Hei de ir, de fato? (Anch., *Arte*, 24); *Oîpotar épe îudeus o îuká...?* – Quis, de fato, que os judeus o matassem? (Bettendorff, *Compêndio*, 46); **4)** até mesmo: *Kurusá xe pópe sekóreme... t'our é Îurupari...: n'asykyîéî xûéne i xuí.* – Se estiver a cruz em minhas mãos, que venha até mesmo o diabo: não terei medo dele. (D'Abbeville, *Histoire*, 357); **5)** (part. expletiva, de reforço) – realmente; com efeito. Às vezes não se traduz: *Kaûĩaîa 'useîa é, opakatu amboapy.* – Querendo beber vinho, tudo esgotei. (Anch., *Teatro*, 46)

é² (part.) – somente, tão somente, apenas: *Eresaûsupe Tupã... i angaturameté resé é?* – Amas a Deus por sua muita bondade somente? (Bettendorff, *Compêndio*, 69)

é³ (part.) – mas, mas sim: *E'ikatupe morerokarûera omendá o emierokûera...?* – *Nd'e'ikatuî, o a'yretéramo é serekóû.* – Pode o padrinho casar-se com aquele que batiza? – Não pode, mas o trata como seu verdadeiro filho. (Ar., *Cat.*, 149); – *Tupã Espírito Santo anhẽ a'e tatá?* – *Nda Tupã Espírito Santo ruã, tura îekuapaba é.* – Deus Espírito Santo era, na verdade, aquele fogo? – Não era Deus Espírito Santo, mas, sim, um sinal da sua vinda. (Anch., *Doutr. Cristã*, I, 170)

é⁴ (part.) – pois, uma vez que: – *Ogûerobîarype asé eboûinga?* – *Nd'ogûerobîari, mo'ema é.* – Acredita a gente nisso? – Não acredita, pois é mentira. (Anch., *Doutr. Cristã*, I, 220)

é⁵ (part.) – de novo, novamente: *Ang é!* – Isto de novo! (*VLB*, II, 51)

é⁶ (part.) – pela primeira vez: *Ang é.* – Isto pela primeira vez. (*VLB*, II, 51)

é⁷ (part.) – **1)** outro dia, já não agora (coloca-se após o verbo): *T'aîmombe'u é* (ou *T'aîmombe'u éne*). – Outro dia o contarei. (*VLB*, II, 61); **2)** (com o auxiliar **'i** / **'é** e o verbo principal no gerúndio) – tempo virá em que: *E'i é ahẽ i kugûapane* (ou *E'i é ipó ahẽ i kugûapane*). – Tempo virá em que ele o saberá. (*VLB*, II, 126)

é⁸ (s.) – coisa distinta, coisa própria, coisa diferente; (adj.) – próprio, vário, outro, diferente, não comum aos outros, particular; separado (e não de parceria com alguém): *Tub-é.* – Tem outro pai (isto é, diferente do pai de seu irmão); *Xe kó-é.* – Eu tenho roça própria (isto é, que não faço com os outros). (*VLB*, I, 62); (adv.) – variamente, diversamente, à parte: *Aindé.* – Estou à parte. (Anch., *Arte*, 58); *Aîkoé.* – Sou diferente. (*VLB*, I, 103)

NOTA – Daí, no P.B., **SAMBARÉ** (*samburá* + *é*, "samburá diferente"), espécie de samburá usado em certas regiões da Amazônia; **JAGUARÉ** (*îagûar* + *é*, "cão diferente"), nome de um cãozinho selvagem com riscas no pelo.

é⁹ (t) (s.) – sabor, gosto: *so'o ré* – gosto de carne (*VLB*, I, 149); *Abámo... mba'e-katu 'uagûera*

é?[10]

n'oîkuabi xûé... sé katûagûera resé o esaraîamo? – Quem não saberia ter comido algo bom, esquecendo-se da excelência de seu sabor? (Ar., *Cat.*, 88v); [adj.: **é (r, s)**] – gostoso, saboroso: *Sé.* – Ele é gostoso. (*VLB*, I, 149) • **seba'e** – o que é saboroso: ... *Amõ seba'e irũmo nhẽ.* – Com algumas coisas que são saborosas. (Ar., *Cat.*, 111); *Seba'e-a'uba nhote resé... asé na sesaraî...* – A gente não se esquece do que é saboroso só na aparência. (Ar., *Cat.*, 88v); *Setápe pirá seba'e?* – São muitos os peixes que são gostosos? (Léry, *Histoire*, 348)

NOTA – Daí, no P.B. (SP), **ITÉ** (*'y* + *té*, "gosto de água"), sem gosto, insípido (in *Dicion. Caldas Aulete*).

é?[10] (part. que indica dúvida; de h.) – ora: *Abáp'akó é?* – Ora, quem seria aquele? (a mulher diz **ri** – v.) (*VLB*, II, 58)

eá (part. que expressa escárnio; de m.) (*VLB*, II, 139)

e'a (interj. de m.) – **1)** oh! (como diz a que, caminhando, lembra-se de ter deixado algo); **2)** (expressando espanto, admiração ou zombaria) – olhai! (ou *olhai-me lá com que me vem!*); vede isso! (o homem diz **eti** – v.) (*VLB*, II, 56; 142)

e'ã (ou **e'ama**) (part.) – não (de m.) (*VLB*, II, 46)

e'ãmaẽ (part.) – não (de m.) (Fig., *Arte*, 134; *VLB*, II, 46)

ebanõî (adv.) – daí, dali, desse lugar, dessa parte (onde tu estás) (*VLB*, I, 89): *Marãeté'ĩ ra'umope amõ Anhanga ratá pora rekôû ikó 'ara pupé oîepé îasy Tupã ebanõî suí... o moingobéreremo?...* – Como será que um habitante do inferno viveria neste mundo se Deus o fizesse viver fora dali um mês? (Ar., *Cat.*, 156v)

ebanõîa (adv.) – aí, esse lugar (em que estás) (*VLB*, I, 93): *ebanõîa suí* – daí, desse lugar (em que estás) (*VLB*, I, 93)

ebapó (adv.) – **1)** aí: *ebapó suí* – daí, desse lugar (em que estás); *ebapó rupi* – por aí, por essa parte (*VLB*, II, 82); **2)** lá (lugar distante): ... *Ebapó o soagûera suí Tupã Espírito Santo mbouri.* – De lá do lugar para onde foi fez vir o Espírito Santo. (Ar., *Cat.*, 4v; 5); *Ikó 'ara pupé abiá Tupã remimonhangûera i porãngatu, memetipó ebapó ybakypy...* – Se o que Deus fez neste mundo é muito belo, quanto mais lá, o céu primeiro. (Ar., *Cat.*, 167-167v); **3)** para lá: *N'osoî tenhẽ ebapó.* – Não foram em vão para lá. (D'Abbeville, *Histoire*, 342); ... *Ebapó ûixóbo xe anama mongetábo...* – Indo para lá para conversar com minha família. (D'Abbeville, *Histoire*, 351v)

ebikok (s) (v. tr.) – dirigir (p.ex., embarcação): *Asebikok.* – Dirigi-a. (*VLB*, I, 149)

ebikokaba (t) (s.) – leme de embarcação (*VLB*, II, 20)

ebinhỹ (r, s) (xe) (v. da 2ª classe) – escafeder-se, sair escondido e com medo: *Xe rebinhỹ gûixóbo.* – Indo, eu me escafedo. (*VLB*, I, 122)

ebira[1] (t) (s.) – **1)** nádegas (Castilho, *Nomes*, 38); traseira, anca de qualquer animal (*VLB*, II, 135): *Sebira aîpetek.* – Esbofeteei suas nádegas. (*VLB*, I, 21); *Tapi'irebira* – Traseira de Anta (antropônimo masculino) (D'Abbeville, *Histoire*, 184); **2)** partes sexuais da mulher (Castilho, *Nomes*, 38)

NOTA – Daí, no P.B., **TUBI, TIBI, TUVI** (pop.), ânus; **TUVIRA**, peixe gimnotídeo com orifício anal localizado sob a cabeça. Daí, também, o nome próprio **TIBIRIÇÁ** (v. Rel. Top. e Antrop. no final).

ebira[2] (t) (s.) – **1)** sodomia passiva; **2)** sodomita passivo, o *patiens* (*VLB*, II, 68): *Ereîkópe tebira amõ resé?* – Tiveste relações sexuais com algum sodomita? (Anch., *Doutr. Cristã*, II, 91)

NOTA – Daí, no P.B. (N.), **TIBIRA**, vaca que dá pouco leite, ou cujo leite não espuma; uma espécie de "*vaca macho*".

ebira[3] (t) (s.) – popa (de embarcação) (*VLB*, II, 81)

ebira[4] (t) (s.) – fundo de qualquer recipiente, do lado de fora (*VLB*, I, 145)

ebitapyîa (t) (etim. – *cobertura de popa*) (s.) – toldo (de barco ou navio) (*VLB*, I, 72)

ebixama (t) (etim. – *corda de popa*) (s.) – corda com que se comanda a vela da embarcação para virá-la, para tomar mais ou menos vento; escota (*VLB*, I, 123)

ebobõ (r, s) (xe) (v. da 2ª classe) – retumbar (a fala, o sino etc.) (*VLB*, II, 104)

eboî – o mesmo que **eboinga** (v.) e **eboûinga** (v.)

eboinga (dem. pron.) – esse (s, a, as); isso: *Abá-abá rerape eboinga?* – Nomes de quem são esses? (Anch., *Doutr. Cristã*, 200)

ebokûé (ou **ebokûeî**) – **1)** (dem. adj.) – esse (s, a, as): *A'epe ebokûé nde îuragûaîa pupé* *eremoerapûã abá amõ?* – E com essa tua mentira tornaste alguém famoso? (Ar., *Cat.*, 99v); **2)** (adv.) – eis que esse (s, a, as); eis aí, eis que lá (pode levar o verbo para o modo indicativo circunstancial se o anteceder): *Ebokûeî Pedro sóû.* – Eis que lá vai Pedro. (Fig., *Arte*, 94); *Ebokûé nde membyra, kunhã gûé!...* – Eis aí teu filho, ó mulher! (Ar., *Cat.*, 63); *Ebokûé asó.* – Eis que vou. (*VLB*, I, 109); *Ebokûeî i xóû.* – Eis que aí ele vai. (*VLB*, I, 109); *Ebokûeî xe sóû.* – Eis que vou. (Fig., *Arte*, 165); **3)** (adv.) – aí, lá: *Ebokûé rupi ekûab.* – Vai por aí. (*VLB*, II, 81) • **ebokûé aé** – esse mesmo (*VLB*, I, 127)

ebokûea (ou **ebokûeîa**) – **1)** (dem. pron.) – esse (s, a, as), isso (*VLB*, I, 127): *Xe resendûara ebokûea.* – Isso é referente a mim, isso é o que me concerne. (*VLB*, II, 74); **2)** (adv.) – aí, ali, lá: *ebokûea rupi* – por ali, por aí (*VLB*, II, 81)

ebokûe'ĩ (adv.) – ei-lo aí pertinho, eis aí pertinho (*VLB*, I, 109)

ebokûeîba'e (dem. pron.) – esse (s, a, as) (*VLB*, I, 127); essa coisa (*VLB*, II, 15)

ebokûeté'ĩ (adv.) – ei-lo aí pertinho, eis que aí pertinho: *Ebokûeté'ĩ turi.* – Eis que aí pertinho vem. (*VLB*, I, 109)

eboûĩ – **1)** (dem. adj.) – esse (s, a, as) (Fig., *Arte*, 85): *Eboûĩ nde resá... erobak oré koty...* – Esses teus olhos volta em nossa direção. (Ar., *Cat.*, 14v); **2)** (adv.) – eis que: *Eboûĩ abá 'anga rupîatyba a'e.* – Eis que o adversário costumeiro da alma do homem é ele. (Ar., *Cat.*, 89); **3)** (adv.) – aí, ali, esse lugar: *eboûĩ suí* – daí, desse lugar (em que estás) (*VLB*, I, 93); *eboûĩ rupi* – por aí, por ali, por esse lugar (*VLB*, II, 82)

eboûĩme (adv.) – **1)** aí (onde tu estás) (*VLB*, I, 27); **2)** ali: *Oîporará abépe mba'e amõ eboûĩme oîkóbone?* – Sofrerá também alguma coisa ali estando? (Ar., *Cat.*, 63)

eboûing (dem. adj.) – esse (s, a, as) (Fig., *Arte*, 85)

eboûinga – **1)** (dem. pron.) – esse (s, a, as), isso: *Eboûinga abépe ybakype nd'asé mondóî?* – Esse também não faz a gente ir para o céu? (Anch., *Doutr. Cristã*, I, 201); *Ogûerobîarype asé eboûinga?* – Acredita a gente nisso? (Anch., *Doutr. Cristã*, I, 220); *A'ekatu eboûinga resé.* – Sei fazer isso. (*VLB*, II, 110); **2)** lá, aquele lugar, esse lugar, aí, ali: *Osem-y bépe irã eboûinga suíne?* – Sairá também futuramente de lá? (Ar., *Cat.*, 63); *eboûinga rupi* – por aí, por ali (*VLB*, II, 82)

eboûĩba'e (dem. pron.) – essa coisa, isso (*VLB*, II, 15)

ebûinga – o mesmo que **eboûinga** (v.) (Fig., *Arte*, 85)

ebûĩ – o mesmo que **eboûĩ** (v.) (Fig., *Arte*, 85)

eburusu (t) (s.) – grandeza; estado de crescido, de adulto: *Xe putupá bé nde reburusu resé...* – Eu estou admirado também por tua grandeza. (D'Abbeville, *Histoire*, 342); *Nde reburusu riré, Tupã syramo ereîkóne.* – Após seres grande, serás mãe de Deus. (Anch., *Poemas*, 146); [adj.: **eburusu (r, s)** (irreg.)] – **1)** grande, crescido: *Xe reburusu.* – Eu sou grande. *Seburusu* – Ele é grande. (Anch., *Arte*, 13v); (Na 3ª p. pode-se usar a forma variante **turusu**): *Turusu-katupe a'e cruz erimba'e?* – Era muito grande aquela cruz? (Ar., *Cat.*, 61v); *Kunumĩ turusu.* – O menino é grande. (Fig., *Arte*, 75); *Turusupe?* – Elas são grandes? (Léry, *Histoire*, 363); *Turusu xe kane'õ.* – Grande é meu cansaço. (Anch., *Poemas*, 152); **2)** muito (em quantidade) (*VLB*, II, 44): *Xe ky'a-te turusu...* – Mas minha sujeira era muita. (Anch., *Teatro*, 172); *Sugûy turusu.* – Seu sangue era muito. (Anch., *Poemas*, 120) • **eburusu nhote** (ou **turusu-nhote** ou **turusu-katu-nhote**) **(r, s)** – meão, médio, não muito grande (*VLB*, II, 34): *Xe reburusu nhote.* – Eu sou médio. (*VLB*, II, 34); **turusu bé'ĩ** – maior algum tanto (*VLB*, II, 28); **turusu-eté** – maior (com **suí** ou **sosé**): *Peró turusu-eté nde suí.* – Pedro é maior que tu. (*VLB*, II, 28); *Xe roka turusu-eté nhẽ opakatu oka sosé.* – Minha casa é maior que todas as casas. (Fig., *Arte*, 80); **turusu-katu-eté** – muito maior (*VLB*, II, 28)

ebyk (r, s) (xe) (v. da 2ª classe) – agradar; ter bom sabor; fartar (a comida), cevar (com o bom gosto): *Seby-sebykĩ ixébo.* – Vai fartando a mim (a comida). (*VLB*, I, 71)

ebykasy (t) (s.) – diarreia (branda, com evacuação de água somente); [adj.: **ebykasy (r, s)**] – diarreico; **(xe)** ter diarreia: *Xe rebykasy.* – Eu tenho diarreia. (*VLB*, I, 64)

ebykasy-piranga (t) (etim. – *diarreia vermelha*) (s.) – diarreia com eliminação de sangue; [adj.: **ebykasy-pirang (r, s)**] **(xe)** – ter diar-

ebykatã

reia com sangue: *Xe rebykasy-pirang.* – Eu tenho diarreia com sangue. (*VLB*, I, 64)

ebykatã (t) (s.) – ato de empanturrar-se (de comer); [adj: **ebykatã (r, s)**] – empanturrado: *Xe rebykatãgûasu.* – Eu estou muito empanturrado. (*VLB*, I, 112)

eé (s) (v. tr.) – limar, ralar: *Aseé.* – Ralo-o. (Anch., *Arte*, 28; Fig., *Arte*, 110); *Seébo.* – Ralando-o. (Fig., *Arte*, 110; *VLB*, II, 22)

e'ẽ (t) (s.) – sabor; [adj.: **e'ẽ (r, s)**] – saboroso (doce ou salgado): *Îuky-karaíba oîmondeb nde îurupe ta se'ẽngatu Tupã nhe'enga... i xupé...* – Sal bento pôs na tua boca para que seja muito saborosa a palavra de Deus a ela. (Ar., *Cat.*, 188) • **se'ẽba'e** – o que é saboroso, o que é doce, o que é salgado, o que tem sabor: *Salve Rainha, moraûsubara sy, tekobé, se'ẽba'e...* – Salve Rainha, mãe de misericórdia, vida, a que é doce. (Ar., *Cat.*, 14); **e'ẽ-moxy (r, s)** – salgado demais, que não se pode comer: *Se'ẽ-moxy.* – Ele está salgado demais. (*VLB*, II, 112); **e'ẽ-byk (r, s)** – salobra (a água); *Se'ẽ-byk.* – Ela é salobra. (*VLB*, II, 112, adapt.)

NOTA – Daí, no P.B., **GURANHÉM** (ou **GUARANHÉM, GURAÉM, EMBIRAÉM, EMIRAÉM, IVURANHÊ**) (*ybyrá + e'ẽ*, "madeira doce"), pau-doce, monésia, árvore da família das sapotáceas (*Pradosia glycyphloea*), habitante da mata pluvial e conhecida pela casca grossa, leitosa e de sabor adocicado; **CAAEÉ** (*ka'a + e'ẽ*, "planta doce"), subarbusto da família das compostas, a *Stevia*, de flores com glicirrizina, tida como adoçante; **PIRAÉM** (Amaz.) (*pirá + e'ẽ*, "peixe salgado"), o pirarucu salgado e seco.

eẽ (adv.) – 1) sim (de h. e m.) (Fig., *Arte*, 133): – *Ereîupe, Saraûaî? – Eẽ.* – Vieste, Sarauaia? – Sim. (Anch., *Teatro*, 24); 2) ah, sim! é mesmo! ah, muito bem! bem empregado te seja! bom proveito! (*VLB*, I, 45); 3) ah, já entendi! (*VLB*, II, 7; 44) • **eẽ hẽgûé** (ou **eẽhẽgûy**) (de h.) e **eẽ îu** (de m.) – Ah, sim! É mesmo! (como que entendendo, afinal, alguma coisa ou lembrando-se dela) (*VLB*, II, 7; 117)

NOTA – No Maranhão e no Pará ainda se ouve *eẽ*, significando *sim*.

egûama¹ (t) – ferida mortal ou o lugar dela (*VLB*, II, 42)

egûama² (t) – o mesmo que **e'õagûama (t)** [v. **e'õ (t)**]

egûyrõ (t) (s.) – cio; sensação carnal, excitação sexual: *Nde regûyrõpe nde agûasá resé?* – Tu tiveste excitação com teu amante? (Ar., *Cat.*, 235); [adj.: **egûyrõ (r, s)**] – excitado; **(xe)** estar no cio; ter sensação carnal, ter excitação • **segûyrõba'e** – o que está no cio; o que tem excitação: *A'epe o agûasá resé segûyrõba'e, marã?* – E o que tem excitação por sua amante, que acontece? (Ar., *Cat.*, 72)

eî (-îo-, -s-) (v. tr. irreg. Incorpora -îo- e -s- no indicativo e formas derivadas deste) – lavar: *... Og ugûy pupé xe reî...* – Com seu sangue me lavou. (Anch., *Teatro*, 172); *Oîepó-eî te'yîa remiepîakamo.* – Lavou-se as mãos à vista da multidão. (Ar., *Cat.*, 61); *T'aîeîuru-eî.* – Que eu me lave a boca. (Léry, *Histoire*, 367); *Eîori xe 'anga reîa...* – Vem para lavar minha alma. (Anch., *Poemas*, 170)

e'i – 3ª p. do indic. do verbo **'i / 'é** (v.)

eîar (ou **eîá**) (s) (v. tr.) – 1) deixar (no sentido de *abandonar*): *Oîabab i xuí, seîá...* – Fugiram dele, deixando-o. (Ar., *Cat.*, 55); *... Aseîá kûesé xe roka...* – Deixei ontem minha casa. (Anch., *Poemas*, 112); *Ybaka rasapa, osó, nde reîá...* – Atravessando o céu foi, deixando-te. (Anch., *Poemas*, 124); 2) deixar (no sentido de *pôr à disposição, legar, entregar*): *Kó santo o mbo'esara rekopûera erimba'e oîkûatiar îandébo, seîá.* – Esse santo a vida de seu mestre escreveu para nós, deixando-a. (Ar., *Cat.*, 134); 3) omitir, pôr de lado: *Xe resaraî é gûitekóbo, n'aseîá-potá ruã!* – Eu estava, mesmo, esquecendo, não que o quisesse omitir. (Anch., *Teatro*, 180, 2006) • **eîasaba (t)** – tempo, lugar, companhia, modo etc. de deixar: *Ouîebype erimba'e o boîá reîasagûerype?* – Voltou a vir ao lugar em que tinha deixado seus discípulos? (Ar., *Cat.*, 53); **emieîara (t)** – o que alguém deixa: *Cristãos i mongaraibypyra tekokuaparamo Cristo remieîara...* – O que Cristo deixa como chefes dos cristãos batizados. (Ar., *Cat.*, 6-6v); **seîarypyra** – o que é (ou deve ser) deixado: *Seîarypyrama ruã-tepe mba'e tetiruã kûáî?* – Acaso o que será deixado é tudo? (Ar., *Cat.*, 165)

e'îara – v. **'i / 'é** (Fig., *Arte*, 55)

e'ikatu – v. **'ikatu / 'ekatu**

eîké (t) – v. **iké / eîké (t)**

eîkûakytã (t) (etim. – *verruga do ânus*) (s.) – hemorroidas (*VLB*, I, 32)

eîkûara (t) (s.) – 1) ânus (Castilho, *Nomes*, 38); sesso; 2) nádegas (*VLB*, II, 84)

eîkûaratĩ (t) (etim. – *saliência do ânus*) (s.) – hemorroidas (*VLB*, I, 32)

eîkûarugûy (t) (etim. – *sangue do ânus*) (s.) – diarreia com eliminação de sangue; [adj.: **eîkûarugûy (r, s)**] **(xe)** – ter diarreia (com sangue): *Xe reîkûarugûy*. – Eu tenho diarreia com sangue. (*VLB*, I, 64; D'Abbeville, *Histoire*, 183v)

eîkûaru'umbok (s) (v. tr.) – desemporcalhar, tirar a sujeira das fezes do que defecou: *Aseîkûaru'umbok*. – Desemporcalhei-o. (*VLB*, II, 22)

eîmbaba (t) (s.) – MUMBAVO, MUMBAVA, XERIMBABO, animal de criação, criação, o animal que alguém cria, a cria: *abá reîmbaba îukábo*... – matando as criações de alguém (Ar., *Cat.*, 72v); *O eîmbaba îagûara... resé oîepyka, abá n'oîmomba'e'uî*... – Para se vingar de seu cão que cria, um homem não o alimenta. (Ar., *Cat.*, 11); *xe reîmbaba tapi'ira* – a vaca que crio (Anch., *Arte*, 14v); *Xe reîmbaba endé*. – Tu és minha cria. (Staden, *Viagem*, 65); [adj.: **eîmbab (r, s)**] **(xe)** – ter criações: *Xe reîmbab*. – Eu tenho criações. (*VLB*, I, 85)

NOTA – MUMBAVA pode ter outros sentidos correlatos: 1) *agregado*; 2) *apaniguado*; 3) *capanga* (in *Dicion. Caldas Aulete*).

eîor – 2ª p. do sing. irreg. do imper. de **îur / ur(a) (t, t)** (v.) (Anch., *Arte*, 57v)

eîori – 2ª p. do sing. irreg. do imper. de **îur / ur(a) (t, t)** (Anch., *Arte*, 57v): *Eîori i mosykyîébo*... – Vem para amedrontá-lo. (Valente, *Cantigas*, II, in Ar., *Cat.*, 1618); *Eîori nde retamûama repîaka*. – Vem para ver tua futura terra. (Léry, *Histoire*, 341); *Eîori, mba'e-nem...!* – Vem, coisa fedorenta! (Anch., *Teatro*, 44); *Eîori, eîori!* – Vem, vem! (Carder, *The Rel.*, 1188)

eíra[1] (s.) – mel de abelhas (*VLB*, II, 35; Piso, *De Med. Bras.*, IV, 178)

NOTA – Daí, o nome de pessoa IRACI (ou ARACI), o nome geográfico IRAJÁ etc. (v. Rel. Top. e Antrop. no final).

eíra[2] (s.) – abelha (D'Abbeville, *Histoire*, 255)

NOTA – Daí, no P.B., IRÁ, var. de abelha que faz ninhos no chão; TATAÍRA (*tatá* + *eíra*, "abelha de fogo"), nome de abelha da família dos meliponídeos; ARAMÁ, abelha muito agressiva da Amazônia; JANDAÍRA, var. de abelha etc.

eíra-akûãîetá (etim. – *abelha de muitos pênis*) (s.) – variedade de abelha da família dos meliponídeos (Anch., *Cartas*, 133)

eirapu'a (etim. – *abelha de bola*) (s.) – IRAPUÁ, ARAPUÃ, abelha da família dos meliponídeos, que nidifica no alto das árvores, com "casas" em forma de uma bola de meio metro de diâmetro (D'Abbeville, *Histoire*, 319; *VLB*, I, 18)

eîrara (etim. – *toma mel*) (s.) – IRARA, animal carnívoro da família dos mustelídeos, também conhecido como *papa-mel* (Cardim, *Trat. Terra e Gente do Brasil*, 28)

eîririku (s.) – nome de uma abelha (Piso, *De Med. Bras.*, IV, 178)

eîru (s.) – IRU, nome genérico de abelhas da família dos meliponídeos. "Fazem o ninho no ar... e criam mel muito bom e alvo..." (Sousa, *Trat. Descr.*, 240)

eiruba (etim. – *pai do mel*) (s.) – espécie de abelha (Piso, *De Med. Bras.*, IV, 178; *VLB*, I, 18)

eirusu (s.) – URUÇU, IRUÇU, GUIRUÇU, nome dado a várias espécies brasileiras de abelhas grandes da família dos meliponídeos (Piso, *De Med. Bras.*, IV, 178; *VLB*, I, 18)

e'itenhẽmo (conj.) – para que não (acontecesse) (Fig., *Arte*, 135)

e'itenhẽumo (conj.) – para que não (aconteça) (Fig., *Arte*, 135)

eîtyk – v. **ityk / eîtyk(a) (t)** (Anch., *Arte*, 58v)

eîxu (s.) – ENXU, var. de vespa (Piso, *De Med. Bras.*, IV, 178)

NOTA – No P.B., ENXU pode ser também a casa ou a colmeia feita por essa vespa (in *Dicion. Caldas Aulete*).

eîxûá (s.) – nome de uma ave de rapina falconiforme (*VLB*, I, 125; *Theat. Rer. Nat. Bras.*, I, 159)

eîxûagûasu (s.) – nome de uma ave de rapina (*VLB*, I, 125)

eîxûamirĩ (s.) – nome de uma ave de rapina (*VLB*, I, 125)

eîxu'i (s.) – ENXUÍ, nome de um inseto vespídeo, agressivo, que produz bom mel (*VLB*, I, 55)

eîyî

eîyî (s) (v. tr.) – **1)** afastar (de lugar), desviar, tirar de um lugar para outro: *Aseîyî (abá) suí.* – Afastei-o do homem. (*VLB*, I, 22, adapt.); ... *Sekó-poxy suí îandé reîyîa.* – De sua vida má nos afastando. (Anch., *Poemas*, 88); *Ne'î, taûîé, xe reîyîa...* – Eia, depressa desviando-me. (Anch., *Poemas*, 98); **2)** repelir: *Maria t'îambory, Anhanga rekó reîyîa.* – Que a Maria alegremos, a lei do diabo repelindo. (Anch., *Poemas*, 188); *Eseîyî-ukar umẽ iké suí xe retama.* – Não o deixes afastar daqui minha morada. (Anch., *Poesias*, 58)

ekar (s) (v. tr.) – buscar, procurar: ... *T'oroakypûer-eká.* – Que eu te busque as pegadas. (Anch., *Poemas*, 98); *Kó xe rekóû nde reká...* – Eis que aqui estou para te procurar. (Anch., *Poemas*, 104); *Iesu Nazareno orosekar...* – Procuramos Jesus Nazareno. (Ar., *Cat.*, 54); *Mba'e-tepe peseká kó xe retama pupé?* – Mas que procurais nesta minha terra? (Anch., *Teatro*, 28); *Asekar îepé.* – Busquei-o em vão. (Fig., *Arte*, 142); *Ma'epe eresekar?* – Que procuras? (D'Evreux, *Viagem*, 144) • **ekasara** (t) – o que busca, o que procura: *Se'yî nhẽ nde rekasara.* – São numerosos os que te procuram. (Valente, *Cantigas*, IV, in Ar., *Cat.*, 1618); **ekasaba** (t) – tempo, lugar, causa, objeto etc. do buscar, do procurar: *Na sekasaba kuabe'yma ruã.* – Não que não soubesse o que buscava. (Ar., *Cat.*, 54); *N'aker-angaî sekasápe...* – Não dormi absolutamente para procurá-los. (Anch., *Teatro*, 48); **emiekara** (t) – o que alguém busca; o que alguém procura; meta, alvo, objetivo: *xe 'anga remiekara* – o que minh'alma busca (Valente, *Cantigas*, III, in Ar., *Cat.*, 1618); *Anheté kó nde rapé a'e nde remiekara.* – Verdadeiramente, eis aqui teu caminho, aquele que tu procuras. (Anch., *Teatro*, 164, 2006)

ekate'yma (ou **ekoate'yma**) (t) (s.) – avareza: *Tekate'yma robaîara tekate'yme'yma.* – O oposto da avareza é a liberalidade. (Ar., *Cat.*, 18); [adj.: **ekate'ym** (r, s)] – avaro: ... *Pe rekate'ym sesé...* – Vós sois avaros com ele. (Ar., *Cat.*, 89)

ekoate'ŷmbaba (t) (s.) – o que é reservado, a reserva, a exclusividade: *E'u umẽ ikó 'ybá xe rekoate'ŷmbaba...* – Não comas este fruto que me é reservado. (Ar., *Cat.*, 155)

'ekatu (s.) – força, poder: ... *Nde 'ekatu kó 'ara moapysyki.* – Teu poder aquietou este mundo. (Valente, *Cantigas*, V, in Ar., *Cat.*, 1618)

NOTA – Daí, o nome do município paulista de **ECATU** (v. Rel. Top. e Antrop. no final).

'ekatuaba¹ (s.) – a mão direita (*VLB*, II, 32; Castilho, *Nomes*, 31): *Mba'epe oîme'eng i 'ekatuápe?* – Que deram à sua mão direita? (Ar., *Cat.*, 60v); (adj.: **'ekatuab**) – dotado de mão direita; (**xe**) ter mão direita: *I pópe Tupã-Tuba, i 'ekatuápe, i asupe?* – Deus-Pai tem mãos, tem mão direita, tem mão esquerda? (Ar., *Cat.*, 45)

'ekatuaba² (s.) – a direita, a parte direita, o lado direito: *Anheté pesepîak irã Tupã Tuba 'ekatuaba koty xe gûapyka xe renane...* – Na verdade, ver-me-eis futuramente estar sentado ao lado direito de Deus-Pai. (Ar., *Cat.*, 56-56v) • **'ekatuápe** – à direita, do lado direito: *Îesu 'ekatuápe nde nhõ ereîmbé.* – À direita de Jesus tu somente estás. (Anch., *Poemas*, 126)

'ekatuaba³ (s.) – poder; potência: *Mosapyr ma'e resé asé 'anga 'ekatuaba.* – Três são as potências de nossa alma a respeito das coisas. (Ar., *Cat.*, 19v)

eke'yra (t, t) (s.) – irmão, primo (filho de tio paterno) ou sobrinho (filho de irmão) mais velhos (de h.): – *Abá abépe asé oîmoeté aîpó Tupã nhe'enga mopóne?* – *Ogû eke'yra...* – Quem mais a gente honrará para cumprir aquela palavra de Deus? – A seu irmão mais velho. (Ar., *Cat.*, 69)

ekó¹ (t) (s.) – lei, determinação, regra, costume (*VLB*, II, 19): *Îori, t'ereîá sekó.* – Vem, para que recebas a lei deles. (Anch., *Teatro*, 46); *Ã tekó a'ereme moreroka.* – Eis que era costume, então, batizar. (Ar., *Cat.*, 3); ... *Tekó-katu aby potare'yma* – Não querendo transgredir a boa lei. (Ar., *Cat.*, 125v); ... *Asé 'anga rekorama oîmonhang asébe.* – As leis de nossa alma fez para a gente. (Anch., *Doutr. Cristã*, I, 224) • **sekoba'e** – o que é costume, o que está acostumado: *Sekoba'e ixé.* – Eu sou acostumado. (*VLB*, II, 140)

NOTA – No P.B. (N.), **TECÓ** é 1) cacoete, sestro; 2) hábito, modo de ser habitual (in Dicion. Caldas Aulete).

ekó² (t) (s.) – cultura, conjunto de valores: *Nde rekokatu potá, aroŷrõ xe rekopûera.* – Querendo tua virtude, detesto minha cultura antiga. (Anch., *Poemas*, 104); *Xe anama, erimba'e, tekó-ypyramo sekóû.* – Minha nação, outrora, estava de acordo com a cultura primeira. (Anch., *Poemas*, 114)

ekó³ (t) (s.) – estado, condição: *Marã sekó resépe i angekoaíba îekuabi?* – Por qual estado seu transparecia sua angústia? (Ar., *Cat.*, 53); *Xe rekó anhẽ nhẽ nakó emonã.* – Eis que minha condição, na verdade, é assim. (*VLB*, I, 79)

ekó⁴ (t) (s.) – fato, coisa; acontecimento: *... Tekorama mombegûabo.* – Anunciando os acontecimentos futuros. (Ar., *Cat.*, 159v); *Nd'e'ikatuî abá îuru Anhanga ratápe tekó-asyeté mombegûabo.* – Não pode a boca de ninguém contar as coisas muito dolorosas no inferno. (Ar., *Cat.*, 163); *Oîepé mi'u pupé esepîak tekó paraba...* – Dentro de um só pão vê tu a variedade de coisas. (Valente, *Cantigas*, VIII, in Ar., *Cat.*, 1618); *Nd'e'ikatuîpe abaréramo oîkoe'ymba'e emonã tekó monhanga?* – Não pode o que não é padre fazer as coisas assim? (Ar., *Cat.*, 93v); *I porangeté ã tekó îandébe.* – São muito belas estas coisas para nós. (Léry, *Histoire*, 355)

ekó⁵ (t) (s.) – ato, procedimento, ação: *I porãngatu sekó.* – É muito belo seu proceder. (Anch., *Teatro*, 136); *O ekó moasy riré, abá soú îemombegûabo...* – Após arrependerem-se de seu procedimento, os índios vão confessar-se. (Anch., *Teatro*, 38)

ekó⁶ (t) (s.) – vida: *Tekó-katu arekó.* – Tenho vida boa. (*VLB*, II, 145); *... xe 'anga rekó-puku.* – vida longa de minha alma (Valente, *Cantigas*, VIII, in Ar., *Cat.*, 1618); *Asekó-monhang Pedro.* – Faço Pedro ter vida (isto é, *dou ordem de vida a Pedro*). (Fig., *Arte*, 88)

ekó⁷ (t) (s.) – ser, modo de ser: *A'e anhẽ mosapyr pessoaamo i îa'oki, oîepé og ekó-karaíba îese'ara pupé nhẽ.* – Eles, na verdade, em três pessoas se distinguem, na união de seu único ser divino. (Anch., *Doutr. Cristã*, I, 134); *Xe rekó-aé arekó.* – Tenho meu modo de ser diferente. (*VLB*, I, 103)

ekó⁸ (t) (s.) – afazeres; ofício, ocupação: *T'osyk esapy'a xe rekó.* – Que acabem logo meus afazeres. (Ar., *Cat.*, 110v)

ekó⁹ (t) (s.) – estada, permanência: *Kori, nã, îandé rekó îandé moarûapa angá.* – Hoje, assim, nossa estada de modo nenhum nos impedem. (Anch., *Teatro*, 148, 2006)

ekoaba¹ (t) (s.) – **1)** modo de ser, essência, natureza: *Sekoaba nhẽpe?* – É o modo de ser deles? (ou *É natural deles?*) (Anch., *Doutr. Cristã*, I, 158); *Sekoaba nhẽ.* – É natural dele (p.ex., um sinal que tem no rosto, que sempre ali esteve, que sempre foi assim e não é coisa nova). (*VLB*, II, 48); **2)** característica: *... apŷabaíba... rekoaba é...* – característica de homem mau (Ar., *Cat.*, 107v)

ekoaba² (t) (s.) – costume, uso: *Kokoty paranã aé rame'ĩ o abaetéramo erimba'e gûekoagûera sosé...* – E, por outra parte, semelhantemente, o próprio mar será mais terrível do que foi seu costume. (Ar., *Cat.*, 159v); [adj.: **ekoab (r, s)**] – costumeiro, usual: *Sekoab apŷabangaturama i porerekó-katu.* – É usual os bons homens tratarem bem as pessoas. (Léry, *Histoire*, 353) • **sekoaba'e** – o que é comum, o que é usual: *Sekoaba'e kûê kunhã oré akanga i apiti...* – O que é comum é aquela mulher quebrar em pedaços nossas cabeças. (Anch., *Teatro*, 184, 2006)

ekoaba³ (t) (s.) – procedimento, ação, ato: *... sekoagûera repyramo...* – como retribuição por seu procedimento... (Ar., *Cat.*, 154v); *Nd'ereîkuabipe Tupã îandé rubypy oîepé nhõ sekoaba suí i mosemagûera...?* – Não sabes que Deus expulsou nosso pai primeiro por causa de um só ato seu? (Ar., *Cat.*, 112); *Îandé Îara rekoagûera ra'anga motá...* – Querendo imitar os atos de Nosso Senhor. (Ar., *Cat.*, 160)

ekoaba⁴ (t) (s.) – afazeres, ocupação, ofício: *xe rekoaba* – meu ofício; *Peró rekoaba* – o ofício de Pedro (*VLB*, II, 55)

ekoaba⁵ (t) (s.) – **1)** morada provisória, lugar de estar: *... So'o, pirá, gûyrá retãme'engaba é ikó 'ara; îandé rekoabamo nhote rimba'e pa'i Tupã îandébe i me'engi biã...* – Este mundo é a terra prometida dos animais quadrúpedes, dos peixes e dos pássaros; como nossa morada provisória, somente, o Senhor Deus a deu para nós. (Ar., *Cat.*, 166v); **2)** morada permanente: *Tupã îandé rekomonhang'iré... mokõî nhõ abá rekoabane: koniã ybaka Tupã raûsupara rekoabamo, koniã Anhanga ratá i angaîpaba'e rekoabamono.* – Após Deus nos julgar, duas somente serão as moradas dos homens: de um lado, o céu, como morada dos que amam a Deus, e, doutro lado, o inferno, como a morada dos que são pecadores. (Ar., *Cat.*, 163)

ekoabaé (ou **ekoabanhẽ**) (adv.) – naturalmente (*VLB*, II, 48)

ekoabok[1]

ekoabok[1] (s) (v. tr.) – despejar (p.ex., um vaso ou o conteúdo dele): *Asekoabok.* – Despejei-o. (*VLB*, I, 100)

ekoabok[2] (s) (v. tr.) – mudar (o propósito, a promessa; o parecer; o trajo, a condição etc.), modificar: *Asekoabok xe nhe'enga.* – Mudei minhas palavras. (*VLB*, II, 44); *Xe ikó asaûsu pe 'anga... tekopûera rekoaboka.* – Eis que eu amo vossas almas, modificando os costumes antigos. (Anch., *Teatro*, 186)

ekoaíba[1] (t) (etim. – *mau estado, má condição*) (s.) – **1)** menstruação (*VLB*, I, 84); **2)** mênstruo (*VLB*, II, 36)

ekoaíba[2] (t) (etim. – *mau estado, má condição*) (s.) – pecado, vício, maldade: *Opabĩ tekoaíba mondebi-katu o py'ape.* – Todos os vícios colocaram bem em seus corações. (Anch., *Teatro*, 10); ... *Eboinga tekoaíba nd'oîkuabi...* – Essas não conhecem o pecado. (Anch., *Doutr. Cristã*, I, 202); ... *Tekoaíba oromombó.* – O vício atiramos fora. (Anch., *Poemas*, 84)

ekoangaîpaba (t) (etim. – *mau proceder*) (s.) – maldade; pecado: *Xe 'anga omonem tekoangaîpaba.* – A maldade fez feder minha alma. (Anch., *Poemas*, 106); *Ta xe pe'a Tupã tekoangaîpaba suí...* – Que me livre Deus do pecado. (Ar., *Cat.*, 21v)

ekoate'yma (t) – o mesmo que **ekate'yma** (t) (v.)

ekoate'yme'yma (t) (etim. – *falta de avareza*) (s.) – liberalidade: *Tupã myatã-eté-eté, sekoate'yme'ymeté-eté...* – A imensa força de Deus, sua imensa liberalidade. (Bettendorff, *Compêndio*, 62); [adj.: **ekoate'yme'ym (r, s)**] – liberal: *abá-ekoate'yme'yma* – homem liberal (*VLB*, II, 21)

ekoaûîé (t) (etim. – *o estar pronto*) (s.) – prontidão, presteza; [adj.: **ekoaûîé (r, s)**] – pronto, prestes, preparado: *Marãpe erimba'e sekóû o e'õ îanondé o ekoaûîéramo?* – Que fez antes de morrer, estando pronto? (Ar., *Cat.*, 52); *Sekoaûîépe gûaîtaká koîpó gûaîanã ra'yra?* – Está pronto o guaitacá ou o filho do guaianá? (Anch., *Teatro*, 62)

ekobé (t) (s.) – vida: ... *Tekobé îara.* – Senhora da vida. (Anch., *Poemas*, 88); ... *îandé rekobé me'engara...* – doador de nossa vida (Anch., *Poemas*, 90); *Oré raûsubá îepé oré rekobé pukuî.* – Tem tu compaixão de nós durante nossa vida. (Anch., *Teatro*, 122); [adj.: **ekobé (r, s)**] – vivo: *itá-ekobé* – metal vivo, isto é, o mercúrio (*VLB*, I, 49) ● **ekobeaba (t)** – lugar, tempo, modo etc. da vida, do viver: *Ixé aé sapysarûera, sekobeaba resé.* – Eu mesmo sou quem o queimou, no tempo em que ele vivia. (Anch., *Teatro*, 18). V. tb. **ikobé / ekobé (t)**

ekobeîebyraba (t) (etim. – *volta à vida*) (s.) – ressurreição: *Arobîar asé rekobeîebyragûama.* – Creio na nossa futura ressurreição. (Anch., *Doutr. Cristã*, I, 142)

ekobekatu (t) (etim. – *vida boa*) (s.) – **1)** felicidade, bem-estar: ... *Sekobekaturama resé bé onhemboryryîa.* – Interessando-se também por sua felicidade. (Ar., *Cat.*, 123); **2)** saúde (*VLB*, II, 113; Marcgrave, *Hist. Nat. Bras.*, 276)

ekobîara (t) (s.) – **1)** substituto, sucessor: ... *Îudas Tupã Ta'yra me'engarûera rekobîaramo tari...* – Tomou-o como substituto de Judas, que entregara Deus-Filho. (Ar., *Cat.*, 121-122); *Té! Oîpotareté îandé ramuîa o ekobîareté îandébe.* – Ah, nossos avós muito quiseram verdadeiros substitutos seus para nós. (Léry, *Histoire*, 356); *Asó nde rekobîaramo.* – Vou como teu substituto. (Anch., *Arte*, 44v); **2)** substituição, troco, troca: *Sekobîaramo aîme'eng.* – Dei-o em troca. (*VLB*, I, 90); *Seîmbaba rekobîaramo amõ aîme'eng i xupé.* – Em troca de sua criação, dei-lhe outra. (*VLB*, II, 103)

ekobîarõ (s) (v. tr.) – mudar (o propósito, a promessa etc.), substituir, trocar; desdizer (fal. de palavras): *Asekobîarõ xe nhe'enga.* – Desdisse minhas palavras. (*VLB*, I, 97); *E'ikatupe asé... ogûera rekobîarõmo?* – Pode a gente trocar seu próprio nome? (Ar., *Cat.*, 83v); *Asekobîarõ seîmbaba i xupé.* – Troquei-lhe uma criação. (*VLB*, II, 103) ● **sekobîarõmbyra** – o que é (ou deve ser) substituído, o que é (ou deve ser) trocado: *Sekobîarõmbyrape temirekó-eté...?* – Deve ser substituída a esposa verdadeira? (Ar., *Cat.*, 96)

ekoesaba (t) (s.) – gênero, tipo, diferenciação: *Onheangerekó-katu opabinhẽ o angaîpagûera resé... sekoesaba resé, i papasaba resé bé...* – Reflete muito acerca de todos os seus antigos pecados, acerca de seus gêneros e acerca de seu número. (Bettendorff, *Compêndio*, 92)

ekoeté (t) (etim. – *proceder verdadeiro*) (s.) – esforço; magnanimidade (para realizar coisas árduas e perigosas) (*VLB*, I, 124; II, 28)

ekoetee'yma (t) (etim. – *falta de procedimento verdadeiro*) (s.) – **1)** covardia; timidez; [adj.: **ekoetee'ym (r, s)**] – covarde, tímido: *abá-ekoetee'yma* – homem covarde (*VLB*, I, 84); **2)** molengão (*VLB*, II, 40)

ekokatu (t) (etim. – *vida boa*) (s.) – **1)** felicidade: *Asé rekokaturama mombegûabo.* – Anunciando nossa futura felicidade. (Ar., *Cat.*, 93v); **2)** virtude: *Îesu, tekokatu îara...* – Jesus, senhor da virtude. (Valente, *Cantigas*, I, in Ar., *Cat.*, 1618); *... nde rekokatu ra'anga.* – imitando tua virtude (Anch., *Poemas*, 98); **3)** justiça: *... tekokatu 'useîtara...* – o que tem sede de justiça. (Ar., *Cat.*, 19); **4)** paz, quietação, sossego (Bettendorff, *Compêndio*, 20; *VLB*, II, 68) • **ekokatûaba** (ou **ekokatusaba**) (t) – tempo, lugar, modo, causa etc., da felicidade, da virtude; virtude, felicidade: *Abá supé sekokatusagûama mombe'u.* – Contar aos homens a futura felicidade deles. (Ar., *Cat.*, 18v)

ekokatueté (t) (etim. – *felicidade verdadeira*) (s.) – bem-aventurança: *Tekokatueté rerekoara onherane'ymba'e...* – O que tem a bem-aventurança é o que não agride. (Ar., *Cat.*, 18v-19)

ekokuab¹ (ou **ekokugûab**) (s) (v. tr.) – conhecer, reconhecer: *Oîabypemo abá Tupã nhe'enga emonã sekokuapa...?* – Transgrediria o homem a palavra de Deus assim os conhecendo? (Ar., *Cat.*, 94v); *... Abá Tupãetéramo sekokuabi?* – Os homens reconheceram-no como Deus verdadeiro? (Ar., *Cat.*, 42v)

ekokuab² (ou **ekokugûab**) (s) (v. tr.) – julgar; sentenciar: *... Abaré serekoara aé t'osekokuab.* – O próprio padre responsável por eles que o julgue. (Ar., *Cat.*, 128v)

ekokuapaba (t) (s.) – julgamento: *Tupã asé rekokuapaba* – O julgamento de Deus de nós. (Ar., *Cat.*, 20)

ekombegûé (t) (etim. – *modo de ser lento*) (s.) – **1)** fleugma; moleza de ânimo; **2)** molengão; [adj.: **ekombegûé (r, s)**] – molengão: *Xe rekombegûé.* – Eu sou molengão. (*VLB*, II, 40)

ekomemûã (t) (s.) – **1)** mal-estar, infelicidade: *... Sekomemûã potare'yma.* – Não querendo sua infelicidade. (Ar., *Cat.*, 75); **2)** erro, engano (*VLB*, I, 116): *Sekomemûãneme senonhẽ-nonhena...* – Ficando a repreendê-lo por ocasião de seu erro. (Ar., *Cat.*, 127v); **3)** injustiça (*VLB*, II, 12); **4)** malícia (*VLB*, II, 29); **5)** opróbrio (*VLB*, II, 57)

ekomemûãaba (t) (s.) – maldade: *Nde rekomemûãagûera repyme'ẽngatu roîré, t'ereîekosubeté tekoporanga resé.* – Após resgatares bem tuas maldades antigas, que te regozijes muito com a virtude. (Ar., *Cat.*, 250)

ekomondyk (s) (v. tr.) – julgar: *... oîkobeba'e, omanõba'epûera pabẽ rekomondyka.* – ... para julgar todos os que vivem e os que morreram. (Bettendorff, *Compêndio*, 59)

ekomondykaba (t) (s.) – juízo, julgamento: *Tupã îandé rekomondykaba rupi...* – Segundo o julgamento de nós por Deus. (Ar., *Cat.*, 159)

ekomonhang (s) (v. tr.) – **1)** governar, comandar, dar leis para, determinar, dar determinações para, dar ordens para...: *Îori xe rekomonhanga...* – Vem para me governar... (Valente, *Cantigas*, VII, in Ar., *Cat.*, 1618); *Osekomonhangype a'ereme Tupã îandé rubypy?* – Deus deu, então, determinações para nosso pai primeiro? (Ar., *Cat.*, 39v); **2)** julgar, sentenciar: *Oîkobeba'e, omanõba'epûera pabẽ rekomonhanga.* – Para julgar todos os que vivem e os que morreram. (Ar., *Cat.*, 47); **3)** aconselhar (*VLB*, I, 20); **4)** reformar nos costumes (*VLB*, II, 99)

ekomonhangaba (t) (s.) – **1)** mandamento, ordem, determinação: *... Pe rekomonhangaba aîmondó benhẽ peemẽ.* – Envio-vos de novo determinações a vós. (Camarões, *Cartas*, 19 de agosto de 1645); **2)** lei, regimento (*VLB*, II, 19); ordenação, estatuto (*VLB*, II, 58); **3)** rito; sentença (*VLB*, II, 116) • **ekomonhangábo** – segundo a lei, segundo o rito: *... Îudeos ekomonhangábo...* – Segundo o rito dos judeus. (Ar., *Cat.*, 3)

ekomonhangara (t) (s.) – juiz, julgador: *... Îesu Cristo, tekomonhangara...* – Jesus Cristo, o juiz (Ar., *Cat.*, 162v)

ekonhote'yma (t) (s.) – bulício, agitação, travessura; [adj.: **ekonhote'ym (r, s)**] – *abá-ekonhote'yma* – homem buliçoso (*VLB*, I, 57)

ekonongatu (s) (v. tr.) – regenerar, reformar nos costumes: *Asekonongatu.* – Reformo-o nos costumes. (*VLB*, II, 99)

ekoporanga (t) (etim. – *modo de ser belo*) (s.) – virtude: *... T'ereîekosubeté tekoporanga resé.*

ekoporeaûsuba¹
– Que te regozijes muito com a virtude. (Ar., Cat., 250)

ekoporeaûsuba¹ (t) (s.) – moleza; [adj.: **ekoporeaûsub (r, s)**] – mole, molengão: *Xe rekoporeaûsub.* – Eu sou molengão. (*VLB*, II, 40)

ekoporeaûsuba² (t) (s.) – miséria; infortúnio (*VLB*, II, 38)

ekoposyîa (t) (s.) – 1) ação constante; 2) ação grave; gravidade; [adj.: **ekoposyî (r, s)**] – 1) constante: *Na xe rekoposyî.* – Eu não sou constante. 2) grave (*VLB*, II, 11)

ekopotar (r, s) (xe) (v. da 2ª classe) – intentar, determinar: *Emonã nakó xe rekopotari.* – Assim, na verdade, eu determinei. (*VLB*, II, 13)

ekopotasaba (t) (s.) – determinação (*VLB*, I, 101); intenção, intento, propósito: *Aîpó nakó xe rekopotasaba.* – Este era, de fato, o meu intento. (*VLB*, II, 13); ... *Tupã remime'enga o ekopotasaba rupi.* – ... o que Deus dá segundo seus propósitos. (Ar., Cat., 31)

ekopoxy (t) (s.) – maldade, pecado; vida má, mau hábito, mau proceder, vício: ... *Tekopoxypûera tyma...* – Enterrando os antigos vícios. (Anch., *Teatro*, 58); *Oré 'anga t'oîosu, sekopoxy mosasãîa.* – Que nossa alma ele visite, dispersando os vícios dela. (Anch., *Teatro*, 118); [adj.: **ekopoxy (r, s)**] – maldoso, pecador: *Na xe rekopoxyî xûé angiréne.* – Não serei pecador doravante. (Ar., Cat., 237)

ekopoxŷaba (t) (s.) – pecado, maldade: *Ereîmombe'upe abá rekopoxŷagûera...?* – Contaste a maldade de alguém? (Ar., Cat., 108)

ekopuku (t) (etim. – *vida longa*) (s.) – vida eterna: *T'orogûerekó, setãme, nde pyri, tekopuku.* – Que tenhamos, em sua terra, junto de ti, a vida eterna. (Anch., *Teatro*, 122)

ekoruînhẽ (r, s) (xe) (v. da 2ª classe) – adoecer, ficar ou estar adoentado: *Xe rekoruînhẽ.* – Eu estou adoentado. (*VLB*, II, 29)

ekoruruînhẽ (xe) (r, s) (v. da 2ª classe) – adoecer, ficar ou estar adoentado: *Xe rekoruruînhẽ.* – Eu estou adoentado. (*VLB*, II, 29)

ekosûer (r, s) (xe) (v. da 2ª classe) – durar muito, ser longevo, existir muito tempo: *Na xe rekosûeri.* – Eu não duro muito. (*VLB*, I, 147); *Xe rekosûé-katu.* – Eu sou muito longevo. (*VLB*, II, 145)

ekosykaba (t) (s.) – destinos últimos, os novíssimos do homem: *Nde ma'enduar nde rekosykagûama, nde rekó pabagûama resé rá...* – Lembra-te já de teus destinos últimos, do fim de tuas coisas. (Ar., Cat., 154)

ekotebẽ (t) (s.) – 1) angústia (*VLB*, I, 36); tristeza, aflição (*VLB*, II, 62): *Naetenhẽ ã tekotebẽ xe 'anga apypyki...* – Eis que grandemente a aflição oprime minha alma. (Ar., Cat., 52v); *Xe resaraî tekotebẽ-eté suí!* – Eu tinha-me esquecido por causa da muita aflição. (Anch., *Teatro*, 138); 2) necessidade; [adj.: **ekotebẽ (r, s)**] – angustiado, triste, necessitado: *Xe py'a-ekotebẽ.* – Eu tenho o coração angustiado. (*VLB*, I, 36) • **ekotebẽsaba** (ou **ekotebẽma**) – lugar, tempo, causa etc. de aflição; aflição; necessidade: *I xupé o ekotebẽsaba resé oîerurébo...* – Rezando a ele no tempo de sua aflição. (Ar., Cat., 65v); – *Mba'e i 'upyra resé nhõpe asé îeruréu Tupã supé? – Aani; amboaé o ekotebẽsaba resé bé...* – Só pelas coisas que são comidas a gente pede a Deus? – Não; também por suas outras necessidades. (Anch., *Diál. da Fé*, 227); **ekotebẽbora (t)** – aflito, angustiado: ... *tekotebẽboramo oîkóbo...* – estando aflito (Ar., Cat., 34)

ekotenhẽ (ou ekotenhẽa) (t) (etim. – *estar à toa*) (s.) – ociosidade (*VLB*, II, 54; 140); preguiça, vadiagem, mândria (*VLB*, II, 108); [adj.: **ekotenhẽ (r, s)**] – ocioso, vadio, preguiçoso: *Abá-ekotenhẽ ixé.* – Eu sou um homem vadio. (*VLB*, II, 140)

ekûá (2ª p. do sing. irreg. de **só**, *ir*, indicando uma certa ênfase no que se diz, ou indignação) (Anch., *Arte*, 58) – Vai!: ... *Ereîmorype amõ, "Asó-potar i posé", i 'ereme, "Ekûá", e'îabo?* – Deste consentimento a alguma, ao dizer ela "Quero ir com ele", dizendo tu: "Vai."? (Ar., Cat., 104v)

ekûãî (2ª p. do sing. irreg. de **só**, *ir*, indicando uma certa ênfase no que se diz ou indignação) (Anch., *Arte*, 58) – Vai!: **Ekûãî** *moxy mbo'a îandé îusana pupé!* – Vai para fazer cair os malditos em nosso laço! (Anch., *Teatro*, 20)

(e)kuîá (r, s) (s.) – canteiro (Anch., *Arte*, 13v): *xe rekuîá* – meu canteiro; *sekuîá* – seu canteiro (Fig., *Arte*, 78)

NOTA – Daí, no P.B. (AM), **MANICUJÁ** (*canteiro de mani*), cova para plantar a maniva (in *Dicion. Caldas Aulete*).

(e)kuîa (r, s) (s.) – CUIA (Anch., *Arte*, 13v); cabaço, cabaça, fruto da cuieira, vaso feito desse fruto maduro depois de esvaziado do miolo: *Ygasápe kaûî-tuîa a'e ré îamomotá, oîoîá gûaîbĩ rekuîa...* – O cauim transbordante nas igaçabas, depois disso, os atrai, e, igualmente, as cuias das velhas... (Anch., *Teatro*, 28); *xe rekuîa* – meu cabaço; *sekuîa* – seu cabaço (Fig., *Arte*, 78); *Kuîa nhẽ i tĩ-ngá-tĩ-ngábo, ereîanga'o abá...* – Das cuias ficando a quebrar as pontas, afrontaste os homens. (Anch., *Teatro*, 168)

> NOTA – CUIA, no P.B., significa também: 1) (MA) abóbora-d'água; 2) (NE) medida de capacidade para gêneros secos; 3) (RS) cabaça em que se bebe a erva-mate com uma bombilha (in *Dicion. Caldas Aulete*). Há, também, no P.B., as expressões JUNTAR AS CUIAS (pop.), mudar de casa; TOMAR NA CUIA DOS QUIABOS (BA, pop.), ser enganado.

ekyî¹ (s) (v. tr.) – 1) invocar: *Oîaby bépe abá aîpó Tupã nhe'enga o py'ape-katu o apixara supé Anhanga koîpó te'õ koîpó Îurupari rekyîa?* – Transgride também o homem aquela palavra de Deus invocando para seu próximo, bem em seu coração, o diabo ou a morte ou Jurupari? (Ar., *Cat.*, 70v); *Osekyî-sekyî te'õ.* – Ficam invocando a morte. (Anch., *Teatro*, 150, 2006); 2) trazer à tona, trazer à lembrança, evocar: *Xe rekó-ekyî îepé, a'epûera aîmoasy...* – Embora me evoques os atos, daqueles arrependo-me. (Anch., *Teatro*, 168)

> NOTA – Daí, TUPINIQUIM (de **tupinakyîa**: Tupi + ekyî + -a, "os que invocam Tupi", uma entidade cosmológica – v. **Tupi²**).

ekyî² (s) (v. tr.) – pescar (com linha e anzol): *Asekyî pirá.* – Pesquei peixes. (*VLB*, II, 75); *Pirá rekyîa suí ké aîur.* – Da pesca de peixes venho aqui. (D'Evreux, *Viagem*, 151); *Akûeîme, rakó, pirá asekyî-marangatu...* – Antigamente pescava bem os peixes. (Anch., *Poemas*, 152)

ekyî³ (s) (v. tr.) – 1) puxar (p.ex., por corda), arrastar, sacar, arrancar (o que está fincado nalgum lugar) (*VLB*, I, 41), levantar (p.ex., âncora): *S. Pedro itangapema osekyî...* – São Pedro puxou a espada. (Ar., *Cat.*, 54v); *Asekyî itasama* (ou *Aitasamekyî*). – Levantei a âncora. (*VLB*, II, 21); *... ogûatápe oré rekyîa* – para seu fogo arrastando-nos (Anch., *Poemas*, 146); *Taûîé, xe rekyî-atã.* – Depressa, arrastam-me fortemente. (Anch., *Teatro*, 180, 2006); 2) arrebatar: *Eîori oré rekyîa...* – Vem para nos arrebatar. (Anch., *Teatro*, 122) • **îuragûaîa ekyî (s)**: urdir mentiras: *Eresekyîpe îuragûaîa abá supé?* – Urdiste mentiras contra alguém? (Anch., *Doutr. Cristã*, II, 103); **ekyîtaba (t)** – tempo, lugar, modo etc. de puxar, de levantar, de arrastar: *ygara rekyîtaba* – lugar de arrastar canoas (D'Abbeville, *Histoire*, 187)

eky'yra (t, t) – o mesmo que **yky'yra (t, t)** (v.) (Ar., *Cat.*, 155v)

'em (v. intr.) – v. **'ẽ**

emba'yba – o mesmo que **amba'yba** (v.) (Sousa, *Trat. Descr.*, 203)

embé¹ (t) (s.) – borda (de talha, cântaro, pano etc.) (*VLB*, I, 58)

> NOTA – Daí, no P.B., TEMBÉ, TEMBEZEIRA, beira de abismo; despenhadeiro (in *Dicion. Caldas Aulete*).

embé² (t) (s.) – beiço inferior (Castilho, *Nomes*, 39); [adj.: **embé (r, s)**] **(xe)** – ter beiço: *Xe rembegûasu.* – Eu tenho beiço grande. *Mba'e-embegûasu!* – Coisa beiçuda! (*VLB*, I, 54) • **sembegûasuba'e** – o que tem beiço grande (*VLB*, I, 54)

> NOTA – Daí, no P.B., TEMBEQUARA (tembé + kûara, "beiço furado"), índio que fura o beiço; (adj.) que fura o beiço.

embeirĩ (t) (s.) – estupefação; [adj.: **embeirĩ (r, s)**] – estupefato, boquiaberto (de espanto), embasbacado: *Xe rembeirĩ.* – Eu estou embasbacado. (*VLB*, I, 125)

emberung (s) (v. tr.) – bordar, pôr bordas, guarnecer de bordas: *Asemberung.* – Bordei-o. (*VLB*, I, 58)

(e)mbetara [ou **(e)metara**] (r, s) (s.) – TEMBETÁ, TAMETARA, METARA, osso ou pedra que se punham atravessados no beiço; pedra de beiço: *xe remetara* – minha pedra de beiço (Fig., *Arte*, 78); *semetara* – a pedra de beiço dele (Fig., *Arte*, 78); *metarapûá* – pedra de beiço pontuda (*VLB*, II, 69); *metara kanga* – osso de tembetá (*VLB*, I, 147); *metaroby* – tembetá verde ou azul (Marcgrave, *Hist. Nat. Bras.*, 271) (Pode também ser pluriforme regular, com forma absol. em **t-**): **tembetara** (Anch., *Arte*, 13v)

embe'yba

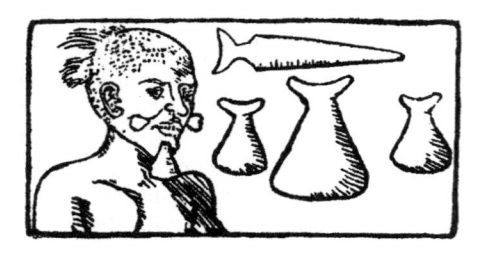

TEMBETÁS (fonte: Staden)

NOTA – Daí, no P.B., **PIRAMETARA**, *peixe tembetá*.

embe'yba (t) (s.) – margem, beira, ourela, borda (de qualquer coisa): *'y-embe'yba* – margem de rio, beira do mar (*VLB*, II, 60); ... *Ka'a-embe'ype osóbo...* – Indo para a borda da floresta. (Anch., *Teatro*, 150) • **embe'y--rung** (s) – pôr borda, guarnecer a borda (p.ex., de canoa, colocando-lhe postiças para evitar a fácil abordagem): *Asembe'y-rung.* – Pus as bordas dela. (*VLB*, I, 58); **embe'y--kytĩ** (s) – aparar, cortar as bordas de (como as de pão, de hóstia etc.): *Asembe'y-kytĩ.* – Aparei-o. (*VLB*, I, 37); [Para *aparar cabelo*, v. **etab (s)**]

NOTA – Daí, no P.B., **IMBETIBA, IMBITUBA**, qualquer praia alta (in *Dicion. Caldas Aulete*).

embe'yrungaba (t) (s.) – postiças de embarcação (*VLB*, II, 83)

embe'ytá (t) (s.) – talabardão, alcatrate, série de pranchões que servem de remate dos revestimentos externo e interno do casco das embarcações (*VLB*, I, 30)

(e)mbiara (r, s) (s.) – aquilo que se apanhou na caça, na pesca ou na guerra; presa (Fig., *Arte*, 79); prisioneiro, **EMBIARA** (Amaz.): ... *Opakatu xe rembiara xe pó suí serasóû.* – Todas as minhas presas de minhas mãos as levou. (Anch., *Teatro*, 126); *Aîpó kó nde rembiarama setá...* – Eis que estas tuas futuras presas são muitas. (Anch., *Teatro*, 130); *Ereporapitipe marana pab'iré, mbiarûera nhẽ îukábo?* – Assassinaste gente após acabar a guerra, matando prisioneiros? (Anch., *Doutr. Cristã*, II, 88); *Xe rembiara rembyrûera arurĩ reîa supé.* – O resto de minhas presas trouxe para a rainha. (Anch., *Poemas*, 154); [adj.: **embiar (r, s)**] – ter presas, apresar: *Xe rembiar.* – Eu tenho presas, eu faço presas, eu apreso. (*VLB*, II, 85)

embiasaba (t) (s.) – apresamento, captura: *I abaîté xe rembiasaba.* – É terrível minha captura. (Anch., *Poemas*, 158)

embiarirõ (t) – v. **emiarirõ (t)** (*VLB*, II, 49)

embi'u (ou **emi'u**) (t) (s.) – comida: *Oré remi'u 'ara îabi'õndûara eîme'eng kori orébe.* – Nossa comida de cada dia dá hoje para nós. (Ar., *Cat.*, 13v); *Aîune ixé, pe remi'urama!* – Venho eu, a vossa futura comida! (Staden, *Viagem*, 67)

embó (t) (s.) – vergôntea (p.ex., da batata), vara tenra, rebento, verga: *Mba'epe onong i akanga 'arybo?* – *Îuatĩ-embó apynha...* – Que puseram sobre sua cabeça? – Uma argola de vergônteas de espinhos. (Ar., *Cat.*, 60v); *itá-embó* – verga de ferro, arame; *kará-embó* – vergôntea de cará (*VLB*, II, 144); [adj.: **embó (r, s)**] – vergonteado, delgado (como uma vara tenra): *Xe rembó nhẽ.* – Eu sou muito delgado. (*VLB*, II, 144)

NOTA – Daí, no P.B., **CURIMBÓ**, trepadeira alta de ramos flexuosos, da família das bignoniáceas.

embu'a (ou **imbu'a**) – o mesmo que **ambu'a** (v.)

embu'ayembó (etim. – *planta de vergônteas do embuá*) (s.) – árvore da família das aristoloquiáceas (*Aristoloquia labiata* Willd) (Marcgrave, *Hist. Nat. Bras.*, 26)

embyakyraá (t) (s.) – moela (*VLB*, II, 44)

embyeîtyk (s) (v. tr.) – alporcar, mergulhar os ramos, vimes de uma planta para a reproduzir (*VLB*, I, 32)

embykãî (r, s) (xe) (v. da 2ª classe) – escafeder--se, sair escondido e com medo: *Xe rembykãî gûixóbo.* – Eu me escafedo ao ir. (*VLB*, I, 122)

embykaîapé (t) – v. **emykaîapé (t)**

embykyra (t) (s.) – rabadilha ou rabadela, a região superior das nádegas (de pessoa) (*VLB*, II, 95)

embyra[1] (s.) – **IMBIRA, ENVIRA**, nome comum a arbustos ou árvores brasileiras da família das timeleáceas, anonáceas, esterculiáceas ou malváceas que se caracterizam por produzir boa fibra na entrecasca, a qual é usada na fabricação de cordas etc. Ocorrem nas matas úmidas. (Piso, *De Med. Bras.*, IV, 185)

NOTA – No P.B., **EMBIRA** (ou **ENVIRA**) também é qualquer casca ou cipó usados para amarrar (in *Dicion. Caldas Aulete*).

embyra² (t) (s.) – resto, sobra [o mesmo que **embyrûera** (t) – v.] (*VLB*, II, 103); [adj.: **embyr (r, s)**] – restante, que sobra; **(xe)** sobrar: *Xe rembyr*. – Eu sobrei. (*VLB*, II, 118); (adv.) – de resto, finalmente: *Nde piring: nde angekotebẽ umẽ, Tupã nhe'enga abŷagûera mombe'u poûsub-embyre'yma...* – Tu estremeces: não te aflijas, não temendo, de resto, confessar a transgressão da palavra de Deus. (Anch., *Doutr. Cristã*, II, 79)

embyrĩ (r, s) (xe) (v. da 2ª classe) – escafeder-se, sair escondido e com medo: *Xe rembyrĩ gûixóbo*. – Eu me escafedo ao ir. (*VLB*, I, 122)

embyrûera (ou **emyrûera**) (t) (s.) – resto, sobra: *Xe rembiara rembyrûera arurĩ reîã supé*. – O resto de minhas presas trouxe para a rainha. (Anch., *Poemas*, 154); *asé angaîpaba rembyrûera...* – os restos de nossos pecados (Anch., *Doutr. Cristã*, I, 219); *N'i tyb-etaî semyrûera...* – Não há muitos restos deles... (Anch., *Teatro*, 14); [adj.: **embyrûer (r, s)**] – restante; **(xe)** sobrar: *Xe rembyrûer*. – Eu sobrei. (*VLB*, II, 118)

embyrusu (etim. – *embira grande*) (s.) – EMBIRUÇU, variedade de embira de tamanho avantajado, designação comum às plantas bombacáceas do gênero *Pseudobombax* (v. **embyra**) (Sousa, *Trat. Descr.*, 216)

embyritĩ (s.) – EMBIRA-BRANCA, árvore da família das timeleáceas, de cujo entrecasco tiram-se fibras... "Fazem os negros da Guiné dele panos... com os quais se cingem e cobrem." (Sousa, *Trat. Descr.*, 217)

-eme – alomorfe de **-reme** (v.)

emi- (pref. que forma deverbais passivos): **emiîuká** (t) – o que alguém mata: *îagûara remiîukapûera* – o que a onça matou, o morto pela onça (Ar., *Cat.*, 107v); *Tupana remimonhanga* – o que Deus faz, o feito de Deus (Valente, *Cantigas*, VI, in Ar., *Cat.*, 1618)

> NOTA – Daí, no P.B., **MINGAU** [*(e)mi-* + *ka'u*, "o que é empapado"), comida feita com farinha de maisena ou com aveia, tapioca etc., e engrossada ao fogo com água ou leite e açúcar, adquirindo consistência pastosa; papa; **MEMBI, MEMI, MEMBÉ, MIBU, MIMÔ, MUBU, MUMU** (de *(e) mi-* + *pyʲ*, "o que alguém sopra", flauta indígena feita da tíbia dos animais ou dos inimigos).

(e)miapé (r, s) (s.) – pão ou bolo de qualquer farinha (*VLB*, II, 64): *xe remiapé* – meu pão; *semiapé* – o pão dele (Fig., *Arte*, 79); ... *Miapé-ybakygûara, apŷabebé remi'u...* – Pão celestial, comida dos anjos. (Valente, *Cantigas*, VII, in Ar., *Cat.*, 1618) ● **miapé-apara** (ou **miapé-apynha**) – rosca de pão (*VLB*, II, 108); **miapé-mirĩ** – bolinho de pão (*VLB*, I, 57)

emiarirõ (ou **embiarirõ**) (t) (s.) – neto ou neta (de m.): ... *O emiarirõ amõ... resé nd'e'ikatuî abá omendá*. – Com algum neto seu não pode ninguém se casar. (Ar., *Cat.*, 128v)

(e)miaûsuba¹ [ou **(e)mbiaûsuba**] **(r, s)** (s.) – escravo: *A'epe miaûsuba n'osapîari xûé o îara nhe'engane?* – E o escravo não obedecerá às palavras de seu senhor? (Ar., *Cat.*, 69); *Miaûsuba îabépe serekóûne?* – Trata-la-á como uma escrava? (Anch., *Doutr. Cristã*, I, 228); *xe remiaûsuba* – meu escravo (Léry, *Histoire*, 368); *Nd'e'i te'e miasûbetá ikó 'ara momoranga.* – Por isso mesmo os escravos festejam este dia. (Anch., *Poemas*, 192)

(e)miaûsuba² [ou **(e)mbiaûsuba**] **(r, s)** (s.) – o que alguém ama, o amado de, o amigo (no sentido ativo): *Marã oîkóbo-tepe asé Anhanga rembiaûsubamo sekóû?* – Mas procedendo de que modo se está como amigo do diabo? (Ar., *Cat.*, 26v); *T'arasó pá xe ratápe... sembiaûsuba resebé.* – Hei de levar todos para meu fogo, com seus amigos. (Anch., *Poesias*, 269)

emimbo'e (t) (etim. – *o ensinado*) (s.) – discípulo, aluno: *Osó kunhã semimbo'e-etá sapirõmo*. – Iam mulheres, discípulas dele, pranteando-o. (Ar., *Cat.*, 61v)

emimborará (t) (s.) – o órgão sexual: ... *Kunhã koîpó abá remimborará resé oma'ẽmo...* – Olhando para o órgão sexual da mulher ou do homem. (Ar., *Cat.*, 72)

emimbûaîa (t) (etim. – *o comandado*) (s.) – súdito; criado: *Opakatu xe yby pora nde remimbûaîamo sekóû...* – Todos os habitantes de minha terra são teus súditos. (D'Abbeville, *Histoire*, 342)

(e)mimby (r, s) (s.) – buzina, apito, tudo o que se toca com ar; [adj.: **emimby (r, s)**] **(xe)** – ter buzina; buzinar: *Xe remimby*. – Eu tenho buzina, eu buzino. (*VLB*, I, 58)

emime'enga (t) (etim. – *o doado, o dado*) (s.) – dom: *Espírito Santo remime'enga* – os dons do Espírito Santo (Ar., *Cat.*, 19)

emiminõ

emiminõ (t) (s.) – **1)** neto (a) (de h.): *O emiminõ... resé nd'e'ikatuî abá omendá.* – Com sua própria neta não pode ninguém casar-se. (Ar., *Cat.*, 128v); **2)** descendente: *A'e roîré bépe Noé remiminõetá roparamo?...* – Depois disso, os descendentes de Noé perderam-se? (Ar., *Cat.*, 41v)

> NOTA – Daí, no P.B., **TEMIMINÓ** ("os descendentes"), nome de povo indígena extinto, muito importante na história do Espírito Santo e ao qual pertencia o famoso cacique Araribóia; **TUPIMINÓ** (de *Tupi* + *emiminõ*, "descendentes dos tupis"), nome de povo indígena extinto do Brasil colonial.

(e)mimõîa (r, s) (s.) – coisa cozida; cozido (Anch., *Arte*, 13v): *xe remimõîa* – meu cozido (Fig., *Arte*, 79)

> NOTA – Daí, no P.B., **PAMONHA** (*apá-* + *mimõîa*, "o totalmente cozido"), mingau feito com o sumo do milho verde, ralado e espremido, leite, açúcar etc. e posto para cozer embrulhado nas próprias folhas do milho, amarradas para tal fim.

(e)mimõîpoka (r, s) (s.) – var. de cozido (Anch., *Arte*, 13v)

emimotara (t) (etim. – *o que se deseja*) (s.) – desejo; vontade: *T'onhemonhang nde remimotara...* – Faça-se tua vontade. (Ar., *Cat.*, 13v) ● **emimotare'yma rupi (t)** – contra a vontade de: *Kunhã reroîabapara semimotare'yma rupi... nd'e'ikatuî sesé omendá...* – O que foge com uma mulher contra sua vontade não pode casar-se com ela. (Ar., *Cat.*, 128v); **emimotarybo (r, s)** – voluntariamente, por vontade de: *Nde membyrápe erimba'e nde remimotarybo?* – Tu deste à luz por tua vontade? (Anch., *Doutr. Cristã*, II, 97); *Xe remimotarybo asó.* – Vou por minha vontade. (*VLB*, II, 147); **o emimotare'yma** – não por vontade, contra a vontade: *O emimotare'yma-katu... omendaryba'e.* – O que se casa bem contra sua vontade. (Ar., *Cat.*, 128)

emindu'u (t) – v. **su'u**

(e)mindypyrõ [ou **(e)minypyrõ**] **(r, s)** (s.) – papa grossa, ensopado, **PIRÃO** (Anch., *Arte*, 13v); caldo migado com farinha ou beiju de maneira que se desfaz todo em uma massa ou polme (*VLB*, II, 37): *xe remindypyrõ* – minha papa grossa (Fig., *Arte*, 79).

(e)minga'u (r, s) (etim. – *o empapado*) (s.) – **MINGAU**; papa; sopa rala (Staden, *Viagem*, 143): *Aîapó minga'u.* – Faço mingau. (*VLB*, II, 64); *xe reminga'u* – meu mingau (Fig., *Arte*, 79) ● **minga'u-pomonga** – mingau grudento (*VLB*, I, 151); amido ou glúten feitos de mandioca (Marcgrave, *Hist. Nat. Bras.*, 67); espécie de goma ou grude usado para se prenderem penas no corpo (Marcgrave, *Hist. Nat. Bras.*, 271); **minga'upetinga** (ou **minga'u-pitinga**) ★ – espécie de papa preparada a partir da mandiopeba misturada com ervas, lagostins, peixe ou carne cozida (Marcgrave, *Hist. Nat. Bras.*, 67; Piso, *De Med. Bras.*, IV, 177)

> ★NOTA – Daí, no P.B. (PE), **MINGAUPITINGA**, mingau de mandioca puba (in *Dicion. Caldas Aulete*) (v. tb. a nota de **(e)mi-**).

emirekó (t) (etim. – *a que alguém faz estar consigo*) (s.) – esposa (com a qual um homem se une com ânimo marital ou não): *A'epe o mena koîpó o emirekó mũetéramo sekó mombe'ue'yma, marã?* – E não confessando ser parente, de fato, de seu marido ou de sua esposa, que acontece? (Ar., *Cat.*, 71v); *Nde ererupe nde remirekó?* – Tu trouxeste tua esposa? (Léry, *Histoire*, 352); *Ogûemirekó resé, i mena nd'o'u-poûsubi...* – Por causa de sua esposa, o marido dela não temeu comê-lo. (Anch., *Poemas*, 178); *xe remirekorama* – minha futura esposa (Thevet, *Cosm. Univ.*, II, 932) ● **emirekó-eté (t)** – **1)** esposa legítima, com a qual alguém se casou na igreja; **2)** a "mulher mais estimada ou mais querida, a qual, muitas vezes, é a última que se tomou..." (Anch., *Cartas*, 459)

emirekoe'õ (r, s) (etim. – *esposa morta*) **(xe)** (v. da 2ª classe) – enviuvar, ser viúvo (o h.): *Xe remirekoe'õ.* – Eu enviuvei. (*VLB*, I, 120) ● **seremirekoe'õba'e** – o que é viúvo, o viúvo (*VLB*, II, 147)

emirekó-membyra (t) (etim. – *filho da esposa*) (s.) – enteado ou enteada (de h.) (Ar., *Cat.*, 116)

emirekó-pyky'yra (t) (etim. – *irmã mais nova da esposa*) (s.) – cunhada mais moça (de h.), a irmã mais nova de sua esposa (Ar., *Cat.*, 116)

emirekó-ykera (t) (etim. – *irmã mais velha da esposa*) – a cunhada mais velha do homem, a irmã mais velha de sua esposa (Ar., *Cat.*, 116)

(e)mityma (r, s) (etim. – *o que alguém planta*) (s.) – **1)** plantação; horto, jardim, pomar (*VLB*, II, 89); horta (*VLB*, I, 153): – *Mamõpe i* *xóû o mba'e'u-pab'iré?* – *Amõ abá remitỹme.* – Aonde ele foi após acabar de comer? – Para o horto de certo homem. (Ar., *Cat.*, 52v); *O emitymaysó Paraíso Terreal seryba'epe.* – No seu jardim formoso chamado "Paraíso Terreal". (Ar., *Cat.*, 39); *Sugûy turusu, ... ybype osyryka, mityma pupé.* – Seu sangue era muito, na terra escorrendo, dentro do horto. (Anch., *Poemas*, 120); **2)** planta (*VLB*, II, 84)

emi'uru (t) (etim. – *vasilha de comida*) (s.) – **1)** receptáculo, vasilha, tigela (com relação a quem come neles): *xe remi'uru* – minha vasilha (isto é, aquela em que eu como); *semi'uru* – sua vasilha (isto é, aquela em que ele come) (Fig., *Arte*, 79); **2)** manjedoura, cocho (sempre com relação a quem come neles): *taîasu remi'uru* – cocho de porcos (*VLB*, I, 76); ... *Semi'uru rupápe i xy i nongi...* – Sua mãe o pôs no lugar onde estava a manjedoura deles. (Ar., *Cat.*, 9v). V. tb. **uru (r, s)** e **(ep)uru (r, s)**

(e)mixyra (r, s) (s.) – coisa assada, assado: *Aîpó nde remixyrama.* – Essas serão teu futuro assado. (Anch., *Teatro*, 130); *xe remixyra* – meu assado; *semixyra* – assado dele (Fig., *Arte*, 79); [adj.: **(e)mixyr (r, s)**] – assado: *... Xe anhangusu-mixyra...* – Eu, o diabo assado... (Anch., *Teatro*, 6)

NOTA – Daí, no P.B. (Amaz.), **MIXIRA**, *conserva de peixe-boi, de tambaqui ou de tartaruga nova, temperada com azeite do próprio animal de que é feita* (in *Dicion. Caldas Aulete*).

(e)mo'ema (r, s) (s.) – mentira (Também pode ser regular, tendo, assim, na forma absoluta, o prefixo t-: **temo'ema** – mentira.) (Anch., *Arte*, 13v): *xe remo'ema* – minha mentira; *semo'ema* – sua mentira (Fig., *Arte*, 78); *Abá resé mo'ema oîmonhangyba'e.* – O que cria mentiras por causa de alguém. (Ar., *Cat.*, 73v); *Ererobîápe abá remo'ema?* – Acreditaste nas mentiras de alguém? (Ar., *Cat.*, 108v); [adj.: **emo'em (r, s)**] – mentiroso; **(xe)** mentir: *Nde remo'em umẽ abá resé...* – Não sejas mentiroso por causa de ninguém. (Ar., *Cat.*, 73v); *Xe remo'em aîpó gûi'îabo...* – Eu fui mentiroso dizendo isso. (Ar., *Cat.*, 73v); *Semo'ẽ, oîobaúpa.* – Eles mentem, um de cara para o outro. (Anch., *Teatro*, 164)

NOTA – Daí provém o nome da famosa personagem da epopeia *Caramuru*, do Frei José de Santa Rita Durão, a índia **MOEMA** (v. **mo'ema**).

emo'emyîara (t) (etim. – *portador de mentiras*) (s.) – mentiroso: ... *Temo'emyîara... o 'anga rekobesaba... mokanhemi.* – O mentiroso perde a vida de sua alma. (Ar., *Cat.*, 241, 1686)

emoîeapysaba (t) (s.) – sobrenome (*VLB*, II, 119)

emonã¹ (ou **emonan**) (adv.) – assim; dessa maneira (Fig., *Arte*, 134): *Emonã sekó suí arakaîá sapekóû...* – Assim, por causa de seu procedimento, os aracajás os frequentam. (Anch., *Teatro*, 36); *Marãpe i boîá rekóû emonã o îara rerekó repîaka?* – Como seus discípulos procederam, vendo tratar assim a seu senhor? (Ar., *Cat.*, 54v); ... *Emonã kori aîkóne...* – Assim hoje procederei. (Ar., *Cat.*, 99v) ● **na emonani** – não já assim (*VLB*, II, 47); **emonã bé** – da mesma maneira (*VLB*, I, 89); **emonã béne** (ou **emonã-béno**) – da mesma maneira (*VLB*, I, 89); outro tanto (*VLB*, II, 61); **emonã-momõ** – assim houvera de ser (Fig., *Arte*, 134); **emonã resé** – por isso, portanto (*VLB*, II, 82); **emonã rakó** – dessa maneira (Fig., *Arte*, 134); **emonã-temõ... mã** – oxalá fosse assim (Fig., *Arte*, 134); **emonãe'ymemo** (ou **emonãe'ymetémo**) – se assim não fosse (*VLB*, II, 114)

emonã² (t) (s.) – comichão, prurido: *mbiremonã* – comichão da pele (*VLB*, I, 77)

emonan – o mesmo que **emonã¹** (v.)

emonãnama (part.) – o seguinte, o que se segue: – *Abá supépe asé nhemombe'uû?* – *Abaré supé.* – *Marãnamope?* – *Emonãnama ri: Jesus Cristo rekobîaramo sekóreme nhẽ.* – Para quem a gente se confessa? – Para o padre. – Por quê? – Pelo seguinte: por ser substituto de Jesus Cristo. (Anch., *Doutr. Cristã*, I, 210)

emonãnamo (conj.) – **1)** portanto, assim, por isso, dessa maneira: *Emonãnamo, xe ruri...* – Portanto, eu vim. (Anch., *Poemas*, 100); *Emonãnamo, ereîu oré putuna pe'abo...* – Dessa maneira, vens para afastar nossa escuridão. (Anch., *Poemas*, 142); *Emonãnamo, xe ruri ndébo...* – Portanto, eu vim a ti. (Anch., *Poemas*, 154); – *Emonãnamope asé îerurêú santos-etá supé?* – *Emonãnamo.* – Por isso nós rezamos aos santos? – Por isso. (Ar., *Cat.*, 23v); **2)** é por isso que: *Emonãnamo serã Tupã îandé rubypy arukangûera nhẽ monhangi semirekó retéramo?* – Será que é por isso que Deus transformou a costela de nosso pai primeiro no corpo

emonãndé

de sua esposa? (Ar., *Cat.*, 95v) • **emonãnamo é** – e portanto... (*VLB*, I, 121)

emonãndé (ou **emonãné**) (adv.) – assim dessa maneira (e não desta outra) (*VLB*, I, 45); assim: *Emonãné t'oîkó Îesus.* – Assim seja, Jesus. (Thevet, *Cosm. Univ.*, II, 925)

emonanĩ (adv.) – continuamente (*VLB*, I, 80)

emykaîapé (ou **embykaîapé**) (t) (s.) – assento das nádegas (Castilho, *Nomes*, 39); cadeiras (do corpo), quadris (*VLB*, I, 62); ancas (p.ex., de cavalo) (*VLB*, I, 35)

emyra (t) – v. **embyra**² (t)

en¹ – v. **in / en(a)** (t)

en² (-îo-, -s-) (v. tr. irreg. Incorpora -îo-, ou -nho-, e -s- no indicativo e formas derivadas deste) – derramar, fazer verter, entornar (p.ex., o líquido, a farinha): *Anhosen.* – Entornei-o. (*VLB*, I, 118; II, 142)

enangupy (t) (s.) – quadril (Castilho, *Nomes*, 39)

endaba (t) (s.) – 1) morada, residência, pouso, estância, sede, lugar de estar (sentado ou parado): *Tupã rendabeté, Tupã raîyra.* – Verdadeira morada de Deus, filha de Deus. (Anch., *Poemas*, 88); *itá-endaba* – pouso de pedra (D'Abbeville, *Histoire*, 15); 2) poleiro (*VLB*, II, 80): *gûyrá rendaba* – poleiro das aves (*VLB*, II, 80); 3) estrado: *Xe rendaba* – meu estrado (*VLB*, I, 130); 4) sela (de cavalo), assento: *sendaba* – a sela dele (*VLB*, II, 115)

NOTA – Daí, os nomes de lugares **ARARENDÁ** (CE), **POTIRENDABA** (SP) etc. (v. Rel. Top. e Antrop. no final).

endamoín (s) (etim. – *pôr o lugar de sentar-se*) (v. tr.) – selar (o cavalo): *Asendamoín.* – Selo-o (o cavalo). (*VLB*, II, 115). V. **in / en(a)** (t) (Anch., *Arte*, 58v)

endé (pron.) – 1) tu: *Endé, nde îybápe, Îesu eresupi...* – Tu, em teus braços, Jesus ergueste. (Anch., *Poemas*, 118); *Endé aé ereîekûá...* – Tu mesmo és causa de teu dano. (Anch., *Teatro*, 42); *Endé é aîpó eré...* – Tu mesmo dizes isso. (Ar., *Cat.*, 56); 2) teu (s, a, as) (*VLB*, II, 138). V. tb. **nde**

endébe (pron. pess. dat. de 2ª p. do sing.) – a ti, para ti: *Tupãeté resé aporandub endébe...* – Pelo Deus verdadeiro faço perguntas a ti. (Ar., *Cat.*, 56)

endébo (pron. pess. dat. de 2ª p. do sing.) – a ti, para ti: *Oroaûsu-potá-katu, oroîeme'enga endébo.* – Queremos amar-te muito, entregando-nos a ti. (Anch., *Poemas*, 136); *Xe pindá-porangeté t'opindaîtykyne endébo...* – Meu anzol muito ditoso há de pescar para ti. (Anch., *Poemas*, 152); *T'ame'ẽne pirá ruba endébo...* – Hei de dar ovas de peixe para ti. (Anch., *Teatro*, 44) (o mesmo que **endébe** – v.)

endub (s) (v. tr.) – ouvir, escutar: *Esendu.* – Ouve. (Léry, *Histoire*, 364); *N'asendubi nde nhe'enga.* – Não ouço tuas palavras. (Anch., *Teatro*, 44); *A'epe missa rendupa, ... eresó.* – Ias ali para ouvir a missa. (Anch., *Poemas*, 154); *Serenduba rupibé amongoty xe nhemimi...* – Tão logo ao ouvir o nome dela, em outra parte eu me escondo. (Anch., *Teatro*, 126); *T'osendu aîpó nde 'é.* – Que ouçam aquilo que tu dizes. (Anch., *Teatro*, 186, 2006) • **endupara** (t) – o que ouve (Fig., *Arte*, 119): *Ogûenduparûera supé o nhe'enga rekobîarõmo.* – Substituindo suas palavras para os que o ouviram. (Ar., *Cat.*, 110); **endupaba** (t) – tempo, lugar, modo, causa de ouvir, o ato de ouvir, a outiva: *Tupã nhe'enga rendubagûama resé...* – Para escutar a palavra de Deus... (Ar., *Cat.*, 81v); **emienduba** (t) – o que alguém ouve: *"Aîuká temomã" erépe... abá remiendubamo...?* – Disseste "Oxalá eu o mate", fazendo alguém ouvir? (Ar., *Cat.*, 101v); **sendubypyra** – o que é (ou deve ser) ouvido: *"Xe poreaûsubeté'ĩ mã!"... sendubypyramo a'epe.* – "Ah, coitadinho de mim" é o que é ouvido aí. (Ar., *Cat.*, 163v)

NOTA – Daí, no P.B., **MARANDUBA**, **MARANDUVA** (*marã²* + *enduba*, "ouvir coisas quaisquer"), história de guerras, de viagens; (N, NE) história fantasiosa, fabulosa.

endubaíb (s) (etim. – *ouvir superficialmente*) (v. tr.) – entreouvir: *Asendubaíb nde nhe'enga.* – Entreouvi tuas palavras. (*VLB*, I, 119)

endy¹ (s) (v. tr.) – cuspir (em): *Omarãmonhangype, oîoendyne?* – Brigarão, cuspirão um no outro? (Anch., *Doutr. Cristã*, I, 228)

endy² (ou **eny**) (t) (s.) – chama, lume, luz (de fogo, de candeia etc.) (*VLB*, II, 25; 26); brilho (como o do mar, à noite): *... tatá-endy îabé...* – como uma luz de fogo (Ar., *Cat.*, 81v-82); *Osyk oré ri sendy îepinhẽ.* – Chegou a nós sua luz para sempre. (Anch., *Poemas*, 124); *... Pe* *rapy tatá-endyne!* – Queimar-vos-ão as chamas de fogo! (Anch., *Teatro*, 42); [adj.: **endy (r, s)**] – brilhante, chamejante; **(xe)** brilhar, luzir: *Xe rendy.* – Eu brilho. (*VLB*, I, 40); *Kó taba renyreme, pe pyri nhẽ xe rekóû.* – Por esta aldeia luzir, eu estou junto de vós. (Anch., *Teatro*, 186) • **ma'endy (ma'e-endy)** – coisa chamejante (Léry, *Histoire*, 351)

> NOTA – Daí, **JACIRENDI** (nome de localidade de SP) (v. Rel. Top. e Antrop. no final).

endy³ (ou **eny**) **(t)** (s.) – cuspo, saliva (*VLB*, I, 88): *Mba'erama ripe asé ũme o endy moíni?* – Por que põe sua saliva no nariz da gente? (Ar., *Cat.*, 81v); [adj.: **endy (r, s)**] – salivoso, salivante; **(xe)** salivar: *Xe rendy-rendy.* – Eu fico salivando. (*VLB*, I, 85)

endyapytaîyka (ou **enyapytaîyka**) **(t)** (etim. – *saliva dura*) (s.) – fleugma (*VLB*, I, 143)

endybá (ou **enybá**) **(t)** (s.) – queixo (D'Evreux, *Viagem*, 158): *Asendybá-apin.* – Rapei-lhe o queixo, barbeei-o. (*VLB*, I, 52)

endybaaba (ou **enybaaba**) **(t)** (etim. – *pelos do queixo*) (s.) – barba (Castilho, *Nomes*, 39): *xe rendybaá-tinga* – minha barba branca (*VLB*, I, 65); [adj.: **endybaab (r, s)**] – barbado; **(xe)** ter barba: *Xe rendybaá-îub.* – Eu tenho barba ruiva. (*VLB*, II, 109) • **sendybaá-îuba'e** – o que tem barba ruiva (*VLB*, II, 109); **tendybaaba rerekoara** – o que tem barba; o barbudo (D'Evreux, *Viagem*, 158)

endybagûyaîa (t) (etim. – *papo da parte inferior do queixo*) (s.) – papada (do gordo); [adj.: **endybagûyaî (r, s)**] – papudo; **(xe)** ter papo, ter papada (como o gordo): *Xe rendybagûyaî.* – Eu tenho papo (ou papada). (*VLB*, II, 64)

endybagûyra (ou **enybagûyra**) **(t)** (etim. – *parte inferior do queixo*) (s.) – papo, papada (Castilho, *Nomes*, 39)

endybangã¹ (ou **enybangã**) **(t)** (s.) – cotovelo (Castilho, *Nomes*, 39)

endybangã² (ou **enybangã**) **(t)** (s.) – canto (de parede, do lado de fora da casa): *sendybangã* – canto dela (*VLB*, I, 66)

endyendyîab (r, s) (xe) (v. da 2ª classe) – chamejar (o fogo), cintilar (as estrelas) (*VLB*, II, 25)

endyîaba (t) (s.) – lume (p.ex., do mar em certa conjunção da lua etc.): *'y rendyîaba* – lume das águas (*VLB*, II, 25); [adj.: **endyîab (r, s)**] – luzente; **(xe)** luzir; fazer lume (p.ex., o mar, o peixe nele etc.) (*VLB*, II, 25)

endyîaîab (r, s) (xe) (v. da 2ª classe) – resplandecer, brilhar extensamente (como uma multidão de lumes, de candeias, de lâmpadas etc.) (*VLB*, II, 25)

endyîuî (r, s) (xe) (v. da 2ª classe) – escumar, lançar espuma pela boca, espumar: *Xe rendyîuî.* – Eu espumei. (*VLB*, I, 124)

endypuka (t) (etim. – *lume fendido*) (s.) – resplendor; [adj.: **endypuk (r, s)**] – luzente, brilhante, resplandecente: *Xe rendypuk.* – Eu sou luzente. (*VLB*, II, 26)

endypy'ã (t) (s.) – 1) joelho (Castilho, *Nomes*, 39); 2) nó (de cana etc.) (*VLB*, II, 50) • o **endypy'ãe'ybo** (ou o **endypy'ãe'yîbo**) – de joelhos: – *Marãpe seni og uba mongetábo?* – *O endypy'ãe'ybo, ybype oîeaŷbyka.* – Como estava orando a seu pai? – De joelhos, no chão reclinando a cabeça. (Ar., *Cat.*, 52v); *O endypy'ãe'yîbo aín.* – Estou de joelhos. (*VLB*, I, 92)

endyra (t) (s.) – irmã ou prima (do h.): *O endyra... resé nd'e'ikatuî abá omendá.* – Com sua própria irmã não pode ninguém se casar. (Ar., *Cat.*, 128v)

endysyryka (etim. – *saliva escorrida*) **(t)** (s.) – baba: *xe rendysyryka* – minha baba; [adj.: **endysyryk (r, s)**] – ter baba; **(xe)** babar: *Xe rendysyryk.* – Eu babo. (*VLB*, I, 50)

ené (interj.) – o mesmo que **ene'ĩ** (v.) (Anch., *Teatro*, 44, 2006)

ene'ĩ (interj.) – Eia! Vamos! Sus! [Usada com a 2ª p. do sing. para exortar, ordenar, incitar ou rogar. Leva o verbo para o gerúndio. Talvez seja forma imperativa de '**i** / '**é**, segundo nos diz Anchieta (*Arte*, 56v)]: *Ene'ĩ esóbo!* – Eia, vai! (Anch., *Arte*, 56v); *Ene'ĩ t'asóne!* – Eia, que eu vá! (Anch., *Arte*, 56v); *Ene'ĩ, t'îasó taûîé!* – Eia, vamos logo! (Anch., *Poemas*, 182)

ene'ĩhengûy – forma negativa de **ene'ĩ** (v.) (*VLB*, II, 58)

enema – o mesmo que **enena** (v.) (*Libri Princ.*, vol. I, 153)

enembaîa (t) (s.) – penduricalho; [adj.: **enembaî (r, s)**] **(xe)** – ter penduricalhos: *Xe renembaî.* – Eu tenho penduricalhos. (*VLB*, II, 72)

enembi'u

enembi'u (s.) - nome de um inseto, o mesmo que **enembu'i** (v.) (Marcgrave, *Hist. Nat. Bras.*, 253)

enembu'i (s.) - escaravelho, nome comum aos insetos da família dos escarabeídeos, principalmente os que se alimentam de fezes de mamíferos herbívoros. Há certas espécies cujas fêmeas põem ovos em bolinhas de excremento que empurram e depois enterram. São também conhecidos como *carocha, rola-bosta, bicho-bolo* etc. (*VLB*, I, 123)

enena (s.) - var. de inseto coleóptero da família dos coprinídeos (Marcgrave, *Hist. Nat. Bras.*, 246; *VLB*, I, 123)

ENENA (fonte: Marcgrave)

(e)nha'ẽ (r, s) (s.) - **1)** prato (Anch., *Arte*, 13v): *xe renha'ẽ* - meu prato; *senha'ẽ* - seu prato (Fig., *Arte*, 78); *itá nha'ẽ* - prato de pedra (Staden, *Viagem*, 52); **2)** bacia qualquer (*VLB*, I, 50); bacia de estanho (*VLB*, I, 50); **3)** alguidar (*VLB*, I, 31); **4)** (peças de) louça (*VLB*, II, 24) • **nha'ẽ-mbeba** - prato raso (*VLB*, II, 84)

NOTA - Daí, os nomes geográficos **ITANHAÉM** (SP), **SIRINHAÉM** (PE) etc. (v. Rel. Top. e Antrop. no final).

(e)nha'ẽpepó (r, s) (etim. - *prato de asa*) (s.) - panela: *Oú bé senha'ẽpepó t'omoîy xe renondé.* - Veio também sua panela para que os cozinhe adiante de mim. (Anch., *Teatro*, 66)

enhambé (v. irreg. - forma só usada no imper.) - espera!: *Enhambé ranhẽ!* (ou *Enhambé rangûé!*) - Espera, primeiro! (*VLB*, I, 126)

(e)nhau'uma [ou (e)nha'uma] (r, s) (s.) - barro: *Nha'uma i monhangymbyra nhẽpe asé oîmoeté?* - A gente adora, com efeito, o que é feito de barro? (Ar., *Cat.*, 22); *xe renhau'uma; senhau'uma* - meu barro; o barro dele (Fig., *Arte*, 78); *nhau'umoka* - casa de barro (Anch., *Arte*, 2v)

NOTA - Daí provém o nome geográfico **INHAÚMA** (PE) (v. Rel. Top. e Antrop. no final)

enhũî (r, s) (xe) (v. da 2ª classe) - **1)** nascer (o que foi plantado); brotar (a planta, a semente); **2)** reverdecer (a árvore) (*VLB*, I, 42)

enhuna (t) (s.) - mula das virilhas; adenite inguinal de origem venérea (*VLB*, II, 44); [adj.: **enhun** (r, s)] (xe) - ter mula nas virilhas (*VLB*, II, 44)

(e)nimbó (r, s) (s.) - fio grosso (como de rede), corda (Anch., *Arte*, 13v): *xe renimbó* - meu fio; *senimbó* - seu fio (Fig., *Arte*, 78)

NOTA - Daí, no P.B., **INIMBÓ** ('*y + enimbó*, "corda d'água"), nome de uma planta trepadeira da família das leguminosas, comum nas restingas.

eno- pref. da voz causativo-comitativa (v. *ero-*)

eno'ẽ (v. tr.) - retirar (como a comida da panela, algo do buraco, da cova etc.); tirar: *Ano'ẽ.* - Retirei-a. (*VLB*, II, 129)

enõî (s) (v. tr.) - **1)** chamar, invocar, nomear, dar o nome de, chamar pelo nome: *Xe renõî umẽ îepé i xupé, na xe îukáî!* - Não me chames pelo nome diante dele, senão me mata! (Anch., *Teatro*, 30); *Esenõî mbá.* - Nomeia tudo. (Léry, *Histoire*, 343); *Asenõî apŷabetá...* - Chamo os homens. (Valente, *Cantigas*, VI, in Ar., *Cat.*, 1618); *"Anhetẽ" eré tenhẽ umẽ, Tupã rera renõîa...* - Não digas em vão: "É verdade", invocando o nome de Deus. (Ar., *Cat.*, 67); **2)** evocar, trazer à lembrança: *xe îara re'õ renõîa...* - Evocando a morte de meu Senhor. (Anch., *Teatro*, 168); *Mba'epe asé osenõî i xupé, o îerobîasabamo?* - Que a gente evoca diante dele como sua esperança? (Ar., *Cat.*, 30); **3)** prometer, jurar (*VLB*, II, 87); **4)** culpar: *Asenõî tenhẽ.* - Culpei-o falsamente. (*VLB*, I, 87) • **enõîndara** (ou **enõîtara**) (t): o que invoca, o que chama, o que promete etc.: *O'anga koîpó abá 'anga koîpó santo amõ ybakype tekoara renõîndara abé o îuraragûaîamo nhẽ, marãpe?* - E mentindo aquele que invoca sua própria alma, a alma de alguém ou também algum santo que está no céu, que acontece? (Ar., *Cat.*, 67); **emienõîa** (t) - o que alguém chama; o chamamento; o invocado, o que alguém invoca, promete ou jura: *... T'oré angaturãne Cristo remienõîûera resé...* - Para que sejamos dignos do que Cristo prometeu. (Ar., *Cat.*, 14v); **enõîndaba** (ou **enõîtaba**) (t) - tempo, lugar, modo etc. de invocar, de chamar etc.: *Our ogûenõîn-*

dápe. – Vem aonde o chamam. (Fig., *Arte*, 84); *A'ereme bé opá omanõba'epûera 'angûera ruri o enõîndápe...* – Então também as almas de todos os que morreram virão quando forem chamadas. (Ar., *Cat.*, 160v); *Marãpe i mongaraibypyramo renõîndabeté?* – Qual é o modo verdadeiro de chamar os batizados? (Ar., *Cat.*, 22v); **senõîmbyra** – o que é (ou deve ser) chamado, prometido, culpado etc.: *Grácia sera, kó nde rainhamo senõîmbyra...* – Graça é seu nome, eis que esta é a que deve ser chamada "tua rainha". (Anch., *Poemas*, 156)

NOTA – Daí, no P.B., **GUIRAENOIA** ("a chama-pássaros"), ave da família dos cerebídeos.

enoĩ (ou **enoín**) (v. tr.) – estar (parado ou sentado) com, fazer estar consigo (parado ou sentado): *Îandé monhangara nhẽ erenoĩ nde îybápe.* – Nosso criador fazes estar contigo em teus braços. (Anch., *Poemas*, 102)

enõîndaba (ou **enõîtaba**) (t) (etim. – *meio de chamar*) (s.) – designativo; nome: *Ixé Saûîaetá. Serapûã xe renõîndaba.* – Eu sou Sauiaetá. Famoso é meu nome. (Anch., *Poemas*, 156); *Esenõî nde reté renõîndabetá ixébe.* – Nomeia os muitos designativos de teu corpo para mim. (Léry, *Histoire*, 364)

enoko'em – o mesmo que **eroko'em** (v.) (Anch., *Diál. da Fé*, 175)

enondé[1] (r, s) (posp.) – adiante de, à frente de: *Ene'ĩ, t'îarasó senondé kó musurana.* – Eia, levemos adiante deles esta muçurana. (Anch., *Teatro*, 138); *Osó xe renondé.* – Foi à frente de mim. (Anch., *Arte*, 45; Fig., *Arte*, 122); *Îandé manhana ranhẽ t'osó îandé renondé...* – Nosso espião vá primeiro, à frente de nós. (Anch., *Teatro*, 20); *Oú bé senha'ẽpepó, t'omoîy xe renondé.* – Veio também sua panela para que os cozinhe adiante de mim. (Anch., *Teatro*, 66)

enondé[2] (t) (s.) – a frente, o que está adiante: ... *Esepîá-katu nde renonderama ybaka piarype nde ropare'ymamo...* – Vê bem a tua frente para que não te percas no caminho do céu. (Ar., *Cat.*, 82)

enondear (s) (v. tr.) – 1) antecipar; atalhar (p.ex., a fala de alguém): *Aînhe'engenondear.* – Antecipei (ou *atalhei*) sua fala. (*VLB*, I, 46); 2) vir antes de; adiantar-se a, cercar pela frente (p.ex., ao que foge): *Asenondear.* – Adiantei-me a ele; vim antes dele. (*VLB*, I, 21; 36)

enondesaba (t) (s.) – período anterior; a véspera: *I 'ara renondesaba 'ara îekuakupaba.* – O período anterior ao dia dele é dia em que se jejua. (Ar., *Cat.*, 121)

enonhan (v. tr.) – fazer correr consigo, correr com: ... *Anonhan, arobebéne...* – Fá-los-ei correr comigo, fá-los-ei voar comigo... (Anch., *Teatro*, 40)

enonhen (ou **enonhẽ**) (s) (v. tr.) – 1) repreender; corrigir, doutrinar em costumes (p.ex., o pai ao filho): *Enonhẽ, eîakaká, t'oîepysyrõ-motá anhanga ratá suí.* – Corrige-os, censura-os, para que queiram livrar-se do inferno. (Anch., *Poemas*, 158); *Morubixaba tuîba'e onhe'eng memẽ i xupé, senonhena, i akakapa.* – Os chefes velhos falam sempre a eles, repreendendo-os, censurando-os. (Anch., *Teatro*, 34); 2) reprimir: *Mba'e-aí-potara renonhena.* – Reprimir o desejo de coisas más. (Ar., *Cat.*, 19v) • **enonhẽndara** (t) – o repreensor, o que corrige, o que repreende: *E'ikatu ipó senonhẽndarama supé é...* – Pode certamente (contá-lo) para quem o repreenderá. (Ar., *Cat.*, 73v)

enopu'am[1] (ou **eropu'am**) (v. tr.) – ameaçar (com pau, espada etc., não ferindo): *Aropu'am.* – Ameacei-o. (*VLB*, I, 34); *Ké abá rekôu anhẽ xe renopu'ã-pu'ama.* – Aqui os homens estão, na verdade, para me ficar ameaçando. (Anch., *Teatro*, 26). (Também pode receber -*s*- no indicativo.): *Asenopu'am Pedro ybyrá pupé.* – Ameacei Pedro com um pau. (Anch., *Arte*, 49)

enopu'am[2] (ou **eropu'am**) (v. tr.) – erguer-se com; levantar-se com; fazer erguer-se consigo, fazer levantar-se consigo: *O pó, o py, o yké kutukagûera bépe erimba'e ogûeropu'am?* – Ergueu-se com as feridas de suas mãos, de seus pés e de seu flanco? (Ar., *Cat.*, 44v); *I abaeté-katu irã tekó i angaîpaba'e supéne,... o poxy, o eté-una reropu'ama...* – Serão muito terríveis os fatos, futuramente, para os que são maus, levantando-se com sua fealdade, com seus corpos escuros. (Ar., *Cat.*, 161)

enosem (v. tr.) – 1) retirar, arrancar, fazer sair consigo: *Mamõpe Pilatos senosemi a'ereme?* – Para onde Pilatos retirou-o, então? (Ar., *Cat.*, 60v); *Kó nhõ anosé îepé moxy suí...* – Na verdade, somente estas retirei dos malditos. (Anch., *Poemas*, 150); 2) resgatar: *I momiaû-*

enotara

subypyra renosema. – Resgatar os cativos. (Ar., Cat., 18v); **3)** desembarcar, descarregar (p.ex., embarcação): *Anosem mba'e ygara suí.* – Descarreguei as coisas da canoa. (*VLB*, I, 97) • **enosemara (t)** – o que retira, o que resgata: ... *N'oîeruré-pytubari Tupã supé ogûenosemarûera resé.* – Não se cansam de pedir a Deus pelos que os resgataram. (Ar., Cat., 8v); **enosembaba (t)** – tempo, lugar, modo etc. de retirar; retirada: *Arobîar... asé rubypy-karaibetá 'angûera a'epe turama osarõba'e renosemagûera bé.* – Creio que ele retirou também as almas dos nossos primeiros e santos pais (da mansão dos mortos), que aí esperavam sua vinda. (Ar., Cat., 16); **emienosema (t)** – o retirado, o que alguém faz sair consigo, o que alguém retira: *Marãpe a'e semienosegûama rekôû a'epe?* – Que faziam aí os que ele faria sair consigo? (Ar., Cat., 44); *Anosẽ-nosem* (ou *Anosẽ-nosemũ*). – Vivo retirando-o; *Anosẽ-sem.* – Vivo retirando-as [quando são muitas coisas]. (*VLB*, II, 129)

enotara (t) (s.) – **1)** precursor, predecessor (no tempo, em viagem, na guerra etc.), o mensageiro que vai antes, adiante dos outros, preparar as coisas para os que chegarão mais tarde, o preparador: *Nd'e'i te'e oú Îandé Îara renotaramo, i mombegûabo...* – Por isso mesmo veio como precursor de Nosso Senhor, anunciando-o. (Ar., Cat., 6); **2)** o mais velho, o antepassado: – *Abá abépe asé oîmoeté aîpó Tupã nhe'enga mopóne?* – *O eke'yra, o enotara, tunhaba'e.* – Quem também a gente honrará para cumprir essa palavra de Deus? – A seu irmão mais velho, aos mais velhos, aos anciãos. (Anch., Diál. da Fé, 207); **3)** algo que se prepara para alguém que vai, o que é preparado para o recebimento de alguém: *kaûî xe renotara* – o cauim que é preparado para meu recebimento (Anch., Arte, 45v) • **enotarûera (t)** – o maior, ou o mais velho filho (ou filha) (*VLB*, II, 28)

enotĩ (v. tr.) – envergonhar-se de (fato ou pessoa): *Ereîkuakupe nde angaîpaba amõ abaré suí, senotĩamo nhẽ?* – Escondeste algum pecado teu do padre, envergonhando-te dele? (Ar., Cat., 221); *Anotĩ xe aíba.* – Envergonho-me de minha feiura. (*VLB*, I, 83)

eny (t) – v. **endy (t)**

e'õ (t) (s.) – **1)** morte (em geral): ... *Te'õ rupîara nhẽ...* – Adversária da morte (Anch., *Poemas,* 88); *Te'õ rerobyka é, xe angaîpá-tubixagûera amosẽne...* – Aproximando-me da morte, meus grandes pecados antigos farei sair. (Anch., Teatro, 38); *N'ereîkuabipe ko'yr te'õ nde resé sekó?* – Não sabes que agora a morte está contigo? (D'Abbeville, Histoire, 350); **2)** morte natural: *Te'õ suí amanõ.* – Morro de morte natural. (*VLB*, II, 42); **3)** desfalecimento, entorpecimento; [adj.: **e'õ (r, s)**] – moribundo; desfalecido, entorpecido; **(xe)** morrer; desfalecer, entorpecer-se: ... *Abá 'anga re'õû nhẽ Tupana nhe'enga abýápe.* – As almas dos homens morrem ao transgredirem a palavra de Deus. (Anch., Teatro, 144); *Se'õ.* – Ele morre. (Anch., Arte, 40); *îybá-e'õ-e'õ* – braços entorpecidos, quebrantados (com algum sobressalto, grande tristeza etc.); *pó-e'õ* – mãos entorpecidas (*VLB*, II, 93) • **e'õsara (t)** – o que morre, o mortal (*VLB*, II, 42); **e'õaba** (ou **e'õsaba) (t)** [no futuro **egûama (t)**] – tempo, lugar, modo, causa, instrumento etc. da morte, do morrer; morte (Fig., Arte, 59): ... *Abá re'õagûera resé og orybamo...* – Alegrando-se com a morte de alguém. (Ar., Cat., 70v); *O'u nhẽpe a'e 'ybá, tegûama...?* – Comeu aquele fruto, causa de morte? (Ar., Cat., 40v); *Nde ma'enduá-katu... nde resé se'õagûera resé.* – Lembra-te bem de que morreu por tua causa. (Ar., Cat., 249); **e'õ-memûã** (ou **e'õ-aíba** ou **e'õ-korine) (t)** – morte súbita ou em desastre (*VLB*, II, 42)

NOTA – Daí provém o nome de uma ave, de que se dizia ser capaz de morrer e ressuscitar: o TÉU-TÉU (de *te'õ-te'õ* – morte, morte).

e'õ'ar (r, s) (xe) (v. da 2ª classe) – desmaiar: *Xe re'õ'ar.* – Eu desmaiei. (*VLB*, I, 99)

e'õmbûera (t) (s.) – corpo morto; defunto; cadáver (de homem ou animal): *pirá re'õmbûera* – corpo morto de peixe (*VLB*, I, 82); *A'epe asé re'õmbûera, marã?* – E os cadáveres da gente, que sucede a eles? (Ar., Cat., 27); *Aseîá kó se'õmbûera.* – Deixei esse cadáver seu. (Anch., Teatro, 160); ... *Oîoybyri se'õmbûera paranã ybyri i kûaî.* – Lado a lado seus cadáveres ao longo do mar estavam. (Anch., Teatro, 52)

(e)panakũ[1] **(r, s)** (s.) – **PANACU, PANACUM,** variedade de cesto oblongo (Anch., Arte, 13v); cesto comprido onde as mulheres comumente levavam suas coisas; canastra para se conduzirem objetos em viagem: *xe repanakũ* – meu cesto; *sepanakũ* – seu cesto (Fig., Arte,

78); *ysypó-panakũ* – panacu de cipó (Thevet, *Cosm. Univ.*, II, 941v) • **panakũ-popesama** – a corda do panacu com que se ata o que vai nele e também a corda que vai pelas bordas dele; **panakũ-sama** – corda de panacu, a que vai pela cabeça daquele que o leva (*VLB*, I, 82)

(e)panakũ² (r, s) (s.) – sela: *kabaru repanakũ* – a sela do cavalo (*VLB*, II, 115)

epenhan¹ (ou **epenhã** ou **epenhang**) (s) (v. tr.) – 1) atacar: ... *T'oporepenhã oîkóbo*... – Que estejam atacando gente. (Anch., *Teatro*, 16); ... *Apŷaba eresepenhãne*. – Os índios atacarás. (Anch., *Teatro*, 20); ... *A'epe kunhãmuku repenhana*... – Ali atacando as moças. (Anch., *Teatro*, 34); *Îasepenhan, îaîpysyk, i apysyk' e'ymebé*... – Atacamo-los, prendemo-los, antes que se consolem. (Anch., *Teatro*, 66); *Esepenhan, Saraûaî!* – Ataca-o, Sarauaia! (Anch., *Teatro*, 76); 2) brigar com, pelejar com (com espada etc.) (*VLB*, II, 71) • **epenhandara (t)** – o que ataca: *Aîpysy-potá-katu morepenhandara ri*. – Quero muito apanhá-las com os que atacam as pessoas. (Anch., *Teatro*, 154, 2006)

epenhan² (s) (v. tr.) – 1) encontrar, ir ao encontro de: *Eîori xe repenhana!* – Vem para me encontrar. (Anch., *Teatro*, 176); *Îandé-te, îandé retama... t'ixepenhan*... – Nós, ao contrário, havemos de ir ao encontro da nossa pátria. (Anch., *Teatro*, 184); 2) socorrer, valer a: *Asepenhan*. – Socorri-o. (*VLB*, II, 141) • **epenhandara (t)** – o que encontra, o que socorre: *morepenhandara* – o que socorre gente (*VLB*, II, 119); **epenhandaba (t)** – tempo, lugar, modo etc. de ir ao encontro, de socorrer; ato de ir ao encontro, socorro: ... *Tekokatu repenhandápe peîkóbo*. – Vivendo para ir ao encontro da virtude. (Ar., *Cat.*, 284, 1686)

epenhang (s) – v. epenhan¹ (s) (*VLB*, I, 59)

epîak (s) (v. tr.) – ver: *Sory-katu xe repîaka*... – Estavam felizes ao ver-me. (Anch., *Teatro*, 10); *I abaeté sepîaka ixébo*... – É terrível para mim vê-los... (Anch., *Teatro*, 26); ... *Seté anhõ osepîakyne*. – Seu corpo somente verão. (Ar., *Cat.*, 46v); ... *Îandé repîaka our!* – Veio para nos ver! ... *Eîori nde retamûama repîaka*. – Vem para ver tua futura terra. (Léry, *Histoire*, 341) • **epîakara (t)** – o que vê: *Marangatuba'e santos ybakype, Tupã repîaketá, osasá 'ara ro'y remierekó papasaba*. – Os bem-aventurados e os santos no céu, que veem a Deus, ultrapas-

sam o número dos dias que o ano tem. (Ar., *Cat.*, 135); **epîakaba (t)** – lugar, tempo, modo etc. de ver; a visão: – *Mamõpe Pilatos senosemi a'ereme?* – *Okarype morepîakápe*... – Para onde Pilatos o retirou, então? – Para a praça, para o lugar de ver gente... (Ar., *Cat.*, 60v); **emiepîaka (t)** – o visto, o que alguém vê: *Oîepó-eî te'yîa remiepîakamo*. – Lavou-se as mãos à vista da multidão (isto é, *como o que a multidão vê*). (Ar., *Cat.*, 61); *Ereîmombe'upe abá rekopoxŷ agûera oîepebẽ nde remiepîakûera abá supé?* – Contaste o mau procedimento de alguém, que somente tu viste, para as pessoas? (Ar., *Cat.*, 108); **sepîakypyra** – o que é (ou deve ser) visto: ... *Mo'yrobyeté sepîakypyre'yma*. – Colares azuis não vistos (ainda). (Léry, *Histoire*, 346); **sepîakypypabẽ** – coisa notória por ser vista totalmente; notório, patente (*VLB*, II, 51) (Com o verbo 'i / 'é, como auxiliar, significa *crer, vendo*): *Eré sepîakane*. – Crerás, vendo. (Fig., *Arte*, 159)

NOTA – Daí, o nome geográfico **PARANAPIACABA** (SP) (v. Rel. Top. e Antrop. no final).

epîakatu (s) (v. tr.) – observar, notar só com a vista (para depois conhecer a causa): *Asepîakatu*. – Observei-o. (*VLB*, II, 51)

epîaka'ub (s) (v. tr.) – desejar ardentemente ver, ter saudades de; ver na imaginação: ... *Nde robá repîaka'upa*... – Desejando ardentemente ver tua face. (Anch., *Poemas*, 84); *Pitangĩ repîaka'upa, aîur xe roka suí*. – Desejando ardentemente ver o nenenzinho, vim de minha casa. (Anch., *Poemas*, 102); *Xe-te, nde repîaka'upa, oroamotá-katu*... – Mas eu, tendo saudades de ti, quero-te muito bem. (Anch., *Poemas*, 142); *O membyra... 'arama osepîaka'ub*... – Deseja ardentemente ver o nascimento de seu filho. (Ar., *Cat.*, 9-9v); *Asepîaka'ub xe ruba*. – Tenho saudades de meu pai. (Fig., *Arte*, 138)

epîakĩ (s) (v. tr.) – consentir, permitir tacitamente, ver sem se importar: ... *Og okype îopotara repîakĩamo*. – Em sua própria casa o desejo sensual consentindo. (Ar., *Cat.*, 71v) • **osepîakĩba'e** – o que consente, o que vê sem se importar: *Abá mondarõ osepîakĩba'e*... – O que vê um homem furtar sem se importar. (Ar., *Cat.*, 72v)

epîakukar (s) (v. tr.) – mostrar: ... *Îudeus supé sepîakuká*... – Mostrando-o aos judeus. (Ar., *Cat.*, 60v)

epoti¹

epoti¹ (t) [ou (e)poti (r, s)] (s.) – fezes (Castilho, *Nomes*, 39); excrementos (*VLB*, II, 23); esterco (de qualquer animal) (*VLB*, I, 128)

> NOTA – Daí, no P.B., **GUIRAREPOTI** (*fezes de passarinho*), erva-de-passarinho, nome comum a diversas plantas lorantáceas, parasitas de árvores, cujas sementes são ali colocadas pelos pássaros. Daí, também, o nome geográfico **ARAPOTI** (PR) (v. Rel. Top. e Antrop. no final).

epoti² (t) (s.) – 1) ferrugem: *itá repoti* – ferrugem do ferro (*VLB*, I, 138); 2) escória (como de ferro): *itá repoti* – escória do ferro (*VLB*, I, 123); [adj.: **epoti (r, s)**] – enferrujado; **(xe)** – ter ferrugem: *Sepoti.* – Ele está enferrujado, ele tem ferrugem (p.ex., o ferro). (*VLB*, I, 138)

(ep)uru (r, s) (s.) – vasilha, cuia (com relação a quem a traz ou a tem): *xe repuru; sepuru* – minha vasilha (a que eu trago ou tenho); a vasilha dele (a que ele traz ou tem). (Fig., *Arte*, 79; Anch., *Arte*, 13v)

epy (t) (s.) – 1) pagamento; recompensa, retribuição; troca, troco: *Aîme'eng sepyramo.* – Dou-o em recompensa. (*VLB*, II, 98); *Ikó îu'i... t'ere'u sepy resé.* – Estas rãs, que as comas em retribuição por isso. (Anch., *Poemas*, 158); *Oîme'eng-îeby sepypûera morubixabetá... supé...* – Devolveu seu pagamento aos príncipes. (Ar., *Cat.*, 57v); *T'otupã-mongetá xe resé ixé o aûsuba, ixé o moeté... repyramo...* – Que rezem por mim a Deus como retribuição de eu os amar, de eu os honrar. (Ar., *Cat.*, 12v); *Itaîuba repyramo aîme'eng.* – Dei-o a troco de dinheiro. (*VLB*, I, 90); *Irũmbûera, akûeîmebé, kaûî repyrama ri aîme'eng abá supé.* – Seus antigos companheiros, então, em troca de cauim dei aos índios. (Anch., *Teatro*, 46); 2) preço: *Mba'epe sepyrama?* – Qual é o preço delas? (Léry, *Histoire*, 344); 3) pena, reparação (de crime ou falta cometidos), revide: *Abá-mondá morapitîagûera repyramo mundeokype i mondebypyrûera.* – Um homem ladrão que foi posto na prisão como pena de assassinatos. (Ar., *Cat.*, 59v); ... *Sepyramo é anhẽ te'õ rekôû i pupé...* – A morte estava dentro deles como sua pena. (Ar., *Cat.*, 85); 4) dívida: – *Mba'epe Purgatório?* – *Tatá asé angaîpaba repy mondykaba.* – Que é o Purgatório? – O fogo em que se elimina a dívida de nossos pecados. (Ar., *Cat.*, 48v); 5) remissão: *Sepyrama xe pûaîtaba.* – Sua remissão foi minha determinação. (Anch., *Teatro*, 170); [adj.:

epy (r, s)] (xe) – ter preço, ter retribuição, ter recompensa, ter reparação: ... *Ta sepy nde mondagûera.* – Que tenha reparação o teu roubo. (Anch., *Teatro*, 46); ... *T'okaî nde ratá pupé, ta sepy muru angaîpaba.* – Que queimem em teu fogo, para que os pecados dos malditos tenham retribuição. (Anch., *Teatro*, 60); *Na xe repy-etéî.* – Eu não tenho muito preço; *Na xe repy-marangatuî.* – Eu não sou caro; *Xe repy-mokonhõ'ĩ.* – Eu tenho um preço baixinho. (*VLB*, I, 51) • **sepyba'e** – o que tem preço: *Nde 'anga sepy-etéba'e...* – Tua alma é o que tem muito preço. (Anch., *Doutr. Cristã*, II, 112); **mba'e repyrama** – resgate futuro; despesa, tudo o que se leva para comprar ou resgatar (*VLB*, I, 100)

epŷaba (t) (s.) – reparação; retribuição: *Sepŷápe, ereîakasó...* – Em reparação disso, mudaste-te de aldeia. (Anch., *Teatro*, 166)

epyenõî (s) (v. tr.) – apreçar, avaliar, dar o valor: *Asepyenõî.* – Avaliei-o. (*VLB*, I, 39)

epyî (s) – o mesmo que **ypyî** (s) (v.)

epyk (s) (v. tr.) – 1) vingar, desagravar: *Nd'ereîuri xe repyka?* – Não vens para me vingar? (Anch., *Teatro*, 50); *Erĩ! Xe rapy Tupã, o boîá repyka nhẽ.* – Ai! Queima-me Deus, vingando seu servo. (Anch., *Teatro*, 90); ... *Nd'e'i te'e o apixara akakapa, sepyka.* – Por isso mesmo repreendeu a seu companheiro, desagravando-o. (Ar., *Cat.*, 63); ... *Ixé t'oroepyk...* – Eu hei de vingar-te. (Ar., *Cat.*, 102); 2) falar em favor de, excusar: *Asepy-sepyk.* – Fiquei falando em favor dele. (*VLB*, I, 134)

epyme'eng (s) (v. tr.) – 1) pagar, pagar por, pagar tributo por: *Asepyme'eng.* – Paguei-o. (*VLB*, II, 62); *Osepyme'engype erimba'e emonã o ekoagûera...?* – Pagou outrora por seu proceder assim? (Anch., *Doutr. Cristã*, I, 163); *Asepyme'eng (abá) supé.* – Paguei-o ao homem. (*VLB*, I, 146, adapt.); 2) dar recompensa por, resgatar • **osepyme'engyba'e** – o que paga, o que resgata (Ar., *Cat.*, 168v); **epyme'engara (t)** – o que resgata, o que paga: ... *Ikó 'ara pupé bé o angaîpagûera repyme'ẽngatusarûera ybakype aûnhenhẽ serasó-uká...* – Fazendo levar imediatamente para o céu os que resgataram bem seus pecados ainda neste mundo. (Ar., *Cat.*, 159); **epyme'engaba (t)** – tempo, lugar, modo etc. de pagar, de resgatar; pagamento, resgate: *Ndaeroîaî... o ekoangaîpagûera repyme'engagûama resé o putupabamo.* – Nem por isso se importa com o resgate de seus antigos pecados. (Ar., *Cat.*, 155)

epymondykaba (t) (s.) – resgate, pagamento de dívida: ... *xe 'anga repymondykaba...* – o resgate de minha alma (Ar., *Cat.*, 12)

epynõ (t) (s.) – ventosidade, peido (*VLB*, II, 144)

epysama (t) (s.) – **1)** intervalo, interstício, divisão que há entre as partes pudendas da frente da mulher e seu ânus (*VLB*, II, 22); **2)** faixa, língua (p.ex., de mato que ficou em pé após a derrubada da floresta, de terra que une duas ilhas etc.) (*VLB*, II, 22)

-er – alomorfe de **pûer** (v.)

era (t) (s.) – nome: *Aîpó nhõ-pipó nde rera?* – Esse somente é, de fato, teu nome? (Anch., *Teatro*, 44); *Ta setá-katu xe rera!* – Que sejam muitos os meus nomes! (Anch., *Teatro*, 64); *Xe rera "Kururupeba".* – Meu nome é "Sapo Achatado". (Anch., *Teatro*, 90); *"Santa Maria" sera...* – Santa Maria é o seu nome. (Anch., *Poemas*, 88); *I porãngatu nde rera.* – É muito belo o teu nome. (Anch., *Poemas*, 104); [adj.: **er (r, s)**] – nomeado; **(xe)** ter nome: *Xe rer.* – Eu tenho nome. (*VLB*, II, 50) ● **seryba'e** – o que tem nome, o chamado: *Gûaîxará seryba'e...* – o que tem nome *Guaixará*, o chamado *Guaixará* (Anch., *Teatro*, 6); **sere'ymba'e** – o que não tem nome, o não batizado: *Ereîkópe sere'ymba'e amõ resé?* – Vives com alguma não batizada? (Anch., *Doutr. Cristã*, II, 89)

NOTA – De **xe rera** ("meu nome") originou-se, no P.B., a palavra **XARÁ**, pessoa que tem o mesmo nome que outra (ou também **XARAPA, XARAPIM, XERA, XERO**).

erakûatiasaba (t) (s.) – matrícula; inscrição do nome (*VLB*, II, 33)

erapûana (t) (etim. – *nome ligeiro*) (s.) – **1)** fama, nomeada (boa ou má): *Agûatá ko'arapukuî nde rerapûana resé.* – Caminhei o dia todo por causa da tua fama. (Anch., *Poemas*, 150); *Moreaûsuba rerekoara nde rerapûana îepi.* – A de protetora dos aflitos é tua fama sempre. (Valente, *Cantigas*, IV, in Ar., *Cat.*, 1618); **2)** divulgação: ... *Se'õagûera rerapûaneme, abaré serekoara aé t'osekokuab.* – Em caso de divulgação de sua morte, o próprio padre responsável por ele que o julgue. (Ar., *Cat.*, 128v); [adj.: **erapûan** ou **erapûã (r, s)**] – famoso: *Serapûã kó mosakara...* – São famosos esses moçacaras. (Anch., *Teatro*, 6); *Eîerok moxy resé ta nde rerapûãngatu.* – Arranca-te o nome por causa dos malditos, para que sejas muito famoso. (Anch., *Teatro*, 46); *Serapûan ahẽ mondá.* – Os furtos de fulano são famosos. (*VLB*, II, 109); *Ixé Saûîaetá. Serapûã xe renoîndaba.* – Eu sou Sauiaetá. Famoso é meu nome. (Anch., *Poemas*, 156); *Anhẽté, kó serapûan Maria rekó-poranga.* – Eis que era famosa, certamente, a bela vida de Maria. (Anch., *Poemas*, 184) ● **serapûanyba'e** – o que tem fama, o que é famoso (*VLB*, I, 22)

erapûanaíba (t) (etim. – *fama má*) (s.) – difamação: *Eresendu-potá-katupe terapûanaíba abá remimombe'u...?* – Quiseste muito ouvir difamações que alguém profere? (Ar., *Cat.*, 108v)

erapûaturu (t) (s.) – rombo; [adj.: **erapûaturu (r, s)**] – rombudo (*VLB*, II, 108)

erasó (v. tr.) – fazer ir consigo, levar: ... *T'ereîu ybaté xe rerasóbo.* – Que venhas para levar-me para o alto. (Anch., *Poemas*, 102); *Pedro nde rerasó o irũnamo.* – Pedro leva-te consigo. (Fig., *Arte*, 83); *Ogûerasó temõ sapy'a ybakype Tupana xe ruba mã!* – Ah, oxalá cedo levasse Deus a meu pai para o céu! (Fig., *Arte*, 99); *Erasó koba'e nde ruba pé.* – Leva isto para teu pai. (Fig., *Arte*, 121); *Aporoerasó.* – Levo gente. (Fig., *Arte*, 89); ... *T'arasó pá xe ratápe...* – Hei de levar todos para meu fogo. (Anch., *Poesias*, 269) ● **ogûerasoba'e** – o que leva: *Abá mondarõagûera o'uba'e koîpó og okype ogûerasoba'e.* – O homem que come objeto de furto ou que o leva para sua casa. (Ar., *Cat.*, 72v); **erasoara** (t) – o que leva (Fig., *Arte*, 65): *O sybápe îandy-karaíba rasara rerasoara nd'e'ikatuî sesé omendá.* – O que leva aquele que recebe o óleo santo em sua testa (isto é, seu padrinho de crisma) não pode casar-se com ele. (Ar., *Cat.*, 129-129v); **erasosaba** (t) – tempo, lugar, modo, meio, instrumento etc. de levar, de fazer ir consigo: *Îarekópe amoaé ybakype asé rerasosaba aîpó nde remimombe'uagûera suí?* – Temos outros meios de sermos levados para o céu, afora aqueles que tu mencionaste? (Bettendorff, *Compêndio*, 74); *Abaré ogûerasoápe, n'asaûsubi...* – Por os levarem os padres, não os amo. (Anch., *Teatro*, 12)

ere- (pref. núm.-pess. da 2ª p. do sing., usado com verbos da 1ª classe): ... *Eresó, kó 'ara ri.* – Vais, neste dia. (Anch., *Poemas*, 94); ... *Ereîase'o îepi.* – Choravas sempre. (Anch., *Poemas*, 96); *Ybaka suí ereîur...* – Do céu vieste. (Anch., *Poemas*, 100); *Ereîpotápe itaîuba?* – Queres ouro? (Anch., *Teatro*, 44)

ere'yma (t) (etim. – *falta de nome*) (s.) – paganismo: ... *Og ere'yma pupé abá remipysyrõ oîabé sere'ŷme?* – O que alguém acolhe no seu paganismo, no paganismo dele está igualmente? (Ar., *Cat.*, 95v)

ereb¹ (s) (v. tr.) – chamuscar (passando ligeiramente sobre o fogo): *Asereb.* – Chamusquei-o. (*VLB*, I, 72); *Aîapé-ereb.* – Chamusquei o casco dela (isto é, da embarcação, para calafetá-la). (*VLB*, II, 93)

ereb² (s) (v. tr.) – lamber: *Asereb.* – Lambi-o. (*VLB*, II, 18)

ere'í (interj. que expressa raiva, desaprovação, desprezo) – irra! (*VLB*, II, 15)

ereîteúna (s.) – nome de uma árvore de grandes folhas. "Bota delas um modo de resina negra como breu com que os índios fazem suas frechas... Por ter este breu preto se chama *ereiteúna* e dá tanto que também se bream canoas com ele." (Lisboa, *Hist. Anim. e Árv. do Maranhão*, fl. 183)

erekó¹ (v. tr.) – **1)** fazer estar consigo, ter: ... *Toryba rekóbo...* – Tendo alegria. (Anch., *Teatro*, 54); ... *Saûsuba rekóbo...* – Tendo-lhe amor. (Anch., *Poemas*, 86); *Pitangĩ abé îandé rubypy angaîpaba nhõ ogûerekó.* – As criancinhas também têm somente o pecado de nosso pai primeiro... (Anch., *Doutr. Cristã*, I, 201); *Orogûerekó xe ra'yramo.* – Tenho-te como meu filho. (Anch., *Arte*, 41v); **2)** cuidar de, pastorear (o gado): *Erekó-katu nde ma'easy ko'y.* – Cuida bem da tua doença agora. (D'Abbeville, *Histoire*, 350); **3)** tratar, portar-se com: *O tupãnamo ta xe rekó...* – Que me tratem como a seu próprio deus. (Ar., *Cat.*, 160); *Marãpe i boîâ rekóû emonã o îara rekó repîaka?* – Como seus discípulos procederam vendo tratar assim a seu senhor? (Ar., *Cat.*, 54v); *I angaîpá kó nde boîâ, na xe rekó-katuî.* – São maus estes teus servos, não me tratam bem. (Anch., *Poemas*, 154); *Ererekó-memûâpe nde sabeypora?* – Portaste-te mal com tua embriaguez? (Anch., *Doutr. Cristã*, II, 103); **4)** manter, conservar: *Sepîakypyra niã aîpoba'e re'ombûera o marane'yma rekó mosapyr koîpó oîoirundyk seîxu ybŷá o tym'iré...* – São vistos os cadáveres daqueles manterem sua incorruptibilidade três ou quatro anos após os enterrarem. (Ar., *Cat.*, 179v); ... *Okaî oúpa... o ekobé rekóbo...* – Estão queimando, conservando suas vidas. (Ar., *Cat.*, 248); **5)** guardar, reter: *A'e aé ipó xe rekó...* – Ele mesmo certamente me guarda. (Ar., *Cat.*, 25v); **6)** fazer com: *I aogûerape marã serekóû?* – E suas velhas roupas, que fizeram com elas? (Ar., *Cat.*, 62); *Marãpe serekóû i tym-y îanondé?* – Que fizeram com ele antes de o enterrarem? (Ar., *Cat.*, 64v) • **erekoara** (ou **erekosara**) (t) – o que tem; o que cuida, o que trata etc.: *Tekokatu-eté rekoara onherane'ymba'e...* – O que tem a bem-aventurança é o que é manso. (Ar., *Cat.*, 18v); *São Sebastião abé, marana rekoarûera, tamũîa, kyre'ymbagûera, omombab erimba'e...* – São Sebastião também, o que cuidava das guerras, destruiu os tamoios, os valentes. (Anch., *Teatro*, 52); **emierekó** (t) – o que alguém tem, o que alguém faz estar consigo, o que alguém guarda etc.: *Xe rureme, asobaîtĩ xe remierekopûera.* – Ao vir eu, encontrei o que guardara. (Léry, *Histoire*, 375); *Oîekûaboky ba'eramape tekopuku ybakype semierekorama?* – A vida eterna que eles terão no céu é a que mudará? (Ar., *Cat.*, 47); **erekoaba** (t) – tempo, lugar, modo etc. de ter, de fazer estar consigo, de cuidar, de tratar, de guardar etc.; a posse, o ter, o trato, a guarda: *Eîkuab abaré nde mongaraipápe nde rekoagûera...* – Conhece o modo pelo qual o padre te tratou ao te batizar. (Ar., *Cat.*, 187); **serekopyra** – o que é tido, guardado, mantido, tratado etc.: *Emonã serekopyra rakó abá obasẽ-porang...* – Assim tratada, certamente, uma pessoa chega bem. (Ar., *Cat.*, 85v); – *Na peamotare'ymipe oré rubixaba?* – Erimã. *Serekó-katupyre'ymetémo.* – Não detestais nosso chefe? – Absolutamente. Ele não seria muito bem tratado (se o detestássemos). (Léry, *Histoire*, 353); *Mba'epe aûîeramanhẽ serekopyrama ikó 'ara pupé?* – Que é o que será mantido para sempre neste mundo? (Ar., *Cat.*, 165)

erekó² (v. tr.) – governar, ter a seu cargo, guiar, reger (pessoas na música ou na dança); ter a seu cuidado, assumir: *Aporoerekó.* – Rejo pessoas. (*VLB*, II, 100); *João xe rekó.* – João me governa. (Fig., *Arte*, 152)

erekó³ (v. tr.) - combater: *Oroîogûerekó.* - Nós nos combatemos uns aos outros. (*VLB*, I, 77)

erekoabanhẽ (t) (s.) - naturalidade; [adj.: **erekoabanhẽ (r, s)**] - natural; não artificial (*VLB*, II, 48)

erekoaíb (ou **erekoaí**) (v. tr.) - maltratar; injuriar com palavras (*VLB*, II, 12): ... *o apixara rerekoaíba...* - maltratar a seu próximo (Ar., Cat., 12); *I amotare'ymetébo, perekoaí-aí.* - Detestando-os muito, tratai-los muito mal. (Anch., Teatro, 40)

erekoara¹ (t) (s.) - aio, aia (*VLB*, I, 28); criado, serviçal (*VLB*, I, 33)

erekoara² (t) (s.) - 1) guardião, o que toma conta de; tutor (como de órfão) (*VLB*, II, 129): *Iesu toryberekoara* - Jesus, guardião da alegria. (Valente, Cantigas, I, in Ar., Cat., 1618); *Oré oroîkó pe rerekoaretéramo.* - Nós somos vossos verdadeiros guardiães. (D'Abbeville, Histoire, 341v); 2) governante, regedor (de um povo, de uma aldeia): *Ereîporakápe taba rerekoara nhe'enga...?* - Cumpriste as palavras do governante da aldeia? (Ar., Cat., 101); 3) aprisionador: *Marã e'ipe Pilatos serekoaretá supé?* - Como disse Pilatos aos seus aprisionadores? (Ar., Cat., 58v); 4) guia, o que guia, regente (de música ou dança): *Îasytatá serekoarama resé... pé kuabe'ẽsaramo...* - Pela estrela que os guia, como a que mostra o caminho. (Ar., Cat., 121); 5) o responsável por: *'Ikatu bé abá omendá amoaé abaré robaké abaré ogûerekoara remimotara rupi.* - Podem também as pessoas casar-se diante de um outro padre, de acordo com a vontade do padre responsável por elas. (Ar., Cat., 128)

erekokatu (v.) - 1) afagar, mimar (*VLB*, I, 22); 2) favorecer, fazer favor a: *Aîkuá-katu Tupã ko'y nde rerekokatu.* - Bem sei que Deus agora te favorece. (D'Abbeville, Histoire, 350) • **erekokatûaba (t)** - tempo, lugar, modo etc. de afagar, de favorecer; benefício, favor: ... *Aîkuá-katu opabinhẽ nde xe rerekokatûagûera...* - Conheço bem todos os teus benefícios a mim. (Bettendorff, Compêndio, 89-90); **serekokatupyra** - o que é afagado, o que é favorecido; o que é tratado com mimos, o mimoso (*VLB*, II, 38)

erekokuapaba (t) (s.) - desígnio, projeto: *Opûerab amõnyme, Tupã asé rerekokuapaba rupi é.* - Cura-se algumas vezes, segundo os desígnios de Deus para a gente. (Ar., Cat., 91v)

erekomarã (v. tr.) - 1) maltratar, castigar (ferindo, espancando, isto é, com atos. Para maltratar com palavras ou doutra maneira, v. **erekomemûã** ou **erekoaíb**): *Arekomarã.* - Maltrato-o. (*VLB*, I, 68); 2) punir: *Arekomarã.* - Puni-o. (*VLB*, II, 90)

erekomemûã (v. tr.) - 1) maltratar, ofender (com palavras, moralmente, mas sem agressão física): ... *abá ogûerekomemûãeté suí onheangûabo...* - Tendo medo de que alguém o maltrate muito. (Ar., Cat., 128); 2) estragar: *Ererekomemûãpe nde rapixara mba'e...?* - Estragaste as coisas de teu próximo? (Ar., Cat., 107v); 3) enganar (*VLB*, I, 116); 4) escandalizar (*VLB*, I, 122) • **erekomemûãsara (t)** - maltratador, o que trata mal, o que estraga etc.: *Nde nhyrõ oré angaîpaba resé orébe oré rerekomemûãsara supé oré nhyrõ îabé.* - Perdoa tu nossas maldades a nós como nós perdoamos aos que nos tratam mal. (Anch., Doutr. Cristã, I, 139); **serekomemûãmbyra** - o que é (ou deve ser) maltratado: ... *Morubixabamo sekóreme serekomemûãmbyramo sekóû.* - Quando era ele rei, foi maltratado. (Ar., Cat., 15); **erekomemûãsaba (t)** - tempo, lugar, modo, causa, ato etc. de maltratar, de estragar; ofensa, mau trato; estrago: ... *Aó-tinga mondebuká sesé serekomemûãsabamo.* - Roupa branca mandando colocar nele como meio de maltratá-lo. (Ar., Cat., 59); *Nde rorype... abá serekomemûãagûera resé?* - Tu te alegraste por alguém estragá-las? (Ar., Cat., 109v)

erekorekó (v. tr.) - 1) confundir; misturar, fazer confusão (p.ex., de uma coisa com outra, quando se conta algo); dizer e desdizer: *Arekorekó.* - Fiz confusão. (*VLB*, I, 80); *Arekorekó i mombegûabo.* - Contando-o, digo-o e desdigo-o. (*VLB*, I, 104); 2) falar com dificuldade (como o que quer mentir), tartamudear (*VLB*, II, 125)

erekoukar (v. tr.) - depositar, mandar outrem guardar consigo, em seu poder (bens, dinheiro etc.): *Arekoukar (abá) supé.* - Mandei ao homem guardá-lo consigo. (*VLB*, I, 94, adapt.)

erekûab (s) (v. tr.) - oferecer: *Asemi'u-erekûab.* - Ofereci-lhes comida. (*VLB*, I, 81)

ereroín (v. tr.) - denominar a si, chamar a si, dar o nome a si • **sereroĩmbyra** - o que é (ou deve ser) denominado, chamado etc.:

erĩ

Sereroĩmbyra abá-mondá apŷabaíba... rekoaba é. – Ser chamado ladrão é característica do homem mau. (Ar., *Cat.*, 107v)

erĩ (interj.) – **1)** (expressando raiva, desgosto, irritação) irra! (*VLB*, II, 15); Oh! Ah! Ai! Que nada!: *Erĩ, aani! Amorambûé; opá xe nhe'engendubi.* – Oh, não! Frustrei-os; ouviram-me as palavras todas. (Anch., *Teatro*, 12); *Erĩ, sarigûeîa é!* – Irra, gambá! (Anch., *Teatro*, 42); *Erĩ! Xe rapy Tupã...!* – Ai! Queima-me Deus! (Anch., *Teatro*, 90); *Erĩ! Aîmoaûîé îandune.* – Que nada! Vou vencê-los, como sempre. (Anch., *Teatro*, 138); **2)** (expressando satisfação): *Erĩ, aûîé!* – Ah, muito bem! (Anch., *Teatro*, 143, 2006)

eriaãhegûy (interj. de h. que exprime ferocidade) – Não há de ser assim! (*VLB*, II, 46)

eriaan (interj. de h. que exprime ferocidade) – Não! Não há de ser assim! (*VLB*, II, 46)

erika (pron. pess.) – ele (s, a, as) (*VLB*, I, 109)

erimã (interj. de h.) – De modo algum! Absolutamente não! (Fig., *Arte*, 134): ... – *Aîpó nhõ? – Erimã!* – Só isso? – De modo algum! (Léry, *Histoire*, 342-343); – *Anga îápe pe rokybŷîa? – Erimã!* – Como este é o interior de vossas casas? – De modo algum! (Léry, *Histoire*, 363-364)

erimãé (interj. de h.) – Não! De modo algum! (*VLB*, II, 46): – *Ereké-pipó eîupa? – Erimãé.* – Estavas dormindo? – De modo algum. (Anch., *Teatro*, 10)

erimba'e[1] (ou **rimba'e**) (adv.) – **1)** outrora, antigamente, no passado, outro dia, já não agora; há tempo; tempos atrás (*VLB*, II, 61): ... *Tamũîa... omombab erimba'e...* – Destruiu outrora os tamoios. (Anch., *Teatro*, 52); *Xe anama, erimba'e, tekó-ypyramo sekóû.* – Minha nação, outrora, estava segundo a lei primeira. (Anch., *Poemas*, 114); *I porang, erimba'e, Mia'y, xe retãmbûera.* – Era bela, outrora, Miaí, minha antiga região. (Anch., *Poemas*, 152); **2)** futuramente, algum dia (*VLB*, I, 31): ... *Peẽ bé ybŷá pe tymagûama na peîkuabi, "rimba'e ipó ixénone" 'ee'yma?* – Vós também não reconheceis que vos enterrarão, não dizendo "futuramente serei eu também"? (Ar., *Cat.*, 155v); (**Erimba'e** foi muito usado no tupi colonial para assinalar tempo passado, haja vista que, em tupi antigo, o verbo não expressa tempo. Muitas vezes não se traduz.) • **erimba'endûara** (ou **erimba'endûarûera**) – o que é de antigamente, o que é de outrora; coisa antiga (*VLB*, II, 143): *Erimba'endûarûera ixé.* – Eu sou o que é antigo, o de tempos atrás. (*VLB*, I, 91)

erimba'e?[2] (interr.) – quando? (com relação a fato passado ou futuro): *Erimba'epe ereîur?* – Quando vieste? (Fig., *Arte*, 166); *Erimba'epe sa'angi?* – Quando o proferiu? (Ar., *Cat.*, 30v); *Erimba'epe i xóû i xupa?* – Quando foi para visitá-la? (Ar., *Cat.*, 32v); *Erimba'epe aîpó nde 'îaba ereîmopóne?* – Quando cumprirás isso que dizes? (Ar., *Cat.*, 111v)

(e)ro- [pref. que indica a voz causativo-comitativa. Assume, antes de nasal, a forma **(e)no-**]: *Abebé kó ybytu îá; anonhan, arobebéne...* – Voo como este vento; fá-los-ei correr comigo, fá-los-ei voar comigo... (Anch., *Teatro*, 40); ... *Xe anametá aroporaseî seru.* – Meus parentes trazendo, faço-os dançar comigo. (Anch., *Poemas*, 138)

ero'am (v. tr.) – fazer estar em pé consigo, estar em pé com: *Oîxamysyk sero'ama...* – Amarraram-no com corda, fazendo-o estar em pé. (Ar., *Cat.*, 56v)

eroangu (v. tr.) – temer, recear: *Ereka'upe, nde sabeypora reroangûabo nhẽ?* – Bebeste cauim, temendo tua embriaguez? (Ar., *Cat.*, 111v)

eroapy'am (v. tr.) – fazer inclinar-se consigo, inclinar-se com, fazer descer consigo, descer com (p.ex., o pastor com seu gado de uma montanha, mas não montado nele). V. tb. **eroîyb**): *Aroapy'am.* – Desci com eles. (*VLB*, I, 91) • **eroapy'ambaba (t)** – tempo, lugar, modo etc. de descer; descida; ladeira: *seroapy'ambaba* – a descida dele (p.ex., de um monte) (*VLB*, I, 91)

ero'ar[1] (v. tr.) – **1)** fazer cair consigo; cair com: *Turusukatu. Nd'e'i te'e sero'a-ro'a...* – Era muito grande. Por isso mesmo ficava caindo com ela. (Ar., *Cat.*, 61v); *Anga îá, angaîpabora aîuká, xe ratápe sero'ane...* – Como a esses, matarei os que costumam pecar, fazendo-os cair comigo em meu fogo. (Anch., *Teatro*, 92); *O ati'yba ri, krusá osupi. Membeka suí, Îesu sero'ari.* – No seu próprio ombro, levanta a cruz. Por fraqueza, Jesus fá-la cair consigo. (Anch., *Poemas*, 122); **2)** saltear com enganos (*VLB*, II, 112)

ero'ar² (v. tr.) - **1)** fazer embarcar consigo, embarcar com (*VLB*, I, 110): ... *A'e ygarusu pupé sero'arukáno.* - Dentro daquele navio fazendo-os embarcar consigo também. (Ar., *Cat.*, 41v); **2)** lançar (à água navio ou canoa): *Aro'ar ygara.* - Lanço (à água) a canoa. (*VLB*, II, 48)

erobak (v. tr.) - **1)** fazer virar consigo, virar com, voltar: *Erobak oré koty nde resáporaûsubara...* - Volta em nossa direção teus olhos compadecedores. (Anch., *Poemas*, 168); ... *Nde koty xe rerobaka.* - Em tua direção fazendo-me voltar. (Anch., *Poemas*, 92); **2)** converter: *E'i tenhẽ abaré Tupã resé serobaka potara'upa.* - Em vão o padre quer convertê-la a Deus. (Anch., *Teatro*, 148); **3)** fazer mudar de direção: ... *Kûeîbo nhẽ xe rerobaka.* - Fazendo-me mudar de direção por aí. (Anch., *Teatro*, 162); **4)** virar ao contrário, de ponta-cabeça (p.ex., o tonel, a arca, o barco etc.): *Arobak.* - Virei-o ao contrário. (*VLB*, II, 146)

erobasem (v. tr.) - fazer chegar consigo; chegar com: *Enhambé! T'oú-te muru, ranhẽ, o nharõ rerobasema.* - Espera! Que venha o maldito, primeiro, chegando com sua ferocidade. (Anch., *Teatro*, 138); *Mamõpe ybŷá Îandé Îara rerobasemi ko'yté?* - Aonde chegaram com Nosso Senhor, enfim? (Ar., *Cat.*, 62)

erobebé (v. tr.) - fazer voar consigo; voar com: *Abebé kó ybytu îá...; arobebéne...* - Voo como este vento; fá-los-ei voar comigo... (Anch., *Teatro*, 40)

erobîar (ou **erobîá**) (v. tr.) - crer (Fig., *Arte*, 108); acreditar em, confiar: *Pitangĩ-porangeté, orogûerobîá-katu.* - Criancinha muito bela, creio muito em ti. (Anch., *Poemas*, 128); *E'i tenhẽ nde rerobîá...* - Em vão creem em ti. (Anch., *Teatro*, 40); ... *I pyrybé perobîá...* - Acreditai um pouco mais nele. (Anch., *Teatro*, 56); *Nd'arobîari Makaxera...* - Não confio em Macaxeras... (Anch., *Teatro*, 62); *T'oroîtyk oré poxy, paîé rerobîare'yma...* - Que lancemos fora nossa maldade, não acreditando nos pajés. (Anch., *Teatro*, 118) • **ogûerobîaryba'e** - o que crê, o que acredita: *E'ikatupe ybakype osóbo oîepé Tupã... ogûerobîare'ymba'e...?* - Pode ir para o céu o que não crê em um só Deus? (Bettendorff, *Compêndio*, 102); **erobîasara (t)** - o que crê, o que acredita: ... *Serobîasare'yma potyrõ iî ybôîybõmo...* - Os que não acreditavam nele trabalharam em conjunto, ficando a flechá-lo... (Ar., *Cat.*, 3v);

serobîarypyra - o que é acreditado, aquele em quem se deve acreditar (Fig., *Arte*, 108): *Ixé serobîarypyra,... Gûaîxará seryba'e.* - Eu sou aquele em quem se deve acreditar, o que tem nome Guaixará. (Anch., *Teatro*, 6); **emierobîara (t)** - aquilo em que alguém crê, a crença: *Catorze asé remierobîarama...* - Catorze são aquelas coisas em que creremos. (Ar., *Cat.*, 15v); **erobîasaba** (ou **erobîaraba**) **(t)** - tempo, lugar, modo etc. de crer, de acreditar; a crença: *Ereîmorype abá paîé rerobîaragûama resé?* - Toleraste as pessoas em sua crença no pajé? (Ar., *Cat.*, 98v)

erobîara (t) (s.) - o ato de crer, a crença: *Moraseîa rerobîara i py'a îaîporaká...* - A crença na dança enche os corações deles. (Anch., *Teatro*, 30); *I îurupe nhõ Tupã rerobîara ruî.* - A crença em Deus está somente em suas bocas. (Anch., *Teatro*, 30)

erobobõ (v. tr.) - falar ao ouvido de; dizer segredos a: *Pysaré, i ka'ugûasu riré, asó abá rerobobõmo...* - A noite toda, após sua grande bebedeira, vou falar aos ouvidos dos índios. (Anch., *Teatro*, 134)

erobur (v. tr.) - fazer emergir consigo, vir para cima com (p.ex., o mergulhador que foi buscar alguma coisa no fundo do rio): *Arobur.* - Fi-lo emergir comigo. (*VLB*, II, 121)

erobyk (v. tr.) - juntar-se a, aproximar-se de; chegar-se a, achegar-se a, tocar em: *Aroby-katupe ká i porangepîá-katûabo.* - Hei de me aproximar muito dela para ver bem sua beleza. (Anch., *Poemas*, 110); *Te'õ rerobyka, syaî-tekatu.* - Aproximando-se da morte, suou bastante. (Anch., *Poemas*, 120); *Nd'erekatuî xûé angiré nde remirekó rerobyka...-ne.* - Não poderás doravante juntar-te a tua esposa. (Anch., *Doutr. Cristã*, II, 94); *Te'õ rerobyka é, xe angaîpá-tubixagûera amosẽne...* - Aproximando-me da morte, meus antigos e grandes pecados farei sair. (Anch., *Teatro*, 38); *Arobyk tatá.* - Chego-me ao fogo. (Anch., *Arte*, 49); *Oroîoerobyk.* - Achegamo-nos um ao outro. (*VLB*, I, 73)

erogûatá (v. tr.) - fazer andar consigo, andar com: *Angari abaregûasu arogûatá...* - Portanto, ando hoje com o provincial. (Anch., *Poesias*, 56)

erogûeîyb (v. tr.) - fazer descer consigo, descer com: ... *Tupã reroîypa ybaka suí.* - Fa-

eroîabab

zendo Deus descer consigo do céu. (Anch., *Poemas*, 124); ... *O îase'o rerogûeîypa, ogûasẽ-gûasema rerasóbo.* – Descendo com seus choros, indo com seus gritos. (Ar., *Cat.*, 162v) • **erogûeîypaba (t)** – tempo, lugar, modo etc. de descer com; descida: *serogûeîypaba* – a descida dele (p.ex., de um monte) (*VLB*, I, 91)

eroîabab (v. tr.) – fugir com, fazer fugir consigo • **eroîabapara (t)** – o que faz fugir consigo, o que foge com: *Kunhã reroîabapara... nd'e'ikatuî sesé omendá...* – O que foge com uma mulher não pode casar-se com ela. (Ar., *Cat.*, 128v)

eroîase'o (v. tr.) – lastimar, lamentar, deplorar, chorar com, fazer chorar consigo: ... *O angaîpaba moasŷabo, seroîasegûabo...* – Arrependendo-se de seus pecados, deplorando-os. (Anch., *Diál. da Fé*, 229)

eroîeaŷbyk (v. tr.) – fazer curvar a cabeça de, reverenciar: *Nde pópe ogûapyka, osó kunumĩ, Tupã Tuba ri nde reroîeaŷbyka...* – Em tuas mãos sentando-se, vai o menino, por Deus-Pai fazendo-te curvar a cabeça. (Anch., *Poemas*, 120)

eroîebyr (v. tr.) – 1) devolver; tornar a trazer, restituir: *Ogûeroîebyr... o mondasagûera.* – Devolve o objeto de seu furto. (Ar., *Cat.*, 73); *Aroîebyr aoba.* – Torno a trazer a roupa. (Anch., *Arte*, 48v); 2) fazer voltar em si, voltar com, repetir: *Oîmboasy-katu o angaîpaba... seroîeby-potare'yma.* – Arrepende-se muito de sua maldade, não querendo repeti-la. (Ar., *Cat.*, 80) • **eroîebysara (t)** – o que devolve, o que repete etc.: *O angaîpagûera reroîebysare'yma.* – O que não repete seus antigos pecados, (Ar., *Cat.*, 169); **eroîebysaba (t)** – tempo, lugar, modo etc. de devolver, de fazer voltar em si, de repetir: ... *Tekokatu reroîebysabamo.* – Como modo de fazer voltar em si a virtude. (Ar., *Cat.*, 84v)

eroîeoî (v. tr.) – fazer ir consigo • **emieroîeoîa (t)** – o que alguém faz ir consigo: *Marangatuba'e santos ybakype Tupã remieroîeoîa setá.* – Os beatos e os santos que Deus faz ir consigo para o céu são muitos. (Ar., *Cat.*, 8)

eroîeupir (ou **eroîeupi**) (v. tr.) – subir com, fazer subir consigo: *Nde reroîeupi kori.* – Faz-te subir consigo hoje. (Anch., *Poemas*, 96); *Xe 'anga nde raûsupara erasó seroîeupi...* – Leva minha alma que te ama, fazendo-a subir contigo... (Valente, *Cantigas*, III, IV, in Ar., *Cat.*, 1618)

eroîké (v. tr.) (Pode ter gerúndio irregular: *seroîkŷabo*) – 1) entrar com, fazer entrar consigo (Fig., *Arte*, 110): ... *Ereroîképe nde kotype?* – Entraste com ele em teu aposento? (Ar., *Cat.*, 107); *Ogûerasó amõ okusupe seroîkŷabo...* – Levaram-no para um certo palácio, fazendo-o entrar consigo. (Ar., *Cat.*, 60); 2) acolher, hospedar (*VLB*, I, 20); 3) recolher (a sementeira ou o fruto) (*VLB*, II, 98)

eroîkŷabo – ger. irreg. de **eroîké** (v.)

eroín (v. tr.) – 1) fazer estar consigo, estar com: *Aroín.* – Faço-o estar comigo. (Fig., *Arte*, 92); 2) ter: *Sasyeté niã Tupã remipe'apûera, ... ogûekó-mara'ara reroína.* – Eis que sofrem muito os que Deus repeliu, tendo sua vida envergonhada. (Ar., *Cat.*, 163)

eroîyb (v. tr.) – 1) fazer descer consigo, descer com, amainar (p.ex., as velas da embarcação): *Osó bé amõ maranaritekoara a'e mokõĩ mondá retymã mopena... seroîypa.* – Foram de novo alguns soldados para quebrar as pernas daqueles dois ladrões, fazendo-os descer consigo. (Ar., *Cat.*, 64); *Aroîyb aoba.* – Amainei a vela. (*VLB*, I, 33); 2) descarregar (fazendo baixar, como, p.ex., a carga que vai no lombo do burro): *Eroîyb ahẽ supé.* – Descarrega-a a ele. (*VLB*, I, 97). V. tb. **erogûeîyb**

erok[1] **(s)** (v. tr.) – 1) mudar de nome; dar ou pôr nomes; pôr novo nome: *Ã tekó a'ereme more-roka.* – Eis que era costume, então, dar nome às pessoas. (Ar., *Cat.*, 3); *Ereîamotare'ymype nde rapixara, serok-y bé-kybémo?* – Detestaste teu próximo, ficando a pôr-lhe nomes também? (Anch., *Doutr. Cristã*, II, 88); 2) batizar: *N'asé reroki bépe amõ abá abaré pyri?* – Não nos batizam também outras pessoas junto do padre? (Ar., *Cat.*, 82) • **serokyba'e** – o que põe nome; o que batiza: *Oporoerokyba'epûera nd'e'ikatuî omendá o emierokûera resé...* – O que batizou não pode casar-se com aquela que batizou. (Ar., *Cat.*, 129); **erokara (t)** – o que batiza, o padrinho, a madrinha: *Marãpe asé rerokara asé rerekóû?* – Que fazem conosco os que nos batizam? (Ar., *Cat.*, 82); *Abápe nde rerokara?* – Quem foi tua madrinha? (Anch., *Teatro*, 166); **emieroka (t)** – o batizado, o que alguém batiza: *E'ikatupe morerokarûera omendá o emierokûera resé?* – Pode o padrinho casar-se com aquele que batiza? (Ar., *Cat.*, 149); **serokypyra** – o que é (ou deve ser) batizado, o batizado: *Apŷá-serokypyra kó* 'ara oîmoeté... – Os homens batizados honram este dia. (Ar., *Cat.*, 9); **eró-erok (s)** – apodar, pôr nomes, motejando: *Aseró-serok.* – Fiquei--o apodando. (*VLB*, I, 38)

erok² (v. tr.) – retirar: *Aînhubã-rok.* – Retirei o invólucro dele. (*VLB*, I, 98)

erokaba (t) (s.) – nome de batismo: *Marãpe nde rerokaba abaré reminongûera?* – Qual o teu nome de batismo que o padre pôs? (Anch., *Teatro*, 168, 2006)

erokaî (v. tr.) – fazer queimar consigo, queimar com: *Îaro'a tatá pupé serokaîa...* – Façamo-lo cair conosco no fogo para fazê-lo queimar conosco. (Anch., *Teatro*, 164)

erokakar (v. tr.) – acercar-se de, ir chegando a, aproximar-se de: ... *Arokakar Gûenũ.* – Aproximei-me de Guenum (a Ilha dos Frades). (*VLB*, I, 20); ... *Arokakar xe rekobé-etérama re'ĩ.* – Hei de me aproximar de minha futura e verdadeira vida. (Ar., *Cat.*, 158v)

erokarûera (t) (s.) – padrinho ou madrinha (de batismo ou crisma): *xe rerokarûera* – meu padrinho (*VLB*, II, 27)

eroker (v. tr.) – dormir com, fazer dormir consigo: *Ereroker-etápe îoamotare'yma?* – Dormiste com ódio muitas vezes? (Ar., *Cat.*, 101v); *Aroker xe ra'yra.* – Fiz meu filho dormir comigo. (Anch., *Arte*, 48v); *Aroker aoba.* – Durmo com roupa. (Anch., *Arte*, 48v)

eroko'em (v. tr.) – amanhecer com, fazer amanhecer consigo: – *Opabenhẽ serã erimba'e a'epe tekoara iî a'oîa'oû...?* – *Opabenhẽ, pysaré, serekomemũã bé reroko'ema.* – Será que todos aqueles que ali estavam ficaram a injuriá-lo? – Todos, a noite toda, amanhecendo também com maus-tratos a ele. (Ar., *Cat.*, 56v)

erokûab (v. tr.) – 1) passar com, fazer passar consigo; levar (de passagem): *Oroîoerokûab.* – Fizemo-nos passar uns aos outros, passamos uns com os outros. (*VLB*, II, 67); 2) levar diante; servir (p.ex., a comida): *Asemi'u-erokûab.* – Servi a comida dele. (*VLB*, I, 81); 3) apresentar: *Arokûab.* – Apresentei-o. (*VLB*, I, 39)

erokûaka'ar (v. tr.) – levar uns atrás dos outros: *Oroerokûaka'ar.* – Levamo-los uns atrás dos outros. (*VLB*, II, 21)

erokub (v. tr.) – fazer estar consigo, estar com; ter, possuir: ... *Serapûan Gûaraparĩ, Tupãoka rerokupa.* – É famosa Guaraparim, tendo uma igreja. (Anch., *Poesias*, 58)

erokûer (v. tr.) – deter consigo: *Ererokûé--rokûerype abá amõ...?* – Ficaste detendo contigo alguma pessoa? (Anch., *Doutr. Cristã*, II, 88)

eromanõ (v. tr.) – morrer com, fazer morrer consigo: *Serobîara bépe asé ogûeromanõ-ne?* – A gente morrerá com sua crença também? (Ar., *Cat.*, 51); *Irõ, oîepé tiruã pecado n'aromanõî!* – Portanto, não morri com um pecado sequer! (Anch., *Teatro*, 172); *Aromanõ tekokatu.* – Morro com virtude. (Anch., *Arte*, 49) • **ogûeromanõba'e** – o que faz morrer consigo, o que morre com: ... *Pabẽ abá tetiruã Cristo raûsuba bé ogûeromanõba'epûera...* – Todos e quaisquer homens que morreram com o amor a Cristo. (Ar., *Cat.*, 161v)

eromara'ar (v. tr.) – adoecer com, fazer adoecer consigo: *Aromara'ar.* – Adoeci com ele. (Anch., *Arte*, 48)

eronhan – v. enonhan

eronheangu (v. tr.) – recear por, temer por: *Aronheangu.* – Temo por ele. (*VLB*, I, 42)

eronhe'eng (v. tr.) – anunciar, apregoar, proclamar: *Ogûeronhe'eng i mendarypyrama...* – Anuncia os que serão casados. (Ar., *Cat.*, 94) • **eronhe'engara (t)** – o que anuncia, o que proclama: *mba'e reronhe'engara* – o que anuncia as coisas, o pregador (*VLB*, II, 84); **eronhe'engaba (t)** – tempo, lugar, modo etc. de anunciar, de proclamar; anúncio, proclamação: *Abaré supé i mombe'uû Tupãokype seronhe'engaûama rine.* – Para o padre contá-lo-á para que o anuncie na igreja. (Anch., *Diál. da Fé*, 213)

eronhen – o mesmo que **enonhen** (v.)

eropîá (v. tr.) – desviar consigo, levar consigo (o que seguiria outro curso): *Aropîá.* – Desviei-o comigo. (*VLB*, I, 101); *Xe reropîápe abá ri, kûepe nhẽ xe rerasóbo xe rapé-katu suí?* – Levou-me alguém consigo, por acaso, para longe me levando do meu bom caminho? (Anch., *Teatro*, 160)

eropor (v. tr.) – 1) saltar com (p.ex., com a carga que traz às costas), fazer saltar consigo: *Aropor.* – Salto com ela. (*VLB*, II, 112); 2) lançar fora de si: *Oroîu nde momoranga, ore aíba reropó.* – Viemos para te festejar, lançando fora nossa maldade. (Anch., *Poesias*, 582-583)

eroporaseî

eroporaseî (v. tr.) - dançar com, fazer dançar consigo: *Xe abé xe anametá aroporaseî seru.* - Eu também os meus parentes trazendo, faço-os dançar comigo. (Anch., *Poemas*, 138)

eropotyrõ (v. tr.) - agir ou trabalhar em conjunto com, fazer agir ou trabalhar consigo: *Kó 'ara îamoeté. I pupé îudeus itá reropotyrõû, Santo Estevão apîá-apîábo, i akanga kábo...* - Este dia honramos. Nele, os judeus agiram em conjunto, com pedras, ficando a atirar em Santo Estêvão, quebrando sua cabeça. (Ar., *Cat.*, 10)

eropu'am - v. enopu'am

eropûar (v. tr.) - golpear com, bater com: *... I akanga resé a'e takûara reropûá.* - Em sua cabeça batendo com aquela cana. (Ar., *Cat.*, 60v); *... Ereropûar ybyrá nde remirekó resé!* - Bateste com um pau na tua esposa! (Anch., *Teatro*, 168)

eropytá (v. tr.) - ficar com, fazer ficar consigo, deter, fazer parar (p.ex., o cavalo em que se vai) (*VLB*, II, 64): *... O sy rygépe o pitanga reropytá îabé, t'opytá pe pupé.* - Que ele fique dentro de vós como fica com seu estado de feto no ventre de sua mãe. (Ar., *Cat.*, 4); *Eropytá nde boîá'î orébo.* - Fica com teus suditozinhos junto de nós. (Depoimento de Pero Leitão, ASV, Cong. Rit., Anchieta, nº 303, 110-111, apud Viotti, 180)

erosapukaî (v. tr.) - apregoar, anunciar, pregar (*VLB*, I, 39) ● **erosapukaîtara (t)** - o que apregoa, o que anuncia: *mba'e rerosapukaîtara* - o que anuncia as coisas, o pregador (*VLB*, II, 84)

erosem - o mesmo que **enosem** (v.)

erosub (v. tr.) - encontrar-se com, fazer encontrar-se consigo: *... Ybytyrype xe sóû îandé boîá rerosupa.* - À serra eu fui para encontrar-me com nossos súditos. (Anch., *Teatro*, 10)

erosyî (v. tr.) - apartar-se com: *Pekûá, taûîé, ké suí, pe nemeté rerosyîa!* - Ide logo daqui, apartando-vos com vosso grande fedor! (Anch., *Teatro*, 180); *T'osẽ Anhanga i xuí, gûekó-poxy rerosyîa.* - Que saia o diabo dela, apartando-se com seu mau proceder. (Anch., *Poemas*, 146)

erosyk (v. tr.) - 1) chegar com, fazer chegar consigo: *Mamõpe gûá Îandé Îara rerosyki ko'yté?* - Aonde chegaram com Nosso Senhor, finalmente? (Ar., *Cat.*, 89); 2) aproximar-se de, achegar-se a, acercar-se de ● **serosypyra** - o que está (ou deve estar) achegado: *Nde resé serosypyra...* - Os que estão achegados a ti. (Anch., *Poemas*, 96)

eroten (v. tr.) - fazer firmar consigo, fazer fixar consigo, firmar com, fixar com: *Aroten.* - Firmei-o comigo. (Anch., *Arte*, 57)

eroub - o mesmo que **erub** (v.)

erour - o mesmo que **erur** (v.)

ero'yasab (v. tr.) - barquear, cruzar o rio com, fazer cruzar o rio consigo: *Aporero'yasab.* - Barqueei as pessoas. (*VLB*, I, 52) ● **ero'yasapara (t)** - o que barqueia, o que faz cruzar o rio consigo (*VLB*, I, 52)

eroŷrõ (v. tr.) - 1) detestar, odiar, abominar, desprezar, pôr defeito em: *T'aroŷrõ tekomemûã...* - Que deteste a vida má. (Anch., *Poemas*, 92); *T'aroŷrõngatu Anhanga...* - Que eu deteste muito o diabo. (Anch., *Poemas*, 98); *... Na xe reroŷrõî îepé.* - Tu não me detestas. (Anch., *Poemas*, 96); *Kó teminó-poxy îandé rekó ogûeroŷrõ...* - Esses teminós malvados nossa lei detestam... (Anch., *Teatro*, 16); 2) renunciar a, enjeitar, reprovar (*VLB*, II, 101) ● **seroŷrõmbyra** - o que é (ou deve ser) detestado, odiado: *... Seroŷrõmbyramo oîkóbo bé...* - Sendo também odiados. (Ar., *Cat.*, 179); *... Seroŷrõmo opakatu ikó 'ara pupé... seroŷrõmbyra sosé.* - Detestando-os mais que tudo o que se deve detestar neste mundo. (Ar., *Cat.*, 220); **emieroŷrõ (t)** - o que alguém detesta: *O angaîpagûera... o emieroŷrõagûera reroîeby-potare'yma.* - Não querendo repetir seu pecado que ele detestava. (Ar., *Cat.*, 188); **eroŷrõsaba** (ou **eroŷrõaba**) **(t)** - tempo, lugar, causa etc. de odiar, de detestar; ódio: *Nde resa'y eîmondyky seroŷrõsápe...* - Destila tuas lágrimas, por detetá-los. (Anch., *Doutr. Cristã*, II, 112)

eroŷrõama (t) (s.) - defeito, falta (*VLB*, II, 123)

erub (v. tr.) - 1) fazer estar (deitado) consigo, estar (deitado) com: *Nã temõ ixé serubi mã!* - Quem me dera eu o fizesse estar deitado comigo assim! (Ar., *Cat.*, 235); *Eîori, xe îara sy, xe 'anga pupé serupa!* - Vem, mãe de meu senhor, para fazê-lo estar contigo dentro de minh'alma. (Anch., *Poemas*, 102); 2) ter, conter, levar consigo: ... *I porang kó tupãoka, îegûakabetá rerupa!* - É bonita esta igreja, contendo muitos enfeites! (Anch., *Poemas*, 112); *Tupana rerupa, i por nde rygé.* - Contendo a Deus, está cheio teu ventre. (Anch., *Poemas*, 116); *Peîori, pebaka Tupã koty, pe py'a pupé serupa.* - Vinde, para vos voltar para Deus, levando-o convosco em vossos corações. (Anch., *Teatro*, 56)

erumby (adv.) - **1)** finalmente, enfim (Fig., *Arte*, 148); **2)** senão quando; e nisto (*VLB*, II, 115)

erumbynhẽ (adv.) - senão quando; e nisto; finalmente (*VLB*, II, 115)

erur (ou **eru**) (v. tr.) - fazer vir consigo, vir com, trazer: *Aîpó tekó-pysasu abá serã ogûeru...?* - Aquela lei nova, quem será que a trouxe? (Anch., *Teatro*, 4); *... Mokaba ogûeru tenhẽ.* - Trouxeram pólvora em vão. (Anch., *Teatro*, 52); *Tataûrana, eru ké nde musurana!* - Tataurana, traze aqui tua muçurana! (Anch., *Teatro*, 64); *Ereruretá serã?* - Acaso trouxeste muitas coisas? (Anch., *Teatro*, 44); *I aysó, nipó, îasy, og obagûasu reru.* - É formosa, certamente, a lua, vindo com sua grande face. (Anch., *Poemas*, 142); *Ikó abá arur iké... ta peîkuab...* - Este homem trago aqui para que o reconheçais... (Ar., *Cat.*, 60v); *Ererupe nde karamemûã?* - Trouxeste tua caixa? (Léry, *Histoire*, 342) • **eru-erur** - acarretar, acarrear (*VLB*, I, 19)

eruri - 2ª p. irreg. do imper. de **erur** (v.)

eryîara (t) (s.) - o portador do nome de, o que tem o nome de: *Xe reryîara tupãoka eîmonhang.* - Faze uma igreja que tenha meu nome. (Ar., *Cat.*, 7)

esá (t) (s.) - olho (Castilho, *Nomes*, 38); vista: *Xe resá pupé-katu asepîak nde i mimagûera.* - Bem com os meus olhos vi que tu as escondeste. (Anch., *Teatro*, 176); *Nde resá poraûsubara erobak ixé koty...* - Teus olhos misericordiosos volta em minha direção. (Anch., *Poemas*, 146); [adj.: **esá (r, s)**] - dotado de olho; **(xe)** ter olho: *Xe resá-ynhusu.* - Eu tenho olhos esbugalhados. (*VLB*, II, 56) • **esápe (t)** - à vista de, aos olhos de: *Tupã resápe ã xe rekóû...* - Eis que estou à vista de Deus. (Ar., *Cat.*, 66); *Sesé abá pûari nde resápe nhẽ.* - Os homens batem nele à tua vista. (Anch., *Poemas*, 122); **gûesá-popybo** (ou **gûesá-popybonhote**) - com o rabo do olho, de esguelha (*VLB*, II, 56); **esá-rorẽ (t)** - olhos encovados (*VLB*, II, 56); **esá-tinga (t)** - olhos claros (azuis, verde-azulados, verdes esbranquiçados), tirantes a brancos; olhos enevoados: *Xe resá-ting.* - Eu tenho olhos claros. (*VLB*, I, 147); *Og uba rupi ahẽ resá-tingamo.* - Ele tem olhos claros como seu pai. (*VLB*, II, 131); **esá-îuba (t)** - olhos claros, gázeos, tendendo a brancos, zarcos: *Xe resá-îub.* - Eu tenho olhos zarcos. (*VLB*, I, 147); **esá-kûá-rorẽ** (ou **esá-kûâ-rorẽ-muku**) **(t)** - olhos encovados: *Xe resá-kûá-rorẽ.* - Eu tenho olhos encovados; **esá-kûasó** (ou **esá-kûasó-puku** ou **esá-kûarûé-mba'easy**) **(t)** - olhos encovados (como os de um doente) - *Xe resá-kûasó-puku.* - Eu tenho olhos encovados. (*VLB*, I, 115); **esá-banga (t)** - olhos vesgos (*VLB*, II, 144); **esá-oby (t)** - olhos enevoados: *Xe resá-oby.* - Eu tenho olhos enevoados. (*VLB*, II, 49); **esá-tunga (t)** - olho quebrado, torto ou todo coberto, mas não vazio (*VLB*, II, 133); **esá-ynhusu (t)** - olhos esbugalhados: *Xe resá-ynhusu.* - Eu tenho olhos esbugalhados. (*VLB*, II, 56)

> NOTA - Daí, no P.B., **SAPIRANGA** (*tesá + pirang + -a*, "olhos vermelhos"), blefarite, inflamação de pálpebras. Em José de Alencar lemos: "... *as pestanas, as comera a* SAPIRANGA *que lhe arroxeava as pálpebras.*" (in *Alfarrábios*, apud *Novo Dicion. Aurélio*); **SAPIROCA** [*(te)sá + pir + ok +-a*, "arranca pele dos olhos"], inflamação das pálpebras com queda das pestanas, blefarite ciliar; **SAPIROQUENTO**, o que tem **SAPIROCA**. Daí, também, o nome próprio **TIBIRIÇÁ** (*tebir + esá*, "olho das nádegas"), nome de importante chefe indígena de Piratininga, no século XVI.

esaapytãpytang (r, s) (xe) (v. da 2ª classe) - chorar muito, ficar com os olhos rasos d'água, chorar até ter os olhos avermelhados: *Xe resa-apytãpytang.* - Eu chorei até ficar com olhos avermelhados. (*VLB*, I, 42)

esaarũaíba (t) (s.) - travessura, lascívia; [adj.: **esaarũaíb (r, s)**] - dissoluto, travesso, lascivo (p.ex., a mulher que olha muito e fala muito): *Xe resaarũaíb.* - Eu sou travessa. (*VLB*, I, 104)

esá-arugûá (ou **esá-gûarugûá**) **(t)** (s.) - antolhos, tapas para os olhos de pessoas ou cavalgaduras (*VLB*, I, 36)

esaatyká (s) (v. tr.) - tapar, fechar as fibras de (p.ex., de pano, de tudo o que se tece): *Asesaatyká.* - Tapei-o. (*VLB*, II, 124)

esaba

esaba (t) (s.) – zarolho (D'Evreux, *Viagem*, 157); [adj.: **esab (r, s)**] – **1)** torto de algum olho: *Xe resab.* – Eu sou torto do olho. (*VLB*, II, 133); **2)** cego; [adj.: **esab (r, s)**] – cego: *Xe resab.* – Eu sou cego. • **sesabyba'e** – o que é cego (*VLB*, I, 70)

esabanga (t) (etim. – *olho torto*) (s.) – vesgo; [adj.: **esabang (r, s)**]: *Xe resabang.* – Eu estou vesgo. (D'Evreux, *Viagem*, 157; Castilho, *Nomes*, 38)

esaekoabok (s) (v. tr.) – fazer mudar de ideia: *Xe resaekoabok ikó nde ra'yra.* – Eis que teu filho me fez mudar de ideia. (*VLB*, II, 43)

esaetá (t) (etim. – *muitos olhos*) (s.) – **1)** cuidado, preocupação; **2)** o cuidado (pessoa ou coisa que é objeto de desvelos): *Peîori pitanga gûabo, Tupana resaetá...* – Vinde para comer a criança, o cuidado de Deus. (Anch., *Poemas*, 166)

esaeté¹ (t) (etim. – *olhos a valer*) (s.) – lascívia, libertinagem, erotismo; [adj.: **esaeté (r, s)**] – lascivo, libertino (diz-se de mulher ligeira em olhar para homens): *Xe resaeté.* – Eu sou libertina. (*VLB*, I, 96)

esaeté² (t) (etim. – *olhos a valer*) (s.) – espanto, susto; [adj.: **esaeté (r, s)**] – espantadiço (*VLB*, I, 125); assustado, arisco (como o animal bravo e muito espantadiço, como o pássaro que não espera o tiro): *Xe resaeté.* – Eu sou arisco. (*VLB*, I, 59)

esagûyrumbyka (t) (s.) – olheiras (em geral) (*VLB*, II, 56); [adj.: **esagûyrumbyk (r, s)**] (xe) – ter olheiras: *Xe resagûyrumbyk.* – Eu tenho olheiras. (*VLB*, II, 56)

esagûyryba (t) (s.) – vista turbada, vertigem, tontura, enjoo; [adj.: **esagûyryb (r, s)**] – enjoado, turbado, tonto; (xe) ter vertigens: *Xe resagûyryb.* – Eu tive vertigem (ou *eu estou enjoado*). (*VLB*, I, 117; 131)

esãîa (t) (s.) – alegria (natural) (*VLB*, I, 30): *Tesãîa pupé kó 'ara îaîmoeté...* – Com alegria honramos este dia. (Ar., *Cat.*, 9); [adj.: **esãî (r, s)**] – alegre, feliz [naturalmente, sem razão específica; v. tb. **oryb (r, s)**]: *abá-esãîngatu.* – homem muito alegre; *Xe resãî.* – Eu estou alegre. *Sobá-esãîngatu.* – Ele tem o rosto muito alegre. (*VLB*, I, 30); *Pitanga robá sesãî i xupé.* – O rosto da criança está alegre para eles. (Anch., *Poemas*, 118); *... Ta sesãî kó pe retama...* – Que se alegre esta vossa terra. (Anch., *Teatro*, 188, 2006)

NOTA – Daí, **TEÇAINDABA** (nome de rua de São Paulo, SP) (v. Rel. Top. e Antrop. no final).

esãînambora (t) (s.) – pessoa garrida, lasciva, elegante, muito enfeitada com cores alegres e brincos, pessoa jocosa (*VLB*, I, 146)

esãînana (t) (s.) – garridice, lascívia, travessura: *N'opabi moropotara, tesãînana, marã'é...* – Não acabam os desejos sensuais, a lascívia, as maledicências. (Anch., *Teatro*, 148); [adj.: **esãînan (r, s)**] – travesso, dissoluto, garrido (*VLB*, I, 96; 104)

esaîyra (t) (s.) – menina dos olhos (Castilho, *Nomes*, 38)

esakanga (t) (s.) – luzimento; [adj.: **esakang (r, s)**] – luzente, reluzente (para coisas transparentes como vidro etc.); translúcido: '*aresakangeté.* – um dia muito reluzente (Ar., *Cat.*, 167)

esakoroîa (t) (s.) – granulosidade; [adj.: **esakoroî (r, s)**] – granuloso, grosso (p.ex., farinha ainda não transformada em pó) (*VLB*, I, 151)

esakûanhyrõ (t) (s.) – bom semblante; [adj.: **esakûanhyrõ (r, s)**] – de semblante bom, bem-encarado: *Xe resakûanhyrõ.* – Eu sou de bom semblante. (*VLB*, II, 115)

esakûara¹ (t) (s.) – pilha, monte (p.ex., de lenha) (*VLB*, II, 109)

esakûara² (t) (s.) – olho, cavidade dos olhos; [adj.: **esakûar (r, s)**] – ter olhos, ter cavidades dos olhos: *Xe resakûâ-rorẽ.* – Eu tenho as cavidades dos olhos encovadas. (*VLB*, II, 56)

esakûaraapytãpytang (r, s) (xe) (v. da 2ª classe) – chorar muito, ficar com os olhos rasos d'água, chorar até ter os olhos avermelhados (*VLB*, I, 42)

esakûarasy (t) (etim. – *cavidades dos olhos ruins*) (s.) – carranca; mau semblante; [adj.: **esakûarasy (r, s)**] – carrancudo, mal-encarado: *Xe resakûarasy.* – Eu sou mal-encarado. (*VLB*, I, 140)

esakûarumbyka (t) (s.) – olheiras (como resultado de pancada), olho roxo (*VLB*, II, 56); [adj.: **esakûarumbyk (r, s)**] – olheirento (como resultado de pancadas); (xe) ter olho roxo: *Xe resakûarumbyk.* – Eu estou olheirento. (*VLB*, II, 56)

esakûé (t) (etim. – *olhos ágeis*) (s.) – desassossego, travessura, lascívia; [adj.: **esakûé (r, s)**]

– desassossegado, travesso, lascivo, dissoluto: *Xe resakûé-kûé.* – Eu sou travesso. (*VLB*, I, 96)

esakuruba (t) (etim. – *caroço de olho*) (s.) – grão [como de sal, farinha grossa etc., à diferença de grão de milho ou de arroz, que é **a'ŷîa** (t) – v.] (*VLB*, I, 150); [adj.: **esakurub (r, s)**] – granuloso, grosso (p.ex., farinha ainda não transformada em pó) (*VLB*, I, 151)

esakytã (t) (etim. – *nó de olho*) (s.) – caroço, godilhão, nó (que se forma na farinha mal diluída ou em pasta ou mingau mal mexidos) (*VLB*, I, 148); grão [como de sal, farinha grossa etc., à diferença de grão de milho ou de arroz, que é **a'ŷîa** (t) – v.]: *U'i-esakytã* – grão de farinha (*VLB*, I, 150)

esangá (t) (etim. – *arrebentar os olhos*) (s.) – choro contínuo; [adj.: **esangá (r, s)**] – chorão; choramigas; (xe) chorar continuamente: *Xe resangá.* – Eu sou chorão. *Abá-esangá.* – homem choramigas (*VLB*, I, 73); ... *Pe resangá, pe angaîpaba rapirõmo.* – Chorai continuamente, pranteando vossos pecados. (Ar., *Cat.*, 85v)

esaoby (t) (etim. – *olho azul*) (s.) – belida, mancha esbranquiçada na córnea do olho (Castilho, *Nomes*, 38); catarata (dos olhos) (*VLB*, I, 69); [adj.: **esaoby (r, s)**] (xe) – ter catarata: *Xe resaoby.* – Eu tenho catarata. (*VLB*, I, 69)

esapé (s) (v. tr.) – iluminar: ... *Esesapé kori xe 'anga resá...* – Ilumina hoje os olhos de minha alma. (Ar., *Cat.*, 24v); ... *Nde-te ereberá i xosé, oré resapébo pá nde rekokatu pupé.* – Mas tu brilhas mais que ele, iluminando-nos todos com tua virtude. (Anch., *Poemas*, 142) ● **esapesaba** (t) – tempo, lugar, causa etc. de iluminar, a iluminação, a luz, o lume: ... *Asé 'anga resapesaba gûeba potare'yma.* – Não querendo que se apague a luz de nossa alma. (Ar., *Cat.*, 81v-82)

esapopy (t) (s.) – lacrimal do olho (*VLB*, II, 17)

esapy'a (adv.) – **1)** de repente, repentinamente, de súbito: *Akûeîme, gûimanõmo, anhanga, esapy'a, xe 'anga oîuká pecado irũmomo.* – Antigamente, morrendo eu, o diabo, de repente, minha alma mataria com o pecado. (Anch., *Poemas*, 106); **2)** depressa, logo: ... *Pekûâ esapy'a!* – Ide depressa! (Anch., *Teatro*, 32); *Erasó esapy'a.* – Leva-o depressa. (*VLB*, I, 44); ... *T'obasem esapy'a o îukaûã--me...* – Que chegue logo ao lugar em que o matarão. (Ar., *Cat.*, 61v)

esapy'ar (ou **esapy'a**) (s) (v. tr.) – surpreender, tomar de súbito, despercebido, antes do tempo esperado, apanhar de surpresa, tomar descuidado: *Asesapy'a é nakó.* – Surpreendi-o, na verdade. (*VLB*, I, 36); ... *T'anhemombe'une kori bé, te'õ xe resapy'a e'ymebé...* – Hei de me confessar ainda hoje, antes de me surpreender a morte. (Ar., *Cat.*, 76v); *Xe resapy'a ahẽ, oú.* – Surpreendeu-me ele, vindo. (*VLB*, I, 97); ... *Nde resapy'ari Tupã oré nhe'enga morypa.* – Surpreendeu-te Deus a deleitar-te com nossas palavras. (Anch., *Teatro*, 166)

esapykanga (t) (s.) – ribanceira (É propriamente quando o mar cava a praia de maneira que fica dificultosa a subida para o lado do mato, seja grande ou pequeno o desnível produzido.): *yby-esapykanga* – ribanceira da terra (*VLB*, I, 52)

esapysó (t) (s.) – **1)** vista, visão (*VLB*, II, 147); **2)** vista aguda; agudeza de vista (*VLB*, I, 27); [adj.: **esapysó (r, s)**] (xe) – ter visão; ter vista aguda: *Na xe resapysóî.* – Eu não tenho visão, eu sou cego. (*VLB*, II, 147); ... *Sesapysó a'upe é Tupã xe repîaka?* – Acaso Deus tem vista aguda para me ver? (Anch., *Teatro*, 30)

esapysoe'yma (t) (etim. – *falta de visão*) (s.) – cegueira (*VLB*, I, 70)

esapytumbyka (t) (etim. – *olhos escuros cessantes*) (s.) – tontura, desmaio, vertigem; [adj.: **esapytumbyk (r, s)**] – tonto, desmaiado; (xe) tontear, ter vertigens, desmaiar: *Xe resapytumbyk.* – Eu desmaio. (*VLB*, II, 15)

esaraî (r, s) (xe) (v. da 2ª classe) – **1)** esquecer-se [de algo ou de alguém: compl. com **esé (r, s)** ou **suí**]: *Na xe resaraî nde resé.* – Eu não me esqueço de ti. (Fig., *Arte*, 124); *Xe resaraî (mba'e) suí.* – Eu me esqueci de algo. (*VLB*, I, 127, adapt.); *Xe resaraî é gûitekóbo.* – Eu estava-me esquecendo mesmo. (Anch., *Teatro*, 178); **2)** esquecer (algo a alguém), ficar por esquecimento, ficar esquecido, apagar-se da memória de [compl. com **esé (r, s)**] (*VLB*, I, 127) ● **esaraîtaba** (ou **esaraîaba**) (t) – tempo, lugar, modo etc. de esquecer; o esquecimento, o objeto do esquecimento, a coisa esquecida (*VLB*, I, 127): *Xe ra'yrĩ gûé, tesaraîtabamo okanhemba'epûera rekó resé nde ma'enduar.* – Ó meu filhinho, lembra-te

esaraîpotara

de que os que pereceram são objeto de esquecimento. (Ar., *Cat.*, 157v-158); *A'epe marã abá rekóû a'e o esaraîagûera supé ogûasemane?* – E como alguém procederá encontrando aquilo que esqueceu? (Ar., *Cat.*, 90)

esaraîpotara (t) (s.) – tendência a esquecer; [adj.: **esaraîpotar (r, s)**] – esquecido (isto é, que costuma esquecer), esquecidiço: *Xe resaraîpotar.* – Eu sou esquecidiço. (*VLB*, I, 127)

esatinga (t) (etim. – *brancura do olho*) (s.) – **1)** belida, névoa ou mancha esbranquiçada na córnea do olho; **2)** esclerótica, o branco do olho (Castilho, *Nomes*, 38); **3)** catarata (dos olhos) (*VLB*, I, 69)

esaúna (t) (etim. – *olhos escuros*) (s.) – cegueira; [adj.: **esaún (r, s)**]: *Xe resaún.* – Eu sou cego. (D'Evreux, *Viagem*, 156)

esau'uma (t) (etim. – *lama dos olhos*) (s.) – ramela (dos olhos); [adj.: **esau'um (r, s)**] – rameloso: *Xe resau'um.* – Eu estou rameloso. (D'Evreux, *Viagem*, 157)

esa'y (t) (etim. – *água dos olhos*) (s.) – lágrima: *Eîmo'ẽ nde resa'y...* – Derrama tuas lágrimas. (Anch., *Doutr. Cristã*, II, 112); [adj.: **esa'y (r, s)**] – lacrimejante (como por doença etc.); **(xe)** lacrimejar: *Xe resa'y-sa'y.* – Eu estou lacrimejando. (*VLB*, II, 17)

esa'yra (t) (etim. – *filho dos olhos*) (s.) – pupila (*VLB*, II, 38; Castilho, *Nomes*, 38)

esé (r, s) (posp.) – **1)** com [sentido de companhia, levando o verbo para o plural]: *Nde resé memẽ oroîkó...* – Contigo sempre estou. (Anch., *Poemas*, 84); *N'ereîkuabipe ko'yr te'õ nde resé sekó?* – Não sabes que agora a morte está contigo? (D'Abbeville, *Histoire*, 350); *Mba'e-py'aûpîara kaûîaîasy resé i monani...* – Uma coisa amarga com vinagre misturaram. (Ar., *Cat.*, 63v); *Sesé orosó.* – Vou com ele. (Anch., *Arte*, 44v); *Penheŷnhang pabẽ sesé!* – Ajuntai-vos todos com eles! (Anch., *Teatro*, 60); **2)** a respeito de, de: ... *Sesé oma'enduaramo.* – A respeito dele lembrando-se. (Ar., *Cat.*, 22); *Ma'e resé îandé mongetáû?* – A respeito de quê conversamos? (Léry, *Histoire*, 358); **3)** em (em sentido locativo, não geográfico): *Tupana resé aîkó.* – Vivo em Deus. (Fig., *Arte*, 166); ... *Xe aé aporomoingó moropotara resé.* – Eu mesmo pus gente no desejo sensual. (Anch., *Teatro*, 36); *atuá resé* – na nuca (Fig., *Arte*, 126); *Sesé i moîarypyramo omanõmo...* – Nela (isto é, na cruz) morrendo crucificado. (Ar., *Cat.*, 22); *Enhonong nde itaingapema nde ku'a resé.* – Põe tua espada na tua cintura. (Fig., *Arte*, 125-126); **4)** em (em sentido temporal): *Putuna amõ resé...* – Numa certa noite... (Ar., *Cat.*, 7); **5)** na pessoa de: *Na xe ra'y-potari nde resé.* – Não quero meu filho na tua pessoa (isto é, não te quero ter por filho). (Fig., *Arte*, 124); *Xe rembiá-potá sabeypora amõ resé...* – Eu quero presas nas pessoas de alguns bêbados. (Anch., *Teatro*, 150, 2006); **6)** por; por causa de [às vezes com um deverbal em **-sab(a)**]: *Abápe asé resé Tupã mongetasara sekóû?* – Quem é a que fala a Deus por nós? (Ar., *Cat.*, 23); *Eîerok moxy resé ta nde rerapûãngatu.* – Arranca-te o nome por causa dos malditos, para que sejas muito famoso. (Anch., *Teatro*, 46); *Aîeruré aoba resé Pedro supé.* – Peço a Pedro por roupa. (Anch., *Arte*, 44); ... *Mba'e-asy porarábo Tupana resé...* – Suportando as coisas dolorosas por causa de Deus. (Anch., *Teatro*, 120); *Oromoeté-katu... nde xe pysyrõagûera resé.* – Louvo-te muito por me teres salvado. (Ar., *Cat.*, 87v); **7)** para [com o sentido de finalidade; às vezes com um deverbal em **-sab(a)**]: *Tupã... moeteagûama resé.* – Para honrar a Deus. (Ar., *Cat.*, 24); *Ne emongetá nde Tupã t'okûab é amanusu îandé momarane'yma resé.* – Roga a teu Deus para que passe a tempestade para não nos arruinar. (Staden, *Viagem*, 66); **8)** contra: *Aîtyk nhe'enga sesé.* – Lanço palavras contra ele. (Anch., *Arte*, 44v); *Quatro tekoangaîpaba ybaka resé oposẽ-posemba'e.* – Quatro são os pecados que ficam bradando contra os céus. (Bettendorff, *Compêndio*, 17); **9)** de (de posse, pertença), destinado a, tocante a, cabível a: *Xe resendûara ebokûea.* – Isso é o que é destinado a mim. (*VLB*, II, 74; 129); **10)** no encalço de, atrás de (a perseguir, a importunar): *Xe resé-katu ahẽ rekóû.* – Fulano está muito atrás de mim (isto é, fica no meu encalço, a importunar-me). (*VLB*, II, 74); *So'o resé aîkó.* – Estou atrás de caça. (*VLB*, II, 41) ● **mba'e resé?** – por quê? (*VLB*, II, 82); **mba'erama resé?** – **1)** por quê? (referente a algo posterior a um determinado marco temporal): *Mba'erama resépe Tupã i me'engi asébe?* – Por que Deus os deu para a gente? (Ar., *Cat.*, 23v); **2)** para quê?: – *Mba'erama resépe Tupã semirekorama monhangi?* – *I pytybõsarama resé...* – Para que Deus criou a esposa dele?

– Para sua futura ajudante... (Ar., *Cat.*, 48); **mba'e-resémo?** – por que seria que? por que razão haveria de? (*VLB*, II, 82)

esebé (r, s) (posp.) – com, juntamente com, assim como: *São Matias... S. Pedro o irũetá resebé tari apóstoloramo.* – São Pedro, com seus companheiros, tomou São Matias como apóstolo. (Ar., *Cat.*, 121-122); *Asaûsub Pedro ta'yra resebé.* – Amo Pedro, assim como a seu filho. (Anch., *Arte*, 44v); *... Anhanga pe'abo, te'õ resebé.* – Afastando o diabo, assim como a morte. (Anch., *Poemas*, 108); *Îaîpó-asá-sá i py resebé, krusá sosé nhẽ xe Îara moîá.* – Atravessam suas mãos, assim como seus pés, sobre a cruz pregando meu Senhor. (Anch., *Poemas*, 122)

eseî (r, s) (adv.) – em frente de, diante de, à frente de (Anch., *Arte*, 41): *E'am xe reseî.* – Está diante de mim. (*VLB*, I, 92)

eseîa (t) (s.) – a fronteira, a frente, o lado em face (Anch., *Arte*, 41)

esemõ[1] (s) (v. tr.) – 1) fazer provisões de, fazer reservas de: *Asesemõ.* – Fiz provisões dele. (*VLB*, I, 17); 2) sobrar a, sobejar a, abundar a: *Xe resemõ îepé itaîuba.* – Sobra-me dinheiro, certamente. (*VLB*, I, 17); *I angaturãngatueté, tekokatu... o esemõneme.* – Ela é boníssima porque lhe abunda a virtude. (Ar., *Cat.*, 32); *Xe resemõ irã mba'ekatu-pabẽ i potarypyra...* – Abundar-me-á futuramente toda a felicidade desejada. (Ar., *Cat.*, 166v); *... Nde resemõ arinhama, taîasu.* – Sobram-te galinhas e porcos. (Anch., *Poemas*, 152); *... Xe resemõ saûîá.* – Sobram-me sauiás. (Anch., *Poemas*, 156)

esemõ[2] (t) (s.) – sobra, demasia, abundância; [adj.: **esemõ (r, s)**] – excessivo, demais, de sobra: *Xe rosang-esemõ.* – Eu tenho sofrimento de sobra. (*VLB*, I, 106)

esy (t) – v. **ysy** (t) (Fig., *Arte*, 145)

esyr (s) (v. tr.) – assar (na brasa): *... Oroapek, oroesyne...* – Sapecar-te-ei, assar-te-ei... (Anch., *Teatro*, 162); *... Moka'ẽ itá îurá 'arybo sesyri.* – Sobre grelhas de moquear, de ferro, assaram-no. (Ar., *Cat.*, 7); *Xe resy Lorẽ-ka'ẽ.* – Assa-me o Lourenço tostado. (Anch., *Teatro*, 90); *Tupã momburûareté tatá pupé nde resyri.* – Verdadeiros amaldiçoadores de Deus no fogo te assaram. (Anch., *Teatro*, 120) ● **emixyra** (t) – o que alguém assa, o assado: *Aîpó nde remixyrama.* – Essas serão as que tu assarás. (Anch., *Teatro*, 130)

NOTA – Daí, no P.B. (Amaz.), **MIXIRA**, conserva de peixe-boi, de tambaqui ou de tartaruga nova, temperada com o azeite próprio do animal de que é feita (in *Dicion. Caldas Aulete*).

etá (t) (s.) – 1) grande número, multidão: *nde rekobesaba 'ara retá...* – o grande número de dias de tua vida (Ar., *Cat.*, 157); *... Îandé retá îandé pe'abo.* – A multidão de nós afastando. (Anch., *Teatro*, 158, 2006); 2) (aparece como substantivo ou pronome, na função de objeto): muitos, muitas coisas, muitas pessoas: *Ererûretá serã?* – Trouxeste muitas coisas, porventura? (Anch., *Teatro*, 44); *– Ererupe itá kysé amõ? – Aruretá.* – Trouxeste algumas facas de ferro? – Trouxe muitas. (Léry, *Histoire*, 346); *Aruretá kó reri...* – Trouxe muitas destas ostras. (Anch., *Poemas*, 150); [adj.: **etá (r, s)**] – muitos (em número), numerosos, múltiplos, diversos; **(xe)** ter muitos: *kunumĩ-etá* – muitos meninos (Anch., *Teatro*, 24); *tatá-endy-etá* – muitas chamas de fogo (Ar., *Cat.*, 45); *Oré retá.* – Nós somos muitos. (*VLB*, II, 44); *Xe retá.* – Eu tenho muitos (parentes). (*VLB*, I, 37); *Na setáî xe angaîpaba...* – Não são muitos meus pecados. (Anch., *Teatro*, 76); *I porang kó tupãoka, îegûakabetá rerupa!* – É bonita esta igreja, contendo muitos enfeites! (Anch., *Poemas*, 112); (adv.) – 1) muitas vezes: *Marãnamope asé îobasabetá-etáûne?* – Por que a gente se persignará muitas e muitas vezes? (Ar., *Cat.*, 21v); 2) muito, demais: *Xe repy-etá.* – Eu tenho muito preço. (*VLB*, I, 88); *Okeretápe se'õmbûera...?* – Dormiu demais seu cadáver? (Ar., *Cat.*, 44v); 3) no tupi colonial também serviu, às vezes, como desinência de plural, como o -s do português: *Emonãnamope asé îeruréû santos-etá supé?* – Portanto, nós rezamos aos santos? (Ar., *Cat.*, 23v) ● **etá-katu** (ou **etá-tekatunhẽ** ou **etá-katutenhẽ**) (r, s) – muitíssimos, muitíssimas vezes (*VLB*, II, 44); **etá-eté (r, s)** – mais; muito mais (*VLB*, II, 28); **etá nhote (r, s)** – mais ou menos (em número), medíocre (em número) (*VLB*, II, 34)

NOTA – Daí, no P.B., **BAITA** (*mba'e + etá*, "coisa demais, muita coisa"), grande, enorme, imenso, crescido, desenvolvido: uma *baita* casa. Daí, também, **PAQUETÁ** (nome de ilha do RJ); **GUARATINGUETÁ** (município de SP); **ITAETÁ** (arroio do RS) etc. (v. Rel. Top. e Antrop. no final).

etab

etab (s) (v. tr.) – aparar (p.ex., os cabelos): *Aîapyr-etab.* – Aparei as pontas deles. (*VLB*, I, 70); *Asetobapy-etab.* – Aparei-lhe o topete. (*VLB*, II, 138)

etama (t) (s.) – **1)** região, pátria, terra (habitada, onde se vive ou onde se nasce): ... *Nde angaturameté erimba'e, apŷaba, morubixaba, kyre'ymbaba mondóbo xe retama pupé.* – Tu foste muito bondoso, enviando homens, chefes e guerreiros, para minha terra. (D'Abbeville, *Histoire*, 341v); *N'asé retama ruã-tepe ikó yby asé rekoaba?* – Mas não é nossa pátria esta terra em que moramos? (Ar., *Cat.*, 26); *T'îasó, mbegûê... t'ixapy moxy retama.* – Vamos, devagar, para queimar a terra dos malditos. (Anch., *Teatro*, 24); *Eîori nde retamûama repîaka.* – Vem para ver tua futura terra. (Léry, *Histoire*, 341); **2)** residência, morada: *T'orogûerekó, setã-me, nde pyri, tekó-puku.* – Que tenhamos, em sua morada, junto de ti, a vida eterna. (Anch., *Teatro*, 122); *Sekobîarõmbyrape temirekoeté koîpó meneté pe retãmendûara?* – Devem ser substituídos a esposa ou o marido verdadeiros que estão em vossas residências? (Ar., *Cat.*, 96); **3)** viveiro, lugar onde se criam ou onde habitam animais (*VLB*, I, 142)

> NOTA – Daí, **JAGUARETAMA** (nome de município do CE), **BURITAMA** (município de SP), **URUBURETAMA** (serra do CE) etc. (v. Rel. Top. e Antrop. no final).

etãme'engaba (t) (s.) – lugar em que se dá morada, terra prometida, terra dada: *Ta peîkó irã mba'ekatu-eté rerekoaramo... îandé retãme'engápe.* – Que sejais futuramente os que terão a verdadeira felicidade na nossa terra prometida. (Ar., *Cat.*, 166); *... So'o, pirá, gûyrá retãme'engaba é ikó 'ara...* – Este mundo é a terra prometida dos animais quadrúpedes, dos peixes e dos pássaros... (Ar., *Cat.*, 166v)

etapokanga (t) (s.) – pouquidão (em relação a outra coisa); [adj.: **etapokang (r, s)**] – relativamente poucos, poucos em relação a algo que se toma por referência (e não absolutamente), raro: *... Gûyrá setapokang...* – Os pássaros eram relativamente poucos. (Ar., *Cat.*, 41v); *Oré retapokang.* – Nós somos poucos (em relação ao número de pessoas que seriam necessárias). (*VLB*, II, 83) ● **setapokãba'e** – o que é raro, poucas vezes visto ou que se não acha a cada passo (*VLB*, II, 96)

etapokangîôte (t) – v. **etapokanga** (t)

etãpotasaba (t) (s.) – terra desejada, lugar em que desejamos residência: *Ta peîkó irã mba'ekatueté rerekoaramo... îandé retãpotasápe, ybakype...* – Que sejais futuramente os que terão a verdadeira felicidade na nossa terra desejada, no céu. (Ar., *Cat.*, 166)

etapurũ (s) (v. tr.) – pintar o rosto (com uma risca ao longo do cabelo que toma toda a testa e vem morrer junto às orelhas ou que vem da ponta do cabelo por entre as sobrancelhas até a ponta do nariz) (*VLB*, II, 78)

eté[1] (t) (s.) – **1)** verdade, legitimidade; **2)** excelência; **3)** normalidade; [adj.: **eté (r, s)**] – **1)** verdadeiro, legítimo, autêntico, genuíno: *Tupã rendabeté, Tupã raîyra.* – Verdadeira estância de Deus, filha de Deus. (Anch., *Poemas*, 88); *T'orosaûsu îandé ruba, îandé monhangareté.* – Que amemos nosso pai, nosso verdadeiro criador. (Anch., *Teatro*, 120); **2)** muito bom; excelente, ótimo; fino; enorme, fora do comum, a valer: *Mba'e-eté ka'ugûasu...* – Coisa muito boa é uma grande bebedeira. (Anch., *Teatro*, 6); *ka'aeté* – mata ótima, de boa madeira (Anch., *Cartas*, 460); *ybyrá-eté* – madeira fina, ótima (Anch., *Cartas*, 460); **3)** normal: *kunhãeté* – mulher normal (isto é, que nunca foi escrava) (*VLB*, I, 142); *karaibeté* – cristão normal (isto é, o que não é missionário; leigo) (*VLB*, II, 20); **4)** mais, maior, melhor: *Turusueté* – Ele é maior. *I porangeté* – Ele é mais bonito. (*VLB*, II, 35); *Ixé xe katueté.* – Eu sou melhor. (*VLB*, II, 35); (adv.) – muito, bastante; verdadeiramente, de fato: *Sekó-te i poxyeté...* – Mas sua vida é muito má. (Anch., *Teatro*, 28); *Aûîe; xe rorybeté.* – Basta; eu estou muito contente. (Anch., *Teatro*, 128); *'Arangaturameté...* – Dia muito bom. (Anch., *Poemas*, 94); *Adão, oré rubypy, oré mokanhemeté...* – Adão, nosso primeiro pai, fez-nos perder verdadeiramente. (Anch., *Poemas*, 130); *Té oureté kybõ Reriûasu mã!* – Ah, veio de fato para cá o Ostra Grande! (Léry, *Histoire*, 341) ● **eté-eté (r, s)** (adj.) – imenso, grandioso: *Tupã myatã-eté-eté...* – a imensa força de Deus (Bettendorff, *Compêndio*, 62); (adv.) – demais, muitíssimo: *O'u-eté-eté ahẽ mba'e.* – Ele comeu demais aquela coisa. (*VLB*, II, 118); **etekatu** – muitíssimo, demais: *Xe moaîu-marangatu, xe moŷrõ-etekatûabo, aîpó tekó-pysasu.* – Importuna-me bem, irritando-me muitíssimo, aquela lei nova. (Anch., *Teatro*, 4);

Asé ra'angetekatu... Anhanga...? – Tenta-nos demais o diabo? (Ar., *Cat.*, 92v); **eté nhẽ** – muito; muito bem (*VLB*, II, 44); **eté'ĩ** – muito, verdadeiramente: *Xe angaîpabeté'ĩ ra'u mã!* – Ah, eu fui muito pecador! (Anch., *Doutr. Cristã*, I, 195); **eté'ĩ... mã!** – ó, como me alegro! graças a Deus!: *Our-eté'ĩ xe ruba mã!* – Graças a Deus meu pai veio! (*VLB*, II, 54)

> NOTA – Daí, os nomes geográficos **CATETE** (RJ), **TAMANDUATEÍ** (rio de SP) etc. (v. Rel. Top. e Antrop. no final). Daí, também, no P.B., **ABAETÊ**, homem honrado, honesto; **AJURUETÊ**, papagaio-verdadeiro, nome de ave psitacídea; **CAAETÊ** (*ka'a + eté*, "mata verdadeira"), região da floresta amazônica que só se inunda quando das grandes enchentes; **JAGUARETÉ**, o "jaguar verdadeiro", a onça; **SUAÇUETÊ**, veado etc.

eté² (t) (s.) – **1)** corpo: *Pedro reté* – o corpo de Pedro (Fig., *Arte*, 74); *Sygépe o eterama Tupã tari...* – Em seu ventre Deus recebeu seu próprio corpo. (Anch., *Poemas*, 88); *Mba'epe asé reté remi'u?* – Qual é a comida de nosso corpo? (Ar., *Cat.*, 27v); **2)** elemento; parte: *Marãnamo xe ã nde anama reté-katu?* – Por que é que eu sou a parte boa dessa tua família? (Camarões, *Cartas*, 21 de outubro de 1645); *Opá nde reté raíri itatîâîa pupé.* – Riscaram todo o teu corpo com ferro pontiagudo. (Anch., *Teatro*, 120); **3)** substância, matéria: *Oîaby-eté seté tiruã oîkuabe'ymba'e.* – Transgride-os muito o que não conhece sequer sua substância. (Bettendorff, *Compêndio*, 103) • **seteba'e** – o que é corpóreo (*VLB*, I, 82)

eté-eté – v. **eté¹** (t)

etee'yma (t) (etim. – *falta de corpo*) (s.) – incorporeidade; [adj.: **etee'ym (r, s)**] – incorpóreo, sem corpo: – *Oîkuabi (asé 'anga)?* – *Nd'oîekuabi.* – *Marãnamope?* – *O etee'ymamo nhẽ.* – É visível (a alma da gente)? – Não é visível. – Por quê? – Por ser incorpórea. (Anch., *Doutr. Cristã*, I, 161) • **setee'ymba'e** – o que não tem corpo, o incorpóreo: *Marãpe sepîaki, setee'ymba'eramo sekó e'ymeté?* – Como o viu se ele é o que não tem corpo? (Ar., *Cat.*, 31)

eteté (adv.) – demais, muitíssimo: *Aîaby-eteté xe monhangara... nhe'enga mã...!* – Ah, transgredi muitíssimo as palavras de meu criador! (Ar., *Cat.*, 85v)

> NOTA – Daí, no P.B., **TETETÉ**, 1) *reincidente*; 2) (adv.) *a miúdo, amiúde, frequentemente* (in *Dicion. Caldas Aulete*).

etymã¹

eteumẽ (part. de 2ª p. do sing. Leva o verbo para o gerúndio) – guarda-te de (Fig., *Arte*, 135); abstém-te de, evita: *Eteumẽ kori marana rerekóbo xe resé.* – Guarda-te, hoje, de ter guerra comigo. (Anch., *Poemas*, 150); *Eteumẽ, aîpó tekó kuab'iré, tekó-poxy rerekóbo.* – Guarda-te, após conhecer essa lei, de ter má vida. (Anch., *Poemas*, 158); *Eteumẽ esóbo.* – Evita ir. (Anch., *Arte*, 56)

eti (ou **ti**) (interj. de h.) – **1)** oh! (como diz o que, caminhando, lembra-se de ter deixado algo); **2)** (expressa espanto ou zombaria) (*VLB*, II, 53); olhai! olhai-me lá com que me vem! (a mulher diz **e'a** – v.) (*VLB*, II, 56)

> NOTA – Daí, no P.B., **ETA**, interjeição que exprime surpresa, espanto, admiração etc.: *Eta menino levado!*

etiã (adv.) – de costume, de hábito, geralmente (*VLB*, I, 84)

etobapé (t) (s.) – bochechas (naturais, não as que se incham com ar ou comida), faces (Castilho, *Nomes*, 39): *A'e ipó asetobapé-pyténe...* – A ele eu beijarei suas faces... (Ar., *Cat.*, 54); [adj.: **etobapé (r, s)**]; (xe) ter bochechas: *Xe retobapegûasu.* – Eu sou muito bochechudo, eu tenho bochechas grandes. (*VLB*, I, 56)

etobapy (t) (s.) – topete, cabelo ou pelo levantado na parte anterior da cabeça (de cavalo, de pessoa etc.): *xe retobapy-'aba* – cabelo de meu topete; *Tetobapy-apûá* – ponta de topete, pontinha aguda de cabelo que alguns têm na testa (*VLB*, II, 131)

etun (s) (v. tr.) – cheirar, sentir o cheiro de: *mba'e retuna...* – cheirando as coisas (Ar., *Cat.*, 92); *Asetun.* – Cheirei-o. (*VLB*, I, 73)

(e)tymã (r, s) [variante de **etymã²** (t)] (s.) – perna (Castilho, *Nomes*, 40) • **(e)tymã-o'o (r, s)** – barriga da perna (Castilho, *Nomes*, 40)

etymã¹ (t) (s.) – perna (Castilho, *Nomes*, 39): *Osó bé amõ maranaritekoara a'e mokõî mondabora retymã mopena...* – Foram de novo alguns soldados para quebrar as pernas daqueles dois ladrões. (Ar., *Cat.*, 64) • **etymãmbûera** (t) – perna que já foi decepada; quarto traseiro que se parte de um animal (*VLB*, II, 91): *T'a'u kori i îybapûera, ... Kaburé, setymãmbûera.* – Hei de comer hoje seus braços, Caburé, suas pernas. (Anch., *Teatro*, 64); **etymã-îura** (t) – colo da perna (Castilho, *No-*

etymã²

mes, 39); **etymã-kanga (t)** – canela da perna (Castilho, *Nomes*, 39); **etymã-o'o (t)** – barriga da perna (Castilho, *Nomes*, 39); **etymã-ygé (t)** – barriga da perna (Castilho, *Nomes*, 39)

etymã² (t) (s.) – pé (de móvel) (*VLB*, II, 68)

etymãkangupîara (t) (etim. – *armadilha da canela da perna*) (s.) – vareta, ligada a uma armadilha, que era posta no caminho da caça e que esta, ao passar, levava com as pernas, acionando a armadilha, que a prendia. (*VLB*, II, 78)

eú (s.) – arroto: *eú-rema* – arroto fétido (*VLB*, I, 44); *xe eúme* – se eu arrotar (lit., *no caso de meu arroto*) (Anch., *Arte*, 26); (adj.) – arrotador; **(xe)** ter arroto, arrotar (*VLB*, I, 44)

eûĩ (dem. adj.) – esse, essa, isso (*VLB*, II, 15)

eûĩba'e (dem. pron.) – isso (*VLB*, II, 15)

eûĩme (adv.) – aí (onde tu estás) (*VLB*, I, 27)

e'uma'ẽ (interj. de m.) – Ui! Coitado! (Expressa dor, dó, espanto, condolências.) (*VLB*, II, 53; 139)

Exu'y (s. antrop.) – nome de índio tupi (Vasconcelos, *Crônica (Not.)* II, §1, 113)

eyî (s) (v. tr.) – mudar (qualquer coisa do lugar onde estava); renovar a posição (de móveis, casa, aldeia etc.): *Aseyî.* – Mudei-a. (*VLB*, II, 44)

e'yĩ (s) (v. tr.) – coçar: *Ase'yĩ.* – Cocei-o. (*VLB*, I, 76)

e'yîa (t) (s.) – multidão, bando, ajuntamento, grande número (Fig., *Arte*, 5; *VLB*, I, 135); cardume (*VLB*, I, 67): *T'asóne parati'ype, tupinakyîa re'yîpe...* – Hei de ir para o rio dos paratis, ao bando dos tupiniquins. (Anch., *Teatro*, 182); *Mamõpe erimba'e te'yî-katupabẽ Îandé Îara rerasóû...?* – Para onde a multidão numerosíssima levou Nosso Senhor? (Ar., *Cat.*, 58); *itá re'yîa* – ajuntamento de pedras (*VLB*, I, 29); [adj.: **e'yî (r, s)**] – numerosos, muitos: *Se'yî nde rekasara...* – São numerosos os que te procuram. (Valente, *Cantigas*, IV, in Ar., *Cat.*, 1618); ... *Se'yî i kuabypyre'yma Tupã i monhangara remingûaba nhõ.* – São muitos os não conhecidos que Deus somente, o criador deles, conhece. (Ar., *Cat.*, 37); *Oré re'yî.* – Nós somos numerosos. (*VLB*, I, 51)

NOTA – Daí, no P.B., **TIJUPABA** (*te'yî + upaba*, "pousada da multidão"), 1) cabana improvisada de índios, aberta dos lados, para abrigo de muitos deles durante suas travessias pela floresta; 2) palhoça que os trabalhadores constroem no meio da mata, nos seringais, roças etc.

e'yîpe (adv.) – manifestamente (*VLB*, II, 31): *Missa mondykápe épe ereîké îepi, nde îesûere'yîpe...?* – É no final da missa que entras sempre, manifestamente consciente? (Anch., *Doutr. Cristã*, II, 105)

e'ym¹ (s) (v. tr.) – dar a beber a, servir bebida a, servir cauim a: *Ose'ymype gûá?* – Deram-lhe de beber? (Anch., *Diál. da Fé*, 191); *Apore'ym.* – Dou de beber às pessoas. (*VLB*, I, 122) • **e'ymbara (t)** – o que dá a beber (cauim) a: *Onheŷnhang umã sesé kunumĩetá kagûara, ... kunhãmuku i more'ymbara.* – Já se juntaram por causa disso muitos moços bebedores de cauim e as moças que dão de beber às pessoas. (Anch., *Teatro*, 24)

-e'ym² (suf. que expressa negação ou privação) – não, sem: *sye'yma* – o sem mãe, o órfão de mãe (*VLB*, II, 59); *membyre'yma* – a sem-filhos, a fêmea estéril (*VLB*, II, 31); ... *Anhanga o îaramo sekó potare'yma.* – Não querendo que o diabo esteja como seu senhor. (Ar., *Cat.*, 26v); ... *Abá 'angûera amõ soe'ymi ybakype erimba'e?* – Não ia para o céu outrora a alma de ninguém? (Anch., *Doutr. Cristã*, I, 163); *Aîukae'ym.* – Não mato. (Anch., *Arte*, 20); *I îukapyrûere'yma* – O que não foi morto (Anch., *Arte*, 19v); *Mĩukae'yma* – O que não é morto (Anch., *Arte*, 19v); *Pysaré kó i kere'ymi...* – Eis que a noite toda ele não dormiu. (Anch., *Teatro*, 32); *N'oîpotar-ipe Tupã xe re'õe'yma xe retãme ûixóbo...?* – Não quer Deus que eu não morra para ir para minha terra? (D'Abbeville, *Histoire*, 351v) • **e'yma nhõ** – não falta mais que; resta somente isto, falta apenas isto: *Serasoe'yma nhõ.* – Resta apenas levá-lo. *Onhe'eng-atã-atã ahẽ o sy supé; i nupãe'yma nhõ.* – Ele fala asperamente a sua mãe; falta apenas bater nela. (*VLB*, II, 103)

NOTA – Daí se origina, no P.B., **BORBOREMA** (*yby + mbora + e'ym + -a*, "terra sem habitantes"), lugar despovoado, estéril (in *Dicion. Caldas Aulete*), donde o nome da SERRA DA **BORBOREMA**, no nordeste do Brasil (v. Rel. Top. e Antrop. no final).

e'ymebé (posp.) – antes que, antes de (em relação a algo que poderá ou não realizar-se): *Mosapy ipó xe boîáramo nde rekó ereîkuakub mokõî gûyrá sapukaî'e'ymebéne...* – Na verdade, três vezes negarás ser meu discípulo antes de o galo cantar duas vezes. (Ar., *Cat.*, 57-57v); *Emonãnamo enhenonhen esapy'a, te'õ nde resapy'a **e'ymebé**.* – Portanto, corrige-te logo, antes que a morte te surpreenda. (Ar., *Cat.*, 106v); *Îasepenhan, îaîpysyk, i apysyk' **e'ymebé**...* – Atacamo-los, prendemo-los, antes que se consolem. (Anch., *Teatro*, 66); *Xe só **e'ymebé** t'eresó.* – Hás de ir antes que eu vá. (Fig., *Arte*, 125); *I kuab'**e'ymebé**, îasó muru rerasóbo.* – Antes que ela saiba, vamos para levar os malditos. (Anch., *Teatro*, 130)

e'ymeté (conj.) – 1) como se não: ... *Oîosuí i kûá **e'ymeté**?* – Como se não estivessem longe uns dos outros? (Bettendorff, *Compêndio*, 56); 2) se: *Marãpe sepîaki, setee'ymba'eramo sekó **e'ymeté**?* – Como o viu se ele não tem corpo? (Ar., *Cat.*, 31); 3) sendo assim como é (Fig., *Arte*, 148): *Aîpó **e'ymeté**pe peẽ bé ybŷa pe tymagûama na peîkuabi?* – Sendo isso assim como é, vós também não reconheceis que vos enterrarão? (Ar., *Cat.*, 155v); *Aîpó **e'ymeté**, ko'arapukuî, pysaré nde maînanĩ nde 'anga resé... -ne.* – Sendo isso assim, o dia todo e a noite toda tu cuidarás de tua alma. (Ar., *Cat.*, 158-158v)

e'ymetemaé (conj.) – sendo assim como é (Fig., *Arte*, 148)

e'ymetemonaé (conj.) – a não ser que não: *Tupã serekó **e'ymetemonaé**mo.* – A não ser que Deus não a fizesse estar consigo. (Ar., *Cat.*, 32)

e'ymiîaramẽ (ou **e'ymiîarameté**) (conj.) – como se não (*VLB*, I, 78)

e'ymiîasûaramonaé (conj.) – como se não (*VLB*, I, 78)

-e'ymumẽ (suf.) – não deixar de (com o imper. ou o permiss.): *Eîpotare'ymumẽ.* – Não deixes de o querer. (Anch., *Arte*, 34v)

eŷnhang¹ (s) (v. tr.) – juntar, recolher, reunir: *Ogûerasó amõ okusupe seroîkŷabo, a'epe maranaritekoaratã reŷnhanga sesé.* – Levaram-no para um certo palácio, fazendo-o entrar, reunindo soldados fortes ali por sua causa... (Ar., *Cat.*, 60); ... *T'asó aîpó nhe'enga mopó, xe boîá reŷnhangetábo.* – Hei de ir cumprir essas palavras, juntando muitos dos meus servos. (Anch., *Teatro*, 60); ... *I kangûera reŷnhanga ybytygûaîa Îosaphat 'îápe...* – Reunindo seus ossos no chamado *Vale de Josafat*. (Ar., *Cat.*, 160v)

eŷnhang² (s) (v. tr.) – encolher, encurtar (p.ex., o pano, ao costurá-lo) (*VLB*, I, 114)

GÛ

-gû-¹ (ou **û-**) (representação da semivogal *w*, que se insere entre os prefixos número-pessoais **o-** e **oro-** e alguns verbos iniciados por vogal): *T'orogûerekó* (leia-se **torowerekó**), *setãme, nde pyri, tekó-puku.* – Que tenhamos, em sua terra, junto de ti, a vida eterna. (Anch., *Teatro*, 122); *Pitangĩ abé îandé rubypy angaîpaba nhõ ogûerekó.* – As criancinhas também têm somente o pecado de nosso pai primeiro. (Anch., *Doutr. Cristã*, 201)

gû² (poss. reflexivo – o mesmo que **o¹** (v.) antes de temas iniciados em vogal) – seu, seu próprio (s, a, as): *... gûeté-marane'yma...* – seu próprio corpo incorrupto (Ar., *Cat.*, 161v); *Tupã é abaré oîmoîa'ok gûekobîaramo.* – O próprio Deus distinguiu o padre como seu substituto. (Anch., *Doutr. Cristã*, II, 77)

gûá (ou **ygûá**) (part. que expressa indeterminação do sujeito ou do objeto): *Oîaobok serã gûá...?* – Por acaso arrancaram sua roupa? (Ar., *Cat.*, 85, 1686); *Marãîabépe gûá Îandé Îara re'õmbûera rerekóû?* – De que maneira trataram o cadáver de Nosso Senhor? (Bettendorff, *Compêndio*, 50); *Mamõpe gûá Îandé Îara rerosyki ko'yté?* – Aonde chegaram com Nosso Senhor, finalmente? (Ar., *Cat.*, 89); *... amõ ereîuká-ukar ygûá...* – Mandaste matar o outro. (Camarões, *Cartas*, 1645)

gûa'a¹ (s.) – altibaixo (*VLB*, I, 33) • **gûa'a-gûa'a** – altibaixos (*VLB*, I, 33)

gûa'a² (s.) – inchação produzida por golpe; pancada sem pus (*VLB*, II, 80); (adj.) – inchado; **(xe)** ter inchaços ou calombos: *Xe gûa'a-gûa'a.* – Eu estou inchado, eu tenho calombos. (*VLB*, II, 11)

gûabaîaku (s.) – peixe-coelho, espécie da família dos quimerídeos (*VLB*, II, 70)

gûabipoka'yba (s.) – árvore da família das leguminosas-cesalpinoídeas (Piso, *De Med. Bras.*, IV, 188)

gûabiraba (s.) – 1) GUABIRABA, GUABIROBA, GUABIROVA, GUAVIROVA, GABIROBA, GABIROVA, GAVIROVA, nome aplicado a várias mirtáceas do gênero *Campomanesia*, árvores copadas e muito altas, com folhas pequenas e flores avermelhadas; **2)** o fruto dessas plantas, do modo de azeitonas e doces (D'Abbeville, *Histoire*, 220; Brandão, *Diálogos*, 217)

gûabiru (s.) – 1) GUABIRU, GABIRU, espécie de mamífero roedor; 2) rato doméstico (*VLB*, II, 97) • **gûabiru-mo'asaba** (ou **gûabiru rupîara**) – armadilha para pegar guabirus (*VLB*, II, 97)

NOTA – Daí, **GUAVIRUTUVA** (nome de bairro de Nazaré Paulista, SP) (v. Rel. Top. e Antrop. no final).

gûabo – forma do gerúndio do verbo **'u** (v.)

gûaburu (etim. – *recipiente de ingestão*) (s.) – recipiente de comer ou beber algo: *... I gûaburu koîpó inaîagûasu apepûera amõ pupé i nhang'iré...* – Após vertê-la dentro do recipiente em que a bebe ou de alguma casca de coco... (Ar., *Cat.*, 353)

gûaí (s.) – nome de um pássaro (Lisboa, *Hist. Anim. e Árv. do Maranhão*, fl. 187v-188)

gûaîá¹ (s. voc. de m.) – mano! meu irmão! (Anch., *Arte*, 14v) (v. tb. **a'ĩ, ta'a, tapi'a** e **tang**) (*VLB*, II, 31)

gûaîá² (s.) – GUAIÁ, GOIÁ, GUAJÁ, crustáceo da família dos calapídeos, caranguejo de água salgada que vive debaixo das pedras (Marcgrave, *Hist. Nat. Bras.*, 182; *VLB*, I, 67; *Theat. Rer. Nat. Bras.*, I, 80-81)

GUAJÁ (fonte: Marcgrave)

gûaîá-apara (etim. – *guajá torto*) (s.) – GUAIÁ-APARÁ, GOIÁ, GUAIÁ, UACAPARÁ, espécie de crustáceo da família dos calapídeos (Marcgrave, *Hist. Nat. Bras.*, 182)

gûaîaká (s.) – pau-santo, árvore da família das zigofiláceas (*Guaiacum officinale* L.)

gûaîakatu (etim. – *guajá bom*) (s. etnôn.) – nome de antiga nação indígena (Cardim, *Trat. Terra e Gente do Brasil*, 125)

gûaîamirĩ (etim. – *guajá pequeno*) (s.) – GUAJÁ-MIRIM, pequeno caranguejo pertencente, provavelmente, à família dos xantídeos (Marcgrave, *Hist. Nat. Bras.*, 183)

gûaîamũ

gûaîamũ – o mesmo que **gûanhamũ** (v.)

gûaîanã (s. etnôn.) – GUAIANÁ, 1) nome de nação indígena; 2) indivíduo da tribo dos guaianás ou guaianazes: – *Marãpe pe robaîara rera?* – *Marakaîá, gûaîtaká, gûaîanã, karaîá, kariûó.* – Quais os nomes dos vossos inimigos? – Maracajás, goitacazes, guaianás, carajás, carijós. (Léry, *Histoire*, 354); *Sekoaûîépe gûaîtaká koîpó gûaîanã ra'yra?* – Está pronto o guaitacá ou o filho do guaianá? (Anch., *Teatro*, 62)

gûaîanãgûasu (etim. – *grandes guaianás*) (s.) – nome de povo indígena tapuia (Laet, *Novus Orbis, Livro XV*, cap. IV, §13)

gûaîaná-timbó (etim. – *timbó dos guaianás*) (s.) – GORANÁ-TIMBÓ, GUAJANÁ-TIMBÓ, GUATIMBÓ ou TIMBÔ-DE-RAIZ, planta leguminosa-papilionada [*Dahlstedtia pinnatum* (Benth.) Malme], de cuja raiz é extraído entorpecente usado para matar peixes e para o tratamento das afecções parasitárias da pele e, ainda, como analgésico geral e hipnótico (Piso, *De Med. Bras.*, IV, 201)

gûaîá-pinima (etim. – *guajá pintado*) (s.) – var. de crustáceo (*Theat. Rer. Nat. Bras.*, I, 82)

gûaîará (s.) – GUAJARÁ, UAJARÁ, planta da família das sapotáceas (Silveira, *Rel. do Maranhão*, fl. 11v)

NOTA – Daí, o nome da BAÍA DE **GUAJARÁ**, no PA (v. Rel. Top. e Antrop. no final).

gûaîaranha (s.) – crustáceo da família dos inaquídeos (Brandão, *Diálogos*, 245)

gûaîarara (s.) – var. de caranguejo (Sousa, *Trat. Descr.*, 295)

gûaîaru – o mesmo que **gûaîeru** (v.)

gûaîasy (s.) – planta da família das sapotáceas do gênero *Pouteria* (Marcgrave, *Hist. Nat. Bras.*, 101)

gûaîausá (s.) – var. de caranguejo; o mesmo que **agûarausá** (v.) (Sousa, *Trat. Descr.*, 290)

gûaîaý (s.) – penagens, cocares, enfeites de penas usados na cabeça: *Aîgûaîa-moîar.* – Grudei penagens nele. (*VLB*, I, 112)

gûaîbĩ (s.) – velha, mulher idosa; anciã: ... *Gûaîbĩ moesãia mbá.* – Alegrando todas as velhas. (Anch., *Poemas*, 110); *Gûaîbĩ aru amõ Magûeá suí...* – Trouxe as velhas de além de Magueá... (Anch., *Teatro*, 12); *Onheŷnhang umã sesé... gûaîbĩ tuîba'e abé...* – Já se juntaram por causa disso as velhas e os velhos. (Anch., *Teatro*, 24); (adj.) – *Kó aîkó sygepûera t'arasó i nhy'ãbebuîa abé xe raîxó-gûaîbĩ supé.* – Aqui estou para levar seu ventre e também seus pulmões para minha sogra velha. (Anch., *Teatro*, 66)

NOTA – Daí, no P.B., UAIMIURU (*gûaîbĩ* + *îuru*, "boca de velha"), árvore hipocrateácea.

gûaîbiãîa (etim. – *dente de velha*) (s.) – nome de um peixe (Marcgrave, *Hist. Nat. Bras.*, 147)

gûaîbĩambuku (s.) – var. de dança; modo de saltar (Vasconcelos, *Crônica* (*Not.*) I, §143, 107)

gûaîbĩgûaîbĩambuku (s.) – nome de um jogo de crianças (Marcgrave, *Hist. Nat. Bras.*, 278)

gûaîbĩkûapiranga (etim. – *vagina vermelha de velha*) (s.) – nome de um peixe (*Libri Princ.*, vol. II, 73)

gûaîbĩkûara (etim. – *buraco, vagina de velha*) (s.) – ABIQUARA, BIQUARA, nome comum a certos peixes da família dos pomadasídeos (Marcgrave, *Hist. Nat. Bras.*, 163)

gûaîbĩkûarusu (etim. – *buracão, grande vagina de velha*) (s.) – nome de um peixe (Brandão, *Diálogos*, 237)

gûaîbĩkûati (s.) – nome de um peixe de água doce que vive sob as pedras (Sousa, *Trat. Descr.*, 286)

gûaîbĩ-paîé (etim. – *velha pajé*) (s.) – var. de dança; modo de saltar (Vasconcelos, *Crônica* (*Not.*) I, §143, 107) Nieuhof, *Ged. Reize*, 217-218)

gûaîbĩpokakabyba (s.) – nome de uma árvore (Marcgrave, *Hist. Nat. Bras.*, 111)

gûaîbokara (s.) – nome de um peixe marinho (Sousa, *Trat. Descr.*, 288)

gûaîeru (s.) – GUAJURU, GUAJIRU, GAJURU, GAJERU, GAJIRU, árvore crisobalanácea; o mesmo que **abaîeru** (v.) (Marcgrave, *Hist. Nat. Bras.*, 77; Brandão, *Diálogos*, 218)

GUAJURU (fonte: Marcgrave)

gûaîkuíka (s.) – CUÍCA, QUAIQUICA, nome comum a várias espécies de mamíferos marsupiais da família dos didelfídeos: *Andyrá ruãpe é, panama koîpó gûaîkuíka?* – Será que é um morcego, uma borboleta ou uma cuíca? (Anch., *Teatro*, 42)

gûaînumby¹ (s.) – GUANUMBI, GUANAMBI, GUINUMBI, GAUNUMBI, beija-flor, nome comum a várias aves da família dos troquilídeos, de bela plumagem e de voo extremamente rápido. Sua alimentação consiste em néctar de flores e em pequenos insetos. (Marcgrave, *Hist. Nat. Bras.*, 196)

GUANAMBI (beija-flor) (fonte: Marcgrave)

gûaînumby² (s.) – var. de **murukuîá** (v.)

gûaînumby-akaîu (etim. – *caju de beija-flor*) (s.) – nome de uma árvore (D'Abbeville, *Histoire*, 223)

gûaînumby-akaîu'yba – o mesmo que **gûaînumby-akaîu** (v.) (*Theat. Rer. Nat. Bras.*, II, 213)

gûaînumby-aratiká (s.) – var. de **gûaînumby** (v.) (Marcgrave, *Hist. Nat. Bras.*, 196)

gûaînumbygûasu (etim. – *guainumbi grande*) (s.) – nome de uma ave (*Theat. Rer. Nat. Bras.*, I, 129)

gûaîraká (s.) – JAGUACACACA, cachorro-d'água, lontra brasileira, mamífero mustelídeo semiaquático, de pelos longos, pardos-acinzentados. Alimenta-se de peixes. (*VLB*, II, 24)

Gûaîupîá

gûaîtaká (s. etnôn.) – GUAITACÁ, GOITACÁ, GOITACAZ, 1) nome de nação indígena; 2) indivíduo da tribo dos GOITACAZES: – *Marãpe pe robaîara rera?* – *Marakaîá, gûaîtaká, gûaîanã, karaîá, kariîó.* – Quais os nomes dos vossos inimigos? – Maracajás, goitacazes, guaianás, carajás, carijós. (Léry, *Histoire*, 354); *Sekoaûîépe gûaîtaká?* – Está pronto o guaitacá? (Anch., *Teatro*, 62)

gûaîtó (s. voc. de h.) – minha sobrinha! (Anch., *Arte*, 14v)

gûaîu¹ (v. intr.) – embarbascar-se (p.ex., peixe), ficar entorpecido com o barbasco que se lança na água (*VLB*, I, 110)

> NOTA – Daí, no P.B. (Amaz.), pelo nheengatu, UAIUA, usado na locução ESTAR DE UAIUA, vir (o peixe), de beiço inchado, respirar à tona da água, talvez por se achar corrompida a água dos rios e, não raro, morrendo (in *Dicion. Caldas Aulete*).

gûaîu² (s.) – nome genérico para danças (Marcgrave, *Hist. Nat. Bras.*, 278)

> NOTA – Daí, no P.B., GUAIÚ, agitação, barulho: "*Quase chorava de alegria ao recordar o GUAIÚ das piracemas, em dezembro.*" (Valdomiro Silveira, in *Nas Serras e nas Furnas*, apud *Novo Dicion. Aurélio*).

gûaîu³ (s.) – var. de formiga (v. **gûaîugûaîu**) (*VLB*, I, 142)

gûaîugûaîu (s.) – GUAJU-GUAJU, formiga-de-correição, nome comum a certas espécies de formigas da família dos dorilídeos, de vida nômade. É também chamada *guerreira* ou *saca-saia*. "São pequenas e ruivas e mordem muito. Estas, de tempos em tempos, se saem da cova, maiormente depois que chove muito... e dão numa casa... e matam as baratas, as aranhas, os ratos e todos os bichos que andam... e matam também as cobras que acham descuidadas..." (Sousa, *Trat. Descr.*, 270)

gûaîumẽ (s.) – var. de crustáceo (*Theat. Rer. Nat. Bras.*, I, 83-84)

Gûaîupîá (ou **Ûaîupîá**) (s.) – GUAJUPIÁ, 1) nome de uma entidade sobrenatural; espírito dos pajés bons: *Ererobîarype... Gûaîupîá moraseîa...?* – Acreditas na dança do Guajupiá? (Anch., *Doutr. Cristã*, II, 83); 2) lugar para onde, na religião dos tupis, iriam as almas após a morte corporal, o qual se localiza além

Gûaîxará

das montanhas e onde se encontrariam os antepassados dos índios (D'Abbeville, *Histoire*, 323)

Gûaîxará (s. antrop.) - nome de índio tupi (Anch., *Teatro*, 26)

gûaká (s.) - ave da família dos larídeos (Cardim, *Trat. Terra e Gente do Brasil*, 61)

gûakagûasu (etim. - *guacá grande*) (s.) - ave da família dos larídeos, espécie de gaivota (Marcgrave, *Hist. Nat. Bras.*, 205)

gûakará (s.) - nome de uma ave (*Theat. Rer. Nat. Bras.*, I, 121)

gûakaraîara (etim. - *os que dominam os guacarás*) (s. etnôn.) - nome de antiga nação indígena (Cardim, *Trat. Terra e Gente do Brasil*, 126)

gûakarara'yba (s.) - nome de uma árvore (*VLB*, II, 24)

gûakary (s.) - GUACARI, ACARI, UACARI, peixe da família dos loricariídeos (Marcgrave, *Hist. Nat. Bras.*, 166)

NOTA - Daí, **ACARIQUARA**, localidade do Ceará (v. Rel. Top. e Antrop. no final).

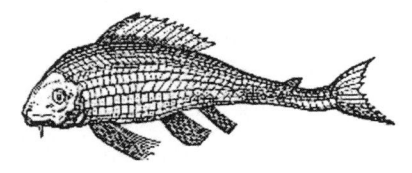

GUACARI (fonte: Marcgrave)

gûakukuá - o mesmo que **gûakukuîá** (v.) (Griebe, *Brasil Holandês*, vol. III, 74)

gûakukuîá (s.) - GUACUCUIA, nome de um peixe (Marcgrave, *Hist. Nat. Bras.*, 143)

gûaky - o mesmo que **mokó** (v.) (Brandão, *Diálogos*, 255)

gûam - alomorfe de **ram** - v. (Anch., *Arte*, 19v)

gûamá (s.) - GUAMÁ, nome de um peixe de mar (*VLB*, II, 70)

gûamaîakuapé (etim. - *guamaiacu de casca*) (s.) - GUAMAIACU, BAIACU-DE-CHIFRE, peixe de constituição robusta que se abriga sob uma carapaça espinhosa sólida, de onde emergem pontas córneas, grossas e resistentes (Marcgrave, *Hist. Nat. Bras.*, 142; Piso, *De Med. Bras.*, III, 173)

gûamaîaku'atinga (etim. - *guamaiacu da cabeça branca*) (s.) - espécie de peixe da família dos tetrodontídeos (Marcgrave, *Hist. Nat. Bras.*, 168)

gûamaîakugûará (s.) - nome de um peixe (Marcgrave, *Hist. Nat. Bras.*, 158; *VLB*, II, 70)

gûamaîakukuruba (etim. - *guamaiacu encaroçado*) (s.) - nome de um peixe (Cardim, *Trat. Terra e Gente do Brasil*, 57)

gûambaîaku - o mesmo que **baîaku** (v.) (Piso, *De Med. Bras.*, 173)

gûambaîakuaté (s.) - nome de um peixe (*Theat. Rer. Nat. Bras.*, I, 53)

gûambaîakuatĩ (s.) (etim. - *baiacu pontudo*) - o mesmo que **gûamaîakugûará** (v.) (*Theat. Rer. Nat. Bras.*, I, 52)

gûambîapirûera (s.) - nome de uma ave falconídea (Brandão, *Diálogos*, 233)

gûanabanu (s.) - GUANABANO, árvore da família das anonáceas (*Annona muricata* L.), a graviola (Marcgrave, *Hist. Nat. Bras.*, 94)

gûanandi (s.) - GUANANDI, GUANADIM, árvore da família das clusiáceas (*Symphonia globulifera* L.). "Lança um leite grosso e de cor amarela..., o qual pega como visgo e com ele armam as moças aos pássaros." (Sousa, *Trat. Descr.*, 211; Brandão, *Diálogos*, 171)

gûandu (s.) - GUANDU, GUANDO, ANDU, var. de feijão, planta leguminosa-papilionoídea (*Cajanus cajan* (L.) Millsp.), de origem angolana (Brandão, *Diálogos*, 197)

gûang (-îo- ou -nho-) (v. tr.) - tingir com urucu: *Moraseîa é i katu, îegûaka,... îetymã-gûanga...* - A dança é que é boa, enfeitar-se, tingir-se as pernas com urucu. (Anch., *Teatro*, 6); *Aîpy-gûang.* - Tinjo-lhe os pés (com urucu). (*VLB*, I, 32)

gûanhamũ - o mesmo que **gûanhumỹ** (v.)

gûanhumỹ (s.) - GUAIAMUM, GOIAMUM, GOIAMU, caranguejo terrestre gigantesco da família dos gecarcinídeos (Marcgrave, *Hist. Nat. Bras.*, 185; *VLB*, I, 67). "São tão grandes que uma perna de um homem lhe cabe na boca..." (Cardim, *Trat. Terra e Gente do Brasil*, 58)

gûaragûá

GUAIAMUM (fonte: Marcgrave)

gûapara'yba (s.) – GUAPARAÍBA, APAREÍBA, MAPAREÍBA (*Rhizophora mangle* L.), planta rizoforácea, também denominada *mangue-vermelho, mangue-preto, mangue-de-pendão, mangue-verdadeiro* ou simplesmente *mangue*. (Piso, *De Med. Bras.*, IV, 200) • **gûapara'y-tyba** (ou **gûapare'y-tyba**) – ajuntamento de mangues, manguezal (*VLB*, II, 30)

gûapare'yba – o mesmo que **gûapara'yba** (v.) (*VLB*, II, 30)

gûapere'yba – o mesmo que **gûapara'yba** (v.) (Marcgrave, *Hist. Nat. Bras.*, 118)

gûaperûá (ou **gûaperugûá**) (s.) – nome comum a peixes de diferentes famílias (Marcgrave, *Hist. Nat. Bras.*, 145; *VLB*, II, 70)

GÛAPERÛÁ (fonte: Marcgrave)

gûaperugûá – o mesmo que **gûaperûá** (v.)

gûapyk (v. intr.) – sentar-se: *Nde robaké ûigûapyka...* – Diante de ti sentando-me. (Anch., *Poemas*, 96); *Nde pópe ogûapyka, osó kunumĩ...* – Em tuas mãos sentando-se, vai o menino. (Anch., *Poemas*, 120); *Te'yîpe nhẽ i gûapyki...* – Sentou-se em público. (Ar., *Cat.*, 57); *Pene'ĩ, rõ, t'îasó ké îagûapyka îakupa.* – Eia, pois, vamos estar sentados aqui. (Anch., *Teatro*, 144); *Agûapyk gûitena.* – Estou-me sentando. (*VLB*, I, 45)

-gûar (suf. nominalizador) – v. **-ndûar**

gûará[1] (s.) – GUARÁ, ave ciconiforme da família dos tresquiornitídeos, que vive em mangues e áreas pantanosas. "Quando nasce é preto e depois se faz pardo; quando já voa faz-se todo branco e, depois, faz-se vermelho claro e, enfim, torna-se vermelho... e nesta cor permanece até a morte." (Cardim, *Trat. Terra e Gente do Brasil*, 62; Marcgrave, *Hist. Nat. Bras.*, 270)

NOTA – Daí, **GUARAQUEÇABA** (nome de município do PR), **GUARATIBA** (nome de localidade do RJ) etc. (v. Rel. Top. e Antrop. no final).

GUARÁ (fonte: Marcgrave)

gûará[2] (s.) – GUARÁ, nome comum a peixes de diferentes famílias (D'Abbeville, *Histoire*, 245; Lisboa, *Hist. Anim. e Árv. do Maranhão*, fl. 164v)

gûara (s.) – o que come, o que ingere (v. **'u**)

gûaraabuku (etim. – *penas compridas de guará*) (s.) – manto de penas de guará usado pelos pajés tupis da costa em rituais, e que tinha na parte superior um capuz, podendo cobrir toda a cabeça, os ombros e as coxas até as nádegas (Marcgrave, *Hist. Nat. Bras.*, 271)

GÛARAABUKU (manto de penas de guará) (fonte: De Bry)

gûarabebé (etim. – *guará voador*) (s.) – espécie de peixe-voador (Soares, *Coisas Not. Bras.* (ms. C), 2211)

gûaraembira (s.) – GUARAVIRA, GUAIVIRA, peixe da família dos gimnotídeos (Lisboa, *Hist. Anim. e Árv. do Maranhão*, fl. 165)

NOTA – Daí, o nome **GUARABIRA** (município da Paraíba) (v. Rel. Top. e Antrop. no final).

gûaragûá (s.) – GUARAGUÁ, peixe-boi (*Trichechus inunguis* Desm.), mamífero da ordem

Eduardo Navarro 133

gûaragûará
dos sirênios, de grande porte, da família dos triquequídeos. Sua carne era muito apreciada e a espécie *Trichechus manatus* está quase extinta da costa brasileira. (Sousa, *Trat. Descr.*, 279; *VLB*, II, 70)

gûaragûará – o mesmo que **karakará** (v.) (Brandão, *Diálogos*, 233)

gûaragûasu (etim. – *guará grande*) (s.) – nome de um peixe (*VLB*, II, 149; *Libri Princ.*, vol. II, 59)

gûara'i (etim. – *guarazinho*) (s.) – peixe da família dos serranídeos (Lisboa, *Hist. Anim. e Árv. do Maranhão*, fl. 166)

gûaraîuba (etim. – *guará amarelo*) (s.) – **GUARAJUBA, GUARAIUBA, GUARUBA**, peixe da família dos carangídeos (*VLB*, II, 149)

gûarakangûyra (etim. – *guará de cartilagem*) (s.) – **ARACANGUIRA**, peixe da família dos carangídeos (*VLB*, II, 64)

gûarakapá (s.) – escudo de couro resistente, feito para se resguardarem os índios das flechas inimigas (D'Abbeville, *Histoire*, 289; *VLB*, II, 68); qualquer adarga (*VLB*, I, 21)

gûarakapá-pygûaîa (s.) – rodela (*VLB*, II, 107)

gûarakapema (s.) – nome de peixe acantopterígio que vive em grandes cardumes na região pelágica tropical e subtropical (Marcgrave, *Hist. Nat. Bras.*, 160)

gûaraky'ynha (etim. – *pimenta de guará*) (s.) – **GUARAQUIM**, planta da família das solanáceas (*Solanum americanum* L.), também conhecida como *erva-de-bicho*, *erva-moura*, *pimenta-de-rato*, *caraxixu*. "É o único remédio para lombrigas e, de ordinário, quem as come, logo as lança." (Cardim, *Trat. Terra e Gente do Brasil*, 49)

gûaramirĩ (etim. – *guará pequeno*) (s.) – nome de peixe carangídeo (*VLB*, I, 67)

gûaranhana (etim. – *guará corredor*) (s.) – nome de um peixe (*VLB*, II, 149)

gûaraobanhana (etim. – *guará da cara manchada*) – (s.) – **ARABAIANA, URUBAIANA**, olho-de-boi, peixe da família dos carangídeos (*VLB*, II, 56): *Xe pindá-porangeté t'opindaîtykyne endébo, kunapu rekyîetébo, gûaraobanhan*eté. – Meu anzol muito ditoso há de pescar para ti, puxando bem os canapus e as arabaianas verdadeiras. (Anch., *Poemas*, 152)

gûaraoby (etim. – *guará verde*) (s.) – nome de um peixe (*VLB*, I, 106)

gûarapuku (etim. – *guará comprido*) (s.) – peixe da família dos escombrídeos; cavala (Marcgrave, *Hist. Nat. Bras.*, 178; *VLB*, II, 69; 149): *Akûeîme rakó pirá asekyî-marangatu: ku'uka, gûarapuku*... – Antigamente pescava bem os peixes: garoupas, cavalas... (Anch., *Poemas*, 152)

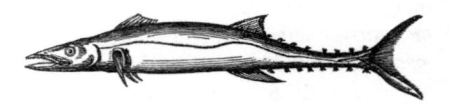

GÛARAPUKU (fonte: Marcgrave)

gûarará[1] (ou *ûarará*) (s.) – espécie de tambor (D'Abbeville, *Histoire*, 119); atabaque (*VLB*, I, 46)

gûarará[2] (s.) – peixe da família dos ciprinodontídeos (Sousa, *Trat. Descr.*, 296)

gûararagûasu (s.) – tambor (*VLB*, I, 46)

gûararamirĩ (etim. – *tambor pequeno*) (s.) – tamboril (*VLB*, II, 124)

gûararamopusara (s.) – tamborileiro, o que bate tambor (*VLB*, II, 124)

gûararapinima (etim. – *guarará manchado*) (s.) – nome de um caranguejo (Marcgrave, *Hist. Nat. Bras.*, 187)

gûararaúna (etim. – *guarará escuro*) (s.) – espécie de caranguejo da família dos ocipodídeos (Marcgrave, *Hist. Nat. Bras.*, 184)

gûararu (s.) – variedade de caranguejo de água doce (*VLB*, I, 67)

gûararymá (s.) – nome de uma ave aquática (Brandão, *Diálogos*, 234)

gûararysy (s.) – variedade de rã. "É cousa espantosa o medo que dela têm os índios naturais, porque só de a ouvirem morrem." (Cardim, *Trat. Terra e Gente do Brasil*, 65)

gûarasyá (s) – uma das espécies de beija-flor (Cardim, *Trat. Terra e Gente do Brasil*, 35) (v. tb. **gûaînumby**)

gûarasyaba (etim. – *penas de sol*) (s.) – **GUARACIABA**, uma das espécies de beija-flor

(Cardim, *Trat. Terra e Gente do Brasil*, 35) (v. tb. **gûaînumby**)

NOTA – **GUARACIABA** é, também, nome próprio de mulher.

gûarasyma (etim. – *guará liso*) (s.) – **GUARAÇAÍMA, GUARAÇUMA**, peixe de mar da família dos carangídeos (*VLB*, II, 149)

gûarasyoba (s.) – uma das espécies de beija-flor (Cardim, *Trat. Terra e Gente do Brasil*, 35) (v. tb. **gûaînumby**)

gûarataûrana (s.) – ave falconídea; o mesmo que **urutaûrana** (v.) (Brandão, *Diálogos*, 232)

gûará-tebiró (etim. – *guará-tapa-bunda*) (s.) – nome de um peixe (Lisboa, *Hist. Anim e Árv. do Maranhão*, fl. 164v)

gûaratereba (s.) – peixe da família dos carangídeos (Marcgrave, *Hist. Nat. Bras.*, 172)

gûaraúna (etim. – *guará escuro*) (s.) – ave da família dos ibidídeos (Marcgrave, *Hist. Nat. Bras.*, 204; *Theat. Rer. Nat. Bras.*, 116)

gûarausá – o mesmo que **agûarausá** (v.) (Brandão, *Diálogos*, 245)

gûareruá (s.) – peixe da família dos pomacentrídeos (Marcgrave, *Hist. Nat. Bras.*, 178)

gûariama (s.) – nome de um pássaro (Lisboa, *Hist. Anim. e Árv. do Maranhão*, fl. 187)

gûariba (s.) – **GUARIBA**, nome de muitos símios da família dos cebídeos, de cor escura, com barba na maxila inferior e com grito característico. São herbívoros e alimentam-se de folhas e frutas, vivendo em grupos de mais de 12 indivíduos, comandados pelo *capelão*, o macho mais velho do bando. (Marcgrave, *Hist. Nat. Bras.*, 226; Sousa, *Trat. Descr.*, 253)

gûaribu – o mesmo que **gûabiru** (v.) (Marcgrave, *Hist. Nat. Bras.*, 229)

gûarikuîa (s.) – nome de ave a que os índios atribuíam a origem do fogo. Jamais era morta ou comida. (Soares, *Coisas Not. Bras.* (ms. C), 700-707)

gûarikuru (s.) – espécie de camarão comestível (Marcgrave, *Hist. Nat. Bras.*, 187; *Theat. Rer. Nat. Bras.*, I, 78)

gûarinĩ[1] (s.) – 1) guerra (*VLB*, I, 152); 2) guerreiro, soldado: *Marãpe gûarinĩetá i pysykara*

gûarusueremimby

serekóû a'ereme? – Como os soldados que o agarravam trataram-no, então? (Anch., *Diál. da Fé*, 175) ● **gûarinĩ-(ramo) só** [ou **gûarinĩ-(namo) só**] – ir à guerra, ir como guerreiro, guerrear: *Mba'e-mba'e-piã te'õ suí nheangûaba?* – *Gûarinĩ-namo só, paranãgûasu rasabano.* – Quais são, por acaso, as ocasiões de se ter medo da morte? – Ir à guerra, atravessar o oceano também. (Ar., *Cat.*, 91); *Onhemombe'upe abá gûarinĩ-namo o só îanondé?* – Confessa-se alguém antes de ir à guerra? (Anch., *Doutr. Cristã*, I, 212); *Nd'eresóî xópe irã gûarinĩ?* – Não irás futuramente à guerra? (Léry, *Histoire*, 353); *Asó gûarinĩramo.* – Vou à guerra, vou como guerreiro. (*VLB*, I, 152)

NOTA – O nome **GUARANI** ("os guerreiros"), de nação indígena da América do Sul, deve provir de palavra do Proto-Tupi-Guarani, língua pré-histórica da qual se originou o tupi antigo.

gûarinĩ[2] (v. intr.) – guerrear, fazer guerra: *Agûarinĩ (abá) resé.* – Faço guerra com os homens. (*VLB*, I, 152, adapt.)

gûariniama (s.) – guerra: *Gûariniãme oporapitiba'e tiruãpe?...* – Mesmo o que assassina na guerra (transgride o mandamento de Deus)? (Ar., *Cat.*, 69v)

gûaripûapẽ (s.) – variedade de molusco (Sousa, *Trat. Descr.*, 292)

gûarirama (s.) – nome de uma ave (*Theat. Rer. Nat. Bras.*, I, 111)

gûarugûá (s.) – espelho; o mesmo que **arugûá** (v.) (*VLB*, I, 126)

gûarugûaru (s.) – **GUARU-GUARU, GARGAÚ**, nome comum a várias espécies de peixes das famílias dos ciprinodontídeos e dos rivulídeos (Marcgrave, *Hist. Nat. Bras.*, 169; Lisboa, *Hist. Anim. e Árv. do Maranhão*, fl. 166v)

gûarumaru (s.) – **URUMARU**, peixe da família dos orectolobídeos (Lisboa, *Hist. Anim. e Árv. do Maranhão*, fl. 170)

gûarusueremimby (s.) – cigarra, nome comum aos insetos homópteros, da família dos cicadídeos, cujos machos são providos de órgãos musicais e que geralmente morrem cantando (Marcgrave, *Hist. Nat. Bras.*, 256-257; *Theat. Rer. Nat. Bras.*, II, 63)

gûasem¹

gûasem¹ (v. intr. compl. posp.) - encontrar, achar (complemento com **supé** ou **pé**): *Oporandu benhẽ, n'i angaîpaba amõ supé ogûasema ruã-te*. - Fez-lhe perguntas de novo, mas não achando maldade alguma dele. (Ar., *Cat.*, 59); *A'epe marã abá rekóû a'e o esaraîagûera supé ogûasemane?* - E como alguém procederá encontrando o que esqueceu? (Ar., *Cat.*, 90) ● **gûasemaba** (ou **gûasembaba**) - tempo, lugar, modo etc. de encontrar, de achar; encontro: ... *Tekokatueté pé pe gûasemagûama resé*. - ... Para o vosso encontro da virtude verdadeira. (Ar., *Cat.*, 169v)

gûasem² (v. intr.) - chegar (por terra): *Agûasem*. - Cheguei (por terra). (*VLB*, I, 72)

gûasem³ (v. intr.) - virem muitos juntos (*VLB*, II, 146)

gûasembaba (s.) - chegado, parente próximo: *Marãnamo... amarãmonhangype oré gûasembaba?* - Por que faço guerra a nossos chegados? (Camarões, *Cartas*, 1645)

-gûasu - v. **-ûasu**

gûasunĩ (s.) - GUAXINIM, animal carnívoro da família dos procionídeos (v. **îagûasinĩ**) (Brandão, *Diálogos*, 258-259)

> NOTA - Daí, o nome geográfico GUAXINDIBA (ES) (v. Rel. Top. e Antrop. no final).

gûatá (v. intr.) - 1) andar, caminhar: *Agûatá ko'arapukuî...* - Caminhei o dia todo. (Anch., *Poemas*, 150); *Nhũ rupi agûatá*. - Ando pelo campo. (Fig., *Arte*, 123); *Eregûatápe nhaîmbiara rupi kunhã resé?* - Andaste pelos caminhos de fontes com mulheres? (Ar., *Cat.*, 234); 2) passar: *Koromõ ipó eregûatá xe rekoápe...* - Logo, decerto, passarás no lugar onde moro. (Anch., *Poemas*, 156); 3) seguir, andar (no sentido de *deslocar-se em meio de transporte*): *Paranã rupi agûatá*. - Segui pelo mar (em navio). *'Y rupi agûatá*. - Andei pelo rio (de barco). (*VLB*, II, 48); 4) passear: *Abaregûasu ogûatá*. - O bispo passeia. (Fig., *Arte*, 6) ● **ogûataba'e** - o que anda, o que caminha, o caminhante; o que passeia, o que passa: ... *pé rupi ogûataba'e...* - os que andam pelo caminho (Ar., *Cat.*, 63); **gûatasaba** - tempo, lugar, modo etc. de andar, de passar, de passear; caminhada, passeio etc.: *Xe anama gûatasápe, nde morerekoá sesé*. - Ao passar minha família, tu cuidavas dela. (Anch., *Poemas*, 154); **guatá-tenhẽ** - andar à toa, andar de cá para lá, vaguear: *Agûatá-gûatá-tenhẽ*. - Fico andando à toa. (*VLB*, II, 140)

gûatapy (s.) - GUATAPI, VATAPU, UATAPU, búzio marinho muito grande, concha univalve de grande abertura de molusco gastrópode (*VLB*, I, 60) ● **gûatapy-tyba** - ajuntamento de búzios (nome antigo de Cabo Frio, RJ) (*VLB*, I, 62)

gûatapygûasu (etim. - *guatapi grande*) (s.) - variedade de concha (Marcgrave, *Hist. Nat. Bras.*, 278)

gûatar (ou **gûatá**) (v. intr.) - faltar (como no comprimento ou no número); não alcançar, não atingir, não chegar: *Ogûatá îepé serã i îybá mokõia itapygûá soarama resé?* - Por acaso não chegava seu segundo braço ao lugar de irem os pregos? (Ar., *Cat.*, 89, 1686)

gûatukupá (s.) - GUATUCUPÁ, nome de um peixe da família dos otolitídeos (Marcgrave, *Hist. Nat. Bras.*, 177; *VLB*, I, 83): *Akûeîme rakó pirá asekyî-marangatu: ku'uka, gûarapuku, kamuri, gûatukupá*. - Antigamente pescava bem os peixes: garoupas, cavalas, camuris, guatucupás. (Anch., *Poemas*, 152)

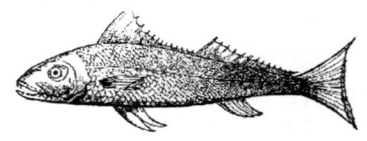

GUATUCUPÁ (fonte: Marcgrave)

gûatukupaîuba (etim. - *guatucupá amarelo*) (s.) - GUATUCUPAJUBA, peixe da família dos esparídeos (Marcgrave, *Hist. Nat. Bras.*, 147)

gûatukupapixyma (etim. - *guatucupá da pele lisa*) (s.) - nome de um peixe (*VLB*, II, 75)

gûatukupapuku (etim. - *guatucupá comprido*) (s.) - nome de peixe (*VLB*, II, 75)

gûatukupasaba (s.) - nome que era dado ao peixe roncador do Rio de Janeiro para baixo (*VLB*, II, 108)

gûaûpira (s. voc.) - minha irmã! mana! (Anch., *Arte*, 14v; *VLB*, II, 30)

gûaxé (s.) - GUAXE, ave passeriforme da família dos icterídeos (Brandão, *Diálogos*, 230)

gûaxima (s.) - GUAXIMA, GUAXUMA, GUAXIÚMA, GUANXUMA, UAICIMA, nome comum a numerosas espécies de plantas de diversas famílias afins que fornecem fibras

gûê (interj. de h. Vem posposta ao substantivo) – **1)** ó! oh! (de chamado): *Eîori, xe îarĩ gûé...!* – Vem, ó meu senhorzinho! (Anch., *Poemas*, 130); ... *Enhemombegûabo ereîur, xe ra'yrĩ gûé?* – Vieste para te confessar, ó meu filhinho? (Ar., *Cat.*, 220); *Xe rub-y gûé!* – Ó meu pai! (Fig., *Arte*, 9); **2)** Valha-nos Deus! (com espanto) (*VLB*, II, 141); **3)** Irra! (*VLB*, II, 7); **4)** Vede isso! (com admiração) (*VLB*, II, 142); **5)** Isso não pode ser! (não crendo no que se diz) (*VLB*, I, 27)

gûeb (ou **gûé**) (v. intr.) – apagar-se: ... *Xe ratá--te ogûé!* – Mas meu fogo apagou-se. (Anch., *Teatro*, 146); ... *Nde 'anga resapesaba gûeba potare'yma...* – Não querendo que se apague a luz de tua alma. (Ar., *Cat.*, 187) • **ogûeba'e** – o que se apaga: *Anhangamo nhẽ i mondóû... tatá... ogûeba'erame'yma monhanga.* – Mandou-os como diabos para fazer o fogo que não se apagará. (Ar., *Cat.*, 38)

gûeba (s.) – GUEBO, peixe istioforídeo (Piso, *De Med. Bras.*, 154)

gûebi (s.) – nome de um peixe (Griebe, *Brasil Holandês*, vol. III, 70)

gûebirãîari (adv.) – forçadamente, com constrangimento, com violência, pelos cabelos, pressionado: *Gûebirãîari nhote aîkó.* – Estou pressionado (isto se diz quando já se está para ir). (*VLB*, I, 61)

gûebusu (etim. – *guebo grande*) (s.) – GUEBUÇU, peixe da família dos istioforídeos (Marcgrave, *Hist. Nat. Bras.*, 171)

gûe'en (v. intr.) – vomitar: *Agûe'en.* – Vomitei. (*VLB*, II, 147)

gûe'ena (s.) – vômito: *Mondarõ, nhe'engaíba... nde resemõ, moraseîa, nhemoryba, gûe'ena, ka'uaíba, marana...* – Ladroeiras, palavras más sobejavam-te, danças, diversões, vômitos, bebedeiras, guerras. (Anch., *Teatro*, 170)

gûe'esama (s.) – linha delgada de pescar (*VLB*, II, 23)

gûe'esamuku (s.) – linha delgada de pescar (*VLB*, II, 23)

gûeîyb (ou **gûeîy**) (v. intr.) – descer: *Nde 'anga osapy satá ogûeîypa...* – Queimou tua alma o fogo dele, descendo. (Anch., *Poemas*, 124); ... *Ogûeîy îandé rekoápe...* – Desceu aonde nós estamos. (Anch., *Poemas*, 160); *Ogûeîyb yby apyterype...* – Desceu para o centro da terra. (Anch., *Doutr. Cristã*, I, 141) • **gûeîypaba** (ou **gûeîybaba**) – tempo, lugar, modo etc. de descer; descida: *Arobîar yby apyterype i gûeîybagûera...* – Creio na descida dele para o meio da terra. (Ar., *Cat.*, 16)

gûembegûasu (ou **imbegûasu**) (s.) – IMBÉ, planta trepadeira da família das aráceas, de grandes folhas, flores muito pequenas reunidas em inflorescência densa e maciça, e caule com raízes aéreas que fornecem fibras para a fabricação de barbantes e cordas (Cardim, *Trat. Terra e Gente do Brasil*, 48)

gûemimotarybo – o mesmo que **emimotarybo** (v.).

gûeró (s.) – lambisqueiro, guloso (*VLB*, II, 18)

gûetépe (etim. – *em seu corpo*) (adv.) – inteiro, inteiramente, por inteiro (*VLB*, II, 13): *I Tupã irũmo bé kó seté rekóû, pesembûeri pupé bé gûetépe-katu re'a...* – Eis que com seu corpo deve estar sua divindade, nos pedacinhos também, inteiramente. (Ar., *Cat.*, 85); ... *Itá gûetépe.* – Inteiramente de pedra. (Léry, *Histoire*, 363) • **gûetépe bé** (ou **gûetépe nhẽ**) – por inteiro (*VLB*, II, 13); todos juntos (*VLB*, II, 130)

gûetependûara (s.) – inteireza, completeza; coisa inteira, não partida (*VLB*, II, 130): *I pupé Îesu Cristo rekóû, i Tupã, seté abé gûetependûara pupé...* – Dentro dele está Jesus Cristo, sua divindade e seu corpo em inteireza. (Ar., *Cat.*, 85)

gûeti (s.) – GUITI, OITI, nome genérico de árvores altas que produzem frutos amarelos: *gûetitoroba, gûetimirĩ* e *gûetikorõîa* (v.). (Piso, *De Med. Bras.*, IV, 183; Brandão, *Diálogos*, 217). O mesmo que **ûiti** (v.).

gûetikorõîa (etim. – *oiti áspero, nodoso*) (s.) – GUITI-COROIÁ, nome comum a algumas árvores da família das crisobalanáceas, principalmente dos gêneros *Licania* e *Couepia* e também a algumas árvores sapotáceas, também chamadas **OITI-COROIÁ** e **UITI--CURUBA** (Piso, *De Med. Bras.*, IV, 183)

gûetimirĩ

gûetimirĩ (etim. - *gueti pequeno*) (s.) - espécie de **gûeti** (v.) (Piso, *De Med. Bras.*, IV, 183)

gûetitoroba - o mesmo que **gûititoroba** (v.) (Piso, *De Med. Bras.*, IV, 183)

gûe'y (interj. de h.) - ó! (do que chama, dizendo o nome ou um designativo qualquer para a pessoa chamada): *Pero gûe'y!* - Ó Pedro! (*VLB*, II, 60)

(g)ûi (pref. da 1ª p. do sing., usado com verbos intr. no gerúndio): ... *Nde pyri gûitekóbo nhẽ.* - Estando eu junto de ti. (Anch., *Poemas*, 100); *Aîemĩngatu kó gûitupa...* - Escondo-me bem estando deitado aqui. (Anch., *Teatro*, 32); *gûimanõmo* - morrendo eu (Anch., *Arte*, 28v)

gûĩ - o mesmo que **ûĩ** (v.) (Fig., *Arte*, 85)

gûiaimbira (s.) - árvore pequena que produz **EMBIRA**, de que os índios faziam aljavas para seus arcos e flechas e também cordas e morrões de espingarda (Sousa, *Trat. Descr.*, 217)

gûi'îabo - 1ª p. do sing. do gerúndio de **'i** / **'é** (v.)

gûiteîkébo - 1ª p. do sing. do gerúndio de **iké** / **eîké (t)** (v.)

gûitekóbo - 1ª p. do sing. do gerúndio de **ikó** / **ekó (t)** (v.)

gûitena - 1ª p. do sing. do gerúndio de **in** / **en(a) (t)** (v.)

gûiti (ou **gûitimirĩ**) (s.) - fruto da **gûiti'yba** (v.) (Marcgrave, *Hist. Nat. Bras.*, 115)

gûitigûasu (etim. - *guiti grande*) (s.) - nome de uma planta (*Theat. Rer. Nat. Bras.*, II, 93)

gûitikorõîa - o mesmo que **gûetikorõîa** (v.) (Marcgrave, *Hist. Nat. Bras.*, 114; *Theat. Rer. Nat. Bras.*, II, 92)

gûititoroba (s.) - **GUITITIROBA, GUITIROBA**, planta da família das sapotáceas (*Pouteria macrophylla* (Lam.) Eyma (Marcgrave, *Hist. Nat. Bras.*, 113)

gûiti'yba (etim. - *pé de gueti*) (s.) - árvore da família das crisobalanáceas (*Licania tomentosa* (Benth.) Fritsch.) (Marcgrave, *Hist. Nat. Bras.*, 115)

gûitu - 1ª p. do sing. do gerúndio de **îur** / **ur(a) (t, t)** (v.)

gûitupa - 1ª p. do sing. do gerúndio de **îub** / **ub(a) (t, t)** (v.)

gûixóbo - 1ª p. do sing. do gerúndio de **só** (v.)

gunandima (s.) - nome de uma árvore (Marcgrave, *Hist. Nat. Bras.*, 106)

guti - o mesmo que **gûeti** (v.) (Sousa, *Trat. Descr.*, 194)

gûy (ou **agûy**) (interj. de h. - o mesmo que **gûé** - v.) - ó! oh!: *T'asóne, gûy!* - Ó, hei de ir! (Anch., *Teatro*, 10); *Gûy! I katu-tekatunhẽ kaûĩtatá.* - Oh! É muito boa a aguardente! (D'Evreux, *Viagem*, 364); *Nde nhyrõ i xupé, xe rub-y gûy... !* - Perdoa-lhes, ó meu pai! (Ar., *Cat.*, 62v); *Pero gûy!* - Ó Pedro! (*VLB*, II, 60)

gûyapy[1] (s.) - queda (*VLB*, II, 93)

gûyapy[2] (v. intr.) - cair, levar queda (o que vai andando), cair por acidente: *Agûyapy.* - Caí. (*VLB*, I, 63)

gûyapy[3] (v. intr.) - desarmar-se (a armadilha, quando quebra a corda do pinguelo) (*VLB*, I, 63)

gûyará (s.) - nome comum a diversos peixes de diversas espécies (Sousa, *Trat. Descr.*, 282)

gûybyra (s.) - nome de uma árvore cujos bagos moídos eram usados no tratamento das mordeduras de cobra (Piso, *De Med. Bras.*, III, 172)

gûygó (s.) - **GUIGÓ, GUICÓ**, nome comum a certos mamíferos primatas da família dos cebídeos. "Andam em bandos pelas árvores e, como sentem gente, dão uns assobios com que se avisam uns aos outros... Criam-se em tocas de árvores, de cujos frutos e da caça se mantêm." (Sousa, *Trat. Descr.*, 253)

gûymaenhẽ (adv.) - muito depressa, voando, zunindo (metaforicamente): *gûymaenhẽ gûixóbo* - indo eu voando (*VLB*, I, 48)

gûympaîagûara (s.) - espécie de serpente brasileira (Piso, *De Med. Bras.*, III, 171)

gûyrá (ou **ûyrá**) (s.) - ave, em geral; pássaro, em geral, **UIRÁ**: ... *Xe pysy-potar-y bé serã kó gûyragûasu...* - Talvez queira agarrar-me novamente este pássaro grande... (Anch., *Teatro*, 58); ... *Îusana oĩ nhote. Gûyrá aé osó i pupé, o'á.* - O laço está quedo. O pássaro é que vai dentro dele, caindo. (Ar., *Cat.*, 29v); *gûyrá raba* - pena de pássaro (Fig., *Arte*, 71); ... *Ûyrá-tinga our xébe.* - Um pássaro branco veio para junto de mim. (D'Abbeville, *Histoire*, 353) ● **gûyrá-mirĩ** - passarinho (*VLB*, II, 67); **ûyrá-îurupari** - pássaros noturnos que não cantam, que têm um pio queixoso, enfadonho e triste, que vivem sempre escondidos, não saindo dos bosques e que deviam conviver com o Jurupari; "*pássaros do diabo*" (D'Evreux, *Viagem*, 293)

gûyra (s.) – fundo, parte inferior, parte de baixo: *Aîpó îandé ratá gûyra porama...* – Aqueles serão os futuros habitantes do fundo de nosso fogo. (Anch., *Teatro*, 158); *ka'a gûyra* – a parte de baixo das árvores, a sombra das árvores (D'Abbeville, *Histoire*, 186v); (adj.: **gûyr**) – baixo, inferior, deprimido: *akã-gûyra* – cabeça baixa, desânimo (*VLB*, I, 95) • **gûyra resé** – debaixo, na parte de baixo (Fig., *Arte*, 126); **gûyra rupi** – por baixo: *i gûyra rupi* – por baixo dele (Fig., *Arte*, 132); **gûyra suí** – de debaixo: *Eresẽ-potá tenhẽ oré pó gûyra suí.* – Queres sair em vão de debaixo de nossas mãos. (Anch., *Teatro*, 172, 2006)

NOTA – Daí, no P.B., **GUIRÁ** (*gûyra* + *eíra*, "abelha da parte de baixo"), abelha meliponídea (*Melipona subterranea*) que faz ninhos no chão.

gûyraaîmuku (etim. – *ave da ponta comprida*) (s.) – nome de uma ave (*Theat. Rer. Nat. Bras.*, I, 152)

gûyraakangasaba (etim. – *ave que cruza a cabeça*) (s.) – nome de uma ave (*Theat. Rer. Nat. Bras.*, I, 139)

gûyraakangatara (etim. – *ave de cocar*) (s.) – **GUIRÁ-ACANGATARA**, ave cuculiforme da família dos cuculídeos, comum em todo o país. Tem o alto da cabeça avermelhado e a nuca amarelada. Habita as matas e os cerrados. (Marcgrave, *Hist. Nat. Bras.*, 216; *Theat. Rer. Nat. Bras.*, I, 179)

gûyraenõîa (etim. – *o chama-pássaros*) (s.) – ave da família dos cerebídeos (Marcgrave, *Hist. Nat. Bras.*, 209)

gûyragûaînumby (s.) – nome de um pássaro (Marcgrave, *Hist. Nat. Bras.*, 193)

gûyragûasu (etim. – *ave grande*) (s.) – nome comum a diferentes espécies de aves de rapina das famílias dos falconídeos e dos accipitrídeos; gavião (v. tb. **ûyraûasu**): *gûyragûasu-aba* – pena de gavião (Léry, *Histoire*, 349; *VLB*, I, 48)

gûyragûasuberaba (etim. – *pássaro grande brilhante*) (s.) – **GUIRAGUAÇUBERABA**, pássaro da família dos traupídeos (Marcgrave, *Hist. Nat. Bras.*, 212)

gûyranhe'engetá

gûyragûasuúna (etim. – *ave grande e escura*) (s.) – nome de uma ave (*Libri Princ.*, vol. II, 38)

gûyragûy (s.) – nome de uma ave de cabeça branca (*VLB*, II, 76)

gûyra'îeté (etim. – *passarinho genuíno*) (s.) – nome de um pássaro de penas amarelas e pretas (Brandão, *Diálogos*, 228)

gûyra'ingaetá (s.) – nome de um pássaro. "Este pássaro tem grande amor aos filhos, que por lhos não furtarem, vai lavrar seu ninho de ordinário a par de alguma toca, aonde as abelhas lavram mel, as quais, por esta maneira, lhes ficam servindo de guardas dos filhos..." (Brandão, *Diálogos*, V, 228)

gûyraîuba[1] – o mesmo que **gûaraîuba** (v.)

gûyraîuba[2] (etim. – *pássaro amarelo*) (s.) – **GUIRAJUBA, GUARAJUBA, GUARUBA, MARAJUBA, TANAJUBA**, pássaro da família dos psitacídeos. "... Têm-nos em tanta estima que dão resgate e valia de duas pessoas por um deles." (Cardim, *Trat. Terra e Gente do Brasil*, 35)

gûyrakereá (s.) – **GUIRAQUEREÁ, ACURAUÁ, ACURAUA, CURIANGO, BACURAU, ACURAU**, nome comum a várias aves da família dos caprimulgídeos, de hábitos noturnos (Marcgrave, *Hist. Nat. Bras.*, 202)

NOTA – **BACURAU**, por extensão, também designa (pop.) a) *indivíduo que só costuma sair à noite*; b) *indivíduo negro*; c) *ônibus que trafega entre uma e seis horas da manhã* (in *Novo Dicion. Aurélio*).

gûyrakokó (s.) – nome de uma ave (*Brasil Holandês*, vol. III, 77)

gûyrakûereba (s.) – pássaro da família dos cerebídeos, muito colorido (Marcgrave, *Hist. Nat. Bras.*, 212)

gûyramimby (etim. – *pássaro-flauta*) (s.) – cigarra, nome comum aos insetos homópteros da família dos cicadídeos, cujos machos são providos de órgãos musicais e que, geralmente, morrem cantando (Marcgrave, *Hist. Nat. Bras.*, 256-257)

gûyranhe'engatu (etim. – *pássaro de bom canto*) (s.) – pequeno pássaro fringilídeo (Marcgrave, *Hist. Nat. Bras.*, 211)

gûyranhe'engetá (etim. – *pássaro de muitos cantos*) (s.) – **GRONHATÁ, GRUNHATÁ**, pás-

gûyraoby

gûyraoby saro da família dos tiranídeos. "É pássaro excelente para gaiola por falar de muitas maneiras, arremedando muitos pássaros." (Cardim, *Trat. Terra e Gente do Brasil*, 36)

gûyraoby (etim. - *pássaro azul*) (s.) - nome comum a pássaros da família dos corvídeos, de cor predominantemente azul (*VLB*, I, 150)

Gûyraopina (s. antrop.) - nome de índio tupi (Vasconcelos, *Crônica (Not.)* II, §2, 114)

gûyrapakuma (s.) - corda de arco, feita de algodão torcido (Marcgrave, *Hist. Nat. Bras.*, 278)

gûyraparyba (s.) - pau-d'arco, árvore bignoniácea (*Tabebuia barbata* (E. Mey.) Sandwith) (Marcgrave, *Hist. Nat. Bras.*, 118)

gûyrapeasoka - o mesmo que **ybyrapeasoka** (v.) (Marcgrave, *Hist. Nat. Bras.*, 83)

gûyrapereá (etim. - *ave preá*) (s.) - **GUIRAPEREÁ**, ave da família dos traupídeos (Marcgrave, *Hist. Nat. Bras.*, 212)

gûyrapitinga (etim. - *ave pintada*) (s.) - nome de uma ave (*Theat. Rer. Nat. Bras.*, I, 139)

gûyrapongoby (etim. - *guiraponga verde*) (s.) - nome de uma ave (*Theat. Rer. Nat. Bras.*, I, 150)

gûyrapoti'apirangaîuparaba (etim. - *ave do peito manchado de vermelho e amarelo*) (s.) - nome de uma ave (*Brasil Holandês*, vol. III, 50)

gûyrapunga (ou **gûyraponga**) (etim. - *pássaro que bate, que percute*) (s.) - **ARAPONGA, IRAPONGA, GUIRAPONGA**, nome comum a pássaros da família dos cotingídeos, também conhecidos com o nome de *ferreiro* e *ferrador*. Seu canto parece os sons metálicos do bater de ferro em bigorna (Marcgrave, *Hist. Nat. Bras.*, 201; *Theat. Rer. Nat. Bras.*, I, 149-150)

ARAPONGA (fonte: Marcgrave)

NOTA - Daí, o nome geográfico **ARAPONGAS** (PR) (v. Rel. Top. e Antrop. no final).

gûyrara'yrusu (etim. - *filhote grande de ave*) (s.) - frango (*VLB*, I, 143)

gûyraroba (s.) - nome de um pássaro (*Libri Princ.*, vol. I, 46)

gûyrarunhe'engetá - v. **gûyrarurunhe'engetá** (Marcgrave, *Hist. Nat. Bras.*, 209)

gûyrarurunhe'engetá (etim. - *pássaro inchado de muitos cantos*) (s.) - nome de um pássaro (*Theat. Rer. Nat. Bras.*, I, 141)

gûyrasama (etim. - *ave-corda*) (s.) - nome de uma ave (*Theat. Rer. Nat. Bras.*, I, 102)

gûyrasapukaîa (etim. - *ave que grita*) (s.) - galo; galinha: ... *Gûyrasapukaîa îabéereîetu'u*... - Como um galo te deitas. (Anch., *Doutr. Cristã*, II, 111)

gûyrasapukaîusu (etim. - *galo grande*) (s.) - peru (*VLB*, I, 146)

gûyratange'yma (s.) - **GUIRATANGUEIMA**, pássaro da família dos icterídeos (Marcgrave, *Hist. Nat. Bras.*, 192; *Theat. Rer. Nat. Bras.*, I, 137)

gûyratanheúna (etim. - *pássaro duro e escuro*) (s.) - nome de um pássaro (*Theat. Rer. Nat. Bras.*, I, 137)

gûyrate'ōte'ōmirĩ (s.) - nome de um pássaro (*VLB*, I, 63)

gûyratinga (ou **ûyratinga**) (etim. - *ave branca*) (s.) - **GUIRATINGA, ACARATINGA**, ave ciconiforme americana da família dos ardeídeos, de cor branca. Era conhecida no século XVI como *garça*. (Cardim, *Trat. Terra e Gente do Brasil*, 61; *VLB*, I, 146) ● **ûyratingusu** - garça grande (Staden, *Viagem*, 70)

NOTA - Daí provém o nome do município de **GUARATINGUETÁ** (SP) (v. Rel. Top. e Antrop. no final).

gûyratyryka (etim. - *pássaro arisco*) (s.) - **GUIRATIRICA**, nome comum a vários pássaros da família dos fringilídeos, que aparecem em todo o Brasil (Marcgrave, *Hist. Nat. Bras.*, 211)

gûyraúna (etim. - *ave escura*) (s.) - **GRAÚNA, ARAÚNA, UIRAÚNA, CARAÚNA, CRAÚNA, IRAÚNA**, nome comum a vários pássaros escuros, geralmente pertencentes à família dos icterídeos (Lisboa, *Hist. Anim. e Árv. do Maranhão*, fl. 186v)

gûyraundi (s.) - GUIRAUNDI, GUARUNDI, GUARANDI, GURUNDI, pássaro da família dos traupídeos, de cor preta, com topete vermelho, e a fêmea amarelada no dorso. Vive nas matas e nas capoeiras. (Marcgrave, *Hist. Nat. Bras.*, 212)

gûyraupi'agûara (etim. - *comedor de ovos de pássaros*) (s.) - papa-ovo, papa-pinto, serpente da família dos colubrídeos (Cardim, *Trat. Terra e Gente do Brasil*, 31). "... Andam pelas árvores salteando pássaros e a comer-lhes os ovos nos ninhos, de que se mantêm, as quais não são grandes, mas muito ligeiras." (Sousa, *Trat. Descr.*, 263)

gûyri (loc. posp.) - abaixo de (em sentido pontual); menos (comparativamente); menor que: *xe gûyri bé* - menor ainda que eu (*VLB*, II, 35); *xe gûyri* - abaixo de mim, mais pequeno que eu (Anch., *Arte*, 41) • **gûyri nhote** - menor ou menos que: *akûeîa gûyri nhote* - menos ou menor que aquele (*VLB*, II, 28); **gûyri-pyryb** (ou **gûyri-pyrybĩ**) - algum tanto menor, um pouco menor ou menos que (*VLB*, II, 35)

gûyrĩ (s.) - GUIRI, nome comum a peixes da família dos ariídeos (*VLB*, I, 50; D'Abbeville, *Histoire*, 244) • **gûyrĩ rupi'a** - ova de guiri (*Theat. Rer. Nat. Bras.*, I, 43)

NOTA - Daí, o nome geográfico **GUIRICEMA** (MG) (v. Rel. Top. e Antrop. no final).

gûyrigûana (s.) - menor de idade: *Xe gûyrigûana.* - Sou um menor de idade. (*VLB*, II, 35)

gûyrĩ-îuba - o mesmo que **uriîuba** (v.)

gûyrok (v. tr.) - roçar; limpar por baixo (a mata): *Aka'agûyrok.* - Roço a mata. (*VLB*, II, 107)

gûyrybo (loc. posp.) - sob, por debaixo de (em sentido difuso): ... *Anhanga pó gûyrybo nhẽ sekóû...* - Sob as mãos do diabo está. (Ar., *Cat.*, 31v); *pysaîekatu ké-gûyrybo* - "sob o sono" da alta noite, nas horas mortas da noite, em que todos dormem (*VLB*, I, 32)

gûyrype (loc. posp.) - sob, debaixo de, embaixo de (em sentido pontual, em ponto definido): *Nde pó gûyrype oroîkó...* - Sob tuas mãos estamos. (Anch., *Poemas*, 174); *"I katupe temõ mã!", erépe, nde gûyrype kunhã resé nde rekó mo'ang'iré?* - Disseste: "Ah, quem me dera estivesse nua!", após imaginares estar com uma mulher debaixo de ti? (Anch., *Doutr. Cristã*, II, 93); *itá gûyrype* - debaixo da pedra (Anch., *Arte*, 41)

gûyryryma[1] (s.) - **1)** pião (forma de jogo) (*VLB*, II, 76); **2)** corrupio (*VLB*, I, 83)

gûyryryma[2] (s.) - ventoinha (*VLB*, II, 144)

H

hai (interj.) - diz o que tem dó de outrem (Fig., *Arte*, 147)

hé[1] (interj.) - ã... (Usada quando, pensando-se no que se ouve, deseja-se responder. Cala-se, porém, para não ser tido por importuno.): - *Mba'epe sepyrama? - Arurĩ. - Hé... -* Qual é o preço delas? - Trouxe-as por trazer. - Ã... (Léry, *Histoire*, 344)

hé[2] (interj.) - diz o que está angustiado (Fig., *Arte*, 147)

hegûé (interj. de h.) - **1)** ai! (de dor): *Sasy iang xe remimborará anhanga pyri hegûé!* - Ai, eis que é muito doloroso o que eu sofro perto do diabo! (Ar., *Cat.*, 165v); **2)** ah! (como que entendendo, afinal, alguma coisa ou lembrando-se dela): *Eẽ hegûé!* - Ah, sim! (*VLB*, II, 117)

hegûy (interj. de h.) - **1)** Ai! (de dor, de queixa): *Tekatunheté rakûé endé hegûy!* - Ai, que enfadonho és tu, de fato! (*VLB*, II, 54); **2)** ah! (como que entendendo, afinal, alguma coisa ou lembrando-se dela): *Eẽ hegûy!* - Ah, sim! (*VLB*, II, 117)

hẽhẽ (adv.) - sim (de h. e m.) (Fig., *Arte*, 133)

leî

-i¹ (ou -î) (posp. de sentido partitivo. Expressa parte de um lugar ou parte do corpo) – em: ... *i akangusuî*... – nas grandes cabeças deles (Anch., *Teatro*, 48); ... *O aîuri serekóbo*. – Tendo-os no pescoço. (Ar., *Cat.*, 12v); *ku'aî* – na cintura (Anch., *Arte*, 41v)

-i² (ou -î) (suf. de neg.): ... *Na xe reroŷrõî îepé*. – Tu não me detestas. (Anch., *Poemas*, 96); ... *N'omoetéî o monhangara*... – Não honram seu criador. (Anch., *Teatro*, 30); *Marãpe nd'erenhemimi?* – Por que não te escondes? (Anch., *Teatro*, 32)

-i³ (suf. que expressa o modo indicativo circunstancial): *Koromõ xe kanhemi*. – Logo fujo. (Anch., *Arte*, 39v); *Koromõ sepîaki*. – Logo o viu. (Anch., *Arte*, 39v); *Tupã amõ kunhãngatu monhangi*. – Deus fez uma certa mulher bondosa. (Anch., *Poemas*, 86); *Abá sosé pabẽ i momorangi*... – Mais que a todos os seres humanos embelezou-a. (Anch., *Poemas*, 86); *Emonãnamo, xe ruri*... – Portanto, eu vim. (Anch., *Poemas*, 100)

i⁴ – 1) (pron. pess. de 3ª p.) – **a)** (pron. sujeito) – ele (s, a, as): ... *I ndibé nde moetébo*. – Com ele honrando-te. (Anch., *Poemas*, 84); ... *I apysy-katueté*. – Eles se consolam muitíssimo. (Anch., *Poemas*, 96); *I ma'enduar*. – Ele se lembra. (Anch., *Arte*, 20v); **b)** (pron. objeto – Assume a forma **î** quando precedido de vogal.) – o (s, a, as): *Aîpysyk-atã*. – Segurei-o fortemente. (VLB, I, 38); *Aîkutuk*. – Feri-o. (VLB, I, 137); *Abá sosé pabẽ i momorangi*... – Acima de todas as pessoas embelezou-a. (Anch., *Poemas*, 86); **2)** (poss.) – seu (s, a, as); dele (s, a, as): *i îara* – seu senhor (Anch., *Arte*, 12v); ... *I 'anga seté monhangi*. – Suas almas e seus corpos fez. (Anch., *Teatro*, 28); *Moraseîa rerobîara i py'a îaîporaká*... – A crença na dança enche os corações deles. (Anch., *Teatro*, 30)

i-⁵ (alomorfe de **îa-**, pref. núm.-pess. de 1ª p. do plural, no permissivo): *T'iru!* ou *Iru!* – Tragamo-lo! (Anch., *Arte*, 23); *T'ixapy!* ou *Ixapy!* – Queimemo-lo! (Anch., *Arte*, 23)

'i / 'é¹ (v. tr. irreg.) – **1)** dizer: *Marã e'ipe asé, karaibebé o arõana mongetábo?* – Que a gente diz, conversando com o anjo seu guardião? (Ar., *Cat.*, 23v); *Aîpó eré supikatu*... – Isso dizes com razão... (Anch., *Teatro*, 32); **2)** rezar, enunciar-se, prescrever: *Aîpó tekoangaîpaba robaîara nã e'i*. – Os opostos daqueles pecados assim se enunciam. (Ar., *Cat.*, 18); **3)** querer dizer, querer significar, pensar, supor, presumir, cogitar, julgar: *Marã e'ipe asé o py'ape aîpó o'îabo i xupé?* – Que quer dizer a gente em seu coração, dizendo isso para ela? (Ar., *Cat.*, 31v); *"Osó ipó re'a" a'é*. – Presumo que ele deve ter ido. (VLB, II, 86); **4)** concluir, julgar por indícios: *Emonã ûî re'a a'é*. – Concluo que talvez isso seja assim. (VLB, II, 16); *Amõ îuká-potá ûî sekóû a'é*. – Concluí que ele está querendo matar alguém. (VLB, II, 16) ● **e'iba'e** – o que diz: *Mendara*... *"xe mena koîpó xe remirekó re'õ ré t'îamendar îandé îoesé" e'iba'e, se'õ nhẽ roîré nd'e'ikatuî sesé omendá*. – O cônjuge que diz: "Após a morte de meu marido ou de minha esposa havemos de nos casar", após sua morte não pode casar-se com ele (ou ela). (Ar., *Cat.*, 279-280, 1686); **'îara** (ou **e'îara**) – o que diz; o indicador: *Îaîuká memẽ aîpó 'îara*... – Matemos juntos o que diz isso. (Ar., *Cat.*, 79); ... *Îasytatá serekoarama resé*... *pé 'îaramo i xupé*... – Por causa da estrela sua guardiã,... como indicadora do caminho para eles. (Ar., *Cat.*, 3); ... *Marã e'îara*... – As que dizem coisas más. (Anch., *Teatro*, 36); *"...Our temõ anhanga xe rerasóbo mã" e'îara*. – O que diz: "Oxalá venha o diabo para me levar". (Ar., *Cat.*, 67); **'îaba** (ou **'eaba** ou **'esaba**) – **1)** tempo, lugar, modo etc. de dizer; o dizer: *Okaî oupa aûîeramanhẽ*... *o îurupe nhote aîpó o 'eagûera repyramo*. – Estão queimando para sempre como pena de dizerem isso somente em suas bocas. (Ar., *Cat.*, 248, 1686); **2)** o que alguém diz, o chamado por alguém, o dito: *Ybytyra Monte Calvário 'îápe*... – Para o monte chamado Calvário (Ar., *Cat.*, 89); *Erimba'epe aîpó nde 'îaba ereîmopóne?* – Quando cumprirás isso que tu dizes? (Ar., *Cat.*, 111v); *O'u nhẽpe a'e 'ybá, tegûama, Tupã 'îaba?* – Comeu aquele fruto, *causa da morte*, que Deus dissera? (Ar., *Cat.*, 40v); *Aîpó i 'eagûera rerekóbo, semimbo'e--etá*... *miapé rari o pópe*... – Tendo isso que ele disse, seus discípulos tomaram o pão em suas mãos. (Ar., *Cat.*, 84v)

'i / 'é² (v. tr. irreg.) – ter a intenção de, ter a finalidade de, querer: *Aîkó-katu t'asóne ybakype ûi'îabo*. – Procedo bem, tendo a intenção de ir para o céu. (Anch., *Arte*, 55v); *Aîur ta xe poî na ûi'îabo ruã*. – Venho não tendo a intenção de que me alimentem. (Anch., *Arte*, 55v)

'i / 'é³ (v. intr. irreg.) (Pode ser auxiliar como *do* em inglês, levando o verbo principal para

'i / 'é⁴

o gerúndio. Muitas vezes não se traduz.) – mostrar-se, estar, apresentar-se; achar-se, encontrar-se (em alguma condição ou fazendo algo): *A'é sepîaka.* – Vejo-o. (Com ênfase. Lit., *Acho-me vendo-o.*) (Anch., *Arte*, 56); *T'e'i osóbo.* – Que vá. (com ênfase) (Anch., *Arte*, 56); *A'é uman ûixóbo.* – Já vou. (Anch., *Arte*, 56v); *Nd'a'éî gûimanõmo ranhê.* – Não morri ainda (lit., *não me acho morrendo ainda*). (Fig., *Arte*, 144); *E'i mo'ema monhanga...* – Mostram-se a urdir mentiras. (Anch., *Teatro*, 36); *E'i tenhẽ nde rerobîá...* – Em vão creem em ti (lit., *acham-se, em vão, crendo em ti*). (Anch., *Teatro*, 40); *Ten e'i.* – Mostra-se fixo, está fixo, apresenta-se fixo. (Anch., *Arte*, 57); *Nd'e'i 'ara.* – Não está dia. (*VLB*, I, 69); *E'i nhẽpe oîkóbone?* – Há de estar (assim como está)? (*VLB*, I, 92)

'i / 'é⁴ (v. intr. irreg.) – ser velho, ter idade, ter tempo: *Nd'a'éî* (ou *Nd'a'éî ranhê* ou *Nd'a'éî pyrybĩ*). – Não sou velho. (*VLB*, II, 8); *Nd'e'i-angáî.* – Ainda é muito cedo para isso. (*VLB*, I, 69)

-'ĩ¹ (ou **-ĩ**) (suf. que expressa o aspecto lusivo, isto é, indica que uma ação é praticada sem propósito especial, sem finalidade, por fazer, sem problemas, sem mais, como no castelhano "*no más*". A oclusiva glotal ' cai após tema em consoante, ficando o sufixo com a forma -ĩ): *Aîme'engĩ.* – Dei-o por dar (isto é, de graça). (*VLB*, I, 90); *Aîmonhangĩ nhẽ.* – Fi-lo por fazer (sem algum fim, sem mais, porque quis). (Anch., *Arte*, 54); *Osó nhẽmope asé ybakype o nhemongaraibireme?* – Iria a gente para o céu ao batizar-se, sem mais? (Anch., *Doutr. Cristã*, I, 201); – *Mba'epe sepyrama?* – *Arurĩ.* – Qual é o preço delas? – Trouxe-as por trazer. (Léry, *Histoire*, 344)

-'ĩ² (ou **-ĩ**) (suf. – A oclusiva glotal ' cai após tema em consoante, ficando o sufixo com a forma -ĩ) – **1)** expressa o diminutivo: *Pitangĩ repîaka'upa, aîur xe roka suí.* – Tendo saudades do nenenzinho, vim de minha casa. (Anch., *Poemas*, 102); *Asaûsub nde membyrĩ.* – Amo teu filhinho. (Anch., *Poemas*, 102); *... xe rubĩ...* – meu paizinho (Anch., *Poemas*, 104); *xe mba'e'ĩ* – minhas coisinhas (Anch., *Arte*, 54); **2)** um pouco, um pouquinho: *... T'oîmoîa'ok nde membyra tekokatu'ĩ amõ orébe.* – Que reparta teu filho um pouquinho de virtude conosco. (Ar., *Cat.*, 32v); **3)** bem fininho, bem miudinho, bem pouquinho: *Aîmopoĩ.* – Afilei-o bem fininho. (*VLB*, I, 21);

4) só, único, tão somente, somente: – *Mobype abá remirekóne?* – *Oîepé'ĩ.* – Quantas serão as esposas de um homem? – Uma somente. (Anch., *Doutr. Cristã*, I, 226); *... Nd'e'ikatuî oîepé'ĩ tiruã Tupã nhe'enga abŷagûera o îoupé i mombe'upyrûera mombegûabo abá supé...* – Não pode sequer uma única vez contar para alguém a transgressão da palavra de Deus que foi contada para si. (Ar., *Cat.*, 98); **5)** mais ou menos, medianamente: *Turusu'ĩ.* – Ele é medianamente grande. (*VLB*, II, 34)

> NOTA – Daí, no P.B., **CAJUÍ** (*akaîu'ĩ*, "cajuzinho"), nome de planta anacardiácea; **IPEQUI** (*ypekĩ*, "patinho"), ave heliornitídea, também conhecida como *patinho-d'água*; **CURURUÍ** ("sapinho"), nome comum a várias espécies de sapos ou anuros de pequeno porte; **TAMANDUAÍ** ("tamanduazinho"), variedade de tamanduá, animal mirmecofagídeo. Daí, também, os nomes geográficos **ITAIM** (bairro de SP), **BOIM** (PA), BARRA DO **PIRAIM** (MT) etc. (v. Rel. Top. e Antrop. no final).

ĩ¹ (interj.) – ah! (expressa mágoa): *Xe rubĩ mã!* – Ah, meu pai! (Anch., *Arte*, 54)

-ĩ² (suf.) – o mesmo que -'ĩ² (v.).

iã (adv. usado na afirm., a marcar o presente ou o futuro com a 1ª p., e excluindo a possibilidade de passado) – eis que: *Asó iã.* – Eis que vou (não se podendo traduzir por *eis que fui*). (Anch., *Arte*, 21v)

îá¹ (s.) – totalidade, repleção; (adj.) repleto; **(xe)** estar à medida de, ser segundo a capacidade de, ser de acordo com a quantidade ou o número de, ser de conformidade com (medida, número ou peso): *... Xe îá nhote.* – Está segundo minha medida, somente. (*VLB*, I, 79); *N'i îáî pirá sembiara.* – Não são segundo a quantidade deles os peixes que ele apanha (isto é, o que ele pesca é muito aquém dos peixes que há). (*VLB*, II, 16); *Na xe îáî.* – Não está em conformidade comigo, não é igual a mim. (*VLB*, I, 99)

> NOTA – Daí, os nomes geográficos **ARAÇAJÁ**, **ITAJAÍ**, **PACAJÁ**, **PIRAJÁ** etc. (v. Rel. Top. e Antrop. no final).

îá² (conj.) – como, da mesma maneira que, assim como: *Abebé kó ybytu îá...* – Voo como este vento. (Anch., *Teatro*, 40); *Anga îá, angaîpabora aîuká...* – Como a esses, matarei os que costumam pecar. (Anch., *Teatro*, 92); *T'oré pyatã, angá, mba'easy porarábo... nde* *îá.* – Que sejamos corajosos, sim, suportando as coisas dolorosas como tu. (Anch., *Teatro*, 120); *Nd'e'i te'e moxy onhana tatá piririka îá...* – Por isso mesmo as malditas correm como faíscas de fogo. (Anch., *Teatro*, 128); *Abápe kori xe îá?* – Quem, hoje, é como eu? (Anch., *Teatro*, 132); *kó îá* – como este (*VLB*, II, 123); *koba'e îá* – como isto, como este (*VLB*, II, 9; 124) ● **îandûara** – o que é igual a algo ou a alguém (*VLB*, II, 9) (v. tb. **îakatu** e **îabé**)

îá³ (adv.) – ainda bem que; bem feito que (Expressa regozijo com o desastre de outrem. Leva o verbo para o gerúndio.): *Îá omanõmo.* – Ainda bem que morre. (Fig., *Arte*, 147; 163)

îá⁴ (adv.) – de costume, habitualmente, amiúde: *Xe poronupã îá.* – Eu açouto gente, de costume. (Anch., *Arte*, 51v); *Akanhem îá.* – Costumo fugir; fujo amiúde. (Anch., *Arte*, 51v); *Xe îemoŷ rõndûer îá.* – Irrito-me habitualmente. (Anch., *Arte*, 51v); *Xe memûã îá.* – Eu sou mau de costume. (*VLB*, I, 73); *Xe mba'easy-potar îá.* – Eu sou enfermiço, doentio (isto é, tenho propensão para adoecer amiúde). (*VLB*, I, 105); *Asó îá.* – Vou, de costume. (Fig., *Arte*, 141)

îá⁵ (s.) – porção, pequena quantidade, um pouco (à semelhança de um partitivo. Às vezes é acompanhado pela partícula **rá**): *Eruri, t'a'une îá.* – Traze-o para que eu coma um pouco dele. (Fig., *Arte*, 141); *Îori u'i îá rá gûabo.* – Vem para comer uma porção de farinha. (Fig., *Arte*, 141); *Eruri îá.* – Traze uma porção, traze um pouco. (Fig., *Arte*, 141); *Ekûãî 'y îá rá gûabo* (ou *Ekûãî 'y îá r'ûabo*). – Vai para beber um pouco d'água. (*VLB*, I, 154); *Ekûãî îá reru.* – Vai para trazer um pouco dela. (*VLB*, I, 154); *Eîme'eng îá ixébo.* – Dá-me dele; dá-me uma porção. (*VLB*, I, 93)

îa-⁶ (pref. núm.-pess.) – 1) (pref. da 1ª p. do pl. inclusiva. Pode ser usado com o indicativo, o imperativo, o permissivo e o gerúndio): *Îaîuká.* – Matamos. (Anch., *Arte*, 17v); *Aîmbiré, îarasó muru taûîé...* – Aimbirê, levemos os malditos logo. (Anch., *Teatro*, 40); *Ene'ĩ, t'îasó taûîé...* – Eia, vamos logo. (Anch., *Poemas*, 182); *... Îasó tubixaba akanga kábo.* – Vamos para quebrar as cabeças dos reis. (Anch., *Teatro*, 60); *Îamanõmo* – Morrendo nós. (Anch., *Arte*, 29); *Îaru!* – Tragamo-lo! (Anch., *Arte*, 23); **2)** (pref. de 3ª p. quando o foco do discurso é o objeto e não o sujeito): *Mboîa Pedro îaîxu'u.* – A cobra mordeu a Pedro. (Anch., *Arte*, 36v); *Xe ruba tobaîara îa'u.* – Meu pai os inimigos comeram. (Anch., *Arte*, 36v); *Ygasápe kaûî-tuîa, a'e ré, îamomotá...* – O cauim transbordante nas igaçabas, depois disso, atrai-os. (Anch., *Teatro*, 28); *Moraseîa rerobîara i py'a îaîporaká...* – A crença na dança enche os corações deles. (Anch., *Teatro*, 30); *Îapopûar-atã...* – Amarram suas mãos fortemente. (Anch., *Poemas*, 120); *Sugûy mombukapa, îaînupã-nupã.* – Derramando o seu sangue, ficaram a açoitá-lo. (Anch., *Poemas*, 120); **3)** (pref. de 3ª p. usado para indeterminar o sujeito): *Îaîuká.* – Matam (ou *mataram*). (Anch., *Arte*, 36v)

îab (v. intr.) – abrir-se (naturalmente, como a flor, a manhã, o ovo, a ostra etc.): *Oîab mbotyra.* – Abre-se a flor. (Fig., *Arte*, 145)

'îaba – v. **'i** / **'é¹** (Fig., *Arte*, 55)

îabab (v. intr.) – fugir: *Oîabab i xuí, seîá...* – Fugiram dele, deixando-o... (Ar., *Cat.*, 55); *Aîabab.* – Fujo. (*VLB*, II, 11) ● **îababixûera** – fujão: *Xe îababixûer.* – Eu sou um fujão. (*VLB*, I, 144); **îabapara** – o que foge; fugido, fugitivo (*VLB*, I, 140)

NOTA – Daí, o nome geográfico **JABAQUARA** (v. Rel. Top. e Antrop. no final).

îabakatĩ (s.) – JAGUACATI, ave coraciforme da família dos alcedinídeos que vive à beira dos rios, andando pela água em busca de peixinhos de que se mantém. "Tem o bico comprido, o peito vermelho, a barriga branca, as costas azuis." (Sousa, *Trat. Descr.*, 229)

îabé¹ (conj.) – como; da mesma maneira que, semelhante a: *Soryb, xe îabé, xe ruba Tupinakyîa.* – Está alegre, como eu, meu pai tupiniquim. (Anch., *Poemas*, 110); *... Abápe 'ara pora oîkó nde îabé?* – Que habitante do mundo há como tu? (Anch., *Poemas*, 116); *Nde îabé ixé i kugûabi.* – Sei-o tão bem como tu. (*VLB*, II, 124); *... apŷabeté îandé îabé* – homem verdadeiro como nós (Ar., *Cat.*, 22v); *Xe, Tatapytera, xe tatagûasu îabé, asapy nhemoŷ rõmbûera.* – Eu, Tatapitera, assim como meu grande fogo, inflamo os antigos ódios. (Anch., *Teatro*, 128) ● **îabendûara** – o que é igual a algo ou a alguém, a igualha de, o igual de (*VLB*, II, 123) (v. tb. **îakatu** e **îá**) (*VLB*, II, 9)

îabé² (conj.) – assim como... também; do mesmo modo que... também; como... assim também; assim como... assim também: *Akó 'y asé*

îabeburapinima

reté moîasuka îabé, akûeîa îabé... – Assim como esta água lava o corpo da gente, aquela também. (Anch., *Doutr. Cristã*, 201)

îabeburapinima (etim. – *arraia da cabeça pintada*) (s.) – arraia de água doce de um palmo e meio de comprimento, muito redonda, perigosa e peçonhenta (Lisboa, *Hist. Anim. e Árv. do Maranhão*, fl. 173v-174)

îabebyra (s.) – nome genérico das arraias ou raias, peixes cartilaginosos da família dos rajídeos (*VLB*, II, 95; D'Abbeville, *Histoire*, 244v)
- **îabebyrasyka** – arraia pitoca (nome de uma aldeia) (Léry, *Histoire*, 349)

NOTA – Daí, o nome geográfico **BEBERIBE** (rio de PE) (v. Rel. Top. e Antrop. no final).

îabebyreté (etim. – *jabebira verdadeira*) (s.) – JABEBIRETÊ, peixe da família dos dasiatídeos. Tem o aspecto de papagaio de papel. (Marcgrave, *Hist. Nat. Bras.*, 175)

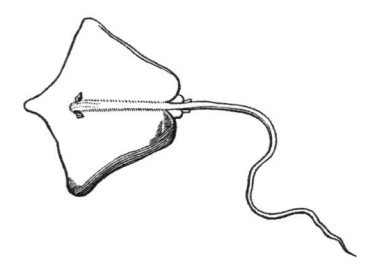

JABEBIRETÊ (fonte: Marcgrave)

îabebyretepinima (etim. – *jabebiretê pintado*) (s.) – peixe da família dos dasiatídeos, uma variedade de raia (*Theat. Rer. Nat. Bras.*, I, 36)

îabebytinga (etim. – *jabebira clara*) (s.) – var. de arraia (*VLB*, I, 41)

îabenhote (conj.) – conforme o pouco de, à medida do que havia de (*VLB*, I, 79)

îabi'õ (part.) – **1)** cada um: *O îabi'õpe asé serekóû?* – A gente os tem cada um o seu próprio (anjo da guarda)? (Ar., *Cat.*, 23v); *Pe îabi'õ Pa'i Tupã karaibebé moingóû.* – De cada um de vós o Senhor Deus encarregou um anjo. (Anch., *Teatro*, 50); **2)** a cada, de cada, por ocasião de cada, em cada, cada vez que: *Sesé o ma'enduara îabi'õ...* – Cada vez que se lembra dela... (Ar., *Cat.*, 71v); *'Aretegûasu îabi'õ ã mundepora amõ îepé peîmosem-ukar ixébe îepi...* – Eis que a cada Páscoa um prisioneiro fazeis-me libertar sempre... (Ar., *Cat.*, 59v); *'ara îabi'õ* – a cada dia (*VLB*, I, 62); *Mba'emba'eremepe asé nhemombe'une?...* – *Te'õ suí o nheangu îabi'õne.* – Em que ocasiões a gente se confessará? – Cada vez que temer a morte. (Ar., *Cat.*, 91)

îaborandy (ou **îaborandyba**) (s.) – JABORANDI, **1)** nome comum a vários arbustos da família das rutáceas (*Pilocarpus jaborandi* Holmes, *Pilocarpus pennatifolius* Lem. e outras espécies); **2)** espécies de plantas piperáceas dos gêneros *Ottonia* e *Piper*, a bétele (*Piper eucalyptifolium* Rudge) e a cutia (*Piper tenue* Kunth), a *Ottonia anisum* Spreng., a *Ottonia propinqua* Kunth etc. (Marcgrave, *Hist. Nat. Bras.*, 36; 69; Sousa, *Trat. Descr.*, 209)

îaborandyba – o mesmo que **îaborandy** (v.) (Sousa, *Trat. Descr.*, 209)

îaborandygûasu (etim. – *grande jaborandi*) (s.) – nome de uma planta (*Theat. Rer. Nat. Bras.*, II, 161; 162; 163; 164)

îabotapytá (s.) – JABUTAPITÁ, planta ocnácea (Marcgrave, *Hist. Nat. Bras.*, 101)

îaboti (s.) – JABUTI, JABUTIM, réptil da ordem dos quelônios, da família dos testudíneos, muito encontrado nas matas brasileiras. É frugívoro e sua fêmea é maior que o macho, chamada também *carumbé* ou JABUTI-CARUMBÉ. Também é chamado *cágado*, **JABUTIPIRANGA**, **JABUTITINGA**. (Marcgrave, *Hist. Nat. Bras.*, 241; *VLB*, I, 62)

NOTA – Daí, no P.B., **JABUTIBA** (*îaboti* + *'yba*, "planta do jabuti"), certa árvore da flora paulista; **JABUTICABA**, nome de uma árvore, de etimologia mais obscura.

îabotiapeba (etim. – *jabuti do casco chato*) (s.) – variedade de **JABUTI** (v. îaboti). "São muito amassados e têm as costas muito chãs e não têm verrugas." (Sousa, *Trat. Descr.*, 255)

îabotimirĩ (etim. – *jabuti pequeno*) (s.) – variedade de **JABUTI** de tamanho diminuto (v. îaboti) (Sousa, *Trat. Descr.*, 255)

îabubyra – o mesmo que **îabebyra** (v.) (Sousa, *Trat. Descr.*, 283)

îaburu (s.) – JABURU, o mesmo que **îabyru** (v.) (D'Abbeville, *Histoire*, 242; Brandão, *Diálogos*, 226)

îabutikaba (etim. – *gordura de jabuti* * < îaboti + kaba) (s.) – **1)** JABUTICABEIRA, árvore da família das mirtáceas, cuja principal espécie é a *Myrciaria cauliflora* (Mart.) O. Berg, em cujo tronco aparecem os frutos parecidos a uvas, mas de casca mais dura (Marcgrave, *Hist. Nat. Bras.*, 141); **2)** o fruto da jabuticabeira, **JABUTICABA** (Cardim, *Trat. Terra e Gente do Brasil*, 40)

> *NOTA – É essa, também, a etimologia que dá Stradelli para essa palavra em nheengatu (*Iautî cáua*) (op. cit., 465).

îaby (adv.) – de costume, habitualmente, frequentemente: *Nde nhemoŷrõndûer îaby.* – Tu és rabugento de costume. (Fig., *Arte*, 140); *Xe poronupã îaby.* – Açoito gente frequentemente. (Anch., *Arte*, 51v)

îabymã – v. **îabynomã**

îabynomã (conj.) – se não fosse (tudo estaria bem): *Osó é ahẽ îabynomã.* – Se não fosse ele ter ido... (*VLB*, II, 116)

îabyru (s.) – **JABURU**, nome comum a certas aves ciconiformes da família dos ciconídeos, que habitam grandes rios, lagoas e regiões pantanosas (Marcgrave, *Hist. Nat. Bras.*, 200; *VLB*, I, 151)

JABURU (fonte: Marcgrave)

îabyrugûasu (etim. – *jaburu grande*) (s.) – ave ciconiforme da família dos ciconídeos (*Theat. Rer. Nat. Bras.*, I, 116)

îaeté (s.) – o máximo, o fino (em qualquer arte ou habilidade, em bom ou mau sentido (*VLB*, II, 33; 76); obra-prima, coisa muito bem feita: *Ixé-tene îaeté.* – Obra-prima sou eu. (*VLB*, II, 86); (adj.) – máximo: *Kó-tene i îaeté.* – Este é o máximo. (*VLB*, II, 86); (adv. – tem valor de superlativo junto a nomes) – ao máximo: *Kó-tene i angaîpab-y îaeté.* – Este é ruim ao máximo; este é péssimo. (*VLB*, II, 86)

Îagûakûara (etim. – *toca do cão*) (s. antrop.) – nome de índio tupi (D'Abbeville, *Histoire*, 188)

îagûara[1]

îagûamimbaba (s.) – cão (*VLB*, I, 65)

îagûapopeba (etim. – *cão da pata achatada*) (s.) – mamífero da família dos mustelídeos (Cardim, *Trat. Terra e Gente do Brasil*, 65). "Andam sempre na água onde criam e parem muitos filhos e onde se mantêm dos peixes que tomam e dos camarões." (Sousa, *Trat. Descr.*, 250)

îagûapytanga (etim. – *cão pardo*) (s.) – **JAGUAPITANGA**, raposa-do-campo, pequeno animal de cor predominante cinzento-escura, do tamanho de um cão, mamífero carnívoro da família dos canídeos (*Dusicyom vetulus* Lund). (*VLB*, II, 96) "... Faz ofício de raposa, despovoa uma fazenda de galinha que furta." (Sousa, *Trat. Descr.*, 247)

îagûapytangusu (etim. – *jaguapitanga grande*) (s.) – nome de animal mamífero da família dos felídeos, parecido à onça na forma e não na cor (*VLB*, II, 56)

îagûara[1] (ou **îaûara**) (s.) – **1)** JAGUAR, onça, onça-pintada, carnívoro americano da família dos felídeos (*Panthera onca*), de cor amarelo-avermelhada, com manchas pretas simétricas, arredondadas ou irregulares, pelo corpo. É a fera mais terrível do continente americano, tomando grandes presas. É também conhecida no Brasil como **JAGUARAPINIMA**, **JAGUARETÊ**, canguçu, acanguçu: *Îaûara ixé.* – Eu sou uma onça. (Staden, *Viagem*, 109); *Aîuká-ukar îagûara Pedro supé.* – Fiz Pedro matar uma onça. (Fig., *Arte*, 146); **2)** nome dado pelos índios ao cão (*VLB*, I, 65) [Nesta acepção pode ser acompanhado pelo termo **eîmbaba** (t) – *criação, animal de criação*, à diferença de quando o termo significa *onça*, que nunca se cria domesticamente.]: *o apixara reîmbaba îagûara remimomosẽgûera* – o que perseguiu o cão de seu próximo (Ar., *Cat.*, 73); *I mba'e-potar îagûara.* – O cão é ávido (isto é, bom de caça, que quer tudo apanhar). (*VLB*, I, 62); *Îagûara-p'ipó?* – É este o cão? (Knivet, *The Adm. Adv.*, 1208) ● **îagûara'yra** – filhote de cão (*VLB*, I, 62) (v. tb. **îagûareté**)

> OBSERVAÇÃO – Com a colonização, o cão foi trazido para o Brasil, passando a receber o mesmo nome dado a um animal silvestre, feroz, que os tupis temiam, a **îagûara**. Para se diferenciar um animal do outro, passou-se a utilizar, muitas vezes, o adjetivo **eté** (*verdadeiro, genuíno*) com referência à onça

îagûara²

(**îagûareté** – *o jaguar verdadeiro*). Isso aconteceu também com outras palavras: **taîasu** (v.) (taiaçu ou porco doméstico), **tapi'ira** (v.) (anta ou boi).

> NOTA – A palavra **JAGUAR**, de origem tupi, está presente em muitas línguas do mundo, passando a designar felinos de outros continentes, como a África. É o nome, também, de uma marca britânica de automóveis. Dali originam-se, no P.B., muitas palavras: **JAGUARAÍVA** (*îagûar + aíb +-a*, "cão ruim"), cão que não serve para a caça; **JAGUAPITANGA** ("cão cinzento"), raposa-do-campo; **JAGUAPEBA**, **JAGUAPEVA** (*îagûar + peb + -a*), variedade de cães domésticos de pernas curtas. Dali originaram-se, também, muitos nomes de lugares no Brasil: **JAGUANAMBI** (CE), **JAGUAQUARA** (BA) etc.

îagûara² (s. astron.) – nome dado pelos índios à estrela da tarde, ou Vésper (D'Abbeville, *Histoire*, 251v)

îagûarakangusu (etim. – *onça da cabeça grande*) (s.) – **CANGUÇU**, variedade de felino, maior que a onça, "cuja cabeça é tão grande como de um boi novilho. Criam-se estas alimárias pelo sertão, longe do mar." (Sousa, *Trat. Descr.*, 245)

> NOTA – Em Rego de Carvalho lemos: "*Até os caçadores mais espertos se arrepiam quando a CANGUÇU dá aquele rugido ao ser baleada.*" (in *Somos Todos Inocentes*, apud *Novo Dicion. Aurélio*).

îagûarapeba – o mesmo que **îagûapopeba** (v.)

îagûararuapema (s.) – nome de um animal carnívoro (Brandão, *Diálogos*, 259)

îagûarasá (ou **îagûaresá**) (etim. – *olhos de onça*) (s.) – **JAGUARUÇÁ, JAGUARIÇÁ, JAGUAREÇÁ, JAGURIÇÁ, JUGURIÇÁ**, peixe de alto-mar da família dos holocentrídeos (Marcgrave, *Hist. Nat. Bras.*, 147; Sousa, *Trat. Descr.*, 285)

îagûarema (etim. – *onça fedorenta*) – o mesmo que **îagûara¹** (v.) (D'Abbeville, *Histoire*, 96)

îagûareté¹ (etim. – *onça verdadeira*) (s.) – **JAGUARETÉ**, onça, o mesmo que **îagûara¹** (v.). Segundo Martius, é a *Panthera onca* de pelagem escura. (Sousa, *Trat. Descr.*, 244)

îagûareté² (etim. – *onça verdadeira*) (s. antrop.) – nome de índio tupi (D'Abbeville, *Histoire*, 184v)

îagûaruna (etim. – *onça preta*) (s. antrop.) – nome de índio tupi (Anch., *Teatro*, 60)

îagûarusá – o mesmo que **îagûarasá** (v.) (*Libri Princ.*, vol. II, 75)

îagûarusu (etim. – *grande cão*) (s.) – animal mamífero da família dos canídeos (Cardim, *Trat. Terra e Gente do Brasil*, 30; *VLB*, I, 65). "Andam dentro e fora d'água e matam gente." (Cardim, *Trat. Terra e Gente do Brasil*, 64-65)

îagûasagûaré (s.) – espécie de peixe carnívoro da família dos quetodontídeos, com grande número de representantes encontrados nos recifes, parcéis e bancos coralíneos (Marcgrave, *Hist. Nat. Bras.*, 156)

îagûasatĩ (s.) – nome de uma ave (*Libri Princ.*, vol. I, 95)

îagûasatigûasu (s.) – pica-peixe, uma espécie de martim-pescador existente no Brasil, pássaro da família dos alcedinídeos, que vive nos rios grandes, lagos, lagunas, manguezais e à beira-mar, sempre onde há barrancos ou rochas para fazer ninhos (Marcgrave, *Hist. Nat. Bras.*, 194; *Theat. Rer. Nat. Bras.*, I, 111)

îagûasinĩ (s.) – **GUAXINIM, JAGUACINIM**, nome comum a diversas espécies de carnívoros do gênero *Procyon*, da família dos procionídeos. Costumam lavar os alimentos antes de comê-los. São também conhecidos como *iguanara, jaguaracambé, rato-lavador, urso-lavador, mão-pelada.* (*VLB*, II, 96; Cardim, *Trat. Terra e Gente do Brasil*, 30)

îagûatinga (etim. – *cão branco*) (s. antrop.) – nome de índio tupi (D'Abbeville, *Histoire*, 185)

îaî (-îo-) (v. tr.) – motejar de, caçoar de, debochar de; escarnecer de: *Aîoîaî.* – Caçoo dele. (*VLB*, II, 43); *Ereîoîaîpe abá amõ?* – Escarneceste de alguma pessoa? (Anch., *Doutr. Cristã*, II, 86); *Aporoîaî.* – Escarneço das pessoas. *Aporoîá-roîaî.* – Fico escarnecendo das pessoas. (*VLB*, I, 123)

îaîa (s.) – abertura; (adj.: **îaî**) – aberto, escarrapachado: *Xe îuru-îaî.* – Eu tenho a boca aberta. (*VLB*, I, 18); *Xe atá-îaî.* – Eu tenho o andar escarrapachado (isto é, abro muito as pernas ao andar). (*VLB*, I, 123)

îaîabosuí (s.) – var. de piaba pequena (Soares, *Coisas Not. Bras.* (ms. C), 2285) îaîbeĩé (ou îaîbeĩîé) (conj.) – conforme o pouco de, à medida do que havia de, conforme as forças ou as possibilidades de: *Xe îaîbeĩé ixé seruri*. – Trouxe-o conforme minhas forças (diria o que foi repreendido por não trazer um feixe de lenha todo de uma vez). (*VLB*, I, 79; II, 83); *i îaîbeĩîé* – à medida do que havia delas (*VLB*, I, 79)

îaîbeĩnhote (conj.) – conforme o pouco de, à medida do que havia de (*VLB*, I, 79)

îaká (s.) – JACÁ, espécie de cesto feito de taquara (Bettendorff [1698], *Crôn. do Maranhão*, in *RIH*, LXXII (1909), 466) (o mesmo que aîaká – v.)

> NOTA – Lemos em Euclides da Cunha, referindo-se aos últimos dias de Canudos: "*A soldadesca, varejando as casas, pusera fora, às portas [...] toda a ciscalhagem de trastes em pedaços, de envolta com a farragem de molambos inclassificáveis: pequenos baús de cedro; bancos e jiraus grosseiros; redes em fiapos; berços de cipó e balaios de taquara; JACÁS sem fundo; roupas de algodão...*" (in *Os Sertões*. Rio de Janeiro, Editora Francisco Alves, 1997).

îakamasiri (s.) – JACAMACIRA, ave piciforme da família dos galbulídeos (Marcgrave, *Hist. Nat. Bras.*, 202)

îakamĩ (s.) – JACAMIM, ave gruiforme da família dos psofídeos (Lisboa, *Hist. Anim. e Árv. do Maranhão*, fl. 194v)

îakaminĩ (s.) – nome de uma ave (*Theat. Rer. Nat. Bras.*, I, 101)

îakanigûaîa (s.) – nome de uma ave (*Theat. Rer. Nat. Bras.*, I, 101)

îakapanĩ (s.) – JACAPANIM, pássaro da família dos mimídeos, que habita os brejos (Marcgrave, *Hist. Nat. Bras.*, 212)

îakapekûaîa (s.) – nome de uma serpente (Piso, *De Med. Bras.*, III, 171)

îakapu (s.) – JACAPU, ave da família dos traupídeos (Marcgrave, *Hist. Nat. Bras.*, 192)

îakarandá (s.) – JACARANDÁ, nome comum a algumas árvores da família das leguminosas, da subfamília papilionoídea, em que se destaca a *Machaerium villosum* Vogel, comum no Brasil e também conhecida como JACARANDÁ-PAULISTA. Outras espécies importantes são a *Machaerium incorruptibile* (Vell.) Benth. e a *Machaerium legale* (Vell.) Benth. (D'Abbeville, *Histoire*, 223; Marcgrave, *Hist. Nat. Bras.*, 136). "... É muito pesada e não se corrompe nunca sobre a terra, ainda que lhe dê o sol e a chuva, a qual tem muito bom cheiro." (Sousa, *Trat. Descr.*, 221) ● îakarandá-apé – casca de jacarandá (*Theat. Rer. Nat. Bras.*, II, 192)

îakaré (s.) – JACARÉ, nome comum a todos os répteis crocodilianos da família dos aligatorídeos (D'Abbeville, *Histoire*, 248v; Marcgrave, *Hist. Nat. Bras.*, 242; *VLB*, II, 17; Knivet, *The Adm. Adv.*, 1239)

> NOTA – Daí, no P.B., JACAREÚBA, JACAREÚVA (*îakaré* + '*yba*, "planta do jacaré"), nome de uma árvore gutífera. Daí, também, os nomes geográficos JACAREGUABA (SP), JACAREÍ (SP) etc. (v. Rel. Top. e Antrop. no final).

îakarepetymbûaba (etim. – *jacaré-cachimbo*) (s.) – cavalo-marinho, peixe singnatídeo de corpo revestido de anéis ósseos e com grande cauda preênsil. O macho possui uma bolsa abdominal em que os ovos são incubados, nadando sempre ereto. (*Theat. Rer. Nat. Bras.*, I, 33)

îakarepinima (etim. – *jacaré pintalgado*) (s.) – espécie de pequeno lagarto pintado (Sousa, *Trat. Descr.*, 264)

îakarinĩ (s.) – JACARINA, pássaro da família dos fringilídeos (Marcgrave, *Hist. Nat. Bras.*, 210)

îakasó (ou îeakasó ou îekasó) (v. intr.) – mudar-se (de lugar, de casa, de aldeia etc.) (*VLB*, II, 14); mudar para longe; povoar, vir para morar (*VLB*, II, 84): *Ereîakasó-piang?* – Mudaste, por acaso? (Léry, *Histoire*, 341); *Sepyápe, ereîakasó...* – Em reparação disso, mudaste-te de aldeia. (Anch., *Teatro*, 166); *Aîeakasó.* – Mudo-me (para longe). (*VLB*, II, 44)

îakatinga (s.) – nome de um inseto (Marcgrave, *Hist. Nat. Bras.*, 254)

îakatu[1] (adv.) – por todos (s, a, as), em todo (s, a, as): *Seté îakatupe ybŷá i moperé-perebi...?* – Fizeram feridas por seu corpo todo? (Ar., Cat., 60); – *Mamõpe a'e i boîá sóú a'e riré?* – *Taba îakatu.* – Para onde aqueles seus discípulos foram depois disso? – Por todas as cidades. (Ar., Cat., 45v); *I pupé Îesu Cristo rekóû, ... o ekó îakatu tenhẽ i 'anga abé...* – Dentro dele está Jesus Cristo, em todo o seu ser e em seu espírito. (Ar., Cat., 85); *T'oîkuab pabẽngatu*

îakatu²

abá yby îakatu okûaba'e karaibamo nde rera rekó. – Que saibam todos os homens que estão em toda a terra que teu nome é santo. (Thevet, *Cosm. Univ.*, II, 925)

îakatu² (conj.) – como (de comparação), da mesma forma que: *Akó ybakype ogûekó îakatu, Îandé Îara... rekóû miapepûera...* – Eis que, como está no céu, Nosso Senhor está dentro do pão. (Ar., *Cat.*, 84v)

îakatu³ (v. intr.) – igualar, ser igual: *Nde poropotare'yma t'oîakatu xe resé.* – Tua pureza seja igual em mim. (Anch., *Poemas*, 132) • **îakatundûara** (s.) – o que é igual a; o igual de (*VLB*, II, 9)

îakatutenhẽ (conj.) – como (de comparação), da mesma forma que; exatamente como: *Og uba îakatutenhẽpe asé i moetéû?* – A gente o honra como a seu próprio pai? (Ar., *Cat.*, 82)

îaku (s.) – JACU, nome genérico de aves galiformes da família dos cracídeos. "... São umas aves a que os portugueses chamam *galinhas-do-mato* e são do tamanho de galinhas e pretas." (D'Abbeville, *Histoire*, 236v): – *Esenõî gûyrá ixébe.* – *Îaku, mutũ, makukagûá, inambugûasu, inambu, pykasu...* – Nomeia as aves para mim: – Jacu, mutum, macucaguá, inhambuguaçu, inambu, rola. (Léry, *Histoire*, 348)

NOTA – Daí, os nomes geográficos **JACUÍ** (BA), **JACUÍPE** (BA) etc. (v. Rel. Top. e Antrop. no final).

îakuakanga (etim. – *cabeça de jacu*) (s.) – **1)** JACUANGA, JACUACANGA, nome vulgar de plantas costáceas, dentre as quais se destaca a espécie *Costus spicatus* Willd., erva cultivada, ornamental, com propriedades diuréticas e febrífugas, também conhecida como *cana-do-brejo, cana-do-mato, cana-roxa, cana-de-macaco, caatinga, paco-catinga, periná, ubacaiá*; **2)** fedegoso, planta borraginácea (*Heliotropium indicum* L.) (Marcgrave, *Hist. Nat. Bras.*, 6; Piso, *De Med. Bras.*, IV, 195)

NOTA – Daí, **JACUACANGA** (nome de baía do RJ) (v. Rel. Top. e Antrop. no final).

îakûasu (ou **îakuûasu**) (etim. – *jacu grande*) (s.) – JACUAÇU, ave galiforme da família dos cracídeos, "... da feição das garças grandes... Andam nos rios e lagoas, criam ao longo delas e dos rios, no chão. Mantêm-se do peixe que tomam." (Sousa, *Trat. Descr.*, 230)

îakugûará (s.) – peixe da família dos calorrinquídeos, do Atlântico (*VLB*, II, 70)

îakukaka (s.) – JACUCACA, ave galiforme da família dos cracídeos (Soares, *Coisas Not. Bras.* (ms. C), 1388-1391)

îakumã (ou **nhakumã**) (s.) – JACUMÃ, **1)** andaimo para flechar peixe (*VLB*, I, 35); **2)** estaca à qual a canoa é atada enquanto se pesca (*VLB*, I, 51)

NOTA – **JACUMÃ**, no P.B. (Amaz.), designa também: 1) pá comprida que, em algumas embarcações, serve no lugar do leme; 2) governo de uma canoa com um remo de mão em uma de suas extremidades: "Sentado ao *JACUMÃ*, dava grandes remadas espaçadas" (José Veríssimo, in *Cenas da Vida Amazônica*, apud *Novo Dicion. Aurélio*).
Daí, também, no P.B. (PA e MA), **JACUMAÍBA** (*îakumã* + *'yba*, "guia do jacumã"), piloto de canoa: "Chamam estes pilotos na sua língua *JACUMAÍBAS*, cujo nome é originado de umas pás, de que alguns usam nas suas canoas em lugar de leme, chamadas *JACUMÁ*." (Pe. João Daniel [1757], 253).

îakûndá (s.) – JACUNDÁ, NHACUNDÁ, nome comum a várias espécies de peixes da família dos ciclídeos (D'Abbeville, *Histoire*, 247)

îakuoby (etim. – *jacu azul*) (s.) – ave galiforme da família dos cracídeos (D'Abbeville, *Histoire*, 236v)

Îakuparĩ (etim. – *jacu coxo*) (s. antrop.) – nome de índio tupi (D'Abbeville, *Histoire*, 185)

îakupema (s.) – JACUPEMA, JACUPEMBA, ave galiforme da família dos cracídeos, também conhecida como **JACUPEBA** ou **JACU-VELHO** (D'Abbeville, *Histoire*, 183v; Marcgrave, *Hist. Nat. Bras.*, 198)

îakuruîu (s. etnôn.) – nome de antiga nação indígena (Cardim, *Trat. Terra e Gente do Brasil*, 126)

îakurutu (s.) – JACURUTU, INHACURUTU, ave estrigiforme da família dos estrigídeos, do grupo das corujas e dos mochos-orelhudos. Vive nos capões e nas matas. É a maior coruja da América. (Marcgrave, *Hist. Nat. Bras.*, 199; *VLB*, I, 60)

NOTA – Daí, o nome geográfico **JACARUTUOCA** (localidade do CE) (v. Rel. Top. e Antrop. no final).

JACURUTU (fonte: Marcgrave)

îakutinga (etim. – *jacu branco*) (s.) – JACUTINGA, nome comum a certas aves galiformes da família dos cracídeos, que habitam as matas virgens (Soares, *Coisas Not. Bras.* (ms. C), 1388-1391; Léry, *Histoire* [1580], 278)

îaku'yba (etim. – *planta do jacu*) (s.) – nome de uma árvore (Vasconcelos, *Crônica (Not.)* II, §81, 153)

îakyrana (s.) – JAQUIRANA, cigarra, nome comum aos insetos homópteros, da família dos cicadídeos, cujos machos são providos de órgãos musicais e que geralmente morrem cantando (Marcgrave, *Hist. Nat. Bras.*, 256-257; VLB, I, 70)

îamakaîy (s.) – JAMACAÍ, pássaro da família dos icterídeos, de canto ameno e bela plumagem, que vive nas caatingas e em zonas campestres de todo o Brasil leste-setentrional (Marcgrave, *Hist. Nat. Bras.*, 198)

îamakaru (s.) – MANDACARU, JAMACARU – nome dado, no Brasil, às plantas cactáceas do gênero *Cereus* que têm caule ereto (*Cereus jamacaru*, DC., *Cereus triangularis* (L.) Haw). São grandes cactos de porte arbóreo, característicos da caatinga, servindo como alimento para o gado durante as secas. Os *Cereus* de caule rasteiro têm os nomes vulgares de *cumbebe* e *iumbeba*. (Marcgrave, *Hist. Nat. Bras.*, 126)

MANDACARU (fonte: Marcgrave)

îandaîa

îamandakará (s.) – MANDACARÁ, planta da família das cactáceas (*Cereus hildmannianus* K. Schum.), que dá fruta vermelha (Brandão, *Diálogos*, 217)

îambé – o mesmo que **nhambé** (v.) (Anch., *Teatro*, 36)

îambu (ou **inambu** ou **nambu** ou **nhambu**) (s.) – INHAMBU, INAMBU, NAMBU, NHAMBU, INAMU, LAMBU, designação comum a aves tinamiformes da família dos tinamídeos. Duas de suas espécies menores são o NHAMBUXORORÓ e o NHAMBUXINTÃ (Marcgrave, *Hist. Nat. Bras.*, 192)

NOTA – Daí provém o nome da canção XITÃOZINHO e XORORÓ (v. xororõ), dos compositores Serrinha e Athos Campos (do ano de 1939):
Eu não troco o meu ranchinho / Amarradinho de cipó / Por uma casa na cidade / Nem que seja bangalô / Eu moro lá no deserto / Sem vizinho, eu vivo só / Só me alegra quando pia / Lá prá aqueles cafundó / É o INHAMBUXITÃ e o XORORÓ.
Em Montoya (*Tesoro*, 175) vemos que, em guarani antigo, uma das variedades dessa ave era o *ynambûtimĩtã* (lit., inambu do bico avermelhado), que deve ser também a etimologia de INAMBUXINTÃ ou NHAMBUXINTÃ, forma corrompida que chegou até nós e não se encontra nos textos quinhentistas e seiscentistas.

îambugûasu (ou **inambugûasu**) (etim. – *inhambu grande*) (s.) – nome de uma ave da família dos tinamídeos (D'Abbeville, *Histoire*, 237)

îamby (ou **nhamby**) (s.) – NHAMBI, coentro-do-pará (v. **nhamby**)

îamuru (ou **iîamuru**) (adv.) – ainda bem que...! bem feito que...! (Fig., *Arte*, 136); bem feito! (diz o que goza com o desastre de outrem) (Fig., *Arte*, 147). Leva o verbo para o gerúndio: *Iîamuru senonhana!* – Ainda bem que o faz correr consigo! (Anch., *Teatro*, 166, 2006)

îandaîa (s.) – JANDAIA, o mesmo que **îendaîa** (v.) (Soares, *Coisas Not. Bras.* (ms. C), 1286-1288)

NOTA – O nome de tal ave aparece no introito do romance *Iracema*, de José de Alencar: "*Verdes mares bravios de minha terra natal, onde canta a JANDAIA nas frondes da carnaúba...*"

îandaîeté

îandaîeté (etim. - *jandaia verdadeira*) - o mesmo que **îendaîa** (v.) (Soares, *Coisas Not. Bras.* (ms. C), 1286-1288)

îandaîuba (etim. - *jandaia amarela*) (s.) - ave da família dos psitacídeos (Soares, *Coisas Not. Bras.* (ms. C), 1286-1288)

îandaîusu (etim. - *jandaia grande*) (s.) - **JANDAIA, NHANDAIA**, nome comum a certas aves da família dos psitacídeos (D'Abbeville, *Histoire*, 233v)

îandé - **1)** (pron. pess. da 1ª p. do pl. Inclui a pessoa com quem se fala) - **a)** (pron. sujeito) - nós (Anch., *Arte*, 11): ... *îandé ma'enduaramo...* - lembrando nós (Ar., *Cat.*, 5v); **b)** (pron. objeto) - nos, nós: *Îandé repîaka our!* - Veio para nos ver! (Léry, *Histoire*, 341); *Îandé moingobé...* - Fez-nos viver. (Anch., *Poemas*, 108); ... *Îandé ri oîese'a.* - Uniu-se a nós. (Anch., *Poemas*, 160); *Îandé moetébo apŷ aba nhemosaraî.* - Para nos honrar os índios fazem festa. (Anch., *Teatro*, 24); **2)** (possessivo da 1ª p. do pl. incl.) - nosso (s, a, as): *îandé karaibebé* - nosso anjo da guarda (Valente, *Cantigas*, V, in Ar., *Cat.*, 1618); *îandé rubeté* - nosso pai verdadeiro (Anch., *Poemas*, 90)

îandébe (pron. pess. dat. de 1ª p. do pl. incl.) - **1)** para nós, a nós (Fig., *Arte*, 6): ... *Kó 'ara oîme'eng îandébe...* - Este dia deu para nós. (Ar., *Cat.*, 8v); **2)** junto de nós: *T'i rekó-katu îandébe.* - Tratemo-los bem, junto de nós. (Léry, *Histoire*, 355); **3)** por nós, para nosso bem: *Té, oîoakypûereká... îandébe.* - Ah, esquadrinham todos os lugares por nós. (Léry, *Histoire*, 355)

îandébo (pron. pess. dat. de 1ª p. do pl. incl.) - **1)** para nós, a nós: ... *O'a îandébo kori.* - Nasceu para nós hoje. (Anch., *Poemas*, 94); *I nhyrõngatu-potá îandébo...* - Quer perdoar muito a nós. (Anch., *Poemas*, 160); ... *T'oîme'eng kori îandébo o memby-porangeté.* - Que dê hoje a nós seu filho muito belo. (Anch., *Poemas*, 182)

îandu¹ (ou **nhandu**) (adv.) - como de costume; como antes: ... *Saraûaîa rur'iré, îamombá taba îandune.* - Após vir Sarauaia, destruiremos a aldeia, como de costume. (Anch., *Teatro*, 24); ... *Oroapy kori, îandu!* - Queimo-te hoje, como de costume! (Anch., *Teatro*, 44); *T'ereîuká-ukar benhẽ é serã nhandu endébe kó xe papera rerasoara?* - Hás de mandar matar novamente, como antes, o que leva esta carta a ti? (Camarões, *Cartas*, 4 de outubro de 1645); *Xe mokõ kori, îandune.* - Engolir-me-á hoje, como de costume. (Anch., *Teatro*, 62)

îandu² (s.) - **NHANDU**, ema, ave da família dos reídeos, muito grande, que corre velozmente e anda habitualmente em bandos (D'Abbeville, *Histoire*, 242)

îandûaba (etim. - *penas de nhandu*) (s.) - **ENDUAPE**, penacho utilizado pelos índios tupis nas nádegas, que era pendurado na cintura (D'Abbeville, *Histoire*, XLVI)

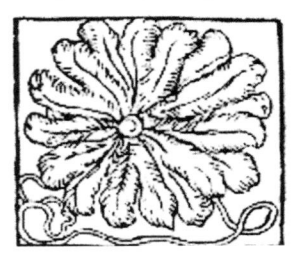

ENDUAPE (fonte: Staden)

îandy - o mesmo que **nhandy** (v.)

îandyparana (etim. - *falso jenipapo*) (s.) - nome de uma planta (*Theat. Rer. Nat. Bras.*, II, 110)

îandyroba (etim. - *óleo amargo*) (s.) - **NHANDIROBA**, trepadeira ou erva prostrada, da família das cucurbitáceas (*Fevillea trilobata* L.), também chamada **ANDIROBA, ANDIROVA, NHANDIROVA, JANDIROBA, JENDIROBA**, *cipó-de-jabutá* etc. De seu fruto preparavam os indígenas um óleo para a iluminação. (Marcgrave, *Hist. Nat. Bras.*, 46)

iang (dem. adj.) - este (s, a, as); esse (s, a, as) (VLB, II, 15): *Iang nde angaîpaba kuapa, anhandub Anhanga ratápe nde só potara...* - Conhecendo esses teus pecados, sinto que tu queres ir para o fogo do diabo. (Ar., *Cat.*, 112)

ianga (dem. pron.) - **1)** este (s, a, as); esse (s, a, as), isto, isso: *Irõ ianga Pa'i Tupã îandé rekomonhangaba...* - Portanto, esses são os mandamentos do Senhor Deus a nós. (Ar., *Cat.*, 110); *Ianga Pa'i Tupã n'oîpotari...* - Isso o Senhor Deus não quer. (Ar., *Cat.*, 102v); *Ta pesykyîé ianga suí...* - Que tenhais medo disso. (Ar., *Cat.*, 165v); **2)** (adv.) aqui: *Asẽ esapy'a temõ ianga suí mã!* - Oxalá eu saísse logo daqui! (Ar., *Cat.*, 164v)

îangerekó – o mesmo que **nheangerekó** (v.)

iangyba'e (dem. pron.) – este (s, a, as); isto (*VLB*, II, 15)

iangyme (adv.) – por isso (*VLB*, II, 82)

îanhõte (adv.) – com moderação, temperadamente, prudentemente: *Nde îanhõte mba'e e'u.* – Come moderadamente. (*VLB*, II, 125)

îaniparandyba – o mesmo que **îaparandyba** (v.) (Piso, *De Med. Bras.*, IV, 203)

îanondé – **1)** (posp.) – antes de (expressando tempo anterior a algo que se realizará depois, necessariamente): *Xe îebyr-y îanondé.* – Antes de minha volta. (Fig., *Arte*, 158); ... *Oporaseî pysaré, oîemopaîeangaípa, tatápe o só îanondé.* – Dançaram a noite toda, fazendo feitiçarias, antes de irem para o inferno. (Anch., *Teatro*, 14); *Abá rokype erekûâ, tá, nhemim-y îanondé?* – Na casa de quem passaste, tomando-as [isto é, as coisas roubadas], antes de te esconderes? (Anch., *Teatro*, 44); *Marã e'ipe asé o ké îanondé...?* – Como diz a gente antes de dormir? (Ar., *Cat.*, 24v); *Xe angaturam ybakype xe só îanondé.* – Eu fui bom antes de ir para o céu. (Anch., *Arte*, 45); **2)** (adv.) antes (comparação): ... *Ybakype i pyri o só îanondé Anhanga ratápe o só suí.* – Antes sua ida para junto dele no céu que sua ida para o inferno. (Ar., *Cat.*, 110)

îanungara (s.) – o semelhante a (*VLB*, II, 123) (v. tb. **nungara**)

îanypaba (s.) – **1)** JENIPAPO, JENIPAPEIRO, árvore da família das rubiáceas (*Genipa americana* L.), de grande altura e muito grossa, que aparece em todo o Brasil; **2)** JENIPAPO, o fruto dessa árvore, cujo suco era usado por certos indígenas para escurecer a pele, e do qual se faz um licor muito popular no Norte e Nordeste do Brasil (Marcgrave, *Hist. Nat. Bras.*, 92; Piso, *De Med. Bras.*, IV, 183-184; Staden, *Viagem*, 175). "Desta fruta se faz tinta preta; quando se tira é branca e, em untando-se com ela, não tinge logo, mas daí a algumas horas fica uma pessoa tão preta como azeviche." (Cardim, *Trat. Terra e Gente do Brasil*, 43)

NOTA – Daí, **JENIPAVAÍ** (nome de localidade da BA) (v. Rel. Top. e Antrop. no final).
No P.B., **JENIPAPO** pode ser, também, *mancha escura na parte inferior da região dorsal das crianças, tida como sinal de mestiçagem* (in *Dicion. Caldas Aulete*).

îanypaba'yba (etim. – *pé de jenipapo*) – o mesmo que **îanypaba** (v.)

îanypagûera (s.) – tintura de jenipapo (por contato com alguém já tingido); (adj.: **îanypagûer**) – tingido de jenipapo (por encostar em alguém já tingido): *Xe îanypagûer.* – Eu estou tingido de jenipapo. (*VLB*, II, 128)

îanypapyxuna (etim. – *pretejamento de jenipapo*) (s.) – tingimento com jenipapo; (adj.: **îanypapyxun**) – tingido de jenipapo • i **îanypapyxunyba'e** – o que está tingido de jenipapo (*VLB*, II, 128)

Îanypa'yba (etim. – *pé de jenipapo*) (s. antrop.) – nome de índio tupi (D'Abbeville, *Histoire*, 186v)

îaó (s.) – var. de chaga incurável; (adj.) – chagado; **(xe)** ter chagas: *Xe îá-xe îaó.* – Eu estou chagado, eu tenho muitas chagas. (*VLB*, I, 71)

îa'ok (v. intr.) – **1)** apartar-se, separar-se (p.ex., os caminhantes etc.): *Oroîa'ok oré îosuí.* – Separamo-nos uns dos outros. (*VLB*, I, 38); *Aîa'ok.* – Aparto-me. (Fig., *Arte*, 102); **2)** distinguir-se: ... *A'e anhẽ mosapyr pessoaamo i îa'oki...* – Eles, na verdade, em três pessoas se distinguem. (Anch., *Doutr. Cristã*, I, 134)

îa'oka (s.) – separação: *Sasy asé 'anga asé reté suí i îa'oka...* – Dói a separação de nossa alma de nosso corpo. (Ar., *Cat.*, 156)

îapakani (s.) – JAPACANIM, ave da família dos mimídeos (Marcgrave, *Hist. Nat. Bras.*, 212)

îaparana (s.) – var. de cobra não peçonhenta e que não morde (Gândavo, *Trat. Prov. Brasil*, 1274-1277)

îaparandyba (s.) – JAPARANDUBA, árvore lecitidácea (*Gustavia hexapetala* (Aubl.) Sm.), também conhecida como **JANIPARINDIBA**, **JANIPARANDIBA**, **JANIPARANDUBA** ou **JAPOARANDIBA**, e cujas raízes têm usos medicinais (Marcgrave, *Hist. Nat. Bras.*, 109)

îaperasaba (s.) – JAPERAÇABA, espécie de palmeira (*Attalea funifera* Mart.) (Sousa, *Trat. Descr.*, 190)

îapika'i (s.) – JAPICAÍ, var. de barbasco, planta cujo veneno entorpece ou mata os peixes, usado pelos índios em suas pescarias; espécie

îapĩ
de timbó (Marcgrave, *Hist. Nat. Bras.*, 272; *VLB*, I, 51)

îapĩ - **JAPIM, JAPI**, nome de um pássaro icterídeo (v. **îapĩûasu¹**)

NOTA - Daí provém o nome geográfico SERRA DO JAPI (SP) (v. Rel. Top. e Antrop. no final).

îapĩûasu¹ (etim. - *japim grande*) (s.) - var. de JAPIM, pássaro da família dos icterídeos. "Passarinho grande, mosqueado de várias cores." (D'Abbeville, *Histoire*, 183)

Îapĩûasu² (etim. - *japim grande*) (s. antrop.) - nome de índio tupi (D'Evreux, *Viagem*, 88)

Îapĩ'yba (etim. - *planta do japim*) (s. antrop.) - nome de índio tupi (D'Abbeville, *Histoire*, 188v)

îapu (s.) - **JAPU**, pássaro da família dos icterídeos (D'Abbeville, *Histoire*, 237v; Cardim, *Trat. Terra e Gente do Brasil*, 35)

îapugûasu (etim. - *japu grande*) (s.) - **JAPUAÇU, JAPUGUAÇU, JAPU**-GRANDE, nome de pássaro icterídeo • **îapugûasu-kesaba** - lugar em que dormem os japuguaçus, também antigo nome da Ilha de Santana, da costa leste do Brasil (*VLB*, II, 10)

îapu'i (s.) - nome de uma ave do tamanho de uma gralha (*Libri Princ.*, vol. I, 80)

îapuîuba (etim. - *japu amarelo*) (s.) - **JAPUJUBA**, nome de ave da família dos icterídeos; o mesmo que **îupuîuba** (v.) (*Theat. Rer. Nat. Bras.*, I, 138)

îapurusá (s.) - nome comum a certos insetos miriápodes (Marcgrave, *Hist. Nat. Bras.*, 253)

îapuruterẽ (s.) - var. de porco selvagem grande e feroz (*VLB*, II, 82)

îapyrytá (s.) - cumeeira (Léry, *Histoire*, 359)

îapysaká - v. îeapysaká

îar¹ / **ar(a)** (t, t) (v. tr. irreg.) - **1)** prender, apanhar, tomar, catar, pegar: ... *tapuîa rara...* - prender tapuias (Anch., *Teatro*, 8); *Abá rokype erekûá tá, nhemim-y îanondé?* - Na casa de quem passaste tomando-as, antes de te esconderes? (Anch., *Teatro*, 44); *Eîá-te xe rubixaba!* - Mas apanha, antes, meu chefe! (Anch., *Teatro*, 76); *Nd'ogûar-ukarype Îudeus a'e cruz abá supé...?* - E os judeus a um homem não mandaram tomar aquela cruz? (Ar., *Cat.*, 61v); **2)** tomar, ingerir (bebida ou comida): *Xe potaba kaûĩ rá.* - O que me cabe é tomar cauim. (Anch., *Teatro*, 22); **3)** receber; aceitar: *Aîar itaîuba (abá) suí.* - Aceitei dinheiro do homem. (*VLB*, I, 19, adapt.); *Ahẽ xe re'õ-motareme, aîpotá-katu,... îasuka rara roîré.* - Se ele quiser matar-me, bem o desejo, após receber o batismo. (D'Abbeville, *Histoire*, 351v); *Sygépe o eterama Tupã tari...* - Em seu ventre Deus recebeu seu próprio corpo. (Anch., *Poemas*, 88); ... *O boîâramo pe rari.* - Como seus discípulos receberam-vos. (Anch., *Teatro*, 54); **4)** acatar, assumir: *Aûîé, kó teminõ nd'ogûari Tupã rekó...* - Enfim, esses teminõs não acatam a lei de Deus... (Anch., *Teatro*, 20); ... *N'aîari kó sekó-angaturama...* - Não acato essa sua boa lei. (Ar., *Cat.*, 25v); **5)** tirar (o fogo, com pederneira, com fuzil): *Eresaûsubarype i mba'easyreme, satá-á...* - Tu te compadeceste deles quando eles estavam doentes, tirando-lhes fogo? (Anch., *Doutr. Cristã*, II, 86); **6)** tomar as feições de, os traços de, sair a: *Og uba ahẽ ogûar.* - Ele tomou os traços de seu pai; *Og uba resá ahẽ ogûar.* - Ele tomou os traços dos olhos de seu pai. (*VLB*, II, 131); **7)** colher (o que se semeou no chão. Para *colher frutas*, v. **po'o**) (*VLB*, I, 77); **8)** resgatar (*VLB*, II, 102); **9)** guardar, observar, praticar: *Aîá pá îekuakuba.* - Pratiquei todos os jejuns. (Anch., *Teatro*, 172) • **ogûaryba'e** - o que toma, o que apanha, o que recebe etc.: ... *Îekuakubusu îabi'õ Tupã ogûare'ymba'e.* - O que não recebe a Deus (isto é, não comunga) a cada Quaresma. (Ar., *Cat.*, 76v); **asara** (t, t) - o que toma, o que pega, o que recebe: ... *I poxyba'e tasara te'õ ogûar o îoupé...* - Os que são maus, que o tomam, recebem a morte em si. (Valente, *Cantigas*, VIII, in Ar., *Cat.*, 1686); ... *semiîukapûera rasara* - o que apanha o que ele matou (Ar., *Cat.*, 73); **emiîara** (ou **embiîara**) (t, t) - o que alguém apanha, toma, pega etc.: *xe remiîara* - o que eu tomo (Anch., *Arte*, 58v); *Ogûemimbo'e pyri o karuápe, miapé o pópe gûemiîara i moîebyû...* - Ao comer junto dos seus discípulos, o pão que apanhou em suas mãos devolveu-o. (Ar., *Cat.*, 5); **tarypyra** - o que é (ou deve ser) tomado, pego etc.: ... *Abá remimotara rupi tarypyrama é amoaé mokõî.* - Aqueles outros dois deverão ser tomados segundo a vontade das pessoas. (Anch., *Doutr. Cristã*, I, 223); **asaba** (ou **araba**) (t, t) - tempo, lugar, modo etc. de pegar, de receber, de tomar; tomada, recepção: *E'ikatupe asé aîpoba'e rasápe ogûe-*

ra rekobîarõmo? – Pode a gente trocar seu próprio nome ao receber aquele? (Ar., *Cat.*, 83v)

NOTA – Daí provêm, no P.B., **BURARA** (*mby* + *rara*, "prende-pés"), 1) emaranhado produzido pelos ramos caídos no meio da mata, ou árvore tombada que dificulta o trânsito; 2) pequena fazenda ou roça de cacaueiros; 3) lamaçal no interior das plantações de cacau; **COIVARA** (*kó* + *'yb* + *ara*, "cata-paus de roça"), 1) *restos ou pilha de ramagens não atingidas pela queimada, na roça à qual se deitou fogo, e que se juntam para serem incineradas a fim de limpar o terreno e adubá-lo com as cinzas, para uma lavoura*; 2) *técnica indígena de manuseio da terra, que consiste em queimar restos de troncos, galhos de árvores e mato para preparar a terra para a lavoura, limpando-a*; 3) (MA) *galhadas e troncos de árvores derrubados pelas cheias e que descem rio abaixo* (in *Novo Dicion. Aurélio*).

îar² (v. intr.) – 1) aderir, estar pegado; pegar-se (como a cera a alguma coisa): *Oîaratã serã i aoba... i moperé-perebagûera resé?* – Pegou-se fortemente sua roupa às suas chagas? (Ar., *Cat.*, 62); *Aîar.* – Estou pegado. (Fig., *Arte*, 102); 2) encalhar (p.ex., o navio, no baixio ou na terra) (*VLB*, I, 113): *T'îaîar.* – Encalhemos. (*VLB*, I, 113); 3) soldar-se, pregar-se, atar-se (*VLB*, II, 120)

îara (s.) – 1) senhor, senhora; o que preside, o que domina: *Tupã sy, kó tabyîara, na pemoembiá-potari...* – A mãe de Deus, senhora desta aldeia, não queirais apresá-la. (Anch., *Teatro*, 180); *Irõ, xe ratãngatu, anhanga maranyîara...* – Como vês, eu sou muito forte, um diabo que domina as guerras. (Anch., *Teatro*, 142); *Nde irũnamo Îandé Îara rekóû.* – Contigo Nosso Senhor está. (Ar., *Cat.*, 4); 2) o dono, o que tem, o que segura, o que tem o dom de, o detentor, o que porta, o portador: *ogûer-y îara* – o que tem seu próprio nome (Ar., *Cat.*, 23v); *... Marane'ymyîaramo sekó mo'anga'upa.* – Pensando falsamente que ele é o que tem a saúde. (Ar., *Cat.*, 66v); *Aîpó abá ma'e îara îandébe.* – Esses homens são os que portam riquezas para nós. (Léry, *Histoire*, 354); *mosanga moeîrabyîara* – remédio portador de cura (Anch., *Teatro*, 38)

NOTA – Daí, os nomes próprios de pessoa **UBIRAJARA**, **IARA** etc. Daí, também, o nome geográfico **NHANDEARA** (SP) (v. Rel. Top. e Antrop. no final).

'îara – v. **'i** / **'é¹**

îarakatîá (s.) – JARACATIÁ, nome comum a várias plantas da família das caricáceas, como, por exemplo, a espécie *Jaracatiá spinosa* (Aubl.) A. DC., árvore muito larga na parte superior, que produz um suco cáustico usado como vermífugo, de frutos pequenos e sem préstimo, conhecida também como *mamoeiro-do-mato* (D'Abbeville, *Histoire*, 218v; Marcgrave, *Hist. Nat. Bras.*, 128-129)

îaramakaru – o mesmo que **îamakaru** (v.) (D'Abbeville, *Histoire*, 228)

îaramẽ (conj.) – como se: *... Mutu'u resé Tupã îekosu-berame'ĩ Tupã kane'õ mba'e tetiruã monhanga îaramẽ.* – Deus parece obter descanso, como se fazer quaisquer coisas fosse cansaço de Deus. (Ar., *Cat.*, 11v); *A'epe xe só îaramẽ...* – Como se eu fosse lá... (*VLB*, I, 78)

îarameté (conj.) – como se: *Xe só îarameté...* – Como se eu fosse... (Anch., *Arte*, 26)

îararagûaîpytanga (etim. – *jararaca do rabo pardo*) (s.) – espécie de cobra da família dos crotalídeos (Cardim, *Trat. Terra e Gente do Brasil*, 32)

îararaka (s.) – JARARACA, designação comum a vários répteis ofídios da família dos crotalídeos, gênero *Bothrops* Wagl., dentre os quais a espécie *Bothrops jararaca* (Cardim, *Trat. Terra e Gente do Brasil*, 32; *VLB*, I, 76; Knivet, *The Adm. Adv.*, 1211)

îararakapeba (ou **îararakopeba**) (s.) – JARACAMBEVA, nome de cobra peçonhenta (Soares, *Coisas Not. Bras.* (ms. C), 1231-1232)

îararakopeba – nome de uma serpente, o mesmo que **îararakapeba** (Cardim, *Trat. Terra e Gente do Brasil*, 32)

îararakusu (etim. – *jararaca grande*) (s.) – JARARACUÇU, réptil ofídio da família dos crotalídeos (Cardim, *Trat. Terra e Gente do Brasil*, 32)

îaratakaka (s.) – JARITACACA (v. **îa'urekaka**) (Brandão, *Diálogos*, 253)

îarati'i (s.) – nome de uma ave (*VLB*, II, 76)

îaratitá (s.) – nome genérico de insetos e vermes comestíveis que nascem dentro de troncos de palmeira (*VLB*, I, 55)

îara'ybá (s.) – JERIVÁ, JERIBÁ, JERIBAZEIRO, espécie de palmeira (*Syagrus romanzo-*

îareré¹

ffiana (Cham.) Glassman), comum no litoral brasileiro (*VLB*, II, 63; 124)

> NOTA – Daí provém o nome geográfico **JURUBATUBA** (SP) (v. Rel. Top. e Antrop. no final).

JERIVÁ (foto de E. Navarro)

îareré¹ (s.) – nome de uma planta (*Theat. Rer. Nat. Bras.*, II, 201)

îareré² (s.) – **JERERÉ, JARERÉ,** landuá, rede de fole com que se pescavam os camarões grandes (*VLB*, II, 99)

> NOTA – Esse termo aparece na letra da famosa canção de Joubert de Carvalho e Olegário Mariano:
> *Não quero outra vida, pescando no rio de JERERÉ, / Lá tem peixe "bão", tem siri-patola que dá com o pé.*

îaritataka (s.) – **JARITACACA**, o mesmo que **îa'urekaka** (v.) (Cardim, *Trat. Terra e Gente do Brasil*, 30)

îarok (ou **îearok**) (v. tr.) – consumir-se, gastar-se, acabar-se (uma quantidade de algo): ... *I îaroketé rupibé amoaé sapixara rerasóbono.* – Levando uma outra semelhante a ela tão logo se consuma muito. (Ar., *Cat.*, 353, 1686)

îaruma'i (s.) – verme gordo e esbranquiçado que vive nos troncos medulosos das palmeiras silvestres (Piso, *De Med. Bras.*, II, 160)

îarumũ (ou **îurumũ**) (s.) – **JERIMUM, JERIMU,** abóbora, planta cucurbitácea de fruto redondo e grosso, casca delicada e polpa amarela (*Cucurbita maxima* Duchesne) (D'Abbeville, *Histoire*, 52v)

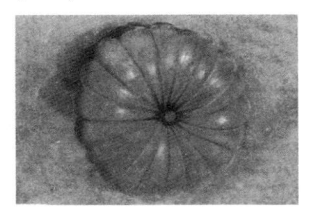

JERIMUM (fonte: *Brasil Holandês*)

îaruparikuraba (etim. – *escárnio do Jurupari*) (s.) – nome de uma planta (*Theat. Rer. Nat. Bras.*, II, 190)

îarybobõ (ou **nharybobõ**) (s.) – ponte: *Îarybobõ omonguî...* – A ponte derrubam. (Anch., *Poemas*, 154); *Anharybobõ-rung.* – Coloquei uma ponte, fiz uma ponte. (*VLB*, II, 81)

îasanã (s.) – **JAÇANÃ, NHAÇANÃ, NHANÇANÃ, NHANJAÇANÃ,** ave pernalta caradriiforme da família dos jacanídeos, frequente nos brejos e lagoas (Marcgrave, *Hist. Nat. Bras.*, 190; Sousa, *Trat. Descr.*, 236)

> NOTA – Daí, provém o nome do bairro paulistano de **JAÇANÃ** (v. Rel. Top. e Antrop. no final).

îasanãgûasu (ou **îasanãûasu**) (etim. – *jaçanã grande*) (s.) – nome aplicado a várias aves aquáticas distintas (Piso, *De Med. Bras.*, 154; Griebe, *Brasil Holandês*, vol. III, 79)

îasanãmirĩ (etim. – *jaçanã pequeno*) (s.) – nome de uma ave (Piso, *De Med. Bras.*, 154)

îasapé (s.) – **SAPÉ**, nome de uma planta gramínea (*Imperata brasiliensis* L.) (Marcgrave, *Hist. Nat. Bras.*, 2)

îasatina (s.) – nome de um inseto voador (*VLB*, I, 55)

îasear (xe) (v. da 2ª classe) – unir-se: *I îasear apŷabaíba...* – Uniram-se os homens maus. (Anch., *Teatro*, 54)

îasekó (v. intr.) – estar dependurado: *Aîasekó.* – Estou dependurado. (*VLB*, I, 94)

îase'o¹ (s.) – choro; pranto: *Îase'o porarasápe, kunumĩ-poranga ruî.* – Suportando o choro, o menino belo está deitado. (Anch., *Poemas*, 164) • **îase'o monhang** – produzir choro, chorar: *Ipuku erimba'e îandé rubypy rekóû îase'o monhanga...* – Longamente estava nosso pai primeiro chorando. (Ar., *Cat.*, 84); *Nd'e'i te'e îase'o anhõ monhanga i mombyke'ymane...* – Por isso mesmo será só chorar sem parar. (Ar., *Cat.*, 163); **îase'o erekó** – ficar em pranto, ter pranto: *Aîase'o-rekó.* – Fiquei em pranto. (*VLB*, I, 73); *Abá... o a'yra... re'õneme oîase'o-erekó-puku...* – O homem, ao morrer um filho seu, fica longamente em pranto. (Ar., *Cat.*, 156)

îase'o² (v. intr.) – 1) chorar: *Ereîase'o îepi.* – Choravas sempre. (Anch., *Poemas*, 96);

Osem okarype, oîase'o-asy-katûabo. – Saiu para o pátio, chorando muito dolorosamente. (Ar., *Cat.*, 57v); *Ta sasẽ, oîasegûabo!* – Que eles gritem, chorando! (Anch., *Teatro*, 56); *T'oroîase'o memẽ...* – Choremos sempre. (Anch., *Teatro*, 122); **2)** ganir (o cão) (*VLB*, I, 146) • *oîase'oba'e* – o que chora: *Tekokatueté rerekoara oîase'oba'e.* – Os que têm a bem-aventurança são os que choram. (Ar., *Cat.*, 19); **îasegûaba** – tempo, lugar, modo etc. de chorar: *... ikó ybytygûaîa îasegûaba pupé* – neste vale, lugar de chorar (Ar., *Cat.*, 14v)

îase'opapara (s.) – lástima, o que se diz quando se chora (*VLB*, I, 74)

îase'opapasaba – lástima (*VLB*, I, 74)

îase'opyoú (s.) – rouquidão; (adj.) – rouco: *Xe îase'opyoú.* – Eu estou rouco. (*VLB*, I, 117)

îase'opytym (v. tr.) – engasgar: *Xe îase'opytym xe remi'u.* – Engasgou-me minha comida. (*VLB*, I, 116)

îasûâ (conj.) – como, como se, como que: *I xupé îasûâ oîeí eresapuká-pukaî.* – Como que para ele ficaste gritando hoje. (Anch., *Teatro*, 140)

îasûara (s.) – o semelhante, o que é parecido, o sósia: *Pe'ĩ pe îara momburu îasûara suí...* – Eia, para não serdes semelhantes a uma maldição a vosso senhor. (Ar., *Cat.*, 85v); *... Mba'epe ké kanindé-oby îasûara?* – Que há aqui semelhante a um canindé azul? (Anch., *Teatro*, 62); (adj.: **îasûar** ou **îasûá**) – parecido com; semelhante a, como, como que; (xe) parecer: *... I mongaraibypyretá oîepegûasu îasûá...* – Os cristãos como uma unidade. (Ar., *Cat.*, 49v); *Îasûareté mã!* – Ah, bem parece! (*VLB*, II, 65); (adv.) – aparentemente, na aparência, parece que: *Osó îasûar.* – Aparentemente ele foi; parece que ele foi. (*VLB*, II, 65); *A'e îasûar.* – Parece que é ele. (*VLB*, II, 65)

îasûaramo (conj.) – como, como se, como que (às vezes com as partículas **n'aé** ou **n'aémo**): *Oîoasykûera ri îasûaramo oîoerekóbo.* – Tratando-se uns aos outros como que numa fraternidade. (Ar., *Cat.*, 127v); *Xe só îasûaramo n'aé...* – Como se eu fosse... (Anch., *Arte*, 26); *Xe 'é îasûaramo n'aé...* – Como se eu dissesse... (*VLB*, II, 15)

îasuk (v. intr.) – lavar-se; batizar-se: *Aîasuk.* – Lavo-me. (Fig., *Arte*, 102) • *oîasukyba'e* – o que se batiza (*VLB*, I, 53); **i moîasukypyra** – o batizado; o cristão; **moîasukaba** – tempo, lugar, modo etc. de se lavar, de se batizar (*VLB*, II, 76)

îasuka (s.) – batismo: *Xe ryke'yr, ereîeruré îasuka ri.* – Meu irmão, pedes pelo batismo. (D'Abbeville, *Histoire*, 350)

îasy[1] (s.) – **1)** lua: *... o supa îasy rureme* – ao vir a lua para visitá-la (Ar., *Cat.*, 75v-76); *Îasy mba'e îa'u.* (ou *Mba'e îasy o'u.*) – Algo comeu a lua (isto é, a lua eclipsou-se). (*VLB*, I, 108); *Î aysó, nipó, îasy...* – É formosa, certamente, a lua. (Anch., *Poemas*, 142); **2)** mês: *Marãetéĩ ra'umope amõ Anhanga ratá pora rekóû ikó 'ara pupé oîepé îasy Tupã ebanoĩ suí... o moingobéremoemo?...* – Como será que um habitante do inferno viveria neste mundo se Deus o fizesse viver fora dali um mês? (Ar., *Cat.*, 156v); *mokõi îasy* – por dois meses [lit., duas luas] (*VLB*, II, 36) • **îasy-angaîbara** – lua minguante (*VLB*, II, 25); **îasy-obagûasu** – lua cheia (*VLB*, II, 25); **îasy-semamo** – lua nova (*VLB*, II, 25)

NOTA – Daí, **JACIRA** (nome de mulher), **JACIRENDI** (localidade de SP) etc. (v. Rel. Top. e Antrop. no final).

îasy[2] (s.) – **JACI**, espécie de palmeira amazônica (*Scheelea wallisii*) (Sousa, *Trat. Descr.*, 217; 299)

îasy[3] (s.) – estrela-do-mar, nome vulgar dos equinodermos marinhos, da ordem dos asteroides (Sousa, *Trat. Descr.*, 294)

îasya'yra (etim. – *filho da lua*) (s.) – nome de um escorpião (Marcgrave, *Hist. Nat. Bras.*, 245)

îasyendy (etim. – *luz da lua*) – luar (*VLB*, II, 25)

îasytatá[1] (etim. – *lua de fogo*) (s.) – estrela: *Îasytatá serekoarama resé...* – Por causa da estrela sua guardiã. (Ar., *Cat.*, 3); *... A'ereme îasytatá o apakuîamo.* – Então as estrelas cairão completamente. (Ar., *Cat.*, 159v)

îasytatá[2] (etim. – *lua de fogo*) (s.) – estrela-do-mar (*Libri Princ.*, vol. I, 120)

îasytatagûasu[1] (etim. – *estrela grande*) (s.) – estrela-do-mar, nome genérico de animais equinodermos achatados em forma de estrela ou pentágono, com muitos braços, pés ambulacrários e boca na face inferior do corpo (*Theat. Rer. Nat. Bras.*, I, 29; 30)

îasytatagûasu[2] (etim. – *estrela grande*) (s. astron.) – estrela-d'alva (Léry, *Histoire*, 359)

îataboka

îataboka (s.) – TABOCA, nome comum de bambus da família das gramíneas, de colmo muito alto e grosso (Marcgrave, *Hist. Nat. Bras.*, 3)

> NOTA – TABOCA, no P.B., além do significado já apresentado, também designa: 1) recipiente feito com o colmo da taboca: "... *Destilam aquelas árvores este licor que o gentilismo domado aproveita espremendo aquele algodão em TABOCAS grossas e ocas.*" (Caetano da Costa Matoso, *Descrição do Bispado do Maranhão*, p. 1749, 933); 2) instrumento de sopro, feito com taboca: "... *Então sopram fortemente, e costumam persuadir aos outros que bebam e dancem ao horrendo som de uma TABOCA e tambor.*" (D. Fr. João de S. José, *Viagem e Visita do Sertão em o Bispado do Grão Pará em 1762 e 1763*, 1762, 368). Daí, **TABOCAS** (nome de localidade da BA) (v. Rel. Top. e Antrop. no final).

TABOCA (fonte: Marcgrave)

îatapy (v. intr.) – fazer fogo (para si): *Aîatapy.* – Fiz fogo. (*VLB*, I, 140)

îatapygûasu (v. intr.) – fazer fogueira: *Aîatapygûasu.* – Fiz fogueira. (*VLB*, I, 140)

îata'uba – o mesmo que **îata'yba** (v.) (Brandão, *Diálogos*, 171)

îata'yba (s.) – JATAÍ, JATAÍBA, JUTAÍ, JATOBÁ, nome que designa várias espécies de árvores leguminosas-cesalpinoídeas do gênero *Hymenaea* L., entre as quais a espécie *Hymenaea courbaril* L., muito alta, de flores amarelas, que oferece vagens compridas e largas, onde há duas ou três nozes redondas e achatadas, contendo um caroço coberto de polpa comestível. É também chamada *árvore-copal*, **ITAÍBA, JAÇAÍ, JATIBÁ, JETAÍ, JATAÚVA**, *pão-de-ló-de-mico*. (D'Abbeville, *Histoire*, 225v; Brandão, *Diálogos*, 171; Marcgrave, *Hist. Nat. Bras.*, 101)

JATAÍ (fonte: Marcgrave)

îata'ymondé (s.) – nome de árvore da família das leguminosas-cesalpinoídeas, variedade de **JATAÍ** que produz madeira amarela, "... muito rija e doce de lavrar e incorruptível..." (Sousa, *Trat. Descr.*, 214)

îata'ypeba (etim. – *jataí achatado*) (s.) – JUTAIPEBA, planta da família das leguminosas-cesalpinoídeas; variedade de **JATAÍ** (Sousa, *Trat. Descr.*, 208)

îatebuka (s.) – JATECUBA, nome de um inseto (*VLB*, I, 67)

îatebusu (s.) – nome de um inseto (Marcgrave, *Hist. Nat. Bras.*, 245)

îate'i (s.) – JATAÍ, JATI, variedades de abelhas da família dos meliponídeos (*VLB*, I, 18)

îatiman – v. nhatiman

îatimung (v. intr.) – oscilar, balançar: *I ku'abok serã moxy oatimunga?* – Por acaso estava o maldito com a cintura fendida, balançando? (Ar., *Cat.*, 57v)

îatitá (s.) – var. de caracol (*VLB*, I, 66)

îatitagûasu (s.) – var. de caracol (*VLB*, I, 66)

îati'ũ (s.) – inseto culicídeo, encontrado geralmente à margem dos rios nas estações das chuvas (D'Abbeville, *Histoire*, 255v; Anch., *Arte*, 6v)

îatua'yba (s.) – JATUAÚBA, árvore pequena da família das meliáceas, do gênero *Guarea*, de madeira muito pesada. "... Dá umas frutas brancas, do tamanho e feição de azeitonas cordovesas." (Sousa, *Trat. Descr.*, 224)

iaty-iatyr (adv.) – aos montes (*VLB*, I, 34)

îatyká (v. intr.) – pregar-se, fincar-se (p.ex., o prego) (*VLB*, II, 84)

îatyrá (s.) – pelo de pano, felpa • **i îatyrá-tyraba'e** – o que é felpudo (*VLB*, I, 144)

îatyrãbebé (etim. – *felpas esvoaçantes*) (s.) – feixe de penas ou chocalhos pendentes do tacape com que se fazia o sacrifício ritual (*VLB*, I, 50; 65)

îatyrana (s.) – fios de algodão que se enrolavam no tacape (*VLB*, I, 50)

îa'u (s.) – JAÚ, peixe da família dos pimelodídeos, de grande tamanho, podendo pesar até 120 quilos, sendo um dos maiores peixes brasileiros (*VLB*, I, 50). "São de quatorze e quinze palmos e, às vezes, maiores e muito gordos e deles se faz manteiga." (Cardim, *Trat. Terra e Gente do Brasil*, 63)

NOTA – Daí, **JAÚ** (nome de município de SP) (v. Rel. Top. e Antrop. no final).

îaûara – v. îagûara

'ia'ub / 'ea'ub (etim. – *dizer na mente, dizer na imaginação*) (v. tr. irreg.) – supor: "*Osó ipó" a'ea'ub niã ixé.* – Suponho eu que ele tenha ido, de fato. (*VLB*, I, 87)

îaûeti (s.) – nome de um pássaro, var. de rola (Soares, *Coisas Not. Bras.* (ms. C), 1358-1361)

îa'urekaka (s.) – MARITACACA, *maritafede*, nome comum a várias espécies de pequenos mamíferos carnívoros da família dos mustelídeos, do gênero *Conepatus* (dos quais a mais comum é a *Conepatus semistriatus*), que exalam cheiro terrível que impregna tudo em seu redor. (Sousa, *Trat. Descr.*, 248). É também chamada JAGUACACACA, IRITATACA, MARATATACA JAGUARITACA, JARATATACA, JARITACACA, JERITATACA

îau'u (v. intr.) – alcançarem-se no leite materno (dois irmãos de idades diferentes) (*VLB*, I, 30)

îaxixá (s.) – **1)** GRUMIXAMA, também chamada **GUAMIXÁ**, **GUMIXÁ**, árvore mirtácea com flores amarelas (*Eugenia brasiliensis* Lam.); **2)** o fruto amarelo dessa árvore, o qual contém um pequeno caroço muito doce (D'Abbeville, *Histoire*, 224)

îaŷbyk – v. îeaŷbyk (Anch., *Teatro*, 66)

îe- (pref.) – **1)** (Forma que reflete o sujeito, formando a voz reflexiva em tupi. É usado em todas as pessoas gramaticais com verbos transitivos.) – me, te, se, nos, vos, a si mesmo, de si mesmo: *Aîemĩngatu-pe ká...* – Hei de me esconder bem. (Anch., *Teatro*, 32); *Eîepe'a!* – Afasta-te! (Anch., *Teatro*, 32); *Eîeapirõ!* – Lamenta-te! (Anch., *Teatro*, 42); *Gûiîembo'ebo.* – Ensinando eu a mim mesmo. *Eîembo'ebo.* – Ensinando tu a ti mesmo (Anch., *Arte*, 29); (pode ser usado redundantemente): *Tuba oîeubamo sekóû* (em vez de *o ubamo*). – Ele tem seu próprio pai. (Anch., *Arte*, 17); **2)** (forma apassivadora): *Aîemonhang.* – Sou feito. (Anch., *Arte*, 35); *Oîe'u.* – Come-se; é comido. (Anch., *Arte*, 35); *Aîeîuká-ukar.* – Faço-me matar. (Anch., *Arte*, 35)

îé¹ (part.) – ainda: *A'é îé gûixóbo.* – Ainda vou. (Fig., *Arte*, 161); *Eré îé mba'e gûabo.* – Ainda comes. (Fig., *Arte*, 161)

îé² (part.) – dizem que, diz-se que (*VLB*, I, 104): *Emonã îé abá rekóû rãe.* – Dizem que o homem fez assim antes. (Anch., *Doutr. Cristã*, II, 100)

îé³ (part.) – sim, está bem, de acordo, é isso aí: *Îé, aîpó xe moytarõ.* – Sim, esses me satisfazem. (Anch., *Teatro*, 60); – *Nde ranhẽ eporandub.* – *Îé. Marãpe nde retama rera?* – Tu primeiro pergunta. – De acordo. Qual é o nome de tua terra? (Léry, *Histoire*, 361); *Kó xe 'akusu, xe ranha... Îé, kó bé xe pûapẽ...* – Eis aqui meus chifrões, meus dentes... Sim, eis aqui também minhas garras... (Anch., *Teatro*, 42, 2006)

i'e [alomorfe de **e'i**, 3ª p. do indic. de **'i** / **'é** – *dizer* (v.)]: *Emonã i'e ra'e.* – Dizem que é assim. (*VLB*, I, 104)

îe'ab (ou **îab**) (v. intr.) – **1)** fender-se: *Oîe'ab oka.* – Fendeu-se a casa. (Fig., *Arte*, 145); **2)** quebrar-se (*VLB*, II, 101); **3)** torcer-se (a mão ou o pé) (*VLB*, II, 132); **4)** romper(-se) (p.ex., uma aliança): ... *Pe îe'ame, okanhem-etá 'ybama.* – Se vocês rompem, morrem muitos comandantes. (Camarões, *Cartas*, 19 de agosto de 1645)

îeabyky (v. intr.) – pentear-se: *Aîeabyky.* – Penteio-me. (*VLB*, II, 72)

îeaibok (v. intr.) – tirar o luto: *Aîeaibok.* – Tirei o luto. (*VLB*, I, 105)

îeaîtyîytyk (v. intr.) – arfar (p.ex., o navio) (*VLB*, I, 41)

îe'aîtyk (v. intr.) – acenar com a cabeça, chamando ou assentindo: ... *Ereîe'aîtykype kunhã*

îeaîtytyk

amõ supé? – Acenaste com a cabeça para alguma mulher? (Anch., *Doutr. Cristã*, II, 91)

îeaîtytyk (v. intr.) – lançar-se ao fundo a âncora, fundear (p.ex., o navio) (*VLB*, I, 144)

îeaîubyk (v. intr.) – enforcar-se: ... *O îara repypûera reîtyki Tupãokype aûîé osóbo oîeaîubyka...* – Jogou o pagamento por seu senhor no templo, indo finalmente enforcar-se. (Ar., *Cat.*, 57v)

îeakãmombysyk (v. intr.) – enastrar-se, amarrar os cabelos atrás, trançar os cabelos (*VLB*, I, 113)

îeakasó – v. **îakasó**

îeakypûereroîebyr (etim. – *fazer voltar consigo suas pegadas*) (v. intr.) – voltar para trás, recuar, retroceder: *Opá i îeakypûereroîebyri...* – Todos eles voltaram para trás. (Ar., *Cat.*, 54v)

îeamĩ (ou **nheamĩ**) (v. intr.) – espremer-se, apertar-se: *Ereîeamĩpe nde resé abá rekó riré nde memby-potare'ymamo?* – Espremeste-te após alguém fazer sexo contigo, não querendo filhos? (Ar., *Cat.*, 235, 1686)

îeangu – o mesmo que **nheangu** (v.)

îeaobok (v. intr.) – despojar-se (Marcgrave, *Hist. Nat. Bras.*, 277)

îeapapûar (v. intr.) – enroscar-se (p.ex., a cobra) (*VLB*, I, 117)

îeapar (v. intr.) – entortar-se, encolher-se (*VLB*, I, 114)

îeapara (s.) – entortadura, encolhimento; (adj.: **îeapar**) – entortado, encolhido: *Xe raŷîeapar.* – Eu tenho um nervo encolhido. (*VLB*, I, 114)

îeapasaba (etim. – *lugar de se entortar*) (s.) – articulação dos ossos (*VLB*, I, 116); junta, articulação dos membros (*VLB*, II, 16); curva (da perna, do joelho) (*VLB*, I, 88; Castilho, *Nomes*, 31)

îeapirõ (v. intr.) – lamentar-se: *Nde rasẽ, eîeapirõ!* – Grita tu, lamenta-te! (Anch., *Teatro*, 42)

îeapûapyk (v. intr.) – enovelar-se, enrolar-se, encolher-se (como o pano depois de molhado, como o que dorme ao frio etc.): *Aîeapûapyk.* – Encolho-me. (*VLB*, I, 114; 117)

îeapyk (v. intr.) – sentar-se: *Ereîeapyk kûepe kunhã amõ supé nde rakûãîekyîa?* – Sentaste-te por aí diante dalguma mulher, puxando teu pênis? (Anch., *Doutr. Cristã*, II, 92)

îeapyká¹ (s.) – **1)** descendente: ... *O emiminõ koîpó o emiarirõ amõ îeapyká resé nd'e'ikatuî abá omendá.* – Com um neto ou uma neta, com algum descendente não pode ninguém se casar. (Ar., *Cat.*, 128v); **2)** geração: ... *Oîoirundyk îeapyká sykápe...* – Ao transcorrerem quatro gerações. (Ar., *Cat.*, 129); **3)** cria (de animal): *gûeîmbaba îeapyká* – cria de seus animais (Ar., *Cat.*, 78)

îeapyká² (v. intr.) – reproduzir-se, procriar, multiplicarem-se (as pessoas, os animais), descender: *Aîeapyká.* – Reproduzi-me, procriei. (*VLB*, II, 44); *Onhemoangaîpabeté serã apŷaba... o îeapyká-eté roîré?* – Porventura fizeram-se muito maus os homens após se multiplicarem? (Ar., *Cat.*, 41) ● **îeapykaba'e** – o que se multiplica; o que descende: *N'osaûsubaripe Tupã amõ abá îeapykaba'erama resé...?* – Não se compadeceu Deus de alguém por causa dos que descenderiam (dele)? (Ar., *Cat.*, 41v); **îeapykaba** – tempo, lugar, modo, efeito etc. de se reproduzir, de procriar; a descendência: ... *A'e karaibypy îeapykaba... mondyka.* – Destruindo a descendência daquele primeiro homem branco. (Ar., *Cat.*, 155)

îeapysaká (v. intr. compl. posp.) – dar ouvidos, ouvir, dar atenção, cuidar; considerar [compl. com **esé** (r, s) ou **ri**]: *Tekorama ri îeapysaká.* – Dar atenção aos fatos futuros. (Ar., *Cat.*, 19v); *Eîeapysaká-katu nde 'anga rekokatuagûama resé.* – Dá muita atenção à futura felicidade de tua alma. (Bettendorff, *Compêndio*, 119); *Ereîeapysaká-katupe nde nhemombe'urama resé...?* – Deste atenção a tua confissão? (Anch., *Doutr. Cristã*, II, 78) ● **îeapysakaaba** – tempo, lugar, modo, causa, de dar ouvidos, de dar atenção; atenção: – *Mba'e resépe i nongi asé nambipe?* – *Mba'e-aíba ri asé îeapysakaagûera posangamo.* – Por que o coloca em nossos ouvidos? – Como remédio para a atenção da gente às coisas más. (Ar., *Cat.*, 92)

îearok (v. intr.) – consumir-se, gastar-se (*VLB*, I, 39) (o mesmo que **îarok** – v.)

îeaseî (v. intr. compl. posp.) – agastar-se, irritar-se, haver-se rispidamente [compl. com **esé** (r, s)]: *Aîeaseî (abá) resé.* – Irritei-me com o homem. (*VLB*, II, 106, adapt.)

îeaseîa (s.) – irritação, agastamento (*VLB*, I, 24); (adv.: **îaseî**) – com ira, de má vontade; com indignação, rispidamente, irritadamente: *Arasó-îeaseî.* – Levo de má vontade. (*VLB*, II, 14); *Aîopoî-îeaseî.* – Alimentei-o rispidamente. (*VLB*, II, 106); *Aîmonhang-îeaseî.* – Fi-lo rispidamente. (*VLB*, II, 106); *Anhe'ẽ-îeaseî.* – Falo irritadamente. (*VLB*, I, 133) • **îeasé-aseîa** (s.) – grande irritação ou agastamento contínuo (*VLB*, I, 24)

îeaseîxûera (s.) – agastamento habitual; o que costuma ter ira, o que costuma estar irado (*VLB*, II, 15); (adj.: **îeaseîxûer**) – irado, ríspido de condição, naturalmente agastadiço (*VLB*, I, 24): *Xe îeaseîxûer.* – Eu sou ríspido. (*VLB*, II, 15)

îeatyká (v. intr.) – fincar-se, fazer pé firme: *Aîeatyká.* – Finquei-me, fiz pé firme. (*VLB*, I, 139)

îeatykok (v. intr.) – apoiar-se sobre o braço: *Aîeatykok gûitupa.* – Estou-me apoiando sobre o braço (estando deitado). (*VLB*, II, 7)

îe'atype'a (v. intr.) – 1) pôr-se espertadura, fazer divisão do cabelo em duas partes na cabeça, ficando uma linha no meio: *Aîe'atype'a.* – Pus-me espertadura. (*VLB*, I, 126); 2) afastar o cabelo de diante do rosto (a mulher) (*VLB*, I, 22)

îeatyrung (v. intr.) – apoiar-se sobre o braço (por estar triste ou descansando): *Aîeatyrung gûitupa.* – Apoio-me sobre o braço, estando deitado. (*VLB*, II, 7)

îeaŷbyk (ou **îaŷbyk**) (v. intr.) – abaixar-se (*VLB*, I, 17); baixar a cabeça: *Oîeaŷbyk ogûasem-asemamo...* – Baixou a cabeça, ficando a gritar. (Ar., *Cat.*, 63v); *Na pe andubi... Peîaŷbyk.* – Não vos perceberam. Abaixai-vos. (Anch., *Teatro*, 66)

îea'yrok (v. intr.) – pôr lêndeas, varejas (a mosca) (*VLB*, I, 52)

îeaytymonhang (etim. – *fazer-se o ninho*) (v. intr.) – nidificar, fazer ninho (*VLB*, II, 49)

îebyîebyr (ou **îebyîeby**) (v. intr.) – passear, dar uma volta: *Aîebyîebyr.* – Passeei. (*VLB*, II, 67); *Îaîebyîeby ranhẽ...* – Vamos dar uma volta, primeiro. (Anch., *Teatro*, 24) • **îebyîebysaba** – tempo, lugar, modo etc. de passear; passeadouro (*VLB*, II, 67)

îebyîebyra (s.) – procissão: *Opabenhẽ gûá sóû îebyîebybo...* – Todos vão em procissão. (Ar., *Cat.*, 125, 1686)

îebyîebysaba (s.) – procissão: ... *Ebokûé 'ara pupé gûá osa'ang ladainhas îebyîebysaba rupi.* – Nesse dia proferem as ladainhas ao longo da procissão. (Ar., *Cat.*, 125)

îebyká (v. intr.) – respigar (uvas na vinha, espigas na roça, migalhas ou cascas do que outro come) (*VLB*, II, 95)

îebyr (v. intr.) – voltar, tornar: *Oú-îebype erimba'e o boîá reîasagûerype?* – Voltou a vir aonde tinha deixado seus discípulos? (Ar., *Cat.*, 53); *Aîur gûîteby.* – Vim, voltando. (*VLB*, II, 133); *Omanõba'epûera suí sekobé-îebyri.* – Voltou a viver dos que morreram. (Anch., *Doutr. Cristã*, I, 141) • **îebyraba** – tempo, lugar, modo, causa etc., do voltar; volta, retorno: ... *Ebapó ta peîkó pe îebyragûama resé ixé nde momorandube'yma pukuî.* – Ali estejai enquanto eu não vos informar acerca de vossa futura volta. (Ar., *Cat.*, 10v); **îeby benhẽ** – voltar atrás: *Aîeby benhẽ, gûixóbo.* – Indo, voltei atrás. (*VLB*, I, 43)

îeepyî – o mesmo que **îeypyî** (v.)

îeepyk (v. intr. compl. posp.) – vingar-se [de alguém: compl. com **esé (r, s)**]: *Rumby... oîeepyka, xe rapîá.* – Enfim, tendo-se vingado, obedeceram-me. (Anch., *Teatro*, 140); *Aîeepyk anhẽ sesé.* – Vingo-me deles. (Anch., *Teatro*, 14)

îeerekomemûã [intr. compl. posp.] – ficar de mal [com alguém: compl. com **esé (r, s)**]: ... *Tupã resé oîeerekomemûãmo...* – Ficando de mal com Deus. (Anch., *Doutr. Cristã*, I, 163)

îegûak (v. intr.) – enfeitar-se, ornar-se, adornar-se, pintar-se: *Moraseîa é i katu, îegûaka, îemopiranga...* – A dança é que é boa, enfeitar-se, pintar-se de vermelho. (Anch., *Teatro*, 6); *Aûîeté pakó, aîegûak ûinhemoúna...* – Na verdade hei de me enfeitar, pretejando-me... (Anch., *Teatro*, 60); *Erenhemoatyrõpe eîegûaka nde poropotaramo?* – Enfeitaste-te, pintando-te, tendo desejos carnais? (Ar., *Cat.*, 234) • **îegûakaba** – tempo, lugar, modo etc. de enfeitar-se; enfeite, adorno, atavio: *I porang kó tupãoka, îegûakabetá rerupa!* – É bonita esta igreja, tendo muitos adornos! (Anch., *Poemas*, 112)

îegûaru[1] (s.) – asco, nojo (*VLB*, I, 44)

îegûaru[2] (v. intr. compl. posp.) – ter nojo, ter repugnância, ter asco (de algo ou de alguém:

îeí¹ compl. com **suí**): ... *Xe suí oîegûarue'yma.* – Não tendo nojo de mim. (Ar., *Cat.*, 85v)

îeí¹ (adv.) – certo tempo, longo tempo: *Îeí xe rekóû.* – Estive longo tempo; tardei. (*VLB*, II, 13, adapt.)

îeí² (adv.) – hoje (que já passou ou ainda presente): *Xe moanhẽ kó xe boîá, îeí xe repîaka'upa...* – Apressam-me estes meus súditos, tendo saudades de mim hoje... (Anch., *Teatro*, 32); *Marã-marã-pakó îeí xe rekóû?...* – Que coisas, pois, hoje eu fiz? (Ar., *Cat.*, 74v) • îeî-îé – hoje mesmo (e não ontem) (Fig., *Arte*, 128) (v. tb. **oîeí**)

îeîaîa (s.) – esquivança; (adj.: **îeîaî**) – esquivo, arisco, arredio: *Xe îeîaî.* – Eu sou arredio. (*VLB*, I, 106)

îeîbé¹ (adv.) – de madrugada (*VLB*, II, 27); hoje bem cedo (Fig., *Arte*, 128); hoje cedinho (*VLB*, I, 69): *Îeîbé apu'am.* – De madrugada levanto-me. (*VLB*, II, 27); *Îeîbé asó.* – Vou de madrugada. (*VLB*, II, 27); *Îeîbé apak.* – Acordo de madrugada. (*VLB*, II, 27) • îeîbeté – bem cedo, bem de madrugada (*VLB*, II, 27): *Îeîbeté apak.* – Acordo bem de madrugada. (*VLB*, II, 27)

îeîbé² (adv.) – certo tempo, longo tempo (*VLB*, II, 44)

îeîkûaru'umbok (v. intr.) – limpar-se das fezes: *Aîeîkûaru'umbok.* – Eu me limpo das fezes. (*VLB*, II, 22)

îeîoka (s.) – soluço (*VLB*, II, 112); (adj.: **îeîok**) – soluçante; **(xe)** soluçar (p.ex., de frio): *Xe îeîok.* – Eu soluço. (*VLB*, II, 112)

îeîsara (ou **îusara** ou **îusûara**) (s.) – JUÇARA, IUÇARA, palmeira alta e delgada da Mata Atlântica (*Euterpe edulis* Mart.): *îeîsaru'ã* – palmito de juçara (*VLB*, II, 63) (o mesmo que **îusara** – v.)

îeîu (s.) – JIJU, JEJU, peixe de mar carnívoro da família dos caracídeos (D'Abbeville, *Histoire*, 247v)

îeîuká¹ (v. intr.) – matar-se: *A'e o kakuab'iré, ... i nheme'engi apŷabaíba supé, oîeîuká-uká ybyraîoasaba resé...* – Ele, após crescer, entregou-se aos homens maus, fazendo-se matar na cruz. (Anch., *Doutr. Cristã*, I, 194) • oîeîukaba'e – o que se mata: ... *Tupã resé oîeîuká-ukaba'epûera.* – Os que se fizerem matar por causa de Deus. (Ar., *Cat.*, 168v)

îeîuká² (v. intr.) – forçar-se, masturbar-se: *Erepokokype nde rapopé resé... epypekábo, eîeîukábo?* – Tocaste nas tuas virilhas, abrindo as pernas, masturbando-te? (Anch., *Doutr. Cristã*, II, 95)

îeîukaaíb (ou **îeîukaíb**) (v. intr. compl. posp.) – insistir, ficar insistente, esforçar-se; (fig.) matar-se [por alguém ou por algo: compl. com **esé (r, s)**]: *Oîeîukaaíb-eté serã serasoaretá a'ereme, oposẽ-posema?* – Acaso insistiram muito, então, os que o levaram, ficando a gritar? (Ar., *Cat.*, 58v); *Aîeîukaíb (abá) resé.* – Matei-me pelas pessoas. (*VLB*, II, 33, adapt.)

îeîurume'eng (v. intr. compl. posp.) – deixar falar mal (de algo ou de alguém: compl. com **supé**): *Aîeîurume'eng (abá) supé.* – Deixo falar mal do homem. (*VLB*, II, 53, adapt.)

îeîurupirar (v. intr.) – **1)** abrir a boca: ... *Sobaké Anhanga onheŷnhanga, i mokona motá, oîeîurupirá okûapane...* – Diante deles os diabos ajuntando-se, querendo engoli-los, estando a abrir suas bocas. (Ar., *Cat.*, 161v); **2)** bocejar: *Aîeîurupirar.* – Bocejei. (*VLB*, I, 56)

îeîyî (v. intr. compl. posp.) – afastar-se, mudar-se (complemento com **suí**) (*VLB*, II, 44): *Ixé n'aîeîyî i xuí...* – Eu não me afasto deles. (Anch., *Teatro*, 40); *Oîeîyîpe a'e o boîá mosapyr suí a'ereme?* – Afastou-se daqueles seus três discípulos, então? (Ar., *Cat.*, 52v)

îeká (v. intr.) – quebrar-se: *Aîeká.* – Quebrei-me. (*VLB*, II, 92); ... *Itá oîeká-îeká o îopyterybo.* – As pedras ficaram-se quebrando ao meio. (Ar., *Cat.*, 64)

îekandab (v. intr.) – arquear-se para cima (*VLB*, II, 132)

îekaraimonhanga (s.) – feitiço, magia, pajelança: *Ererobîarype paîé... îekaraimonhanga...?* – Acreditas nos feitiços do pajé? (Anch., *Doutr. Cristã*, II, 83)

îekasó – v. îakasó (*VLB*, II, 41)

i'ekatu – o mesmo que **e'ikatu** [3ª p. do indic. de 'ikatu / 'ekatu (v.)]: *I'ekatupe abaregûasu Papa angaîpaba resé nhyrõ me'enga asébo?* – Pode o bispo Papa dar para a gente o perdão dos pecados? (Bettendorff, *Compêndio*, 57)

îeke'a (s.) – covo (de peixes): *Ereîosubype abá îeke'a i poroka?* – Visitaste o covo de alguém, arrancando seu conteúdo? (Anch., *Doutr. Cristã*, II, 99)

NOTA - Daí, o nome da localidade de **JEQUIÁ** (AL) (v. Rel. Top. e Antrop. no final). Daí, também, no P.B., **JUPIÁ**, que designa redemoinho em meio dos rios e que ameaça as embarcações (*PDBLP*, 714): *"Há nele um célebre passo, que chamam **Jopiá**, quer dizer **covo** na língua da terra, o qual é um redemoinho que a água faz nesta figura, bastante largo e fundo [...]."* (D. Antonio Rolim [1751], *Relação*, 202).

îeke'i (s.) - **1)** covo pequeno de peixes: *Ereîosubype abá îeke'i kûara?* - Visitaste o buraco do covo de alguém? (Anch., *Doutr. Cristã*, II, 99); **2)** pequena nassa que serve quando as águas transbordam do curso do rio (Léry, *Histoire*, 360)

îekoabok - o mesmo que **îekûabok** (v.) (*VLB*, II, 43; 61)

îekok (v. intr. compl. posp.) - apoiar-se, encostar-se, escorar-se, arrimar-se [em algo ou em alguém: compl. com **esé (r, s)**]: *Xe resé oîerobîá,... xe resé-katu oîekoka.* - Em mim confiam, bem em mim apoiando-se. (Anch., *Teatro*, 40); *Aîekok sesé.* - Encosto-me nele. (Anch., *Arte*, 44v); *... Oroîekok nde resé.* - Apoiamo-nos em ti. (Anch., *Poemas*, 172); *Nde pó gûyrype oroîkó, nde resé oroîekoka.* - Sob tuas mãos estamos, em ti apoiando-nos. (Anch., *Poemas*, 174)

îekokaba (s.) - encosto, suporte, apoio (de uma pessoa, p.ex., uma bengala, um corrimão de escada etc.) (*VLB*, I, 115)

îekosub[1] (v. intr. compl. posp.) - regozijar-se, gozar, deleitar-se, ter prazer ou satisfação [compl. com **esé (r, s)** ou **ri**]: *Sekó-katu rerekóbo, îandé 'anga îekosubi.* - Sua vida bondosa tendo, nossa alma regozija-se. (Anch., *Poemas*, 180); *Nd'e'i te'e... mba'e-katu... resé oîekosube'yma...* - Por isso mesmo eles não se deleitam com as boas coisas. (Ar., *Cat.*, 179); *Ta pesó peîekosupa i potarypyra ri...* - Que vades regozijar-vos com o que é desejado. (Anch., *Teatro*, 56) • **îekosupaba** (ou **îekosubaba**) - tempo, lugar, modo, causa etc. de regozijar-se; regozijo: *T'oré angaturãne... oré îekosubagûama ri.* - Que sejamos dignos do lugar futuro de nosso regozijo. (Ar., *Cat.*, 14v)

îekosub[2] (v. intr. compl. posp.) - alcançar, obter, achar [compl. com **esé (r, s)** ou **ri**]: *Sory-*

îekuab

beté rakó abá mba'eeté amõ resé o ***îekosub'iré***. - Muito feliz está o homem, certamente, após alcançar alguma verdade. (Ar., *Cat.*, 126); ... *Mba'e-memûãngatupabẽ resé i* ***îekosub****yne...* - Muitíssimas coisas más eles acharão. (Ar., *Cat.*, 164) • **îekosupaba** - tempo, lugar, modo, causa etc. de alcançar, de obter: *... sesé xe* ***îekosubagûama ri*** - para alcançá-lo eu (Bettendorff, *Compêndio*, 29)

îekotiman (v. intr.) - serpentear (p.ex., o caminho, o rio, a ema ao andar etc.) (*VLB*, II, 147)

îekotyar (ou **îekotyá**) (v. intr. compl. posp.) - aliar-se, tomar partido, ter amizade, ter comunicação, ter conversação, ter familiaridade [compl. com **esé (r, s)**]: *... Sesé nhẽ aîekotyá.* - Com eles alio-me. (Anch., *Teatro*, 22); - *Ereîekotyápe abá-angaîpaba resé?* - Tiveste amizade com um homem pecador? (Ar., *Cat.*, 234); *Ereîekotyápe nde nhemõîa resé?* - Aliaste-te com tua comborça? (Ar., *Cat.*, 106v) • **îekotyarixûera** - o que tem amigos, o que é sociável: *Xe îekotyarixûer.* - Eu sou sociável. (*VLB*, I, 35)

îekotyasaba (s.) - **1)** amigo (*VLB*, I, 34): *Marãngotype xe îekotyasaba... sóú-ĩ...* - Para onde meus amigos foram, sem mais? (Ar., *Cat.*, 155v); **2)** familiar amigo (*VLB*, I, 134)

îekotymondeb (v. intr.) - pôr armadilhas (em seu proveito) (*VLB*, I, 74)

îekotyrung (v. intr. compl. posp.) - pôr armadilhas [para algo ou alguém: compl. com **esé (r, s)**]: *Aîekotyrung seséne.* - Porei armadilhas para eles. (Anch., *Teatro*, 136); ... *T'îaîekotyrung îaîupa.* - Estejamos pondo armadilhas. (Anch., *Teatro*, 20) • **oîekotyrungyba'e** - o que põe armadilhas: ... *nhãîmbiara pupé-katu oîekotyrungyba'e* - os que põem armadilhas bem nos caminhos das fontes (Anch., *Poesias*, 268)

îekûab (ou **îekûá**) (v. intr.) - ser causa do próprio dano; danar-se, dar ocasião a seu próprio mal: ... *Endé aé ereîekûá xe roka pobu-potá.* - Tu mesmo és causa de teu dano, querendo revirar minha casa. (Anch., *Teatro*, 42); ... *Peẽ aé peîekûá kó taba pobu-pobu.* - Vós mesmos vos danais ao ficar perturbando esta aldeia. (Anch., *Teatro*, 180)

îekuab (ou **îekuá** ou **îekugûab**) (v. intr.) - **1)** aparecer, reconhecer-se, mostrar-se, transpa-

îekûaba

recer, ser visível, ser visto: *Marã sekó resépe i angekoaíba îekuabi?* – Por qual estado seu transparecia sua angústia? (Ar., *Cat.*, 53); – *Oîekuápe (asé 'anga)? – Nd'oîekuabi.* – É visível (a alma da gente)? – Não é visível. (Anch., *Doutr. Cristã*, I, 161); **2)** ser claro (o dia, o lugar, o que se diz, o que se lê) (*VLB*, I, 75)

îekûaba (s.) – lugar em que se está: *Nde pu'amixûé nde îekûápe nde ruba... pé?* – Tu costumas levantar-te no lugar em que estás diante de teu pai? (Anch., *Doutr. Cristã*, II, 86)

îekûabok (ou **îekoabok**) (v. intr.) – ficar diferente, mudar-se, alterar-se, transformar-se, estar mudado (do que era ou de como procedia antes, ou seja, no trajo, no gesto, na condição) (*VLB*, II, 43; 61): *Marãpe miapé Îandé Îara Îesus Cristo retéramo... i îekûaboki?* – Como o pão se transforma no corpo de Nosso Senhor Jesus Cristo? (Bettendorff, *Compêndio*, 85) • **oîekûabokyba'e** – o que muda, o que fica diferente: *Oîekûabokyba'eramape tekopuku ybakype semierekorama?* – A vida eterna que eles terão no céu é a que mudará? (Ar., *Cat.*, 47); **îekûabokaba** – tempo, lugar, modo etc. de ficar diferente, de mudar; mudança, alteração: *Oîkuá-katupe i îekûaboke'ymagûama?* – Eles bem sabem que não mudarão? (Ar., *Cat.*, 47)

îekûaboka (ou **îekoaboka**) (s.) – mudança (*VLB*, II, 44)

îekuakub (v. intr.) – **1)** praticar o couvade, isto é, um conjunto de restrições alimentares e de ritos observados por um homem durante a gravidez da mulher e logo depois do nascimento da criança; fazer resguardo: *Ereîekuakupe nde remirekó membyrara resé?* – Fizeste resguardo por causa do parto de tua mulher? (Ar., *Cat.*, 99); **2)** jejuar (como prática cristã): *Abá abépe nd'oîabyî oîekuakube'yma?* – Quem mais não o transgride, não jejuando? (Anch., *Diál. da Fé*, 203) • **oîekuakuba'e** – o que jejua, o que faz resguardo: *Oîaby bépe aîpó o emirekó membyrara resé oîekuakuba'e...?* – Transgride também aquele (mandamento) o que faz resguardo por causa do parto de sua esposa? (Ar., *Cat.*, 66v-67); **îekuakupaba** – tempo, lugar, modo etc. de jejuar; jejum: *'Ara i pîasaba, îekuakupaba.* – Dia de guarda e de jejum. (Ar., *Cat.*, 4)

îekuakuba (s.) – **1)** couvade, conjunto de restrições alimentares e de ritos praticados por um homem durante a gravidez da mulher e logo depois do nascimento da criança; **2)** jejum (significação assumida após a chegada dos missionários): *Îekuakuba oîkoé so'o gûabe'yma suí...* – O jejum difere de não comer carne. (Ar., *Cat.*, 10v); *Aîá pá îekuakuba...* – Guardei todos os jejuns. (Anch., *Teatro*, 172)

îekuakubusu (etim. – *o grande jejum*) (s.) – Quaresma: – *Mba'e-mba'eremepe asé nhemombe'une? – Îekuakubusureme...* – Em que ocasiões a gente se confessará? – Na Quaresma. (Ar., *Cat.*, 90v-91)

îekuapaba (ou **îekugûapaba**) (s.) – **1)** reconhecimento: *I îekuapabamo oré rubixaba oré mbourukar pe retama pupé.* – Como reconhecimento disso, nosso chefe nos mandou vir para vossa terra. (D'Abbeville, *Histoire*, 342); **2)** sinal, símbolo, meio de se conhecer: – *Mba'epe cristãos îekuapaba? – Santa cruz.* – Qual é o símbolo dos cristãos? – A santa cruz. (Ar., *Cat.*, 21, 1618); – *Tupã Espírito Santo anhẽ a'e tatá? – Nda Tupã Espírito Santo ruã, tura îekuapaba é.* – Deus Espírito Santo era, na verdade, aquele fogo? – Não era Deus Espírito Santo, mas um sinal da sua vinda. (Anch., *Doutr. Cristã*, I, 170)

îeku'apûar (ou **îekugûapûar**) (etim. – *amarrar-se a cintura*) (v. intr.) – cingir-se: *Aîeku'apûar.* – Cingi-me. (*VLB*, I, 74)

îekûarybykoî (v. intr.) – fazer mina (para prospectar minerais), lavrar: *Aîekûarybykoî.* – Fiz minas. (*VLB*, II, 38)

îekûatiar (v. intr.) – assinar-se, subscrever-se, pôr assinatura (p.ex., em carta) (*VLB*, I, 45)

îekugûagûamamõ (etim. – *aparecer o sol ao longe*) (v. intr.) – vir a alvorada, a aurora, clarear a manhã (*VLB*, I, 123)

îekunasab (v. intr.) – entrecruzarem-se em forma de X ou †, estarem atravessados um por cima do outro: *Oroîekunasab.* – Estamos entrecruzados. (*VLB*, I, 47)

îekunasaba (ou **îekundasaba**) (s.) – entrecruzamento em forma de X; paus entrecruzados em forma de X; a forma de X (*VLB*, I, 44); (adj.: **îekunasab**) – entrecruzados: *ybyrá-îekunasaba* – madeiras entrecruzadas, cruz (Thevet, *Cosm. Univ.*, II, 925)

îekundab (v. intr.) – **1)** serpentear (p.ex., o caminho, o rio, a ema ao andar etc.) (*VLB*, II, 147); **2)** torcer-se, enroscar-se (*VLB*, II, 132)

îekundasaba - o mesmo que **îekunasaba** (v.) (*VLB*, I, 44)

îeku'yba (s.) - nome de uma árvore lecitidácea (*Cariniana legalis* (Mart.) Kuntze) (Marcgrave, *Hist. Nat. Bras.*, 127)

îeky (s.) - covo, cisterna: *Eresópe abá... îeky-'ye'ẽ supa, i pora rá?* - Foste para revistar as cisternas de água doce de alguém, tomando seu conteúdo? (Ar., *Cat.*, 107v)

> NOTA - No P.B. (NE), JEQUI é um *cesto para pesca, muito oblongo, afunilado, feito de varas finas e flexíveis*. Como adjetivo significa (Amaz. e NE) *justo, apertado*, o mesmo que JEQUITO: *roupa* JEQUI, *roupa* JEQUITA - *roupa apertada*. Há também a expressão BOTAR NUM JEQUI (AL), deixar em situação difícil, em apuros (in *Novo Dicion. Aurélio*).
> Daí, também, PIRAJIQUI (nome de localidade da BA) (v. Rel. Top. e Antrop. no final).

îekyegûasu (s.) - grande massa usada pelos potiguaras para fazer feitiço para aqueles a quem queriam mal, matando-os (Marcgrave, *Hist. Nat. Bras.*, 279)

îekyî[1] (v. intr.) - morrer, expirar: *Xe îekyîme, t'ereîu...* - Ao morrer eu, que venhas. (Anch., *Poemas*, 102); *Marã e'ipe og uba supé o îekyî'îanondé?* - Como disse a seu pai antes de morrer? (Ar., *Cat.*, 63v)

îekyî[2] (v. intr.) - crescer (pessoa, animal, árvore etc.) (*VLB*, I, 85)

îekysy (s.) - caldo (de fruta, de raiz etc.) (*VLB*, I, 63)

îekytybá (s.) - JEQUITIBÁ, árvore de tronco muito grosso e alto da família das lecitidáceas (*Cariniana legalis* (Mart.) Kuntze). "Tem a cor brancacenta, é leve e pouco durável onde lhe chove." (Sousa, *Trat. Descr.*, 214)

îekytyk (v. intr.) - esfregar-se: *Ereîkapyrokype nde rapixarĩ resé eîekytyka?* - Excitaste-o, esfregando-te no teu companheiro? (Anch., *Doutr. Cristã*, II, 90)

îekytyûasu (s.) - JEQUITIGUAÇU, saboeiro, árvore da família das sapindáceas (*Sapindus divaricatus* Willd. Ex A. St.-Hil.), de grande difusão, com frutos e casca ricos em saponinas e que espumam muito em água. É também chamada *sabão-de-macaco, sabão-de-soldado, saboneteiro, sabãozinho, salta-martim*. "A casca... serve de sabão e, assim, ensaboa como o melhor de Portugal." (Cardim, *Trat. Terra e Gente do Brasil*, 44)

îemboryb (v. intr.) - o mesmo que **nhemboryb** (v.) (Anch., *Poesias*, 58)

îeme'eng - o mesmo que **nheme'eng** (v.) (Anch., *Poemas*, 136)

îemim - o mesmo que **nhemim** (v.) (Anch., *Teatro*, 32)

îemoabangab (ou **îemoabangá**) (v. intr.) - acovardar-se, desencorajar-se: *Asé aé oîemoabangá i mborypa...* - A gente mesma acovarda-se, consentindo-o. (Anch., *Diál. da Fé*, 231)

îemoangekoaíb - o mesmo que **nhemoangekoaíb** (v.)

îemoapyr - v. **nhemoapyr** (*VLB*, I, 115)

îemoatã - v. **nhemoatã**

îemobok (v. intr.) - esgotar-se • **îemobokaba** - tempo, lugar, modo etc. de esgotar-se; esgotamento: *Og ugûy îemobokabagûera suí o'useîamo, "xe 'useî ã" e'i.* - Estando sedento por causa do esgotamento de seu sangue, disse: *"Eis que tenho sede"*. (Anch., *Diál. da Fé*, 191)

îemo'ẽ (v. intr.) - derramar-se: ... *Xe îara Îesu Cristo rugûy-eté..., nde erimba'e morepyramo ereîemo'ẽukar cruz pupé.* - Sangue verdadeiro de meu Senhor Jesus Cristo, tu, outrora, como resgate, fizeste derramar-te na cruz. (Ar., *Cat.*, 88)

îemoembiaryîar - o mesmo que **nhemoembiaryîar** (v.)

îemo'esaba (s.) - ensinamento; (adj.: **îemo'esab**) - ensinado, sábio, douto: *Oroîeruré bé nde resé toîeme'eng apŷabangaturama oré retama pora ri, pa'i-îemo'esaba bé Tupã resé i'ekatuba'e...* - Pedimos também a ti que se deem homens bons para habitantes de nossa terra e padres doutos que saibam acerca de Deus. (D'Abbeville, *Histoire*, 342) (v. **mbo'e**)

îemoîasuka - v. **nhemoîasuka**

îemoingé (v. intr.) - recolher-se, entrar em si mesmo: *Pe ramỹîa pabê rakó îase'o rerekóû, îemoingeabo...* - Vossos avós todos com pranto estavam, recolhendo-se. (Ar., *Cat.*, 85v)

îemoîoîab

îemoîoîab (v. intr. compl. posp.) – igualar-se [a algo ou a alguém: compl. com **esé (r, s)**]: *Nd'e'i te'e serã oîemoîoîá-pá-potá o monhangara resé?* – Por isso mesmo quiseram igualar-se todos a seu criador? (Ar., *Cat.*, 37v) ● **oîemoîoîaba'e** – o que se iguala: *Kunhã resé oîemoîoîaba'e...* – O que se iguala às mulheres. (Anch., *Diál. da Fé*, 211)

îemoîoîaî (v. intr. compl. posp.) – escarnecer [de alguém: compl. com **esé (r, s)**]: *Ereîemoîoîaîpe kunhã resé?* – Escarneceste de mulheres? (Anch., *Doutr. Cristã*, II, 91)

îemoîtỹ (ou **nhemoîtỹ**) (v. intr.) – esquivar-se: *Îamongûâ moxy ru'uba, i xupé îaîemoîtỹamo.* – Fazemos passar as flechas dos malditos, diante deles esquivando-nos. (Anch., *Teatro*, 26); *E'i tenhẽ onhemoîtỹamo, u'uba mongûâ-potá.* – Em vão eles se esquivam, querendo fazer passar as flechas. (Anch., *Teatro*, 134)

îemokane'õ (v. intr.) – cansar-se: *Ta pe putu'ẽngatueté irã... pe îemokane'õ ré...* – Haveis de bem recobrar o fôlego após vos cansardes. (Ar., *Cat.*, 170)

îemombe'u – o mesmo que **nhemombe'u** (v.) (Anch., *Teatro*, 38)

îemomburu (v. intr.) – atentar contra si, prejudicar-se ● **îemomburûaba** – tempo, lugar, modo, causa etc. de se prejudicar, de atentar contra si: *...Îoapirõe'yma rekóû îemomburûabamo nhẽ.* – Não prantear um ao outro (como forma de saudação) é modo de atentar contra si mesmo. (Ar., *Cat.*, 85v)

îemomembyrakyrar (v. intr.) – abortar ● **oîemomembyrakyraryba'e** – a que aborta: – *Abá abépe oîaby?... – Oîemomembyrakyraryba'e abé.* – Quem mais o transgride? – Também a que aborta. (Ar., *Cat.*, 70)

îemomorang (v. intr.) – enfeitar-se: *... O aûsuba oîpotarĩ, oîemomorã-moranga.* – Querem, sem mais, que as amem, ficando a enfeitar-se. (Anch., *Teatro*, 36)

îemomotar (ou **îemomotá** ou **nhemomotar** ou **nhemomotá**) (v. intr. compl. posp.) – atrair-se, ter cobiça, interessar-se [por alguém ou algo: compl. com **esé (r, s)** ou **ri**]: *Ereîemomotápe abá mba'e resé?* – Tiveste cobiça pelas coisas de alguém...? (Ar., *Cat.*, 109v); *Na nde ruã-te p'akó kunhã ri ereîemomotá?* – Não foste tu, certamente, que te atraíste pelas mulheres? (Anch., *Teatro*, 176); *Onhemomotá xe 'anga nde 'anga poranga ri.* – Atraiu-se minha alma pela beleza de tua alma. (Anch., *Poemas*, 140) ● **onhemomotaryba'e** – o que se atrai; **nhemomotasara** – o que se atrai: *Mene'yma resé oîkoba'e abiã koîpó sesé onhemomotaryba'e oîabyeté Tupã nhe'enga, memetipó mendara momoxysara koîpó sesé nhemomotasara.* – Se o que tem relações sexuais com uma solteira ou por ela se atrai transgride muito a palavra de Deus, tanto mais o que perverte uma casada ou o que se atrai por ela. (Ar., *Cat.*, 109); **nhemomotaraba** – tempo, lugar, modo etc. de se atrair; a atração: *... Sesé nde nhemomotaragûera ranhẽ t'ereîmombe'u...* – Hás de confessar primeiro tua atração por eles. (Ar., *Cat.*, 103v)

îemonan (ou **nhemonan**) (v. intr. compl. posp.) – misturar-se, confundir-se, unir-se [com algo ou com alguém: compl. com **esé (r, s)**] ● **nhemonanaba** – tempo, lugar, modo etc. de se misturar; mistura, confusão, união: *Sesé i nhemonanagûera ra'angabamo mendá îarekó.* – Como símbolo de sua união com ela, temos o casamento. (Ar., *Cat.*, 132v)

îemonana (s.) – união, mistura: *... îandé ro'o resé Tupã-Ta'yra... îemonana...* – a união de Deus-Filho com nossa carne (Ar., *Cat.*, 132v)

îemongaraíb (ou **nhemongaraíb**) (v. intr.) – batizar-se ● **oîemongaraiba'e** – o que se batiza: *T'ogûerobîá oîemongaraiba'erama...* – Para que creiam os que se batizarão... (Anch., *Doutr. Cristã*, I, 200-201); **nhemongaraipaba** (ou **nhemongaraibaba**) – tempo, lugar, modo, instrumento etc. de se santificar, de se batizar; ato de se santificar, de se batizar; santificação: *Oîpotá-katu o nhemongaraibagûama...* – Quer muito a sua futura santificação. (Ar., *Cat.*, 80v)

îemongaraíba – v. **nhemongaraíba**

îemongatyrõ (ou **nhemongatyrõ**) (v. intr.) – enfeitar-se, adornar-se, ornar-se: *Oîemongatyrõmo, abá o potara potá...* – Enfeitando-se, querendo que as pessoas o desejem. (Ar., *Cat.*, 71); *Anhemongatyrõ.* – Enfeitei-me. (VLB, I, 115)

îemongetá[1] (s.) – pensamento: *Marãpe nde îemongetá?* – Quais são teus pensamentos? (D'Evreux, *Viagem*, 145)

îemongetá² – v. nhemongetá

îemooryb (v. intr.) – alegrar-se: *Aîemoorybusu, nde robaké gûitu.* – Alegro-me muito, vindo diante de ti. (D'Abbeville, *Histoire*, 342)

îemopaîé (ou **nhemopaîé**) (v. intr.) – tornar-se pajé, fazer-se pajé, fazer pajelança: ... *I angaîpabetépe abá onhemopaîé-paîébo...?* – Erra muito o homem que se fica fazendo pajé? (Ar., *Cat.*, 66); *A'e, rakó, i angaîpá, oîemopaîé-paîébo...* – Elas, na verdade, são más, ficando a fazer pajelança. (Anch., *Teatro*, 14)
• **nhemopaîeaba** – tempo, lugar, modo etc. de fazer-se pajé, de fazer pajelança; pajelança: ... *i nhemopaîeagûera, i paîé rerobîaragûera...* – suas pajelanças, sua antiga crença nos pajés (Ar., *Cat.*, 161v)

îemopaîeangaíb (v. intr.) – fazer feitiçarias: ... *Oporaseî pysaré, oîemopaîeangaípa...* – Dançaram a noite toda, fazendo feitiçarias. (Anch., *Teatro*, 14)

îemopirang (v. intr.) – pintar-se de vermelho, avermelhar-se: *Moraseîa é i katu, îegûaka, îemopiranga...* – A dança é que é boa, enfeitar-se, pintar-se de vermelho. (Anch., *Teatro*, 6)

îemopokyrirĩ (v. intr.) – retorcer-se, enrolar-se (o fio, o cordão etc.) (*VLB*, II, 104)

îemoryryĩ¹ (ou **nhemoryryĩ**) (v. intr.) – tremer, agitar-se, alvoroçar-se (*VLB*, I, 33), comover-se: *Î angaîpá-pará-pará, oîemoryry-ryryîa.* – Ela tem pecados variadíssimos, estando a tremer. (Anch., *Poemas*, 112)

îemoryryĩ² (ou **nhemoryryî** ou **nhemboryryî**) (v. intr. compl. posp.) – interessar-se; cuidar, ter preocupação, ter cuidado [complemento com **esé (r, s)**]: ... *Asaûsu, sesé gûinhemoryryîa.* – Amo-a, por ela tendo cuidado. (Anch., *Poemas*, 182); *Anhemoryryî (abá) resé.* – Cuidei do homem (isto é, agasalhando-o, tratando-o bem). (*VLB*, I, 23, adapt.); *Tupã sy t'îasaûsu, sesé îanhemoryryîa.* – Que amemos a mãe de Deus, por ela interessando-nos. (Anch., *Poemas*, 180); ... *Sekobekaturama resé bé onhemboryryîa.* – Interessando-se também por sua felicidade. (Ar., *Cat.*, 123)

îemoryryîa – o mesmo que **nhemoryryîa** (v.)

îemosaînan – o mesmo que **nhemosaînan** (v.)

îemosako'i – o mesmo que **nhemosako'i** (v.)

îendaîa

îemosusun (v. intr.) – agitar-se, sacudir-se: *Nde ereîemosusuni, oré moingobé-potá...* – Tu te agitaste, querendo fazer-nos viver. (Anch., *Poemas*, 130)

îemotupan (ou **nhemotupã**) (etim. – *fazer-se Tupã*) (v. intr.) – santificar-se: *S. Sebastião 'ara, se'õagûera, cristãos oîmoeté oîemotupana...* – O dia de São Sebastião, em que ele morreu, os cristãos comemoram para se santificarem. (Ar., *Cat.*, 3v)

îemoún (ou **nhemoún**) (v. intr.) – pintar-se de preto, pretejar-se, escurecer-se; tingir-se de jenipapo (num ritual): *Moraseîa é i katu, îegûaka,... îemoúna...* – A dança é que é boa, enfeitar-se, pintar-se de preto. (Anch., *Teatro*, 6); *Aûîeté-pakó aîegûak ûinhemoúna...* – Na verdade hei de me enfeitar, pintando-me de preto... (Anch., *Teatro*, 60)

îemoŷrõ¹ (ou **nhemoŷrõ**) (s.) – raiva, ira, ódio; indignação, irritação (*VLB*, II, 11): *Xe moîoîá xe îemoŷrõ...* – Repleta-me minha ira. (Ar., *Cat.*, 41); *Nhemoŷrõ robaîara tosanga.* – O oposto da ira é a paciência. (Ar., *Cat.*, 18); *Xe, Tatapytera... asapy nhemoŷrõmbûera.* – Eu, Tatapitera, inflamo os antigos ódios. (Anch., *Teatro*, 128)

îemoŷrõ² (ou **nhemoŷrõ**) (v. intr. compl. posp.) – 1) enraivecer-se, irritar-se, agastar-se, irar-se, indignar-se (com algo ou com alguém: compl. com **supé** ou **pé**) (*VLB*, II, 62): *Aani! Aîemoŷrõ.* – Não! Irritei-me. (Anch., *Teatro*, 42); *Anhanga pé oîemoŷrõmo...* – Irritando-se com o diabo. (Anch., *Poemas*, 90); 2) escandalizar-se, estar escandalizado (com algo ou com alguém: compl. com **supé** ou **pé**): *Anhemoŷrõ (abá) supé.* – Estou escandalizado com o homem. (*VLB*, I, 122, adapt.); 3) tomar nojo (*VLB*, II, 50); 4) queixar-se (de algo ou de alguém: compl. com **supé** ou **pé**): *Anhemoŷrõ (abá) supé.* – Queixei-me do homem. (*VLB*, II, 94, adapt.) • **i nhemoŷrõba'e** – o que está irado, o que tem raiva etc.: *O membyra... i nhemoŷrõba'e oîmonhyrõ...* – Apazigua seu filho que está irado. (Ar., *Cat.*, 37, 1686); **nhemoŷrõndaba** (ou **nhemoŷrõama**) – tempo, lugar, causa etc. de irar-se, de enraivecer-se; ira, raiva: *Tupã nhemoŷrõama* – a ira de Deus (Anch., *Teatro*, 160, 2006)

îendaîa (s.) – JANDAIA, NHANDAIA, ave da família dos psitacídeos, espécie de papagaio

îeneúna pequeno grasnador, que vive em bandos e ataca as plantações. As aves jovens são totalmente verdes. (Brandão, *Diálogos*, 227; Marcgrave, *Hist. Nat. Bras.*, 206)

îeneúna (s.) – JENEÚNA, árvore da família das leguminosas-cesalpinoídeas, do gênero *Cassia* (*Cassia leiandra* Benth.), de grandes flores amarelas. Era chamada também, no século XVI, de *canafístula*. (Sousa, *Trat. Descr.*, 205)

îenosem (ou **nhenosem**) (v. intr.) – omitir-se; retirar-se: ... *Mba'emirĩ tiruã, abá rekoagûerĩ oîenosem a'epene.* – Nem sequer uma pequena coisa, nem um só pequeno ato das pessoas omitir-se-á, então. (Ar., *Cat.*, 161v); ... *Mba'e resé o nhemoma'enduaragûera a'epe onhenosẽne...* – Suas antigas lembranças das coisas aí se retirarão. (Ar., *Cat.*, 161v)

îenotĩ (ou **nhenotĩ**) (v. intr.) – envergonhar-se: *Penhenotĩ iké bé mba'e-memûã raûsub'iré.* – Envergonhai-vos aqui também, após terdes amado as coisas más. (Ar., *Cat.*, 169)

îenumũ (ou **îenumun**) – o mesmo que **nhenomun** (v.)

îenypaba – o mesmo que **îanypaba** (v.) (Thevet, *Les Sing. de la France Antarct.*, 59)

îe'o[1] (v. intr.) – 1) tapar-se, cerrar-se: ... *Sesapysopûera kanhemi, îî apysaká oîe'obo.* – Sua vista aguda desaparece, tapando-se seus ouvidos. (Ar., *Cat.*, I, 156); 2) entupir-se (buraco, cano etc.) (*VLB*, I, 118)

îe'o[2] (v. intr. compl. posp.) – reservar-se, destinar-se (para algo ou para alguém: compl. com **-ramo**): *Nd'e'i te'e o poxye'ymamo... Tupã-Ta'yra syramo o îe'o îanondé.* – Por isso mesmo não tinha maldade antes de se destinar para mãe de Deus-Filho. (Ar., *Cat.*, 9)

îe'o[3] (s.) – tapamento, fechamento; (adj.) – tapado, fechado: *Xe apysakûá-îe'o.* – Eu tenho os buracos das orelhas tapados. (*VLB*, I, 118)

îeoî (v. intr. irreg. usado somente no plural) – 1) irem ou passarem sucessivamente, uns atrás dos outros: *Oroîeoî.* – Vamos (ou passamos) sucessivamente, uns atrás dos outros. (*VLB*, II, 14); 2) partirem-se, irem-se: ... *Seté îukáû, i 'anga-te oîeoî tekobé opaba'erame'yma ri oîekosupa...* – Mataram seus corpos, mas suas almas foram-se para encontrar a vida que não acabará. (Ar., *Cat.*, 5v)

îepabok (etim. – *tirar-se o leito* < **îe-** + **upab** + **'ok**) (v. intr.) – partir-se (p.ex., o viajante): *Aîepabok.* – Parto. (*VLB*, II, 66)

îepaboka (etim. – *retirada do leito* < **îe-** + **upab** + **'oka**) (s.) – partida: *T'îaîmombe'u é irã i îepaboka...* – Havemos de anunciar futuramente sua partida. (Ar., *Cat.*, 127, 1686)

îepé[1] (conj.) – ainda que, embora, por mais que, apesar de, mesmo que: *Pesa'ang îepé, peuî korite'ĩ nhote xe pyri...* – Embora tentásseis, estivestes deitados só pouco tempo junto a mim. (Ar., *Cat.*, 53); *Îepémo asó...* – Ainda que eu fosse... (Anch., *Arte*, 23v); *Îepémo xe só umani...* – Embora eu já tivesse ido... (Anch., *Arte*, 24); *Aîpó n'i papasabi, kûarasymo oîké îepémo!* – Isso não seria possível enumerar, ainda que o sol se pusesse! (Anch., *Teatro*, 38); *I Tupãok îepé, Tupãmongetá-ngetábo, aîmomoxy pabenhẽ...* – Embora eles tenham igrejas para ficar rezando, a todos arruinei. (Anch., *Teatro*, 132); *Ereîpysyrõ îepéne, nde pó suí anosẽne.* – Ainda que os libertes, retirá-los-ei de tua mão. (Anch., *Teatro*, 40); *Té! Morapitîara ixé, angaîpaba sykyîeba, morubixaba îepé.* – Oh, eu sou assassino, causa do temor aos pecados, mesmo dos reis. (Anch., *Teatro*, 90)

îepé[2] (adv.) – bem que: ... *Îepé asenõî.* – Bem que o chamei. (*VLB*, II, 82); *Îepé aîpó a'é.* – Bem que disse isso. (*VLB*, II, 82)

îepé[3] (adv.) – inutilmente, sem resultado, debalde: *Apyâba kunhã resé o ekó osa'ang-îepeba'e nd'e'ikatuî omendá...* – O homem que tenta, sem resultado, ter relações sexuais com uma mulher, não pode casar-se. (Ar., *Cat.*, 131v); *Îepémo asó.* – Eu iria inutilmente. (Anch., *Arte*, 23v); *Îepé asó.* – Vou debalde. (Fig., *Arte*, 136)

îepé[4] (adv.) – em fuga, escapando-se: *Aîur îepé.* – Vim escapando-me. (Fig., *Arte*, 142); *Osó îepé gûyrá.* – Foi o pássaro, escapando-se. (Fig., *Arte*, 142); *Asem îepé.* – Saí em fuga. (*VLB*, I, 122)

îepé[5] (pron. pess. da 2ª p. do sing., usado quando o objeto é da 1ª p. do sing. ou pl.) – tu: *Xe mĩ-te îepé i xuí!* – Mas esconde-me tu dele! (Anch., *Teatro*, 32); *T'aîpapáne i angaîpaba ta xe rerobîá îepé.* – Hei de contar os pecados deles para que tu me acredites. (Anch., *Teatro*, 34); *Xe pysyrõ îepé!* – Livra-me tu! (Anch., *Teatro*, 48); *Aûîé, xe îuká îepé!* – Basta, tu me matas! (Anch., *Teatro*, 76); *Oré moingobé îepé.* – Faze-nos tu viver. (Anch., *Poemas*, 82); ... *Na xe reroŷrôî îepé...* – Tu não me detestas. (Anch., *Poemas*, 96)

îepé[6] (adv.) – certamente, sem dúvida, na verdade, com efeito: *Xe resemõ îepé itaîuba.* – Sobra-me dinheiro, certamente. (*VLB*, I, 17); *Aînhe'engapypyk îepé.* – Argumentei contra suas palavras, com efeito. (*VLB*, I, 17); ... *Îamanõ îepémo serã sepîakagûera abá supé mombe'u e'ymebémo.* – Morreríamos certamente antes que contasse para as pessoas o que viu. (Ar., *Cat.*, 165v); *Kó nhõ anosẽ, îepé, moxy suí.* – Somente estas, na verdade, retirei dos malditos. (Anch., *Poemas*, 150)

îepe'a (v. intr. compl. posp.) – afastar-se, apartar-se (de algo ou de alguém: compl. com **suí**): *Aîkobé; n'aîepe'aî i xuí.* – Aqui estou; não me afasto deles. (Anch., *Teatro*, 88); ... *Tupã suí i îepe'a-potá...* – Querendo que eles se afastem de Deus. (Ar., *Cat.*, 160); *Eîepe'a! Ekûá ké suí ra'a!* – Afasta-te! Vai-te daqui já! (Anch., *Teatro*, 32) • **îepe'asaba** – tempo, lugar, modo etc. de afastar-se; afastamento: ... *Tekó-angaîpaba suí o îepe'aagûera repyramo.* – Como recompensa de seu afastamento da vida má. (Ar., *Cat.*, 169v)

îepe'aba (etim. – *instrumento de aquecer-se*) (s.) – lenha (*VLB*, II, 20); *Aîepe'abar.* – Arranco lenha. (*VLB*, II, 20); *Aîepe'abá gûitekóbo.* – Estou tomando lenha. *Asó îepe'abá.* – Vou para arrancar lenha. (*VLB*, II, 20) • **îepe'a-mobokaba** – cunha de fender lenha (*VLB*, I, 87)

îepe'e (v. intr.) – esquentar-se, aquecer-se, iluminar-se: *Te'yîpe nhẽ i gûapyki, tatá ypype oîepegûabo.* – Sentou-se em público, aquecendo-se perto do fogo. (Ar., *Cat.*, 57); *Aîepe'e.* – Esquento-me. (Fig., *Arte*, 111). (Seu gerúndio é **îepe'ebo** ou **îepegûabo**.)

îepegûabo – ger. de îepe'e (v.)

îepeká (etim. – *quebrar-se o caminho*) (v. intr.) – abrir caminho (em meio à multidão, em meio à mata, sem a cortar): *Oroîepeká.* – Abrimos caminho. (*VLB*, I, 22; II, 108)

îepepyr (v. intr.) – empenar-se, estar empenado (p.ex., a tábua, por causa do sol) (*VLB*, I, 112)

îeperibe'ĩ (conj.) – mal, ainda bem não: *Îeperibe'ĩ asé marã i 'éû, onhemoŷrõ ymûan.* – Mal a gente diz algo, já se irrita. (*VLB*, II, 11)

îepi (adv.) (às vezes com a partícula **nhẽ**) – sempre, comumente; constantemente, cada dia (Fig., *Arte*, 129): ... *Ereîase'o îepi.* – Choravas sempre. (Anch., *Poemas*, 96); *Aîur ybaka suí... îepi nhẽ pe pytybõmo.* – Vim do céu para vos ajudar sempre. (Anch., *Teatro*, 50); *Ixé kó ka'u resé aporomoingó îepi...* – Eis que eu faço as pessoas estarem sempre na bebedeira. (Anch., *Teatro*, 134); – *Mba'e-mba'eremepe asé îeruréû i xupé? – Îepi nhẽ...* – Em que ocasiões a gente reza para eles? – Constantemente. (Ar., *Cat.*, 24); *Osyk oré ri sendy îepi nhẽ.* – Chegou a nós sua luz para sempre. (Anch., *Poemas*, 124); *N'i apori oré sumarã îepi nhẽ oré ra'anga.* – Não desiste nosso inimigo de sempre nos tentar. (Anch., *Poemas*, 174) • **îepindûara** (ou **îepinhẽndûara**) – o que é de sempre; coisa cotidiana (*VLB*, II, 94)

îepîak (v. intr.) – enxergar-se (*VLB*, I, 120)

îepîakukar (v. intr.) – mostrar-se, revelar-se, manifestar-se, fazer ver-se: *Oîepîakukar i xupé nhõ... i moesãîa.* – Manifestou-se a eles, somente, alegrando-os. (Ar., *Cat.*, 45) • **îepîakukasaba** – tempo, lugar, modo etc. de mostrar-se, de revelar-se; revelação: *T'orobasẽne ybakype... nde îepîakukasápe...* – Havemos de chegar ao céu, ao lugar em que tu te revelas. (Ar., *Cat.*, 27)

îepîar (v. intr.) – escudar-se, defender-se: *Aîepîar.* – Escudo-me, defendo-me. (*VLB*, I, 21)

îepimemẽ (adv.) – 1) sempre: ... *Îepimemẽ bé sa'anga i xupé...* – Sempre também pronunciando-a para ela. (Bettendorff, *Compêndio*, 65); *Amõ anhangusu-manhana îepimemẽ xe momboî.* – Algum diabão espião sempre me ameaça. (Anch., *Teatro*, 162, 2006) • **îepimemẽndûara** – o que é de cada dia, coisa cotidiana (*VLB*, II, 94)

îepirapûan (v. intr. compl. posp.) – falar a favor, fazer a defesa [de algo ou de alguém: compl. com **esé (r, s)** ou **suí**]: *Aîepirapûan (abá) resé.* – Falei a favor do homem. (*VLB*, I, 134, adapt.); *N'i aîarôî Îesu Cristo taté é te'õ suí i îepirapûana...* – Não faz sentido ele fazer a defesa da morte fora de Jesus Cristo. (Ar., *Cat.*, 4); ... *Îesu Cristo raûsuba resé i îepirapûaneme, bŷá i îukáû.* – Por ele fazer a defesa do amor a Jesus Cristo, mataram-no. (Ar., *Cat.*, 4)

îepirok (etim. – *arrancar-se a pele*) (v. intr.) – romper-se (p.ex., o dia) (*VLB*, I, 123)

îepoeîtyk

îepoeîtyk (etim. - *lançar-se a mão*) (v. intr. compl. posp.) - acenar com a mão (para alguém: compl. com **supé**): *Ereîepoeîtykype... kunhã amõ supé?* - Acenaste com a mão para alguma mulher? (Anch., *Doutr. Cristã*, II, 91)

îepoekyî (etim. - *puxarem-se as fibras*) (v. intr.) - estender-se (p.ex., o pano depois de molhado, para secar) (*VLB*, I, 128)

îepoerur (etim. - *trazerem-se as mãos*) (v. intr.) - acenar com a mão (principalmente chamando) (*VLB*, I, 19)

îepoká¹ (v. intr.) - arrepiar-se (p.ex., de frio o doente): *Aîepoká*. - Arrepiei-me. (*VLB*, I, 43)

îepoká² (v. intr.) - espreguiçar-se: ... *Nde atybak, nde resá-popybo ema'ẽmo, epukamiriãmo, eîepokábo tenhẽ...* - Tu voltas o rosto para trás, olhando com a ponta dos olhos, sorrindo, espreguiçando-te. (Anch., *Doutr. Cristã*, II, 111-112); *Aîepoká-poká.* - Fico-me espreguiçando. (*VLB*, II, 104)

îepokok (v. intr. compl. posp.) - dar (nalgum obstáculo do caminho, p.ex., o barco), topar, bater, embarrar: *Sakã resé i îepokoki.* - Ela embarrou nos seus ramos. (*VLB*, I, 111)

îepokuab (ou **îepokugûab**) (etim. - *conhecer-se a mão*) (v. intr.) - acostumar-se, estar em seu natural: *N'aîepokuabi.* - Não me acostumei. (*VLB*, II, 47)

îeponhea'ĩ (v. intr.) - encolher-se (como o pano depois de molhado) (*VLB*, I, 114)

îepo'oî (v. intr.) - embaraçar-se, estar embaraçado (fal. de fio) (*VLB*, I, 110)

îeporakar (v. intr.) - **1)** procurar alimento; **2)** pescar com rede: *Aîeporakar.* - Pesco com rede. (*VLB*, II, 75); **3)** caçar • **îeporakasaba** (ou **îeporakaaba** ou **îeporakaba**) - tempo, lugar, modo, causa etc. de procurar alimento, de caçar, de pescar (com rede); caçada; pescaria (com rede): *I gûara, îeporakaba, xe resemõ saûîá.* - Comedor deles, sobram-me sauiás, causa das caçadas. (Anch., *Poemas*, 156; *VLB*, II, 75); **îeporakasara** - pescador (com rede) (*VLB*, II, 75)

îeporero'ypok (v. intr.) - ter a segunda menstruação: *Aîeporero'ypok.* - Tive a segunda menstruação. (*VLB*, I, 84)

îeporero'ypoka (s.) - a segunda menstruação da mulher (*VLB*, I, 84)

îeposanong [etim. - *por remédios (ou poções) em si*] (v. intr.) - tomar remédio, tomar poções: *Pitanga nhemonhanga suí oîeposanõ-sanonga.* - Ficando a tomar poções para não gerar uma criança. (Ar., *Cat.*, 97, 1686)

îeposypaba (etim. - *instrumento de se limparem as mãos*) (s.) - **1)** guardanapo (*VLB*, I, 146); **2)** toalha das mãos (*VLB*, II, 129) (v. **syb**)

îepotabẽ¹ (v. intr.) - alastrar-se (*VLB*, I, 30)

îepotabẽ² (v. intr.) - continuar: *Aîepotabẽ.* - Continuei. (*VLB*, I, 81)

îepotabẽ³ (s.) - continuidade; (adj.) - contínuo (*VLB*, I, 81)

îepotar¹ (v. intr.) - chegar (por mar, por rio, por água), arribar: *Koromõ ipó eregûatá xe rekoápe, eîepotáne.* - Logo, decerto, passarás no lugar em que moro, chegando (por mar). (Anch., *Poemas*, 156); *Aîepotar.* - Cheguei (por mar). (*VLB*, I, 72) • **îepotasaba** - tempo, lugar, modo etc. de chegar (por água), de arribar: *Pindaîtykara îepotasápe, memẽ o agûasá-poxy supé oîmoîa'ok o embiara, o îara kupébo nhẽ.* - Ao chegarem os pescadores, repartem sempre com suas amantes ruins seu pescado, pelas costas de seus senhores. (Anch., *Poesias*, 268)

îepotar² (v. intr. compl. posp.) - alastrar-se (p.ex., fogo, doença) [compl. com **esé (r, s)**] (*VLB*, I, 38)

îepotar³ (v. intr.) - soldar-se, juntar-se (*VLB*, II, 120)

îepotasaba (etim. - *instrumento de juntar-se*) (s.) - junta, juntura (em geral e também do corpo) (Castilho, *Nomes*, 31): ... *I kanga îepotasaba pe'abo o îosuí.* - As juntas de seus ossos afastando umas das outras. (Ar., *Cat.*, 62); *akanga îepotasaba* - as juntas da cabeça (*VLB*, I, 84)

îepotasatyba (etim. - *lugar habitual de arribar*) (s.) - porto: *ygara îepotasatyba* - porto das canoas (*VLB*, II, 122) (v. tb. **îepotar**¹)

îepubuîereb (v. intr.) - emborcar-se, naufragar, ir a pique, soçobrar, afundar (p.ex., a embarcação ou quem vai nela) (*VLB*, II, 134): *Aîepubuîereb.* - Naufraguei. (*VLB*, I, 111)

îepubur (v. intr.) - revirar-se, agitar-se: ... *A'e 'ara îepubur'iré... a'ereme karaibebé ruri...* -

Îerebusu²

Após aquele revirar-se do mundo, então os anjos vêm. (Ar., *Cat.*, 160v)

îepun (v. intr.) - reavivar-se, renovar-se, avivar-se, recrudescer (p.ex., chaga, ódio, inimizade etc.) (*VLB*, II, 101): ... *T'oîepun xe marandûera!* - Que recrudesça minha antiga maldade! (Anch., *Teatro*, 18)

îe-pupé - o mesmo que **îo-upé** (v.) (Anch., *Arte*, 16)

îepyaobok (etim. - *arrancar-se o pano dos pés*) (v. intr.) - descalçar-se: *Aîepyaobok.* - Descalcei-me. (*VLB*, I, 96)

îepyapasabok (v. intr.) - descalçar-se (*VLB*, I, 96)

îepyk (v. intr. compl. posp.) - vingar-se [de alguém: compl. com **esé (r, s)**]: *Ogûereko-memûãsara resé oîepyka tiruãpe abá Tupã nhe'enga abyû?* - Mesmo vingando-se dos que o maltratam, o homem transgride a palavra de Deus? (Ar., *Cat.*, 70); *Aîepyk ipó irã seséne...* - Vingar-me-ei dele no futuro, certamente. (Ar., *Cat.*, 102) • **îepykaba** - tempo, lugar, modo etc. de se vingar; vingança: *Eîpotar umẽ nde resé o îepykápe anhanga ratápe nde reîtyka...* - Não queiras que te lance no inferno para se vingar de ti. (Ar., *Cat.*, 237, 1686)

îepykixûera (s.) - pessoa vingativa (*VLB*, II, 145); (adj.: **îepykixûer**): *Xe îepykixûer.* - Eu sou vingativo. (*VLB*, II, 146)

îepyme'eng (etim. - *dar-se a recompensa*) (v. intr.) - retribuir: *T'ame'ẽne pirá ruba endébo, ûîîepyme'enga...* - Hei de dar ovas de peixe para ti, retribuindo... (Anch., *Teatro*, 44)

îepypetek (v. intr.) - sapatear, bater-se os pés (*VLB*, I, 66)

îepysó (v. intr.) - acamar-se, deitar-se, estender-se, estirar-se deitando (ao longo do chão, em cama etc.): *Aîepysó.* - Deito-me. (*VLB*, I, 19); *Aîepysó gûitupa.* - Eu estou estirado. (*VLB*, I, 129)

îepysyrõ (v. intr.) - 1) libertar-se, salvar-se: *Mokõnhõ... kó taba pupé sekóú, oîepysyrõ okupa.* - Poucos nesta aldeia moram, estando a salvar-se. (Anch., *Teatro*, 16); 2) acolher-se: *Aîepysyrõ (abá) resé.* - Acolhi-me ao homem (para que me valha). (*VLB*, I, 20, adapt.) • **oîepysyrõba'e** - o que se salva, o que se livra: ... *Tupã resé oîepysyrõba'e...* - ... os que se salvam em Deus (Ar., *Cat.*, 38); **îepysyrõ-**saba - tempo, lugar, modo etc. de libertar-se, de salvar-se: *Tekokatu anhõ ã te'õ suí... îepysyrõsabeté re'a...* - Eis que a virtude somente há de ser o modo de se libertar da morte. (Ar., *Cat.*, 158v)

îepysyrõsyrõ (v. intr.) - escusar-se, desculpar-se (de fazer algo): *Aîepysyrõsyrõ.* - Desculpei-me. (*VLB*, I, 124)

îepytasok¹ (etim. - *firmarem-se os pés*) (v. intr. compl. posp.) - firmar-se (como o que vai levantar algo pesado para não escorregar), suster-se, escorar-se [em algo: compl. com **esé (r, s)**]: *Aîepytasok (mba'e) resé.* - Escorei-me em algo. (*VLB*, I, 131, adapt.)

îepytasok² (etim. - *firmarem-se os pés*) (v. intr.) - combater, ter encontro (com inimigos) (*VLB*, I, 114)

îepytasoka (s.) - firmeza: ... *Îepytasokûera eroîeby.* - Devolvendo sua antiga firmeza. (Ar., *Cat.*, 40)

îerab (v. intr.) - desfiar-se (p.ex., tecido) (*VLB*, I, 99)

îeraba (s.) - frouxidão; (adj.: **îerab**) - solto, frouxo, desatado: *Marã e'ipe Tupã i tĩ-îeraba repîaka?* - Que disse Deus vendo seu frouxo pudor? (Ar., *Cat.*, 41)

îeratã (v. intr.) - fortalecer-se: *Sekopûera angaturama xe resé t'oîeratã.* - A bondade de sua vida em mim se fortaleça. (Anch., *Poemas*, 134)

îereb (v. intr.) - 1) virar-se; revirar-se, voltar-se; 2) espojar-se, lançar-se em terra de costas e revolver-se, agitar-se para se coçar (p.ex., os cães, os gatos): *Aîeré-îereb.* - Fico a espojar-me. (*VLB*, I, 127); 3) investir, fazer ataque: *Aîereb (abá) supé.* - Investi contra os homens. (*VLB*, II, 147, adapt.)

NOTA - No P.B., **JEREBA** tem vários sentidos: 1) *animal ruim de montaria*; 2) *arreios*; 3) *indivíduo desajeitado ou desleixado*; 4) (SP, pop.) *meretriz*; 4) (BA) *espécie de raia grande* (in *Novo Dicion. Aurélio*).

îerebusu¹ (etim. - *volta grande*) (s.) - nome de uma ave da família dos catartídeos, do grupo dos urubus (D'Abbeville, *Histoire*, 182v)

îerebusu² (etim. - *volta grande*) (s. antrop.) - nome de índio tupi (D'Abbeville, *Histoire*, 182v)

îerekoaíb

îerekoaíb (v. intr. compl. posp.) – piorar [de algo: compl. com **suí**]: *Oîerekoaíbeté xe akanga rasy xe suí.* – Piorou muito a dor de minha cabeça. (*VLB*, I, 112); *Aîerekoaíbeté xe angaîpá-katu suí.* – Piorei muito de meu grande pecado. (*VLB*, I, 112)

îerekûaba (s.) – afabilidade; (adj.: **îerekûab**) – afável; (**xe**) ser afável, perdoar: *I xy-îerekûaba abé oîo'ok i abaeté...* – Sua mãe afável também arranca a ferocidade dele. (Anch., *Teatro*, 154); *A'eîbé Pilatos supé oîerekûabamo...* – Bem nesse momento perdoou a Pilatos. (Ar., *Cat.*, 59); *N'i nhyrõî, n'i îerekûabi...* – Não perdoam, não são afáveis. (Anch., *Teatro*, 148)

îeremary (s.) – JUREMARI, JUREMA, árvore da família das leguminosas-mimosoídeas (*Chloroleucon tortum* (Mart.) Pittier), muito comum na costa nordestina, "delgada no pé e muito grossa em cima; ... dá umas favas brancas". (Sousa, *Trat. Descr.*, 220)

> NOTA – JUREMA pode ser também, no P.B., bebida feita com a casca, raízes ou frutos dessa planta, com propriedades alucinógenas (in *Novo Dicion. Aurélio*).

îeremũ – o mesmo que **îurumũ** (v.) (Brandão, *Diálogos*, 198)

îeremuîé (s.) – JERIMUM, espécie de abóbora, chamada *cabaço* em Portugal. O mesmo que **îurumũ** (v.) (Sousa, *Trat. Descr.*, 184)

îeremũ-pakobá (etim. – *jerimum pacova*) (s.) – variedade de jerimum (v. **îurumũ**) (Brandão, *Diálogos*, 198)

îerimirĩ (s.) – variedade de feijão (Sousa, *Trat. Descr.*, 296)

îeripeba (s.) – variedade de feijão (Sousa, *Trat. Descr.*, 296)

îeriusu (s.) – variedade de feijão (Sousa, *Trat. Descr.*, 296)

îero'ar (v. intr.) – estar derrubado (p.ex., com o muito peso): *Aîero'ar.* – Estou derrubado. (*VLB*, I, 95)

îerobîar[1] (v. intr. compl. posp.) – **1)** ser altivo, arrogante, denodado (em coisas de guerra ou briga): *Aîerobîá-katu.* – Sou muito arrogante. *Aîerobîá-pyryb gûitekóbo.* – Estou sendo um tanto arrogante. (*VLB*, I, 33); **2)** ensoberbecer-se, gloriar-se, ser presumido, ser fantasioso, ser contador de vantagem [compl. com **esé (r, s)**]: *Aîerobîá-katu (mba'e) resé.* – Ensoberbeci-me muito acerca das coisas. (*VLB*, I, 118, adapt.); *Aîerobîá xe îoesé.* – Ensoberbeci-me acerca de mim mesmo. (*VLB*, I, 117); *Aîerobîar-a'ub (mba'e) resé.* – Glorio-me em vão das coisas. (*VLB*, I, 148)

îerobîar[2] (v. intr. compl. posp.) – confiar, ter esperança [em algo ou em alguém: compl. com **esé (r, s)** ou **ri**]: *T'i îerobîar apó abá ri.* – Confiemos nesses homens. (Léry, *Histoire*, 354); *Eîerobîá xe resé.* – Confia em mim. (Anch., *Teatro*, 128); *Aîerobîá-katu xe îoesé.* – Confio muito em mim mesmo. (*VLB*, II, 57) ● **îerobîasara** – o que confia: *Marãpe karaibebé Tupã resé îerobîasara rubixaba rera?* – Qual é o nome do chefe dos anjos que confiam em Deus? (Ar., *Cat.*, 38); **îerobîasaba** – tempo, lugar, modo, causa etc. de confiar, de ter esperança: *... Sesé Tupã resé bé o îerobîasápe...* – Por ter ele esperança nela e em Deus. (Ar., *Cat.*, 352); *Mba'epe Tupã resé asé îerobîasabeté?* – Quais são as causas verdadeiras de nós termos esperança em Deus? (Bettendorff, *Compêndio*, 62)

îerobîara[1] (s.) – confiança: *Ereroŷrõ-mbápe o îoesé i îerobîara...?* – Detestas completamente a confiança dele em si mesmo? (Ar., *Cat.*, 184, 1686)

îerobîara[2] (s.) – glória humana (*VLB*, I, 148); fantasia (de pessoa presunçosa) (*VLB*, I, 134); altivez, arrogância (*VLB*, I, 33): *... Kó aîkó nde akanga kábo nde îerobîara suí.* – Eis que aqui estou para quebrar tua cabeça por causa de tua arrogância. (Anch., *Poesias*, 57)

îerobîasaba (s.) – esperança: *Salve Rainha... oré îerobîasaba...* – Salve Rainha, nossa esperança. (Ar., *Cat.*, 14)

îerobîatenhẽ (v. intr.) – vangloriar-se: *Aîerobîatenhẽ.* – Vanglorio-me. (*VLB*, II, 141)

îerobîatenhẽa (s.) – vanglória (*VLB*, II, 141)

îerobur (v. intr.) – avivar-se, renovar-se (p.ex., a chaga, a inimizade, o ruído etc.) (*VLB*, II, 101)

îerobyk (ou **îoerobyk**) (v. intr.) – ajuntar-se: *Oîerobyk.* – Ajuntam-se. (*VLB*, I, 29)

îerok (v. intr.) – mudar de nome, tomar nome novo (segundo o ritual indígena. Acontecia sempre que se matava um inimigo, quebrando-se-lhe a cabeça): *Aîerok kori seséne.* – Mudarei de nome hoje, por causa deles. (Anch., *Teatro*, 64); *Aîerok muru resé; xe rera "Kururupeba".* – Mudo de nome por causa dos malditos; meu nome é "Sapo Achatado". (Anch., *Teatro*, 90)

îeroky[1] (v. intr. compl. posp.) – fazer inclinação, mesura, inclinar-se: – *Oîerokype asé Cruz supé?* – *Oîeroky.* – A gente se inclina junto à cruz? – Inclina-se. (Ar., *Cat.*, 22)

îeroky[2] (s.) – mesura (*VLB*, II, 36)

îeroky[3] (s.) – espécie de feiticeiro, "que dizem ser um anjo que veio do céu". (Rodrigues, *Relação*, in Leite, *Novas Cartas Jesuíticas*, 241)

îerotikara (s.) – trufa (*VLB*, II, 138)

îeroŷrõ (v. intr.) – detestar a si mesmo, detestar-se, odiar-se: ... *O py'ape oîeroŷrõmo...* – Detestando-se em seu coração. (Anch., *Doutr. Cristã*, II, 112)

îerumũ – o mesmo que *îurumũ* (v.) (Sousa, *Trat. Descr.*, XLVI)

îerumũeté (etim. – *jerimum verdadeiro*) (s.) – nome de uma planta; variedade de abóbora (*Theat. Rer. Nat. Bras.*, II, 216)

îeruré (v. intr. compl. posp.) – pedir; rogar; rezar [a alguém: compl. com **supé**; por algo: compl. com **esé (r, s)**]: *Aîeruré aoba resé Pedro supé.* – Peço a Pedro por roupa. (Anch., *Arte*, 44); *Aîeruré Tupã supé xe angaturãgûama resé.* – Peço a Deus por minha virtude. (*VLB*, II, 69); *Aîeruré ndebe xe remi'urama resé.* – Peço a ti por minha comida. (D'Evreux, *Viagem*, 144) •
îeruresaba – tempo, lugar, modo, causa etc. de pedir; pedido, petição: *I pupé... 'y anhẽ monhangi kaũinamo o sy îeruresaba rupi.* – Nele a água transformou em vinho, de acordo com os pedidos de sua mãe. (Ar., *Cat.*, 12); *Marã e'ipe amoaé asé îeruresaba?* – Como reza aquela outra petição nossa? (Ar., *Cat.*, 26v); *T'oú, nde îeruresápe, Tupã oré moorypa...* – Que venha, por teus pedidos, Deus para nos fazer felizes. (Anch., *Teatro*, 118)

îeruresabo (adv.) – a pedido, por solicitação: ... *Cruz resé i moîari, i îeruresabo é...* – A seu próprio pedido, na cruz o pregaram. (Ar., *Cat.*, 9)

îeruresara (etim. – *o que pede*) (s.) – advogado, o que faz petições: *Eneĩ, oré îeruresar!* – Eia, advogada nossa! (Ar., *Cat.*, 14v)

îeruti (s.) – JURITI, o mesmo que *îurutĩ* (v.) (D'Abbeville, *Histoire*, 239)

îesapy'a (v. intr.) – 1) antecipar-se muito (*VLB*, I, 36); 2) apressar-se muito (*VLB*, I, 47)

îesarusu (s. etnôn.) – nome de nação indígena (Vasconcelos, *Crônica (Not.)* I, §153, 110)

îese'ar (ou **îese'a**) (v. intr. compl. posp.) – 1) unir-se, juntar-se [a algo ou a alguém: compl. com **esé (r, s)** ou **ri**]: *T'oîese'ar-y beramẽĩ oîepekaturamo...* – Que pareçam juntar-se como um só. (Ar., *Cat.*, 95v); ... *Îandé ri oîese'a.* – Uniu-se a nós. (Anch., *Poemas*, 160); 2) misturar-se (coisas da mesma espécie): *Oroîese'ar.* – Nós nos misturamos. (*VLB*, II, 36) •
îese'araba – tempo, lugar, modo etc. de unir-se, de juntar-se; união, junção: ... *îandé ro'o resé îese'aragûera...* – a união à nossa carne (Ar., *Cat.*, 132v)

îese'ara (s.) – união: ... *Oîepé og ekó-karaíba îese'ara pupé nhẽ.* – São um na união de seu ser sagrado. (Anch., *Doutr. Cristã*, I, 134)

îeseî (v. intr. compl. posp.) – irritar-se, querer brigar, fazer-se hostil [com alguém: compl. com **esé (r, s)**]: *Aîeseî (abá) resé.* – Irritei-me com o homem. (*VLB*, I, 115)

îesok (v. intr.) – picar-se: *Aîesok.* – Pico-me a mim mesmo. (Fig., *Arte*, 83)

îesub (v. intr. compl. posp.) – deparar-se [a alguém: compl. com **esé (r, s)**]: *T'oîesub amõ ixébo ranhẽ.* – Há de se me deparar algum, primeiro. (*VLB*, I, 94)

îesûera (s.) – consciência, convencimento; (adj.: **îesûer**) – consciente, convencido: *Missa mondykápe épe ereîké îepi, nde îesûere'yîpe...* – É no final da missa que entras sempre, manifestamente consciente? (Anch., *Doutr. Cristã*, II, 105)

îesuí (posp.) – 1) (posp. recípr.) – um do outro: *E'ikatupe o îesuí opo'i?* – Podem deixar um do outro? (Ar., *Cat.*, 94v); 2) (posp. refl.) – de si mesmo: ... *O îesuí i mo'ẽuká asé resé.* – Fazendo-o derramar de si mesmo por nós. (Ar., *Cat.*, 43)

îesy (v. intr.) – assar-se: *Tatá nde arõeté, i pupé t'ereîesy.* – O fogo te convém verdadeiramente, para que nele te asses. (Anch., *Teatro*, 170)

îesybasab (v. intr.) – benzer-se a testa: *Aîesybasab.* – Benzi-me a testa. (*VLB*, I, 54)

îesyîa

îesyîa (s.) - adormecimento (dos membros); (adj.: **îesyî**) - dormente, adormecido (o pé, a mão, a perna, o corpo); (**xe**) adormecer: *Opá xe uba îesyî.* - Ambas as minhas coxas adormeceram. (Anch., *Teatro*, 26); *Xe py-îesyî.* - Eu tenho o pé adormecido. (*VLB*, I, 106)

> NOTA - Daí, no P.B. (NE, pop.), **JIÇUÍ** (*îe-* + *syî,* "arrepiado", (falando-se da epiderme) (in *Dicion. Caldas Aulete*) (v. tb. **syî**).

îetanong (ou **nhetanong**) (v. intr. compl. posp.) - fazer oferenda (p.ex., ao pajé, para obter algum favor: vitória na guerra, saúde etc.), ofertar, dar presente [a alguém: compl. com **esé (r, s)**]: *Anhetanong paîé resé.* - Fiz oferenda para o pajé. (*VLB*, II, 55); *I xy... supé t'îa'é, îaîetanonga: "T'oú îandé posanonga.* - Para sua mãe digamos, fazendo oferenda: "Que venha para nos curar". (Anch., *Poemas*, 166) ● **îetanongaba** - tempo, lugar, modo etc. de presentear, de ofertar; oferenda, presente, oferta (para a Igreja ou para feiticeiros) (*VLB*, II, 55). "Honra, reverência e presentes que se devem oferecer aos profetas e santos caraíbas a fim de obter deles aquilo que lhes é necessário para manterem sua vida." (Thevet, *Cosm. Univ.*, 914): ... *I xupé ogûeru îetanongabamo itaîuba, ysykatã syapûâba'e, mirra...* - Para ele trouxeram, como oferendas, ouro, incenso e mirra. (Ar., *Cat.*, 3); ... *I îetanongápe, sory nde py'a.* - Ao presentearem-no, alegrou-se teu coração. (Anch., *Poemas*, 118)

îetanonga (s.) - oferenda; presente dado ao pajé para obter algum favor (vitória na guerra etc.): *Ererobîápe îetanonga'uba?* - Acreditas em falsas oferendas? (Ar., *Cat.*, 98v)

îeta'ybá (s.) - o fruto do **JATOBÁ** (v. **îeta'yba**) (Marcgrave, *Hist. Nat. Bras.*, 101)

îeta'yba - o mesmo que **îata'yba** (v.) (Vasconcelos, *Crônica* (*Not.*) II, §81, 153)

îetaysyka (etim. - *resina de jatobá*) (s.) - **JETAICICA**, resina transparente destilada pela îeta'yba (v.) (Piso, *De Med. Bras.*, IV, 180)

îetinga (s.) - espécie de mosca ou mosquito pequeno que ataca feridas; mosquito-de-cachorro (D'Abbeville, *Histoire*, 255v; Marcgrave, *Hist. Nat. Bras.*, 257; *VLB*, II, 43)

îetipemena (s.) - marido da sobrinha (filha da irmã de h.) ou da prima (filha da tia de h.) (Ar., *Cat.*, 114)

îetipera (s.) - 1) sobrinha de homem, filha de sua irmã ou prima (*VLB*, II, 119); 2) prima, filha de tia de homem (Ar., *Cat.*, 114)

îetu'u (v. intr.) - acamar-se, estirar-se; deitar-se: *Gûyrá-sapukaîa îabé ereîetu'u...* - Como um galo te deitas. (Anch., *Doutr. Cristã*, II, 111); *Aîetu'u.* - Estiro-me. (*VLB*, I, 29)

îetyka (s.) - **JETICA, JATICA,** batata-doce, planta herbácea americana, da família das convolvuláceas (*Ipomoea batatas* (L.) Lam.), de raízes tuberosas alimentícias e folhas medicinais. É também chamada *batata-da-terra, batata-da-ilha.* (D'Abbeville, *Histoire,* 229; Marcgrave, *Hist. Nat. Bras.*, 16) ● **îetyky** - vinho de batata-doce (Marcgrave, *Hist. Nat. Bras.*, 274)

JETICA (batata-doce) (fonte: Marcgrave)

îetykasyka (s.) - resina odorífera produzida pela **îeta'yba** (Marcgrave, *Hist. Nat. Bras.*, 101)

îetykopé (s.) - **JATUCUPÉ, JACUTUPÉ, JOCOTUPÉ,** trepadeira da família das leguminosas (*Pachyrhizus tuberosus* (Lam.) Spreng.), de raízes tuberosas, feculentas e alimentícias (Anch., *Cartas*, 135)

îetykusu (etim. - *jetica grande*) (s.) - **JETICUÇU,** planta da família das convolvuláceas, de folhas cordiformes e raiz tuberosa, de efeito purgativo. É chamada também *batata-de-purga* ou *tapioca de purga.* (Cardim, *Trat. Terra e Gente do Brasil*, 47; Marcgrave, *Hist. Nat. Bras.*, 41)

îetymixyra (etim. - *batata-doce cozida*) (s.) - nome de um peixe (*Theat. Rer. Nat. Bras.*, I, 70)

îeupé - o mesmo que **îoupé** (v.)

îeupir (v. intr.) - elevar-se, subir, ascender, trepar, montar (p.ex., em cavalo): ... *São Matias, ybakype Tupã Ta'yra îeupir'iré, S. Pedro o irũetá resebé... tari apóstoloramo.* - São Pedro, com seus companheiros, tomou como apóstolo a São

Matias, após subir Deus-Filho ao céu. (Ar., *Cat.*, 121) • **îeupiraba** – tempo, lugar, modo etc. de subir; subida: *Arobîar ybakype i îeupiragûera...* – Creio na subida dele ao céu. (Ar., *Cat.*, 16)

îeupisaba (etim. – *instrumento de se elevar*) (s.) – escada (*VLB*, I, 122)

îe'yaponhang (etim. – *encher-se a embarcação*) (v. intr.) – fazer aguada, fazer armazenamento de água (p.ex., como o navio) (*VLB*, I, 24)

îe'yaporakar (etim. – *encher-se a embarcação*) (v. intr.) – fazer aguada, fazer armazenamento de água (p.ex., como o navio) (*VLB*, I, 24)

îe'ynhang (etim. – *verter-se água*) (v. intr.) – fazer aguada, fazer armazenamento de água (p.ex., como o navio) (*VLB*, I, 24)

îeypyî (ou **îeepyî**) (v. intr.) – aspergir-se: *Oîeypyî 'y-karaíba pupé.* – Asperge-se com água benta. (Ar., *Cat.*, 24) • **îeepyîtaba** – tempo, lugar, modo, finalidade etc. de aspergir-se: *Irõ aîpó 'y-karaíba pupé asé îeepyîtabypy.* – Portanto, essa é a primeira finalidade de se aspergir a gente com água benta. (Ar., *Cat.*, 352, 1686)

îeysá (s.) – estatura (de pessoa), comprimento, compridão (de qualquer coisa) (*VLB*, I, 128): *îeysá-puku* – estatura elevada (p.ex., de pessoa); (adj.) – ter estatura: *Xe îeysá-puku.* – Eu tenho estatura elevada. (*VLB*, I, 33)

> NOTA – Daí, no P.B., pelas línguas gerais coloniais, **PAJUÇARA**, *muito grande; de grande corpo ou estatura* (in *PDBLP*). O termo **JUÇARA**, nas línguas gerais coloniais, passou a significar *grande*: **CAAJUÇARA** ("folhas grandes", arbusto das rubiáceas); **MUIRAJUÇARA** ("árvore grande", árvore apocinácea). Isso também se percebe na toponímia: **PIRAJUSSARA** (SP), "peixes grandes"; **PEJUÇARA** (RS), "caminho comprido" etc.

îeysyrung (v. intr.) – pôr-se em fila, enfileirar-se: *Oroîeysyrung.* – Pusemo-nos em fila. (*VLB*, II, 101)

îîá (part. que leva o verbo para o gerúndio. Às vezes é acompanhada pelas partículas **muru**, **îaby** ou **mã**) – 1) ainda bem, ainda bem que: ... *Îîá omanõmo...* – Ainda bem que morreu. (Ar., *Cat.*, 69v); *Îîá oîembo'ebo.* – Ainda bem que aprendeu. (Anch., *Arte*, 57); *Îîá muru senonhana!* – Ainda bem que o faz correr consigo! (Anch., *Teatro*, 164); 2) bem feito!: *Îîá n'endé!* (ou *Îîá endébe!*) – Bem feito para ti! *Îîá n'ahẽ.* – Bem feito para ele! (*VLB*, I, 28; II, 11); *Îîá îaby ahẽ mã!* – Ah, bem feito para ele! (*VLB*, I, 28); *Îîá muru! I py'apûera xe potabamo t'oîkó.* – Bem feito para o maldito! Seus fígados hão de ser minha porção. (Anch., *Teatro*, 64)

îia (s.) – JIA, nome comum a rãs da família dos leptodactilídeos (Brandão, *Diálogos*, 257)

îiamuru (part.) – o mesmo que **îamuru** (v.) (Anch., *Teatro*, 64)

îiatybinhẽ – 1) (posp.) – ao invés de, ao contrário de; 2) (adv.) – às avessas, ao revés (*VLB*, I, 48)

ikararasá (s.) – var. de cogumelo comestível que cresce na madeira (*VLB*, I, 86)

'ikatu – alomorfe de **e'ikatu** (v. **'ikatu** / **'ekatu**)

'ikatu / **'ekatu** (v. intr.) – 1) poder (tanto no sentido de *ter permissão, ter possibilidade, ter oportunidade* quanto no de *ter capacidade* ou *ter habilidade*; leva o verbo do qual é auxiliar para o gerúndio): *T'e'ikatu nde kuapa xe ruba Tupinambá!* – Que possa conhecer-te meu pai Tupinambá! (Anch., *Poemas*, 114); *A'ekatu mba'e monhanga.* – Posso fazer as coisas. (Fig., *Arte*, 160); *Pedro e'ikatu osóbo.* – Pedro pode ir. (Fig., *Arte*, 160); *E'ikatupe asé iké bé sepîaka?* – Pode a gente vê-lo aqui também? (Anch., *Doutr. Cristã*, I, 158); *A'ekatu sepîaka.* – Posso vê-lo. (Anch., *Arte*, 56); *Nd'e'ikatu angâî-tepe asé abá rekó-nhemima mombegûabo?* – Mas não pode a gente, de modo nenhum, contar o procedimento oculto de alguém? (Ar., *Cat.*, 73v); 2) (v. intr. compl. posp.) – mostrar-se digno, ser digno, apto, capaz; saber, saber fazer; ter jeito [complemento com a posp. **esé** (r, s)]: *N'a'ekatuî.* – Não sei (ignoro). (*VLB*, II, 8); *A'ekatu mba'e resé.* – Tenho jeito para a coisa. (*VLB*, I, 147); *Nd'e'ikatu beî aîpó i pe'apyra'uba missa renduba resé...* – Também não se mostra digno aquele excomungado mesquinho de ouvir a missa. (Ar., *Cat.*, 179); *A'ekatu sesé.* – Sei fazê-lo. (*VLB*, II, 79) • **e'ikatuba'e** (ou **i'ikatuba'e**) – o que pode; o que se mostra digno, o que é capaz, o que sabe etc.: *Arobîar Tupã Tuba, opakatu mba'e tetirũ monhanga e'ikatuba'e.* – Creio em Deus Pai, o que pode fazer todas e quaisquer coisas. (Ar., *Cat.*, 14v); ... *Pa'i-îemo'esaba Tupã resé i'ekatuba'e.* – Padres doutos que saibam acerca de Deus. (D'Abbeville, *Histoire*,

ikatupe¹

342). (Também aparece a forma '**ikatu** como equivalente a **e'ikatu**): *'Ikatu bé abá omendá amoaé abaré robaké...* – Podem também as pessoas casar-se diante de um outro padre. (Ar., *Cat.*, 128)

ikatupe¹ (adv.) – manifestamente (*VLB*, II, 31); notoriamente (*VLB*, II, 51); publicamente, em público, a olhos vistos (*VLB*, I, 37): – *Umãme-pe i poromomendari? – Tupãokype, ikatupe nhẽ, mokõî abá robaké.* – Onde ele casa as pessoas? – Na igreja, publicamente, diante de duas pessoas. (Ar., *Cat.*, 94) ● **ikatupendûara** [ou **ikatupesûara**] – coisa manifesta, pública, coisa notória por ser vista (*VLB*, II, 31; 51)

ikatupe² (adv.) – nuamente, sem roupa, a nu, despido: ... *Ikatupe nhẽ temõ mã...!* – Oxalá ela estivesse sem roupa! (Ar., *Cat.*, 104); ... *ikatupe nde moĩndara...* – o que te põe a nu (Ar., *Cat.*, 187); ... *Ikatupe nhẽpe sekóû te'yĩpe?* – Estava ele despido, sem mais, em público? (Ar., *Cat.*, 62); *Ikatupe aîkó.* – Ando despido, vivo despido. (*VLB*, II, 51) ● **ikatupendûara** [ou **ikatupesûara** ou **ikatupe (nhẽ) tekoara**] – o que está ou anda despido (*VLB*, II, 51)

ikatupendûara – v. ikatu

iké¹ (adv.) – aqui [o mesmo que **ké²** (v.)]: ... *iké seru-potá nhẽ* – querendo trazê-los aqui (Anch., *Teatro*, 12); *Iké xe roka.* – Aqui é minha casa. (*VLB*, II, 41) ● **iké suí** – daqui (*VLB*, I, 89)

iké² / **eîké** (t) (v. intr. compl. posp. irreg.) – **1)** entrar; penetrar (compl. com **pe**, **pupé** ou **supé**): – *Oîképe a'e i boîá aé Anás rokype?* – *Oîké.* – Entraram aqueles mesmos discípulos seus na casa de Anás? – Entraram. (Ar., *Cat.*, 55); *Marã Santa Maria rekóremepe, karaibebé reîkéû i xupé?* – Como estava Santa Maria quando o anjo entrou para junto dela? (Ar., *Cat.*, 30v); *Eîké kori xe nhy'ãme...* – Entra hoje em meu coração. (Anch., *Poemas*, 92); *Oîké îugûasu, i akanga kutuka...* – Penetram grandes espinhos, espetando sua cabeça. (Anch., *Poemas*, 122); *Oîké itapygûâ nde 'anga pupé.* – Penetram os cravos dentro de tua alma. (Anch., *Poemas*, 122); ... *nde rokype oîkébo* – entrando em tua casa (Anch., *Poemas*, 124); *Aîké nhãîmbiara pupé.* – Entrei nos caminhos das fontes. (Anch., *Teatro*, 46); **2)** pôr--se (o sol); recolher-se: *Tó! Aîpó n'i papasabi, kûarasymo oîké îepémo!* – Ó! Isso não seria possível contar, ainda que o sol se pusesse! (Anch., *Teatro*, 38) ● **oîkeba'e** – o que entra: ... *Pe 'angyme oîkeba'epûera...* – O que entrou em vossas almas. (Ar., *Cat.*, 89); **eîkeara (t)** – o que entra: ... *Îase'o rakó perekó peẽmo teîkeara moetesabamo...* – Com pranto estai como modo de louvar o que entra junto a vós. (Ar., *Cat.*, 85v); **eîkeaba (t)** – tempo, lugar, modo, causa etc. de entrar; entrada: *Oîepé karaibypy rekoangaîpaba ikó 'ara pupé seîkeagûera...* – O pecado de um primeiro homem branco foi a causa de sua entrada neste mundo. (Ar., *Cat.*, 154v-155) (O gerúndio de **iké** / **eîké** tem duas formas: **gûiteîkébo** ou **gûikeabo**, **eîkébo** ou **eîkeabo** etc. Isso acontece também com verbos derivados dele, como **moingé**, **îemoingé** etc.)

NOTA – Daí, **PIRAQUÊ** (nome de ribeirão do RJ) (v. Rel. Top. e Antrop. no final).

ikeboka (s.) – abertura de saia: *Iî ikeboka* – a abertura da saia dela (*VLB*, II, 30)

ikepuba (etim. – *flanco mole*) (s.) – o espaço entre as costelas e o osso ilíaco (Castilho, *Nomes*, 32)

ikó¹ (dem. pron. ou adj.) – **1)** este (s, a, as); esse (s, a, as); isto (*VLB*, II, 15): *N'asé retama ruã-tepe ikó yby asé rekoaba?* – Mas não é nossa pátria esta terra em que moramos? (Ar., *Cat.*, 26); ... *Ikó taba apamonana.* – Confundindo esta aldeia. (Anch., *Teatro*, 40); *Iesus boîá ã ikó...* – Eis que este é discípulo de Jesus. (Ar., *Cat.*, 57); *Mobype asé ikó mosanga rarine?* – Quantas vezes a gente tomará esse remédio? (Anch., *Doutr. Cristã*, I, 208); **2)** (adv.) – eis que; eis que aqui (marca o presente ou o futuro com a 1ª p., excluindo a possibilidade de passado): *Iesus Nazareno ikó orosekar...* – Eis que procuramos Jesus de Nazaré. (Ar., *Cat.*, 54v); *Asó ikó.* – Eis que vou. (Anch., *Arte*, 21v); *Aîmonhang ikó.* – Eis que aqui o faço. (Fig., *Arte*, 141); *Aîur ikó.* – Eis que venho. (Fig., *Arte*, 141); *Orokub ikó.* – Eis que aqui nós estamos. (*VLB*, I, 128) ● **ikó-te** – este outro (e não ele) (*VLB*, I, 130)

ikó² / **ekó** (t) (v. intr. irreg.) – **1)** estar (em geral ou em movimento): *Oîkó-po'ipe i tupã se'õmbûera pupé?* – Deixou de estar sua divindade em seu cadáver? (Ar., *Cat.*, 44); *Nde resé memẽ oroîkó...* – Contigo sempre estamos. (Anch., *Poemas*, 84); **2)** morar: *Kó taba* *pupé aîkó.* – Moro nesta aldeia. *Aîkó iké xe roka pupé.* – Moro aqui em minha casa. *Aîkó Pero irũnamo.* – Moro com Pedro. (*VLB*, II, 41); *Umãmepe sekóû?* – Onde ele mora? (Ar., *Cat.*, 50v); **3)** ser (acompanhado ou não da posposição -**ramo**): *N'i xyîtepe Tupã-etéramo oîkóbo?* – Mas não teve mãe, sendo Deus verdadeiro? (Ar., *Cat.*, 22v); – *Mba'epe Santa Madre Igreja Católica îekuapabeté?* – *Oîepé nhõ sekó...* – Qual é o verdadeiro sinal da Santa Madre Igreja Católica? – Ser ela uma só. (Bettendorff, *Compêndio*, 54); *Pitangĩnamo ereîkó...* – És um nenenzinho. (Anch., *Poemas*, 100); *Asé rarõanamo-tepe karaibebé rekóû?* – Mas os guardiães da gente são os anjos? (Ar., *Cat.*, 23v); **4)** viver: *Aîkó-katupe i îabé ká...* – Hei de viver bem como eles. (Ar., *Cat.*, 24); *I xupépe asé îeruréû o 'anga rekorama resé?* – A ele a gente pede pelo futuro viver de sua alma? (Ar., *Cat.*, 93v); *Aîkó tekokatu resé.* – Vivo na virtude. (Anch., *Arte*, 44); *Endépe ereîkó?* – Tu vives? (Fórmula de saudação a quem chega.) (*VLB*, II, 113); **5)** proceder, portar-se, agir, fazer (no sentido de *portar-se, comportar-se*): *Aîkó nde nhe'enga rupi.* – Procedo conforme tua palavra. (*VLB*, II, 53); *Pysaré serã ereîkó arinhama mokanhema...?* – Será que a noite toda ages para fazer sumir as galinhas? (Anch., *Teatro*, 30); *Marã oîkóbo bépe abá i abyû?* – Procedendo de que forma o homem o transgride? (Ar., *Cat.*, 69v); *Ixé aé emonã aîkó.* – Eu mesmo fiz assim. (*VLB*, I, 135); **6)** ter relações sexuais, fazer sexo [é regido, com este sentido, somente pela posposição **esé (r, s)**]: *Aîkó sesé.* – Tenho relações sexuais com ela. (Anch., *Arte*, 44); *Oîkó kunhã resé.* – Tem relações sexuais com uma mulher. (Fig., *Arte*, 124); **7)** casar [compl. com a posposição **upi (r, s)**]: *Aîkó kunhã rupi.* – Caso com uma mulher. (Anch., *Arte*, 43v); **8)** ter a ver, interessar [compl. com **esé (r, s)**]: *Nd'oroîkóî aîpó resé...* – Não temos a ver com isso. (Ar., *Cat.*, 57v); *N'aîkóî sesé ko'yté.* – Não tenho a ver com ele, enfim (isto é, *desisti dele*). (*VLB*, I, 99); **9)** haver, existir: *Nd'oîkóîpe mba'e amõ Tupã 'ara monhang'e'ymebé?* – Não havia nada antes de Deus fazer o mundo? (Anch., *Doutr. Cristã*, I, 159); ... *Aûîebeté ereîkó xe îar-y gûé!...* – Que bom que existes, ó meu senhor! (Ar., *Cat.*, 86); **10)** ocorrer, suceder: *Ereîopykype nde remirekó, sugûy sekóreme?* – Cobriste tua esposa quando sucedia o sangue dela (isto é, na sua menstruação)? (Anch., *Doutr.*

ikoangaîpab / ekoangaîpab(a)

Cristã, II, 98); **11)** ter pendências, contendas, problemas [é regido, com este sentido, pelas posposições **esé (r, s)** ou **ri**]: *Aîkó sesé.* – Tenho pendências com ele. (Anch., *Arte*, 44); **12)** negociar, trabalhar [com as posposições **esé (r, s)** ou **ri**]: *Paranãmbora ri aîkó.* – Trabalho com mariscos. (*VLB*, II, 32); **13)** acostumar-se, estar acostumado [compl. com a posp. **esé (r, s)**]: *N'aîkóî (abá) resé.* – Não estou acostumado com homens. (*VLB*, I, 95, adapt.); **14)** eis aqui estar: *Aîkó.* – Eis-me aqui, eis que aqui estou. (*VLB*, I, 109); **15)** deter-se: *Ymûanĩ ahẽ rekóû.* – Por longo espaço de tempo ele se deteve. (*VLB*, I, 125); **16)** buscar, estar em busca [é regido, neste caso, pela posp. **esé (r, s)**]: *So'o resé aîkó.* – Estou em busca de caça. (*VLB*, II, 41); *Mba'e resépe ereîkó?* – Que coisa buscas? (*VLB*, II, 92) ● **oîkoba'e** – o que vive, o que está, o que habita, o que tem relações sexuais etc.: ... *Tupã pyri oîkoba'e* – o que está junto de Deus (Anch., *Teatro*, 16); ... *O mendasabe'yma resé oîkoba'e...* – O que tem relações sexuais com o que não é seu cônjuge. (Ar., *Cat.*, 71); **ekoara (t)** – o que está (sempre ou ocasionalmente), o que vive, o que procede etc.: *Opabenhẽ serã erimba'e a'epe tekoara iî a'o-îa'oû...?* – Por acaso todos os que estavam ali ficaram a injuriá-lo? (Ar., *Cat.*, 56v); *Marataûãme tekoara ogûerobîá xe nhe'enga...* – Os que moram em Marataúá acreditam em minhas palavras. (Anch., *Teatro*, 12); ... *Emonã tekoarûera îaîpe'a.* – Separemos os que assim procederam. (Ar., *Cat.*, 128); **ekoaba (t)** – tempo, lugar, modo etc. de estar, de viver, de morar, de proceder etc.; o viver, o proceder etc.: *Marãpe erimba'e Tupã îandé rubypy rerekóû emonã sekoagûera ri?* – Que fez Deus outrora com nosso pai primeiro por causa de seu proceder assim? (Anch., *Doutr. Cristã*, I, 162)

ikoaíb / ekoaíb (t) (etim. – *estar mal*) (v. intr. irreg.) – menstruar-se, estar menstruada: *Aîkoaíb.* – Estou menstruada. (*VLB*, II, 36)

ikoaibĩ / ekoaibĩ (t) (etim. – *estar miseramente*) (v. intr. irreg.) – aparecer às furtadelas, deixar-se entrever (como os homiziados ou as almas): *Aîkoaibĩ.* – Apareço às furtadelas. (Fig., *Arte*, 138)

ikoangaîpab / ekoangaîpab(a) (t) (etim. – *agir de alma má*) (v. intr. irreg.) – pecar: *Karaíba, ipó, n'oîkoangaîpá-pyrybi.* – Os cristãos, na verdade, não pecam pouco. (Anch., *Teatro*, 20)

ikoba'e

ikoba'e (dem. pron.) – isto, isso: ... *Ikoba'e resé tekoara oîaby-eté tekó...* – Os que vivem para isso transgridem muito a lei. (Ar., *Cat.*, 102v) • **ikoba'e-te** – este outro (e não ele) (*VLB*, I, 130)

ikobé / ekobé (t) (etim. – *estar ainda*) (v. intr. irreg.) – **1)** viver, estar vivo (Fig., *Arte*, 66): *Orébe t'oré mondyki, nde irũmo t'oroîkobé.* – Que ela nos destrua para que vivamos contigo. (Anch., *Poemas*, 124); *Osem oîkobébo, o tym-y roîré...* – Saiu vivendo após o enterrarem. (Anch., *Poemas*, 124); **2)** estar bem, estar são, estar bem disposto: *Aîkobé.* – Estou bem, estou são. (Fig., *Arte*, 60) (Em forma de saudação é equivalente ao *Vale*, do latim.): ... *Eîkobé-katu, xe mbo'esar gûy...!* – Estejas bem, ó meu mestre! (Ar., *Cat.*, 54); **3)** existir, haver: *Oîkobé îemombe'u, mosanga mûeîrabyîara.* – Existe a confissão, remédio portador de cura. (Anch., *Teatro*, 38); *Oîkobé xe pytybõanameté..., tubixakatu Aîmbiré...* – Existe meu auxiliar verdadeiro, o chefão Aimbirê. (Anch., *Teatro*, 8); *Oîkobépe amõ abá sekobîaramo?* – Há algum homem na condição de seu substituto? (Ar., *Cat.*, 50v); **4)** estar presente, ser, aqui estar (Fig., *Arte*, 66): *Aîkobé, n'aîepe'aî i xuí.* – Aqui estou, não me afasto deles. (Anch., *Teatro*, 88); *Oîkobé nde arûara é...* – Aqui está teu danador. (Anch., *Teatro*, 90); *Nde rembiarama é oîkobé morubixaba.* – Os que tu apresarás são reis. (Anch., *Teatro*, 60); **5)** permanecer, continuar a ser ou estar: *Aîkobé n'ixé sarõana...* – Permaneço seu guardião. (Anch., *Teatro*, 40) • **oîkobeba'e** – o que vive, o que está bem, o que existe etc.: *A'e suí turi oîkobeba'e omanôba'epûera pabẽ rekomonhangane.* – Daí virá para julgar todos os que vivem e os que morreram. (Anch., *Doutr. Cristã*, I, 142); **ekobesaba (t)** – tempo, lugar, meio, instrumento etc. de viver, de existir etc.; vida: *'Y i mongaraibypyra t'oîkó xe 'anga rekobesabamo...* – A água benta seja o meio de viver de minha alma. (Ar., *Cat.*, 24v); ... *o 'anga rekobesaba* – a vida de sua alma (Ar., *Cat.*, 241)

ikoé / ekoé (t) (v. intr. compl. posp. irreg.) – diferir, ser diferente, ser distinto (de algo ou de alguém: compl. com **suí**): ... *N'oîkoéî o îosuí...* – Não diferem uns dos outros. (Ar., *Cat.*, 118); – *Anga îápe pe roka? – Oîkoé-katu.* – Como estas são vossas casas? – Diferem muito. (Léry, *Histoire*, 363)

ikoeté / ekoeté (t) (etim. – *estar muito bem*) (v. intr. irreg.) – ser valente, ser forte (de saúde física ou de ânimo), estar disposto, estar animado, ser esforçado, ser magnânimo (*VLB*, I, 36; II, 28): ... *Xe reté ã n'oîkoeteî, omembeka...* – Eis que meu corpo não está disposto, amolecendo. (Ar., *Cat.*, 53); ... *Peîkoeté pe robaîara pé.* – Sede valentes junto de vosso inimigo. (Ar., *Cat.*, 89)

ikomarã / ekomarã¹ (t) (etim. – *estar em labuta*) (v. intr. irreg.) – estar ativo, produzir (com as mãos) (*VLB*, II, 53)

ikomarã / ekomarã² (t) (etim. – *estar em guerra*) (v. intr. irreg.) – batalhar, lutar (*VLB*, I, 53)

ikomemûã / ekomemûã¹ (t) (etim. – *agir mal*) (v. intr. irreg.) – **1)** fazer o que não deve, errar, pecar: – *Marãpe ereîkó kaũî suí esabeypó? Ereîkomemûãpe a'ereme?* – Como ages embriagando-te de cauim? Fazes o que não deves, então? (Ar., *Cat.*, 111v); **2)** desequilibrar-se, comportar-se estranhamente, entrar em colapso: ... *Kûarasy, îasy, yby, paranã rekomemûã roîré... a'ereme karaibebé ruri...* – Após entrarem em colapso o sol, a lua, a terra, o mar, então os anjos vêm. (Ar., *Cat.*, 160v) • **oîkomemûãba'e** – o que erra etc.: *Oîkomemûãba'e renonhena.* – Corrigir os que erram. (Bettendorff, *Compêndio*, 23)

ikomemûã / ekomemûã² (t) (etim. – *agir mal*) (v. intr. irreg.) – **1)** ser desprezível, ser motivo de zombaria: *Aîkomemûã.* – Sou desprezível. (Léry, *Histoire*, 368)

ikonhẽ / ekonhẽ (t) (etim. – *viver, não mais*) (v. intr. irreg.) – folgar (o contrário de trabalhar): *Aîkonhẽ.* – Folgo. (*VLB*, I, 141)

ikonhote / ekonhote (t) (etim. – *viver, somente*) (v. intr. irreg.) – ser sisudo, modesto, quieto, sossegado (*VLB*, II, 117; 121)

ikopepu / ekopepu (t) (etim. – *estar de pálpebras leves*) (v. intr. compl. posp. irreg.) – duvidar [de algo ou de alguém: compl. com **esé (r, s)**]: *Aîkopepu-pepu (abá) resé.* – Eu estou duvidando do homem. (*VLB*, I, 107, adapt.)

ikoporeaûsub / ekoporeaûsub (t) (v. intr. irreg.) – ser molengão ou agir como molengão (*VLB*, II, 40)

ikopuku / ekopuku (t) (v. intr. irreg.) – **1)** ser longevo, de longa vida, de muita dura, durar, ter grande duração (fal. de pessoas ou coisas): *Nd'aîkopukuî.* – Não durei. (*VLB*, I, 107); **2)** tardar (*VLB*, II, 124)

ikotebẽ / ekotebẽ¹ (t) (v. intr. irreg.) – afligir-se, estar aflito; estar triste; estar receoso, angustiar-se: *Akûeîme aîkotebẽ, xe rekopoxy purûabo.* – Antigamente estava aflito, praticando meus vícios. (Anch., *Poemas*, 130); *A'epe Îudas n'oîkotebeî Îudeus supé o îara me'engagûera resé?* – E Judas não se afligiu junto aos judeus por entregar a seu senhor? (Ar., *Cat.*, 57v); *Putunusu porarábo, oroîkotebẽngatu.* – Suportando a escuridão, estamos muito aflitos. (Anch., *Poemas*, 142) • **oîkotebẽba'e** – o que se aflige, o aflito: *Oîkotebẽba'e moapysyka.* – Consolar os aflitos. (Ar., *Cat.*, 18v); **ekotebẽsaba (t)** – tempo, lugar, modo etc. de afligir-se; aflição: *... A'e xe rekotebẽsaba oîme'eng ixébene...* – Ele dará para mim minha aflição. (Ar., *Cat.*, 25v)

ikotebẽ / ekotebẽ² (t) (v. intr. compl. posp.) – tomar nojo [de algo ou de alguém: compl. com **esé (r, s)**]: *Aîkotebẽ (abá) resé.* – Tomei nojo do homem. (*VLB*, II, 50, adapt.)

ikotebẽ / ekotebẽ³ (t) (v. intr. compl. posp. irreg.) – carecer, ter falta, necessitar [de algo ou de alguém: compl. com **esé (r, s)**]: *... O monhemombe'ûarama resé oîkotebẽmo...* – Tendo falta de um confessor seu. (Ar., *Cat.*, 76); *... Gûemi'urama resé oîkotebẽbo nhẽ...* – Necessitando de sua comida. (Ar., *Cat.*, 78)

ikotenhẽ / ekotenhẽ (t) (etim. – *estar à toa*) (v. intr. irreg.) – ser vadio, vadiar, vagabundear, estar ocioso (*VLB*, II, 54; 140)

ikuabe'ymba'e (adv.) – sem saber, ignorantemente (*VLB*, II, 8)

ikuagûabe'yma (adv.) – sem saber, ignorantemente (*VLB*, II, 8)

ikugûabypypabẽ (etim. – *conhecido de todos*) (s.) – o que é famoso; (adj.) – famoso, notório, público; (adv.) por fama, reconhecidamente (*VLB*, II, 89)

imbé / embé (t) (etim. – *continuar a estar*) (v. intr. irreg.) [deriv. de **in / en(a) (t)** – v.] – ficar, estar (*VLB*, I, 128): *Îesu 'ekatûápe nde nhõ ereimbé.* – À direita de Jesus somente tu estás. (Anch., *Poemas*, 126)

imbegûasu – o mesmo que **gûembegûasu** (v.)

imbu'a – o mesmo que **ambu'a** e **embu'a** (v.) (Sousa, *Trat. Descr.*, 266)

imẽ / emẽ (t) (v. intr. irreg.) [deriv. de **in / en(a) (t)** – v.] – estar: *Aîmẽ.* – Estou. (Anch., *Arte*, 58) [O mesmo que **imbé / embé (t)** – v.]

imongaraibypyre'yma (etim. – *o que não é batizado*) (s.) – pagão (*VLB*, II, 62): *Cristãos rekokatu repîaka é ipó imongaraibypyre'yma...* – Vendo os pagãos a virtude dos cristãos. (Ar., *Cat.*, 26v)

in / en(a) (t) (v. intr. irreg.) – 1) estar (em posição sem movimento), estar parado, estar quieto, estar quedo, estar sentado, estar assentado, estar estabelecido, ficar: *Aín.* – Estou sentado. (Fig., *Arte*, 58); *Aĩngatu.* – Estou bem estabelecido (isto é, estou firmemente assentado). (*VLB*, I, 139); *Marãpe seni og uba mongetábo?* – Como estava orando a seu pai? (Ar., *Cat.*, 52v); *Pitangamo seni Maria îybápe.* – Como criança está nos braços de Maria. (Anch., *Poemas*, 108); *Opukubo taba reni.* – A aldeia está assentada de comprido. (Anch., *Arte*, 43); 2) estar preso, ficar preso: *Itá resé aín.* – Estou preso nos ferros. (*VLB*, II, 85); *... Aîpoûsub ikó mundépe xe rena...* – Temo ficar preso nesta armadilha... (Ar., *Cat.*, 165); *Itá xe resé seni.* – Os ferros em mim estão presos. (*VLB*, II, 85); 3) eis aqui estar: *Aín.* – Eis que aqui estou. (*VLB*, I, 109) • **endaba (t)** – tempo, lugar, modo etc. de estar (parado, quieto, sentado etc.); assentamento: *Îandé rubypy-angaturametá 'angûera rendagûera erimba'e...* – Lugar em que estavam outrora as almas de muitos de nossos primeiros santos pais. (Bettendorff, *Compêndio*, 50); *... nde membyra rendaûama* – lugar onde estará teu filho (Anch., *Poemas*, 134); **inĩ** – estar quieto, sem mais, estar sentado, sem mais: *Ainĩ.* – Estou quieto. (*VLB*, II, 93)

NOTA – Daí, **POTIRENDABA** (município de SP) (v. Rel. Top. e Antrop. no final).

inã (adv.) – assim, deste modo: *... Xe moory-katu îepé, inã tekó mombegûabo.* – Tu me alegras muito, narrando assim os fatos. (Anch., *Teatro*, 14); *... Aîabyp'ixé Tupã rekó inã ûitekóbone?...* – Transgredirei eu a lei de Deus procedendo assim? (Anch., *Doutr. Cristã*, I, 224); *Tó, inã îepé ra'e!* – Oh, então assim é, na verdade! (Anch., *Poesias*, 269)

inaîá (s.) – 1) INAJÁ, ANAJÁ, INDAIÁ, espécie de palmeira (*Attalea maripa* (Aubl.) Mart.), de cujo tronco se extrai um vinho, e que possui cachos com vários frutos ovais de

inaîagûasu

polpa pastosa. É chamada de *indaiá* fora dos estados do Pará e do Maranhão (D'Abbeville, *Histoire*, 221v); **2)** o fruto da pindoba (*VLB*, II, 63)

> NOTA – Daí, o nome geográfico **INDAIATUBA** (município de SP) (v. Rel. Top. e Antrop. no final).

inaîagûasu (ou **inaîagûasu'yba**) (etim. – *inajá grande*) (s.) – **1)** coqueiro-da-bahia, árvore da família das palmáceas (*Cocos nucifera* L.); **2)** o fruto dessa árvore, também chamado *coco-da-bahia* (Marcgrave, *Hist. Nat. Bras.*, 138; Piso, *De Med. Bras.*, IV, 182): *inaîagûasu apepûera* – casca de coco (Ar., *Cat.*, 353)

inaîagûasu'yba (etim. – *pé de inajá grande*) – o mesmo que **inaîagûasu** (v.)

inaîamirĩ (s.) – o fruto da **pindoba** (v.) (Piso, *De Med. Bras.*, IV, 182)

inaîé (s.) – INDAIÉ, INAJÉ, ANAJÊ, INAJÊ, ave falconiforme da família dos acipitrídeos (*Theat. Rer. Nat. Bras.*, I, 159)

> NOTA – Daí, o nome geográfico **ANAGÉ** (BA) (v. Rel. Top. e Antrop. no final).

inaîegûasu (etim. – *inajê grande*) (s.) – var. de gavião grande, ave falconiforme da família dos acipitrídeos (Soares, *Coisas Not. Bras.* (ms. C), 1421)

inaîemirĩ (etim. – *inajê pequeno*) (s.) – var. de **INAJÊ**, ave falconiforme da família dos acipitrídeos (Soares, *Coisas Not. Bras.* (ms. C), 1421)

inambu – o mesmo que **îambu** (v.) (Léry, *Histoire*, 348)

inambugûasu – o mesmo que **îambugûasu** (v.) (Léry, *Histoire*, 348)

inambugûasukyîa (etim. – *pimenta de inhambuguaçu*) (s.) – nome de uma planta (*Theat. Rer. Nat. Bras.*, II, 152)

inambukaru (etim. – *repasto de inhambu*) (s.) – nome de planta trepadeira de "folha como a laranjeira... A fruta é como um ovo de galinha... e tem a flor em feição de campainha". (Lisboa, *Hist. Anim. e Árv. do Maranhão*, fl. 181)

inambumirĩ (etim. – *nhambu pequeno*) (s.) – nome de uma ave (Léry, *Histoire* [1580], 278)

inambutinga (etim. – *inhambu-branco*) (s.) – INHAMBUTINGA, ave da família dos tinamídeos, "do tamanho de uma galinha. Tem a plumagem branca manchada de preto". Os índios serviam-se de suas penas para pintar e enfeitar suas armas. (D'Abbeville, *Histoire*, 237; *VLB*, I, 76)

inaúba (s.) – nome de uma árvore (Heriarte, *Descr. Maranhão, Pará*, in Varnhagen, *Hist.*, III, 169)

indé / endé (t) [deriv. de **in / en(a) (t)**] (v. intr. irreg.) – estar à parte: *Aindé*. – Estou à parte. (Anch., *Arte*, 58)

ingá (s.) – **1)** INGÁ, ANGÁ nome comum a árvores muito grandes da família das leguminosas, do gênero *Inga*, que aparecem em todo o Brasil, tendo frutos com sementes brancas e doces, envolvidas numa massa carnosa, geralmente comestível; **2)** o fruto dessa árvore (D'Abbeville, *Histoire*, 226; Marcgrave, *Hist. Nat. Bras.*, 112)

> NOTA – Daí, o nome geográfico **INGAÍ** (rio de MG) (v. Rel. Top. e Antrop. no final).

ingaopeapi'yba (etim. – *cabo para golpear as vagens de ingá*) (s.) – variedade de ingá, planta da família das leguminosas-mimosoídeas (Marcgrave, *Hist. Nat. Bras.*, 112)

ingapema (s.) – INGAPEMA, tacape indígena: ... *Ingapema bé peru!* – Trazei também a ingapema! (Anch., *Teatro*, 64); *Kó bé ingapé-kûatiara, t'aîakã-mombuk muru.* – Eis aqui também a ingapema pintada, para que arrebente a cabeça dos malditos. (Anch., *Teatro*, 66) (o mesmo que **ybyrapema** – v.)

ingapenambi (etim. – *orelhas de tacape*) (s.) – pendentes ou campainhas de penas de diversas cores que ficavam no cabo do tacape que seria usado para matar um prisioneiro (Cardim, *Trat. Terra e Gente do Brasil*, 117)

inhambu (s.) – NHAMBU, JAMBU, planta da família das compostas (*Spilanthes acmella* (L.) Murray), de folhas largas, boa para comer (Brandão, *Diálogos*, 211)

inhambûasu – o mesmo que **îambugûasu** (v.) (Brandão, *Diálogos*, 227)

inhati'ũ – o mesmo que **îati'ũ** (v.) (Sousa, *Trat. Descr.*, 242)

inhe'engatuba'e (etim. – *o que tem a fala boa*) (s.) – o língua (o que sabe), o conhecedor de um idioma (*VLB*, II, 22)

inhûapupé (s.) – ENAPUPÊ, nome de ave semelhante à perdiz, da família dos tinamídeos; o mesmo que **nhapupé** (v.) (Brandão, *Diálogos*, 227)

inĩ (s.) – rede de dormir (Staden, *Viagem*, 64). Era presa, nas extremidades, a paus colocados nas choupanas para esse fim. (D'Abbeville, *Histoire*, 283) ● **inĩ-asaba** (ou **inĩ-pyasaba**) – rede de malhas (*VLB*, II, 99)

INĨ (fonte: Staden)

Inĩgûasu (etim. – *rede grande*) (s. antrop.) – nome de índio tupi (Frei Vicente do Salvador, *História do Brasil*, III, cap. XXII)

inimbeba (etim. – *rede de dormir achatada*) (s.) – leito, cama de dormir (*VLB*, I, 64): *inimbebytá* – armação de leito (*VLB*, II, 20)

inimbó[1] (s.) – **1)** linha grossa ou fio (como barbante etc.) (*VLB*, II, 23); **2)** lã: *inimbó-apu'a* – bola, novelo de lã (*VLB*, II, 51) ● **inimbó'i** – linha delgada para coser (*VLB*, II, 23): *Inimbó'i amõ reru.* – Trazendo algumas linhazinhas. (*VLB*, I, 154); *inimbó-'yba* – armação de fios, roca de fiar (*VLB*, II, 106)

inimbó[2] (s.) – INIMBÓ, arbusto da família das leguminosas-cesalpinoídeas (*Caesalpinia bonduc* (L.) Roxb.), comum no litoral do Brasil tropical, sendo armado de espinhos (Marcgrave, *Hist. Nat. Bras.*, 12)

inimbo'i (s.) – var. de **inimbó** (v.) (*Theat. Rer. Nat. Bras.*, 102)

inimboîa – o mesmo que **inimbó** (v.) (Piso, *De Med. Bras.*, IV, 194)

iniote / eniote (t) (etim. – *estar, somente*) (v. intr. irreg.) – estar quieto num lugar, sem se mexer (*VLB*, II, 93)

îo-[1] (ou **nho-** em ambiente nasal) (pref. obj. refl. ou recíp. de 3ª p.) – **1)** uns aos outros, um(s) do(s) outro(s), um(s) com o(s) outro(s), um(s) ao(s) outro(s) etc.: ...*îo'u...* – comer um ao outro (Anch., *Teatro*, 8); *Peîoîuká.* – Vós vos matais uns aos outros. (Fig., *Arte*, 80); ... *O îoirũmo bé... i îukáû...* – Uns com os outros também o mataram. (Ar., *Cat.*, 6v); *Oroîoîuká.* – Matamo-nos um ao outro. (Anch., *Arte*, 35v); ... *Oroîo'u raka'e.* – Comíamos uns aos outros. (D'Abbeville, *Histoire*, 341v-342); *Onhomongetá.* – Conversam uns com os outros (ou um com o outro). (Fig., *Arte*, 80); ... *O îoybyri se'õmbûera paranã ybyri i kûáî.* – Ao lado uns dos outros seus cadáveres estavam ao longo do mar. (Anch., *Teatro*, 52); *Oroîoapi.* – Golpeamos um ao outro. *Oroîoapi-api.* – Ficamos golpeando um ao outro. (*VLB*, II, 32); **2)** (pref.) – mútuo, recíproco, comum: *îoapixaba* – ferimentos mútuos (Anch., *Teatro*, 54); *ikó îope'asagûera* – este desterro comum (Ar., *Cat.*, 14v); *îoa'o* – injúria recíproca (com palavras) (*VLB*, II, 12); *Îarekó îandé îomba'e.* – Temos nossas coisas comuns. (Anch., *Arte*, 16); *oré îomba'e* – nossas coisas mútuas (Anch., *Arte*, 16); *i îomba'e* – suas coisas comuns (Anch., *Arte*, 16) (As formas **o îo** podem ser usadas para se referirem a outras pessoas que não somente à terceira): *Îarekó o îomba'e.* – Temos coisas comuns. (Anch., *Arte*, 16)

îo-[2] (pref. que forma substantivos a partir de temas verbais): *îonupã* – o açoite: *Angaîpaba oîporará îonupã.* – Os maus padecem açoites. (Anch., *Arte*, 35v); *îoaûsuba* – amizade, amor: *Tupã îoaûsuba pupé îaîkóbo...* – Estando nós no amor de Deus (Anch., *Doutr. Cristã*, I, 202)

-îo-[3] (ou **-nho-** em ambientes nasais) (pron. obj. de 3ª p. usado com temas verbais monossilábicos): ... *I akanga t'ereîoká.* – Que quebres suas cabeças. (Anch., *Teatro*, 46); ... *Asé 'anga ereîosub.* – Nossa alma visitas. (Anch., *Poemas*, 102); *Anhopan.* – Aparei-o. (*VLB*, I, 134)

îó[1] (interj. de espanto – de m.) (*VLB*, I, 125); o mesmo que **îu** (v.) (Fig., *Arte*, 9)

îó[2] (interj. de escárnio – de h.): – *Marãpe Anhanga serekóû i moapysyka? "Pe îu ipó, pe îó peẽ. Iîá, iîá" e'i i xupé...* – Como o diabo os trata para consolá-los? *"Ui, ai de vós; bem feito, bem feito"* diz para eles. (Ar., *Cat.*, 159v)

îoaby (etim. – *diferir um do outro*) (v. intr.) – ser diferente: *Nd'oroîobyî.* – Não somos diferentes. (*VLB*, II, 9)

îoabye'yma (etim. – *sem diferença*) (s.) – igualdade, semelhança (*VLB*, II, 9)

îoaîubana

îoaîubana – v. nhoanhubana

îoakypûerekar (ou **îoakypûereká**) (etim. – *buscar as pegadas*) (v. intr.) – esquadrinhar todos os lugares, ir por toda a parte: *Té, oîoakypûereká... îandébe.* – Ah, esquadrinham todos os lugares por nós. (Léry, *Histoire*, 355)

îoamotare'yma (etim. – *não querer bem um ao outro*) (s.) – inimizade (recíproca) (*VLB*, II, 12); ódio, malquerença: *Ereroker-etápe îoamotare'yma?* – Dormiste muitas vezes com ódio? (Ar., *Cat.*, 101v)

îoa'o (s.) – injúria (de palavras) (*VLB*, II, 12)

îoapiti (s.) – matança (como se faz nas guerras) (*VLB*, II, 33)

îoapyapyra (s.) – festas religiosas; os oito dias que se seguem a elas (as oitavas) (*VLB*, I, 138)

îoasaba (etim. – *o atravessar um com o outro*) (s.) – cruz (*VLB*, I, 86): *Eîmoîar, eîmoîar ybyrá îoasaba resé...* – Prega-o, prega-o na cruz de madeira... (Ar., *Cat.*, 59v)

îoasykûera (etim. – *pedaço um do outro*) (s.) – o parentesco entre irmãos, a irmandade: *... O îoasykûera ri îasûaramo i îogûerekóû.* – Eles se tratam uns aos outros como semelhantes por causa de sua irmandade. (Ar., *Cat.*, 82v)

îoatypeteka (etim. – *golpe das têmporas*) (s.) – bofetada (*VLB*, I, 56)

îoaûsuba (s.) – amizade (*VLB*, I, 34); amor, caridade: *Tupã îoaûsuba pupé îaîkóbo, tekokatu-eté îarekó...* – Estando nós no amor de Deus, a verdadeira felicidade temos. (Anch., *Doutr. Cristã*, I, 202); *... pe ramũîa îoaûsuba...* – a amizade de vossos avós (Knivet, *The Adm. Adv.*, 1237)

îobabo'o (v. intr.) – pelar a testa a si mesma (a mulher): *Aîobabo'o.* – Pelo a testa a mim mesma. (*VLB*, II, 70)

îobaîar (v. intr.) – Encontrarem-se na guerra, enfrentarem-se: *Oroîobaîar.* – Enfrentamo-nos. (*VLB*, I, 114)

îoba'ok (v. intr.) – alargar-se (como a ferida, a chaga, a roda com água etc.) (*VLB*, I, 29)

îobapeteka (etim. – *golpe da face*) (s.) – bofetada (*VLB*, I, 56)

îobasab (etim. – *cruzar-se o rosto*) (v. intr.) – benzer-se: *Marã e'ipe asé oîobasapa?* – Que diz a gente benzendo-se? (Bettendorff, *Compêndio*, 35)

îobasypaba (etim. – *instrumento de se limpar o rosto*) (s.) – lenço (*VLB*, II, 20); toalha de rosto (*VLB*, II, 129)

îoba'u (v. intr.) – alargar-se (como a ferida, a chaga, a roda com água etc.) (*VLB*, I, 29)

îobaypyîtaba (etim. – *instrumento de se aspergir o rosto*) (s.) – hissope, bola de metal oca e furada com que se fazem as aspersões de água benta nas cerimônias religiosas (*VLB*, II, 15)

îoepîaka'uba (etim. – *desejar muito ver um ao outro*) (s.) – saudades (*VLB*, II, 113)

îoepy (s.) – tributo (*VLB*, II, 137)

îoerobobõ (s.) – segredo; algo que se fala à orelha (*VLB*, II, 90)

îoerobyk – o mesmo que **îerobyk** (v.) (*VLB*, I, 29)

îoesé [forma refl. e recípr. da posp. **esé (r, s)**] – 1) consigo, com ele, para si, para ele, por si, por ele etc.: *Oîkuab, o îoesé Îandé Îara ma'ẽneme.* – Reconheceu-o ao olhar Nosso Senhor para ele. (Ar., *Cat.*, 57); *... T'îandé rerasó o orypápe o îoesé...* – Que nos leve para seu lugar de felicidade consigo... (Ar., *Cat.*, 5); *O îoesé é saûsubypyramo sekóreme bé.* – Por ser também o que deve ser amado por si mesmo. (Bettendorff, *Compêndio*, 67); 2) um(s) com o(s) outro(s), um(s) para o(s) outro(s), um(s) pelo(s) outro(s): *E'ikatupe o îoesé omendá?* – Podem casar-se um com o outro? (Ar., *Cat.*, 82v) • **îoesendûara** – o que está consigo: *Mba'easybora o îoesendûara supé abaré... renõîe'yma.* – Não chamando o padre para o doente que está consigo. (Ar., *Cat.*, 76)

îoe'yîa (s.) – grandeza: *... O îoe'yîa anhõ o aysó abé osepîak.* – Veem somente sua grandeza e sua formosura. (Ar., *Cat.*, 37v)

îogûá (s.) – chaga incurável (*VLB*, I, 71; Anch., *Arte*, 5v)

îogûerekó[1] (ou **îoerekó**) (etim. – *ter um ao outro; o ter comum*) (s.) – associação, consorciação: *I mongaraibypyretá oîepegûasu îasûá, i îogûerekó anhẽ.* – Os cristãos como uma unidade, a consorciação deles. (Ar., *Cat.*, 49v)

îogûerekó[2] (etim. – *combater um ao outro*) (s.) – batalha (*VLB*, I, 53), escaramuça, peleja (*VLB*, I, 123), guerra já travada (*VLB*, I, 152)

îogûerekoaíba (etim. - *combater um ao outro não completamente*) (s.) - injúria (com palavras) (*VLB*, II, 12)

îogûerekokatu (etim. - *tratar bem um ao outro*) (s.) - favor, bom tratamento (*VLB*, I, 135)

îogûerekomemûã (etim. - *tratar mal um ao outro*) (s.) - discórdia (*VLB*, I, 103)

îoîrarõ (s.) - briga com punhadas ou agarrando-se os cabelos (não com flechadas ou cutiladas, que é **nhoepenhana** - v.) (*VLB*, II, 71)

îoîtyîtyk (etim. - *ficar atirando um no outro*) (v. intr. compl. posp.) - lutar [apenas no plural] [com alguém: compl. com **esé (r, s)** ou **ndi**]: *Oroîoîtyîtyk Peró ndi* (ou *Peró resé*). - Lutei com Pedro. (*VLB*, II, 25)

îoîtyîtyka (s.) - luta (*VLB*, II, 25)

îombyá (s.) - inúbia, cornetim de madeira que se soprava (Léry, *Histoire*, 375)

îomoaîu (v. intr. compl. posp.) - competir, fazer disputa [por algo ou por alguém: compl. com **esé (r, s)**]: *Nd'e'i te'e moxy sesé og orybamo, ... sesé oîomoaîuabo...* - Por isso mesmo os malditos se alegram por causa deles, fazendo disputa por eles. (Ar., *Cat.*, 159)

îomomorangaíba (s.) - carícias desonestas: *Nde serã i poepyka... îomomorangaíba ereîapi ko'arapukuî.* - Tu, talvez para retribuir, atiras nele sempre as carícias desonestas. (Anch., *Doutr. Cristã*, II, 112)

îope'asara (s.) - bandido, o que se aparta em bandos (*VLB*, I, 51)

îopotara (s.) - desejo sensual: *Eresepîakîpe îopotara nde kotype?* - Toleraste o desejo sensual em direção a ti? (Ar., *Cat.*, 233)

îopupé - o mesmo que **îoupé** (v.) (Anch., *Arte*, 16)

îori - 2ª p. do sing. do imper. de **îur / ur(a) (t, t)**, alomorfe de **eîori** (v.): *Saraûaî, îori ekagûabo.* - Sarauaia, vem para beber cauim. (Anch., *Teatro*, 60); *Kaburé, îori enhana...* - Caburé, vem correndo! (Anch., *Teatro*, 64)

îosar (xe) (v. da 2ª classe) - arder, requeimar (como certas ervas) (*VLB*, II, 102)

îosuí (forma refl. ou recípr. da posp. **suí**) - 1) de si mesmo(s), do(s) próprio(s): *Nde îosuí nde mba'e resé abá mondarõ nde i potare'yma îabé,* *teumẽ abá mba'e resé é mondarõmo...* - Assim como tu não queres que alguém furte de ti tuas coisas, guarda-te de furtar as coisas de alguém. (Ar., *Cat.*, 107v); **2)** um do outro, uns dos outros: *Oîabyetépe omendaryba'e Tupã nhe'enga o îosuí omondarõmo?* - Transgridem muito a palavra de Deus os que se casam, sendo traidores um do outro? (Ar., *Cat.*, 94v); *... I kanga îepotasaba pe'abo o îosuí.* - As juntas de seus ossos afastando umas das outras. (Ar., *Cat.*, 62v). (A forma **o îosuí** pode ser usada também com a 1ª e a 2ª pessoas.): *Îaîepe'a o îosuí* (ou também *Îaîepe'a îandé îosuí.*) - Afastamo-nos uns dos outros. (Anch., *Arte*, 16)

îõte - o mesmo que **nhote** (v.) (*VLB*, I, 47)

îoupé (forma refl. ou recípr. da posp. **supé**) - 1) para (o suj.), para si mesmo, a si próprio, para junto de si mesmo: *Pe îoupé seîké potá, peîtyk pe angaîpaba...* - Querendo que ele entre para junto de vós mesmos, lançai fora vossas maldades. (Ar., *Cat.*, 5); *I nhyrõ nhẽpemo Îandé Îara i xupé "nde nhyrõ ixébe" o îoupé i 'erememo?* - Perdoar-lhe-ia Nosso Senhor se ele lhe dissesse "*perdoa tu a mim*"? (Ar., *Cat.*, 58); *Marãngatupe abá rekôu o mondarõ o îoupé Tupã nhyrõ motá?* - Como um homem procede querendo a si o perdão de Deus de seu furto? (Ar., *Cat.*, 73); **2)** um(s) para o(s) outro(s), um(s) diante do(s) outro(s), um(s) com o(s) outro(s): *I îukasarama oîmoîa'ok o îoupé.* - Seus matadores repartiram-nas uns com os outros. (Ar., *Cat.*, 62) • **o îoupé-upé** - uns aos outros (sendo muitos) (*VLB*, I, 154)

îoupi'aerub (v. intr.) - chocar (seus ovos) (fal. de galinha); estar deitada com seus ovos (*VLB*, I, 73)

ipabẽ (adv.) - em conjunto, todos juntos, à uma: *... Ipabẽ xe resé pe Tupãmongetarama ri.* - Para que oreis por mim todos juntos. (Bettendorff, *Compêndio*, 28)

ipeku (ou **ipekũ**) (s.) - IPECU, pica-pau, carapina, pinica-pau, nome comum às aves da família dos picídeos, bastante numerosas no Brasil, com dezenas de espécies e subespécies. Habitam a mata e o cerrado. Com seus bicos fortes e línguas muito longas, perfuram a madeira e retiram as larvas dos insetos, de que se alimentam. Fazem ninhos nos ocos dos paus ou em buracos que abrem. (Marcgrave, *Hist. Nat. Bras.*, 207; *VLB*, II, 76)

ipekutereterẽ

IPECU (fonte: Marcgrave)

ipekutereterẽ (s.) – nome de ave da família dos picídeos (*VLB*, II, 76)

iperu (s.) – tubarão; o mesmo que **yperu** (v.)

iperuîagûara (etim. – *tubarão onça*) (s.) – espécie de tubarão (Soares, *Coisas Not. Bras.* (ms. C), 2085-2089)

ipó[1] (adv.) – certamente, decerto, decididamente, na verdade (Fig., *Arte*, 137); resolutamente, de fato: *Asó ipó.* – Vou resolutamente. (Fig., *Arte*, 126); *Abá ra'yra, ipó...* – Filhos de índios, certamente... (Anch., *Teatro*, 48) ● com as partículas **re'a** (de h.) ou **re'ĩ** (de m.): provavelmente, acaso, quiçá, talvez (*VLB*, I, 87); dever (de probabilidade): *Osó ipó re'a.* – Deve ter ido. (*VLB*, I, 102); *Osó ipó re'ĩ.* – Deve ter ido. (*VLB*, I, 102); *Xe mendûera ipó re'ĩ.* – Meu ex-marido há de ser, certamente. (Anch., *Teatro*, 8) ● **aan ipó** (ou **aan ipó biã** ou **naan ipó**) – não deve ser; não será assim (*VLB*, II, 47); **emonã ipó re'a** – possivelmente, provavelmente (*VLB*, I, 80)

ipó[2] (dem. pron. ou adj.) – esse (s, a, as), isso: *Mba'ep'ipó?* – Que é isso? (respondendo ao que chamou) (*VLB*, II, 92); *Îaûarap'ipó?* – É esse o cão? (Knivet, *The Adm. Adv.*, 1208)

Iporese'õ (s. antrop.) – nome de índio tupi (Anch., *Poemas*, 154)

ipûãîpûã (s.) – arpéu (*VLB*, I, 41)

ipuku (adv.) – longamente, por longo tempo: *Ipuku erimba'e îandé rubypy rekóû îase'o monhanga...* – Longamente nosso pai primeiro esteve chorando. (Ar., *Cat.*, 84); *Ipuku xe rekóû i monhanga.* – Longamente eu o estive fazendo. (*VLB*, I, 102); *Ipuku aîkó.* – Estive por longo tempo; tardei. (*VLB*, II, 124)

'ir (v. intr. compl. posp.) – desprender-se, separar-se, desgrudar-se, soltar-se (de algo ou de alguém: compl. com **suí**): *Nd'o'iripe amõnyme asé 'anga suí?* – Não se separa algumas vezes da alma da gente? (Ar., *Cat.*, 31v); *Tupã rerobîá-katu nde py'a suí nd'o'iri.* – A boa crença em Deus de teu coração não se desprendeu. (Anch., *Teatro*, 118); *Nde poropotarixûera nd'o'ir-etéî nde suí.* – Teu costumeiro desejo sensual não se separava verdadeiramente de ti. (Anch., *Teatro*, 170)

NOTA – Daí, no P.B., **PEPUÍRA**, **PIPUÍRA** (*pepó* + *'ir* + *-a*, "asa solta"), nome de uma raça de galinha, galinha nanica.

irã (adv.) – **1)** futuramente (Fig., *Arte*, 128): *... I por irãne.* – Realizar-se-ão futuramente. (Ar., *Cat.*, 66v); *Aîuká ipó irãne...* – Matá-lo-ei futuramente, com certeza. (Ar., *Cat.*, 101v); **2)** outro dia, já não agora: *T'aîmombe'u é îrã.* – Outro dia o contarei mesmo. (*VLB*, II, 61) ● **irã é irã** – outro dia, já não agora (*VLB*, II, 61)

'ira (s.) – soltura, desprendimento; (adj.: **'ir**) – solto: *Xe py-'ir.* – Eu estava de pés soltos, meus pés soltaram-se (p.ex., subindo eu a escada). (*VLB*, I, 122)

iraîty (s.) – cera (*VLB*, I, 70): *Aîkytyk iraîty pupé.* – Esfreguei-o com cera. (*VLB*, I, 114)

iraîtyatã (etim. – *cera dura*) (s.) – breu (*VLB*, I, 59); pez (*VLB*, II, 76)

iraîtyendaba (etim. – *lugar de estar a cera*) (s.) – castiçal (*VLB*, I, 68)

iraîtytataendy (etim. – *cera de luz de fogo*) (s.) – vela: *Mba'epe oîme'eng asé pópe? – Iraîtytataendy.* – Que põe na mão da gente? – Uma vela. (Ar., *Cat.*, 81v)

Irãmaîé (s. antrop.) – nome de personagem mitológico dos antigos tupis, o único homem que se salvou de um incêndio que teria originado o mundo; personagem mitológica da qual teriam provindo todos os homens que viviam antes do dilúvio (Thevet, *Cosm. Univ.*, 913v)

irara – o mesmo que **eîrara** (v.) (Sousa, *Trat. Descr.*, 250)

irarõ (v. tr.) – **1)** irritar: *Aîrarõpe muru ká...* – Hei de irritar os malditos. (Anch., *Teatro*, 168); *Oporoîrarõ mbá.* – Irritam completamente as pessoas. (Anch., *Teatro*, 154); *Oîra-*

rõ, *oîmoanhã satápe...* – Irrita-o, empurra-o para seu fogo. (Anch., *Poemas*, 188); **2)** dar soco em, dar punhada em, andar às porradas com (as mãos somente), brigar (com as mãos) com, atacar: – *Marã oîkóbo bépe abá i abyû...?* – *Oporoîrarõmo...* – Procedendo de que forma o homem o transgride? – Brigando com as pessoas... (Ar., *Cat.*, 69v)

iré – alomorfe de **riré** (v.)

irõ¹ (interj.) – **1)** (afirm.) – Olhai isto! (como o que se queixa) (*VLB*, II, 58); Olhai-me isto! (agastando-se) (*VLB*, II, 56); Irra! (*VLB*, II, 7); Olha e verás que te digo a verdade! Não é mesmo? Olha lá! (*VLB*, II, 55); **2)** (interr.) – vedes isto? (Fig., *Arte*, 148) • Também vem acompanhada das partículas **hẽ**, **no**, **nhandu**, **nhandu hẽ**, **nhandu gûé** (*VLB*, II, 7)

irõ² (conj.) – portanto, pois, enfim: – *Ké muru ruri obébo?* – *Irõ n'i ate'ymangáî!* – Não é que o maldito veio voando? – Portanto, não é, de modo algum, preguiçoso! (Anch., *Teatro*, 24); *Irõ oropokosub!* – Portanto, prendo-te! (Anch., *Teatro*, 48); *Irõ, oîepé tiruã pecado n'aromanõî!* – Portanto, não morri com um pecado sequer! (Anch., *Teatro*, 172); *Irõ bé!* – Enfim, de volta! (Anch., *Teatro*, 134)

irũ¹ (posp.) – com (de companhia): *Neῖ, t'ereîkó pa'i Nikorá irũ.* – Eia, que mores com o senhor Nicolau. (Léry, *Histoire*, 352); *T'aîkó nde irũ.* – Que eu esteja contigo. (Léry, *Histoire*, 372)

irũ² (s.) – companheiro: ... *Îandé maranirũ...* – Nossa companheira de guerras. (Anch., *Poemas*, 88); *Peîori, xe irũ-etá...* – Vinde, meus companheiros! (Anch., *Poemas*, 182); **irũ** (<*i irũ*) – companheiro dele (Anch., *Arte*, 6)

> NOTA – Daí, no P.B., o regionalismo sulino **CHIRU** (*xe irũ*, "meu companheiro"), o caboclo, o índio.

irũaba (s.) – companhia: ... *O irũagûera resé bé o ma'enduaramono.* – Lembrando-se também das suas companhias. (Bettendorff, *Compêndio*, 92)

irumõ (v. tr.) – **1)** aumentar: *I angaturama nhẽ oîrumõ-rumõ.* – Fica aumentando sua bondade. (Ar., *Cat.*, 50); *Eru Paraibygûara oré retama irumõmo.* – Traze os habitantes do Paraíba para aumentar nossa terra. (Anch., *Poemas*, 176); **2)** multiplicar: *Aîrumõ.* – Multiplico-o. (*VLB*, II, 44); **3)** ajuntar: *Kûeîsé bé nakó aîru-*

mõ... – Eis que o ajunto há dias, na verdade. (Anch., *Teatro*, 10) • **irumõsara** – o que aumenta, o que multiplica etc.: ... *o angaîpaba irumõ-rumõsara...* – o que fica aumentando seus pecados (Ar., *Cat.*, 112); **irumõmbyra** – o que é (ou deve ser) aumentado, multiplicado etc. (Anch., *Arte*, 3)

irũmo (loc. posp.) – com, em companhia de; o mesmo que **irũnamo** (v.): *Neῖ, t'asó nde irũmo...* – Eia, hei de ir contigo. (Anch., *Teatro*, 64); *Nde abé... Îesu irũmo t'ereîu.* – Que tu também venhas com Jesus. (Anch., *Teatro*, 118); *Orébe t'oré mondyki, nde irũmo t'oroîkobé.* – Que ela nos destrua para que vivamos contigo. (Anch., *Poemas*, 148) • Pode aparecer com as partículas **nhẽ** ou **bé**: *Irũmo nhẽ aîkó* (ou *Irũmo bé aîkó*). – Estou com ele. (*VLB*, II, 114)

irũnamo (etim. – *na condição de companheiro*) (loc. posp.) – com, em companhia de: ... *xe irũnamo okaîba'e...* – o que arde comigo (Anch., *Teatro*, 8); *O sy ogûerekó o irũnamo.* – Tem sua mãe consigo. (Fig., *Arte*, 83); ... *Nde irũnamo aîkó-potá.* – Contigo quero estar. (Anch., *Poemas*, 168); *Aîkó Pero irũnamo.* – Moro com Pedro. (*VLB*, II, 41) (Faz cair o pronome **i** antes de si: **i irũnamo** → **irũnamo** – com ele): *Irũnamo aîkó.* – Estou com ele. (*VLB*, I, 20) (v. tb. **irũmo**)

isi'ĩ (s, r, s) (s.) – coisa miúda (*VLB*, II, 39); [adj.: **isi'ĩ** (r, s)] – miúdo, pequeno: *Xe risi'ĩ.* – Eu sou pequeno. (*VLB*, II, 78)

> NOTA – Daí, no P.B., **IRAXIM** (*eíra* + *isi'ĩ*, "abelha miúda"), nome de uma abelha meliponídea. Daí, também, o nome geográfico **TAQUARICHIM** (RS) (v. Rel. Top. e Antrop. no final).

itã (s.) – ITÃ, INTÃ, concha bivalve de mexilhões que era usada como cuia pelos índios (Cardim, *Trat. Terra e Gente do Brasil*, 65)

itá (s.) – **1)** pedra: ... *Itá karamemûã... pupé i mondepa.* – Pondo-o dentro de um túmulo de pedra. (Ar., *Cat.*, 64v); *itá kasara* – quebrador de pedras, cavouqueiro (*VLB*, I, 69); *itá-atĩ* – ponta de pedra (Anch., *Arte*, 9); *itá-kûara* – buraco de pedra (Fig., *Arte*, 6); *itá-kysé* (etim. – *pedra-faca*) – pedra de que se faziam facas (Nieuhof, *Ged. Reize*, 219-220); **2)** metal; ferro (*VLB*, I, 138); ferros de prisão (*VLB*, I, 138); *Ererupe itá kysé amõ?* – Trouxeste algumas facas de ferro? (Léry, *Histoire*, 346); *Itá resé*

itaakangaoba

aín. – Estou preso nos ferros. (*VLB*, II, 85); **3)** penedo: ***itagûasu*** – penedo grande; ***itá-tyba*** (ou ***itá-tybusu***) – jazimento de pedras, pedreira; ***itagûasutyba*** – jazimento de pedras grandes, penedia (*VLB*, II, 69; 72)

> NOTA – Daí, no P.B. (NE), **TAGUAÇU** ("pedra grande"), pedra que serve de âncora às jangadas. Daí, também, muitos nomes geográficos: **ITAPEVA** (SP), **ITAPORANGA** (SP), **ITAPOROROCA** (PB), **ITAQUATIARA** (RJ) etc. (v. Rel. Top. e Antrop. no final).

itaakangaoba (etim. – *chapéu de ferro*) (s.) – capacete; elmo (*VLB*, I, 66; 109)

itaaoba (etim. – *roupa de ferro*) (s.) – couraça, armadura para a defesa na guerra ● **itaaoba monhangara** – armeiro, fazedor de armaduras (*VLB*, I, 41)

itaekobé (etim. – *metal vivo*) (s.) – mercúrio (*VLB*, I, 49)

itaembó (s.) – arame, vergas de ferro (*VLB*, II, 144)

itaemboaoba (etim. – *roupa de vergas de ferro*) (s.) – saia de malha para a guerra; cota (*VLB*, I, 84)

itaesakanga (etim. – *pedra luzente*) (s.) – cristal (*VLB*, I, 86)

itaeté (etim. – *ferro muito bom*) (s.) – aço (*VLB*, I, 21)

itagûaí (etim. – *aguaí de ferro*) (s.) – guizo, esfera de metal com uma bolinha solta, dentro, que a faz soar (*VLB*, I, 68)

itagûarakapá (etim. – *escudo de ferro*) (s.) – escudo, broquel (*VLB*, I, 60)

itãgûasu (etim. – *itã grande*) (s.) – mexilhão-de--água-doce (*VLB*, II, 37)

itagûyrusu (etim. – *fundão de pedras*) (s.) – furna em penedos ou rochas (*VLB*, I, 145); lapa em pedras (*VLB*, II, 18)

itaîabebypira (etim. – *pele de arraia de ferro*) (s.) – lima de ferro (*VLB*, II, 22)

itaîara (etim. – *o que domina as pedras*) (s.) – espécie de peixe da família dos serranídeos, também chamado *îurukapeba* (v.) (Marcgrave, *Hist. Nat. Bras.*, 146)

itaîngapema[1] (ou **itangapema**) (s.) – **TANGAPEMA**, **TACAPE**; espada: *Enhonong nde itaîngapema nde ku'aî*. – Põe a tua espada na tua ilharga. (Fig., *Arte*, 125); *S. Pedro **itangapema** osekyî...* – São Pedro puxou a espada... (Ar., *Cat.*, 54v)

itaîngapema[2] (s.) – árvore de madeira dura, que cheira muito bem, da qual se faziam contas e tacapes pelos índios (Sousa, *Trat. Descr.*, 221)

itaitinga (etim. – *pedrinha branca*) (s.) – jaspe, variedade de quartzo (*VLB*, II, 7); pedra de mármore ou semelhante (*VLB*, II, 69)

itaîuba (ou **itaîuîuba**) (etim. – *metal amarelo*) (s.) – **1)** ouro: *Ereîpotápe **itaîuba**?* – Queres ouro? (Anch., *Teatro*, 44); *I xupé ogûeru îetanongabamo **itaîuba**, ysykatã syapûâba'e, mirra.* – Para ele trouxeram, como oferendas, ouro, incenso e mirra. (Ar., *Cat.*, 3); **2)** dinheiro, moeda (de ouro): *Aîar **itaîuba** Pedro suí.* – Aceitei dinheiro de Pedro. (*VLB*, I, 19, adapt.)

itaîubaíba (etim. – *ouro ruim*) (s.) – latão (*VLB*, II, 19)

itaîuberekoara (etim. – *o que guarda ouro*) (s.) – tesoureiro (*VLB*, II, 129)

itaîubeté (etim. – *ouro verdadeiro*) (s.) – dinheiro (*VLB*, I, 103)

itaîubuna (etim. – *ouro escuro*) (s.) – dinheiro ou moeda de cobre (*VLB*, I, 103)

itaîuburu (etim. – *receptáculo do ouro*) (s.) – bolso, lugar de se pôr dinheiro (*VLB*, I, 32); bolso de dinheiro (*VLB*, I, 57)

itaîuîuba – o mesmo que **itaîuba** (v.)

itaîukamusi (etim. – *vaso de ouro*) (s.) – cálice (da missa): *Mba'epe asé oîmoeté abaré **itaîukamusi** rupireme?...* – Que a gente honra ao erguer o padre o cálice da missa? (Ar., *Cat.*, 87v)

itaîukûara (etim. – *buraco do ouro*) (s.) – mina de ouro (*VLB*, II, 38)

itaîunema (etim. – *ouro fedorento*) (s.) – cobre (*VLB*, I, 76)

itaîutinga (etim. – *ouro branco*) (s.) – **1)** prata (*VLB*, II, 84); **2)** dinheiro ou moeda de prata (*VLB*, I, 103)

Itaîybá (etim. – *braço de pedra*) (s. antrop.) – nome de índio tupi (Vasconcelos, *Crônica (Not.)* II, §1, 113)

itaîyka (etim. - *metal duro*) (s.) - **1)** chumbo (*VLB*, I, 74); **2)** estanho (*VLB*, I, 128): *itaîy-kamusi* - vaso de estanho (*VLB*, II, 77)

itakasaba (etim. - *instrumento de quebrar pedras*) (s.) - martelo, marreta (*VLB*, II, 32)

itakereîugûá (etim. - *pedra-querejuá*) (s.) - rubi ou pedra semelhante a ele (*VLB*, II, 109)

itaku'i (etim. - *pó de pedra*) (s.) - cal de pedra (*VLB*, I, 63); cal: *itaku'i-apŷaba* - forno de cal (*VLB*, I, 142)

itakurubi (etim. - *carocinho de pedra*) (s.) - pedregulho: *itakurubi-tyba* - ajuntamento de pedregulhos (*VLB*, II, 69)

itaky (s.) - mó ou pedra de afiar: *itaky-nhatimana* - pedra de afiar que gira, pedra de afiar de barbeiro (*VLB*, II, 39)

itakyru'uma (etim. - *lama da mó*) (s.) - amolada, a água suja que fica no fundo dos coches dos rebolos de afiar navalhas, facas etc. (*VLB*, I, 34)

itakyseuru (etim. - *receptáculo de facas de ferro*) (s.) - faqueiro (*VLB*, I, 134)

itakytyngokaba (etim. - *instrumento de brunir metais*) (s.) - rascador de barbeiro (*VLB*, II, 97)

itamaraká (etim. - *maracá de ferro*) (s.) - sino (*VLB*, I, 65) • **itamaraká-mirĩ** - sineta de mão, sinozinho manual, campainha (*VLB*, I, 64)

itamaraka'ambaba (s.) - campanário, lugar em que estão os sinos (*VLB*, I, 65)

itamarana (etim. - *ferro para guerra*) (s.) - acha de armas, instrumento de guerra (*VLB*, I, 20)

itamarupá (s.) - navalha de aço (*VLB*, II, 48)

itamembeka[1] (etim. - *metal mole*) (s.) - chumbo (*VLB*, I, 74)

itamembeka[2] (etim. - *pedra mole*) (s.) - esponja, animal metazoário porífero marinho inferior sem simetria nem tubo digestório, com numerosos poros pelos quais entra e sai a água (Sousa, *Trat. Descr.*, 294)

itamimby (s.) - **1)** apito (*VLB*, I, 38); **2)** órgão (instrumento musical) (*VLB*, II, 59); **3)** trombeta (*VLB*, II, 137; Marcgrave, *Hist. Nat. Bras.*, 278)

itamina (etim. - *pua de ferro*) (s.) - lança (de ferro) (v. **mina**): *Itamina pupé îî yké kutuki.* - Com uma lança espetou seu flanco. (Ar., *Cat.*, 64)

itapesyryka

itãmirĩ (etim. - *itã pequeno*) (s.) - mexilhão-de-água-doce (*VLB*, II, 37)

itamombipikaba (etim. - *instrumento de lavrar a pedra*) (s.) - picão, ponta de ferro de pedreiro (*VLB*, II, 77)

itamonhangara (etim. - *fazedor de pedras*) (s.) - pedreiro (*VLB*, II, 69)

itanema (etim. - *metal fedorento*) (s.) - cobre (*VLB*, I, 76)

itanemarepoti (etim. - *ferrugem de metal fedorento*) (s.) - azinhavre, matéria verde que se forma na superfície dos objetos de cobre pela ação dos ácidos ou da umidade; verdete (*VLB*, I, 49)

itangapema - v. **itaîngapema**

itanha'ẽpepó (etim. - *bacia de ferro com asas*) (s.) - caldeira, caldeirão (*VLB*, II, 123)

itanha'ẽpepogûasu (etim. - *grande bacia de ferro com asas*) (s.) - caldeira de engenho (*VLB*, I, 63); tacho (*VLB*, II, 123)

itaoba (etim. - *roupa de ferro*) (s.) - couraça: *itaoba i apenhugûâ-nhugûanyba'e* - couraça com lâminas (*VLB*, I, 85)

itaobagûyra (etim. - *fundo da face das pedras*) (s.) - lapa em pedras (*VLB*, II, 18); furna em penedos ou rochas (*VLB*, I, 145)

itaoka[1] (etim. - *arranca pedra*) (s.) - peixe da família dos pimelodídeos. "Tem três quinas em o corpo que todo ele parece punhal... Consiste a peçonha na pele, fígados, tripas e ossos e qualquer animal que o come logo morre." (Cardim, *Trat. Terra e Gente do Brasil*, 56)

itaoka[2] (etim. - *refúgio de pedra*) (s.) - prisão, cadeia, presídio (*VLB*, I, 62)

> NOTA - No P.B., **ITAOCA** é *caverna, furna, lapa* (in *Dicion. Caldas Aulete*).

itaoka[3] (s.) - variedade de gato-do-mato, animal da família dos felídeos (Soares, *Coisas Not. Bras.* (ms. C), 1142-1144)

Itaomirĩ (etim. - *casinha de pedra*) (s. antrop.) - nome de índio tupi (D'Abbeville, *Histoire*, 187v)

itapesyryka (etim. - *pedra achatada escorregadia*) (s.) - **1)** laje de rio; **2)** água que corre por laje de rio, escoamento sobre laje (*VLB*, I, 24)

itaponupãsaba
NOTA – Daí, no P.B., **ITAPECIRICA**, monte que tem encostas lisas e escorregadias. Daí provém, também, o nome do município de **ITAPECIRICA** (SP) (v. Rel. Top. e Antrop. no final).

itaponupãsaba (etim. – *instrumento de bater pedra grossa*) (s.) – martelo (*VLB*, II, 32)

itapûã (etim. – *ferro pontudo*) (s.) – âncora (*VLB*, I, 35)
NOTA – Daí, no P.B. (AM), **ITAPUÃ**, **ITAPUÁ**, arpão curto, com ponta de ferro, usado na pesca da tartaruga, do pirarucu etc. (in *Novo Dicion. Aurélio*).

itapûãîpûã (s.) – âncora (*VLB*, I, 35)

itapûapẽ (etim. – *tenazes de ferro*) (s.) – tenazinhas de sobrancelhas, pinça (*VLB*, II, 126)

itapûé (etim. – *ferro de barulho diferente*) (s.) – relógio de sino (*VLB*, II, 100)

Itapuku (etim. – *pedra comprida*) (s. antrop.) – nome de índio tupi (D'Abbeville, *Histoire*, 362)

itapukusama[1] (etim. – *corda de ferro comprida*) (s.) – corrente de ferro (*VLB*, I, 62); espécie de corrente, argola com corrente de ferro que prende alguém pela parte inferior da perna (*VLB*, I, 59; D'Abbeville, *Histoire*, 183v)

Itapukusama[2] (s. antrop.) – nome de índio tupi (D'Abbeville, *Histoire*, 183v)

itapygûá (s.) – prego, cravo: ... *Itapygûá pupé i pó kutuka, i moîá.* – Com cravos espetando suas mãos, pregando-as. (Ar., *Cat.*, 62); *Oîké itapygûá nde 'anga pupé.* – Penetram os cravos dentro de tua alma. (Anch., *Poemas*, 122)

itapynhûã (etim. – *artelho de ferro*) (s.) – pega de ferro que se punha nos escravos fugitivos (*VLB*, II, 69)

itapysykaba (etim. – *instrumento de pegar metais*) (s.) – tenaz de ferreiro (*VLB*, II, 126)

itareré (s.) – água que corre em cima de alguma rocha ou penedia ou por debaixo dela (*VLB*, I, 55)
NOTA – Daí, o nome do município de **ITARARÉ** (SP) (v. Rel. Top. e Antrop. no final).

itasama (etim. – *corda de ferro*) (s.) – 1) amarra (*VLB*, I, 34); 2) âncora (*VLB*, I, 35): *Aîtyk itasama.* – Lancei a âncora (*VLB*, I, 35)

itasyba (s.) – **TACIBA**, formiga-lava-pés, var. de formiga pequena, inseto himenóptero da família dos formicídeos (*VLB*, I, 142). O mesmo que **tasyba** (v.)

itasymirĩ (etim. – *enxada pequena de ferro*) (s.) – sacho, instrumento agrícola que consiste em uma lâmina de ferro com cinco ou seis centímetros de largura com alvado e cabo longo de pau (*VLB*, II, 110)

itateé (ou **itatenhẽ** ou **itatetateé**) – 1) (posp.) – ao invés de, ao contrário de; 2) (adv.) às avessas, ao revés (*VLB*, I, 48)

itatenhẽ – o mesmo que **itateé** (v.)

itatetateé – o mesmo que **itateé** (v.)

itatîãîa (s.) – lança, ferro aguçado: *Opá nde reté raíri itatîãîa pupé.* – Riscaram todo o teu corpo com lanças. (Anch., *Teatro*, 120)
NOTA – Daí, o nome do PARQUE NACIONAL DO **ITATIAIA** (RJ) (v. Rel. Top. e Antrop. no final).

itau'ubatĩ (etim. – *ponta de flecha de ferro*) (s.) – seta de ponta (*VLB*, II, 66)

Itaukaîa (etim. – *choça de pedra*) (s. antrop.) – nome de índio tupi (Anch., *Poesias*, 262)

itaungûá[1] (s.) – almofariz, socador de pilão (de ferro) (*VLB*, I, 32)

Itaungûá[2] (etim. – *almofariz de pedra*) (s. antrop.) – nome de índio tupi (D'Abbeville, *Histoire*, 187)

itaurapara (etim. – *tacape de ferro*) (s.) – besta (de atirar, instrumento de tiro) (*VLB*, I, 55)

itau'usama (etim. – *corda de flecha de ferro*) (s.) – arpão, arpoeira, farpão para arpoar peixes (*VLB*, I, 41; 135)

itayby'ama (etim. – *terra erguida de pedras*) (s.) – rocha; rochedo (*VLB*, II, 107)

itayîuîa (etim. – *pedra espumante*) (s.) – sabão (*VLB*, II, 110): *Itayîuîa pupé aîkytyk.* – Com sabão esfreguei-o. (*VLB*, I, 117)

itaysyka (etim. – *resina de pedra*) (s.) – 1) almécega, resina dura que servia de louça para os índios e que parece vidro (*VLB*, I, 32); 2) árvore que produz tal resina (Cardim, *Trat. Terra e Gente do Brasil*, 42). "Os índios chamam **itaysyka** e os portugueses *incenso branco* e tem os mesmos efeitos que o incenso." (Cardim, *Trat. Terra e Gente do Brasil*, 42)

itimixyra (s.) – roncador, peixe da família dos pomadasídeos (Lisboa, *Hist. Anim. e Árv. do Maranhão*, fl. 168v)

itó (s. voc. de h.) – minha sobrinha! (Anch., *Arte*, 14v)

ityk / eîtyk(a) (t) (v. tr.) – **1)** lançar, atirar, jogar, lançar à água (um navio ou uma canoa): *Aîtyk ygara.* – Lanço [à água] a canoa. (*VLB*, II, 48); *Eîori, muru mombapa, satápe seîtyka nhẽ.* – Vem para destruir o maldito, em seu fogo lançando-o. (Anch., *Poemas*, 132); **2)** lançar fora, jogar fora: *T'aîtyk pá koty...* – Que eu lance fora todas as armadilhas. (Anch., *Poemas*, 130); *Xe rekó i porang-eté; n'aîpotari abá seîtyka...* – Minha lei é muito bela; não quero que ninguém a lance fora. (Anch., *Teatro*, 6); *T'oroîtyk oré poxy...* – Que lancemos fora nossa maldade. (Anch., *Teatro*, 118); *Opá xe ramyîa ma'epûera aîtyk.* – Todos os bens de meus avós joguei fora. (Léry, *Histoire*, 356); *... Xe 'anga ky'a reîtyka...* – Lançando fora a sujeira de minha alma. (Ar., *Cat.*, 86); **3)** derrubar, vencer, derrotar: *Eîori xe sumarã reîtyka...* – Vem para derrotar meus inimigos... (Anch., *Teatro*, 178); *Xe reîtyk korine mã!* – Ah, vencer-me-ão hoje. (Anch., *Teatro*, 26) ● **eîtykara (t)** – o que lança, o que derruba (Fig., *Arte*, 61); **emityka (t)** – o que alguém lança, o que alguém derruba: *... Tekoangaîpab-ypy moroesé Adão remitykûera pe'abo.* – Afastando o pecado original, o que Adão lançou na gente. (Ar., *Cat.*, 6); **eîtykaba (t)** – tempo, lugar, modo etc. de lançar, de derrubar, de lançar fora, de atirar; ato de lançar, lançamento: *Nd'ereîkuabype Tupã... opakatu ikó 'ara pupé îandé remimborará-tyba abé seîtykagûera?* – Não sabes que Deus lançou neste mundo também tudo o que a gente sofre costumeiramente? (Ar., *Cat.*, 112); **ityk nhe'enga** – dizer mal de alguém, murmurar [compl. com **ri** ou **esé (r, s)**]: *Aîtyk nhe'enga (abá) resé.* – Digo mal do homem. (*VLB*, II, 28, adapt.); *Tupã resé tiruã kó nhe'enga reîtyki...* – Eis que até mesmo contra Deus murmuram. (Ar., *Cat.*, 56v)

NOTA – Daí, no P.B., **TITICA** (*teîtyka*, "o que se joga fora"), excremento de aves, merda; **PEITICA** (NE) (*'yb + eîtyka*, "lançar o pau"), pilhéria insistente e de mau gosto, grosseria, impertinência.

îu¹ (interj. de m.) – oh! ó: *Îu, anhangap'ikó ri?!* – Oh, será que isto é o diabo?! (Anch., *Teatro*, 8); *... Mba'enem-y îu!* – Ó coisa fedorenta! (Anch., *Teatro*, 128); *Xe sy îu!* – Ó minha mãe! (Fig., *Arte*, 9) [Usava-se também por quem respondia. (*VLB*, II, 60)]

îu² (s.) – **1)** espinho: *Oîké îugûasu i akanga kutuka...* – Entram grandes espinhos, espetando sua cabeça. (Anch., *Poemas*, 122); *Aopiranga îu abé ogûerur...* – Vinha com púrpura e espinhos... (Ar., *Cat.*, 60v); **2)** espinheiro (*VLB*, I, 126)

NOTA – Daí, no P.B., **JUUNA** (*îu + un + -a*, "espinhos escuros"), arbusto aculeado e piloso, da família das solanáceas.

îuá (s.) – **JUÁ, 1)** nome de algumas plantas solanáceas do gênero *Solanum*; **2)** árvore ramnácea (*Ziziphus joazeiro* Mart.), o **JUAZEIRO** do sertão nordestino, que nunca perde suas folhas durante as secas e que serve de alimento ao gado (Marcgrave, *Hist. Nat. Bras.*, 63)

JUAZEIRO (foto de E. Navarro)

NOTA – Daí, o nome geográfico BARRA DO JUÁ (PB) (v. Rel. Top. e Antrop. no final).

iûapekanga (s.) – **JAPECANGA**, salsaparrilha, nome comum a plantas da família das esmilacáceas, do gênero *Smilax* (*Similax papyracea* Poir., *Similax officinalis* Kunth etc.) (Marcgrave, *Hist. Nat. Bras.*, 10-11)

îuapytá (s.) – nome de uma planta (*Theat. Rer. Nat. Bras.*, II, 209)

îuatĩ (etim. – *ponta de juá*) (s.) – espinho: *Mba'epe onong i akanga 'arybo? – Îuatĩ-embó apynha...* – Que puseram sobre sua cabeça? – Uma argola de vergônteas de espinhos. (Ar., *Cat.*, 60v)

NOTA – Daí, no P.B., **JUATI**, erva da família das solanáceas, de inúmeros acúleos pungentes, também conhecida como *juá-arrebenta-cavalo*.

îuá-umbu

îuá-umbu (s.) – nome de uma planta anacardiácea (*Spondias tuberosa* Arruda), conhecida como **UMBUZEIRO** (Marcgrave, *Hist. Nat. Bras.*, 108)

îub / ub(a) (t, t) (v. intr. irreg.) – **1)** estar deitado, estendido, fundado, fundamentado, prostrado; jazer; estar fundeado (p.ex., o que navega, o navio): *Aîub.* – Estou deitado. (Fig., *Arte*, 57); ... *pitangamo oupa.* – como criança estando deitado (Anch., *Poemas*, 116); *Ereîubype nde agûasá 'arybo...?* – Estiveste deitada sobre teus amantes? (Ar., *Cat.*, 235); *Aîké gûitupa.* – Entrei para estar fundeado. (*VLB*, I, 18); *Oobapybo aîub.* – Jazo de bruços. (*VLB*, II, 7); *T'eresó rõ nde ratápe, aûîerama t'ereîub moreaûsuba monhangápe.* – Hás de ir, pois, para teu fogo, para que estejas para sempre prostrado no lugar em que se faz sofrer. (Anch., *Teatro*, 48); **2)** estar subjacente, estar implícito: *Marã e'iba'e pupépe aîpoba'e ruî...?* – Esses (mandamentos) estão implícitos nos que dizem como? (Ar., *Cat.*, 74v); **3)** hospedar-se, agasalhar-se: *Aîub (abá) resé.* – Hospedei-me com o homem. (*VLB*, I, 23, adapt.) ● **upaba** (t, t) – tempo, lugar, modo, causa etc. de estar (deitado, estendido, fundado), de jazer; estância: ... *Tupãokupagûama...* – lugar em que estará fundada a igreja (Ar., *Cat.*, 7); *tupagûera* – antigo jazigo (*VLB*, II, 7) (No modo indic. circunst. pode apresentar as formas **ruî, tuî**): *Nde pópe oré 'anga ruî.* – Em tuas mãos nossa alma está. (Valente, *Cantigas*, II, in Ar., *Cat.*, 1618); *I îurupe nhõ Tupã rerobîara ruî.* – A crença em Deus está somente em suas bocas. (Anch., *Teatro*, 30); *Mba'epe ké tuî opyka?* – Que aqui está deitado, aquietando-se? (Anch., *Teatro*, 42) (O gerúndio tem forma irregular na 1ª p. do sing.: **gûitupa** – estando eu deitado

> NOTA – Daí, no P.B., **TIJUPABA** (*te'yî + upaba*, "lugar de se hospedar a multidão"), cabana feita na mata para abrigo provisório de muitas pessoas que a atravessam; qualquer palhoça ou rancho feitos em meio a uma roça, um seringal, uma mata, para proteger e abrigar pessoas provisoriamente. Daí, também, o nome da localidade de **IGARAPAVA** (SP) (v. Rel. Top. e Antrop. no final).

îuba (s.) – o amarelo, a cor amarela; a cor loura; a cor ruiva: *tupi'a-îuba* – o amarelo do ovo, isto é, a gema (*VLB*, I, 147); (adj.: **îub**) – amarelo; louro; ruivo: *Xe robá-îub.* – Eu estou de rosto amarelo, eu estou pálido. (*VLB*, I, 34); *I îub.* – Ele é amarelo. *Xe îub.* – Eu sou amarelo. (Anch., *Arte*, 50); Eu sou louro. (*VLB*, II, 24); – *Mba'epe ereru nde karamemûã pupé?* – Aoba. – *Marãba'e?* – *Soby-eté, (i) pirang, i îub.* – Que trouxeste dentro de tua caixa? – Roupas. – De que tipo? – Elas são azuis, vermelhas, elas são amarelas. (Léry, *Histoire*, 342-343)

> NOTA – Daí, no P.B., o elemento de composição -**JUBA**, presente em dezenas de nomes de plantas, animais etc.: **AIURUJUBA** ("ajuru amarelo"), ave psitacídea; **ARARAJUBA** ("arara amarela"), ave psitacídea; **CAMARAJUBA** ("camará amarelo"), planta enoterácea; **GURIJUBA** ("guri amarelo"), peixe taquissurídeo; **PIRAJUBA** ("peixe amarelo"), peixe caracídeo; **SUCURIJUBA** ("sucuri amarela"), cobra boídea etc.
> Daí, também, o nome geográfico **ITAJUBÁ** (município de MG) etc. (v. Rel. Top. e Antrop. no final).

îubé / ubé (t, t) (etim. – *estar deitado ainda*) (v. intr. irreg.) – **1)** jazer acordado, jazer desperto: *Aîubé.* – Jazo acordado. (*VLB*, I, 20); **2)** estar vivo (*VLB*, II, 147); **3)** estar presente, estar por perto, estar por aí: *Oubépe nde ruba?* – Está por aí teu pai? (*VLB*, I, 128); *Oubé rakó abá mba'e mundépe oína biã...* – Ainda que estivessem presentes as coisas de alguém na prisão. (Ar., *Cat.*, 165); **4)** jazer imóvel, ficar sem se mexer: *Aîubé.* – Jazo imóvel. (*VLB*, II, 7)

îubĩ / ubĩ (t, t) (etim. – *estar deitado, sem mais*) (v. intr. irreg.) – estar quieto, estar deitado, estar sem mudar de lugar (mas não imóvel): *Aîubĩ.* – Estou quieto. (*VLB*, II, 93)

îubĩote / ubĩote (t, t) (etim. – *estar deitado, somente*) (v. intr. irreg.) – estar quieto (num lugar, deitado, bolindo-se ou não): *Aîubĩote.* – Estou quieto. (*VLB*, II, 7).

îubopeba (s.) – nome de uma planta (*Theat. Rer. Nat. Bras.*, II, 135)

îubyk (v. tr.) – enforcar; estrangular: *Aîubyk.* – Enforquei-o. (*VLB*, I, 116); *A'emo oîubyk-uká?* – Eles mandariam enforcá-los? (Anch., *Teatro*, 62) ● **îubykara** – enforcador, o que enforca: *Akó xe îubykarûera... xe îubyk benhẽ potá!* – Esse é meu antigo enforcador, querendo enforcar-me novamente! (Anch., *Teatro*, 62); *moroîubykarûera* – o que enforcou gente (*VLB*, I, 31); **i îubykypyra** – o que é (ou deve ser) enforcado (*VLB*, I, 116) (O mesmo que **aîubyk** – v.)

îubykatã (v. tr.) - abarcar, apertar o que se cinge: *Aîubykatã*. - Abarquei-o. (*VLB*, I, 38)

îuembo'i (etim. - *vergonteazinha de espinho*) (s.) - amora silvestre (*VLB*, I, 34)

îugûá (s.) - visco, suco vegetal glutinoso com que os caçadores untam pequenas varas para nelas prender as aves que aí pousem (*VLB*, II, 146)

îu'i (s.) - JUÍ, nome comum aos anuros do gênero *Leptodactilus*, de pele nua, comestíveis, que vivem sempre à beira d'água. São também chamados *rãs*. (Sousa, *Trat. Descr.*, 265): *Ikó îu'i, xe rupîara, t'ere'u...* - Estas rãs, minhas presas, que as comas. (Anch., *Poemas*, 158)

> NOTA - Daí, no P.B., **JUIPONGA** ("rã batedora"), outro nome dado ao sapo-ferreiro.

îu'i-îia (s.) - JUÍ-JIA, batráquio da família dos hilídeos, variedade de rã. "São brancacentas e andam sempre na água e, quando chove muito, falam de maneira que parecem crianças que choram." (Sousa, *Trat. Descr.*, 265)

îu'igûara'i-gûara'i (s.) - variedade de rã pequena. "... No inverno, quando há de fazer sol e bom tempo, cantam toda a noite no alagadiço, onde se criam... São verdes..., também esfoladas se comem e são muito boas." (Sousa, *Trat. Descr.*, 265)

îu'ií (s.) - var. de rã muito grande, "de cor pretaça" (Sousa, *Trat. Descr.*, 265)

Îu'ikũ (s. antrop.) - nome de índio tupi (Anch., *Poemas*, 158)

îu'iperereka (etim. - *rã saltadeira*) (s.) - PERERECA, nome genérico de anfíbios anuros, de ventosas nos dedos, que vivem nas moitas e sobem às árvores, pertencentes à família dos hilídeos, com mais de oitenta espécies no Brasil (Sousa, *Trat. Descr.*, 265)

> NOTA - Daí, também, no P.B., o verbo **PERERECAR**, andar de um lado para outro: *"Lalino Salãthiel **PERERECAVA** ali por perto"* (Guimarães Rosa, in *Sagarana*, Rio de Janeiro, Nova Fronteira, 2001). **PERERECA** também designa, no P.B., uma pessoa ou um animal pequeno e agitado.

îu'iponga (etim. - *rã batedeira*) (s.) - JUIPONGA, sapo-ferreiro, sapo-tanoeiro, anfíbio anuro da família dos hilídeos, que vive junto aos alagadiços e rios e trepam nas árvores. "São grandes e quando cantam parecem caldeireiros que malham nas caldeiras..., as quais se comem e são muito alvas e gostosas." (Sousa, *Trat. Descr.*, 264)

îuka (s.) - podridão; (adj.: **îuk**) - podre (fal. de coisa inorgânica, p.ex., pau, corda, fio, água etc. Com relação a coisas que têm sangue ou sumo, como carne, peixe, laranjas etc., diz-se **tuîuk** - v.) (*VLB*, I, 38; II, 80)

> NOTA - Daí, no P.B., **PIÚCA** (*'yb* + *îuk* + *-a*, "pau podre"), 1) pau seco que se esfarela, próprio para ser queimado; 2) tronco semicarbonizado. Daí, também, os nomes geográficos **TIJUCA** (rio do RJ), **TIJUCO** (nome de ribeirão de SP) etc. (v. Rel. Top. e Antrop. no final).

îuká¹ (etim. - *quebrar o pescoço* < **aîura** + **ká**) (v. tr.) - matar: *Aîuká îagûara*. - Matei uma onça. (Fig., *Arte*, 150); *Aûîé, xe îuká îepé!* - Basta, tu me matas! (Anch., *Teatro*, 76); *Îaîuká memẽ aîpó 'îara...* - Matemos juntos o que diz isso. (Ar., *Cat.*, 79, 1686); *Aîuká-matutenhẽ*. - Matei-os muito, fiz matança. (*VLB*, II, 33); *Aporoîuká*. - Mato gente. (*VLB*, II, 33); *Atuîuká Francisco*. - Matei o pai de Francisco. (Fig., *Arte*, 88) • **îukasara** - o que mata, o matador: *o mena... îukasara...* - a que mata seu marido (Ar., *Cat.*, 279); *... Îandé 'anga îukasara*. - Matador de nossa alma. (Anch., *Poemas*, 90); **i îukapyra** - o morto, o que é (ou deve ser) morto: *Mboîa i îukapyra*. - A que é morta é a cobra. (Fig., *Arte*, 8); *i îukapyre'ymaûama* - coisa que não há de ser morta, digna de se não matar (Fig., *Arte*, 32); **emiîuká (t)** - o que alguém mata: *Ereîápe so'o... îagûara remiîukapûera?* - Tomaste o animal que a onça matou? (Ar., *Cat.*, 107v); **îukába** (ou **îukasaba**) - tempo, lugar, modo, instrumento etc. de matar (Anch., *Arte*, 19)

> NOTA - Daí, o nome do famoso poema de Gonçalves Dias, **I** - **JUCA** - **PYRAMA** ("o que será morto"):
> *"No meio das tabas de amenos verdores, / Cercadas de troncos - cobertos de flores, / Alteiam--se os tetos d'altiva nação; / São muitos seus filhos, nos ânimos fortes, / Temíveis na guerra, que em densas coortes / Assombram das matas a imensa extensão."* (in *Antologia Poética*. 5. ed. Rio de Janeiro, Agir, 1969.)

îuká² (etim. - *quebrar o pescoço*) (v. tr.) - quebrar: *Nde akanga îuká aîpotá korine*. - Tua cabeça quererei quebrar hoje. (Staden, *Viagem*, 156)

îukába

NOTA – Daí, no P.B., **JUCÁ** (*aîura* + *ká*, "quebra-pescoço"), pau-ferro, nome de uma árvore e de sua madeira, duríssima, usada para fazer tacapes.

îukába – v. îuká¹

îukaíb (etim. – *matar não completamente*) (v. tr.) – forçar, violentar: *Ereîukaípe mendare'yma i momoxy îanondé...?* – Violentaste uma solteira antes de lhe fazer mal? (Ar., *Cat.*, 103v); *Nde nhe'ẽ-poroîukaípe abá supé?* – Tu tiveste para alguém palavras que violentam? (Anch., *Doutr. Cristã*, II, 103)

îukatu (etim. – *estar bem deitado*) (v. intr.) – estar tranquilo (*VLB*, I, 38); estar bonançoso (falando-se do mar) (*VLB*, I, 18); amainar (p.ex., a fúria), acalmar-se, serenar, tranquilizar-se: *Aîukatu.* – Acalmei-me. (*VLB*, I, 33)

îukeri (etim. – *espinhozinhos dormentes*) (s.) – JUQUERI, nome comum de ervas leguminosas-mimosoídeas do gênero *Mimosa* L., de flores e frutos venenosos, que têm como antídoto oposto suas próprias raízes. Engordam ovelhas e cabras e são nocivas ao homem. Uma das espécies é a *Mimosa pudica* L., denominada vulgarmente *dormideira, sensitiva, malícia-de-mulher, caaicovê* etc. (Piso, *De Med. Bras.*, III, 170; IV, 202)

îukeriomanõ (etim. – *juqueri da folha morta*) (s.) – sensitiva ou dormideira, variedade de erva leguminosa (*Caesalpinia bonduc* (L.) Roxb.) (Marcgrave, *Hist. Nat. Bras.*, 64)

îuki'a (s.) – espécie de peixe sem escamas e saboroso (Sousa, *Trat. Descr.*, 296)

îuku (s.) – nome de uma planta, variedade de canela. Tal palavra é conhecida indiretamente por meio do nome do índio tupi *Îukugûasu* (Vasconcelos, *Crônica (Not.)* II, §1, 113)

Îukugûasu (s. antrop.) – nome de índio tupi (Vasconcelos, *Crônica (Not.)* II, §1, 113)

îukurutu (s.) – JUCURUTU, ave noturna caprimúlgida, do tamanho de um frango, de plumagem vermelha misturada de negro, que grita durante toda a noite (D'Abbeville, *Histoire*, 240; Sousa, *Trat. Descr.*, 234-235)

îukuryûasu (s.) – nome de uma árvore de madeira dura, pesada, incorruptível (Sousa, *Trat. Descr.*, 221)

îukyra (s.) – sal: *Mba'e resépe îuky-karaíba mondebi asé îurupe?* – Por que põe sal bento na boca da gente? (Ar., *Cat.*, 81v) ● **îukyre'ẽ** – sal sem pimenta; **îukyrapu'a** – bolota de sal (*VLB*, II, 111)

NOTA – Daí provém o nome do município de JUQUITIBA (SP) (v. Rel. Top. e Antrop. no final).

îukyra-'y – o mesmo que **îukyry** (v.)

îukyrakokara (etim. – *o que arranca o amargor do sal*) (s.) – fazedor de sal (*VLB*, II, 112)

îukyrana (etim. – *falso sal*) (s.) – salitre (*VLB*, II, 112)

îukyruru (etim. – *recipiente de sal*) (s.) – saleiro (*VLB*, II, 112)

îukyry (etim. – *água de sal*) (s.) – JUQUIRAÍ, salmoura, molho, nome com que os índios chamavam um tempero formado pela junção de sal e pimenta cuiém seca e pisada, usado para carnes e peixes (D'Abbeville, *Histoire*, 306v)

îukytaîa (etim. – *sal ardido*) (s.) – **1)** JIQUITAIA, pimenta reduzida a pó misturada com sal, que os índios socavam conjuntamente, com que temperavam a comida; sal-pimenta (*VLB*, II, 112); **2)** molho de pimenta; molho ou caldo picante (Marcgrave, *Hist. Nat. Bras.*, 39)

îundi'a (ou **nhandi'a**) (s.) – JUNDIÁ, NHANDIÁ, JANDIÁ, nome genérico para os bagres de rio, peixes da família dos pimelodídeos (Anch., *Arte*, 6v)

NOTA – Daí, provém o nome do município de JUNDIAÍ (SP) (v. Rel. Top. e Antrop. no final).

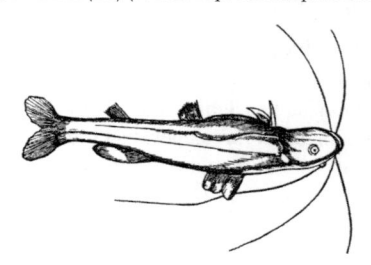

JUNDIÁ (fonte: Marcgrave)

îunypaba (s.) – JENIPAPEIRO, o mesmo que **îanypaba** (v.) (D'Abbeville, *Histoire*, 219)

îupabok (etim. – *retirar-se o leito*) (v. intr.) – partir-se, partir (o viajante): *Aîupabok.* – Parti. (*VLB*, II, 66)

îupará (s.) – JUPARÁ, PAPURÁ, JURUPARÁ, animal carnívoro da família dos procionídeos (*Potus flavus* Schreb.), também chamado *macaco-da-meia-noite* (D'Abbeville, *Histoire*, 252v; Sousa, *Trat. Descr.*, 258)

îupaty¹ (s.) – JUPATI, nome de mamífero marsupial, da família dos didelfídeos, do gênero *Philander*. "Não se comem, os quais criam em troncos das árvores velhas." (Sousa, *Trat. Descr.*, 254-255)

îupaty² (etim. – *pati de espinhos*) (s.) – JUPATI, espécie de palmeira da subfamília das lepidocarináceas (Sousa, *Trat. Descr.*, 256)

îupi'amombor (v. intr.) – pôr ovos (a ave) (*VLB*, II, 60)

îupika'i (s.) – JUPICAÍ, JUPIEDI, erva-de-impingem, nome comum a plantas xiridáceas (*Xyris laxifolia* Mart. e *Xyris jupicai* Rich.), conhecidas também como *botão-de-ouro*, usadas medicinalmente contra afecções cutâneas (Piso, *De Med. Bras.*, IV, 202)

îupikanga (s.) – JUPICANGA, JAPICANGA, planta esmilacácea do gênero *Smilax* (Piso, *De Med. Bras.*, IV, 195)

îupomoín (v. tr.) – ferrar, marcar (p.ex., gado) (*VLB*, I, 138)

îupora (s.) – marca de ferro em brasa (p.ex., no gado) (*VLB*, I, 138)

îupuîuba (s.) – JAPUJUBA, designação comum a várias aves passeriformes da família dos icterídeos, que têm a cauda longa e amarela e o bico forte, igualmente amarelo (Marcgrave, *Hist. Nat. Bras.*, 193)

i'upyra (etim. – *o que é ingerido*) (s.) – mantimento, comida (*VLB*, II, 31)

îur / ur(a) (t, t) (v. intr. irreg.) – **1)** vir: *Ybaka suí ereîur...* – Vieste do céu. (Anch., *Poemas*, 100); *Kurusá xe pópe sekóreme... t'our é Îurupari.* – Se a cruz estiver em minha mão, que venha o diabo. (D'Abbeville, *Histoire*, 357); *Aîune ixé, pe remi'urama!* – Venho eu, a vossa futura comida! (Staden, *Viagem*, 67); *Aîur xe kó suí.* – Venho da minha roça. (Fig., *Arte*, 9); *Mba'e resépe ereîur xe remiaûsukatu gûi?...* – Por que vieste, ó meu muito amado? (Ar., *Cat.*, 54); **2)** fórmula de saudação para o que chega: – *Ereîupe?* – *Pá, aîur.* – Vieste? – Sim, vim. (Léry, *Histoire*, 341); **3)** ir (em fórmulas de saudação daqueles que partem): *Ne'ĩ, xe aîur kó.* – Eia, eis que vou. (D'Evreux, *Viagem*, 144); *Ne'ĩ, oroîur kó.* – Eia, eis que vamos. (D'Evreux, *Viagem*, 144); *Aîur ikó.* – Eis que me vou. (Fig., *Arte*, 141); **4)** crescer, subir (a maré): *Our paranã.* – Subiu a água do mar. *Ourusu 'y.* – Cresceram muito as águas (isto é, subiu a maré). (*VLB*, I, 85); **5)** ficar de vez, morar: *Gûitu aîur.* – Vim para ficar de vez (isto é, para morar). (*VLB*, II, 41); **6)** no permissivo, na 3ª p., pode ter o sentido de *deixa que, deixai que*, levando o verbo para o modo indicativo circunstancial: *T'oú turi.* – Deixa-o que venha. *T'oú turi ranhẽ.* – Deixa que venha primeiro. (*VLB*, I, 92); *T'oúne turi.* – Deixa que venha. (*VLB*, I, 92) • **usaba** (ou **uraba**) **(t, t)** – tempo, lugar, modo etc. de vir, a vinda: *Kó xe 'anga, nde rusaba, nde rupabamo t'oîkó.* – Eis que minha alma, lugar de tua vinda, há de estar como teu leito. (Anch., *Poemas*, 128); *Turagûera moetesabamo... kó 'ara îamoeté.* – Como modo de honrar sua vinda, este dia honramos. (Ar., *Cat.*, 5); **îurusu** – virem muitos juntos: *Oroîurusu.* – Viemos muitos. (*VLB*, II, 146) [No imperativo tem as formas irregulares **eîori!** ou **eîor!** – vem! **peîori!** ou **peîor!** – vinde! Na 1ª p. do sing. do gerúndio é **gûitu** – vindo eu. Não admite o prefixo **s-** nas formas nominais: **tura** – a vinda dele (e não *sura*).]

îura (ou **nhura**) (s.) – pescoço: *Xe îuri arekó.* – Tenho-o no meu pescoço. (*VLB*, II, 76) • **nhurĩ** – pescocinho: *'yá-nhurĩ* – cabaça-pescocinho (isto é, em forma de pescoço, com estreitamento entre duas partes mais largas, estreita no meio e grossa nas pontas) (*VLB*, I, 93)

îurá¹ (s.) – casa colocada no cume de árvores plantadas n'água (D'Evreux, *Viagem*, 84)

îurá² (s.) – estrado, grelha, JIRAU: ... *Moka'ẽ itá îurá 'arybo sesyri...* – Sobre grelhas de moquear, de ferro, assaram-no. (Ar., *Cat.*, 7)

îurapupîara (etim. – *os que estão dentro do jirau*) (s.) – JURAPUPIARA, JURAPUPIÁ, nome de antigo grupo indígena do norte do Brasil (D'Abbeville, *Histoire*, 189)

îurar (etim. – *tomar o pescoço*) (v. tr.) – laçar, tomar com laço: *Aîpukuîurar.* – Lacei a perna dele. (*VLB*, I, 41)

îurará (s.) – JURARÁ, espécie de tartaruga (v. îururá) (*VLB*, I, 62)

îuraragûaî (xe) (v. da 2ª classe) – mentir: *Pe îuraragûaî.* – Vós mentis. (Anch., *Teatro*, 180); *Îuraragûaî setatupabé.* – Mentiu muitíssimo.

îuraragûaîa

(D'Evreux, *Viagem*, 88); *O 'anga... renõîndara abé o îuraragûaîamo nhẽ, marãpe?* – E mentindo também aquele que invoca sua alma, que acontece? (Ar., *Cat.*, 67) • **îuraragûaîtaba** (ou **îuraragûaîaba**) – tempo, lugar, modo etc. de mentir; mentira: *Eresenõî tenhẽpe Tupã nde îuraragûaîtápe?* – Invocaste a Deus em vão ao mentires? (Anch., *Doutr. Cristã*, II, 84)

îuraragûaîa

(s.) – mentira: *Eresenõî tenhẽpe Tupã rera, ... nde îuraragûaîamo nhẽ, îuraragûaîamo sekó kuapa?* – Invocaste em vão o nome de Deus, mentindo, sabendo ser mentira? (Ar., *Cat.*, 99v) • **îuraragûaîa ekyî (s)**: urdir mentiras: *Eresekyîpe îuraragûaîa abá supé...?* – Urdiste mentiras contra alguém? (Anch., *Doutr. Cristã*, II, 103)

îurarapeba

(etim. – *jurará achatado*) (s.) – espécie de tartaruga, coberta de "um casco pardo pelas bordas, de meio palmo de comprido, e há a cabeça e os pés e pescoço pintado de pardo e amarelo e verde e vermelho" (Lisboa, *Hist. Anim. e Árv. do Maranhão*, fl. 174v)

îuraú

(s.) – JIRAU, armação feita de varas, de forquilhas e ripas que serve de cama, assento, para assar carnes, secar roupas etc. É usado também por caçadores que ficam na mata à espreita de caça. (Travaços, *Declaração do Brasil*, XXVI, fl. 22v)

> NOTA – No P.B., **JIRAU** tem, além dos sentidos acima, mais os seguintes: 1) *armação de madeira sobre a qual se edificam as casas a fim de evitar a água e a umidade*; 2) (p. ext.) *qualquer armação de madeira em forma de estrado ou palanque*; 3) *cama de varas*; 4) (arquit.) *no interior de um compartimento, piso a meia altura que cobre, apenas parcialmente, a sua área*; 5) *sobreloja* (in *Novo Dicion. Aurélio*). "JIRAO chamam no Amazonas ũa como grade de paos levantados da terra, onde costumam secar carnes, peixe, ou qualquer outra cousa [...]" (Pe. João Daniel [1757], 300).

JIRAU COM PANELA (fonte: Staden)

îuraybaté

(etim. – *jirau elevado*) (s.) – varanda; balcão (*VLB*, II, 141)

îura'ynha

(etim. – *caroços da garganta*) (s.) – amigdalite; ínguas na garganta ou pescoço (*VLB*, I, 148; II, 12)

îuraytá

(etim. – *esteio de jirau*) (s.) – tirante de casa; viga, travões (de telhado de casa) (*VLB*, II, 128; Léry, *Histoire*, 359)

Îuraytaûasu

(etim. – *grandes esteios de jirau*) (s. antrop.) – nome de índio tupi (D'Abbeville, *Histoire*, 188)

îurebeba

(ou **îurepeba** ou **îuripeba**) (s.) – JURUBEBA, nome comum a várias espécies de árvores do gênero *Solanum*, da família das solanáceas, tidas como de valor medicinal (Marcgrave, *Hist. Nat. Bras.*, 89; Piso, *De Med. Bras.*, IV, 190)

îurepeba

(s.) – JURUBEBA (v. **îurebeba**)

îurikûara

(s.) – erva que cresce na floresta, que era usada para curar úlceras venéreas malignas (Piso, *De Med. Bras.*, 196)

îuripeba

(s.) – JURUBEBA (v. **îurebeba**)

îuriti

(ou **îeruti** ou **îurutĩ**) (s.) – JURITI, JURUTI, nome comum a aves columbiformes da família dos peristerídeos e dos columbídeos (Sousa, *Trat. Descr.*, 230)

îuru[1]

(s.) – boca (Castilho, *Nomes*, 32): *Nde îurupe nhõtemo ã ererekó.* – Em tua boca somente tens isso. (D'Abbeville, *Histoire*, 350); *Aîuru-mopen nhe'engixûera.* – Quebro a boca de um tagarela. (Fig., *Arte*, 88); *I îurupe nhõ Tupã rerobîara ruî.* – A crença em Deus está somente em suas bocas. (Anch., *Teatro*, 30) • **îuru-boka** – boca entreaberta (como a ostra com a enchente ou alguém que dorme): *Xe îuru-bok.* – Eu estou com a boca entreaberta. (*VLB*, I, 18); **îuru-pyk** – tapar a boca a: *Aîuru-pyk.* – Tapei-lhe a boca. **îuru-py-pyk** – ficar pondo comida, aos poucos, na boca de (p.ex., na boca de um doente) (*VLB*, II, 124)

> NOTA – Daí, no P.B., **JURUPIRANGA** (*îuru + pirang + -a*, "boca vermelha"), nome de um peixe taquissurídeo; **JURUPIXUNA** (*îuru + pyxun + -a*, "boca escura"), nome de um macaco cebídeo; **JURUNA** (*îuru + un + -a*, "bocas pretas"), nome de povo indígena do MT e PA; **JURUPENSÉM** (*îuru + pesẽ*, "boca-de-colher"), peixe pimelodídeo de boca com prognatismo acentuado, também chamado *jurupoca* e

boca-de-colher. Daí, também, o nome próprio **JURACI**, os nomes geográficos **CAJURU, BOTUJURU** etc. (v. Rel. Top. e Antrop. no final).

îuru² (s.) - bocado, porção de alimento que se põe na boca, trago, sorvo: *oîepé îuru nhõ* - somente um bocado (*VLB*, I, 56); *E'u oîepé îuru nhote*. - Toma um só trago. (*VLB*, II, 121)

îuru³ (s.) - embocadura, foz: *îuru-mirĩ* - embocadura pequena (Staden, *Viagem*, 45)

îuruaíb (xe) (etim. - *boca má*) (v. da 2ª classe) - falar mal, ser maledicente: *"E'i kó..." eré tenhêpe... nde îuruaíbamo?* - Disseste falsamente que ele disse isso, sendo maledicente? (Anch., *Doutr. Cristã*, II, 100)

îuruapẽ (etim. - *boca torta*) (s.) - boquitorto (Anch., *Arte*, 32v)

îuru'ar (xe) (etim. - *cair a boca*) (v. da 2ª classe) - dizer mal; boquejar; murmurar, falar mal [de algo ou de alguém: compl. com **esé (r, s)** ou **ri**]: *T'e'i tenhẽ umẽ xe ri o îuru'aramo*. - Não fique ele boquejando a meu respeito. (*VLB*, II, 28-29); *Nde îuru'arype abá amõ resé?* - Tu falaste mal de alguém? (Anch., *Doutr. Cristã*, II, 100)

îuruba (s.) - **JURUVA, JERUVA, JIRIBA**, nome comum a certas aves momotídeas, espécie de papagaio do tamanho do canindé (D'Abbeville, *Histoire*, 234v; Brandão, *Diálogos*, 229)

îurubeba (s.) - **JURUBEBA**, o mesmo que **îurebeba** (v.) (Frei Vicente do Salvador, *História do Brasil*, I, cap. VII)

îuruboka (s.) - 1) abertura da boca (Castilho, *Nomes*, 32); 2) fenda, abertura (*VLB*, I, 18); (adj.: **îurubok**) - fendido: *Xe îurubok.* - Eu estou fendido. (*VLB*, I, 137); *Xe îurubó-bok.* - Eu estou fendido em diversas partes. (*VLB*, I, 137)

îurubyra (etim. - *parte inferior da boca*) (s.) - papo; papada (Castilho, *Nomes*, 32)

îurubytypoîa (etim. - *tipoia do papo*) (s.) - barbas do galo (*VLB*, I, 51)

îuruê (xe) (etim. - *sabor de boca*) (v. da 2ª classe) - apetecer; dar vontade de comer; ter vontade de comer; ter apetite: *Na xe îuruéî.* - Não me dá vontade de comer. (Léry, *Histoire*, 367)

îuruîaba (etim. - *abertura de boca*) (s.) - fenda, abertura (*VLB*, I, 18)

îuruîaî (xe) (etim. - *boca aberta*) (v. da 2ª classe) - bocejar (como o que está morrendo), ter a boca entreaberta (*VLB*, I, 57)

îurukapeba (s.) - peixe da família dos serranídeos, também chamado **itaîara** (v.) (Marcgrave, *Hist. Nat. Bras.*, 146-147)

îurukûá (ou **îurukugûá**) (s.) - designação comum das tartarugas marítimas, da família dos quelonídeos (Marcgrave, *Hist. Nat. Bras.*, 241; Sousa, *Trat. Descr.*, 288)

NOTA - Daí, **JERICOAQUARA** (nome de localidade do CE) (v. Rel. Top. e Antrop. no final).

îurukugûá - o mesmo que **îurukûá** (v.) (*VLB*, II, 125)

îurumopy (s.) - cantos da boca, de fora (Castilho, *Nomes*, 32)

îurumopyko'ẽ (etim. - *concavidades dos cantos da boca*) (s.) - covas do rosto (Castilho, *Nomes*, 32)

îurumũ (s.) - 1) **JERIMUM, JERIMUNZEIRO**, aboboreira, nome comum a várias espécies de plantas da família das cucurbitáceas, do gênero *Cucurbita*, entre as quais a *Cucurbita maxima* Duchesne, muito importantes para a alimentação. Também são chamadas *abóbora, abóbora-amarela, abobreira, abóbora-da-quaresma*; 2) o **JERIMUM**, fruto dessas plantas, muito usado para a fabricação de cabaços e vasilhas para o uso doméstico (Marcgrave, *Hist. Nat. Bras.*, 44)

îuruobaîtĩ (xe) (etim. - *dar com a boca*) (v. da 2ª classe) - responder agressivamente, replicar violentamente, bater boca: *Erenhe'eng-ybõpe nde ruba, i îuruobaîtĩamo...?* - Dardejaste palavras em teu pai, respondendo ele agressivamente? (Anch., *Doutr. Cristã*, II, 86)

îurupara¹ (etim. - *boca torta*) (s.) - arco: *Ké turi, arupare'aka îurupara ndi seru*. - Para cá vem, trazendo farpas junto com o arco. (Anch., *Teatro*, 132); *Kobé xe îurupara...* - Eis aqui meu arco. (Anch., *Teatro*, 162)

îurupara² (s.) - flecha que tem a ponta de cana chamada **takûara** (v.) (Marcgrave, *Hist. Nat. Bras.*, 278)

îurupari (etim. - *boca torta*) (s. antrop.) - **JURUPARI**, 1) nome de uma entidade sobrenatural, na mitologia dos primitivos índios tupis da

îurupopy costa do Brasil: *Eresykyîpe Anhanga, Tagûaíba, Kurupira, Îurupari koîpó te'õ abá supé?* – Invocaste o Anhanga, o Taguaíba, o Curupira, o Jurupari ou a morte para alguém? (Ar., *Cat.*, 102v); **2)** o diabo cristão: *Eîpe'a îurupari kó 'ara suí...* – Afasta o Jurupari deste mundo... (Valente, *Cantigas*, III, in Ar., *Cat.*, 1618); *Kûesenhe'ym oroîkó îurupari ra'yramo...* – Antigamente estávamos como filhos do diabo. (D'Abbeville, *Histoire*, 341v-342)

> NOTA – Daí, **JURUPARIPINDÁ** (*anzol do Jurupari*), nome de um peixe ciclídeo; **JURUPARIPIRUBA** (*Îurupari* + *pir* + *'yba*, "planta da pele do Jurupari"), planta medicinal da Amazônia. Daí, também, o nome geográfico **JURUPARI** (PA) (v. Rel. Top. e Antrop. no final).

îurupopy (etim. – *ponta da boca*) (s.) – os cantos da boca (Castilho, *Nomes*, 33)

iurupukĩ (etim. – *boca arrombada, sem mais*) (s.) pasmo; (adj.) – pasmado, embasbacado, boquiaberto: *I îurupukĩ ahẽ oîkóbo.* – Ele está boquiaberto. (*VLB*, I, 111)

îurupupîara (etim. – *o que está dentro da boca*) (s.) – freio (de cavalo) (*VLB*, I, 143)

îurupyke'yma (etim. – *o que não cessa a boca*) (s.) – comilão (*VLB*, I, 146)

îurupyter (etim. – *chupar a boca*) (v. tr.) – beijar: *Aîurupyter.* – Beijo-o. (D'Evreux, *Viagem*, 158)

îururá (ou **îurará**) (s.) – IURARÁ, JURARÁ, JURURÁ, réptil da ordem dos quelônios, da família dos pleomedusídeos, de carne e ovos muito apreciados pelos habitantes da região amazônica (Marcgrave, *Hist. Nat. Bras.*, 241)

> NOTA – *"Agora diremos alguma cousa das tartarugas do Amazonas, chamadas pelos naturaes JURARÁ; e alguns europeos, além do usual nome de tartaruga, a chamam galinha do Amazonas. É animal anfíbio, mas a sua principal vivenda é na ágoa, peixe por certo digno de toda a estimação, não só por grande, se não também por gostoso."* (Pe. João Daniel. [1757], 93).

îurutá (s.) – coleira que se põe no inimigo que vai ser morto • **itá-îurutá** – coleira de ferro para prender pessoas (*VLB*, I, 76)

îurutĩ – o mesmo que **îuriti** (v.)

îurutimbora (etim. – *fumaça da boca*) (s.) – fôlego, hálito (*VLB*, I, 141); bafo (*VLB*, I, 50)

îuruũ (v. tr.) – pintar o rosto com uma risca ou com riscas que vão das orelhas até os cantos da cabeça (*VLB*, II, 78)

îuruûaîa (etim. – *papagaio de cauda*) (s.) – ave psitacídea de plumagem verde, manchada de negro, ventre multicor (D'Abbeville, *Histoire*, 234v)

îusana (s.) – laço, **JUÇANA***: *Ekûãî moxy mbo'a îandé îusana pupé!* – Vai para fazer cair os malditos em nosso laço! (Anch., *Teatro*, 20); *Îusana abŷare'yma nhẽ serã tentação...?* – Porventura a tentação é algo semelhante a uma juçana? (Anch., *Diál. da Fé*, 232) • **îusã-moín** – armar laços: *Aîusã-moín.* – Armei os laços. (*VLB*, I, 41); **îusana-mbyrara** – laço, armadilha para apanhar pássaros pelos pés, **JUÇANA-BIPIIARA** (Nieuhof, *Ged. Reize*, 218-219); **îusana-îurara** – laço, armadilha para apanhar pássaros pelo pescoço, **JUÇANA-JURIPIIARA** (Nieuhof, *Ged. Reize*, 218-219); **îusana-pytereba** – laço, armadilha para apanhar pássaros pelo meio do corpo, **JUÇANA-PITEREBA** (Vasconcelos, *Crônica (Not.)*, §123, 99)

> *NOTA – **JUÇANA**, no P.B., é, mais propriamente, *armadilha ou laço para apanhar passarinhos*.

îusara (ou **îusûara**) (s.) – **JUÇARA**, variedade de palmeira (*Euterpe edulis* Mart.) (v. **îeîsara**) (Marcgrave, *Hist. Nat. Bras.*, 133)

îusyrana (s.) – **JUCIRANA**, árvore de boa madeira para fazer canoas (Soares, *Coisas Not. Brasil* (ms. C), 1945-1953)

îuta'y – o mesmo que **îata'yba** (v.) (D'Abbeville, *Histoire*, 225v)

îutiman (v. intr.) – serpentear (p.ex., o caminho, o rio, a ema ao andar etc.) (*VLB*, II, 147)

îutypoîa (etim. – *tipoia do pescoço*) (s.) – papo (de boi), pele excrescente dele (*VLB*, II, 64)

ixé (pron. pess.) – eu: *Gûaîxará kagûara ixé...* – Eu sou Guaixará, bebedor de cauim. (Anch., *Teatro*, 26); *Aîkobé n'ixé sarõana...* – Eu permaneço seu guardião. (Anch., *Teatro*, 40); *Ixé oroîuká.* – Eu te mato. (Fig., *Arte*, 9); **2)** meu(s), minha(s) (*VLB*, II, 37) • **ixé re'a** (expressão de h. para enfatizar ou confirmar uma afirmação ou negação): *A'é ixé re'a* (ou *A'é ipó ixé re'a*). – Digo que sim. *Aan a'é ipó ixé re'a.* – Digo que não. (*VLB*, II, 7). As mulheres diziam **ixé re'ĩ**. (*VLB*, II, 7)

ixébe (pron. pess. dat. de 1ª p. do sing.) – a mim, para mim: *I nhyrõ ipó kori ixébene...* – Perdoará hoje, certamente, a mim. (Ar., *Cat.*, 92v); *Eîmonhyrõ Tupã ixébe.* – Aplacai a Deus para mim. (Fig., *Arte*, 82)

ixébo (pron. pess. dat. de 1ª p. do sing.) – **1)** a mim, para mim: *... Peîmonhyrõ Tupã Îandé Îara ixébo...* – Fazei a Deus Nosso Senhor perdoar a mim. (Ar., *Cat.*, 142); *I abaeté sepîaka ixébo...* – É para mim terrível vê-los... (Anch., *Teatro*, 26); **2)** junto a mim, comigo: *... Morubixá, mosakara, t'e'i ixébo!...* – Que estejam os chefes e os moçacaras junto a mim... (Anch., *Teatro*, 34)

îy¹ (s.) – ferramenta (*VLB*, I, 138)

îy² (s.) – alomorfe de '**y** (v.) – rio, água

> NOTA – Esta forma deu origem a um elemento de composição (**ji**) muito encontrado em topônimos do Nordeste brasileiro e que significa *rio*: **ARAÇA***GI* (PB), **PARATI***JI* (BA), **POTEN***GI* (RN) etc. (v. Rel. Top. e Antrop. no final).

îyapara (etim. – *ferramenta torta*) (s.) – foice: *N'ererupe îyapara?* – Não trouxeste foices? (Léry, *Histoire*, 345)

îyatĩmuku (etim. – *ferramenta pontuda comprida*) (s.) – escopro, instrumento de cortar usado por carpinteiros, entalhadores, estatuários etc. (*VLB*, I, 123)

îyatĩmukupyûaîa (etim. – *ferramenta pontuda comprida e côncava*) (s.) – goiva, instrumento de marceneiro (*VLB*, I, 148)

îyb (v. intr.) – cozer-se, assar-se; estar cozido, assado: *Aîyb.* – Assei-me. (Anch., *Arte*, 5); *Nd'a'éî gûitypa ranhẽ.* – Ainda não estou cozido. (*VLB*, I, 86)

îyba (s.) – assadura, ato de assar: *miapé îyba* – o assar do pão (Anch., *Diál. da Fé*, 140)

îybá (s.) – braço (Castilho, *Nomes*, 32): *Pitangamo seni Maria îybápe.* – Como criança está sentado nos braços de Maria. (Anch., *Poemas*, 108); *Endé, nde îybápe Îesu eresupi...* – Tu, em teus braços ergueste Jesus. (Anch., *Poemas*, 118) • **îybapûera** – braço arrancado do corpo; quarto dianteiro que se parte de um animal (*VLB*, II, 91): *T'a'u kori i îybapûera...* – Hei de comer hoje seus braços (arrancados). (Anch., *Teatro*, 64)

> NOTA – Daí, o topônimo **ITAGIBÁ** (BA) (v. Rel. Top. e Antrop. no final).

îybagûyra (etim. – *parte inferior do braço*) (s.) – sovaco, axilas (Castilho, *Nomes*, 32) • **îybagûyraba** – pelos das axilas (Castilho, *Nomes*, 32)

îybakanga (etim. – *osso do braço*) (s.) – canas do braço, o rádio e o cúbito (Castilho, *Nomes*, 32)

îybapekanga (etim. – *osso da superfície do braço*) (s.) – espádua, ombro, omoplata (Castilho, *Nomes*, 32)

îybatupoîa (etim. – *tipoia do braço*) (s.) – bucho do braço, parte do braço desde o cotovelo até o ombro (Castilho, *Nomes*, 32)

îybaubagûasu (s.) – roca, tiras estreitas que se colocavam ao comprido das mangas dos vestidos, e que deixavam entrever o tecido sobre o qual se assentavam (*VLB*, II, 107)

îybaypy (etim. – *base do braço*) (s.) – raiz do braço, o braço desde o cotovelo até o ombro; o ponto em que ele se une ao ombro (Castilho, *Nomes*, 45)

îybaypya'ỹîa (ou **îybaypya'ynha**) (etim. – *semente da base do braço*) (s.) – bucho do braço, polpa do braço, a parte mais grossa e carnuda dele, do cotovelo até o ombro (Castilho, *Nomes*, 32; *VLB*, II, 17)

îyboîa (etim. – *cobra do arco-íris* < **îy'yba** + **mboîa**) (s.) – **JIBOIA**, nome comum a serpentes encontradas em todo o Brasil e não venenosas, da família dos boídeos, dentre as quais destaca-se a espécie *Boa constrictor* L. Seu *habitat* são as florestas e os campos. São arborícolas e carnívoras. Há relatos de jiboias que engoliram animais inteiros, após triturá-los. (D'Abbeville, *Histoire*, 253v; Cardim, *Trat. Terra e Gente do Brasil*, 31): *Xe îyboîa, xe sokó, xe tamuîusu Aîmbiré...* – Eu sou uma jiboia, eu sou um socó, eu sou o grande tamoio Aimbirê. (Anch., *Teatro*, 28)

JIBOIA (fonte: *Brasil Holandês*)

îyboîusu

NOTA – Daí, no P.B., o verbo **JIBOAR**, digerir tranquilamente uma refeição farta: *"Ele está JIBOIANDO o almoço".*

îyboîusu (etim. – *jiboia grande*) (s.) – JIBOIA-ÇU, espécie de cobra jiboia grande de rio (*VLB*, I, 107; Gândavo, *Trat. Prov. Bras.*, 1238-1254; Monteiro, *Rel. da Prov. do Brasil*, in Leite, *Hist.*, VIII, 422)

îygûaîa (s.) – cunha de cortar (*VLB*, I, 87)

îyka (s.) – dureza, resistência, consistência; (adj.: **îyk**) – duro (p.ex., a carne crua), resistente (p.ex., corda, linha), fibroso, estopento (p.ex., vara ou madeira de má qualidade) (*VLB*, I, 143), consistente, grosso (p.ex., a massa, o mingau): *apytaîyka* – mingau grosso, massa (que se punha sobre queijo, manjar-branco etc.) (*VLB*, II, 146)

NOTA – Daí, no P.B. (Amaz.), pelo nheengatu, **MOJICA** (*mo- + îyk + -a*, "endurecimento"), 1) *processo de engrossar o caldo, ou o mingau, submetendo-os a lenta cocção e, de ordinário, adicionando-lhes féculas;* 2) *o caldo, ou o mingau, engrossado por esse processo;* 3) *peixe cozido ou moqueado, em pedacinhos, sem as espinhas, que se usa, de mistura com a tapioca ou a farinha-d'água, para engrossar o caldo* (in *Novo Dicion. Aurélio*); **PIRAJICA** ("peixe resistente"), peixe cifosídeo do Atlântico.

îyko'ẽ (s.) – as duas covas embaixo do queixo (Castilho, *Nomes*, 32)

îykûara (etim. – *ferramenta de buraco*) (s.) – machado (*VLB*, II, 27)

OBSERVAÇÃO – Os tupis fabricavam machados de pedra, que atavam com corda a um cabo. Já o machado de ferro é dotado de um buraco no qual se enfia o cabo, donde o nome *ferramenta de buraco*.

îykûasokaba (s. – termo que era usado só na Capitania de São Vicente) – escopro, instrumento de cortar usado por carpinteiros, entalhadores, estatuários etc. (*VLB*, I, 123)

îymonhangaba (etim. – *instrumento de fazer ferramentas*) (s.) – forja de ferreiro (*VLB*, I, 142)

îymonhangara (etim. – *fazedor de ferramentas*) (s.) – ferreiro (*VLB*, I, 138)

îynambikûara (etim. – *ferramenta de buraco de orelha* – v. nota em **îykûara**) (s.) – var. de machado (*VLB*, II, 27)

îynambikûasama (s.) – var. de machado (*VLB*, II, 27)

îyoby (etim. – *ferramenta verde*) (s.) – cunha de pedra usada principalmente antes da conquista portuguesa (*VLB*, I, 87)

îypytym (etim. – *fazer engasgar a ferramenta*) (v. intr.) – lavrar com sacho, cavando a terra para afofá-la (*VLB*, II, 110)

i'yra [s. irregular. Na forma absoluta é **i'yra** e nas formas relacionadas recebe **r-** e não aceita **s-**, sendo que a forma **i'yra** pode também ser relacionada, incluindo o pronome **i**, assimilado pela vogal inicial do nome: **i i'yra → i'yra** – sobrinho dele (Anch., *Arte*, 14)] – **1)** primo (filho da tia ou tio paternos): *... São João Batista o i'yra pé onhemoîasuk-ukar'iré...* – Após fazer a São João Batista, seu primo, batizá-lo. (Ar., *Cat.*, 12-12v); *S. Tiago, Îesu Cristo ri'yra, Apóstolo, o akanga o ekobé me'engi...* – São Tiago, primo de Jesus Cristo, Apóstolo, entregou sua cabeça e sua vida. (Ar., *Cat.*, 6v); **2)** sobrinho (filho da irmã de h.): *xe ri'yra* – meu sobrinho (Anch., *Arte*, 14); [adj.: **i'yr (r-)**] – ter sobrinho: *Xe ri'yr.* – Eu tenho sobrinhos (por parte de minhas irmãs). (Fig., *Arte*, 38); **3)** tio (filho da avó do h.); **4)** enteado (de h.) (Ar., *Cat.*, 114v); **5)** filho de prima (de h.) (*VLB*, II, 119)

i'yraty (r, s) (s.) – **1)** mulher do sobrinho (de h.); **2)** mulher do primo, filho do tio ou da avó (de h.) (Ar., *Cat.*, 114v)

îyrõ – v. **nhyrõ** (Camarões, *Cartas*, 19 de agosto de 1645)

îytaka (s.) – cunha de pedra usada principalmente antes da conquista portuguesa (*VLB*, I, 87)

îytó (s.) – JITÓ, árvore da família das meliáceas, também chamada *ataúba* ou *utuaúba*. (Marcgrave, *Hist. Nat. Bras.*, 120)

îy'yba (etim. – *cabo de ferramenta*) (s.) – arco-íris (*VLB*, I, 40)

K

ká¹ (-îo-) (v. tr.) - **1)** quebrar (coisa oca como cana; coisa côncava ou redonda como bola) (*VLB*, II, 92); romper: *Kobé xe rembiaretá t'ame'ẽne amõ endébo, i akanga t'ereîoká.* - Eis que também minhas presas hei de dar algumas para ti, para que quebres suas cabeças. (Anch., *Teatro*, 46); *A'e ré kori îasó tubixaba akanga kábo.* - Depois disso, vamos hoje para quebrar as cabeças dos reis. (Anch., *Teatro*, 60); **2)** arrombar (como arca, cabaço, navio) (*VLB*, I, 44) • **kasara** - o que rompe, o que quebra: ... *kunhataĩ rugûy kasara* - o que rompe o sangue de uma moça, o que a desvirgina (Ar., *Cat.*, 71v); *itá kasara* - quebrador de pedras (*VLB*, I, 69)

> NOTA - Daí, no P.B., **JUCÁ** (*aîura + ká*, "quebra-pescoço"), outro nome dado ao pau-ferro. Daí, também, o nome geográfico **ITACAVA** (v. Rel. Top. e Antrop. no final).

ká² (-îo-) (v. tr.) - escarrapachar, abrir (p.ex., as pernas) (*VLB*, I, 19; 123)

ká³ (part. de 1ª p., de h. Expressa decisão, intenção, resolução ou determinação. Muitas vezes não se traduz. Pode vir acompanhada de ênclises, como -*pe* ou -*ne*, ocupando, geralmente, o final do período) - pretendo, hei de, intento: *T'anhemombe'une kori bé, te'õ xe resapy'a e'ymebé ká...* - Hei de me confessar ainda hoje, antes de me surpreender a morte. (Ar., *Cat.*, 76v); *Asó ká.* - Intento ir. (Fig., *Arte*, 139); *Xe remo'em ká é aîpó ûi'îabo...* - Eu hei de mentir, dizendo isso. (Anch., *Diál. da Fé*, 215); *Asóne-ká.* - Hei de ir. (Anch., *Arte*, 23) (Excepcionalmente pode ser usada com outras pessoas que não a primeira.): ... *T'omanõ ká!...* - Ele há de morrer! (Anch., *Doutr. Cristã*, II, 88); *Te'inhẽne oîkóbo ká.* - Que o deixem estar. (*VLB*, I, 92)

ka'a (s.) - **1)** mata, mato: *Okûabépe irã so'o, gûyrá, pirá, ka'a...?* - Escaparão futuramente os animais de caça, os pássaros, os peixes, as matas? (Ar., *Cat.*, 46); *Asó ka'abo.* - Vou pelos matos. (Fig., *Arte*, 7); **2)** ramo (de árvores ou plantas) (*VLB*, II, 96); **3)** erva, folha, folhagem, planta: *ka'a-roba* - folha amarga (Cardim, *Trat. Terra e Gente do Brasil*, 42); **4)** território de caça. Forma, com tal sentido, muitas expressões: *Ka'abo aîkó.* - Ando à caça (lit., estou pelas matas). *Ka'abo asó.* - Vou à caça. (*VLB*, II, 41) • **ka'a-pa'ũ** - ilha de mato em meio a um descampado, **CAPÃO** (Léry, *Histoire*, 360; *VLB*, II, 9); moita de mato (*VLB*, II, 43);

ka'ape só - ir defecar (lit., *ir ao mato*): *Ka'ape asó.* - Fui defecar. (*VLB*, I, 62); **ka'aygûana** (ou **ka'abondûara**) - animais da mata; o que vive ou vaga pelas matas (*VLB*, II, 41)

> NOTA - Daí se originam muitas palavras no P.B.: **CAATINGA** (*ka'a + ting + -a*, "mata branca"), formação vegetal do sertão do Nordeste do Brasil) **CAPOEIRA** (*ka'a + pûer + -a*, "mata que foi"), terreno em que o mato foi derrubado ou queimado para o plantio; mata secundária que nasceu nas derrubadas de mata virgem e que não atingiu, ainda, porte de floresta autêntica; **CAUBI** (*ka'a + oby*), (Amaz.) mato verde; **CATANDUVA, CATANDUBA, CATUNDUVA** (*ka'a + atã + ndyba*, "ajuntamento de mata dura"), cerrado ou mato rasteiro, áspero, com características xerófilas; tipo de solo caracterizado por ser arenoso e de baixa fertilidade. Daí, também, os nomes geográficos **CAAGUAÇU** (SP), **CAPÃO** (BA) etc. (v. Rel. Top. e Antrop. no final).

ka'aakanga (etim. - *folha-de-cabeça*) (s.) - nome de uma planta (*Theat. Rer. Nat. Bras.*, II, 226)

ka'aapi'a - o mesmo que **ka'api'a** (v.)

ka'aataîa (s.) - trepadeira plumbaginácea (*Plumbago scandens* L.), conhecida como **CAAPOMONGA**, *erva-do-diabo-louco, jasmim-azul* e *loco*. O nome designa também *Lindernia diffusa* (L.) Wettst., escrofulariácea (Marcgrave, *Hist. Nat. Bras.*, 31)

ka'aaxyma (etim. - *folha lisa*) (s.) - var. de mandioca (Vasconcelos, *Crônica (Not.)* II, §75, 149-150)

ka'ab (etim. - *abrir a mata*) (v. intr.) - defecar: *Aka'ab.* - Defequei. (*VLB*, I, 62)

ka'aba (s.) - esterco (*VLB*, I, 64)

ka'abondûara (etim. - *o que está pelas matas*) (s.) - caçador (*VLB*, I, 62): *Ka'abondûarûera k'aîut.* - Venho da caça (lit., *caçador eis que venho*). (D'Evreux, *Viagem*, 144)

ka'ae'õ (etim. - *folha desmaiada, folha morta*) (s.) - dormideira, sensitiva ou juqueri, variedade de leguminosa-mimosoídea (*Mimosa pudica* L.) (Marcgrave, *Hist. Nat. Bras.*, 73) "... Tocadas pela mão,... contraem as folhas, que logo depois, porém, se reabrem." (Piso, *De Med. Bras.*, 202). O mesmo que *îukeri* (v.)

ka'aeté¹ (etim. - *folha muito boa*) (s.) - **CAITÉ**, designação de várias plantas da família das marantáceas e das canáceas. "Servem estas

ka'aeté[2]

folhas aos índios para fazerem delas uns vasos em que metem a farinha;... ainda que chova muito, não lhe entra água dentro." (Sousa, *Trat. Descr.*, 225)

ka'aeté[2] (etim. – *mata verdadeira*) (s.) – CAETÊ, mata virgem ou que nunca foi roçada (*VLB*, II, 33)

> NOTA – Daí, no P.B., **CAAETÉ**, **CAETÊ**, **CAETÉ** ou **CAITÉ**, a parte da floresta amazônica que só se inunda quando das grandes enchentes. Daí, também, o nome geográfico **CAETETUBA** (SP) (v. Rel. Top. e Antrop. no final).

ka'aeté[3] (etim. – *mata verdadeira*) (s. etnôn.) – CAETÉ, nome de antiga nação indígena da costa (Cardim, *Trat. Terra e Gente do Brasil*, 122)

ka'agûasu'yba (etim. – *pé de erva grande*) (s.) – **CAAGUAÇU**, **CAÁ-AÇU**, planta ornamental, cultivada, da família das eriocauláceas (*Eriocaulon sellowianum* Kunth), com folhas lanceoladas e flores brancacentas em capítulos globosos (Marcgrave, *Hist. Nat. Bras.*, 97)

ka'aîamby (s.) – nome de uma planta (*Theat. Rer. Nat. Bras.*, II, 223)

ka'aîandy'ûaba (etim. – *folha em que se come óleo*) – o mesmo que **ka'apomonga** (v.) (Piso, *De Med. Bras.*, 197)

ka'aîara[1] (etim. – *o que domina a mata*) (s.) – louva-a-deus, inseto da família dos mantídeos, com centenas de espécies (*VLB*, II, 24)

KA'AÎARA (ilustração de C. Cardoso)

Ka'aîara[2] (etim. – *o que domina a mata*) (s. antrop.) – espírito que incomodava os índios em suas atividades (Léry, *Histoire*, 360)

ka'a'îyîuîa (etim. – *folhinha de espuma*) (s.) – variedade de planta melastomácea (Marcgrave, *Hist. Nat. Bras.*, 59)

ka'akûã (s.) – variedade de erva-de-cheiro muito forte "que causa dor de cabeça a quem a colhe" (Sousa, *Trat. Descr.*, 211)

ka'amombyrõ (etim. – *revolver a mata*) (v. intr.) – caçar (sem cães), cercando e correndo o mato com muita gente (*VLB*, I, 62; II, 41)

ka'amondó (etim. – *fazer ir a mata*) (v. intr.) – caçar, fazer caçada, ir à caça: *Aka'amondó*. – Caço. (*VLB*, I, 62; II, 41); *Aka'amondó-mo'ang*. – Fui à caça sem proveito. (Fig., *Arte*, 143) • **ka'amondoara** – o que caça, caçador (*VLB*, II, 41)

ka'amutuma (s.) – madrugada, manhãzinha (*VLB*, II, 27) • **ka'amutumo** – de madrugada (*VLB*, II, 27); de manhã cedo (*VLB*, I, 69); **ka'amutumome** – de madrugada (*VLB*, II, 27)

ka'anupã (etim. – *ferir a mata*) (v. intr.) – roçar: *Aka'anupã*. – Rocei. (*VLB*, II, 107)

ka'aobetinga (s.) – nome de uma erva pequena que põe poucas folhas, com flores do tamanho de avelãs, cujas raízes e folhas têm propriedades medicinais (Cardim, *Trat. Terra e Gente do Brasil*, 49)

ka'aopîá (s.) – planta hipericácea (*Vismia guianensis* (Aubl.) Pers.) (Marcgrave, *Hist. Nat. Bras.*, 96)

ka'apeba (etim. – *erva achatada*) (s.) – **CAAPEBA** ou **CAPEBA**, nome comum a plantas trepadeiras da família das menispermáceas, segundo a Flora de Martius, entre as quais, no Rio de Janeiro, a *Abuta rufescens* Aubl., a *Chondrodendron platiphyllum* (A. St.-Hil.) Miers e a *Cissampelos pareira* L.; **2)** designa também plantas da família das piperáceas, dentre as quais a espécie *Piper arboreum* Aubl., arbusto de raiz amarga e medicinal, também chamada *pariparoba* (Marcgrave, *Hist. Nat. Bras.*, 25; Piso, *De Med. Bras.*, III, 172; Sousa, *Trat. Descr.*, 210)

> NOTA – Daí, o nome geográfico **CAPEVA** (SP) (v. Rel. Top. e Antrop. no final).

ka'api'a (etim. – *folha-testículo*) (s.) – **CAPIÁ**, **CAAPIÁ**, **CAIAPIÁ**, **CAPIÁ**, nome comum a várias espécies de plantas moráceas do gênero *Dorstenia*; ervas que têm "flores brancas... das quais se faz tinta amarela como açafrão muito fino, do que usam os índios no seu modo de tintas". (Sousa, *Trat. Descr.*, 209; *Theat. Rer. Nat. Bras.*, II, 228). São também chamadas **CARAPIÁ** e *contraerva*, por causa da suposição de sua eficácia no tratamento do envenenamento ofídico. Sua raiz nodosa, moída e tomada com água, serve de antídoto para venenos. (Piso, *De Med. Bras.*, III, 171; Sousa, *Trat. Descr.*, 209; Marcgrave, *Hist. Nat. Bras.*, 52)

NOTA - Daí, o nome geográfico **CAPIÁ** (AL) (v. Rel. Top. e Antrop. no final).

CAAPIÁ (fonte: Marcgrave)

ka'apîasó (etim. - *ir ao mato*) (v. intr.) - defecar, ir defecar: *Aka'apîasó.* - Defequei (ou *fui defecar*). (*VLB*, I, 62)

ka'apîasoaba (etim. - *lugar de defecar*) (s.) - latrina (*VLB*, II, 19); vaso sanitário (*VLB*, I, 50)

ka'apomonga (etim. - *folha viscosa*) (s.) - **1) CAAPOMONGA**, trepadeira ornamental da família das plumbagináceas (*Plumbago scandens* L.), também chamada *erva-do-diabo, folhas-de-louco* (devido às aplicações locais que se faziam desta planta na nuca dos alienados mentais), *jasmim-azul, louco* e *erva-divina.* Era chamada, no século XVII, *visgueira* ou *erva-do--amor*, por grudar nas mãos e nas roupas devido a sua viscosidade (Marcgrave, *Hist. Nat. Bras.*, 28; Piso, *De Med. Bras.*, IV, 197)

ka'aponga (s.) - **CAAPONGA**, erva da família das portulacáceas, cujas folhas novas, bem como os brotos, são usados na alimentação, sendo os caules, as folhas e as sementes vermífugos e diuréticos (Marcgrave, *Hist. Nat. Bras.*, 49)

ka'apotyragûá (etim. - *planta de flor inchada*) (s.) - nome de uma planta rubiácea (Marcgrave, *Hist. Nat. Bras.*, 8)

kaapûã (etim. - *vespa pontuda*) (s.) - var. de vespa (v. **kabapuã**) (Sousa, *Trat. Descr.*, 240)

ka'apûanama (etim. - *ajuntamento de mata*) (s.) - moita ou ponta de mato muito vastas (*VLB*, II, 43)

ka'aroba (ou **karoba**) (etim. - *folha amarga*) (s.) - **CAROBA**, jacarandá-preto ou barbatimão, designação comum a várias árvores pequenas, da família das bignoniáceas, do gênero *Jacaranda*, de propriedades medicinais (Cardim, *Trat. Terra e Gente do Brasil*, 42; Piso, *De Med. Bras.*, IV, 185)

ka'aromosorandyba (etim. - *maçaranduba da folha amarga*) (s.) - **MAÇARANDUBA**, nome comum a duas árvores da família das sapotáceas, a *Manilkara elata* (Allemão ex Miq.) Monach., do Leste (ou **MAÇARANDUBEIRA**) e a *Manilkara huberi* (Ducke) Chevalieri, do Norte (ou **MAÇARANDUBA**-DO-PARÁ) (Cardim, *Trat. Terra e Gente do Brasil*, 42)

ka'asaba (etim. - *passagem de mata*) (s.) - vereda na mata: *Ereîkópe kunhã amõ resé i ka'asaba rupi nhẽ nde sugûaraîyramo?* - Tiveste relações sexuais com alguma mulher através das suas veredas na mata, como tua prostituta? (Anch., *Doutr. Cristã*, II, 91)

NOTA - Daí, se origina o nome do município de **CAÇAPAVA** (SP) (v. Rel. Top. e Antrop. no final).

ka'asyka[1] (s.) - **CAACICA**, erva-de-cobra, planta euforbiácea (*Chamaesyce hirta* (L.) Millsp.) (Marcgrave, *Hist. Nat. Bras.*, 7)

CAACICA (fonte: Marcgrave)

ka'asyka[2] - o mesmo que **ka'atîá** (v.) (Piso, *De Med. Bras.*, IV, 196)

ka'ataîa (etim. - *folha ardida*) (s.) - **1)** mostarda (*VLB*, II, 43); **2)** planta escrofulariácea do gênero *Lindernia*, conhecida pelos nomes vulgares de *mata-cana* e *orelha-de-rato* (Piso, *De Med. Bras.*, 199; *Theat. Rer. Nat. Bras.*, II, 219)

ka'atîá (s.) - *ervas-de-cobra*, planta da família das euforbiáceas (*Chamaesyce serpens* (Kunth) Small), usada para curar mordidas de serpentes (Piso, *De Med. Bras.*, III, 172)

ka'atinga

ka'atinga (etim. - *mata clara*) (s.) - CAATINGA, mato raso e cerrado, tipo de vegetação xerófita característica do semiárido nordestino e norte de Minas Gerais (*VLB*, II, 133; Cardim, *Trat. Terra e Gente do Brasil*, 124)

CAATINGA (fonte: IBGE)

ka'atymã'i (etim. - *folha de perninha*) (s.) - variedade de erva (Marcgrave, *Hist. Nat. Bras.*, 26)

KA'ATYMÃ'I (fonte: Marcgrave)

ka'aururugûasu (s.) - nome de uma planta (*Theat. Rer. Nat. Bras.*, II, 151)

ka'ayapûana (etim. - *folha cheirosa*) (s.) - hortelã, planta rasteira da família das labiadas, principalmente as do gêneros *Mentha* e *Peltodon* (*VLB*, I, 153; II, 59)

ka'aysá (ou **ka'aysara**) (s.) - CAIÇARA, fortificação contra inimigos feita de ramos de árvores; cerca rústica feita de galhos e ramos entrelaçados para defesa e proteção (*VLB*, I, 143)

NOTA - No P.B., **CAIÇARA** hoje designa também: 1) *ramos de árvores, postos dentro da água como armadilha de peixe*; 2) *curral, galhos de árvores abatidas no corte de madeira*; 3) *cercado de madeira, à margem de um rio ou igarapé navegável, para embarque de gado*; 4) *palhoça, junto à praia, para abrigar as embarcações ou apetrechos dos pescadores*; 5) *cerca tosca de troncos e galhos, em torno de uma roça, para impedir a entrada do gado*; 6) *recesso onde o caçador se embosca*; 7) *malandro, vagabundo*; 8) *caipira*; 9) *natural ou habitante do litoral paulista* (in *Novo Dicion. Aurélio*).

kaba[1] (s.) - CABA, vespa, nome comum de insetos himenópteros da família dos vespídeos (*VLB*, I, 55)

NOTA - Daí, no P.B., **CABAÚ** (*kaba* + *y*, "líquido de caba"), uma variedade de mel.

kaba[2] (s.) - gordura (p.ex., do corpo); nata (do leite) (*VLB*, II, 48): *xe kaba, nde kaba, i kaba* - minha gordura, tua gordura, a gordura dele (Castilho, *Nomes*, 31); (adj.: **kab**) - gorduroso, que tem gordura (*VLB*, I, 149)

NOTA - Daí, no P.B., **BACABA, MACABA** ('*ybá* + *kab* + -*a*, "fruto gorduroso"), nome comum a certas palmeiras do gênero *Oenocarpus* e de seu fruto oleaginoso. Daí, também, pelo nheengatu, **MUIRACAUA** (*ybyrá* + *kab* + -*a*, "árvore gordurosa"), árvore da família das rutáceas.

kabaoîuba (etim. - *vespa da roupa amarela*) (s.) - inseto himenóptero da família dos vespídeos, de espécie indeterminada. "São amarelas e criam nas tocas das árvores e são mais cruéis que todas..." (Sousa, *Trat. Descr.*, 240)

kabapûã (ou **kaapûã**) (etim. - *vespa pontuda*) (s.) - variedade de vespa que "faz ninho no chão, de barro..., o qual é redondo, do tamanho de uma panela..." (Sousa, *Trat. Descr.*, 240; *VLB*, I, 55)

kabaru (s. - portug.) - cavalo: *kabaru sosé* - sobre o cavalo (Fig., *Arte*, 122); *kabaru repanaku* - sela de cavalo (*VLB*, II, 115)

kabatã (etim. - *caba valente*) (s.) - CABATÃ, inseto himenóptero da família dos vespídeos. "... Fazem seu ninho no ar, dependurado por um fio, que desce da ponta de um raminho;... mordem cruelmente..." (Sousa, *Trat. Descr.*, 240)

kabatĩ (etim. - *vespa pontuda*) (s.) - inseto da família dos vespídeos (*VLB*, I, 55)

kabesapysoe'yma (etim. - *caba cega*) (s.) - CABA-CEGA, inseto himenóptero da família dos vespídeos, que não voa durante o dia (*VLB*, I, 55)

kabesé (ou **kabesẽ**) (s.) - variedade de vespa, da família dos vespídeos. "... Mordem muito; ... Fazem o ninho em árvores." (Sousa, *Trat. Descr.*, 240; *VLB*, I, 55)

kabobaîuba (etim. - *vespa de cara amarela*) (s.) - var. de **CABA**, de vespa, inseto himenóptero da família dos vespídeos (*VLB*, I, 55)

kabu'ĩ'yba (etim. - *pé de cabuim*) (s.) - **CABUIM**, pau-amarelo, árvore grande e alta, talvez uma aroeira, da família das anacardiáceas (Marcgrave, *Hist. Nat. Bras.*, 137)

kaburé¹ (s.) - **CABURÉ, CABORÉ**, nome de algumas pequenas espécies de corujas da família dos estrigídeos, com tufo na cabeça (D'Abbeville, *Histoire*, 233; Marcgrave, *Hist. Nat. Bras.*, 212)

> NOTA - Daí provém o nome da árvore **CABREÚVA**, isto é, *o pau do caburé*. **CABURÉ** também tem, no P.B., muitos sentidos, entre os quais 1) *cafuzo, caboclo, caipira*; 2) *indivíduo atarracado;* 3) *pessoa que só sai de noite.*

CABURÉ (fonte: *Brasil Holandês*)

Kaburé² (s. antrop.) - nome de índio tupi (Anch., *Teatro*, 64)

kabureûasu (etim. - *caburé grande*) (s.) - ave do tamanho de uma águia, de corpo pardo e asas pretas. "... Criam em montes altos, onde fazem seus ninhos." (Sousa, *Trat. Descr.*, 226)

kabure'yba (etim. - *planta do caburé*) (s.) - **CABREÚVA**, nome de duas espécies de árvores da família das leguminosas-mimosoídeas, do gênero *Myrocarpus*, o *Myrocarpus frondosus* Allemão e o *Myrocarpus fastigiatus* Allemão, da Mata Atlântica, de madeira, pardo-escura com tons avermelhados, cheirosa, pesada e resistente. Os portugueses do século XVI chamavam-na *bálsamo*. Serve muito para tratar feridas, além de ter ótimo odor. Também é conhecida como **CABRIÚVA, CABURAÍBA, CABRIÚVA**-PARDA, **CABRUÉ, CABUREÍBA, ÓLEO-CABUREÍBA**, *óleo-pardo, pau-bálsamo*. (Cardim, *Trat. Terra e Gente do Brasil*, 41) ● **kabure'ybysyka** (ou **kabureysyka**) - resina de cabreúva, de propriedades medicinais, balsâmicas (*VLB*, I, 51; II, 55; Piso, *De Med. Bras.*, IV, 179)

ka'ẽ¹ (s.) - tostadura; (adj.) - tostado, moqueado (p.ex., carne) (*VLB*, II, 134): *Rorẽ-ka'ẽ-piã?*

- Por acaso é o Lourenço tostado? (Anch., *Teatro*, 26); *pirá-ka'ẽ* - peixe moqueado (Staden, *Viagem*, 157)

> NOTA - Daí, no P.B., **MOQUEAR** (*mo-* + *ka'ẽ*, "tostar"); **MOQUÉM**, grelha de varas em que se tosta ou se seca carne.

ka'ẽ² (v. intr.) - curar-se, sarar (Marcgrave, *Hist. Nat. Bras.*, 277)

kagûaba (etim. - *lugar de beber cauim*) (s.) - taça; copo (*VLB*, II, 123)

kagûaburu (etim. - *vasilha em que se bebe cauim*) (s.) - taça, copo (*VLB*, II, 123)

kagûaíba (s.) - pessoa exaltada, feroz, arrebatada, brava (*VLB*, I, 45); (adj.: **kagûaíb**) - arrebatado, feroz, exaltado, bravo: *Xe kagûaíb.* - Eu sou exaltado. (*VLB*, I, 42)

kagûara¹ (s.) - o que bebe, bebedor (de cauim ou vinho); beberrão: *Nd'oîkuabipe ta'a kagûaramo xe rekó?* - Não sabe o senhor que eu sou um beberrão? (Anch., *Teatro*, 134); *Oîá nhote kagûarape, marã?* - O que bebe somente na medida, que acontece? (Ar., *Cat.*, 78)

> NOTA - Daí, no P.B., **CANGUARA**, aguardente, pinga: *"O velho Mané Lucídio metia as suas CANGUARAS, sentava na beira da calçada e falava feito reza de igreja."* (M. Cavalcanti Proença, in *Manuscrito Holandês*, apud *Novo Dicion. Aurélio*).

Kagûara² (s. antrop.) - nome de índio tupi (D'Abbeville, *Histoire*, 188)

kagûera (etim. - *gordura que foi*) (s.) - gordura (fora da carne, de carne cortada ou prestes a ser comida, de caldo etc.) (*VLB*, I, 149); banha (*VLB*, I, 51); (adj.: **kagûer**) - gorduroso, que tem gordura: *Aîkyty-kytyk mba'e-kagûera pupé.* - Fiquei-o esfregando com coisa gordurosa. (*VLB*, I, 117)

ka'i (s.) - **CAÍ**, nome genérico de macacos pequenos da família dos cebídeos (*Cebus apella*) (Staden, *Viagem*, 171; D'Abbeville, *Histoire*, 252v)

> NOTA - Daí, no P.B., **CAIARARA, SAIARARA**, var. de macaco cebídeo. Daí, também, o nome próprio de pessoa **CAIOBI** (v. Rel. Top. e Antrop. no final).

kaî¹ (interj.) - o mesmo que **akaî** e **akaîgûá** (v.)

kaî² (v. intr.) - queimar-se, arder, pegar fogo: *Akaî.* - Queimo-me. (Fig., *Arte*, 2); ... *Sekobé abé okaî aûieramanhẽ.* - Também queima

kaîá vivo para sempre. (Ar., *Cat.*, 79v); *A'epe opá irã mba'e kaîne?* – E todas as coisas futuramente queimarão? (Ar., *Cat.*, 46); ... *T'okaî nde ratá pupé...* – Que queimem em teu fogo. (Anch., *Teatro*, 60) • **okaîba'e** – o que arde, o que queima: ... *xe irũnamo okaîba'e...* – o que arde comigo (Anch., *Teatro*, 8); **kaîtaba** (ou **kaîaba**) – tempo, lugar, modo, companhia etc. de queimar; queimada, o ato de queimar: ... *Anhanga pyri seîtyka... aûîeramanhẽ i kaîagûama.* – Junto do diabo lançando-os, com o qual queimará para sempre. (Anch., *Doutr. Cristã*, I, 195); ... *Xe ratá nde kaîaûama.* – Meu fogo é o lugar em que queimarás. (Anch., *Teatro*, 90)

NOTA – Daí, os nomes geográficos **CAUCAIA** (localidade do CE), **COCAIA** (SP), **COMANDACAIA** (BA), **PIRACAIA** (SP) etc. (v. Rel. Top. e Antrop. no final).

kaîá (s.) – **CAJÁ** (v. **akaîá**) (Sousa, *Trat. Descr.*, 191; Brandão, *Diálogos*, 216)

kaîakanga (s.) – polvo, nome comum aos moluscos cefalópodes, octópodes (*VLB*, II, 80)

ka'ianhanga (etim. – *macaco diabo*) (s.) – var. de bugio muito grande, de hábitos noturnos. "O gentio tem agouro neles e como os ouvem gritar dizem que há de morrer algum." (Sousa, *Trat. Descr.*, 254)

ka'iapi'a (etim. - *testículos de macaco caí*) (s.) – **CAIAPIÁ**, **CARAPIÁ**, **CAPIÁ**, nome comum a diversas plantas da família das moráceas, do gênero *Dorstenia*, ervas tenras e leitosas (Cardim, *Trat. Terra e Gente do Brasil*, 48)

kaîarana (etim. – *falso cajá*) (s.) – nome de uma planta (*Theat. Rer. Nat. Bras.*, II, 124)

Kaîa'yba (etim. – *pé de cajá*) (s. antrop.) – nome de índio tupi (D'Abbeville, *Histoire*, 188)

kaîeîu (s.) – nome de um peixe que tem "esporões com que pica qualquer cousa que sente junto a si" (Lisboa, *Hist. Anim. e Árv. do Maranhão*, fl. 175)

ka'igûasu (etim. – *caí grande*) (s.) – var. de macaco **CAÍ** (*VLB*, I, 56)

ka'imirĩ (etim. – *caí pequeno*) (s.) – var. de macaco **CAÍ**, conhecido como *mico-de-cheiro*, pertencente ao gênero *Saimiri* (D'Abbeville, *Histoire*, 252v)

Ka'ioby (etim. – *caí verde*) (s. antrop.) – **CAIOBI**, nome de índio tupi (Vasconcelos, *Crônica (Not.)* I, §158, 256)

ka'itaîa (etim. – *caí rabudo*) (s.) – espécie de macaco da família dos cebídeos (Marcgrave, *Hist. Nat. Bras.*, 227)

KA'ITAÎA (fonte: Marcgrave)

ka'i'ûara (etim. – *comedores de caís*) (s. etnôn.) – nome de antiga nação indígena (Cardim, *Trat. Terra e Gente do Brasil*, 124)

Ka'iûasu (etim. – *grande macaco caí*) (s. antrop.) – nome de índio tupi (D'Abbeville, *Histoire*, 186v)

kaîue'ẽ (etim. – *caju doce*) (s.) – árvore "semelhante à ameixeira, com flores brancas e um fruto arroxeado com um caroço pequeno dentro" (D'Abbeville, *Histoire*, 224)

kaîu'i (etim. – *cajuzinho*) (s.) – uma das espécies de caju (v. **akaîu'i**) (Sousa, *Trat. Descr.*, 188)

ka'iúna (etim. – *caí preto*) (s.) – var. de macaco **CAÍ** (D'Abbeville, *Histoire*, 252v)

kaîupeba (etim. – *caju achatado*) (s.) – uma das espécies de **CAJUEIRO**-BRAVO, planta da família das dileniáceas (*Curatella americana*, L.) (Sousa, *Trat. Descr.*, 220)

kakaboîa (s.) – espécie de cobra-d'água (Piso, *De Med. Bras.*, III, 171)

kakar (v. intr.) – aproximar-se, estar perto (fal. de fato, acontecimento, tempo, época): *Okakar S. João 'aragûera.* – Aproxima-se o nascimento de S. João. (*VLB*, I, 72); *Okakar xe sorama.* – Aproxima-se minha ida. (*VLB*, I, 72); ... *Okakar kó xe rekoberama re'a...* – Eis que se aproxima minha vida futura. (Ar., *Cat.*, 158v)

kakara (s.) – aproximação (fal. de fato, acontecimento, tempo, época): *A'epe muru'apora membyrasy kakara, na nheangûaba bé ruã?* – E a aproximação do parto de uma grávida não é causa de se ter medo também? (Ar., *Cat.*, 91)

kakũ (s.) – nome de uma ave de hábitos noturnos (Brandão, *Diálogos*, 233)

kakuab[1] (ou **kakugûab**) (v. intr.) – **1)** crescer; fazer-se (rapaz ou moça): *Marãpe sekóû ikó 'ara pupé... o kakuab'iré...?* – Que fez neste mundo depois que cresceu? (Ar., *Cat.*, 42v); *Kó tupãoka pupé Maria kakuabi...* – Dentro dessa igreja Maria cresceu. (Ar., *Cat.*, 8v); *Akakuab.* – Fiz-me rapaz. (*VLB*, II, 30); **2)** envelhecer [o homem ou o animal; fal. de coisas, v. **aíb** ou **nhemoaíb**]; ter muita idade: *Akakuab* (ou *Akakuá-katu*). – Tenho muita idade. (*VLB*, II, 8) • **kakuab amõ** (ou **kakuab amõ'ĩ**) – ter pouca idade: *Akakuab amõ* (ou *Akakuab amõ'ĩ*). – Tenho pouca idade (lit., *há pouco cresci*). (*VLB*, II, 30)

kakuab² (ou **kakugûab**) (v. intr.) – conduzir-se bem, ter vida direita (a mulher): *N'akakuabi.* – Não tenho vida direita (isto é, sou uma prostituta). (*VLB*, II, 27)

kakuaba (s.) – idade adulta: *O pitangĩnamo bépe a'e Îandé Îara Îesu Cristo mba'e tetiruã kuaparamo sekóû o kakuaba îabé?* – Ainda sendo criancinha aquele Nosso Senhor Jesus Cristo era conhecedor de quaisquer coisas, como em sua idade adulta? (Ar., *Cat.*, 42v)

kakuabe'yma (ou **kakugûabe'yma**) (etim. – *a que não se conduz bem*) (s.) – prostituta (*VLB*, II, 90); mulher ruim (*VLB*, II, 27)

kakugûab – o mesmo que **kakuab** (v.) (*VLB*, I, 85)

kakugûabakatã (v. intr.) – envelhecer, declinar para a velhice: *Akakugûabakatã.* – Envelheço. (*VLB*, II, 123)

kama (s.) – mama, teta (Castilho, *Nomes*, 31), seio (de mulher ou de homem) (*VLB*, II, 29); úbere (*VLB*, II, 139): *Endé, nde îybápe, Îesu eresupi i poîa-mirĩ nde kama pupé.* – Tu, em teus braços, Jesus ergueste para alimentá-lo um pouco em teu seio. (Anch., *Poemas*, 118); *Nde rorype... nde kama abá sungáreme?* – Tu te comprazes quando um homem apalpa teus seios? (Ar., *Cat.*, 234) • **kamapûá** – ponta, bico de seio (Castilho, *Nomes*, 31); **kama pora** (ou **kambora**) – o que está no seio, o conteúdo do seio (Anch., *Arte*, 31v)

kamaîyba (s.) – nome de uma planta, uma cana com nódulos (*VLB*, I, 65)

kamambu¹ (s.) – bolha (de ar na água); (adj.) – ter ou fazer bolhas (*VLB*, I, 112)

NOTA – Daí, no P.B. (PA), **CAMAPU**, bolhas produzidas na água pela respiração do pirarucu, peixe da Amazônia.

kamambu² (s.) – bucho de peixe, bexiga natatória dos peixes (*VLB*, I, 60)

kamapu (s.) – **CAMAPU**, planta solanácea, *Nicandra physalodes* (L.) Gaertn. (*Theat. Rer. Nat. Bras.*, II, 169)

NOTA – Daí, o nome geográfico LAGOA CAMAPU (PA) (v. Rel. Top. e Antrop. no final).

kamará (s.) – **CAMARÁ**, **CAMBARÁ**, nome genérico de plantas verbenáceas do gênero *Lantana*, dentre as quais se destaca a espécie *Lantana camara* L., amplamente disseminada no Brasil. O nome aplica-se também, embora mais raramente, a plantas do gênero *Lippia*. Tais plantas são também conhecidas como **CAMARÁ**-DE-CHEIRO, **CAMARÁ**-DE-ESPINHO etc. (Marcgrave, *Hist. Nat. Bras.*, 5; Piso, *De Med. Bras.*, 191; Brandão, *Diálogos*, 171)

CAMARÁ (fonte: Marcgrave)

NOTA – Daí, o nome geográfico SERRA DE CAMARATUBA (PE) (v. Rel. Top. e Antrop. no final).

kamaraapena (etim. – *camará torto*) (s.) – nome de uma planta (*Theat. Rer. Nat. Bras.*, II, 176)

kamaragûã (s. etnôn.) – nome de antiga nação indígena (Cardim, *Trat. Terra e Gente do Brasil*, 126)

kamaraîapé (s.) – espécie de planta balsâmica (*Ageratum conyzoides* L.), também conhecida como *menta-de-santa-maria, mentrasto, menta grega* (Marcgrave, *Hist. Nat. Bras.*, 25)

kamaraîuba (etim. – *camará amarelo*) (s.) – **CAMARÁ**-DE-ESPINHO (*Lantana camara* L.), planta verbenácea (Piso, *De Med. Bras.*, IV, 197)

kamarambaîa (etim. – *camará de pingentes*) (s.) – **CAMARAMBAIA**, planta da família das onagráceas (*Ludwigia octovalvis* (Jacq.) P.H. Raven) (Marcgrave, *Hist. Nat. Bras.*, 30)

kamaramirĩ

kamaramirĩ (etim. - *camará pequeno*) (s.) - CAMARÁ-MIRIM, variedade de **kamará** (v.) (Piso, *De Med. Bras.*, IV, 191)

kamaratinga (etim. - *camará branco*) (s.) - CAMARATINGA, CAMARÁ-BRANCO, planta verbenácea, *Lantana brasiliensis* Link. (Marcgrave, *Hist. Nat. Bras.*, 5)

kamaraûasu (etim. - *camará grande*) (s.) - CAMARÁ-AÇU, planta da família das aristoloquiáceas (*Aristolochia brasiliensis*) (Brandão, *Diálogos*, 212; *Theat. Rer. Nat. Bras.*, II, 236)

kamaraúna (etim. - *camará escuro*) (s.) - nome de uma planta (*Theat. Rer. Nat. Bras.*, II, 175)

kamaripugûasu (etim. - *camurupim grande*) (s.) - peixe da família dos megalopídeos (Marcgrave, *Hist. Nat. Bras.*, 179)

kamaru (s.) - CAMARU, árvore do sertão nordestino, de grande porte

> OBSERVAÇÃO - O termo aparece em Marcgrave (*Hist. Nat. Bras.*, 12), que, equivocadamente, no entanto, descreveu o CAMAPU, uma erva solanácea.

kamarupĩ¹ (s. etnôn.) - nome de nação indígena (D'Evreux, *Viagem*, 84)

kamarupĩ² (s.) - CAMURUPIM (v. **kamurupy**) (Brandão, *Diálogos*, 235)

kamasary (etim. - *líquido dos olhos dos seios*) (s.) - CAMAÇARI, 1) espécie de árvore combretácea (*Terminalia fagifolia* Mart.); 2) espécie de árvore clusiácea (*Caraipa densiflora* Mart.) (Marcgrave, *Hist. Nat. Bras.*, 102). "Cria-se entre a casca e o âmago desta árvore uma matéria grossa e alva, que pega como terebintina... e, se toca nas mãos, não se tira senão com azeite." (Sousa, *Trat. Descr.*, 215)

kambeba (etim. - *seio achatado*) (s.) - fêmea estéril (*VLB*, II, 31)

kambu (ou **kamu**) (etim. - *ingerir leite*) (v. intr.) - 1) mamar: *Akambu.* - Mamei. (*VLB*, II, 29); *Akambu-seî.* - Quero mamar. (*VLB*, II, 29); *I kamu-seî kunumĩ...* - Deseja o menino mamar. (Anch., *Poemas*, 162); 2) (v. tr.) - tomar o leite de: *... O sy kambûabo oúpa.* - Tomando o leite de sua mãe. (Anch., *Poemas*, 162)

kambûá (s.) - CAMBOA, cercado de pedras e de paus, armado em pequena depressão junto ao mar na qual se tomam peixes por ocasião das marés de águas-vivas (Sousa, *Trat. Descr.*, 281)

> NOTA - CAMBOA ou GAMBOA pode ser, também, no Nordeste, um esteiro que enche com o fluxo do mar e fica em seco com o refluxo. No Maranhão é também um processo de pesca em que diversos pescadores, armados com a tarrafa, cercam com as suas canoas o cardume de peixes (in *Novo Dicion. Aurélio*).

kambu'i (s.) - 1) CAMBUÍ, CAMBUIM, nome comum a árvores da família das mirtáceas, do gênero *Myrcia*; 2) o fruto dessas plantas (Marcgrave, *Hist. Nat. Bras.*, 108)

CAMBUÍ (fonte: Marcgrave)

> NOTA - Daí, o nome geográfico CAMBOIM (AL) (v. Rel. Top. e Antrop. no final).

kambuká (ou **kûamoká**) (s.) - CAMBUCÁ, árvore da família das mirtáceas (*Plinia edulis* (Vell.) Sobral); 2) o fruto dessa árvore, de cor amarela, muito doce (Sousa, *Trat. Descr.*, 197)

kamburiûasu (etim. - *camuri grande*) (s.) - peixe de mar da família dos centropomídeos (D'Abbeville, *Histoire*, 244v)

kamby (etim. - *líquido dos seios*) (s.) - leite (Castilho, *Nomes*, 31)

kambyamĩ (etim. - *espremer leite*) (v. tr.) - tirar leite de, ordenhar (a vaca): *Aîkambyamĩ.* - Ordenhei-a. (*VLB*, II, 58)

kambyk (etim. - *apertar os seios*) (v. tr.) - espremer (p.ex., com prensa, com a mão etc.) (*VLB*, I, 127)

kambykaba (etim. - *instrumento de espremer*) (s.) - prensa de espremer, espremedor: *u'ubae'ẽ kambykaba* - prensa de espremer cana-de-açúcar (*VLB*, II, 85)

kambykyra (s.) - rabadilha ou rabadela (da galinha etc.) (*VLB*, II, 95)

kamby'ok (etim. - *tirar leite*) (v. tr.) - ordenhar (p.ex., a vaca) (*VLB*, II, 58)

kampûaba (s.) – planta da família das labiadas, do gênero *Hyptis* (Sousa, *Trat. Descr.*, 210)

kamu (s.) – panela de barro redonda para cozer alimentos (Marcgrave, *Hist. Nat. Bras.*, 273)

kamuri (ou **kamburi**) (s.) – CAMURI, CAMURIM, peixe da família dos centropomídeos, da costa brasileira (Marcgrave, *Hist. Nat. Bras.*, 160): *kamuri-'y* – rio dos robalos (Anch., *Arte*, 6)

NOTA – Daí se origina o nome do município de CAMBORIÚ (SC) (v. Rel. Top. e Antrop. no final).

kamurupy (s.) – CAMURUPI, CAMURUPIM, peixe da família dos elopídeos, do litoral setentrional do Brasil, também chamado CAMARUPIM, CAMURIPEMA, CAMURIPIM, CANGURUPI, CAMARUPI, CANJURUPI, CANJURUPIM (Cardim, *Trat. Terra e Gente do Brasil*, 53)

kamurupyûasu (etim. – *camurupi grande*) (s.) – CAMURUPIAÇU, var. de peixe: – *Setápe pirá seba'e?* – *Nã: kurimã, parati, ... kamurupyûasu.* – São muitos os peixes que são gostosos? – Ei-los: curimã, parati, ... camurupiaçu. (Léry, *Histoire*, 348-349)

kamusi[1] (s.) – jarro (*VLB*, II, 7), CAMUCIM, pote (em geral) (*VLB*, II, 83); talha qualquer (*VLB*, II, 123); vaso (*VLB*, II, 142); vaso com asas (*VLB*, II, 12); peça de louça (*VLB*, II, 24): *itaîy-kamusi* – vaso de estanho (*VLB*, II, 77); *kamusi-pora* – o que está no pote, o conteúdo do pote (Anch., *Arte*, 31v); *kamusi rapŷaba* – forno para potes (*VLB*, I, 142)

NOTA – CAMUCIM é também nome de município do CE (v. Rel. Top. e Antrop. no final).

CAMUCIM (fonte: Staden)

kamusi[2] (s.) – telha • **kamusi-oka** – telha de casa; casa de telha (*VLB*, II, 125)

kamusi[3] (s.) – cova, caverna onde eram postas as urnas que continham a ossada dos índios mortos (Brandão, *Diálogos*, 67)

NOTA – É provável que tal palavra designasse, também, um grande vaso de barro onde os índios colocavam os mortos, grande pote de barro que servia como uma urna funerária. Com efeito, no P.B., CAMOCIM (ou CAMOTIM) tem também esse sentido. Em José de Alencar, lemos: "*O CAMUCIM, que recebeu o corpo de Iracema, embebido de resinas odoríferas, foi enterrado ao pé do coqueiro, à borda do rio.*" (in *Iracema*. Rio de Janeiro, Record, 2006).

kamusiaîura (etim. – *jarro de garganta*) (s.) – cântaro (*VLB*, I, 66)

kamusuîara (etim. – *o que porta grandes seios*) (s. etnôn.) – nome de antiga nação indígena do sertão. O nome se deve à crença de que esses índios portavam grandes seios (*kama + -usu + îara*): "*Estes têm mamas que lhes dão por baixo da cinta e perto dos joelhos e, quando correm, cingem-nas na cinta.*" (Cardim, *Trat. Terra e Gente do Brasil*, 124)

kana'ĩ – o mesmo que **kena'ĩ** (v.)

kanambaîa (s.) – planta da família das cactáceas, do gênero *Rhipsalis* (Marcgrave, *Hist. Nat. Bras.*, 78)

kanapa'yba (ou **kunapo'yba**) (s.) – CANAPAÚBA, variedade de mangue (*Laguncularia racemosa* (L.) C.F. Gaertn.) (Sousa, *Trat. Descr.*, 219)

kanapu (s.) – CANAPU, planta da família das solanáceas. Erva parecida à erva-moura, que "dá uma fruta como bagos de uvas brancas coradas do sol e moles" (Sousa, *Trat. Descr.*, 199)

kandab (v. tr.) – arquear para cima (*VLB*, II, 132)

kandaûasu (s.) – lombriga redonda usada para a pesca (Marcgrave, *Hist. Nat. Bras.*, 272)

kandûasu (ou **kandugûasu**) (s.) – roedor da família dos coendídeos (Cardim, *Trat. Terra e Gente do Brasil*, 28; Nieuhof, *Ged. Reize*, 218-219)

kandugûasu – o mesmo que **kandûasu** (v.) (Soares, *Coisas Not. Bras.* (ms. C), 1422-1424)

kandumirĩ (s.) – roedor da família dos *coendídeos* (Cardim, *Trat. Terra e Gente do Brasil*, 28)

kandura (s.) – lombada, lombo (como de faca, de vara etc.); (adj.: **kandur**) – alombado (*VLB*, II, 24; 133)

kane'õ (s.) – cansaço: ... *Turusu xe kane'õ.* – Muito é o meu cansaço. (Anch., *Poemas*, 152); ... *Ambyasy, 'useîa, kane'õ, mba'e tetirũ porarábo îandé resé.* – Fome, sede, cansaço, quais-

kanga¹ quer coisas sofrendo por nós. (Ar., *Cat.*, 42v); ... *N'îaîandubi kane'õ*... – Não sentimos cansaço. (Ar., *Cat.*, 167); (adj.) – cansado, esgotado; **(xe)** cansar-se, esforçar-se: *Xe kane'õ.* – Eu estou cansado. (*VLB*, I, 65); *Setá, sesé oîopuru-purûabo o kane'õ-ne'õnamo.* – Eram muitos, para se revezarem uns aos outros nisso, ficando cansados. (Ar., *Cat.*, 60) ● **kane'õaba** – tempo, lugar, modo, objeto de cansar-se, de se esforçar: *Marãpe ereîpysyrõ oré kane'õagûera?* – Por que libertas aquele por quem nos cansamos? (Anch., *Teatro*, 180, 2006)

kanga¹ (s.) – secura; (adj.: **kang**) – seco, enxuto, que perdeu toda a água (*VLB*, I, 120)

NOTA – Daí, no P.B., **SACANGA**, galho seco de árvore; graveto.

kanga² (s.) – 1) osso (Castilho, *Nomes*, 31): ... *I kanga îepotasaba pe'abo o îosuí.* – As juntas de seus ossos afastando umas das outras. (Ar., *Cat.*, 62v); ... *Asé i kangûerĩ tiruã momba'etéû, o aîuri serekóbo...* – Até mesmo seus ossinhos a gente cultua, tendo-os no pescoço. (Ar., *Cat.*, 12v); 2) espinha (de peixe) ● **kanga putu'uma** – tutano dos ossos (*VLB*, II, 138; D'Evreux, *Viagem*, 159); **kangûera** – osso fora do corpo, osso descarnado; espinha já fora do peixe (*VLB*, I, 126)

NOTA – Daí, no P.B. (pop.), **CANGUIÇO**, pessoa muito magra. Daí, também, os nomes geográficos **CANGUEIRA** (PR), **CANGUERA** (SP) (v. Rel. Top. e Antrop. no final).

kanga³ (s.) – armação (p.ex., de navio, de casa etc.); qualquer peça de tal armação: *ó-kanga* – armação de casa; *ó-kangûama* – madeira ou armação para futura casa (*VLB*, I, 41)

kangûera¹ (etim. – *ossos que foram*) (s.) – esqueleto (Castilho, *Nomes*, 31); ossada; espinha: *pirá-kangûera* – espinhas de peixe; *mba'e-kangûera* – ossada (de animal) (*VLB*, II, 59); (adj.: **kangûer**) – esquelético, muito magro, descarnado, posto nos ossos: *Xe kangûer.* – Eu estou esquelético. (*VLB*, II, 28)

NOTA – Daí, no P.B. (GO), **CANGOEIRA**, **CANGUEIRA**, *leitoa magra* (in *Dicion. Caldas Aulete*). Daí, também, provêm os nomes geográficos **CANGUEIRA** (PR), **CANGUERA** (SP) etc. (v. Rel. Top. e Antrop. no final).

kangûera² (etim. – *osso que foi*) (s.) – instrumento para fumar ou beber fumo; espécie de cigarro grande; "*canudo que se faz de uma folha de palma seca e tem três ou quatro folhas secas de erva-santa, que os índios chamam petume*" (Sousa, *Trat. Descr.*, 317)

kangûera³ (etim. – *osso que foi*) (s.) – **CANGOEIRA**, **CANGUEIRA**, instrumento musical feito de ossos de pessoas mortas (Vasconcelos, *Crônica (Not.)*, §143, 107)

kangûyra (s.) – enxofre (*VLB*, I, 120)

kãngyra (etim. – *osso tenro*) (s.) – cartilagem; pontas dos ossos tenros (*VLB*, II, 126)

kangyra (s.) – **TUCANGUIRA**, **TOCANDIRA**, **TOCANERA**, **TOCANTERA**, **TOCAINARÁ**, **TOCANGUIRA**, **TOCANQUIBIRA**, inseto himenóptero da família dos formicídeos, formiga grande e preta, cuja picada é dolorosa (D'Abbeville, *Histoire*, 256)

kanhem (ou **kanhẽ**) (v. intr.) – 1) sumir, desaparecer, perder-se (inclusive da vista ou da memória, falando-se do que caminha ou parte): *Kûeîsé, rakó, amõ kanhemi...* – Ontem, é verdade que alguns sumiram. (Anch., *Teatro*, 12); *Okanhem ygara xe suí.* – Sumiu a canoa de mim (isto é, de minha vista). (*VLB*, II, 72); ... *T'okanhẽ pe rekopûera...* – Que desapareça vossa lei antiga. (Anch., *Teatro*, 54); *Akanhẽ-kanhem.* – Andei sumido. (*VLB*, I, 48); 2) perecer, morrer, desgraçar-se: ... *Akanhem kó ixé re'a...* – Eis que agora eu pereço. (Ar., *Cat.*, 156) ● **okanhemyba'e** (ou **okanhemba'e**) – o que some, o que desaparece, o que perece (*VLB*, II, 73); *Xe ra'yrĩ gûé, tesaraîtabamo okanhemba'epûera rekó resé nde ma'enduar.* – Ó meu filhinho, lembra-te de que os que pereceram são objeto de esquecimento. (Ar., *Cat.*, 157v-158); **kanhembara** – fugitivo, o que foge (Anch., *Arte*, 31); **i kanhembyra** – o que é perdido, sumido: *Kó santo o mongetasara oîmoîekosub i mba'e i kanhembyra...* – Este santo faz aquele que roga a ele alcançar suas coisas sumidas. (Ar., *Cat.*, 6); **kanhembaba** – tempo, lugar, causa, modo etc. de desaparecer, de sumir; desaparecimento, sumiço: ... *Tupã nhe'enga abŷagûera rakypûera kanhemagûama resé.* – Para o desaparecimento dos vestígios da transgressão da palavra de Deus. (Ar., *Cat.*, 91-91v); **kanhembora** – o fugidor, o que costuma fugir, o fujão (Anch., *Arte*, 15); **kanhemixûera** – fujão: *Xe kanhemixûer.* – Eu sou fujão. (*VLB*, I, 144)

NOTA – Daí, no P.B., **CANHEMBORA**, escravo fugido, quilombola.

kanhema (s.) – perdição; desaparecimento, sumiço: *Îandé **kanhem**'iré..., Tupã amõ kunhãgatu monhangi*. – Após nossa perdição, Deus fez uma mulher bondosa. (Anch., *Poemas*, 86); (adj.: **kanhem**) – perdido, sumido, desaparecido, acabado, morto: *Mba'e-**kanhema** o basemagûera i îara supé i me'enge'yma*. – Não dando para seu dono a coisa sumida que ele achou. (Ar., *Cat.*, 72v); *abá-**kanhema*** – homem fugido (Anch., *Arte*, 32); *Teté-**kanhema*** – corpo morto (Anch., *Teatro*, 146, 2006)

> NOTA – Daí, os nomes geográficos **ANHANGA-CANHIMA** (MG), **CANHEMA** (bairro de Diadema, SP) etc. (v. Rel. Top. e Antrop. no final).

kaninana (s.) – CANINANA, CAINANA, IACANINÃ, cobra da família dos colubrídeos, que ocorre em quase todo o Brasil, geralmente nas matas, alimentando-se de rãs, lagartos, ratos e ovos, podendo subir em árvores (Cardim, *Trat. Terra e Gente do Brasil*, 31; *VLB*, I, 76)

> NOTA – No P.B., **CANINANA** pode ser, também, uma pessoa ruim, de mau gênio (in *Dicion. Caldas Aulete*).

kanindé (s.) – CANINDÉ, ave da família dos psitacídeos, de cor predominantemente azul, parecida à arara, e também chamado *arari*, ARARA-CANINDÉ etc. (D'Abbeville, *Histoire*, 234; Marcgrave, *Hist. Nat. Bras.*, 270) "... Os índios os tomam novos nos ninhos para se criarem nas casas porque falam e gritam muito com voz alta e grossa." (Sousa, *Trat. Descr.*, 228): *To! Anhẽ, mba'epe ké **kanindé**-oby îasûara?* – Oh! Que há aqui, na verdade, semelhante a um canindé azul? (Anch., *Teatro*, 62)

> NOTA – **CANINDÉ** pode designar, também, no P.B., *faca longa e pontiaguda usada pelos sertanejos do Ceará*, em referência, certamente, ao longo bico da ave (in *Dicion. Caldas Aulete*).

kanûaûasu[1] (etim. – *grande resplendor de cores*) (s.) – variedade de tintura (D'Abbeville, *Histoire*, 184v)

Kanûaûasu[2] (etim. – *grande resplendor de cores*) (s. antrop.) – nome de índio tupi (D'Abbeville, *Histoire*, 184v)

kanugûá (ou **kanûá**) (s.) – resplendor (de diversas cores, como o de pássaros quando lhes dá o sol); (adj.) – resplandecente (de diversas cores): *Xe **kanugûá*.* – Eu sou resplandecente. (*VLB*, II, 103)

kaopyá (etim. – *planta de parede*) (s.) – nome comum a plantas gutiferáceas do gênero *Vismia*, principalmente a *Vismia guianensis* (Aubl.) Pers., também chamada *lacre*, *pau-de-lacre* e *árvore-da-febre* (Piso, *De Med. Bras.*, IV, 181)

kapara (etim. – *folha torta*) (s.) – planta de folhas largas, usadas para cobrir casas (Sousa, *Trat. Descr.*, 225)

> NOTA – No P.B., **CAPARA** é *folha larga e afunilada, usada como copo* (in *Dicion. Caldas Aulete*).

kapeúna (s.) – CAPIÚNA, peixe da família dos pomadasídeos (Marcgrave, *Hist. Nat. Bras.*, 155)

kapi'a – o mesmo que **ka'iapi'a** (v.)

kapibara (ou **kapi'ibara** ou **kapi'iûara**) (etim. – *comedor de capim*) (s.) – CAPIVARA, carpincho, o maior roedor do mundo, que pode atingir mais de 50 quilos. Pertence à família dos hidroquerídeos (*Hydrochoerus hydrochoeris* L.), da América do Sul oriental. Vive à beira dos rios, nos brejos, nas lagoas, sendo grande nadadora, habitando também perto de matas ou cerrados. Sai geralmente à noite, vivendo sempre em bandos. (Marcgrave, *Hist. Nat. Bras.*, 230)

> NOTA – Daí, os nomes **CAPIBARIBE** (de rio de PE), **CAPIVARI** (de município de SP) etc. (v. Rel. Top. e Antrop. no final).

CAPIVARA (fonte: Marcgrave)

kapi'i (etim. – *erva fina* < ka'a + po'i) (s.) – **1)** erva qualquer; feno, CAPIM (*VLB*, I, 137): ... *Kapi'i anhẽ rerupa*. – Deitando às pressas o capim. (Anch., *Poemas*, 130); *Kapi'i sosé kó tuî...* – Eis que sobre o capim ele está deitado. (Anch., *Poemas*, 164); **2)** palha (*VLB*, II, 62) • **kapi'i-tyba** (ou **kapi'i-tybusu**) – CAPINZAL, erval, ervaçal (*VLB*, I, 121)

> OBSERVAÇÃO – **CAPIM** é palavra portuguesa de origem tupi usada em muitos países lusófonos: Angola, Moçambique, Cabo Verde etc.

kapi'ibara

kapi'ibara – o mesmo que **kapibara** (v.) (*Theat. Rer. Nat. Bras.*, II, 39)

kapi'ĩmangará (s.) – CAPIM-MANGARÁ (v. **mangará**) (*VLB*, II, 16)

kapi'ipuba (ou **kapupuba**) (etim. – *capim mole*) (s.) – CAPIMPUBA, CAPIMBEBA, erva da família das gramíneas (*Andropogon bicornis* L.) (Piso, *De Med. Bras.*, IV, 196)

kapi'ĩpururuka (etim. – *capim que fica estalando*) (s.) – var. de junco, nome comum a numerosas plantas herbáceas das famílias das ciperáceas e juncáceas (*VLB*, II, 16)

kapi'iûara (etim. – *comedor de capim*) – o mesmo que **kapibara** (v.) (Anch., *Cartas*, 122; Knivet, *The Adm. Adv.*, 1242)

kapir (etim. – *aparar mato*) – 1) (v. intr.) – CARPIR, roçar, mondar as plantas; limpar as ervas, tirando-as: *Akapir.* – Carpi. (*VLB*, II, 41); 2) (v. tr.) CARPIR, mondar: *Aîkapir.* – Carpi-as. (*VLB*, II, 41) ● **kapisaba** – tempo, lugar, modo etc. de mondar, de carpir; monda, ato de mondar ou carpir as plantas (*VLB*, II, 41)

kapûerusu (s.) – variedade de abelha de grande porte. "... Criam seus favos em ninhos que fazem no mais alto das árvores, do tamanho de uma panela, os quais são de barro." (Sousa, *Trat. Descr.*, 241)

kapupuba – o mesmo que **kapi'ĩpuba** (v.)

NOTA – Daí, o nome geográfico LAGOA DE CAPUBA (ES) (v. Rel. Top. e Antrop. no final).

kapuripima (s.) – nome de um peixe (Marcgrave, *Hist. Nat. Bras.*, 180)

kapŷaba (etim. – *lugar da queimada da mata* < ka'a + apy + -ab +a) (s.) – CAPUAVA, casa na roça, quinta (*VLB*, I, 68); herdade onde há casa (*VLB*, I, 121; Anch., *Arte*, 6v), propriedade rural, incluindo a sede, a área de plantação e o pasto: *kapŷápe tekoara* – residente na capuava (*VLB*, II, 102)

NOTA – CAPUAVA, no P.B., designa, também, 1) terreno limpo para plantar roças; 2) (RN, PB) casa mal feita ou em ruínas. CAPUAVA ou CAPIAU também designam o caipira, o homem da roça. Tal palavra está também presente na nomeação de lugares: CAPUAVA é nome de bairro de Santo André, SP (v. Rel. Top. e Antrop. no final).

CAPUAVA (foto de E. Navarro)

kapyrok (v. tr.) – excitar: *Ereîkapyrokype nde ra'y-pupuka potá?* – Excitaste-o, querendo ejacular teu sêmen? (Anch., *Doutr. Cristã*, II, 90)

karã (s.) – nome de uma ave da família dos aramídeos (Brandão, *Diálogos*, 234)

kará¹ (s.) – 1) CARÁ, CARANAMBU, CARATINGA, nome de várias plantas da família das discoreáceas. É nome atribuído erroneamente ao inhame; 2) o tubérculo comestível de algumas dessas plantas (D'Abbeville, *Histoire*, 229v; Marcgrave, *Hist. Nat. Bras.*, 29): *kará-embó* – vergôntea de cará (*VLB*, II, 144)

kará² – o mesmo que **akará** (v.)

karabusu (s.) – pequena garça de cor branca ou parda, da família dos ardeídeos. "... Todas criam ao longo do mar, onde tomam peixe de que se mantêm e caranguejos novos." (Sousa, *Trat. Descr.*, 232)

karagûatá (ou **karaûatá** ou **karûatá**) (s.) – 1) CARAGUATÁ, CRAGUATÁ, GRAVATÁ, nome comum a várias plantas bromeliáceas, de diversos gêneros. A mais conhecida delas, a *Bromelia antiacantha* Bertol., tem folhas compridas, grossas e espinhosas, com frutos muito amarelos, arredondados, do tamanho de pêssegos, dispostos em forma piramidal. São também chamadas CARUATÁ, COROÁ, CRAUAÇU, CARUATÁ-DE-PAU, COROÁ-VERDADEIRO, GRAGUATÁ, CRAUATÁ, CURUATÁ etc. "... Dá grande cópia de linho fino e assaz proveitoso." (Brandão, *Diálogos*, 203); 2) erva-babosa, aloés, liliáceas do gênero africano *Aloe*, introduzidas no Brasil; 3) licor fabricado com o suco dessas plantas (D'Abbeville, *Histoire*, 228; Marcgrave, *Hist. Nat. Bras.*, 37)

NOTA – Daí, o nome do município de CARAGUATATUBA (SP) (v. Rel. Top. e Antrop. no final).

CARAGUATÁ (fonte: Marcgrave)

karagûatá-akanga (etim. – *caraguatá de cabeça*) (s.) – certa espécie de **CARAGUATÁ**, uma bromeliácea do gênero *Bromelia* (Piso, *De Med. Bras.*, IV, 199-200)

karaguatagûasu (etim. – *caraguatá grande*) (s.) – **CARAGUATÁ-AÇU**, 1) planta herbácea da família das bromeliáceas, do gênero *Bromelia* (*Bromelia karatas* L.), de cujas folhas se extrai fibra para cordoaria, tapetes etc. É também chamada **CARAGUATÁ**-PITEIRA, **CARUATÁ-AÇU, CURUATÁ-AÇU, GRAVATÁ-AÇU**. (Marcgrave, *Hist. Nat. Bras.*, 87); 2) nome comum a plantas da família das agaváceas, do gênero *Furcraea*. Destas, a nativa do Brasil é a *Furcraea foetida* (L.) Haw, chamada vulgarmente PITA-GRAGOATÁ, *piteira-de-terra etc.* (Piso, *De Med. Bras.*, IV, 199-200). Serviam-se os índios de sua madeira para acender o fogo. (Marcgrave, *Hist. Nat. Bras.*, 273)

karagûataîara (etim. – *os que portam caraguatás*) (s. etnôn.) – nome de antiga nação indígena (Cardim, *Trat. Terra e Gente do Brasil*, 126)

karagûatanema (ou **karagûatarema**) (etim. – *caraguatá fedorento*) (s.) – babosa, planta liliácea (*VLB*, I, 121)

karaî (v. tr.) – 1) escarvar, escavar (com as unhas) (*VLB*, I, 123); 2) arranhar (*VLB*, I, 42): *Iî abaibeté nhẽ rakó... 'yaîba asé karãîa...* – É muito incômodo, certamente, arranhar-nos uma tempestade marinha. (Anch., *Doutr. Cristã*, II, 79 • **karãîndaba** – tempo, lugar, modo etc. de arranhar, de roer; arranhadura (*VLB*, I, 42)

NOTA – Daí, o nome do município de **ITACARAMBI** (MG) (v. Rel. Top. e Antrop. no final).

karaîá (s. etnôn.) – **CARAJÁ** (nome de nação indígena tapuia). "Vivem no sertão da parte de São Vicente. Foram do Norte, correndo para lá; têm outra língua." (Cardim, *Trat. Terra e Gente do Brasil*, 126): – *Marãpe pe robaîara rera?* – *Marakaîá, gûaîtaká, gûaîanã, karaîá, kariîó.* – Quais os nomes dos vossos inimigos? – Maracajás, goitacazes, guaianás, carajás, carijós. (Léry, *Histoire*, 354)

karaíba¹ (s.) – **CARAÍBA**, pajé itinerante dos tupis da costa, que ia a várias aldeias, podendo entrar até em território de inimigos. Falava da Terra sem Mal e de como encontrá-la. Muitos deles estimularam guerras contra os europeus (espanhóis e portugueses) e contra os missionários católicos. Os jesuítas os chamaram de *santidades* (Cardim, 1978, 103)

karaíba² (s.) – cristão: *Karaíba, ipó, n'oîkoangaîpá-pyrybi.* – Os cristãos, na verdade, não pecam pouco. (Anch., *Teatro*, 20); ... *Karaíba xe momba'eté-katu.* – Os cristãos honram-me muito. (Anch., *Poemas*, 114)

karaíba³ (s.) – 1) santidade: *Tupã aé, o karaíba pupé, i 'anga seté monhangi.* – O próprio Deus, com sua santidade, as almas e os corpos deles fez. (Anch., *Teatro*, 28); 2) poder do espírito, virtude: – *Marãpe i monhangi?* – *O karaíba pupé.* – Como os fez? – Com o poder do seu espírito. (Ar., *Cat.*, 42); (adj.: **karaíb** ou **karaí**): santo, bento; divino, sagrado, virtuoso, benzido: *Oîeypyî 'y-karaíba pupé.* – Asperge-se com água benta. (Ar., *Cat.*, 24); *A'e anhẽ mosapyr pessoaamo i îa'oki, oîepé og ekó-karaíba îese'ara pupé nhẽ.* – Eles, na verdade, em três pessoas se distinguem, na união de seu único ser divino. (Anch., *Doutr. Cristã*, I, 134); *Xe cristão, xe karaí.* – Eu sou cristão, eu sou virtuoso. (Anch., *Teatro*, 164); *Xe karaíb.* – Eu estou benzido. (*VLB*, I, 54)

NOTA – No P.B., **CARAÍBA** também designa *coisa sobrenatural* (in *Dicion. Caldas Aulete*).

karaíba⁴ (s.) – 1) homem branco, **CARAÍBA**: ... *Etenhẽ umẽ ã karaíba ... rerobîá-ne...* – Guarda-te de acreditar nesses homens brancos. (Camarões, *Cartas*, 4 de outubro de 1645); **2)** português: *Oîpotar-eté karaíba morubixaba nde sema.* – Quer muito o chefe dos portugueses a tua saída. (Camarões, *Cartas*, 17 de outubro de 1645).

NOTA – "*Tôdas estas invenções por um vocábulo geral chamam "CARAÍBA", que quer dizer como coisa santa ou sobrenatural; e por esta causa puzeram êste nome aos portuguêses, logo quando vieram, tendo-os por coisa grande, como do ou-*

karaibebé

tro mundo, por virem de tão longe por cima das águas." (Anch., *Cartas*, 49).

karaibebé (etim. - *caraíba voador*) (s.) - anjo; anjo da guarda, serafim: *Karaibebé serã, kó taba rarõaneté.* - Talvez seja o anjo, guardião verdadeiro desta aldeia. (Anch., *Teatro*, 26); *Pe îabi'õ Pa'i Tupã karaibebé moingóû.* - De cada um de vós o Senhor Deus encarregou um anjo. (Anch., *Teatro*, 50); *Nd'ouripe karaibebé amõ ybaka suí...?* - Não vieram alguns anjos do céu? (Ar., *Cat.*, 53v)

karaibeté (etim. - *cristão normal*) (s.) - leigo (*VLB*, II, 20)

karaimonhang (v. intr.) - fazer pajelança: *Moraseîa é i katu, îegûaka, îemopiranga,... karaimonhã-monhanga...* - A dança é que é boa, enfeitar-se, avermelhar-se, ficar fazendo pajelança. (Anch., *Teatro*, 6)

karaimonhanga (s.) - feitiço, magia, pajelança: *Ererobîápe îetanonga'uba koîpó karaimonhanga?* - Acreditas em falsas oferendas ou em pajelanças? (Ar., *Cat.*, 98v); *T'oroîtyk oré poxy, paîé rerobîare'yma, moraseîa, mbyryryma karaimonhanga ndi.* - Que lancemos fora nossa maldade, não acreditando nos pajés, em danças, rodopios com feitiços. (Anch., *Teatro*, 118)

kara'inambi (etim. - *carazinho de orelha*) (s.) - espécie de CARÁ, planta dioscoreácea (Marcgrave, *Hist. Nat. Bras.*, 52)

karaipaba (s.) - santificação: ... *O karaibagûama raûsukatûabo.* - Amando muito sua santificação. (Anch., *Doutr. Cristã*, I, 202)

karaîu (s.) - nome de uma ave, "grande como um falcão. Os escravos negros o temem porque eles são bicados por estas aves quando estão no trabalho". (Griebe, *Brasil Holandês*, vol. III, 81)

karaîuru (s.) - CARAJURU, GRAJURU, planta da família das bignoniáceas (*Arrabidaea chica* (Humb. & Bonpl.) B. Verl.), cujas folhas, se fermentadas e cozidas, fornecem um corante vermelho que os índios usavam para pintar o corpo (*ABN*, XXVI (1905), 393)

karakará (s.) - CARACARÁ, CARCARÁ, carancho, nome de duas aves da família dos falconídeos da América do Sul oriental (D'Abbeville, *Histoire*, 233)

CARCARÁ (fonte: Marcgrave)

karakoba (s.) - pedaço de pano atado na frente para cobrir os órgãos sexuais (D'Evreux, *Viagem*, 131)

karakopytã (s.) - nome de uma ave, da cor e tamanho de uma perdiz, de bico e pés pardos, esverdeados (Lisboa, *Hist. Anim. e Árv. do Maranhão*, fl. 188v)

karaku (s.) - pasta ou suco produzidos pela mastigação de raízes picadas de aipim-macaxeira, que eram depois cuspidos em vasilha para a fabricação de cauim (Marcgrave, *Hist. Nat. Bras.*, 272; Nieuhof, *Mem. Viag.*, 305)

NOTA - Em guarani antigo **CARACÚ**, além de *vinho de raízes*, também designava *tutano de vaca* etc. (Montoya, *Tesoro*, 90). Daí se explica o nome de uma variedade de gado bovino, o gado **CARACU**.

karakuîu (s. etnôn.) - nome de antiga nação indígena (Cardim, *Trat. Terra e Gente do Brasil*, 126)

karamemûã¹ (s.) - 1) caixa (que guardava peças de vestuário etc.): *Ererupe nde karamemûã?* - Trouxeste tua caixa? (Léry, *Histoire*, 341); 2) nome geral para os cestos e canastras dos índios (Nieuhof, *Ged. Reize*, 220)

karamemûã² (s.) - 1) túmulo: *Itá karamemûã pupé i nongi...* - Dentro de um túmulo de pedra o puseram. (Ar., *Cat.*, 44); *Osokendab a'e karamemûã itagûasu pupé.* - Fecharam aquele túmulo com uma pedra grande. (Ar., *Cat.*, 64v); 2) caixão (*VLB*, I, 63)

karamemûã³ (s.) - arca: *Ybyrá karamemûã, ygarusu nungara... pupé i mo'aruká.* - Mandando fazê-los embarcar numa arca de madeira, semelhante a um navio. (Ar., *Cat.*, 41v)

karamemûãmirĩ (etim. - *arca pequena*) (s.) - cofre (*VLB*, I, 76)

karamosé (adv.) - algum dia (fut.); futuramente: - *Asepîakymo mã! - Karamosé.* - Ah, quem me dera vê-las! - Futuramente. (Léry,

Histoire, 345) • **karamosé é** – outro dia, já não agora (*VLB*, II, 61)

karamuru (s.) – CARAMURU, nome comum a certos peixes da família dos murenídeos, também chamados *lampreia, enguia, miroró, moreia, mororó, tororó* (D'Abbeville, *Histoire*, 246; *VLB*, II, 18; 42). "Há muitos homens aleijados de suas mordeduras, de lhes apodrecerem as mãos ou pernas onde foram mordidos." (Cardim, *Trat. Terra e Gente do Brasil*, 56)

> NOTA – Daí, o nome da epopeia de José de Santa Rita Durão, **CARAMURU**, alcunha do célebre Diogo Álvares Correia, português que viveu na Bahia nos primeiros anos após o descobrimento do Brasil pelos portugueses.

karamurupinima (etim. – *caramuru pintado*) (s.) – var. de enguia, peixe murenídeo (*Libri Princ.*, vol. II, 55)

karaná (s.) – CARANÁ, CARANDÁ, palmeira parecida ao buriti; o mesmo que **karana'yba** (v.) (Soares, *Coisas Not. Bras.* (ms. C), 1935-1938)

karana'yba[1] (s.) – CARNAÚBA, CARANAÍBA, CARANDÁ, 1) nome comum a palmeiras do Norte do Brasil, dentre as quais a *Copernicia prunifera* (Mill.) H.E. Moore, especificamente distinta da espécie *Copernicia alba* Morong ex Morong & Britton, encontrada no Mato Grosso e regiões limítrofes; 2) cera extraída da folha dessa palmeira, de muitas utilidades (Marcgrave, *Hist. Nat. Bras.*, 130; Piso, *De Med. Bras.*, IV, 181)

CARNAÚBA (fonte: Marcgrave)

Karana'yba[2] (s. antrop.) – nome de índio tupi (D'Abbeville, *Histoire*, 184v)

karana'yba[3] (s. astron.) – nome de uma estrela (D'Abbeville, *Histoire*, 221v)

karanha – o mesmo que **akaraãîa** (v.) (Soares, *Coisas Not. Bras.* (ms. C), 486-490)

karaobamirĩ (etim. – *cará da folha pequena*) (s.) – CAROBA-MIRIM, variedade de CAROBA, planta da família das bignoniáceas, de tamanho diminuto, provavelmente do gênero *Jacaranda*. "É uma árvore como pessegueiro, mas tem a madeira muito seca e a folha miúda." (Sousa, *Trat. Descr.*, 203)

karaobusu (etim. – *caroba grande*) (s.) – CAROBAGUAÇU, palissandra, variedade de CAROBA, árvore da família das bignoniáceas (*Jacaranda copaia* (Aubl.) D. Don ou *Jacaranda mimosaefolia* D. Don) (Sousa, *Trat. Descr.*, 203)

karapeba (etim. – *cará achatado*) (s.) – CARAPEBA, ACARAPEBA, peixe da família dos gerrídeos (Sousa, *Trat. Descr.*, 285)

karapîasaba (s.) – CARAPIAÇABA, peixe da família dos dasiatídeos. "... São redondos como choupinhas e pintados de pardo e amarelo e são sempre gordos, muito bons para doentes." (Sousa, *Trat. Descr.*, 288)

karapina (s.) – CARAPINA, carpinteiro (*VLB*, I, 67)

> NOTA – **CARAPINA** é nome de uma variedade de pica-pau. Com tal acepção, porém, não tem registro em textos coloniais. No sentido de *carpinteiro*, contudo, é palavra muito usada: "Este foi João Pereira Barbosa, **CARAPINA** de officio." (Bettendorff [1698], *Crôn. do Maranhão*, in *RIH*, LXXII (1909), 166).

karapinima (s.) – nome de uma árvore (Vasconcelos, *Crônica* (Not.) II, §81, 153)

karapirá – o mesmo que **karipirá** (v.)

karapopeba (s.) – CARAPOBEBA, nome de um lagarto, provavelmente da família dos iguanídeos (Marcgrave, *Hist. Nat. Bras.*, 238)

karapuku (s.) – CARAPUCU, cogumelo da família das marasmiáceas (*VLB*, I, 86)

> NOTA – Daí, o nome geográfico **CARAPICUÍBA** (SP) (v. Rel. Top. e Antrop. no final).

karapytanga (etim. – *cará avermelhado*) (s.) – CARAPITANGA, peixe da família dos lutjanídeos, também conhecido como **ACARAPITANGA** e **CARAPUTANGA** (Sousa, *Trat. Descr.*, 280)

kararapinima (s.) – espécie de crustáceo dos mangues, da família dos grapsídeos

kararu (D'Abbeville, *Histoire*, 248; Marcgrave, *Hist. Nat. Bras.*, 183; 185)

kararu (s.) - CARURU, variedade de planta amarantácea (*Amaranthus caudatus* L.), também conhecida como *bredo, bredo-verdadeiro, amaranto-de-folha-vermelha* (Marcgrave, *Hist. Nat. Bras.*, 13)

karasy (s.) - maleita, malária (*VLB*, II, 29); (adj.) - maleitoso, estar com malária: *Xe karasy.* - Eu estou maleitoso. (*VLB*, II, 29) • **karasy-ryryîa** - tremor de maleita (*VLB*, II, 29; 136)

karaûatá[1] - o mesmo que **karagûatá** (v.)

karaûatá[2] (s.) - nome de um peixe (Sousa, *Trat. Descr.*, 283)

Karaûatá'ûara (etim. - *comedor de gravatás*) (s. antrop.) - nome de índio tupi (Staden, *Viagem*, 74; D'Abbeville, *Histoire*, 184v)

karaúna (etim. - *cará escuro*) (s.) - CARAÚNA, peixe da família dos serranídeos (Marcgrave, *Hist. Nat. Bras.*, 147)

kariîó (s. etnôn.) - CARIJÓ, CARIÓ, CÁRIO, nome de nação indígena: - *Marãpe pe robaîara rera? -Marakaîá, gûaîtaká, gûaîanã, karaîá, kariîó.* - Quais os nomes dos vossos inimigos? - Maracajás, goitacazes, guaianás, carajás, carijós. (Léry, *Histoire*, 354)

NOTA - Daí, o nome geográfico **CARIOCA** (rio do RJ), que também designa o que nasce na capital fluminense (v. Rel. Top. e Antrop. no final).

karimã (s.) - CARIMÃ, CARIMÁ, massa de mandioca puba, que é feita colocando-se raízes frescas na água, que apodrecem ali e, depois de retiradas e postas para secar na fumaça, são finalmente socadas (D'Abbeville, *Histoire*, 305; Staden, *Viagem*, 141; Knivet, *The Adm. Adv.*, 1232): *karimã ku'i* - farinha de carimã (Staden, *Viagem*, 86)

NOTA - No P.B. de hoje, **CARIMÃ** também significa 1) *bolo de farinha de mandioca;* 2) *farinha de mandioca fina e seca* (in *Dicion. Caldas Aulete*).

karimamana (s.) - canoa de junco (*VLB*, I, 32)

karipirá (s.) - CARAPIRÁ, GRAPIRÁ, nome comum de aves da família dos fregatídeos, também conhecidas como *tesouras* e que fazem grande luta com os peixes-voadores (D'Abbeville, *Histoire*, 241v; Cardim, *Trat. Terra e Gente do Brasil*, 61)

karipiratyatinga (etim. - *caripirá da nuca branca*) (s.) - nome de uma ave (*Theat. Rer. Nat. Bras.*, I, 110)

karoba (s.) - CAROBA, o mesmo que **ka'aroba** (v.)

karu[1] (s.) - ato de comer, repasto; comezaina, comilança: *inambu-karu* - "repasto de inhambu", nome de uma planta (Lisboa, *Hist. Anim. e Árv. do Maranhão*, fl. 181); (adj.) - comedor, comilão, guloso, tragador, gargantão: *abá-karu* - homem comedor; *Xe karu.* - Eu sou comilão. (*VLB*, I, 77)

karu[2] (v. intr.) - comer; pastar (o gado): *Akaru.* - Comi. (*VLB*, I, 77) • **karûaba** - tempo, lugar, modo, finalidade etc. de comer, de pastar (*VLB*, II, 67): *... Gûemimbo'e pyri o karûápe, miapé... moîebyû gûetéramo...* - Ao comer junto dos seus discípulos, o pão devolveu como seu corpo. (Ar., *Cat.*, 5);*... Kapi'ĩ sosé kó tuî, tapi'irusu karûápe.* - Eis que sobre o capim ele está deitado, no lugar em que a vaca come. (Anch., *Poemas*, 164)

karûaba[1] (etim. - *lugar de comer*) (s.) - nome genérico para as cuias, cuipebas, cuiabas etc., em que os antigos índios da costa do Brasil costumavam comer (Marcgrave, *Hist. Nat. Bras.*, 272)

karûaba[2] (etim. - *lugar de comer*) (s.) - mesa (em que se come) (*VLB*, II, 36)

karûaba[3] (s.) - toalha de mesa (*VLB*, II, 31)

karûaba[4] (s.) - pasto (para o gado) (*VLB*, II, 62)

karûabora (s.) - gotoso, o que sofre de gota (D'Evreux, *Viagem*, 157)

karûara[1] (s.) - CARUARA, gota, corrimento que faz doer as juntas (Sousa, *Trat. Descr.*, 319)

NOTA - No P.B. (Amaz.), **CARUARA** é 1) *mal ou enfermidade causada por feitiço; quebranto, mau-olhado;* 2) *achaque, doença;* 3) *dor reumática;* 4) *doença neurológica conhecida como dança de São Guido* (in *Novo Dicion. Aurélio*).

Karûara[2] (s. antrop.) - nome de uma entidade da cosmologia dos antigos tupis da costa: *Osekyî kunhã maîé Karûara.* - Invocam as mulheres o pajé Caruara. (Anch., *Teatro*, 150, 2006)

NOTA – Daí, no P.B. (AM), **CARUANA**, *gênio benfazejo e serviçal que os indígenas creem habitar o fundo dos rios e igarapés, e que os pajés invocam para curar doentes ou esconjurar feitiços, fumando e cantando uma toada monótona* (in *Novo Dicion. Aurélio*).

karûatá (s.) – CARAGUATÁ (v. **karagûatá**) (Brandão, *Diálogos*, 203)

karûatapiranga (etim. – *caraguatá vermelho*) (s.) – cardo vermelho, variedade de **karagûatá** (v.) (D'Evreux, *Viagem*, 276)

karugûasu (etim. – *grande repasto*) (s.) – banquete (*VLB*, I, 81)

karũîé (s.) – CARUNJE, árvore nativa semelhante ao loureiro "... nas folhas, na casca e no cheiro..." (Sousa, *Trat. Descr.*, 220)

karuk (v. intr.) – urinar: *Akaruk.* – Urinei. (*VLB*, II, 37; 60)

karuka (s.) – tarde, entardecer, CARUCA: *Tiá nde karuka!* – Boa tarde! (D'Evreux, *Viagem*, 246) • **karukeme** – à tarde (Fig., *Arte*, 128): *Marãpe asé rekóû karukeme, o ker-y îanondé?* – Como a gente faz à tarde, antes de dormir? (Ar., *Cat.*, 74v); **karukĩneme** – ao entardecer (*VLB*, I, 36)

karukasy (etim. – *dor da tarde*) (s.) – saudade; tristeza, melancolia; (adj.) – saudoso, triste, melancólico; (xe) ter saudades: *Xe karukasy (abá) resé.* – Eu tenho saudades de alguém. (*VLB*, II, 113, adapt.); *Xe karukasy.* – Eu estou triste. (Léry, *Histoire*, 367); ... *Nd'e'i te'e oîoepîaka'upa, o karukasyramo.* – Por isso mesmo, tendo saudades um do outro, ficam tristes. (Ar., *Cat.*, 156)

karukuoka (s.) – rato pequeno doméstico (Marcgrave, *Hist. Nat. Bras.*, 229)

karukypy (etim. – *começo do entardecer*) (s.) – boca da noite (*VLB*, II, 50)

karumã (s.) – nome de uma árvore (*ABN*, LXXII (1962) 313)

karupysaîé (s.) – noite, por volta das dez horas (*VLB*, II, 50)

kasaba[1] (etim. – *instrumento de quebrar*) (s.) – cunha de fender: *îepe'a-kasaba* – cunha de fender lenha (*VLB*, I, 87)

kasaba[2] (s.) – tortas feitas pelos índios com o resíduo da preparação de manipoí (sopa indígena) (D'Abbeville, *Histoire*, 305)

kasîana (s. – portug.) – castelhano: *Tó! Kasîanap'ikó?* – Oh! Estes são castelhanos? (Anch., *Teatro*, 74)

kasununga (etim. – *vespa que fica zunindo*) (s.) – CAÇUNUNGA, var. de vespa social da família dos vespídeos (*VLB*, I, 55)

katinga (etim. – *nhaca enjoativa < aby'aka + ting-a*) (s.) – mau cheiro, CATINGA, fedor, cheiro desagradável, nauseabundo; (adj.: kating) – fedorento, CATINGUENTO, CATINGOSO; (xe) ter CATINGA, CATINGAR: *Xe kating.* – Eu tenho fedor; eu catingo. (*VLB*, I, 73)

NOTA – Daí se originam os nomes de plantas **BRACATINGA**, ABÓBORA-CATINGA, AÇAÍ-CATINGA, ACAJU-CATINGA, ARATICUM-CATINGA etc.

katu (s.) – o bem; coisa boa; bondade: *ŷ Opabĩ abá raûsubi i katurama resé.* – A todos os homens ama para o bem deles. (Anch., *Teatro*, 158, 2006); *A'e aé koba'e katu me'engara re'a...* – É ele o que dá o bem desses. (Ar., *Cat.*, 66); (adj.) – **1)** bom; bondoso; bonançoso (fal. do mar) (*VLB*, I, 18): *Xe katu.* – Eu sou bom. (Fig., *Arte*, 67); ... *Tupã amõ kunhãngatu monhangi.* – Deus fez certa mulher bondosa. (Anch., *Poemas*, 86); (fal. de alimentos): *I katu nhẽ, t'ere'u.* – Estão bons; que os comas. (Anch., *Poemas*, 154); *Abámo... mba'e-katu 'uagûera n'oîkuabi xûé...?* – Quem não reconheceria ter comido algo bom? (Ar., *Cat.*, 88v); *Xe katupe ká...* – Hei de ser bom. (Anch., *Teatro*, 38); **2)** grande, muito: *Nde porãngatu raûsupa...* – Amando tua grande beleza. (Anch., *Poemas*, 84); ... *tubixá-katu Aîmbiré* – o grande chefe Aimbirê (Anch., *Teatro*, 8); *Aîerekoaibeté xe angaîpá-katu suí.* – Piorei muito de meu grande mal. (*VLB*, I, 112); **3)** direito (fal. de tronco de árvore) (*VLB*, I, 103); **4)** limpo (*VLB*, II, 22); **5)** airoso: *Xe katu.* – Eu sou airoso. (*VLB*, I, 28); **6)** polido (*VLB*, II, 80); **7)** delicado (Marcgrave, *Hist. Nat. Bras.*, 276); (adv.) – **1)** muito, bem, largamente (*VLB*, II, 18): *Nde py'ape-katupe aîpó eré?* – Bem no teu coração disseste isso? (Ar., *Cat.*, 102); *Turusu-katupe a'e cruz erimba'e?* – Era muito grande aquela cruz? (Ar., *Cat.*, 61v); *Aîemĩngatu...* – Escondo-me bem. (Anch., *Teatro*, 32); *Abá 'anga mara'ara i pupé opûeîrá-katu...* – As doenças da alma do homem com ele saram bem. (Anch., *Teatro*, 38); **2)** exatamente, perfeitamente, precisamente: *Îaîpe'a nhẽmope i xuí a'e roîré katu...?* – Apartá-lo-íamos dele precisamente

katûaba

depois disso? (Ar., *Cat.*, 96); – *Mbobype teko-angaîpaba oîoaname'yma?* – *Mosapyr **katu**...* – Quantos são os gêneros de pecados? – Três, exatamente. (Bettendorff, *Compêndio*, 70); **3)** por inteiro, inteiramente (*VLB*, II, 13); completamente: *Xe resaraî-te-katu.* – Mas eu me esqueci completamente. (Anch., *Teatro*, 178, 2006); **4)** nomeadamente, particularmente: *Nde **katu** nde renõî.* – Ele te chama particularmente. (*VLB*, II, 50); **5)** de fato: *Xe syramongatu t'oîkó...* – Que seja minha mãe, de fato. (Anch., *Poemas*, 86) • **i katu!** (ou **i katu-eté!**) – muito bem! (Fig., *Arte*, 136)

NOTA – Daí, os nomes geográficos **BOTUCATU** (SP), **ICATU** (MA) e o nome próprio **CATUPIRI** (v. Rel. Top. e Antrop. no final). Daí, também, no P.B. (AM), **ARACATU** ('*ara + katu*, "dia bom"), dia de tempo firme.

katûaba (s.) – excelência, boa qualidade, virtude, bondade: *Katunhẽ eîerurébo oré **katûagûama ri!*** – Eia, roga por nossa virtude! (Valente, *Cantigas*, III, in Ar., *Cat.*, 1618); *Abámo... mba'e-katu 'uagûera n'oîkuabi xûé... sé **katûagûera** resé o esaraîamo...?* – Alguém não reconheceria ter comido algo bom, esquecendo-se da excelência de seu sabor? (Ar., *Cat.*, 88v)

NOTA – Daí provém, no P.B., **CATUABA**, homem forte, potente (*PDBLP*, 261).

katueté (adv.) – muito; muito bem; muito mais, muito melhor (*VLB*, II, 44)

katunhẽ (adv.) – eia! avante! sus! acaba já! vai! (incitando, conclamando) (*VLB*, I, 17) (Leva o verbo para o gerúndio.): *Nde **katunhẽ**.* – Eia tu, avante! (*VLB*, I, 19); *Pe **katunhẽ**.* – Eia vós, avante! (*VLB*, I, 108); *Katunhẽ eîerurébo oré katûagûama ri.* – Eia, roga por nossa virtude! (Valente, *Cantigas*, III, in Ar., *Cat.*, 1618)

katu'ok (etim. – *tirar o bom*) (v. tr.) – selecionar, tirar o que é bom, escolher (p.ex., o feijão, tirando-se a parte boa da ruim): *Aîkatu'ok.* – Selecionei-o. (*VLB*, I, 37)

katupabẽ (s.) – multidão, grande número; (adj.) – muitíssimos, numerosíssimos: *... Setápe? – I **katupabẽ**.* – Eles são muitos? – Eles são muitíssimos. (Léry, *Histoire*, 343); *... O mba'e-**katupabẽ** îarama...* – Futuro senhor de suas muitíssimas riquezas. (Ar., *Cat.*, 7); *Ko'yr bé a'e oka a'e cristãos-**katupabẽ** i moetesabamo.* – Agora também aquela casa é lugar de muitíssimos cristãos cultuá-la.

NOTA – Daí, no P.B., **CATUPÉ**, nome de uma dança popular.

katupe (adv.) – a nu, a descoberto, desveladamente: *Aûnhenhẽ Tupã **katupe** îepîakukari i xupé...* – Deus, a descoberto, imediatamente revelou-se a eles. (Ar., *Cat.*, 38)

katuté (adv.) – muito, muitíssimo, bem, bastante: *... Ta pe putu'ẽngatuté irã... pe îemokane'õ ré...* – Haveis de bem recobrar o fôlego no futuro, após vos cansardes. (Ar., *Cat.*, 170)

katutenhẽ (adv.) – **1)** muito, muitíssimo, bastante, bem, muito mesmo: *Aîpotá-**katutenhẽ** opabĩ taba mondyka.* – Quero muito mesmo todas as aldeias destruir. (Anch., *Teatro*, 12); **2)** nem mesmo, ainda que: *... Marãpe... nd'ereîase'o-mirĩngatutenhẽ-motari...?* – Por que não queres chorar nem mesmo um pouquinho? (Ar., *Cat.*, 157)

ka'u[1] (s.) – bebedeira (de cauim); bebedeira em geral: *Mba'e-eté **ka'ugûasu**...* – Coisa muito boa é uma grande bebedeira. (Anch., *Teatro*, 6); *Ixé kó **ka'u** resé aporomoingó îepi...* – Eis que eu faço as pessoas estarem na bebedeira sempre. (Anch., *Teatro*, 134)

NOTA – Daí se origina, no P.B., **CAUAÇU**. O *PDBLP* (p. 262) informa que **CAUAÇUS** eram "*grupos de bandoleiros, outrora existentes nos sertões baianos*", remetendo à ideia de ser gente dada à bebedeira.

ka'u[2] (v. intr.) – tomar cauim, tomar bebida alcoólica: *E'ikatupe abá... o**kagûabo**...?* – Pode alguém beber cauim? (Ar., *Cat.*, 76v); *T'a**ka'u**ne!* – Vou beber cauim! (Anch., *Teatro*, 10); *Saraûaî, îori e**kagûabo**.* – Sarauaia, vem para beber cauim. (Anch., *Teatro*, 60) • **kagûara** – bebedor de cauim: *Onheŷnhang umã sesé kunumĩetá **kagûara**...* – Já se juntaram por causa disso muitos moços bebedores de cauim. (Anch., *Teatro*, 24); **kagûaba** – lugar, tempo, modo etc. de beber cauim: *Nd'e'i te'e kunumĩgûasu... oîkébo memẽ **kagûápe**...* – Por isso mesmo os moços entram sempre no lugar de beber cauim. (Anch., *Teatro*, 34); *Kagûápe nhõ nde ratãngatu-potá?* – Somente quando bebes cauim tu queres ser valente? (Anch., *Teatro*, 64)

ka'u[3] (v. tr.) – fazer papa de (p.ex., de grãos, de mandioca etc.): *Aîka'u.* – Faço papa dela. (*VLB*, II, 64) • **eminga'u (t)** – o que alguém empapa, o empapado, a papa, o **MINGAU**: *xe reminga'u* – meu mingau (Fig., *Arte*, 79)

NOTA – Como se vê, daí provém, em português, a palavra **MINGAU**, que, em tupi antigo, era oxítona.

kaûã (s.) – CAUÃ, ACAUÃ (v. akaûã) (D'Abbeville, *Histoire*, 233)

ka'uba (s.) – CAÚBA, "árvore semelhante à macieira, com folhas parecidas, porém um pouco mais largas. A flor é amarela e vermelha e o fruto do tamanho mais ou menos de uma laranja e de gosto quase igual, com pevides" (D'Abbeville, *Histoire*, 220)

kaûĩ (s.) – 1) CAUIM, bebida indígena, feita de caju (ou mandioca ou aipim) fervido e, depois, mastigado e cuspido por mulheres, para se fermentar com a enzima da saliva (Staden, *Viagem*, 58): *Irũmbûera, ... kaûĩ repyrama ri, aîme'eng abá supé.* – Seus antigos companheiros dei para os índios em troca de cauim. (Anch., *Teatro*, 46); 2) vinho (v. tb. **kaûĩaîa**[1]): *... Miapé o pópe o emiûara i moîebyû o etéramo, kaûĩ og ugûyramo.* – O pão que apanhou em suas mãos devolveu-o como seu corpo e o vinho como seu sangue. (Ar., *Cat.*, 5); (adj.) – embriagado de cauim; **(xe)** ter cauim: *I kaûĩgûasu-pipó xe ramũîa Îagûaruna?* – Tem muito cauim, porventura, meu avô Jaguaruna? (Anch., *Teatro*, 60)
• *i kaûĩgûasuba'e* – beberrão: *Serapûan kó mosakara, i kaûĩgûasuba'e.* – São famosos esses moçacaras, que são uns beberrões. (Anch., *Teatro*, 6)

NOTA – Daí, no P.B., devem provir **CAIÇUMA**, 1) *bebida fermentada, de frutos ou de milho cozido, fabricada por alguns indígenas;* 2) (PA) *molho de tucupi engrossado com goma de mandioca, fécula de batata etc.;* **CAUABA**, *vaso em que os indígenas preparavam o cauim* (in *Novo Dicion. Aurélio*).

CAUIM (bebida indígena) (fonte: De Bry)

kaûĩ'a (etim. – *fruta de vinho*) (s.) – uva (*VLB*, II, 140)

Kaûĩagûé (etim. – *a metade do cauim*) (s. antrop.) – nome de índio tupi (D'Abbeville, *Histoire*, 186v)

kaûĩaîa[1] (etim. – *cauim azedo*) (s.) – vinho (de uvas) (*VLB*, II, 146): **Kaûĩaîa *'useîa é, opakatu amboapy.*** – Querendo beber vinho, tudo esgotei. (Anch., *Teatro*, 46)

kaûĩaîa[2] (ou **kaûĩ'iaîa**) (etim. – *cauim azedo*) (s.) – vinagre (*VLB*, II, 145)

kaûĩaîasy (etim. – *cauim azedo e ruim*) (s.) – vinagre: *Mba'e-py'aûpîara kaûĩaîasy resé i monani...* – Uma coisa amarga com vinagre misturaram. (Ar., *Cat.*, 63v)

kaûĩe'ẽ (etim. – *cauim doce*) (s.) – mosto, sumo de uva (*VLB*, II, 43)

kaûĩeté (etim. – *cauim verdadeiro*) (s.) – 1) o mesmo que **kaûĩ** (v.) (Anch., *Cartas*, 459); 2) vinho de uvas (*VLB*, II, 146)

kaûĩkaraku (s.) – variedade de bebida fermentada que se tomava morna, feita de raízes picadas de aipim-macaxeira (Marcgrave, *Hist. Nat. Bras.*, 274)

kaûĩmakaxera (s.) – variedade de bebida fermentada feita de aipim-macaxeira socado e fervido, que tinha cor branca e era tomada morna (Marcgrave, *Hist. Nat. Bras.*, 274)

kaûĩpysasu (etim. – *cauim novo*) (s.) – mosto, sumo de uva (*VLB*, II, 43)

kaûĩtatá (etim. – *cauim-fogo*) (s.) – aguardente: *... Gûy! I katu-tekatunhẽ kaûĩtatá.* – Oh! É muito boa a aguardente! (D'Evreux, *Viagem*, 364)

kaûĩ'yba (etim. – *planta de vinho*) (s.) – videira, parreira (*VLB*, II, 66)

kaûĩymûana (etim. – *cauim velho*) (s.) – vinho de uvas (*VLB*, II, 146)

Kaûmondá (etim. – *ladrão de cauim*) (s. antrop.) – nome de índio tupi (Anch., *Teatro*, 130, 2006)

kaxabu – o mesmo que **îamakaru** (v.) (Marcgrave, *Hist. Nat. Bras.*, 126)

NOTA – Daí, o nome do município de **CAXAMBU** (MG) (v. Rel. Top. e Antrop. no final).

kaysã (s.) – CAIÇARA, cerca feita de ramas para a defesa contra os inimigos (*VLB*, I, 70) (v. tb. **ka'aysá**)

Eduardo Navarro 225

kaysara (s.) – CAIÇARA, o mesmo que **ka'aysá** (v.) (Frei Vicente do Salvador, *História do Brasil*, I, cap. XVI)

ké?[1] (interr.) – de que tamanho? (*VLB*, II, 91)

ké[2] (adv.) – aqui; o mesmo que **iké** (v.): *Rerityba, xe retama, i xuí xe ruri ké.* – Reritiba, minha terra, dela venho aqui. (Anch., *Poemas*, 150); *Ké abá rekóû anhẽ...* – Aqui os homens estão, na verdade. (Anch., *Teatro*, 26); *Ekûá ké suí ra'a!* – Vai-te daqui já! (Anch., *Teatro*, 32); *Xe anama poepyka ké ixé aîkó.* – Para vingar minha família aqui eu estou. (Staden, *Viagem*, 157) • **keygûara** – habitante daqui, o daqui: *tupinakyîa keygûara* – os tupiniquins, habitantes daqui (Anch., *Teatro*, 140)

ké[3] (part.) – 1) olha lá! cuidado para, olha que eu te aviso! (para que faças ou não faças algo; junta-se aos verbos): *Erasó umẽ ké.* – Cuidado para não o levares. (*VLB*, II, 55-56); 2) não é que: *Ké muru ruri obébo?* – Não é que o maldito veio voando? (Anch., *Teatro*, 24) • Também com as partículas **nhandu**, **ruã**, **rá** (para h.) e **raré** (para m.): **ké nhandu**, **ké nhandu ruã** ou **ké rá** (para h.), **ké raré** (para m.): *Erasó ké raré.* – Leva-o, olha lá! (*VLB*, II, 56)

ké[4] (adv.) – assim, desse modo: *Ã tekó a'ereme moreroka. Ké bŷá Îesus nongi seramo.* – Eis que era costume, por ocasião disso, pôr nome. Assim, puseram como nome dele "*Jesus*". (Ar., *Cat.*, 3)

ké[5] (part.) (Com o verbo '**i** / '**é** na negativa. Forma condicionais.) – no caso de, se: *Nd'e'i ké ogûatá-pytuna...* – Se não andasse de noite... (Fig., *Arte*, 161); *N'e'i ké oguatábo...* – Se ele não andasse...; *Nd'e'i ké o angaîpabamo...* – Se ele não fosse ruim... (Fig., *Arte*, 161)

ké[6] (s.) – lado, ilharga (o mesmo que **iké** – v.): *xe ké* – minha ilharga (D'Evreux, *Viagem*, 159)

keîrûá (s.) – CURUÁ, QUEIROÁ, rato-de-espinho, nome comum a vários roedores da família dos equimiídeos. São como ouriços-cacheiros, caracterizados por seus pelos em forma de cerdas espinhosas. "Criam em covas debaixo do chão." (Sousa, *Trat. Descr.*, 257)

kena'ĩ (ou **kana'ĩ**) (s.) – pessoa folgada, o folgado, o que se esquiva ao trabalho: *I angaîpá kó kena'ĩ...* – São más essas folgadas. (Anch., *Teatro*, 36)

ker (v. intr.) – 1) dormir: *Xe porupi xe ra'yra keri.* – Ao lado de mim dorme meu filho. (Fig., *Arte*, 123); ... *Iké nhẽ peîkó xe rarõmo, xe pyri, pekere'yma...* – Estai aqui esperando-me, junto de mim, não dormindo. (Ar., *Cat.*, 52v); *Ereké-pipó eîupa?* – Estavas realmente dormindo? (Anch., *Teatro*, 10); *Okerĩ... Nd'eremombaki!* – Ele dorme... Não o acordes! (Anch., *Teatro*, 32); *Ereképe, Gûaîxará?* – Dormes, Guaixará? (Anch., *Teatro*, 50); 2) adormecer (*VLB*, I, 22) • **Aker-akerĩ**. – Durmo amiúde. (*VLB*, I, 106)

> NOTA – Daí, no P.B. (AM), **PIRAQUERA** (*sono dos peixes*), pesca noturna à luz de fachos. Daí, também, os nomes geográficos **BAREQUEÇABA** (praia do litoral paulista), **IBIQUERA** (localidade da BA), **ITAQUERA** (bairro de São Paulo, SP) etc. (v. Rel. Top. e Antrop. no final).

kera (s.) – sono, dormida, dormição: ... *Xe keranama mombaka...* – De meu pesado sono despertando-me. (Anch., *Poemas*, 92); ... *I kerype "Xe reryîara tupãoka eîmonhang", e'i Santa Maria i xupé.* – No seu sono, Santa Maria disse a ele: "Faze uma igreja que porte meu nome". (Ar., *Cat.*, 7)

keraíb (xe) (etim. – *dormir mal*) (v. da 2ª classe) – gemer, confranger-se dormindo: *Xe keraíb.* – Eu gemo dormindo. (*VLB*, I, 129)

keraíba (s.) – CARAÍBA, GUARAÍBA, árvore do cerrado, planta bignoniácea (*Tabebuia aurea* (Silva Manso) S. Moore) (Marcgrave, *Hist. Nat. Bras.*, 135)

kerambu (xe) (etim. – *roncar de sono*) (v. da 2ª classe) – roncar (o que dorme): *Xe kerambu-gûasu.* – Eu ronco muito. (*VLB*, II, 108)

keramonaé (conj.) – não sendo assim, como não é (Fig., *Arte*, 148)

keramonaémo (conj.) – não sendo assim, como não é (Fig., *Arte*, 148)

keraparar (xe) (v. da 2ª classe) – cair de sono totalmente, cochilar cabeceando: *Xe kerapará-parar.* – Eu estou caindo de sono. (*VLB*, I, 62; II, 133)

kerar (xe) (v. da 2ª classe) – cair de sono; cochilar: *Xe kerá-kerar.* – Eu estou caindo de sono. (*VLB*, I, 62)

kerarõ (etim. – *guardar o sono*) (v. intr.) – velar (Marcgrave, *Hist. Nat. Bras.*, 277)

kerasem (xe) (v. da 2ª classe) – gritar dormindo: *Xe kerasẽ-rasem.* – Eu fico gritando dormindo. (*VLB*, I, 129)

kereîûá (s.) – QUEREJUÁ, GUIRUÁ, CREJUÁ, nome comum a pássaros do litoral do Brasil oriental, da família dos cotingídeos, de cores brilhantes e vistosas, de rara beleza. São também chamados **CATINGÁ, CREJICA, SUIRUÁ, QUIRUÁ, CURUÁ** (D'Abbeville, *Histoire*, 239; Cardim, *Trat. Terra e Gente do Brasil*, 36): *Aó-kereîûá kûarasy sosé oberaba'e nungara...* – Semelhante a uma roupa de querejuá que brilha mais que o sol. (Ar., *Cat.*, 37v)

NOTA – Daí, **QUAJUÁ** (rio do PA) (v. Rel. Top. e Antrop. no final).

keremẽ (adv.) – depressa! rápido! (dando ordem) (Fig., *Arte*, 135): *Keremẽ xe remi'u rekoaba!* – Depressa haja minha comida! (Léry, *Histoire*, 367)

kerikó (s.) – peixe de água doce semelhante às savelhas (Sousa, *Trat. Descr.*, 296)

kerupaba (etim. – *lugar de estar deitado para dormir*) (s.) – dormitório (*VLB*, I, 106)

kesaba¹ (etim. – *lugar de dormir*) (s.) – cama; rede de dormir: *Eîotî nde kesaba xe porupi.* – Amarra tua rede de dormir ao lado de mim. (Anch., *Arte*, 44)

NOTA – Daí, o nome geográfico **BAREQUEÇABA** (SP) (v. Rel. Top. e Antrop. no final).

kesaba² (etim. – *lugar de dormir*) (s.) – poleiro: *gûyrá-kesaba* – poleiro de aves (*VLB*, II, 80)

NOTA – Daí, no P.B. (Amaz.), pelo nheengatu, **INAMBUQUIÇAUA**, árvore da família das gutíferas, da região do rio Negro. Daí, também, os nomes geográficos **GUARAQUEÇABA, URUBUQUEÇABA** etc. (v. Rel. Top. e Antrop. no final).

kesapeba (etim. – *lugar de dormir achatado*) (s.) – cama de dormir (*VLB*, I, 64)

ketetê (part.) – olhe bem que! veja bem que!: *Nd'e'i te'e moxy ketetê abá ropenhana...* – Olhe bem que, por isso mesmo, o maldito ataca o homem. (Ar., *Cat.*, 89)

kiri (ou **kiryba**) (s.) – QUIRI, QUIRIM, planta da família das borragináceas (*Cordia goeldiana* Huber), "que corta pelo ferro por ser mais duro que ele, cujo branco de fora pode suprir a falta de marfim em qualquer obra". É também conhecida como *frei-jorge*. (Brandão, *Diálogos*, 171)

kiryba (s.) – QUIRIBA, o mesmo que **kiri** (v.) (*ABN*, LXXXII (1962), 328)

kisi (s.) – nome de um inseto (Marcgrave, *Hist. Nat. Bras.*, 254)

kisimirĩ (s.) – espécie de inseto elaterídeo (Marcgrave, *Hist. Nat. Bras.*, 254)

kity (s.) – pau-de-sabão, planta sapindácea (*Sapindus saponaria* L.). "A polpa... acha-se rodeada de uma cutícula mole e glutinosa, fazendo as vezes de sabão porque também produz espuma." (Marcgrave, *Hist. Nat. Bras.*, 113)

kó¹ (dem. pron. e adj.) – este (s, a, as); esse (s, a, as), isto: *Akûeîme kó tabygûara xe pó gûyrybo sekóû.* – Antigamente esses habitantes da aldeia sob minhas mãos estavam. (Anch., *Teatro*, 126); *Kó a'e ybaka îandé remiepîakûama oîmonhang.* – Esse fez aquele céu que vemos. (Ar., *Cat.*, 86); *... Aseîá kûesé xe roka kó pupé missa rendupa.* – Deixei ontem minha casa para ouvir a missa dentro desta (igreja). (Anch., *Poemas*, 112); **2)** (dem. adv.) – eis, eis que, eis que aqui (Fig., *Arte*, 134), eis que este: *Pysaré kó i kere'ymi...* – Eis que a noite toda ele não dormiu. (Anch., *Teatro*, 32); *Kó xe 'akusu, xe ranha...* – Eis aqui meus chifrões, meus dentes... (Anch., *Teatro*, 40); *N'asapîari kó xe rubeté...* – Eis que não obedeço a meu pai verdadeiro. (Ar., *Cat.*, 25v); *Kó xe rekóû nde reká...* – Eis que aqui estou para te procurar. (Anch., *Poemas*, 104); **3)** (dem. adv.) – aqui: *Xe ra'yt, aîmo'ang nde re'õaûama kó nde eîupa ko'yté.* – Meu filho, penso que tu morrerás, enfim, estando aqui deitado. (Bettendorff, *Compêndio*, 118); *Kó sekóû kó.* – Eis que está aqui. *Kó tuî kó.* – Eis que aqui ele está deitado. (*VLB*, I, 109); *kó rupi* – por aqui (*VLB*, II, 81) • **kó amoaé** – este outro (*VLB*, I, 130); **kó amoaé-te** (ou **kó amõ-te**) – este outro (e não ele) (*VLB*, I, 130); *kó é* – eis cá, eis aqui, eis que aqui (e não lá onde tu buscas ou olhas): *Kó é turi.* – Eis que aqui ele vem. *Kó é i xóû.* – Eis que aqui ele vai. *Kó é aîkó.* – Eis que aqui estou. (*VLB*, I, 109); **kó-te** – este outro (e não ele) (*VLB*, I, 130)

kó² (s.) – lavoura, roça (*VLB*, II, 19); campo semeado (*VLB*, I, 65): *Aîur xe kó suí.* – Venho da minha roça. (Fig., *Arte*, 9); *Pedro o kópe sekóû.* – Pedro está na sua roça. (Fig., *Arte*, 81); *Aîkó-monhang xe ruba.* – Faço a roça de meu pai. (Fig., *Arte*, 87); *Asó xe ruba pyri kópe,*

koapapy¹

nhũ rupi. – Vou para junto de meu pai à roça, pelo campo. (Fig., *Arte*, 7); *Eremondarõpe nde rapixaba kópe?* – Furtaste na roça de teu próximo? (Anch., *Doutr. Cristã*, II, 98); *Aîkó-me'eng Pedro.* – Dou roça a Pedro. (Anch., *Arte*, 33); (adj.) – roceiro; **(xe)** ter roça: *Xe kó.* – Eu tenho roça. (Fig., *Arte*, 67) ● **kopûera** – roçado antigo, onde o mato cresceu de novo (*VLB*, II, 33)

> NOTA – Daí, no P.B., **COIVARA** (*kó* + '*yb* + *ar* + *-a*, "tomar os paus da roça") (v. **koybara**); **CARPIR** (*kopir*, "limpar roça"). Daí, também, o nome geográfico **COCAIA** (SP) (v. Rel. Top. e Antrop. no final).

KÓ (roça) (fonte: Staden)

koapapy¹ (adv.) – sem resultado, inutilmente, em vão (*VLB*, I, 140)

koapapy² (adv.) – o mais cedo possível, em um momento; imediatamente (*VLB*, I, 37)

ko'arapukuî (etim. – *durante este mundo; durante este dia*) (adv.) – **1)** sempre, perpetuamente, enquanto o mundo durar: *N'osa'angi-te-p'akó nhembo'e ko'arapukuî?* – Mas não tentam esses aprender sempre? (Anch., *Teatro*, 30); *Apŷaba, gûaîbĩ, kunhãne, ko'arapukuî xe rembiá...* – Homens, velhas, mulheres sempre serão minhas presas. (Anch., *Teatro*, 92); **2)** o dia todo: – *Abá bépe n'oîabyî oîekuakube'yma?* – *Ko'arapukuî morabykŷara...* – Quem mais não o transgride, não jejuando? – Os que trabalham o dia todo. (Ar., *Cat.*, 77v); **3)** cotidianamente (*VLB*, II, 94) ● **ko'arapukuîndûara** – coisa cotidiana, o que é de cada dia (*VLB*, II, 94)

koba'e (dem. pron.) – este (s, a, as), isto: *Erasó koba'e nde ruba pé.* – Leva isto a teu pai. (Fig., *Arte*, 121); *A'e aé koba'e katu me'engara re'a...* – É ele o que dá o bem desses, com certeza. (Ar., *Cat.*, 66) ● **koba'e-te** – este outro (e não ele) (*VLB*, I, 130); **koba'e îabé** – deste modo, desta maneira: *Koba'e îabé opomombabyne.* – Desta maneira vos destruiremos. (Laet, *Novus Orbis*, Livro XV, cap. IV, §5)

kobé (adv.) – aqui, eis aqui, aqui está, eis que, eis que aqui: *Kobé aîkó.* – Aqui estou eu. (*VLB*, I, 40); ... *Kobé xe rembiaretá t'ame'ẽne amõ endébo...* – Eis que também minhas muitas presas hei de dar algumas a ti. (Anch., *Teatro*, 46); ... *Kobé aîkó nde ra'yrangaîpabĩnamo...* – Eis que aqui estou como teu filho pecador. (Ar., *Cat.*, 86); *Kobé xe îurupara, kobé arupare'aka.* – Eis aqui meu arco, eis aqui as farpas. (Anch., *Teatro*, 162); *Kobé sekóû kó.* – Eis que ele está aqui; *Kobé tuî kobé* (forma enfática). – Eis que aqui está deitado. (*VLB*, I, 109)

kóbo (adv.) – em qualquer parte; por estas partes (lugar incerto); de toda parte (Fig., *Arte*, 130; *VLB*, II, 91): *Omonhe'eng-uká temõ Tupã te'õmbûera kóbo...* – Oxalá Deus mandasse os cadáveres de toda parte falarem. (Ar., *Cat.*, 156v)

ko'em (ou **ko'ẽ**) **(xe)** (v. da 2ª classe) – amanhecer: *Oky-ko'ẽ-ko'ẽ amana...* – A chuva ficava amanhecendo a cair. (Ar., *Cat.*, 41v)

ko'e⁀îeté (adv.) – o mais cedo possível, em um momento (*VLB*, I, 37)

ko'ema (ou **ko'ẽ**) (s.) – manhã, o amanhecer, as primeiras horas do dia: *Mamõpe erimba'e te'yî-katupabẽ Îandé Îara rerasóû Kaiphás roka suí ko'em'iré?* – Para onde a multidão numerosíssima levou Nosso Senhor da casa de Caifás após o amanhecer? (Ar., *Cat.*, 58); ... *Nde ko'ema, 'ara rorypabeté.* – Tu és a manhã, verdadeira alegria do dia. (Valente, *Cantigas*, IV, in Ar., *Cat.*, 1618) ● **ko'emĩneme** – ao amanhecer, de manhãzinha; **ko'emĩnemebé** – de manhãzinha, ao amanhecer; **ko'em iã** – eis que é manhã; **ko'ẽ ã** – eis que é manhã, eis que amanheceu; **ko'ẽ kó** – eis que amanheceu (*VLB*, I, 33); **ko'ẽme** – ao amanhecer (*VLB*, I, 102); pela manhã (Fig., *Arte*, 128): ... *Ko'ẽme gûemi'urama resé onhemosaînana...* – De manhã, cuidando de sua comida. (Ar., *Cat.*, 11v)

> NOTA – Daí, no P.B. (AM), **TIPACOEMA, TEPACUEMA** (*typab* + *ko'ema*, "manhã do seca-água"), *fenômeno lunar de que provém a parada do fluxo e refluxo das marés, descobrindo*

trechos do rio por vezes nunca vistos; a parada da maré, ao amanhecer, no final da vazante; baixa-mar matutina (in *Novo Dicion. Aurélio*). Daí, também, **COEMA**, o nome de uma personagem indígena da obra *Os Timbiras*, de Gonçalves Dias, evocada no poema *Lindoya*, de Machado de Assis:
Vem, vem das águas, mísera Moema, / Senta-te aqui. As vozes lastimosas / Troca pelas cantigas deleitosas, / Ao pé da doce e pálida **COEMA**. (in *Poesias Completas*. Rio de Janeiro, Civilização Brasileira, 1977).

ko'emytanga (etim. – *avermelhamento da manhã*) (s.) – aurora (*VLB*, I, 33); luz da manhã (*VLB*, II, 25): *Our ko'emytanga*. – Veio a aurora. (*VLB*, I, 123)

ko'ĩ (adv.) – pertinho (*VLB*, II, 74); perto; aqui pertinho (Fig., *Arte*, 130): *Ko'ĩ aîkó (abá) suí*. – Pertinho estou do homem. (*VLB*, II, 75, adapt.); *ko'ĩ rupi* – por aqui pertinho (Fig., *Arte*, 132); (adj.) – próximo, contíguo: ... *Karaibebé i ko'ĩ?* – O anjo da guarda está perto? (Anch., *Teatro*, 162, 2006)

kõîa (ou **koîgûera**) (s.) – gêmeos (de qualquer sexo), irmão ou irmã gêmeos (Ar., *Cat.*, 114) (Usa-se também *ûera* por se entender que estavam juntos no ventre da mãe e que, ao nascerem, separaram-se.): *xe kõîgûera* – meu irmão gêmeo, o que nasceu juntamente comigo (Ar., *Cat.*, 268, 1686); *Kõîgûera oré*. – Nós somos gêmeos. (*VLB*, I, 147); (adj.: **kõî**) – gêmeo: *Oré kõî*. – Nós somos gêmeos. (*VLB*, I, 147); *Xe membykõî*. – Tive filhos gêmeos. (*VLB*, II, 66)

NOTA – Daí, no P.B., **CONHA**, saliência no tronco das árvores, desde a base até certa altura, isto é, um *tronco gêmeo*; **INCONHO**, **INCÕE**, **CONHO**, 1) diz-se do fruto que nasce pegado a outro: *banana* **CONHA**; *morangos* **INCONHOS**; 2) diz-se de coisas muito ligadas entre si: "Na era dos Descobrimentos, pouco aproveitava distinguir a lenda da História, uma e outra, *inconhas* e inseparáveis." (João Ribeiro, in *Notas de um Estudante*, apud *Novo Dicion. Aurélio*).

ko'ĩa'ub – o mesmo que **ko'ĩ** (v.)

kõîgûera – v. **kõîa**

koîpó (ou **konipó**) (conj.) – ou: *Andyrá ruãpe é, panama koîpó gûaîkuíka?* – Será que é um morcego, uma borboleta ou uma cuíca? (Anch., *Teatro*, 42); *Sekoaûîepe gûaîtaká koîpó gûaîanã ra'yra?* – Está pronto o goitacá

komandagûasu

ou o filho do guaianá? (Anch., *Teatro*, 62); *Yby koîpó mba'e amõ gûara*... – O que come terra ou outra coisa. (Ar., *Cat.*, 70); *Endé konipó ixé*. – Tu ou eu. (*VLB*, II, 60)

koîrimá (s.) – CURIMÃ (v. **kurimã**) (Sousa, *Trat. Descr.*, 285)

kok (-îo-) (v. tr.) – escorar, apoiar: *Aîokok*. – Escorei-o. (*VLB*, I, 123)

NOTA – Daí, o nome geográfico **ITAPECOCA** (v. Rel. Top. e Antrop. no final).

kokaba (etim. – *lugar de encostar-se*) (s.) – **1)** encosto (*VLB*, I, 115); escora (*VLB*, I, 123); **2)** tranca: *okena kokaba* – tranca da porta (*VLB*, II, 135)

kokoty[1] (adv.) – doutra parte (*VLB*, I, 106); e por outra parte (Fig., *Arte*, 130); por outro lado, para outra parte (Fig., *Arte*, 130); para cá, para este lado (*VLB*, II, 91): ... *Kokoty paranã aé rame'ĩ o abaetéramo erimba'e gûekoagûera sosé...* – E por outra parte, semelhantemente, o próprio mar será mais terrível do que é seu costume. (Ar., *Cat.*, 159v) • **kokoty bé** – mais para cá (*VLB*, II, 91)

kokoty[2] (conj.) – de um lado... de outro lado (repetindo-se o termo); por um lado... por outro lado: *Kokoty tatá rasyeté, kokoty-kokoty ro'y oporomoryryîeteba'e, i moîasegûabone; kokoty ambyasy, 'useîeté...* – Por um lado, a grande dor do fogo, por outro lado, um frio que faz as pessoas tremerem muito, fazendo-as chorar; por outro lado, a fome, uma grande sede. (Ar., *Cat.*, 164)

komanakaru – o mesmo que **îamandakaru** (v.) (Lisboa, *Hist. Anim. e Árv. do Maranhão*, fl. 182v)

komandá (s.) – COMANDÁ, espécie de vagem; feijão, nome comum a várias plantas leguminosas-papilionáceas, do gênero *Phaseolus*, incluindo o feijão comum, *P. vulgaris* L. e o feijão-lima, *Phaseolus lunatus* L. (D'Abbeville, *Histoire*, 229)

NOTA – Daí provêm os nomes geográficos **COMANDACAIA**, **COMANDATUBA** (localidades da BA) etc. (v. Rel. Top. e Antrop. no final).

komandagûasu (ou **komandaûasu**) (etim. – *comandá grande*) (s.) – **1)** fava (Fig., *Arte*, 140; Léry, *Histoire*, 333, 1994; *Theat. Rer. Nat. Bras.*, II, 200): *Ma'epe ereîpotar?* – *Îetyka,*

komandagûyra

komandaûasu... – Que queres? – Batata-doce, favas. (Léry, *Histoire*, 347); **komandagûasu**-*tyba* – faval, plantação de favas (*VLB*, I, 135); **2)** feijão (*VLB*, I, 136)

komandagûyra (etim. – *comandá inferior*) (s.) – variedade de planta leguminosa, feijão (Marcgrave, *Hist. Nat. Bras.*, 62)

komanda'í (etim. – *comandazinho*) (s.) – feijão (Fig., *Arte*, 140; *VLB*, I, 136)

komandamirĩ (etim. – *comandá pequeno*) (s.) – o grão de feijão; feijão (D'Abbeville, *Histoire*, 229): – *Ma'epe ereîpotar?* – *Îetyka, komandaûasu, komandamirĩ...* – Que queres? – Batata-doce, favas, feijões. (Léry, *Histoire*, 347)

komendo'i (s.) – árvore da família das leguminosas que "dá umas bainhas como feijões, ... os quais servem para tentos" (Sousa, *Trat. Descr.*, 223)

komixã (s.) – **1)** GRUMIXAMA, GRUMIXAMEIRA, planta da família das mirtáceas (*Eugenia brasiliensis* Lam.), com frutos pequenos, à feição de murtinhos; **2)** o fruto dessa árvore (Brandão, *Diálogos*, 217)

komonipó – o mesmo que **koîpó** (v.)

konduru (s.) – CONDURU, CONDURU-DE-SANGUE, amapá-doce, grande árvore da família das moráceas (*Brosimum paraense* Huber) (Sousa, *Trat. Descr.*, 217; Brandão, *Diálogos*, 171)

kongûyra (s.) – véu do paladar (D'Evreux, *Viagem*, 158)

koniã (conj.) – de um lado... de outro lado (repetindo-se o termo): ... *Tupã îandé rekomonhang'iré... mokõî nhõ abá rekoabane:* **koniã** *ybaka Tupã raûsupara rekoabamo,* **koniã** *Anhanga ratá i angaîpaba'e rekoabamono.* – Após Deus nos julgar, duas somente serão as moradas dos homens: de um lado o céu, como morada dos que amam a Deus, e, doutro lado, o inferno, como a morada dos que são pecadores. (Ar., *Cat.*, 163)

konipó – o mesmo que **koîpó** (v.)

kopa'yba (s.) – **1)** COPAÍBA, COPAIBEIRA, pau-de-óleo, bálsamo, árvore frondosa de madeira avermelhada da família das leguminosas (*Copaifera llangsdorffii* Desf.). Produz um óleo amarelado de propriedades medicinais, bem viscoso (Marcgrave, *Hist. Nat. Bras.*, 130). "... Para feridas é muito estimado e tira todo sinal. Também serve para as candeias, e arde bem." (Cardim, *Trat. Terra e Gente do Brasil*, 41); **2)** designa também a madeira e o óleo ou resina obtidas da seiva de várias das árvores desse gênero, especialmente da copaíba-verdadeira e da copaíba-vermelha. (Piso, *De Med. Bras.*, IV, 178; Sousa, *Trat. Descr.*, 202)

kopa'ymbuka (etim. – *copaíba de fenda, copaíba de furo*) (s.) – gameleira, espécie de árvore morácea (*Ficus gomelleira* Kunth), de madeira mole, de raízes tabulares. "Estas árvores têm umas raízes sobre a terra feitas por tal artifício que parecem tábuas postas ali a mão, as quais lhe cortam ao machado, de que se tiram tabuões, de que se fazem gamelas de cinco, seis palmos de largo... de onde se fazem também muitas rodelas..." (Sousa, *Trat. Descr.*, 219)

kopiara (etim. – *caminho da roça*) (s.) – COPIAR, alpendre, varanda contígua à casa, formada pelo prolongamento da cobertura, passagem para o exterior (Bettendorff [1698], *Crôn. do Maranhão*, in *RIH*, LXXII (1909), 488)

kopîasó (v. intr.) – ir à roça: *Erekopîasópe domingo koîpó 'areté amõ pupé?* – Foste à roça no domingo ou em algum dia de guarda? (Anch., *Doutr. Cristã*, II, 85); *Akopîasó.* – Vou à roça. (*VLB*, II, 14) • **kopîasoara** – o que vai à roça (*VLB*, II, 14)

kopir (etim. – *mondar a roça*) (v. intr.) – lavrar a terra, fazer lavoura, fazer roça; CARPIR, roçar: *Akopir.* – Faço roça. (*VLB*, II, 19) • **kopirara** – carpidor, roçador: *Kopirarûera ké aîur.* – Venho aqui depois de ter roçado (lit., *aqui venho, o que foi roçador*). (D'Evreux, *Viagem*, 144)

kopira (etim. – *monda-roça*) (s.) – roçado; roçador: *Ereîkó* **kopira** *resé kó tyma.* – Estiveste no roçado para plantar roça. (Anch., *Teatro*, 166)

> NOTA – Daí, no P.B., a palavra **CAIPIRA**, o roceiro, o habitante do campo ou da roça, particularmente o de São Paulo, Minas Gerais, Goiás e Mato Grosso, de pouca instrução e de convívio e modos rústicos, vivendo numa economia de subsistência.

kopisaba (s.) – lavoura, roça, capixaba (*VLB*, II, 19); local apropriado para plantação, roça (Rodrigues, *Relação*, in S. Leite, *Novas Cartas Jesuíticas*, 219)

NOTA – Daí, no P.B., a palavra **CAPIXABA**, 1) pequeno estabelecimento agrícola; 2) o natural do estado do Espírito Santo (em referência aos roçados dos primeiros moradores da vila de Vitória, hoje a capital daquele estado).

kopûera (etim. – *roça que foi*) (s.) – mato que já foi roçado (*VLB*, II, 33); lugar onde já houve roça (Cardim, *Trat. Terra e Gente do Brasil*, 41)

kopytá (s.) – parte inferior de lança, de bastão (*VLB*, I, 81)

kopytaupaba (s.) – parte inferior de lança, de bastão (*VLB*, I, 81)

kori[1] (adv.) – hoje (ainda por acontecer, referente ao tempo que ainda virá) (Fig., *Arte*, 128): *Xe reîtyk korine mã!* – Ah, vencer-me-ão hoje. (Anch., *Teatro*, 26); *Peporeaûsu korine...* – Estareis aflitos hoje. (Anch., *Teatro*, 42); *Oroapy kori, îandu!* – Queimo-te hoje, como de costume! (Anch., *Teatro*, 44); *Asó kori paranãmene.* – Irei hoje ao mar. (Anch., *Arte*, 22); *Asó kori okype nde rur'iréne.* – Irei hoje à casa depois que tu vieres. (Anch., *Arte*, 22); *Nde akanga îuká aîpotá korine.* – Tua cabeça quererei quebrar hoje. (Staden, *Viagem*, 156) • **kori é** (ou **kori é kori** ou **kori-îé** ou **kori-îé kori** ou **kori é pyrybĩ**) – hoje mesmo (futuramente) (Fig., *Arte*, 128); daqui a pouco, em breve (*VLB*, I, 89); depois, logo (*VLB*, I, 100): ... *Kori é t'oromondóne.* – Hoje mesmo hei de fazer-te ir. (Anch., *Teatro*, 32)

> OBSERVAÇÃO – Entre os tupis de São Vicente servia **kori** para o pretérito e para o futuro (*VLB*, II, 55).

NOTA – Daí, no P.B., **ATECURI**, *até logo* (in *Dicion. Caldas Aulete*).

kori[2] (s.) – **CURI**, variedade de argila vermelha usada para tingimentos (Ferreira, *América Abreviada*, in *RIH*, LVII (1984), 49)

> NOTA – Daí, o nome geográfico **CORIPE** (AM) (v. Rel. Top. e Antrop. no final).

koriko'eme (adv.) – amanhã (*VLB*, I, 33)

korikoria'ub (ou **korikoria'u** ou **korikorinhẽa'ub**) (adv.) – 1) muito depressa, logo (Fig., *Arte*, 137); 2) ansiosamente, com desejo: ... *korikoria'u i gûabo îepi...* – comendo-o ansiosamente sempre (Anch., *Diál. da Fé*, 228); 3) indica desejo ou ansiedade em se realizar alguma coisa: *Korikoria'ub oroepîak.* – Desejo muito ver-te; não via a hora de ver-te. (*VLB*, II, 48). Às vezes a partícula **nhẽ** pode intercalar-se: *Memeté rakó pé o emingûabe'yma rupi oguataba'e o angekotebẽnamo,* **korikorinhẽa'ub** *'ara repîaki...* – Quanto mais um caminhante por um caminho que não conhece se aflige, mais deseja logo ver o dia. (Anch., *Doutr. Cristã*, II, 79)

korine'yba (s.) – **CORINDIÚBA, CORINDIBA, QUATINDIBA**, nome comum a plantas arbustivas e espinescentes da família das ulmáceas, de boa madeira (Sousa, *Trat. Descr.*, 204)

korite'ĩ (adv.) – 1) rápido, depressa, ligeiramente, brevemente, logo: – *Marãpe asé rekóû Tupãar'iré?* – *Nd'onhonumuni* **korite'ĩ**. – Que faz a gente após comungar? – Não cospe logo. (Bettendorff, *Compêndio*, 89); *Xe membyrar* **korite'ĩ**. – Eu darei à luz logo. (D'Evreux, *Viagem*, 137); 2) agora: *Korite'ĩ i xóû.* – Agora ele vai. (Fig., *Arte*, 94); *Korite'ĩ Pedro xe ruba mongetáû.* – Agora Pedro conversa com meu pai. (Fig., *Arte*, 96); 3) há pouco, agora há pouco (*VLB*, I, 24) • **korite'ĩ-aíb** – logo, depressa, rapidamente (Fig., *Arte*, 129); **korite'ĩ-aíb-eté** – o mais cedo possível, em um momento (*VLB*, I, 37): ... *A'eîbé* **korite'ĩ-aíb-eté** *serasóû aûîeramanhẽ tatápe...* – Logo então, em um momento, leva-o para sempre para o fogo. (Ar., *Cat.*, 159v); ... *Xe membyrĩ mã...,* **korite'ĩ-aíb-eté** *erekanhem xe suí...* – Ó meu filhinho, em um momento desapareceste de mim! (Ar., *Cat.*, 156); **korite'ĩ nhote** – um pouco (fal. de tempo), pouco tempo (*VLB*, I, 154), por pouco tempo (*VLB*, II, 83); o mais cedo possível, em um momento: *Pesa'ang îepé...* **korite'ĩ** *nhote xe pyri pekere'yma...* – Tentastes em vão, por pouco tempo, não dormir perto de mim. (Ar., *Cat.*, 53); **korite'ĩ-mbyryb** – agora há pouco (*VLB*, I, 24)

korite'ĩte'ĩ (adv.) – amiúde, frequentemente (*VLB*, I, 34)

korõîa (s.) – aspereza, grossura; embotamento; (adj.: **korõî**) – áspero, grosso (ao tato), embotado (gume, fio de faca etc.): *aembé-korõîa* – fio embotado (de faca, de machado etc.) (*VLB*, I, 44)

> NOTA – Daí, no P.B. (Amaz.), **OITICOROIA** ("oiti áspero"), árvore da família das rosáceas, de grandes folhas coriáceas, isto é, ásperas e grossas como o couro.

korokoró (s.) – **COROCORÓ**, peixe da família dos percídeos (Marcgrave, *Hist. Nat. Bras.*, 177)

koromõ

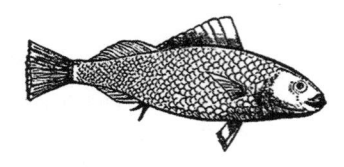

COROCORÓ (fonte: Marcgrave)

koromõ (adv.) - logo, logo mais, daqui a pouco, em breve: *Koromõ ipó eregûatá xe rekoápe...* - Logo, decerto, passarás no lugar em que moro. (Anch., *Poemas*, 156); *Koromõ keygûara temiminõ moaûîebo, asapekóne.* - Logo, vencendo os teminimós, habitantes daqui, frequentá-los-ei. (Anch., *Teatro*, 136); - *Esenõî mbá!* - *Koromõ!* - Nomeia tudo. - Logo mais. (Léry, *Histoire*, 343) • **koromõ-apyri'ĩ** - daqui a pouquinho (*VLB*, I, 89)

kororõ (s.) - 1) grunhido, rosnado (p.ex., do cão que vai morder, do que rói o osso, do gato que come o rato): *xe kororõ-pysyrõ...* - meu soltar de grunhidos (Anch., *Teatro*, 162); 2) ronco, roncado; roncador (D'Abbeville, *Histoire*, 185v)

> NOTA - Daí, **MOCORORÓ** (*mo-* + *kororõ*, "o que faz roncar"), 1) *nome que, no Ceará e Maranhão, dão ao suco de caju fermentado;* 2) *nome comum a várias bebidas fermentadas* (in *Dicion. Caldas Aulete*).

korororoka (s.) - nome de um peixe (Marcgrave, *Hist. Nat. Bras.*, 179)

Kororõûasu (etim. - *grande roncador*) (s. antrop.) - nome de índio tupi (D'Abbeville, *Histoire*, 185v)

kosok (ou **kotok**) (v. intr.) - menear, balançar-se, mexer-se, oscilar, vascolejar-se (p.ex., o vaso com líquido) (*VLB*, II, 142)

kote'ĩ (adv.) - eis aqui pertinho: *Kote'ĩ turi kó.* - Eis que aqui pertinho vem. (*VLB*, I, 109)

kotok - o mesmo que **kosok** (v.)

kotorá (s.) - variedade de rã venenosa (Piso, *De Med. Bras.*, 160)

koty[1] (posp.) - 1) em direção a, na direção de, rumo a, para: *Eboûî nde resá i poraûsubaryba'e erobak oré koty...* - Esses teus olhos compadecedores volta em nossa direção. (Ar., *Cat.*, 14v); ... *Ybaté koty ogûetymã moîarukari, 'yba koty o akanga.* - Para cima suas pernas mandou pregar e, para baixo, sua cabeça. (Ar., *Cat.*, 9); *'Y-pytera koty asó.* - Fui na direção do meio das águas. (*VLB*, I, 112); 2) ao lado de, da direção de, do lado de: ... *Anheté pesepîak irã Tupã tuba 'ekatûaba koty xe gûapyka xe renane...* - Na verdade, ver-me-ás futuramente estar sentado ao lado da mão direita de Deus-Pai. (Ar., *Cat.*, 56v); *i apé koty* - do lado de fora dele (p.ex., de um vaso, de algo que tenha lado interior e exterior) (*VLB*, I, 92); ... *Mosapyr morubixaba "reis" 'îaba kûarasysembaba koty suí ouryba'e...* - Três chefes chamados "reis" que vêm da direção do Oriente... (Ar., *Cat.*, 3); 3) com relação a, a respeito de, acerca: - *Abápe aîpó Tupã nhe'enga oîmomaran?* - *Tupã nhe'enga morombo'esaba koty "anhẽ ra'upe" e'iba'e.* - Quem combate aquela palavra de Deus? - O que diz com relação ao ensinamento da palavra de Deus: "Vamos ver se é verdade!" (Ar., *Cat.*, 66); *Mba'e-poxy koty onhe'engaíbamo...* - Dizendo palavras más acerca de coisas nojentas. (Anch., *Diál. da Fé*, 211); 4) contra: ... *Tupã rekó koty nhe'enga reîtyka.* - Lançando palavras contra a lei de Deus. (Ar., *Cat.*, 98v) • **kotypendûara** - o que está ao lado de: ... *mba'easybora nde kotypendûara...* - o doente que está ao teu lado (Ar., *Cat.*, 111)

koty[2] (s.) - armadilha, cilada, ardil: *T'aîtyk pá koty...* - Que eu lance fora todas as armadilhas. (Anch., *Poemas*, 130); *Kotype muru amoingé...* - Nas armadilhas fiz os malditos entrarem... (Anch., *Teatro*, 48); *Kotype aîub.* - Estou em cilada. (*VLB*, I, 74)

koty[3] (s.) - quarto; aposento, dependência; canto; ambiente, meio; cela (*VLB*, I, 70): *O koty og o'o repyîagûama resé...* - Para a aspersão de seu aposento e de seu próprio corpo. (Ar., *Cat.*, 93); ... *Ereroîképe nde kotype?* - Entraste com ele em teu aposento? (Ar., *Cat.*, 107); *O koty suí mba'epoxy reîtyk'iré, abá nd'ogûeroîebyri o kotype, i mosãîa...* - Após lançar fora de seu meio os vícios, o homem não os faz voltar consigo para seu meio, dispersando-os. (Ar., *Cat.*, 250); ... *Aîosub abá koty.* - Visito os aposentos dos índios. (Anch., *Teatro*, 8)

kotyasaba (etim. - *o companheiro do lado*) (s.) - aliado, que pode até mesmo casar-se com a filha ou irmã de seu aliado (Léry, *Histoire*, 358)

kotypotaba (etim. - *isca de cilada*) (s.) - 1) homem corredor que, na guerra, vai por negaça e põe os inimigos em cilada (*VLB*, I, 82); 2) negaça, engodo, isca (em guerra) (*VLB*, II, 48)

koybara (etim. – *cata-paus de roça* < **kó** + **'yba** + **ar** + -**a**) (s.) – COIVARA, técnica indígena de manuseio da terra, que consiste em queimar restos de troncos, galhos de árvores e mato para preparar a terra para a lavoura, limpando-a (Rodrigues, *Relação*, in Leite, *Novas Cartas Jesuíticas*, 230)

> NOTA – COIVARA passou a ter, no P.B., mais sentidos: 1) *restos ou pilha de ramagens não atingidas pela queimada, na roça à qual se deitou fogo, e que se juntam para serem incineradas a fim de limpar o terreno e adubá-lo com as cinzas, para uma lavoura*; 2) (MA) *galhadas e troncos de árvores derrubados pelas cheias e que descem rio abaixo* (in *Novo Dicion. Aurélio*).

ko'yr (ou **ko'y**) (adv.) – agora; hoje (Fig., *Arte*, 128): ... *Aîkuá-katu Tupã ko'y nde rerekokatu.* – Bem sei que agora Deus te favorece. (D'Abbeville, *Histoire*, 350); *A'e ko'y, xe resé, ó-mirĩ pupé ereîkó.* – Mas agora, por minha causa, dentro de uma casinha estás. (Anch., *Poemas*, 128); *Anhanga t'îaîpe'a ko'yr aûîeramanhẽ...* – Que afastemos o diabo agora e para sempre. (Valente, *Cantigas*, VI, in Ar., *Cat.*, 1618); *Enhe'eng ko'yr!* – Fala agora! (Staden, *Viagem*, 154) • **ko'yr é**; **ko'yr é é**; **ko'yr é-katueté** – agora mesmo (depois de tanto tempo): *Ko'yr é... i 'anga aîuká-potá.* – Agora mesmo suas almas quero matar. (Anch., *Teatro*, 144); **ko'yr-y bé** – agora mesmo, agora neste instante (*VLB*, I, 24); ainda agora (*VLB*, I, 28); hoje em dia (*VLB*, II, 55): *A'epe emonã pe rekopûera repyrama resé koyr-y bé penhemosako'i...* – E preocupai-vos hoje em dia com as futuras penas de vosso agir assim? (Ar., *Cat.*, 165); **ko'yr é-katuetépe?** – E agora? (*VLB*, I, 24); **ko'yr amõ** – agora pela primeira vez (Fig., *Arte*, 129)

ko'yra (s.) – o hoje, o agora, o tempo presente (*VLB*, II, 126)

ko'yré (adv.) – doravante: *I angaturam, ko'yré...* – Serão bons, doravante. (Anch., *Teatro*, 50); *Ko'yré Tupã aîkugûab.* – Doravante conheço a Deus. *Ko'yré emonã aîkó.* – Doravante assim procedo. (*VLB*, I, 27)

ko'yté (adv.) – 1) enfim, afinal, finalmente: *Osapîâpe Pilatos i nhe'enga a'ereme ko'yté?* – Obedeceu, enfim, Pilatos à sua palavra, então? (Ar., *Cat.*, 61); *Mba'epe sacramento mendara ko'yté?* – Que é o sacramento do matrimônio, afinal? (Bettendorff, *Compêndio*, 98); **2)** então, depois disto (Fig., *Arte*, 149); daqui por diante (*VLB*, I, 90); **3)** já agora: *Our ipó ko'yté.* – Já agora deve ter vindo. (*VLB*, II, 7); *Ne'ĩ serasóbo ko'yté.* – Ora, já agora leve-o. (*VLB*, II, 7)

ku'a[1] (s.) – meio, metade: ... *Pé ku'ape, kunumĩ pu'ama'ubi xe ri...* – No meio do caminho, meninos assaltaram-me mesquinhamente. (Anch., *Poemas*, 150); *Îi ypy suí-katupe eresendu koîpó i ku'a suí nhote?* – Bem desde o começo dela ouviste-a ou somente a partir do meio dela? (Ar., *Cat.*, 110v) • **ku'a rupi** – pelo meio, até o meio, pela metade (o vaso): *Kamusi ku'a rupi nhote kaûĩ reni.* – O cauim está pela metade da vasilha somente. (*VLB*, II, 34); *I ku'a rupi aîmoín.* – Coloco-o [o líquido] até o meio dela. *I ku'a rupi aseîar.* – Deixei-o [o líquido] até o meio dela [a vasilha]. (*VLB*, II, 34)

ku'a[2] (s.) – cintura (Castilho, *Nomes*, 31): *Xe ku'aî arekó.* – Tenho-o na cintura. (*VLB*, I, 74); ... *Nde rapixara ku'a îubana...* – Abraçando a cintura de teu companheiro. (Anch., *Doutr. Cristã*, II, 96-97); *Enhonong nde itaîngapema nde ku'aî.* – Põe tua espada na tua cintura. (Fig., *Arte*, 125)

ku'a[3] (s.) – grossura, bojo (p.ex., de árvore) (*VLB*, I, 151); (adj.) – grosso, bojudo: *I ku'agûasu.* – Ela é muito bojuda (fal. de pipa, de árvore etc.). (*VLB*, I, 150)

> NOTA – Daí, o nome geográfico ITAPECOÁ (ES) (v. Rel. Top. e Antrop. no final).

kûá[1] (interj.) (expressa compaixão): Coitado! Que pena! (Fig., *Arte*, 147)

kûá[2] (s.) – enseada, baía: *paranãngûá* – enseada ou baía de mar (*VLB*, I, 50)

> NOTA – Daí, no P.B. (S), GUAÍBA (*kûá + aíb + -a*, "baía ruim"), pântano profundo. Daí se originam, também, os nomes geográficos ITAGUAÍ (RJ), PARANAGUÁ (PR) etc. (v. Rel. Top. e Antrop. no final).

kûá[3] (v. intr.) – o mesmo que **kûab**[2] (v.)

kuab (ou **kuá** ou **kugûab**) (v. tr.) – 1) conhecer, saber: *Marãpe i kugûabine?* – Como o saberão? (Anch., *Doutr. Cristã*, I, 229); *Tupana kuapa, ko'y asaûsu xe îara Îesu.* – Conhecendo a Deus, agora amo meu senhor Jesus. (Anch., *Poemas*, 106); *N'aîkuabi a'e abá...* – Não conheço esse homem. (Ar., *Cat.*, 57); 2) reconhecer, conhecer de novo: ... *O îarĩ*

kûab[1]

kuapa aunhenhẽ. – Seu senhorzinho reconhecendo imediatamente. (Anch., *Poemas*, 118); **3)** agradecer, reconhecer (algum bem): *Aîkugûab.* – Agradeci-o. (*VLB*, I, 23); *Marãnamope asé santos 'ara kuabi?* – Por que a gente reconhece o dia dos santos? (Ar., *Cat.*, 24); **4)** adivinhar: ... *Eîkuá ra'u nde ri opûaryba'e...!* – Adivinha, vamos ver, aquele que bateu em ti! (Ar., *Cat.*, 56v); **5)** interpretar (*VLB*, II, 13); **6)** julgar (o que é duvidoso) (*VLB*, II, 16); **7)** perceber, sentir: *N'aîkugûabi xe îybá* (ou *xe îybá-e'õ*). – Não sinto meu braço (ou *meu braço morto*). (*VLB*, II, 130) ● **oîkuaba'e** (ou **oîkuabyba'e**) – o que conhece: *Oîabyeté seté tiruã oîkuabe'ymba'e.* – Transgride-os muito o que não conhece sequer sua substância. (Bettendorff, *Compêndio*, 103); **kuapara** – conhecedor, o que conhece, sabedor: *Abá angaîpá-nhemima i kuapare'yma supé mombegûabo.* – Contando os pecados escondidos de alguém para quem não os conhece. (Ar., *Cat.*, 73v); **kuapaba** – lugar, tempo, modo, instrumento etc. de conhecer, de reconhecer etc.; conhecimento, reconhecimento: *A'e kuapápe, ko'y asaûsu...* – Por conhecê-lo, agora amo-o. (Anch., *Poemas*, 108); *Oîkuapá-me'eng umûãpe Îudas Îandé Îara îudeus supé erimba'e?* – Já tinha dado Judas aos judeus o meio de reconhecer Nosso Senhor? (Ar., *Cat.*, 54); **eminguaba (t)** – o que alguém sabe, o conhecido, o sabido: ... *O eminguá-katue'yma oîmombe'uba'e...* – O que conta o que não sabe bem... (Ar., *Cat.*, 67); **i kuabypyra** – o conhecido, o sabido: ... *Se'yî i kuabypyre'yma...* – São numerosos os que não são conhecidos. (Ar., *Cat.*, 37); **i kugûabypypabẽ** – o que é totalmente conhecido, coisa notória por fama (*VLB*, II, 51); **i kuabypyre'yma** – o que não é conhecido, coisa secreta (*VLB*, II, 114)

> NOTA – Daí, no P.B., **BAQUARA** (*mba'e + kuapara*, "o que sabe as coisas"), esperto, sabido, vivo.

kûab[1] (ou **kûá**) (v. intr.) – **1)** passar (com os mesmos sentidos que tem esse verbo em português): *Ne emongetá nde Tupã t'okûab é amanusu...* – Roga a teu Deus para que passe a tempestade. (Staden, *Viagem*, 66); *Akûab îõte.* – Passei, somente (sem entrar nem pousar). (*VLB*, II, 67); *Sobabo akûab.* – Diante deles passei. (*VLB*, II, 67); *Nhoesembé robabo i kûaî.* – Ele passou diante de Ilhéus. (*VLB*, II, 67); *Kûarasy nipó oberá, putunusu kûab'iré.* – O sol certamente brilha após passar a grande noite. (Anch., *Poemas*, 142); ... *O membyraragûera kûab'iré, Santa Maria o membyra Îesus rerasóû Tupãokype...* – Após passar o seu parto, Santa Maria levou seu filho Jesus para o templo. (Ar., *Cat.*, 3v); **2)** ir: *T'akûáne pe renondé...* – Hei de ir adiante de vós. (Anch., *Teatro*, 66); *Ebokûê rupi ekûab.* – Vai por aí. (*VLB*, II, 81); *Xe ranhẽ t'akûáne.* – Eu hei de ir primeiro. (Anch., *Teatro*, 20); *Ekûá ké suí ra'a!* – Vai-te daqui já! (Anch., *Teatro*, 32) ● **kûapaba** – tempo, lugar, modo etc. de passar, de ir; lugar por onde se passa (*VLB*, II, 67); passagem: *'y kûapaba* – passagem de água, rego para água (*VLB*, II, 100); **kûab-apûan** – passar rápido, correr (p.ex., o rio, o navio) (*VLB*, I, 82)

kûab[2] (ou **kûá**) (v. intr.) – estar (em geral usado só no pl., mas há exceções): *Oker okûapa tekotebẽ suí nhẽ.* – Estavam dormindo de aflição. (Ar., *Cat.*, 53); *A'e memẽpe tupãoka îakatu i kûáî?* – Ele mesmo está em todas as igrejas? (Anch., *Doutr. Cristã*, I, 216); *Okûá-bépe amõ ikó 'ara pupé?* – Estão ainda alguns neste mundo? (Bettendorff, *Compêndio*, 37); ... *O îoybyri se'õmbûera paranã ybyri i kûáî.* – Lado a lado seus cadáveres ao longo do mar estavam. (Anch., *Teatro*, 52) ● **okûaba'e** – o que está: *T'oîkuab pabẽngatu abá yby îakatu okûaba'e karaibamo nde rera rekó.* – Que saibam todos os homens que estão em toda a terra que teu nome é santo. (Thevet, *Cosm. Univ.*, II, 925)

kûabẽ (v. intr.) – escapar: *Okûabépe irã so'o, gûyrá...?* – Escaparão futuramente os animais, os pássaros? (Ar., *Cat.*, 46)

kuabe'eng[1] (etim. – *dar a conhecer*) (v. tr.) – **1)** oferecer: *Aîkuabe'eng (abá) supé.* – Ofereci-o ao homem. (*VLB*, II, 54, adapt.); **2)** prometer (*VLB*, II, 87)

kuabe'eng[2] (etim. – *dar a conhecer*) (v. tr.) – mostrar: *Eîkuabe'eng xe nhe'engaipaba...* – Mostra o erro de minhas palavras... (Ar., *Cat.*, 55v); *Apé-kuabe'eng (abá) supé.* – Mostrei o caminho ao homem. (*VLB*, I, 113, adapt.) ● **kuabe'ẽsara** – o que mostra, o mostrador: ... *Îasytatá serekoarama resé... pé kuabe'ẽsaramo...* – Pela estrela que os guia, como a que mostra o caminho. (Ar., *Cat.*, 121, 1686)

kuabe'engaba (etim. – *instrumento de dar a conhecer*) (s.) – ponteiro, pequena haste com que se aponta em livros, quadros etc.:

nhembo'esaba **kuabe'engaba** – ponteiro da escola (*VLB*, II, 81)

kuabe'u (v. tr.) – contar (p.ex., segredo): *Aîkuabe'u-be'u.* – Fiquei-o contando. (*VLB*, II, 89)

kuabe'yma (ou **ikugûabe'yma** ou **ikuabe'ymaé**) (adv.) – sem saber, ignorantemente (*VLB*, II, 8)

kûabĩ (etim. – *passar, sem mais*) (v. intr.) – ir adiante, seguir, adiantar-se (a outrem que fica parado, que descansa etc.); passar adiante: *Akûabĩ.* – Adiantei-me. (*VLB*, I, 102); ... *ygara kûabĩ potá...* – querendo que a canoa passe adiante (Anch., *Poemas*, 154); *Akûabĩ tenondé.* – Segui adiante. (*VLB*, II, 14)

kuabukar (ou **kugûabukar**) (v. tr.) – manifestar, fazer saber (*VLB*, II, 31)

kûãî! (forma da 2ª p. do sing. do imper. de *só* – ir; o mesmo que **ekûãî!** – v.) – vai!: *Kûãî 'ype.* – Vai à fonte. (Léry, *Histoire*, 367)

kûaîa (s.) – raridade; (adj.: **kûaî**) – raro: *Xe kûaî.* – Eu sou raro. (*VLB*, II, 96)

kûaka'ar (v. intr.) – passar sucessivamente, uns atrás dos outros: *Orokûaka'ar.* – Passamos uns atrás dos outros. (*VLB*, II, 67)

kûakatu (etim. – *sol bom* < **kûara** + **katu**) (s.) – dia bom, dia calmo, dia bonançoso (*VLB*, I, 57) ● **kûakatu ã** – eis que é dia bom; faz dia sereno (*VLB*, I, 102)

kûakeó (v. intr.) – passar sucessivamente, uns atrás dos outros: *Orokûakeó.* – Passamos uns atrás dos outros. (*VLB*, II, 67)

kuakub (ou **kuaku**) (v. tr.) – 1) esconder, ocultar, omitir, calar, negar, encobrir: ... *O mũetéramo sekó kuakupa.* – Escondendo ser parente legítimo dela. (Ar., *Cat.*, 71v); *Aûîé kunumĩgûasu o ekoaibeté oîomim, oîkuaku...* – Enfim, os moços escondem seus muito maus procedimentos, calam-nos. (Anch., *Teatro*, 38); *Mosapy ipó xe boîáramo nde rekó ereîkuakub mokõî gûyrá sapukaî'e'ymebéne...* – Na verdade, três vezes negarás ser meu discípulo antes de o galo cantar duas vezes. (Ar., *Cat.*, 57); **2)** recusar: ... *Pitanga kuakupa...* – Recusando uma criança (que iria nascer). (Ar., *Cat.*, 66v); **3)** dissimular, disfarçar a existência de: *O a'yra kuakupa emonã sekóu.* – Assim procede para disfarçar a existência de seus filhotes. (*VLB*, I, 104); *O embiara kuakupa aîpó i 'éû.*

– Para disfarçar a existência de suas presas ele disse isso. (*VLB*, I, 104) ● **emikuakuba (t)** – o que alguém esconde, nega etc.: ... *O emimombe'upûera o emikuakugûera irũmo bé i mombe'uîebyrine.* – Os que confessou com os que escondeu voltará a confessar. (Ar., *Cat.*, 90); **kuakupaba** – tempo, lugar, modo etc. de ocultar, de recusar etc.; ocultamento: ... *mba'e kuakubagûera...* – o ocultamento das coisas (Ar., *Cat.*, 161v); **i kuakubypyra** – o que é (ou deve ser) escondido: ... *I kuakubypyre'yma i nhyrõngatu i xupé.* – Os que não são escondidos perdoa bem a eles. (Anch., *Teatro*, 158)

kuakumandyba (s.) – raiz silvestre semelhante à mandioca (Piso, *De Med. Bras.*, IV, 177)

ku'aman (etim. – *circundar a cintura*) (v. tr.) – abarcar, agarrar cingindo, pegar (com os braços); cingir (p.ex., com cinto): *Aîku'aman.* – Cingi-o. (*VLB*, I, 17)

kuambe'u[1] (ou **kuabe'u**) (v. tr.) – mostrar (*VLB*, I, 35)

kuambe'u[2] (v. tr.) – confessar (*VLB*, I, 79)

kuambe'u[3] (v. tr.) – prometer: *Aîkuambe'u (abá) supé.* – Prometi-o ao homem. (*VLB*, II, 87, adapt.)

kûambu (s.) – nome de uma planta (Marcgrave, *Hist. Nat. Bras.*, XLIV)

kûamoká (s.) – nome de uma fruta vermelha (v. **kambuká**) (Brandão, *Diálogos*, 217)

kûandu (s.) – CUANDU, ouriço-cacheiro, porco-espinho, cuim, nome comum a mamíferos roedores da família dos eretizontídeos, dos gêneros *Coendou* Lac., *Sphiggurus* e *Chaetomys* Gray, os únicos que ocorrem no Brasil, dentre os quais o *Coendou prehensibis* L. Vivem sobre árvores, com pés com calosidade preensora, cauda preênsil. (D'Abbeville, *Histoire*, 249v; Marcgrave, *Hist. Nat. Bras.*, 233)

NOTA – Daí, os nomes geográficos **CANDOÍ** (PR) e **GANDU** (SE) (v. Rel. Top. e Antrop. no final).

CUANDU (fonte: Marcgrave)

kûandugûasu

kûandugûasu (etim. – *cuandu grande*) (s.) – var. de porco-espinho (Laet, *Novus Orbis*, Livro XV, cap. V, §13)

kûandumirĩ (etim. – *cuandu pequeno*) (s.) – var. de porco-espinho (Laet, *Novus Orbis*, Livro XV, cap. V, §13)

kuapaba (ou **kugûapaba**) (etim. – *instrumento de reconhecimento*) (s.) – sinal, marca (como das caixas, das vacas etc.): *i kuapaba* – as marcas delas (*VLB*, II, 32)

kuapagûera (etim. – *instrumento de reconhecimento*) (s.) – rastro (do que não tem pés): *mboîa kuapagûera* – rastro da cobra (*VLB*, II, 97)

kuapamoín (ou **kugûapamoín**) (etim. – *colocar meio de reconhecer*) (v. tr.) – assinalar, marcar (*VLB*, I, 45)

kuapamoindaba (ou **kugûapamoindaba**) (etim. – *instrumento de colocar um meio de reconhecer*) – marca, ferrete (para gado, para escravos): *i kuapamoindaba* – seu ferrete (*VLB*, II, 32)

kûapara'yba (s.) – GUAPARAÍVA, árvore da família das rizoforáceas (*Rhizophora mangle* L.), típica dos manguezais (Sousa, *Trat. Descr.*, 212-213)

kûapomonga (s.) – erva plumbaginácea que viça naturalmente nos terrenos arenosos, de propriedades medicinais (Piso, *De Med. Bras.*, IV, 199)

kûapo'yba (s.) – QUAPOIA, pau-gamela, árvore da família das gutíferas (*Clusia insignis* Mart.), que cresce na mata, de folhas obovadas e arredondadas, e que produz visco, isto é, suco vegetal glutinoso com que os caçadores untam pequenas varas para nelas prender as aves que aí pousem (Marcgrave, *Hist. Nat. Bras.*, 131; *VLB*, II, 146)

ku'apûar (etim. – *amarrar a cintura*) (v. tr.) – cingir (p.ex., com cinto) (*VLB*, I, 74)

ku'apûasaba (etim. – *instrumento de amarrar a cintura*) (s.) – **1)** cinto, cinta, o que cinge (*VLB*, I, 74); **2)** arco de tonel (*VLB*, I, 40)

ku'apysyk (etim. – *agarrar a cintura*) (v. tr.) – abarcar, agarrar (algo bojudo), pegar (com os braços) (*VLB*, I, 17)

kûara[1] (s.) – **1)** buraco; furna; furo (inclusive do hímen, por relação sexual): *yby kûara* – buraco do chão (*VLB*, I, 60); *yby-kûarusu* – buraco grande, furna na terra; *itá-kûarusu* – furna em penedos ou rochas (*VLB*, I, 145); (adj.: **kûar**) – esburacado, furado; desvirginada; **(xe)** ter buraco, ter furo: *I xy na sugûyî tiruã: i aku'i, n'i kûari, nhẽ.* – Sua mãe sequer sangrou: ela estava seca, não estava desvirginada (lit., *não estava furada*). (Anch., *Poemas*, 184); *Xe kûarusu.* – Eu tenho um buraco grande. (*VLB*, II, 19); *Xe kûar ymûan.* – Eu já estou desvirginada. (*VLB*, I, 83); **2)** vagina (*VLB*, II, 35); **3)** covil, toca, abrigo, refúgio (p.ex., de animais etc.) (*VLB*, I, 84; II, 129); **4)** cova (de defuntos): *Tyby-kûara* – cova de sepultura (*VLB*, I, 84); **5)** mina: *itaîu-kûara* – mina de ouro (*VLB*, II, 142) ● *i kûaryba'e* – o que está furado; a que está desvirginada (*VLB*, I, 83)

NOTA – Daí, no P.B., **BURAQUARA** (*ybyrá* + *kûara*, "buracos das árvores"), pesca de peixes e moluscos escondidos nos buracos dos troncos de árvores submersas; **BAIQUARA**, caipira, pessoa que vive metida em lugares retirados. Daí, também, provêm os nomes geográficos **JABAQUARA** (SP), **JAGUAQUARA** (BA) etc. (v. Rel. Top. e Antrop. no final).

kûara[2] (s.) – sol: *kûara reîkeaba* – pôr do sol, poente (etim. – *lugar em que o sol entra*) (*VLB*, II, 80); *kûara sembaba* – lugar em que nasce o sol, o oriente (*VLB*, II, 59)

NOTA – Daí podem provir, no P.B., **QUARAR**, clarear a roupa, pondo-a ao sol, e **QUARADOR**, lugar em que se quara a roupa.

kûarasy (etim. – *origem deste dia* < *kó* + *'ara* + *sy*) (s.) – **1)** sol: *Tó! Aîpó n'i panosabi, kûarasymo oîké îepémo!* – Ó! Isso não seria possível contar, ainda que o sol se pusesse! (Anch., *Teatro*, 38); *T'osepîak-y bé umẽ kûarasy!* – Que não vejam mais o sol! (Anch., *Teatro*, 60); *Kûarasy nipó oberá, putunusu kûab'iré.* – O sol certamente brilha, após passar a grande noite. (Anch., *Poemas*, 142); *Kûarasy onhemoputun...* – O sol se eclipsa. (Ar., *Cat.*, 64); **2)** verão (*VLB*, II, 144) ● **kûarasy sembaba** – lugar do nascer do sol, oriente, leste: *... kûarasy sembaba koty suí ouryba'e...* – ... os que vêm do lado em que nasce o sol... (Ar., *Cat.*, 3); **kûarasy-ro'y** – sol frio, isto é, sol encoberto, tempo nublado (*VLB*, II, 121); **kûarasy reîkeaba** – lugar em que o sol se põe, poente, oeste (*VLB*, II, 54); **kûarasy-etymã** (ou **kûarasy ru'uba**) – raio de sol, réstia de sol (*VLB*, II, 103)

NOTA – Daí, no P.B., o nome do beija-flor **GUARACIABA** (*kûarasy* + *(t)aba*, "penas de sol"); **COARACIUIRÁ** (*kûarasy* + *ûyrá*, "pássaro de sol"), nome de ave cotingídea. Daí, também, o nome próprio de pessoa **GUARACI** e também o de um município de São Paulo (v. Rel. Top. e Antrop. no final).

kûarasyeîkeaba (etim. – *a entrada do sol*) (s.) – ocidente, oeste, lugar em que se põe o sol (*VLB*, II, 54)

kûarasye'yma (etim. – *sem sol*) (s.) – crepúsculo: *Nde ro'o xe moka'ẽ serã kûarasye'yma riré.* – Tua carne será meu moquém provavelmente após o crepúsculo. (Staden, *Viagem*, 157)

Kûarasyîuba (etim. – *sol amarelo*) (s. antrop.) – nome de índio tupi (Knivet, *The Adm. Adv.*, 1210)

kûare'yma (etim. – *sem furo*) (s.) – virgem: *Ereîkópe kûare'ymano resé?* – Tiveste relações com uma virgem também? (Anch., *Doutr. Cristã*, II, 89)

kûaruru (etim. – *vagina inchada*) (s.) – cio (da fêmea); (adj.) – saída, no cio (fal. de fêmeas): *Xe kûaruru.* – Eu estou no cio, eu estou saída. (*VLB*, II, 111)

kûarybỹîa (etim. – *oco do buraco*) (s.) – vão, oco (*VLB*, II, 141)

kûati (s.) – QUATI, COATI, QUATI-DE-BANDO, nome comum a mamíferos carnívoros que vivem em bandos de oito a dez, da família dos procionídeos, do gênero *Nasua*, que aparecem em todo o Brasil, dentre os quais se destacam as espécies *Nasua socialis* Newied, *Nasua nasua* L. e *Nasua narica* L., esta semelhante à raposa, tendo fina cauda de até 1,20 m de comprimento (D'Abbeville, *Histoire*, 251; Marcgrave, *Hist. Nat. Bras.*, 228)

NOTA – Daí, o nome geográfico **CATEGIPE** (MG) (v. Rel. Top. e Antrop. no final).

COATI (fonte: Marcgrave)

kûatiar (v. tr.) – 1) escrever, registrar, lavrar: *Kó santo o mbo'esara rekopûera erimba'e oîkûatiar îandébo, seîá.* – Esse santo a vida de seu mestre escreveu para nós, deixando-a. (Ar., *Cat.*, 134, 1686); **2)** pintar; desenhar: *Aîkûatiar.* – Pintei-o. (*VLB*, II, 19); **3)** esculpir (*VLB*, I, 124); **4)** traçar (a planta de uma edificação) (*VLB*, II, 134) ● **i kûatiarypyra** – o que é escrito, desenhado; o escrito, o texto (*VLB*, I, 68); **emikûatiara (t)** – o que alguém escreve etc.: *Aîpoepyk semikûatiara.* – Retribuí o que ele escreveu (isto é, *escrevi-lhe como ele fez a mim*). (*VLB*, I, 90)

kûatiara[1] (s.) – 1) livro (D'Evreux, *Viagem*, 250); 2) escultura (*VLB*, II, 19); 3) pintura: *i kûatiara* – pintura dele (*VLB*, II, 78); 4) letra (D'Abbeville, *Histoire*, 184); (adj.: **kûatiar**) – escrito; pintado; desenhado; esculpido: *Kó bé ingapé-kûatiara.* – Eis aqui também a ingapema pintada. (Anch., *Teatro*, 66)

NOTA – Daí, no P.B., **ITAQUATIARA**, inscrições feitas pelos índios pré-históricos nas pedras; **QUATIARA, COTIARA, BOICOATIARA** ou **BOIQUATIARA** (*mboî* + *kûatiar* + *-a*, "cobra pintada"), nome de uma serpente da família dos crotalídeos. **ITAQUATIARA** também é nome de muitos lugares no Brasil (v. Rel. Top. e Antrop. no final).

kûatiara[2] (s.) – árvore de madeira amarela, raiada de preto (*ABN*, XXVI (1905), 258)

Kûatiarusu (etim. – *pintura grande*) (s. antrop.) – nome de índio tupi (D'Abbeville, *Histoire*, 184v)

kûatiasaba (etim. – *registro, lugar de registrar*) (s.) – rol, lista (*VLB*, II, 108)

kûatimondi – o mesmo que **kûatimundé** (v.) (Marcgrave, *Hist. Nat. Bras.*, 228)

kûatimundé (etim. – *quati de armadilha*) (s.) – QUATIMUNDÉU, macho adulto dos quatis (*Nasua nasua*), que foi expulso do bando. Os quatis possuem uma organização social dominada por fêmeas. No bando, além destas, somente os machos jovens são admitidos. Quando chegam à idade adulta, estes são expulsos. O macho adulto é maior e, em geral, de coloração avermelhada. Como vive desgarrado de um bando, tendo vida solitária, é mais facilmente aprisionado, donde seu nome. (Soares, *Coisas Not. Bras.* (ms. C), 1130-1137)

NOTA – Lemos, em Gregório de Matos: "*Indo à caça de tatus / encontrei QUATIMONDÉ...*" (in *Antologia Poética*. Bibl. Folha, 27, 96).

kuaukar

kuaukar (etim. – *mandar saber*) (v. tr.) – acusar, denunciar; delatar; fazer saber (seguindo-se um castigo): *Kunhã kuauká i mena supé...* – Acusando uma mulher para seu marido. (Ar., *Cat.*, 74); *Aporokuaukar.* – Delato gente. (*VLB*, II, 29); ... *Xe kuaukámo xe rubixaba supémo...* – Denunciar-me-iam ao meu imperador. (Ar., *Cat.*, 61); ... *Nde é ã xe kuauká îepé...* – Eis que tu mesma me denunciaste. (Ar., *Cat.*, 161) ● **kuaukasara** – o que delata, o delator (*VLB*, II, 29)

ku'aúna (s.) – nome de uma ave (*Brasil Holandês*, vol. III, 37)

kub (v. intr.) – estar (em sentido geral. Usa-se apenas no plural, quando não se sabe ou não se tem interesse em se definir a posição em que está o sujeito): *Mokõnhõ... kó taba pupé sekóú, oîepysyrõmo okupa.* – Poucos nesta aldeia moram, estando a salvar-se. (Anch., *Teatro*, 16); *Oîkó kûepe mba'e resé nde ma'enduara,... enhemongetábo ekupa?* – Estava longe tua lembrança das coisas, estando a conversar contigo mesmo? (Anch., *Doutr. Cristã*, II, 105); *Orokub ikó.* – Eis que aqui nós estamos. (*VLB*, I, 128); ... *Nde membyramo orokupa...* – Como teus filhos estando nós. (Anch., *Poemas*, 148)

kubîara (s.) – variedade de abelha (Piso, *De Med. Bras.*, IV, 178)

kué (v. intr.) – mexer-se, movimentar-se, ter mobilidade (como o prego mal fixo ou o dente prestes a cair), abalar-se (o que estava fixo), afrouxar-se (o apertado): *Akué.* – Movimento-me. (*VLB*, I, 57); Abalei-me. Afrouxei. (*VLB*, I, 17)

kûé[1] (adv.) – **1)** aí, esse lugar: *Kûé suí asó mamõ, amõ taba rapekóbo.* – Daí ía para longe, frequentando outras aldeias. (Anch., *Teatro*, 4); **2)** eis que lá, ei-lo acolá (*VLB*, I, 109)

kûé[2] (interj. que expressa espanto, de h.) (*VLB*, I, 125) – É possível? (*VLB*, I, 153)

kûé[3] (dem. pron. ou adj.) – esse (s, a, as): *kûé amõ*; *kûé amõaé* – esse outro (*VLB*, I, 127)

kûea (dem. pron.) – esse (s, a, as); aquele (s, a, as); aquilo; isso (*VLB*, I, 39)

kûeba'e – o mesmo que **kûea** (v.)

kûeé (adv.) – eis lá, ei-lo acolá (para o que está longe) (*VLB*, I, 109)

kûeea (dem. pron.) – aquele (s, a, as) lá, aquilo lá (usados para o que está longe) (*VLB*, I, 109)

kûeeba'e – o mesmo que **kûeea** (v.)

kûeî (dem. adj.) – aquele (s, a, as); esse (s, a, as) (*VLB*, I, 39)

kûe'ĩ (adv.) – ei-lo aí pertinho, eis aí pertinho (*VLB*, I, 109)

kûeîa (dem. pron.) – esse (s, a, as); isso (*VLB*, II, 15)

kûeîba'e (dem. pron.) – esse (s, a, as); aquele (es, a, as); isso (*VLB*, II, 15)

kûeîbo (adv.) – em alguma parte; por aí; por alguma parte (Fig., *Arte*, 130); ... *Kûeîbo nhẽ xe rerobaka.* – Fazendo-me mudar de direção por aí. (Anch., *Teatro*, 164, 2006); *Îori, esenõî angá kûeîbo nde remimoaûîé.* – Vem, dize o nome, ó sim, dos que tu venceste por aí. (Anch., *Teatro*, 14, 2006)

kûeîeté (adv.) – logo, rapidamente (*VLB*, II, 24); imediatamente: ... *I mopu'ama kûeîeténe...* – Fazendo-os levantar imediatamente. (Ar., *Cat.*, 160v)

kûeîkûeîbo (adv.) – em toda a parte, por toda a parte: ... *I îogûerekó kûeîkûeîbo...* – A consorciação deles em toda a parte. (Ar., *Cat.*, 49v); ... *Kûeîkûeîbo o îosuí i kûá e'ymeté.* – Como se eles não estivessem por toda a parte, longe uns dos outros. (Bettendorff, *Compêndio*, 56)

kûeîpe – v. **kûepe**

kûeîpeé (ou **kûeîpenhẽ**) (conj.) – em vez disso, ao contrário, em vez de ser (*VLB*, II, 51)

kûeîsé – v. **kûesé**

kûekoty (adv.) – para essa banda (Fig., *Arte*, 130); para lá, para esse lado (Fig., *Arte*, 130); mais para lá, mais para a outra banda (Fig., *Arte*, 129)

kûekûeîpenhẽ (ou **kûekûeîpeé**) (conj.) – em vez disso, ao contrário, em vez de ser (*VLB*, I, 101; II, 51)

kûepe (ou **kûeîpe**) (adv.) – **1)** longe, para longe: ... *T'osó-pá xe mara'ara kûepe xe 'anga suí.* – Que vá toda a minha doença para longe de minha alma. (Anch., *Poemas*, 168); *Îasytatá kûepe é i nhemimi...* – As estrelas bem longe se escondem... (Valente, *Cantigas*, IV, in Ar., *Cat.*); ... *Îaîu kûepe suí.* – Viemos de longe. (Anch., *Poemas*, 96); *T'osó umẽ temirekó kûepe.* – Que não vá longe a esposa. (Ar., *Cat.*, 284, 1686); **2)** por aí; por aí afora; em toda parte: *Xe mokõ kûepe mboîusu amõne.* – Engolir-me-á por aí alguma cobra grande. (Anch., *Teatro*, 162); ... *kûepe i moerapûanymbyra* – o que é afamado por aí (Anch., *Teatro*, 12); *Opakatupe kûeîpe abá nhe'enga kuabukari i xupé?* – Todas as línguas dos homens por aí afora fê-los conhecer? (Ar., *Cat.*, 45v); **3)** fora, para fora: ... *Kûepe osóbo, missa renduba reîá.* – Indo para fora, deixando de ouvir missa. (Ar., *Cat.*, 75v); *Asó kûeîpe.* – Vou para fora. (*VLB*, I, 141); **4)** alguma parte, em alguma parte, em algum lugar, algures; a alguma parte, para algum lugar (*VLB*, I, 32; Fig., *Arte*, 130): *kûeîpe suí* – de alguma parte, dalgures (*VLB*, I, 89) ● **kûé-kûeîpe é** – muito longe (*VLB*, II, 51)

kûesé (ou **kûeîsé**) (adv.) – **1)** ontem: *Kûesé Pedro sóû.* – Ontem Pedro foi. (Fig., *Arte*, 95); *Kûesé Pedro nde resé i ma'enduari.* – Ontem Pedro de ti se lembrou. (Fig., *Arte*, 95); *Kûesé paîé mba'easybora subani.* – Ontem o feiticeiro chupou o enfermo. (Fig., *Arte*, 96); *Kûesé ka'a rupi Pedro ogûatábo, sopari.* – Ontem, andando Pedro pela mata, perdeu-se. (Fig., *Arte*, 95); ... *Aseîá kûesé xe roka...* – Deixei ontem minha casa. (Anch., *Poemas*, 112); *Kûeîsé, rakó, amõ kanhemi.* – Ontem, é verdade, alguns sumiram. (Anch., *Teatro*, 12); **2)** há poucos dias, recentemente (*VLB*, I, 24): *Kûesé nde remirekó manhanamo ereîmondó...* – Há poucos dias mandaste tua esposa como espiã... (Anch., *Teatro*, 178, 2006) ● **kûesé bé** – desde ontem; há dias: ... *Kûesé bé mba'e n'a'uî.* – Desde ontem não como nada. (Anch., *Poemas*, 150); *Kûeîsé bé nakó aîrumõ...* – Eis que o ajunto há dias, na verdade. (Anch., *Teatro*, 10); **kûesé-té'ĩ, kûesé-té'ĩ-mbyryb, kûesé-té'ĩbé, kûesé-bé'ĩ, kûesé-pyryb** – há bem pouco tempo, agora há pouco, agorinha mesmo (*VLB*, I, 24)

kûesekûesé (adv.) – anteontem (Fig., *Arte*, 128)

kûesenhe'ym (etim. – *o que não é ontem*) (adv.) – antigamente, muito tempo atrás; havia muito tempo; no passado: ... *Kûesenhe'ym bé sepîá-potá tenhẽ roîré.* – Depois de querer vê-lo, em vão, desde muito tempo atrás. (Ar., *Cat.*, 58v); *Kûesenhe'ym oroîkó Îurupari ra'yramo...* – Antigamente estávamos como filhos do diabo. (D'Abbeville, *Histoire*, 341v-342); ... *Kuesenhe'ym nde angaîpabamo ereîkó.* – Antigamente eras pecador. (D'Abbeville, *Histoire*, 350) ● **kûesenhe'ỹndarûera** – o que é de antigamente, o que é antigo (*VLB*, I, 36)

kûesenhe'ymĩkaé (interj. – Expressa saudade do tempo passado. Aparece com a partícula **mã** no final do período.) – bom tempo aquele em que: *Kûesenhe'ymĩkaé xe sóû a'epe mã!* – Ah, bom tempo aquele em que lá fui! (*VLB*, II, 120)

kugûab – v. **kuab**

kugûapaba (etim. – *meio de reconhecimento*) (s.) – baliza, sinal: *pé kugûapaba* – baliza do caminho (*VLB*, I, 51)

kugûapamoín – v. **kuapamoín** (*VLB*, I, 45)

kugupugûasu (s.) – espécie de peixe da família dos serranídeos, frequente no litoral tropical da América (Marcgrave, *Hist. Nat. Bras.*, 169)

kuî (v. intr.) – **1)** cair (no sentido de *desprender-se*, p.ex., a folha, o dente, o fruto, o cabelo etc.): *Okuî rakó amũme 'ybarambûera o 'yba suí 'ybotyramo oîkóbo bé.* – Caem, às vezes, os que seriam os frutos das árvores, sendo ainda flores. (Ar., *Cat.*, 157v); **2)** nascer: *Erenhemombe'upe nde memby-kuî îanondé?* – Confessaste-te antes de nascer teu filho? (Anch., *Doutr. Cristã*, II, 84)

NOTA – Da reduplicação de **kuî** (**kukuî** – *ficar caindo*) origina-se, no P.B., **CUCUIA**, usado na expressão IR PARA A **CUCUIA**, isto é, *ir para a decadência, arruinar-se.*

ku'ĩ (s.) – coisa moída, farelo, pó, farinha, **CUÍ** (Amaz.): *pirá ku'i* – farinha de peixe (Staden, *Viagem*, 58); *ybyrá ku'i* – pó de madeira (como o que faz o caruncho no pau) (*VLB*, I, 134; II, 79)

NOTA – Daí, o nome do município de **IBICUÍ** (RS) (v. Rel. Top. e Antrop. no final). Daí, também, no P.B., **BRACUÍ** (Amaz.) (*ybyrá + ku'i*), pó de madeira; **CUÍ**, 1) *escória de fumo em forma de pó*; 2) (Amaz.) *farinha fina, peneirada*; **CUIM** (*ku'i + -ĩ*, "farelinho", "pozinho"), *alimpadura do arroz, resíduos do arroz depois de joeirado* (in *Novo Dicion. Aurélio*); **PIRACUÍ, PIRACUIM** (AM), farinha de peixe.

ku'ĩ (s.) – **CUIM**, espécie de cuandu, mamífero roedor da família dos eretizontídeos. "É todo cheio de espinhos até o rabo... os quais espinhos são amarelos e têm as pontas pretas e mui agudas." (Sousa, *Trat. Descr.*, 257)

kuîa

kuîa – v. (e)kuîa (r, s)

kuîaba (s.) – cabaço de tipo grande e largo, partido pelo meio (*VLB*, I, 61); variedade de cuia: *Oîmboapy abá kuîaba...* – Os homens esvaziam as cuias. (Anch., *Teatro*, 30) "Pode conter no seu bojo trinta ou trinta e cinco cântaros de líquido." (Nieuhof, *Ged. Reize*, 219-220)

> NOTA – Daí, o nome geográfico **CUIABÁ** (v. Rel. Top. e Antrop. no final).

kuîaûîu (s.) – var. de coruja (*VLB*, I, 88)

kuîẽ (s.) – **CUIÉM**, variedade de pimenta. "São tamanhas como cerejas, as quais se comem em verdes..." (Sousa, *Trat. Descr.*, 185)

kuîẽîurimũ (etim. – *pimenta cuiém jerimum*) (s.) – variedade de pimenta da feição da abóbora (Sousa, *Trat. Descr.*, 186)

kuîemusu (etim. – *pimenta cuiém grande*) (s.) – variedade de pimenta nativa. É "grande e comprida e depois de madura faz-se vermelha". (Sousa, *Trat. Descr.*, 176)

kuîẽpiá (s.) – variedade de pimenta nativa (Sousa, *Trat. Descr.*, 186)

kuîeté (etim. – *cuia legítima*) (s.) – **1) CUITÉ, COITÉ, CUITEZEIRA, CUIEIRA**, árvore bignoniácea (*Crescentia cujete* L.), que dá cuias, cabaças ou cuités, também conhecida como *cabaceiro, cabaceira* (Marcgrave, *Hist. Nat. Bras.*, 123); **2)** o fruto dessa árvore, espécie de abóbora de miolo doce ou amargo que se separa e deixa um casco rijo de que se fazem cuias (*VLB*, I, 61)

CUITÉ (fonte: Marcgrave)

> NOTA – Daí, o nome geográfico **COITÉ** (PB) (v. Rel. Top. e Antrop. no final).

kuîe'yba (etim. – *pé de cuia*) (s.) – **CUIEIRA**, árvore de cujos frutos, da cor dos cabaços verdes, faziam-se cuias, após serem cortados ao meio; o mesmo que **kuîeté** (v.) (Sousa, *Trat. Descr.*, 223)

kuîmbuka (etim. – *cuia fendida*) (s.) – **CUMBUCA, CUIAMBUCA**, var. de cabaço partido ao meio, uma **kuîeté** (v.) partida ao meio (*VLB*, I, 61)

CUMBUCA (ilustração de C. Cardoso)

kuîpeba (etim. – *cuia chata*) (s.) – cabaça comprida partida pelo meio; metade de uma cabaça comprida (*VLB*, I, 61; Marcgrave, *Hist. Nat. Bras.*, 272)

> NOTA – Daí, no P.B. (Amaz.), pelo nheengatu, **CUIPEUA**, *cuia chata empregada na cerâmica para dar polimento à manufatura* (in *Novo Dicion. Aurélio*).

kuîpeúna (ou **kuîpuna**) (s.) – **CUIPUNA**, árvore da família das mirtáceas (*Myrcia tingens* O. Berg) (Sousa, *Trat. Descr.*, 205)

kuîpuna – o mesmo que **kuîpeúna** (v.) (Piso, *De Med. Bras.*, 189)

kuîuîuba (s.) – **CUIUBA**, ave da família dos psitacídeos, "pássaro pequeno e de bico revolto, o qual, em se vendo preso, cerra voluntariamente o sesso..." (Brandão, *Diálogos*, 228)

kuîukuîu (s.) – **CUIÚ-CUIÚ, CUIÚ, IUIÚ**, ave psitaciforme da família dos psitacídeos, espécie de papagaio que aprende a falar facilmente (D'Abbeville, *Histoire*, 235v)

kukur (v. tr.) – sorver: *Aîty-kukur.* – Sorvi o caldo. (*VLB*, II, 121)

kukuri (s.) – **CUCURI**, cação-frango, peixe da família dos galeorrinídeos (Marcgrave, *Hist. Nat. Bras.*, 164)

CUCURI (fonte: Marcgrave)

kukuriîuba (etim. – *cucuri amarelo*) (s.) – var. de tubarão (Soares, *Coisas Not. Bras.* (ms. C), 2304-2310)

kukuritinga (etim. – *cucuri branco*) (s.) – var. de tubarão (Soares, *Coisa Not. Bras.* (ms. C), 2110-2111)

kumari (s.) – CUMARI, variedade de pimenta nativa (*Capsicum frutescens* L.), arbusto da família das solanáceas (Sousa, *Trat. Descr.*, 186; Brandão, *Diálogos*, 195)

kumaru (s.) – CUMARU, CUMBARU, árvore da família das leguminosas, própria da mata úmida, de grande porte e de ótima madeira (D'Abbeville, *Histoire*, 226)

kumarugûasu (etim. – *cumaru grande*) (s.) – árvore da família das leguminosas, grande e grossa, de flores amareladas, provavelmente o cumaru verdadeiro (*Dipteryx odorata* (Aubl.) Willd.) (D'Abbeville, *Histoire*, 226)

kumarumirĩ (etim. – *cumaru pequeno*) (s.) – variedade de CUMARU (v.), que "se parece muito com a cerejeira, com flores semelhantes às do pessegueiro; o fruto é uma noz do tamanho de um pêssego branco, encontrando-se dentro cinco ou seis grãos muito bons e medicinais". (Marcgrave, *Hist. Nat. Bras.*, 176)

kumbira (s.) – árvore da família das mirtáceas (*ABN*, LXXXII (1962), 313)

kumirik (v. tr.) – esmagar; esmigalhar: *Aîkumirik.* – Esmigalhei-o. (*VLB*, I, 125)

kunapo'yba (s.) – nome de árvore de mangue, o mesmo que **kanapa'yba** (v.) (*VLB*, II, 30)

kunapu (s.) – CANAPU, CANAPUGUAÇU, peixe da família dos serranídeos. São "peixes a que chamam, em Portugal, *meros*, os quais são muito grandes". (Sousa, *Trat. Descr.*, 281) Pode atingir até 3 metros de comprimento: ... *kunapu rekyî-etébo...* – pescando bem os canapus (Anch., *Poemas*, 152)

kunduru (s.) – var. de caranguejo; fêmea do caranguejo **usá** (v.) (*VLB*, I, 67)

kunhã (s.) – 1) mulher, CUNHÃ (Amaz.): ... *Oka'ugûasu pabẽ, apŷaba kunhã ndibé...* – Bebem muito todos, os homens com as mulheres. (Anch., *Teatro*, 134); ... *Tupã amõ kunhãngatu monhangi.* – Deus fez certa mulher bondosa. (Anch., *Poemas*, 86); *Marãba'e kunhãpe Santa Maria?* – Que tipo de mulher é Santa Maria? (Ar., *Cat.*, 30v); *Mboîa oîuká kunhã.* – A cobra matou a mulher. (Fig., *Arte*, 8); **2)** fêmea qualquer (*VLB*, I, 137): *taîasu-kunhã* – porca fêmea (*VLB*, II, 82) ● **kunhã-Îurupari** – animais com quem Jurupari convive, que só andam à noite, soltando gritos horríveis, servindo a ele de mulheres na relação sexual; a "*mulher-diabo*" (D'Evreux, *Viagem*, 293)

> NOTA – CUNHÃ, no Maranhão, é uma mulher jovem (in *Dicion. Caldas Aulete*).

kunhãeté (etim. – *mulher comum*) (s.) – mulher forra que nunca foi escrava (*VLB*, I, 142)

Kunhambeba (s. antrop.) – nome de índio tupi (Anch., *Cartas*, 223)

kunhambyra (etim. – *o defunto da mulher** < **kunhã + ambyra**) (s.) – CUNHAMBIRA, filho de um prisioneiro com uma mulher da aldeia em que ele estivera ou estava aprisionado. Tal filho era comido num ritual antropofágico. "A mãe é a primeira que come dessa carne, o que tem por grande honra." (Sousa, *Trat. Descr.*, 325)

> *OBSERVAÇÃO – Isto é, o filho de seu amante que morreu ou haveria de morrer num ritual antropofágico. Os tupis da costa acreditavam que quem gerava era o pai, não a mãe. Assim, o filho gerado seria o de um inimigo da aldeia e não da mulher que fora sua amante.

kunhãmuku (ou **kunhãmbuku**) (etim. – *mulher alta*) (s.) – moça (de 15 a 25 anos) (D'Evreux, *Viagem*, 136): *Kunhãmuku taba pora xe py'a pupé anhohim...* – As moças habitantes das aldeias escondo-as em meu coração. (Anch., *Teatro*, 150); *Nd'e'i te'e kunumĩgûasu... oîkébo memẽ kagûápe, a'epe kunhãmuku repenhana...* – Por isso mesmo os moços entram sempre no lugar de beber cauim, ali atacando as moças. (Anch., *Teatro*, 34)

> NOTA – Daí, o nome geográfico **CONHAMUCO** (PA, AM) (v. Rel. Top. e Antrop. no final).

kunhãmukupûara (s.) – mulher casada ou no vigor da idade (D'Evreux, *Viagem*, 136)

kunhãmuku'ĩ (etim. – *mulher altinha*) (s.) – mocinha de doze até treze ou quinze anos (*VLB*, II, 39)

kunhãmyxuna (etim. – *mulher escura*) (s.) – GRUMIXAMA, GRUMIXAMEIRA, **1)** planta

kunhataĩ

da família das mirtáceas (*Eugenia brasiliensis* Lam.), com frutas pequenas, à feição de murtinhos; **2)** o fruto dessa árvore (Brandão, *Diálogos*, 217); **3)** murta, murto, planta da família das mirtáceas, de origem mediterrânea; **4)** árvore melastomácea do norte do Brasil (*Mouriri guianensis* Aubl.) (*VLB*, II, 45) (o mesmo que **ybamyxuna** – v.) (*VLB*, II, 45)

kunhataĩ (etim. – *mulher firminha*) (s.) – menina, **CUNHANTÃ, CUNHANTAIM**, menina da primeira idade até ser casadoira (*VLB*, II, 38); menina pequena até, mais ou menos, dez anos (*VLB*, II, 39); menina de sete a quinze anos (D'Evreux, *Viagem*, 135): *Eresugûykápe kunhataĩ amõ?* – Desvirginaste alguma menina? (Ar., *Cat.*, 103v) • **kunhataĩ-a'uba** – rapariga (por desprezo, pejorativo) (*VLB*, II, 96)

kunhataĩapé (etim. – *caminho de menina*) (s.) – pássaro "cujo canto forma o choro de uma criança" (Brandão, *Diálogos*, 230)

kunhataĩmirĩ (etim. – *menina pequena*) (s.) – menina de um a sete anos de idade (D'Evreux, *Viagem*, 135)

kunhã'yba (etim. – *mulher-guia*) (s.) – namorada (com quem não se tem relações sexuais), futura esposa: *Kunhã'yba xe raûsu.* – As namoradas me amavam. (Anch., *Teatro*, 176); *Xe kunhã'ybamo arekó.* – Tenho-a como minha namorada. (Ar., *Cat.*, 114); (adj.: **kunhã'yb**) (xe) ter namorada: *Nde kunhã'ype?* – Tu tens namorada? (Anch., *Doutr. Cristã*, II, 93)

kunumĩ (s.) – **1)** menino, **CURUMIM** (Amaz.): *Kunumĩ turusu.* – O menino é grande. (Fig., *Arte*, 75); *Nde pópe ogûapyka, osó kunumĩ...* – Em tuas mãos sentando-se, vai o menino. (Anch., *Poemas*, 120); **2)** meninice, idade de menino, tempo de menino, infância (compreendida entre 1 e 7 ou 8 anos) (D'Evreux, *Viagem*, 130): *xe kunumĩ-era* – meu nome de meninice, meu nome de infância (Anch., *Arte*, 9v); **3)** moço, rapaz (*VLB*, II, 96) (v. tb. **kunumĩgûasu**): *Onheŷnhang umã sesé kunumĩetá kagûara...* – Já se juntaram por causa disso muitos moços bebedores de cauim. (Anch., *Teatro*, 24); *kunumĩ-nhembo'e* – moço que aprende, moço aprendiz (Anch., *Arte*, 32) • **kunumĩ-a'uba** – rapaz (por desprezo, pejorativo) (*VLB*, II, 96)

NOTA – A palavra **CURUMIM**, do P.B., provém da língua geral setentrional, do século XVIII, um desenvolvimento histórico do tupi antigo. (Frei Arronches, *O Caderno da Língua*, 172). Daí, talvez, provenha **GURI**, menino. Há também as formas variantes **COLOMIM, CULUMIM, COLOMI** e **CULUMI**. Podem também significar, além de *menino*, *criado jovem* (Amaz.).
Daí, também, provém o nome geográfico **ITACOLOMI** (MG) (v. Rel. Top. e Antrop. no final).

ITACOLOMI (foto de E. Navarro)

kunumĩgûasu (ou **kunumĩûasu**) (etim. – *menino grande*) (s.) – **1)** rapaz, moço, adolescente; mancebo (*VLB*, II, 30): ... *Kunumĩgûasu, apŷaba, kunhãmuku, xe boîáramo pabẽ xe pópe arekó-katu.* – Os moços, os homens, as moças, a todos bem os tenho em minhas mãos como meus súditos. (Anch., *Teatro*, 34); *A'epe kunumĩgûasu kunhã... oîmomosemba'e...?* – E os rapazes que perseguem mulheres? (Anch., *Teatro*, 36); ... *Karaibebé îepîakukari i xupé kunumĩgûasu-porãngaturamo nhẽ.* – O anjo revelou-se a ela como um rapaz muito belo. (Ar., *Cat.*, 31); **2)** adolescência, juventude (de 15 a 25 anos) (D'Evreux, *Viagem*, 130): *I kunumĩûasureme se'ôû.* – Em sua adolescência morreu. (D'Evreux, *Viagem*, 131) • **kunumĩgûasu-kakuabamo** – mancebo de pouca idade (*VLB*, II, 30)

kunumĩgûasu'ĩ (s.) – mocinho adolescente (*VLB*, II, 39)

kunumĩmirĩ (etim. – *menino pequeno*) (s.) – menino cuja idade vai de um a sete ou oito anos (D'Evreux, *Viagem*, 129)

kunuru (s.) – espécie de crustáceo da família dos ocipodídeos (Marcgrave, *Hist. Nat. Bras.*, 185)

kunusãîa (s.) – modéstia, discrição (Bettendorff, *Compêndio*, 20); honestidade no aspecto (*VLB*, I, 153); (adj.: **kunusãĩ**) – modesto, discreto: *Xe kunusãĩ.* – Eu sou modesto. (*VLB*, II, 40); *I kunusãĩ abá supé onhe'enga...* – É discreta, falando aos homens. (Anch., *Doutr. Cristã*, I, 228); (adv.) – modestamente (*VLB*, II, 40)

kunu'uma (s.) - zelo, cuidado, carinho: *Setá nhẽ* ***kunu'umusu***... - É muito, com efeito, o grande zelo. (Ar., *Cat.*, 157v)

kupá (s.) - nome de um peixe, provavelmente da família dos cianídeos (Sousa, *Trat. Descr.*, 281)

kupasy (s.) - var. de búzio marinho (*VLB*, I, 60)

kupasygûasu (s.) - var. de caramujo (*VLB*, I, 60; 66)

kupé (s.) - 1) costas (Anch., *Arte*, 42v); 2) parte traseira; parte de trás (*VLB*, I, 102) • **kupé koty**; **kupépe**; **kupébo** - pelas costas, na ausência, à traição (*VLB*, II, 134); atrás de, na parte anterior de: *Xe* ***kupépe*** *é ahẽ aîpó i 'éû*. - Na minha ausência é que ele disse isso. (*VLB*, I, 48); *Xe* ***kupébo*** *aîpó eré*. - Pelas minhas costas disseste isso. (*VLB*, II, 81); *Xe* ***kupébo*** *xe mombe'u*. - Infamam-me pelas costas. (Anch., *Arte*, 42v); *Xe* ***kupébo*** *erenhe'eng*. - Falas pelas minhas costas. (Fig., *Arte*, 122); ... *Ybyrá itá monhangymbyra* ***kupépe*** *so'o mimbaba roka ogûar og upabamo*... - Atrás de uma cerca feita de pedras, tomou a casa dos animais de criação como sua pousada. (Ar., *Cat.*, 9v); *ó-****kupépe*** - detrás da casa, atrás da casa (*VLB*, I, 102)

kupe'ab (etim. - *rachar as costas*) (v. tr.) - atacar pelas costas, fazer cilada contra: *Îasó sesé îapu'ama, Tupana sy* ***kupe'apa***. - Vamos para assaltá-la, atacando pelas costas a mãe de Deus. (Anch., *Teatro*, 130); *A'e ré, moxy rekóú pysaîé... kunhã mena* ***kupea'pa***. - Depois disso, os malvados estão alta noite atacando pelas costas os maridos das mulheres. (Anch., *Teatro*, 150); *Aî****kupe'ab*** *tobaîara i îukábo*. - Fiz cilada contra o inimigo, matando-o. (*VLB*, I, 81)

kupeanga'o (v. tr.) - vituperar pelas costas: *Ereî****kupeanga'ope*** *nde ruba, nde mbo'esara?* - Vituperaste pelas costas a teu pai, a teu mestre? (Anch., *Doutr. Cristã*, II, 84)

kupeasura (etim. - *costas corcovadas*) (s.) - corcova; (adj.: **kupeasur**) - corcunda; **(xe)** ter corcova: *Xe* ***kupeasur***. - Eu tenho corcova, eu estou corcunda. (*VLB*, I, 30)

kupepema (etim. - *costado anguloso*) (s.) - quilha de embarcação (*VLB*, II, 94)

kupîá (s.) - variedade de formiga, de cor castanha, com tenazes que se salientam à maneira de dentes. A secção anterior do corpo tem o tamanho de um grão de ervilha. Num certo tempo adquire quatro asas. (Marcgrave, *Hist. Nat. Bras.*, 253)

kupi'i (s.) - CUPIM, térmita, itapicuim, nome comum aos insetos da ordem dos isópteros. Algumas espécies são xilófagas, destruindo a madeira e outras são vegetarianas, alimentando-se de plantas, sementes, cereais etc. Constroem grandes ninhos, chamados *cupinzeiros*, no solo ou na madeira. São sociais e vivem em comunidades de muitos indivíduos, alados ou ápteros. (*VLB*, I, 142; Sousa, *Trat. Descr.*, 272-273)

kupy'yba (etim. - *planta da abelha "kupy"*) (s.) - CUPIÚBA, COPIÚBA, COPIÚVA, CUPIÚVA, CUTIÚBA, pequena árvore cunoniácea (*Weinmannia pinnata* L.) (Sousa, *Trat. Descr.*, 196)

kupu'y'aîuba (etim. - *cupiúba do fruto amarelo*) (s.) - árvore anacardiácea de flor branca manchada de amarelo, cujo fruto possui uma pequena amêndoa dentro (D'Abbeville, *Histoire*, 222v)

kupu'yûasu (etim. - *grande árvore da abelha "kupy"*) (s.) - 1) CUPUAÇU (*Theobroma grandiflorum* (Willd. ex Spreng.) K. Schum.), árvore grande da família das esterculiáceas, de flor branca, fruto comprido e amarelado, com três duros caroços; 2) o fruto dessa árvore, muito apreciado por sua polpa aromática, doce, usado para a fabricação de sorvetes, refrescos etc. (D'Abbeville, *Histoire*, 222v)

CUPUAÇU (ilustração de C. Cardoso)

kupy¹ (s.) - pé (de móvel) (*VLB*, II, 68)

kupy² (s.) - costas (o mesmo que **kupé** - v.) (Castilho, *Nomes*, 31)

NOTA - Daí provém, no P.B., CUPIM, isto é, corcunda de boi, muito apreciado como carne para churrasco.

kupy³

kupy³ (s.) – **1)** parte interna da coxa (Castilho, *Nomes*, 31); **2)** perna: *Aîkupyîurar.* – Lacei-lhe as pernas. (*VLB*, II, 74); *Aîkupy-pûar.* – Amarrei-lhe as pernas. (*VLB*, I, 46)

kupy⁴ (s.) – **CUPIRA**, variedade de abelha menor, escura, que produz ótimo mel (Piso, *De Med. Bras.*, 64)

kurab (v. tr.) – **1)** chacotear, escarnecer, chamar nomes a, dar nomes a (*VLB*, I, 38): *Aûnhenhẽ o apixarĩ... îepyki, ... i kurapa...* – Imediatamente, de seu próximo eles se vingam, chacoteando-os. (Anch., *Teatro*, 130); *Aîkurá-kurab.* – Fico-o chacoteando. (*VLB*, II, 51); *...oporokurá-kurapa...* – Ficando a chacotear as pessoas. (Ar., *Cat.*, 74); **2)** injuriar (D'Evreux, *Viagem*, 148) • **oîkuraba'e** – o que chacoteia, o que escarnece de, o que injuria: *Oporokurá-kuraba'e...* – O que fica escarnecendo das pessoas. (Anch., *Diál. da Fé*, 215)

kuragûá (s.) – **CURAUÁ, 1)** planta bromeliácea; **2)** casca dessa planta, com a qual se faziam alpargatas (Marcgrave, *Hist. Nat. Bras.*, 271)

kuraîú (s.) – nome de uma ave noturna, da família dos nictibídeos (Wagener, *Zoobiblion*, prancha 42)

kuré (interj.) – palavra usada pelos guardadores de porcos para os chamar (*VLB*, I, 73)

> NOTA – No guarani paraguaio de hoje, **kure** significa *porco*.

kuri (s.) – **GURI**, designação genérica dos bagres marinhos (Sousa, *Trat. Descr.*, 282)

kuriboka (s.) – **CURIBOCA, CARIBOCA**, filho de pai indígena e mãe africana (Marcgrave, *Hist. Nat. Bras.*, 268)

> NOTA – É de **kuriboka** que se originou **CABOCLO**, em português. O termo passou a designar, mais tarde, também o filho de mãe índia e pai branco.

kurika (s.) – **CURICA**, ave da família dos psitacídeos. "... Fazem grande dano nas searas de milho... Falam muito bem." (v. **aîuru-kuruka**) (Sousa, *Trat. Descr.*, 231)

kurikaka (s.) – **CURACACA, CURICACA, CURUCACA**, ave ciconiforme da família dos tresquiornitídeos, da América do Sul, de hábitos gregários e voo possante, encontrada nos brejos e pantanais (Marcgrave, *Hist. Nat. Bras.*, 191)

CURACACA (fonte: Marcgrave)

kurimã (ou **kuremã** ou **koîrimá**) (s.) – **CURIMÃ, CURUMÃ**, nome comum a várias espécies de peixes da família dos mugilídeos, do oceano Atlântico (Marcgrave, *Hist. Nat. Bras.*, 181; Léry, *Histoire*, 348-349)

kurimatá (ou **kurimatã**) (etim. – *curimã duro*) (s.) – **CURIMATÁ, CURIMBATÁ, CURIMATÃ**, nome comum a peixes da família dos caracídeos, com mais de vinte espécies em todo o Brasil. São também chamados **CORIMATÁ, CORIMBATÁ, CURIMATAÚ, CURIMBA, CURUMBATÁ, CURIBATÁ, GRUMATÁ** ou **GRUMATÃ**. (Marcgrave, *Hist. Nat. Bras.*, 156)

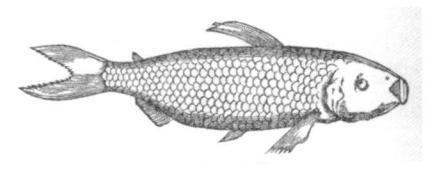

CURIMBATÁ (fonte: Marcgrave)

kurimãûasu (etim. – *curimã grande*) (s.) – peixe da família dos mugilídeos (D'Abbeville, *Histoire*, 244v).

kurimuré (s.) – nome de um peixe (Léry, *Histoire*, 349)

kuruá¹ (s.) – **CURUÁ**, nome de árvore que se parece "na feição, na folha, na cor da madeira, com carvalhos" (Sousa, *Trat. Descr.*, 214)

kuruá² (s.) – **1)** planta cucurbitácea trepadeira de que se pode fazer latada; **2)** o fruto dessa planta, do tamanho de uma abóbora (Brandão, *Diálogos*, 212)

kuruaîá – o mesmo que **mukunã** (v.) (*Theat. Rer. Nat. Bras.*, II, 193)

kuruanha (etim. – *curuá de dentes*) (s.) – planta trepadeira que dá um fruto de feição de fava, que tem dentro três ou quatro caroços (Sousa, *Trat. Descr.*, 194)

kuruatá¹ (s.) – COROATÁ, CROATÁ, **1)** nome comum a plantas da família das bromeliáceas (*Neoglaziovia variegata* (Arruda) Mez e *Bromelia karatas* L.); **2)** o fruto da segunda espécie de coroatá, "fruta branca e comprida que se come chupada, com deixar muito gosto" (Brandão, *Diálogos*, 217)

kuruatá² (s.) – CURUATÁ, peixe da família dos tuníideos, de ótima carne (*VLB*, I, 29)

kurûatapinima (etim. – *curuatá pintado*) (s.) – CURUATÁ-PINIMA, peixe da família dos tuníideos (Marcgrave, *Hist. Nat. Bras.*, 150)

kuruba (s.) – **1)** grão, grânulo, caroço (*VLB*, I, 150); **2)** espinha: *Tobá kuruba* – espinhas do rosto (*VLB*, I, 126); **3)** sarna, CURUBA, CORUBA (*VLB*, II, 113); borbulha, vesícula que se forma sobre a epiderme (*VLB*, I, 57); **4)** verruga (Cardim, *Trat. Terra e Gente do Brasil*, 57); **5)** bexigas; varíola; (adj.: **kurub**) – CURUBENTO; com espinhas; sarnento; **(xe)** ter espinhas, ter bexigas: *Xe robá-kuru-kurub.* – Eu tenho o rosto muito curubento. (*VLB*, I, 126); *Xe robá-kurub.* – Eu tenho o rosto curubento. (*VLB*, I, 55) • **kurubabora** – sarnento, curubento (D'Evreux, *Viagem*, 157)

NOTA – Daí, no P.B., QUIRERA e CRUEIRA (*kurubûera*, "o que foi grão"), o milho ou o arroz quebrados; BEIJUCURUBA ("beiju de bolota"), var. de biju; CRUBIXÁ (*kurubĩ* + *saba*, "lugar de seixinhos"), coral negro que se acha em muitos lugares da costa brasileira; ITACURU (*itá* + *kuruba*, "grãos de pedra"); ITACURUMBI (*itá* + *kurubĩ*, "grãozinhos de pedra"), lugar onde há muitos pedregulhos e seixos pequenos; ITACURUBA (*caroços de pedra*) (ou TACURUBA, ITACURUA, TACURUA, TACURU), trempe constituída por três pedras soltas em que se põe a panela. CURUBA pode ser, também, o bicho que provoca a sarna (in *Dicion. Caldas Aulete*). Daí, também, o nome geográfico BOTUCORUVU (SP) etc. (v. Rel. Top. e Antrop. no final).

kurubá (s.) – nome de uma planta cucurbitácea, uma variedade de abóbora (Marcgrave, *Hist. Nat. Bras.*, 21)

kurubi – o mesmo que **kurubipûera** (v.)

kurubipûera (etim. – *grãozinho que foi*) (s.) – migalha (de qualquer coisa) (*VLB*, II, 37): ... *I kurubipûera anhõte îepé asé o'u.* – Ainda que somente uma migalha dele a gente come. (Ar., *Cat.*, 85)

kurubixok (etim. – *socar as migalhas*) (v. tr.) – esmigalhar: *Aîkurubixok.* – Esmigalhei-o. (*VLB*, I, 125)

kurûera (etim. – *grãos que foram*) (s.) – QUIRERA, CRUEIRA, acrivadura, o que resta na peneira após joeirar-se algo; grânulo, bolota (*VLB*, I, 21; 32) (v. **kuruba**)

kurugûatapinima – o mesmo que **kurûatapinima** (v.) (*VLB*, I, 57)

kuruiri (s.) – CURUIRI, árvore da família das mirtáceas (Marcgrave, *Hist. Nat. Bras.*, 109)

kuruka (s.) – resmungão; resmungo; (adj.: **kuruk**): *Nde nhe'ẽ-kuru-kurukype...?* – Tu tiveste palavras muito resmungonas? (Ar., *Cat.*, 100v)

NOTA – Daí, no P.B., COROCA, CURUNGO, COROIA, CURUCA (s. e adj.). P.ex., *velha COROCA*, isto é, velha resmungona, velha caduca. CURUCA também passou a designar agitação de peixes que vêm à flor da água na época da desova, donde o nome geográfico PIRACURURUCA (AM), *rumor da passagem de cardumes de peixes de um igarapé a outro, na época das cheias* (in *Dicion. Caldas Aulete*).

kurukakutinga (s.) – nome de cobra (Piso, *De Med. Bras.*, III, 171)

kurukûá (s.) – nome de uma ave (*Theat. Rer. Nat. Bras.*, I, 148)

kurupa'ymirĩ (s.) – nome de uma planta (*Theat. Rer. Nat. Bras.*, II, 204)

kuruperana (s.) – var. de vespa (*VLB*, I, 55)

Kurupira (etim. – *pele de sarna, pele de verrugas*) (s. antrop.) – CURUPIRA, nome de entidade sobrenatural, habitante das florestas, que tinha os pés voltados para trás: *Eresykyîpe Anhanga, Tagûaíba, Kurupira, Îurupari koîpó te'õ abá supé?* – Invocaste o Anhanga, o Taguaíba, o Curupira, o Jurupari ou a morte para alguém? (Ar., *Cat.*, 102v)

kurupirara (etim. – *apanha-Curupira*) (s.) – **1)** nome de um brinquedo de crianças (Nieuhof, *Ged. Reize*, 217); **2)** dança ou modo de saltar de índios de menor idade (Vasconcelos, *Crônica (Not.)*, §143, 107)

kurupireíra (etim. – *abelha do Curupira*) (s.) – abelha silvestre da família dos meliponídeos, cujo mel produz intoxicação (Piso, *De Med. Bras.*, IV, 178)

kurupy'a

kurupy'a (s. etnôn.) – nome de antiga nação indígena (Cardim, *Trat. Terra e Gente do Brasil*, 126)

kurupyka'yba (etim. – *planta cessa-sarna*) (s.) – CURUPICAÍ, leiteira, pau-de-leite, planta da família das euforbiáceas, do gênero *Sapium*. "As folhas estilam um leite como o das figueiras de Espanha, o qual é único remédio para feridas... Se lhe picam a casca, deita grande quantidade de visco com que se tomam os passarinhos." (Cardim, *Trat. Terra e Gente do Brasil*, 42; *VLB*, II, 146)

kururi (s.) – espécie de sapo venenoso (Piso, *De Med. Bras.*, III, 170)

kururu (s.) – sapo, CURURU, nome genérico de batráquios (D'Abbeville, *Histoire*, 253v; Piso, *De Med. Bras.*, III, 174; Sousa, *Trat. Descr.*, 264): *Ené, rõ, kururu-asyka!* – Eia, pois, sapo maneta! (Anch., *Teatro*, 42)

> NOTA – No P.B., CURURU, além de termo genérico para certos sapos grandes, de pele enrugada, pode ser também um termo específico para os do gênero *Bufo*, o *sapo-cururu*, propriamente dito. No folclore brasileiro tal palavra está presente: *SAPO-CURURU / Da beira do rio / Quando o sapo canta, menino, / Ele está com frio*.

kururuapé (etim. – *caminho de sapo*) (s.) – CURURUAPÉ, planta sapindácea (*Paullinia pinnata* L.), conhecida também como *timbó* ou *timbó-cipó*, usada para entorpecer os peixes nas pescarias (Marcgrave, *Hist. Nat. Bras.*, 22; Piso, *De Med. Bras.*, IV, 200-201)

kururuka (s.) – CURURUCA, nome comum a certos peixes marinhos, da família dos cianídeos (Marcgrave, *Hist. Nat. Bras.*, 147)

Kururupeba (etim. – *sapo achatado*) (s.) – CURURUPEBA, nome de uma entidade da mitologia dos antigos índios tupis da costa do Brasil (Soares, *Coisas Not. Bras.* (ms. C), 676-683): *Xe rera "Kururupeba".* – Meu nome é "Sapo Achatado". (Anch., *Teatro*, 90)

kurusá (s. – portug.) – cruz: *O ati'yba ri kurusá osupi.* – No seu próprio ombro levanta a cruz. (Anch., *Poemas*, 122); *Kurusá xe pópe sekóreme... t'our é Îurupari...* – Se a cruz estiver em minhas mãos, que venha o Jurupari. (D'Abbeville, *Histoire*, 357)

kusuba (etim. – *plantas de grande queimada* < **kaî** + **usu** + **'yba**) (s.) – faíscas de folhagem queimada, sejam vivas ou não (*VLB*, I, 133)

kusubyra (s.) – faíscas de folhagem queimada, sejam vivas ou não (*VLB*, I, 133)

kutimirĩ – o mesmo que **akutimirĩ** (v.) (Sousa, *Trat. Descr.*, 252)

kutuk[1] (v. tr.) – espetar, CUTUCAR, pungir, furar; ferir de ponta com coisa que entra pela carne, espinhar (o espinho); arpoar; escarificar: *Anambi-kutuk.* – Furo orelhas. (Anch., *Arte*, 50); *Oîké îugûasu i akanga kutuka...* – Entram grandes espinhos, espetando sua cabeça. (Anch., *Poemas*, 122); *Minusu pupé îî yké kutuki...* – Com uma lança espetaram seu flanco. (Anch., *Diál. da Fé*, 192)

> NOTA – O verbo CUTUCAR (ou CATUCAR), no P.B., tem os seguintes sentidos: 1) *tocar ligeiramente (alguém) com o dedo, o cotovelo etc., ou algum objeto, principalmente para fazer uma advertência que não se quer ou não se pode fazer de viva voz*; 2) *introduzir a ponta do dedo, ou objeto fino, pontiagudo, em (orifício do corpo, fechadura etc.)*: CUTUCAR *o ouvido*; 3) *(fam.) coçar ou bulir insistentemente em (ferida, machucado)*; 4) *machucar levemente; incomodar*: *O broche mal fechado* CUTUCAVA*-lhe o seio* (in *Novo Dicion. Aurélio*).

kutuk[2] (v. tr.) – fazer liso, alisar (o mesmo que **kytyk** – v.) (*VLB*, II, 23)

kutukagûera (etim. – *o que foi objeto de ferimento*) (s.) – ferida; ferimento de coisa pontuda, de espada, de faca etc.; estocada (*VLB*, I, 129): *O pó, o py, o yké kutukagûera bépe erimba'e ogûeropu'am?* – Ergueu-se com as feridas de suas mãos, de seus pés, de seu flanco? (Ar., *Cat.*, 44v)

ku'uka (s.) – peixe da família dos serranídeos, garoupa: *Akûeîme rakó pirá asekyî-marangatu: ku'uka, gûarapuku...* – Antigamente pescava bem os peixes: garoupas, cavalas... (Anch., *Poemas*, 152)

kuỹ'ĩ (s.) – CUIM, ouriço-cacheiro (v. **ku'ĩ**) (*VLB*, II, 60)

ky[1] (part.) – acaso? porventura?: *Aîpó nd'a'eî pá ky?* – Porventura eu não disse isso tudo? (Anch., *Teatro*, 132)

ky[2] (part. de m.) – 1) expressa determinação, resolução, deliberação, não se traduzindo, às vezes. Vai sempre para o final do período. – haver de... pois, haver de... já: ... *A'u nhẽne ky...* – Hei de comê-lo, pois. (Ar., *Cat.*, 85); *Asóne ky.* – Hei de já ir. (Fig., *Arte*, 139); **2)** expressa exacerbação daquilo que se quer responder (como se, perguntando alguém se algo já aconteceu há muito tempo, outrem respondesse: Nossa! Ui!, isto é, há muitíssimo tempo!) (*VLB*, II, 139). Diz o que vê a coisa longe ou fora de propósito. (Fig., *Arte*, 147)

ky'a (s.) – sujeira: ... *Asé 'anga ky'a reîme.* – Por lavar a sujeira de nossa alma. (Anch., *Doutr. Cristã*, I, 201); (adj.) – sujo: *Xe ky'a.* – Eu estou sujo. (*VLB*, I, 87) ● **ky'asaba** – tempo, lugar, causa etc., da sujeira; sujidade, sujeira: *Mba'epe asé 'anga ky'asabamo?* – Qual é a causa da sujeira de nossa alma? (Ar., *Cat.*, 80v)

NOTA – Daí, no P.B., INHAMBUQUIÁ, INAMBUQUIÁ, NAMBUQUIÁ, NHAMBUQUIÁ, INAMUQUIÁ (*inhambu* + *ky'a*, "inhambu sujo"), nome de uma ave tinamídea; MERUQUIÁ (*me'eru* + *ky'a*, "meru sujo"), nome de planta gramínea.

kyba (s.) – piolho de cabeça humana e de animais, inseto da família dos pediculídeos (*VLB*, II, 78; Anch., *Arte*, 5) ● **kyba'yra** – lêndeas de piolho (da cabeça) (*VLB*, II, 20)

kybõ (ou **kûybõ**) (adv.) – aqui nestes lados, por aqui, cá nestas partes (*VLB*, II, 91); para cá; mais para cá (Fig., *Arte*, 129): *Té ouereté kybõ Reriûasu mã!* – Ah, veio mesmo para cá o Ostra Grande! (Léry, *Histoire*, 341); *Abápe ké sobasẽ, kûybõ oma'ẽ-nhemima?* – Quem aqui dá a cara, para cá olhando furtivamente? (Anch., *Teatro*, 138); *Mobype tubixá-katu kybõ?* – Quantos são os chefes principais por aqui? (Léry, *Histoire*, 350) ● **kybõ-ngoty** – para cá; mais para cá (Fig., *Arte*, 129); aquém (*VLB*, I, 40); **kybõ-ngoty bé** – mais para cá (*VLB*, II, 91); **kybõ-ngoty-pyryb** – um pouco mais para cá (*VLB*, II, 91)

kybukybura (s.) – GUIBUGUIRA, var. de formiga grande, de asas (Sousa, *Trat. Descr.*, 271)

kybykyra (etim. – *irmão tenro*) (s.) – **1)** irmão caçula (de m.); **2)** primo caçula (de m.) (Ar., *Cat.*, 269, 1686)

kybyra (s.) – **1)** irmão (de m.): *O kybyra... resé nd'e'ikatuî abá omendá.* – Com seu próprio irmão não pode ninguém se casar. (Ar., *Cat.*, 128v); **2)** primo (de m.) (Ar., *Cat.*, 115v)

kygûaba – v. **kyûaba**

ky'ĩ (s. voc. de m.) – mana! (como diz uma mulher a outra); minha irmã! (*VLB*, II, 30; Anch., *Arte*, 14v)

kyîa (s.) – nome genérico de plantas da família das solanáceas, gênero *Capsicum*, conhecidas como *pimenta* (Marcgrave, *Hist. Nat. Bras.*, 39)

kyîaapu'a (etim. – *pimenta redonda*) (s.) – variedade de pimenta, espécie de planta solanácea (*Capsicum baccatum* L.), originária da América do Sul (Marcgrave, *Hist. Nat. Bras.*, 39; Piso, *De Med. Bras.*, IV, 197)

kyîaapu'a'ĩ (etim. – *pimenta redondinha*) (s.) – nome de uma planta (*Theat. Rer. Nat. Bras.*, II, 160)

kyîakumari (etim. – *pimenta cumari*) (s.) – variedade de pimenta, PIMENTA-CUMARI, de fruto de cor vermelha, planta solanácea do gênero *Capsicum* (Marcgrave, *Hist. Nat. Bras.*, 39)

kyîakûy (s.) – pimenta-malagueta, planta solanácea sul-americana (*Capsicum frutescens* L.) (Piso, *De Med. Bras.*, 198; Marcgrave, *Hist. Nat. Bras.*, 39)

kyîasarapó (etim. – *pimenta sarapó*) (s.) – variedade de pimenta nativa, planta solanácea do gênero *Capsicum* (Piso, *De Med. Bras.*, IV, 198)

kyîausá (s.) – variedade de pimenta, *pimenta-grande* ou *pimentão*, planta solanácea do gênero *Capsicum* (Marcgrave, *Hist. Nat. Bras.*, 39)

kyîu (s.) – QUIJUBA, grilo (o mesmo que **kyîuba**[2] – v.) (D'Evreux, *Viagem*, 215; *VLB*, I, 150)

kyîuba[1] (s.) – QUIJUBA, ave psitacídea (*Theat. Rer. Nat. Bras.*, I, 170)

kyîuba[2] (ou **kyîu**) (s.) – grilo, nome comum aos insetos ortópteros da família dos grilídeos (D'Abbeville, *Histoire*, 257v; Thevet, *Cosm. Univ.*, 918v)

kyîubatu'i (s.) – ave psitaciforme da família dos psitacídeos (Marcgrave, *Hist. Nat. Bras.*, 207)

kykypeé (adv.) – de vez em quando; raramente (*VLB*, I, 101)

kykypenhõ (adv.) – de vez em quando; raramente (*VLB*, I, 101)

kyna'ĩ

kyna'ĩ (s. voc., de m.) - mana! (como diz uma mulher a outra); minha irmã! (Anch., *Arte*, 14v; *VLB*, II, 30)

kype[1] (adv.) - lá, muito longe (*VLB*, II, 17)

kype[2] (adv.) - longamente, muito tempo (*VLB*, I, 102): *Kype rakó ereín nde raûsupara koîpó nde mũ rapirõmo...* - Longamente ficas sentado pranteando teus amigos ou teus parentes. (Ar., *Cat.*, 157); *Kype anhenupã-nupã.* - Fiquei a penitenciar-me longamente. (Anch., *Teatro*, 172); ... *Kype onhemoŷrõmo nhẽ.* - Longamente irritando-se. (Anch., *Teatro*, 128)

kype[3] (ou **kypenhõ**) (adv.) - rarissimamente (*VLB*, II, 96)

kype'ĩ (adv.) - algum tempo, por algum tempo (*VLB*, I, 125)

kyr (v. intr.) - chover, precipitar-se, cair (chuva), pingar: *Okyr amana.* - Caiu a chuva. (*VLB*, I, 74); *Oky-ko'ẽ-ko'ẽ amana...* - A chuva ficava amanhecendo a cair. (Ar., *Cat.*, 41v)

kyrá (s.) - gordura, sebo; (adj.) - gordo (fal. de pessoa ou animal): *Xe kyragûasu.* - Eu sou muito gordo. (*VLB*, I, 149)

NOTA - Daí, no P.B., **CARAPINHA** [talvez de '*a(ba)* + *kyrá* + *apynha*, "cabelos ensebados e circulares"], o cabelo crespo e lanoso dos negros.

kyra[1] (s.) - imaturidade, gestação, incompleteza, estado verde (fal. de milho, de criança no ventre da mãe etc.): *Okuî rakó amũme 'ybarambûera o 'yba suí 'ybotyramo oîkóbo bé, amõ rakó ogûakyra pupé i kuî...* - Caem às vezes os frutos de suas árvores, sendo ainda flores, outras vezes caem em seu estado verde. (Ar., *Cat.*, 157v); (adj.: **kyr**) - novo, imaturo, tenro (fal. de folhas novas), verde, em gestação: *só-kyra* - folha tenra (*VLB*, II, 126) *Xe kyr.* - Eu estou imaturo. (*VLB*, II, 144); *memby-kyra* - filho em gestação, feto (*VLB*, II, 126)

NOTA - Daí, no P.B., **MUQUIRA** (Amaz., pop.) (*mó* + *kyr* + *-a*, "mãos tenras", como as de recém-nascido, i.e., sempre fechadas), "avaro", "pão-duro", "miserável"; **PIQUIRA, PEQUIRA** ("pele tenra"), peixe pequeno.

kyra[2] (s.) - o criado, o súdito, o filho em relação a seus superiores ou a seus pais; o subordinado, o que está sob a tutela de: *Na oré ruã, oré kyra é.* - Não fomos nós, mas nossos subordinados. (*VLB*, II, 126)

kyre'yma (s.) - 1) diligência, presteza, destreza, habilidade (*VLB*, I, 103); 2) valentia (*VLB*, II, 127); (adj.: **kyre'ym**) - 1) destro, habilidoso, diligente: *Xe kyre'ym.* - Eu sou habilidoso. (*VLB*, I, 101); 2) valente (*VLB*, II, 127)

kyre'ymbaba (s.) - 1) QUIRIMBABA, CURIMBABA, homem valente e bravo, homem poderoso e ditoso nas guerras e capaz de grandes coisas; valentão, magnânimo, venturoso, guerreiro; afouto: ... *Tamũîa, kyre'ymbagûera, omombab erimba'e...* - Destruiu outrora os tamoios, os valentes. (Anch., *Teatro*, 52); ... *Kyre'ymbaba mondóbo xe retama pupé.* - Enviando homens valentes para dentro de minha terra. (D'Abbeville, *Histoire*, 341v); *Kó a'e xe kyre'ymbaba oîkuá morapiti...* - Eis que esses meus valentões sabem assassinar. (Anch., *Teatro*, 142); 2) valentia, destemor, bravura, audácia: *Sekoaba é kyre'ymbaba.* - É-lhe natural a valentia. (Anch., *Teatro*, 164)

NOTA - **CURIMBABA**, no P.B. (MG), também tem o sentido de *capanga*.

kyrirĩ (s.) - silêncio (*VLB*, II, 117); QUIRIRI; (adj.) - silencioso, quieto, calado, pensativo, QUIRIRI: *Enhemim, nde kyrirĩ...* - Esconde-te, fica quieto. (Anch., *Teatro*, 32)

NOTA - Daí, no P.B., **QUIRIRI**, usado na Amazônia e significando "*calada da noite*", "*silêncio noturno*" (*PDBLP*, 1020): "... *Tudo caiu em enorme silêncio, ... esse silêncio noturno das nossas regiões a que o tapuio chama, talvez imitativamente, **QUIRIRI**.*" (José Veríssimo, in *Cenas da Vida Amazônica*, apud *Novo Dicion. Aurélio*). Daí, também, o nome geográfico **IQUIRIRIM** (nome de rua de São Paulo) (v. Rel. Top. e Antrop. no final).

kysé (s.) - faca, QUICÉ, QUICÉ, QUECÉ, QUECÊ: *Ererupe itá kysé amõ?* - Trouxeste algumas facas de ferro? (Léry, *Histoire*, 346); *takûâ-kysé* - faca de taquara (*VLB*, I, 133; Marcgrave, *Hist. Nat. Bras.*, 271)

NOTA - Daí, o nome de planta e da localidade mencionada por Guimarães Rosa em *Grande Sertão: Veredas*, **ANDREQUICÉ** (*andyrá* + *kysé*, "faca de morcego") e das localidades de **ITAQUAQUECETUBA** (SP) e **TAQUACETUBA** (SP) (v. Rel. Top. e Antrop. no final).

kyseapara (etim. - *faca torta*) (s.) - foice: *Nd'ereruripe kyseapara amõ?* - Não trouxeste algumas foices? (D'Evreux, *Viagem*, 246)

kysegûasu (etim. – *faca grande*) (s.) – cutelo: *itá-kysegûasu* – cutelo de ferro (*VLB*, I, 88)

kysyîé – metátese de **sykyîé** (v.) (*VLB*, II, 34)

kytã¹ (s.) – nó (como de cipó ou de qualquer vara): *i kytã* – o nó dele; *ase'okytã* (ou *îurubykytã*) – nó do papo, nó da garganta (*VLB*, II, 50)

> NOTA – Daí, **MUIRAQUITÃ** (*ybyrá* + *kytã*, "nó de madeira"), amuleto usado na Amazônia.

kytã² (s.) – verruga (*VLB*, II, 144)

kytĩ (v. tr.) – cortar (com serra, tesoura, faca, palha, vidro, casca de ostra etc. Cortar com instrumentos maiores, como machado, espada etc. é **mogûaî** ou **mondok** – v.); dar cutilada: *Aybyrá-kytĩ*. – Cortei madeira. (*VLB*, II, 117)

kytyk (v. tr.) – **1)** esfregar; brunir; alisar (*VLB*, II, 23); roçar: *Itayîuîa pupé aîkytyk*. – Com sabão esfreguei-o. (*VLB*, I, 117); *Aîkyty-kytyk mba'e-kagûera pupé*. – Fiquei-o esfregando com gordura. (*VLB*, I, 117); *Aîkytyk iraîty pupé*. – Esfreguei-o com cera. (*VLB*, I, 114); **2)** brear, passar breu, alcatrão (p.ex., no barco); encerar, untar (p.ex., com azeite) (*VLB*, II, 139): *Aîkytyk*. – Breei-o. (*VLB*, I, 59)

kytynga (s.) – ferrugem, mancha: *Aîkytyngok*. – Tiro a sua ferrugem. (*VLB*, II, 22)

kytyngok (v. tr.) – limpar esfregando, tirar a sujeira de, brunir, polir, açacalar; limpar de ferrugem: *Aîkytyngok*. – Limpo-o de ferrugem. (*VLB*, II, 22)

kytyngoka (s.) – esfregamento, polimento, limpeza; (adj.: **kytyngok**) – esfregado, polido, limpo: ... *Nde 'ã-kytyngokyne*. – Tu terás a alma limpa. (Anch., *Doutr. Cristã*, II, 113)

kyûaba ou (**kygûaba**) (etim. – *instrumento de comer piolhos*) (s.) – pente (Léry, *Histoire*, 346; *VLB*, I, 32)

ky'ynha (s.) – var. de pimenta (*VLB*, II, 77)

M

mã (interj.) - Ah! Ó! Oh! (Diz o que deseja, admira ou lastima-se.) (Fig., *Arte*, 147): *Xe moaîu-te i nema mã!* - Ah, como me importuna o fedor dele! (Anch., *Teatro*, 8); *N'aîukáî xûé temõ mã.* - Ah, oxalá não o mate eu! (Fig., *Arte*, 27); *Xe reîtyk korine mã!* - Ah, vencer-me-ão hoje! (Anch., *Teatro*, 26); *Ogûerasó temõ sapy'a ybakype Tupana xe ruba mã!* - Ah, oxalá Deus logo levasse meu pai para o céu! (Fig., *Arte*, 99)

maanipó (part.) - não deve ser, não será assim (*VLB*, II, 47); o mesmo que **aan ipó** (v. **aan**)

ma'e - o mesmo que **mba'e** (v.)

ma'ẽ (v. intr. compl. posp.) - **1)** olhar [para algo ou para alguém: compl. com **esé (r, s)** ou **ri**]: *Marã e'ipe asé o py'ape ybaka resé oma'ẽmone?* - Como dirá a gente em seu coração, olhando para o céu? (Ar., *Cat.*, 26); *Ema'ẽngatu oré ri...!* - Olha bem para nós! (Anch., *Poemas*, 102); *T'oma'ẽ îandé resé pitangĩ-moraûsubara...* - Que olhe para nós o neném compadecedor. (Anch., *Poemas*, 164); *Ema'ẽ-te ranhẽ!* - Mas olha primeiro! Olha cá! (como que mostrando alguma coisa notável) (*VLB*, II, 55); **2)** (v. intr.) enxergar, ver: *N'ama'ẽî.* - Eu não enxergo (isto é, eu sou cego). (*VLB*, I, 70) • **ma'ẽsaba** (ou **ma'ẽndaba**) - tempo, lugar, modo, causa, objeto etc. do olhar, da visão: *Mba'epe asé oîmoinukar o kotype o ma'ẽsabamo?* - Que a gente manda pôr em seu aposento como objeto de seu olhar? (Ar., *Cat.*, 93); *Peîmoín amõ cruz oîepé kó mara'abora robaké sesá ma'ẽndabamo.* - Ponde uma cruz diante deste doente como objeto da visão de seus olhos. (Ar., *Cat.*, 142); (O imperativo pode ser usado sem os prefixos e- ou pe-): **ma'ẽ!** - olha!: *Ma'ẽne, tupinambá Paragûasupendarûera... opakatu îamombá.* - Olha, arrasamos todos os tupinambás que estavam no Paraguaçu. (Anch., *Teatro*, 14)

Ma'eakanga (etim. - *cabeça de coisa*) (s. antrop.) - nome de índio tupi (D'Abbeville, *Histoire*, 188v)

ma'e'ĩ (v. tr.) - **1)** distribuir: *Aîma'e'ĩ.* - Distribuo-os. (*VLB*, I, 104); **2)** vender: *Amba'e-ma'e'ĩ.* - Vendi coisas. (*VLB*, II, 143) • **ma'e'ĩndaba** - tempo, lugar, modo etc. de vender: *so'o ma'e'ĩndaba* - lugar de vender carne, açougue (*VLB*, I, 21)

ma'enan (ou **ma'enã**) (v. intr. compl. posp.) - vigiar, velar, espiar [compl. com **esé (r, s)** ou **ri**]: *Ema'enãngatu xe ri, xe mbo'are'ymuká.* - Vela bem por mim, fazendo que não me derrubem. (Anch., *Poemas*, 142)

ma'enduar (ou **ma'enduá**) (**xe**) (v. da 2ª classe) - lembrar-se [de algo ou de alguém: compl. com **esé (r, s)** ou **ri**]: *... Nde ma'enduá xe ri!* - Lembra-te de mim! (Anch., *Teatro*, 176); *Kûesé Pedro nde resé i ma'enduari.* - Ontem Pedro se lembrou de ti. (Fig., *Arte*, 95); *N'i ma'enduari xûéne.* - Eles não se lembrarão. (Fig., *Arte*, 40); *Ybakype Tupã i moeté-katu resé o ma'enduaramo.* - Lembrando-se de que Deus os honra muito no céu. (Ar., *Cat.*, 24) • **ma'enduasaba** (ou **ma'enduaraba**) - tempo, lugar, modo etc. de lembrar-se; lembrança: *Ta xe pysyrõ Tupã ma'enduasabaíba suí.* - Que me livre Deus das lembranças ruins. (Ar., *Cat.*, 21); *mba'e resé ma'enduasaba* - lembrança das coisas (*VLB*, II, 35)

ma'enduara (etim. - *o que está na vista*) (s.) - lembrança: *sesé o ma'enduara îabi'õ...* - a cada lembrança dela; cada vez que se lembra dela (Ar., *Cat.*, 71v); *Aîkuab xe resé nde ma'enduara.* - Sei que tu te lembras de mim (lit., *sei de tua lembrança de mim*). (Fig., *Arte*, 156)

> NOTA - Daí, **ABAREMANDOAVA**, nome de cachoeira do rio Tietê (SP) (v. Rel. Top. e Antrop. no final).

ma'etakó (ou **mba'etakó**) (conj.) - isso porque, da mesma forma que: *... Ma'etakó nhusana oín nhote, gûyrá aé osó i pupé.* - ... Da mesma forma que o laço está parado e é o pássaro que vai para dentro dele. (Ar., *Cat.*, 29v); *Aîpoba'e tene nd'oîabyî mboîa, mba'etakó mboîa o emindu'u rekobé mokanhemukar-y îanondé, o ekobé reîari o akanga patukasagûerype.* - Esses, enfim, não diferem da cobra, isso porque a cobra, antes de fazer destruir a vida daquele que morde, deixa sua própria vida ao pisarem sua cabeça. (Ar., *Cat.*, 241, 1686)

ma'ẽtakó (interj.) - ora, vejam agora! (Fig., *Arte*, 137)

ma'ẽtepe (ou **ma'ẽteranhẽ, ma'ẽteperanhẽ, ma'ẽraẽ**) (interj.) - ora, vejam agora! (Fig., *Arte*, 137)

magûá (s.) - broca, lagarta ou larva que ataca o vinho (*VLB*, I, 60)

magûari

magûari (s.) – MAGUARI, BAGAURI, BAGUARI, MAGUARI, **1)** ave ciconiforme da família dos ciconídeos, que vive em bandos em brejos com pouca vegetação alta, sendo conhecida como *cegonha brasileira*, parente próxima da cegonha branca (*Ciconia ciconia*) da Europa. Recebe vulgarmente os nomes de *cauauã*, *cegonha*, *tabuiaiá* e *jaburu-moleque*. **2)** ave ciconiforme da família dos ardeídeos (*Ardea cocoi* L.), que recebe também, vulgarmente, os nomes de **SOCÓ**-GRANDE e *joão-grande* (Marcgrave, *Hist. Nat. Bras.*, 204)

NOTA – **BAGUARI** é também um adjetivo: *vagaroso, pesadão*.

MAGUARI (fonte: *Brasil Holandês*)

magûy (s.) – espécie de raiz (Marcgrave, *Hist. Nat. Bras.*, 272)

mahmõ! (interj. – usada para expressar coisa admirável, maravilhamento) – demais! muito! imensamente!: – *(I) ybaté-katupe?* – *Mahmõ!* – Elas são muito altas? – Demais! (Léry, *Histoire*, 363)

maîaku – o mesmo que **baîaku** (v.) (Gândavo, *Hist.*, VIII, fl. 29)

maîé (s.) (forma absol. de **paîé** ou o mesmo que **paîé** – v.) – PAJÉ, feiticeiro indígena, xamã: *Osekyî kunhã maîé Karûara.* – Invocam as mulheres o pajé Caruara. (Anch., *Teatro*, 148)

maînan (v. intr. compl. posp.) – vigiar, tomar conta, olhar (por algo, para que não se perca) [compl. com a posp. **esé (r, s)** ou **ri**]: *Peîpysy-katu kori... sesé pemaînãngatûabo.* – Apanhai-o bem hoje, dele tomando conta. (Ar., *Cat.*, 54); *Amaînan (abá) resé.* – Tomo conta das pessoas. (*VLB*, I, 151, adapt.) ● **maînandara** – o que vigia, o que toma conta; guardião (*VLB*, I, 151) (v. tb. **ma'enan**)

Maíra[1] (s. antrop.) – nome de um antigo profeta, sucessor e herdeiro de **Mairumûana** (v.) (Thevet, *Les Sing. de la France Antarct.*, 53v)

maíra[2] (s.) – **1)** homem branco: ... *Na satãngatuî maíra!* – Não é muito forte o homem branco. (Anch., *Teatro*, 16); *Aîpó maíra... ybytuûasu oîmoú.* – Aquele homem branco fez vir a ventania. (Staden, *Viagem*, 91); **2)** francês: *"Que veut dire que vous autres Mairs et Peros, c'est à dire François et Portugais, veniez de si loin querir du bois pour vous chauffer?"* – Por que vocês, **maíras** e perós, quer dizer, franceses e portugueses, vêm de tão longe procurar madeira para se aquecerem? (Léry, *Histoire*, cap. XIII)

Maíra-poxy (etim. – *Maíra ruim*) (s. antrop.) – nome de entidade mitológica dos antigos tupis da costa (Thevet, *Cosm. Univ.*, 918)

Mairatã (etim. – *Maíra forte*) (s. antrop.) – nome de entidade mitológica dos antigos tupis da costa (Thevet, *Cosm. Univ.*, 919)

maîreá – o mesmo que **maîriá** (v.) (*Libri Princ.*, vol. I, 92)

maîriá (s.) – nome de um pássaro "do tamanho de um canário; é todo preto, afora a cabeça, que tem branca como neve" (Lisboa, *Hist. Anim. e Árv. do Maranhão*, fl. 194)

Mairumûana (ou **Maíra-humane**) (etim. – *o antigo Maíra*) (s. antrop.) – nome de personagem mítico dos primitivos índios tupis da costa (Staden, *Viagem*, 147)

makaîuba (s.) – MACAÚBA, var. de palmeira; o mesmo que **MOKAÎE'YBA** (v.) (*Libri Princ.*, vol. I, 23)

makapera (s.) – macaxeira assada ao fogo e sem nenhuma outra preparação (Piso, *De Med. Bras.*, 62)

makapy (s.) – var. de peixe (*VLB*, II, 113)

makasyka (s.) – CAMBACICA, MACACICA, pássaro da família dos cerebídeos, que ocorre em todo o Brasil (Sousa, *Trat. Descr.*, 236)

Makaxera[1] (s. antrop.) – "divindade dos caminhos, guia dos viajantes" (Marcgrave, *Hist. Nat. Bras.*, 278): *Nd'arobîari Makaxera...* – Não confio em Macaxeras... (Anch., *Teatro*, 62)

makaxera[2] (s.) – MACAXEIRA, MACAXERA, raiz de planta euforbiácea (*Manihot esculenta* Crantz), chamada também de *aipim*, com que os índios faziam farinha ou cauim

(D'Abbeville, *Histoire*, 229v; Piso, *De Med. Bras.*, IV, 177)

makûara (s.) – nome de uma ave (*Theat. Rer. Nat. Bras.*, I, 127)

makuîé – o mesmo que **mukuîê** (v.) (Brandão, *Diálogos*, 217)

makukagûá (ou **makukaûá**) (s.) – MACUCAGUÁ, MACAGUÁ, MACUCAU, MACUCAUÁ, ave da família dos tinamídeos, muito comum no passado em várias partes do Brasil. É parecida à perdiz. (Cardim, *Trat. Terra e Gente do Brasil*, 37): – *Esenõî gûyrá ixébe.* – *Îaku, mutũ, makukagûá...* – Nomeia as aves para mim. – Jacu, mutum, macucaguá. (Léry, *Histoire*, 348)

MACUCAGUÁ (fonte: Marcgrave)

makukaûá – o mesmo que **makukagûá** (v.) (Staden, *Viagem*, 162)

maman (v. tr.) – amarrar, enrolar, enrodilhar (como a corda num tronco, a vela do navio etc.), laçar, rodear: *Aîe'a-maman.* – Amarrei-me o cabelo. (VLB, I, 113); *Asetymã-maman.* – Lacei a perna dele. (VLB, I, 41); *Aîmaman okytá ysypó pupé.* – Amarrei o esteio com cipó. *Aîmaman ysypó okytá resé.* – Enrolei o cipó no esteio. (VLB, I, 117)

mamana (s.) – amarra, laço, enrolamento: *Aîmamã-rok.* – Retirei as amarras dele. (VLB, I, 98)

mamangá (s.) – MAMANGÁ, arbusto da família das leguminosas-cesalpinoídeas (Piso, *De Med. Bras.*, IV, 190)

NOTA – Daí, **MAMANGUAPE** (nome de município da PB) (v. Rel. Top. e Antrop. no final).

mamõ?[1] (interr.) – **1)** onde? em que lugar?: *Mamõpe Tupã rekóû?* – Onde Deus está?

manaká

(Ar., *Cat.*, 26); *Tó! Mamõpe ahẽ rekóû?* – Eh! Onde ele está? (Anch., *Teatro*, 10); **2)** aonde? para onde? a que lugar?: *Mamõpe i xóû o mba'e-'u-pab'iré?* – Aonde ele foi após acabar de comer? (Ar., *Cat.*, 52v) ● **mamõ suí?** – de onde? (Fig., *Arte*, 127); **mamõ rupi?** – por onde? (Fig., *Arte*, 127); **mamõ-ngoty suí?** – de que parte? (mais específico que *donde?*) (VLB, I, 95)

mamõ[2] (adv.) – **1)** fora, para fora, por aí afora: *Asó mamõ.* – Vou para fora. (VLB, I, 141); **2)** longe, para longe: *N´asó-potari mamõ...* – Não quero ir para longe. (Anch., *Poemas*, 100); *Oú tubixá-katu mamõ suí nde reká.* – Veio um grande chefe de longe para te procurar. (Anch., *Poemas*, 138); *Naroîaî mamõ xe sóû...* – Nem por isso eu vou para longe. (Anch., *Teatro*, 186); *Mamõ nhẽ kanhẽ-motara i py'a îaîporaká.* – O desejo de sumir para longe enche seus corações. (Anch., *Poesias*, 265)

mamõ[3] (s.) – lugar: *... Opakatu mamõ mopori.* – Todos os lugares preenche. (Ar., *Cat.*, 26); – *Mamõpe Tupã rekóû?* – *Nda mamõ nhõ ruã.* – Onde Deus está? – Não num só lugar. (Anch., *Doutr. Cristã*, I, 158); **mamõ suí** – de algum lugar, dalgures, de alguma parte (VLB, I, 89)

mamõygûara (etim. – *o que é de fora, o que é de longe*) (s.) – forasteiro (VLB, I, 141)

mamõygûaraé (etim. – *o que é de fora e diferente*) (s.) – estrangeiro, estranho (VLB, I, 130)

mamûã – o mesmo que **mamûá** (v.) (VLB, II, 60)

mamûá (ou **mamûã** ou **memûá**) (s.) – variedade de pirilampo, inseto da ordem dos coleópteros (Sousa, *Trat. Descr.*, 267)

man (-**îo**- ou -**nho**-) (v. tr.) – enfeixar, fazer feixe de, fazer em feixe, fazer em molhos: *Anhoman.* – Enfeixei-os. (VLB, II, 27)

mana (s.) – feixe (de qualquer coisa); maço, molho (VLB, I, 137): *u'u-mana* – maço de flechas (VLB, II, 27)

manaká (s.) – MANACÁ, planta da família das solanáceas (*Brunfelsia hopeana* Benth.), ornamental, de flores grandes. É usada como corante e como remédio na medicina popular e também chamada **MANAGÁ, MANACÃ** (Marcgrave, *Hist. Nat. Bras.*, 69; Piso, *De Med. Bras.*, IV, 190)

manati

MANACÁ (fonte: Marcgrave)

manati (s.) – peixe-boi, cetáceo da família dos manatídeos. O mesmo que **gûaragûá** (v.) (Laet, *Novus Orbis, Livro XV*, cap. XII, §1)

mana'yba (s.) – **MANAÍBA**, tolete do caule do aipim ou da mandioca, cortado para plantio; muda de aipim ou mandioca (Vasconcelos, *Crônica (Not.)* II, §72, 148)

mana'ybaru (s.) – variedade de mandioca (Sousa, *Trat. Descr.*, 173)

mana'ybusu (etim. – *manaíba grande*) (s.) – variedade de mandioca (Sousa, *Trat. Descr.*, 173)

mana'ytinga (etim. – *manaíba branca*) (s.) – variedade de mandioca, comestível a partir de oito meses de plantio, apta para cultivo em terras fracas e de areia (Sousa, *Trat. Descr.*, 173)

mandapyti'u (s.) – nome de uma planta (*Theat. Rer. Nat. Bras.*, II, 201)

mandatîá (s.) – nome de planta leguminosa (Marcgrave, *Hist. Nat. Bras.*, 33)

mandi'î (s.) – **MANDIM, MANDI**, nome comum a diversos peixes de rio, da família dos pimelodídeos (*VLB*, I, 50)

NOTA – Daí, **MANDIÚ** (nome de riacho de São Paulo) (v. Rel. Top. e Antrop. no final).

mandi'oka (s.) – **MANDIOCA**, o mesmo que **mani'oka** (v.) (Gândavo, *Trat. Prov. Brasil*, 690-718)

mandi'oka'i (etim. – *mandioca pequena*) (s.) – **MANDIOCAÍ**, nome comum a várias plantas da família das araliáceas, do gênero *Didymopanax*; "árvore de madeira muito dura, pesada e de cor amarelaça" (Sousa, *Trat. Descr.*, 218)

mandi'opeba (etim. – *mandioca achatada*) (s.) – var. de mandioca (Piso, *De Med. Bras.*, IV, 177-178)

mandi'opuba (ou **mani'opuba**) (etim. – *mandioca mole*) (s.) – mandioca macerada e amolecida em água pelo espaço de quatro a cinco dias (Marcgrave, *Hist. Nat. Bras.*, 67)

mandi'opûera (etim. – *mandioca velha*) (s.) – nome de um fruto (Knivet, *The Adm. Adv.*, 1230)

mandi'yba – o mesmo que **mani'yba** (v.)

mandi'ybambûaraé (s.) – var. de mandioca (v. **mani'oka**) (Piso, *De Med. Bras.*, IV, 177-178)

mandi'ybumana (etim. – *mandioca velha*) (s.) – var. de mandioca (Piso, *De Med. Bras.*, IV, 177)

mandi'ybusu (etim. – *mandioca grande*) (s.) – var. de mandioca (Piso, *De Med. Bras.*, IV, 177)

mandi'ybybyîana (s.) – var. de mandioca (Vasconcelos, *Crônica (Not.)* II, §72, 148)

mandi'ybyîurusu (s.) – var. de mandioca (Vasconcelos, *Crônica (Not.)* II, §72, 148)

mandi'yparati (s.) – var. de mandioca de terras fracas e arenosas (Piso, *De Med. Bras.*, IV, 177)

mandubé (s.) – **MANDUBÉ, MANDUBI, MANDUVÁ**, nome comum a certos peixes da família dos ageniosídeos (D'Abbeville, *Histoire*, 247)

mandubi (s.) – **MANDUBI, 1)** amendoim (*Arachis hypogaea* L.), nome genérico de plantas leguminosas-papilionoídeas que possuem uma cápsula onde existem duas ou três pequenas nozes ou sementes. São também chamadas **MANDOBI, MENDUBI, MENDUÍ, MINDUBI; 2)** o nome dessas sementes comestíveis (D'Abbeville, *Histoire*, 229v)

mandyba[1] (s.) – "árvore grande que dá fruto do mesmo nome, tamanho como cerejas, de cor vermelha e muito doce; come-se como sorva, lançando-lhe o caroço fora e uma pevide que tem dentro, que é a sua semente" (Sousa, *Trat. Descr.*, 194)

mandyba[2] (s.) – **MANDIBA, MANDIVA**, var. de mandioca (Piso, *De Med. Bras.*, 177)

manema (s.) – indivíduo que não capturou nenhum adversário; **MANEMA**, covarde, poltrão, palerma (forma de tratamento injurioso) (*VLB*, II, 40); pobre, infeliz, azarado, malsucedido (D'Abbeville, *Histoire*, 359): *Xe abé taîasugûaîa; xe manhana,* **manembûera**... – Eu também sou um porco; eu sou um espião, um velho poltrão... (Anch., *Teatro*, 44); *Epytá! Kagûápe nhõ nde ratãngatu-potá? **Manem**usu! Ambu'a!* – Fica! Somente quando bebes cauim tu queres ser valente? Palermão! Centopeia! (Anch., *Teatro*, 64); *Pepytá, **manem**usu!* – Ficai, palermões! (Anch., *Teatro*, 172)

mangaba (s.) – **1)** MANGABA, MANGABEIRA árvore apocínea (*Hancornia speciosa* Gomes), comum nos cerrados e no litoral nordestino, com flores amarelas, produtora de látex. É aplicada na medicina popular brasileira no tratamento da tuberculose e de afecções da pele e do fígado; **2)** MANGABA, fruto polposo e muito doce dessa árvore (D'Abbeville, *Histoire*, 218v; Marcgrave, *Hist. Nat. Bras.*, 121) • **mangaby** – licor de mangaba (*VLB*, II, 146)

mangagûĩ (s.) – nome de uma ave (*Theat. Rer. Nat. Bras.*, I, 126)

mangangá (s.) – var. de besouro grande que rói madeiras (*VLB*, I, 56)

manganga'i (s.) – MANGANGÁ, MANGANGAVA, MAMANGABA, MAMANGAVA, nome de abelhas sociais da família dos bombídeos, também denominadas MANGANGABA, MANGABA, MANGANGAIA, *abelhão*, MARIMBONDO-MANGANGÁ (Marcgrave, *Hist. Nat. Bras.*, 257; *VLB*, I, 56)

mangará (s.) – MANGARÁ, nome comum a diversas espécies de plantas aráceas com tubérculos comestíveis (Cardim, *Trat. Terra e Gente do Brasil*, 47). "... Quando se colhem, arrancam-nos debaixo da terra em touças... e tiram-se de cada pé duzentos e trezentos juntos." (Sousa, *Trat. Descr.*, 181)

> NOTA – Daí, **MANGARATIBA** (nome de localidade de SP) (v. Rel. Top. e Antrop. no final).

mangaramirĩ (etim. – *mangará pequeno*) (s.) – MANGARÁ-MIRIM, MANGARITO planta arácea, variedade de taioba (*Xanthosoma sagitifolium* (L.) Schott) (Piso, *De Med. Bras.*, 194)

mangarapeúna (etim. – *mangará da casca escura*) (s.) – planta arácea parecida à taioba (*Colocasia esculenta* (L.) Schott) (Piso, *De Med. Bras.*, IV, 194)

manga'yba – o mesmo que **mangaba** (Marcgrave, *Hist. Nat. Bras.*, 121; *VLB*, II, 121)

mangok (v. tr.) – distorcer (palavras, acrescentando coisas próprias) (*VLB*, II, 136)

manhana (etim. – *o que espia*) (s.) – **1)** espião; espia (de guerra) (*VLB*, I, 126): ... *Xe **manhana**, manembûera...* – Eu sou um espião, um velho poltrão... (Anch., *Teatro*, 44); *T'akûáne pe renondé, pe **manhan**amo, ranhẽ.* – Hei de ir adiante de vós, como vosso espião, primeiro. (Anch., *Teatro*, 66); **2)** alcoviteiro, o que serve de intermediário nas relações amorosas: *Asó **manhan**amo.* – Vou como alcoviteiro. (*VLB*, I, 30); *O **manhan**amo abá moingóbo...* – Fazendo alguém ser seu alcoviteiro. (Ar., *Cat.*, 71v); **3)** espionagem, alcovitice: ... ***Manhana**, sygûaraîy – n'aîpotari abá seîara.* – Alcovitice, prostituição – não quero que ninguém as deixe. (Anch., *Teatro*, 8)

> NOTA – Daí, **MANHANA** (nome de monte de SE) (v. Rel. Top. e Antrop. no final).

manhera'upẽ (interj.) – expressa zombaria (não se crendo no que se diz) (Fig., *Arte*, 134; *VLB*, I, 27)

mani- – elemento de composição presente em *mani'oka, mani'yba, manipo'i* etc.

maniakaó (s.) – lombo interior (Castilho, *Nomes*, 33; *VLB*, II, 24)

mani'ĩ (s.) – MANIIM, MANOIÚ, variedade de algodoeiro (Sousa, *Trat. Descr.*, 207)

maniîabo (interj.) – expressa depreciação: *Angaîpaba **maniîabo** mã!* – Ah, que velhaco! (*VLB*, II, 65)

manima (s.) – cobra que anda sempre n'água... "e muito pintada... Tem-se por bem-aventurado o índio a quem ela se mostra, dizendo que hão de viver muito tempo..." (Cardim, *Trat. Terra e Gente do Brasil*, 64)

mani'oka (ou **mandi'oka**) (s.) – MANDIOCA, MANDIOCA-MANSA, nome comum a plantas leitosas da família das euforbiáceas, entre as quais a *Manihot esculenta* Crantz, cujos tubérculos são muito usados para a alimentação. Existem espécies venenosas, usadas para se fazer farinha. É também chamada *aipim, macaxeira*, **MANDIOCA**-DOCE, *maniva, pão-de-pobre* etc.

> OBSERVAÇÃO – O termo **mandi'oka** parece aplicar-se, mais precisamente, à raiz dessas plantas, designando **mandi'yba** (v.) o arbusto delas (D'Abbeville, *Histoire*, 229v; Marcgrave, *Hist. Nat. Bras.*, 65).

mani'okaba

mani'okaba (s.) - variedade de mandioca utilizada pelos índios para a preparação de papas e uma bebida chamada **karaku** (v.) (D'Abbeville, *Histoire*, 230)

mani'oketé (etim. - *mandioca verdadeira*) - o mesmo que **mandi'oka** (v.) (D'Abbeville, *Histoire*, 230)

manipo'i (etim. - *mani fininho*) (s.) - sopa feita pelos índios com a MANIPUERA, o caldo da mandioca espremida (D'Abbeville, *Histoire*, 223)

manipokamirĩ (etim. - *mani estourado pequeno*) (s.) - variedade de mandioca (Sousa, *Trat. Descr.*, 173)

manipûera (etim. - *suco de mani*) (s.) - MANIPUEIRA, MANIPUERA, suco leitoso da mandioca ralada, obtido por compressão, e que contém o veneno da planta. Evaporado o veneno, ao fogo ou ao sol, faz-se do líquido o molho denominado *tucupi*. Também é chamado de MANICUERA, *água-brava, água de goma.* (Marcgrave, *Hist. Nat. Bras.*, 67; Piso, *De Med. Bras.*, III, 173)

manisoba (etim. - *mani folhudo*) (s.) - MANIÇOBA, **1)** folha da mandioca (*Manihot esculenta* Crantz); **2)** planta da família das euforbiáceas (*Manihot glaziovii* Muell. Arg.), de que se extrai borracha (Marcgrave, *Hist. Nat. Bras.*, 68)

mani'yba (ou **mandi'yba**) (etim. - *pé de mani*) (s.) - MANIBA, MANIVA, outro nome para a variedade de mandioca *Manihot esculenta* Crantz (D'Abbeville, *Histoire*, 229v; Marcgrave, *Hist. Nat. Bras.*, 65)

> OBSERVAÇÃO - O termo **mandi'oka** (v.) parece aplicar-se, mais precisamente, à raiz dessas plantas, designando **mandi'yba** o arbusto delas (D'Abbeville, *Histoire*, 229v; Marcgrave, *Hist. Nat. Bras.*, 65).

manõ[1] (s.) - morte: *Sosang, tatá porarábo, o manõ riré toryba rerekóbo...* - Sofreu, suportando o fogo, tendo alegria após sua morte. (Anch., *Teatro*, 54); (adj.) - **1)** doente à beira da morte: *Nde manõ, xe atûasap?* - Estás doente, meu companheiro? (D'Evreux, *Viagem*, 124); **2)** morto: *itá-manõ* - pedra morta (D'Abbeville, *Histoire*, 183)

manõ[2] (v. intr.) - **1)** morrer: *Abá omanõ.* - Um homem morreu. (Fig., *Arte*, 69); *Tupã omanõ, memetipó asé omanõmo.* - Deus morreu, quanto mais nós morreremos. (Fig., *Arte*, 163); *Te'õ suí amanõ.* - Morro de morte natural. *Amanõ é* (ou *Amanõ teé*). - Morro eu próprio (sem que me matem). (*VLB*, II, 42); **2)** esmorecer (*VLB*, I, 125); **3)** doer: *Morubixaba, nde akanga omanõ?* - Senhor, tua cabeça dói? (D'Abbeville, *Histoire*, 327); **4)** desmaiar de todo (*VLB*, I, 99); **5)** perder a sensibilidade: *Omanõ xe îybá.* - Meu braço perdeu a sensibilidade. (*VLB*, II, 130) ● **manõ-memûã** - morrer súbita ou desastradamente: *Amanõ-memûã.* - Morro subitamente. (*VLB*, II, 43); **omanõba'e** - o que morre: *Omanõba'epûera suí sekobeîebyri.* - Voltou a viver dos que morreram. (Anch., *Doutr. Cristã*, I, 141)

manõaíb (etim. - *morrer não completamente*) (v. intr. compl. posp.) - **1)** desmaiar, desfalecer; esmorecer (*VLB*, I, 125): *Amanõaíb ambyasy suí.* - Desfaleço de fome. (*VLB*, II, 73); **2)** desanimar (de algo: compl. com -*pe*): ... *Omanõaibí abá o mba'e gûápe bé.* - O homem desanima, sem mais, de comer também... (Ar., *Cat.*, 157v); ... *Omanõaibí abá o poraseîtápe bé...* - O homem desanima, sem mais, de suas danças também. (Ar., *Cat.*, 157v)

manõî? (interr.) - de onde? donde? (*VLB*, I, 106)

manõîa (s.) - lugar: *manõîa suípe?* - de que lugar? (*VLB*, I, 106)

manõmanõ (v. intr.) - **1)** padecer acidentes: *Amanõmanõ.* - Padeci acidentes. (*VLB*, I, 20); **2)** sofrer (doenças) (*VLB*, I, 149)

mapuîkuaaîxûara (s.) - braceletes feitos com fios de algodão, em torno dos quais os índios colocavam longas penas tiradas das caudas das araras, utilizando-os em festas e colocando-os um pouco acima dos cotovelos (D'Abbeville, *Histoire*, 275)

mapyîxûara (s.) - manilha; todo enfeite posto no colo do braço, fosse de ouro, de osso ou de contas (*VLB*, II, 31)

marã?[1] (interr.) - **1)** por quê?: *Marãpe xe soe'ymi?* - Por que não vou eu? (Fig., *Arte*, 98); *Marãpe nd'erenhemimi?* - Por que não te escondes? (Anch., *Teatro*, 32); *Akaîgûá! Marãpe xe ri erepûá?* - Ai! Por que bates em mim? (Anch., *Teatro*, 32); **2)** de que maneira? como?: *Marãpe asé monhangi?* - Como ele nos fez? (Ar., *Cat.*, 25); **3)** como assim? que dizes? (Diz quem não entendeu bem o que ouviu.): **Marã?** *Ybyrá supé nhẽpe asé îerokyû?* – Como assim? Diante de uma madeira a gente faz reverência? (Ar., *Cat.*, 22); **4)** que acontece? como fica? que faz? que vai? (Fig., *Arte*, 133) (Vem, com esse sentido, no final de sentenças sem -*pe* interrogativo.): *A'epe o mena... mũetéramo sekó mombe'ue'yma, marã?* – E não confessando ser parente verdadeira de seu marido, que acontece? (Ar., *Cat.*, 71v); *Oîá nhote kagûarape, marã?* – O que bebe somente o suficiente, que acontece? (Ar., *Cat.*, 78); *Kagûarape marã? Nd'oîabyîpe Tupã nhe'enga?* – E os que bebem cauim, como ficam? Não transgridem a palavra de Deus? (Anch., *Diál. da Fé*, 203); **5)** qual?: **Marãpe** *moranduba?* – Quais as novidades? Quais as novas? (*VLB*, II, 92); **Marãpe** *nde rera?* – Qual é teu nome? (Léry, *Histoire*, 341); **6)** quê? que coisa? [geralmente com os verbos **'i** / **'é** e **ikó** / **ekó (t)**]: **Marãpe** *ereîkó?* – Que fazes? (*VLB*, II, 92); *Teté* **marã** *e'îabo mã!?* – Ah, que dizes!? (Anch., *Teatro*, 50); *Marãpe sekóû ybakypene?* – Que farão no céu? (Ar., *Cat.*, 47); **7)** usado sozinho significa *que queres? que buscas?* (*VLB*, II, 92); **8)** E quanto a? E no que toca a?: *Marãpe nde, Mboîusu?* – E quanto a ti, Boiuçu? (Anch., *Teatro*, 154, 2006) ● **marã-marã** – refere-se a mais de um (quais? que coisas? etc.): *Marã-marã-pakó îeí xe rekôû?...* – Que coisas, pois, hoje eu fiz? (Ar., *Cat.*, 74v); *Marã-marãpe Santíssima Trindade rera?* – Quais são os nomes da Santíssima Trindade? (Anch., *Doutr. Cristã*, I, 157); **marãpemo?** – por que seria que? por que razão haveria de? (*VLB*, II, 82); **marã-pipó?** – **1)** quê? que dizes? (como o que não entendeu bem o que outrem disse ou respondendo ao que chamou) (*VLB*, II, 91; 92); **2)** Que queres? Que buscas? (*VLB*, II, 92); **marã-takó?** – como mesmo? (isto é, pergunta-se sobre algo de que se sabia mas de que já se esqueceu): *Marã-takó ahẽ rera?* – Qual era mesmo o nome dele? (*VLB*, I, 77); **marã-te?** (ou **marã-tepemo?** ou **marãmo-tepe?**) – Como, pois? Como, então? Como seria, pois? Se não é assim, como seria? (*VLB*, I, 77); **marã-tepene?** – E pois, como há de ser? (*VLB*, I, 121); **marã-te-p'iã-ne?** – E, pois, como há isto de ser? (*VLB*, I, 121)

marã² (pron.) – alguma coisa, qualquer coisa, algo [em geral com os verbos **'i** / **'é**, **ikó** / **ekó (t)**]: *... asé 'anga tekokaturama resé* **marã** *i 'ereme.* – ... quando ele diz algo acerca do bem proceder de nossa alma. (Ar., *Cat.*, 69); *T'oîapysaká a'ereme* **marã** *o 'anga moingó-katuagûama resé...* – Que ouça, então, alguma coisa, para fazer estar bem sua alma. (Ar., *Cat.*, 11v); *Îeperibe'ĩ asé* **marã** *i 'éû onhemoŷ rõ ymûan.* – Mal a gente diz algo, já se irrita. (*VLB*, II, 11) ● **marã...** *'é tenhẽ* (ou **marã** *... 'é tenhẽ-tenhẽ* ou *'é tenhẽ* **marã**) – dizer algo ocioso, dizer asneiras, dizer algo tolo (*VLB*, II, 54): *A'é tenhẽ* **marã** *gûi'îabo.* – Dizendo algo, digo asneiras. (*VLB*, II, 54)

marã³ (ou **marana**) (s.) – mal, malefício, coisa má, maldade; doença; aflição: *Ikó tabape,* **marã** *nd'ereîpe i xupé ranhẽ?* – Esta aldeia, não disseste maldades a ela ainda? (Anch., *Teatro*, 136); *Kaûĩ mboapŷareté, a'e* **marã** *monhangara...* – O que esgota verdadeiramente o cauim, esse é o fazedor de mal. (Anch., *Teatro*, 6); *... Marã 'é n'opyki xóne...* – Não cessarão de dizer maldades. (Anch., *Teatro*, 36); (adj.: **marã** ou **maran**) – mau, maldoso: *... gûaîbî-marã...* – ... velha maldosa... (Anch., *Teatro*, 46); (adv.) – maldosamente, no mal, perversamente: *Abá* **marã** *sekoagûerĩ resé nherane'yma.* – Ser cordato com um pequeno proceder no mal de alguém. (Ar., *Cat.*, 18v) ● **marã-marã tenhẽ** – muito mal, muito perversamente: *Marã-marã tenhẽ aîkó.* – Procedo muito mal. (*VLB*, I, 136)

NOTA – Daí, no P.B., **MARUPIARA** (*marã + upîara*, "inimigo de coisa má") (AM), 1) *pessoa feliz na caça ou na pesca*; 2) *pessoa afortunada em negócios ou amores* (in *Dicion. Caldas Aulete*).

marã⁴ (s.) – labuta, ocupação, trabalho, esforço, afã, sacrifício; (adv.) [usado com o verbo **ikó** / **ekó (t)**] – **1)** em ocupação, em labuta: *Aîmoingó-marã.* – Fi-lo trabalhar (ou *Fi-lo estar em ocupação*). (*VLB*, I, 21); *N'aîkôî* **marã**. – Não estive em ocupação; não trabalhei. (*VLB*, I, 135); ● **marã tekó**: o estar em ocupação; o trabalho, a obra, a dificuldade (**tekó**, aí, não se mantém invariável, mas pode receber os prefixos de relação **r-** ou **s-**, conforme o caso): *... Xe irũnamo bé t'oîkó... marã xe rekóreme.* – Que esteja comigo também ao estar eu em ocupação. (Ar., *Cat.*, 32); *Ta xe pysyrõ Tupã xe sumarã suí kûepe* **marã** *xe rekoápe.* – Que me livre Deus de meus inimigos, em toda parte, em minhas dificuldades. (Ar., *Cat.*, 21v); **2)** em guerra: *Oroîkó* **marã**. – Estamos em guerra; lutamos. (*VLB*, I, 53)

marã⁵

marã⁵ (s.) – força: *T'isa'ang apyaba marã îandé irũ.* – Que experimentemos a força dos homens conosco. (Léry, *Histoire*, 357)

mara'abora – v. mara'ara

mara'ara (ou **mbara'ara**) (s.) – **1)** doença (entre os tupinambás era doença grave, mortal) (*VLB*, I, 105): *Abá 'anga mara'ara i pupé opûeîrá-katu...* – As doenças da alma do homem com ela saram bem. (Anch., *Teatro*, 38); *... T'osó-pá xe mara'ara kûepe xe 'anga suí.* – Que vá toda a minha doença para longe de minha alma. (Anch., *Poemas*, 168); *Esepîak xe mara'ara t'eresaûsubar xe 'anga.* – Vê minha doença para que te compadeças de minha alma. (Valente, *Cantigas*, VII, in Ar., *Cat.*, 1618); **2)** agonia: *Mba'easybora o mara'ara kakareme, t'osenõîukar abaré...* – Ao se aproximar o doente da agonia, que mandem chamar o padre. (Ar., *Cat.*, 137v); (adj.: **mara'ar** ou **mara'a**) – **1)** doente (na variante dialetal tupinambá era *doente grave, perto do fim*), agonizante; **(xe)** adoecer, ficar doente, agonizar: *... I mara'areté e'ymebé t'osó abá xe renôîa.* – Antes que ele agonize verdadeiramente, que vá alguém me chamar. (Ar., *Cat.*, 142v); – *I mara'a-tepe îandé 'anga? – I mara'a.* – Mas adoece nossa alma? – Adoece. (Anch., *Doutr. Cristã*, 199); *I xy n'i membyrasyî, nda sugûyî, n'i mara'ari.* – Sua mãe não teve dor de parto, não sangrou, não ficou doente. (Anch., *Poemas*, 162); *Xe rybyt, nde nhyrõ xebo; xe rasy, xe mara'a.* – Meu irmão, perdoa tu a mim; eu tenho dor, eu estou doente. (Anch., *Teatro*, 46); **2)** envergonhado (*VLB*, I, 83): *Sasyeté niã... ogûekomara'ara reroína.* – Eis que sofrem muito, tendo sua vida envergonhada. (Ar., *Cat.*, 163) ● **i mara'aryba'e** – o que está doente (Anch., *Arte*, 32); **mara'asara** – o doente, o que está doente (Anch., *Arte*, 32); **mara'abora** (ou **marabora**) – o que está doente, o doente (*VLB*, I, 105): *... Eremombûeîrá mara'abora...* – Curaste os doentes. (Anch., *Teatro*, 120)

maraba (s.) – bastardo (D'Evreux, *Viagem*, 142); *xe marap!* – meu filho bastardo (D'Evreux, *Viagem*, 143)

> NOTA – Daí, no P.B., **MARABÁ**, 1) *filho de francês com índia;* 2) *mestiço de índio com branco;* 3) (Amaz.) *filho das ervas*, i.e., *de pai desconhecido* (in *Dicion. Caldas Aulete*). Daí, também, o nome do município de **MARABÁ** (PA) (v. Rel. Top. e Antrop. no final).

marãba'e? (interr.) – de que tipo? que tipo? que espécie?: *Marãba'e kunhãpe Santa Maria?* – Que espécie de mulher é Santa Maria? (Ar., *Cat.*, 30v); – *Marãba'e? – Itá gûetépe.* – De que tipo (são as casas)? – Inteiramente de pedra. (Léry, *Histoire*, 363); *Marãba'e-p'iã ri?* – De que espécie será que é isto? (ou *Que será que é isto?*) (Anch., *Teatro*, 162, 2006)

marãbirĩ (ou **marãmirĩ**) (adv.) – mal, perversamente, no mal: *O a'yra marãbirĩ sekóreme senonhene'yma.* – Não corrigindo seu filho quando ele estiver no mal. (Anch., *Diál. da Fé*, 206); *N'abasẽ-mirĩ-angaî marãbirĩ ikó abá rekopûera amõ supé...* – Não encontrei nem um pouquinho, absolutamente, algum ato deste homem no mal. (Ar., *Cat.*, 58v)

marã'eaba (etim. – *ato de dizer coisas más*) (s.) – maledicência: *Ereîmombe'upe abá marã'eagûera, "aîpó e'i rakó nde resé" e'îabo?* – Contaste a maledicência de alguém, dizendo: "Ele dizia isso a teu respeito"? (Ar., *Cat.*, 108)

marãeteĩ!¹ (interj.) – muito bem! (Fig., *Arte*, 136)

marãeteĩ?² (interr.) – como? em que condição? de que maneira?: *Marãeteĩpe Jesus o enosẽme?* – Como estava Jesus quando ele o fez sair?... (Ar., *Cat.*, 60v); *Marãeteĩ ra'umope amõ Anhanga ratá pora rekóu ikó 'ara pupé oîepé îasy Tupã ebanoĩ suí... o moingobéremo?...* – Como será que um habitante do inferno viveria neste mundo se Deus o fizesse viver fora dali um mês? (Ar., *Cat.*, 156v) ● **Marãeteĩ-pipó?** – Como parece?: *Marãeteĩ-pipó peẽmo?* – Como vos parece? (Ar., *Cat.*, 56v)

marã'etenhẽa (s.) – ociosidade de palavras (*VLB*, II, 54); falso dito (*VLB*, I, 134); patranha (*VLB*, II, 68); parvoíce de palavras (*VLB*, II, 66): *Marã'etenhẽa osekyî i xupé...* – Invocaram falsos ditos contra ele. (Ar., *Cat.*, 58)

maragûaó – o mesmo que **marakaîâ²** (v.)

marãhẽ? – o mesmo que **marã?**¹

marãîabé? (interr.) – como? de que maneira?: *Marãîabépe gûá Îandé Îara re'õmbûera rerekóu?* – De que maneira trataram o cadáver de Nosso Senhor? (Bettendorff, *Compêndio*, 50)

marãîasûaramo (part. de optativo futuro – pode aparecer com as partículas **mã**, **temõ... mã** ou **-mo**) – que bom seria se...! oxalá!

Marãiasûaramo ahẽ kûepe se'õ mã! – Ah, que bom seria a morte do fulano por aí! (Ar., Cat., 101v); *Marãiasûaramo asó mã!* – Que bom seria se eu fosse! (Anch., Arte, 24v); *Marãiasûaramo xe sóû kûesé mã!* – Ah, que bom seria se eu tivesse ido ontem! (Anch., Arte, 24v); *Marãiasûaramo Tupã xe rerasóû mã!* – Ah, que bom seria se Deus me levasse! (VLB, I, 104); *Marãiasûaramo turi mã!* – Ah, oxalá ele viesse! (VLB, II, 61)

maraîa'yba (s.) – MARAJÁ, MARAJAÍBA, nome de várias palmeiras do gênero *Bactris*, entre as quais a *Bactris setosa* Mart., também chamada *coco-de-natal, jacum, tucum-amarelo* etc. (VLB, II, 63)

maraká¹ (s.) – MARACÁ, instrumento chocalhante que era usado pelos índios nas solenidades religiosas e guerreiras para marcar o compasso de suas danças; chocalho (D'Abbeville, *Histoire*, 300; Sousa, *Trat. Descr.*, 339): ... *Maraká poraseîa rerobîasara...* – O que acredita na dança do chocalho. (Ar., Cat., 66v); *itá-maraká* – chocalho que contém pedras em seu interior, chocalho com pedras (Staden, *Viagem*, 153); *maraká pu* – barulho de maracá (D'Abbeville, *Histoire*, 188)

> NOTA – Daí, no P.B., **MARACATIM** (*maraká + tĩ*, "ponta de chocalho"), nome de um tipo de embarcação indígena; **MARACABOIA** ("cobra de maracá"), outro nome dado à cascavel. Esta cobra também recebe o nome de **MARACÁ**. Daí, também, os nomes geográficos **ITAMARACÁ** (nome de município de PE), **MARACAÍ** (rio de São Paulo) etc. (v. Rel. Top. e Antrop. no final).

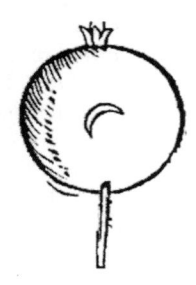

MARACÁ (fonte: Staden)

maraká² (s. etnôn.) – povo indígena tapuia habitante do interior da Bahia (Sousa, *Trat. Descr.*, 350)

marakagûasu (etim. – *maracá grande*) (s. etnôn.) – nome de nação indígena (Cardim, *Trat. Terra e Gente do Brasil*, 125)

marakaîá¹ (s. etnôn.) – MARACAJÁ, nome de nação indígena (Staden, *Viagem*, 121): – *Marãpe pe robaîara rera? – Marakaîá, gûaîtaká, gûaîanã, karaîá, kariîó.* – Quais os nomes dos vossos inimigos? – Maracajás, goitacazes, guaianás, carajás, carijós. (Léry, *Histoire*, 354)

marakaîá² (s.) – MARACAJÁ, carnívoro felino (*Leopardus tigrina* Erxl.), também conhecido como *gato-pintado-do-mato* (D'Abbeville, *Histoire*, 251v; Marcgrave, *Hist. Nat. Bras.*, 233)

MARACAJÁ (fonte: *Brasil Holandês*)

marakaîaeté (etim. – *maracajá verdadeiro*) – o mesmo que **marakaîá²** (v.) (VLB, I, 147)

Marakaîagûasu (etim. – *maracajá grande*) (s. antrop.) – nome de índio tupi (Vasconcelos, *Crônica* (Not.) I, §202; 278)

marakaîamimbaba (s.) – MARACAJÁ XERIMBABO, gato doméstico (VLB, I, 147)

marakaîamirĩ (etim. – *maracajá pequeno*) (s.) – variedade de gato do mato, animal da família dos felídeos (Soares, *Coisas Not. Bras.* (ms. C), 1142-1144)

marakanã (s.) – MARACANÃ, nome comum a algumas aves psitaciformes da família dos psitacídeos (D'Abbeville, *Histoire*, 234v; Marcgrave, *Hist. Nat. Bras.*, 207)

> NOTA – Daí, o nome do bairro carioca de **MARACANÃ** (RJ), da localidade cearense de **MARACANAÚ** etc. (v. Rel. Top. e Antrop. no final).

MARACANÃ (fonte: Marcgrave)

Eduardo Navarro 261

marakanã-arara (s.) – nome de uma ave (*Theat. Rer. Nat. Bras.*, I, 166)

marakanãgûasu (etim. – *maracanã grande*) (s.) – MARACANÃ-GUAÇU, ave psitaciforme da família dos psitacídeos; variedade de papagaio (Soares, *Coisas Not. Bras.* (ms. C), 1286-1288)

marakanãmirĩ (etim. – *maracanã pequeno*) (s.) – ave psitaciforme da família dos psitacídeos; variedade de papagaio (Soares, *Coisas Not. Bras.* (ms. C), 1286-1288)

Marakapu (etim. – *barulho de maracá*) (s. antrop.) – nome de índio tupi (D'Abbeville, *Histoire*, 188)

marakaûasu (etim. – *maracá grande*) (s.) – sino; grande campainha (Léry, *Histoire*, 351)

marakûani (s.) – nome genérico de caranguejos pequenos da família dos ocipodídeos, vulgarmente conhecidos como *navalhas* ou *tesouras*, que habitam frequentemente os manguezais (Marcgrave, *Hist. Nat. Bras.*, 184; VLB, I, 67)

marakugûara (s.) – MARACUGUARA, peixe da família dos monocantídeos. "... Roncam no mar como porco; ... são muito carnudos e tesos e de bom sabor." (Sousa, *Trat. Descr.*, 284)

marãmirĩ – o mesmo que **marãbirĩ** (v.)

marãmo? (interr.) – por quê? por que seria que? por que razão haveria de?: *Marãmo ahẽ rekóû o mba'ekaturamo xe suí?* – Por que ele vive tendo coisas boas mais que eu? (Ar., *Cat.*, 109v); *Marãmo satãngatue'ymamo?* – Por que não seriam muito fortes? (Léry, *Histoire*, 357); *Marãmope xe serasóû?* – Por que razão eu o levaria? (VLB, II, 82)

marãmonhang (etim. – *fazer guerra*) (v. intr. compl. posp.) – brigar (com muitos clamores, com muito barulho, com espada etc.); lutar, guerrear (Marcgrave, *Hist. Nat. Bras.*, 277; VLB, I, 43) [com alguém: compl. com **esé (r, s)** ou **ndi**]: *Oromarãmonhang Pero resé* (ou *Oromaramonhang Pero ndi*). – Briguei com Pedro. (VLB, II, 71); *Nd'omarãmonhangi xópene?* – Não brigarão? (Anch., *Diál. da Fé*, 159); *Omarãmonhangype, oîoendyne?* – Brigarão, cuspir-se-ão? (Anch., *Doutr. Cristã*, I, 228) ● **marãmonhangaba** – tempo, lugar, modo etc. de lutar, de brigar; guerra, batalha, luta, briga: *marãmonhangápe só...* – ir para a guerra (Ar., *Cat.*, 158)

maramonhanga (s.) – guerra (VLB, I, 152)

marãmotara (etim. – *o que quer guerra; querer guerra*) (s.) – 1) o briguento, a pessoa briguenta; 2) fúria, ferocidade; briga; (adj.: **marãmotar**) – 1) furioso, feroz, briguento; (xe) enfurecer-se, enraivecer-se: *Xe marãmotar.* – Eu sou furioso. (VLB, I, 145); *... O aobusu mondoró-ndoroka o marãmotaramo...* – Suas túnicas ficando a rasgar, estando furiosos. (Ar., *Cat.*, 56v); *Nde marãmotarype abá resé?* – Tu te enfureceste por causa de alguém? (Anch., *Doutr. Cristã*, II, 103); *abá-marãmotara* – homem briguento (VLB, I, 59); 2) (xe) estar levantado, estar em guerra (alguma quadrilha ou nação): *Xe marãmotar.* – Eu estou em guerra. (VLB, II, 21)

marãmotepe? (interr.) – pois, que cuidavas tu? (VLB, I, 121; II, 80)

marana¹ (ou **marã**) (s.) – 1) doença; 2) aflição; (adj.: **maran**) – 1) enfermo, enfermiço; doente, adoecido; (xe) adoecer, estar mal: *Na xe marani.* – Eu não estou doente. (VLB, II, 113); *Ta xe maran umẽ i gûabo.* – Que eu não adoeça, comendo-o. (Ar., *Cat.*, 21v); 2) aflito: *... Xe 'anga-t'iã n'i marani.* – Mas eis que minha alma não está aflita. (Ar., *Cat.*, 53)

marana² (s.) – guerra, batalha: *... Îandé maranirũ, îandé abaîtéba...* – Nossa companheira de guerras, causa de nossa bravura. (Anch., *Poemas*, 88); *Oîkuá-katu marana...* – Conhece bem as guerras. (Anch., *Teatro*, 138); *Eteumẽ kori marana rerekóbo xe resé.* – Guarda-te, hoje, de ter guerra comigo. (Anch., *Poemas*, 150); *Ta peapysyketé irã marana pab'iré.* – Haveis de vos consolar muito futuramente, após acabar a batalha. (Ar., *Cat.*, 169-170); *Aîkó marana ri.* – Estou em guerra. (VLB, I, 152); *Asepîak, erimba'e, Gûaîxará maranusu.* – Vi, outrora, a grande batalha de Guaixará. (Anch., *Teatro*, 18); *Sasy-eté ã ixébe ma'e-aíba pe remimonhangûera resé kó marana...* – Ah, dói-me muito esta guerra por causa das coisas más que vocês fizeram. (Camarões, *Cartas*, 19 de agosto de 1645); *Kó marana pupé, tekó kugûaparamo gûitekóbo é, na xe putupabi aîpó nde rekó resé.* – Nesta guerra, sendo eu conhecedor dos fatos, não estou admirado com esse teu proceder. (Camarões, *Cartas*, 4 de outubro de 1645) ● **maranaba** – tempo, modo, lugar etc. de guerra, de batalha: *N'opytâî amõ abá maranápe.* – Não ficou ninguém no lugar da batalha. (Anch., *Teatro*, 20)

MARANA (guerra) (fonte: De Bry)

marãnamo? (interr.) – por quê? por que razão haveria de? (*VLB*, II, 82): *Marãnamope asé o sybápe îoasabaî moíni?* – Por que a gente põe a cruz na testa? (Ar., *Cat.*, 21)

maranaritekoara (etim. – *o que está na guerra*) (s.) – guerreiro; soldado (*VLB*, I, 152): *Marãpe tobaîaretá, maranaritekoara, i pysyka, serekóû a'ereme?* – Como os inimigos e os soldados, apanhando-o, trataram-no, então? (Ar., *Cat.*, 56v)

marandé¹ (conj.) – pelo contrário: ... *Pesapîar umẽ pe reté; marandé Tupana supé i moingó-potá rá.* – Não obedeçais a vosso corpo; pelo contrário, junto de Deus querei fazê-lo estar, na verdade. (Ar., *Cat.*, 89)

marandé² (adv.) – de outra maneira, doutro modo (*VLB*, I, 106): *Na marandé ruã... i pokoki xe rine.* – Não doutro modo eles me combaterão. (Ar., *Cat.*, 158); *Marandé ipó ahẽ rekóû nhandu.* – Ele, de costume, agiria de outra maneira (isto é, *se ele agiu assim é porque deves ter feito alguma coisa*). (*VLB*, I, 135)

marandé³ (conj.) – além de, e além disso, e também: *Kunhã, marandé tunhaba'e, kunumĩ, kunhataĩ tiruã.* – Mulheres, além de velhos, meninos e até meninas. (Anch., *Doutr. Cristã*, I, 207)

marandé⁴ (adv.) – mal; como não deve; de forma errada (Fig., *Arte*, 137): *Marandé ipó ereîkó.* – Agiste como não devias, certamente. (*VLB*, I, 135); *Marandé aîkó.* – Ajo como não devo; faço travessuras. (*VLB*, I, 31)

maranebira (etim. – *o traseiro da guerra*) (s.) – retaguarda na guerra (*VLB*, II, 104)

marãneme? (interr.) – em que horas? em que conjunção de tempo? (Fig., *Arte*, 133); em que ocasiões? quando?: *Marãneme-tepe asé îoba-*

sabine? – Mas quando a gente se benzerá? (Ar., *Cat.*, 21v)

marane'yma (etim. – *sem doença*) (s.) – **1)** saúde, incolumidade: *T'e'i nhẽ ã xe boîá o marane'yma rerasóbo rõ.* – Deixai, pois, estes meus discípulos irem com saúde. (Ar., *Cat.*, 54v); **2)** incorruptibilidade, conservação, virgindade: *Sepîakypyra niã aîpoba'e re'õmbûera o marane'yma rerekó...* – Eis que são vistos os cadáveres daqueles manterem sua incorruptibilidade. (Ar., *Cat.*, 179v); (adj.: **marane'ym**) – saudável, incorrupto, virgem: ... *A'erame'ĩ i mbo'ar'iré, omarane'ym*amo. – Igualmente, após dá-lo à luz, estando virgem. (Ar., *Cat.*, 35); ... *Kunhã-kûare'yma ... gûeté-marane'ym*a *bé ogûeromanõba'epûera...* – Mulheres virgens que morreram com seu corpo incorrupto. (Ar., *Cat.*, 161v)

marane'ymaba (etim. – *estado de falta de doença*) (s.) – saúde: *Abá supépe asé îeruréû o eté marane'ymaûama resé...?* – Para quem a gente pede pela saúde de seu corpo? (Bettendorff, *Compêndio*, 64)

marangatu¹ (s.) – **1)** bondade, afabilidade, virtude: ... *Oîkuab i marangatueté.* – Conheceu sua autêntica bondade. (Ar., *Cat.*, 8v); **2)** boa disposição; **3)** preço; **4)** favor; (adj.) – **1)** bom, bondoso, afável, virtuoso naturalmente: *I marangatu supi é i mombe'upyra rekóreme é.* – Ele é bom se o que é contado é mesmo verdade. (Ar., *Cat.*, 67v); *T'i marangatu apó abá pé.* – Sejamos bons para aqueles homens. (Léry, *Histoire*, 355); **2)** bem disposto; com saúde: *Na xe marangatuî* (ou *N'aîkó-marangatuî*). – Eu não estou bem disposto. (*VLB*, I, 19; II, 28); **3)** precioso, alto (fal. de preço): *Na xe repy-marangatuî.* – Eu não tenho preço alto. (*VLB*, I, 51); **4)** favorável: *Xe nhe'ẽ-marangatu (abá) supé.* – Eu tenho palavras favoráveis ao homem. (*VLB*, I, 22; 135, adapt.); (adv.) – bem, muito bem (Fig., *Arte*, 136); muito: *Akûeîme, rakó, pirá asekyî-marangatu.* – Antigamente pescava bem os peixes. (Anch., *Poemas*, 152); *Xe moaîu-marangatu... aîpó tekó-pysasu.* – Importuna-me muito aquela lei nova. (Anch., *Teatro*, 4); *Nd'e'i te'e moxy onhana... oîoa'o-marangatûabo...* – Por isso mesmo as malditas correm, insultando-se muito umas às outras. (Anch., *Teatro*, 128) ● **marangatu-eté** – largamente (*VLB*, II, 18)

marangatu?² (interr.) – como? de que modo?: *Marangatupe asé rekóû Tupãokype oîkŷabo?*

marangatuabé
– Como a gente se porta, entrando na igreja? (Ar., *Cat.*, 24); **Marangatupe abá rekôû o mondarõ o îoupé Tupã nhyrõ motá?** – Como um homem procede querendo a si o perdão de Deus de seu furto? (Ar., *Cat.*, 73)

marangatuabé (adv.) – de vez em quando; raramente (*VLB*, I, 101); rarissimamente (*VLB*, II, 96) • **marangatuabé é** – rarissimamente (*VLB*, II, 96)

marangatuba'e (etim. – *o que é bom*) (s.) – beato, bem-aventurado: **Marangatuba'e, santos ybakype, Tupã repîakaretá, osasá 'ara ro'y remierekó papasaba.** – Os bem-aventurados e os santos no céu, que veem a Deus, ultrapassam o número dos dias que o ano tem. (Ar., *Cat.*, 134)

marangatueté? (interr.) – como? de que modo? (*VLB*, I, 77)

marangoty? (interr.) – **1)** em que direção? (Fig., *Arte*, 127): **Marangoty-pakó xe rekopûera é?** – Em que direção eram, pois, meus atos passados? (Ar., *Cat.*, 155v); **2)** em que lado?: **Marangotype i angaturamba'e nongine?** – Em que lado porá os que são bons? (Ar., *Cat.*, 47) • **marãngoty suí?** – de que parte? de que lado? (mais específico que **mamõ suí?** – donde?) (*VLB*, I, 95)

marangygûana (s.) – espírito mau. "Não significa *divindade*, mas alma separada do corpo ou outra cousa, anunciando o instante da morte." (Marcgrave, *Hist. Nat. Bras.*, 278-279)

marani (adv.) – na maldade, na perversidade, no mal; mal, perversamente, velhacamente: **Marani n'oîkôî îepé, ereropûar ybyrá nde remirekó resé!** – Embora não agisse ela velhacamente, bateste com o pau na tua esposa. (Anch., *Teatro*, 168); **Tekopûera t'aîpe'a t'aîkó umẽne marani...** – Que eu afaste o proceder antigo para que não esteja no mal. (Anch., *Poemas*, 142); **Marani aîkó.** – Ajo mal. (*VLB*, I, 136)

maranungara (s.) – parente, parentela: **Ereîeîopyk-ukarype nde maranungaramo?** – Tu te permitiste cobri-la, sendo tua parenta? (Anch., *Doutr. Cristã*, II, 98; Ar., *Cat.*, 114v)

mararesó (s.) – planta cujas folhas parecem as do boldo, de "... raiz pequena e redonda que se come assada ou bebe-se esmoída com água..." (Anch., *Cartas*, 137)

maratá (s.) – profeta, apóstolo (D'Evreux, *Viagem*, 250)

maratata'yba (s.) – MATATAÍBA, nome de uma árvore (Marcgrave, *Hist. Nat. Bras.*, 132)

marãtekó[1] (etim. – *o estar em guerra*) (s.) – batalha (*VLB*, I, 53); luta, guerra (*VLB*, I, 152)

marãtekó[2] (etim. – *o estar em ocupação*) (s.) – **1)** trabalho, obra, serviço, negócio (*VLB*, II, 49): **Marãtekorama resé paîê mongetasara...** – O que pede ao pajé por trabalhos. (Ar., *Cat.*, 66v); **2)** dificuldade: **Ta xe pysyrõ marãtekó suí...** – Que me livre das dificuldades. (Ar., *Cat.*, 23)

marãtekoaba[1] (etim. – *tempo de estar em esforço*) (s.) – dia de trabalho (*VLB*, I, 102)

marãtekoaba[2] (etim. – *a ação no mal*) (s.) – mau procedimento; pecado: **Îaîmoasy marãtekoagûera îandé py'a suíne...** – Arrepender-nos-emos, de coração, dos maus procedimentos. (Ar., *Cat.*, 122)

marãtekoaba[3] (etim. – *a consequência do estar em esforço*) (s.) – obra feita com as mãos (*VLB*, II, 53)

marãtekoabe'yma (etim. – *tempo sem estar em esforço*) (s.) – feriado, dia de festa, ocasião de não trabalhar, ocasião em que não se trabalha: **Kó 'ara marãtekoabe'yma.** – Este dia é feriado. (Ar., *Cat.*, 6v); **Ogûeronhe'eng i mendarypyrama Tupãokype marãtekoabe'yma pupé...** – Anuncia os que serão casados na igreja nos feriados. (Ar., *Cat.*, 94)

marãtekoagûerepy[1] (etim. – *compensação do mau proceder passado*) (s.) – penitência dos pecados (*VLB*, II, 72)

marãtekoagûerepy[2] (etim. – *recompensa do estar em esforço*) (s.) – salário (*VLB*, II, 112)

marãtekoara[1] (s.) – trabalhador (*VLB*, II, 134); o empreendedor, o que faz algo (*VLB*, I, 36), o que trabalha: **Oîkobé xe pytybõanameté, xe pyri marãtekoara...** – Existe meu auxiliar verdadeiro, o que trabalha junto de mim. (Anch., *Teatro*, 8)

marãtekoara[2] (s.) – guerreiro; o que é valente, o que é animoso (*VLB*, I, 152)

marãtekoare'yma (etim. – *o que não está em esforço*) (s.) – preguiçoso, vadio (*VLB*, II, 108)

marãtekoarûere'yma (etim. - *o que não agiu mal*) (s.) - inocente (quando acusado de algo que não fez) (*VLB*, II, 12)

mari (s.) - zanga; (adj.) - zangado: *I mari-turusu.* - Ele está muito zangado. (D'Evreux, *Viagem*, 147)

marigûã (s.) - peneira de pesca (*VLB*, II, 14)

marigûi[1] (ou **maringûi**) (s.) - MARUIM, MARIGUI, MERUÍ, BIRIGUI, BARIGUI, nome comum a insetos da família dos ceratopogonídeos. As fêmeas são hematófagas. Picam o homem e os animais domésticos, produzindo violenta comichão e inchando a pele. É também chamado MERUIM, MARINGUIM, MIRUIM, MURUIM, *mosquito-do-mangue* etc. (D'Abbeville, *Histoire*, 255; Marcgrave, *Hist. Nat. Bras.*, 257; *VLB*, II, 43): *Xe su'umo marigûi...* - Picar-me-ia o marigui... (Anch., *Teatro*, 62)

NOTA - Daí, o nome geográfico **MARUIMPANEMA** (localidade do PA) etc. (v. Rel. Top. e Antrop. no final).

marigûi[2] (s.) - MARIGUI, pássaro pequeno e pardo de penas muito compridas, bico e pescoço longos, que vive nos mangues (Sousa, *Trat. Descr.*, 233)

marigûiúna (etim. - *marigui escuro*) (s.) - MARIGUIÚNA, variedade de pequeno mosquito dos matos (*VLB*, II, 43)

marikiná (s.) - MIRIQUINÁ, símio de hábitos noturnos da família dos cebídeos, também chamado MARIQUINHA, MARIQUINHAS, MARIQUINA, MURIQUINA, MURIQUINHA (D'Abbeville, *Histoire*, 252v)

marimbu (s.) - nome de uma planta (*Theat. Rer. Nat. Bras.*, II, 81)

maruîa'yba (s.) - planta espinhosa, de espinhos pretos e agudos como agulha. Seu fruto produz sumo doce e suave. (Sousa, *Trat. Descr.*, 200)

marupá (s.) - navalha de cana ou palha (*VLB*, II, 48)

maruuru (s.) - arbusto inferior; produz uma flor amarela, um fruto do tamanho e formato da ameixa, amarelo e doce (Marcgrave, *Hist. Nat. Bras.*, 70)

masaranduba - o mesmo que **masarandyba** (v.) (Brandão, *Diálogos*, 171)

masarandyba (ou **masaranduba**) (s.) - MAÇARANDUBA, MAÇARANDUVA, MAÇARANDIVA, MAÇARANDIBA, 1) nomes que designam as espécies de árvores sapotáceas *Pouteria procera* (Mart.) T.D. Penn. e *Manilkara elata* (Allemão ex Miq.) Monach.; 2) o fruto dessas árvores, de propriedades medicinais (Piso, *De Med. Bras.*, IV, 203; Brandão, *Diálogos*, 171)

masiury (s.) - var. de cação pequeno e seco; litão (*VLB*, II, 23)

matamatá (s.) - var. de tartaruga (Lisboa, *Hist. Anim. e Árv. do Maranhão*, fl. 174v)

matĩaré (s.) - fome (*VLB*, I, 141)

matori (s.) - var. de rã (*Libri Princ.*, vol. II, 94)

matueté[1] (s.) - **1)** coisa agradável, coisa bela (*VLB*, I, 54); formosura; elegância; **2)** riqueza, luxo; **3)** suavidade (fal. de música); (adj.) - **1)** agradável, elegante; ótimo, bem feito; fino, apessoado; vistoso (*VLB*, II, 147): *Xe matueté.* - Eu sou agradável. (*VLB*, I, 27); *Xe nhe'ẽ-matueté.* - Eu sou elegante nas palavras. (*VLB*, I, 109); *I matueté nhẽ!* - Está muito bem feito! (Fig., *Arte*, 136); *Morubixaba ri é taba matuetéramo.* - É por causa do chefe que a aldeia é ótima. (*VLB*, I, 117); *kunhã-matueté* - mulher fina; *abá-matuetegûasu* - homem apessoado, gentil-homem (*VLB*, I, 148); **2)** rico, luxuoso (*VLB*, II, 105); **3)** suave (p.ex., música) (*VLB*, II, 122); (adv.) - ricamente: *Xe aó-mondé-matueté.* - Eu estou ricamente vestido de roupas. (*VLB*, II, 105) • **matueté!** - está muito bem feito! (Fig., *Arte*, 136)

matueté[2] (s.) - imensidão, grande número; os muitos: *O matueté aysó resé é oîerobîá...* - Confiando na formosura de muitos de si... (Ar., *Cat.*, 37v); (adj.) - imenso, muito: *Xe aysó-matueté resé é, Tupã îepîakukari xebene...* - Por causa de minha imensa formosura, Deus revelar-se-á a mim... (Ar., *Cat.*, 38)

matu'ĩmirĩ (s.) - MATUIM-MIRIM, pássaro de tamanho diminuto, cor brancacenta, que se alimenta de peixes (Sousa, *Trat. Descr.*, 231)

matu'ĩtu'ĩ (s.) - MATUIM, MUTUÍ, BATOVI, BATUÍRA, nome comum a certas aves do continente americano, que vivem nas praias e margens de rios (Marcgrave, *Hist. Nat. Bras.*, 217)

NOTA - Daí, **BATOVI** (nome de município de SP) (v. Rel. Top. e Antrop. no final).

matu'ĩûasu

MATUIM (fonte: Marcgrave)

matu'ĩûasu (s.) – MATUIM-AÇU, pássaro que habita os mangues. "... Têm as penas e bico preto e alimentam-se de peixe." (Sousa, *Trat. Descr.*, 233)

maturaké (s.) – MATURAQUÊ, variedade de peixe de água doce, da família dos caracídeos, parente da traíra (Sousa, *Trat. Descr.*, 296)

matutenhẽ (adv.) – grandemente (*VLB*, I, 150); largamente (*VLB*, II, 18); prosperamente (*VLB*, II, 88); muito; muito bem (*VLB*, II, 44)

mbá – forma nasalizada de **pá** (v.)

mbab – forma nasalizada de **pab** (v.)

mbaba – forma absol. de **paba** (v.)

mba'e?[1] (ou **ma'e?**) (interr.) – 1) quê? que coisa?: *Mba'e-tepe peseká kó xe retama pupé?* – Mas que procurais nesta minha terra? (Anch., *Teatro*, 28); *Mba'epe ké tuî...?* – Que está deitado aqui? (Anch., *Teatro*, 42); ... *Mba'epe ké kanindé-oby îasûara?* – Que há aqui semelhante a um canindé azul? (Anch., *Teatro*, 62); *Mba'epe te'õ?* – Que é a morte? (Ar., *Cat.*, 43v); *Mba'e-takó?* – Que era, mesmo, aquilo? (como quem se esquece do que passou) (*VLB*, II, 92); *Mba'e-pipó?* – Quê? Que é? (respondendo ao que chamou) (*VLB*, II, 92); 2) qual? que...?, qual coisa?: *Mba'e abépe asé 'anga remi'u?* – Qual é também o alimento de nossa alma? (Ar., *Cat.*, 28); *Mba'e apŷabap'aîpó?* – Que índios são esses? (Anch., *Teatro*, 142, 2006) ● **mba'e-mba'e?** – que? (referindo-se a mais de um), que coisas?: *Mba'e-mba'epe Anhanga oîpotar?* – Que coisas quer o diabo? (Ar., *Cat.*, 27v); **mba'e?** (ou **mba'epe?** ou **mba'ehẽ?** ou **mba'e-pipó?**) – Quê? Que dizes? (como quem não entendeu bem o que se disse) (*VLB*, II, 91); **mba'e-embiarĩ-pakó?** – que coisa é? qual é a coisa? (em adivinhação): *Mba'e-embiarĩ-pakó og ubixaba robá resé opûá-opûar?* – Que coisa é que fica batendo no rosto de seu próprio chefe? (*VLB*, II, 92); **mba'e-tepe?** – não é mesmo? (isto é, *verás que te digo a verdade*) (*VLB*, II, 55)

mba'e[2] (ou **ma'e**) (pron.) – 1) (na afirm.) algo: *Apokok mba'e resé.* – Dou combate a algo. (Fig., *Arte*, 124); 2) (na neg.) nada: ... *Kûesé bé mba'e n'a'uî.* – Desde ontem não como nada. (Anch., *Poemas*, 150); ... *N'aîkuakubi mba'e...* – Não omiti nada. (Anch., *Teatro*, 176, 2006) ● (Pode também ser usado com **amõ**, com os mesmos sentidos: 1) (na afirm.) algo (*VLB*, I, 31): *Oîporarápe mba'e amõ a'epe oîkóbone?* – Sofrerão algo estando ali? (Ar., *Cat.*, 48); 2) (na neg.) nada: *Nd'oîkóî mba'e amõ sekoabe'yma.* – Não há nada em que ele não esteja. (Bettendorff, *Compêndio*, 40); ... *N'oîkotebeî ma'e amõ resé.* – Não se afligem por nada. (Ar., *Cat.*, 167)

mba'e[3] (ou **ma'e**) (s.) – 1) coisa: *O mba'e, nipó, asé o py'a pupé saûsubi.* – Suas próprias coisas, na verdade, a gente ama em seu coração. (Anch., *Teatro*, 28); *Mba'e-eté ka'ugûasu...* – Coisa muito boa é uma grande bebedeira. (Anch., *Teatro*, 6); 2) bens, riqueza, haveres, mercadoria, objeto, tudo o que pertence a alguém: *Kó abá semirekó abé opá o mba'e mombabi...* – Esse homem e sua esposa também fizeram acabar todas as suas riquezas... (Ar., *Cat.*, 7); *Aîpó abá ma'e îara îandébe.* – Esses homens são os que portam riquezas para nós. (Léry, *Histoire*, 355); *A'epe n'oerekóî pe rubixaba ma'e?* – E vosso rei não tem riquezas? (Léry, *Histoire*, 362); 3) animal, bicho, ser inferior: **mba'e-kagûera** – gordura de animal (*VLB*, I, 117); 4) termo usado para chamar alguém de forma depreciativa ou vulgar: *Mba'e-embegûasu!* – Coisa beiçuda! (*VLB*, I, 54); *Mba'e-mondá!* – ladrão! (lit., *coisa que rouba*); *Mba'e-poru!* – Comedor de carne humana! (Anch., *Arte*, 32); *Mba'e-u'uma...!* – Coisa enlameada! (Anch., *Teatro*, 44); (adj.) – rico, **(xe)** ter bens: *Xe mba'e.* – Eu tenho bens. (*VLB*, I, 54) ● **i mba'eba'e** – o que tem coisas, o que é rico: *I mba'eba'e ixé.* – Eu sou o que é rico. (*VLB*, II, 105)

MBA'E (objetos) (fonte: Staden)

NOTA – Daí, no P.B., **BOITATÁ** (*mba'e* + *tatá*, "coisa fogo"), nome de entidade sobrenatural dos antigos tupis; **BAEPENDI** (*mba'e* + *apina* + *'y*, "rio da coisa pelada", i.e., de uma entidade sobrenatural).

mba'e⁴ (ou **ma'e**) (s.) – coisa má (como um espírito ou um diabo) (*VLB*, I, 85)

mba'e⁵ (ou **ma'e**) (s.) – enxoval (*VLB*, I, 120)

mba'e⁶ (ou **ma'e**) (s.) – membro ou parte do corpo: *I mba'epepe i nhybõû?* – Em que parte do corpo ele o flechou? (*VLB*, II, 35); *"Oú temõ ké kunhã xe posé" erépe, nde mba'e-pymamo?* – Disseste: "Oxalá viesse aqui uma mulher para o meu lado", tendo o teu membro ereto? (Anch., *Doutr. Cristã*, II, 93)

mba'e⁷ (ou **ma'e**) (s.) – móvel de casa (*VLB*, II, 43)

mba'e⁸ (ou **ma'e**) (s.) – mantimento (*VLB*, II, 31)

mba'e⁹ (ou **ma'e**) (s.) – alfaia, móvel ou utensílio de uso ou adorno doméstico (*VLB*, I, 31)

mba'eaíba¹ (etim. – *coisa ruim*) (s.) – mal, maldade, coisa má: *Oré pysyrõ-te mba'eaíba suí.* – Mas livra-nos do mal! (Ar., *Cat.*, 13v)

mba'eaíba² (etim. – *coisa ruim*) (s.) – peçonha, veneno (*VLB*, II, 68): *A'u temõ mba'eaíba mã a'emo nhẽ xe re'õû...* – Ah, quem me dera comer veneno para que eu morresse! (Anch., *Doutr. Cristã*, II, 102)

mba'eapanupãsaba (etim. – *instrumento de golpear as coisas*) (s.) – macete, maço, instrumento como um martelo, de madeira rija, usado por marceneiros, carpinteiros etc. (*VLB*, II, 27)

mba'eapina (etim. – *coisa tosquiada*) (s.) – homem marinho, monstro marinho que os índios supunham existir (*VLB*, II, 32; Laet, *Novus Orbis*, Livro XV, cap. XIV, §11)

NOTA – Daí, o nome do município de **BAEPENDI** (MG) (v. Rel. Top. e Antrop. no final).

mba'easy (etim. – *dor dos membros*) (s.) – doença, dor, coisa dolorosa, infortúnio; má disposição (*VLB*, II, 27), tormento (*VLB*, II, 132): *Aîporará temõ Tupã resé mba'easy katupabẽ mã...!* – Ah, oxalá eu sofresse por Deus muitíssimos infortúnios! (Ar., *Cat.*, 164v); (adj.) – doente; **(xe)** adoecer: *... Iîá omba'easyramo...!* – Bem feito que adoeceu! (Ar., *Cat.*, 69v); *Xe mba'easy-'ar.* – Caí doente. (*VLB*, I, 116) • **mba'easypotar** – enfermiço, doentio: *Xe mba'easypotar.* – Eu sou enfermiço. (*VLB*, I, 105)

mba'easyaíba (etim. – *doença superficial*) (s.) – indisposição, doença fraca; (adj.: **mba'easyaíb**) – adoentado, mas não muito doente: *Xe mba'easyaíb.* – Eu estou adoentado. (*VLB*, II, 28)

mba'easybora (s.) – doente, enfermo: *Kûesé paîé mba'easybora subani.* – Ontem o feiticeiro chupou o enfermo. (Fig., *Arte*, 96); *Mba'easybora repîaka.* – Ver os doentes. (Ar., *Cat.*, 18)

mba'easyborerekoara (etim. – *o que trata os doentes*) (s.) – enfermeiro (*VLB*, I, 116)

mba'easyborupaba (etim. – *lugar de estarem deitados os doentes*) (s.) – enfermaria (*VLB*, I, 116)

mba'easyborupatyba (etim. – *lugar costumeiro de estarem deitados os doentes*) (s.) – enfermaria (*VLB*, I, 116)

mba'easypora – o mesmo que **mba'easybora** (v.) (Anch., *Arte*, 31v)

mba'eatykasaba (etim. – *instrumento de fincar coisas*) (s.) – macete, maço, instrumento como um martelo, de madeira rija, usado por marceneiros, carpinteiros etc. (*VLB*, II, 27)

mba'eba'u (etim. – *bicho que come pau*) (s.) – nome de um pássaro (Soares, *Coisas Not. Bras.* (ms. C), 1464-1468)

mba'eepypûera – v. **epy (t)**

mba'eepyrama – v. **epy (t)**

mba'eerekoara (t) (etim. – *o que guarda as coisas*) (s.) – despenseiro (*VLB*, I, 100)

mba'eeté (s.) – **1)** coisa verdadeira, coisa preciosa, coisa ótima, coisa de estima (*VLB*, I, 129); coisa prezada (*VLB*, II, 86); **2)** verdade: *Îesu, mba'eeté, pe'ĩ, pesaûsu!* – Eia, amai a Jesus, a verdade! (Anch., *Poemas*, 108); *Sorybeté rakó abá mba'eeté amõ resé o îekosub'iré.* – É muito feliz, certamente, o homem, após alcançar alguma verdade. (Ar., *Cat.*, 126); *Tupã anhõ mba'eeté...* – Somente Deus é a verdade. (Ar., *Cat.*, 117v)

mba'ee'yma (etim. – *falta de coisas*) (s.) – pobreza • **i mba'ee'ymba'e** – o que é pobre, o despossuído, o que não tem posses ou coisas: *Tekokatueté rerekoara o emimotary-*

mba'eîare'yma

bo é i mba'ee'ymba'e. – O que tem a bem-aventurança é o que é pobre por sua própria vontade. (Ar., *Cat.*, 18v)

mba'eîare'yma (etim. – *o que não porta coisas*) (s.) – pobre: ... *Mba'eîare'yma îabé... so'o mimbaba roka ogûâr og upabamo...* – Como um pobre, tomou a casa dos animais de criação como sua pousada. (Ar., *Cat.*, 9v)

mba'ekagûera (s.) – 1) gordura (fora do corpo dos animais): *Aîkyty-kytyk mba'ekagûera pupé.* – Fiquei-o esfregando com gordura. (*VLB*, I, 117); 2) graxa (*VLB*, I, 150); 3) unguento (*VLB*, II, 139) [v. tb. **kaba** (*VLB*, I, 150)]

mba'ekatu (s.) – felicidade, bem-aventurança: *Ybaka aé Tupã îandé resé i nhemosako'îaba, îandé mba'ekaturama nongatûaba re'a...* – O próprio céu é o que Deus prepara para nós, lugar em que bem coloca nossa felicidade futura. (Ar., *Cat.*, 167)

mba'ekuaba – v. **mba'ekugûaba** (*VLB*, II, 110)

mba'ekuapara (etim. – *o que sabe as coisas*) (s.) – letrado (*VLB*, II, 20)

mba'ekugûaba (ou **mba'ekuaba**) (etim. – *conhecimento das coisas*) (s.) – saber (adquirido); (adj.: **mba'ekugûab**) – sábio: *Xe mba'ekugûab.* – Eu sou sábio. (*VLB*, II, 110)

mba'ekugûabe'yma (s.) – ignorante, bruto, o que não sabe nada (*VLB*, I, 60)

mba'ekugûapamo'anga (etim. – *o que se supõe saber as coisas*) (s.) – sábio (na opinião dos outros) (*VLB*, II, 110)

mba'ekugûapara (etim. – *o que conhece as coisas*) (s.) – sábio • **mba'ekugûapara'uba** – sábio fingido, pseudossábio (*VLB*, II, 110)

mba'ema'eîndara (ou **mba'ema'ẽndara**) (s.) – vendedor (*VLB*, II, 143); mercador (*VLB*, II, 36); regateira (*VLB*, II, 100)

mba'emeémo (part.) [o mesmo que **meémo** (v.), mas abrindo período]: *Mba'emeémo asó...* – Se eu tivesse ido... (Anch., *Arte*, 25v)

mba'eme'engaba (etim. – *doação das coisas*) (s.) – patrimônio que o pai dá enquanto vivo; *xe ruba xe mba'eme'engaba* – o patrimônio dado a mim por meu pai (*VLB*, II, 68)

mba'emoasyîá (etim. – *o que faz doer de costume*) (s.) – sensibilidade; (adj.) – sensível:

Xe mba'emoasyîá. – Eu sou sensível. (*VLB*, II, 116)

mba'emoîypaba (etim. – *lugar de cozer as coisas*) (s.) – cozinha (*VLB*, I, 85)

mba'emoîypara (etim. – *o que coze as coisas*) (s.) – cozinheiro (*VLB*, I, 85)

mba'emonhangara (etim. – *o que faz as coisas*) (s.) – oficial (*VLB*, II, 55)

mba'emosyryrykaba (etim. – *lugar de fritar as coisas*) (s.) – frigideira (*VLB*, II, 113)

mba'enakó (conj.) – da mesma forma que, do mesmo modo que, como: *Mba'enakó ahẽ amõ îukáû akûeîme.* – Da mesma forma que fulano matou alguém há tempos. (*VLB*, I, 78)

mba'enhemonhangaba (etim. – *o gerar-se das coisas*) (s.) – fertilidade (*VLB*, I, 138)

mba'enhemonhangabe'yma (etim. – *a não geração das coisas*) (s.) – esterilidade (fal. de terra) (*VLB*, I, 129)

mba'enupãsaba (etim. – *instrumento de golpear as coisas*) (s.) – maço ou macete, instrumento como um martelo, de madeira rija, usado por marceneiros, carpinteiros etc. (*VLB*, II, 27)

mba'epapasaba (etim. – *contagem das coisas*) (s.) – conta (de algarismos); contagem (*VLB*, I, 80)

mba'epesu (s.) – variedade de arraia (Soares, *Coisas Not. Bras.* (ms. C), 2112-2114)

mba'epokeka (etim. – *embrulho de coisas*) (s.) – envoltório, embrulho, trouxa (*VLB*, I, 120)

mba'epotara (etim. – *desejo das coisas*) (s.) – avidez, ganância; (adj.: **mba'epotar**) – ávido (de coisas), ganancioso; *I mba'epotar îagûara.* – O cão é ávido (isto é, bom de caça, quer tudo apanhar). (*VLB*, I, 62)

mba'epûera[1] (etim. – *coisas que foram*) (s.) – despojos (*VLB*, I, 100)

mba'epûera[2] (etim. – *coisas que foram*) (s.) – 1) mexerico, intriga; 2) dizeres vãos, fúteis, coisas equivocadas, baboseiras, tolices: ... *Mba'epûera peîépe?* – Dissestes tolices? (Ar., *Cat.*, 157v); (adj.: **mba'epûer**) – mexeriqueiro; (xe) – fazer mexericos, mexericar: *Nde mba'epûerype nde rapixarĩ nhe'engûera mombegûabo?* – Tu fizeste mexericos, contando as palavras de teu próximo? (Anch., *Doutr. Cris-*

tã, II, 99); *Ereîmombe'upe abá marã'eagûera... nde mba'epûeramo?* – Contaste a maledicência de alguém, sendo mexeriqueiro? (Ar., *Cat.*, 108); *Xe mba'epûer.* – Eu sou mexeriqueiro; *Xe mba'epûer-y îá.* – Eu costumo mexericar. (*VLB*, II, 37)

mba'epûera[3] (etim. – *coisas que foram*) (s.) – herança, patrimônio que deixa o defunto: *xe ruba mba'epûera* – herança de meu pai (*VLB*, I, 121), patrimônio de meu pai defunto (*VLB*, II, 68)

mbaepûeryîara (etim. – *o que domina as coisas que foram*) (s.) – herdeiro (*VLB*, I, 121)

mba'epysykaba (etim. – *instrumento de segurar as coisas*) (s.) – garfo (*VLB*, I, 146)

mba'era'angaba[1] (etim. – *instrumento de medir as coisas*) (s.) – compasso (*VLB*, I, 78)

mba'era'angaba[2] (etim. – *instrumento de medir as coisas*) (s.) – medida, peso (*VLB*, II, 34)

mba'eramaé? (interr.) – para que fim? (Fig., *Arte*, 133)

mba'ereme? (etim. – *por ocasião de que coisas?*) (interr.) – quando? em que situação? por ocasião de quê? (Fig., *Arte*, 133); em que hora? (Fig., *Arte*, 127) • **mba'e-mba'ereme?** – quando? em que situações? em que ocasiões? em que horas: *Mba'e-mba'eremepe asé îeruréû i xupé?* – Em que situações a gente reza para ele? (Ar., *Cat.*, 23v); *Mba'e-mba'eremepe asé nhemombe'une?* – Em que ocasiões a gente se confessará? (Ar., *Cat.*, 90v-91)

mba'ererosapukaîtara (etim. – *o que anuncia as coisas*) (s.) – pregoeiro, pregador (*VLB*, II, 84)

mba'eresysaba (etim. – *instrumento de assar as coisas*) (s.) – espeto para assar (*VLB*, I, 126)

mba'erupaba (etim. – *lugar de estarem as coisas*) (s.) – despensa (*VLB*, I, 100)

mba'eruru (etim. – *depósito das coisas*) (s.) – celeiro (*VLB*, I, 70)

> NOTA – Daí, **BAURU** (nome de município de SP) (v. Rel. Top. e Antrop. no final).

mba'etatá (etim. – *coisa-fogo*) (s.) – **BOITATÁ** (Anch., *Arte*, 9), **BAITATÁ, BIATATÁ, BITATÁ, BATATÃO**, mito dos antigos indígenas da costa brasileira. "... Há também outros (fantasmas), máxime nas praias, que vivem a maior parte do tempo junto do mar e dos rios, e são chamados *baetatá*, que quer dizer *cousa de fogo*, o que é o mesmo como se se dissesse *o que é todo fogo*. Não se vê outra cousa senão um facho cintilante correndo para ali; acomete rapidamente os índios e mata-os, como os curupiras; o que seja isto ainda não se sabe com certeza." (Anch., *Cartas*, 1933)

mba'ete? (interr.) – pois quê? que coisa? (*VLB*, II, 80)

mba'etegûama (etim. – *coisa instrumento de morte*) (s.) – peçonha, veneno (*VLB*, II, 68)

mba'etyba (etim. – *abundância de coisas*) (s.) – fertilidade (p.ex., da terra); lugar fértil (*VLB*, I, 138)

mba'etybe'yma (etim. – *não abundância de coisas*) (s.) – esterilidade, falta das coisas necessárias, infertilidade (p.ex., da terra) (*VLB*, I, 128)

mba'etymbaba (etim. – *lugar de plantar as coisas*) (s.) – horta, plantação (*VLB*, I, 153)

mba'etymbara (etim. – *o que planta as coisas*) (s.) – hortelão, o que cultiva horta (*VLB*, I, 153)

mba'eubana (s.) – envoltório, embrulho, trouxa (*VLB*, I, 120)

mba'e'ueteeté (etim. – *o comer demais as coisas*) (s.) – gula (*VLB*, I, 152)

mbara'ara – v. **mara'ara**

mbasem – v. **basem**

mbegûe (s.) – lentidão, vagar; fleugma; (adj.) – vagaroso, lento, fleumático, molengão (*VLB*, II, 40): *Xe mbegûé.* – Eu sou fleumático, eu sou vagaroso. (*VLB*, I, 143; II, 140); (adv.) – **1)** devagar; aos poucos, lentamente, vagarosamente: *T'îasó, mbegûé, îapu'ama...* – Vamos, devagar, para fazer o assalto. (Anch., *Teatro*, 24); *Mbegûé-katu aîmonhang.* – Bem devagar o fiz. (*VLB*, II, 140); **2)** baixo (som ou voz): *Mbegûé îaîmongetá, t'onhandu umẽ abá.* – Conversemos baixo, para que não o percebam os índios. (Anch., *Teatro*, 146) • **mbegûé-mbegûé (nhẽ)** – pouco a pouco (*VLB*, II, 83), aos poucos: *Mbegûé-mbegûé gûyrá nhemoaî.* – Aos poucos a ave se torna papuda. (Isto é, como se diria em português: *de grão em grão a galinha enche o papo.*) (*VLB*, I, 150); *Sobaké suí mbegûé-mbegûé i xóû oîeupi...* – De diante

mbegûy

deles ele foi, aos poucos, subindo. (Ar., *Cat.*, 4v); **mbegûé-katu** – brandamente, suavemente (*VLB*, I, 34); tardiamente (*VLB*, II, 125); **mbegûé irã** – logo mais: – *N'asepîaki xópene?* – *Mbegûé irã.* – Não as verei? – Logo mais. (Léry, *Histoire*, 345); **mbegûé nhote** – devagar; **mbegûé'ĩ** (ou **mbegûé'ĩ nhote**) – devagarinho; **mbegûé-mbegûé nhote** (ou **mbegûé-mbegûé nhẽ**) – aos passinhos, devagarinho (p.ex., como anda o doente) (*VLB*, II, 67)

> NOTA – Daí, no P.B. (AM), pela língua geral setentrional, **MEUÊ-MEUÊ** (adv.), *mais ou menos, assim, assim* (in *Dicion. Caldas Aulete*).

mbegûy (s.) – aguadilha, água tênue que sai das feridas ou das tetas que não têm leite (*VLB*, I, 24)

mbeîu (s.) – BIJU, BEIJU, var. de bolinho indígena feito da massa da mandioca espremida e cozido dentro de um alguidar, ficando muito seco e torrado (Staden, *Viagem*, 142; Brandão, *Diálogos*, 190)

> NOTA – Daí, no P.B., BEIJUAÇU ou BEIJUGUAÇU, BEIJUCICA ou BEIJUXICA, BEIJUCURUBA, BEIJU-MEMBECA, BEIJU-MOQUECA ou BEIJU-POQUECA, BEIJUTEICA, variedades de biju.

mbeîupirá (etim. – *andorinha peixe*) (s.) – BIJUPIRÁ, o mesmo que **mbyîu'ipirá** (v.) (Piso, *De Med. Bras.*, 154)

mbeîutingy (etim. – *água de biju claro*) (s.) – bebida fermentada com biju, que se guardava durante muitos dias nos jurás, o que a fazia muito forte (*VLB*, II, 146); bebida feita de farinha de mandioca (Marcgrave, *Hist. Nat. Bras.*, 274)

mberu – o mesmo que **meru** (v.)

mberuoby (etim. – *meru verde*) (s.) – variedade de mosca (Marcgrave, *Hist. Nat. Bras.*, 254; D'Abbeville, *Histoire*, 255v)

mbeú – v. **peú (mb)**

mbiara – o mesmo que **(e)mbiara (r, s)** (v.) (*VLB*, II, 85)

mbiarataka – o mesmo que **miaratakaka** (v.) (Cardim, *Trat. Terra e Gente do Brasil*, 30)

mbirakubora (etim. – *os de pele quente*) (s.) – verão (*VLB*, II, 144)

mbi'u – o mesmo que **mi'u** (v.) (*VLB*, II, 145)

mbó (s.) – forma absol. de **pó** (v.) (Anch., *Arte*, 2v)

mbo- – prefixo da voz causativa, alomorfe de **mo-** (v.)

mboapy (v. tr.) – esvaziar, esgotar: *Oîmboapy abá kuîaba...* – Os homens esvaziam as cuias. (Anch., *Teatro*, 30); *Kaûîaîa 'useîa é, opakatu amboapy.* – Querendo beber vinho, tudo esgotei. (Anch., *Teatro*, 46) • **mboapŷaba** – tempo, lugar, modo etc. de esgotar; esgotamento: ... *Setá nhẽ ygasabusu; oîoenõî umã muru i mboapŷagûama ri.* – São muitas as grandes igaçabas; já chamam uns aos outros os malditos para esgotá-las. (Anch., *Teatro*, 24); **mboapŷara** – esgotador, o que esgota: *Serapûan kó mosakara, kaûĩ mboapŷareté...* – São famosos esses moçacaras, que esgotam verdadeiramente o cauim. (Anch., *Teatro*, 6)

mbo'ar[1] – o mesmo que **mo'ar**[1] (v.)

mbo'ar[2] – o mesmo que **mo'ar**[2] (v.)

mboasy – v. **moasy**

mboby[1] (pron.) – alguns, poucos: *Aîrarõpe muru ká; na mboby ruã...* – Hei de irritar os malditos; e não são poucos... (Anch., *Teatro*, 168)

mboby?[2] (ou **mobyr?** ou **moby?**) (interr.) – 1) quantos? (em número): *Mboby mba'e resépe asé îeruréû...?* – Por quantas coisas a gente pede? (Ar., *Cat.*, 26); *Mobype a'e Tupã?* – Quantos são esses deuses? (Anch., *Doutr. Cristã*, I, 157); 2) quanto?: *Mbobype sepy?* – Quanto foi o pagamento? (Ar., *Cat.*, 107); 3) quantas vezes?: *Mbobype abá aîpoba'e oîaby kunhã resé o nhemomotar'iré...?* – Quantas vezes o homem transgride aquele (mandamento) após atrair-se por uma mulher...? (Ar., *Cat.*, 71v)

mbobyrîô (pron.) – poucos (em número) (*VLB*, II, 83); alguns somente: *Mbobyrîô ipó erimba'e kunumĩ kanhemi...* – Alguns somente, outrora, morreram meninos. (Ar., *Cat.*, 157v)

mbo'e (ou **mo'e**) (v. tr. compl. posp.) – ensinar, instruir, reger (dança ou música) (*VLB*, II, 100) [O objeto é sempre uma pessoa: ensinar *alguém*. Ensinar alguma coisa: compl. com **esé (r, s)**, **ri**, com o gerúndio ou com o permissivo.]: ... *Tupã mongetá resé îandé mbo'ebo nhẽ.* – Para nos ensinar a orar a Deus. (Ar., *Cat.*, 25); *Oporombo'e-a'u Tupã nhe'enga ra'anga.* – Ensina falsamente as

pessoas a pronunciar a palavra de Deus. (Anch., *Teatro*, 126); *Eîmbo'ekatu xe 'anga t'oîkuab ybaka piara*. – Ensina bem minha alma para que conheça o caminho do céu. (Valente, *Cantigas*, VI, in Ar., *Cat.*, 1618); *Pa'i, oré sepîak-y îanondé, oré mo'epotar Tupã nhe'enga ri...* – Os padres, antes de nós os vermos, quiseram ensinar-nos na palavra de Deus. (D'Abbeville, *Histoire*, 341v); *Te'yîpe memẽ nhẽ ixé aporombo'e*. – Eu sempre ensinei as pessoas publicamente. (Ar., *Cat.*, 55v)
• **emimbo'e** (t) – o que alguém ensina: *xe remimbo'epûera* – o que eu ensinei (Anch., *Arte*, 52v); **i mbo'epyra** – o que é ensinado; o discípulo (*VLB*, I, 103); **mbo'esaba** – tempo, lugar, modo etc. de ensinar; ensinamento, doutrina: *Tupã nhe'enga asé mbo'esaba* – o ensinamento a nós da palavra de Deus (Anch., *Diál. da Fé*, 228); **mbo'esara** – o que ensina, o mestre: *Eîkobé-katu, xe mbo'esar gûy!* – Salve, ó meu mestre!... (Ar., *Cat.*, 54); *... Pesapîá abaré, pe mbo'esara...* – Obedecei ao padre, vosso mestre. (Anch., *Teatro*, 188)

mbo'eaíb (etim. – *ensinar mal*) (v. tr.) – confundir: *O 'anga sumarã o mbo'eaíme...* – Por confundir o inimigo sua alma. (Ar., *Cat.*, 34v)

mbogûatá (ou **mogûatá**) (v. tr.) – fazer andar: *Xe katûagûama ri ene'î xe mbogûatábo*. – Eia, faze-me andar nas minhas virtudes. (Valente, *Cantigas*, III, in Ar., *Cat.*, 1686)

mboîa (s.) – cobra, serpente, BOI, MBOI, MOI: *Eva, îandé sy-ypy, onhemomotareté 'ybá-poranga resé, mboîa nhe'enga rupi...* – Eva, nossa mãe primeira, atraiu-se muito pelo belo fruto, de acordo com a palavra da serpente. (Anch., *Poemas*, 178); *Mboîa oporosu'u.* – A cobra morde a gente. (Fig., *Arte*, 6); *Mboîa oîuká kunhã.* – A cobra matou a mulher. (Fig., *Arte*, 8)

NOTA – Daí provêm muitas palavras do P.B.: **BOICAÁ** (*mboî* + *ka'a*, "erva de cobra"), hortelã; **BOICININGA** (*mboî* + *sining* + *-a*, "cobra que retine"), cascavel; **BOIQUATIARA** (*mboî* + *kûatiar* + *-a*, "cobra pintada"); **BOIRU** (*mboî* + *irũ*, "cobra companheira"), outro nome da muçurana, que come outras cobras venenosas; **BOIUNA** (*mboî* + *un* + *-a*, "cobra preta"), figura mitológica de índios da Amazônia, que toma a forma de cobra e faz virar as embarcações. Daí, também, muitos nomes de lugares no Brasil: **BOITUVA** (SP), **MBOIMIRIM** (SP), **MOGI-MIRIM** (SP) etc. (v. Rel. Top. e Antrop. no final).

mboîa-maraká – o mesmo que **mboîmaraká** (v.)

mboîesapykûara (s.) – nome de uma cobra (*VLB*, I, 76)

mboîeté (etim. – *cobra verdadeira*) (s.) – nome de uma cobra com duas braças de comprimento em média, com pele lisa e manchada de diversas cores, um chocalho na ponta de sua cauda e picada mortal (D'Abbeville, *Histoire*, 253)

mboîgûasu[1] (etim. – *mboî* + *syûasu*: *cobra de veado*) (s.) – BOIGUAÇU, BOIAÇU, BOIUÇU, BOIOÇU, BOIÇU, cobra da família dos boídeos, não peçonhenta, do Brasil. Atinge até dez metros de comprimento. Vive em ambiente aquático; come peixes, aves e mamíferos, que engole, comprimindo-os. (Marcgrave, *Hist. Nat. Bras.*, 239)

NOTA – Daí, o nome geográfico **BOAÇU** (BA) (v. Rel. Top. e Antrop. no final).

mboîgûasu[2] (s.) – BOIGUAÇU, o mesmo que **îyboîa** (v.) (Piso, *De Med. Bras.*, III, 171)

mboîgûasurepoti (etim. – *fezes de cobra grande*) (s.) – âmbar (*VLB*, I, 34)

Mboî'i (etim. – *cobrinha*) (s. antrop.) – nome de índio tupi (D'Abbeville, *Histoire*, 184v)

mboîkûatiara (etim. – *cobra pintada*) (s.) – BOIQUATIARA, cobra da família dos viperídeos (*VLB*, I, 76; Anch., *Cartas*, 124)

mboîkupekanga (etim. – *cobra do dorso ossudo*) (s.) – variedade de serpente venenosa com espinhos no dorso (Cardim, *Trat. Terra e Gente do Brasil*, 32; *VLB*, I, 76)

mboîkyba (etim. – *piolho de cobra*) (s.) – escorpião, nome comum a certos aracnídeos venenosos (Anch., *Cartas*, 125)

mboîmaraká (etim. – *chocalho de cobra*) (s.) – var. de planta medicinal, heléboro, da família das liliáceas (*VLB*, I, 121; *Theat. Rer. Nat. Bras.*, II, 202)

mboîoby (etim. – *cobra verde*) (s.) – BOIOBI, nome comum a várias espécies de cobras, geralmente verdes, finas e alongadas (*VLB*, I, 76)

mboîpeba (etim. – *cobra chata*) (s.) – BOIPEVA, BOIPEBA, GOIPEVA, PEPÉUA, PEPEVA, cobra-chata, cabeça-chata, cobra não

mbo'ir¹ peçonhenta da família dos colubrídeos, que, quando irritada, achata o corpo (Piso, *De Med. Bras.*, III, 171; *VLB*, I, 76)

mbo'ir¹ (ou **mbo'i**) (etim. - *fazer separar-se*) (v. tr.) - partir, repartir, retalhar; dividir, espedaçar, esmigalhar: *A'e miapepûera abaré oîmbo'i re'a...* - Aquele pão o padre o partiu, certamente. (Ar., *Cat.*, 85); ... *Nhũ-myterype i mbo'îabo.* - Em meio de campo repartindo-os. (Anch., *Teatro*, 140) • **mbo'isara** - o que retalha, retalhador: *so'o mbo'isara* - o que retalha carne, açougueiro; **mbo'isaba** - tempo, lugar, modo etc. de partir, de retalhar: *so'o mbo'isaba* - lugar de retalhar a carne, açougue (*VLB*, I, 67)

mbo'ir² (etim. - *fazer separar-se*) (v. tr.) - desgrudar, desprender, separar; desapegar (o que está grudado), tirar: *Oîmbo'ir i angaîpaba i xuíne.* - Tirarão suas maldades deles. (Anch., *Doutr. Cristã*, I, 227) • **mbo'iraba** - tempo, lugar, modo etc. de desgrudar, de desprender; desprendimento: *Nd'opo'êî xûé-tepe asé o îuru pupé i mbo'iragûama reséne?* - Mas não porá a gente a mão na boca para desgrudá-la? (Anch., *Doutr. Cristã*, I, 217)

mboîro'ysanga (etim. - *cobra de frio*) (s.) - cobra cuja "mordedura comunica ao corpo um grande frio." Não é venenosa. (Anch., *Cartas*, 124)

mboîsinimbeba (etim. - *cobra que retine, achatada*) (s.) - nome de uma cobra, provavelmente da família dos crotalídeos. "Também tem cascavel, mas mais pequeno; é preta e tem muita peçonha." (Cardim, *Trat. Terra e Gente do Brasil*, 33)

mboîsininga (ou **mboîtininga**) (etim. - *cobra que retine*) (s.) - BOICININGA, BOIÇUNUNGA, cascavel, cobra venenosa da família dos crotalídeos, com guizo ou chocalho na ponta da cauda. Alimenta-se de roedores em geral. É também chamada **BOIQUIRA, BOITINGA**, *maracá, maracaboia*. (Marcgrave, *Hist. Nat. Bras.*, 240; Piso, *De Med. Bras.*, III, 171; Knivet, *The Adm. Adv.*, 1242): *Gûaîxará kagûara ixé, mboîtiningusu...* - Eu sou Guaixará, bebedor de cauim, grande boicininga. (Anch., *Teatro*, 26)

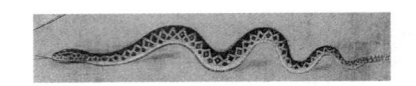

BOICININGA (fonte: *Brasil Holandês*)

mboîtinga - o mesmo que **mboîsininga** (v.) (Marcgrave, *Hist. Nat. Bras.*, 240)

mboîtininga (s.) - BOICININGA, nome de uma cobra (v. **mboîsininga**) (*VLB*, I, 76)

mboîtîapûá (etim. - *cobra do focinho pontudo*) (s.) - BOITIAPOIA, cobra da família dos colubrídeos. Segundo Cardim, com ela "os índios açoitavam as cadeiras das mulheres estéreis". (in *Trat. Terra e Gente do Brasil*, 31)

mboîubu - o mesmo que **mboîoby** (v.) (Sousa, *Trat. Descr.*, 265)

mboîuna (etim. - *cobra escura*) (s.) - BOIUNA, cobra da família dos colubrídeos (Sousa, *Trat. Descr.*, 259; Cardim, *Trat. Terra e Gente do Brasil*, 32)

Mboîusu¹ (etim. - *cobra grande*) (s. antrop.) - nome de índio tupi (Anch., *Teatro*, 138, 2006)

mboîusu² (etim. - *cobra grande*) - o mesmo que **mboîgûasu** (v.) (*VLB*, I, 107; II, 117; Anch., *Teatro*, 162)

mborá (s.) - BORÁ, VORÁ, variedade de abelha social da família dos meliponídeos: *Eîori, mba'enem, mba'e-poxy, mborá...!* - Vem, coisa fedorenta, coisa nojenta, borá! (Anch., *Teatro*, 44)

NOTA - Daí, o nome geográfico **BORÁ** (MA, SP) (v. Rel. Top. e Antrop. no final).

mboro- (pref.) - alomorfe de **moro-** (v.)

mboryb¹ (ou **moryb** ou **mbory**) (v. tr.) - 1) alegrar, satisfazer: *Maria t'îambory...* - Que alegremos a Maria. (Anch., *Poemas*, 188); 2) alegrar-se de, ter gozo em, deleitar-se com, comprazer-se de: ... *O kera pupé o pupukûera morypa...* - Deleitando-se com sua polução em seu sono. (Ar., *Cat.*, 72); *Arakaîá-te ombory...* - Mas os aracajás deleitam-se com eles. (Anch., *Teatro*, 36); *Ereîmborype nde angaîpagûera resé nde ma'enduasaba?*

– Tiveste gozo com tuas lembranças de teus pecados antigos? (Ar., *Cat.*, 233) • **omboryba'e** – o que alegra; o que se compraz em: ... *O ké-poxy omboryba'e...* – O que se compraz em seu sonho mau. (Anch., *Diál. da Fé*, 211); **mborypara** (ou **morypara**) – o que alegra, o que se deleita com: – *Abá abépe oîaby? – Kunhã me'engara... koîpó i mborypara.* – Quem mais o transgride? – O que entrega mulheres e o que se deleita com elas. (Ar., *Cat.*, 71); **morypaba** – tempo, lugar, modo etc. de alegrar, de deleitar-se com; regozijo, gozo, deleite: ... *O morybagûera poepyka...* – Retribuindo seu regozijo com ele. (Ar., *Cat.*, 89)

mboryb² (ou **moryb** ou **mbory**) (v. tr.) – consentir; dar consentimento a, permitir, aceitar, tolerar, ser tolerante com, admitir: *Asé aé oîemoabangá i mborypa...* – A gente mesma acovarda-se, consentindo-o. (Anch., *Diál. da Fé*, 231); *Na xe poromborybi.* – Eu não sou tolerante com as pessoas. (VLB, II, 114); *Ereîmorype abá paîé rerobîaragûama resé?* – Toleraste as pessoas em sua crença no pajé? (Ar., *Cat.*, 98v); *Ereîmorype i nhe'enga...?* – Aceitaste as palavras deles? (Ar., *Cat.*, 100v) • **morypaba** – tempo, lugar, modo etc. de consentir; consentimento: ... *Tupã nhe'engaby morybagûera...* – consentimento na transgressão da palavra de Deus (Ar., *Cat.*, 90); **mborypara** (ou **morypara**) – o que consente; o que permite, o que tolera: ... *'Aretéreme i porabyky-potaryba'e mborypara...* – O que tolera o que quer trabalhar nos feriados. (Ar., *Cat.*, 68v); **omboryba'e** – o que tolera, o que permite: *Mba'e-poxy resé oporomboryba'e.* – O que tolera as pessoas em coisas más. (Anch., *Diál. da Fé*, 209); ... *O ké-poxy omboryba'e...* – O que se compraz em seu sonho mau. (Anch., *Diál. da Fé*, 211)

mbosyî (v. intr. compl. posp.) – carregar-se, levar carga, ficar carregado [com algo: compl. com **esé (r, s)**]: *Ambosyî ahẽ resé.* – Fiquei carregado com ele (isto é, carreguei-o, levei-o às costas). (VLB, I, 67); *Ambosyî.* – Levo carga. (VLB, I, 68)

mbosyîtaba (s.) – carga, peso; o que se carrega às costas ou no lombo dos animais (VLB, I, 67)

mbouk (v. tr.) – dar náusea, dar ânsia de vômito, dar enjoo, dar engulhos: *Xe mbouk xe remi'u.* – Dá-me ânsia de vômito minha comida. (VLB, I, 117)

mbour (ou **mour** ou **moú**) (v. tr.) – fazer vir, mandar (de lá para cá): *Tupã Tuba nde mbouri ...* – Deus-Pai fez-te vir. (Anch., *Poemas*, 100); ... *Xe anama xe mbouri.* – Minha família fez-me vir. (Anch., *Poemas*, 154); *Oîmbourype erimba'e mba'e-katu amõ ybaka suí o boîaetá supé?* – Fez vir outrora alguma coisa boa do céu para seus discípulos? (Ar., *Cat.*, 45); *Aîpó maíra... ybytuûa-su oîmoú.* – Aquele homem branco fez vir a ventania. (Staden, *Viagem*, 91) • **mbousara** – o que faz vir (Fig., *Arte*, 120); **mbousaba** – tempo, lugar, modo etc. de fazer vir (Fig., *Arte*, 120)

mboyî (v. tr.) – acalentar (a criança, para que durma): *Aîmboyî.* – Acalentei-a. (VLB, I, 44)

mbo'y'u (ou **mo'y'u**) (etim. – *fazer beber água*) (v. tr.) – dar de beber a, dessedentar: *'Useîbora mbo'y'u.* – Dar de beber aos sedentos. (Ar., *Cat.*, 18); *Oîmo'y'upe gûá?* – Deram-lhe de beber? (Ar., *Cat.*, 63)

mbûer – forma nasalizada de **pûer** (v.)

mby – forma absol. de **py** (v.)

mby'a – forma absol. de **py'a** (v.)

mbyatĩ (etim. – *pontas das patas*) (s.) – esporas; esporão de galo (VLB, I, 127)

mbyîu'ipirá (etim. – *andorinha peixe*) (s.) – **BIJUPIRÁ**, **BEIJUPIRÁ**, **BEIUPIRÁ**, peixe da família dos raquicentrídeos. "É muito sadio, gordo e de bom gosto." (Cardim, *Trat. Terra e Gente do Brasil*, 52)

mbype¹ (adv.) – algum dia, futuramente (VLB, I, 31); no tempo vindouro (VLB, II, 126); em alguma hora (Fig., *Arte*, 128)

mbype² (etim. – *no pé*) (adv.) – **1)** perto; por perto; por aqui, aqui (Fig., *Arte*, 128; VLB, II, 81), aí por perto: *Mbype erebasẽ i xupé?* – Achaste-os por perto? (Anch., *Teatro*, 46); *Koba'e îakatu mbype, xe re'õ roîré ybŷá xe rerekóûne.* – Como a estes por aqui, farão comigo após minha morte. (Ar., *Cat.*, 155); *Mbype emondarõ sesé.* – Rouba-o aí por perto. (Anch., *Teatro*, 148, 2006)

mbypeeîrã (adv.) – outro dia, já não agora (VLB, II, 61)

mbypeteĩ (adv.) – por aqui pertinho, por aqui em alguma parte próxima (VLB, II, 81); aqui

mbyr

mbyr pertinho em algum lugar (*VLB*, I, 40); pertinho: *Mbypete'ĩ ipó ahẽ rekóû.* – Pertinho certamente ele está. (*VLB*, II, 74)

mbyr – forma nasalizada do suf. deverbativo -**pyr** (v.)

mbyra (s.) – nome de animal; veloso (*VLB*, II, 143)

mbyryki (s.) – BURIQUI, BURIQUIM, macaco da família dos cebídeos, o maior macaco do continente americano, de pelo amarelo. Vive em bandos. É também chamado MARIQUINHA, MARIQUINHAS, MURIQUINA, MARIQUINA, MURIQUINHA ● **mbyryki-oka** – reduto de buriquis (Staden, *Viagem*, 55)

NOTA – Daí, o nome geográfico BERTIOGA (município de SP) (v. Rel. Top. e Antrop. no final).

mbyté (adv.) – ainda: ... *Xe pûeraî mbyté...* – Eu estava ainda cansado. (Anch., *Teatro*, 136); *Osykyî mbyté paîé Karûara.* – Invocam ainda o pajé Caruara. (Anch., *Poesias*, 57)

-me¹ – alomorfe de -(r)eme (v.)

-me² – forma nasalizada da posp. -pe (v.)

meémo (part.) – expressa o condicional passado; pode expressar um ideia de dever no passado: *Ereîkuá ranhẽ meémo emonã nde rekorama...* – Deverias ter sabido antes o que fazias. (Ar., *Cat.*, 57v); *Herodes meémo ikó oîme'eng te'õ supé i angaîpaba kuapa...* – Herodes teria entregado este à morte, conhecendo suas maldades. (Ar., *Cat.*, 59v); *Nde marangatu meémo...* – Se tivesses sido bom... (Anch., *Arte*, 25v); *Osó meémo mamõ?* – Teriam ido para longe? (Anch., *Teatro*, 30); ... *îandé momburu meémo...* – ... ter-nos-iam amaldiçoado... (Anch., *Teatro*, 38). Pode seguir partícula que precede o verbo: *Kori meémo asó...* – Se tivesse ido hoje... (Anch., *Arte*, 25v)

me'eng (ou me'ẽ) (v. tr.) – 1) dar: *T'ame'ẽne pirá ruba endébo...* – Hei de dar ovas de peixe para ti. (Anch., *Teatro*, 44); *Mba'epe Tupã oîme'eng asébe ybakypene?* – Que Deus dará para a gente no céu? (Ar., *Cat.*, 27); *Eîme'eng pindá ixébe.* – Dá anzóis para mim. (Anch., *Arte*, 34); 2) entregar, oferecer: *Te'õ supé xe me'enga xe robá-pyter îepé...* – Entregando-me à morte tu me beijas o rosto. (Ar., *Cat.*, 54); *Marataûãme tekoara ogûerobîá xe nhe'enga, ... xe pópe o 'anga me'enga.* – Os que estão em Maratauá acreditam em minhas palavras, entregando suas almas em minhas mãos. (Anch., *Teatro*, 12); 3) vender (*VLB*, II, 143) ● **me'engara** – o doador, o que dá, o que entrega: ... *Îandé rekobé me'engara...* – Doador de nossa vida. (Anch., *Poemas*, 90); ... *i xupé tekokatu me'engara...* – o que dá a eles a virtude (Ar., *Cat.*, 24); *Abápe i me'engarama?* – Quem foi o que o entregou? (Ar., *Cat.*, 53v); **emime'enga (t)** – o que alguém dá, entrega etc.: *Graça semime'enga n'opabi...* – A graça que ele dá não acaba. (Ar., *Cat.*, 5); **i me'engymbyra** – o que é dado, a doação: ... *Asé aîpó i me'engymbyra supé "Tupã potaba" i 'éû?* – A gente diz "quinhão de Deus" para aquilo que é dado? (Ar., *Cat.*, 78)

NOTA – Daí, no P.B., MENGA (de *me'enga*, "oferta", "doação"), o sangue dos animais sacrificados em ritual de macumba (in *Novo Dicion. Aurélio*).

me'engaba¹ (etim. – *dom, oferta*) (s.) – 1) cônjuge: *O me'engabeté re'õneme, abá nd'e'ikatuî omendá i asykûera amõ resé.* – Quando morre seu cônjuge verdadeiro, uma pessoa não pode casar-se com algum irmão ou irmã dele. (Ar., *Cat.*, 280); 2) noivo (a), prometido (a): *O me'engabeté pyky'yra koîpó tykera... resé obykyba'e n'e'ikatuî omendá o me'engabeté resé tiruã...* – O que tocou na irmã mais moça ou na irmã mais velha de sua noiva verdadeira não pode casar-se nem mesmo com sua noiva. (Ar., *Cat.*, 131)

me'engaba² (s.) – 1) dom, oferta: ... *pe rekobé me'engaba rerekóbo...* – tendo o dom da vossa vida (Ar., *Cat.*, 162); 2) entrega, traição: *A'epe Îudas n'oîkotebeî Îudeus supé o îara me'engûera resé?* – E Judas não se afligiu junto aos judeus pela traição a seu senhor? (Ar., *Cat.*, 57v)

me'engyîeby (etim. – *dar de volta*) (v. tr.) – devolver: *Oîme'engyîeby sepypûera morubixabetá... supé...* – Devolveu seu pagamento aos príncipes. (Ar., *Cat.*, 57v)

meeru¹ (s.) – nome de um peixe (*Theat. Rer. Nat. Bras.*, I, 68)

meeru² (s.) – MERU, EMBIRI, BERI, BIRU-MANSO, planta ornamental cultivada, da família das canáceas (*Canna indica* L.) (Marcgrave, *Hist. Nat. Bras.*, 4)

NOTA – Daí, no P.B., MERUQUIÁ (*me'eru* + *ky'a*, "meru sujo"), nome de planta gramínea.

MERU (fonte: Marcgrave)

me'ĩ (part. de optativo passado; indica algo que poderia ter ocorrido, mas não ocorreu): *Aîuká me'ĩ mã!* – Ah, quem me dera o tivesse matado! (Anch., *Arte*, 18); *Ixé me'ĩ asó mã!* (ou *Asó me'ĩ mã!*) – Ah, quem me dera eu tivesse ido! (Anch., *Arte*, 24v; Fig., *Arte*, 142)

me'ĩmo (part. de optativo passado; indica algo que poderia ter ocorrido, mas não ocorreu): *Asó me'ĩmo mã!* – Ah, quem me dera eu tivesse ido! (Anch., *Arte*, 24v; Fig., *Arte*, 142); *Aîuká me'ĩmo mã!* – Ah, quem me dera o tivesse matado! (Anch., *Arte*, 18); *Asó me'ĩmo ybakype mã!* – Ah, se eu tivesse ido para o céu! (Anch., *Arte*, 24); *Asepîak me'ĩmo!* – Que o tivesse visto! (Anch., *Arte*, 2)

Meîrugûasu (etim. – *grande meru*) (s. antrop.) – nome de índio tupi (Vasconcelos, *Crônica (Not.)* II, §2, 114)

meîuaré (s.) – variedade de coelho do mato, de tamanho grande (Soares, *Coisas Not. Bras.* (ms. C), 1154-1156)

membek (v. intr.) – **1)** amolecer, afrouxar: *Xe reté ã n'oîkoetéî, omembeka.* – Eis que meu corpo não está disposto, amolecendo. (Ar., *Cat.*, 53); **2)** acovardar-se: *Amembek.* – Acovardo-me. (VLB, I, 21); **3)** derreter-se (p.ex., a cera, o metal etc.) (VLB, I, 95)

membeka (s.) – **1)** fraqueza, moleza: *O ati'yba ri krusá osupi. Membeka suí, Îesu sero'ari.* – No seu próprio ombro levanta a cruz. De fraqueza, Jesus fá-la cair consigo. (Anch., *Poemas*, 122); **2)** molengão (VLB, II, 40); o mole, o covarde, o fraco, o tímido: *xe remipoîmembeka* – o molengão que convido (Anch., *Arte*, 52v); (adj.: **membek**) – mole, fraco, **MEMBECA**; molengão: *... I membek, Anhanga pó gûyrybo nhẽ sekóû...* – É mole, está sob as mãos do diabo. (Ar., *Cat.*, 31v); *Xe membek.* – Eu sou molengão. (VLB, II, 40)

NOTA – Daí, no P.B., **BEIJU-MEMBECA** ("biju mole"), var. de biju; **CAAMEMBECA** ("folha mole"), arbusto da família das poligaláceas; **PIRAMEMBECA** ("peixe mole"), peixe cianídeo da costa atlântica do Brasil, também chamado *boca-mole*.

membykambu (etim. – *filho que mama*) (s.) – lactente, criança de peito, filho que mama: *Xe membykambu.* – Meu filho que mama. (VLB, I, 86) ● **i membykambuba'e** – o que tem criança de peito, o que tem filho que mama: – *Abá bépe n'oîabyî oîekuakube'yma?* – I *membykambuba'e.* – Quem também não o transgride, não jejuando? – As que têm filhos que mamam. (Ar., *Cat.*, 77v)

membykunhã (etim. – *filha mulher*) (s.) – **1)** sobrinha, filha da irmã ou da prima (de m.); **2)** enteada (de m.) (Ar., *Cat.*, 114v; VLB, II, 119)

membykyra (etim. – *filho tenro*) (s.) – criança recém-nascida (VLB, II, 126)

membynhemonhangaba (etim. – *lugar de se fazerem filhos*) (s.) – vagina (Castilho, *Nomes*, 33)

membypitanga (etim. – *filho criança*) (s.) – filhinho (a), filho (a) bebê (de m.): *Asé sy o membypitanga raûsuba sosé asé raûsume nhẽ.* – Por nos amar mais do que nossa mãe ama seus próprios filhinhos. (Ar., *Cat.*, 37)

membyra (etim. – *sêmen do marido**) (s.) – **1)** filho ou filha (em relação à mãe): *... I membyra rerobîá.* – Acreditando no filho dela. (Anch., *Teatro*, 136); *O membyra re'õ ré opabĩ abá raûsubi...* – Após morrer seu filho, ama todos os homens. (Anch., *Teatro*, 156); *Asaûsub nde membyrĩ.* – Amo teu filhinho. (Anch., *Poemas*, 102); **2)** afilhado ou afilhada (de m.) (Ar., *Cat.*, 114v); **3)** filhote (macho ou fêmea) de qualquer fêmea de animal (VLB, I, 139)

*OBSERVAÇÃO – Os antigos tupis acreditavam que era o homem quem gerava filhos, sendo a mulher um mero receptáculo de seu sêmen. Assim, **membyra** designa tanto o *filho* quanto a *filha* de uma mulher, que não são, na verdade, seus, mas, sim, *as sementes de seu marido*.

NOTA – Daí, no P.B., **COARACIMIMBI** (*kûarasy + membyra*, "filha do sol"), ave ardeídea ciconiforme do Sul do Brasil.

membyrakyrara (etim. – *nascimento de filho tenro*) (s.) – parto prematuro ou por aborto (VLB, II, 43)

membyrara

membyrara (etim. - *nascimento de filho*) (s.) - parto: ... *O membyrara kûab'iré, Santa Maria o membyra Îesus rerasóû Tupãokype*... - Após passar seu parto, Santa Maria levou seu filho Jesus ao templo. (Ar., *Cat.*, 3v); ... *Santa Maria o membyrá-kakara omo'ã-mo'ang*... - Santa Maria está supondo a aproximação de seu parto. (Ar., *Cat.*, 9); (adj.: **membyrar**) - parturiente; **(xe)** - parir, dar à luz: *Xe membyrar*. - Eu dou à luz. (*VLB*, II, 66) • *i membyraba'e* - a que dá à luz: - *Abá abépe nd'oîabyî oîekuakube'yma? - Kunumĩ, kunhataĩ, ... i membyraba'e*... - Quem mais não o transgride, não jejuando? - Os meninos, as meninas, as que dão à luz. (Anch., *Diál. da Fé*, 203); **membyrasara** - parida, mulher que gerou filhos (*VLB*, II, 66); **membyrasaba** - tempo, lugar, modo etc. de parir, de dar à luz; parto: *N'i tybi tugûy nde membyrasápe*. - Não houve sangue em teu parto. (Anch., *Poemas*, 118)

membyrasy (etim. - *dor de filho*) (s.) - dor de parto; (adj.) **(xe)** - ter dor de parto: *I xy n'i membyrasyî*... - Sua mãe não teve dor de parto. (Anch., *Poemas*, 162); *Xe membyrasy*. - Eu tenho dores de parto. (*VLB*, II, 66); *A'epe muruapora membyrasy kakara, na nheangûaba bé ruã?* - E a aproximação das dores de parto de uma grávida não é causa de se ter medo também? (Ar., *Cat.*, 91)

membyratã (s.) - proteção para canhões e soldados (*VLB*, II, 68)

membyraty (ou **membytaty**) (s.) - 1) nora (de m.); 2) a mulher do sobrinho (de m.) (Ar., *Cat.*, 114v)

membyra'ysé (etim. - *parente dos filhos*) (s.) - 1) enteado (de m.) (*VLB*, I, 118); 2) sobrinho (de m.), filho de sua irmã ou prima (Ar., *Cat.*, 114v; *VLB*, II, 119)

membyre'yma (etim. - *sem filhos*) (s.) - fêmea estéril (*VLB*, II, 31); (adj.: **membyre'ym**) - estéril, sem filhos: ... *kunhã-marangatu-membyre'yma*... - mulher bondosa e estéril (Ar., *Cat.*, 6v)

membytaty - o mesmo que **membyraty** (v.)

memẽ¹ (part.) - mesmo (s, a, as): *Oîepé Tupã memẽpe a'e Tupã-Tuba, Tupã-Ta'yra, Tupã-Espírito Santo?* - São um único e mesmo Deus esse Deus-Pai, Deus-Filho e Deus-Espírito Santo? (Anch., *Doutr. Cristã*, I, 157); *A'e memẽpe tupãoka îakatu i kûáî?* - Ele mesmo está em todas as igrejas? (Anch., *Doutr. Cristã*, I, 216)

memẽ² (conj.) - quanto mais (Anch., *Arte*, 57; Fig., *Arte*, 137) (o mesmo que **memetipó** - v.)

memẽ³ (adv.) - 1) sempre (às vezes com as partículas **nhẽ** ou **îepi**): *Te'yîpe memẽ nhẽ ixé aporombo'e*. - Sempre eu ensinei as pessoas publicamente. (Ar., *Cat.*, 55v); *Tynysẽ memẽ ygasaba*. - Estão sempre cheias as igaçabas. (Anch., *Teatro*, 34); *Morubixaba tuîba'e onhe'eng memẽ i xupé*... - Os chefes velhos falam sempre a eles. (Anch., *Teatro*, 34); *Memẽ nhẽ i xóû îepi*. - Ele sempre vai. (*VLB*, II, 115); ... *Ta xe rarõ memẽ îepi*... - Que me guarde sempre. (Ar., *Cat.*, 34v); *Osó memẽ n'akó îepi*. - Eis que ele sempre vai. (*VLB*, II, 115); 2) para sempre: ... *Oré sumarã reîtyka memẽ*. - Nosso inimigo vencendo para sempre. (Anch., *Poemas*, 126)

memenhẽ (adv.) - devagar: *A'é memenhẽ gûixóbo*. - Vou devagar. (Fig., *Arte*, 160)

memetaé - v. **abiã**... **memetaé**

memeté (conj.) - 1) quanto mais: *Memetémo n'ixé ûixóbo*... - Quanto mais eu haveria de ir. (Anch., *Arte*, 57; Fig., *Arte*, 137); *Memeté rakó pé o eminguabe'yma rupi oguataba'e o angekotebẽnamo, korikorinhẽa'ub 'ara repîaki*... - Quanto mais um caminhante por um caminho que não conhece se aflige, mais deseja logo ver o dia. (Anch., *Doutr. Cristã*, II, 79); 2) tanto mais porque, e principalmente, mesmo porque: *Memeté a'e morero'arupîara*. - Tanto mais porque eles são adversários de agressores. (Léry, *Histoire*, 9); *Îé t'asóne xe mondoápe. Memeté ixé, xe py'ape, emonã tekó potá*... - Sim, hei de ir para onde me mandam. Mesmo porque eu, em meu coração, assim quero fazer... (Anch., *Teatro*, 22)

memetene (conj.) - quanto mais (Anch., *Arte*, 57; Fig., *Arte*, 137)

memetiã - v. **abiã**... **memetiã**

memetipó (conj.) - quanto mais, (e) mais ainda, também com maior razão, ainda mais, e principalmente: ... *memetipó ebapó* - ainda mais ali, quanto mais ali (Fig., *Arte*, 137) (Leva o verbo para o gerúndio.): *Tupã omanõ, memetipó asé omanõmo*. - Deus morreu, quanto mais nós morreremos. (Fig., *Arte*,

163); *Abá abiã é o a'yra ogûerekó-katu*, **memetipó** *Tupã... asé raûsubáne...* – Pois, se um homem guarda seu próprio filho, quanto mais Deus compadecer-se-á de nós. (Ar., *Cat.*, 25v); *I mba'ee'ymba'e memetipó tube'yma i mene'ôba'e bé asé serekomemûãmo.* – Tratando-se mal os pobres e, principalmente, os órfãos e as viúvas. (Bettendorff, *Compêndio*, 17) (v. tb. **abiã... memetipó**)

memûã[1] (s.) – 1) grosseria, gracejo grosseiro; trejeito; zombaria (*VLB*, I, 73); patranha (*VLB*, II, 68); 2) maldade, malícia, perversidade; 3) falsidade, fingimento, erro; (adj.) – 1) grosseiro, zombeteiro; **(xe)** zombar (por obras ou palavras), fazer zombaria, fazer trejeitos (compl. com **supé**): *... Sobaké o memûãnamo...* – Fazendo zombaria diante dele. (Ar., *Cat.*, 60v); *Xe îuru-memûã.* – Faço trejeitos com a boca. (*VLB*, II, 41); *nhe'ẽ-memûã* – palavras grosseiras, de zombaria (*VLB*, I, 73); *Xe memûã (abá) supé.* – Eu zombo das pessoas. (*VLB*, I, 149, adapt.); *abá-memûã* – homem grosseiro, zombeteiro (*VLB*, I, 73); 2) mau, perverso, malicioso, maldoso: *Supikatu serã uîba'e ûyrá-memûã mbouri.* – Na verdade, esse fez vir um pássaro mau. (D'Abbeville, *Histoire*, 353); 3) falso, errado, fingido: *abá-memûã* – homem falso (*VLB*, II, 99); *N'i tybi mba'e-memûã.* – Não há nada errado. (Anch., *Teatro*, 164, 2006); (adv.) – mal, maliciosamente, perversamente: *Oîkó-memûãba'e renonhena.* – Castigar os que procedem mal. (Ar., *Cat.*, 18v); *Aîmonhã-memûã.* – Fi-lo mal. (Anch., *Arte*, 2); *Memẽ nhẽ moxy îandébo marã e'i-memûã-memûã.* – Sempre os malditos para nós dizem maldades, mui perversamente. (Anch., *Poemas*, 194)

NOTA – Daí, no P.B. (AM), pelo nheengatu, **MEUÃ**, careta: *fazer MEUÃ*, "fazer careta" (para intimidar) (in *Dicion. Caldas Aulete*).

memûã[2] (s.) – ressaibo (*VLB*, II, 102)

memûá (s.) – variedade de inseto, o mesmo que **mamûá** (v.) (Marcgrave, *Hist. Nat. Bras.*, 258)

mena (s.) – marido: *Ereîmombo'irype kunhã amõ i mena suí?* – Apartaste alguma mulher de seu marido? (Ar., *Cat.*, 102); *Kunhã kuaûká i mena supé...* – Acusando uma mulher para seu marido. (Ar., *Cat.*, 74) ● **mendûera** – ex-marido: *Xe mendûera ipó re'ĩ...* – Meu ex-marido há de ser, certamente. (Anch., *Teatro*, 8)

NOTA – Daí, no P.B., **SURUBIM-MENA** ("marido de surubim"), nome de um peixe pimelodídeo da Amazônia.

mendar (v. intr.) – casar-se: *Mba'erama resépe abá mendari?* – Por que alguém se casa? (Ar., *Cat.*, 95); *Abá omendar kunhã resé.* – Um homem casa-se com uma mulher. (Fig., *Arte*, 124) ● **omendaryba'e** – o que se casa: *Oîaby-etépe omendaryba'e Tupã nhe'enga o îosuí omondarõmo?* – Transgridem muito a palavra de Deus os que se casam, traindo-se um ao outro? (Ar., *Cat.*, 94v); **mendasara** – o que se casa; noivo (a) (*VLB*, II, 50); o (a) casado (a): *Te'õ a'e mendasareté momboîsabamo.* – A morte, na verdade, é a ameaça dos que se casam verdadeiramente. (Ar., *Cat.*, 94v); *i mendarypyra* – o que é (ou deve ser) casado: *Ogûeronhe'eng i mendarypyrama...* – Anuncia os que serão casados. (Ar., *Cat.*, 94); **mendasaba** (ou **mendaraba**) – tempo, lugar, modo, companhia do casar-se; casamento; cônjuge: *Xe mendasabeté resé nhõ t'aîkóne...* – Com meu cônjuge verdadeiro somente hei de ter relações sexuais. (Ar., *Cat.*, 95)

mendara (s.) – 1) casado (a): *Ereîkópe mendara, mendarûera resé?* – Tens relações com uma casada, com uma que foi casada? (Anch., *Doutr. Cristã*, II, 89); 2) casamento; matrimônio: *– Marãpe amõ îandé 'anga posanga? – Mendara.* – Qual é o outro remédio de nossa alma? – O matrimônio. (Ar., *Cat.*, 94); 3) cônjuge: *I mendá-mokõîa resé i byk'iré...* – Após tocar em seu segundo cônjuge. (Ar., *Cat.*, 280); (adj.: **mendar**) – casado: *Ereîkópe kunhã-mendara resé?* – Tiveste relações sexuais com uma mulher casada? (Ar., *Cat.*, 109)

mendare'yma (etim. – *o não casado*) (s.) – solteiro (*VLB*, II, 120); (adj.: **mendare'ym**) – solteiro: *Ereîkópe... abá-mendare'yma resé?* – Tiveste relação sexual com pessoa solteira? (Ar., *Cat.*, 103v)

menduba (etim. – *pai de marido*) (s.) – sogro (de m.) (Ar., *Cat.*, 115)

mendubé (s.) – **MANDUBÉ**, nome de um peixe do mar (v. **mandubé**) (D'Abbeville, *Histoire*, 247)

mendy (etim. – *mãe de marido*) (s.) – sogra (de m.) (Ar., *Cat.*, 115)

mene'õ (etim. – *marido morto*) (s.) – viúva; (adj.) – viúva; **(xe)** enviuvar, ser viúva: *kunhã-mene'õ*

mene'yma
– mulher viúva (*VLB*, II, 147); *Xe mene'õ.* – Eu enviuvei. (*VLB*, I, 120) ● **i mene'õba'e** – viúva, a que é viúva: *I mba'ee'ymba'e memetipó tube'yma i mene'õba'e bé asé serekomemûãmo.* – Tratando-se mal os pobres e, principalmente, os órfãos e as viúvas. (Bettendorff, *Compêndio*, 17)

mene'yma (etim. – *sem marido*) (s.) – mulher solteira; solteira: *Mene'yma resé oîkoba'e... oîaby-eté Tupã nhe'enga...* – O que tem relações sexuais com uma solteira transgride muito a palavra de Deus. (Ar., *Cat.*, 109)

menhũ (s.) – nome de uma ave de rapina (Soares, *Coisas Not. Bras.* (ms. C), 1422-1424)

menõ (v. tr.) – fecundar, ter relação sexual com, conhecer (o macho à fêmea): *Aîmenõ.* – Fecundei-a. (*VLB*, I, 29)

menondera (s.) – ladra e prostituta (D'Evreux, *Viagem*, 126)

menybyra (etim. – *irmão de marido*) (s.) – cunhado mais moço (de m.), irmão mais novo do marido (Ar., *Cat.*, 115)

menyky'yra (etim. – *irmão de marido*) (s.) – cunhado mais velho (de m.), o irmão mais velho do marido (Ar., *Cat.*, 115)

meriti'yba (etim. – *pé de miriti*) (s.) – **MIRITI, BURITI, MERITI**, palmeira altíssima de lugares alagados (*Mauritia flexuosa* L.), que fornece palmas para cobrir casas. Tem fruto do tamanho de um ovo grande, com casca avermelhada e com manchas pretas. Sua polpa é vermelha e dentro dela há uma noz doce. (D'Abbeville, *Histoire*, 221)

NOTA – Daí, o nome geográfico SÃO JOÃO DO MERITI (RJ) (v. Rel. Top. e Antrop. no final).

MERITI (fonte: IBGE)

meru (ou **mberu**) (s.) – **BIRU**, nome comum a moscas grandes e azuladas da família dos muscídeos "que mordem muito aonde chegam" (Sousa, *Trat. Descr.*, 242; D'Abbeville, *Histoire*, 255; *VLB*, II, 43) ● **mberu mondoaba** (ou **mberu mondoatyba**) – abano de moscas (*VLB*, I, 48); **mberu ra'yra** (ou **mberua'yra**) – lêndea de mosca, vareja (*VLB*, I, 52)

NOTA – Daí provém o nome do município paulista de **BIRIGUI** (v. Rel. Top. e Antr. no final).

metara – v. **(e)mbetara (r, s)** (Cardim, *Trat. Terra e Gente do Brasil*, 109)

Metarapu'a (etim. – *tembetá redondo*) (s. antrop.) – nome de índio tupi (D'Abbeville, *Histoire*, 182)

mi'ã[1] (s. voc. de h.) – mana! (como diz o homem à mulher) (*VLB*, II, 30)

mi'ã[2] (s. voc.) – senhora! (por reverência) (*VLB*, II, 116)

miamĩ (v. intr.) – espremer mandioca: *Amiamĩ.* – Espremi mandioca. (*VLB*, I, 127)

miamĩama (s.) – lugar de espremer mandioca (*VLB*, I, 127); espremedor de mandioca (Marcgrave, *Hist. Nat. Bras.*, 66)

miapapakaba (s.) – tipo de calçado; alpargatas (Marcgrave, *Hist. Nat. Bras.*, 271)

miapé – v. **(e)miapé (r, s)**

miapeatã (etim. – *pão duro*) (s.) – biscoito feito de mandioca (Marcgrave, *Hist. Nat. Bras.*, 67); biju duro e torrado que se guarda por muito tempo (Vasconcelos, *Crônica (Not.)* II, §74, 149)

miapeteka (etim. – *o que é espalmado*) (s.) – 1) bola de farinha-puba feita com as mãos e secada ao calor do sol (Marcgrave, *Hist. Nat. Bras.*, 67); 2) bolota grande que faziam da mandioca curtida, com que depois davam cor à farinha de guerra (*VLB*, II, 71)

miara – o mesmo que **(e)mbiara (r, s)** (v.)

miaratakaka (s.) – **MARITACACA**, *maritafede*, nome comum a várias espécies de pequenos mamíferos carnívoros da família dos mustelídeos, do gênero *Conepatus* (dos quais a mais comum é a *Conepatus semistriatus*), que exalam cheiro terrível que impregna tudo em seu redor. (Sousa, *Trat. Descr.*, 248). É também chamada **JAGUACACACA, JAGUARITACA, JARATATACA, JARITACACA, JERITATACA, IRITATACA, MARATATACA**.

MARITACACA (ilustração de C. Cardoso)

miaûsuba – v. **(e)miaûsuba (r, s)**

miaûsube'yma (etim. – *não escravo*) (s.) – forro, homem livre; mulher forra que nunca foi escrava (*VLB*, I, 142): *Mbiaûsube'yma mbiaûsubeté resé omendaryba'e "miaûsube'yma kó" o'îaba'upa, n'omendari...* – O forro que se casou com uma escrava verdadeira, pensando falsamente "*eis que esta é forra*", não se casou. (Ar., *Cat.*, 131v)

mie'ẽ (ou **mbie'ẽ**) (v. intr.) – ralar mandioca: *Amie'ẽ.* – Ralo mandioca. (*VLB*, II, 96)

mie'esaba (etim. – *lugar de ralar*) (s.) – instrumento utilizado para ralar a mandioca (Marcgrave, *Hist. Nat. Bras.*, 66)

mieîaba (s.) – cocho de ralar mandioca (*VLB*, I, 76)

mienotĩ (etim. – *aquilo de que se envergonha*) (s.) – os órgãos sexuais, as vergonhas (*VLB*, II, 144); as partes sexuais (*VLB*, II, 66)

migã (s.) – sopa feita pelos índios com farinha misturada a caldo de carne ou peixe (D'Abbeville, *Histoire*, 305v)

migûá (s.) – **BIGUÁ, MEUÁ, MIUÁ, MUIÁ**, corvo-marinho, ave da família dos falacrocoracídeos (Lisboa, *Hist. Anim. e Árv. do Maranhão*, fl. 185; *VLB*, I, 83)

NOTA – Daí, os nomes geográficos **BIGUÁ** (MG), **BIGUAÇU** (SC) etc. (v. Rel. Top. e Antrop. no final).

migûaîuba (etim. – *biguá amarelo*) (s.) – nome de uma ave (*Theat. Rer. Nat. Bras.*, I, 98)

miîara – o mesmo que **emiîara (t)** [v. îar / ar(a) (t, t)]

miîuká – o mesmo que **(e)miîuká (t)** (v. îuká)

mikûatiara (s.) – carta, escrito (*VLB*, I, 68) [o mesmo que **emikûatiara (t)** – v. kûatiar]

mim (-îo- ou -nho-) (v. tr.) – esconder, ocultar: *Xe mĩ-te îepé i xuí!* – Mas me esconde tu dele! (Anch., *Teatro*, 32); *Anhomim temõ i mba'e--katu mã...!* – Ah, oxalá esconda eu as boas coisas dele. (Ar., *Cat.*, 73) • **omimba'e** (ou **onhomimba'e**) – o que esconde: *Abá mba'e omimba'e.* – O homem que esconde algo. (Ar., *Cat.*, 72v); **emimima (t)** – o que alguém esconde: *Nde remimimbûera, anhẽ, umãmepe nde mondá?* – O que tu escondeste, na verdade, onde tu roubaste? (Anch., *Teatro*, 44); *Ereîarype abá mba'e, nde rapixara mondarõagûera koîpó semimima?* – Tomaste as coisas de alguém, o objeto do furto de teu próximo ou o que ele esconde? (Ar., *Cat.*, 107); **mimaba** (ou **mimbaba**) – tempo, lugar, modo etc. de esconder; ato de esconder: *Xe resá pupé-katu asepîak nde i mimagûera.* – Bem com os meus olhos vi que tu as escondeste. (Anch., *Teatro*, 176)

mimbaba[1] (etim. – *lugar de esconder*) (s.) – esconderijo: *... Nd'e'ikatuî sesé omendá mimbápe serekó pukuî...* – Não pode com ela casar-se enquanto a mantiver em esconderijo. (Ar., *Cat.*, 128v)

NOTA – Daí, **JAGUAMIMBABA** (nome de localidade de São Paulo) (v. Rel. Top. e Antrop. no final).

mimbaba[2] (etim. – *objeto do esconder*) (s.) – **MUMBAVO, XERIMBABO**, qualquer animal manso que o homem cria ou o animal que ele amansa; animal doméstico, animal caseiro (*VLB*, II, 31); criação: *... So'o mimbaba roka ogûar og upabamo...* – Tomou a casa dos animais de criação como sua pousada. (Ar., *Cat.*, 9v) [o mesmo que **eîmbaba (t)** – v.]

mimbabararõana (etim. – *o que guarda as criações*) (s.) – pastor de gado (*VLB*, II, 67)

mimbaberekoara (etim. – *o que cuida das criações*) (s.) – pastor de gado (*VLB*, II, 67)

mimbabetá (etim. – *muitas criações*) (s.) – rebanho (de gado) (*VLB*, II, 97)

mimbo'e (etim. – *o ensinado; o que alguém ensina*) (s.) – discípulo (*VLB*, I, 103) [v. tb. **emimbo'e (t)**]

mimborará (s.) – os órgãos sexuais, as vergonhas (*VLB*, II, 144)

mimbûaîa (etim. – *o comandado*) (s.) – moça de serviço doméstico (*VLB*, II, 39); moço que serve em casa como pajem; criado de mulher

mimby¹ (*VLB*, II, 39); criado ou criada; serviçal (*VLB*, I, 86)

mimby¹ (etim. – *o que é soprado*) (s.) – **1)** apito (*VLB*, I, 38); **2)** gaita (*VLB*, I, 146)

> NOTA – Daí, no P.B., **MEMBI, MEMI, MEMBÉ, MIBU, MIMÔ, MUBU, MUMU**, flauta indígena, feita de ossos de animais ou de pessoas (in *Dicion. Caldas Aulete*).

mimby² (v. tr.) – fazer soar, tocar (flauta ou instrumento de sopro): *Aîmimby.* – Faço-a soar. (*VLB*, II, 124)

mimbyapara (etim. – *flauta torta*) (s.) – **1)** var. de flauta de taquara dos índios (*VLB*, II, 137); **2)** var. de trombeta (Marcgrave, *Hist. Nat. Bras.*, 278)

mimbygûasu (etim. – *flauta grande*) (s.) – **1)** instrumento musical feito de concha (Vasconcelos, *Crônica (Not.)*, §143, 107); **2)** trombeta: *A'ereme karaibebé ruri, te'õmbûera renõîa, mimbygûasu pŷabo.* – Então os anjos virão, chamando os mortos, tocando trombetas. (Ar., *Cat.*, 160v)

mimbypuku (etim. – *flauta comprida*) (s.) – var. de flauta de taquara dos índios (*VLB*, II, 137)

mimbypysara (ou **mimbysara**) (etim. – *o soprador de instrumento de sopro*) (s.) – gaiteiro (*VLB*, I, 146)

mimõîa – v. (e)**mimõîa**

mimõîpoka – v. (e)**mimõîpoka (t)**

mimondó (s.) – o enviado (*VLB*, II, 19); mensageiro (*VLB*, II, 35) [v. tb. **emimondó (t)**, em **mondó**]

mimotara (etim. – *o que se quer*) (s.) – desejo (*VLB*, I, 98) [v. tb. **emimotara (t)**]

mimuku (etim. – *estrepe comprido*) (s.) – lança, lança longa (*VLB*, II, 18): – *Mba'e-mba'epe i popesûaramo?* – *Mimuku-katupabẽ ...* – Que havia como seus objetos de mão? – Muitíssimas lanças... (Ar., *Cat.*, 54)

mina (s.) – abrolho ou estrepe, coisa pontuda (*VLB*, I, 19), puas de pau ou ferro para se pregarem neles as pessoas que quisessem passar (*VLB*, I, 131); lança (*VLB*, II, 18)

> NOTA – Daí, no P.B., a palavra **CAMINA** (Amaz.) (*îaká* + *mina*, "lança de cesto"), vara em cuja ponta é amarrado um cesto com isca, que se mergulha na água para apanhar peixes.

mindokurûera (s.) – crueira, tudo o que fica do que é peneirado, joeirado; os restos de farinha que ficam na peneira após ser ela peneirada (*VLB*, II, 22)

mindu'u (s.) – o mordido, o mastigado [o mesmo que **emindu'u (t)** – v. **su'u**] (Anch., *Arte*, 4)

mindypyrõ – v. (e)**mindypyrõ (r, s)**

minga'u – v. (e)**minga'u (r, s)**

minga'upetinga (s.) – MINGAUPITINGA, papa preparada com a mandiopeba (Piso, *De Med. Bras.*, 62) [v. tb. (e)**minga'u (r, s)**]

minga'upomonga (etim. – *mingau viscoso*) (s.) – var. de mel silvestre (Marcgrave, *Hist. Nat. Bras.*, 271)

minguaba (s.) – o conhecido, o sabido (Anch., *Arte*, 4v) [o mesmo que **eminguaba (t)** – v. **kuab**]

minõ (s.) – cintas e braceletes feitos com conchas e caramujos quebrados, cujos pedacinhos são polidos e transformados em pequenos quadrados ou em outras figuras geométricas (D'Abbeville, *Histoire*, 275v)

minupã (s.) – o castigado, o açoitado [o mesmo que **eminupã (t)** – v. **nupã**] (Anch., *Arte*, 3v)

minusu (etim. – *estrepe grande*) (s.) – lança: *Minusu pupé iî yké kutuki...* – Com uma lança espetaram seu flanco. (Anch., *Diál. da Fé*, 192)

minypyrõ – v. (e)**mindypyrõ** (*VLB*, II, 37)

mirã (adv.) – algum dia, futuramente (*VLB*, I, 31); em tempo vindouro (*VLB*, II, 126)

miraibora (etim. – *o que tem pele ruim*) (s.) – **1)** doente de bexigas, de varíola (Anch., *Arte*, 31); **2)** leproso (*VLB*, II, 20)

mirakubora – forma absoluta de **pirakubora** (v.) (*VLB*, I, 63)

mirĩ (s.) – coisa miúda, coisa pequena: *mirĩ-mirĩ* – muitas coisas miúdas (*VLB*, II, 39); (adj.) – **1)** pequeno, MIRIM: *Mba'e-mirĩ resé... aîpó o'îabo...* – Dizendo isso por pequenas coisas. (Ar., *Cat.*, 67v); ... *Ó-mirĩ pupé ereîkó.* – Dentro de uma casinha estás. (Anch., *Poemas*, 128); *Xe mirĩ!* – Eu sou pequeno! (Anch., *Teatro*, 62); **2)** baixo, de baixa estatura (fal. de pessoas): *abá-mirĩ* – homem baixo; *kunhã-mirĩ* – mulher de baixa estatura (*VLB*, II, 78); (adv.) – minimamente, um pouco, um pouquinho: *T'îanhe'engá-mirĩ ranhẽ...* – Cantemos um pouquinho, primeiro. (Anch., *Teatro*, 56); *Eîpotá-mirĩ umẽ tatápe xe soaûama.* – Não queiras nem um pouquinho que eu vá para o fogo. (Anch., *Poemas*, 166); *Tatá anhanga ratá 'arybo mirĩ oîkoba'e...* – Um fogo que está um pouco acima do inferno. (Bettendorff, *Compêndio*, 49); ... *Xe raûsubá-mirĩ îepé te'õ gûé!...* – Compadece-te um pouco de mim, ó morte! (Ar., *Cat.*, 158) • **mirĩ-mirĩ** (adv.) – em pequenas partes, em pequenas porções: *A'epe sugûy moîa'o-mirĩ-mirĩneme i îabi'õpe i kûaî?* – E se dividirem seu sangue em pequenas partes, em cada uma delas está? (Anch., *Doutr. Cristã*, I, 216)

> NOTA – No P.B., -MIRIM é um elemento de composição que significa *pequeno, diminuto, infantil* etc.: GUARDA-**MIRIM**, OFICIAL-**MIRIM**, ESCRITOR-**MIRIM**, ABELHA-**MIRIM** etc. Tal palavra está presente, também, em muitos nomes de plantas e animais no Brasil: **ABATIMIRIM, AÇAÍ-MIRIM, AÍ-MIRIM, AIRIMIRIM, ARAÇÁ-MIRIM, BACABAMIRIM, BAIACUMIRIM, BURITIMIRIM** etc.
> Daí provêm, também, muitos nomes geográficos do Brasil: IMIRIM (bairro de São Paulo), SP, MBOIMIRIM (estrada de São Paulo, SP), etc. (v. Rel. Top. e Antrop. no final).

mirukaîa (s.) – MIRAGAIA, MURUCAIA, MIRAGUAIA, peixe da família dos cianídeos do Atlântico ocidental. Emite sons que lembram o bater de um tambor. (Sousa, *Trat. Descr.*, 288)

mityma – v. **emityma (t)**

mi'u (ou **mbi'u**) (etim. – *o que é comido*) (s.) – mantimento (*VLB*, II, 31); qualquer tipo de comida (*VLB*, II, 31): *N'i tyby xûépe amõ mi'u...?...* – Não haverá outra comida? (Ar., *Cat.*, 84) [v. tb. **embi'u (t)**]

> NOTA – Daí, no P.B., BIÚ, farinha de mandioca.

miúba (s.) – planta da família das melastomatáceas (Vasconcelos, *Crônica, (Not.)* II, §87)

miubaumari (s.) – nome de uma árvore (Vasconcelos, *Crônica (Not.)* II, §88, 156)

mi'umoîypaba (etim. – *lugar de cozer a comida*) (s.) – cozinha (*VLB*, I, 85)

mi'umoîypara (etim. – *o que coze a comida*) (s.) – cozinheiro (*VLB*, I, 85)

mixakuruba (s.) – mandioca crua dividida em pequenas partes que são socadas, espremidas com as mãos e depois secadas (Marcgrave, *Hist. Nat. Bras.*, 67); variedade de farinha que se espreme às mãos e não se peneira (*VLB*, I, 135)

mixu'u – o mesmo que **mindu'u** (v.) (Anch., *Arte*, 4)

mixyr (v. intr.) – assar: *Amixyr.* – Assei. (*VLB*, I, 45)

mixyra – v. **(e)mixyra (r, s)**

mixysaba (etim. – *instrumento de assar*) (s.) – espeto (*VLB*, I, 126)

mõ (adv.) – acolá (Fig., *Arte*, 121); por aí: *Nd' eré mõ tenhẽ umẽ abá resé.* – Não digas por aí, falsamente, a respeito de ninguém. (Anch., *Doutr. Cristã*, II, 99)

mó (ou **mbó**) – forma absol. de **pó** (v.) (Anch., *Arte*, 2v)

mo-[1] (ou **mbo-**) (pref. da voz causativa): *Emoîerekûab orébo...* – Faze perdoar a nós. (Anch., *Poemas*, 84); ... *O pyri pe mogûapyka.* – Junto a si fazendo-vos sentar. (Anch., *Poemas*, 158)

-mo[2] (forma nasalizada, alomorfe de **-abo**, suf. de gerúndio): ... *I pytybõmo îepi.* – Ajudando-os sempre. (Anch., *Teatro*, 40)

-mo[3] – **1)** part. que expressa o condicional: – *I nhyrõ nhẽpemo Îandé Îara i xupé "nde nhyrõ ixébe" o îoupé i 'éremo?* – *I nhyrõ nhẽmo.* – Perdoar-lhe-ia, sem mais, Nosso Senhor, se ele lhe dissesse "*perdoa tu a mim*"? – Perdoaria. (Ar., *Cat.*, 58); ... *Esykyîêbomo, ereîkó-katumo.* – Tendo medo, farias bem. (Ar., *Cat.*, 112); *Nde rurememo, aîuká umũãmo.* – Se tivesses vindo, já o teria matado. (Anch., *Arte*, 22); *Xe mondórememo, asómo.* – Se me mandasse, iria. (Anch., *Arte*, 25); *Aîpó n'i papasabi, kûarasymo oîké îepémo!* – Isso não seria possível contar, ainda que o sol se pusesse! (Anch., *Teatro*, 38); **2)** part. que expressa o optativo: *Aîukámo mã!* – Ah, quem me dera o tivesse matado! (Anch., *Arte*, 18); *Asómo Tupana pyri mã!* – Ah, se eu fosse para junto de Deus! (Fig., *Arte*, 142)

moabaeté[1] (ou **moabaîté**) (v. tr.) – **1)** irar, enfurecer, agastar: *Anhanga nde moabaîté...* – O diabo te agasta. (Anch., *Poemas*, 144); *Xe n'aîu-potari biã, karaíba moabaîtébo.* – Eu não queria vir, irando os homens brancos. (Anch., *Poemas*, 194); **2)** odiar, aborrecer, detestar: *Osykyîê nde suí Anhanga, nde moa-*

moabaeté²

baetébo. – Tem medo de ti o diabo, odiando-te. (Valente, *Cantigas*, II, in Ar., *Cat.*, 1618); *Nd'e'i te'e ipó asé pecado... **moabaetébo** te'õ sosé?...* – Por isso, na verdade, é que a gente detesta o pecado mais que a morte? (Anch., *Diál. da Fé*, 232)

moabaeté² (v. tr.) – honrar, respeitar; temer (*VLB*, II, 125): *Tupã **moabaeté**.* – Honrar a Deus. (Ar., *Cat.*, 19v); *... Tupã 'eagûera **moabaetee'yma**.* – Não respeitando o que Deus dissera. (Ar., *Cat.*, 85)

moabaíb (v. tr.) – **1)** dificultar: *Ereîmoarûabeté ã nde rekó, i **moabaípa**.* – Eis que estorvas muito tua vida, dificultando-a. (Anch., *Doutr. Cristã*, II, 94); **2)** impossibilitar: *... Mendara omoarûab i **moabaibuká**...* – Impedem os casamentos, mandando impossibilitá-los. (Ar., *Cat.*, 127v-128); **3)** ter dificuldades em: *Tupã raûsupareté... n'oî**moabaíbi** Tupã asé rekomonhangaba rupi o ekó.* – O que ama verdadeiramente a Deus não tem dificuldades em viver segundo os mandamentos de Deus. (Ar., *Cat.*, 41); **4)** atrasar (Ar., *Cat.*, 41) ● **moabaipaba** – tempo, lugar, modo, causa etc. de dificultar, de impossibilitar, de atrasar; impossibilidade, atraso: *Setá mba'e mendara **moabaipaba**...* – São muitas as coisas que são causa de impossibilitar os casamentos. (Ar., *Cat.*, 277); *Okûabetápe erimba'e seîxu, ybakype abá só **moabaípaba**?* – Os anos passaram muitas vezes, causa de atraso da ida do homem para o céu? (Ar., *Cat.*, 41)

moabaibe'ym (etim. – *tornar sem dificuldades*) (v. tr.) – tornar possível: *... Mba'e i abaiba'e **moabaibe'yma**...* – Tornando possíveis coisas que são difíceis. (Ar., *Cat.*, 58v)

moabaîté – v. moabaeté¹

moabangab¹ (v. tr.) – descoroçoar, acovardar, desanimar, desencorajar (*VLB*, I, 95)

moabangab² (v. tr.) – **1)** desobedecer a: *Aîmoabangab.* – Desobedeci a ele. (*VLB*, I, 99); **2)** vencer com razões (ou doutra maneira) (*VLB*, II, 143); **3)** resistir a (*VLB*, II, 103)

moabangaîepé (v. tr.) – vencer (com razões ou doutra maneira) (*VLB*, II, 143)

moabaré (ou **mboabaré**) (v. tr.) – fazer ser padre, ordenar: *Aîmoabaré.* – Ordenei-o. (*VLB*, II, 58); *Aîmoabaré Pedro.* – Faço Pedro ser padre. (Anch., *Arte*, 48v) ● **emimboabaré** (t) – o que alguém torna padre: *... Semimboabaré sekobîara bé missa pupé miapé rari o pópe sobasapa...* – Os que ele torna padres e seus substitutos na missa tomam o pão em suas mãos, benzendo-o. (Ar., *Cat.*, 84v)

moaby (v. tr.) – enganar, fazer falhar, fazer errar: *Nd'e'ikatuîpe Tupã... îandé **moabyuká**?* – Não pode Deus mandar-nos enganar? (Bettendorff, *Compêndio*, 55)

moagûé (v. tr.) – mear, deixar pela metade (p.ex., a água do vaso), deixar menos que cheio: *Aîmoagûé.* – Deixei-o pela metade. (*VLB*, II, 34)

moaíb (v. tr.) – enfeiar, afear (*VLB*, I, 22)

moaikatu (v. tr.) – estragar (com o uso): *Aîmoaikatu.* – Estraguei-a. (*VLB*, I, 130)

moaîu (v. tr.) – importunar, incomodar, molestar, desatinar (*VLB*, II, 33): *Xe moaîu-marangatu... aîpó tekó-pysasu.* – Importuna-me muito aquela lei nova. (Anch., *Teatro*, 4); *Anhanga xe moaîu...* – O diabo me importuna. (Anch., *Poemas*, 132); *Oporo**moaîu** oîkóbo...* – Está molestando as pessoas. (Ar., *Cat.*, 83)

moakaar (v. tr.) – dobrar (p.ex., o pano, o fio ou a corda, a modo de meada ou várias vezes etc.) (*VLB*, I, 105)

moakangagûá (v. tr.) – fazer cabeça no virote (arma antiga) para não ferir a caça (*VLB*, I, 61)

moakub (v. tr.) – aquecer, esquentar: *Akó iraîtytataendy asé **moakuba** îabé, akûeîa îabé: Tupã asé 'anga **moakubi**...* – Assim como esta vela nos aquece, aquele também: Deus aquece nossa alma. (Anch., *Doutr. Cristã*, I, 221); *T'our kó 'ara pupé oré 'anga **moakupa**.* – Que venha neste dia para aquecer nossa alma. (Anch., *Teatro*, 122)

moaku'i (v. tr.) – enxugar (o que está úmido; enxugar o que está molhado é **mokang** – v.): *Aîmoaku'i.* – Enxuguei-o. (*VLB*, I, 120)

moakym (v. tr.) – **1)** molhar (*VLB*, II, 40); **2)** umedecer (Marcgrave, *Hist. Nat. Bras.*, 277)

moakyr (v. tr.) – abrandar, enternecer, tornar afável: *... Pe îoesé pe îara **moaky**.* – Tornando afável vosso senhor para vós mesmos. (Ar., *Cat.*, 86v)

mo'am¹ (v. tr.) – erguer, fazer estar em pé, erigir, pôr, encostar de pé (p.ex., pau ou lança à parede): *A'eîbépe ybŷá cruz **mo'am**i atykábo?* – Logo, então, a cruz ergueram, fincando-a? (Ar., *Cat.*, 62v); *Oîaobok, itá okytá resé i popûá i **mo'am**a.* – Despiram-no, amarrando-lhe as mãos numa coluna de pedra, fazendo-o estar de pé. (Ar., *Cat.*, 60)

mo'am² (v. tr.) – urdir (teia ou rede) (*VLB*, II, 58)

moamandab (v. tr.) – arredondar [deixando algo plano, como um círculo. Arredondar, deixando esférico, é **moapu'a** (v.)]: *Aî**moamandab**.* – Arredondei-o. (*VLB*, I, 42)

mo'ang¹ (etim. – *idear, fazer ideia*) (v. tr.) – supor, pensar em, crer, imaginar, presumir, ter para si, julgar, considerar, entender: *Îandé repenhã-penhã, îandé momoxy **mo'ang**a.* – Fica-nos atacando, pensando em perverter-nos. (Anch., *Poemas*, 188); *N'aî**mo'ang**i nde só.* – Não entendo tua ida, não entendo que tu vás. (*VLB*, II, 110); ... *Oú-**mo'ang** pe mondyîa.* – Pensa em vir para vos espantar. (Anch., *Teatro*, 182, 2006); *Te'õ o îoesé i 'a-**mo'ang**eme.* – Quando supõe cair em si a morte. (Ar., *Cat.*, 88); *"Ikatupe temõ mã!" erépe, nde gûyrype kunhã resé nde rekó **mo'ang**'iré?* – Disseste: *"Ah, quem me dera estivesse nua!"*, após imaginares estar com uma mulher debaixo de ti? (Anch., *Doutr. Cristã*, II, 93); ... *Santa Maria o membyrá-kakara omo'ã-**mo'ang**...* – Santa Maria está pensando na aproximação de seu parto. (Ar., *Cat.*, 9); *Xe ra'yt, aî**mo'ang** nde re'õaûama...* – Meu filho, penso que tu morrerás. (Bettendorff, *Compêndio*, 118); ... *Peî**mo'ang** pe re'õ pupé pe ruba...* – Imaginai, em vossa morte, estardes vós deitados. (Ar., *Cat.*, 155v) • **oî**mo'ang**yba'e** – o que pensa, o que supõe, o que imagina etc.: *Nhandy-karaíba pupé abaré omanõ-**mo'ang**yba'e pytuba.* – Ungir o padre com óleo bento o que supõe morrer. (Anch., *Doutr. Cristã*, I, 219)

mo'ang² (v. tr.) – fingir, simular, disfarçar: ... *Oporomoingobé-**mo'ang**a...* – Fingindo fazer viver as pessoas. (Ar., *Cat.*, 160); *Nde remo'emype nde nhemombegûápe, nde angaîpaba **mo'ang**a?* – Tu mentiste ao te confessares, disfarçando teus pecados? (Ar., *Cat.*, 108); *Asó-**mo'ang**.* – Finjo que vou. (Fig., *Arte*, 143)

mo'ang³ (adv.) – inutilmente, em vão, sem proveito, de mentira, ficticiamente: *Aka'amondó--**mo'ang**.* – Fui à caça sem proveito. (Fig., *Arte*, 143)

moangaîbar (v. tr.) – fazer emagrecer: *Aî**moangaîbar**.* – Fi-lo emagrecer. (*VLB*, I, 112)

moangaîpab (ou **moangaîpá**) (v. tr.) – **1)** tornar mau, fazer ruim, perverter, estragar (p.ex., fruta); tornar pecador, fazer pecar: *Aî**moangaîpab**.* – Faço-o ruim. (Anch., *Arte*, 48v); ... *Aî**moangaîpá** pá benhẽne.* – Farei todos pecarem de novo. (Anch., *Teatro*, 136); *Opá taba **moangaîpab**i!* – Tudo faz a aldeia pecar! (Anch., *Teatro*, 38); **2)** fazer mal a, arruinar, maltratar (a dor ou a doença ao que a tem) (*VLB*, II, 29): *Îapopûaratã, i **moangaîpab**a.* – Amarram-lhe as mãos fortemente, fazendo-lhe mal. (Anch., *Poemas*, 120) • **moangaîpapara** – o que faz pecar, o que faz perverter; pervertedor: ... *Tubixá-katu Aîmbiré, apŷaba **moangaîpapara**.* – O grande chefe Aimbirê, o pervertedor dos índios. (Anch., *Teatro*, 8); *Onheŷnhang umã sesé kunumî-etá kagûara, kó taba **moangaîpapara**...* – Já se juntaram por causa disso muitos moços bebedores de cauim, os pervertedores desta aldeia. (Anch., *Teatro*, 24)

moangaturam (v. tr.) – dignificar, honrar; tornar bom, enobrecer, aperfeiçoar: *A'e ipó Tupã n'o**moangaturam**i...* – Esses, na verdade, não honram a Deus. (Ar., *Cat.*, 26v); *Nde **moangaturam**eté pa'i Tupã...* – Tornou-te muito bondosa o senhor Deus. (Anch., *Poemas*, 132) • **moangaturãsaba** – tempo, lugar, causa, meio, instrumento etc. de honrar, de dignificar, de fazer bom: *Mba'e nungarape aîpó graça i **moangaturãsaba**?* – Semelhante a que é essa graça, o meio de fazê-los bons? (Ar., *Cat.*, 37v)

mo'anga'ub¹ (v. tr.) – supor, imaginar (falsamente) • **omo'anga'uba'e** – o que supõe, o que imagina (falsamente): *I mba'e-kuá--**mo'anga'uba'e**...* – O que supõe saber as coisas. (Ar., *Cat.*, 66)

mo'anga'ub² (v. tr.) – fingir, inventar: *Ererobîarype paîê porapiti **mo'anga'uba**...?* – Acreditas no pajé ao fingir assassinar as pessoas? (Anch., *Doutr. Cristã*, II, 83); *Peteumẽ mendara moarupaba **mo'anga'upa** supindûare'yma mombegûabo...* – Guardai-vos de inventar impedimentos ao casamento, contando o que não é verdade. (Ar., *Cat.*, 132)

mo'angekoaíb

mo'angekoaíb (v. tr.) - molestar, fazer penar (*VLB*, II, 40): *... Ta nde mo'angekoaíb umẽ Anhanga.* - Que não te moleste o diabo. (Ar., *Cat.*, 141)

moanhan (ou **moanhã**) (v. tr.) - empurrar, dar encontrão em: *... Oîmoanhã satápe...* - Empurra-o para seu fogo. (Anch., *Poemas*, 188); *Xe-te xe mboú kori pe moanhana, pe mondóbo ikó setama suí.* - E a mim é que faz vir hoje para vos empurrar, enxotando-vos desta sua terra. (Anch., *Teatro*, 180); *Ereîmomaranype nde mena... "t'oropyk" i 'éreme, i moanhana?* - Resististe a teu marido quando ele disse: "*hei de te cobrir*", empurrando-o? (Anch., *Doutr. Cristã*, II, 98)

moanhẽ (v. tr.) - 1) apressar; acelerar; apressar-se para: *Xe moanhẽ kó xe boîá...* - Apressam-me estes meus súditos. (Anch., *Teatro*, 32); 2) ficar ansioso por, esperar ansiosamente: *... Te'õ moanhẽ-anhẽmo...* - Ficando a esperar ansiosamente a morte. (Ar., *Cat.*, 158v)... *Korikorinhẽa'ub 'ara repîaki, i moanhẽmo...* - Deseja logo ver o dia, ficando ansioso por ele. (Anch., *Doutr. Cristã*, II, 79); *... Omoanhẽ ymã sepîakûama.* - Já fica ansiosa por vê-lo. (Ar., *Cat.*, 9v)

moaning (ou **moanĩ**) (v. tr.) - excitar, causar arrepio a, estimular (os órgãos sexuais): *Ereîmoanĩpe nde remimborará, kunhã resé nde ma'enduaramo?* - Excitaste teu órgão sexual, lembrando-te de mulheres? (Ar., *Cat.*, 104)

moaob (v. tr.) - vestir, pôr roupa em; fazer ter roupa: *Ikatupendûara moaoba.* - Vestir os nus. (Ar., *Cat.*, 18); *Aîmoaob Pedro.* - Faço Pedro ter roupa. (Anch., *Arte*, 48v)

moapagûyb (v. tr.) - brandir, fazer vibrar, sacudir (vara, árvore etc.) (*VLB*, I, 59)

moapaîugûá¹ (v. tr.) - 1) confundir: *Oporomoaîu oîkóbo... taba moapaîugûá-îugûabo...* - Está molestando as pessoas, ficando a confundir as aldeias... (Ar., *Cat.*, 83); 2) misturar (fatos, falando ou contando alguma coisa) (*VLB*, II, 36)

moapaîugûá² (v. tr.) - encaroçar (p.ex., a papa), engrolar (*VLB*, I, 117)

moapakuî (v. tr.) - derrubar (p.ex., frutas, terra, como fazem os ratos) (*VLB*, I, 95)

moapapub (v. tr.) - 1) amolecer, abrandar; 2) convencer: *Aîmoapapub.* - Convenço-o. (*VLB*, II, 43)

moapar (v. tr.) - aleijar (de todo, para que não ande) (*VLB*, I, 31)

moaparaîereb (v. tr.) - derrubar (o que cai rodando - p.ex., um barril, um pote etc.) (*VLB*, I, 95)

moaparar (v. tr.) - derrubar, fazer cair: *Sekoaba'e kûé kunhã oré akanga i apiti... oré moapará-pará...* - O que é comum é aquela mulher espedaçar nossas cabeças, ficando a derrubar-nos. (Anch., *Teatro*, 182)

moaparatã (v. tr.) - estirar, retesar (p.ex., corda) (*VLB*, I, 129)

moapatynã¹ (v. tr.) - empelotar, encaroçar, engrolar, embolotar (p.ex., a farinha, o mingau, a papa etc.) (*VLB*, II, 71)

moapatynã² (v. tr.) - confundir; misturar (os fatos, falando ou contando alguma coisa) (*VLB*, II, 36)

moapen (v. tr.) - entortar (*VLB*, I, 119)

moapererá (v. tr.) - tosar: *Aîmoapererá-katu nhote.* - Tosei-o bem. (*VLB*, II, 133)

moapi'a (v. tr.) - circuncidar (*VLB*, I, 74)

moapĩĩ (v. tr.) - colocar ponta com ponta (p.ex., uma vara) (*VLB*, II, 80)

moapong (v. tr.) - opilar (*VLB*, II, 57)

moapûá¹ (v. tr.) - empilhar, amontoar, fazer monte de (*VLB*, II, 109)

moapûá² (v. tr.) - aguçar (p.ex., ponta) (*VLB*, I, 27)

moapu'a (v. tr.) - arredondar [deixando esférico, como uma bola. Arredondar, deixando plano e circular é **moapỹî** ou **moamandab** (v.)] (*VLB*, I, 42) ● **i moapu'apyra** - o que é arredondado; bola (*VLB*, I, 56)

moapûa'ĩ (v. tr.) - encurtar (*VLB*, I, 115)

moapûaobyr (v. tr.) - aguçar (ponta) (*VLB*, I, 27)

moapy'am (v. tr.) - levantar (somente de uma parte, como o pote, para se lançar água no púcaro, o barco para se calafetar etc.), deixar penso (*VLB*, II, 20)

moapỹî (v. tr.) - 1) colocar em roda (*VLB*, II, 58); 2) arredondar [deixando plano, como um círculo. Arredondar, deixando esférico, é **moapu'a** (v.)] (*VLB*, I, 42)

moapyk (v. tr.) – cozer, cozinhar (com água) (*VLB*, I, 85)

moapyr (v. tr.) – 1) esgotar (p.ex., a taça ou o vinho que ela contém); 2) abaixar (nível de líquido, altura de algo) (*VLB*, I, 125)

moapysaká (v. tr.) – dar remoque a, apreciar com remoque; censurar, exprobar (*VLB*, II, 101)

moapysakûaîe'o (etim. – *fazer cerrarem-se os buracos das orelhas*) (v. tr.) – ensurdecer (*VLB*, I, 118)

moapysakûakanhem (etim. – *fazer desaparecer os buracos das orelhas*) (v. tr.) – ensurdecer (*VLB*, I, 118)

moapysang (v. tr.) – coalhar, fazer coalhar (*VLB*, I, 75)

moapysyk (v. tr.) – 1) consolar, confortar: *Nde pópe ogûapyka, osó kunumĩ... nde moapysyka...* – Em tuas mãos sentando-se, vai o menino, consolando-te. (Anch., *Poemas*, 120); *Xe moapysyk îepé.* – Conforta-me tu. (Valente, *Cantigas*, II, in Ar., *Cat.*, 1618); *Our i moapysyka...* – Vieram para consolá-lo. (Ar., *Cat.*, 53v); 2) edificar (moralmente) (*VLB*, I, 108); 3) deleitar, agradar (*VLB*, I, 27); *Xe moapysy-katu.* – Deleita-me muito. (*VLB*, I, 27; 93); 4) fartar a vontade de, o apetite de, satisfazer (fal. de comida) (*VLB*, I, 135) • **i moapysykypyra** – o que é (ou deve ser) consolado, o consolado: *A'eba'e i moapysykypyramo sekóûne.* – Aqueles serão consolados. (Ar., *Cat.*, 19); **moapysykaba** – tempo, lugar, modo etc. de consolar, de deleitar etc.; o ato de consolar, o consolo: *Nde 'anga moapysykápe, oroîaîubã-îubã.* – Para confortar a tua alma, nós o ficamos abraçando. (Anch., *Poemas*, 134)

moapytam (v. tr.) – fazer enfiada de, fazer feixe de (coisas unidas e enfiadas no mesmo cordão, no mesmo gancho); enfeixar: *Aîmoapytam pirá.* – Fiz enfiada de peixes. (*VLB*, I, 64)

moapytereb (v. tr.) – tornar calvo, tonsurar (metaforicamente, *tornar padre*): *Aîmoapytereb.* – Tonsurei-o. (*VLB*, II, 58)

mo'ar¹ (ou **mbo'ar**) (v. tr.) – fazer cair, derrubar: *Ema'enãngatu xe ri, xe mbo'are'ym-uká.* – Vela bem por mim, mandando que não me façam cair. (Anch., *Poemas*, 142); *A'ereme amõ aîukáne, xe îusanyme i mbo'a...* – Então, alguns matarei, no meu laço fazendo-os cair. (Anch., *Poemas*, 156); *Oré mo'arukar umẽ îepé tentação pupé...* – Não nos deixes tu fazer cair em tentação. (Anch. *Doutr. Cristã*, I, 139); *Ekûãî moxy mbo'a îandé îusana pupé!* – Vai para fazer cair os malditos em nosso laço! (Anch., *Teatro*, 20); *Ema'enãngatu xe ri, xe mbo'are'ymuká.* – Vela bem por mim, mandando que não me façam cair. (Anch., *Poemas*, 142); *Xe t'oropysy-katu, xe mundépe nde mbo'a.* – Eu hei de bem apanhar-te, na minha armadilha fazendo-te cair. (Anch., *Teatro*, 174, 2006) • **mbo'araba** – tempo, lugar, causa etc. de fazer cair, de derrubar: *Marãpe sekoagûera peẽ i mbo'aragûama?* – Como seus atos passados serão a causa de vós o derrubardes? (Anch., *Teatro*, 166, 2006)

mo'ar² (ou **mbo'ar**) (etim. – *fazer cair*) (v. tr.) – fazer nascer, parir, gerar, dar à luz: ... *Marã-pakó xe sy xe mbo'ari erimba'e...?* – Por que minha mãe me deu à luz outrora? (Ar., *Cat.*, 163); *Aîmo'ar.* – Dei-o à luz. (*VLB*, II, 66); *I mbo'a tiruãpe i xy-angaturama rekóû ababykagûere'ymamo?...* – Mesmo dando-o à luz sua mãe bondosa estava virgem? (Ar., *Cat.*, 42) • **mo'asara** – o que faz dar à luz, o que faz nascer: *pitã-mo'asara* – a que faz nascer crianças; a parteira (*VLB*, II, 66)

mo'ar³ (v. tr.) – acender (p.ex., fogo, batendo um instrumento de aço em pederneira) (*VLB*, I, 19; 137)

mo'ar⁴ (v. tr.) – fazer embarcar: *Ybyrá karamemûã, ygarusu nungara... pupé, i mo'aruká.* – Mandando fazê-los embarcar numa arca de madeira, semelhante a um navio... (Ar., *Cat.*, 41v)

moarûab (v. tr.) – impedir, estorvar (*VLB*, II, 10); ... *Mendara omoarûab...* – Impedem os casamentos. (Ar., *Cat.*, 127v-128); ... *Xe moarûá Pa'i Tupã!* – Estorva-me o Senhor Deus! (Anch., *Teatro*, 154); *Ereîmoarûabeté ã nde rekó, i moabaípa.* – Eis que estorvas muito tua vida, dificultando-a. (Anch., *Doutr. Cristã*, II, 94) • **moarûapaba** – tempo, lugar, modo etc. de impedir; impedimento: ... *I moarûapaba t'aîmombe'une.* – Hei de contar os modos de impedi-los... (Ar., *Cat.*, 127v-128)

moarybé (v. tr.) – 1) fazer cessar, acalmar, abrandar: *Mba'easybora remimborará moarybé-ukasara bé 'ykaraíba...* – A água

moasy

benta é o que faz abrandar também o que os doentes sofrem. (Ar., *Cat.*, 352); **2)** tirar o efeito de, neutralizar (p.ex., o veneno): *A'e ipó... oîmoarybé-ukar xe suí...* – Ele, certamente, faz tirar-lhe o efeito de mim. (Ar., *Cat.*, 219, 1618)

moasy (ou **mboasy**) (etim. – *fazer doer*) (v. tr.) – **1)** invejar: *Abá mba'ekatu moasy.* – Invejar as coisas boas de alguém. (Anch., *Doutr. Cristã*, I, 151); **2)** ressentir-se de; levar a mal: *Aûîé sapirõmbyre'yma o moetee'yma oîmoasy...* – Enfim, o que não é pranteado ressente-se de não o honrarem. (Ar., *Cat.*, 85v); **3)** sentir a dor de, ter dor por, lamentar: *Aîmoasy nde só.* – Lamento tua ida. (*VLB*, II, 75); *Xe mba'e-moasy îá.* – Eu lamento-me, de costume (isto é, reclamo de qualquer coisa). (*VLB*, I, 106); *... O sy suí o 'aragûera moasŷabo...* – Lamentando terem nascido de suas mães. (Ar., *Cat.*, 163-163v); *... O kaîa moasŷabo...* – Tendo dor de suas queimaduras. (Ar., *Cat.*, 161); **4)** arrepender-se de: *O ekó moasy riré, abá sóû îemombegûabo...* – Após arrependerem-se de seus atos, os índios vão confessar-se. (Anch., *Teatro*, 38); *Nd'oîmoasyîpe amõ o nhe'engaibagûera?* – Não se arrependeram alguns de seus vitupérios? (Ar., *Cat.*, 63); **5)** fazer sofrer: *Tupã sy îandé senôîa oîmoasy-katu-eté.* – O nosso chamado à mãe de Deus fá-lo sofrer muito. (Anch., *Poemas*, 186) ● **moasŷ-aba** – tempo, lugar, modo etc. de ressentir-se, de arrepender-se etc.; arrependimento: *... I moasyagûera... repyramono.* – Como recompensa também de seu arrependimento delas (isto é, das coisas más). (Ar., *Cat.*, 169v); **i moasypyra** – aquilo de que se arrepende ou de que se deve arrepender; o que é (ou deve ser) lamentado, lastimado, o que é doído: *... Seroŷrõmo opakatu ikó 'ara pupé i moasypyra, seroŷrõmbyra sosé.* – Detestando-os mais que tudo o que deve ser lamentado e o que se deve detestar neste mundo. (Ar., *Cat.*, 220)

> NOTA – Daí, o nome próprio de pessoa **MOACIR** (ou **MOACYR**) (de *moasy*, "lamento", "arrependimento", "o ato de fazer doer", "o que faz sofrer" etc.). É o nome do filho da personagem principal do romance *Iracema*, de José de Alencar, clássico da literatura brasileira. Alencar apresentou para tal nome a etimologia *"filho da dor"*, que é imprecisa.

moatã[1] (v. tr.) – endurecer, tornar duro (*VLB*, I, 115)

moatã[2] (v. tr.) – **1)** estirar (p.ex., corda); estender (p.ex., ao longo do chão o que estava dobrado, enrolado ou encolhido) (*VLB*, I, 128); **2)** alargar: *Aîmoatã xe rapupa'ũ.* – Alarguei meus passos. (*VLB*, II, 66) ● **i moatãmbyra** – o que é (ou deve ser) estirado, alargado: *A'e o kakuab'iré, ... i nheme'engi apŷabaíba supé, oîeîuká-uká ybyraîoasaba resé i moatãmbyramo...* – Ele, após crescer, entregou-se aos homens maus, fazendo-se matar na cruz, estirado. (Anch., *Doutr. Cristã*, I, 194)

moatãe'ym (etim. – *tornar sem força*) (v. tr.) – enfraquecer: *Oîopyk muru akanga, i moatãe'ỹngatûabo.* – Aperta a cabeça do maldito, enfraquecendo-o muito. (Anch., *Poemas*, 180)

moatãnhẽ (v. tr.) – endurecer (*VLB*, I, 118): *... Nde nhy'ã nde i moatãnhẽe'ỹme...* – Se tu não endureceres teu coração... (Ar., *Cat.*, 157)

moateîmã (ou **moatemã**) (interj.) – expressa dó, dor ou lamento (*VLB*, II, 53)

moaterẽ (v. tr.) – deixar raso, deixar cortado de todo (*VLB*, II, 97)

moatyr (v. tr.) – amontoar (*VLB*, I, 34)

moaûîé[1] (v. tr.) – vencer, derrotar, render (p.ex., o inimigo) (*VLB*, II, 101): *Îori, anhanga mondŷîa, oré moaûîé suí!* – Vem para espantar o diabo, para não nos vencer. (Anch., *Poemas*, 102); *Xe abé îû ybõmbyrûera Bastião xe moaûîé.* – A mim também o flechado *Bastião* derrotou-me. (Anch., *Teatro*, 48); *Koromõ, keygûara temiminõ moaûîébo, asapekóne.* – Logo, vencendo os temiminós, habitantes daqui, eu os frequentarei. (Anch., *Teatro*, 136); *Tekobé îandébe Tupã remime'enga syka bé, te'õ îandé moaûîéû...* – Assim que acaba a vida que Deus nos dá, a morte nos derrota. (Ar., *Cat.*, 154v) ● **emimoaûîé** (t) – o que alguém vence, o que alguém derrota: *Îori, esenôî angá kûeîbo nde remimoaûîé.* – Vem, nomeia os que tu derrotas por aí. (Anch., *Teatro*, 12)

moaûîé[2] (v. tr.) – completar, acabar, terminar, concluir (p.ex., um serviço): *Nd'e'i ymûanĩ ahẽ aoba moaûîébo.* – Ele nunca acaba de completar as roupas. (*VLB*, II, 52); *Ta pe ma'enduar... ikó 'ara ... ixé i moaûîé pá roîré xe putu'uagûera resé.* – Que vos lembreis deste dia em que descansei após terminá-las todas. (Ar., *Cat.*, 11v) ● **omoaûîeba'e** – o que acaba, o que completa: ... *pitanga mokõĩ ro'y omoaûîeba'e*... – as crianças que completam dois anos (Ar., *Cat.*, 139)

moaûîekatu (v. tr.) – aperfeiçoar; dar remate, rematar (*VLB*, II, 73; 100)

moa'ypab (etim. – *fazer esgotar o sêmen de*) (v. tr.) – esfalfar: *Aîmoa'ypab.* – Esfalfei-o. (*VLB*, I, 124)

moa'yrĩ (v. tr.) – adelgaçar, afinar: *Aîmoa'yrĩngatu.* – Afinei-o muito. (*VLB*, I, 21)

moaysó (v. tr.) – tornar formoso, aformosear: *Memẽ-te nipó pe 'anga amotá, ... i moaysóbo...* – Mas sempre, com certeza, a vossas almas querem bem, aformoseando-as. (Anch., *Teatro*, 54); ... *Nde moaysó-eté i xuí...* – Tornou-te mais formosa que ela. (Anch., *Poemas*, 142)

mobabak (v. tr.) – virar para um e outro lado (p.ex., ao negar), balançar para um lado e para o outro (p.ex., como faz o cão com o rabo): *Anheakã-mobabak.* – Virei-me a cabeça para um e outro lado (dizendo que não queria). (*VLB*, I, 48); *Aîmobabak xe rûaîa.* – Balanço meu rabo. (*VLB*, II, 95)

mobapyka'ẽ (v. tr.) – arrasar (*VLB*, I, 42)

mobasem (v. tr.) – fazer que chegue, receber
• **mobasembaba** – tempo, lugar, modo etc. de receber, de fazer que chegue: *Îase'o rakó perekó peẽmo teîkeara moetesabamo, i mobasembabamo...* – Com pranto estai, como modo de louvar o que entra junto a vós, como modo de o receber. (Ar., *Cat.*, 85v)

moberab (v. tr.) – fazer brilhar: *Eîmoîasyk, xe py'a moberapa...* – Lava-o, fazendo brilhar meu coração... (Ar., *Cat.*, 154, 1686)

mobobok (v. tr.) – fazer rachar (em muitas partes) (*VLB*, II, 95)

mobok (v. tr.) – estourar, fazer rachar, arrebentar (*VLB*, I, 42); furar, rachar, fender (*VLB*, I, 137): *Itamina pupé îi yké kutuki, i nhy'ã moboka...* – Com uma lança de ferro espetou seu flanco, estourando suas entranhas... (Ar., *Cat.*, 64) • **mobokaba** – tempo, lugar, modo, instrumento etc. de estourar, de fender etc.: *îepe'a-mobokaba* – instrumento de fender lenha (*VLB*, I, 87)

moby? – v. **mboby?**²

moby'ar (v. tr.) – domar (p.ex., animal) (*VLB*, I, 106)

mobybyk (v. tr.) – coser, costurar (*VLB*, I, 83)

mobybykaba (s.) – costura (do que foi cosido) (*VLB*, I, 84); ponto de costura (*VLB*, II, 81)

mobyr?¹ – o mesmo que **mboby?**² (v.)

mobyr² (v. tr.) – aguçar: *Asapûá-mobyr.* – Aguço a ponta dela. (*VLB*, I, 27)

mo'e¹ (v. tr.) – fazer ficar, fazer estar, fazer mostrar-se: *Ten amo'e.* – Faço-o ficar com firmeza. (Anch., *Arte*, 57); (Seu gerúndio é **mo'îabo**): *Ten i mo'îabo.* – Fazendo-o estar com firmeza. (Anch., *Arte*, 57)

mo'e² – o mesmo que **mbo'e** (v.)

mo'ẽ (v. tr.) – derramar, expelir, verter: *Eîmo'ẽ nde resa'y...* – Derrama tuas lágrimas. (Anch., *Doutr. Cristã*, II, 112); *Asugûy-mo'ẽ.* – Verto o sangue dele. (*VLB*, II, 112)

moeburusu (v. tr.) – engrandecer; elevar em dignidade: ... *I angaturãngatu moeburusûabo.* – Sua muita bondade engrandecendo. (Anch., *Poemas*, 86)

moebykatã (v. tr.) – empanturrar: *Aporomoebykatã.* – Empanturrei as pessoas. (*VLB*, I, 112)

moe'ẽ (v. tr.) – 1) temperar com sal, salgar (*VLB*, II, 125); 2) adoçar (*VLB*, I, 22; Fig., *Arte*, 112) • **i moe'ẽmbyra** – o que é (ou deve ser) salgado; o salgado; coisa salgada (*VLB*, II, 112)

mo'ekatu (etim. – *fazer poder*) (v. tr.) – dar jeito a, dar possibilidade a, favorecer: *Na xe mo'ekatuî.* – Não me dá possibilidade. (*VLB*, I, 129)

mo'ema (s.) – mentira – v. **(e)mo'ema (r, s)**

NOTA – Daí provém o nome da famosa personagem da epopeia *Caramuru*, do Frei José de Santa Rita Durão, a índia **MOEMA**. Ela era uma das amantes de Diogo Álvares Correia, herói do poema épico, que se casara com a índia Paraguaçu. Partindo estes dois para a Europa num navio francês, **MOEMA** (isto é, *a mentira* do amor não sacramentado pelo casamento, segundo Frei Durão) foi, com outras ex-amantes dele, até o navio, nadando em alto-mar, para recriminar Correia por não retribuir seu amor. Ali se afogou.

moembiar (ou **moembiá**) (v. tr.) – apresar: *Erobîá, xe rubangab, ta nde moembiá kori.* – Acredita, meu padrinho, hão de te apresar hoje. (Anch., *Teatro*, 142)

moembiaryîar

moembiaryîar (ou **mombiaryîar**) (v. tr.) – tornar apresador: *Aîmoembiaryîar ahẽ xe îoesé.* – Fi-lo apresador de mim (isto é, deixei-me vencer por ele). (*VLB*, I, 93)

moembyaryby (v. tr.) – assar (em cova no chão), assar enterrando (*VLB*, I, 45)

moendy (v. tr.) – acender (p.ex., o fogo): *Emoendy tatá.* – Acende o fogo. (Léry, *Histoire*, 367)

moendyîab (v. tr.) – produzir faísca de, tirar faísca de (p.ex., com um machado num pau): *Aîmoendyîab.* – Tirei faísca dele. (*VLB*, I, 137)

moendypuk (v. tr.) – açacalar, polir (p.ex., espada) (*VLB*, I, 19)

moepy (ou **mboepy**) (v. tr.) – **1)** pagar (*VLB*, II, 62): *... Oîmoepy o mondasagûera.* – Paga o objeto de seu furto. (Ar., *Cat.*, 73); **2)** resgatar, recompensar: *Xe rekoekyî îepé, a'epûera aîmoasy..., i mboepykatûabo bé.* – Embora me evoques os atos, daqueles arrependi-me, bem resgatando-os também. (Anch., *Teatro*, 168) • **moepŷaba** – tempo, lugar, modo etc. de pagar, de resgatar; ato de pagar, pagamento: *Tupã nhe'engabŷagûera îandé i moepykatûagûama resé.* – Para bem pagarmos nós a transgressão da palavra de Deus. (Ar., *Cat.*, 11)

moeraîmombub (v. tr.) – esfriar a pele de (pintando-lhe o corpo para o refrigerar) (*VLB*, I, 32)

moerapûan (v. tr.) – tornar famoso; dar boa ou má fama a: *Abá supé marã o'îabo tenhẽ, ... i moerapûana...* – Dizendo maldades à toa para alguém, dando-lhe má fama. (Ar., *Cat.*, 74); *Oîmoerapûan-y bé, o îurupe i momoxŷ abo.* – Tornam-nos famosos também, em suas bocas vilipendiando-os. (Anch., *Teatro*, 130) • **i moerapûanymbyra** – o que é afamado, o tornado famoso: *Xe, anhangusu-mixyra, Gûaîxará seryba'e, kûepe i moerapûanymbyra.* – Eu, o diabão assado, o que tem nome Guaixará, o que é afamado por aí. (Anch., *Teatro*, 6)

moerapûanaíb (v. tr.) – difamar: *Nde remo'emype nde rapixara resé... i moerapûanaípa?* – Tu mentiste acerca de teu próximo, difamando-o? (Anch., *Doutr. Cristã*, II, 100)

moesagûyryb (v. tr.) – enjoar; dar vertigens a (*VLB*, I, 117)

moesãî (v. tr.) – alegrar: *... Gûaîbĩ moesãîa mbá.* – ... Alegrando todas as velhas. (Anch., *Poemas*, 110); *Oîepîakukar i xupé nhõ... i moesãîa.* – Revelou-se a eles somente, alegrando-os. (Ar., *Cat.*, 45); *Aîmbiré, îarasó muru taûîé îandé roŷpyra moesãîa.* – Aimbirê, levemos os malditos logo para alegrar os que ficaram em nossas casas. (Anch., *Teatro*, 40) • **moesãîndaba** – tempo, lugar, modo, causa etc. de alegrar, de alegria; alegria: *Mba'epe asé moesãîndaba a'ereme?* – Qual é a causa de nossa alegria, então? (Anch., *Doutr. Cristã*, I, 220)

moesakûar (v. tr.) – empilhar, amontoar, fazer monte de (*VLB*, II, 109)

moesakûaranam (v. tr.) – empilhar, amontoar, fazer monte de (*VLB*, II, 109)

moetá (v. tr.) – tornar numeroso, multiplicar (*VLB*, II, 44)

moeté (v. tr.) – honrar, dignificar; reverenciar, comemorar, santificar, louvar, prezar; fazer caso de; cultuar, adorar, glorificar, venerar (*VLB*, II, 143) [Para se referir a coisas más, isto é, louvar o vício, também se usa este verbo. Já **momba'eté** (v.) somente se emprega com relação a coisas boas. (*VLB*, I, 113)]: *Îandé moetébo apŷaba nhemosaraî.* – Para nos honrarem os índios fazem festa. (Anch., *Teatro*, 24); *N'omoeteî o monhangara...* – Não honram seu criador. (Anch., *Teatro*, 30); *Eîmoeté nde ruba nde sy abé.* – Honra teu pai e tua mãe. (Bettendorff, *Compêndio*, 10; Anch., *Teatro*, 54) • **moetesara** – o que honra, o que louva etc.: *Tupã o monhangareté moetesare'yma.* – O que não honra a Deus, seu verdadeiro criador. (Ar., *Cat.*, 66); **moetesaba** (ou **moeteaba**) – tempo, lugar, modo, instrumento, causa etc. de honrar, de louvar; louvor, honra: *... Nde rupiri nde moetesápe.* – Fez-te subir por te honrar. (Anch., *Poemas*, 126); *Turagûera moetesabamo... kó 'ara îamoeté.* – Como modo de honrar sua vinda, comemoramos este dia. (Ar., *Cat.*, 5); **i moetepyra** – o que é (ou deve ser) honrado, glorificado, venerado etc.: *S. Filipe, S. Tiago kó 'ara i moetepyra...* – São Filipe e São Tiago são os que devem ser honrados neste dia... (Ar., *Cat.*, 5v); *I moetepyramo nde rera t'oîkó...* – Santificado seja teu nome. (Ar., *Cat.*, 13v); (fig.) o que é íntimo, o que priva com: *I moetepyramo aîkó (abá) supé.* – Eu privo com os homens, isto é, eu sou o que é honrado junto deles, o que tem intimidade com eles. (*VLB*,

II, 87, adapt.); **emimoeté (t)** – o que alguém honra etc.; (fig.) o íntimo, o que priva com: *Semimoetéramo aîkó*. – Sou íntimo deles, isto é, sou o que eles honram. (*VLB*, II, 87)

moetekugûab (v. tr.) – fazer conhecer a verdade, desenganar (*VLB*, I, 116)

mogûab¹ (v. tr.) – **1)** joeirar, coar, peneirar: *Au'i-mogûab*. – Peneirei a farinha. (*VLB*, II, 72); **2)** (fig.) abrandar: *N'oîmogûabi o nhemoŷ rõ, n'i nhyrõî...* – Não abrandam sua raiva, não perdoam. (Anch., *Teatro*, 148)

mogûab² (v. tr.) – saciar: *Aî'useî-mogûab*. – Saciei minha vontade de comê-lo. (*VLB*, I, 98)

mogûaî (v. tr.) – **1)** cortar (com faca, espada, ferramenta, machado etc.); dar cutilada (com espada, machado) (*VLB*, I, 83); **2)** ferir (o corpo em geral, exceto a cabeça, para o que se emprega o verbo **'apixab** – v.); ferir gravemente (*VLB*, I, 88; 137)

mogûapyk (v. tr.) – fazer sentar-se (*VLB*, I, 45); acomodar: *... O pyri pe mogûapyka*. – Junto a si fazendo-vos sentar. (Anch., *Poemas*, 158)

mogûeb (v. tr.) – apagar, extinguir: *Emogûeb tatá*. – Apaga o fogo. (Léry, *Histoire*, 367)

mogûeîyb (v. tr.) – fazer descer (*VLB*, I, 91)

mogûyapi (v. tr.) – **1)** derrubar, lutando (*VLB*, I, 95); **2)** fazer cair, fazer desarmar-se (p.ex., a armadilha de peso, quando se quebra a corda do pinguelo) (*VLB*, I, 96)

mogûyr (v. tr.) – erguer (p.ex., um peso qualquer): *Aîpusû'ã-mogûyr*. – Ergui a espinhela. (*VLB*, I, 126)

moîa (s.) – cobra; MOIA (v. **mboîa**)

moîab (v. tr.) – fazer que se abra (p.ex., o ovo a galinha que o choca) (*VLB*, I, 73)

moîanypagûer (v. tr.) – tingir de jenipapo (encostando em alguém, isto é, pelo contato físico) (*VLB*, II, 128)

moîa'oîa'okaba (s.) – comunhão, partilha: *Tupã resé marã o ekó o îoupé moîa'oîa'okaba...* – A partilha entre si de suas obras por Deus. (Ar., *Cat.*, 179)

moîa'ok¹ (v. tr.) – **1)** repartir, dividir (coisas múltiplas) (aquele com quem se reparte: compl. com **supé** ou **pé**): *Aîmoîa'ok xe itaîuba ahẽ pé* (ou *supé*). – Reparti meu dinheiro com ele. (*VLB*, II, 66); *Oîopytera rupi aîmoîa'ok*. – Reparti-os pela metade. (*VLB*, II, 73); – *I aogûera, marã serekóû? – I îukasarama oîmoîa'ok o îoupé*. – E suas velhas roupas, que fizeram com elas? – Seus matadores repartiram-nas uns com os outros. (Ar., *Cat.*, 62); *Opá kombó îabi'õ Tupã supé oîepé asé mba'e moîa'oka*. – De cada dez, repartir uma de nossas coisas com Deus. (Ar., *Cat.*, 17); **2)** apartar (p.ex., os que brigam): *Aîmoîa'ok*. – Apartei-os. (*VLB*, I, 130) ● **i moîa'okypyra** – o que é (ou deve ser) repartido, dividido:... *Mba'eramo i moîa'okypyra rekóreme*. – Por ser coisa que deve ser dividida. (Ar., *Cat.*, 78v); **emimoîa'oka** – o que alguém reparte, divide: ... *Ogûemimoîa'oka ogûa'yra pé ranhẽ onhe'enga...* – Falando primeiro a seus filhos, que divide (isto é, os bons dos maus). (Ar., *Cat.*, 162)

moîa'ok² (v. tr.) – distinguir: *Tupã é abaré oîmoîa'ok gûekobîaramo...* – O próprio Deus distinguiu o padre como seu substituto. (Anch., *Doutr. Cristã*, II, 77)

moîapu (v. tr.) – bater, bater em: ... *Erimba'e ipó xe 'anga robaîara... xe rokena moîapuûne re'a...* – Futuramente, com certeza, a inimiga de minha alma há de bater em minha porta. (Ar., *Cat.*, 158v)

moîar¹ (v. tr.) – **1)** pregar, colar, soldar, grudar (*VLB*, I, 151): ... *Eîmoîar ybyraîoasaba resé...* – Prega-o na cruz. (Ar., *Cat.*, 59v); ... *Krusá sosé nhẽ xe îara moîá*. – Sobre a cruz pregando meu senhor. (Anch., *Poemas*, 122); **2)** encalhar: *Aîmoîar ygara*. – Encalhei a canoa. (*VLB*, I, 113); **3)** entalar (*VLB*, I, 118); **4)** cerrar, fechar (sem fecho nem chave, como, p.ex., a porta) (*VLB*, I, 71) ● **i moîarypyra** – o que é (ou deve ser) pregado etc.: *Aîpó i pyri i moîarypyrûera abé*. – Aqueles pregados junto dele também. (Ar., *Cat.*, 63); **moîaraba** (ou **moîasaba**) – tempo, lugar, modo, instrumento etc. de pregar, de colar etc.: *Cruz Cristo Îandé Îara moîaragûera îudeus otym erimba'e...* – A cruz, lugar em que se pregou a Cristo, Nosso Senhor, os judeus a enterraram. (Ar., *Cat.*, 5v)

moîar² (v. tr.) – cercar, encurralar: *Opá Îandé Îara moîari sesé osyka...* – Todos cercaram Nosso Senhor, achegando-se a ele. (Ar., *Cat.*, 54v)

moîaratã (v. tr.) – apertar (uma coisa em outra ou com outra) (*VLB*, I, 38)

moîarõ

moîarõ – v. monharõ (D'Evreux, *Viagem*, 146)

moîaru (v. tr.) – zombar de, brincar desonestamente com: *T'aîkóne nde resé" erépe, i moîarûabo nhote?* – Disseste: "Hei de ter relações sexuais contigo", somente brincando desonestamente com ela? (Ar., *Cat.*, 104v) ● **moîarûaba** – tempo, lugar, modo, companhia etc. de zombar, de brincar desonestamente: *Ereîmomorangype nde kûnhã'yba nde i moîarûagûera?* – Acariciaste tua namorada com quem brincaste desonestamente? (Anch., *Doutr. Cristã*, II, 103)

moîasekó (v. tr.) – dependurar (*VLB*, I, 94), suspender: *Aîpó tekoporanga resé asé serekóû o kotype, a'epe i moîasekóbo i gûaburu...* – Para esse belo procedimento, a gente a mantém em seu próprio quarto (isto é, a água benta), aí dependurando o recipiente em que a bebe. (Ar., *Cat.*, 353)

moîase'o (v. tr.) – fazer chorar: *... Ro'y oporomoryryîeteba'e, i moîasegûábone...* – Um frio que fará as pessoas tremerem muito, fazendo-as chorar. (Ar., *Cat.*, 164)

moîasuk (v. tr.) – **1)** lavar (*VLB*, II, 19); **2)** lavar na água do batismo; batizar: *Xe moîasuk îepé, pa'i...* – Batiza-me tu, padre. (D'Abbeville, *Histoire*, 349v) ● **i moîasukypyra** – o batizado (*VLB*, I, 53)

moîatimung (v. tr.) – fazer balançar (o que está dependurado), embalar (a criança no berço) (*VLB*, I, 110)

moîaû'u (v. tr.) – alcançar (um irmão ao outro no leite) (*VLB*, I, 30)

moîeapin (v. tr.) – fazer tosquiar-se, fazer que seja tosquiado, fazer que tenha o cabelo cortado: *Aîmoîeapin Pedro Diogo supé.* – Faço que Pedro seja tosquiado por Diogo. (Fig., *Arte*, 91)

moîeapyká (v. tr.) – **1)** fazer reproduzir-se, criar (animais para abate) (*VLB*, I, 85); **2)** multiplicar: *... Îandé moîeapykáû ikó 'ara pupé ranhẽ.* – Multiplicou-nos neste mundo, primeiro. (Ar., *Cat.*, 166v)

moîebyanhẽ (adv.) – assim é (Fig., *Arte*, 149)

moîebyr[1] (ou **moîeby**) (v. tr.) – **1)** fazer voltar, ciar (a embarcação, isto é, remar para trás para fazê-la voltar ou recuar) (*VLB*, I, 74); **2)** devolver: *Gûemimbo'e pyri o karûápe, miapé o pópe gûemiîara i moîebyû gûeteramo.* – Ao comer junto dos seus discípulos, o pão que tomou em suas mãos devolveu-o como seu corpo. (Ar., *Cat.*, 5)

moîebyr[2] (ou **moîeby**) (etim. – *fazer voltar*) (v. tr.) – vomitar: *Ereîmoîebype kaûĩ...?* – Vomitas cauim? (Ar., *Cat.*, 111v); *Mba'eeté ka'ugûasu, kaûĩ moîeby-îebyra.* – Coisa muito boa é uma grande bebedeira, ficar vomitando cauim. (Anch., *Teatro*, 6)

moîegûak (v. tr.) – enfeitar, adornar, ornar: *Eîori xe moîegûaka...* – Vem para me adornar. (Anch., *Poemas*, 96); *... xe akanga moîegûaka...* – enfeitando minha cabeça (Anch., *Poemas*, 152)

moîekosub[1] (v. tr.) – **1)** fazer regozijar-se, agradar, fazer rejubilar-se, fazer alegrar-se muito: *T'îandé rerasó o orypápe o îoesé îandé moîekosupa.* – Que nos leve para seu lugar de felicidade para nos fazer regozijar consigo. (Ar., *Cat.*, 5); *Îori xe moîekosupa, nde rekokatu me'enga.* – Vem para me fazer regozijar, dando tua boa lei. (Anch., *Poemas*, 130); **2)** consolar: *Ereîmoîekosupe nde ruba nde sy sekotebẽsaba ri?* – Consolas teu pai e tua mãe em suas aflições? (Ar., *Cat.*, 101); **3)** ajudar (*VLB*, I, 29) ● **moîekosupaba** – tempo, lugar, modo etc. de fazer regozijar-se; regozijo, satisfação: *... mendara moîekosupaba...* – a satisfação dos cônjuges (Ar., *Cat.*, 283, 1686); **moîekosupara** – o que faz regozijar-se, o que agrada, o que consola, o ajudador (em coisa difícil) (*VLB*, I, 29): *Nd'e'i te'e... mba'e amõ resé i moîekosupara... Tupã nhe'enga abŷ abo...* – Por isso mesmo, o que os agrada em alguma coisa transgride a palavra de Deus. (Ar., *Cat.*, 179)

moîekosub[2] (v. tr.) – fazer alcançar a (o que muito desejava); conceder a, oferecer a. A pessoa a quem se concede algo é o objeto e aquilo que se concede vem com as posposições **esé** (**r**, **s**) ou **supé**: *Amõ îudeu tuîba'e i tymagûera kuabe'engi, sesé îandé moîekosupa...* – Certo judeu velho mostrou o lugar em que ela foi enterrada, fazendo-nos alcançá-la... (Ar., *Cat.*, 5v); *... Kó santo o mongetasara oîmoîekosub i mba'e i kanhẽmbyra koîpó semiaûsuîababa supé.* – Este santo faz aquele que a ele roga alcançar suas coisas sumidas ou seu escravo fugido. (Ar., *Cat.*, 6) ● **moîekosupaba** – tempo, lugar, modo, causa etc. de fazer alcançar, de conceder: *Sesé îandé moîekosupagûera resé* îandé ma'enduaramo kó 'ara îaîmoeté. – Comemoramos este dia, lembrando-nos do tempo em que nô-la fizeram alcançar. (Ar., *Cat.*, 5v)

moîekuab (etim. – *fazer conhecer-se*) (v. tr.) – mostrar, evidenciar: *Peîmoîekuakatu aîpó Santíssima Trindade rekó.* – Mostrai bem o que é essa Santíssima Trindade. (Anch., *Doutr. Cristã*, I, 134); *Tupã raûsupareté oîmoîekuabukar o Tupã raûsuba.* – Os que amam verdadeiramente a Deus fazem evidenciar seu amor a Deus. (Bettendorff, *Compêndio*, 111)

moîekuakub (v. tr.) – fazer jejuar: *Nd'e'i te'e abá tekokatu potasara og o'opore'yma, i moîekuakupa...* – Por isso mesmo o homem que quer a virtude se esvazia de corpo, fazendo-o jejuar. (Ar., *Cat.*, 11)

moîekûer (v. tr.) – convencer a ir: *Aîmoîekûer.* – Convenci-o a ir. (*VLB*, II, 43)

moîekundasab (ou **moîekunasab**) (v. tr.) – fazer cruzar, fazer atravessar (em forma de X) (*VLB*, I, 44)

moîepé[1] (num.) – um: *Opá kó mbó îabi'õ... moîepé me'enga Tupã potabamo.* – A cada dez dar um como quinhão de Deus. (Ar., *Cat.*, 78); *'Aretegûasu îabi'õ ã mundepora moîepé peîmosemukar ixébe îepi...* – Eis que a cada Páscoa um prisioneiro fazeis-me libertar sempre. (Ar., *Cat.*, 59v) [o mesmo que **oîepé**[1] (v.)]

moîepé[2] (adv.) – uma vez: – *Mbobype aîpó i 'éû?* – *Moîepé...* – Quantas vezes disse isso? – Uma vez. (Ar., *Cat.*, 55v) [o mesmo que **oîepé**[2] (v.)]

moîepe'a (v. tr.) – afastar, fazer afastar-se: *... I angaîpaba suí i moîepe'aesapy'a-uká.* – Mandando-os fazer afastar-se logo de suas maldades. (Ar., *Cat.*, 50)

moîepenhombé (adv.) – raramente (*VLB*, II, 96): *Moîepenhombé akûab.* – Passo raramente. (*VLB*, II, 96) • **moîepenhombé okûaba'e** – o que passa raramente; o que é raro; coisa rara, coisa poucas vezes vista (*VLB*, II, 96)

moîepenhombendûara (s.) – coisa rara, coisa poucas vezes vista (*VLB*, II, 96)

moîepo'oî (v. tr.) – embaraçar (fal. de fio) (*VLB*, I, 110)

moîepotabẽ (v. tr.) – continuar (p.ex., uma ação, um ato), fazer alastrar-se (*VLB*, I, 30; 81)

moîepotar[1] (v. tr.) – **1)** colar, juntar: *Oîposanong i nambi atõîa nhote, aûnhenhẽ i monga'ẽmo, i moîepotá.* – Curou-o, somente tocando sua orelha, imediatamente fazendo-a sarar, colando-a. (Ar., *Cat.*, 55); **2)** soldar (*VLB*, II, 120)

moîepotar[2] (v. tr.) – acender (com brasa ou tição) (*VLB*, I, 19)

moîepubuîereb (v. tr.) – fazer afundar, fazer naufragar (por desastre) (*VLB*, II, 134)

moîereb (v. tr.) – girar, virar (p.ex., assado em espeto) (*VLB*, II, 146)

moîerekoaíb (v. tr.) – fazer piorar: *Nd'e'i te'e moxy ... abá ropenhana, ... abá angaîpaba moîerekoaibetébo...* – Por isso mesmo o maldito ataca os homens, fazendo piorar muito a maldade das pessoas. (Ar., *Cat.*, 89)

moîerekûab (v. tr.) – **1)** fazer perdoar, aplacar, abrandar: *... Tupã moîerekûapa...* – Aplacando a Deus. (Ar., *Cat.*, 249); *... T'omoîerekûab orébo.* – Que o faça perdoar a nós. (Anch., *Poemas*, 114); **2)** pacificar (*VLB*, II, 62); **3)** amansar (*VLB*, I, 33); **4)** reconciliar (os discordes) (*VLB*, II, 98)

moîerobîar (v. tr.) – fazer ter esperança: *... Mba'easybora moîerobîaruká.* – Fazendo o doente ter esperança. (Ar., *Cat.*, 137v)

moîerobur (v. tr.) – avivar, renovar (chagas velhas, inimizades etc.) (*VLB*, II, 101): *Sarûab amõme asé posangygûaba, mara'ara moîerobu-bé-uká...* – Não faz efeito, às vezes, nosso remédio, fazendo avivar mais a doença. (Anch., *Doutr. Cristã*, II, 78)

moîerobyk (v. tr.) – ajuntar (p.ex., duas pontas de um ramo) (*VLB*, I, 29)

moîerundyk (ou **monherundyk**) (num.) – quatro (Fig., *Arte*, 4): – *Mbobype ybykûarusu yby apyterype sekóû...?* – *Moîerundyk.* – Quantas furnas há no meio da terra? – Quatro. (Bettendorff, *Compêndio*, 48)

moîese'ar (ou **moîese'a**) (v. tr.) – **1)** ajuntar, fazer unir-se, fazer juntar-se: *... Sesé so'o gûyrá aîmoîese'a i mokanhemane...* – Com eles os animais e os pássaros ajuntarei para destruí-los. (Ar., *Cat.*, 41); **2)** incluir, abarcar: *Taba Belém pora pitanga i amundaba pora abé apitiukari, sesebé Îandé Îara moîese'a-potá.* – As crianças habitantes da aldeia de Belém e

moîesuer

também as habitantes das suas vizinhanças mandou assassinar, nelas querendo incluir Nosso Senhor. (Ar., *Cat.*, 139); **3)** flechar [dois com um só tiro de flecha (isto é, flechar dois pássaros ou dois peixes com uma só flechada ou flechar uma pessoa em duas partes de seu corpo, p.ex., o braço e o peito), ficando essas duas partes unidas pela flecha que as trespassou] (*VLB*, I, 143); **4)** misturar (coisas da mesma espécie) (*VLB*, II, 36; Marcgrave, *Hist. Nat. Bras.*, 277)

moîesuer (v. tr.) – convencer (*VLB*, II, 12), induzir, persuadir, tornar inclinado ou tendente [a algo: com **ri** ou **esé (r, s)**]: *Ereîmoîesuerype abá mba'eaíba ri sekorama resé?* – Induziste alguém a coisas más em seus futuros atos? (Anch., *Doutr. Cristã*, II, 101)

moîetanong (v. tr.) – ofertar, fazer oferenda de (*VLB*, I, 130)

moîn[1] (v. tr.) – **1)** pôr, colocar, fazer estar, assentar: *Opukubo taba amoîn.* – Assento a vila de comprido. (Anch., *Arte*, 43); *Mba'erama ripe asé ĩme o endy moîni?* – Por que põe sua saliva no nariz da gente? (Ar., *Cat.*, 81v); *Tupana ri nhõ nde 'anga eîmoîn...* – Em Deus somente faze estar tua alma. (Ar., *Cat.*, 141); *Aîpepó-moîn.* – Pus-lhe penas. (*VLB*, I, 112); **2)** edificar: *Nde rokangaturamûama oroîmoî...* – Tua casa santa edificamos. (Anch., *Poemas*, 146); **3)** prender: *O îoybyri aîmoîn.* – Prendi-os um ao lado do outro. (*VLB*, II, 85); *O îoaîuri aîmoîn.* – Prendi-os um ao pescoço do outro. (*VLB*, II, 85); *Aîmoîn itá resé.* – Prendi-o a uma pedra. (*VLB*, I, 23) • **moîndara** – o que põe, o que prende etc.: ... *Ikatupe nde moîndara.* – O que te põe nu. (Ar., *Cat.*, 187)

moîn[2] (v. tr.) – **1)** apontar (para alguém: com **supé**): *Aîmoîn u'uba (abá) supé.* – Apontei a flecha para o homem. (*VLB*, I, 39, adapt.); **2)** dirigir (palavra), entoar (canto ou cantiga) (a ou para alguém: com **supé**) (*VLB*, I, 118): *Aîmoîn xe nhe'enga (abá) supé.* – Dirigi minha fala ao homem. (*VLB*, II, 84, adapt.); *Oîmoîn-y bépe Pilatos o nhe'enga îudeus supé...?* – Dirigiu de novo Pilatos sua fala aos judeus? (Ar., *Cat.*, 59v)

moingatu (etim. - *fazer estar bem*) (v. tr.) – guardar; firmar: *... Xe nhy'ãme t'ereîké, xe py'a moingatûabo.* – Que entres no meu coração, guardando bem meu interior. (Anch., *Poemas*, 130)

moingé (v. tr.) – fazer entrar, recolher (p.ex., o gado) (*VLB*, II, 98): *Oîekotyrũ-tyrung, oporomoingé-potá.* – Fica pondo armadilhas, querendo fazer a gente entrar. (Anch., *Poemas*, 190); *Kotype muru amoingé...* – Nas armadilhas fiz os malditos entrarem. (Anch., *Teatro*, 48) • **moingeara** – o que faz entrar (Fig., *Arte*, 118); **moingeaba** – tempo, lugar, modo etc. de fazer entrar (Fig., *Arte*, 118) (O gerúndio de moingé pode ser **moingébo** ou **moingeabo** – *entrando.*)

moingó (v. tr.) – **1)** fazer estar, colocar, pôr, estabelecer: *Oîabok serã ybŷa katupe nhẽ i moingóbo?...* – Por acaso arrancaram sua roupa, fazendo-o estar nu? (Ar., *Cat.*, 59v); ... *Tupã remimotara rupi xe moingóbo...* – Pondo-me segundo a vontade de Deus. (Ar., *Cat.*, 23v); **2)** fazer viver: *Eresapîápe tekopoxy... resé nde moingóreme?* – Obedeces a eles quando te fazem viver no vício? (Ar., *Cat.*, 100v); **3)** fazer agir, fazer proceder; empregar: *Ereîmoingópe abá 'aretéreme marã i moporabykŷabo?* – Empregaste alguém por ocasião de um feriado, fazendo-o trabalhar em algo? (Anch., *Doutr. Cristã*, II, 85); *Pedro aé emonã xe moingó-ukar.* – O próprio Pedro mandou-me fazer proceder assim. (*VLB*, II, 12); **4)** transformar: *Ybyramo i moingoukare'yma.* – Em terra não os mandando transformar. (Ar., *Cat.*, 179v); **5)** determinar, estabelecer, definir: *Osapîápe asé i nhe'enga, o 'anga rekorama resé o moingóremene?* – Obedeceremos a suas palavras quando ele determinar a respeito do futuro procedimento de nossa alma? (Anch., *Doutr. Cristã*, I, 224); **6)** constituir, fazer (no sentido de atribuir funções, como fi-lo capitão, ele foi feito cavaleiro etc.): *Oromoingó tubixabamo.* – Constituímos-te chefe. (*VLB*, II, 81); ... *Taba raroanamo nhẽ Îandé Îara xe moingóû.* – Nosso Senhor constituiu-me guardião da aldeia. (Anch., *Teatro*, 50); **7)** encarregar: *Pe îabi'õ Pa'i Tupã karaibebé moingóû.* – De cada um de vós o Senhor Deus encarregou um anjo. (Anch., *Teatro*, 50) • **moingosara** (ou **moingoara**) – o que faz estar, o que faz viver: ... *Tekokatu resé îandé moingoara.* – A que nos faz viver na virtude. (Anch., *Poemas*, 88); *Tupã remimotara rupi asé moingosara* – O que nos faz estar segundo a vontade de Deus. (Ar., *Cat.*, 37v); **i moingopyra** – o que é (ou deve ser) colocado, posto, encarregado etc.: *Abaré asé rerekoaramo i moingopyra.* – O padre que é colocado como guardião da gente. (Ar., *Cat.*, 94); **moingoaba** (ou **moingosaba**) – tempo, lugar, modo, finalidade, causa etc. de fazer estar, de fazer viver, de estabelecer; determinação etc.: ... *Tuba i moingoaba se'õ a'e i aîarõ*. – Parece bem que sua morte fosse a finalidade com que seu pai o fez viver. (Ar., *Cat.*, 4); *Ereîkópe... abaré nde moingoaba rupi?* – Procedeste segundo a determinação do padre a ti? (Ar., *Cat.*, 98)

moingobé (v. tr.) – fazer viver: *Îandé moingobé, te'õ porarábo...* – Fez-nos viver, sofrendo a morte. (Anch., *Poemas*, 108); ... *Ta xe moingobé-puku...* – Que me faça viver longamente. (Ar., *Cat.*, 128) • **moingobesara** – o que faz viver: ... *Memetipó îandé reté o irũeté o moingobesara o 'anga repîaka'upa...* – Ainda mais nosso corpo tem saudades de sua alma, sua verdadeira companheira, a que o faz viver. (Ar., *Cat.*, 156)

moingoé (v. tr.) – **1)** diferenciar, fazer diferente: ... *Amõ kunhã suí i moingoébo...* – Diferenciando-a das outras mulheres. (Anch., *Poemas*, 86); **2)** distinguir, tratar com distinção • **moingoeara** – o que diferencia; o que distingue, o que trata com distinção: *Emonã serekopyra..., rakó opytá-katu, o apysykamo o moingoeara ri...* – Assim tratado, certamente fica bem, satisfazendo-se com o que o distingue. (Ar., *Cat.*, 85v)

moingotebẽ (v. tr.) – afligir, atribular, entristecer: *I xy mombe'u-poranga xe moingotebẽngatu...* – A bela proclamação de sua mãe afligiu-me muito. (Anch., *Teatro*, 126) • **moingotebẽsaba** – tempo, lugar, modo, causa etc., de afligir, de atribular; aflição: ... *Nde apysy-katu ko'yté pytunusu nde 'anga moingotebẽsagûera suí nde sem'iré.* – Consola-te muito, enfim, após tua saída da escuridão, da aflição de tua alma. (Ar., *Cat.*, 126-126v)

moîoakypûer (v. tr.) – fazer um atrás do outro, repetir um depois do outro: *Aîmoîoakypûer (mba'e).* – Faço as coisas uma atrás da outra (quando são só duas). (*VLB*, I, 154, adapt.); *Aîmoîoakypûé-kypûer.* – Faço-as umas atrás das outras (se são muitas). (*VLB*, I, 154)

moîoamotare'ym (v. tr.) – fazer detestar um ao outro (ou uns aos outros): *Abá moîoamotare'ymuká...* – Fazendo as pessoas detestarem umas às outras. (Anch., *Diál. da Fé*, 215)

moîoaparybyr (v. tr.) – dobrar (p.ex., uma mesa) (*VLB*, I, 105)

moîoapyr (v. tr.) – acrescentar, emendar (p.ex., uma corda com a outra), aumentar: *Ikó 'ara pupé Tupã raûsubagûera ta pemoîoapyr...* – Que aumenteis o amor a Deus neste mundo. (Ar., *Cat.*, 170); *Oîmoîoapyr-y bépe aîpó o nhe'enga?* – Emendou também aquelas suas palavras? (Ar., *Cat.*, 40)

moîo'ar (v. tr.) – aumentar; acrescentar (em números), multiplicar, aumentar o número de; desenvolver, dobrar (p.ex., a pena de um degredado) (*VLB*, I, 21): ... *Moropotara nde resá moîo'arype?* – O desejo sensual aumentou teus olhos? (Anch., *Doutr. Cristã*, II, 95)

moîobaî (v. tr.) – opor (uma coisa a outra) (*VLB*, II, 57)

moîobaîxûar (v. tr.) – pôr um(s) diante do(s) outro(s), opor: *Aîmoîobaîxûar.* – Ponho-os um(s) diante do(s) outro(s). (*VLB*, II, 57)

moîoîab (ou **moîoîá**) (v. tr.) – **1)** igualar (*VLB*, I, 20), ser igual a, ser do tamanho de: *Tupã moîoîapa, sekóû ybaté.* – Sendo igual a Deus, está nas alturas. (Anch., *Poemas*, 124); *Xe moîoîab ikó xe ra'yra.* – Este meu filho iguala-me; este meu filho é de meu tamanho. *Oronhomoîoîá.* – Nós nos igualamos um ao outro. (*VLB*, II, 9); **2)** repletar (ser igual o conteúdo àquilo que o contém): *Xe moîoîá xe îemoŷrõ...* – Repleta-me minha ira. (Ar., *Cat.*, 41)

moîoparab (v. tr.) – **1)** entressachar, entremeter, entremear (coisas alternadamente, dando um resultado variado), intercalar: *Aîmoîoparab.* – Entremeei-as. (*VLB*, I, 119); **2)** misturar (diversas coisas) (*VLB*, II, 36) • **i moîoparabypyra** – o que é (ou deve ser) entremeado, misturado; mistura de diversas coisas (*VLB*, II, 36)

moîosar (v. tr.) – fazer arder, fazer queimar (como fazem certas plantas em contato com a pele): *Xe retymã-moîosar.* – Fez-me arder as pernas. (*VLB*, II, 102)

moîoupi'aerub (v. tr.) – fazer chocar os ovos: *Aîmoîoupi'aerub.* – Faço-a chocar os ovos. (*VLB*, II, 18)

moîrã

moîrã? (interr.) – quando? (referente a fato futuro): *Moîrãpe turine?* – Quando virá? (Ar., Cat., 46)

moîub (v. tr.) – amarelar, dourar: *Aîmoîub itaîuba pupé.* – Dourei-o com ouro. (*VLB*, I, 106)

moîuragûaî (etim. – *tornar mentira*) (v. tr.) – desmentir (ao que fala) (*VLB*, I, 99)

moîurué (etim. – *fazer a boca ter gosto*) (v. tr.) – fazer apetecer; fazer ter vontade de comer; fazer ter apetite: *Aîmoîurué.* – Fi-lo ter vontade de comer. (*VLB*, I, 98)

moîyb[1] (v. tr.) – lavar (a roupa com lixívia) (*VLB*, I, 52)

moîyb[2] (ou **moîy**) (v. tr.) – cozer, assar, cozinhar: ... *A'epe i moîypa, i gûabo.* – Ali assando-os e comendo-os. (Anch., *Teatro*, 140); ... *O emi'urama tiruã moîybe'yma...* – Não cozendo sequer sua comida. (Ar., Cat., 11v); *Emoîyb pirá.* – Coze o peixe. (Léry, *Histoire*, 367); *Emoîyb kaûî amõ.* – Coze algum cauim. (Léry, *Histoire*, 367); *Oú bé senha'ẽpepó t'omoîy xe renondé.* – Veio também sua panela para que os cozinhe adiante de mim. (Anch., *Teatro*, 66)

moîykó (v. tr.) – polir (Marcgrave, *Hist. Nat. Bras.*, 277)

mokaba (etim. – *instrumento de estouro*) (s.) – arma de fogo; artilharia, bombarda (*VLB*, I, 57); tiro de arma de fogo (*VLB*, II, 129): – *Esenõî mbá!...* – *Mokaba, mororokaba, mokaku'i-uru.* – Nomeia tudo. – Armas de fogo, explosivos, recipientes de pólvora. (Léry, *Histoire*, 343-344); *Saûsupara, aîuruîuba, mokaba ogûeru tenhẽ...* – Seus amigos, os franceses, trouxeram armas de fogo em vão. (Anch., *Teatro*, 52)

mokaba'ynha (etim. – *caroço de instrumento de estouro*) (s.) – pelouro, bola de metal para arma de fogo (*VLB*, II, 71)

mokaboby (s.) – bombarda (*VLB*, I, 57)

mokabusu (etim. – *grande instrumento de estouro*) (s.) – bombarda (*VLB*, I, 57)

mokabusumirĩ (etim. – *pequena bombarda*) (s.) – bombarda, peça de artilharia curta conhecida no passado como berço (*VLB*, I, 57)

moka'ẽ[1] (s.) – 1) ato de **MOQUEAR**, técnica indígena de preparo de carnes (Sousa, *Trat. Descr.*, 338); 2) MOQUÉM, MOQUETEIRO (SP), grelha onde, a fogo lento, os índios assavam a carne dos inimigos, a caça ou o peixe, formada por quatro forquilhas de madeira, fincadas no chão em forma de quadrado ou retângulo, erguida três pés acima do chão, possuindo largura e comprimento proporcionais à quantidade que seria moqueada (D'Abbeville, *Histoire*, 294); 3) MOQUÉM, carne assada em grelhas; tostado (*VLB*, II, 134): *Nde ro'o xe moka'ẽ serã...* – Tua carne será meu moquém. (Staden, *Viagem*, 157)

Nota – Em José de Alencar, lemos: "A cumari arde no lábio do guerreiro; mas torna mais gostosa a carne do veado assado no **MOQUÉM**." (in *Ubirajara*. São Paulo, FTD, 1994).

MOQUÉM (fonte: De Bry)

moka'ẽ[2] (ou **monga'ẽ**) (etim. – *deixar tostado*) (v. tr.) – assar em grelhas (em labaredas e fumaça, como churrasco), **MOQUEAR**: *Aîmoka'ẽ* – Moqueei-o. (*VLB*, II, 134); *Peîori, perasó muru, supi îandé ratápe sapeka, i monga'ẽmo...* – Vinde, levai os malditos, erguendo-os para sapecá-los em nosso fogo, moqueando-os... (Anch., *Teatro*, 90)

mokaîe'yba (etim. – *pé de macaé*) (s.) – **MOCAJAÍBA, MACAÚBA, BOCAIUVA**, nome comum a certas palmeiras do gênero *Acrocomia*, principalmente a *Acrocomia aculeata* (Jacq.) Lodd. ex Mart., também chamada **MACAÉ, MACAÚVA, MACAÍBA, MACACAÚBA, MACAIBEIRA, MUCAJÁ, MUCAIA, MUCAJUBA** (D'Abbeville, *Histoire*, 224)

NOTA – Daí se originam muitos nomes de lugares e pessoas no Brasil: **MACAÉ** (RJ), Quintino **BOCAIUVA**, expoente da República Velha no Brasil etc.

mokakûara (etim. – *buraco do instrumento de estouro*) (s.) – bombardeira, abertura no muro para colocar a boca do canhão (*VLB*, I, 57)

mokaku'i (etim. – *pó de instrumento de estouro*) (s.) – pólvora: – *Esenõî mbá!...* – *Mokaba,* *mororokaba*, **mokaku'i**-*uru*. – Nomeia tudo. – Armas de fogo, explosivos, recipientes de pólvora. (Léry, *Histoire*, 343-344)

mokambu (ou **mokamby**) (etim. – *fazer beber leite*) (v. tr.) – amamentar, aleitar, lactar (*VLB*, I, 33): ... *i pitangĩ mokambûabo* – ... amamentando seu neném (Anch., *Poemas*, 134) ● **mokambûara** – a que amamenta (*VLB*, I, 33)

mokambûara (etim. – *a que faz beber leite*) (s.) – ama de leite (*VLB*, I, 33)

mokamby (v. tr.) – o mesmo que **mokambu** (v.)

mokamembyra (etim. – *filho de arma de fogo*) (s.) – fogo de artifício (*VLB*, I, 64)

mokamondykara (etim. – *o que acende o instrumento de estouro*) (s.) – bombardeiro, o que assesta e aponta para atirar (*VLB*, I, 57)

mokanãî (v. tr.) – afrouxar, abalar (o que era firme, fixo): *Aîmokanãî.* – Afrouxei-o. (*VLB*, I, 17)

mokang (v. tr.) – enxugar (o que está molhado. Enxugar o que está úmido é **moaku'i** – v.): *Aîmokang.* – Enxuguei-o. (*VLB*, I, 120)

mokanhem[1] (ou **mokanhẽ**) (v. tr.) – 1) fazer sumir, fazer perder-se, fazer desaparecer: ... *Kori bé t'i mokanhẽ*... – Hoje mesmo havemos de fazê-lo sumir... (Anch., *Teatro*, 16); *Pysaré serã ereîkó arinhama mokanhema*...? – Será que a noite toda ages para fazer sumir as galinhas? (Anch., *Teatro*, 30); ... *Îandé re'õ mokanhema*... – Fazendo desaparecer nossa morte. (Anch., *Poemas*, 94); *Adão, oré rubypy, oré mokanhemeté*... – Adão, nosso primeiro pai, fez-nos perder verdadeiramente. (Anch., *Poemas*, 130); 2) destruir, arruinar, desgraçar... *Oporomokanhem ikó*... – Este desgraça as pessoas. (Ar., *Cat.*, 66v); 3) perder: ... *Sabeypora suí 'ara mokanhema*... – Perdendo o entendimento por causa de sua bebedeira. (Ar., *Cat.*, 78) ● **emimokanhema (t)** – o que alguém perde: ... *Xe 'anga rekobepûera xe remimokanhẽûera oîmoîebyrukar ixébone*... – A vida de minha alma, que eu perdi, fará devolver a mim. (Ar., *Cat.*, 219); **mokanhembaba** – tempo, lugar, modo etc. de destruir, de fazer desaparecer, de perder; destruição, perda: ... *Opakatu*... *asé rekoangaîpagûera*... *mokanhembaba bé.* – É também um modo de fazer desaparecer todos os nossos antigos pecados. (Bettendorff, *Compêndio*, 80)

mokanhem[2] (ou **mokanhẽ**) (v. tr.) – descrer de, perder a esperança em: *I 'angype mundé pora biã o semagûama mokanhẽû, "Asẽ esapy'a temõ ianga suí mã" o'îabo*. – Nas suas almas, embora os que estão na prisão percam a esperança de sua saída, dizem: "Ah, oxalá eu saia logo daqui". (Ar., *Cat.*, 164v)

mokó (s.) – MOCÓ, mamífero roedor da família dos caviídeos (*Kerodon rupestris*). É como um coelho pequeno, sem orelhas nem cauda. Os índios o domesticavam para apanhar ratos. (Brandão, *Diálogos*, 255)

NOTA – Daí, o nome do município de **MOCOCA** (SP) (v. Rel. Top. e Antrop. no final).

MOCÓ (ilustração de C. Cardoso)

moko'em (etim. – *fazer amanhecer*) (v. tr.) – tranquilizar, serenar (*VLB*, I, 45)

mokõî[1] (num.) – 1) dois (Fig., *Arte*, 4): *mokõî apŷaba* – dois homens (Anch., *Arte*, 9v); ... *Mokõî nhõ abá rekoabane*... – Duas, somente, serão as moradas das pessoas. (Ar., *Cat.*,163); 2) par, dupla de qualquer coisa (*VLB*, II, 64) ● **mokõ-mokõî** – de dois em dois, dois a dois (*VLB*, I, 106)

mokõî[2] (adv.) – duas vezes: – *Mbobype aîpó i 'eû i xupé?* – *Mokõî.* – Quantas vezes disseram isso para ele? – Duas vezes. (Ar., *Cat.*, 57)

mokõîa (num.) – 1) segundo (Fig., *Arte*, 4): *Ogûatá îepé serã i ŷbá mokõîa itapygûá soarama resé?* – Por acaso não chegava seu segundo braço ao lugar de irem os pregos? (Ar., *Cat.*, 62v); 2) segunda vez: *i mokõîa* – a segunda vez dele (*VLB*, II, 115) ● **mokõîndaba** (ou **mokoîaba** ou **momokõîndaba**) – segundo; segunda vez: ... *Omanõ tenhẽmo i mendarypyagûera: nd'e'ikatuî omendá mokõîagûera resé.* – Em vão morreria seu primeiro cônjuge: não pode casar com o segundo. (Ar., *Cat.*, 280); **mokõîndara** – segunda coisa (em

mokõîbé

mokõîbé ordem ou número): *i mokõîndara* (ou *i momokõîndara*) – a segunda coisa deles (em ordem ou número) (*VLB*, II, 115)

mokõîbé (num.) – os dois, ambos: *Mokõîbé osyî kori...* – Ambos tremerão hoje. (Anch., *Teatro*, 18); *Iîamuru! Mokõîbé pekaî oîepegûasune.* – Bem feito! Ambos queimareis em conjunto. (Anch., *Poesias*, 271)

mokõînhõ – v. mokonhõ

mokõmokõîsyk (etim. – *dois e dois no total*) (num.) – quatro (*VLB*, I, 154)

mokon (ou **mokõ**) (v. tr.) – engolir: *Sobaké Anhanga onheŷnhanga, i mokona motá...* – Diante deles os diabos ajuntando-se, querendo engoli-los. (Ar., *Cat.*, 161v); *Xe mokõ kûepe mboîusu amõne.* – Engolir-me-á por aí alguma cobra grande. (Anch., *Teatro*, 162); *Peîori pitanga gûabo..., kunumĩ mokona mbá.* – Vinde para comer a criança, engolindo completamente o menino. (Anch., *Poemas*, 166); *Ereîápe nde mba'e 'u roîré... koîpó mba'e amõ mokon'iré?* – Tomaste-o depois de comer ou depois de engolir alguma coisa? (Ar., *Cat.*, 111); ... *Xe mirĩ! Xe mokõ kori, îandune.* – Eu sou pequeno! Engolir-me-á hoje, como de costume. (Anch., *Teatro*, 62)

mokonhõ (ou **mokõînhõ**) (etim. – *dois, somente*) (pron.) – 1) poucos (em número) (*VLB*, II, 83): *Mokõînhõ... kó taba pupé sekóû.* – Poucos moram nesta aldeia. (Anch., *Teatro*, 16); 2) pouco (em quantidade, em valor, em preço): *Xe repy mokonhõ'ĩ.* – Meu preço é pouquinho. (*VLB*, I, 51)

mokosokosok (ou **mokotokotok**) (v. tr.) – vascolejar, mover, sacudir (p.ex., o líquido que está nalgum vaso, misturando seus componentes ou levantando seus sedimentos) (*VLB*, II, 142)

mokotokotok – v. mokosokosok

mokûab (v. tr.) – fazer estar, fazer passar: *Marã e'ipe abá te'õ suí onheangûabo o nhemombe'ue'yma mokûá-puku potare'yma?* – Como diz alguém, tendo medo da morte, não querendo fazer estar por longo tempo sua falta de confissão? (Ar., *Cat.*, 115)

mokûar (etim. – *fazer buraco*) (v. tr.) – furar: *Aîmokûar.* – Furei-o. (*VLB*, I, 60); *Ereîmombukype kunhataĩ amõ, i mokûá...?* – Desvir-

ginaste alguma menina, furando-a? (Anch., *Doutr. Cristã*, II, 89)

mokuîé – o mesmo que **mukuîé** (v.) (Vasconcelos, *Crônica (Not.)* II, §88, 155)

mokunhã (etim. – *tornar mulher*) (v. tr.) – alforriar (uma escrava) • *i mokunhãmbyra* – a que é (ou deve ser) alforriada (*VLB*, I, 142)

mokunhãeté (etim. – *tornar mulher normal*) (v. tr.) – alforriar (uma escrava) • *i mokunhãetepyra* – a que é (ou deve ser) alforriada (*VLB*, I, 142)

mokusambar (v. tr.) – dar laçada (na corda): *Aîmokusambar.* – Dou laçadas nela. (*VLB*, II, 17)

mokutẽkuteĩ (v. tr.) – sacudir (p.ex., a árvore, para que lhe caia o fruto, a roupa, para que lhe caia o pó, o saco, para que lhe caia o que está dentro) (*VLB*, II, 110; 111)

mokyrana (s.) – MUQUIRANA, piolho do corpo humano, inseto anopluro, pediculídeo (*VLB*, II, 78) • **mokyrana'yra** – lêndeas de piolho (do corpo) (*VLB*, II, 20)

> NOTA – **MUQUIRANA** passou também a significar, no P.B., *pessoa maçante* e, principalmente em São Paulo, *pessoa avara* (in *Dicion. Caldas Aulete*) (v. também a nota referente a **kyra**[1]).

mokysyîé – o mesmo que **mosykyîé** (v.) (*VLB*, I, 46)

mokyxyk (v. tr.) – fazer cócegas em: *Aîmokyxyk.* – Fiz-lhe cócegas. (*VLB*, I, 76)

moma'ẽ (v. tr.) – fazer enxergar, fazer olhar: ... *Xe moma'ẽmo...* – Fazendo-me enxergar. (Anch., *Poemas*, 92)

moma'enduar (v. tr.) – fazer lembrar-se (*VLB*, II, 20) [de algo: compl. com **esé** (r, s)]: *A'e îandé resé Tupã t'omoma'enduar...* – Que ele faça Deus lembrar-se de nós. (Ar., *Cat.*, 133)

momanhan (s.) – fazer ser espião; fazer espiar: ... *abá momanhã-manhana...* – fazendo os homens ficarem espiando (Anch., *Teatro*, 152)

momanõ (v. tr.) – fazer morrer: *Sãî na xe momanõî.* – Apenas não me fez morrer. (Anch., *Teatro*, 172) • *i momanõmbyra* – o que é (ou deve ser) feito morrer (Anch., *Arte*, 3)

momarã – v. momaran

momara'ar[1] (v. tr.) – envergonhar, constranger: *Ereîmomara'a tenhẽpe nde remirekó...?*

– Envergonhaste à toa tua esposa? (Ar., *Cat.*, 106); *Nde rory-roryb-a'u, xe boîá **momara'a***. – Tu estás muito feliz, ilusoriamente, envergonhando meus súditos. (Anch., *Teatro*, 172) • **momara'araba** – tempo, lugar, modo etc. de envergonhar; vergonha: *Eîmo'ẽ nde resa'y, nde 'anga i **momara'aragûera** rapirõmo*. – Derrama tuas lágrimas, pranteando a vergonha de tua alma. (Anch., *Doutr. Cristã*, II, 112)

momara'ar² (v. tr.) – fazer doente, deixar doente, fazer adoecer: ... *O moaîureme o **momara'areme** a'e i arybeba'erama biã sasyeté, memetipó i arybeba'erame'yma...* – Se ele tem muita dor quando o empalidece e quando o deixa doente aquilo que se abrandará, quanto mais aquilo que não se abrandará. (Ar., *Cat.*, 165); *Aîmomara'ar*. – Faço-o doente. (Anch., *Arte*, 48)

momaran¹ (ou **momarã**) (v. tr.) – arruinar, fazer sofrer, fazer mal, fazer adoecer, prejudicar: *Nd'îaîmomarã-potari pitangĩ-moraûsubara...* – Não lhe quis fazer mal o neném compadecedor. (Anch., *Poemas*, 162); *Ne emongetá nde Tupã t'okûab é amanusu îandé **momarane**'yma resé*. – Roga a teu Deus para que passe a tempestade para que não nos arruíne. (Staden, *Viagem*, 66)

momaran² (ou **momarã**) (v. tr.) – desobedecer a, resistir a, combater: *Aîmomaran xe ruba.* – Desobedeci a meu pai. (VLB, I, 99); *T'oú taûîé xe rarõana xe pysyrõmo i xuí, ... i **momaran**a!* – Que venha logo o que me guarda para me livrar dele, combatendo-o. (Anch., *Teatro*, 178, 2006)

momaran³ (ou **momarã**) (v. tr.) – fazer brigar: *Aîpobu gûaîbĩ py'a, i moŷrõmo, i **momaran**a*. – Transtorno o coração das velhas, irritando-as, fazendo-as brigar. (Anch., *Teatro*, 128)

momarane'ym (v. tr.) – dar saúde, fazer saudável: *Pa'i Tupã t'oîkó pe irũnamo, pe **momarane'ym**a*. – O Senhor Deus esteja com vocês, dando-lhes saúde. (Camarões, *Cartas*, 1645)

momatueté (v. tr.) – caprichar em, fazer com esmero, aperfeiçoar: *Aîmomatueté*. – Caprichei nele. (VLB, I, 125)

mombab¹ (ou **mombá**) (v. tr.) – destruir; esmagar; arrasar, acabar com, fazer matança de (como nas guerras) (VLB, II, 33): *Eîori, muru **mombap**a...* – Vem para destruir o maldito. (Anch., *Poemas*, 132); ... *Îamombá taba îandune*. – Destruiremos a aldeia, como de costume. (Anch., *Teatro*, 24); ... *Tamũîa, kyre'ymbagûera, o**mombab** erimba'e...* – Destruiu outrora os tamoios, os valentes. (Anch., *Teatro*, 52)

mombab² (v. tr.) – gastar, despender (VLB, I, 147): *Kó abá semirekó abé opá o mba'e **mombabi**...* – Esse homem e sua esposa gastaram todas as suas riquezas. (Ar., *Cat.*, 7)

momba'e (v. tr.) – fazer enriquecer, fazer ter bens: *Aîmomba'e*. – Fi-lo enriquecer. (VLB, I, 117)

momba'eté (ou **momba'eeté**) (etim. – *tornar coisa muito boa*) (v. tr.) – honrar, louvar, enaltecer, dignificar, cultuar, prezar (VLB, II, 86) (Referindo-se a coisas más, não se usa **momba'eté**, mas **moeté** – v.): ... *Opabĩ kunhã sosé nde **momba'etébo é**.* – Honrando-te mais que a todas as mulheres. (Anch., *Poemas*, 144); ... *Opakatu karaíba xe **momba'eté-katu***. – Todos os cristãos honram-me muito. (Anch., *Poemas*, 114); *Aîmomba'eté nde roka, i pupé gûiporaseîa*. – Honro tua casa, dentro dela dançando. (Anch., *Poemas*, 170); ... *I kangûerĩ tiruã **momba'etéû**...* – Até mesmo seus ossinhos cultua. (Ar., *Cat.*, 12v) • **i momba'etepyra** – o que é (ou deve ser) honrado, louvado etc.: *'Ara i **momba'etepyra** pupé missa rendupa...* – Ouvindo missa nos dias que devem ser honrados. (Ar., *Cat.*, 75v); **emimomba'eté** – o que alguém honra, louva, dignifica etc.: *Nde 'anga Tupã **remimomba'eté** me'enga anhanga pé...* – Entregando tua alma, que Deus dignifica, para o diabo. (Anch., *Doutr. Cristã*, II, 112)

momba'e'u (v. tr.) – dar de comer a, alimentar: *O pyri abá n'o**momba'e'u**î*. – Junto de si mesmo ninguém lhes dá de comer. (Ar., *Cat.*, 179)

mombak (v. tr.) – acordar, despertar: *Okerĩ... Nd'eremombaki!* – Ele dorme... Não o acordes! (Anch., *Teatro*, 32); *Aûîé! Teumẽ xe **mombak**a!* – Basta! Não me despertes! (Anch., *Teatro*, 44); ... *Xe keranama **mombak**a...* – De meu pesado sono despertando-me. (Anch., *Poemas*, 92)

mombeb¹ (v. tr.) – **1)** esmagar, arrasar, achatar, acaçapar: ... *T'opûar anhanga ri, mburu **mombep**a...* – Que bata no diabo, esmagando o maldito. (Anch., *Poemas*, 88); **2)** deitar, acamar (p.ex., a cana, a erva que estavam em pé), dispor deitado (VLB, I, 19); **3)** alastrar (VLB, I,

mombeb²

29); **4)** amassar (p.ex., vaso de estanho, casco de ferro etc.) (*VLB*, I, 34) • **mombebaba** (ou **mombepaba**) – tempo, lugar, modo etc. de arrasar, de amassar etc.; esmagamento: ... *Akûeî tabusu Îerusalém 'îaba pora **mombebaûama** kuapa nhẽ aîpó i 'éû.* – Disse isso conhecendo o futuro esmagamento dos habitantes daquela cidade chamada Jerusalém. (Ar., *Cat.*, 61v-62); **i mombebypyra** – o que é (ou deve ser) esmagado, arrasado etc. (Fig., *Arte*, 108)

mombeb² (v. tr.) – encurtar (Fig., *Arte*, 107)

mombe'u (v. tr.) – **1)** proclamar, anunciar: ... *Tupã rekó **mombegûabo**.* – Proclamando a lei de Deus. (Anch., *Teatro*, 8); **2)** contar (p.ex., segredo): *Abá angaîpá-nhemima i kuapare'yma supé **mombegûabo**.* – Contando as maldades escondidas de alguém para quem não as conhece. (Ar., *Cat.*, 73v); **3)** acusar, denunciar, infamar, queixar-se de (*VLB*, II, 94): *Nd'oro**mombe'uî** xóne.* – Não te denunciarei. (Anch., *Teatro*, 32); *Marã e'ipe îudeus i xupé, i **mombegûabo**?* – Que disseram os judeus, acusando-o? (Ar., *Cat.*, 56); *Xe kupébo xe **mombe'u**.* – Infamam-me pelas costas. (Anch., *Arte*, 42v); **4)** confessar: *Eî**mombe'u**-katu Tupã ra'yramo nde rekó orébe.* – Confessa bem a nós que és o filho de Deus. (Ar., *Cat.*, 56); **5)** citar, mencionar: *Ereî**mombe'u**pe abá rera... abaré supé?* – Mencionaste o nome de alguém para o padre? (Ar., *Cat.*, 108); *Opá mendara moarûapaba aî**mombe'u** ymã...* – Todos os impedimentos do casamento já mencionei. (Ar., *Cat.*, 132); **6)** determinar, orientar, mandar: *Oî**mombe'u**-potá Santa Madre Igreja i **mombe'u** rupi.* – Querendo confessar-se segundo o que determina a ele a Santa Madre Igreja. (Anch., *Doutr. Cristã*, I, 210); **7)** descrever: *E**mombe'u** nde retama ixébe.* – Descreve tua terra para mim. (Léry, *Histoire*, 360); **8)** narrar: *Xe moory-katu îepé, inã tekó **mombegûabo**.* – Tu me alegras muito, narrando assim os fatos. (Anch., *Teatro*, 14); **9)** afirmar, declarar: *Îaî**mombe'u** aîpó i momorangymbyra.* – Afirmamos que isso é o que deve ser festejado. (Anch., *Teatro*, 6); **10)** dar notícia de: *Aî**mombe'u** (abá) supé.* – Dou notícias dela para o homem. (*VLB*, II, 51, adapt.); **11)** prometer (*VLB*, II, 87); **12)** externar: *Aîur-y bé xe roryba **mombegûabo**.* – Vim de novo para externar minha alegria. (Anch., *Poesias*, 57) • **oî mombe'uba'e** – o que conta, o que anuncia, o que confessa etc.:

*Abá angaîpá-nhemima... **oî mombe'uba'e**.* – O que conta os pecados escondidos de alguém. (Anch., *Diál. da Fé*, 215); **mombegûara** – o contador, o que conta, o que proclama, o proclamador etc.: ... *i nhe'enga **mombegûara**.* – ... o que proclama suas palavras. (Ar., *Cat.*, 154); **mombegûaba** – lugar, tempo, modo, instrumento etc. de proclamar, de contar, de anunciar: ... *Itaîuba morubixaba, Reîamo sekó **mombegûaba**...* – O ouro era o meio de anunciar que ele era um príncipe, um rei... (Ar., *Cat.*, 3-3v); **i mombe'upyra** – o que é (ou deve ser) contado, anunciado etc.: *I marangatu supi é **i mombe'upyra** rekóreme é...* – Ele é bom quando o que é contado é mesmo verdade. (Ar., *Cat.*, 67v); **emimombe'u** (t) – o que alguém conta, confessa, proclama, orienta etc.: ... *O **emimombe'u**pûera o emikuakugûera irũmo bé i mombe'uîebyrine.* – Todos os que confessou com os que escondeu voltará a confessar. (Ar., *Cat.*, 90) (O gerúndio de **mombe'u** é **mombegûabo**.)

mombe'uabaíb (etim. – *contar com dificuldade*) (v. tr.) – confundir, misturar (uma coisa com outra quando se conta algo) (*VLB*, I, 80)

mombe'uaíb (etim. – *contar mal*) (v. tr.) – difamar, dizer mal de: *Aî**mombe'uaíb**.* – Digo mal dele. (*VLB*, II, 28)

mombe'ukatu (v. tr.) – **1)** bendizer: *'Ara rekó pukuîpe abá i **mombe'ukatu**ne?* – Enquanto houver o mundo o homem a bendirá? (Ar., *Cat.*, 32v); **2)** louvar (*VLB*, II, 24) • **i mombe'ukatupyra** – o que é (ou deve ser) bendito, louvado: ... *I **mombe'ukatupyra**mo ereîkó kunhã suí.* – Bendita és tu entre as mulheres. (Anch., *Doutr. Cristã*, I, 139)

mombe'uporang (etim. – *proclamar belamente*) (v. tr.) – louvar (*VLB*, II, 24) • **i mombe'uporangymbyra** – o que é (ou deve ser) louvado (*VLB*, II, 24)

mombîá (v. tr.) – desviar; derregar (fazer regos para levar embora a água da chuva): *Aty-**mombîá**.* – Desviei as águas. (*VLB*, I, 95) • **mombîasaba** – tempo, lugar, instrumento etc. de desviar, de derregar: *'y-**mombîasaba*** – instrumento de desvio de água, sangradouro (*VLB*, II, 112)

mombiaryîar (v. tr.) – fazer vencer a si, fazer de alguém seu senhor (por ser derrotado): *A**mombiaryîar**.* – Fi-lo meu senhor. (*VLB*, II, 116)

mombipik (v. tr.) – lavrar, picar: *Aitá--mombipik.* – Lavrei a pedra. (*VLB*, II, 77)

momboî[1] (v. tr.) – ameaçar, intimidar: *Îandé rokesỹ memẽ Anhanga, îandé momboîa.* – Toma-nos a dianteira sempre o diabo, ameaçando-nos. (Anch., *Poemas*, 186); *Aîmomboî-katu.* – Ameaço-o muito. (*VLB*, II, 16); *Omarãmonhã-monhanga, oîmomboî abá akanga.* – Ficando eles a fazer guerras, ameaçam as cabeças dos índios. (Anch., *Teatro*, 152) • **momboîtara** – o que ameaça, ameaçador (Anch., *Teatro*, 156); **momboîsaba** (ou **momboîtaba**) – tempo, lugar, modo etc. de ameaçar; ameaça: *Te'õ a'e mendasareté momboîsabamo.* – A morte é a ameaça daqueles que se casam verdadeiramente. (Ar., *Cat.*, 94v); *Kó nde momboîtaba kó!* – Eis tua ameaça aqui! (Anch., *Teatro*, 76)

momboî[2] (v. tr.) – **1)** prometer, propor: *... xe katurama momboîa...* – propondo ser bom (Anch., *Teatro*, 170, 2006); **2)** projetar, planejar: *... tekomemũã momboîa...* – planejando maldades (Ar., *Cat.*, 99v)

mombo'ir (v. tr.) – apartar, afastar, separar (p.ex., um casal, os amancebados etc.): *Ereîmombo'irype kunhã amõ i mena suí?* – Apartaste alguma mulher de seu marido? (Ar., *Cat.*, 102) • **mombo'isara** – o que aparta, o que separa: *... Te'õ a'e mendasabeté mombo'isaramo.* – A morte é o que separa os verdadeiros cônjuges. (Anch., *Diál. da Fé*, 158); **mombo'isaba** – tempo, lugar, causa, meio etc. de apartar, de afastar: *... Te'õ anhõ i mombo'isaba.* – A morte somente é a causa de afastá-los. (Ar., *Cat.*, 284, 1686)

mombok (v. tr.) – partir, dividir, rachar: *Oîopyterybo rupi aîmombok.* – Parti-o pelo meio. (*VLB*, II, 73) • **mombokaba** – tempo, lugar, instrumento etc. de partir, de rachar: *... Kó xe itangapema xe pópe nd'oîkóî tenhẽ, pe mombokaûama é.* – Este meu tacape não está à toa nas minhas mãos, mas, sim, é o instrumento com que vos racharei. (Anch., *Poesias*, 56)

mombo'ok (v. tr.) – fazer parar (de mamar, de chorar etc.) (*VLB*, I, 101)

mombopor (v. tr.) – alijar (p.ex., no mar) (*VLB*, I, 32)

mombor (v. tr.) – **1)** fazer pular, fazer saltar, projetar, lançar fora, atirar, lançar (*VLB*, II, 18): *... Tekoaíba oromombó.* – A vida ruim lançamos fora. (Anch., *Poemas*, 84); *Îasó umẽ, îandé nupã, tatápe îandé mombómo.* – Não vamos, ela nos castiga, fazendo-nos saltar no fogo. (Anch., *Teatro*, 130); *Aîmombor ybype.* – Lancei-o no chão. (*VLB*, I, 110); **2)** expulsar: *Nde reroŷrõ, nde mombóne.* – Odeiam-te, expulsar-te-ão. (Anch., *Teatro*, 136); **3)** botar (ovos a ave): *Aîupi'a-mombor.* – Botei-me os ovos. (*VLB*, II, 81); **4)** tirar, retirar: *Naînanĩ temiminõ... o erumûana mombó.* – De modo nenhum os temiminós tiram seus nomes antigos. (Anch., *Teatro*, 144)

NOTA – Daí, no P.B., **PROMOMBÓ** (*pirá + mombor*, "fazer o peixe pular"), tipo de pescaria em que os peixes são atraídos pela luz de fogueira feita dentro da canoa do pescador, fazendo-os saltar para dentro dela (in *Dicion. Caldas Aulete*).

momboreaûsub[1] (ou **momboreaûsu**) (v. tr.) – afligir, fazer penar, fazer sofrer, humilhar: *... Oîmomboreaûsu-katu...* – Afligiu-o muito. (Anch., *Poemas*, 90); *Îaîmomboreaûsu ro'y...* – Fá-lo sofrer o frio. (Anch., *Poemas*, 162)

momboreaûsub[2] (v. tr.) – compadecer-se de, ter dó de, ter piedade de: *Aîmomboreaûsub.* – Compadeci-me dele. (*VLB*, I, 78)

mombosapysaba (num.) – terceiro (Bettendorff, *Compêndio*, 12)

mombosyî (v. tr.) – fazer carregar-se, fazer levar (*VLB*, I, 68)

mombo'u'u – o mesmo que **mbo'y'u** (v.) (*VLB*, I, 90)

mombub (v. tr.) – amolecer (*VLB*, I, 34; II, 40), amolentar; abrandar, amansar: *Marã e'ipe asé Tupã mombu-potá?* – Que diz a gente, querendo abrandar a Deus? (Anch., *Diál. da Fé*, 229)

mombûerab (ou **mombûeîrab**) (v. tr.) – curar: *Marãpe Îandé îara i mombûerabi?* – Como Nosso Senhor a cura? (Anch., *Doutr. Cristã*, I, 199); *Eîorino i mombûeîrá pá!* – Vem novamente para curá-los todos! (Anch., *Teatro*, 120) • **mombûerasaba** – tempo, lugar, causa etc. de curar; cura: *... mosanga... asé 'anga mombûerasaba* – remédio que é a causa da cura de nossa alma (Ar., *Cat.*, 219)

mombuk (v. tr.) – **1)** furar, fazer buraco em (*VLB*, I, 60): *Oîké îugûasu i akanga kutuka, opá i mombuka.* – Entram grandes espinhos,

mombukab[1] espetando sua cabeça, furando-a toda. (Anch., *Poemas*, 122); ... *Omombuk-y bé xe akanga.* – Furou também minha cabeça. (Anch., *Teatro*, 126); **2)** arrombar (como arca, cabaço, navio) (*VLB*, I, 44); **3)** desvirginar: *Ereîmombukype kunhataĩ amõ...?* – Desvirginaste alguma menina? (Anch., *Doutr. Cristã*, II, 89); **4)** quebrar, arrebentar (*VLB*, I, 42): *Abá mba'e mombuka...* – Arrebentando as coisas de alguém. (Anch., *Diál. da Fé*, 213); *Kó bé ingapé-kûatiara, t'aîakã-mombuk muru.* – Eis aqui também a ingapema pintada, para que arrebente a cabeça dos malditos. (Anch., *Teatro*, 66) • **i mombukypyra** – o que é (ou deve ser) furado, desvirginado etc.; a mulher que não é mais virgem, a desvirginada (*VLB*, I, 83)

NOTA – Daí, o nome **ITAMAMBUCA** (rio de SP) (v. Rel. Top. e Antrop. no final).

mombukab[1] (v. tr.) – **1)** derramar: *Sugûy mombukapa, îaînupã-nupã.* – Derramando o seu sangue, ficaram a açoitá-lo. (Anch., *Poemas*, 120); **2)** desperdiçar: *Ereîmombukápe abá mba'e?* – Desperdiçaste as coisas de alguém? (Ar., *Cat.*, 107v)

mombukab[2] (v. tr.) – destruir, fazer destroços de, destroçar (*VLB*, I, 101)

mombuku (v. tr.) – retardar, reter, fazer demorar, deter: *Xe mombuku umẽ îepé.* – Não me faças demorar. (*VLB*, I, 18)

momburu (ou **momuru**) (v. tr.) – **1)** ameaçar, desafiar (Fig., *Arte*, 118): *Ereîmomburupe amõ?* – Ameaçaste alguém? (Ar., *Cat.*, 101v); **2)** maldizer, amaldiçoar: ... *Tupã rekó momburûabo.* – Maldizendo a lei de Deus. (Anch., *Teatro*, 10); ... *Îandé momburu meémo...* – Ter-nos-iam amaldiçoado. (Anch., *Teatro*, 38); **3)** atentar contra, prejudicar: *T'i momuru umẽ ma'e îara îandébe.* – Que não prejudiquemos os que portam bens para nós. (Léry, *Histoire*, 355); **4)** detestar: ... *I angaîpaba momburûabo.* – Detestando sua maldade. (Anch., *Poemas*, 82); *Anhanga nde momburu...* – O diabo te detesta. (Anch., *Poemas*, 142) • **momburûara** – o que ameaça, o que maldiz etc.; amaldiçoador (Fig., *Arte*, 118) etc.: *Tupã sy, xe momburûara...* – A mãe de Deus, a que me ameaça. (Anch., *Teatro*, 126); *Tupã momburûareté tatá pupé nde resyri.* – Verdadeiros amaldiçoadores de Deus no fogo te assaram. (Anch., *Teatro*, 120)

momburu'a (v. tr.) – emprenhar, fazer engravidar: *Aîmomburu'a.* – Fi-la engravidar. (*VLB*, I, 113)

momburu'aba (etim. – *consequência do engravidar*) (s.) – feto: *Peín pe îara momburu'abamo nhẽ.* – Estais na condição de fetos de vosso senhor. (Ar., *Cat.*, 85v)

mombutuẽ (v. tr.) – fazer tomar alento, avivar (*VLB*, I, 31)

momby'ar (v. tr.) – **1)** amansar (o animal) (*VLB*, I, 33); abrandar, afrouxar: ... *îandé ro'o îandé i momby'a-potáno.* – ... querendo também que nós afrouxemos nossa carne. (Ar., *Cat.*, 11); **2)** enternecer: *Irõ moroapirõ a'e oporomomby'ar...* – Portanto, prantear as pessoas (que chegam, como saudação) isso as enternece. (Ar., *Cat.*, 85v)

mombyk[1] (v. tr.) – **1)** atar (*VLB*, I, 46), amarrar; **2)** travar (como a fruta): *Xe apekũ-mombyk ikó 'ybá.* – Trava-me a língua esta fruta. (*VLB*, II, 136)

mombyk[2] (v. tr.) – fazer cessar, parar, acabar com: *Nd'e'i te'e îase'o anhõ monhanga i mombyke'ymane...* – Por isso mesmo será só chorar sem parar. (Ar., *Cat.*,163); *Xe rekó i porangeté; ... n'aîpotari abá i mombyka.* – Minha lei é muito bela; ... não quero que os homens acabem com ela. (Anch., *Teatro*, 6)

mombykatã[1] (v. tr.) – reatar (*VLB*, II, 97)

mombykatã[2] (v. tr.) – abarcar, apertar o que se cinge (*VLB*, I, 38)

mombytá (ou **momytá**) (v. tr.) – **1)** fazer ficar, fazer permanecer: *Sory-katu xe repîaka; xe aîubã, xe mombytábo...* – Estavam felizes ao ver-me; abraçaram-me, fazendo-me ficar. (Anch., *Teatro*, 10); *Marãpe Tupã rasara rekóû o îoesé Tupã mombytábo...?* – Que faz o comungante para fazer Deus ficar consigo? (Ar., *Cat.*, 77); **2)** dar pouso a, hospedar: *Atara mombytá.* – Hospedar os peregrinos. (Ar., *Cat.*, 18v); **3)** fazer parar, deter (*VLB*, II, 64) • **mombytasara** (ou **momytasara**) – o que faz ficar, o que hospeda etc.: ... *O apysykamo... o momytasara ri...* – Agradando-se com o que o hospeda. (Ar., *Cat.*, 85v)

momembek (v. tr.) – **1)** amolecer, amolentar (*VLB*, I, 34; II, 40); (fig.) acovardar, enfraquecer; **2)** fundir, derreter (p.ex., a cera, o metal)

(*VLB*, I, 144): *Peîori, perasó muru, supi îandé ratápe sapeka,... i momembeka.* – Vinde, levai os malditos, erguendo-os para sapecá-los em nosso fogo, derretendo-os. (Anch., *Teatro*, 90)

momemûã[1] (v. tr.) – **1)** eliminar, apagar (p.ex., sujeira, letra, pintura) (*VLB*, I, 37): *'Y aé rasaba mby ky'a îaîmomemûã.* – Atravessar a água elimina a sujeira dos pés. (Anch., *Doutr. Cristã*, II, 112); **2)** desarranjar, desconcertar (o que se determinou) (*VLB*, I, 97); **3)** esfregar (para tirar algo): *Aîpi-momemûã.* – Esfreguei a pele dele. (*VLB*, I, 124); *Aîpiku'i-momemûã.* – Esfreguei-lhe a caspa. (*VLB*, I, 124); **4)** borrar (o que está escrito ou pintado) (*VLB*, I, 58)

momemûã[2] (v. tr.) – misturar (p.ex., a terra seca com a fresca o que enterrou alguma coisa, para que não a encontrem, ou a farinha derramada no chão com a terra para que se enxergue menos a perda); mexer (duas coisas de diversas espécies para que se misturem) (*VLB*, II, 9; 37)

momendar (v. tr.) – fazer o casamento de, casar, fazer casar: – *Abápe oporomomendar?* – *Abaré...* – Quem casa as pessoas? – O padre. (Ar., *Cat.*, 94); *... Îandé rubypy momendá îandé sy-ypy resé...* – Fazendo nosso pai primeiro casar com nossa mãe primeira. (Ar., *Cat.*, 132) • **i momendarypyra** – o que é (ou deve ser) casado: *O îomba'eramo i momendarypyra rekóû.* – Como coisa um do outro estão os que são casados. (Ar., *Cat.*, 109)

momiaûsub (v. tr.) – escravizar, cativar • **i momiaûsubypyra** – o escravizado, o cativo: *I momiaûsubypyra renosema.* – Resgatar os cativos. (Ar., *Cat.*, 18v)

-momo (part. de condicional) – se: *Aîmondó-momo...* – Se eu o mandasse... (Anch., *Arte*, 7v)

momokõî (v. tr.) – fazer pela segunda vez, repetir (*VLB*, II, 115)

momokõîndaba (num.) – o segundo (Bettendorff, *Compêndio*, 12)

momokõîndûara (s.) – o segundo: *I momokõîndûara mendara moîekosupaba.* – A segunda (virtude) dele é a satisfação dos cônjuges. (Ar., *Cat.*, 283, 1686)

momondarõ (v. tr.) – fazer furtar, fazer roubar [alguma coisa: compl. com **esé (r, s)**]: *... Aîmomoxy pabenhẽ, ... i momondarõmo bé.* – Arruinei a todos, fazendo-os roubar também. (Anch., *Teatro*, 132) • **oîmomondarõba'e** – o que faz furtar ou roubar: *Oîmomondarõba'e abé abá mba'e resé* – O que faz também um homem furtar alguma coisa (Ar., *Cat.*, 72v)

momorandub (v. tr.) – avisar, informar (algo ou alguém) (*VLB*, II, 12); dar notícias a (*VLB*, II, 97): *Tupã karaibebé mbouri São José mosaûsuba pupé i momorandupa...* – Deus fez vir um anjo no sonho de São José para o avisar. (Ar., *Cat.*, 140); *Aîu nde momorandupa xe porapiti resé.* – Vim para informar-te sobre minhas chacinas. (Anch., *Teatro*, 142, 2006) • **momorandupara** – o que informa, o que avisa (*VLB*, II, 35)

momorang[1] (v. tr.) – **1)** embelezar: *Xe ikó asaûsu pe 'anga... i moaysóbo, i momoranga...* – Eis que eu amo vossas almas, aformoseando-as, embelezando-as. (Anch., *Teatro*, 186); *Abá sosé pabẽ i momorangi...* Mais que a todas as pessoas embelezou-a. (Anch., *Poemas*, 86); **2)** festejar: *Peîó pabẽnhẽ, Îesu momoranga...* – Vinde todos para festejar a Jesus. (Anch., *Poemas*, 108); *T'îanhe'engá-mirĩ ranhẽ 'ara morãngatûabo...* – Cantemos um pouquinho, primeiro, para festejarmos bem o dia. (Anch., *Teatro*, 56); **3)** enaltecer: *... pe rekopoxypûera momoranga* – ... enaltecendo vossos antigos pecados (Ar., *Cat.*, 233) • **momorangaba** – tempo, causa, lugar etc. de festejar, de embelezar etc.: *Kó oroîkó oronhemborypa nde 'ara momorangápe.* – Aqui estamos alegrando-nos para festejarmos teu dia. (Anch., *Teatro*, 118); **i momorangymbyra** – o que é (ou deve ser) embelezado, festejado, enaltecido: *Îamombe'u aîpó i momorangymbyra.* – Afirmamos que isso é o que deve ser enaltecido. (Anch., *Teatro*, 6)

momorang[2] (v. tr.) – acariciar (desonestamente): *Nã takó îomomoranga re'a?* – Assim havemos de nos acariciar? (Ar., *Cat.*, 234)

momorangygûan (v. tr.) – ter por agouro, considerar agouro (*VLB*, I, 27)

momoroting (v. tr.) – branquear: *T'onhemoma'enduá-katu Tupã o 'anga momorotingûera resé...* – Que se lembre bem de que Deus branqueou sua alma. (Ar., *Cat.*, 188)

momosakar (v. tr.) – enobrecer, tornar um moçacara (*VLB*, I, 117)

momosapyr (v. tr.) – fazer-se o terceiro, fazer pela terceira vez (*VLB*, II, 115) • **momosapysaba** – tempo, lugar, modo etc. de se fazer o terceiro; o terceiro: ... '*Ara mokõî i momosapysaba pupé o ekobeîebyri...* – Em dois dias e no tempo de se fazer o terceiro, voltou a viver. (Ar., *Cat.*, 4v); *I momosapysaba mendara moîekosupaba...* – A terceira (virtude) dele é a satisfação dos cônjuges. (Ar., *Cat.*, 133); **momosapysara** – terceiro (*VLB*, II, 127)

momosem (v. tr.) – perseguir, acossar, ir no encalço de (Anch., *Arte*, 49): *Eîori... i momosema...* – Vem para persegui-lo. (Anch., *Poemas*, 82) • **oîmomosemba'e** – o que persegue: *A'epe kunumĩgûasu kunhã oîmomosemba'e...?* – E os rapazes que perseguem mulheres? (Anch., *Teatro*, 36); **momosembara** – o que persegue, perseguidor: *Anhanga momosembara* – perseguidora do diabo (Valente, *Cantigas*, III, in Ar., *Cat.*, 1618); **emimomosema (t)** – o que alguém persegue: *O apixara reîmbaba îagûara remimomosẽgûera.* – O que perseguiu o cão de seu próximo. (Ar., *Cat.*, 73)

momotar (ou **momotá**) (etim. – *fazer desejar*) (v. tr.) – atrair: *Aîmomotar Pedro.* – Atraio a Pedro. (Anch., *Arte*, 49); *Xe momotar Tupã.* – Deus me atrai. (Anch., *Arte*, 49); *Xe momotar ahẽ aoba.* – Atrai-me a roupa daquele. (*VLB*, I, 75); *Ygasápe kaûĩ-tuîa, a'e ré, îamomotá...* – Depois disso, o cauim transbordante nas igaçabas atrai-os. (Anch., *Teatro*, 28)

momotîasó (v. tr.) – repreender (com rigor): *Xe momotîasó ahẽ nhe'enga.* – A fala de fulano repreendeu-me. (*VLB*, I, 124)

momoxy (v. tr.) – prejudicar, perverter, enfeiar, fazer mal a, arruinar: *Xe xe 'anga aîmomoxy...* – Eu enfeio minh'alma. (Anch., *Poemas*, 134); *Kûepe kunhã-mendarûera ereîmomoxy-moxy.* – Por aí as mulheres casadas ficavas pervertendo. (Anch., *Teatro*, 170); *Ereîukaípe mendare'yma i momoxy îanondé...?* – Forçaste uma solteira antes de lhe fazer mal? (Ar., *Cat.*, 103v) • **emimomoxy (t)** – o que alguém perverte, enfeia etc.: ... *O emimomoxypûera o mûetéramo sekó kuakupa.* – Escondendo ser sua parente verdadeira a que ele perverteu. (Ar., *Cat.*, 71v); **momoxysara** – o que perverte etc.: ... *mendara momoxysara...* – ... o que perverte uma casada... (Ar., *Cat.*, 109); **momoxysaba** – tempo, lugar, meio etc. de perverter, de prejudicar etc.: ...

asé 'anga momoxysabamo sekó resé... – Por serem meio de arruinar nossas almas. (Bettendorff, *Compêndio*, 93)

momûã (v. tr.) – borrar (o que está escrito ou pintado) (*VLB*, I, 58)

momungá (v. tr.) – impregnar, inchar, engrossar, encher: *Oky-ko'ẽ-ko'ẽ amana, paranã momungábo...* – A chuva ficava amanhecendo a cair, enchendo o mar. (Ar., *Cat.*, 41v) • **momungasara** – o que impregna, o que incha, o que enche: ... *nhemoŷrõ nde momungasara* – ira que te impregna (Anch., *Doutr. Cristã*, II, 102)

momupumupuk (ou **mombupumupuk**) (v. tr.) – crivar, esburacar (p.ex., com flechas, canhões etc.) (*VLB*, I, 86)

momuru – v. **momburu** (Léry, *Histoire*, 355)

momỹî (v. tr.) – mover, mexer, bulir com: *Aîmomỹî.* – Movi-o. (*VLB*, II, 43); Buli com ele (p.ex., para que acordasse). (*VLB*, I, 57)

Monã (s. antrop.) – nome de personagem mitológico dos antigos tupis (Thevet, *Cosm. Univ.*, 913v)

mona'ẽ (part. de condicional) – se: *Osó ipóne re'a gûi'îabo mona'ẽ.* – Talvez ele fosse se eu dissesse. (*VLB*, II, 15)

monan[1] (v. tr.) – 1) mexer (duas coisas de diversas espécies para que se misturem); misturar (*VLB*, II, 36; 37) [com algo: compl. com **esé (r, s)**]: *Mba'e-py'aûpîara kaûĩaîasy resé i monani...* – Uma coisa amarga misturaram com vinagre. (Ar., *Cat.*, 63v); 2) confundir: ... *o poromonã-monana.* – ... ficando a confundir as pessoas. (Anch., *Teatro*, 140, 2006) • **i monanymbyra** – o que é (ou deve ser) misturado; mistura (de diversas coisas) (*VLB*, II, 36)

monan[2] (v. tr.) – borrar (o que está escrito ou pintado) (*VLB*, I, 58): *Nde 'anga... ybaka... rerekoarambûera mba'enẽ-memûã pupé oîmomemûã, sesé i monana.* – Tua alma elimina a posse do céu com coisas fétidas e más, borrando-a por causa delas. (Anch., *Doutr. Cristã*, II, 112)

monarang (v. tr.) – arrombar (como arca, cabaço, navio); quebrar (uma coisa com outra): *Aîmonarang.* – Arrombei-o. (*VLB*, I, 44; II, 92)

mondá[1] (s.) – 1) ladrão (*VLB*, II, 17); (adj.) – *Abá-mondá...* – Um homem ladrão... (Ar.,

Cat., 59v); *Xe* **mondá**. – Eu sou ladrão. (*VLB*, II, 17); **2)** roubo, furto: *Ereîpytybõpe abá mondá resé?* – Ajudaste alguém num roubo? (Ar., *Cat.*, 107)

mondá² (xe) (v. da 2ª classe) – apropriar-se de, roubar, furtar [a coisa roubada ou furtada com **esé (r, s)** ou **ri**]: *Nde mondápe mba'e amõ resé...?* – Apropriaste-te de alguma coisa? (Ar., *Cat.*, 107); ... *Umãmepe nde* **mondá**? – Onde tu roubaste? (Anch., *Teatro*, 44); *A'epe ereîmombe'u a'e resé nde* **mondá**? – E confessaste que tu as roubaste? (Anch., *Teatro*, 178, 2006) ● **i mondaba'e** – o que rouba, o que furta: ... *Apŷaba kunhã ri i* **mondaba'e**... – Os homens que roubam mulheres. (Anch., *Teatro*, 156, 2006); **mondaba** (ou **mondasaba**) – tempo, lugar, modo etc. de roubar, de furtar; furto, roubo; objeto do furto, do roubo, coisa furtada: *Eresepyme'eng ygûápe nde* **mondasagûera?** – Pagaste já o objeto de teu furto? (Ar., *Cat.*, 107v); *Ta sepy nde* **mondagûera**. – Que tenha reparação teu roubo. (Anch., *Teatro*, 46)

mondabeypor (ou **mondabeypó** ou **mosabeypor**) (v. tr.) – fazer embriagar-se, embebedar: *Nde* **mondabeypó** *kaûî*. – Embebedava-te o cauim. (Anch., *Teatro*, 170); *Abá mongagûabo koîpó se'yma, i* **mondabeypó**... – Fazendo as pessoas beberem cauim ou dando-lhes de beber, fazendo-as embriagar-se. (Ar., *Cat.*, 78)

mondabora (s.) – ladrão: *mokõî* **mondabora** – dois ladrões (Ar., *Cat.*, 90, 1686)

mondar¹ (v. tr.) – ter para si, cuidar, julgar, supor ver: *Pedro resé ixé nde mondari*. – Em Pedro eu te supunha ver (isto é, *julgava que tu fosses Pedro*). (*VLB*, II, 121)

mondar² (v. tr.) – suspeitar de: *Ereîmondá-mondápe nde rapixara nde py'ape?* – Ficaste suspeitando de teu próximo em teu interior? (Anch., *Doutr. Cristã*, II, 100); *Aîmondar ahẽ xe itaîuba ri*. – Suspeito dele acerca de meu dinheiro (isto é, suspeito que foi ele quem o furtou). (*VLB*, II, 121); *Ereîmondá-mondá tenhẽpe nde remirekó abá resé?* – Ficaste suspeitando sem motivo de tua esposa por causa de alguém? (Ar., *Cat.*, 236, 1686)

mondarõ¹ (v. intr. compl. posp.) – trair, ser traidor (do cônjuge) (compl. com **suí**): *Amondarõ xe mena suí*. – Sou traidora de meu marido. (*VLB*, II, 29); *Oîabyetépe omendaryba'e Tupã nhe'enga o îosuí omondarõmo?* – Transgridem muito a palavra de Deus os que se casam, sendo traidores um do outro? (Ar., *Cat.*, 94v); *Eremondarõpe nde remirekó suí?* – Foste traidor de tua esposa? (Anch., *Doutr. Cristã*, II, 92)

mondarõ² (v. intr. compl. posp.) – cometer furto, fazer roubo, apropriar-se [de algo: compl. com **esé (r, s)**]: *Emondarõ umẽ*. – Não cometas furto. (Ar., *Cat.*, 72v) ● **omondarõba'e** – o que comete furto, o que faz roubo: *Abá mba'e resé* **omondarõba'e**. – O homem que comete furto de algo. (Ar., *Cat.*, 72v); **mondarõaba** (ou **mondarõama**) – tempo, lugar, causa etc. de cometer furto; objeto de furto, coisa furtada: *Ere'upe abá* **mondarõagûera?** – Comeste objeto de furto de alguém? (Ar., *Cat.*, 107); *Nde rorype... sesé abá* **mondarõagûera** *resé?* – Tu te alegraste por alguém cometer furto delas? (Ar., *Cat.*, 109v)

mondarõ³ (s.) – furto, ladroeira: *Mondarõ, nhe'engaíba, mo'ema nde resemõ*. – Ladroeira, palavras ruins, mentiras sobejavam-te. (Anch., *Teatro*, 170); *Abá mondarõ osepîakîba'e*. – O que vê o furto de alguém, sem se importar. (Ar., *Cat.*, 72v)

mondarõagûera (etim. – *o que foi consequência de uma traição*) (s.) – filho adulterino, filho bastardo (Anch., *Cartas*, 458)

mondeb¹ (v. tr.) – colocar, pôr, meter, enfiar, vestir (a roupa ou a pessoa), calçar: *Opabĩ tekoaíba mondebi-katu o py'ape*. – Todos os vícios colocaram bem em seus corações. (Anch., *Teatro*, 10); *Aîaó-mondeb*. – Vesti a roupa nele. (*VLB*, II, 144); ... *Îandé py'a pupé sekó mondepa*... – Dentro de nosso coração colocando sua lei. (Anch., *Poemas*, 88); *Eîmondeb itangapema surupe*. – Enfia a espada na bainha... (Ar., *Cat.*, 54v); *Aîmondeb o aîurybo*. – Meto-o pelo pescoço. (Anch., *Arte*, 43); *Aîpyapasá-mondeb*. – Calcei o sapato. *Aîepyapasá-mondeb*. – Calcei-me os sapatos. (*VLB*, I, 63) ● **mondepaba** – tempo, lugar etc. de pôr, de colocar etc.: *Okeretápe se'õmbûera o mondebagûerype oupa?* – Dormiu demais seu cadáver, estando deitado no lugar em que o puseram? (Ar., *Cat.*, 44v)

mondeb² (v. tr.) – prender, encarcerar (*VLB*, I, 113) ● **i mondebypyra** – o que é (ou deve ser) preso, o preso: *Mba'easybora i mondebypyra bé repîaka*. – Ver os doentes e os

mondepeba

presos. (Bettendorff, *Compêndio*, 22); ... *mundeokype i mondebypyrûera* – o que foi encarcerado na prisão (Ar., *Cat.*, 59v)

mondepeba (s.) – variedade de armadilha (*VLB*, II, 24)

mondeseb (v. tr.) – enliçar, pôr liços em (p.ex., tear), tramar com fios em (*VLB*, I, 117)

mondó (v. tr.) – 1) mandar, fazer ir, enviar de cá para lá: – *Mamõpe Pilatos senosemi a'ereme? – Okarype... i mondó-nhẽ-motá.* – Para onde Pilatos o retirou, então? – Para a praça, querendo fazê-lo ir, sem problemas. (Ar., *Cat.*, 60v); *Pedro osó o mondóreme.* – Pedro vai porque o mandam. (Fig., *Arte*, 84); 2) indicar: *Kó ixé pe rekorama, pe remimonhangûama, pe rekomonhangaba aîmondó benhẽ peẽme...* – Eis que vossas futuras ações, as coisas que vós fareis, as determinações a vós eu indico-vos de novo. (Camarões, *Cartas*, 19 de agosto de 1645); 3) largar (p.ex., a corda, algo da mão) – *Aîmondó-mondó.* – Eu os fui largando. (*VLB*, II, 18); 4) repelir, expulsar, enxotar (compl. com **suí**): ... *pe 'anga suí i mondóû.* – enxota-os de vossas almas. (Anch., *Teatro*, 50) • **mondoara** – o que manda, o que envia; o que enxota etc. (Fig., *Arte*, 70): *Aîkobé pe mondoarama...* – Eis que aqui estou, o que vos enxota. (Anch., *Poesias*, 56); **mondoaba** (ou **mondosaba**) – tempo, lugar, modo, instrumento etc. de fazer ir, de mandar, de enxotar etc.: *Osó o mondoápe.* – Vai aonde o mandam. (Fig., *Arte*, 84); *mberu mondoaba* – instrumento de enxotar moscas, abano de moscas (*VLB*, I, 48); **emimondó** (t) – o que alguém manda: *Xe remimondó.* – O que eu mando. (Fig., *Arte*, 70)

mondok (etim. – *fazer quebrar-se*) (v. tr.) – 1) cortar [p.ex., vergas, cordas, varas, pau já derrubado, a garganta de alguém (com instrumento cortante), uma fila de pessoas etc.]: *S. Pedro itangapema osekyî... i nambi mondoka.* – São Pedro puxou a espada..., cortando sua orelha. (Ar., *Cat.*, 54v); *Aîakã-mondok.* – Cortei-lhe a cabeça. (*VLB*, I, 92); *Asysy-mondok.* – Cortei a fila deles. (*VLB*, I, 83); ... *I 'apira mondoki.* – Cortaram seu prepúcio. (Ar., *Cat.*, 3); *Aîpi-mondok.* – Corto-lhe a pele. (Anch., *Arte*, 51); *ybyrá mondoka* – cortar árvores (D'Evreux, *Viagem*, 144); 2) quebrar (como corda, linha etc.) (*VLB*, II, 93); 3) interromper (*VLB*, II, 13); 4) entalhar (Marcgrave, *Hist. Nat. Bras.*, 277)

• **mondokara** – o que corta, o que quebra etc.; **mondokaba** – tempo, lugar, modo etc. de cortar, de quebrar etc. (Fig., *Arte*, 119)

mondorok[1] (v. tr.) – 1) rasgar, romper: ... *o aobusu mondoró-ndoroka... – ...* suas túnicas ficando a rasgar. (Ar., *Cat.*, 56v); 2) estuprar: *Ereîmombukype kunhataĩ amõ, i mokûâ, i mondoroka?* – Desvirginaste alguma menina, furando-a, estuprando-a? (Anch., *Doutr. Cristã*, II, 89); 3) quebrar (Marcgrave, *Hist. Nat. Bras.*, 277)

mondorok[2] (v. tr.) – arrancar (p.ex., ervas, raízes como mandioca, nabo etc.) (*VLB*, I, 41)

mondosok (v. tr.) – retalhar, cortar em muitos pedaços (*VLB*, I, 83)

monduî (v. tr.) – fazer transbordar, fazer vir à tona; fazer regurgitar (Anch., *Arte*, 4); fazer extravasar: ... *Sekó-nhemima mondûia...* – Fazendo vir à tona seus atos escondidos. (Anch., *Doutr. Cristã*, II, 100)

mondururu (s.) – MUNDURURU, árvore da família das melastomatáceas (*Miconia macrophylla* (D. Don) Triana), "... que dá umas frutas pretas... que se comem todas..." (Sousa, *Trat. Descr.*, 194)

mondyabor (v. tr.) – empobrecer: ... *apŷaba mondyabó* – empobrecendo os índios (Anch., *Teatro*, 30)

mondygûer (v. tr.) – assolar, destruir (*VLB*, I, 45)

mondyî (v. tr.) – espantar, assustar; amedrontar, apavorar (*VLB*, II, 66), fazer tremer: ... *T'oroîkó nde ypype nhẽ, oré sumarã mondyîa.* – Que estejamos perto de ti, espantando nossos inimigos. (Anch., *Teatro*, 122); *Îori anhanga mondyîa...* – Vem para espantar o diabo. (Anch., *Poemas*, 132); ... *Oú-mo'ang pe mondyîa.* – Pensa em vir para vos espantar. (Anch., *Teatro*, 180) • **oîmondyîba'e** – o que espanta, o que assusta etc.: ... *Setá tekó oporomondyîba'ene...* – Serão muitos os fatos que assustarão as pessoas. (Ar., *Cat.*, 159v); **mondyîtaba** (ou **mondyîsaba**) – tempo, lugar, modo etc. de assustar, de espantar; espanto: ... *Anhanga mondyîtabamo.* – Como modo de espantar o diabo. (Ar., *Cat.*, 93)

mondyk[1] (v. tr.) – 1) aproximar: *Marãpe ybŷá serekóû i mondyka potá?* – Que fizeram, querendo aproximá-los? (Ar., *Cat.*, 62v); 2) fazer chegar: *Eresepy-mondykype marãtekó repyramo?* – Fizeste chegar o pagamento como retribuição de um trabalho? (Ar., *Cat.*, 107v)

mondyk² (v. tr.) – destruir, eliminar, acabar com: *Aîpotá-katutenhẽ opabĩ taba mondyka.* – Quero muitíssimo todas as aldeias destruir. (Anch., *Teatro*, 6); *O ekopoxy resé, opabĩ abá mondyki...* – Por sua maldade, todos os homens destrói. (Anch., *Poemas*, 178) • **mondykaba** – tempo, lugar, causa, modo etc. de destruir, de eliminar, de acabar: *... Tatá asé angaîpaba repy mondykaba.* – Fogo em que se elimina a dívida de nossos pecados. (Ar., *Cat.*, 48v)

mondyk³ (v. tr.) – **1)** abrasar, queimar: *Akusu-mondyk.* – Queimo campinas. (*VLB*, I, 140; II, 93); *... Opabẽ taba mondyki.* – Todas as aldeias abrasou. (Valente, *Cantigas*, V, in Ar., *Cat.*, 1618); **2)** acender: *... Tatá... îaîmondyk...* – Acendemos o fogo. (Ar., *Cat.*, 6)

mondykaba (s.) – **1)** conclusão, final, o último: *Marã e'ipe Santa Madre Igreja asé rekomonhangaba mondykaba?* – Como diz o último dos mandamentos da Santa Madre Igreja? (Ar., *Cat.*, 78); *Missa mondykápe épe ereîké îepi...?* – É no final da missa que entras sempre? (Anch., *Doutr. Cristã*, II, 105); **2)** destino final: *Abá rekó mondykaba.* – O destino final das coisas dos homens. (Ar., *Cat.*, 20)

mondykyr (ou **mondyky**) (v. tr.) – fazer gotejar, destilar (*VLB*, I, 129): *Nde resa'y eîmondyky...* – Destila tuas lágrimas. (Anch., *Doutr. Cristã*, II, 112)

mondysyk (v. tr.) – fazer chegar sucessivamente (Anch., *Arte*, 53v)

monẽ¹ (part.) – mas antes (Fig., *Arte*, 143): *Peteumẽ xe îabé peîkó-potá, ... xe monẽ pe îabé gûitekóbomo opá mba'easy aîporará ikó 'ara pupé Tupã monhyrõmomo!* – Guardai-vos de querer ser como eu, ... mas, antes, se eu estivesse como vós, todas as coisas dolorosas sofreria neste mundo para aplacar a Deus. (Ar., *Cat.*, 165v)

monẽ² (part. que expressa obrigação ou dever remotos) – deveria: *Aîmondó-monẽmo.* – Deveria mandá-lo. (Anch., *Arte*, 7v); *Kori monẽ asó.* – Hoje eu deveria ir. (Anch., *Arte*, 25)

monem (v. tr.) – fazer feder, tornar fétido: *Xe 'anga omonem tekoangaîpaba.* – Minha alma fez feder a vida pecaminosa. (Anch., *Poemas*, 106); *... Kó taba monema moropotara pupé.* – Fazer feder esta aldeia com o desejo sensual. (Anch., *Teatro*, 138)

monemo (part.) – o mesmo que **temonemo** (v.)

mong (-îo- ou -nho-) (v. tr.) – lambuzar (com coisa viscosa, pegajosa, grudenta); sujar, encher de visgo ou grude: *Anhomong.* – Sujei-o de visgo. (*VLB*, II, 69); Lambuzei-o. (*VLB*, I, 87)

monga (s.) – visgo, grude, pez, substância pegajosa: *Eîori oré mongoka...* – Vem para nos arrancar o visgo. (Anch., *Poemas*, 174)

> NOTA – Daí, **MONGAGUÁ** (nome de município de SP) (v. Rel. Top. e Antrop. no final).

monga'ẽ¹ – o mesmo que **moka'ẽ²** (v.)

monga'ẽ² (v. tr.) – fazer sarar: *Oîposanong, i nambi atõîa nhote, aûnhenhẽ i monga'ẽmo, i moîepotá.* – Curou-o, somente tocando sua orelha, imediatamente fazendo-a sarar, grudando-a. (Ar., *Cat.*, 76, 1686)

mongakuab¹ (ou **mongakugûab**) (v. tr.) – dar as novas a, dar notícia a, informar [sobre algo: compl. com **esé (r, s)**]: *Aîmongakuab (mba'e) resé.* – Informo-o acerca das coisas. (*VLB*, II, 51, adapt.)

mongakuab² (ou **mongakugûab**) (v. tr.) – **1)** fazer crescer: *Oîmopŷatã asé 'anga... i mongakuapa.* – Fortalece a alma da gente, fazendo-a crescer. (Bettendorff, *Compêndio*, 90); **2)** criar: *T'oroîopytybône oré poromonhangagûera mongakuapa...* – Que ajudemos um ao outro para criarmos nossos filhos. (Ar., *Cat.*, 95) • **mongakuasara** – o que cria, o que faz crescer: *A'e niã Tupã sy irũnamo Tupã Jesus mongakuasaramo sekôû.* – Ele, com a mãe de Deus, foi o que criou a Jesus, Deus. (Ar., *Cat.*, 123, 1686)

mongaraíb (v. tr.) – **1)** santificar; benzer, consagrar: *I angaîpabetépe abá... oporomongaraiba'upá?* – Peca muito o homem, benzendo falsamente as pessoas? (Ar., *Cat.*, 66); *... Domingo momba'eté-ukari i mongaraibypyretá supé o ekobé îebyragûera pupé Îandé Îara i mongaraib'iré...* – Mandam que os batizados honrem o domingo após Nosso Senhor o santificar com seu retorno à vida. (Ar., *Cat.*, 12); **2)** batizar • **mongaraipara** – o que batiza, o que benze, o que santifica etc.: *A'e abaré nde mongaraipara iraîtytata-*

mongaraû

endy me'engi nde pópe. – Aquele padre que te batiza dá uma vela na tua mão. (Ar., *Cat.*, 187); **i mongaraibypyra** – o que é (ou deve ser) batizado, bento, santificado etc.: *I mongaraibypyra ixé.* – Eu estou bento. (*VLB*, I, 54); **mongaraipaba** – tempo, lugar, modo etc. de santificar, de benzer, de batizar; o ato de santificar, de batizar: *... O aó-tinga o mongaraibagûera... repyramo... reroína.* – Estando com suas roupas brancas, como recompensa de o terem batizado. (Ar., *Cat.*, 168-168v)

mongaraû (v. tr.) – desconjuntar (Fig., *Arte*, 2), desconcertar; torcer (mão ou pé): *Xe py-mongaraû ybyrá.* – Um pau me desconjuntou o pé. (*VLB*, I, 97); *Aîepy-mongaraû.* – Desconjuntei-me o pé. (*VLB*, I, 97); *Aîepó-mongaraû.* – Torci-me a mão. (*VLB*, II, 132)

mongaru (v. tr.) – dar de comer a, apascentar (o gado), fazer pastar (*VLB*, I, 37)

mongaturõ[1] (ou **mongatyrõ**) (etim. – *tornar bom, enfim*) (v. tr.) – pôr ordem em, ordenar, arranjar (*VLB*, I, 33), arrumar (o que se desmanchou): *Aîtapuîmongaturõ xe sy.* – Arrumei a choupana à minha mãe. (Fig., *Arte*, 88); *Xe 'anga mongaturõmo...* – Para pôr ordem em minha alma. (Anch., *Poemas*, 100); *Sekó omongaturõ îandé rekó-poxypûera.* – Sua lei pôs ordem em nossa antiga vida má. (Anch., *Poemas*, 184)

mongaturõ[2] (ou **mongatyrõ**) (v. tr.) – ornar, enfeitar (*VLB*, II, 59)

monga'u (v. tr.) – fazer beber cauim, dar a beber vinho a: *... Abá mongagûabo koîpó se'yma...* – Fazendo as pessoas beberem cauim ou dando-lhes de beber. (Ar., *Cat.*, 78)

monger (v. tr.) – fazer dormir (*VLB*, I, 22)

mongetá[1] (v. tr.) – pedir a, rogar a: *Atupã-mongetá xe îoesé, eîmongetá nde resé, Pedro t'oîmongetá o îoesé.* – Eu rogo a Deus por mim, roga a Ele por ti e Pedro rogue a Ele por si. (Fig., *Arte*, 81); *Ne emongetá nde Tupã t'okûab é amanusu...* – Roga tu a teu Deus para que passe mesmo a tempestade. (Staden, *Viagem*, 66) ● **mongetasara** – o que roga a, o que pede a: *Abá-abápe asé resé Tupã mongetasaramo sekóû?* – Quem são os que rogam a Deus por nós? (Ar., *Cat.*, 23v); **mongetasaba** – tempo, lugar, modo etc. de rogar, de pedir etc.: *... 'angûera... resé Tupã mongetasagûama* – ... tempo de rogar a Deus pelas almas (Ar., *Cat.*, 136)

mongetá[2] – **1)** (v. tr.) – conversar com, falar com: *... I mongetá-potare'yma.* – Não querendo conversar com ele. (Ar., *Cat.*, 179); *Onhomongetá.* – Falam uns com os outros. (Fig., *Arte*, 80); *Korite'ĩ Pedro xe ruba mongetáû.* – Agora Pedro com meu pai falou. (Fig., *Arte*, 96); **2)** (v. intr.) – conversar [com alguém: compl. com **ri** ou **esé (r, s)**]: *Ne'ĩ t'îamongetá îandé rekasara ri.* – Vamos, conversemos com os que nos procuram. (Léry, *Histoire*, 9) ● **mongetasara** – o que conversa com, o que fala com: *Nd'e'i te'e i mongetasara... Tupã nhe'enga abŷabo...* – Por isso mesmo os que conversam com eles transgridem a palavra de Deus. (Ar., *Cat.*, 179)

mongetá[3] (v. tr.) – ler: *Aîmongetá.* – Leio-o. (*VLB*, II, 20)

mongûab (ou **mongûá**) (v. tr.) – fazer passar: *Îamongûá moxy ru'uba...* – Fazemos passar as flechas dos malditos. (Anch., *Teatro*, 26); *... Opá o boîá nde pópe i mongûapa.* – Todos os seus discípulos para tuas mãos fazendo-os passar. (Anch., *Poemas*, 124); *T'i rambûer iã xe remimborarama..., t'amongûabyne.* – Que se frustre esse meu futuro sofrimento, que eu o faça passar. (Ar., *Cat.*, 53) ● **mongûapaba** – tempo, lugar, finalidade etc. de fazer passar: *hóstia mongûapagûama resé asé îuru resé...* – para fazer passar a hóstia em nossa boca (Anch., *Doutr. Cristã*, I, 217)

mongub (v. tr.) – fazer estar (Anch., *Arte*, 5)

monguba (s.) – **MONGUBA, MUNGUBA, 1) MONGUBEIRA**, árvore da família das bombacáceas (*Pseudobombax munguba* (Mart. & Zucc.) Dugand); **2)** o fruto da mongubeira (Brandão, *Diálogos*, 204)

mongué (v. tr.) – **1)** bulir com, agitar, balançar: *Aîmongué.* – Buli com ele; agitei-o. (*VLB*, I, 57); **2)** fazer menear, afrouxar, abalar (o que estava firme, fixo): *... T'oîkó umẽ oka rupi oré 'anga monguébo.* – Que não esteja pelas casas para afrouxar nossas almas. (Valente, *Cantigas*, II, in Ar., *Cat.*, 1618)

mongûeb (v. tr.) – apagar (fogo, candeia) (*VLB*, I, 37)

mongûî (v. tr.) – derrubar, fazer cair (p.ex., frutas, construções, folhas etc.), sacudir (p.ex., o pó da roupa): *Îarybobõ omonguî...* – A ponte derrubam. (Anch., *Poemas*, 154); *Aîmonguî soba.* – Derrubei as folhas dela. (*VLB*, I, 99)

mongu'i (etim. – *tornar pó*) (v. tr.) – moer, pulverizar (com pedra ou moinho) (*VLB*, II, 40) • **i mongu'ipyra** – o que é (ou deve ser) moído (*VLB*, II, 40)

mongûiapi (v. tr.) – esbarrar em (p.ex., na parede, no chão etc.) (*VLB*, I, 122)

mongûirupã (v. tr.) – esbarrar em (p.ex., na parede, no chão etc.) (*VLB*, I, 122)

mongûy (v. tr.) – 1) desfazer (Fig., *Arte*, 2); 2) corroer; 3) gastar; despender, usar, empregar (*VLB*, I, 113): *Aîmongûy-pab.* – Gastei-o totalmente. (*VLB*, I, 147); 4) desatar (Marcgrave, *Hist. Nat. Bras.*, 277) • **emimongûy (t)** – o que alguém desfaz, corrói etc.: *... I nemeté, i tuîuketé, tasoka, ura remimongûyamone.* – Serão muito fedorentos, serão muito podres, corroídos de vermes e de bernes. (Ar., *Cat.*, 164)

mongy[1] (v. tr.) – untar (Anch., *Arte*, 5): *Aîmongy gûyrá-aba.* – Untei as penas de pássaro (para me emplumar com elas). (*VLB*, I, 112); *Asá--mongy.* – Untei as penas nele. (*VLB*, I, 112) • **mongŷara** – o que unta; **mongŷaba** – tempo, lugar, modo etc. de untar (Fig., *Arte*, 118)

mongy[2] (v. tr.) – 1) tingir [de algo: compl. com **esé (r, s)**]: *Aîmongy îanypaba resé.* – Tinjo-o com jenipapo. (*VLB*, II, 128); 2) usar como tinta, passar (tinta): *Aîmongy îanypaba.* – Uso jenipapo como tinta; passo jenipapo. *Aîîanypá--mongy.* – Passo jenipapo nele. (*VLB*, II, 128)

mongy'a (v. tr.) – sujar (Anch., *Arte*, 4)

mongyrá (v. tr.) – fazer engordar (*VLB*, I, 116)

mongyrỹî (v. tr.) – ranger: *Aîmongyrỹî (ou aîmongyrỹ-ngyrỹî) xe rãîa.* – Fico rangendo meus dentes. (*VLB*, II, 96)

monhan (v. tr.) – fazer correr: *... Moxy oînupã, i monhana...* – Castiga o maldito, fazendo-o correr. (Anch., *Poemas*, 188)

monhang (v. tr.) – 1) fazer: **a)** no sentido de *fabricar*: *Aîkó-monhang xe ruba.* – Faço a roça de meu pai. (Fig., *Arte*, 87); *Aîmonhang oka.* – Fiz uma casa. *Xe rokûama aîmonhang.* – Faço minha futura casa. (*VLB*, I, 108); **b)** no sentido de *causar, levar a*: *... Ybakype îandé sorama monhanga...* – Fazendo-nos ir para o céu. (Ar., *Cat.*, 53, 1686); **c)** no sentido de *criar, gerar*: *N'asé ruba ruã-tepe asé reté oîmonhang?* – Mas não foi nosso pai que fez nosso corpo? (Ar., *Cat.*, 25); **d)** no sentido de *realizar, proceder, agir, cometer*: *... Semimonhangûera îamonhangyne.* – Faremos o que ele fez. (Ar., *Cat.*, 122, 1686); **e)** no sentido de *proferir*: *... Opakatu abá sóû ladainhas monhanga...* – Todas as pessoas vão fazendo as ladainhas. (Ar., *Cat.*, 126); 2) transformar (com a posp. **-ramo**): *Mba'epe erimba'e oîmonhang 'aramo?* – Que transformou outrora em mundo? (isto é, *de que fez o mundo?*) (Anch., *Doutr. Cristã*, I, 159); *... 'Y anhẽ monhangi kaûînamo...* – A água transformou em vinho. (Ar., *Cat.*, 12); *Aîmonhang itá pindáramo.* – Transformo o ferro em anzol. (Anch., *Arte*, 43v); *So'o ragûera aobamo îaîmonhang.* – A lã em roupa transformamos (isto é, *da lã fazemos roupa*). (*VLB*, I, 136); 3) urdir, maquinar: *... E'i mo'ema monhanga...* – Mostram-se a urdir mentiras. (Anch., *Teatro*, 36); 4) modelar, dar forma, tender (os pães, a partir de uma massa) (*VLB*, II, 126) • **monhangara** – o que faz (Fig., *Arte*, 120); criador, autor, causador (*VLB*, I, 48): *... O monhangaramo nde rekó kuapa...* – Reconhecendo que tu és o seu próprio criador. (Ar., *Cat.*, 26); **emimonhanga (t)** – a obra, o feito, o que alguém faz ou gera: *... T'oîkuab ybaka piara, Tupana remimonhanga.* – Que conheça o caminho do céu, obra de Deus (lit., *o que Deus faz*). (Valente, *Cantigas*, VI, in Ar., *Cat.*, 1618); **monhangaba** – tempo, lugar etc. de fazer, de gerar, de criar; geração, criação: *... T'ereîub moreaûsuba monhangápe.* – Que estejas prostrado no lugar de se fazerem sofrimentos. (Anch., *Teatro*, 48); **i monhangymbyra** – o que é (ou deve ser) feito, criado; feito de: *... ybyrá itá-monhangymbyra kupépe...* – atrás de uma cerca feita de pedras (Ar., *Cat.*, 9v); *Tupã syrama ri i monhangymbyra...* – Para mãe de Deus é feita. (Anch., *Poemas*, 88)

NOTA – Daí provém o nome do município paulista de **PINDAMONHANGABA** (v. Rel. Top. e Antrop. no final).

monhangaba (etim. – *instrumento de fabricar*) (s.) – forma (de pão, de modelar etc.) (*VLB*, I, 142)

monhangypy (etim. – *fazer primeiro*) (v. tr.) – introduzir, inventar (*VLB*, II, 13)

monharõ[1] (etim. – *fazer investir*) (v. tr.) – fazer isca ou chamariz para, atrair (a caça ou

monharõ² as aves com assobios ou reclamos) (*VLB*, II, 48): *Ereîmonharõpe kunhã amõ nde rapixara pyri?* – Atraíste alguma mulher para junto de teu próximo? (Anch., *Doutr. Cristã*, II, 91)

monharõ² (etim. – *fazer investir*) (v. tr.) – provocar (*VLB*, II, 89); fazer ficar bravo (*VLB*, II, 95); irritar, açular (p.ex., o animal, para que arremeta) (*VLB*, II, 89)

monharûama (s.) – negaça, isca, chamariz (*VLB*, II, 48)

monheaîaî (etim. – *ficar fazendo dentes*) (v. tr.) – fazer mossas no gume ou fio de (ferramentas) (*VLB*, II, 43)

monhe'eng (v. tr.) – fazer falar: *Omonhe'enguká temõ Tupã te'õmbûera...!* – Que bom seria se Deus mandasse fazer os cadáveres falarem! (Ar., *Cat.*, 156v)

monhegûasem (v. tr.) – espantar, afugentar, fazer fugir: *Eîmonhegûasem anhanga...* – Faze fugir o diabo. (Anch., *Poemas*, 168); ... *Nde monhegûasẽ-motá.* – Querem afugentar-te. (Anch., *Teatro*, 136) ● **monhegûasembaba** – tempo, lugar, finalidade etc. de afugentar, de espantar etc.: ... *Anhanga monhegûasemagûama resé.* – Para afugentar o diabo. (Ar., *Cat.*, 24)

monhemombe'u (etim. – *fazer confessar-se*) (v. tr.) – confessar, ouvir confissão: ... *Asé monhemombegûabo...* – Confessando a gente. (Ar., *Cat.*, 93v) ● **monhemombe'ûara** (ou **monhemombegûara**) – confessor, o que ouve a confissão de: ... *o monhemombe'ûarama resé oîkotebẽmo...* – ... tendo falta de um confessor seu... (Ar., *Cat.*, 76); **monhemombegûaba** – tempo, lugar, modo etc. de confessar; confissão: *Ereîmombe'upe abá rera abaré nde monhemombegûápe...?* – Contas o nome de alguém quando te confessa o padre? (Ar., *Cat.*, 108)

monhemonhang (v. tr.) – fazer transformar-se, fazer gerar-se: ... *Og ugûyramo i monhemonhanga...* – Fazendo-o transformar-se em seu próprio sangue... (Ar., *Cat.*, 84v)

monhemosako'i (v. tr.) – fazer preparar-se: ... *îandé monhemosako'i-potá.* – ... querendo fazer-nos preparar. (Ar.-Cat., 154)

monhemoŷrõ (v. tr.) – fazer irritar-se, fazer irar-se (*VLB*, II, 11)

monhemũ (etim. – *fazer parentes*) (v. tr.) – pacificar, reconciliar: *Aîmonhemũ.* – Reconciliei-os. (Fig., *Arte*, 112)

monhenong (v. tr.) – fazer que se ponha: *Ereîmonhenongype kunhã nde 'arybo sesé eîkóbo?* – Fizeste que uma mulher se pusesse sobre ti para fazer sexo com ela? (Ar., *Cat.*, 234)

monheran (etim. – *fazer atacar*) (v. tr.) – fazer irritar-se, provocar (p.ex., um animal para que arremeta) (*VLB*, II, 89)

monherundykaba (num.) – quarto: *I monherundykaba: Eîmoeté nde ruba nde sy abé.* – O quarto (mandamento) deles: Honra teu pai e tua mãe. (Bettendorff, *Compêndio*, 10)

monhopa'ũ (v. tr.) – fazer intervalo, fazer a intervalos, alternar (p.ex., os dias em que se faz algo): *Aîmonhopa'ũ-pa'ũ.* – Fiquei-os alternando; faço-os com muitos intervalos. (*VLB*, I, 119; II, 13)

monhopa'ũmondoar (v. tr.) – fazer intervalos, intercalar, alternar (*VLB*, I, 119)

monhynhyng (v. tr.) – tornar enrugado, fazer murchar (*VLB*, II, 44)

monhyrõ (v. tr.) – 1) apaziguar, aplacar, amansar, fazer perdoar: *Aîmonhyrõ Tupã xe îoupé.* – Aplaco a Deus para mim. (Fig., *Arte*, 81); *Nde eîmonhyrõ Tupã nde îoupé.* – Aplaca tu a Deus para ti. (Fig., *Arte*, 81); ... *Xe angaîpaba rapirõmo, ... i monhyrõmo.* – Pranteando meus pecados, fazendo-os perdoar. (Anch., *Teatro*, 168); 2) reconciliar (os discordes) (*VLB*, II, 98) ● **omonhyrõba'e** – o que apazigua, o que aplaca etc.: *Tekokatueté rerekoara oporomonhyrõba'e...* – Os que têm a beatitude são os que apaziguam as pessoas. (Anch., *Doutr. Cristã*, I, 154); **monhyrõsaba** – tempo, lugar, modo etc. de aplacar, de apaziguar: *Mba'e-eté anhẽ nhemombe'u... Tupã remimonhangûera ikó 'ara pupé o monhyrõsabamo...* – Coisa muito boa é a confissão, que Deus fez como modo de aplacá-lo neste mundo. (Ar., *Cat.*, 220); **monhyrõsara** – o que aplaca, o que faz perdoar, apaziguador: *Nd'e'i te'e abaré moingóbo... o monhyrõsaramo...* – Por isso mesmo é que constituiu os padres como seus apaziguadores. (Anch., *Doutr. Cristã*, I, 195)

monomo? (interr.) – quanto? (em quantidade) (*VLB*, II, 91)

mono'ong (v. tr.) - ajuntar, reunir (*VLB*, I, 29): ... *T'osó xe 'anga îepi tekokatu mono'onga*. - Que vá sempre minha alma ajuntando virtudes. (Valente, *Cantigas*, I, in Ar., *Cat.*, 1618)

moobaybak (v. tr.) - fazer erguer o rosto: ... *Xe moobaybaka...* - Fazendo-me erguer o rosto. (Anch., *Poemas*, 92)

moobyr (v. tr.) - aguçar (p.ex., ponta) (*VLB*, I, 27)

moopar (v. tr.) - fazer perder-se (Fig., *Arte*, 91)

mooryb (v. tr.) - tornar alegre, alegrar: *Xe moory-katu îepé...* - Tu me alegras muito. (Anch., *Teatro*, 14); *T'oú... Tupã oré moorypa...* - Que venha Deus para nos alegrar. (Anch., *Teatro*, 118)

mopanem[1] (v. tr.) - **1)** ausentar-se de, estar ausente de; faltar a, deixar de, deixar de chegar a: *N'aîmopanemi tupãoka*. - Não falto à igreja. (*VLB*, II, 40); *Ereîmopanemype missa renduba?...* - Deixaste de ouvir a missa? (Ar., *Cat.*, 110v); ... *Oîoîá te'õ rekóû kunumĩgûasu suí tuîba'e suí bé, napûeî, ndaroîaî amõ abá mopanemi...* - Igualmente a morte está entre os moços e entre os velhos, não longe, mas nem por isso deixa de chegar às outras pessoas. (Ar., *Cat.*, 157v); **2)** fazer carecer, fazer ter falta [de algo: compl. com **esé (r, s)**]: *Nd'e'i te'e tekokatu amõ resé i mopaneme'ymi saûsupa*. - Por isso mesmo, amando-a, não a fez carecer de nenhuma virtude. (Ar., *Cat.*, 133, 1686); **3)** fazer a intervalos (*VLB*, II, 13)

mopanem[2] (v. tr.) - desgraçar, tornar desventurado, fazer fracassar: *Anhẽ ã aîpó tekó îandé mopanem-y-îara*. - Eis que, na verdade, esse ato é o que tem o dom de nos fazer fracassar. (Anch., *Teatro*, 158, 2006)

mopapang (v. tr.) - fazer aos trancos, fazer confusamente (p.ex., o que se lê, o que se conta, por se fazer muito à pressa) (*VLB*, I, 47; 116)

moparĩ (v. tr.) - aleijar (*VLB*, I, 31)

mopa'ũ (v. tr.) - fazer intervalo, fazer a intervalos, interromper, espaçar, intercalar, alternar: ... *o nhemombe'ue'yma mopa'ũ-muku potare'yma...* - ... não querendo espaçar longamente a falta de sua confissão (Ar., *Cat.*, 76v); *Ereîmopa'ũpe... 'areté amõ, Tupãokype eîkee'yma?* - Alternaste alguns dias de guarda, não entrando na igreja? (Anch., *Doutr. Cristã*, II, 85); *Aîmopa'ũ-pa'ũ nhote Tupãokype xe reîké*. - Faço intervalos em minhas entradas na igreja (isto é, entro uma vez sim, outra não). (*VLB*, II, 13) ● **mopa'ũsaba** (ou **mopa'ũama** ou **mopa'ũma**) - tempo, lugar, modo etc. de fazer intervalo, de interromper; interrupção, intercalação (Anch., *Arte*, 3)

mopen (v. tr.) - quebrar: *Aîuru mopen nhe'engixûera*. - Quebro a boca de um tagarela. (Fig., *Arte*, 88); *Osó bé amõ maranaritekoara a'e mokõî mondá retymã mopena...* - Foram de novo alguns soldados para quebrar as pernas daqueles dois ladrões. (Ar., *Cat.*, 64)

mopepu (v. tr.) - pôr embraçaduras em (isto é, pôr alças de corda que se passam pelos ombros para se levarem cargas ou o panacu) (*VLB*, I, 111)

mopepyr (v. tr.) - matar (em cordas) em festas de cauim (*VLB*, II, 33)

mopereb (v. tr.) - fazer feridas em, fazer ferimentos em, ferir: *Seté îakatupe ybŷá i moperé-perebi...?* - Ficaram fazendo ferimentos em seu corpo todo? (Ar., *Cat.*, 60)

moropeteka (etim. - *bate gente*) (s.) - **MORUPETECA**, formiga-correição; o mesmo que **gûaîu-gûaîu** (v.) (*VLB*, I, 142)

mopetymbu (v. tr.) - fazer fumar: *I angaîpabetépe abá... oporomopetymbûabo...?* - Peca muito o homem que fica fazendo as pessoas fumarem? (Ar., *Cat.*, 66)

mopining (v. tr.) - pintar: *Ereîeîuru-mopiningype, abá supé epukamirĩamo?* - Pintaste-te a boca para sorrir para os homens? (Anch., *Doutr. Cristã*, II, 96)

mopirang (v. tr.) - **1)** pintar de vermelho, tingir de vermelho; tornar vermelho (*VLB*, I, 32); **2)** ensanguentar (*VLB*, I, 117)

mopirian (v. tr.) - tornar listrado, listrar (*VLB*, II, 23)

mopiring (v. tr.) - **1)** fazer arrepiar, causar arrepio em (*VLB*, I, 43); **2)** deixar sobressaltado (*VLB*, II, 119); **3)** amedrontar, estremecer (*VLB*, I, 131)

mopiririk (etim. - *fazer faiscar*) (v. tr.) - fazer estalar: *Aîepó-mopiririk*. - Faço-me estalar as mãos. (*VLB*, I, 68)

mopixé (v. tr.) - deitar chamuscos de, queimar (p.ex., pão, farinha etc.) (*VLB*, II, 77)

mopo'ĩ

mopo'ĩ (v. tr.) – afilar, afinar (*VLB*, I, 21)

mopoîaî (v. tr.) – abrir a mão de (*VLB*, I, 116)

mopoîoybyr (etim. – *fazer ficar as fibras lado a lado*) (v. tr.) – dobrar (uma só vez), duplicar (p.ex., fio, pano) (*VLB*, I, 105)

mopok (etim. – *fazer estourar*) (v. tr.) – disparar (tiro) (*VLB*, I, 100)

mopokane'õ (v. tr.) – cansar as mãos de (*VLB*, I, 65)

mopokyrirĩ (v. tr.) – retorcer, enrolar (linha, cordão etc.) (*VLB*, II, 104)

mopokytã (v. tr.) – dar ou fazer nó em (p.ex., em fio ou corda) (*VLB*, II, 50)

mopopyatambab (etim. – *tornar mãos e pés completamente duros*) (v. tr.) – **1)** vencer a braços, vencer à força de braços (*VLB*, I, 141); **2)** cansar, enfraquecer (*VLB*, I, 65)

mopopytun (etim. – *fazer escurecer as fibras*) (v. tr.) – tapar (um pano ou aquilo que se tece) (*VLB*, II, 124)

mopor[1] (ou **mopó**) (v. tr.) – encher, preencher, pejar, ocupar (*VLB*, II, 70; Fig., *Arte*, 113); *Opá ybaka ereîmopó, paranã, yby abé.* – Todo o céu preenches, o mar e a terra também. (Anch., *Poemas*, 128); – *Mamõpe Tupã rekóû?* – *Ybakype, ybype, opakatu ma'e mopori.* – Onde Deus está? – No céu, na terra, todas as coisas ocupa. (Ar., *Cat.*, 26)

mopor[2] (ou **mopó**) (v. tr.) – cumprir, realizar, obedecer a: *Abápe aîpoba'e oîmopor?* – Quem cumpre aquele (mandamento)? (Ar., *Cat.*, 69v); *T'asó aîpó nhe'enga mopó...* – Hei de ir obedecer a essas palavras. (Anch., *Teatro*, 60); *Aîmopor xe nhe'enga.* – Cumpri minha palavra. (*VLB*, I, 78) • **moporaba** – tempo, lugar, modo etc. de cumprir, de obedecer; cumprimento, obediência: *Marãpe asé rekóû Tupã remimotara moporagûama resé...* – Como a gente procede para o cumprimento da vontade de Deus? (Ar., *Cat.*, 74v); **moposara** – o que cumpre, o que obedece: *Marãpe Tupã i moposara rerekóûne?* – Como Deus fará com os que os cumprem? (Ar., *Cat.*, 65v); **emimopora** (t) – o que alguém cumpre, realiza etc.: *Onhembo'e Tupã nhe'enga o emierobîarama resé o emiporama resé bé.* – Aprende acerca da palavra de Deus em que crerá, que cumprirá também. (Ar., *Cat.*, 80v)

moporabyky (v. tr.) – fazer trabalhar: *... O emirekó moporabykŷabo.* – Fazendo sua esposa trabalhar. (Ar., *Cat.*, 68) • **omoporabykyba'e** – o que faz trabalhar: *O a'yra, o embiaûsuba omoporabykyba'e...* – O que a seu filho e a seu escravo faz trabalhar. (Anch., *Diál. da Fé*, 203); **moporabykŷaba** – tempo, lugar, causa, modo etc. de fazer trabalhar: *Karaíba nde moporabykŷápe, ereporabykype 'ara i momba'etepyra pupé...?* – Por te fazer trabalhar um homem branco, trabalhaste num dia que deve ser guardado? (Ar., *Cat.*, 110v)

moporang (v. tr.) – embelezar, adornar: *... O 'anga moporangukar e'ymebé.* – Antes de fazer embelezar sua alma. (Ar., *Cat.*, 187, 1686)

moporaraa'ang (v. tr.) – fazer sofrer, fazer experimentar o sofrimento: *Eîori i moporaraa'anga...* – Vem para fazê-lo experimentar o sofrimento. (Anch., *Poemas*, 174)

moporoamotare'ym (v. tr.) – fazer odiar as pessoas: *Erenhe'eng-aparatãpe abá supé, i moroŷrõmo, i moporoamotare'yma?* – Falaste duramente a alguém, irritando-o, fazendo-o odiar as pessoas? (Anch., *Doutr. Cristã*, II, 103)

moposangu'u (v. tr.) – fazer tomar remédio, poção, mezinha etc. (*VLB*, I, 120)

mopotãî (v. tr.) – **1)** fechar com aldrava, fechar com tranca (*VLB*, I, 30); **2)** atar (Marcgrave, *Hist. Nat. Bras.*, 277)

mopotãîar (v. tr.) – armar trampa de (armadilha) (*VLB*, I, 41)

mopotaîgûé (v. tr.) – armar trampa de (armadilha) (*VLB*, I, 41)

mopu (v. tr.) – fazer soar, fazer ressoar, bater (p.ex., tambor, qualquer instrumento de mão); tocar (p.ex., sino, instrumento musical sem sopro) (*VLB*, I, 53; II, 130) • **mopusara** (ou **mopûara**) – o que toca, o que bate etc. (Anch., *Arte*, 4v); *gûarará mopusara* – o que toca o tambor, o tamborileiro (*VLB*, II, 124); **mopûaba** – tempo, lugar, modo etc. de tocar, de bater (Anch., *Arte*, 4v)

mopu'am (ou **mopu'ã**) (v. tr.) – fazer erguer, fazer subir, levantar, elevar: *... Paranã momungábo, ybytyra apyra sosé katu i mopu'ama...* – ... Enchendo o mar, levantando-o bem acima do cume das montanhas. (Ar., *Cat.*, 41v); *... Ogûetepûera pupé oîkŷabo, i mopu'ama*

kûeîeténe... – Entrando nos seus antigos corpos, fazendo-os levantar imediatamente... (Ar., *Cat.*, 160v); ... *São Lourenço-angaturama osarõ nhẽ pe retama...*, *pe **mopu'ama**.* – O bondoso São Lourenço guarda vossa terra, elevando-vos. (Anch., *Teatro*, 52); ... *Mo'ema kó omopu'ã...* – Mentiras levantam. (Anch., *Teatro*, 148) • **mopu'ambara** – o que levanta, o que faz erguer, levantador: ... *mo'ema mopu'ambara...* – levantadoras de mentiras (Anch., *Teatro*, 156)

mopûerab (v. tr.) – fazer sarar, fazer curar-se • **mopûerasaba** – tempo, lugar, modo etc. de fazer curar-se, de fazer sarar: *Mba'easy-etéba'e 'anga mopûerasaba...* – O modo de fazer curar a alma dos que estão muito doentes. (Bettendorff, *Compêndio*, 98); *Eresaûsu-potar-etépe... a'e nde mopûeráme?* – Queres muito amá-lo por ele te fazer sarar? (Bettendorff, *Compêndio*, 125)

mopukusam (etim. – *fazer as pernas terem cordas*) (v. tr.) – prender, amarrar pelos pés, pôr trava nos pés de (*VLB*, I, 46)

mopungá (v. tr.) – engrossar, encher, inchar: *Oky-ko'ẽ-ko'ẽ amana, paranã mopungábo...* – A chuva ficava amanhecendo a cair, enchendo o mar. (Ar., *Cat.*, 41v)

mopuruk (v. tr.) – fazer estalar: *Aîepó-mopuruk.* – Faço-me estalar as mãos (isto é, dou castanhetas). (*VLB*, I, 68)

moputupab (etim. – *fazer cessar a respiração*) (v. tr.) – espantar, assombrar: ... *Opá îandé moputupabymo...* – A todos nós espantaria. (Ar., *Cat.*, 165v)

mopyatã (etim. – *fazer pé firme*) (v. tr.) – fazer valente, animar (*VLB*, I, 36); encorajar, tornar corajoso, fortalecer: *Xe mopyatã îepé...* – Faze-me tu valente. (Anch., *Poemas*, 144); *A'e pe mopyatã.* – Ele vos fortalece. (Anch., *Teatro*, 50) • **mopyatãsaba** (ou **mopyatãaba**) – tempo, lugar, modo, meio etc. de encorajar etc.; encorajamento: ... *asé mopyatãgûama resé.* – ... para nosso encorajamento. (Ar., *Cat.*, 82v)

mopy'atytyk (v. tr.) – fazer palpitar o coração: *Na xe mopy'atytyki Anhanga xe rapekóbo.* – Não me faz palpitar o coração o diabo, visitando-me. (Valente, *Cantigas*, VI, in Ar., *Cat.*, 1618)

morambûer

mopygûaî (v. tr.) – encovar, fazer pequenas concavidades em, fazer covinhas em (p.ex., no rosto, no chão etc.) (*VLB*, I, 84)

mopyĩ (v. tr.) – desarmar (p.ex., laço, armadilha): *Ereîmopyĩpe nde rapixara mundé...?* – Desarmaste as armadilhas de teu próximo? (Ar., *Cat.*, 102)

mopy'ir (v. tr.) – fazer soltarem-se os pés (p.ex., tirando-se a escada a alguém) (*VLB*, I, 122)

mopyko'ẽ (v. tr.) – encovar, fazer pequenas concavidades em, fazer covinhas em (p.ex., no rosto, no chão etc.) (*VLB*, I, 84)

mopym (v. tr.) – deixar duro, deixar ereto, enrijecer (p.ex., o rabo, a orelha, o pênis, o laço etc.) (*VLB*, I, 153)

mopyring (v. tr.) – estimular, excitar (p.ex., os órgãos sexuais, o corpo, com lascívia) (*VLB*, I, 129)

mopyryrym (v. tr.) – fazer rodopiar, fazer girar (como pião) (*VLB*, I, 35)

mopysakang (etim. – *fazer tropeços*) (v. tr.) – dar tropeçada em (*VLB*, I, 112)

mopysasu (v. tr.) – renovar (o que está velho) (*VLB*, II, 101)

mopytubar (v. tr.) – fatigar, aborrecer, deprimir: *Iî abaibeté nhẽ rakó... asé atá mysakanga..., asé mopytubara...* – São muito molestos, certamente, os tropeços de nossa caminhada, o fatigar-se. (Anch., *Doutr. Cristã*, II, 79)

morabukara (s.) – trabalhador: *morabuká-katu* – bom trabalhador (Anch., *Arte*, 52) [v. **porabykŷara (m)**]

morambûer (ou **morambûé**) (v. tr.) – frustrar, impedir, estorvar (uma coisa ou uma pessoa): *Amorambûé; opá xe nhe'engendubi.* – Frustrei-os; ouviram-me as palavras todas. (Anch., *Teatro*, 12); *Aîmorambûerukar ahẽ rekorambûera.* – Fiz frustrar aquilo que fulano faria. (*VLB*, II, 10); *Aîpó kuapamo, ereîmorambûé Tupã nhe'enga abyrambûeramo...* – Sabendo disso, impedirias a transgressão da palavra de Deus. (Ar., *Cat.*, 112) • **morambûesaba** – tempo, lugar, modo etc. de frustrar, de impedir; impedimento, frustração: *Mba'e-eté anhẽ nhemombe'u... Anhanga ratápe nde sorambûera morambûesabamono.* – Coisa muito boa é a confissão, como modo

moran¹
de impedir, também, tua ida para o inferno. (Ar., *Cat.*, 220)

moran¹ (etim. - *tornar falso*) (v. tr.) - fingir, simular: *Aîmorã-moran.* - Fiquei-o simulando. (*VLB*, I, 139; II, 65)

moran² (v. tr.) - tornar grosseiro, fazer ficar tosco, fazer grosseiramente (*VLB*, I, 20)

morandupapabẽ (etim. - *notícia de todos*) (s.) - coisa notória por fama, coisa pública (*VLB*, II, 51)

morangygûana (s.) - agouro (*VLB*, I, 27): ... *Gûyrá koîpó îagûara nhe'enga supé morangygûana o'îabo.* - Dizendo a um canto de pássaro ou a um urro de onça que são agouros. (Ar., *Cat.*, 66v); (adj.: **morangygûan**) - agourento: *Xe morangygûan.* - Eu sou agourento. (*VLB*, I, 27)

morebobõ (s.) - segredo, ato de falar à orelha (*VLB*, II, 90)

moreîatĩ - o mesmo que **amoreatĩ** (v.)

morekar (ou **moreká**) (xe) (etim. - *buscar gente*) (v. da 2ª classe) - buscar sexo, buscar companhia: *Xe-te, xe rembiá-potá sabeypora amõ resé: kunhã ri i moreká.* - Eu, em vez disso, quero presas em alguns bêbados: com as mulheres eles buscam sexo. (Anch., *Teatro*, 148)

morerekoara¹ (etim. - *o que está com as pessoas*) (s.) - guardião, o que cuida, o que agasalha, o responsável [por algo ou por alguém: compl. com **esé (r, s)** ou **ri**]: *Eresaûsubápe nde sy nde ruba i mba'easy tume, sesé nde morerekoaramo...?* - Tens compaixão de tua mãe e de teu pai quando eles estão deitados, doentes, sendo responsável por eles? (Ar., *Cat.*, 101); (adj.: **morerekoar**) - agasalhador, guardião (*VLB*, I, 23): *Nde morerekoar xe ri...* - Tu és guardião de mim. (Valente, *Cantigas*, I, in Ar., *Cat.*, 1618)

morerekoara² (s.) - grão-sacerdote: ... *Morerekoara Caifás seryba'e...* - O grão-sacerdote de nome Caifás... (Ar., *Cat.*, 56)

moretĩ (s.) - BURITI, COQUEIRO-BURITI, BURITIZEIRO, MURITI, MURITIM, MURUTI, nome de uma palmeira (o mesmo que **meriti'yba** - v.) (Lisboa, *Hist. Anim. e Árv. do Maranhão*, fl. 182v)

moro- [forma absol. ou nasalizada do prefixo **poro-** (v.). Aparece como índice de forma absoluta de substantivos, em geral, e de deverbais.]: *Morombo'esara ixé.* - Eu sou mestre. (Anch., *Arte*, 47); **morotinga** - brancura (Anch., *Arte*, 50); **moroîuba** - amarelidão (Anch., *Arte*, 50); **morosema** - saída de gente (Anch., *Arte*, 50); *Asó morapépe.* - Vou ao caminho das pessoas. (*VLB*, II, 111); ... *Morosumarã, Anhanga...* - O inimigo da gente, o diabo. (Ar., *Cat.*, 89); *Gûaîxará kagûara ixé,... morûara, moroapŷara, ... anhanga morapitîara.* - Eu sou Guaixará bebedor de cauim, comedor de gente, queimador de gente, diabo trucidador de gente. (Anch., *Teatro*, 26); *Maria, Tupã sy, moroîtykara...* - Maria, mãe de Deus, vencedora. (Anch., *Poemas*, 88); **moropysyrõana** - salvador da gente. (Ar., *Cat.*, 15v)

> NOTA - Daí, no P.B., **MORUBIXABA** (*moro* + *ubixaba*, "o chefe das pessoas"), cacique, chefe de povo indígena; **MORUPETECA** (*moro-* + *peteka*, "bate gente"), formigas-correição, que invadem as casas e as fazendas aos milhões, ao migrarem.

moroboîá (s.) - 1) criado ou criada; serviçal (de h.) (*VLB*, I, 86); 2) súdito (*VLB*, II, 122)

moro-esé (posp.) - pela gente, por causa da gente, a respeito da gente, na gente etc. [v. **esé (r, s)**]: ... *To'o suí mirra moroesé se'õagûama mombegûaba.* - A mirra de polpa era o anúncio de sua futura morte pela gente. (Ar., *Cat.*, 3v)

moroîubyka (s.) - enforcamento (das pessoas): *Karaibebé a'e, moroîubyka puaîtara.* - Ele é o anjo que encomenda o enforcamento. (Anch., *Teatro*, 62)

moroîubykaba (etim. - *lugar de enforcar gente*) (s.) - forca (*VLB*, I, 141)

moroîubykatyba (etim. - *instrumento costumeiro de enforcar gente*) (s.) - algoz, enforcador por ofício (*VLB*, I, 31)

morombo'esaba¹ (etim. - *instrumento de ensinar pessoas*) (s.) - ensinamento: ... *Tupã nhe'enga morombo'esaba* - ensinamento da palavra de Deus (Ar., *Cat.*, 66)

morombo'esaba² (etim. - *lugar de ensinar gente*) (s.) - escola (*VLB*, I, 123)

moronambiokaba (etim. - *lugar de arrancar a orelha das pessoas*) (s.) - pelourinho (*VLB*, II, 71)

moronupãsaba (etim. - *instrumento de castigar gente*) (s.) - chicote (*VLB*, I, 49)

moropopûasaba (etim. - *instrumento de amarrar as mãos das pessoas*) (s.) - algemas (*VLB*, I, 31)

moroposanongara (etim. - *o que põe remédio em gente*) (s.) - médico (*VLB*, I, 140)

moropotara - v. poropotara

moropotaraba (etim. - *o desejo de gente*) (s.) - desejo sensual: *moropotaragûera posanga* - remédio de nossos antigos desejos sensuais (Ar., *Cat.*, 92)

moropotare'yma (etim. - *o não desejar gente*) (s.) - pureza; castidade (Bettendorff, *Compêndio*, 20): *Moropotara robaîara moropotare'yma*. - O oposto do desejo sensual é a pureza. (Ar., *Cat.*, 18)

moropûaîxûera (s.) - mandador, o que gosta de mandar (*VLB*, II, 30)

moropûasaba (etim. - *instrumento de amarrar as pessoas*) (s.) - algemas (*VLB*, I, 31)

moropysykara (etim. - *o prendedor de gente*) (s.) - oficial de justiça (que prende pessoas) (*VLB*, I, 54)

mororokaba (etim. - *instrumento de explosão*) (s.) - bombarda (*VLB*, I, 57); tiro de arma de fogo (*VLB*, II, 129); explosivo, bomba; artilharia: - *Esenõî mbá!... - Mokaba, mororokaba, mokaku'i-uru*. - Nomeia tudo. - Armas de fogo, explosivos, recipientes de pólvora. (Léry, *Histoire*, 343-344)

mororokaba'ynha (etim. - *caroço de instrumento de explosão*) (s.) - pelouro, bola de metal de qualquer tiro de fogo (*VLB*, II, 71)

mororokaku'i (etim. - *pó de instrumento de explosão*) (s.) - pólvora (*VLB*, II, 80)

morosogûara (etim. - *o que convida gente*) (s.) - mensageiro (que convida para festas) (*VLB*, II, 35)

moro-suí (posp.) - da gente, das pessoas: *Anga Îandé Îara... oîmoabaíb, morosuí i mondóbo*. - Isso Nosso Senhor impede, repelindo-o das pessoas. (Ar., *Cat.*, 89)

morotinga (s.) - alvura (*VLB*, I, 33); brancura; coisa branca: - *Mba'e-tepe asé osepîak? - Akó morotinga...* - Mas que vê a gente? - Aquela coisa branca. (Anch., *Doutr. Cristã*, I, 216); (adj.: **moroting**) - branco: ... *I morotĩngatu nde 'anga...* - Tua alma está muito branca... (Anch., *Doutr. Cristã*, I, 204)

OBSERVAÇÃO - Na sua *Arte*, (50), Anchieta afirma que não se poderia dizer *xe moroting, i moroting*, mas, sim, *xe ting, ting*, o que seu próprio exemplo acima contradiz.

moroún (adv.) - de cor preta (como dizemos da fruta de que a árvore está carregada): *Moroún oîkóbo*. - Estando de cor preta. (*VLB*, II, 86); *Moroún-mbyry nakó*. - Eis que estava de cor um tanto preta, certamente. (*VLB*, II, 128)

moro-upé (posp.) - para as pessoas, às pessoas, diante das pessoas: *Arobîar... moroupé Tupã nhyrõ*. - Creio que Deus perdoa às pessoas. (Anch., *Doutr. Cristã*, I, 142)

Moroupîarûera (etim. - *o antigo adversário das pessoas*) (s. antrop.) - nome de índio tupi (Anch., *Teatro*, 130, 2006)

moro'y (v. tr.) - esfriar (*VLB*, I, 124)

moro'ysanga (v. tr.) - esfriar (*VLB*, I, 124)

morûara (s.) - comedor de gente: *Gûaîxará kagûara ixé,... morûara...* - Eu sou Guaixará bebedor de cauim, comedor de gente. (Anch., *Teatro*, 26)

morubixaba (ou **mborubixaba**) (etim. - *chefe de gente*) (s.) - **1)** chefe tribal, MORUBIXABA, MURUMUXAUA, MURUXAUA, cacique: ... *Apŷaba, morubixaba, kyre'ymbaba mondóbo xe retama pupé*. - Homens, chefes e pessoas valentes enviando para minha terra. (D'Abbeville, *Histoire*, 341v); *Morubixaba tuîba'e onhe'eng memẽ i xupé...* - Os chefes velhos falam sempre a eles. (Anch., *Teatro*, 34); ... *mosapyr morubixaba* - três chefes (Ar., *Cat.*, 3); **2)** príncipe; rei (Knivet, *The Adm. Adv.*, 1208): *Xe resy Lorẽ-ka'ẽ, xe morubixaba biã*. - Assa-me o Lourenço tostado, embora eu seja um rei. (Anch., *Teatro*, 90); *Morubixaba Anás seryba'e supé*. - Para um príncipe que tinha nome Anás. (Ar., *Cat.*, 55); **3)** juiz: *Morubixaba mondá îaînambi-'okukar...* - O juiz mandou desorelhar o ladrão. (Anch., *Arte*, 36v); **4)** governador; superior (Fig., *Arte*, 9); **5)** senhor: *Morubixaba, nde akanga omanõ?* - Senhor, tua cabeça dói? (D'Abbeville, *Histoire*, 327)

NOTA - No P.B., **MORUBIXABA** pode ser, também, *chefe político, coronel, mandachuva* (in *Dicion. Caldas Aulete*).

moruru

MORUBIXABA (fonte: Thevet)

moruru (etim. – *fazer inchar*) (v. tr.) – amolentar, pondo de molho (p.ex., o couro) (*VLB*, I, 34); empapar

> NOTA – Daí, no P.B. (PE, MG, fam.), a expressão ESTAR DE **MORORÓ**: estar de cama, estar acamado por doença.

morutĩ (s.) – BURITI, nome de uma palmeira (v. **moretĩ**) (Bettendorff [1698], *Crôn. do Maranhão*, in *RIH*, LXXII (1909), 169)

moryb – v. **mboryb**

moryryî (v. tr.) – fazer tremer, alvoroçar ● **omoryryîba'e** – o que faz tremer: ... *Ro'y oporomoryryîeteba'e...* – Um frio que faz as pessoas tremerem muito. (Ar., *Cat.*, 164)

mosabeypor – o mesmo que **mondabeypor** (v.) (*VLB*, I, 111)

mosaî (v. tr.) – 1) espalhar, difundir, dispersar: *Apŷaba abá mombegûara oîmosaî taba rupi...* – Espalham pelas aldeias homens que pregam às pessoas. (Valente, *Cantigas*, IV, in Ar., *Cat.*, 1618); *O koty suí mba'epoxy reîtyk'iré, abá nd'ogûeroîebyri o kotype, i mosãîa...* – Após lançar fora de seu meio os vícios, o homem não os faz voltar consigo para seu meio, dispersando-os. (Ar., *Cat.*, 250); 2) tornar notório: ... *Abá rekopoxy mosãîa...* – Tornando notórios os vícios das pessoas... (Ar., *Cat.*, 241) ● **i mosãîmbyra** – o que é (ou deve ser) espalhado, difundido etc. (Fig., *Arte*, 107); **mosaîndara** – o que espalha, o que difunde etc. (Fig., *Arte*, 119); **mosaîndaba** – tempo, lugar, modo etc. de espalhar, de difundir etc. (Fig., *Arte*, 119)

mosakara (s.) – MOÇACARA, homem importante de uma aldeia; nobre (*VLB*, II, 50); homem liberal, generoso, que dá de suas posses (*VLB*, II, 21): ... *amõ karaíba mosakara...* – certo homem branco nobre (Ar., *Cat.*, 6v); (adj.: **mosakar**) – liberal, que dá de suas posses aos que visitam a aldeia; nobre, valente: *Xe mosakar.* – Eu sou liberal. (*VLB*, II, 21); *morubixá-mosakara* – chefes valentes (Anch., *Teatro*, 36)

mosam (etim. – *fazer ter corda*) (v. tr.) – atar, amarrar com corda, encabrestar (p.ex., um cavalo) (*VLB*, I, 47)

mosapyr[1] (num.) – três: *Iîá mosapyr-y bé pekaî oîepegûasune.* – Ainda bem que vós três, novamente, queimareis juntos. (Anch., *Teatro*, 50); *Mosapyr o boîá...* – Três de seus discípulos. (Ar., *Cat.*, 52v); *Mosapyr abá our.* – Três pessoas vieram. (Anch., *Arte*, 9v) ● **mosapy-sapyr** – de três em três, três cada um (*VLB*, II, 136)

mosapyr[2] (ou **mosapy**) (adv.) – três vezes: *Mosapy ipó xe boîáramo nde rekó ereîkuakub...* – Na verdade, três vezes negarás ser meu discípulo. (Ar., *Cat.*, 57)

mosapyra (num.) – 1) terceiro (Fig., *Arte*, 4): – *Marã e'ipe i mosapyra?* – Que diz o terceiro deles? (Ar., *Cat.*, 76v); 2) terceira vez (*VLB*, II, 127)

mosapysaba (num.) – terceiro: *i mosapysaba* – o terceiro deles (Ar., *Cat.*, 154v)

mosapyt – o mesmo que **mosapyr** (v.) (Fig., *Arte*, 4)

mosasaî (v. tr.) – 1) espalhar, dispersar: *Oré 'anga t'oîosu, sekopoxy mosasãîa.* – Que nossa alma ele visite, dispersando os vícios dela. (Anch., *Teatro*, 118); 2) tornar notório: "*Emonã îé abá rekóû rãé*" *erépe, ... sekomemûãagûerî mosasãîa?* – Disseste: "Assim é que o homem agiu", tornando notórias suas pequeninas maldades? (Anch., *Doutr. Cristã*, II, 100)

mosekyîé – o mesmo que **mosykyîé** (v.) (*VLB*, I, 46)

mosem (ou **mosẽ**) (v. tr.) – 1) fazer sair, expulsar, enxotar, despedir, lançar fora: *Aîmosem anhanga xe îosuí.* – Lanço o diabo fora de mim. (Fig., *Arte*, 81); *Oîmosem Paraíso Terreal sekoaba suí.* – Expulsou-o do Paraíso Terreal, sua morada. (Anch., *Doutr. Cristã*, I, 163); *Te'õ rerobyka é, xe angaîpá-tubixagûera amosẽne...* – Aproximando-me da morte, meus pecados antigos e grandes farei sair. (Anch., *Teatro*, 38); 2) soltar: ... *Peîpótápe Îesus pe rubixaba ixé i mosema peẽme?* –

Quereis que eu solte para vós a Jesus, vosso rei?... (Ar., *Cat.*, 59v) • **i mosemymbyra** – o que é (ou deve ser) expulso, solto etc.: ... *Tupãoka suí* **i mosemymbyra**... – É o que deve ser expulso da igreja. (Ar., *Cat.*, 179); **mosembaba** – tempo, lugar, modo etc. de fazer sair, de expulsar etc.; expulsão: ... *Aîpó pytunusu suí Tupã nde* **mosemagûera** *kuapa, eîmomba'eté Tupã*... – Sabendo que Deus te fez sair daquela escuridão, honra a Deus. (Ar., *Cat.*, 187)

mosẽmosem (v. tr.) – seguir o rastro de (acossando-o) (*VLB*, II, 115) (v. tb. **momosem**)

mosĩ (s.) – MUÇUM, o mesmo que **musũ** (v.) (Sousa, *Trat. Descr.*, 301)

mosinining (v. tr.) – fazer repicar (p.ex., sinos) (*VLB*, II, 101)

mosugûaraîy (v. tr.) – tornar prostituta, fazer ser prostituta: *Ereîmosugûaraîype nde rapixarĩ?* – Fizeste tua companheira uma prostituta? (Anch., *Doutr. Cristã*, II, 100)

mosupara (s.) – visitador, o que visita as pessoas (*VLB*, II, 146): *Mosuparûera ké aîur.* – Visitador que fui das pessoas, aqui venho. (D'Evreux, *Viagem*, 144)

mosusung (v. tr.) – **1)** sacudir (p.ex., a árvore, para que caia o fruto, a roupa, para que lhe caia o pó etc.) (*VLB*, II, 110); **2)** acalentar (p.ex., a criança, para que durma) (*VLB*, I, 44)

mosyk (v. tr.) – fazer aproximar-se, fazer chegar; puxar para si (p.ex., como faz o pescador com a linha) (*VLB*, II, 110)

NOTA – Daí, no P.B., MUCICA (NE), *empuxão que o pescador dá à linha quando sente que o peixe mordeu a isca; empuxão dado à linha do papagaio de papel*; FAZER MUCICA: *puxar o boi pela cauda para o derribar* (in *Dicion. Caldas Aulete*).

mosyky (s.) – medusa, caravela, variedade de celenterado (*VLB*, I, 24)

mosykyakanitara (etim. – *medusa de canitar, de cocar*) (s.) – var. de fitozoário; medusa (*VLB*, I, 67)

mosykyîé (v. tr.) – fazer ter medo, assustar, amedrontar: *Eîori i mosykyîébo.* – Vem para amedrontá-lo. (Anch., *Teatro*, 120) • **mosykyîaba** – tempo, lugar, modo etc. de fazer ter medo, de assustar: ... *Anhanga*

mosykyîaba... – É um modo de assustar o diabo. (Ar., *Cat.*, 352, 1686)

mosykyîe'yma (ou **mosykyîee'yma**) (etim. – *sem afabilidade*) (s.) – severidade (*VLB*, II, 117); crueza, crueldade (*VLB*, I, 86)

mosykypiranga (etim. – *medusa vermelha*) (s.) – var. de fitozoário; medusa (*VLB*, I, 67)

mosym (v. tr.) – fazer liso, alisar (*VLB*, II, 23)

mosyryk (v. tr.) – fazer escorrer, verter: ... *Sugûy mosyryka i xuí.* – Fazendo escorrer o sangue dele. (Ar., *Cat.*, 62)

mosyryrĩ (v. tr.) – fritar • **i mosyryrĩmbyra** – o que é frito, a fritura (*VLB*, I, 144)

mosyta'yba (s.) – MOCITAÍBA, árvore da família das leguminosas, *Swartzia simplex* (Sw.) Spreng., de madeira rija (Marcgrave, *Hist. Nat. Bras.*, 106; *VLB*, II, 64)

motagayb (v. tr.) – confortar: *Our i moapysyka, i motagaypa.* – Vieram para consolá-lo, confortando-o. (Ar., *Cat.*, 53v)

motak (v. tr.) – bater em, tocar (produzindo ruído seco, sem ressonância, p.ex., com pedra ou pau) (*VLB*, I, 53): *Penheangerekó amõ 'ara pupé te'õ pe rokena motaka turagûama resé...* – Pensai que, nalgum dia, a morte virá para bater em vossas portas. (Ar., *Cat.*, 158)

motakaba (s.) – fecho, aldrava: *okena motakaba* – fecho da porta (*VLB*, I, 136)

motar – forma nasalizada de **potar** (v.)

motebir (v. tr.) – tornar sodomita passivo, usar como mulher: *Ereîmotebi-tebipe nde rapixara?* – Ficaste usando como mulher o teu próximo? (Anch., *Doutr. Cristã*, II, 100); *Ereîmotebirype abá koîpó nde motebirype abá?* – Usaste um homem como mulher ou usou-te como mulher um homem? (Ar., *Cat.*, 234, 1686)

mote'e (v. tr.) – **1)** estranhar, não reconhecer: *Teumẽ xe mote'ebo.* – Guarda-te de me estranhares. (*VLB*, I, 130); **2)** repudiar, abandonar: *Aîmote'e xe ruba rekopûera.* – Repudiei a antiga lei de meu pai. *Teumẽ nde rekó mote'ebo.* – Guarda-te de abandonar tua obra. (*VLB*, I, 130); **3)** deitar a perder: *Amote'e umẽpe xe ruba ká...* – Não hei de deitar a perder a meu pai. (Anch., *Diál. da Fé*, 220)

motekokuab

motekokuab (ou **motekokugûab**) (v. tr.) (etim. - *fazer conhecer os fatos*) - ensinar, instruir (nos bons costumes): *Aîmotekokuab.* - Ensino-o. (*VLB*, II, 12) • **motekokuapaba** - tempo, lugar, modo etc. de ensinar, de instruir: *Tupã o motekokuapaba rupi mba'e mombe'u.* - Narrar as coisas segundo o modo em que Deus o instruiu. (Ar., *Cat.*, 19v)

motekokuabe'ym (v. tr.) - deixar ignorante, fazer cair em erro: ... *Te'itenheumẽ mba'e amõ nde motekokuabe'yma...* - Que não aconteça de alguma coisa te deixar ignorante. (Ar., *Cat.*, 157v); *oporomoaîu oîkóbo, oporomotekokuabe'yma...* - Está molestando as pessoas, fazendo-as cair em erro... (Ar., *Cat.*, 83)

moten (v. tr.) - **1)** firmar, fazer firme, fixar (Anch., *Arte*, 57): ... *Xe 'anga moteni.* - Minh'alma faz firme. (Anch., *Poemas*, 108); **2)** trancar, travar (p.ex., porta, língua etc.): *apekũ-moten* - travar a língua (p.ex., a fruta, a gordura fria etc.)

motĩ (v. tr.) - envergonhar: *Eresekyîpe îuraragûaîa abá supé... i motĩamo...?* - Urdiste mentiras contra alguém, envergonhando-o? (Anch., *Doutr. Cristã*, II, 103)

moti'apeba (etim. - *peito achatado*) (s.) - var. de caranguejo (*VLB*, I, 67)

motĩbyk (v. tr.) - desonrar, envergonhar: *Eresekyîpe îuraragûaîa abá supé... i motĩbyka?* - Urdiste mentiras contra alguém, desonrando-o? (Anch., *Doutr. Cristã*, II, 103)

moting[1] (v. tr.) - **1)** branquear, tingir de branco: *Eîori xe 'anga reîa, i motinga...* - Vem para lavar minha alma, branqueando-a. (Anch., *Poemas*, 170); **2)** caiar (*VLB*, I, 62)

moting[2] (v. tr.) - enjoar-se de, ficar enjoado de (inclusive falando-se de comida): *Eîmoting nde rekopûera!* - Enjoa-te de teu velho modo de ser! (Anch., *Doutr. Cristã*, II, 111)

motining (v. tr.) - tornar seco, secar (*VLB*, II, 114)

motiningatã (etim. - *tornar seco e duro*) (v. tr.) - fazer mirrar, fazer ficar mirrado (*VLB*, II, 38)

mototomba'e (v. tr.) - alijar, deitar fora (da embarcação, aliviando a carga) (*VLB*, I, 32)

motuîuk (etim. - *fazer água podre*) (v. tr.) - enlamear: ... *Asé 'anga motuîukukare'yma...* - Para não fazer enlamear a alma da gente. (Ar., *Cat.*, 81v)

motumung (etim. - *fazer estremecer*) (v. tr.) - sacudir (*VLB*, I, 17; II, 110)

motyb (etim. - *fazer haver*) (v. tr.) - fazer caso de, acatar, respeitar, ter em conta; prezar: - *Marãpe Herodes serekó-ukari a'ereme?* - *N'oîmotybi...* - Como Herodes, então, o fez tratar? - Não o respeitou... (Ar., *Cat.*, 59); *Aûîé, kó temiminõ nd' ogûari Tupã rekó, nd'osaûsubi, n'omotybi...* - Enfim, esses temiminós não tomam a lei de Deus, não a amam, não a acatam... (Anch., *Teatro*, 20)

motyk (v. tr.) - puxar, beliscar (p.ex., o peixe ao anzol) (*VLB*, II, 77)

motykyr (etim. - *fazer gotas*) (v. tr.) - destilar (*VLB*, I, 129)

motyryryk (v. tr.) - arrastar (p.ex., vestido, roupa muito comprida) (*VLB*, I, 42)

moúb (v. tr.) - fazer estar deitado, pôr deitado (Anch., *Arte*, 58) • **moupaba** - tempo, lugar, modo etc. de pôr deitado: *Okerĩ o moupápe...* - Dormita no lugar onde o puseram deitado. (Anch., *Poemas*, 164)

moubixab (v. tr.) - fazer chefe, fazer rei: - *Mba'epe oîme'eng i 'ekatûápe?* - *Takûara..., i moubixa-bixaba'upa...* - Que deram em sua mão direita? - Uma cana, ficando a fazê-lo rei de mentira. (Ar., *Cat.*, 60v)

moún (v. tr.) - tingir de preto, pretejar (*VLB*, II, 128); escurecer • **moundara** - o que tinge de preto, o que escurece: *aó-moundara* - o que escurece roupas, o tintureiro (*VLB*, II, 128)

moupixûar (v. tr.) - tornar feiticeiro, fazer ser feiticeiro: *Ereîmoupixûarype paîé, serobîá...?* - Fizeste o pajé ser feiticeiro, acreditando nele? (Anch., *Doutr. Cristã*, II, 78)

mour (ou **moú**) (v. tr.) - o mesmo que **mbour** (v.)

mourué (etim. - *tornar os recipientes diferentes*) (v. tr.) - apartar, separar: ... *Îarekó é rakó mba'e-katu i poxyba'e suí i mouruébo.* - Tenhamos, de fato, as coisas boas, apartando-as do que é mau. (Ar., *Cat.*, 89)

mou'um (v. tr.) - **1)** amassar, fazendo lama (p.ex., a terra, a cal) (*VLB*, I, 34); **2)** enlamear, lambuzar com coisa viscosa (*VLB*, I, 87)

moxereku'yba (s.) – árvore "que se acha no sertão nos campos. É pequena, dá uma fruta do tamanho da laranja e dentro dela tem umas pevides e de tudo junto fazem um azeite para se untarem." (Cardim, *Trat. Terra e Gente do Brasil*, 43)

moxy (adv.) – nas más horas (Fig., *Arte*, 129)

moxyryryk (v. tr.) – fritar • **i moxyryrykypyra** – o que é frito, a fritura (*VLB*, I, 144)

moyaî (v. tr.) – fazer suar (*VLB*, II, 122)

mo'ybatatã (etim. – *tornar pau duríssimo*) (v. tr.) – tornar rígido, tornar duro; dificultar: ... *Nhemondîara mo'ybatatãmo...* – Dificultando a primeira menstruação. (Ar., *Cat.*, 66v)

moybyr (ou **moyby**) (etim. – *tornar fresco*) (v. tr.) – remoçar, renovar: *Îandé o'u îabi'õ îandé moybymo...* – Far-nos-ia remoçar cada vez que nós o comêssemos... (Ar., *Cat.*, 40)

moybysok (etim. – *fazer socar a terra*) (v. tr.) – fincar no chão (*VLB*, I, 139)

moyku (etim. – *tornar líquido*) (v. tr.) – derreter (cera, metal etc.) (*VLB*, I, 95)

moynysem (v. tr.) – encher (até o limite da capacidade, até não caber mais, à diferença de **mopor** ou **porakar** – v.), impregnar [de algo: compl. com **esé (r, s)** ou **ri**]: *Tupã nde raûsubeté, graça ri nde moynysema.* – Deus ama-te muito, enchendo-te de graça. (Anch., *Poemas*, 144); ... *T'ogûenosem mba'e-aíba xe 'anga suí o poroaûsuba resé i moynysema...* – Que retire as coisas más de minha alma, enchendo-a com seu amor. (Ar., *Cat.*, 31v)

mo'ypiting (etim. – *tornar a água pintada*) (v. tr.) – turvar a água de: *Aîmo'ypiting.* – Turvei sua água. (*VLB*, II, 138)

moypŷak (v. tr.) – fazer coalhar (*VLB*, I, 75)

moŷrõ (v. tr.) – **1)** irar, irritar, agastar: *Xe moaîu-marangatu, xe moŷrõetekatûabo, aîpó tekó-pysasu.* – Importuna-me bem, irritando-me muitíssimo, aquela lei nova. (Anch., *Teatro*, 4); ... *Pemoŷrõ Pa'i Îesu...* – Irritastes o senhor Jesus. (Anch., *Teatro*, 42); **2)** indispor (contra algo ou contra alguém: compl. com **supé**): *Aîmoyrõ-yrõ (abá) supé.* – Fiquei-o indispondo contra o homem. (*VLB*, I, 48, adapt.); **3)** escandalizar (*VLB*, I, 122)

moysy (v. tr.) – pôr em fila, enfileirar (*VLB*, II, 101)

moysyrung (v. tr.) – pôr em fila, enfileirar: *Aîmoysyrung.* – Enfileirei-os. (*VLB*, II, 101)

moytarõ (v. tr.) – saciar, satisfazer, fartar (Anch., *Arte*, 39): *Îé, aîpó xe moytarõ...* – Sim, esses me satisfazem. (Anch., *Teatro*, 60) • **i moytarõmbyra** – o que é (ou deve ser) saciado, satisfeito: *A'eba'e i moytarõmbyramo sekóûne.* – Aqueles serão saciados. (Ar., *Cat.*, 19)

Mo'ytinga (etim. – *contas brancas*) (s. antrop.) – nome de índio tupi (D'Abbeville, *Histoire*, 184)

mo'ytykyr (etim. – *fazer gotas d'água*) (v. tr.) – destilar (*VLB*, I, 129)

mo'y'u – o mesmo que **mbo'y'u** (v.)

mo'y'useî (etim. – *fazer querer beber água*) (v. tr.) – fazer ter sede: *Kûarasy... oporomo'y'useîeté.* – O sol faz as pessoas terem muita sede. (Ar., *Cat.*, 164)

mũ (s.) – **1)** parente consanguíneo (*VLB*, II, 65), parentela: *A'epe o mũeté resé oîkopoxyba'e?* – E o que, torpemente, tem relações sexuais com sua parenta verdadeira? (Ar., *Cat.*, 71v); *Nd'e'ikatuîpe abá o mũeté resé... omendá?* – Não pode alguém casar-se com seu parente verdadeiro? (Ar., *Cat.*, 94v); **2)** nação (p.ex., dos tupinambás) (*VLB*, II, 46); (adj.) **(xe)** – ter parentes: *Xe mũetá.* – Eu tenho muitos parentes. (*VLB*, I, 37)

> NOTA – Daí, talvez, se origine o nome do bairro paulistano da **MOOCA** (v. Rel. Top. e Antrop. no final).

mûã – o mesmo que **mã** (v.)

mûa'i (s.) – nome de uma fruta da qual se fazia vinho (D'Evreux, *Viagem*, 82)

mu'amara (etim. – *o que se opõe*) (s.) – oponente: *I aûîé mu'amarûera...* – Renderam-se os oponentes. (Anch., *Teatro*, 52) (v. tb. **pu'am²**)

mûãnha'ã (etim. – *manilha de dedo*) (s.) – anel (*VLB*, I, 36)

mûani (s.) – nome de um peixe (Lisboa, *Hist. Anim. e Árv. do Maranhão*, fl. 175v)

mûeîraba – v. **pûeraba** (m)

muîepereru (s.) – MUIEPERERU, pássaro da família dos trogloditídeos (Sousa, *Trat. Descr.*, 237)

mukuîé (s.) – MUCUJÊ, planta da família das apocináceas (*Couma rigida* Mull. Arg.), cuja

muku'îîy característica mais notável é fornecer um látex adocicado e potável, usado como leite. "Quando se hão de escolher, sempre se corta toda a árvore por serem muito altas e se não fora esta destruição houvera mais abundância." (Cardim, *Trat. Terra e Gente do Brasil*, 39)

NOTA – Daí, **MACUJÉ** (nome de localidade da BA) (v. Rel. Top. e Antrop. no final).

muku'îîy (s.) – **MUCUIM**, variedade de inseto vermelho do mato, acarídeo da família dos trombidídeos, que entra no corpo humano e causa grande comichão (*VLB*, I, 55)

mukukagûá (s.) – **MACUCAGUÁ**, nome de uma ave (v. **makukagûá**) (Marcgrave, *Hist. Nat. Bras.*, 213)

mukunã (s.) – **MUCUNÁ, MUCUNÃ, MUCUNA**, nome comum a plantas da família das leguminosas, subfamília papilionoídea: *Mucuna pruriens* (L.) DC., *Dioclea glabra* Benth., *Dioclea virgata* (Rich.) Amshoff, *Dioclea malacocarpa* Ducke, *Dioclea sclerocarpa* Ducke (Marcgrave, *Hist. Nat. Bras.*, 18; *Theat. Rer. Nat. Bras.*, II, 193)

MUCUNÁ (fonte: Marcgrave)

mukunagûasu (etim. – *mucuná grande*) (s.) – **MUCUNÁ-AÇU**, variedade de **mucuná** (v.), com fava de grande beleza e tamanho, de virtudes nocivas (Piso, *De Med. Bras.*, III, 175; Brandão, *Diálogos*, 196)

mukury (s.) – **MUCURI**, planta do gênero *Platonia*, da família das clusiáceas, também conhecida como **BACURI, BACURIZEIRO**. "... Dá umas frutas amarelas..., de maravilhoso sabor..." (Sousa, *Trat. Descr.*, 197)

NOTA – Daí, **MOCORIPE** (nome de rio do CE), **MUCURUNA** (nome de riacho do MA) etc. (v. Rel. Top. e Antrop. no final).

mukusama (s.) – pio (como do gavião) (*VLB*, II, 78)

mukuyry (s.) – armadilha para onças (*VLB*, I, 41)

mumbuka (s.) – **MUMBUCA, MOMBUCA, MOMBUCÃO**, nome de uma abelha da família dos meliponídeos (Piso, *De Med. Bras.*, IV, 178)

mun (-îo- ou -nho-) (v. tr.) – cuspir: *Anhomun.* – Cuspi-o. (*VLB*, I, 83)

mundé[1] (s.) – **MUNDÉU, MONDÉ**, armadilha que tomba com peso ou estalando: *Xe t'oropysykatu, xe mundépe nde mbo'a.* – Eu hei de bem apanhar-te, fazendo-te cair no meu mundéu. (Anch., *Teatro*, 172); ... *Mundépe i porerasóû...* – Para as armadilhas eles levam gente. (Anch., *Teatro*, 36) • **mundé-aratuká** – **ARATACA**, var. de armadilha para prender animais maiores; **mundé-piká** – mundéu de passarinhos; **mundepeba** – lájea de pedra de fazer armadilhas para apanhar aves; **mundegûasu** – var. de mundéu para animais maiores, como cobras; **mundé-gûaîa** – var. de mundéu para tatus, cutias etc. (Marcgrave, *Hist. Nat. Bras.*, 272); **ûaîamũ-mundé** – armadilha de guaiamum (D'Abbeville, *Histoire*, 182v)

mundé[2] (s.) – prisão: ... *Mundépe i moingopyra supa pesó îepi...* – Fostes sempre para visitar os que estão postos nas prisões. (Ar., *Cat.*, 162v)

mundekûara (etim. – *buraco de mundéu*) (s.) – prisão (*VLB*, II, 137)

mundeoka (etim. – *casa de prisão*) (s.) – prisão, cadeia, presídio (*VLB*, I, 62): *Abá-mondá ... mundeokype i mondebypyrûera.* – Um ladrão que fora posto na prisão. (Ar., *Cat.*, 59v)

mundepora (etim. – *morador de prisão*) (s.) – prisioneiro: ... *Mundepora amõ îepé peîmosemukar ixébe îepi...* – Um prisioneiro fazeis-me sempre libertar. (Ar., *Cat.*, 59v)

mundubi (s.) – **MANDUBI, MINDUBI, MENDUÍ**; v. **mandubi** (Marcgrave, *Hist. Nat. Bras.*, 36)

mundubigûasu (etim. – *mundubi grande*) – o mesmo que **munduigûasu** (v.) (Marcgrave, *Hist. Nat. Bras.*, 96)

munduí – o mesmo que **mundubi** (v.) (*Libri Princ.*, vol. II, 25)

munduigûasu (ou **mundubigûasu**) (etim. – *mundubi grande*) (s.) – **MUNDUÍ-GUAÇU** (*Ja-*

tropha curcas L.), planta euforbiácea, também denominada **MANDUBIGUAÇÚ**, **MANDUBI**, *pinhão-do-paraguai* (Piso, *De Med. Bras.*, IV, 190)

muremuré (s.) – **MURMURÉ, MURUMURÉ**, instrumento musical feito de ossos, usado pelos índios (Marcgrave, *Hist. Nat. Bras.*, 278)

muresi – **MURICI**, nome comum a várias árvores e arbustos (v. **murisi**) (*Theat. Rer. Nat. Bras.*, II, 220)

NOTA – Daí, **MURICITUBA** (nome de localidade do CE) (v. Rel. Top. e Antrop. no final).

muresigûasu (etim. – *murici grande*) (s.) – var. de **MURICI**, nome comum a várias árvores e arbustos (v. **murisi**) (Piso, *De Med. Bras.* IV, 188)

muresipetinga (s.) – variedade de **MURICI**, nome comum a várias árvores e arbustos (v. **murisi**) (Piso, *De Med. Bras.*, IV, 187)

murîapytanga (s. etnôn.) – nome de nação indígena que habitava do sertão de São Vicente até Pernambuco (Cardim, *Trat. Terra e Gente do Brasil*, 122)

murisi (s.) – **MURICI, MURUCI**, 1) nome comum a várias árvores e arbustos do cerrado brasileiro, da família das malpiguiáceas, do gênero *Byrsonima*, de fruto comestível e propriedades medicinais. Há também muricis de praia, como o *Byrsonima verbascifolia* (L.) DC., de flor amarela e fruto pequeno e ácido; **2)** o fruto de tais plantas (D'Abbeville, *Histoire*, 224; Marcgrave, *Hist. Nat. Bras.*, 118; Piso, *De Med. Bras.*, IV, 188)

muru[1] (s.) – maldito, tinhoso: *Eîori, muru mombapa...* – Vem para destruir o maldito. (Anch., *Poemas*, 132); *Eîori muru moingóba îandé nhe'enga rupi.* – Vem para colocar os malditos conforme nossas palavras. (Anch., *Teatro*, 16); *... I abaeté muru supé São Sebastião ru'uba...* – Foram terríveis contra os malditos as flechas de São Sebastião. (Anch., *Teatro*, 52); (adj.): *itá-pu'ã-muru* – pedra erguida maldita (Marcgrave, *Hist. Nat. Bras.*, 266)

muru[2] (interj.) – expressa louvor (*VLB*, I, 147)

muru'abora – o mesmo que **muru'apora** (v.) (Anch., *Arte*, 31v)

muruangaba[1] (adv.) – com louvor, de modo louvável; elegantemente: "*Peîké Tupãokype*" *e'i muruangaba.* – "Entrai na igreja" disse ele de modo louvável. (*VLB*, II, 24); *A'é muruangaba.* – Disse elegantemente. (*VLB*, I, 147)

murukuîagûasu

muruangaba[2] (interj.) – muito bem! que bom!: *Osó muruangaba!* – Que bom que foi! (Fig., *Arte*, 136)

muruanha (etim. – *biru dentado*) (s.) – **MERUANHA, BERUANHA, BIRONHA, MURUANHA, BERONHA**, variedade de mosca, menor que a mutuca e azulada, da família dos muscídeos. Suga o sangue de animais, provocando feridas. (Sousa, *Trat. Descr.*, 241)

muru'apora (ou **muru'abora**) (etim. – *carregada de feto*) (s.) – grávida, gestante: *A'epe muru'apora membyrasy kakara na nheangûaba bé ruã?* – E a aproximação do parto de uma grávida não é também motivo de se ter medo? (Ar., *Cat.*, 91); – *Abá bépe n'oîabyî oîekuakube'yma? – Muru'apora...* – Quem também não o transgride, não jejuando? – As grávidas. (Ar., *Cat.*, 77v)

murukuîá (s.) – **MARACUJÁ**, **1)** nome comum a várias plantas da família das passifloráceas, gênero *Passiflora*; **2)** o fruto de tais plantas (D'Abbeville, *Histoire*, 183; Marcgrave, *Hist. Nat. Bras.*, 71; Piso, *De Med. Bras.*, IV, 197-198)

murukuîaeté (etim. – *maracujá verdadeiro*) (s.) – variedade de **MARACUJÁ**, planta da família das passifloráceas, do gênero *Passiflora* (Piso, *De Med. Bras.*, 197-198)

murukuîagûasu (ou **murukuîaûasu**) (etim. – *maracujá grande*) (s.) – **MARACUJÁ-AÇU**, **1)** nome que designa uma variedade de maracujá, planta trepadeira da família das passifloráceas (*Passiflora quadrangularis* L), com frutos enormes, bem como, de modo geral, todas as espécies de plantas do gênero *Passiflora* (Marcgrave, *Hist. Nat. Bras.*, 70; Piso, *De Med. Bras.*, IV, 197-198); **2)** laranja: – *Ma'epe ereîpotar? –... Îetyka, komandaûasu, komandá-mirĩ, murukuîaûasu, ma'e tiruã.* – Que queres? – Batata-doce, favas grandes, feijões, laranjas, quaisquer coisas. (Léry, *Histoire*, 347)

MARACUJÁ-AÇU (fonte: Marcgrave)

murukuîamirĩ

murukuîamirĩ (etim. - *maracujá pequeno*) (s.) - **MARACUJÁ-MIRIM**, a espécie mais comum de maracujá (*Passiflora edulis* Sims), planta trepadeira da família das passifloráceas. Considerava-se ter propriedades abortivas e medicinais. (Piso, *De Med. Bras.*, IV, 198)

murukuîamixyra (etim. - *maracujá cozido*) (s.) - variedade de **MARACUJÁ** (Brandão, *Diálogos*, 212)

murukuîapiruna (etim. - *maracujá de pele escura*) (s.) - variedade de **MARACUJÁ**, planta da família das passifloráceas, do gênero *Passiflora* (Piso, *De Med. Bras.*, 197-198)

murukuîatymãkuîa (s.) - var. de **MARACUJÁ** (Vasconcelos, *Crônica (Not.)* II, §78, 151)

murukuîaúna (etim. - *maracujá escuro*) (s.) - variedade de **MARACUJÁ** (Vasconcelos, *Crônica (Not.)* II, §78, 151)

murukuîayperoba[1] (etim. - *maracujá da casca amarga*) (s.) - variedade de **MARACUJÁ**, **MARACUJÁ-PEROBA** (Brandão, *Diálogos*, 212)

Murukuîayperoba[2] (etim. - *maracujá da casca amarga*) (s. antrop.) - nome de índio tupi (D'Abbeville, *Histoire*, 182v)

mururé (s.) - **MURURÉ**, nome de duas plantas da família das moráceas, do gênero *Brosimum*, também conhecidas como **MURERU** (D'Abbeville, *Histoire*, 224v)

museta'yba (ou **musuîta'yba**) (s.) - **MUCITAÍBA**, árvore da família das leguminosas (*Zollernia ilicifolia* (Brongn.) Vogel), de madeira incorruptível e que cheira bem. Era chamada em Pernambuco de *pau-santo*. (Sousa, *Trat. Descr.*, 221)

musiku - o mesmo que **musiky** (v.) (Piso, *De Med. Bras.*, III, 173)

musiky (ou **musiku**) (s.) - água-viva, medusa, alforreca, "excreção transparente do mar, lindamente vermelha e mui lisa, semelhante a umas bolhas de variada figura, ora oval, ora quase triangular... Os que andam pelas praias descalços,... pisando essa bolha venenosa, sentem ardor acentuado e doloroso nas plantas dos pés" (Piso, *De Med. Bras.*, III, 51; Sousa, *Trat. Descr.*, 294)

musu (ou **musũ**) (s.) - **MUÇU**, **MUÇUM**, nome genérico de peixes da família dos simbrânquios, de água salgada ou doce, de hábitos noturnos. Tem corpo que lembra uma serpente, sem nadadeiras, sem escamas ou bexiga natatória. (D'Abbeville, *Histoire*, 247v; Marcgrave, *Hist. Nat. Bras.*, 161; VLB, II, 12)

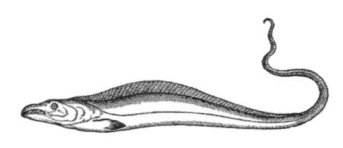

MUÇUM (fonte: Marcgrave)

musuîta'yba (s.) - **MUCITAÍBA**; v. **museta'yba** (Marcgrave, *Hist. Nat. Bras.*, 106)

musurana (etim. - *falso muçum*) (s.) - **MUÇURANA**, **MAÇARANA**, corda tecida com que se amarrava pela cintura o prisioneiro num sacrifício ritual (Staden, *Viagem*, 90; Sousa, *Trat. Descr.*, 312; 324): *Tataûrana, eru ké nde musurana!* - Tataurana, traze aqui tua muçurana! (Anch., *Teatro*, 64); *Kó xe musuranusu.* - Eis aqui minha grande muçurana. (Anch., *Teatro*, 64)

NOTA - **MUÇURANA**, no P.B., também designa uma cobra ofiófaga.

MUÇURANA (corda usada em sacrifício ritual) (fonte: De Bry)

mutũ (ou **mytũ**) (s.) - **MUTUM**, nome genérico de aves galiformes da família dos cracídeos (D'Abbeville, *Histoire*, 236): - *Esenõĩ gûyrá ixébe.* - *Îaku, mutũ, makukagûá...* - Nomeia as aves para mim. - Jacu, mutum, macucaguá. (Léry, *Histoire*, 348)

MUTUM (fonte: Marcgrave)

mutugûaba (etim. - *tempo de descanso*) (s.) - festa religiosa, feriado religioso, dia santo (*VLB*, I, 138)

mutu'itu'i (s.) - BATUITUÍ (v. **matu'ĩtu'ĩ**) (Marcgrave, *Hist. Nat. Bras.*, 217)

mutuka (s.) - MUTUCA, BUTUCA, nome genérico de certos insetos da família dos tabanídeos. As fêmeas picam a pele e o couro dos animais e sugam seu sangue. (D'Abbeville, *Histoire*, 255)

NOTA - **MUTUCA** (ou **BUTUCA**) também designa, no P.B., a *espora*, instrumento de espicaçar o cavalo para que corra. Daí, a expressão FICAR de **BUTUCA**, isto é, ficar preparado para sair correndo na hora certa. Dali também provêm as palavras **MUTUCAL**, **MUTUCADA**, **BUTUCADA** etc.

mutukuna (s.) - nome de um inseto (*Libri Princ.*, vol. I, 172)

mutukusu (etim. - *mutuca grande*) (s.) - MUTUCUÇU, mosca de gado, inseto da família dos tabanídeos (*VLB*, II, 43)

mutumutuka (etim. - *muitas mutucas*) (s.) - 1) broca de furar, furador de alfaiate (*VLB*, I, 60; 145); furador com que os índios furavam as contas (*VLB*, I, 145); 2) punção (*VLB*, II, 89)

mutupapaba (etim. - *esgotamento do fôlego*) (s.) - coisa maravilhosa (*VLB*, II, 32) [v. **putupaba (m)**]

muturaké (s.) - nome de um peixe (Marcgrave, *Hist. Nat. Bras.*, 169)

mutũtĩpiranga (etim. - *mutum da crista vermelha*) (s.) - var. de **MUTUM**, ave galiforme da família dos cracídeos, de bico grosso e comprido, possuidor de um topete e de plumagem branca e vermelha (D'Abbeville, *Histoire*, 236)

mu'yba (s.) - variedade de planta, talvez uma melastomácea (*Clidemia blepharodes* DC.) (Marcgrave, *Hist. Nat. Bras.*, 117)

mygûeba (s.) - mulher desvirginada; a que não é mais virgem (*VLB*, I, 83)

myĩ (v. intr.) - mexer-se, mover-se (*VLB*, II, 43); bulir-se: *N'amyĩ.* - Não me mexo. (*VLB*, II, 93); *toryba suí omyĩa...* - Mexendo-se de alegria (Ar., *Cat.*, 5v)

NOTA - Daí, no P.B., MUIUNA (*myĩ* + *un* + -*a*" "movimento escuro"), *redemoinho formado na época das enchentes, no Amazonas e em seus afluentes ocidentais, sobre a curvatura das margens* (in *Dicion. Caldas Aulete*).

myîu'i (s.) - andorinha, nome genérico de pássaros da família dos hirundinídeos, de vasta distribuição no mundo (*VLB*, I, 28)

myîu'itinga (etim. - *andorinha branca*) (s.) - var. de andorinha (*VLB*, I, 36)

mynhu (s.) - nome de uma ave, do tamanho de um grande falcão (*Libri Princ.*, vol. II, 44)

mysakanga (s.) - tropeço, topada; tropeçada (*VLB*, II, 131): *Iî abaîbeté ... asé atá mysakanga...* - São muito molestos os tropeços de nossa caminhada. (Anch., *Doutr. Cristã*, II, 79)

mytá (s.) - MUTÁ, MUTÃ, MUITÁ, andaimo no mato para esperar caça (*VLB*, I, 35)

mytaîurá (etim. - *jirau de andaimo*) (s.) - andaimo no mato para esperar caça (*VLB*, I, 35)

mytakory (s.) - baluarte, guarita (*VLB*, I, 51); cubelo, torreão que, nas fortificações antigas, acompanhava o lanço dos muros (*VLB*, I, 86)

mytamytá (etim. - *andaimos e andaimos*) (s.) - escada: **mytamytá**-*ypy* - topo de escada (*VLB*, II, 132)

NOTA - Daí, no P.B., pelo nheengatu, **MUTÁ**, **MUITÁ**, **MUTÃ**, *escada tosca empregada pelos seringueiros para trepar às árvores* (in *Dicion. Caldas Aulete*).

mytapuku (etim. - *andaimo comprido*) (s.) - baluarte ou guarita (*VLB*, I, 51; 86); cubelo, torreão que, nas fortificações antigas, acompanhava o lanço dos muros (*VLB*, I, 86)

mytũ (s.) - MUTUM; o mesmo que **mutũ** (v.)

mytũporanga (etim. - *mutum bonito*) (s.) - MUTUMPORANGA, ave galiforme da família dos cracídeos (Marcgrave, *Hist. Nat. Bras.*, 195)

N

nã (adv.) – **1)** assim, deste modo, desta maneira (Fig., *Arte*, 5): *Nã e'i memẽ îepi...* – Assim dizem sempre. (Anch., *Poemas*, 194); *Nã e'iba'e...* – Os que assim dizem... (Ar., *Cat.*, 16v; (Pode levar o verbo para o gerúndio.): *Kori, nã, îandé rekó îandé moarûapa angá.* – Hoje, assim, de modo nenhum nos impedem nossa estada. (Anch., *Teatro*, 148, 2006); **2)** é o seguinte; são os seguintes: – *Setápe pirá seba'e? – Nã: kurimã, parati, akaraûasu...* – São muitos os peixes que são gostosos? – São os seguintes: curimã, parati, acaraguaçu... (Léry, *Histoire*, 348-349); **3)** tantos; tantas vezes, tanto (mostrando-se o número com os dedos) (*VLB*, II, 124; Anch., *Arte*, 10v) • **nã--te** (ou **nã-tene**) – desta maneira (e não dessa) (*VLB*, I, 101); não assim, senão assim (*VLB*, II, 47); **nã nhõ** (ou **nã nhote**) – assim somente; basta (Fig., *Arte*, 135; *VLB*, II, 50); **nã nhõ ranhẽ!** – basta! (Fig., *Arte*, 135)

na (ou **nda**) (part. de negação. É acompanhada pelo suf. -i ou pela part. **ruã**, dependendo do termo negado) – **1)** não: *N'i nhyrõî.* – Não perdoa. (Ar., *Cat.*, 89v); *Na xe rorybi.* – Eu não estou feliz. (Anch., *Arte*, 34v); *Na emonani xûémo xe sóremo.* – Não seria assim se eu fosse. (Fig., *Arte*, 143); ... *Na xe reroŷrõî îepé.* – Tu não me detestas. (Anch., *Poemas*, 96); *N'asó-potari mamõ...* – Não quero ir para longe. (Anch., *Poemas*, 100); *Na nde ruã-te...?* – Mas não foste tu? (Anch., *Teatro*, 176); *Na mboby ruã.* – Não são poucos. (Anch., *Teatro*, 168); *Na tenhẽ ruã...* – Não foi à toa... (Ar., *Cat.*, 100); *Na marã xe rekóreme ruã.* – Não porque eu fizesse algum mal. (*VLB*, II, 46); *Na Tupã ruã-tepe a'e?* – Mas ele não era Deus? (Ar., *Cat.*, 43); *N'i potare'ỹme ruã* – Não porque não queira. (Anch., *Arte*, 34v); *Na ixé ruã.* – Eu não. (*VLB*, I, 30); **2)** para que não, para não, senão: *Taté, taté, kunumĩ, na nde nupãî karaíba...* – Cuidado, cuidado, menino, para que não te castigue o homem branco. (Anch., *Poemas*, 194); *Xe renõî umẽ îepé i xupé na xe îukáî.* – Não me chames tu pelo nome diante dele senão me mata. (Anch., *Teatro*, 32, 2006); *Penhemongatu mamõ xe suí n'opoapyî.* – Sossegai longe de mim senão vos queimo. (Anch., *Poesias*, 56) • **na... ruã ymã, na... ruã-eté-ymã** (ou **na... ruã mã** ou **na... ruã--eté... mã**) – tomara fosse, oxalá fosse: *Na xe ruba ruã ymã; Na xe ruba ruã iké ymã* – Tomara fosse meu pai aqui. *Na xe ruba ruã iké turi mã.* – Oxalá fosse meu pai que para cá viesse. *Na xe ruã-eté ikó mã.* – Oxalá não fosse eu. (*VLB*, II, 47); **na... îanondé ruã** – não que, não antes que: ... *Na abá o aûsubar-y îanondé ruã, na abá o pysyrõ îanondé ruãne...* – Não que alguém se compadecerá deles, não que alguém vá libertá-los. (Ar., *Cat.*, 163v); **na... e'ymi** – não deixar de: *N'aîukae'ymi.* – Não o deixo de matar. (Fig., *Arte*, 34); *N'aîmonhange'ymi.* – Não o deixo de fazer. (Fig., *Arte*, 34); *N'aîpotare'ymi.* – Não o deixo de querer. (Anch., *Arte*, 34v); *N'aîpotare'ymi xûéne.* – Não deixarei de o querer. (Anch., *Arte*, 34v)

naani¹ (adv.) – não, de modo algum, absolutamente não (Bettendorff, *Compêndio*, 42): – *Mba'epe asé oîmoeté abaré itaîukamusi rupireme? Akó itaîukamusi anhõtepe? – Naani...* – Que a gente honra quando o padre ergue o cálice? Aquele cálice somente? – De modo algum. (Ar., *Cat.*, 153-154)

naani² (pron.) – nenhum: – *Umãba'e bépe amõ sosé sekóû?... – Naani.* – Qual também está acima dos outros? – Nenhum. (Bettendorff, *Compêndio*, 43)

nãbo¹ (adv.) – deste tamanho (*VLB*, I, 101)

nãbo?² (interr.) – quanto? (em quantidade) (*VLB*, II, 91)

nãbondûara (adv.) – deste tamanho (*VLB*, I, 101)

naeroîaî (ou **naroîaî** ou **naîeroîaî**) (conj.) – nem por isso, mas nem por isso: *Asenõî nakó naeroîaî turi.* – Chamei-o, de fato, mas nem por isso veio. (*VLB*, II, 47); *Naroîaî mamõ xe sóû...* – Nem por isso vou para longe. (Anch., *Teatro*, 186)

naeté (adv.) – grandemente, grandissimamente (*VLB*, I, 150; Fig., *Arte*, 136)

naetenhẽ (adv.) – grandemente, grandissimamente (*VLB*, I, 150; Fig., *Arte*, 136): *Naetenhẽ ã tekotebẽ xe 'anga apypyki.* – Grandemente a aflição oprime minh'alma. (Ar., *Cat.*, 52v)

naĩ (s. voc. de m.) – mana! minha irmã! (Anch., *Arte*, 14v)

nãîabé (adv.) – desta forma, assim: *Oporombo'ebo nãîabé sekóû.* – Para ensinar as pessoas, assim procedeu. (Ar., *Cat.*, 121)

nãîbe'ĩ (adv.) – algum tanto, um pouquinho (*VLB*, II, 123)

nãîbe'ĩnhote

nãîbe'ĩnhote (part.) – conforme o pouco de, à medida do que havia de (*VLB*, I, 79) • **nãîbe'ĩnhot'a'ub** – diminuto como isto (*VLB*, II, 124)

naîeroîaî – o mesmo que **naeroîaî** (v.) (*VLB*, II, 49)

naînanĩ (adv.) – de modo algum: *Nainanĩ temiminõ... o erumûana mombó.* – De modo algum os teminimós tiram seus nomes antigos. (Anch., *Teatro*, 142)

nakamẽ (adv.) (o mesmo que **nakó amẽ**) – geralmente, costumeiramente, de costume (*VLB*, II, 120): *I nhe'engetá tenhẽ nakamẽ abá ogûe'õ kakareme...* – Tem o homem, geralmente, muitas palavras em vão quando se aproxima de sua morte. (Ar., *Cat.*, 156)

nakó (part.) – eis que certamente; como se vê, como se viu; certamente, de fato, na verdade: *Emonã nakó xe rekopotari.* – Assim, de fato, eu determinei. (*VLB*, II, 13); *Ixé aé ã a'é umûã nakó peẽme...* – Eu mesmo, como se viu, já vos disse isso. (Ar., *Cat.*, 54v)

nam – forma nasalizada de **ram** (v.).

nama'eruã (ou **ndamba'eruã**) (pron.) – nada: *Nama'eruã oîmonhang asé 'angamo...* – Do nada fez nossa alma. (Ar., *Cat.*, 25)

nambi[1] (s.) – orelha, NAMBI (Castilho, *Nomes*, 35): *... i nambi mondoka.* – ... arrancando sua orelha. (Ar., *Cat.*, 54v); *Anambi-kutuk.* – Furo orelhas. (Anch., *Arte*, 50); *nambi-asyka* – orelha cortada; coisa mocha ou sem orelhas (*VLB*, II, 39); *Xe nambi-asyk.* – Eu tenho as orelhas cortadas. (*VLB*, II, 58); *nambi-xoré* – orelhas caídas (*VLB*, II, 58); *nambigûasu* (ou *mba'e-nambigûasu*) – orelhudo (*VLB*, II, 59); *nambie'yma* – o sem-orelhas, coisa mocha (*VLB*, II, 39)

NOTA – No P.B., **NAMBI** pode também ser um adjetivo: 1) *de orelha cortada ou atrofiada*; 2) *que tem as orelhas caídas* (fal. de cavalo): *cavalo* **NAMBI** (in *Novo Dicion. Aurélio*). Daí, **JAGUANAMBI** (nome de localidade do CE) (v. Rel. Top. e Antrop. no final).

nambi[2] (s.) – 1) asa (de vaso, xícara etc.) (*VLB*, I, 44); 2) bago: *ygapẽ-nambi* – bago de tacape (*VLB*, I, 50)

nambipaîa (etim. – *carga de orelha*) (s.) – objetos que se penduravam nas orelhas, do comprimento aproximado de um palmo, roliços e da grossura de um dedo polegar; orelheira (Staden, *Viagem*, 149)

OBSERVAÇÃO – Segundo o *VLB*, (I, 42), essas orelheiras compridas seriam **nambipora** (v.) e a **nambipaîa** seria de outro tipo, um brinco menor. Mas admite que elas se confundem.

nambipora (etim. – *o que está na orelha*) (s.) – orelheira de ossos de búzios muito compridos ou de pedra que chegam aos ombros ou passam deles (*VLB*, I, 42)

nambipupîara (etim. – *o que está na orelha*) (s.) – orelheira, arrecada (*VLB*, II, 58)

nambu[1] – o mesmo que **îambu** (v.) (D'Abbeville, *Histoire*, 237; Brandão, *Diálogos*, 227)

nambu[2] (s.) – NAMBU, JAMBU, *coentro-do-pará* (v. **nhamby**)

namẽ (adv.) – de costume, de hábito, geralmente: *Tupã aé namẽ asé oîmoeté.* – O próprio Deus a gente honra, de costume. (*VLB*, I, 84)

-namo – forma nasal. de **-ramo** (v.)

nãmo[1] (adv.) – deste tamanho (mostrando-se com as mãos) (*VLB*, II, 123) • **nãmo-nhôte** – não maior que isto; **nãmo-nhôta'ub** – pequeno como isto (*VLB*, II, 124)

nãmo?[2] (interr.) – de que tamanho? (*VLB*, II, 91); quanto? (em quantidade) (*VLB*, II, 91)

nãmosûara (adv.) – deste tamanho (*VLB*, I, 101)

naná (s.) – 1) ANANÁS, ANANASEIRO, ANANÁ, planta da família das bromeliáceas (*Ananas comosus* (L.) Merr.), cultivada ou selvagem. Também é conhecida como ANANÁ, ANANAS, NANÁS, NANASEIRO, *abacaxi-branco, abeiras*. (Thevet, *Les Sing. de la France Antartct.*, 89); 2) o fruto do ananaseiro (Marcgrave, *Hist. Nat. Bras.*, 33; Piso, *De Med. Bras.*, IV, 191) • **naná-'y** – NANAÚ, NANAUÍ, licor de ananás, bebida fermentada que os índios faziam com tal fruta (Marcgrave, *Hist. Nat. Bras.*, 274; *VLB*, II, 146); **naná-kakaba** – ananás amadurecido pela força do calor e que não é bom para ser comido (Marcgrave, *Hist. Nat. Bras.*, 33)

NOTA – Daí, **ANANATUBA** (PA); **NANAÚ** (localidade da PB) (v. Rel. Top. e Antrop. no final).

nanaka'apora (etim. – *ananás habitante do mato*) (s.) – planta bromeliácea (*Theat. Rer. Nat. Bras.*, II, 78)

nanãmo? (interr.) - de que tamanho? quão grande? (*VLB*, II, 91)

nandé (adv.) - assim desta maneira (e não dessa outra) (*VLB*, I, 45); mas antes assim (Fig., Arte, 137): *Nandé rakó asé îeupiri ybakypene, o posyîusu reîtyk'iré*. - Assim, desta maneira, na verdade, a gente subirá para o céu, após lançar fora seu grande peso. (Ar., *Cat.*, 169v)

nandete (ou **nandetene**) (adv.) - assim desta maneira (e não dessa outra) (*VLB*, I, 45)

nãneme¹ - o mesmo que **nãnyme** (v.) (Fig., Arte, 128)

nãneme² (adv.) - sendo assim, se é assim, porque é assim: *Nãneme amẽ Anhanga îeîukaibetéû moroesé...* - Sendo assim, de costume, o diabo fica muito insistente pela gente. (Ar., *Cat.*, 141v)

nãneté (adv.) - grandemente, grandissimamente (*VLB*, I, 150)

nanhote (adv.) - no mais só, ou somente (*VLB*, II, 50)

nanĩ (adv.) - assim, deste modo, desta maneira (*VLB*, I, 45)

nãnyme (ou **nãneme**) (adv.) - a estas horas: *Sekoabanhẽ nãnyme xe gûatae'ym*. - De costume, eu não ando a estas horas. (*VLB*, I, 84)

narinari (ou **narinari-pinima**) (s.) - NARINARI, raia-pintada (*Aetobatus narinari* Euph.), peixe da família dos miliobatídeos, dos mares da região equatorial, também chamado *arraia-pintada, papagaio*. (D'Abbeville, *Histoire*, 245; Marcgrave, *Hist. Nat. Bras.*, 175)

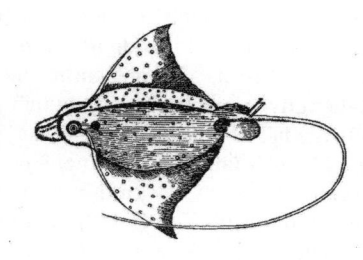

NARINARI (fonte: Marcgrave)

nariréî (etim. - *não depois*) (adv.) - o mais cedo possível, em um momento, imediatamente (*VLB*, I, 36)

nasaûbi (adv.) - não sem causa (Fig., *Arte*, 137)

nda - v. **na**

ndaeroîaî (ou **ndaroîaî**) (conj.) - nem por isso: ... *O îase'o rerogûeîypa, ogûasẽ-gûasema rerasóbo. Ndaeroîaî xûé i pabine*. - Descendo com seus choros, indo com seus gritos. Nem por isso eles acabarão. (Ar., *Cat.*, 162v); *Ndaeroîaî i ma'enduari*. - Nem por isso se lembra. (Fig., *Arte*, 94); *Ndaroîaî mamõ xe sóû*. - Nem por isso eu vou para longe. (Anch., *Teatro*, 50)

ndaeté (adv.) - grandemente: *Ndaeté nde momorangi*. - Embelezou-te grandemente. (Anch., *Poemas*, 144); ... *Kó tabyîara... ndaeté i poraûsubari*. - A senhora desta aldeia compadece-se grandemente das pessoas. (Anch., *Teatro*, 180)

-ndar(a) - forma nasalizada de **-sar(a)** (v.)

nde (ou **ne**) - 1) (pron. pess. da 2ª p. do sing.) - **a)** (pron. sujeito) - tu: *Abápe nde?* - Quem és tu? (Anch., *Teatro*, 26); *Nde rasẽ!* - Grita tu! (Anch., *Teatro*, 42); **b)** (pron. objeto) - te, ti: *Ereîpotápe nde 'u?* - Queres que ele te coma? (Anch., *Teatro*, 32); *Nde îuká xe îara*. - Meu senhor te mata. (Anch., *Arte*, 12v); *E'i tenhẽ nde rerobîá...* - Em vão creem em ti. (Anch., *Teatro*, 40); **2)** (poss. de 2ª p. do sing.) - teu (s, a, as): *nde retãme* - na tua terra (Anch., *Poemas*, 92); *nde rera* - teu nome (Anch., *Teatro*, 44); *nde nhe'enga* - tuas palavras (Anch., *Teatro*, 44) (v. tb. **endé**)

ndebe (pron. pess. dat. de 2ª p. do sing.) - a ti, para ti, te: *Anhemombe'u... ndebe, pa'i abaré...* - Confesso a ti, senhor padre. (Ar., *Cat.*, 20v)

ndebo (pron. pess. dat. de 2ª p. do sing.) - a ti, para ti, te (Fig., *Arte*, 6) (o mesmo que **ndebe** - v.)

ndene (interj.) - vê tu! faze como te parece! (*VLB*, II, 142)

ndi (posp.) - com, junto com (se o sujeito for de 1ª ou 2ª p., o verbo deverá sempre ir para o plural): *Orosó Pedro ndi*. - Vou com Pedro. (Anch., *Arte*, 44); ... *arupare'aka îurupara ndi seru*. - ... trazendo farpas junto com o arco. (Anch., *Teatro*, 132); *T'oroîopytybõne xe remirekó ndi...* - Com minha esposa ajudar-nos-emos um ao outro. (Anch., *Doutr. Cristã*, I, 227); *"Akûeîa temõ our xe posé mã!" erépe moropotara ndi?* - Disseste, com desejo sensual: "Ah, quem me dera aquele viesse para

ndibé

o meu lado!"? (Anch., *Doutr. Cristã*, II, 96); *T'oroîtyk oré poxy, paîé rerobîare'yma, moraseîa, mbyryryma karaimonhanga* **ndi**. – Que lancemos fora nossa maldade, não acreditando nos pajés, em danças, rodopios com feitiços. (Anch., *Teatro*, 118)

ndibé (posp.) – com: ... *I* **ndibé** *nde moetébo*. – Com ele honrando-te. (Anch., *Poemas*, 84); *Peîkó-eté Grácia rainha* **ndibé**... – Vivei verdadeiramente com a rainha Graça. (Anch., *Poemas*, 158); ... *Oka'uguasu pabẽ, apŷaba kunhã* **ndibé**... – Bebem muito todos, os homens com as mulheres. (Anch., *Teatro*, 134)

-ndûar (suf. que nominaliza complementos circunstanciais) – **1)** o que é, o que está: *Oîerokype asé... santos ybakype***ndûara**... *supé bé?* – A gente se inclina para os santos que estão no céu também? (Ar., *Cat.*, 22); *Oré remi'u 'ara îabi'õ***ndûara** *eîme'eng kori orébe*. – Nossa comida, a que é de cada dia, dá hoje para nós. (Anch., *Doutr. Cristã*, I, 139); *Opakatupe Tupã asé py'ape***ndûara** *tiruã repîaki?* – Tudo, mesmo o que está no coração da gente, Deus vê? (Anch., *Doutr. Cristã*, I, 158); ... *O îoese***ndûara** *pabẽ*... – Todos os que estão consigo... (Bettendorff, *Compêndio*, 103); *mba'e ybybo***ndûara** – coisa que está no chão (Fig., *Arte*, 139); *Ike***ndûara** *n'ikó*. – O que é daqui é este. (*VLB*, II, 74); **2)** o referente a, o que diz respeito a, o que toca a: *Ereîmombe'u ymã mene'yma resé nde rekoangaîpagûera; ko'yr t'ereîmombe'u mendara rese***ndûar***ûera*. – Já confessaste teus pecados com as solteiras; que confesses agora os que dizem respeito às casadas. (Ar., *Cat.*, 109); *xe sorome***ndûara** – no que diz respeito à minha ida (Anch., *Arte*, 10v); **3)** natural, o que é ou está naturalmente, habitante (animal ou planta): *nhũbo***ndûara** (ou *nhũme***ndûara**) – natural dos campos, o que está (naturalmente) pelos campos (*VLB*, II, 41) (v. tb. **-sûar**)

ndûer – forma nasal. de **sûer**² (v.)

ndururuk (v. intr.) – azafamar-se, agitar-se: *Oro***ndururuk**. – Agitamo-nos. (*VLB*, I, 138)

ne¹ – o mesmo que **nde** (v.)

ne² (part. afirm. de realce): *Aîkobé* **n**'*ixé sarõana*... – Permaneço eu o seu guardião. (Anch., *Teatro*, 40); *Ixé aé ã, a'é umã* **n**'*akó peẽmo*. – Eis que sou eu mesmo, já vos disse isso. (Ar., *Cat.*, 75, 1686); *Aanumẽ***ne***! Asabeypó*... – Não! Estou bêbado... (Anch., *Teatro*, 46); *Esa'angy***ne** *serasóbo*. – Prova que o levas! (*VLB*, II, 88); *Aîu***ne** *ixé pe remi'urama!* – Venho eu, a vossa futura comida! (Staden, *Viagem*, 67)

-ne³ (part. enclítica) – **1)** expressa o futuro: *Xe reîtyk kori***ne** *mã!* – Ah, vencer-me-ão hoje! (Anch., *Teatro*, 26); ... *Arobebé***ne**... – Fá-los-ei voar comigo. (Anch., *Teatro*, 40); *Aîuká***ne**. – Matá-lo-ei. (Fig., *Arte*, 7); *Our-y bépe irã Jesus Cristo ybaka suí***ne***?* – Virá novamente Jesus Cristo do céu? (Anch., *Doutr. Cristã*, I, 172); **2)** expressa deliberação, com o sentido de haver de: *Osapirõ-***n**'*asé og uba o sy kanhemagûera*... – Há de prantear a gente o desaparecimento de seu pai e de sua mãe. (Anch., *Doutr. Cristã*, II, 112) (Com o permissivo, geralmente só se usa com a 1ª p.): *T'asó***ne**. – Hei de ir. *T'orosó***ne**. – Havemos de ir. (Anch., *Arte*, 23); *T'aîmopó***ne** *nde nhe'enga*... – Hei de cumprir tuas palavras. (Anch., *Poemas*, 130); *T'asepîá***ne** *nde robá*... – Hei de ver tua face. (Anch., *Poemas*, 98)

neĩ (ou **eneĩ**) (part.) – **1)** eia! vamos! pois! pois sim! sus! (*VLB*, I, 33) (Leva o verbo para o gerúndio.): *Ne***ĩ** *taûîé xe reîŷa*...! – Eia, afasta-me depressa! (Anch., *Poemas*, 98); *Ne***ĩ** *sekyîa ko'yté!* – Eia, puxa-o enfim! (*VLB*, II, 58); ... *Ne***ĩ** *t'asó nde irũmo*...! – Eia, hei de ir contigo...! (Anch., *Teatro*, 64); *Ne***ĩ** *t'osó!* – Sus, que ele vá! (Anch., *Arte*, 56v); *Ne***ĩ** *mba'e monhanga!* – Vamos, faze algo! (Fig., *Arte*, 163); **2)** tudo bem; de acordo; muito bem; está certo (consentindo) (Fig., *Arte*, 136): *Ne***ĩ** *a'é*. – Digo que está muito bem (aceitando como opinião própria ou concedendo algo). (*VLB*, I, 19); – *Esenõĩ mbá!* – *Koromõ!* – *Ne***ĩ**! – Nomeia tudo! – Logo mais! – Tudo bem! (Léry, *Histoire*, 343) • **neĩ n'endé aé** – faze como te parece (*VLB*, II, 17); **neĩ anhẽ** (ou **neĩ anhẽhengûy**) – forma negativa de **neĩ** (*VLB*, II, 58); **neĩ bé!** – outra vez! torna a fazer! (Fig., *Arte*, 135); **neĩ îandé** (ou **neĩ nehẽ** ou **neĩ-ne îandé ranhẽ** ou **neĩ ranhẽ**) – saudação do que se despede (*VLB*, II, 113); **neĩ neĩ!** – eia! (incitando com ênfase) (*VLB*, I, 29); **neĩ rõ!** (ou **neĩ-ne rõ!**) – eia, pois; pois assim; pois assim o queres (*VLB*, I, 108)

nema (s.) – fedor, mau cheiro: *Xe moaîu-te i* **nema** *mã!* – Ah, mas como me importuna o fedor dele! (Anch., *Teatro*, 8); *îuru***nema** – fedor de boca (*VLB*, I, 136); (adj.: **nem**) - fedorento, malcheiroso, fétido: *Eîori, mba'enem!* - Vem, coisa fedorenta! (Anch., *Teatro*, 44); *Akó tubixanẽmbûera?* - Aqueles velhos reis fedorentos? (Anch., *Teatro*, 64); *Xe nem.* - Eu sou fedorento. (*VLB*, I, 136)

> NOTA - Daí, o nome geográfico **INEMA** (BA) (v. Rel. Top. e Antrop. no final).

-neme - forma nasalizada de **-reme** (v.)

nen (-îo- ou -nho-) (v. tr.) - moderar (p.ex., os costumes): *Anhonen.* - Moderei-os. (*VLB*, II, 39)

niã (part.) - **1)** com efeito, eis que (às vezes não se traduz): *Xe abá niã ixé.* - Eis que eu sou homem. (*VLB*, I, 91); *Sepîakypyra... niã aîpoba'e re'ombûera o marane'yma rerekó...* - É visto, com efeito, que ela conserva a incorruptibilidade dos cadáveres daqueles. (Ar., *Cat.*, 179v); *... Peîar kó niã xe rugûy pe repyramo...* - Tomai este meu sangue como vosso resgate. (Ar., *Cat.*, 84v); *A'e niã, Tupã sy irũnamo, Tupã Jesus mongakuasaramo sekóû.* - Eis que ele, com a mãe de Deus, foi o que criou a Jesus, Deus. (Ar., *Cat.*, 123, 1686); **2)** (expressa confirmação do que se diz): *Asó niã.* - Vou (como disse). (Fig., *Arte*, 144)

niky (s.) - NIQUIM, nome comum a vários peixes de mar da família dos batracoidídeos (Marcgrave, *Hist. Nat. Bras.*, 178)

nipó [contração das partículas **ne** e **ipó** (v.)] - **1)** porventura, talvez, por acaso: *Oîepé-ĩombé, nipó, i angaîpab amõme é.* - Um ou outro, porventura, foi mau, às vezes. (Anch., *Teatro*, 36); *Yby anhẽ nipó asé ro'o?* - Porventura é terra, na verdade, a nossa carne? (Anch., *Doutr. Cristã*, I, 161); *Osó nipó?* - Vai, por acaso? (*VLB*, II, 82); **2)** com certeza, realmente: *Memẽ-te nipó, pe 'anga amotá...* - Mas sempre, com certeza, a vossas almas querem bem. (Anch., *Teatro*, 54); *Satãngatu-te nipó...* - Eles são, realmente, muito fortes. (Anch., *Teatro*, 144, 2006)

nipukuî (adv.) - não longamente, pouco tempo, por pouco tempo (*VLB*, II, 83)

-no (part.) - **1)** também: *Ereîapixabype amõno?* - Feriste alguém também? (Anch., *Doutr. Cristã*, II, 87); **2)** de novo, novamente, outra vez (*VLB*, II, 60): *... Eîorino i mombûeîrapa!* - Vem novamente para curá-los! (Anch., *Teatro*, 120)

nõbo (adv.) - deste tamanho (*VLB*, I, 101) (o mesmo que **nõmo** - v.)

nõmo[1] (adv.) - **1)** deste tamanho (mostrando com as mãos) (*VLB*, II, 123); **2)** até esta medida, até este ponto, até aqui: *Nõmo nhõ ma'e t'asenõî ndebe.* - Somente até aqui hei de nomear coisas para ti. (Léry, *Histoire*, 360)

nõmo?[2] (interr.) - de que tamanho? (*VLB*, II, 91)

nomun (v. intr.) - cuspir (*VLB*, I, 83)

nong[1] (-îo- ou -nho-) (v. tr.) - **1)** pôr, colocar: *Enhonong nde itaingapema nde ku'aî.* - Põe tua espada na tua cintura. (Fig., *Arte*, 125); *Nde morerekoar xe ri, nde pó gûyrype xe nonga.* - Sê tu guardião de mim, sob tuas mãos colocando-me. (Valente, *Cantigas*, in Ar., *Cat.*, 1618); *Aó-tinga onong asé resé.* - Roupa branca põe na gente. (Ar., *Cat.*, 81v); **2)** fazer ser, fazer estar: *... Aîonong ka'umondá...* - Faço-os ser ladrões de cauim. (Anch., *Teatro*, 134); **3)** deter: *T'orosóne, Anhangusu; oré reîtyk, oré nonga.* - Vamos, Anhanguçu; derrotou-nos, detendo-nos. (Anch., *Teatro*, 172) • **nongaba** - lugar, tempo, modo, causa etc. de pôr, de colocar; ato de pôr, de colocar: *... I pysyrõû tekoangaîpabypy Adão îandé nongaba suí.* - Livrou-a do pecado primeiro em que Adão nos pôs. (Ar., *Cat.*, 9); **nongara** - o que põe, o que coloca etc.: *Mba'easybora o mara'ara kakareme t'osenõîukar abaré, îandykaraíba nongara...* - Ao se aproximar o doente de sua agonia, que mande chamar o padre, o que põe o óleo bento. (Ar., *Cat.*, 137v); **i nongymbyra** - o que é (ou deve ser) posto, colocado etc.: *... Kaûî i pupé i nongymbyra...* - O vinho que é colocado dentro dele. (Bettendorff, *Compêndio*, 85)

nongatu (etim. - *colocar bem*) (v. tr.) - **1)** amansar; pacificar, aplacar, deixar sossegado; aquietar (*VLB*, II, 94); **2)** bem colocar; guardar; **3)** reconciliar: *Anhonongatu o îoupé.* - Reconciliei-os um com o outro. (*VLB*, I, 34); **4)** remediar (*VLB*, II, 100); **5)** reformar (p.ex., os costumes, os atos): *Asekó-nongatu.* - Reformei seus atos. (*VLB*, II, 99) • **onongatuba'e** - o que amansa, o que aquieta, o que deixa sossegado, o que guarda etc.: *A'epe bé kunumĩ, kunhataĩ, kunhãmuku Tupã resé ogûeté onongatuba'epûera rekóû.* - Ali também estão os meninos, as meninas, as moças que guardaram seus corpos em Deus. (Ar., *Cat.*, 168v); **nongatusara** (ou **nongatûara**) - o que amansa, o que aquieta, o que guarda; o que pacifica, o que reconcilia, o medianeiro (*VLB*, II, 127):

no'ong

*A'epe bé ogûekokatu pupé o 'anga **nongatusarûera... oína.*** – Ali também estando os que guardaram sua alma em sua virtude. (Ar., *Cat.*, 168v); **nongatûaba** – tempo, lugar, modo etc. de amansar, de reconciliar, de remediar, de bem colocar etc.: *Ybaka aé Tupã îandé resé i nhemosako'îaba, îandé mba'ekaturama **nongatûaba** re'a...* – O próprio céu é o que Deus prepara para nós, lugar em que bem coloca nossa felicidade futura. (Ar., *Cat.*, 167)

no'ong (v. intr.) – **1)** ajuntar-se; aumentar (p.ex., a riqueza, os bens): *Ono'ong mba'e ixébo.* – Aumentaram as riquezas para mim. (*VLB*, I, 117); **2)** subir, crescer (p.ex., a água na fonte, no poço) (*VLB*, I, 85)

nunduk (v. intr.) – latejar (p.ex., a ferida ou a cabeça, quando doem) (*VLB*, II, 19)

nungara (s.) – igualha, (algo) semelhante a, (algo) desse jeito, sósia, cópia: *... Kó 'ara **nungara** pupé...* – Num dia semelhante a este. (Ar., *Cat.*, 5v); *... Ygarusu **nungara**...* – Algo semelhante a um navio. (Ar., *Cat.*, 41v); *Emonã **nungara** amõ t'îasó kori seru.* – Vamos hoje para trazer alguns assim desse jeito. (Anch., *Teatro*, 160, 2006); *O manõ riremẽ serã emonã **nungara** sóû ybakypene?* – Logo depois que morrerem irão para o céu os que foram assim desse jeito? (Anch., *Doutr. Cristã*, I, 208)

nupã (v. tr.) – **1)** castigar: *Ké turi îandé **nupã**mo!* – Aqui vêm para nos castigar! (Anch., *Teatro*, 26); *N'oînupãî xûé-tepe abá o a'yra o embiaûsubane?* – Mas não castigará o homem seu filho e seu escravo? (Ar., *Cat.*, 69v); **2)** açoitar, espancar, dar pancadas em, dar em: *Ata'y-**nupã** xe atûasaba.* – Açoito o filho de meu compadre. (Fig., *Arte*, 88); *Sugûy mombukapa, îaînupã-nupã.* – Derramando o seu sangue, ficaram a açoitá-lo. (Anch., *Poemas*, 120) ● **nupãsara** – o que castiga etc.: *Setápe i **nupã-nupãsara**?* – Eram muitos os que estavam a castigá-lo? (Ar., *Cat.*, 60); **nupãsaba** (ou **nupãma**): lugar, tempo, companhia, resultado etc. de castigar, de açoitar: *Oîaratã serã i aoba i **nupãsagûera** i moperé-perebagûera resé?* – Pegou-se fortemente sua roupa com que ele foi castigado por o ficarem ferindo? (Ar., *Cat.*, 62); **i nupãmbyra** (ou **i nupãpyra**) – o que é (ou deve ser) castigado, açoitado etc. (Anch., *Arte*, 3; 52v)

nyng (adv.) – a latejar, em pulsação (p.ex., a ferida ou a cabeça, quando doem): *Nyng a'é; Nyn-nyng a'é.* – Estou a latejar. (*VLB*, II, 19, adapt.)

NH ou I

nha- (pref. núm.-pess.) - o mesmo que **îa-** (v.)

nhã (s.) - entalhe, encaixe, encarna: *u'uba nhã* - entalhe da flecha (*VLB*, I, 113)

nha'ã (s.) - **1)** manilha, bracelete (*VLB*, II, 31); **2)** bracelete de uma só peça e que só toma o colo do braço (*VLB*, I, 58)

nha'ãsoãîa (s.) - bracelete comprido que toma meio braço, tendo muitas peças (*VLB*, I, 58)

nha'ẽ (s.) - prato, bacia, alguidar [v. (e)**nha'ẽ** (r, s)]

NOTA - Daí, o nome geográfico ITANHAÉM (SP) (v. Rel. Top. e Antrop. no final).

nha'ẽpepó (etim. - *prato de asa*) (s.) - panela (*VLB*, II, 63; Vasconcelos, *Crônica (Not.)* I, §140, 106)

nha'ẽpesẽ¹ (s.) - alguidar, bacia: *nha'ẽpesẽ-uba* - cinzas do alguidar, da bacia, feitas pelas chamas (*VLB*, II, 79)

nha'ẽpesẽ² (s.) - forno de fazer farinha (*VLB*, I, 142)

nha'ẽpygûaîa (etim. - *prato côncavo*) (s.) - tigela de comer, prato fundo (*VLB*, II, 128)

nha'ẽpyko'ẽ (etim. - *prato côncavo*) (s.) - tigela de comer, prato fundo (*VLB*, II, 128)

nha'ẽpykytykaba (etim. - *instrumento de esfregar o interior do prato*) (s.) - esfregão, escova ou bucha de esfregar pratos (*VLB*, I, 124)

nha'ẽpyúna (etim. - *bacia de fundo escuro*) (s.) - forno de fazer farinha (*VLB*, I, 142)

nha'erupaba (etim. - *lugar de estarem os pratos*) (s.) - armário de louça (*VLB*, I, 32)

nhãîa (s.) - **1)** fonte (donde se bebe), lugar de beber água (*VLB*, I, 24); **2)** água de fonte; qualquer água de que bebem as pessoas (*VLB*, I, 141) ● **nhãîmbiara** - caminho de fontes, caminho que conduz a uma fonte d'água: *Aîké nhãîmbiara pupé...* - Entrei nos caminhos de fontes. (Anch., *Teatro*, 46); *Eregûatápe nhãîmbiara rupi kunhã resé?* - Andaste pelos caminhos de fontes com mulheres? (Ar., *Cat.*, 234)

nhakumã (s.) - JACUMÃ (v. **îakumã**)

nhakuundá (s.) - JACUNDÁ, nome comum a certos peixes da família dos ciclídeos, dos mais lindos das nossas águas doces (Marcgrave, *Hist. Nat. Bras.*, 171)

nhamandakaru (s.) - MANDACARU, planta xerófila (v. **îamakaru**) (*VLB*, I, 67)

nhambé - v. **ambé¹**

nhambiara - o mesmo que **nhãîmbiara** (v. **nhãîa**)

nhambu - o mesmo que **îambu** (v.)

nhambugûasu¹ (etim. - *nhambu grande*) (s.) - NHAMBUGUAÇU, INAMBUGUAÇU, ave da família dos tinamídeos, de matas virgens, que aparecia em todo o Brasil, sendo também chamada INHAMBUGUAÇU, NAMBUGUAÇU, INAMUGUAÇU (Marcgrave, *Hist. Nat. Bras.*, 77)

nhambugûasu² (etim. - *nhambu grande*) (s.) - mamoneira, carrapateira ou rícino, nome comum a várias plantas euforbiáceas, dentre as quais a espécie *Ricinus communis* L. (Piso, *De Med. Bras.*, IV, 192-193)

nhamby (ou **îamby**) (s.) - NHAMBI, planta da família das umbelíferas, *Eryngium foetidum* L. É também chamada *coentro-do-pará, coentrão, coentro-de-caboclo* ou *coentro-do-maranhão*. "... Parece na folha com coentro, e queima como mastruços, a qual os comem índios e os mestiços crua, e temperam as panelas dos seus manjares com ela, de quem é mui estimada." (Sousa, *Trat. Descr.*, 200). Era "remédio para os doentes de fígado e pedra". (Cardim, *Trat. Terra e Gente do Brasil*, 47)

NHAMBI (fonte: Marcgrave)

nhamombykob (v. intr.) - entre os potiguaras era fazer feitiço com massa chamada **îekyegûasu** (v.), para pessoas a quem se queria mal, para que morressem (Marcgrave, *Hist. Nat. Bras.*, 279)

nhan (v. intr.) - correr: *Nd'e'i te'e moxy onhana...* - Por isso mesmo as malditas correm. (Anch., *Teatro*, 128); *Nde apûan, enhan,*

nhandé[1]

eîu!... – Apressa-te, corre, vem!... (Anch., *Teatro*, 58); *Kaburé, îori enhana...!* – Caburé, vem correndo! (Anch., *Teatro*, 64)

> NOTA – Daí, o nome geográfico **AVANHANDAVA** (município de SP) (v. Rel. Top. e Antrop. no final).

nhandé[1] – o mesmo que **îandé** (v.) (Anch., *Arte*, 4)

nhandé[2] (v. intr.) – correr a valer, correr mesmo (Fig., *Arte*, 140; Anch., *Arte*, 54)

nhandi'a (s.) – NHANDIÁ, JUNDIÁ, nome comum a certos peixes marinhos e de água doce (v. **îundi'a**) (Marcgrave, *Hist. Nat. Bras.*, 149)

> NOTA – Daí provém o nome do município paulista de **JUNDIAÍ** (SP) (v. Rel. Top. e Antrop. no final).

nhandu[1] – o mesmo que **nhandy** (v.) (Marcgrave, *Hist. Nat. Bras.*, 75)

nhandu[2] (s.) – NHANDU, ema (v. **îandu**[2]) (*VLB*, I, 110)

> NOTA – Daí, **NHANDUÍ** (nome de rio do MT) (v. Rel. Top. e Antrop. no final).

nhanduabiîu (etim. – *aranha peluda*) (s.) – NHANDUABIJU, escorpião-vinagre, aracnídeo da ordem dos pedipálpidos. "São todos cheios de pelo e muito peçonhentos, cujas mordeduras são mui perigosas." (Sousa, *Trat. Descr.*, 268)

nhanduapu'a (etim. – *nhandu redondo*) – o mesmo que **îabyruĝuasu** (v.) (Marcgrave, *Hist. Nat. Bras.*, 200)

> OBSERVAÇÃO – Tal palavra só aparecia na variante dialetal dos tupinambás.

nhanduĝuasu[1] (etim. – *aranha grande*) (s.) – NHANDUAÇU, aranha caranguejeira, nome comum a certos insetos terafosídeos, de hábitos solitários, carnívoros. Seu pelo causa irritação na pele humana. Alimentam-se de pequenos animais. (Marcgrave, *Hist. Nat. Bras.*, 248)

NHANDUAÇU (fonte: Marcgrave)

nhanduĝuasu[2] (etim. – *nhandu grande*) (s.) – NHANDUGUAÇU, NANDU, ema, ave reiforme, da família dos reídeos (*Rhea americana* L.), dos campos e cerrados do Brasil. Vive em bandos, alimentando-se de frutos e de pequenos animais. Os ovos botados pela fêmea são chocados pelo macho. (Marcgrave, *Hist. Nat. Bras.*, 190)

nhandu'i (ou **nhandu'ĩ**) (etim. – *aranha pequena*) (s.) – NHANDUÍ, nome genérico para as aranhas (Marcgrave, *Hist. Nat. Bras.*, 248; *VLB*, I, 40) • **nhandu'i-kesaba** – teia de aranha (*VLB*, II, 125)

nhandy[1] (s.) – azeite; óleo: *pirá-nhandy* – óleo de peixe (*VLB*, I, 49); ... *Asé sybápe abareĝuasu nhandy-karaíba nonga.* – Pôr o bispo em nossa testa o óleo sagrado. (Ar., *Cat.*, 17v)

nhandy[2] (ou **nhandu**) (s.) – NHANDI, NHANDU, nome aplicado a diversos arbustos da família das piperáceas, dentre os quais a espécie *Piper marginatum* Jacq. Tais plantas são também chamadas de *betel, betre, bitre, pimenta-do-mato, pimenta-dos-índios, capeba-cheirosa*. (Marcgrave, *Hist. Nat. Bras.*, 75; Piso, *De Med. Bras.*, IV, 194)

nhandy'a (etim. – *fruto de azeite*) (s.) – azeitona (*VLB*, I, 49)

nhandyeté (etim. – *óleo muito bom*) (s.) – azeite de coco (*VLB*, I, 49)

nhandyĝuasu – o mesmo que **nhanduĝuasu** (v.) (*Libri Princ.*, vol. I, 151)

nhandy'i – o mesmo que **nhandu'i** (v.) (*Libri Princ.*, vol. I, 152)

nhandynema (etim. – *óleo fedorento*) (s.) – óleo de tubarão ou de baleia (*VLB*, I, 49)

nhandyroba (etim. – *óleo amargo*) (s.) – NHANDIROBA, NHANDIROVA; o mesmo que **îandyroba** (v.)

nhandy'yba (etim. – *planta de azeite*) (s.) – oliveira; toda planta que dá azeite (*VLB*, II, 56)

nhang[1] (-îo- ou -nho-) (v. tr.) – **1)** encaixotar, entrouxar, ensacar: *Anhemba'e-nhang.* – Encaixotei-me as coisas. (*VLB*, I, 113); *Au'ipuku-nhang.* – Ensaquei a farinha (de mandiopuba). (*VLB*, I, 114); **2)** pôr trouxas em: *Anhepanakũ-nhang.* – Pus-me as trouxas no panacu. (*VLB*, I, 119)

nhang² (-îo- ou -nho-) (v. tr.) - verter, derramar: *... inaîagûasu apepûera amõ pupé i nhang'iré...* - ... após vertê-la dentro de alguma casca de coco... (Ar., *Cat.*, 353)

nhang³ - o mesmo que **nhan** (v.) (*VLB*, I, 82)

nhapupé (s.) - ENAPUPÊ, INHAPUPÊ, variedade de perdiz, ave da família dos tinamídeos, "do tamanho de uma franga, de cor aleonada; tem os pés como galinha...; põe muitos ovos de fina cor aleonada..." (Sousa, *Trat. Descr.*, 237)

NOTA - Lemos em Gregório de Matos: "*... sou desses olhos timbó / amante mais que um cipó / desprezado INHAPUPÊ...*" (in *Antologia Poética*. Bibl. Folha, 27, 96).

nharõ¹ (s.) - raiva, ferocidade: *... o nharõ rerobasema.* - *... chegando com sua ferocidade.* (Anch., *Teatro*, 138); (adj.) - raivoso, feroz: *Akó îagûa-nharõ îá i nharõ; n'i putusoki.* - Eis que como uma onça raivosa eles são ferozes; seu fôlego não acaba. (Anch., *Teatro*, 154)

nharõ² - 1) (v. intr.) - ficar bravo, estar bravo, estar zangado (como o animal que provocam) (*VLB*, II, 95): *Onharõ moxy; xe 'une!* - Está bravo o maldito; comer-me-á! (Anch., *Teatro*, 62); 2) (v. intr. compl. posp.) - investir (p.ex., o animal) [contra alguém: compl. com **esé (r, s)**]: *... Onharõ-berame'ĩ asé ro'o îandé 'anga resé...* - Parece investir nossa carne contra nossa alma. (Ar., *Cat.*, 11)

nharybobõ - o mesmo que **îarybobõ** (v.)

nhatiman (ou **îatiman**) (v. intr.) - andar à roda, andar em círculos, rodar (não no chão, como uma roda de carroça, mas como a roda do engenho, a roda de mão, roda de algodão etc.) (*VLB*, I, 35); fazer voltas, descrever círculo (p.ex., o caminho) (*VLB*, II, 147)

nhatimana (s.) - tornada, retorno de algum lugar para onde se foi; giro, volta, curva; (adj.: **nhatiman**) - que gira em círculos, que roda: *itakynhatimana* - pedra de amolar que gira, pedra de barbeiro (*VLB*, II, 39)

nhatimanĩ (v. intr.) - girar em círculos, rodear (p.ex., o navio para o lugar donde saiu): *Anhatimã-timanĩ.* - Fico girando em círculos, fico rodeando (como o que se perdeu ou que busca alguma coisa). (*VLB*, I, 43)

nhati'ũ (s.) - JATIUM, espécie de mosquito pequeno da família dos culicídeos (Marcgrave, *Hist. Nat. Bras.*, 257; *VLB*, II, 43)

nhati'ũasu (etim. - *jatium grande*) (s.) - variedade de pernilongo (Sousa, *Trat. Descr.*, 243)

nhau'ũgûara (etim. - *comedor de barro*) (s.) - barreiro, lugar donde se tira barro (*VLB*, I, 52)

nhau'uma (s.) - barro (inclusive para fazer louça) (*VLB*, I, 52) [v. **(e)nhau'uma (r, s)**]

NOTA - Daí, o nome da localidade de **INHAÚMA** (PE) (v. Rel. Top. e Antrop. no final).

-nhe- [alomorfe nasal do pron. refl. -îe- (v.)] - me, te, se, nos, vos: *Enhemim, nde kyrirĩ...* - Esconde-te, fica quieto. (Anch., *Teatro*, 32); *... pitangamo onhemonhanga...* - *... como criança gerando-se...* (Anch., *Poemas*, 132)

nhẽ¹ (adv.) - depressa: *A'é nhẽ gûixóbo.* - Vou depressa. (Fig., *Arte*, 160); *Peîé nhẽ pesóbo.* - Ides depressa. (Fig., *Arte*, 160)

nhẽ² (part. que dá ênfase e muitas vezes não se traduz) - com efeito; efetivamente: *... Setá nhẽ ygasabusu...* - São muitas, com efeito, as grandes igaçabas. (Anch., *Teatro*, 24); *A'epe kunumĩgûasu kunhã oîmomosemba'e, miaûsuba potá nhẽ...?* - E os rapazes que perseguem mulheres, querendo escravas? (Anch., *Teatro*, 36); *Aîpó resé nhẽ, ko'y asaûsu...* - Por causa disso, com efeito, agora o amo. (Anch., *Poemas*, 108)

nhẽ³ (part. que expressa o aspecto lusivo, indicando que alguma coisa é feita sem interesse, por fazer) - sem problemas, sem mais (como no castelhano "*no más*"); à toa, em vão, sem necessidade, sem um porquê, ociosamente (*VLB*, II, 54); inocentemente (*VLB*, II, 12): *... Îudeus supé sepîakuká, i mondó-nhẽ-motá...* - Mostrando-o aos judeus, querendo fazê-lo ir, sem mais... (Ar., *Cat.*, 60v); *Asó nhẽ.* - Vou por ir (sem algum fim). (Anch., *Arte*, 54); - *Marã-piang peê? - Oroîkó nhẽ.* - Como estais vós, porventura? - Vamos, sem mais. (Léry, *Histoire*, 362); *Asó nhẽ.* - Fui à toa, sem necessidade; fui por ir. (Fig., *Arte*, 144)

nhea'ang (v. intr.) - expirar, finar-se (*VLB*, II, 127)

nheãî (v. intr.) - enrugar-se, engrouvinhar-se: *Anheãî.* - Enruguei-me. (*VLB*, I, 117) • **nheãî-ãî** - engrouvinhar-se; fazer dentes (p.ex., o machado, faca ou outras ferramentas) (*VLB*, II, 43)

nheakãmirõ
NOTA – Daí se origina, no P.B., **CANHANHA** (*tãî* + *nheãîãî* + *-a*, "dentes engrouvinhados"), pessoa banguela, pessoa cuja arcada dentária é falha na frente.

nheakãmirõ (v. intr.) – untar-se a cabeça (para abrandar o cabelo) (*VLB*, II, 139)

nheambubok (etim. – *arrancar-se o monco*) (v. intr.) – assoar-se (o nariz) (*VLB*, I, 45)

nheangerekó[1] (ou **nhangerekó** ou **îangerekó**) (etim. – *estar com seus pensamentos*) (v. intr. compl. posp.) – preocupar-se, interessar-se, considerar, refletir, pensar [em algo, com algo, em alguém, por alguém etc.: compl. com a posp. **esé (r, s)**]: ... *onheangerekóbo o angaîpagûera resé.* – ... refletindo sobre suas maldades. (Ar., *Cat.*, 74v-75); *Anhangerekó îepé, aîpó supé n'abasemi.* – Embora me interessasse, junto àquelas não cheguei. (Anch., *Teatro*, 178, 2006); *Penheangerekó amõ 'ara pupé te'õ pe rokena motaka turagûama resé é...* – Pensai que, algum dia, a morte virá para bater em vossas portas. (Ar., *Cat.*, 158); *Ma'e resé... aîangerekó.* – Penso em algo. (D'Evreux, *Viagem*, 145); *Nde resé... aîangerekó.* – Penso em ti. (D'Evreux, *Viagem*, 145) • **onheangerekoba'e** – o que se preocupa, o que reflete etc.: ... *Se'õagûera resé onheangerekoba'e...* – O que reflete sobre sua morte. (Ar., *Cat.*, 68); **nheangerekosara** – o que se preocupa, o que reflete etc.: ... *Tupã resé o nheangerekosara...* – O que se preocupa com Deus. (Ar., *Cat.*, 68); **nheangerekosaba** (ou **nheangerekoaba**) – tempo, lugar, modo etc. de se preocupar, de refletir; preocupação, consideração: ... *poxy resé o nheangerekosápe...* – na sua preocupação com torpezas (Ar., *Cat.*, 71)

nheangerekó[2] (etim. – *estar com seus pensamentos*) (s.) – cuidado, preocupação, consideração: ... *Ogûe'õnama resé nheangerekó n'oîkuabi...* – Não conhece a preocupação com sua própria morte. (Ar., *Cat.*, 155)

nheangerur (etim. – *trazer-se a alma*) (v. intr.) – suspirar: *Ndebe oronheangerur.* – A ti suspiramos. (Ar., *Cat.*, 2, 1686)

nheangu (ou **îeangu**) (etim. – *devorar-se a alma*) (v. intr. compl. posp.) – recear, temer, ter medo [de algo ou de alguém, por algo ou por alguém: compl. com **suí** ou **esé (r, s)**]: ... *Te'õ suí o nheangu îabi'õ...* – Cada vez que tem medo da morte. (Ar., *Cat.*, 91); ... *O 'anga resé oîeangûabo.* – Receando por suas almas. (Ar., *Cat.*, 161); *Anheangu (abá) resé.* – Temo pelo homem (que ele faça algo que não deve). (*VLB*, I, 42, adapt.) • **nheangûaba** – tempo, lugar, modo, causa etc. de temer, de recear; temor, receio: *Mba'e-mba'e-piã te'õ suí nheangûaba?* – Quais são, por acaso, as ocasiões de se ter medo da morte? (Ar., *Cat.*, 91); ... *Nde nheangûaba bé irumõ-rumõmo.* – Ficando a aumentar teu temor também. (Ar., *Cat.*, 112)

nheapumĩ (v. intr.) – mergulhar (*VLB*, I, 34)

nhearõ (s.) – riso; (adj.) – risonho: *Xe nhearõ.* – Eu sou risonho. (*VLB*, II, 106)

nhearupu'am (v. intr.) – erguer-se, ficando sentado (*VLB*, I, 121)

nheatĩapyr (v. intr.) – dar um tombo, dar cambalhota, dar um trambulhão (*VLB*, II, 147): *Anheatĩapyr.* – Dei uma cambalhota. (*VLB*, I, 64)

nheatõî (v. intr.) – **1)** dar cabeçadas (*VLB*, I, 61); **2)** golpear, dar golpes um no outro: *Oronheatõî.* – Golpeamos um ao outro. (*VLB*, II, 32)

nhe'ẽ (ou **nhe'ẽn**) (v. intr.) – derramar-se (o líquido) (*VLB*, I, 95); vazar (*VLB*, II, 142)

nhe'ẽe'yma (etim. – *sem palavras*) (s.) – silêncio (*VLB*, II, 117)

nhe'ẽkurukuruka (etim. – *palavras resmungonas*) (s.) – resmungão; (adj.: **nhe'ẽkurukuruk**) – resmungão; (xe) resmungar: *Xe nhe'ẽkurukuruk.* – Eu resmungo. (*VLB*, II, 101)

nhe'ẽmbyk (etim. – *entalar as palavras*) (v. tr.) – deixar atônito, deixar sem palavras: *Xe nhe'ẽmbyk ahẽ.* – Ele me deixou sem palavras. (*VLB*, I, 110)

nhe'ẽmemûã (etim. – *palavras más*) (s.) – reprovação, maledicência; (adj.) – reprovador; (xe) reprovar; dizer mal [de alguém: compl. com **esé (r, s)**]: *Xe nhe'ẽmemûã (abá) resé.* – Eu digo mal do homem. (*VLB*, II, 28, adapt.)

nhe'ẽmo'anga (s.) – mentira, palavras fantasiosas: ... *xe nhe'ẽmo'anga* – palavras fantasiosas minhas (Camarões, *Cartas*, 1645)

nhe'ẽmonhang (etim. – *fabricar palavras*) (v. tr.) – urdir palavras de: *"E'i kó nde resé onhe'enga" eré tenhẽpe, abá nhe'ẽmonhã-tenhẽmo...?* – Disseste falsamente: *"Disse isso, falando a teu respeito"*, urdindo palavras de alguém? (Anch., *Doutr. Cristã*, II, 100) •

oînhe'ẽmonhangyba'e – o que urde palavras: *Abá oînhe'ẽmonhã-monhangyba'e.* – O que fica urdindo as palavras de alguém. (Anch., *Diál. da Fé*, 215)

nhe'endok (xe) (etim. – *palavras quebradas*) (v. da 2ª classe) – calar-se, parar de falar: *Xe nhe'endok.* – Eu me calei. (*VLB*, I, 63)

nhe'eng (v. intr. compl. posp.) – **1)** falar (a alguém ou com alguém: compl. com a posp. **supé**): *Enhe'eng nde ruba supé.* – Fala a teu pai. (Fig., *Arte*, 6); *Aûîé! Anhe'eng, Saraûaî!* – Basta! Falo eu, Sarauaia! (Anch., *Teatro*, 30); *Morubixaba tuîba'e onhe'eng memẽ i xupé...* – Os chefes velhos falam sempre a eles. (Anch., *Teatro*, 34); *Enhe'eng ko'yr!* – Fala agora! (Staden, *Viagem*, 154); **2)** ter questões (*VLB*, II, 94); **3)** responder (*VLB*, II, 103); **4)** saudar, fazer saudação: *Anhe'eng (abá) supé.* – Fiz saudação ao homem. (*VLB*, II, 113, adapt.); **5)** zunir (a flecha, o projétil etc.); **6)** ladrar (o cão); miar (o gato) (*VLB*, II, 34); emitir som (quaisquer animais); **7)** interceder, tomar a causa [de alguém: compl. com **esé (r, s)**]: *Anhe'eng (abá) resé.* – Intercedo pelo homem. (*VLB*, II, 126, adapt.) • **nhe'engaba** – tempo, lugar, modo etc. de falar; fala, discurso: *... o nhe'engabûera ra'angyîepébo...* – ... tentando inutilmente o modo antigo de falar. (Ar., *Cat.*, 156)

NOTA – Daí se origina, no P.B., a palavra **NHE-NHE-NHEM**, "falatório interminável", "lenga-lenga".

nhe'enga (s.) – **1)** palavra, fala, discurso: *N'asendubi nde nhe'enga.* – Não ouço tuas palavras. (Anch., *Teatro*, 44); *T'asó aîpó nhe'enga mopó...* – Hei de ir para cumprir essas palavras. (Anch., *Teatro*, 60); *Nama'eruã oîmonhang asé 'angamo, o nhe'enga pupé é i monhangi.* – Do nada fez nossa alma, com sua palavra é que ele a fez. (Ar., *Cat.*, 25); **2)** sons emitidos pelos animais (urro, pio, berro, balido, bramido, canto etc.): *... Gûyrá koîpó îagûara nhe'enga supé morangygûana o'îabo.* – Dizendo que um canto de pássaro ou um urro de onça são agouros. (Ar., *Cat.*, 66v); **3)** língua, idioma, linguagem (*VLB*, II, 22): *I abaíb aîpó nhe'enga.* – É difícil essa língua. (Anch., *Poemas*, 196); **4)** mensagem (*VLB*, II, 35); **5)** opinião, parecer (*VLB*, II, 57); **6)** resposta (*VLB*, II, 101); **7)** recado que se manda (*VLB*, II, 98); (adj.: **nhe'eng**) – falante, o que tem fala, o que tem palavras: *Xe nhe'ẽngatu* – Eu tenho boa fala, eu sou bom falante. (*VLB*, I, 133); *Xe nhe'engetekatu.* – Eu sou muito falante. (*VLB*, I, 81) • **nhe'engasy** – palavras ásperas, palavras más: *I nhe'engasy n'opabi.* – Suas palavras ásperas não cessam. (Anch., *Teatro*, 148); *Xe nhe'engasy.* – Eu tenho palavras ásperas (*VLB*, I, 40)

NOTA – Daí, no P.B., **NHEENGATU** ("língua boa"), língua geral falada na maior parte da Amazônia até o século XIX; **NHEENGAÍBA** ("língua ruim"), povo indígena extinto que habitava a ilha de Marajó (PA).

nhe'engaba¹ (etim. – *modo de falar*) (s.) – refrão, provérbio (*VLB*, II, 105)

nhe'engaba² (etim. – *instrumento de mensagens*) (s.) – intriguista, mentiroso: *Eresekyîpe îuraragûaîa abá supé... i motîamo... nhe'engabamo serekó-uká...?* – Urdiste mentiras contra alguém, envergonhando-o, fazendo-o ser tratado como mentiroso? (Anch., *Doutr. Cristã*, II, 103)

nhe'engagûera (ou **îe'engagûera**) (etim. – *o que foi uma fala*) (s.) – recado (em mau sentido, isto é, de alcoviteira) (*VLB*, II, 98); mensagem: *Sorybeté niã opabenhẽ karaibetá paraibygûara nde îe'engagûera rureme.* – Ficariam, com efeito, muito felizes todos os portugueses da Paraíba se viesse tua mensagem. (Camarões, *Cartas*, 17 de outubro de 1645)

nhe'engaíba¹ (etim. – *o das palavras incompletas*) (s.) – gago; (adj.: **nhe'engaíb**): *Xe nhe'engaíb.* – Eu sou gago. (D'Evreux, *Viagem*, 157)

nhe'engaíba² (etim. – *discurso ruim*) (s.) – maledicência, vitupério, injúria; (adj.: **nhe'engaíb**) – maldizente; **(xe)** dizer palavras más, falar mal, murmurar: *Mba'epoxy koty onhe'engaíbamo...* – Dizendo palavras más acerca de coisas nojentas... (Ar., *Cat.*, 71v); *Xe nhe'engaíb (abá) resé.* – Eu falo mal do homem. (*VLB*, I, 134, adapt.)

nhe'engaipaba (etim. – *maldade de palavras*) (s.) – vitupério, injúria: *Nd'oîmoasyîpe amõ o nhe'engaibagûera îi a'o ré?* – Não se arrependeram alguns de seus vitupérios após o injuriarem? (Ar., *Cat.*, 63)

nhe'engapaparaíba (etim. – *o mau contador de mensagens*) (s.) gabola, mentiroso; (adj.: **nhe'engapaparaíb**): *Nde nhe'engapaparaípe*

nhe'engar

mba'epoxy resé nde ma'enduaramo? – Tu foste gabola, lembrando-te de coisas más? (Anch., *Doutr. Cristã*, II, 92)

nhe'engar (v. intr.) – cantar: *T'ĩanhe'engá-mirĩ, ranhẽ, 'ara momorãngatûabo...* – Cantemos um pouquinho, primeiro, para festejar bem o dia. (Anch., *Teatro*, 56)

nhe'engara (s.) – cantiga (*VLB*, I, 66); música (*VLB*, II, 45)

nhe'engaraíb (v. intr.) – cantar (*VLB*, I, 66)

nhe'engaraipara (s.) – cantor (*VLB*, I, 66)

Nhe'engaroby (etim. – *cantiga azul*) (s. antrop.) – nome de índio tupi (D'Abbeville, *Histoire*, 188)

nhe'engaryba (s.) – mestre de canto, dirigente do canto (*VLB*, I, 66)

nhe'engaryryî (etim. – *cantar tremendo*) (v. intr.) – gargantear, trinar com a voz, cantando (*VLB*, I, 146)

nhe'engasaba (s.) – canto; solfa (*VLB*, I, 66)

nhe'engasara (etim. – *o que canta*) (s.) – músico; cantor (*VLB*, II, 45)

nhe'engatã (etim. – *falar duramente*) (v. intr. compl. posp.) – gritar (com alguém: compl. com **supé**): *Anhe'engatã (abá) supé*. – Gritei com o homem. (*VLB*, I, 59, adapt.) • **nhe'engatãndûera** – pessoa que grita muito, gritador, bradador: *Xe nhe'engatãndûer.* – Eu sou gritador. (*VLB*, I, 59)

nhe'engerekoaba (etim. – *guarda de palavras*) (s.) – omissão (de palavras): *Eneî a'e nde nhe'engerekoagûera papasaba mombegûabo rõ.* – Eia, pois, confessa o número daquelas tuas antigas omissões. (Ar., *Cat.*, 98)

nhe'engerekoara[1] (etim. – *o que tem discursos*) (s.) – arauto; porta-voz (*VLB*, I, 134)

nhe'engerekoara[2] (etim. – *o que tem as palavras*) (s.) – intérprete, tradutor (*VLB*, II, 13): *abaré nhe'engerekoara* – o tradutor do padre (*VLB*, II, 22)

nhe'engetá (etim. – *muitas palavras*) (s.) – desatino, palavra desatinada; (adj.) – desatinado; **(xe)** ter palavras desatinadas: *Xe nhe'engetá.* – Eu tenho palavras desatinadas. (*VLB*, I, 96)

nhe'enge'yma (etim. – *sem palavras*) (s.) – mudo (D'Evreux, *Viagem*, 157)

nhe'engixûera (s.) – tagarela, falador, parola: *Aîuru-mopen nhe'engixûera.* – Quebro a boca de um tagarela. (Fig., *Arte*, 88); (adj.: **nhe'engixûer**) – falador, tagarela; paroleiro; **(xe)** papear: *Xe nhe'engixûer.* – Eu sou falador. (*VLB*, I, 133); *abá-nhe'engixûera* – pessoa paroleira (*VLB*, II, 66); *Xe nhe'engixûer gûitekóbo.* – Eu vivo papeando. (*VLB*, II, 64)

nhe'engu (etim. – *o come-palavras*) (s.) – o que não fala, o mudo (*VLB*, II, 43)

nhe'engûera (etim. – *o que foram palavras*) (s.) – recado (que se manda) (*VLB*, II, 98)

nhe'engybõ (etim. – *flechar palavras*) (v. tr.) – ferir com palavras, ofender: *Ereînhe'engybõpe nde ruba...?* – Ofendeste teu pai? (Anch., *Doutr. Cristã*, II, 86)

nhe'engyrygûana (s.) – fingimento (nas palavras); (adj.: **nhe'engyrygûan**) – fingido: *Xe nhe'engyrygûan.* – Eu sou fingido (nas palavras). (*VLB*, II, 99)

nhe'ẽnhe'enga (etim. – *ficar falando*) (s.) – discurso, sermão, **NHE-NHE-NHEM**: ... *abaré nhe'ẽnhe'enga renduba...* – ouvir o sermão do padre (Ar., *Cat.*, 12)

nhe'ẽnhe'engaba (etim. – *lugar de ficar falando*) (s.) – púlpito (*VLB*, II, 89)

nhe'ẽpoepyk (etim. – *revidar as palavras*) (v. tr.) – 1) replicar a, responder a: *Aînhe'ẽpoepyk Pero.* – Replico a Pedro. (*VLB*, II, 101); 2) discutir com, altercar com (*VLB*, I, 33) • **nhe'ẽpoepykaba** – tempo, lugar, modo etc. de replicar, de responder, de discutir; réplica; resposta; discussão (*VLB*, II, 101)

nhe'ẽpokarugûara (etim. – *sagacidade de palavras*) (s.) – manha (nas palavras); (adj.: **nhe'ẽpokarugûar**) – manhoso em palavras: *Xe nhe'ẽpokarugûá-katu.* – Eu sou muito manhoso em palavras. (*VLB*, II, 31)

nhe'ẽporanga (etim. – *palavras bonitas*) (s.) – gabola, bom falador (D'Evreux, *Viagem*, 158)

nhe'ẽporangaíba (etim. – *palavras bonitas ruins*) (s.) – palavras de rufianice, palavras de sexo, de coisas sensuais; (adj.: **nhe'ẽporangaíb**) **(xe)** – ter palavras de sexo, de coisas sensuais: *Xe nhe'ẽporangaíb (abá) supé.* – Eu tenho palavras de sexo para as pessoas. (*VLB*, I, 34; II, 109, adapt.)

nhe'ẽporoîukaíba (etim. – *palavras que matam gente não completamente*) (s.) – agressão (com palavras); (adj.: **nhe'ẽporoîukaíb**) – agressivo (nas palavras); **(xe)** fazer agressão com palavras, falar brioso: *Nde nhe'ẽporoîukaípe abá supé?* – Tu fizeste agressão com palavras a alguém? (Anch., *Doutr. Cristã*, II, 103)

nhe'ẽpyo'u (etim. – *comer numerosas palavras*) (s.) – rouquidão; (adj.) – *Xe nhe'ẽpyo'u.* – Eu estou rouco. (*VLB*, I, 117)

nhe'ẽrueru (etim. – *ficar vindo com as palavras*) (s.) – gagueira; gago; (adj.) – gago: *Xe nhe'ẽrueru.* – Eu sou gago. (*VLB*, I, 146)

nhegûarĩ (v. intr.) – ser retorcido; ser espiralado (*VLB*, II, 104)

nhegûasem (v. intr.) – fugir: *T'onhegûasem Anhanga i xuí...* – Que fuja o diabo dele. (Ar., *Cat.*, 24v); *A'epe kunumĩgûasu kunhã oîmomosemba'e, ... onhegûasema memẽ?* – E os rapazes que perseguem mulheres, fugindo sempre? (Anch., *Teatro*, 36) • **nhegûasembaba** – tempo, lugar, modo, causa etc. de fugir: *... Anhanga nhegûasembaba 'ykaraíba.* – A causa de fuga do diabo é a água benta. (Ar., *Cat.*, 142)

nhemang (v. intr.) – empenar, estar empenado (p.ex., a tábua, por causa do sol) (*VLB*, I, 112)

nhemanga (s.) – empenadura, tortuosidade; (adj.: **nhemang**) – empenado, torto, zambro: *tymã-nhemanga* – pernas empenadas, zambras, tortas; *Xe retymãnhemang.* – Eu tenho pernas tortas. (*VLB*, II, 149)

nhembo'e[1] (etim. – *o instruir-se*) (s.) – **1)** doutrina (*VLB*, I, 106); **2)** aprendizagem: *nhembo'e-irũ* – companheiro de aprendizagem, condiscípulo (*VLB*, I, 79); (adj.) – que aprende, aprendiz: *kunumĩ-nhembo'e* – moço que aprende, moço aprendiz (Anch., *Arte*, 32)

nhembo'e[2] (etim. – *o instruir-se*) (v. intr. compl. posp.) – aprender; exercitar-se [compl. com esé (r, s)]: *Onhembo'e Tupã nhe'enga o emierobîarama resé...* – Aprende acerca da palavra de Deus, em que crerá. (Ar., *Cat.*, 80v); *N'osa'angi-te-p'akó nhembo'e ko'arapukuî?* – Mas não tentam esses aprender sempre? (Anch., *Teatro*, 30) • **nhembo'esaba** (ou **nhembo'eaba**) – tempo, lugar, objeto etc. do aprender; o que alguém aprende: *Eîporu nde nhembo'eagûera.* – Pratica o que tu aprendeste. (*VLB*, I, 131)

nhembo'esaba[1] (etim. – *meio de aprender*) (s.) – doutrina escrita (*VLB*, I, 106): *... Ta penhemosaînãngatu sesé,* **nhembo'esaba** *resé i mbo'ebo...* – Que vos preocupeis muito com ele, ensinando-o acerca da doutrina. (Ar., *Cat.*, 127-127v)

nhembo'esaba[2] (etim. – *lugar de aprender*) (s.) – escola (*VLB*, I, 123)

nhembo'ir (ou **nhembo'i**) (v. intr.) – livrar-se, desgrudar-se, desapegar-se: *Taûîé-te t'îanhembo'i.* – Bem logo nos livremos. (Anch., *Poemas*, 196)

nhemboryb (ou **îemboryb**) (v. intr.) – alegrar-se: *Kó oroîkó oronhemborypa...* – Aqui estamos para nos alegrar. (Anch., *Teatro*, 118)

nhemboryryî (ou **nhemoryryî**) – v. **îemoryryî**

nheme'eng (ou **îeme'eng**) (v. intr. compl. posp.) – entregar-se, render-se (p.ex., o inimigo) (*VLB*, II, 101), oferecer-se (a alguém: compl. com a posp. **supé**): *Xe poreaûsubetekatu... Anhanga supé xe* **nheme'eng***'iré mã!* – Ah, eu sou muito miserável após me entregar para o diabo! (Ar., *Cat.*, 77); *Oroaûsu-potá-katu, oroîeme'enga endébo.* – Queremos muito amar-te, entregando-nos a ti. (Anch., *Poemas*, 136) • **onheme'engyba'e** – o que se entrega, o que se oferece: *A'epe se'yî kunhã Tupã supé* **onheme'engyba'e** *oîkóbo.* – Aí são muitas as mulheres que se estão oferecendo para Deus. (Ar., *Cat.*, 8v)

nhemim (ou **îemim**) (v. intr.) – esconder-se: *Asópe ûinhemima ká!* – Vou-me esconder! (Anch., *Teatro*, 62); *Enhemim, nde kyrirĩ.* – Esconde-te, fica quieto. (Anch., *Teatro*, 32); *Marãpe nd'erenhemimi?* – Por que não te escondes? (Anch., *Teatro*, 32); *Aîemĩngatu kó gûitupa...* – Escondo-me bem, estando deitado aqui... (Anch., *Teatro*, 32)

nhemima (s.) – ocultamento; (adj.: **nhemim**) – oculto, escondido: *Abá angaîpá-nhemima... mombegûabo.* – Contando as maldades escondidas de alguém. (Ar., *Cat.*, 73v); (adv.) – às escondidas, ocultamente, secretamente, furtivamente: *Arasó-nhemim.* – Levei-o secretamente. (*VLB*, II, 114); *... A'e i pupé sekó-nhemimi...* – Ele dentro dela está ocultamente. (Anch., *Doutr. Cristã*, I, 216); *Nd'e'ikatuîpe*

nhemimîõte

abá omendá-nhemima? – Não pode uma pessoa casar-se ocultamente? (Ar., *Cat.*, 94); ... *kûybõ oma'ẽ-nhemima...* – ... para cá olhando furtivamente... (Anch., *Teatro*, 138)

nhemimîõte (adv.) – às escondidas (*VLB*, I, 123); secretamente (*VLB*, II, 114)

nhemoabá (v. intr.) – 1) fazer-se homem: *Anhemoabá.* – Fiz-me homem. (*VLB*, I, 91); 2) ser homem de meia-idade (*VLB*, II, 8)

nhemoabaré (etim. – *fazer-se padre*) (s.) – sacramento da ordem (Ar., *Cat.*, 17v)

nhemoagûyrõ (v. intr.) – excitar-se, masturbar-se: *Erepokokype nde rakûãîa resé enhemoagûyrõmo?* – Tocaste no teu pênis, excitando-te? (Anch., *Doutr. Cristã*, II, 90)

nhemoaî (v. intr.) – tornar-se papudo, encher o papo: *Mbegûé-mbegûé gûyrá nhemoaî.* – Aos poucos a ave se torna papuda. (*VLB*, I, 150)

nhemoaíb[1] (v. intr.) – prejudicar-se, danar-se (p.ex., na saúde): *Anhemoaíb.* – Danei-me. (*VLB*, I, 89)

nhemoaíb[2] (v. intr.) – estar de luto, vestir luto (*VLB*, I, 105)

nhemoaíb[3] (v. intr.) – envelhecer (fal. de coisas) (*VLB*, I, 119)

nhemoaîu[1] (v. intr. compl. posp.) – 1) apressar-se; ir atrás (de alguém, importunando): *Anhemoaîu-katu.* – Apressei-me muito. (*VLB*, I, 39); 2) esforçar-se, trabalhar demais [por algo: compl. com **esé (r, s)**]: *Anhemoaîu (mba'e) resé.* – Esforço-me pelas coisas. (*VLB*, II, 134, adapt.)

nhemoaîu[2] (v. intr.) – fazer estrondo, levantar vozerio, fazer reboliço (p.ex., após beber vinho) (*VLB*, I, 131; II, 98)

nhemoaîu[3] (s.) – 1) estrondo, ruído (*VLB*, I, 43), vozerio (*VLB*, I, 131); falatório, reboliço, matinada (*VLB*, II, 33); 2) revolta (*VLB*, I, 150)

nhemoakub (v. intr.) – esquentar-se (*VLB*, II, 94)

nhemo'am (v. intr. compl. posp.) – encostar-se [a algo, p.ex., à parede, ao esteio: compl. com **esé (r, s)**]: *Anhemo'am (mba'e) resé.* – Encostei-me na coisa. (*VLB*, I, 115, adapt.)

nhemoangaîbar (v. intr.) – emagrecer (*VLB*, I, 112)

nhemoangaîpab (v. intr.) – tornar-se mau: *Onhemoangaîpabeté serã apŷaba...?* – Porventura tornaram-se muito maus os homens? (Ar., *Cat.*, 41)

nhemoangekoaíb (ou **îemoangekoaíb**) (etim. – *fazer-se estar mal a alma*) (v. intr. compl. posp.) – molestar-se; entristecer-se, afligir-se (*VLB*, II, 40), lastimar-se [por algo: compl. com a posp. **esé (r, s)**]: ... *O apixara mba'e-katu rerekó moasŷabo, sesé onhemoangekoaípa.* – Tendo inveja por seu próximo ter coisas boas, entristecendo-se por isso. (Ar., *Cat.*, 109v); *Taûîé pe poreaûsubagûama rapirõmo, peîemoangekoaíb peína.* – Pranteai logo vossa miséria, estai a vos lastimar. (Ar., *Cat.*, 165-165v)

nhemoanhan (v. intr.) – arremessar-se (*VLB*, I, 42)

nhemoanhẽ (v. intr.) – apressar-se: ... *Anhemoanhẽ-anhẽ saûîá reru-rerupa.* – Fiquei-me apressando em ter sauiás. (Anch., *Poemas*, 156); ... *kori bé penhemoanhẽ-anhẽmo tekokatueté pé pegûasemagûama resé.* – ... ainda hoje apressando-vos para encontrar a felicidade verdadeira. (Ar., *Cat.*, 169v)

nhemoapapub (ou **nhemoapapu**) (etim. – *fazer-se todo mole*) (v. intr.) – amolecer, abrandar-se: ... "*T'onhemomembek, t'onhemoapapu.*" – ... "Que se enfraqueça, que amoleça." (Ar., *Cat.*, 11)

nhemoapŷab (v. intr.) – fazer-se homem, tornar homem: ... *Aîpó potá é erimba'e nhemoapŷabi, Tupãnamo o ekó po'ire'yma.* – Querendo isso, fez-se homem, não deixando de ser Deus. (Ar., *Cat.*, 86)

nhemoapŷî (v. intr.) – colocar-se em roda (*VLB*, II, 58)

nhemoapyr (ou **îemoapyr**) (v. intr.) – abaixar-se, encurvar-se (como o que vai ver o que caiu) (*VLB*, I, 17)

nhemoapysanga (s.) – ato de coalhar-se, de compactar-se; (adj.: **nhemoapysang**) – coalhado, compactado: *ro'ynhemoapysanga* – "*frio coalhado*", isto é, neve, geada (*VLB*, II, 8)

nhemoapysyk[1] (v. intr. compl. posp.) – consolar-se [com algo: compl. com **esé (r, s)**]: *Onhemoapysy-katu rakó abá mba'e ikó 'ara pora resé.* – Consola-se muito o homem, de fato, com as coisas que estão contidas neste mundo. (Ar., *Cat.*, 155)

nhemoapysyk² (v. intr.) - fazer-se aquietar, fazer-se sossegar (*VLB*, II, 94)

nhemoapytereb (etim. - *fazer-se calvo*) (v. intr.) - ordenar-se, tornar-se padre (*VLB*, II, 58)

nhemo'areté (v. intr.) - ser dia santo, ser feriado: *Nd'e'i te'e ko'yr, onhemo'aretébo, og orybamo...* - Por isso mesmo agora, sendo dia santo, eles estão felizes. (Ar., *Cat.*, 5v)

nhemoarûá (v. intr.) - fazer-se humilde: *Onhemoarûabo mba'eîare'yma îabé...* - Fazendo-se humilde como um pobre. (Ar., *Cat.*, 9v)

nhemoasy (etim. - *fazer doer em si*) (v. intr.) - irritar-se, ofender-se (*VLB*, I, 44)

nhemoatã¹ (etim. - *fazer-se endurecer*) (v. intr.) - esforçar-se: *Anhemoatãngatu.* - Esforço-me muito. (*VLB*, I, 124)

nhemoatã² (etim. - *fazer-se direito*) (v. intr.) - estender-se (o que estava encolhido) (*VLB*, I, 128)

nhemoatã³ (ou **îemoatã**) (v. intr.) - endurecer-se, endurecer: ... *Opá xe uba îesyî, oîemoatãmo.* - Ambas as minhas coxas tremem, endurecendo. (Anch., *Teatro*, 26)

nhemoatypy (etim. - *fazer bochechas em si*) (v. intr.) - inchar-se as bochechas (com ar, bocado de comida): *Anhemoatypygûasu.* - Inchei-me muito as bochechas. (*VLB*, I, 56)

nhemoatyrá (v. intr.) - arrepiar-se (as penas, os pelos - p.ex., de galinha, de cão, de gato etc., para brigar) (*VLB*, I, 115)

nhemoatyrõ (v. intr.) - enfeitar-se, arrumar-se: *Erenhemoatyrõpe ... nde poropotaramo?* - Enfeitaste-te, tendo desejo sensual? (Ar., *Cat.*, 234, 1686)

nhemoaûîé (v. intr.) - render-se, dar-se por vencido, entregar-se: *Erenhemoaûîépe nde kerype nde resé abá rekó mo'angeme?* - Tu te entregaste ao imaginar em teu sono que um homem fazia sexo contigo? (Ar., *Cat.*, 235, 1686)

nhemoa'ypupuk (etim. - *fazer-se expelido o sêmen*) (v. intr.) - ter polução: *Erenhemoa'ypupukype nde poropotaramo?* - Tu tiveste polução, tendo desejos sensuais? (Anch., *Doutr. Cristã*, II, 90)

nhemobabak (v. intr.) - resistir estrebuchando (*VLB*, II, 102)

nhemoembiaryîar (ou **nhemombiaryîar** ou **îemoembiaryîar**) (v. intr. compl. posp.) - assenhorear-se, levar de vencida (*VLB*, II, 21); tornar-se apresador [de algo ou de alguém: compl. com **esé (r, s)**]: *Nd'e'i te'e moxy keteté abá ropenhana,... sesé oîemoembiaryîá.* - Olhe bem que, por isso mesmo, o maldito ataca o homem, tornando-se apresador dele. (Ar., *Cat.*, 89)

nhemoerapûan (etim. - *fazer-se ter o nome ligeiro*) (v. intr.) - tornar-se famoso (*VLB*, II, 12)

nhemoesabyk (etim. - *apertar-se o olho*) (v. intr. compl. posp.) - piscar (para alguém: compl. com **supé**): *Anhemoesabyk (abá) supé.* - Pisquei para o homem. (*VLB*, I, 19, adapt.)

nhemoesãî (v. intr.) - alegrar-se, recrear-se (*VLB*, I, 30)

nhemoesaînandaba (s.) - preocupação; envolvimento; ocupação (*VLB*, I, 21)

nhemoesakûarasy (etim. - *fazer-se ruim a cavidade dos olhos*) (v. intr.) - ficar carrancudo, ficar mal-encarado (*VLB*, I, 140)

nhemoesapysó (etim. - *estender-se a vista*) (v. intr. compl. posp.) - notar só com a vista (para depois conhecer a causa), olhar fixamente, indiscretamente, curiosamente (*VLB*, II, 51) [para algo ou para alguém: compl. com **esé (r, s)**]: *Anhemoesapysó-katu (abá) resé.* - Olhei muito fixamente para o homem. (*VLB*, I, 47, adapt.)

nhemoeté (etim. - *fazer-se muito bom*) (v. intr.) - envaidecer-se, elogiar-se, exaltar-se: *Anhemoeté-a'ub.* - Envaideço-me sem motivo (isto é, de coisas más). (*VLB*, I, 117); *Aîpó te'õ îanondé irã amõ abá-angaîpabeté Anti-Cristo seryba'e ruri onhemoetébo...* - Antes dessas mortes, um certo homem muito mau, chamado *Anti-Cristo*, virá, exaltando-se. (Ar., *Cat.*, 160)

nhemoetee'yma (etim. - *não se fazer muito bom*) (s.) - humildade: *Morerobîare'yma robaîxûara nhemoetee'yma.* - O contrário da soberba é a humildade. (Bettendorff, *Compêndio*, 15)

nhemogûyrá (v. intr.) - tornar-se pássaro: *Panama onhemogûyrá.* - A borboleta tornou-se pássaro. (*VLB*, II, 133)

nhemõîa (s.) - comborça, a outra mulher do marido em relação a sua esposa verdadeira ou a correlação de duas mulheres em concubi-

nhemoîa'oîa'oka

nato com o mesmo homem (*VLB*, I, 77); (adj.: **nhemõî**) **(xe)** – ter comborça: *Xe nhemõîetá*. – Eu tenho muitas comborças. (Ar., *Cat.*, 115)

nhemoîa'oîa'oka (s.) – repartição, distribuição: *Arobîar santos rekokatu nhemoîa'oîa'oka.* – Creio na repartição das virtudes dos santos (isto é, *na comunhão dos santos*). (Anch., *Doutr. Cristã*, I, 142)

nhemoîa'ok (v. intr.) – repartir-se: *Oronhemoîa'ok*. – Repartimo-nos. (*VLB*, II, 101)

nhemoîar (v. intr. compl. posp.) – pegar-se, coser-se, grudar-se [a algo ou com algo: compl. com **esé (r, s)**] (*VLB*, II, 70): *Anhemoîar (mba'e) resé*. – Grudei-me na coisa. (*VLB*, I, 83, adapt.)

nhemoîasuka (ou **îemoîasuka**) (etim. – *o fazer-se lavar*) (s.) – batismo: *Ereîpotápe... nde nhemoîasuka?* – Queres teu batismo? (Ar., *Cat.*, 118v)

nhemoîasuk (ou **nhemoîasyk**) (etim. – *fazer-se lavar*) (v. intr.) – batizar-se (Bettendorff, *Compêndio*, 113): ... *A'eboé Tupã ra'yramo anhemoingó re'a, gûinhemoîasukuká...* – Muito a propósito comportei-me como filho de Deus, fazendo-me batizar. (Ar., *Cat.*, 169)

nhemoîegûak (v. intr.) – enfeitar-se, adornar-se: *Xe Parati 'y suí aîu Tupã sy repîaka, gûinhemoîegûá-îegûaka...* – Eu vim do rio dos paratis para ver a mãe de Deus, ficando a enfeitar-me. (Anch., *Poemas*, 110)

nhemoîeîaî (etim. – *fazer-se esquivo*) (v. intr. compl. posp.) – gabar-se [de algo: compl. com **esé (r, s)**]: *Anhemoîeîaî (mba'e) resé*. – Gabei-me de algo. (*VLB*, I, 147, adapt.)

nhemoîereb (etim. – *fazer-se virar*) (v. intr.) – revolutear, girar • **nhemoîerepaba** – tempo, lugar, modo etc. de revolutear, de girar; o ato de revolutear, o giro: *Urubu mba'enema 'arybo nhemoîereba... îabé...* – Como o revolutear de um urubu sobre coisas fedorentas... (Anch., *Doutr. Cristã*, II, 111-112)

nhemoîerobîar (etim. – *confiar em si*) (v. intr.) – ser presumido, vangloriar-se, alardear grandeza (*VLB*, I, 150)

nhemoîerobîara (etim. – *o confiar em si*) (s.) – presunção, vanglória (*VLB*, I, 150)

nhemoingó (etim. – *fazer-se estar*) (v. intr.) – comportar-se: ... *A'eboé Tupã ra'yramo anhemoingó re'a...* – Muito a propósito comportei-me como filho de Deus. (Ar., *Cat.*, 169)

nhemoingotebẽ (v. intr.) – afligir-se, atribular-se, entristecer-se: *Anhemoingotebẽ*. – Entristeci-me. (*VLB*, I, 119)

nhemoîtỹ – o mesmo que **îemoîtỹ** (v.)

nhemoîyb (etim. – *fazer-se cozer*) (v. intr.) – tomar suadouros (*VLB*, II, 122)

nhemoîyba (etim. – *o fazer-se cozer*) (s.) – suadouros (*VLB*, II, 122)

nhemokunhã (v. intr.) – **1)** fazer-se mulher: *Anhemokunhã*. – Fiz-me mulher (isto é, *sou uma mulher feita*). (*VLB*, I, 91); **2)** ser mulher de meia-idade (*VLB*, II, 8)

nhemokunumĩ (v. intr.) – fazer-se menino • **nhemokunumĩaba** – tempo, lugar, modo etc. de fazer-se menino; ato de fazer-se menino: *Nde ma'enduá-katu... nde resé Tupã Ta'yra nhemokunumĩagûera resé...* – Lembra-te bem de Deus-Filho ter-se feito menino por tua causa. (Ar., *Cat.*, 249, 1686)

nhemokunu'um (etim. – *fazer-se carinhoso*) (v. intr. compl. posp.) – fazer mimos, fazer agrados, fazer afagos, fazer carinhos [a alguém: compl. com **esé (r, s)**]: *Anhemokunu'um (abá) resé*. – Faço mimos no homem. (*VLB*, II, 38, adapt.) • **nhemokunu'usaba** (ou **nhemokunu'umbaba**) – tempo, lugar, modo, objeto etc. de fazer mimos; o mimado (*VLB*, II, 38)

nhemokunu'unu'uma'ub (etim. – *ficar-se fazendo carinhoso falsamente*) (v. intr. compl. posp.) – lisonjear, fazer lisonjas [a alguém: compl. com a posp. **esé (r, s)**]: *Anhemokunu'unu'uma'ub abá resé*. – Faço lisonjas ao homem. (*VLB*, II, 23, adapt.)

nhemoma'enduar (v. intr. compl. posp.) – lembrar-se, fazer lembrar a si mesmo [de algo ou de alguém: compl. com **esé (r, s)**]: *Penhemoma'enduar te'õ resé*. – Lembrai-vos da morte. (Ar., *Cat.*, 156v)

nhemombeb (etim. – *fazer-se achatado*) (v. intr.) – **1)** agachar-se: *Anhemombé-mombeb gûitekóbo*. – Estou-me agachando (em movimento). (*VLB*, I, 23); *Anhemombeb gûitena*. – Estou-me agachando (parado). (*VLB*, I, 23); **2)** deitar-se, dispor-se deitado (*VLB*, I, 19)

nhemombe'u¹ (ou îemombe'u) (v. intr. compl. posp.) - confessar-se [de algo: compl. com **esé (r, s)**]: *Seixu îabi'õ nhemombe'u.* - Confessar-se a cada ano. (Ar., *Cat.*, 17); *Nd'e'i te'e abá o mendá îanondé onhemombegûabo o angaîpagûera... resé...* - Por isso mesmo alguém, antes de se casar, confessa-se de seus pecados. (Ar., *Cat.*, 132) • **onhemombe'uba'e** - o que se confessa: *... I angaîpaba'e onhemombe'ukatue'ymba'e...* - Os pecadores que não se confessam bem. (Anch., *Doutr. Cristã*, I, 195); **nhemombegûara** - o que se confessa, o confitente: *Marãpe nhemombegûara rekóû...?* - Como o confitente procede? (Ar., *Cat.*, 89v); **nhemombegûaba** - tempo, lugar, modo etc. de confessar-se: *T'oporandu abaré supé o nhemombegûápe.* - Que perguntem ao padre ao se confessarem. (Ar., *Cat.*, 95v)

nhemombe'u² (ou îemombe'u) (etim. - *o declarar-se*) (s.) - confissão (Ar., *Cat.*, 17v): *Oîkobé îemombe'u, mosanga mûeîrabyîara.* - Existe a confissão, remédio portador de cura. (Anch., *Teatro*, 38)

nhemombe'ukugûapaba (etim. - *meio de conhecer o que se conta de si*) - livro de confessionário (*VLB*, I, 79)

nhemombe'umirĩ (etim. - *confessar-se um pouco*) (v. intr.) - reconciliar-se confessando-se (*VLB*, II, 98)

nhemomboreaûsub (etim. - *fazer-se miserável*) (v. intr.) - humilhar-se: *Onhemomboreaûsub, o angaîpaba moasŷabo...* - (A gente) se humilha, arrependendo-se de suas maldades. (Anch., *Diál. da Fé*, 229)

nhemombukab (v. intr.) - derramar-se, desperdiçar-se (*VLB*, II, 15)

nhemomembek (v. intr.) - acovardar-se, amolecer-se: *Nd'e'i te'e abá tekokatu potasara og o'opore'yma, i moîekuakupa, "t'onhemomembek, t'onhemoapapu" o'îabo.* - Por isso mesmo, o homem que quer a virtude esvazia-se de corpo, fazendo-o jejuar, dizendo: "Que se amoleça, que se abrande". (Ar., *Cat.*, 11)

nhemomirĩ (v. intr.) - fazer-se pequeno: *I pupé onhemonhanga, onhemomirĩ Tupã.* - Dentro dela gerando-se, Deus fez-se pequeno. (Anch., *Poemas*, 162)

nhemomoreaûsub (ou nhemomboreaûsub) (v. intr.) - humilhar-se, amesquinhar-se: *... Ybakygûara onhemoputupab i nhemomoreaûsuba repîaka.* - Os habitantes do céu admiraram-se, vendo-o humilhar-se. (Ar., *Cat.*, 138, 1686)

nhemomosapyra (num.) - terceiro: *'Ara nhemomosapyra pupé...* - No terceiro dia... (Anch., *Doutr. Cristã*, I, 141)

nhemomotar¹ (adv.) - cobiçosamente, com desejo, com atração: *Erema'ẽ-nhemomotarype amõ rapopé reséno?* - Olhaste também com desejo para a vagina de alguma? (Anch., *Doutr. Cristã*, II, 89)

nhemomotar² (v. intr.) - v. îemomotar

nhemomotara (s.) - cobiça, atração (*VLB*, I, 75)

nhemomotiasó (v. intr.) - emendar-se: *Eîeroŷ rõ, enhemomotiasó...* - Detesta-te, emenda-te. (Anch., *Doutr. Cristã*, II, 113)

nhemomungá (v. intr.) - impregnar-se, inchar-se, encher-se: *Eresabeypó-potarype erimba'e... kaûĩ pupé enhemomungábo?* - Quiseste embebedar-te outrora, impregnando-te de cauim? (Anch., *Doutr. Cristã*, II, 103)

nhemonan - o mesmo que îemonan (v.)

nhemondá (s.) - furto, roubo: *... Sekomemûãagûera serekóbone sobaké bé... i nhemondá bé...* - Seus antigos pecados fazendo estar diante deles, seus furtos também. (Ar., *Cat.*, 161v)

nhemondeb (v. intr.) - entremeter-se, intrometer-se (p.ex., em conversa alheia) (*VLB*, I, 119)

nhemondubyr (etim. - *empoeirar-se*) (v. intr.) - espojar-se, lançar-se em terra de costas e revolver-se, agitar-se para se coçar: *Anhemonduby-ndubyr.* - Fico a espojar-me. (*VLB*, I, 127)

nhemondy'ar (v. intr.) - ter a primeira menstruação (*VLB*, I, 84)

nhemondy'ara (s.) - a primeira menstruação da mulher (*VLB*, I, 84): *... nhemondy'ara mo'ybatatãmo...* - ... dificultando a primeira menstruação. (Ar., *Cat.*, 66v); *Ereîekuakupe... nde raŷra nhemondy'ara resé?* - Jejuaste por causa da primeira menstruação de tua filha? (Ar., *Cat.*, 99)

nhemondysyk (v. intr.) - ajuntar-se: *Oronhemondysyk.* - Ajuntamo-nos. (*VLB*, I, 29)

nhemongaraíb

nhemongaraíb – o mesmo que **îemongaraíb** (v.)

nhemongaraíba (etim. – *o tornar-se caraíba, o tornar-se cristão*) (s.) – batismo: – *Marãpe aîpó mosangypy rera...? – Nhemongaraíba.* – Qual é o nome daquele primeiro remédio? – Batismo. (Ar., *Cat.*, 80)

nhemongaraibe'yma (s.) – paganismo, o tempo em que não se era batizado: ... *Nde nhemongaraibe'yma pupé oîkoba'e mosema nde 'anga suí.* – Fazendo sair de tua alma o que havia no teu paganismo. (Ar., *Cat.*, 188)

nhemongaraibypyra (etim. – *o tornado cristão*) (s.) – o batizado, pessoa batizada: *Memetipó nhemongaraibypyra tekokatu abýara... abaré... supé ogûasema, sorybetéûne...* – E ainda mais um batizado, transgressor da boa lei, encontrando um padre, alegrar-se-á muito. (Ar., *Cat.*, 219)

nhemongaraipaba (s.) – batismo (Ar., *Cat.*, 92v)

nhemongaraû (v. intr.) – torcer (mão ou pé) (*VLB*, II, 132)

nhemongatu (etim. – *fazer-se bem*) (v. intr.) – sossegar, tranquilizar-se: *Penhemongatu mamõ xe suí n'opoapyî.* – Sossegai longe de mim senão vos queimo. (Anch., *Poesias*, 56)

nhemongetá[1] (ou **îemongetá**) (v. intr. compl. posp.) – combinar, concertar, tratar [sobre algo, de algo: compl. com **esé (r, s)**] ... *Aîpó tekoagûama resé o nhemongetá e'ymebé.* – Antes de tratar sobre aquele procedimento. (Ar., *Cat.*, 279) • **nhemongetasara** – o que combina, o que concerta: *O îoesé o mendaragûama resé nhemongetasara... nd'e'ikatuî a'e roîré amoaé resé omendá...* – Os que tratam de seu futuro casamento um com o outro não podem, depois disso, casar-se com outros. (Ar., *Cat.*, 280)

nhemongetá[2] (ou **îemongetá**) (etim. – *conversar consigo mesmo*) (v. intr.) – pensar, refletir, devanear: *Nd'ei te'e, o py'a pupé oîemongetá-ngetábo, Tupã momburukatûabo...* – Por isso mesmo é que, em seus corações ficando a refletir, desafiam muito a Deus. (Anch., *Teatro*, 30); *Oîkó kûepe mba'e resé nde ma'enduara... enhemongetábo ekupa?* – Estava longe tua lembrança das coisas, estando a devanear? (Anch., *Doutr. Cristã*, II, 105)

nhemongué (v. intr.) – agitar-se: ... *Yby abé a'ereme onhemonguébo, oryryîane...* – A terra também, então, agitando-se, tremendo. (Ar., *Cat.*, 160)

nhemonguengué (v. intr.) – estrebuchar, agitar-se de um lado e do outro, debater-se (como para se soltar) (*VLB*, I, 130)

nhemongyr (v. intr.) – levantar-se, erguer-se, sair da inatividade, mexer-se (*VLB*, I, 57)

nhemongyrá (v. intr.) – engordar (*VLB*, I, 116)

nhemonhang – 1) (v. intr.) – **a)** fazer-se, realizar-se: *T'onhemonhang nde remimotara.* – Faça-se tua vontade. (Ar., *Cat.*, 13v); **b)** nascer, gerar-se: *Pitanga nhemonhanga suí oîeposanõ-sanonga.* – Ficando a tomar poções para não se gerar uma criança. (Ar., *Cat.*, 97); *Anhemonhang.* – Nasci. (*VLB*, II, 46); *Na tubi; onhemonhang é o sy i atoîmbyre'yma rygépe.* – Não teve pai; gerou-se, na verdade, no ventre de sua mãe intocada. (Ar., *Cat.*, 23); **c)** criar-se, crescer: *Xe Îetu'u ra'yrûera. Anhemonhang i pupé.* – Eu sou antigo filho de Jetuú. Criei-me dentro dela. (Anch., *Poemas*, 152); **d)** desenvolver-se (p.ex., planta, plantação); 2) (v. intr. compl. posp.) – tornar-se, converter-se, transformar-se (em algo: compl. com -**ramo**): *Ybyramo i nhemonhangyne.* – Em terra ele se transformará. (Anch., *Doutr. Cristã*, I, 161); *Anhemonhang a'eramo.* – Converti-me naquilo. *Anhemonhang gûyráramo.* – Converti-me num pássaro. (*VLB*, II, 133); *Emonãnamope anhanga remiaûsubamo pabẽ asé nhemonhangi?* – Portanto, como escravos do diabo tornamo-nos totalmente? (Anch., *Doutr. Cristã*, I, 162) • **onhemonhangyba'e** – o que se gera, o que se transforma: *O membyra gûygépe onhemonhangyba'e 'arama osepîaka'ub...* – Deseja ardentemente ver o nascimento de seu filho que se gera em seu ventre. (Ar., *Cat.*, 9v); **nhemonhangaba** – tempo, lugar, causa etc. de gerar, de transformar; concepção, geração; progenitor (i.e., *a causa do gerar*): *Ko'y, nde nhemonhangaba ogûeru torybeté.* – Agora tua concepção trouxe grande alegria. (Anch., *Poemas*, 146); *Toryba nhemonhangaba...* – Geração da alegria... (Valente, *Cantigas*, VIII, in Ar., *Cat.*, 1618); *Nd'e'i te'e îandé rubypyrama monhanga îandé nhemonhangabamo.* – Por isso mesmo fez nosso pai primeiro como nosso progenitor. (Anch., *Doutr. Cristã*, I, 193)

nhemopaîé (v. intr.) – o mesmo que **îemopaîé** (v.)

nhemopepó (v. intr.) – dar asas a si, adquirir asas: *Nd'e'i te'e abá tekokatu pupé onhemopepóbo o beberama resé*. – Por isso mesmo o homem, com a virtude, dá asas a si para voar. (Ar., *Cat.*, 169-169v)

nhemopiring (v. intr.) – arrepiar-se: *Enhemopiringa, moropotara nde resá moîo'arype?* – Arrepiando-te, o desejo sensual aumentou teus olhos? (Anch., *Doutr. Cristã*, II, 95)

nhemopoîaî (v. intr. compl. posp.) – fazer agrado, fazer carícia; ter cuidado (p.ex., dando de comer) [compl. com **esé (r, s)**]: *Anhemopoîaî (abá) resé*. – Fiz afagos no homem. (*VLB*, I, 67, adapt.); *Anhemopoîá-poîaî*. – Fico fazendo mimos. (*VLB*, II, 38) • **nhemopoîaîtaba** – tempo, lugar, modo, objeto etc. de fazer agrado, de fazer mimos; o mimado (*VLB*, II, 38)

nhemoputun (ou **nhemopytun**) (etim. – *fazer-se escuro*) (v. intr.) – eclipsar-se; escurecer-se (p.ex., o sol, o tempo etc.) (*VLB*, I, 71; 108): *Kuarasy onhemoputun...* – O sol eclipsa-se. (Ar., *Cat.*, 159v)

nhemoputupab (etim. – *fazer-se acabar a respiração*) (v. intr.) – admirar-se: *Ybakygûara onhemoputupab*. – Os habitantes do céu admiraram-se. (Ar., *Cat.*, 9v)

nhemopyatã (etim. – *fazer-se pé firme*) (v. intr.) – **1)** animar-se, fortalecer-se (*VLB*, I, 36); **2)** esforçar-se (*VLB*, I, 124): *Enhemopyatã Tupã resé...* – Esforça-te por causa de Deus. (Ar., *Cat.*, 141)

nhemopysasu (v. intr.) – fazer-se novo, renovar-se: *T'îanhemopysasu, tekopûera pe'apapa.* – Que nos renovemos, repelindo completamente os costumes antigos. (Anch., *Poemas*, 164)

nhemoryba (s.) – diversão: *... Mo'ema nde resemõ: moraseîa, nhemoryba, gûe'ena, ka'uaíba...* – Mentiras sobejavam-te: danças, diversões, vômitos, bebedeiras. (Anch., *Teatro*, 170)

nhemoryryî – v. **îemoryryî**

nhemoryryîa (ou **îemoryryîa**) (etim. – *o fazer-se tremer*) (s.) – interesse, envolvimento, cuidado: *... Tupã rekó resé nhemoryryîa* – interesse pela lei de Deus (Ar., *Cat.*, 18)

nhemoryryîe'yma (etim. – *o não se fazer tremer*) (s.) – desinteresse: *Tupã rekó resé nhemoryryîe'yma...* – desinteresse pela lei de Deus (Ar., *Cat.*, 18)

nhemosaînan (ou **îemosaînan**) (v. intr. compl. posp.) – **1)** cuidar, preocupar-se [em algo, com algo ou com alguém: compl. com **esé (r, s)**]: *Onhemosaînan pabẽpe cristãos aîpoba'e kuabaûama resé?* – Preocupam-se todos os cristãos em saber isso? (Ar., *Cat.*, 21, 1686); *Onhemosaînãpe amẽ asé rerokara asé resé?* – Preocupam-se conosco, de costume, os nossos padrinhos? (Ar., *Cat.*, 82); **2)** prover-se [de algo: compl. com **esé (r, s)**]: *Anhemosaînan xe mba'erama resé*. – Provejo-me das minhas coisas. (*VLB*, II, 88); **3)** ocupar-se, estar ocupado; negociar; ser ativo, ser trabalhador: *Anhemosãînan gûitekóbo*. – Vivo negociando. *N'anhemosãînani*. – Não sou trabalhador (isto é, sou negligente). – *Eîaso'îabok nde karamemûã t'asepîak nde ma'e*. – *Anhemosaînan*. – Destampa tua caixa para que eu veja tuas coisas. – Estou ocupado. (Léry, *Histoire*, 346) • **nhemosaînandaba** – tempo, lugar, modo etc. de se ocupar, de se preocupar; cuidado, ocupação; negócio (*VLB*, II, 49): *O nhemosaînandagûera resé o irũagûera resé bé o ma'enduaramo*. – Lembrando-se das suas antigas ocupações e de seus antigos companheiros também. (Bettendorff, *Compêndio*, 92)

nhemosaînane'yma (etim. – *falta de cuidado*) (s.) – negligência; descuido (*VLB*, II, 49)

nhemosako'i (ou **îemosako'i**) (v. intr. compl. posp.) – **1)** acautelar-se, estar à espreita, estar de sobreaviso: *T'onhemosako'i irã yby pora t'ogûerobîar umẽ...* – Que se acautelem futuramente os habitantes da terra para que não creiam nele. (Ar., *Cat.*, 160v); **2)** aperceber-se, preparar-se (para algo que se espera); fazer preparativos para receber [compl. com **esé (r, s)**]: *Anhemosako'i (mba'e) resé*. – Preparo-me para algo. (*VLB*, I, 38, adapt.); *Xe nhemosako'i e'ymebé turi*. – Veio antes que eu me preparasse. (*VLB*, I, 97); *Anhemosako'i xe ruba resé*. – Fiz preparativos para receber a meu pai. *Anhemosako'i tobaîara resé*. – Fiz preparativos para receber o inimigo. (*VLB*, II, 88); *Peîemosako'i!...* – Preparai-vos! (Ar., *Cat.*, 6); *Pa'i Îesus rekobeîebyragûama resé onhemosako'îabo...* – Preparando-se para a futura ressurreição do senhor Jesus. (Ar., *Cat.*, 64v) • **nhemosako'îaba** – tempo, lugar, causa etc. de se acautelar, de se aperceber, de se preparar; preparativos [p.ex., artilharia para a guerra ou fogos de artifício para receber um amigo (*VLB*, I, 38)]: *Ybaka aé Tupã îandé resé*

nhemosako'ie'yma

i nhemosako'îaba... – O próprio céu é o que Deus prepara para nós. (Ar., *Cat.*, 167)

nhemosako'ie'yma (s.) – descuido, despreparo: *Penheangerekó amõ 'ara pupé te'õ pe rokena motaka turagûama resé é, nhemosako'ie'yma pupé, pe pokosupa...* – Pensai que, algum dia, a morte virá para bater em vossas portas, em despreparo, surpreendendo-vos. (Ar., *Cat.*, 158)

nhemosapysó (etim. – *fazer-se estender os olhos*) (v. intr. compl. posp.) – alongar-se a vista; olhar detidamente [para algo ou alguém: compl. com **esé (r, s)**]: ... *Mendarûera amõ resé enhemosapysóbo.* – Olhando detidamente para alguma que foi casada. (Anch., *Doutr. Cristã*, II, 101)

nhemosaraî (etim. – *esquecer-se de si*) (v. intr. compl. posp.) – **1)** brincar, divertir-se (como as crianças); jogar: *Anhemosaraî.* – Brinco. (*VLB*, I, 60); **2)** festejar (*VLB*, I, 138); fazer festa: *Îandé moetébo apŷaba nhemosaraî...* – Para nos honrar os índios fazem festa. (Anch., *Teatro*, 24); **3)** zombar [de algo ou de alguém: compl. com **esé (r, s)**]: *Enhemosaraî umẽ xe resé!* – Não zombes de mim! (Fig., *Arte*, 124)
• **nhemosaraîtaba** – tempo, lugar, modo etc. de brincar, de festejar, de zombar; brincadeira, diversão: *Omanõaibí... o nhemosaraîtápe bé.* – Desanima, sem mais, de suas diversões também. (Ar., *Cat.*, 157v)

nhemosaraîa (etim. – *o fazer-se esquecer de si*) (s.) – **1)** brincadeira (de crianças), folguedo, diversão, jogo (de adultos) (*VLB*, I, 60): *I porambyrambykĩ xe nhemosaraîa ixébo.* – Estava agradável a mim meu jogo. (*VLB*, II, 71); *Nhemosaraîa aîmonhang.* – Faço a brincadeira, o jogo. (*VLB*, II, 14); **2)** festa: *Nhemosaraîa aîmonhang (abá) resé.* – Fiz festa por causa do homem. (*VLB*, I, 138, adapt.) • **nhemosaraîxûera** – gozador, brincalhão, zombeteiro (*VLB*, I, 59); folgazão (*VLB*, I, 141)

nhemosasãî (v. intr.) – dispersar-se, espalhar-se: *Oronhemosasãî oroîkóbo.* – Estamo-nos espalhando (isto é, *andando espalhados*). (*VLB*, I, 125)

nhemotegûá – o mesmo que **nhemote'õ'a** (v.).

nhemotekokuab (v. intr.) – ter discernimento, conhecer os fatos (Ar., *Cat.*, 169)

nhemotekokuaba (etim. – *o fazer-se conhecer os fatos*) (s.) – entendimento, compreensão: *Otupãar-y bé o nhemotekokuá-katu roîré...* – Comunga também após seu bom entendimento. (Bettendorff, *Compêndio*, 82)

nhemote'õ'a (ou **nhemotegûá**) (etim. – *fazer cair a morte em si*) (v. intr.) – **1)** desfalecer: *Onhemote'õ'a moxy...* – Desfaleceram os maus. (Anch., *Teatro*, 136); **2)** ficar impotente, ficar atônito, ficar sem interesse: *Erenhemote'õ'ape nde remirekó supé, i amotare'yma nhẽ?* – Ficaste impotente diante de tua esposa, detestando-a? (Ar., *Cat.*, 235-236)

nhemotimbor (etim. – *fazer-se fumaça*) (v. intr.) – **1)** defumar-se; incensar-se: *Paîea'uba supé onhemotimbó-timborukaryba'e...* – O que manda a um falso pajé ficar defumando a si... (Ar., *Cat.*, 96, 1686); **2)** perfumar-se (*VLB*, II, 73)

nhemotimbosaba (etim. – *instrumento de se defumar*) (s.) – perfume (*VLB*, II, 73)

nhemotupã – o mesmo que **îemotupan** (v.)

nhemoún – o mesmo que **îemoún** (v.)

nhemoyaî (etim. – *fazer-se suar*) (v. intr.) – tomar suadouros (*VLB*, II, 122)

nhemoyaîa (etim. – *o fazer-se suar*) (s.) – suadouro (*VLB*, II, 122)

nhemo'yb (etim. – *fazerem-se plantas*) (v. intr.) – criar mato (a terra que já foi cultivada) (*VLB*, II, 33)

nhemoŷrõ – v. **îemoŷrõ**

nhemoŷrõndûera (s.) – **1)** agastamento, irritação, raiva habitual (*VLB*, I, 24); **2)** pessoa raivosa (*VLB*, II, 95); (adj.: **nhemoŷrõndûer**) – agastadiço, que tem inclinação a se irritar: *Xe nhemoŷrõndûer.* – Eu sou agastadiço; eu tenho inclinação a me irritar. (Anch., *Arte*, 51v; *VLB*, I, 24)

nhemoysy (v. intr.) – pôr-se em fila, enfileirar-se: *Oronhemoysy.* – Enfileiramo-nos; pusemo-nos em fila. (*VLB*, I, 127; II, 101)

nhemũ[1] (s.) – paz (como entre os que eram inimigos e tinham guerra entre si) (*VLB*, II, 68)

nhemũ[2] (v. intr.) – fazer as pazes (*VLB*, II, 68)

nhemun – o mesmo que **nhenomun** (v.)

nhen (-îo- ou -nho-) (v. tr.) – submeter, subjugar (por bem, como, p.ex., o pai ao filho) (*VLB*, II, 121)

nhenhẽ (adv.) - ociosamente, sem porquê (*VLB*, II, 54); inocentemente (*VLB*, II, 12)

nhenõî (v. intr.) - chamar-se pelo nome (*VLB*, II, 50)

nhenomun (ou **nhemũ**) (v. intr. compl. posp.) - cuspir, escarrar [em algo ou em alguém: compl. com **esé (r, s)**]: ... *Sobá resé onhenomũ-nomuna...* - Em seu rosto ficando a cuspir. (Ar., *Cat.*, 56v)

nhenong (v. intr.) - **1)** colocar-se, guardar-se: ... *Nde rera pupé anhenong...* - Em teu nome guardo-me. (Ar., *Cat.*, 24v); **2)** recolher-se: *Anhenong gûitupa.* - Estou-me recolhendo. (*VLB*, I, 92)

nhenonhen (v. intr.) - emendar-se, corrigir-se: *Anhenonhẽpe ko'yté ká...* - Hei de me corrigir, enfim. (Ar., *Cat.*, 75)

nhenonhena (etim. - *o corrigir-se a si*) (s.) - emenda, correção (Bettendorff, *Compêndio*, 20)

nhenosem - o mesmo que **îenosem** (v.)

nhenupã¹ (s.) - **1)** autoflagelar-se, penitenciar-se, castigar-se: *Kype anhenupã-nupã.* - Fiquei a penitenciar-me longamente. (Anch., *Teatro*, 172); **2)** disciplinar-se (*VLB*, I, 103)

nhenupã² (etim. - *o castigar-se*) (s.) - **1)** açoite (*VLB*, I, 21); **2)** autoflagelação, castigo que se inflige a si próprio: *Ereîmoporype nde monhemombegûara nhe'enga, nhenupã, îekuakuba...?* - Cumpriste as palavras de teu confessor, a autoflagelação, os jejuns? (Anch., *Doutr. Cristã*, II, 79)

nhenupãsaba (etim. - *instrumento de se castigar*) (s.) - disciplinas, correias com que frades e devotos se açoitavam por penitência ou castigo (*VLB*, I, 103)

nhenupãsabusu (s.) - tormentos, sofrimentos, padecimentos (*VLB*, I, 115)

nhepumĩ (v. intr.) - mergulhar, afundar na água (*VLB*, I, 29)

nheran (v. intr. compl. posp.) - **1)** fazer ataque, fazer agressão, ser bravo (*VLB*, II, 31), agredir, resistir atacando [a algo ou a alguém: compl. com **esé (r, s)**]: *Anheran sesé.* - Resisti-lhe (atacando-o). (*VLB*, II, 103); *Abá marã sekoagûerĩ resé nherane'yma.* - Não fazer ataque às pequenas maldades dos homens. (Ar., *Cat.*, 18v); **2)** resistir (defendendo-se), opor resistência, estrebuchar (como que para se soltar) (compl. com **supé**): *Anheran i xupé.* - Resisti-lhe (defendendo-me). (*VLB*, II, 103); ... *N'onherani xûéne o îoupéne.* - Não oporão resistência um ao outro. (Anch., *Doutr. Cristã*, I, 228); *A'epe a'e kunhã n'onherani i momarana?* - E aquelas mulheres não resistem, combatendo-os? (Anch., *Teatro*, 152); *O emimotarybo épe erimba'e i nheme'engi og upîarama pé onherane'yma?* - Por sua vontade é que ele se entregou aos seus adversários, não resistindo? (Anch., *Diál. da Fé*, 164) • **onheranyba'e** - o que resiste, o que faz ataque, o que agride: *Tekokatueté rerekoara onherane'ymba'e.* - O que tem a bem-aventurança é o que não agride. (Ar., *Cat.*, 18v-19)

nherane'yma (etim. - *sem agressão*) (s.) - **1)** mansidão (Bettendorff, *Compêndio*, 20); humildade (*VLB*, I, 154); **2)** pessoa humilde (*VLB*, I, 154); (adj.: **nherane'ym**) - humilde, manso: *Abanherane'yma ixé.* - Eu sou homem manso. (*VLB*, II, 31)

nhesen (v. intr.) - entornar-se (o líquido, a farinha etc.) (*VLB*, I, 119). V. também **ẽ (-nho-s-)**

nhetamonhang (etim. - *fazerem-se tabas*) (v. intr.) - fazer povoação, fundar aldeia (*VLB*, II, 84)

nhetanong - o mesmo que **îetanong** (v.)

nhetekatunhẽpeũĩ (adv.) - completamente: *Ererasó nhetekatunhẽpeũĩ.* - Leva-o completamente. (*VLB*, I, 102)

nhetĩapyapyr (v. intr.) - lançar ao fundo a âncora, fundear (p.ex., o navio) (*VLB*, I, 144)

nhetĩapyr (v. intr.) - arfar (p.ex., o navio) (*VLB*, I, 41)

nhetinga (ou **nhitinga**) - o mesmo que **îetinga** (v.) (*VLB*, II, 43)

nhetingaruru (s.) - mosquito de vinho (*VLB*, II, 43)

nhetymãkatõî (v. intr.) - dar-se canelada (*VLB*, I, 65)

nheũî (v. intr.) - queimar-se (Fig., *Arte*, 82)

nheŷnhang¹ (v. intr.) - encolher-se (como quem dorme ao frio) (*VLB*, I, 114)

nheŷnhang² (v. intr. compl. posp.) - reunir-se; ajuntar-se, juntar-se [a alguém, com alguém:

nheypyrung compl. com **esé (r, s)**]: *Umãmepe asé nheŷnhangi...-ne?* – Onde a gente se reunirá? (Ar., *Cat.*, 46v); *Onheŷnhang umã sesé kunumĩetá kagûara...* – Já se juntaram a eles muitos moços bebedores de cauim. (Anch., *Teatro*, 24); *Penheŷnhang pabẽ sesé!* – Ajuntai-vos todos com eles! (Anch., *Teatro*, 60); ... *Sobaké Anhanga onheŷnhanga, i mokona motá...* – Diante deles os diabos ajuntando-se, querendo engoli-los. (Ar., *Cat.*, 161v) • **nheŷnhangaba** – tempo, lugar, modo etc. de se reunir, de se ajuntar: ... *Peîori... pe nheŷnhangápe pe rekorama rá.* – Vinde para receber as determinações a vós no lugar em que vos ajuntais. (Ar., *Cat.*, 160v)

nheypyrung (etim. – *pôr início a si*) (v. intr.) – começar: *Quarta-feira tanimbukaraíba rasápe, îekuakupabusu Quaresma 'îaba nheypyrungi.* – Ao passar a quarta-feira de cinzas sagradas começa o grande jejum, chamado *Quaresma*. (Ar., *Cat.*, 122, 1686)

nhõ (adv.) – só, somente, apenas: ... *Nde nhõ nde moetekatûabo!* – A ti somente louvando-te muito! (Anch., *Poemas*, 92); *Mba'e i 'upyra resé nhõpe asé îeruréû Tupã supé?* – A gente pede a Deus somente pelas coisas que deve comer? (Ar., *Cat.*, 27v); *I îurupe nhõ Tupã rerobîara ruî.* – A crença em Deus está somente em suas bocas. (Anch., *Teatro*, 30); *Aîpó nhõ-pipó nde rera?* – Esse somente é, de fato, teu nome? (Anch., *Teatro*, 44); *Epytá! Kagûâpe nhõ nde ratãngatu-potá?* – Fica! Somente quando bebes cauim tu queres ser valente? (Anch., *Teatro*, 64)

nho- – o mesmo que **îo-** (v.)

nhoamotare'yma (etim. – *falta de querer bem um ao outro*) (s.) – ódio, malquerença, discórdia (*VLB*, I, 103): ... *Abá resé nhoamotare'yma rerekouká abá supé.* – Fazendo as pessoas terem ódio umas das outras por causa de alguém. (Ar., *Cat.*, 74)

nhoanhubana (ou **îoanhubana**) (s.) – abraço (*VLB*, I, 18)

nhoatõî (v. intr.) – dar golpes um no outro (*VLB*, II, 32)

nhobaîtî (v. intr.) – encontrarem-se (na guerra), enfrentarem-se (*VLB*, I, 114)

nhoepenhan [etim. – *atacar um(s) ao(s) outro(s)*] (v. intr.) – brigar (com muito barulho e clamores, com flechadas ou cutiladas) (*VLB*, I, 43)

nhoepenhana [etim. – *o atacar um(s) ao(s) outro(s)*] (s.) – briga (com flechadas, cutiladas etc., não com punhadas ou agarrando-se os cabelos, que é **îoîrarõ** – v.) (*VLB*, II, 71)

nhokendabok (v. intr.) – abrir-se (p.ex., a porta, a janela, o tampo) (*VLB*, I, 18)

nhomoetee'yma (s.) – menosprezo (*VLB*, II, 35)

nhomokanhema (s.) – anulação, destruição: *Nhomokanhema oîepé nhandé rekó pupé na rima'e bé ruã.* – A anulação em uma única lei nossa não é mais como antigamente. (Camarões, *Cartas*, 4 de outubro de 1645)

nhomombaba (s.) – matança (*VLB*, II, 33)

nhomomoranga (s.) – brincadeiras desonestas, carícias desonestas (*VLB*, I, 60)

nhomongakugûaba (s.) – notícia, novidade (*VLB*, II, 97)

nhomongetá (s.) – conversa (*VLB*, II, 84): *Ma'e resé îandé nhomongetá?* – Sobre quê será nossa conversa? (Léry, *Histoire*, 358)

nhomongetasaba (s.) – **1)** lugar de conversar, de conselho; **2)** capítulo (de convento) (*VLB*, I, 66)

nhõngatu (adv.) – tão somente: ... *Tekokatu resé nhõngatu o apysykamo.* – Confortando-se tão somente na virtude. (Ar., *Cat.*, 189, 1686); *oîepé nhõngatu...* – tão somente uma vez (Ar., *Cat.*, 112); *Xe nhõngatueté koba'e aîporaráne mã!* – Ah, tão somente eu, na verdade, sofrerei isto! (Ar., *Cat.*, 155v). V. **anhõ** e **nhote**

nhonhe (adv.) – somente, só (*VLB*, II, 118; Fig., *Arte*, 149)

nhonhẽtenhẽ (adv.) – absolutamente só, totalmente sozinho (*VLB*, II, 118)

nhonongatu (v. intr.) – moderar-se (p.ex., nos costumes), ser moderado (*VLB*, II, 39)

nhonumun – o mesmo que **nhenomun** (v.) (Bettendorff, *Compêndio*, 89)

nhopa'ũ (s.) – intervalo (*VLB*, II, 13); espaço entre duas coisas (*VLB*, I, 125)

nhopa'ũme (etim. – *no intervalo*) (loc. posp.) – entre (*VLB*, I, 119)

nhopa'ũmondûara (s.) – extremos do rosário, isto é, os padres-nossos do rosário que são contas mais espaçadas e maiores que as ave-marias (*VLB*, I, 131)

nhota'ub (adv.) – levemente (*VLB*, II, 21); medianamente (denota, comumente, imperfeição na coisa): *Turusu-nhota'ub.* – É medianamente grande. (*VLB*, II, 34)

nhota'ubĩ (adv.) – medianamente: *Turusu--nhota'ubĩ.* – É medianamente grande. (*VLB*, II, 34)

nhote[1] (ou **îõte**) (adv.) – só, somente, apenas: ... *Xe pópe nhote arasó.* – Nas minhas mãos, somente, levei-as. (Anch., *Teatro*, 46); *T'îasó xe irũnamo Nhoesembépe nhote.* – Vamos comigo somente até Nhoesembé. (*VLB*, I, 46); *Opûerab é ipó xe 'anga nde nhe'enga pupé nhote.* – Sara mesmo minha alma apenas com tuas palavras. (Ar., *Cat.*, 86v). V. tb. **anhõ** e **nhõ**

nhote[2] (ou **îõte**) (part. que expressa o aspecto lusivo) – não mais, tão somente: *Asó nhote.* – Fui, tão somente (ou *fui por ir*). (Fig., *Arte*, 144); *Esepîak nhote xe ra'yra.* – Vê, tão somente, meu filho (isto é, *e não lhe faças mal*). (Fig., *Arte*, 144). V. tb. **nhõ** e **-'ĩ**[1]

nhote[3] (ou **îõte**) (adv.) – medianamente: *Turusu nhote.* – Ele é medianamente grande. (*VLB*, II, 34)

nhũ (s.) – campo; campina (*VLB*, I, 65), prado: *Nhũ rupi agûatá.* – Ando pelo campo. (Fig., *Arte*, 123); *nhũasyma* – campo limpo (*VLB*, II, 84); ... *Nhũ-myterype i mbo'îabo.* – Em meio de campo repartindo-os. (Anch., *Teatro*, 140); – *Umãmepe Tupã aîpó îandé rubypy reterama monhangi?* – *Nhũ Damasceno seryba'epe.* – Onde Deus fez o corpo daquele nosso pai primeiro? – No chamado "Campo Damasceno". (Ar., *Cat.*, 38v) • **nhũbondûara** (ou **nhũmendûara**) – natural dos campos, o que vive no campo (pessoa, animal, erva etc.) (*VLB*, II, 41)

> NOTA – Daí se originam os nomes geográficos **GARANHUNS** (PE), **NUPORANGA** (SP), etc. (v. Rel. Top. e Antrop. no final).

nhuá (s.) – árvore alta, "de casca griseia... Produz um fruto do tamanho de uma bola de jogo, redondo, alvacento". Talvez seja o castanheiro-do-pará (*Bertholletia excelsa* Bonpl.). (Marcgrave, *Hist. Nat. Bras.*, 100)

nhuãpupé – o mesmo que **nhapupé** (v.) (*VLB*, II, 73)

nhuãpupegûasu (etim. – *nhuapupé grande*) (s.) – variedade de perdiz (Soares, *Coisas Not. Bras.* (ms. C), 1403-1407)

nhuatĩ'unana (s.) – nome de uma planta (*Theat. Rer. Nat. Bras.*, II, 196)

nhuban (v. tr) – envolver (com pano, capa, embrulho etc.); embrulhar; amortalhar (*VLB*, I, 120)

nhubana (s.) – envoltório, invólucro, embrulho: *Aînhubã-rok.* – Arranquei o invólucro dele. (*VLB*, I, 98)

nhumbugûasu (s.) – trombeta grande feita da concha chamada **gûatapygûasu** (v.) (Marcgrave, *Hist. Nat. Bras.*, 278)

nhundi'a – o mesmo que **nhandi'a** (v.) (*VLB*, I, 50)

nhupatĩ (v. intr.) – sofrer, padecer: ... *A'epe bé rakó abá nhupatĩû...* – Aí também, certamente, o homem sofre. (Ar., *Cat.*, 165)

nhurĩ – o mesmo que **anhurĩ** (v. **aîura**) (*VLB*, I, 93)

nhy'ã (s.) – **1)** coração (Castilho, *Nomes*, 35): *Eîké kori xe nhy'ãme.* – Entra hoje em meu coração. (Anch., *Poemas*, 92); *Obok nde nhy'ã, saûsuba resé.* – Rompeu-se teu coração, por amor a ele. (Anch., *Poemas*, 120); *Asé sybápe cruz moíni asé nhy'ã 'arybo bé.* – Em nossa testa põe a cruz e sobre nosso coração também. (Ar., *Cat.*, 81); **2)** entranhas: *Itamina pupé iî yké kutuki, i nhy'ã moboka.* – Com uma lança de ferro espetou seu flanco, estourando suas entranhas. (Ar., *Cat.*, 64) • **nhy'ã-sama** – fibras do coração (Castilho, *Nomes*, 35)

nhy'ãbebuîa (etim. – *coração leve*) (s.) – pulmão: *Kó aîkó sygepûera t'arasó i nhy'ãbebuîa abé xe raîxó-gûaîbĩ supé.* – Aqui estou para levar seu ventre e também seus pulmões para minha sogra velha. (Anch., *Teatro*, 66; Castilho, *Nomes*, 35)

nhynhyng (v. intr.) – **1)** enrugar-se, ter rugas: *Anhynhyng.* – Enruguei-me. (*VLB*, II, 109); **2)** murchar, estar murcho (*VLB*, II, 45)

nhynhynga (s.) – ruga (*VLB*, II, 109)

nhyrõ

nhyrõ (s.) - **1)** paz (como entre os que eram inimigos e tinham guerra) (*VLB*, II, 68); **2)** perdão: *Oré rerekomemûãsara supé oré nhyrõ îabé...* - Como o nosso perdão aos que nos tratam mal. (Anch., *Diál. da Fé*, 230); (adj.) - pacífico; **(xe)** estar em paz; perdoar [pessoa a quem se perdoa: com **supé**; coisa perdoada: com **esé (r, s)**]: ... *T'i nhyrõ Tupã orébo.* - Que perdoe Deus a nós. (Anch., *Poemas*, 144); *Xe rybyt, nde nhyrõ xebo.* - Meu irmão, perdoa tu a mim. (Anch., *Teatro*, 46); *Nde nhyrõ oré angaîpaba resé.* - Perdoa tu nossas maldades. (Anch., *Doutr. Cristã*, I, 139) ● **nhyrõaba** (ou **nhyrõsaba**) - tempo, lugar, modo, objeto etc. de perdoar; perdão: *N'aîkuabi... ixébo Tupã nhyrõagûera.* - Não sabia do perdão de Deus a mim. (Ar., *Cat.*, 112); *N'oîkotebêî amõba'e Tupã nhyrõsabe'yma?* - Não ficam receosos os outros de não serem objetos do perdão de Deus? (Anch., *Teatro*, 160, 2006)

0

'**o**¹ (-îo-) (v. tr.) – **1)** tapar, fechar, entupir, cerrar (o que estava aberto, como, p.ex., o caminho, o buraco etc.); calafetar (*VLB*, I, 63): *Aîo'o.* – Tapo-o. (Anch., *Arte*, 28v); **2)** remendar • '**osaba** – tempo, lugar, modo etc. de tapar, de fechar, de remendar; remendo (*VLB*, II, 101)

'**o**² (s.) – fechamento, ato de fechar: *i 'o* – seu fechamento (Anch., *Arte*, 5v)

o¹ – **1)** (poss. da 3ª p. do sing. e pl. que reflete o sujeito da oração) – seu próprio (s, a, as): *O sy posé pitanga ruî.* – Ao lado de sua própria mãe a criança está deitada. (Anch., *Arte*, 44); ... *miapé rari o pópe...* – ... tomou o pão em suas mãos. (Ar., *Cat.*, 84v); **2)** (pron. refl. da 3ª p. do sing. e pl.; refere-se sempre ao sujeito da oração): *Nd'e'i te'e kunumĩgûasu, morubixaba o sogûápe, oîkébo memẽ kagûápe...* – Por isso mesmo os moços, por os convidarem os chefes, entram sempre no lugar de beber cauim. (Anch., *Teatro*, 34)

o² (pref. núm.-pess. da 3ª p.): *Oîuká.* – Mata (ou matam). (Anch., *Arte*, 17v); *Xe resé oîerobîá...* – Em mim confiam. (Anch., *Teatro*, 40); *omanõmo* – morrendo ele (Anch., *Arte*, 29); *okaturamo* – sendo ele bom (Anch., *Arte*, 29)

oá (t) (s.) – copio de rede de pescar, espécie de saco (no fundo de rede grande) com que se pescavam a ova ou as crias dos peixes (*VLB*, I, 81)

oatukupébo (adv.) – de costas (Fig., *Arte*, 122)

oatukupepyterybo (adv.) – de costas: *Oatukupepyterybo aîub.* – Jazo de costas. (*VLB*, II, 7)

oba (s, r, s) (s.) – folha (de planta, árvore etc.) (*VLB*, II, 63): *sobûerusu* – grande folha caída (Léry, *Histoire*, 351); *sokyra* – folha tenra (*VLB*, II, 126); *Aîmongûi soba.* – Derrubei as folhas dela. (*VLB*, I, 99); [adj.: **ob (r, s)**] – folheado; **(xe)** ter folhas: *Sob.* – Ela tem folhas. (*VLB*, I, 141)

> NOTA – Daí, no P.B., **CAABOPOXI** (*ka'a + oba + poxy*, "folhas feias do mato"), nome de uma planta trepadeira convolvulácea, com folhas partidas; **MANIÇOBA** ("folhas de mani"), prato típico da região Norte do Brasil, preparado com folhas de mandioca cozidas durante vários dias e, depois, misturadas com carne ou peixe; **PACOBA** ("folhas das pacas"), nome indígena dado à bananeira; **CAPERIÇOBA**, **ACARIÇOBA**, nomes de plantas brasileiras etc.

obá (t) (s.) – rosto, face, cara (Castilho, *Nomes*, 40): ... *Nde robá repîaka'upa...* – Tendo saudades de tua face. (Anch., *Poemas*, 84); *T'asepîâne nde robá...* – Hei de ver tua face. (Anch., *Poemas*, 98); *Marã e'ipe Îandé Îara og obá petekarûera supé?* – Como disse Nosso Senhor para o que esbofeteou seu rosto? (Ar., *Cat.*, 55v); *îagûarobá* – cara de onça (Anch., *Arte*, 9) • **obá-ky'a-ky'a** (r, s) (lit., *de cara suja, suja*) – brusco, feio (fal. do tempo, das condições atmosféricas) (*VLB*, I, 60)

> NOTA – Daí, no P.B., **TOPATINGA** (*tobá + ting + -a*, "caras brancas"), nome que se dava aos holandeses no tempo da invasão holandesa do Nordeste (1630-1654).
> Daí, também, **ANHANGABAÚ** (nome de lugar no centro de São Paulo, SP, que remonta ao primeiro século do Brasil. Sua etimologia foi esclarecida recentemente.) (v. Rel. Top. e Antrop. no final).

obaapûã (t) (etim. – *ponta do rosto*) (s.) – topete (Castilho, *Nomes*, 40)

obaapyra (t) (etim. – *ponta do rosto*) (s.) – topete (Castilho, *Nomes*, 40)

obabo (r, s) (etim. – *no rosto, na cara*) (loc. posp.) – à vista de, diante de, junto a, defronte de: ... *îudeus-etá cruz robábo...* – os muitos judeus junto à cruz (Ar., *Cat.*, 63); *Sobábo akûab.* – Diante deles passei. *Nhoesembé robábo i kûáî.* – Ele passou defronte de Nhoesembé. (*VLB*, II, 67); *xe robábo* – à minha vista; *sobábo* – à vista dele (*VLB*, II, 67)

obabo'o (s) (v. tr.) – pelar a testa: *Asobabo'o.* – Pelei-lhe a testa. (*VLB*, II, 70)

obagûá (t) (s.) – entradas do rosto, os ângulos que formam os cabelos na parte superior do rosto (Castilho, *Nomes*, 40): *Asobagûá-moín.* – Pus entradas no rosto dele. (*VLB*, I, 119)

obagûang (s) (v. tr.) – pintar o rosto de (com riscas vermelhas) (*VLB*, II, 78)

obaî (r, s) (etim. – *no rosto, na cara*) (loc. posp.) – **1)** além de, adiante de, do outro lado de: *'y robaî* – além do rio (*VLB*, I, 31); **2)** em face de, em frente de, à frente de, diante de (Fig., *Arte*, 126): *paranã robaîkatu...* – bem em frente do mar (Valente, *Cantigas*, V, in Ar., *Cat.* 1618) • **obaîygûara** (r, s) – o que está em frente de, o que está diante de: *Takûary, sobaîygûara, Tapera, xe rerobîá.* – Taquari e Tapera, que está diante dela, acreditam em mim. (Anch., *Poesias*, 269)

obaîa

obaîa (t) (s.) – a frente, o lado contrário, a banda de além (Anch., *Arte*, 41); *sobaîa resé* – da banda de além dele, na frente dele (Fig., *Arte*, 126)

obaîar (s) (v. tr.) – opor-se a (respondendo, enfrentando): *Asobaîar.* – Oponho-me a ele. (*VLB*, II, 57)

obaîara[1] (t) (s.) – almofariz, socador: *ungûá-obaîara* – socador de pilão (*VLB*, II, 32)

obaîara[2] (t) (s.) – 1) cunhado (do h.), irmão de sua esposa; 2) primo da esposa (de h.) (Ar., *Cat.*, 116v)

> OBSERVAÇÃO – Em S. Vicente, era também o cunhado da mulher, o marido de sua irmã ou prima mais velhas ou mais moças (*VLB*, I, 87).

obaîara[3] (t) (s.) – 1) o contrário, o oposto: *aîpó tekoangaîpaba robaîara...* – o oposto daqueles pecados (Ar., *Cat.*, 18); 2) inimigo, adversário: *Îandé robaîareté te'õ.* – Nossa verdadeira inimiga é a morte. (Ar., *Cat.*, 155); *Kaburé, îori enhana tobaîara t'îa'u!* – Caburé, vem correndo para que comamos os inimigos! (Anch., *Teatro*, 64); *Morobaîaramo aîkó.* – Sou inimigo das pessoas. (*VLB*, I, 144). V. tb. **sumarã** e **upîara** (t)

obaîtî (s) (v. tr.) – encontrar, dar de cara com, topar: *Gûixóbo, asobaîtî nde ryky'yra.* – Indo eu, encontrei teu irmão. (Fig., *Arte*, 164); *T'îasó sapépe sobaîtîamo...* – Vamos em seu caminho para encontrá-lo. (Ar., *Cat.*, 53v); *Xe rureme, asobaîtî xe remierekopûera.* – Ao vir eu, encontrei o que guardara. (Léry, *Histoire*, 375)

obaîuba (t) (etim. – *rosto amarelo*) (s.) – palidez; [adj.: **obaîub** (r, s)] – pálido; (xe) empalidecer, ficar pálido: *Nd'e'i te'e... opá abá robaîubamo tekotebẽ suíne.* – Por isso mesmo todos os homens ficarão pálidos de aflição. (Ar., *Cat.*, 160)

obaîxûamoín (s) (v. tr.) – pôr um diante do outro (*VLB*, II, 57)

obaîxûar[1] (s) (v. tr.) – responder, contestar: *Emonã-pipó morubixaba erenhe'engobaîxûar...?* – É assim, porventura, que respondes as palavras do chefe? (Ar., *Cat.*, 55v)

obaîxûar[2] (s) (v. tr.) – 1) ir ao encontro de (para pelejar, para fazer cortesia etc.): *... xe îara robaîxûare'yma* – não indo ao encontro de meu senhor (Ar., *Cat.*, 85v-86); 2) opor-se a: *Asobaîxûar.* – Oponho-me a ele. (*VLB*, II, 57)

obaîxûara[1] (t) (s.) – mão de pilão (*VLB*, II, 32)

obaîxûara[2] (t) (etim. – *o que está em face*) (s.) – oposto, contrário: *Morerobîare'yma robaîxûara nhemoetee'yma.* – O contrário da soberba é a humildade. (Bettendorff, *Compêndio*, 15)

obaké (r, s) (posp.) – em face de, perante, na frente de, diante de, em presença de (Fig., *Arte*, 122): *Xe robaké aîpó i 'éû.* – Na minha frente ele disse isso. (*VLB*, II, 81); *Aîmbiré, eîori xe robaké!* – Aimbirê, vem diante de mim! (Anch., *Teatro*, 58); *T'îasó îandé îabé... îandé 'anga moîegûaka, serasóbo sobaké.* – Vamos, como nós, para enfeitar nossas almas, para levá-las diante dele. (Anch., *Poemas*, 164)

obakûatiara (s. etnôn.) – nome de grupo indígena que vivia, no século XVI, em ilhas do rio São Francisco e tinha casas como cafuas debaixo do chão (Cardim, *Trat. Terra e Gente do Brasil*, 124)

obamoîar (s) (v. tr.) – atiçar (p.ex., o fogo) (*VLB*, I, 47)

obamoún (s) (etim. – *escurecer o rosto*) (v. tr.) – manchar o rosto de (com carvão, tinta, fuligem etc.) (*VLB*, II, 33)

obanhan (ou **obanhang**) (s) (v. tr.) – manchar o rosto de (com carvão, tinta ou fuligem etc.) (*VLB*, II, 33)

obanhana (t) (s.) – mancha no rosto feita com carvão, tinta ou fuligem (*VLB*, II, 33); (adj.: **obanhan**) – de rosto manchado, da cara manchada: *gûaraobanhana* – guará da cara manchada (*VLB*, II, 56)

oba'ok (s) (etim. – *arrancar o rosto*) (v. tr.) – alargar, dilatar as bordas de (buraco, cova etc.) (*VLB*, I, 29)

obapé (t) (s.) – face, bochecha (D'Evreux, *Viagem*, 158)

obapegûasu (t) (etim. – *bochecha grande*) (s.) – bochechudo (D'Evreux, *Viagem*, 158)

obaposanga (t) (etim. – *unguento do rosto*) (s.) – cosmético; enfeite feminino (*VLB*, II, 44)

obapy[1] (t) (etim. – *fundo do rosto*) (s.) – entradas da cabeça, os ângulos que formam os cabelos na parte superior do rosto (Castilho, *Nomes*, 40)

obapy² (t) (s.) – **1)** limiar, entrada (de porta, de buraco, de cova): *okena robapy* – o limiar da porta (*VLB*, II, 25); **2)** fim, limite: *xe kó robapy* – o limite de minha roça (*VLB*, II, 22)

obapŷaba (t) (etim. – *instrumento de queimar o rosto*) (s.) – carapuça de cera que se colocava naquele que era enforcado (*VLB*, I, 67)

obapy'aba (t) (etim. – *cabelos do fundo do rosto*) (s.) – topete (Castilho, *Nomes*, 40)

obapyka'ẽ (t) (s.) – arrasamento; [adj.: **obapyka'ẽ (r, s)**] – arrasado: *Xe robapyka'ẽ.* – Eu estou arrasado. (*VLB*, I, 42)

obapytek (s) (v. tr.) – barrear (como os tonéis de vinho) (*VLB*, I, 52)

obapytym (s) (etim. – *sufocar o rosto*) (v. tr.) – tapar, cobrir (p.ex., uma fenda) (*VLB*, II, 124)
• **obapytymbaba** (t) – tempo, lugar, modo etc. de tapar; tampa, cobertura (*VLB*, II, 124)

obapytymabok (ou **obapytymbabok**) **(s)** (etim. – *arrancar a cobertura*) (v. tr.) – destapar, abrir (p.ex., buraco, caixa) (*VLB*, I, 101)

obapytymbaba (t) (etim. – *instrumento de sufocar o rosto*) (s.) – rolha de garrafa (*VLB*, II, 108); tampão, cobertura (*VLB*, I, 66) [v. tb. **obapytym (s)**]

obara'angaba (t) (etim. – *imagem do rosto*) (s.) – máscara (*VLB*, II, 33)

obasab (s) (etim. – *cruzar o rosto*) (v. tr.) – fazer o sinal da cruz, benzer: *Osobasápe asé o emi'urama?* – Benze a gente sua comida? (Ar., *Cat.*, 21v)

obasakatu (s) (etim. – *cruzar bem o rosto*) (v. tr.) – abençoar • **obasakatûaba** (t) – tempo, lugar, modo etc. de abençoar; bênção: *... Îandé porabykysaba robasakatûagûama resé bé.* – Para a bênção também do nosso trabalho. (Ar., *Cat.*, 126, 1686)

obasem (ou **obasẽ**) **(r, s) (xe)** (etim. – *cara saída*) (v. da 2ª classe) – aparecer, dar a cara: *Abápe ké sobasẽ...?* – Quem aqui dá a cara? (Anch., *Teatro*, 138)

obasy (t) (etim. – *cara ruim*) (s.) – carranca, cara feia, má catadura; [adj.: **obasy (r, s)**] – carrancudo, mal-encarado; **(xe)** ficar de cara feia para, ter má catadura para: *Ta sobasy umẽ i xupé, serekokatûabo...* – Que não fique de cara feia para ele, tratando-o bem. (Anch., *Doutr. Cristã*, I, 228); *Xe robasy.* – Eu sou mal-encarado. (*VLB*, I, 140)

obasypaba (t) (etim. – *instrumento de limpar a cara*) (s.) – toalha de rosto (*VLB*, II, 129)

obaún (s) (v. tr.) – pintar de preto o rosto a, entisnar o rosto de, fazer riscos pretos no rosto de: *Asobaún.* – Entisnei o rosto dele. (*VLB*, I, 118)

obaxûar (s) – o mesmo que **obaîxuar (s)** (v.)

obaybyra (t) (etim. – *margem do rosto*) (s.) – topete (Castilho, *Nomes*, 40)

obeba (t) (s.) – largura (como da folha, da cabeça, da faca etc.) (*VLB*, II, 19); [adj.: **obeb (r, s)**] – largo (*VLB*, II, 18)

> NOTA – Daí o nome **PARAOPEBA** ("rio largo"), de um famoso chefe indígena do século XVII, amigo dos holandeses que invadiram a costa nordestina.

oby (t) (s.) – verde, azul, roxo (Não há termos distintos para essas cores no tupi antigo. Usam-se, em certos casos, adjetivos para diferenciá-las.); [adj.: **oby (r, s)**]: *Xe roby.* – Eu sou azul. *Soby.* – Ele é azul. (*VLB*, I, 49); *aoboby* – roupa verde, pano verde (*VLB*, II, 144); *... Mba'epe ké kanindeoby îasûara?* – Que há aqui semelhante a um canindé azul? (Anch., *Teatro*, 62) • **sobyba'e** – o que é azul, o que é verde, o que é roxo (*VLB*, II, 108); **oby-kanugûá** (t) – roxo furta-cor, isto é, tirante a dourado e que resplandece ou brilha, variando-se segundo lhe atinja o sol (*VLB*, II, 108): *Xe roby-kanugûá.* – Eu estou roxo furta-cor. (*VLB*, II, 108); **oby-manisoba** (t) – verde-maniçoba: *Aoba. – Marãba'e? – Soby-manisob.* – Roupas. – De que tipo? – Elas são verdes-maniçoba. (Léry, *Histoire*, 342-343)

> NOTA – Daí, no P.B., **CAAOBI** e **CAUBI** (*ka'a* + *oby*, "floresta verde"), a mata virgem amazônica. Daí, também, os nomes geográficos **ITAOBIM** (MG), **TUCURUVI** (SP) etc. (v. Rel. Top. e Antrop. no final).

obyeté (t) (etim. – *azul verdadeiro*) (s.) – o azul; [adj.: **obyeté (r, s)**] – azul: *Mba'epe ereru nde karamemûã pupé? – Aoba. – Marãba'e? – Sobyeté.* – Que trouxeste dentro de tua caixa? – Roupas. – De que tipo? – Elas são azuis. (Léry, *Histoire*, 342-343)

obyra

obyra (t) (s.) – agudeza; [adj.: **obyr (r, s)**] – agudo, pontudo: *Xe robyr.* – Eu sou pontudo. (*VLB*, I, 27)

oẽ (interj.) – quebranto do que está muito triste e melancólico, que nem pode falar nem fazer nada (*VLB*, II, 92)

oebyraîarinhote (adv.) – prestes a ir ou a vir, na iminência de ir ou vir: *Oebyraîarinhote aîkó.* – Estou prestes a ir. (*VLB*, I, 128)

o'ekatu – o mesmo que **e'ikatu** [3ª p. do verbo 'ikatu / 'ekatu (v.)] (Anch., *Arte*, 56)

oendypy'ãe'ybo (ou **oendypy'ãe'yîbo**) – v. **endypy'ã**

og (pron. pess. refl.) – o mesmo que **o¹** (v.) antes de temas iniciados em vogal *o* ou *u*, em geral: *Î aysó, nipó, îasy, og obagûasu reru.* – É formosa, certamente, a lua, vindo com sua grande face. (Anch., *Poemas*, 142); ... *og uba resé* – por causa de seu próprio pai (Anch., *Poemas*, 120)

ogû (pron. pess. refl.) – o mesmo que **o¹** (v.) antes de temas iniciados em vogal

ogûar – 3ª p. do indic. do v. **îar / ar(a) (t, t)** (v.)

oî (interj.) – oi! (resposta a chamado ou expressão de dor): – *Aîmbiré!* – *Oî!* – *Xe pysyrõ îepé!* – Aimbirê! – Oi! – Ajuda-me tu! (Anch., *Teatro*, 48)

> NOTA – As interjeições *oi* e *ui*, do português do Brasil, podem provir daí.

oîá¹ (adv.) – igualmente, da mesma forma, tanto quanto: ... *Te'õ abé reîkéû ikó 'ara poramo oîá.* – Da mesma forma, a morte também entrou como componente deste mundo. (Ar., *Cat.*, 155)

oîá² (conj.) – como, semelhante a: *Abá-tepe oîkó xe oîá...?* – Mas quem há como eu? (Anch., *Teatro*, 18)

oîá³ (s.) – o suficiente: *Mba'e 'u-eté-eté robaîara oîá nhote mba'e 'u.* – O oposto do comer demais é comer somente o suficiente. (Ar., *Cat.*, 18)

oîabé (adv.) – igualmente, semelhantemente, da mesma forma, do mesmo modo: ... *Og ere'yma pupé abá remipysyrõ oîabé sere'ÿme?* – O que alguém acolhe no seu paganismo, no paganismo dele está igualmente? (Ar., *Cat.*, 95v); ... *Sesé onhemonane'yma, oîabé sekó potare'yma.* – Com eles não se misturando, não querendo, igualmente, seu modo de ser. (Ar., *Cat.*, 179v)

oîabekatu¹ (conj.) – como, bem como, e também, assim como: *Tupã raûsupareté oîabekatu o apixara raûsupara bé, n'oîmoabaíbi Tupã asé rekomonhangaba rupi o ekó...* – O que ama muito a Deus, bem como o que ama a seu próximo também, não têm dificuldades em viver segundo os mandamentos de Deus. (Ar., *Cat.*, 110)

oîabekatu² (adv.) – suficientemente: ... *Oîabekatu o îuru pirá.* – Abrindo sua boca suficientemente. (Bettendorff, *Compêndio*, 88)

oîabo (conj.) – assim como... do mesmo modo: *Oîabo asé santos 'ara kuabi, oîabo bé asé i kangûerĩ tiruã momba'etéû, o aîuri serekóbo.* – Assim como a gente reconhece o dia dos santos, do mesmo modo, também, até mesmo seus ossinhos a gente cultua, tendo-os no pescoço. (Ar., *Cat.*, 12v)

o'îabo – 3ª p. do gerúndio de **'i / 'é** (v.)

oîakatu (s.) – o suficiente: ... *Oîakatu nhote okagûabo-eté.* – Bebendo cauim só o suficiente. (Anch., *Diál. da Fé*, 203)

oîeí¹ (adv.) – hoje (Referindo-se ao tempo já passado. Às vezes se refere também ao futuro próximo.): *I xupé oîeí eresapuká-pukaî.* – Para ele ficaste gritando hoje. (Anch., *Teatro*, 138); *Oîeí bé muru kaî...* – Ainda hoje os malditos queimam... (Anch., *Teatro*, 88)

oîeí² (ou **oîeîbé**) (adv.) – por longo tempo, há longo tempo, demoradamente (*VLB*, II, 13): *Oîeí aîkó.* – Estou há longo tempo (isto é, *tardo*). (*VLB*, II, 124)

oîeîbé – o mesmo que **oîeí²**

oîeirundyk (num.) – quatro (o mesmo que **oîoirundyk** – v.) (Ar., *Cat.*, 77)

oîepé¹ (num.) – um, um só: ... *Oîepé xe pysá pora.* – Um só é o conteúdo de minha rede. (Anch., *Poemas*, 152); ... *oîepé kunhã* (ou *kunhã oîepé*) – uma mulher (Anch., *Arte*, 9v)

• **oîepé-ombé** (ou **oîepé-umbé** ou **oîepé-îombé**) – um e um (Fig., *Arte*, 4); um ou outro: *Oîepé-îombé, nipó, i angaîpab amõme é.* – Um ou outro, porventura, foi mau, às vezes. (Anch., *Teatro*, 36); *Oîepé-ombé anhõ n'omoangaîpabi kó taba.* – Um ou outro, somente, não faz esta aldeia pecar. (Anch., *Tea-*

tro, 150); **oîepeba'e** – único, o que é único: ... *ta'yra oîepeba'e* – ... o que é o único filho dele (Ar., *Cat.*, 14v); **oîepébo (ou oîepébo nhẽ)** – à uma, todos de roldão; **oîepeixûara** – todos de uma espécie ou qualidade (*VLB*, II, 130); **oîepé'ĩ (ou oîepé'ĩ-a'ub)** – um somente, só um (*VLB*, I, 154); **oîepegûasu** – em conjunto, à uma, em união, conjuntamente, todos juntos em um corpo (Fig., *Arte*, 4): ... *Pekaî oîepegûasune.* – ... Queimareis em conjunto. (Anch., *Teatro*, 50); *Emonãnamo... kó 'ara rari oîepegûasu i moetesabamo.* – Portanto, tomou este dia como tempo de honrá-los em conjunto. (Ar., *Cat.*, 135, 1686); *Oîepegûasu t'îaîkó.* – Estejamos em união. (Anch., *Poesias*, 56); **oîepé-îepé** – cada um por si (Fig., *Arte*, 4); **oîepekatu** – todos juntos, todos à uma vez, à uma (*VLB*, II, 130); um só: *T'oîese'ar-y berame'ĩ oîepekaturamo.* – Que pareçam juntar-se como um só. (Ar., *Cat.*, 95v); **oîepegûara** – em conjunto, à uma: *Iîamuru opabenhẽ pekaî oîepegûarane.* – Ainda bem que todos vós queimareis à uma. (Anch., *Teatro*, 184, 2006)

oîepé² (adv.) – **1)** uma vez: *Oîepé asó.* – Fui uma vez. (Anch., *Arte*, 10v); *Oîkuakumo amõ abá tekopûera oîepé'ĩ nhõmo, Tupana n'i nhyrõî xómo.* – Se alguém escondesse os atos passados uma só vez, Deus não perdoaria. (Anch., *Teatro*, 176, 2006); **2)** a uma, em uníssono, a uma só voz, todos juntos, todos de uma vez (Fig., *Arte*, 5): *Peîori apŷabetá, oîepé...* – Vinde índios, em uníssono. (Valente, *Cantigas*, V, in Ar., *Cat.*, 1618)

oîepebẽ (adv.) – só, sem companhia; somente, sozinho: *Oîepebẽ aîkó.* – Estou só. (*VLB*, II, 118); *Ereîmombe'upe abá rekopoxŷagûera oîepebẽ nde remiepîakûera abá supé?* – Contaste para as pessoas o mau procedimento de alguém, que somente tu viste? (Ar., *Cat.*, 108); ... *oîepebẽ xe moingóbo re'ĩ* – fazendo-me estar sozinho (Ar., *Cat.*, 155v); *Oîepebẽngatu aîkó.* – Bem sozinho estou. (*VLB*, II, 120)

oîepegûasu (etim. – *grande um*) (s.) – unidade, totalidade: *I mongaraibypyretá oîepegûasu îasûá...* – Os cristãos como uma unidade. (Ar., *Cat.*, 49v)

oîeperemõ (adv.) – sem mistura, de um só tipo, de uma só espécie ● **oîeperemõndûara** – o que é sem mistura, puro, de uma só espécie (*VLB*, I, 130)

oîeruba – o mesmo que **îuruba** (v.) (*Brasil Holandês*, vol. III, 81)

oîkŷabo – variante de **oîkeabo** – 3ª p. do ger. de **iké / eîké (t)** (v.)

oîoaname'yma (etim. – *sem parentesco uns com os outros*) (s.) – espécie, tipo: *Mbobype tekoangaîpaba oîoaname'yma?* – Quantas são as espécies de pecados? (Bettendorff, *Compêndio*, 70)

oîoapyri (adv.) – **1)** ao pescoço um do outro: *Oîoapyri oroîkó itá resé.* – Estamos nos ferros ao pescoço um do outro (isto é, estamos presos nos ferros um ao pescoço do outro). (*VLB*, II, 85); **2)** pegado, junto; parede meia com (*VLB*, II, 65)

oîoasykûera (s.) – irmandade, fraternidade, grupo de irmãos: ... *Oîoasykûera ri îasûaramo oîoerekóbo.* – Tratando-se uns aos outros como que numa fraternidade. (Ar., *Cat.*, 127v)

oîobaîbé (adv.) – de ambas as partes (*VLB*, I, 89); de uma parte e de outra (*VLB*, I, 92)

oîobaúpa (adv.) – de cara um para o outro, cara a cara: *Semo'ẽ, oîobaúpa.* – Eles mentem de cara um para o outro. (Anch., *Teatro*, 164); *T'îasó maranatãûãme o îoupé oîobaúpa?* – Havemos de ir à dura guerra, cara a cara uns contra os outros? (Anch., *Poemas*, 112)

oîoîá (ou **onhonhã**) (adv.) – **1)** em igualdade (duas coisas ou muitas): *Oîoîá îandé.* – Nós estamos em igualdade. (*VLB*, II, 9); **2)** igualmente: *Oîoîá marã sekóû...* – Igualmente fazem o mal... (Anch., *Teatro*, 36); *Oîoîá... osarõ nhẽ pe retama...* – Igualmente guarda vossa terra. (Anch., *Teatro*, 52); *Oîoîá kó Tupã sy îandé rerekomemûã...* – Igualmente essa mãe de Deus nos maltrata. (Anch., *Teatro*, 142); *Nde onhonhã ereîkó i mombe'ukatupyramo kunhã suí.* – Tu igualmente és bendita entre as mulheres. (Thevet, *Cosm. Univ.*, II, 925)

oîoîabé (adv.) – igualmente (*VLB*, II, 9)

oîoîabenhẽ¹ (adv.) – em igualdade, igualmente, do mesmo modo: *Oîoîabenhẽ sekóû.* – Estão em igualdade. (Bettendorff, *Compêndio*, 43); *Oîoîabenhẽpe tekokatu resé o a'yra moingoagûama ri i nhemosaînanyne?* – Igualmente se preocuparão em fazer seus filhos estarem na virtude? (Anch., *Doutr. Cristã*, I, 227)

oîoîabenhẽ² (adv.) – de ambas as partes (*VLB*, I, 89); tanto um como o outro: *Oîoîabenhẽ*

oîoirũ

oîoirũ *'ara rupi Santa Maria... moaîuû...* – Tanto um como o outro importunavam Santa Maria ao longo dos dias. (Ar., *Cat.*, 7)

oîoirũ (etim. – *companheiros um do outro*) (s.) – par (*VLB*, I, 154); (adv.) – em número par (*VLB*, II, 65) • **oîoirũirũ** – um par de pares, quatro (*VLB*, I, 154)

oîoirũirũsy (adv.) – em número par (*VLB*, II, 65)

oîoirundyk (ou **oîeirundyk**) (num.) – quatro: ... *oîoirundyk îeapyká sykápe* – no transcorrer de quatro gerações (Ar., *Cat.*, 129)

oîoparaba (s) – intercalação: *Na tenhẽ ruã 'areté marãtekoaba ri oîoparabamo 'ari îandébo...* – Não foi à toa que os feriados surgiram para nós como um intercalação no trabalho. (Ar., *Cat.*, 100); *Oîoparabamo orokûab.* – Estamos em intercalação. (*VLB*, I, 119)

oîopebondûara (etim. – *o que está em um*) (s.) – variedade de linha, entre grossa e delgada, de três fios que se torciam juntos (*VLB*, II, 23)

oîoperemõ – o mesmo que **oîeperemõ** (v.) (*VLB*, I, 130)

oîopobaî (etim. – *uma mão na frente da outra*) (adv.) – com ambas as mãos: *Oîopobaî aîar.* – Tomei-o com ambas as mãos. (*VLB*, II, 131)

oîopytera (s.) – metade, meio: *Oîopytera rupi aîasy'ab.* – Parti-o pelo meio. (*VLB*, II, 73); *Oîopytera rupi aîmoîa'ok.* – Reparti-os pela metade. (*VLB*, II, 73) • **oîopyterybo** – no meio, no centro, pelo meio, pela metade (de comprido, de uma extremidade à outra) (*VLB*, II, 34; 73): *Itá oîeká-îeká oîopyterybo.* – As pedras ficaram-se quebrando pelo meio. (Ar., *Cat.*, 64)

oîoybari (etim. – *ao longo um do outro*) (adv.) – de ombro a ombro (como os que carregam uma canoa): *Oîoybari orogûar.* – Tomamo-lo de ombro a ombro. (*VLB*, II, 131)

oîoybyri (adv.) – dobrado em dois, em dobra de dois (p.ex., um fio) (*VLB*, I, 105)

oîrã (adv.) – **1)** no dia seguinte, no dia posterior: *Oîrã o e'õ îanondé o emimbo'e pyri o karûápe.* – Ao comer junto de seus discípulos antes de sua morte, no dia posterior. (Ar., *Cat.*, 87); **2)** posteriormente, mais tarde, depois: *Oîrã îandé resé o îeîuká-ukar-y îanondé... miapé rari o pópe...* – Mais tarde, antes de se fazer matar por nós, tomou o pão em suas mãos. (Ar., *Cat.*, 84v); **3)** amanhã (*VLB*, I, 33; Fig., *Arte*, 128)

oîrandé (adv.) – amanhã (*VLB*, II, 30; Fig., *Arte*, 128)

oîtikoro'i (s.) – OITICOROIA, OITICORÓ, **1)** nome de árvore da família das crisobalanáceas (*Couepia rufa* Ducke); **2)** nome de seu fruto, "do tamanho de uma grande pinha" (Brandão, *Diálogos*, 216)

oîtysyka (s.) – OITICICA, planta da família das crisobalanáceas (*Manifesto de utilidades do Brasil* [1687], VII, 184)

'ok (-îo-) (v. tr.) – **1)** tirar, arrancar (tb. o que está fincado ou encravado, como o prego, a batata, o bicho-de-pé, ervas, raízes etc.): *Oré rekopoxy 'oka...* – Arrancando nossos vícios. (Anch., *Poemas*, 144); *Aîo'ok xe aoba.* – Tirei minha roupa. (*VLB*, I, 96); ... *I poraûsuboka...* – Arrancando suas aflições. (Anch., *Teatro*, 54); ... *T'oîe'ok ixé suí xe resá-poropotara...* – Que se arranquem de mim meus olhos concupiscentes. (Anch., *Poemas*, 146); ... *Oîmoîasyk i ky'a 'oka.* – Banha-a, arrancando sua sujeira. (Bettendorff, *Compêndio*, 113); **2)** apanhar: *Ausá-'ok.* – Apanho caranguejos. (*VLB*, I, 66); **3)** agadanhar, agarrar com as unhas (*VLB*, I, 23) • **'okara** – o que tira, o que apanha etc.: *Tekoangaîpabokaramo Îandé Îara Îesu Cristo rekóreme.* – Por ser Nosso Senhor Jesus Cristo o que tira os pecados. (Ar., *Cat.*, 52)

NOTA – Daí, no P.B. (ES), CABOROCA (*ka'a + por + 'ok + -a*, "arrancar o conteúdo da mata"), corte da vegetação do sub-bosque, isto é, da vegetação herbácea ou lenhosa que cresce sob as árvores, para o plantio de cacaueiros.

oka (r, s) (s.) – **1)** OCA, casa indígena, casa em geral: *Aîur xe roka suí.* – Vim de minha casa. (Anch., *Poemas*, 102); *soka.* – a casa dele (Fig., *Arte*, 78); *Oîképe a'e i boîá aé Anás rokype?* – Entraram aqueles mesmos discípulos seus na casa de Anás? (Ar., *Cat.*, 55); *Xe roka turusueté nhẽ opakatu oka sosé.* – Minha casa é maior que todas as casas. (Fig., *Arte*, 80); *Asó okybo.* – Vou pelas casas. (Fig., *Arte*, 7); *Aîmonhang sokûama.* – Faço sua futura casa. (*VLB*, I, 108); **2)** reduto, toca, habitat: *mbyryki-oka* – reduto de buriquis (Staden, *Viagem*, 55) • **kamusy-oka** – casa de telha (*VLB*, II, 125); **okybaté** – casa assobradada (lit., *casa alta*) (*VLB*, II, 119); **itá-oka** – casa de pedra (*VLB*, I, 68); **oka rerekoara** – o que cuida da casa, caseiro (*VLB*, I, 68)

NOTA – Daí provêm muitos nomes geográficos no Brasil: **AJURUOCA** (MG), **BERTIOGA** (SP), **ITAOCA** (RJ), **MERUOCA** (SP), **MOCOCA** (SP), **TATUOCA** (PA) etc. (v. Rel. Top. e Antrop. no final).

OCA (fonte: Staden)

okabytera (etim. – *o meio das ocas*) (s.) – **1)** praça; terreiro entre as ocas (*VLB*, II, 84; 127); **2)** convés: *ygara rokabytera* – convés da embarcação (*VLB*, I, 81)

okabyterusu (s.) – praça, terreiro (*VLB*, II, 84)

okaîa (t) (s.) – **1)** choça (*VLB*, I, 73); **TOCAIA**. Nela os índios "se recolhem sós, fazem suas cerimônias e dizem que falam com o Jurupari". (Heriarte, *Descr. Maranhão, Pará*, in Varnhagem, *Hist.* III, 172); **2)** curral, cercado: *tapi'irokaîa* – curral de vacas (*VLB*, I, 88); *taîasu rokaîa* – curral dos porcos (*VLB*, I, 73); **3)** gaiola; galinheiro: *gûyrá rokaîa* – gaiola ou galinheiro de pássaros; *Asokaîmonhang.* – Fiz gaiola para eles. (*VLB*, I, 146); **4)** pocilga (*VLB*, II, 79)

NOTA – No P.B., **TOCAIA** tem, atualmente, o sentido de "emboscada", "espreita ao inimigo ou à caça". Dessa palavra originou-se o nome **ITAOCAIA** (de município do RJ) (v. Rel. Top. e Antrop. no final).

okaîrana (t) (etim. – *tocaia falsa*) (s.) – variedade de chiqueiro, curral ou qualquer lugar sobre quatro esteios em que se mantêm animais (*VLB*, II, 121)

okaîybaté (t) (etim. – *tocaia elevada*) (s.) – andaimo no mato para esperar caça (*VLB*, I, 35)

okamirĩ (etim. – *ocara pequena*) (s.) – beco ou rua estreita (*VLB*, I, 53)

okanga (r, s) (etim. – *ossatura de casa*) (s.) – madeira ou madeiramento para casas ou de casas (*VLB*, II, 27)

okangûama (r, s) – v. **okanga** (r, s) (*VLB*, II, 27)

okapé (t) (s.) – parte entre os seios (*VLB*, II, 70)

okapuku (r, s) (etim. – *ocara comprida*) (s.) – rua (*VLB*, II, 109)

okapyra (r, s) (etim. – *cume da casa*) (s.) – telhado (*VLB*, II, 125)

okara (r, s) (s.) – **1)** área aberta entre as ocas nas aldeias dos índios tupis; **OCARA**, pátio, terreiro: ... *Aûnhenhẽ eresó nde rokápe enhe'engá...* – Imediatamente vais para teu terreiro para cantar. (Anch., *Doutr. Cristã*, II, 111); *Osem okarype oîase'oasykatûabo.* – Saiu para o pátio chorando muito dolorosamente. (Ar., *Cat.*, 57v); *okarusu* – ocara grande (Staden, *Viagem*, 109); **2)** rua (*VLB*, II, 109) • **okara koty** – de fora, do lado da rua (*VLB*, I, 92); **okarype** – fora, na rua (*VLB*, I, 141)

NOTA – Daí, o nome geográfico **ITAOCARA** (localidade do RJ) (v. Rel. Top. e Antrop. no final).

OCARA (fonte: Staden)

okarapupa'ũ (r, s) (s.) – lanço da casa (*VLB*, II, 18)

okarupagûama (r, s) (etim. – *lugar de futuro assentamento de casa*) (s.) – terreno apropriado para uma casa (*VLB*, I, 72)

okemysá (r, s) (s.) – janela com gelosia (*VLB*, II, 8)

okena (r, s) (s.) – tampo, janela, porta: *okena potãîa* – tranca da porta (*VLB*, I, 30); *Marã e'ipe kunhã okena rerekoara S. Pedro supé?* – Que disse a mulher que guardava a porta a São Pedro? (Ar., *Cat.*, 55v)

okendab (s) (v. tr.) – fechar (porta, janela, carta), encerrar (pessoa etc.): *Osokendab a'e karamemûã itagûasu pupé.* – Fecharam aquele túmulo com uma pedra grande. (Ar., *Cat.*, 64v); *Itá karamemûã pupé i nongi, sokendapa.* – Dentro de uma sepultura de pedra puseram-no, fechando-a. (Bettendorff, *Compêndio*, 50)

okendaba (r, s) (etim. – *instrumento de fechar*) (s.) – madeira, tampo que fecha uma

okendabok entrada (de casa, de caixa etc.); porta; janela (*VLB*, I, 18)

okendabok (s) (etim. – *arrancar o tampo*) (v. tr.) – abrir (p.ex., a porta, a janela, o tampo de): *Esokendabok nde roka.* – Abre a porta de tua casa. (*VLB*, I, 18)

okendapaba (r, s) (etim. – *instrumento de fechar*) (s.) – fechadura; ferrolho para trancar (*VLB*, I, 136); tranca (de porta) (*VLB*, II, 135)

okesym (ou **okysym** ou **okesỹ**) (s) (v. tr.) – tomar a dianteira a, adiantar-se a, cercar pela frente, atalhar (p.ex., os que fogem): ... *Oú ramõ nde resé, temiminõ rokesyma.* – Veio há pouco por tua causa, adiantando-se aos temininós. (Anch., *Teatro*, 138); *Îandé rokesỹ memẽ anhanga...* – Toma-nos a dianteira sempre o diabo. (Anch., *Poemas*, 186)

okûembó – o mesmo que **embûayembó** (v.)

okupagûama (r, s) (etim. – *lugar de futuro assentamento de casa*) (s.) – terreno apropriado para uma casa (*VLB*, I, 72)

okusu (r, s) (etim. – *casa grande*) (s.) – sala, dianteira da casa (*VLB*, II, 112)

okyîu (s.) – grilo, inseto ortóptero da família dos grilídeos (D'Abbeville, *Histoire*, 257v)

okyra (t) (s.) – renovo, broto (*VLB*, I, 141); [adj.: **okyr** (r, s)] (xe) – reverdecer (a planta) (*VLB*, II, 104)

NOTA – Daí, o nome de um famoso chefe indígena do século XVI, **CAOQUIRA** (de *ka'a* + *okyra*, "renovo de planta"). Daí, também, o nome geográfico **BOQUIRA** (BA) (v. Rel. Top. e Antrop. no final).

okysym – o mesmo que **okesym** (v.)

okytá (r, s) (etim. – *esteio de casa*) (s.) – 1) esteio, coluna, pilar: *Oîaobok, itá-okytá resé i popûá...* – Despiram-no, amarrando-lhe as mãos numa coluna de pedra. (Ar., *Cat.*, 60); *Aîaman okytá ysypó pupé.* – Amarrei o esteio com cipó. *Aîaman ysypó okytá resé.* – Enrolei o cipó no esteio. (*VLB*, I, 117); **2)** mastro: *ygara rokytá* – mastro da embarcação (*VLB*, II, 33)

okytaîuba (lit., *coluna amarela*) (s. etnôn.) – nome de antiga nação tapuia (Cardim, *Trat. Terra e Gente do Brasil*, 124)

omanõ'ĩba'e (etim. – *o que não morre*) (s.) – imortal (*VLB*, II, 10)

omenapoîe'yma (etim. – *a que não alimenta seu marido*) (s.) – espécie de batata, de caule sarmentoso, verde, de folhas cordiformes ou auriculares, provavelmente uma convolvulácea do gênero *Ipomoea* (Marcgrave, *Hist. Nat. Bras.*, 51)

onhoba'ũ (s.) – 1) rua (*VLB*, II, 109); 2) travessa de rua (*VLB*, II, 136); 3) beco ou rua estreita (*VLB*, I, 53) ● **onhoba'ũ-mirĩ** – beco ou rua estreita (*VLB*, I, 53)

o'o (t) (s.) – 1) carne (Castilho, *Nomes*, 40): ... *Og o'o remimotara rupi oîkó-potare'yma.* – Não querendo proceder segundo a vontade de sua própria carne. (Ar., *Cat.*, 27v); ... *Eîmoasy nde angaîpagûera, to'o amõ 'u ré...* – Arrepende-te de tuas maldades, após teres comido alguma carne (humana). (Ar., *Cat.*, 118v); *Nde ro'o xe moka'ẽ serã...* – Tua carne será meu moquém. (Staden, *Viagem*, 157); 2) polpa (de fruta) (*VLB*, I, 67); cerne: ... *mirra, mosanga to'o suí...* – mirra, poção de polpa (Ar., *Cat.*, 3); 3) corpo: *O koty og o'o repyîagûama resé...* – Para a aspersão de seu aposento e de seu próprio corpo. (Ar., *Cat.*, 93)

oobapybo (adv.) – de bruços; emborcado, de boca para baixo (p.ex., o vaso, a tigela etc.): *Oobapybo aîub.* – Estou deitado de bruços. (*VLB*, I, 90); *Oobapybo aîmoín.* – Coloquei-o de boca para baixo. (*VLB*, I, 111)

o'opore'yma (t) (etim. – *falta de conteúdo do corpo*) (s.) – o que tem corpo mirrado, o que tem pouco corpo; [adj.: **o'opore'ym** (r, s)] – de corpo mirrado, (xe) mirrar-se de corpo, esvaziar-se de corpo: *Nd'e'i te'e abá tekokatu potasara gûo'opore'yma.* – Por isso mesmo, a pessoa que deseja a virtude mirra-se de corpo. (Ar., *Cat.*, 11)

opá (part.) – 1) todo (s, a, as); tudo: *Xe tekokuaba opá amokanhem.* – Meu entendimento todo fiz desaparecer. (Anch., *Poemas*, 106); *Opá og ugûy me'engi, omanomõ...* – Todo seu sangue deu, morrendo. (Anch., *Poemas*, 108); *Oîké îugûasu, i akanga kutuka, opá i mombuka.* – Entram grandes espinhos, espetando sua cabeça, furando-a toda. (Anch., *Poemas*, 122); ... *Opá o boîá nde pópe i mongûapa...* – Todos os seus discípulos para tuas mãos fazendo passar. (Anch., *Poemas*, 124); *Opá taba moangaîpabi!* – Tudo faz a aldeia pecar! (Anch., *Teatro*, 38); *Opá emonã tekoara îan-*

dé ratá îaîarõ. – A todos os que assim vivem nosso fogo convém. (Anch., *Teatro*, 154); *Opá i îeakypûereroîebyri.* – Todos eles voltaram-se para trás. (Ar., *Cat.*, 54v); *Opá abá sóû.* – Todos os homens foram. (Anch., *Arte*, 54v); *Opá abá îukáû.* – Matou todos os homens. (Anch., *Arte*, 54v); *Opápe turi?* – Todos vieram? (Anch., *Arte*, 54v); **2)** ambos (as): *Opá xe uba îesyî.* – Ambas as minhas coxas adormeceram. (Anch., *Teatro*, 26)

opab (part.) – todo (s, a, as), tudo: ... *Opab erimba'e yby pora... 'yporu pupé i mokanhemi.* – Todos os habitantes da terra destruiu com um dilúvio. (Ar., *Cat.*, 106v); *Setá tenhẽ erimba'e opab aîpó 'îarûera...* – Eram muitos mesmo todos os que diziam isso. (Ar., *Cat.*, 157v); *Opab arasó.* – Levei todos. (*VLB*, II, 130)

opabẽ (part.) – todo (s, a, as), tudo: ... *Opabẽ taba mondyki...* – Todas as aldeias abrasou. (Valente, *Cantigas*, V, in Ar., *Cat.*, 1618)

opabenhẽ (part.) – todo (s, a, as), tudo: *Opabenhẽ serã erimba'e a'epe tekoara îî a'oîa'oû...?* – Acaso todos os que estavam ali ficaram a injuriá-lo? (Ar., *Cat.*, 56v); *Tupã sy opabenhẽ mba'e oîkuab oîkóbo.* – A mãe de Deus está sabendo todas as coisas. (Anch., *Teatro*, 130)

opabĩ (part.) – todo (s, a, as), tudo; totalmente: ... *Opabĩ abá mondyki.* – Todos os homens destrói. (Anch., *Poemas*, 178); ... *Opabĩ kunhã sosé nde momba'etébo é.* – Honrando-te mais que a todas as mulheres. (Anch., *Poemas*, 144); ... *Opabĩ nde momoranga.* – Embelezando-te totalmente. (Anch., *Poemas*, 132)

opabĩngatu – o mesmo que **opabĩ** (v.) (Anch., *Arte*, 54v)

opabinhẽ – o mesmo que **opabenhẽ** (v.)

opakatu (part.) – todo (s, a, as); tudo: *Kaûîaîa 'useîa é, opakatu amboapy.* – Querendo beber vinho, tudo esgotei. (Anch., *Teatro*, 46); ... *Opakatu karaíba xe momba'eté-katu.* – Todos os cristãos honram-me muito. (Anch., *Poemas*, 114); *Opakatu xe yby pora nde remimbûaîamo sekóû...* – Todos os habitantes de minha terra são teus súditos. (D'Abbeville, *Histoire*, 342); ... *Opakatu mamõ mopori.* – Todos os lugares preenche. (Ar., *Cat.*, 26)

opakatumba'e (etim. – *todas as coisas*) (s.) – mundo (Marcgrave, *Hist. Nat. Bras.*, 276)

opakombó (etim. – *ambas estas mãos*) (num.) – dez (Fig., *Arte*, 4): *Opakombó îabi'õ Tupã supé oîepé asé mba'e moîa'oka...* – De cada dez, repartir uma de nossas coisas com Deus. (Ar., *Cat.*, 78)

opambó (etim. – *ambas as mãos*) (num.) – dez (*VLB*, I, 102)

opar (ou **opá**) (r, s) (xe) (v. da 2ª classe) – perder-se, errar o caminho, andar perdido; transviar-se: *Esepîá-katu nde renonderama ybaka pîarype nde ropare'ymamo...* – Vê bem a tua frente para que não te percas no caminho do céu. (Ar., *Cat.*, 82); *Anhetá, kó nde rapé... Nd'aîpotari nde ropara.* – Verdadeiramente, eis aqui teu caminho. Não quero que tu te percas. (Anch., *Teatro*, 162); *Xe ropá-ropar.* – Ando perdido. (*VLB*, I, 121); *Sopar.* – Ele anda perdido. (Fig., *Arte*, 38); *Xe ropá serã?* – Será que me perdi? (Anch., *Teatro*, 162, 2006) ● **soparyba'e** – o que se perde, o que erra o caminho (Fig., *Arte*, 115)

opé¹ (t) (s.) – pálpebra (Castilho, *Nomes*, 40); *topé-pira* – pele da pálpebra (Castilho, *Nomes*, 40; D'Evreux, *Viagem*, 158)

opé² (t) (s.) – vagem (p.ex., de fava, feijão etc.): *sopé* – vagem dele; *topé-kyra* – vagem verde; *topé-pungá* – vagem intumescida, cheia de feijões; *topé-tininga* – vagem seca, pronta para ser colhida (*VLB*, II, 140)

opeã (s.) – nome de um peixe de água doce (D'Abbeville, *Histoire*, 247)

opeaba (t) (etim. – *pelos das pálpebras*) (s.) – pestanas (Castilho, *Nomes*, 40)

opebypebyka (t) (etim. – *pálpebras que ficam a tocar-se*) (s.) – cochilo; [adj.: **opebypebyk** (r, s)] (xe) – cochilar: *Xe ropebypebyk.* – Eu cochilo. (*VLB*, II, 133)

opemo (adv.) – de lado; de ilharga (*VLB*, II, 10; Fig., *Arte*, 122): *Opemo aîub.* – Jazo de lado. (*VLB*, II, 7)

openhan¹ (s) (v. tr.) – atacar, arremeter contra: *Na i moetesaba ruã ka'u, ... o apixara rerekoaíba, sopenhana.* – Não são modos de o honrar a bebedeira, o maltratar seu próximo, atacando-o. (Ar., *Cat.*, 12)

openhan² (s) (v. tr.) – **1)** acudir a, socorrer, valer a; salvar de perigo: *Asopenhan.* – Acudi-o. (*VLB*, I, 20); **2)** ir ao encontro de: *'Y pytera aso-*

opepirekó

opepirekó *penhan.* – Fui ao encontro do meio das águas (isto é, para o alto-mar). (*VLB*, I, 112)

opepirekó (t) (etim. – *estar com casca a pálpebra*) (s.) – terçol dos olhos; (adj.) (**xe**) – ter terçol: *Xe ropepirekó.* – Eu tenho terçol. (*VLB*, II, 127)

opepytanga (t) (etim. – *vagem rosada*) (s.) – broto, folhinha tenra e nova da planta; [adj.: **opepytang (r, s)**] (**xe**) – ter brotos, ter folhinhas novas a brotar (*VLB*, I, 60)

opesyîa (t) (etim. – *pálpebras pesadas*) (s.) – sono, vontade de dormir; [adj.: **opesyî (r, s)**] – sonolento, que tem sono, que está com sono: *Xe pûeraî, xe ropesyî!* – Eu estou cansado, eu estou com sono! (Anch., *Teatro*, 44)

opo- (pref. pess. obj. de 2ª p. do pl.) – vos: *Ixé opoîuká.* – Eu vos mato. (Anch., *Arte*, 12); *Oré opoîuká.* – Nós vos matamos. (Anch., *Arte*, 12); *Xe opoaûsub.* – Eu vos amo. (Fig., *Arte*, 154)

opóbo (etim. – *em suas mãos*) (adv.) – de gatinhas: *Agûatá opóbo* (ou *Opóbo nhẽ agûatá*). – Ando de gatinhas. (Anch., *Arte*, 43; Fig., *Arte*, 122; *VLB*, I, 35)

oporatã (v. tr.) – abarcar; apertar o que se cinge (*VLB*, I, 38)

opukubo (adv.) – ao comprido, ao longo, de comprido (Fig., *Arte*, 122): *Opukubo taba reni.* – A aldeia está assentada de comprido. (Anch., *Arte*, 43); *Opukubo taba amoín.* – Assento a vila de comprido. (Anch., *Arte*, 43)

opupé – o mesmo que **o îoupé** (v. **îoupé**) (Anch., *Arte*, 16)

opyá (r, s) (s.) – parede, repartição de casa (*VLB*, II, 101)

opykõîa (r, s) (s.) – quarto, cômodo (de uma casa) (*VLB*, I, 64)

opytá[1] (t) (s.) – 1) tronco cortado de árvore (como o pé do mastro do navio); 2) pé de copo, de taça (*VLB*, II, 68)

> NOTA – Daí provém, no P.B. (PR), **TOPITÁ**, corte de folhas de erva-mate que se deixa para ser completado no dia seguinte (in *Dicion. Caldas Aulete*).

opytá[2] (t) (s.) – popa (de embarcação) (*VLB*, II, 81)

opytaerobak (s) (etim. – *virar a popa*) (v. tr.) – dirigir (p.ex., embarcação) (*VLB*, I, 149)

opytaerobakaba (t) (etim. – *instrumento de virar a popa*) (s.) – 1) leme [os tupis de São Vicente diziam **ebikobaka (t)**]: *ygara ropytaerobakaba* – o leme da embarcação (*VLB*, II, 20); 2) cano de leme de embarcação (*VLB*, I, 65)

opytakok (s) (etim. – *escorar a popa*) (v. tr.) – dirigir (p.ex., embarcação) (*VLB*, I, 149)

oré – 1) (pron. pess. da 1ª p. do pl. – exclui a pessoa com quem se fala) – **a)** (pron. sujeito) – nós: *Ema'ẽ oré resé!* – Olha para nós! (Anch., *Teatro*, 120); *T'oré pyatã.* – Que nós sejamos corajosos. (Anch., *Teatro*, 120); **b)** (pron. objeto) – nos: *T'oú... oré moorypa...* – Que venha para nos fazer felizes. (Anch., *Teatro*, 118); *Oré pysyrõ îepé...* – Livra-nos tu. (Anch., *Doutr. Cristã*, I, 139); 2) (poss. da 1ª p. do pl. excl.) – nosso (s, a, as): *Esarõ oré retama oré sumarã suí.* – Guarda nossa terra de nossos inimigos. (Anch., *Teatro*, 118); *T'oroîtyk oré poxy...* – Que lancemos fora nossa maldade. (Anch., *Teatro*, 118)

orébe (pron. pess. dat. de 1ª p. do pl. excl.) – a nós, para nós: *Eîmombe'u-katu Tupã ra'yramo nde rekó orébe.* – Confessa bem a nós que tu és o filho de Deus. (Ar., *Cat.*, 56)

orébo (pron. pess. dat. de 1ª p. do pl. excl.) – a nós, para nós (Fig., *Arte*, 6): *... O memby-porangeté t'omoîerekûab orébo.* – Que ela faça seu mui belo filho perdoar a nós. (Anch., *Poemas*, 114); *Nde t'ereîme'eng orébo nde membyporanga.* – Que tu dês para nós teu belo filho. (Anch., *Poemas*, 136)

oré-ruba (s.) – pai-nosso: *Oré-ruba kuakatûabo.* – Conhecendo bem o Pai-Nosso. (Bettendorff, *Compêndio*, 65)

oro-[1] (pref. núm.-pess. de 1ª p. do pl. excl.): *Oroîerobîá nde ri...* – Confiamos em ti. (Anch., *Teatro*, 118); *Nde resé memẽ oroîkó ...* – Contigo sempre estamos. (Anch., *Poemas*, 84); *T'orosaûsu îandé ruba.* – Que amemos nosso pai. (Anch., *Teatro*, 120); *Oromanõmo.* – Morrendo nós. (Anch., *Arte*, 29)

oro-[2] (pron. pess. obj. da 2ª p. do sing.) – te: *Nd'oromombe'uî xóne.* – Não te denunciarei. (Anch., *Teatro*, 32); *... Oroapy kori, îandu!* – Queimo-te hoje, como de costume! (Anch., *Teatro*, 44); *Oré oroîuká.* – Nós te matamos. (Fig., *Arte*, 9); *Xe orotym.* – Eu te enterro. (Fig., *Arte*, 154); *Oropytub ymã îan-*

dykaraíba pupé. – Já te ungi com óleo bento. (Ar., *Cat.*, 141)

oryba (t) (s.) – **1)** alegria [por algum bem, por algo não natural, à diferença de **esãîa (t)** – v.] (*VLB*, I, 30), felicidade: *Ybakype toryba.* – A felicidade no céu. (Ar., *Cat.*, 20); ... *O manõ riré toryba rerekóbo...* – Tendo alegria após sua morte. (Anch., *Teatro*, 54); **2)** festa, folgança: *Ndebo toryba monhanga xe anama xe mbouri.* – Para fazer-te festa minha família fez-me vir. (Anch., *Poemas*, 154); [adj.: **oryb** ou **ory (r, s)**] – **1)** alegre, feliz (por causa de algo, por alguma razão) (*VLB*, I, 30); **(xe)** alegrar-se: *Ta sory îandé ra'yra... !* – Que se alegrem nossos filhos! (Anch., *Teatro*, 56); *Xe roryb nde só resé.* – Eu estou feliz por causa de tua ida. (Anch., *Arte*, 27); **2)** divertido, folgazão: *Xe roryb.* – Eu sou folgazão. (D'Evreux, *Viagem*, 143) ● **orypaba (t)** – lugar, tempo, causa etc. de alegria, de felicidade: ... *Ta xe rerasó og orypápe.* – Que ele me leve para seu lugar de felicidade. (Ar., *Cat.*, 24v); ... *Nde ko'ema, 'ara rorypabeté.* – Tu és a manhã, causa verdadeira da alegria do dia. (Valente, *Cantigas*, IV, in Ar., *Cat.*, 1618)

NOTA – Daí, o nome da localidade de **TORIBA** (SP) (v. Rel. Top. e Antrop. no final).

orypaba (t) (etim. – *lugar de felicidade*) (s.) – paraíso (Ar., *Cat.*, 24v)

osanga (t) (s.) – paciência, sossego (*VLB*, II, 62; Fig., *Arte*, 38): *Nhemoŷrõ robaîara tosanga.* – O oposto da ira é a paciência. (Ar., *Cat.*, 18); sofrimento em padecer (*VLB*, II, 120), resistência; [adj.: **osang (r, s)**] – paciente; sossegado (Fig., *Arte*, 38); sofrido; resistente; **(xe)** padecer, sofrer, ter resistência: ... *Sosang poresé.* – Sofre pela gente. (Anch., *Poemas*, 122); *Mba'e o emimborará-tyba supé og osange'ymamo.* – Para as coisas que costuma sofrer não tendo paciência. (Anch., *Diál. da Fé*, 231); *Xe rosang* – Eu sou paciente. (Fig., *Arte*, 109); *Sosang,* *tatá porarábo...* – Sofreu, suportando o fogo. (Anch., *Teatro*, 54); *Na xe rosangi.* – Eu não tenho resistência. (*VLB*, II, 10)

osange'yma (t) (etim. – *falta de paciência*) (s.) – impaciência (*VLB*, II, 10)

otĩapûabo (etim. – *na ponta de seu nariz*) (adv.) – de ponta (*VLB*, II, 80)

otĩapyrybo (etim. – *na ponta de seu nariz*) (adv.) – de ponta (*VLB*, II, 80)

oybabo (adv.) – às avessas, de atravessado, ao través (Fig., *Arte*, 122)

oykébo (etim. – *no seu flanco*) (adv.) – de lado, de ilharga: *Oykébo aîub.* – Jazo de lado. (*VLB*, II, 7)

oŷpyra (r, s) (s.) – **1)** zelador da casa (de pessoa ausente); o que está ou fica na casa (de pessoa ausente): *Aîmbiré, îarasó muru taûîé, îandé roŷpyra moesãîa.* – Aimbirê, levemos os malditos logo, para alegrar os que ficaram em nossas casas. (Anch., *Teatro*, 40); *T'o'u îandé roŷpyrûera.* – Que os comam os que ficaram em nossas casas. (Anch., *Teatro*, 64); **2)** o que fica no lugar de, substituto (p.ex., o ovo que se põe no lugar onde se quer que a galinha vá botar; indez) (*VLB*, I, 115): *Nd'e'i te'e abá... soŷpyra abaré supé onhemombegûabo.* – Por isso mesmo o homem se confessa a seu substituto, o padre. (Anch., *Doutr. Cristã*, II, 77); *Aîkó nde roŷpyramo.* – Estou em teu lugar; sou teu substituto. (Anch., *Arte*, 44v)

NOTA – Daí, no P.B., **AMOIPIRA** (*amõ + oŷpyra*, "os que ficaram no lugar de outros"), povo indígena extinto, de língua do tronco tupi, que vivia na Bahia, às margens do rio São Francisco. Seu nome indica que deve ter ocupado a região de um povo indígena anterior, que a abandonou.

oŷpyre'yma (t) (etim. – *sem zelador*) (s.) – ausência (do lugar ou casa onde se reside): *xe roŷpyre'yma* – minha ausência (*VLB*, I, 48)

P

pá¹ (adv. de h.) – sim (Fig., *Arte*, 133): – *Ereîupe? -Pá, aîur.* -Vieste? – Sim, vim. (Léry, *Histoire*, 341)

pá² (part. – forma nasalizada: **mbá**) – totalmente, completamente; todo (s, a, as), tudo: ... *Xe suí i gûabo pá*. – De mim comendo-as todas. (Anch., *Poemas*, 150); ... *Gûaibĩ moesãîa mbá*. – Alegrando todas as velhas. (Anch., *Poemas*, 110); *Peîori pitanga gûabo, ... kunumĩ mokona mbá...* – Vinde, para comer a criança, engolindo completamente o menino. (Anch., *Poemas*, 166); *Aîybõ-mbá*... – Flechei-os todos. (Anch., *Teatro*, 132); *Omanõ-mbá*. – Morreram todos. (Anch., *Arte*, 3v); *T'a'u pá Îakaregûasu pepyra!* – Hei de comer todo o banquete de Jacaré-guaçu! (Anch., *Teatro*, 62); *Eîorino i mombûeîrá pá!* – Vem novamente para curá-los todos! (Anch., *Teatro*, 120); *Aîá pá îekuakuba...* – Fiz todos os jejuns. (Anch., *Teatro*, 172); *T'oú serasóbo pá...* – Que venha para levá-los todos. (Anch., *Teatro*, 184); *Ereroŷrõ-mbápe sekó?* – Detestas completamente suas obras? (Ar., *Cat.*, 114v); *Pirá mondóbo pá.* – Levando os peixes todos. (Anch., *Arte*, 54v)

> NOTA – Tal palavra deve fazer parte da composição **TUPINAMBÁ** (provav. de **tupi** + **anam/a** + **mbá**, "todos parentes dos tupis"), um dos povos indígenas mais importantes na história do Brasil colonial e que falava o tupi antigo.

pa'ama (mb) (s.) – **1)** atolamento; obstrução: *ty-pa'ama* – obstrução de urina, cálculo renal (*VLB*, II, 69); **2)** engasgamento; (adj.: **pa'am**) – **1)** atolado; obstruído; **2)** engasgado; (xe) engasgar-se: *xe nhe'ẽ-pa'ama* – minhas palavras engasgadas (Valente, *Cantigas*, III, in Ar., *Cat.*, 1618)

pab¹ (part.) – todo (s, a, as); tudo; completamente (às vezes em composição com o verbo): *Arasó pab.* – Levei todos. (*VLB*, II, 130); ... *Asé re'õmbûera pu'am-pabine?* – Nossos cadáveres levantar-se-ão todos? (Ar., *Cat.*, 61, 1686); ... *O angaîpagûera repyme'enga-mbapa...* – Resgatando totalmente seus antigos pecados. (Ar., *Cat.*, 48v); *Aru-pab.* – Trouxe todos (ou *Trouxe tudo*). (Anch., *Arte*, 54v); *Aru-pab pirá.* – Trouxe todo o peixe. (Anch., *Arte*, 54v)

pab² (v. intr.) – **1)** acabar, terminar, chegar ao fim, esgotar-se: *Graça semime'enga n'opabi.* – A graça que ele dá não acaba. (Ar., *Cat.*, 5); *quarenta 'ara pab'iré...* – após acabarem os quarenta dias (Bettendorff, *Compêndio*, 51); *Oropab oromanõmo.* – Morrendo, chegamos ao fim. (Anch., *Poemas*, 82); **2)** perecer; sofrer mortandade (*VLB*, II, 42) • **opaba'e** – o que acaba: *tekobé opaba'erame'yma* – a vida que não acabará (isto é, *a vida eterna*) (Ar., *Cat.*, 27); **papaba** (ou **papagûaba**) – tempo, lugar, causa etc. de acabar; o fim; o término, a conclusão: *N'i sykabi, n'i papabi.* – Não tem limite, não tem fim. (Ar., *Cat.*, 165); ... *'ara papápe...* – no fim do mundo (lit., *no tempo de acabar o mundo*) (Ar., *Cat.*, 16)

paba¹ (mb) (s.) – **1)** mortandade; destroços de gente morta (*VLB*, I, 101); eliminação, matança (como nas guerras) (*VLB*, II, 33), estrago (de mortes) (*VLB*, I, 130): *so'o paba* – a mortandade da caça (*VLB*, II, 42); **mbaba** – mortandade de gente (*VLB*, II, 42); **2)** peste: *mbabyîara* – o que porta pestes, coisa pestilencial (*VLB*, II, 76)

paba² (mb) (s.) – acabamento, término (Anch., *Arte*, 2v); esgotamento; (adj.: **pab**) – esgotado, acabado: *Ty-pab.* – Ele tem a água esgotada. (*VLB*, I, 111)

pabẽ¹ (part.) – todo (s, a, as); totalmente, completamente: *Abá sosé pabẽ i momorangi...* – Mais que a todos os seres humanos embelezou-a. (Anch., *Poemas*, 86); ... *O boîaetá pabẽ serekomemûãmo...* – Maltratando-o todos os seus súditos. (Ar., *Cat.*, 59); ... *Oka'ugûasu pabẽ...* – Bebem muito todos. (Anch., *Teatro*, 134); ... *Te'õ remi'u pabẽ.* – É, totalmente, uma comida de morte. (Valente, *Cantigas*, VIII, Ar., *Cat.*, 1618); *Penheŷnhang pabẽ sesé!* – Ajuntai-vos todos com eles! (Anch., *Teatro*, 60)

pabẽ² (posp.) – com, juntamente com, na companhia de (leva o verbo para o plural): *Orosó Pedro pabẽ.* – Vou com Pedro. (Anch., *Arte*, 44); *Xe ruba pabẽ orosó* (ou *Xe ruba pabẽ oré sóû*). – Fui com meu pai. (*VLB*, II, 16); *T'îasó xe pabẽ.* – Vamos comigo. (Fig., *Arte*, 123); *ahẽ pabẽ* – com ele (*VLB*, I, 77)

pabẽngatu (part.) – todo (s, a, as): *T'oroîkó pabẽngatu nde rekokatu pupé.* – Que estejamos todos na tua virtude. (Anch., *Poemas*, 100); *T'oîkuab pabẽngatu abá yby îakatu okûaba'e karaibamo nde rera rekó.* – Que saibam todos os homens que estão em toda

pabenhẽ

a terra que teu nome é santo. (Thevet, *Cosm. Univ.*, II, 925)

pabenhẽ (part.) – todo (s, a, as): *Oposẽ-posẽ pabenhẽ sesé...* – Ficaram todos gritando por causa disso... (Ar., *Cat.*, 60v); *... Aîmomoxy pabenhẽ...* – Arruinei a todos. (Anch., *Teatro*, 132)

pa'i (s.) – 1) mestre, senhor (forma de tratamento que acompanha um nome próprio): *Pa'i Îesu* – Senhor Jesus (Anch., *Teatro*, 42); *Pa'i Tupã* – o Senhor Deus (Anch., *Teatro*, 50); 2) padre: *Xe reroketé pa'i.* – Batizou-me, verdadeiramente, o padre. (Anch., *Teatro*, 164); 3) s. voc. – meu senhor! meu pai!: *Marãnamo-piã xe pe'a îepé, pa'i gûê?...* – Por que tu me abandonaste, ó meu senhor? (Ar., *Cat.*, 63; Anch., *Arte*, 14v)

paîa (mb) (s.) – peso, carga: *nambi-paîa* – peso de orelha, orelheira (*VLB*, I, 42); (adj.: **paî**) – pesado, repleto, carregado (como a levar diversas coisas em trouxa às costas e outras dependuradas no ombro): *Xe paî* (ou *Xe paî-xe-paî*). – Eu estou carregado. (*VLB*, II, 70)

paîé (m) (s.) – 1) pajé, curandeiro, feiticeiro indígena (Thevet, *Les Sing. de la France Antarct.*, 65): *T'oroîtyk oré poxy, paîé rerobîare'yma...* – Que lancemos fora nossa maldade, não acreditando nos pajés. (Anch., *Teatro*, 118); *Kûesé paîé mba'easybora subani.* – Ontem o feiticeiro chupou o enfermo. (Fig., *Arte*, 96); 2) padre (por ordens ou hábito) (*VLB*, II, 62) ● **paîé-aíba** (ou **paîé-anga-íba**) – pajé ruim, pajé aliado a espírito malfazejo. Diferenciava-se o *paîé-aíba* do *paîé* propriamente dito (às vezes também chamado de *paîé-katu*, pajé bom), porque o espírito deste último "tudo o que faz é em favor comum, isto é, dar vitórias nas guerras etc. O espírito deste se chama **Gûaîupîá** (v.)". O *paîé-aíba* é "inclinado a matar e causar diversas enfermidades, fomes e fazer ausentar o peixe das pescarias etc., e por isso também recebe o adjetivo *aíb* ou *angaíb*, mau. E são muitos os diabos de que se ajuda. Também se chama *mosangyîara*, que quer dizer senhor das mezinhas ou feitiços, os quais faz para matar". (*VLB*, I, 137): *T'ereîuká ixébe paîé-aíba supé...* – Que o mates para mim diante do pajé ruim. (Ar., *Cat.*, 70v); *Supixûar ikó paîé-angaíba...* – Este pajé ruim tem um espírito protetor. (Ar., *Cat.*, 98v)

OBSERVAÇÃO – Também existia a forma **maîé**, certamente a forma absoluta de **paîé**. Aquela deve ter caído em desuso já no século XVI.

NOTA – No P.B., **PAJÉ** também significa 1) mandachuva; 2) (Amaz.) *benzedor, curandeiro* (in *Dicion. Caldas Aulete*).
Daí, também, o nome geográfico **ITAPAJÉ** (localidade do CE) (v. Rel. Top. e Antrop. no final).

PAJÉS (fonte: Gândavo)

paîegûasu (etim. – *grande pajé*) (s.) – artífice, artesão: *Paîegûasu remimonhanga.* – Obra de um artífice. (Léry, *Histoire*, 345)

paîemarĩoba (etim. – *folha do pajé manco*) (s.) – **PAJAMARIOBA, MAJERIOBA, MANJERIOBA**, nome comum de plantas leguminosas-cesalpinoídeas do gênero *Senna*, conhecidas também como **PAJOMARIOBA, PAIERIABA**, *folha-de-pajé, mata-pasto, fedegoso-verdadeiro*. A espécie mais importante é a *Senna occidentalis* (L.) Link, espalhada por quase todo o Brasil. (Brandão, *Diálogos*, 118)

PAJAMARIOBA (fonte: Marcgrave)

paîemirĩoba – o mesmo que **paîemarĩoba** (v.) (Piso, *De Med. Bras.*, IV, 190-191)

pa'ieté (s.) – grande profeta (D'Abbeville, *Histoire*, 58)

paîomirĩoba – o mesmo que **paîemirĩoba** (v.) (Marcgrave, *Hist. Nat. Bras.*, 9)

paîpaîgûasu (s.) – nome de um inseto (*Libri Princ.*, vol. II, 125)

paîrary (s.) – PAIRARI, PARARI, BARARI, variedade de pomba da família dos columbídeos, também chamada *avoante, pomba-do--sertão, arribação, ribação* etc. (Sousa, *Trat. Descr.*, 230)

paîurá (s.) – PAJURÁ, árvore de florestas úmidas da família das crisobalanáceas (*Parinari montana* Aubl.), muito alta, de flor azulada, com fruto de casca e polpa muito amarelas, e cuja amêndoa dentro do caroço é comestível (D'Abbeville, *Histoire*, 223v)

pak (v. intr.) – acordar: *Nd'ereî epaka ranhẽ.* – Ainda não acordaste. (Fig., *Arte*, 25); *Nd'a'éî gûipaka ranhẽ.* – Ainda não acordei. (Fig., *Arte*, 25); *Opaka bé sesé o ma'enduaramo...* – Lembrando-se dele assim que acorda. (Ar., *Cat.*, 74v); *Apak gûitupa.* – Estou acordando. (*VLB*, I, 20) • **pakaba** – tempo, lugar, modo etc. de acordar: "*I katupe nhẽ temõ mã!*" *erépe nde pakagûerype?* – Disseste quando acordaste: "Oxalá ela estivesse nua!"? (Ar., *Cat.*, 104v)

paka (s.) – PACA, nome comum de mamíferos roedores da família dos cuniculídeos, que aparecem em todo o Brasil, entre os quais a espécie *Cuniculus paca* L. (D'Abbeville, *Histoire*, 96v; Marcgrave, *Hist. Nat. Bras.*, 224; Léry, *Histoire*, 347-348)

NOTA – Daí, os nomes geográficos **PACAEMBU** (bairro de São Paulo, SP), **PAQUETÁ** (ilha do RJ) etc. (v. Rel. Top. e Antrop. no final).

PACA (fonte: Marcgrave)

pakabyra (s.) – folha de bananeira silvestre (*Heliconia pendula*) usada pelos índios para embrulhar farinha de mandioca (Frei Vicente do Salvador, *História do Brasil*, I, cap. XVI)

pakaîara (etim. – *os que portam pacas*) (s. etnôn.) – PACAJÁ, nome de antigo grupo indígena do norte do Brasil (D'Abbeville, *Histoire*, 189)

pakaíb (etim. – *acordar não completamente*) (v. intr.) – levantar-se dormindo: *Apakaíb.* – Levantei-me dormindo. (*VLB*, I, 129)

pakamõ (s.) – PACAMÃO, POCAMÃO, PACUMÃ, nome de um peixe (*VLB*, I, 120)

pakatu (part.) – todo (s, a, as); tudo; completamente, totalmente: *Sory pakatu apŷaba.* – Felizes estão todos os homens. (Anch., *Poemas*, 146); *Xe nhõ a'u pakatune.* – Eu somente beberei tudo. (Anch., *Teatro*, 10); *Oîmombe'u pakatupe amẽ asé o angaîpagûera?* – A gente confessa totalmente, de costume, seus próprios pecados? (Ar., *Cat.*, 90)

pakó (part.) – haver de, já (de futuro): *Aûîeté pakó aîegûak ûiîemoúna.* – Na verdade, hei de enfeitar-me (ou *já me enfeito*), pintando-me de preto. (Anch., *Teatro*, 60)

-pakó? (interr.) – 1) pois?: *Marã-marã-pakó îeí xe rekóû?* – Que coisas, pois, eu fiz hoje? (Ar., *Cat.*, 75); 2) porventura?: *Na nde ruã-te-pakó kunhã ri ereîemomotá?* – Mas não foste tu, porventura, que te atraíste pelas mulheres? (Anch., *Teatro*, 176)

pakoba (etim. – *folha de paca*) (s.) – PACOBA, PACOVA, o fruto da pacobeira, var. de planta (Sousa, *Trat. Descr.*, 188; *VLB*, I, 51; Thevet, *Les Sing. de la France Antarct.*, 61; Gândavo, *Trat. Prov. Bras.*, 825-853)

NOTA – Daí, **PACOBAÍBA** (nome de localidade do RJ) (v. Rel. Top. e Antrop. no final). No P.B., **PACOVA** pode ser, ainda, um *moleirão*, um *toleirão* (in *Dicion. Caldas Aulete*).

pakobamirĩ (etim. – *pacova pequena*) (s.) – PACOVA-MIRIM, 1) variedade de bananeira pequena; 2) o fruto dessa planta, "do comprimento de um dedo, mas mais grossa" (Sousa, *Trat. Descr.*, 189)

pakobeté (etim. – *pacova verdadeira*) (s.) – 1) variedade de bananeira, planta musácea do gênero *Musa*; 2) o fruto dessa planta (Marcgrave, *Hist. Nat. Bras.*, 274)

pakobusu (etim. – *pacova grande*) (s.) – 1) PACOVEIRA, PACOBEIRA, bananeira, planta da família das musáceas (*Musa paradisiaca* L.); 2) o fruto dessa planta (Marcgrave, *Hist. Nat. Bras.*, 274)

pakoby

pakoby (etim. - *caldo de pacova*) (s.) - variedade de bebida feita da pacova (Marcgrave, *Hist. Nat. Bras.*, 274)

pakoka'atinga (etim. - *pacova da folha clara*) (s.) - PACO-CAATINGA, nome de duas espécies de ervas da família das zingiberáceas, a *Costus spicatus* (Jacq.) Sw. e a *Costus spiralis* (Jacq.) Roscoe (Marcgrave, *Hist. Nat. Bras.*, 102)

pakoseroka (s.) - PACO-SEROCA, cardamomo-da-terra, nome comum a várias espécies de plantas da família das zingiberáceas, principalmente a *Renealmia brasiliensis* K. Schum (Marcgrave, *Hist. Nat. Bras.*, 48)

pakuri (s.) - BACURI, 1) árvore frutífera muito grossa e alta, da família das clusiáceas (*Platonia insignis* Mart.), com flor esbranquiçada, também chamada *bacurizeiro*; 2) o fruto dessa árvore, com casca de meia polegada e polpa branca (D'Abbeville, *Histoire*, 222)

Pakuripanã (etim. - *borboleta de bacuri*) (s. antrop.) - nome de índio tupi (D'Abbeville, *Histoire*, 188)

pakuripari (etim. - *bacuri torto*) (s.) - BACURIPARI, BACURIPATI, árvore da família das clusiáceas (*Garcinia macrophylla* Mart.). "Dá esta árvore um fruto tamanho como fruta nova, que é amarelo e cheira muito bem." (Sousa, *Trat. Descr.*, 191)

pakuri'yba[1] (etim. - *pé de bacuri*) - o mesmo que **pakuri** (v.)

Pakuri'yba[2] (etim. - *pé de bacuri*) (s. antrop.) - nome de índio tupi (D'Abbeville, *Histoire*, 185)

pan (-îo- ou -nho-) (v. tr.) - lavrar, bater, aparar (*VLB*, I, 134): *Aybyrá-pan*. - Lavro as madeiras. (*VLB*, I, 67) • **pandara** - o que lavra, o que bate: *ybyrá pandara* - o que lavra as madeiras, o carpinteiro (*VLB*, I, 67)

panakũ - v. **(e)panakũ (r, s)**

panakuîu (s. etnôn.) - nome de antiga nação indígena (Cardim, *Trat. Terra e Gente do Brasil*, 126)

panama (s.) - PANAPANÃ, PANAPANÁ, borboleta, designação comum aos insetos lepidópteros diurnos de antenas clavadas (Marcgrave, *Hist. Nat. Bras.*, 250; *VLB*, I, 52; Thevet, *Les Sing. de la France Antarct.*, 50): *Andyrá ruãpe é, panama koîpó gûaîkuîka?* - Será que é um morcego, uma borboleta ou uma cuíca? (Anch., *Teatro*, 42)

panamoby (etim. - *borboleta verde*) (s.) - var. de borboleta (*Libri Princ.*, vol. II, 119)

panapaná (ou **panapanã**) (s.) - espécie de cação (Soares, *Coisas Not. Bras.* (ms. C), 2110-2111)

panapanã[1] (s.) - PANAPANÃ, o mesmo que **panama** (v.), nome genérico do tupi para a borboleta (D'Abbeville, *Histoire*, 255)

> NOTA - No P.B., PANAPANÃ também é a migração de borboletas em certas épocas do ano, em grandes revoadas coloridas; bando de borboletas.

panapanã[2] - o mesmo que **panapaná** (v.) (D'Abbeville, *Histoire*, 246; *VLB*, I, 82)

panapanama - o mesmo que **panapanã**[1] (v.) (*Libri Princ.*, vol. I, 170)

panãpanãmuku (etim. - *panapaná comprido*) (s.) - variedade de borboleta (Marcgrave, *Hist. Nat. Bras.*, 249)

panema (m) (s.) - carência, imperfeição, inutilidade; azar, desdita, desgraça; o mofino, o desgraçado; (adj.: **panem**) - PANEMA, carente (falto de algo), imperfeito, azarado (na caça ou na pesca), imprestável, inútil; infeliz na vida, desgraçado, desditoso, aziago; **(xe)** ficar sem porção ou sem presa (numa distribuição): *Xe panem (mba'e) resé.* - Eu fico sem porção nas coisas (isto é, *não recebo nada numa partilha*). (*VLB*, II, 40, adapt.)

> NOTA - No P.B., PANEMA significa, também, "encosto" ou "a vítima de feitiço", "o que tem encosto ou malfeito". PIRAPANEMA é, no P.B., trecho de um rio onde há pouco peixe.
> Daí, também, os nomes geográficos CAPANEMA (PA), IPANEMA (RJ), PARANAPANEMA (SP) etc. (v. Rel. Top. e Antrop. no final).

panianaîu (s.) - nome de um peixe da família dos hemiranfídeos (D'Abbeville, *Histoire*, 246)

panikũ - o mesmo que **panakũ** (v.)

papar (ou **papá**) (v. tr.) - contar, numerar, calcular: *T'aîpapáne i angaîpaba...* - Hei de contar os pecados deles. (Anch., *Teatro*, 34); *Opá kó taba pupîara o membyramo i papari*.

– Todos os que estão nesta aldeia conta como seus filhos. (Anch., *Teatro*, 180) • **papasaba** – tempo, lugar, modo, instrumento, objeto etc. de contar; contagem: *Setá; n'i papasabi îandébe.* – Eles são muitos; não há para nós modo de contá-los. (Ar., *Cat.*, 38); *Aîpó n'i papasabi, kûarasymo oîké îepémo!* – Isso não tem meio de se contar, ainda que o sol se pusesse! (Anch., *Teatro*, 38); *mokõî asé pó papasaba* – meios de contar das duas mãos da gente (isto é, *os dedos*) (Ar., *Cat.*, 95, 1686); **i paparypyra** – o que é (ou deve ser) contado: *Tupã resápe-katu kó pe rekó rekóû i paparypyramo.* – Bem aos olhos de Deus essas vossas ações são contadas. (Ar., *Cat.*, 166)

papar (v. tr.) – meter letra (o que canta) (*VLB*, II, 20) • **papasaba** – tempo, lugar, modo etc. de meter letra; letra do que se canta (*VLB*, II, 20)

papasaba¹ (mb) (etim. – *instrumento de contar*) (s.) – número: *Marangatuba'e santos ybakype Tupã repîakaretá osasá 'ara ro'y remierekó papasaba.* – Os bem-aventurados e os santos no céu, que veem a Deus, ultrapassam o número dos dias que o ano tem. (Ar., *Cat.*, 135, 1686)

papasaba² (mb) (etim. – *lugar de contar*) (s.) – rol (*VLB*, II, 108)

papy (mb) (s.) – pulso do braço, punho (Castilho, *Nomes*, 35)

papykuîá (m) (s.) – adorno de contas para o pulso (*VLB*, I, 80)

papyxûara (etim. – *o que está nos pulsos*) (s.) – ornato feito de corais de várias cores, usado nos braços e pulsos (Marcgrave, *Hist. Nat. Bras.*, 271)

pará (s.) – 1) rio (de grande volume d'água)*: *pará-aíba* – rio ruim (imprestável para a navegação, para a pesca etc.) (Staden, *Viagem*, 135); 2) mar: "Por isso os naturais lhe chamam *Pará* e os portugueses Maranhão, que tudo quer dizer mar e mar grande." (Pe. Antônio Vieira [n.d.], *Sermão do Espírito Santo*, in *Cartas*, 418)

*NOTA – **PARÁ** era o nome que os tupis davam ao rio Amazonas e também ao rio São Francisco, o que nos leva a concluir que tal palavra designava todo rio de grande caudal. Com efeito, ela não figura no *VLB*, de 1621. Daí, os nomes dos estados brasileiros do **PARÁ**, da **PARAÍBA** e muitos outros nomes geográficos no Brasil, como **PARACATU** (rio de MG), **PARACAIÇARA** (ig. do AM) etc. (v. Rel. Top. e Antrop. no final). *

Daí, também, no P.B., **PARAÍBA** (*pará + aíb + -a*, "rio ruim") (S), trecho de rio que não pode ser navegado; **IGAPARÁ** (Amaz.) (*ygar + pará*, "rio de canoa"), canal largo; braço largo de rio (in *Novo Dicion. Aurélio*).

paraba¹ (mb) (s.) – mancha; (adj.: **parab**) – manchado, malhado de diversas cores: *Xe pará-parab.* – Eu sou muito manchado. (*VLB*, II, 23) • **ũ-mbarab** (r, s) – manchado de preto; (**xe**) manchar-se de preto (p.ex., a uva madura) (*VLB*, II, 78); **tĩ-mbarab** – manchado de branco; (**xe**) manchar-se de branco (p.ex., a barba) (*VLB*, II, 78); **îu-parab** – manchado de amarelo: *tu'îîu-paraba* – tuim manchado de amarelo (nome de uma ave) (*Theat. Rer. Nat. Bras.*, I, 171); **pará-paraba** – manchas diversas (*VLB*, II, 30)

NOTA – Daí, no P.B., **JUPARABA** (*îub + parab + -a*, "manchado de amarelo"), ave psitacídea com coberteiras superiores maiores da asa amarelas.

paraba² (mb) (s.) – variedade, diversidade: *... Esepîak tekó paraba.* – Vê tu a variedade de coisas. (Valente, *Cantigas*, VIII, in Ar., *Cat.*, 1686); (adj.: **parab** ou **pará**) – variado, variegado, multicor: *I angaîpá-pará-pará...* – Ela tem pecados variadíssimos. (Anch., *Poemas*, 112)

NOTA – Daí, no P.B., **IPECUPARÁ** (*ipekũ + pará*, "pica-pau multicor"), nome de um pássaro piciforme; **JACUPARÁ** (*îaku + pará*, "jacu variegado"), nome de uma ave cracídea.

parabok (etim. – *arrancar a variedade*) (v. tr.) – selecionar, tirar o que é estranho, vário, ruim; escolher (p.ex., o feijão, tirando-se a parte ruim da boa) (*VLB*, I, 37)

paragûá (s.) – **PARAGUÁ**, nome genérico de certas aves da família dos psitacídeos, de plumagem bem colorida (D'Abbeville, *Histoire*, 235; Staden, *Viagem*, 106)

NOTA – Em guarani antigo essa palavra também existia com o mesmo sentido e deu nome ao grande rio **PARAGUAI** (*paragûá + 'y*, "rio dos paraguás") e ao país vizinho do Brasil.

paragûakaré

PARAGUÁ (fonte: *Brasil Holandês*)

paragûakaré (s.) – var. de búzio marinho (v. paranakaré) (*VLB*, I, 60)

paraí (s.) – nome de uma ave (Soares, *Coisas Not. Bras.* (ms. C), 1358-1361)

paraíba (etim. – *rio ruim*) (s.) – nome de um antigo grupo indígena (Léry, *Histoire*, 152, 1994)

paranã (s.) – **1)** mar: *Opá ybaka ereîmopó, paranã, yby abé.* – Todo o céu preenches, o mar e a terra também. (Anch., *Poemas*, 128); *Asó paranãme.* – Vou ao mar. (Fig., *Arte*, 130-131); *O îoybyri se'õmbûera paranã ybyri i kûáí.* – Lado a lado seus cadáveres ao longo do mar estavam. (Anch., *Teatro*, 52); **2)** água do mar (*VLB*, I, 24) • **paranãmbora** – coisas que se criam no mar, a fauna marítima (Anch., *Arte*, 31v); **paranãmbotyra** – flor do mar (D'Evreux, *Viagem*, 181); **paranãysyka** – resina do mar (D'Evreux, *Viagem*, 181); **paranãngûá** – enseada ou baía de mar (*VLB*, I, 50); **paranãendy** – reflexo ou resplendor do mar (*VLB*, I, 40)

NOTA – Desse termo originam-se muitos nomes geográficos no Brasil: **PARANAGUÁ**, **PERNAMBUCO** etc. (v. Rel. Top. e Antrop. no final). Na língua geral setentrional e na meridional, **paranã** passou a significar *rio* (Arronches, *O Caderno da Lingoa*, 230), figurando na toponímia também com esse sentido: **JI-PARANÁ** (RO), rio **PARANÁ**, rio **PARANAPANEMA** (v. Rel. Top. e Antrop. no final). Hoje, na Amazônia, **PARANÃ** é *braço de rio caudaloso, separado deste por uma ou mais ilhas* (in *Dicion. Caldas Aulete*).

paranãgûasu (etim. – *mar grande*) (s.) – oceano: *Paranãgûasu rasapa aîu.* – Vim, atravessando o oceano. (Anch., *Poemas*, 114)

paranakaré (s.) – variedade de crustáceo da família dos pagurídeos (Marcgrave, *Hist. Nat. Bras.*, 188)

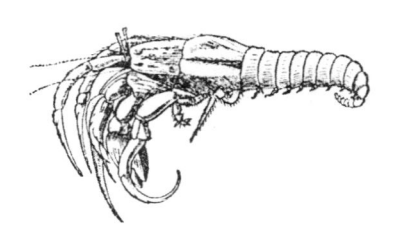

PARANAKARÉ (fonte: Marcgrave)

paranãmbora (etim. – *habitante do mar*) (s.) – marisco: *Paranãmbora ri aîkó.* – Vivo de mariscos. (*VLB*, II, 32)

paranãygûara (etim. – *habitante do mar*) (s.) – nome pelo qual eram chamados os habitantes da beira-mar do Maranhão (D'Abbeville, *Histoire*, 260v)

parang (v. intr.) – resvalar (como a flecha que não deu com a ponta em cheio) (*VLB*, II, 103)

parapara'yba (s.) – **PARAPARÁ**, nome comum a plantas de diferentes famílias: a *Jacarandá copaia* (Aubl.) D. Don, da família das bignoniáceas, a *Schefflera morototoni* (Aubl.) Maguire, Steyerm. & Frodin, das araliáceas, e a *Cordia tetrandra* L., da família das borragináceas (Sousa, *Trat. Descr.*, 219)

pararang (v. intr.) – rodar (pelo chão, como as rodas de uma carroça) (*VLB*, I, 35; II, 107)

NOTA – Daí, talvez, no P.B. (MG, SP, GO), **PARARACA**, pela língua geral meridional, 1) *lugar, nos rios, onde a água passa rápida e ruidosa sobre pedregulhos*: "A água fazia uma *PARARACA* forte, quase cachoeira, depois sossegava." (Carmo Bernardes, in *Jurubutuba*, apud *Novo Dicion. Aurélio*); 2) (adj.) *barulhento, palrador, tagarela* (in *Novo Dicion. Aurélio*). Daí, também, o nome geográfico **ITUPURARANGA** (localidade de SP) (v. Rel. Top. e Antrop. no final).

parati[1] (s.) – **PARATI**, peixe da família dos mugilídeos, do Atlântico Sul (Marcgrave, *Hist. Nat. Bras.*, 181): *Nd'aruri amõ parati.* – Não trouxe nenhum parati. (Anch., *Poemas*, 152) (D'Abbeville, *Histoire*, 244v)

NOTA – Daí, no P.B., o nome da histórica localidade de **PARATI** (RJ) (v. Rel. Top. e Antrop. no final).

parati[2] (s.) – variedade de mandioca, comestível a partir de oito meses de plantio, apta para cultivo em terras fracas e de areia; o mesmo que **mandi'yparati** (v.) (Sousa, *Trat. Descr.*, 173)

parati'yba (m) (etim. – *pé de mandioca parati*) (s.) – antebraço (Castilho, *Nomes*, 35)

paraturá (s.) – PARATURÁ, erva ciperácea, comum em grande parte do litoral marítimo do Brasil (Piso, *De Med. Bras.*, IV, 201; *Theat. Rer. Nat. Bras.*, II, 185)

paraûá – o mesmo que **paragûá** (v.)

paresar (v. intr. compl. posp.) – levar ou mandar mensagem, convidando para festa; fazer convite por mensageiro para festas (compl. com **supé**): *Aparesar (abá) supé.* – Fiz convite por mensageiro aos homens. (*VLB*, I, 38, adapt.)

paresara (s.) – mensageiro que convida para festas: *Paresaramo asó.* – Vou como mensageiro. *Paresaramo aîkó.* – Estou como mensageiro. (*VLB*, II, 35)

pari (m) (s.) – PARI, PARITÁ, canal de apanhar peixes, bloqueando-se com talas e varas a sua passagem (*VLB*, I, 65); camboa de peixes • **itá-pari** – pari de pedras (D'Abbeville, *Histoire*, 140)

> NOTA – Daí, **PARI** (nome de bairro de São Paulo, SP), **PARIQUERA** (riacho de AL) etc. (v. Rel. Top. e Antrop. no final).

PARI (canal de apanhar peixes) (fonte: Staden)

parĩ (m) (s.) – 1) aleijão (que não impede o andar) (*VLB*, I, 30); coisa torta (*VLB*, II, 133); 2) aleijado (que pode andar); coxo (D'Evreux, *Viagem*, 157), manco, maneta (*VLB*, I, 30); (adj.) – manco (*VLB*, II, 30); aleijado; torto; **(xe)** manquejar: *Xe parĩ.* – Eu manquejo. (*VLB*, II, 31)

> NOTA – Daí, o nome **JURUPARI** (*îuru* + *parĩ*, "boca torta"), entidade da cosmologia dos antigos tupis.

patuká

pariká (s.) – PARICÁ, planta da família das leguminosas, do gênero *Parkia*; espécie de tabaco (Bettendorff [1698], *Crôn. do Maranhão*, in *RIH*, LXXII (1909), 356)

paru (s.) – PARU, peixe da família dos estromateídeos (Marcgrave, *Hist. Nat. Bras.*, 144; D'Abbeville, *Histoire*, 245v; *VLB*, II, 70)

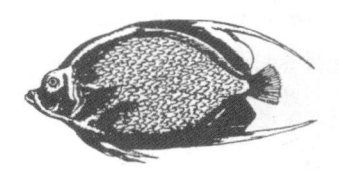

PARU (fonte: Marcgrave)

pasendó (s.) – planta "a modo de canas que se tem por legume" (Brandão, *Diálogos*, 198)

patagûy[1] (s.) – gávea (de navio) (*VLB*, I, 147)

patagûy[2] (s.) – estrado feito de canas ou de madeiras de ramos verdes, que serviam de mesa para os índios (Marcgrave, *Hist. Nat. Bras.*, 272)

pataku (s.) – 1) armadilha para apanhar urubus (*VLB*, I, 41); 2) cova profunda feita na terra, coberta inteiramente com ramos de árvore, na qual caem as feras (Marcgrave, *Hist. Nat. Bras.*, 272)

patakûera (s.) – prostituta (D'Evreux, *Viagem*, 126)

pata'yba (s.) – ripa para casas do tronco da palmeira pati, "... que é tão dura que com trabalho a passa um prego..." (Sousa, *Trat. Descr.*, 198)

pati (s.) – nome genérico de certos insetos e vermes comestíveis que nascem dentro de troncos de palmeiras (*VLB*, I, 55)

patûá (ou **patygûá** ou **patugûá**) (s.) – PATUÁ, PATIGUÁ, PICUÁ, canastra, cesta de folhas de palmeira, balaio: *Ereru patûá?* – Trouxeste patuás? (D'Evreux, *Viagem*, 245)

> NOTA – PICUÁ, no P.B., tem, ainda, outros significados: 1) *saco de lona ou de algodão para levar roupa ou comida*; 2) *peça cilíndrica e oca, para guardar diamantes, feita de um gomo de taquara, de chifre, de osso ou doutra substância, e fechada à rolha na extremidade aberta* (in *Novo Dicion. Aurélio*).

patuká (v. tr.) – pisar, apisoar, bater em, machucar • **patukasaba** – tempo, lugar, modo

paty

etc. de pisar, de apisoar: ... *Mboîa... o ekobé reîari o akanga **patukasagûerype**.* – A cobra deixa sua própria vida ao pisarem sua cabeça. (Ar., *Cat.*, 241)

paty (s.) – PATI, PAXIÚBA, variedade de palmeira (*Syagrus botryophora* (Mart.) Mart.). O tronco fornece madeira para construções rústicas e ripas de ótima qualidade. É também chamada *coco-da-quaresma*. (Sousa, *Trat. Descr.*, 198)

patygûá (s.) – PATIGUÁ, espécie de cesto; o mesmo que **patûá** (v.) (Vasconcelos, *Crônica (Not.)* I, §120, 98; *VLB*, I, 65)

patyoba (etim. – *pati folhudo*) (s.) – variedade de palmeira do gênero *Syagrus*, com folhas largas. "Dá palmitos pequenos, mas muito gostosos." (Sousa, *Trat. Descr.*, 199)

pa'ũ (s.) – espaço entre duas coisas (*VLB*, I, 125); intervalo (*VLB*, II, 13): '*y-pa'ũ* – intervalo de água, ilha (*VLB*, II, 9); *ka'a-pa'ũ* – ilha de mato, CAPÃO (*VLB*, II, 9)

NOTA – Daí, muitos nomes geográficos no Brasil: CAPÃO BONITO (SP), CAPÃO DA TRAIÇÃO (PE), CAPÃO REDONDO (SP) etc. (v. Rel. Top. e Antrop. no final).

pa'ũme (loc. posp.) – entre (p.ex., *entre* nós não há disputas, ele está *entre* as ervas etc.) (*VLB*, I, 119)

pa'ũpa'ũ (adv.) – com intervalos; uma vez sim, outra não; de vez em quando: *Aîké-pa'ũpa'ũ nhote Tupãokype.* – Entro na igreja só de vez em quando. (*VLB*, II, 13)

pa'ypa'yûasu (s.) – variedade de inseto voador (Marcgrave, *Hist. Nat. Bras.*, 255)

pẽ (-îo- ou -nho-) (v. tr.) – tecer como trança, trançar: *Anhopẽ.* – Trancei-o. (*VLB*, II, 125)

-pe[1] (posp. átona. Forma nasalizada: **-me**. Há também o alomorfe **-ype**.) – **1)** em (locativo): *Sygépe o eterama Tupã tari ...* – Em seu ventre Deus tomou seu próprio corpo. (Anch., *Poemas*, 88); *I îurupe nhõ Tupã rerobîara ruî.* – A crença em Deus está somente em suas bocas. (Anch., *Teatro*, 30); ... *Xe pópe nhote arasó.* – Nas minhas mãos, somente, levei-as. (Anch., *Teatro*, 46); *Tynysẽ Tupã raûsuba nde nhy'ãme erimba'e.* – Abundava o amor de Deus em teu coração outrora. (Anch., *Teatro*, 120); ... *setãme...* – em sua terra (Anch., *Teatro*, 122); **2)** a, para, em (de direção, com movimento): *Asó okype.* – Vou para a casa. (Anch., *Arte*, 40); *Eîké kori xe nhy'ãme...* – Entra hoje em meu coração. (Anch., *Poemas*, 92); *Asó-potá nde retãme...* – Quero ir para tua terra. (Anch., *Poemas*, 92); ... *Mundépe i porerasóû...* – Para as armadilhas eles levam gente... (Anch., *Teatro*, 36); *Gûaîxará t'osó tatápe!...* – Que vá Guaixará para o fogo! (Anch., *Teatro*, 56); **3)** com deverbais em **-sab(a)** para construir orações subordinadas finais, causais ou temporais (a fim de, para; por causa de; por ocasião de, quando): ... *N'aker-angáî sekasápe...* – Não dormi, absolutamente, para procurá-los. (Anch., *Teatro*, 48); *Memẽ anhanga popûari pe ri sembiá-potasápe.* – Sempre atam as mãos dos diabos quando querem em vós suas presas. (Anch., *Teatro*, 54); *Pe 'anga raûsukatûápe, o boîáramo pe rari.* – Por amar muito vossas almas, como seus discípulos vos tomaram. (Anch., *Teatro*, 54); *Kó oroîkó oronhemborypa nde 'ara momorangápe.* – Aqui estamos alegrando-nos para festejar teu dia. (Anch., *Teatro*, 118); ... *xe îukasápe* – por ocasião de minha morte, quando me matarem (Anch., *Arte*, 33)

NOTA – Por seu próprio sentido, a posposição **-PE** (*em, para, a*) acompanha muitos nomes de lugares em tupi, como, p.ex., JAGUARIBE (*îagûar* + *'y* + *-pe*, "no rio das onças"). Pode parecer estranho um lugar chamar-se "No Rio das Onças", mas o emprego de **-PE** com topônimos é uma característica dessa língua e de explicação não muito clara. Alguns dos inúmeros nomes próprios de origem tupi que terminam em **-PE** ou **-BE** no Brasil são: BEBERIBE, CAPIBARIBE, COTEGIPE, IGUAPE, JACUÍPE, MAPENDIPE, MERUÍPE, PERUÍBE, PIRAGIBE, SERGIPE etc.

pe[2] (ênclise que expressa deliberação, para h. e m. É acompanhada por **ká** (para h.) ou **ky** (para m.), que se coloca no final do período) – haver de: ... *Aîkó umẽpe mba'epoxy resé sobaké ká...* – Não hei de estar na maldade diante dele. (Ar., *Cat.*, 66); *Anhenonhẽpe ko'yté ká...* – Hei de me corrigir, enfim. (Ar., *Cat.*, 75); *Aîemĩngatupe ká.* – Hei de me esconder bem. (Anch., *Teatro*, 32); "*Xe katupe ká...*" – Hei de ser bom. (Anch., *Teatro*, 38); *Aîmoeté-katupe xe ruba ká...* – Hei de louvar muito meu pai. (Ar., *Cat.*, 25v); *Asó umẽpe ky.* – Não hei de ir (dito por mulher). (Anch., *Arte*, 23)

pe[3] (ênclise usada para a interrogação em tupi. O termo que se quer enfatizar, na pergunta, aparece no início da frase, com **-pe** enclítico):

Xepe asóne? – Eu irei? *Asópe ixéne?* – Irei eu? (Fig., *Arte*, 166); *Abá nhe'engûerape aîpó?* – Palavras de quem são aquelas? (Ar., *Cat.*, 32v); *Ereîukápe?* – Mataste? (Anch., *Arte*, 35v); *Xe rubape osó?* – Meu pai foi? (Anch., *Arte*, 36); *Ndepe nde îuká?* – A ti é que matam? (Anch., *Arte*, 36); *Ereîpotápe itaîuba?* – Queres ouro? (Anch., *Teatro*, 44)

pe-[4] (pref. núm-pess. de 2ª p. do pl.): *Peîuká.* – Matais. (Anch., *Arte*, 17v); *Pemanõmo.* – Morrendo vós. (Anch., *Arte*, 29); *Peîuká!* – Matai-o! (Anch., *Arte*, 18)

pe[5] – 1) (pron. pess. da 2ª p. do pl.) – **a)** (pron. sujeito) – vós: *Pe ma'enduar.* – Vós lembrais. (Anch., *Arte*, 20v); **b)** (pron. objeto) – vos: *Pe îuká xe îara.* – Meu senhor vos mata. (Anch., *Arte*, 12v); *Pe rapy tataendyne!* – Queimar-vos-ão as chamas! (Anch., *Teatro*, 42); **2)** (poss. da 2ª p. do pl.) – vosso (s, a, as): *Aîur ybaka suí pe rokybỹîa rupi...* – Vim do céu pelo interior de vossas ocas. (Anch., *Teatro*, 50)

pé[1] (forma braquissêmica da posposição **supé** [v.], com os mesmos sentidos desta) – a, para, junto de, em busca de etc.: *Miapé tekobé îara Tupã raûsupara pé.* – Pão que porta a vida para os amigos de Deus. (Valente, *Cantigas*, VIII, in Ar., *Cat.*, 1618); *Peîkoeté pe robaîara pé.* – Sede corajosos junto de vosso inimigo. (Ar., *Cat.*, 89); *Aîme'eng xe ruba pé.* – Dei-o a meu pai. (Anch., *Arte*, 42); *Asó xe ruba pé.* – Vou em busca de meu pai (isto é, *por meu pai*). (Anch., *Arte*, 42); *Oré ma'e îara ahẽ pé.* – Nós somos portadores de riquezas para ele. (Léry, *Histoire*, 362)

pé[2] (-îo-) (v. tr.) – esquentar, aquentar: *... Xe anhanga moropé.* – Eu sou o diabo esquentador de gente. (Anch., *Teatro*, 28); *Aîopé.* – Aquento-o. (Anch., *Arte*, 53); *Xe pé.* – Aquentam-me. (Anch., *Arte*, 53)

pé[3] (s.) – caminho – v. **(a) pé (r, s)**

pé[4] (s.) – casco, escama (p.ex., de peixe, de cobra etc.), casca (p.ex., de madeira, de ferida etc.): *Aîpé-'ok.* – Arranquei-lhe a casca (fal. de árvore ou madeira). (VLB, I, 97); (adj.) – cascudo; **(xe)** ter casca, ter casco: *Xe pé-bur.* – Eu tenho casca (de ferida) erguida. (VLB, I, 60) ● *i peba'e* – o que tem casca, escamas; o escamoso (VLB, I, 122)

NOTA – Daí, no P.B., **IPÊ** (*'yb* + *pé*, "pau cascudo"), nome de certas árvores bignoniáceas, de madeira duríssima; **JABUTIPÉ** ("casco de jabuti"), árvore cuja madeira é utilizada em construções.

pe'a (v. tr.) – 1) desterrar, degredar: *Xe pe'a umẽ îepé* – Não me desterres tu. (Valente, *Cantigas*, I, in Ar., *Cat.*, 1618); **2)** afastar, desviar, repelir, apartar (p.ex., os que lutam, os que brigam): *... anhanga pe'abo...* – afastando o diabo (Anch., *Poemas*, 108); *Aîpe'a umûã emonã xe angaîpaba.* – Já afastei dessa maneira minhas maldades. (VLB, II, 129); *Oîpe'ape i angaîpaba'e i angaturamba'e suíne?* – Afastará os que são maus dos que são bons? (Ar., *Cat.*, 47); *Eîpe'a pabenhẽ mba'e-memûã oré suí.* – Afasta todas as coisas más de nós. (Thevet, *Cosm. Univ.*, II, 925); **3)** separar, reservar, preservar: *I 'anga seté pupé i mondepa bé, Tupã i pe'aû.* – Assim que pôs sua alma em seu corpo, Deus a preservou. (Ar., *Cat.*, 9); **4)** deixar de: *... Tupã osaûsupe'a...* – Deus deixou de amá-los. (Anch., *Teatro*, 28); **5)** evitar (Marcgrave, *Hist. Nat. Bras.*, 277) ● *i pe'apyra* – o que é (ou deve ser) desterrado, degredado, afastado etc.; excomungado: *Orosapuká-pukaî i pe'apyramo...* – Ficamos bradando, como desterrados. (Ar., *Cat.*, 14); *... I angaturamba'e suí i pe'apyra...* – Afastados dos que são bons. (Ar., *Cat.*, 49v); *pe'asaba* – tempo, lugar, modo etc. de desterrar, de afastar etc.; desterro: *... Ikó îope'asagûera syk'iré esepîakukar orébe.* – Após acabar este desterro comum, faze a nós vê-lo. (Ar., *Cat.*, 14v); **emipe'a (t)** – o que alguém desterra, repele, separa etc.: *Sasyeté niã Tupã remipe'apûera...* – Eis que sofrem muito os que Deus repeliu. (Ar., *Cat.*, 163)

peapegûasu (s.) – nome de um inseto (*Libri Princ.*, vol. II, 124)

pear (etim. – *tomar caminho*) (v. intr.) – desembarcar: *O îara opeá ytupe é...* – Desembarcando seu senhor na própria cachoeira. (Anch., *Poesias*, 269)

pe'arung (etim. – *pôr afastamento*) (v. tr.) – afastar: *Sarûab amõme asé posangygûaba, mara'ara moîerobu-bé-uká, amõme i pe'arunga o arûabíreme.* – Não faz efeito, às vezes, nosso remédio, fazendo avivar mais a doença, às vezes por sua ineficácia em afastá-la. (Anch., *Doutr. Cristã*, II, 78)

peasaba[1] (etim. – *lugar em que se toma caminho*) (s.) – **PEAÇABA, PEAÇAVA**, caminho que vai do sertão para a praia (VLB, II, 83)

peasaba²

peasaba² (etim. - *lugar em que se toma caminho*) (s.) - porto, desembarcadouro (*VLB*, II, 83): *aîuruîuba peasaba* - porto dos franceses (Knivet, *The Adm. Adv.*, 1239)

> NOTA - Daí, o nome geográfico **PIAÇAGUERA** (SP) (v. Rel. Top. e Antrop. no final).

peba (mb) (s.) - **1)** achatamento; aplainamento; **2)** largura (como da casa, da rua, do caminho, da tábua, da barca etc.) (*VLB*, II, 19); (adj.: **peb**) - **1)** achatado; plano: *Xe rera "Kururupeba".* - Meu nome é "Sapo Achatado". (Anch., *Teatro*, 90); *'Yba i peb.* - Os cabos são achatados. (Léry, *Histoire*, 346); *ybypeba* - terra plana, várzea (Marcgrave, *Hist. Nat. Bras.*, 82); **2)** largo (*VLB*, II, 18)

> NOTA - No P.B., -**PEBA** (ou -**BEBA**, -**BÉUA**, -**BEVA**, -**PÉUA**, -**PEVA**) aparece como elemento de composição em muitas palavras: **ACARAPEBA** (*acará chato*), **ARATUPEBA** (*aratu chato*), **BOIPEBA** (*cobra achatada*), **CAMURIPEBA** (*camuri achatado*), **ITAPEBA** (*pedra chata*) etc.
> No Nordeste há a expressão PEGAR UM PEBA, isto é, *cair, levar um tombo, achatando-se* (in *PDBLP*, 920). Como adjetivo, no P.B. (NE), **PEBA** pode significar *reles, ordinário*; **NAPEVA** é "curto de pernas, nanico" (em referência, geralmente, a galináceos ou a cães); **PEVA**, raça de galinha de pernas curtas; **JAGUAPEVA** ou **JAGUAPEBA** (S) (*îagûar + peb + -a*), variedades de cães domésticos de pernas curtas; **PEBADO** (CE, pop.) 1) *frustrado, malogrado*, 2) *muito dificultado*.
> Daí, também, provêm muitos nomes geográficos: **BARRA DO ITAPEMIRIM, ITAPEVA** (SP), **ITAPEVI** (SP) (ES) etc. (v. Rel. Top. e Antrop. no final).

pe'e (v. tr.) - aquecer; aquentar, esquentar • **pegûaba** - tempo, lugar, instrumento, modo etc. de aquecer: *tatá pegûaba* - instrumento de aquentar o fogo, abano, abanador (*VLB*, I, 17)

peẽ (pron. pess. de 2ª p. do pl.) - vós: ... *Peẽ aé-te peîeapirõ...* - Mas chorai por vós mesmas. (Ar., *Cat.*, 61v)

pe'ekatu - o mesmo que **peîekatu** [2ª p. do pl. de **'ikatu** / **'ekatu** (v.)] (Anch., *Arte*, 56)

peẽme (pron. pess. dat. de 2ª p. do pl.) - a vós, para vós: *Ixé aé ã a'é umûâ nakó peẽme...* - Eu mesmo, como se viu, já vos disse isso. (Ar., *Cat.*, 54v)

peẽmo (pron. pess. dat. de 2ª p. do pl.) - **1)** a vós, para vós, vos: *Marãeté'î-pipó peẽmo?* - Como vos parece, porventura? (Ar., *Cat.*, 56v); **2)** para junto de vós: ... *Îase'o rakó perekó peẽmo teîkeara moetesabamo...* - Estai com pranto, como modo de honrar o que entra para junto de vós. (Ar., *Cat.*, 85v)

pegûy (mb) (s.) - aguadilha, água tênue que sai das feridas ou das tetas que não têm leite; serosidade (*VLB*, I, 24); (adj.) (**xe**) - ter ou lançar aguadilha (*VLB*, I, 24)

peî (part. usada na neg. Forma nasal: -**mbeî**) - não por, não por causa de: *Na xe sopeî.* - Não por ir eu. (Anch., *Arte*, 47v); *Na xe raûsupeî.* - Não por me amar. (Anch., *Arte*, 47v); *Na xe sẽmbeî.* - Não por sair eu. (Anch., *Arte*, 47v); *Na xe raûsube'ÿmbeî.* - Não porque não me ama. (Anch., *Arte*, 47v)

pe'î!¹ (interj.) - eia! vamos! pois! pois sim! avante! sus! (com a 2ª p. do pl.): *Pe'î, peîpûá muru!* - Eia, amarrai os malditos. (Anch., *Teatro*, 42); *Pe'î, îandé bé îaîekuakub...* - Eia, nós também jejuemos. (Ar., *Cat.*, 9v) • **Pe'î tîá!** - Sus! Avante! (Anch., *Arte*, 23) (v. tb. **pene'î**)

pe'î² (s. voc. de h. e m.) - mana! minha irmã! (diz o homem a uma mulher ou uma mulher à outra) (*VLB*, II, 30; Anch., *Arte*, 14v)

peîepé (pron. pess. da 2ª p. do pl., usado quando o objeto é da 1ª p. do sing. ou pl.) - vós: *Xe ipó xe rekar peîepé...* - A mim certamente é que vós procurais. (Ar., *Cat.*, 54v); *Xe îuká peîepé.* - Vós me matais. (Anch., *Arte*, 37)

peîor! - o mesmo que **peîori!** (v.) - vinde! (Anch., *Arte*, 57v). Segundo Léry (1578), tal forma "é comumente para chamar os animais e os pássaros que eles (os indígenas) alimentam" (Léry, *Histoire*, 374)

peîori [forma irreg. da 2ª p. do pl. do imper. do verbo **îur** / **ur(a) (t, t)**] - vinde! (Anch., *Arte*, 57v): *Peîori pebaka Tupã koty...* - Vinde para vos voltar para Deus. (Anch., *Teatro*, 56); *Peîori, perasó muru...* - Vinde, levai os malditos. (Anch., *Teatro*, 90)

peîpesaba (etim. - *instrumento de varrer, varrer...*) (s.) - planta da família das escrofulariáceas (*Scoparia dulcis* L.), também conhecida como *vassourinha-de-varrer*. Dela "fazem as vassouras na Bahia, com que varrem as casas." (Sousa, *Trat. Descr.*, 210)

peir (v. tr.) – varrer: *Aytypeir.* – Varri os ciscos. (*VLB*, II, 141)

> NOTA – Daí, no P.B., **PIAÇAVA**, **PIAÇABA** (*peir* + *saba*, "instrumento de varrer"), 1) nome comum a várias palmeiras que fornecem fibras para a fabricação de vassouras; 2) vassoura feita com tais fibras.

peîtika (s.) – PEITICA, ave da família dos tiranídeos, considerada de mau agouro (Brandão, *Diálogos*, 230)

> NOTA – No P.B. (NE), PEITICA é, também, 1) *brincadeira de mau gosto; impertinência*; 2) *pessoa impertinente, maçadora; pessoa importuna* (in Dicion. Caldas Aulete).

peîty (s.) – frutos que se parecem com tâmaras, de árvore da família das palmáceas (Brandão, *Diálogos*, 217)

peîu (v. tr.) – assoprar, soprar, abanar (*VLB*, I, 46): *O îuru timbora pupé asé robá peîuû.* – Com o bafo de sua boca sopra-nos o rosto. (Ar., *Cat.*, 81)

> NOTA – Daí, no P.B. (AM), **PEIÚ**, 1) *convencido; cheio de vento; cheio de si*; 2) *gordo; inchado* (in Novo Dicion. Aurélio).

peká (v. tr.) – abrir (sem cortar, como o que abre caminho por meio à multidão ou como o que abre a mata cerrada, sem a cortar); arrombar, fazer rombo ou buraco sem cortar: *Nd'e'i te'e oá nhote i xuí, nd'i pekábo ruã...* – Por isso tão somente nasceu dela, não lhe fazendo rombo. (Anch., *Doutr. Cristã*, I, 194); *Erepokokype nde rapopé resé, i pekábo?* – Passaste a mão nas tuas pudendas, abrindo-as? (Anch., *Doutr. Cristã*, II, 95)

> NOTA – Daí, no P.B., **PICADA** ou **PIQUE**, com o sentido de "caminho estreito, aberto no mato, sob as árvores, sem as cortar": "[...] entrou a distribuir a gente de trabalho, uns abrir *picadas* e endireitar caminhos, outros abrir caminhos de carro, outros a cortar madeiras [...]" (Desconhecido [1704], *Encontrando Quilombos*, 59-60).
> No AM diz-se *pôr as árvores em piques*, isto é, "abrir caminhos que vão ter a elas".

pekãî (v. tr.) – cutucar, tocar às escondidas, tocar furtivamente (como para advertir de alguma coisa): *Aîpekãî.* – Cutuquei-o. (*VLB*, II, 118)

pekaú (s.) – nome de uma ave (*Theat. Rer. Nat. Bras.*, I, 173)

peke'a (s.) – PEQUIÁ, árvore da família das cariocaráceas (*Caryocar villosum* (Aubl.) Pers.). "Dá uma fruta do tamanho de uma boa laranja;... dentro... não há mais que mel, tão claro e doce como açúcar." (Cardim, *Trat. Terra e Gente do Brasil*, 40) "É muito rijo e de cor amarela... excelente para taboado." (Brandão, *Diálogos*, 171)

peke'i (s.) – PEQUI, 1) árvore cariocarácea alta e grossa (*Caryocar brasiliensis* Cambess.), de flores amarelas; 2) o fruto dessa árvore (D'Abbeville, *Histoire*, 225)

peki – o mesmo que **peke'i** (v.) (Soares, *Coisas Not. Bras.* (ms. C), 1842-1850)

peki'a – o mesmo que **peke'a** (v.) (*Theat. Rer. Nat. Bras.*, II, 96)

pekûá (ou **pekûãî**) [2ª p. irreg. do pl. de **só** (v.)] – ide!: *Pekûá taba rupi...* – Ide pelas aldeias... (Ar., *Cat.*, 5)

pekuabe'eng (ou **pekugûabe'eng**) (etim. – *dar a conhecer o caminho*) (v. intr. compl. posp.) – guiar, mostrar o caminho (a alguém: compl. com a posp. **supé**): *Apekuabe'eng (abá) supé.* – Mostro o caminho para os homens (*VLB*, I, 152, adapt.) • **pekugûabe'engara** – o que mostra o caminho; o que guia (*VLB*, I, 152)

pekûãî – o mesmo que **pekûá** (v.)

pekugûapara (etim. – *o que conhece o caminho*) (s.) – guia (do caminho) (*VLB*, I, 152)

pema¹ (mb) (s.) – angulosidade; ângulo; (adj.: **pem**) – anguloso, esquinado: *sapopema* – raízes angulosas (nome de lugar) (Léry, *Histoire*, 376)

> NOTA – Daí, os nomes geográficos **ITAPEMA** (cachoeira do rio Paraíba do Sul), **SAPOPEMBA** (bairro de São Paulo, SP) (v. Rel. Top. e Antrop. no final).

pema² (mb) (s.) – penca (p.ex., de bananas); (adj.: **pem**) (xe) – ter penca: *Oîepé i pem.* – Ela teve penca uma vez. (*VLB*, II, 71)

pemim (etim. – *esconder o caminho*) (v. tr.) – cercar, murar: *Aîpemim.* – Cerquei-o. (*VLB*, I, 70)

pemimbaba (etim. – *instrumento de esconder o caminho*) (s.) – muro, cerca; valado, qualquer cercado (*VLB*, II, 45; 140)

pen¹ (-îo- ou -nho-) (v. tr.) – entrançar (*VLB*, I, 119)

pen²

pen² (v. intr.) – **1)** partir-se, quebrar-se (como pau, vara, flecha, serra, espada etc.); **2)** render-se (a pessoa, p.ex., com algum peso) (*VLB*, II, 92; Anch., *Arte*, 1v)

> NOTA – Daí, no P.B., **CAPEPENA** (*ka'a* + *pẽpena*, "ficar quebrando o mato"), 1) sinal feito na mata, quebrando-se ramos e galhos por onde se passa para se reconhecer o caminho na volta: "*Governam-se pelo sol, lua e estrelas; e só quando os matos são pouco limpos por baixo "ex vi" dos arbustos, que nascem à sombra dos arvoredos, costumam fazer um sinal, a que chamam **caapeno**, que significa **mato quebrado**, e é o irem quebrando com a mão alguns raminhos daqueles arbustos, que vão deixando semiquebrados e dependurados, para que na volta sirvam de balizas, e mostradores, que lhes apontem o caminho pelo qual tornem a sair ao mesmo lugar*". (Pe. João Daniel [1757], 252); 2) *picada aberta deste modo* (in *Dicion. Caldas Aulete*).

penaranga (m) (s.) – **1)** rodela do joelho (Castilho, *Nomes*, 35); **2)** rodela do braço (*VLB*, I, 73)

pena'yba (ou **pinda'yba**) (s.) – **PINDAÍBA**, planta da família das anonáceas (Sousa, *Trat. Descr.*, 219)

pene'ĩ (interj.) – eia! sus! vamos! (Fig., *Arte*, 135): *Pene'ĩ, rõ, t'îasó ké îagûapyka îakupa.* – Eia, pois, vamos estar sentados aqui. (Anch., *Teatro*, 144); *Pene'ĩ pesóbo.* – Sus! Ide! (Anch., *Arte*, 56v); *Pene'ĩ, ta pe rory...* – Eia, que estejais alegres. (Anch., *Poemas*, 94); (na forma negativa os homens acrescentavam -**hengûy** e as mulheres, -**îu**) (*VLB*, II, 58)

penga (s.) – **1)** sobrinha, sobrinho (de m.), filho ou filha de irmão ou primo (de m.) (*VLB*, II, 119); **2)** filho mais velho de irmão (de m.) (Ar., *Cat.*, 115)

pengaty (s.) – mulher de sobrinho (de m.) (Ar., *Cat.*, 115)

pe'ok (etim. – *arrancar a casca*) (v. tr.) – descascar, arrancar a casca de (fal. de árvore); escamar (*VLB*, I, 97; 122)

pepek¹ (v. intr.) – bater asas: *gûyrá pepekeme* – quando a ave bate asas (*VLB*, I, 66)

pepek² (v. intr.) – cordear (a vela da embarcação) (*VLB*, II, 100)

pepó (s.) – **1)** asa (de ave, de pássaro) (*VLB*, I, 44); **2)** penas das asas (de ave): *Aîpepó-'ok.* – Arranquei as penas de sua asa. (*VLB*, I, 94); *Aîpepó-pûar.* – Amarrei penas de asa nela (isto é, na flecha). (*VLB*, I, 112); **3)** empenadura de flecha; penas de asas de pássaros que eram atadas às flechas (*VLB*, I, 112) ● **pepó-ypy** – encontros das asas, isto é, a parte superior delas, onde vão fazendo a volta e onde nascem as penas maiores (*VLB*, I, 115); **u'upepó** – empenadura de flecha, isto é, penas de asas de pássaros que eram atadas às flechas (*VLB*, I, 112)

> NOTA – Daí, no P.B., **PEPUÍRA**, **PIPUÍRA** (*pepó* + *'ir* + *-a*, "asa solta"), nome de uma raça de galinha, galinha nanica.

pepoata'yba (etim. – *cabo de pena direita*) (s.) – pena de escrever (*VLB*, II, 71)

pepokanga (etim. – *osso de asa*) (s.) – barbatana (de peixe) (*VLB*, I, 125)

pepu (mb) (s.) – alças, embraçaduras de corda que se passam pelos ombros para se levarem cargas (*VLB*, I, 82)

pepyr (v. tr.) – torcer, envergar, dobrar (por força ou contra a natureza da coisa, p.ex., uma vara que se planta) (*VLB*, I, 147): *Aîpepyr.* – Torci-o. (*VLB*, I, 59)

pepyra (s.) – festa ritual (de comer, de beber); banquete: *kaûî pepyra* – festa de cauim (Staden, *Viagem*, 61); *T'a'u pá Îakaregûasu pepyra!* – Hei de comer todo o banquete de Jacaré-guaçu! (Anch., *Teatro*, 62)

> NOTA – Desse termo, que passou para a língua geral meridional, procede o nome do rio paulista JACARÉ-**PEPIRA** (v. Rel. Top. e Antrop. no final).

pepytera (etim. – *meio do caminho*) (s.) – estrada (*VLB*, I, 130)

peré (m) (s.) – baço (Castilho, *Nomes*, 35)

pereba (m) (s.) – ferida, chaga, **PEREBA**, **PEREVA**, **BEREBA**, **BEREVA**: *Nde nhyrõ... xebe... nde pereba i moetepyreté resé...* – Perdoa a mim por tuas chagas veneráveis. (Bettendorff, *Compêndio*, 128); (adj.: **pereb**) – PEREBENTO, que tem chaga, ferida: *Xe pereb.* – Eu tenho ferida. *Xe peré-pereb.* – Eu sou muito perebento. (*VLB*, I, 60)

> NOTA – No português do Brasil, **PEREBA** pode ser, também, *sarna, escabiose*.

pererek (v. intr.) – pular, saltar, ir aos pulos (Sousa, *Trat. Descr.*, 265)

perereka (s.) – pulo, salto; (adj.: **pererek**) – pulador, que salta, saltador: *îu'iperereka* – rã saltadeira (Sousa, *Trat. Descr.*, 265)

> NOTA – O termo **PERERECA**, no P.B., formou-se da composição *îu'i-perereka* ("rã saltadeira"), em que desapareceu o primeiro membro dela (**îu'i**), fenômeno comum no desenvolvimento histórico do tupi antigo. Daí também provém o nome do **SACI PERERÊ**, entidade tupi-guarani surgida no século XIX, o *Saci Pulador*, por não ter uma perna e caminhar aos saltos. Daí, também, **TERERECA**, 1) *falador, tagarela;* 2) *agitado, inquieto;* 3) *inconstante, volúvel;* 4) (SP) *pião que gira saltando* (in *Novo Dicion. Aurélio*).

perigûá – o mesmo que **pirigûa'i** (Sousa, *Trat. Descr.*, 293)

periná (s.) – **PERINÁ**, nome de uma planta; outro nome para a **pakoka'atinga** (v.)

peró (s. – portug.) – português (Staden, *Viagem*, 61): "*Que veut dire que vous autres Mairs et Peros, c'est à dire François et Portugais, veniez de si loin querir du bois pour vous chauffer?*" – Por que vocês, maíras e **perós**, quer dizer, franceses e portugueses, vêm de tão longe procurar madeira para se aquecerem? (Léry, *Histoire*, cap. XIII)

> NOTA – Tal palavra foi incorporada ao tupi antigo a partir do nome próprio *Pero*, muito comum entre os portugueses que vinham para o Brasil no século XVI. De nome próprio passou a ser nome comum.

peroba – o mesmo que **yperoba** (v.) (*Livro de Contas* (1624), in *DHA*, II, 66)

pesẽ[1] (s.) – colher: *ybyrá pesẽ* – colher de madeira (com que as índias mexiam suas bebidas e mingaus) (*VLB*, I, 76)

> NOTA – Daí, no P.B., **JURUPENSÉM** (*îuru* + *pesẽ*, "boca-de-colher"), peixe pimelodídeo de boca com prognatismo acentuado, também chamado *jurupoca* e *boca-de-colher*.

pesẽ[2] (xe) (v. da 2ª classe) – estar em pedaços (*VLB*, I, 114)

pesembûera (ou **pese'õmbûera**) (s.) – pedaço (*VLB*, II, 66); caco (de vaso, cerâmica etc.); lasca (p.ex., de pau) (*VLB*, II, 19): *itá-pesembûera* – cacos de pedra (*VLB*, II, 127); *ybyrá-pesembûera* – lasca de madeira (*VLB*, II, 19); *A'epe abaré hóstia pese'õ-etá-etáreme i pese'õmbûera îabi'õ Îandé Îara Îesu Cristo rekóû?* – E ao partir muitas vezes o padre a hóstia em pedaços, em cada pedaço dela Nosso Senhor Jesus Cristo está? (Ar., *Cat.*, 87v)

pese'õ (ou **pyse'õ** ou **pyse'ong**) (v. tr.) – partir em pedaços: *A'epe abaré hóstia pese'õ-etá-etáreme i pese'õmbûera îabi'õ Îandé Îara Îesu Cristo rekóû?* – E ao partir muitas vezes o padre a hóstia em pedaços, em cada pedaço Nosso Senhor Jesus Cristo está? (Ar., *Cat.*, 87v)

pese'õmbûera – o mesmo que **pesembûera** (v.) (Ar., *Cat.*, 87v)

pesibira (s.) – nome de planta canácea, provavelmente *Cana glauca* L., denominada vulgarmente **MBERI, MERI, BERI, BIRI, IMBIRI** ou *albará*, de propriedades medicinais (Piso, *De Med. Bras.*, 202)

pesipesi (s.) – nome de uma ave (*Theat. Rer. Nat. Bras.*, I, 158)

pesyma (m) (etim. – *casca lisa*) (s.) – lisura; (adj.: **pesym**) – liso (o que tem casca ou crosta) (*VLB*, II, 23)

petek (v. tr.) – golpear; esbofetear; bater (com a mão espalmada), espalmar: *Aîatypetek.* – Esbofeteei suas têmporas. (*VLB*, I, 56); *Morubixaba boîá amõ osobá-petek...* – Um servo do príncipe esbofeteou sua cara. (Ar., *Cat.*, 55v); *Sebira aîpetek.* – Esbofeteei suas nádegas. (*VLB*, I, 21); *Aîpó-petek.* – Esbofeteei suas mãos (isto é, bati-lhe com palmatória). (*VLB*, II, 63) ● **petekara** – o que bate, o esbofeteador, o que esbofeteia: *Opabenhẽ serã erimba'e a'e petekara iî a'o-îa'oû?* – Será que todos aqueles esbofeteadores dele ficaram a injuriá-lo? (Ar., *Cat.*, 56v)

> NOTA – Daí, no P.B., a palavra **PETECA**, 1) pequeno saco de areia ou de serragem, de couro ou plástico, encimado por penas coloridas amarradas num molho, que é usado em brincadeiras infantis, sendo espalmado ou lançado ao ar com raquete. Quem a deixa cair perde pontos no jogo. 2) (fig.) Pessoa que é objeto de escárnio.
> Daí, também, a expressão *deixar a* **PETECA** *cair*, "vacilar", "falhar", "acumular perdas ou prejuízos".

peteumẽ (ou **petenhẽumẽ**) (part. de 2ª p. do pl. Leva o verbo para o gerúndio) – guardai-vos de, deixai de, parai de: *Peteumẽ xe rapirõmo...* – Deixai de me prantear. (Ar., *Cat.*, 61v); *Emonãnamo petenhẽumẽ benhẽ, abá,*

petyma

onhemomotá-benhẽmo... – Portanto, deixai novamente, índios, de se aliciarem. – (Camarões, *Cartas*, 19 de agosto de 1645)

petyma (s.) – **1) PETIMA, PETEMA, PETUM, PETUME**, tabaco, nome genérico de plantas solanáceas (entre as quais a *Nicotina tabacum* L.), cujas folhas, depois de preparadas, servem para cheirar, fumar ou mastigar (Marcgrave, *Hist. Nat. Bras.*, 274; Staden, *Viagem*, 154): *Ererupe nde petyma?* – Trouxeste teu fumo? (Anch., *Teatro*, 146); **2)** fumaça que se inala ao se fumar (VLB, I, 144) ● **petymaoba** – folhas de tabaco (Marcgrave, *Hist. Nat. Bras.*, 274)

PETIMA (tabaco) (fonte: Thevet)

petymamanimbyra (s.) (etim. – *tabaco enrolado*) – charuto indígena (VLB, I, 144)

petymbu (etim. – *ingerir petima*) (v. intr.) – fumar: *Moraseîa é i katu, îegûaka, ... petymbu...* – A dança é que é boa, enfeitar-se, fumar. (Anch., *Teatro*, 6)

petymbûaba[1] (etim. – *instrumento de fumar, cachimbo*) (s.) – **PETIMBUABA**, peixe da família dos fistulariídeos, de cor vermelha, com o corpo muito alongado, desprovido de escamas e com o focinho semelhante a um tubo comprido. Tem três ou quatro pés de comprimento, com o corpo semelhante à enguia. É também conhecido como *cachimbo*. (Marcgrave, *Hist. Nat. Bras.*, 148)

petymbûaba[2] (etim. – *instrumento de fumar, cachimbo*) (s.) – **PETIMBABO**, catimbu, catimbó, catimbaua, catimbaba, cachimbo indígena feito do coco da pindoba (Marcgrave, *Hist. Nat. Bras.*, 274; Brandão, *Diálogos*, 293)

PETIMBABO (ilustração de C. Cardoso)

Petymuku (etim. – *longo tabaco*) (s. antrop.) – nome de índio tupi (Knivet, *The Adm. Adv.*, 1227)

peú (s.) – pus; matéria ou vurmo que sai das feridas (VLB, II, 33; Anch., *Arte*, 13v)

> NOTA – Daí, no português do Brasil (SP), **PEÚVA**, pessoa maçante, *maçador, importuno* (in *Dicion. Caldas Aulete*).

peuî – alomorfe de **peîub** [v. **îub / ub(a) (t, t)**]

peũî (adv.) – completamente, definitivamente: *Eresó nhẽ peũî.* – Vais definitivamente. (VLB, I, 102)

pe'uma (s.) – **1)** genro (de m.); **2)** marido da sobrinha (de m.) (Ar., *Cat.*, 115-115v)

pexarorẽ (s.) – **PIXORORÉM, PIXARRO**, pássaro da família dos fringilídeos (Sousa, *Trat. Descr.*, 237)

pe'yba (etim. – *caminho-guia*) (s.) – trilha; (adj.: **pe'yb**) – trilhado, batido (fal. de caminho), seguido, limpo de erva etc.: *I pe'ybĩ nakó tapiti kûara.* – Está limpa, como se vê, a cova da lebre. (VLB, II, 114)

peypy (etim. – *começo do caminho*) (s.) – entrada de um lugar povoado, antes de chegarem as casas (VLB, I, 119)

> NOTA – Daí, o topônimo **ITAPEIPU** (BA) (v. Rel. Top. e Antrop. no final).

peypykõîa (etim. – *começo de caminhos gêmeos*) (s.) – caminho que se divide em dois, bívio (VLB, I, 56)

pi (-îo-) (v. tr.) – picar (p.ex., um inseto, uma urtiga): *Aîopi.* – Piquei-o. (Anch., *Arte*, 6v; VLB, II, 77)

piã (m) (s.) – **PIÃ**, pequeno tumor na pele, ferida (Anch., *Arte*, 31)

pîá (v. intr.) – 1) desviar-se (do caminho), apartar-se: *Apîá.* – Desviei-me. (*VLB*, I, 101); 2) abrigar-se, guardar-se • **pîasaba** (mb) – tempo, lugar, modo etc. de abrigar-se, de apartar-se, de guardar-se; guarda: *'ara i pîasaba, îekuakupaba* – dia de guarda e de jejum (Ar., *Cat.*, 4); *'y-mbîasaba* – lugar de se abrigar da água, barra de porto (*VLB*, I, 52)

pi'a (s. voc. – de h. e m.) – meu filho! (Anch., *Arte*, 6v)

> NOTA – Daí, no P.B., **PIÁ**, 1) *índio jovem*; 2) *caboclinho*; 3) *menino, garoto, guri*; 4) (RS) *qualquer menor que, não sendo branco, ou pertencendo à classe baixa, trabalha como peão de estância* (in *Dicion. Caldas Aulete*).

-piã? (part.) – porventura? por acaso?: *Kaî! Rorẽ-ka'ẽ-piã?* – Ai! Por acaso é o Lourenço tostado? (Anch., *Teatro*, 26); *Mba'e-piã asé remi'u asé îeruresaba?* – Qual é, porventura, nossa comida, pela qual pedimos? (Ar., *Cat.*, 27v); *Ereîeakasó-piã?* – Imigraste, por acaso? (Léry, *Histoire*, 341)

pîaba (s.) – **PIABA, PIAVA, PIAU**, nome comum a várias espécies de peixes de rio da família dos caracídeos (Marcgrave, *Hist. Nat. Bras.*, 170; Sousa, *Trat. Descr.*, 296)

> NOTA – Daí, no P.B. (PE), *coisa de pouca monta, pequena quantia (por alusão às espécies pequenas (desse peixe), usadas como isca)* (in *Dicion. Caldas Aulete*). Daí, também, o nome do estado do **PIAUÍ** (v. Rel. Top. e Antrop. no final).

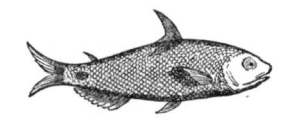

PIABA (fonte: Marcgrave)

pîabusu (etim. – *piaba grande*) (s.) – **PIABUÇU**, designação comum a certos peixes da família dos caracídeos, de porte avantajado (D'Abbeville, *Histoire*, 247v; Marcgrave, *Hist. Nat. Bras.*, 170)

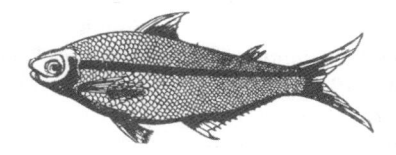

PIABUÇU (fonte: Marcgrave)

pîaîuba (etim. – *piaba amarela*) (s.) – nome de um peixe fluvial (Piso, *De Med. Bras.*, I, 154)

piamondó (etim. – *fazer ir o caminho*) (v. tr.) – fazer alguém ir atrás de, fazer alguém ir em busca de: *Abaré abépe asé oîpiamondó?* – A gente o faz ir em busca de padre também? (Anch., *Doutr. Cristã*, I, 222)

-piang? (part.) – porventura? por acaso?: – *Marã-piang peẽ?* – Como sois vós, por acaso? (Léry, *Histoire*, 362); – *Marã-piang ybaka rera?* – *Le ciel.* – Como é, porventura, o nome do céu? – *Le ciel.* (Léry, *Histoire*, 358)

pîar (ou **pîá**) (-îo-) (v. tr.) – 1) cercar (p.ex., os inimigos), rodear: *Aîopîar.* – Cerquei-os. (*VLB*, I, 70); *Marãnamo-pakó tobaîara nde retama pîareme ko'arapukuî pysaré ereîkó sesé enhemosako'ĩabo, ekere'yma?* – Por que, quando os inimigos cercam tua terra, o dia todo e a noite toda, estás preocupando-te com eles, não dormindo? (Ar., *Cat.*, 158); 2) escudar, cobrir, defender: ... *I katupenhẽ, i xy aé ipó opîá o akangaobĩ pupé.* – Ele estava nu, cobrindo-o sua própria mãe com seu véu. (Ar., *Cat.*, 62); *I xy, i aso'ikatûabo, oîopîá ro'y suí...* – Sua mãe, cobrindo-o bem, defende-o do frio. (Anch., *Poemas*, 162)

piara¹ (mb) (s.) – caminho (com relação ao lugar aonde conduz): *Umãmepe amõaé reîari? – Mitỹmbiarype.* – Onde deixou os outros? – Num caminho do horto. (Ar., *Cat.*, 52v); ... *T'oîkuab ybaka piara.* – ... Que conheça o caminho do céu. (Valente, *Cantigas*, V; VI, in Ar., *Cat.*, 1618); *Karîîopiara* – caminho da (aldeia) Carioca (Léry, *Histoire*, 352)

> NOTA – Daí, **ITUMBIARA** (nome de município de MG) (v. Rel. Top. e Antrop. no final). Daí, também, no P.B., **COPIARA** (kó + piara, "caminho da roça"), varanda anexa à casa; alpendre; **GRUPIARA** (kuruba + piara, "caminho de seixos"), cascalho acumulado nas faldas das montanhas e de onde se extrai ouro.

piara² (mb) (s.) – o que busca, o que traz; perseguidor, o que está em busca de; catador: *Marã e'ipe Îudeus i piaretá i xupé?* – Como disseram os judeus, seus perseguidores, para ele? (Ar., *Cat.*, 54v); *Asó ybyrá piaramo.* – Vou como catador de madeira. (*VLB*, I, 69); *Nde piara our.* – Veio o que está em tua busca. (*VLB*, I, 69); *Asó itá piaramo.* – Vou como catador de pedras. (*VLB*, II, 14); *'Y piaramo asó.* – Vou em busca de água. (*VLB*, II, 136)

piarõ

piarõ (etim. – *guardar o caminho*) (v. tr.) – ficar à espera de (como faz o gato ao rato); ficar no caminho de (para atacar): *Aîpiarõ.* – Fico à espera dele, fico no caminho dele. (*VLB*, I, 23)

pîasaba¹ (mb) (etim. – *instrumento de abrigar*) (s.) – cerca, defensão (*VLB*, I, 70); valado, qualquer cercado (*VLB*, II, 140): *taba pîasaba* – cerca da aldeia (*VLB*, II, 45)

pîasaba² (mb) – v. **pîá**

pigûaîá (s.) – nome de uma planta medicinal (Soares, *Coisas Not. Bras.* (ms. C), 1500-1516)

pikaipeba (s.) – nome de uma ave (Soares, *Coisas Not. Bras.* (ms. C), 1358-1361)

pike'a – o mesmo que **peke'a** (v.) (Brandão, *Diálogos*, 171)

piki'a (s.) – PIQUEÁ, planta da família das cariocaráceas; o mesmo que **peke'a** (v.) (Sousa, *Trat. Descr.*, 185)

piki'i – o mesmo que **peke'i** (v.)

pikirana (etim. – *falso pequi*) (s.) – PEQUIRANA, nome de uma planta (Heriarte, *Descr. Maranhão, Pará*, in Varnhagen, *Hist.* III, 177)

pikitinga (s.) – PIQUITINGA, PITITINGA, nome comum a certos peixes da família dos engraulídeos (Marcgrave, *Hist. Nat. Bras.*, 159)

NOTA – Daí, também, no português do Brasil, PETITINGA, PETINGA, pequeno peixe de rio ou de mar; PETITICA, PETITICO (famil.), criancinha.

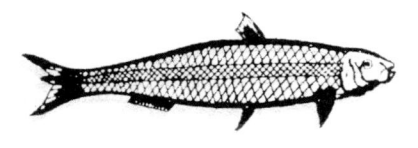

PIQUITINGA (fonte: Marcgrave)

piku'i¹ (m) (etim. – *farinha da pele*) (s.) – carepa, caspa miúda que se cria pelo rosto e por outras partes do corpo (*VLB*, I, 67); pequenas escamações esbranquiçadas da pele: *Aîpiku'i-momemûã.* – Esfreguei-lhe a caspa. (*VLB*, I, 124)

piku'i² (s.) – PICUÍ, nome de uma ave columbiforme da família dos columbídeos (Lisboa, *Hist. Anim. e Árv. do Maranhão*, fl. 194)

piku'igûasu (etim. – *picuí grande*) (s.) – nome de uma ave columbiforme, columbídea (*Theat.*

Rer. Nat. Bras., I, 174; Soares, *Coisas Not. Bras.* (ms. C), 1358-1361)

piku'ipinima (etim. – *picuí pintado*) (s.) – PICUIPINIMA, ave da família dos columbídeos (Marcgrave, *Hist. Nat. Bras.*, 204)

piku'ipytanga (etim. – *picuí rosado*) (s.) – nome de uma ave (Soares, *Coisas Not. Bras.* (ms. C), 1358-1361)

pikuruatá (s.) – nome de um peixe (Lisboa, *Hist. Anim. e Árv. do Maranhão*, fl. 170)

pikyra (etim. – *pele tenra*) (s.) – PIQUIRA, PEQUIRA, peixe pequeno (Rodrigues, *Relação*, in Leite, *Novas Cartas Jesuíticas*, 199)

NOTA – A palavra PIQUIRA, no P.B., designa também: 1) *cavalo de pequena estatura*; 2) *indivíduo insignificante*; 3) *homem baixinho*; 4) *miúdo (falando de peixe)*; 5) *uma variedade de lambari* (in *Dicion. Caldas Aulete*). Daí, também, o nome geográfico PIQUERI (v. Rel. Top. e Antrop. no final).

pikyratã (etim. – *piquira duro*) (s.) – nome de um peixe (*VLB*, II, 70)

pimondá (m) (etim. – *ladrão de pele*) (s.) – borbulhas que destroem a pele e não criam humor aquoso ou purulento (*VLB*, I, 57)

pin (-îo- ou -nho-) (v. tr.) – **1)** aparar, raspar, descascar (*VLB*, I, 37); rapar (p.ex., com navalha); acepilhar; **2)** beliscar (comida) (*VLB*, II, 96): *Aîpîpin.* – Fiquei-a beliscando. (*VLB*, I, 94) • **pinara** (ou **pindara**) – o que apara, o que rapa etc. (Anch., *Arte*, 3); **pindaba** – tempo, lugar, modo etc. de aparar, de rapar etc. (Anch., *Arte*, 3)

NOTA – Daí, no P.B., CAPINAR (*ka'a* + *pin* + *-a*, "rapar o mato"), limpar a terra de ervas indesejáveis que crescem entre as plantas que se cultivam.

pinakuîu (s. etnôn.) – nome de antiga nação indígena (Cardim, *Trat. Terra e Gente do Brasil*, 126)

pindá¹ (s.) – PINDÁ, anzol (Léry, *Histoire*, 346): *Xe pindá-porangeté t'opindaîtykyne endébo...* – Meu anzol muito ditoso há de pescar para ti. (Anch., *Poemas*, 152); *T'i nyhyrõngatu kori îandébo, pindá me'enga.* – Que eles bem perdoem hoje a nós, dando anzóis. (Anch., *Poemas*, 196); (adj.) **(xe)** – ter anzol: *Na xe pindáî.* – Eu não tenho anzol. (Anch., *Arte*, 48) • **pindá monhangara** – fazedor de anzóis, anzoleiro; **pindá-tinga** (ou **pindá-tingusu**) – anzol pargueiro; **pindá-una** (ou **pindagûasu**) – anzol de ferro (*VLB*, I, 37); **pindá posyîtaba** – chumbada do anzol (*VLB*, I, 74); **pindá-aŷ pypûasaba** – estorvo do anzol, isto é, corda com que se reata este (*VLB*, I, 129)

> NOTA – Daí, **PINDAMONHANGABA** (nome de município de SP) (v. Rel. Top. e Antrop. no final).

pindá[2] (s.) – PINDÁ, ouriço-do-mar, nome dado a muitas espécies de equinodermos equinoides, animais de corpos globulares, hemisféricos, revestidos por espinhos móveis (Sousa, *Trat. Descr.*, 294)

Pindagûasu (etim. – *anzol grande*) (s. antrop.) – v. **Pindaûasu** (Vasconcelos, *Crônica (Not.)* II, §1, 113)

pindaîtyk / **pindaeîtyk(a)** (t) (etim. – *lançar anzol*) (v. tr. irreg.) – pescar com linha (*VLB*, II, 75): *Xe pindá-porangeté t'o***pindaîtyk***yne endébo...* – Meu anzol muito ditoso há de pescar para ti. (Anch., *Poemas*, 152)

pindaîtykara (etim. – *lançador de anzol*) (s.) – pescador com linha (*VLB*, II, 75): **Pindaîtykara** *îepotasápe, memẽ o agûasá-poxy supé oîmoîa'ok o embiara, o îara kupébo nhẽ.* – Ao chegarem os pescadores, repartem sempre com suas amantes ruins seu pescado, pelas costas de seus senhores. (Anch., *Poesias*, 268)

pindasama (etim. – *corda de anzol*) (s.) – linha de pescar (*VLB*, II, 23): ***pindasã-po'i*** – linha de pescar delgada (*VLB*, II, 114) • **pindasã-muku** – linha grossa de pescar (*VLB*, II, 23); **pindasã-pokuruba** – linha grossa de pescar (*VLB*, II, 23)

Pindaûasu (etim. – *anzol grande*) (s. antrop.) – nome de índio tupi (Thevet, *Cosm. Univ.*, 923)

pindaúna (etim. – *pindá preto*) (s.) – PINDAÚNA, PINDÁ-PRETO, var. de ouriço-do-mar preto, que habita as pedras do litoral (*VLB*, II, 60)

pinda'yba[1] (etim. – *pé de anzol*) (s.) – PINDAÍBA, PINDAÚVA; o mesmo que pena'yba (v.) (Piso, *De Med. Bras.*, IV, 185)

pinda'yba[2] (s.) – ouriço-do-mar; assim era chamado da capitania do Espírito Santo para o Sul (v. **pindá**) (*VLB*, II, 60)

pinda'yba[3] (etim. – *haste de anzol*) (s.) – vara de pescar (*VLB*, I, 65)

pinhã

> NOTA – Daí, no P.B., **PINDAÍBA**, significando *falta de dinheiro*. Remete à ideia de que se está a pescar para comer. Há, inclusive, a expressão ESTAR NA **PINDAÍBA**, isto é, "estar sem dinheiro", "viver sem um tostão".

pindó – o mesmo que **pindoba** (v.) (D'Abbeville, *Histoire*, 66)

pindoba (s.) – PINDOBA, nome comum a diversas palmeiras do gênero *Attalea*, dentre as quais a *Attalea phalerata* Mart. ex Spreng., espécie de belo porte encontrada em amplos palmeirais em grande parte do Nordeste e do Centro-Oeste do Brasil, onde é, muitas vezes, também chamada *oacuri* ou *coqueiro-tuí*. Apresenta nozes muito duras, com algumas sementes, ricas em óleo utilizável. Outra espécie designada por esse nome é a *Attalea humilis* Mart. ex Spreng., também denominada *catolé* ou *coqueiro anajá-mirim*. (Marcgrave, *Hist. Nat. Bras.*, 133; *VLB*, II, 63): *Aîopûaî amõ abá* **pindoba** *resé.* – Mandei um homem em busca de pindoba. (*VLB*, I, 114)

> NOTA – Daí, no P.B., pelo nheengatu, **PINDOPEUA** (*pindoba chata*), que, nas tapagens de pesca, é a parede achatada lateral, feita de palmas (in *Novo Dicion. Aurélio*). Daí, também, o nome geográfico **PINDOTIBA** (RJ) (v. Rel. Top. e Antrop. no final).

PINDOBA (fonte: Marcgrave)

pindobusu[1] (etim. – *pindoba grande*) (s.) – **1)** variedade de palmeira **PINDOBA** (Léry, *Histoire*, 377; Sousa, *Trat. Descr.*, 197); **2)** folhas dessa palmeira, que cobrem casas como telhado; cobertura de suas folhas (Sousa, *Trat. Descr.*, 197)

Pindobusu[2] (etim. – *pindoba grande*) (s. antrop.) – nome de índio tupi (Anch., *Cartas*, 214)

Pindotyba (etim. – *ajuntamento de pindobas*) (s. antrop.) – nome de índio tupi (D'Abbeville, *Histoire*, 186v)

pinhã (s. – portug.) – pinhão (*VLB*, II, 78)

pinhã'yba

pinhã'yba (s. – portug.) – pé de pinho, pinheiro (*VLB*, II, 78)

pinima (m) (s.) – pinta, sarda; manchas diversas (*VLB*, II, 30): *tobá pinima* – sardas do rosto (*VLB*, II, 113); (adj.: **pinim**) – pintado, sardento; manchado; malhado de diversas cores (p.ex., o animal); **(xe)** ter pintas: *Xe pinim.* – Eu tenho pintas. (*VLB*, II, 78); *Xe robá-pinim.* – Eu tenho rosto sardento. *Xe pó-pinim.* – Eu tenho mãos sardentas. (*VLB*, II, 113); *sokó-pinima* – socó pintado (nome de uma ave) (*Theat. Rer. Nat. Bras.*, I, 118) ● **pinĩ-pinima** – manchas diversas: *Xe pinĩ-pinim.* – Eu sou todo manchado. (*VLB*, II, 30)

> NOTA – Daí, no P.B., **IPECUPINIMA** (*ipekũ + pinim + -a*, "pica-pau manchado"), nome de uma ave pícida; **ARATUPINIMA** ("aratu pintado"), var. de aratu; **AMOREPINIMA** ("moreia manchada"), peixe gobiídeo preto e manchado de amarelo etc. Na gíria, **PINIMA** é 1) *praga (coisa daninha ou fatal)*; 2) *implicância, birra, embirrância* (in *Dicion. Caldas Aulete*).

pinõ (s.) – espécie de planta urticácea (*Laportea aestuans* (L.) Chew) (Marcgrave, *Hist. Nat. Bras.*, 48)

pipeká (etim. – *abrir a pele*) (v. tr.) – romper, abrir a pele de: *Erepokokype nde rapopé resé... i pipekábo?* – Tocaste nas tuas pudendas, abrindo-lhes a pele? (Anch., *Doutr. Cristã*, II, 95)

pipi (s.) – **PIPI**, nome de uma planta (*Theat. Rer. Nat. Bras.*, II, 157)

pipir (v. tr.) – dobrar (por força) (*VLB*, I, 105)

pipirar (v. tr.) – abrir (p.ex., as pernas) (*VLB*, I, 19)

-pipó? (contr. de -*pe* e **ipó** em interrogações) – de fato? por acaso? porventura?: *Aîpó nhõ-pipó nde rera?* – Esse somente é, de fato, teu nome? (Anch., *Teatro*, 44); *I kaũîgûasu-pipó xe ramũîa Îagûaruna?* – Tem muito cauim, por acaso, meu avô Jaguaruna? (Anch., *Teatro*, 60); *Ereîakasó-pipó?* – Imigraste, porventura? (D'Evreux, *Viagem*, 244); *Marã-pipó moranduba?* – Quais as novidades, por acaso? (Anch., *Teatro*, 22)

pira (mb) (s.) – **1)** pele (Castilho, *Nomes*, 30): *Nd'e'i te'e a'ereme Îudeus sykyîatãmo, i pira abé reru...* – Por isso mesmo, então, os judeus a puxaram fortemente, fazendo vir junto a pele dele também. (Ar., *Cat.*, 62); *Aîpi-kutuk.* – Furo-lhe a pele. (Anch., *Arte*, 8); *Aîpi-mondok.* – Corto-lhe a pele. (Anch., *Arte*, 51); **2)** casca (de fruta mole) (*VLB*, I, 68) ● **pirûera** – pele esfolada, fora da carne (*VLB*, II, 70); couro, **PIRERA**

> NOTA – Daí, no P.B., **PIPOCA** (*pir + pok + -a*), *a pele estourada* (de milho). Os primeiros exemplos de emprego dessa palavra no P.B. apresentam-na junto com o termo *milho*: "... *uma pipoca de milho que do seu borralho saltou para o do outro*" [...] (in Manuel José Pires da Silva Pontes [século XVIII], 31); **PIRERAS** ("peles velhas") (AM), *mamas chatas, caídas; peitos caídos*; **PIRA** (AM), sarna, escabiose nos animais; **PITINGA** (*pir + ting + -a*, "pele branca"), claro, branco; **CUIAPITINGA** ("cuia da pele clara"), a cuia que não foi ainda tingida.
> De **pirûera** (v. acima) provém **PAU-PEREIRA**, **PAU-PEREIRO**, árvore apocinácea que dá casca muito amarga, de propriedades medicinais (in *Dicion. Caldas Aulete*).

pirá (s.) – peixe, **PIRÁ**: *Akûeîme, rakó, pirá asekyî-marangatu...* – Antigamente pescava bem os peixes. (Anch., *Poemas*, 152); *Aîeruré pirá resé.* – Peço por peixe. (D'Evreux, *Viagem*, 144); *T'ame'ẽne pirá ruba endébo...* – Hei de dar ovas de peixe para ti. (Anch., *Teatro*, 44)

> NOTA – Daí se originam inúmeros nomes geográficos (v. Rel. Top. e Antrop. no final) e substantivos comuns no P.B.: **PIRAÍ**, município situado no Vale do Paraíba (RJ); **PIRAPANEMA**, trecho de rio onde o peixe é escasso; **PIRAQUARA**, alcunha que se dá aos habitantes das margens do rio Paraíba do Sul (RJ e SP) etc.

pira'aka (etim. – *peixe de chifre*) (s.) – **PIRAACA**, peixe marinho da família dos balistídeos (Marcgrave, *Hist. Nat. Bras.*, 154)

piraakãmuku (etim. – *peixe da cabeça comprida*) (s.) – **PIRACAMBUCU**, **PIRAMBUCU**, var. de bagre-d'água-doce, peixe da família dos pimelodídeos, com muitas manchas alongadas pelo corpo (*VLB*, I, 50)

piraakangatá (etim. – *peixe da cabeça dura*) (s.) – nome de um peixe (Marcgrave, *Hist. Nat. Bras.*, 144)

piraatĩatĩ (etim. – *peixe muito pontudo*) (s.) – nome de um peixe (*Theat. Rer. Nat. Bras.*, I, 64)

pirabebé (etim. - *peixe voador*) (s.) - PIRABEBE, peixe-voador, nome de várias espécies de peixes marinhos, com peitorais triangulares, semelhantes a asas, que voam frequentemente fora d'água para apanhar peixes pequenos e crustáceos (Marcgrave, *Hist. Nat. Bras.*, 162; *VLB*, II, 70; 147)

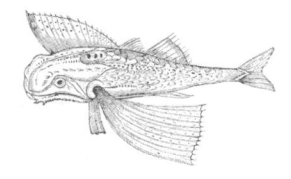

PIRABEBE (fonte: Marcgrave)

piragûa'y - o mesmo que **pirigûa'i** (v.) (Laet, *Novus Orbis*, Livro XV, cap. XIII, §6)

piragûayagûy (s. etnôn.) - nome de antiga nação indígena (Cardim, *Trat. Terra e Gente do Brasil*, 126)

piragûiba (s.) - PIRAÍBA, peixe da família dos pimelodídeos (Silveira, *Relação do Maranhão*, fl. 10v)

pirãia¹ (ou **piranha**) (etim. - *peixe dentado*) (s.) - PIRANHA, nome comum a várias espécies de peixes carnívoros da família dos caracinídeos. Possuem muitos dentes e atacam pessoas e animais que entram n'água, principalmente quando percebem sangue. (D'Abbeville, *Histoire*, 247; Marcgrave, *Hist. Nat. Bras.*, 164)

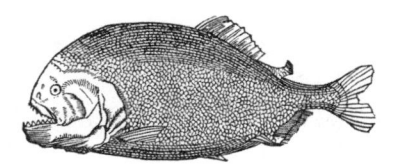

PIRANHA (fonte: Marcgrave)

pirãia² (ou **piranha**) (etim. - *dentes de peixe*) (s.) - tesoura, tenaz. Os dentes da piranha eram usados pelos índios para cortar cabelos e cordas. (D'Abbeville, *Histoire*, 283v)

pirãiagûara (etim. - *comedor de piranhas*) (s.) - mamífero cetáceo da família dos delfinídeos, uma espécie de boto (Lisboa, *Hist. Anim. e Árv. do Maranhão*, fl. 175-175v)

piraíba (m) (etim. - *pele ruim*) (s.) - 1) doença de bexigas, varíola (Anch., *Arte*, 31); 2) lepra (*VLB*, II, 20); (adj.: **piraíb**) - bexigoso, leproso: *Xe piraíb.* - Eu sou leproso. (*VLB*, II, 20)

piraîeoka (s.) - nome de um peixe (*Theat. Rer. Nat. Bras.*, I, 31)

piraîké (etim. - *entrada dos peixes*) (s.) - PIRAQUÊ, entrada dos peixes pela foz dos rios, saindo do mar, para desovar em lugares estreitos e rasos, principalmente nas regiões de mangues (Anch., *Cartas*, 120; Frei Vicente do Salvador, *História do Brasil*, III, cap. XVIII)

pira'itinga (etim. - *peixinho claro*) (s.) - nome de um peixe (*Theat. Rer. Nat. Bras.*, I, 73)

piraîuba¹ (etim. - *peixe amarelo*) (s.) - PIRAJUBA, 1) dourado, peixe de rio da família dos caracinídeos; 2) nome também dado, no século XVII, ao roncador (do Rio de Janeiro para cima), peixe de mar da família dos conifaenídeos (*VLB*, I, 106; II, 108)

Piraîuba² (etim. - *peixe amarelo*) (s. antrop.) - nome de índio tupi (D'Evreux, *Viagem*, 88)

piraîukuri (s.) - nome de um peixe (Lisboa, *Hist. Anim. e Árv. do Maranhão*, fl. 167)

piraîurumembeka (etim. - *peixe da boca mole*) (s.) - nome de um peixe (Marcgrave, *Hist. Nat. Bras.*, 149)

Piraîybá (etim. - *braço de peixe*) (s. antrop.) - PIRAGIBA, nome de índio tupi (Vasconcelos, *Crônica (Not.)* II, §1, 113)

pirakaba (etim. - *peixe-caba*) (s.) - PIRACAVA, peixe da família dos polinemídeos (Lisboa, *Hist. Anim. e Árv. do Maranhão*, fl. 166v)

Piraka'ẽ (etim. - *peixe queimado*) (s. antrop.) - nome de índio tupi (Anch., *Teatro*, 8)

pirakûaba (s.) - nome de um peixe (Marcgrave, *Hist. Nat. Bras.*, 176)

pirakûatiara (etim. - *peixe pintado*) (s.) - nome de um peixe (D'Abbeville, *Histoire*, 247v)

pirakubora (m) (s.) - o que tem pele quente, o que tem calor no corpo; (adj.: **pirakubor**) **(xe)** - ter pele quente: *Xe pirakubor.* - Eu tenho a pele quente. (*VLB*, I, 63)

pirakuîu (s. etnôn.) - nome de antiga nação indígena (Cardim, *Trat. Terra e Gente do Brasil*, 126)

pirakuka

pirakuka (s.) – PIRACUCA, peixe de mar da família dos serranídeos (Sousa, *Trat. Descr.*, 283)

pirakyba (etim. – *piolho de peixe*) (s.) – PIRAQUIBA, rêmora, pegador, peixe-piolho, nome comum a certos peixes da família dos equeneídeos (principalmente o *Remora remora* L.). Tem na cabeça um disco adesivo com o qual se prende aos tubarões para se deslocar pelo mar. É também chamado *piolho-de-cação, piolho-de-tubarão, agarrador* etc. (Marcgrave, *Hist. Nat. Bras.*, 180; *VLB*, II, 69)

pirakyîa (etim. – *pimenta de peixe; peixe apimentado*) (s.) – mistura de pimenta, sal, farinha e peixe cozido sem espinhas, da qual os índios faziam uso em viagem e que se conservava durante vários dias (Marcgrave, *Hist. Nat. Bras.*, 39)

pirakyra (etim. – *peixe tenro*) (s.) – nome de um peixe (Sousa, *Trat. Descr.*, 288)

pirakyrûá (s.) – PIRAQUIRUÁ, "peixe da feição de um ouriço-cacheiro, todo cheio de espinhos tamanhos como alfinetes grandes..." (Sousa, *Trat. Descr.*, 287)

pirambu (etim. – *peixe-barulho*) (s.) – PIRAMBU, peixe da família dos hoemulídeos, também conhecido como *roncador* (Cardim, *Trat. Terra e Gente do Brasil*, 53; *VLB*, II, 113)

pirameîu'i (etim. – *peixe-andorinha*) (s.) – nome de um peixe (*Theat. Rer. Nat. Bras.*, I, 55)

pirametara (etim. – *peixe tembetá*) (s.) – PIRAMETARA, peixe marítimo de cor rósea viva (Marcgrave, *Hist. Nat. Bras.*, 156)

piramotá (s.) – PIRAMUTABA, PIRAMUTAVA, PIRAMUTAUA, PIRAMUTÁ, peixe da família dos pimelodídeos, parecido ao bagre (Lisboa, *Hist. Anim. e Árv. do Maranhão*, fl. 175v)

piranema (etim. – *peixe fedorento*) (s.) – PIRANEMA, PIRAPEMA, peixe marítimo da família dos priacantídeos, de olhos grandes (Marcgrave, *Hist. Nat. Bras.*, 145)

piranga (m) (s.) – vermelhidão; (adj.: **pirang**) – vermelho, PIRANGA: ... *Amõ aó-piranga mondepa sesé.* – Uma roupa vermelha colocando nele. (Ar., *Cat.*, 60); *Xe robá-pirã-pirang.* – Eu tenho rosto muito vermelho, eu enrubesço. (*VLB*, II, 109)

OBSERVAÇÃO – **Pirang** não é sinônimo de **pytang**, como vemos, erradamente, em muitos dicionários que apresentam etimologias.

NOTA – Daí provêm muitas palavras do P.B.: **BOIPIRANGA** ("cobra vermelha"), cobra coral; **ARARAPIRANGA** ("arara vermelha"), ave psitacídea; **CABAPIRANGA** ("vespa vermelha"), marimbondo-caboclo; **ITAPIRANGA** ("concha vermelha"), designação comum às conchas róseas; **JABUTIPIRANGA** ("jabuti vermelho"), var. de jabuti; **MARUPAPIRANGA** ("marupá vermelho"), planta iridácea etc. **PIRANGA**, no P.B., pode ser também uma variedade de barro vermelho (in *Dicion. Caldas Aulete*).

Daí, também, muitos nomes de lugares: **IPIRANGA** (bairro de SP), **ITAPIRANGA** (AM) etc. (v. Rel. Top. e Antrop. no final).

piranha (etim. – *peixe dentado*) (s.) – PIRANHA, o mesmo que **pirãîa** (v.) (Lisboa, *Hist. Anim. e Árv. do Maranhão*, fl. 173)

piranhatinga (etim. – *peixe dentado branco*) (s.) – PIRANHA-BRANCA, peixe carnívoro da família dos caracídeos (Lisboa, *Hist. Anim. e Árv. do Maranhão*, fl. 173v)

Piraoby (etim. – *peixe verde*) (s. antrop.) – nome de índio tupi (Vasconcelos, *Crônica (Not.)* I, §203, 278)

pirapanema (etim. – *peixe imprestável*) (s. astron.) – 1) estrela-d'alva (*VLB*, I, 130); 2) o planeta Mercúrio (*VLB*, II, 36)

pirapema (etim. – *peixe anguloso*) (s.) – PIRAPEMA, peixe marítimo da família dos elopídeos (D'Abbeville, *Histoire*, 244)

pirá-petymbûaba – v. **petymbûaba**[1] (Griebe, *Brasil Holandês*, vol. III, 54)

pirapinima (etim. – *peixe pintado*) (s.) – PIRAPINIMA, peixe salpicado de pontos ou pintas; possui aproximadamente dois pés de comprimento, pigmentação branca, à exceção da cabeça, de cor cambiante, e da cauda vermelha (D'Abbeville, *Histoire*, 247v)

pirapoti (etim. – *fezes de peixe*) (s.) – âmbar-gris (D'Evreux, *Viagem*, 181)

pirapoxy (etim. – *peixe ruim*) (s.) – nome de um peixe (Léry, *Histoire* [1580], 297)

pirapu'ã (ou **pirapu'ama**) (etim. – *peixe erguido*) (s.) – baleia, nome genérico dos grandes cetáceos da família dos balenídeos (Sousa, *Trat. Descr.*, 275)

pirapu'ama – o mesmo que **pirapu'ã** (v.) (*VLB*, I, 34)

pirapu'amarepoti (etim. – *fezes de baleia*) (s.) – âmbar (*VLB*, I, 34; Vasconcelos, *Crônica (Not.)* II, §98, 162; Knivet, *The Adm. Adv.*, 1224)

pirapuku (etim. – *peixe comprido*) (s.) – **PIRAPUCU**, peixe da família dos caracídeos (Sousa, *Trat. Descr.*, 279)

pirapyxanga (etim. – *peixe rosado*) (s.) – espécie de peixe da família dos serranídeos (Marcgrave, *Hist. Nat. Bras.*, 152)

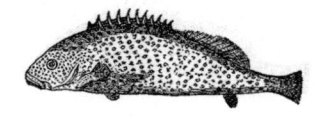

PIRAPYXANGA (fonte: Marcgrave)

pirar[1] (v. tr.) – abrir (p.ex., a boca, as pernas etc.) (*VLB*, I, 19): ... *Oîabekatu o îuru pirá.* – Abrindo sua boca suficientemente. (Bettendorff, *Compêndio*, 88); *Aîeîuru-pirar.* – Abri-me a boca, bocejei. (*VLB*, I, 56)

pirar[2] (v. tr.) – armar, estender (p.ex., o arco): *Aurapá-pirar.* – Estendi o arco. (*VLB*, I, 41)

pirarigûá (s.) – **PIRIRIGUÁ**, ave da família dos cuculídeos (Brandão, *Diálogos*, 230)

piraroba (etim. – *peixe vesgo folha*) (s.) – **PIRAROBA**, nome de um peixe com os dois olhos de um mesmo lado do corpo (*Theat. Rer. Nat. Bras.*, I, 39)

PIRAROBA (fonte: Brasil Holandês)

pirasakẽ (s.) – **PIRAÇAQUÉM**, peixe da família dos congrídeos (Sousa, *Trat. Descr.*, 286)

pirasema (etim. – *saída dos peixes*) (s.) – **PIRACEMA**, a saída dos peixes para as cabeceiras dos rios ou para as ervas com pouca água, para desovar, deixando-se apanhar sem muito trabalho (Anch., *Cartas*, 116)

piringa

Pirataraka (s. antrop.) – nome de índio tupi (Anch., *Teatro*, 162, 2006)

piratĩ (m) (etim. – *saliências da pele*) (s.) – varíola, bexigas (*VLB*, I, 55)

piratĩapûá (etim. – *peixe do focinho pontudo*) (s.) – peixe da família dos serranídeos (Marcgrave, *Hist. Nat. Bras.*, 157; 180; *VLB*, I, 50)

piratinga (etim. – *peixe branco*) (s.) – **PIRATINGA**, nome de um peixe da família dos esparídeos (*VLB*, II, 65)

piraty (m) (s.) – amante (de h.); (adj.) (**xe**) – ter amantes: *Xe piraty.* – Eu tenho amantes. (Ar., *Cat.*, 270)

piraumbu (s.) – nome de um peixe (Marcgrave, *Hist. Nat. Bras.*, 167)

piraúna (etim. – *peixe escuro*) (s.) – **PIRAÚNA**, nome comum a certos peixes da ordem dos perciformes, do grupo dos acarás, dos atuns e das percas (D'Abbeville, *Histoire*, 243v; Lisboa, *Hist. Anim. e Árv. do Maranhão*, fl. 164v)

pirauruku (etim. – *peixe urucu*) (s.) – **PIRARUCU**, peixe da família dos osteoglossídeos (Lisboa, *Hist. Anim. e Árv. do Maranhão*, fl. 175v)

piraybyrá (etim. – *peixe-pau*) (s.) – nome de um peixe (*Theat. Rer. Nat. Bras.*, I, 47)

piraysoka (s.) – lula, molusco marinho cefalópode (*VLB*, II, 25; 117)

piremonã (m) (etim. – *comichão da pele*) (s.) – sarna (*VLB*, II, 113)

piriana (m) (s.) – listra (*VLB*, II, 23); (adj.: **pirian**) – listrado (ao comprido): – *Mba'epe ereru nde karamemûã pupé?* – *Aoba.* – *Marãba'e?* – (*I*) *pirian.* – Que trouxeste dentro de tua caixa? – Roupas. – De que tipo? – Elas são listradas. (Léry, *Histoire*, 342-343)

pirigûa'i (s.) – molusco marinho da família dos estrombídeos (Cardim, *Trat. Terra e Gente do Brasil*, 60; *VLB*, I, 60). "... As ondas do mar fazem, às vezes, grandes amontoados deles na margem..." (Laet, *Novus Orbis*, Livro XV, cap. XIII, §6)

piriîu (s. etnôn.) – nome de antiga nação indígena (Cardim, *Trat. Terra e Gente do Brasil*, 127)

piringa (m) (s.) – 1) arrepiamento: *Teté piringa* – arrepiamento do corpo; 2) tremor; 3)

piripiri excitação (*VLB*, I, 129); (adj.: **piring**) – arrepiado, trêmulo, excitado; **(xe)** tremer, arrepiar-se; (por ext.) amedrontar-se, espantar-se; sobressaltar-se: *Xe reté-piring.* – Meu corpo treme (de medo). (*VLB*, I, 43); *Xe piring.* – Eu estou arrepiado. *Xe ro'o-piring.* – Tenho a carne arrepiada. (*VLB*, I, 43); *Nde piring: nde angekotebẽ umẽ...* – Tu tremes: não te aflijas. (Anch., *Doutr. Cristã*, II, 79); ... *Te'õ suí o nhepysyrõ ra'angyîepébo, opiringamo ko'yté.* – Da morte tentando inutilmente livrar-se, amedrontando-se, enfim. (Ar., *Cat.*, 158)

piripiri (ou **piripirĩ**) (s.) – PIRIPIRI, PIRI, PERI, espécie de junco da família das ciperáceas (*Rynchospora cephalotes* (L.) Vahl), dos pântanos e alagadiços; taboa-do-brejo (*VLB*, I, 56; II, 123)

> NOTA – Daí se originam nomes de lugares como **PERI-PERI** (BA), **PIRITUBA** (SP) (v. Rel. Top. e Antrop. no final) e nomes de pessoa, como **PERI**. Daí, também, no P.B., **PERI**, 1) *sulco formado pelo escoamento de águas em declive*; 2) (MT) *a parte baixa de terreno alagada pelas águas de um rio*; **PERIANTÃ, PARIATÃ** (Amaz.), 1) *lugar onde há peris*; 2) *ilha flutuante que desce os rios, formada de plantas aquáticas, camalote*; 3) *barranco flutuante despegado da margem do rio, e que desce nas enchentes, coberto de canaranas, marurés e outras plantas; matupá* (in *Novo Dicion. Aurélio*).

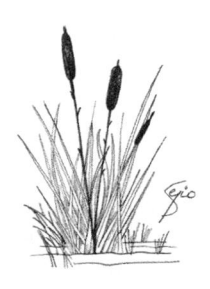

PIRIPIRI (ilustração de C. Cardoso)

piririka (s.) – faísca, fagulha: *Nd'e'i te'e moxy onhana tatá piririka îá...* – Por isso mesmo as malditas correm como faíscas de fogo. (Anch., *Teatro*, 128); (adj.: **piririk**) – faiscante; **(xe)** faiscar, lançar faíscas, fagulhas (como o fogo que é assoprado) (*VLB*, I, 133)

> NOTA – Daí, o nome da ilha de **ITAPARICA** (BA) (v. Rel. Top. e Antrop. no final).

pirõ (s.) – nome de uma ave falconídea (Brandão, *Diálogos*, 233)

pirok (etim. – *arrancar a pele*) (v. tr.) – **1)** pelar, arrancar a pele de, tirar a pele de [pessoa, batatas, figo e de tudo o mais que tenha pele fina. Arrancar pele grossa é **ape'ok** (p.ex., de favas) ou **pe'ok** (p.ex., de madeira) (v.)]; esfolar: *Aîpirok.* – Tiro-lhe a pele. (Anch., *Arte*, 51); ... *Serokypyre'yma São Bartolomeu piroki...* – Os pagãos esfolaram São Bartolomeu. (Ar., *Cat.*, 133); **2)** debulhar (p.ex., milho) (*VLB*, I, 97)

> NOTA – Daí, no P.B., **PIROCA**, significando *calvície* (de '*apira* + '*ok* + *-a*, "arranca pele da cabeça"), e também designando *pessoa calva*. Daí, o verbo PIROCAR, *ficar calvo*. **PIROCA** também é termo chulo para designar *o pênis*, *o arranca-pele* (isto é, o hímen feminino) ou, pelo nheengatu, *pelado, depenado*, i.e., *a glande* (Stradelli, 608).

piru'a (mb) (s.) – calo, bolha na pele: *mbó piru'a* – calos das mãos; *mby piru'a* – calos dos pés (*VLB*, I, 64); (adj.) – calejado: *Xe pó-piru'a.* – Eu tenho mãos calejadas. *Xe py-piru'a.* – Eu tenho pés calejados. (*VLB*, I, 64); **(xe)** ter calos, ter bolhas: *Xe piru'a.* – Eu tenho calos; *Xe piru'a-ru'a.* – Eu tenho muitas bolhas. (*VLB*, I, 112)
• **mbyru'apûera** – calos já duros (*VLB*, I, 64)

> NOTA – Daí, no P.B., a palavra PIRUÁ, isto é, "o grão de milho que não rebenta ao ser preparada a pipoca".

pirupiru (s.) – PIRUPIRU, ave caradriiforme da família dos hematopodídeos (*Theat. Rer. Nat. Bras.*, I, 104)

piryty (m) (etim. – *pele imunda*) (s.) – lepra (*VLB*, II, 20); (adj.) – leproso: *Xe piryty.* – Eu sou leproso. (*VLB*, I, 146)

pirytybora (m) (etim. – *o que costuma ter pele imunda*) (s.) – leproso (*VLB*, II, 20); o que tem lepra (*VLB*, I, 146)

pisandó (s.) – PISSANDÓ, PAISSANDU, PISSANDU, COQUEIRO-PISSANDÓ, nome de duas espécies de palmeiras, a *Allagoptera arenaria* (Gomes) Kuntze e a *Allagoptera campestris* (Mart.) Kuntze. São palmeiras baixas, de terra fraca, de frutos de bom sabor. (Sousa, *Trat. Descr.*, 198)

> NOTA – Daí, **PAISSANDU** (nome de largo de São Paulo, SP) (v. Rel. Top. e Antrop. no final).

pita'i (m) (s.) – borbulhas, empolas pequenas da pele que se fazem quando se entra n'água muito fria ou com o vento; arrepiamento (p.ex., de frio); (adj.) - arrepiado; **(xe)** ter borbulhas: *Xe pita'i-ta'i.* - Eu estou muito arrepiado. (*VLB*, I, 57)

pitãmo'asara (etim. - *a que faz nascer as crianças*) (s.) - parteira (*VLB*, II, 66)

pitanga (s.) - 1) criança (*VLB*, II, 12): *O sy posé pitanga ruî.* - Ao lado de sua mãe a criança está deitada. (Anch., *Arte*, 44); 2) bebê; feto: *Kunhã muru'abora resé opûá, pitanga îukábo i xuí...* - Batendo numa mulher grávida, matando o bebê dela. (Ar., *Cat.*, 70v)

pitangĩ (s.) - 1) neném, criancinha: *Pitangĩnamo ereîkó.* - És uma criancinha. (Anch., *Poemas*, 100); *Pitangĩ repîaka'upa, aîur xe roka suí.* - Tendo saudades do neném, vim de minha casa. (Anch., *Poemas*, 102); 2) estado de bebê, primeira infância: ... *O pitangĩ pupé bé te'õ kuapa.* - Conhecendo a morte ainda em sua primeira infância. (Ar., *Cat.*, 157v)

NOTA - Daí, ITAPITANGUI (nome de morro de Cananeia, SP); PITANGY (nome de pessoa) etc. (v. Rel. Top. e Antrop. no final).

pitangûá¹ (s.) - PITANGUÁ, PITAUÁ, o mesmo que **pitaûá** (v.)

Pitangûá² (s.) - nome de um espírito maligno (Laet, *Novus Orbis, Livro XV*, cap. II, §2)

pitangûagûasu (etim. - *pitauá grande*) (s.) - PITANGUÁ-AÇU, bem-te-vi, nome comum a pássaros tiranídeos que ocorrem em todo o Brasil (Marcgrave, *Hist. Nat. Bras.*, 216)

PITANGUÁ-AÇU (fonte: Marcgrave)

pitanguru (etim. - *recipiente de crianças*) (s.) - órgão sexual feminino (Castilho, *Nomes*, 36)

pitãnhemonhangaba (etim. - *lugar de se fazerem as crianças*) (s.) - útero de mulher ou de qualquer fêmea (*VLB*, II, 27)

pitaûá (ou **pitaûã** ou **pitangûá**) (s.) - PITAUÃ, PITANGUÁ, pássaro da família dos tiranídeos (Sousa, *Trat. Descr.*, LXXXIV)

pitigûara - o mesmo que **potigûara** (v.) (Anch., *Arte*, 1v)

pitinga (m) (s.) - pinta; (adj.: **piting**) - pintado, pintalgado: *gûyrá-pitinga* - ave pintada, nome de uma ave (*Theat. Rer. Nat. Bras.*, I, 139)

NOTA - Daí, no P.B., PIRAPITINGA ("peixe pintado"), nome de um peixe caracídeo; TIPITINGA (N) (*ty* + *piting* + -*a*, "água pintada"), águas barrentas e esbranquiçadas de certos rios.

pititinga (m) (etim. - *muitas pintas*) (s.) - impigem, erupção cutânea. O mesmo que **titinga** e **unhẽ** (v.) (*VLB*, II, 10)

pitõ (s.) - PITOMBEIRA, o mesmo que **pitomba** (v.) (D'Abbeville, *Histoire*, 223v)

pitomba (ou **pitõ**) (s.) - 1) PITOMBEIRA, nome de uma árvore da família das sapindáceas (*Talisia esculenta* (A. St.-Hil.) Radlk.); 2) PITOMBA, o fruto dessa árvore (D'Abbeville, *Histoire*, 223v; Marcgrave, *Hist. Nat. Bras.*, 125; Brandão, *Diálogos*, 217)

pitub (v. tr.) - pintar, tingir, untar (com azeite e urucu misturados) o corpo de forma geral (*VLB*, I, 32): *Aîpitu-pirang.* - Tinjo-o de vermelho (com urucu). (*VLB*, II, 128; 139) ● **i pitubypyra** - o que é (ou deve ser) pintado, untado: *Mba'e-mba'epe asé suí i pitubypyra?* - Que deve ser ungido de nós (isto é, de nosso corpo)? (Ar., *Cat.*, 92)

pitubara (m) (s.) - quebranto (do que está triste e melancólico); (adj.: **pitubar**) - quebrantado; **(xe)** ter quebranto: *Xe pitubar.* - Eu tenho quebranto. *Xe pitubarusu.* - Eu estou muito quebrantado. (*VLB*, II, 92)

pitupirang - v. **pitub** (*VLB*, I, 32; II, 139)

pitupuku (v. tr.) - pintar, tingir, untar as pernas: *Aîpitupuku.* - Tinjo as pernas. (*VLB*, I, 32)

pi'ũ (s.) - PIUM, PINHUM, borrachudo, nome comum a insetos dípteros da família dos simulídeos, cujas fêmeas são hematófagas e de hábitos diurnos (Anch., *Arte*, 6v; *VLB*, II, 43)

NOTA - Daí, PIOCA (nome de localidade de AL) (v. Rel. Top. e Antrop. no final).

pixam (ou **pixã**) (v. tr.) - 1) picar (p.ex., o pássaro com seu bico) (*VLB*, II, 77); 2) beliscar: *Xe pixã korine, mã!* - Ah, beliscar-me-á hoje! (Anch., *Teatro*, 178)

pixé (s.) - 1) chamusco, PIXÉ: *Nde rapixara pixé, mba'enem-y îu!* - És parecido com um

pixuna chamusco, ó coisa fedorenta! (Anch., *Teatro*, 128); **2) PIXÉ**, cheiro de coisa chamuscada, de coisa assada (*VLB*, I, 72)

> NOTA – No P.B. (N), **PIXÉ** pode ser, também, *mau cheiro*. Pode ser adjetivo, significando *esfumaçado, que tem fumaça*: *comida* **PIXÉ**, "comida que tem fumaça".

pixuna (s.) – nome de uma abelha (Piso, *De Med. Bras.*, IV, 178)

pixyb (etim. – *limpar a pele*) (v. tr.) – untar; ungir: *Oropixyb umã îandy-karaíba pupé...* – Já te ungi com o óleo bento. (Ar., *Cat.*, 315); *Ereîpotápe îandy-karaíba pupé ixé nde pixyba?* – Queres que eu te unte com o óleo bento? (Ar., *Cat.*, 309)

pó¹ (mb) (s.) – mão: *Nde pópe ogûapyka, osó kunumĩ...* – Em tuas mãos sentando-se, vai o menino. (Anch., *Poemas*, 120); *... Opá o boîá nde pópe i mongûapa.* – Todos os seus discípulos para tuas mãos fazendo passar. (Anch., *Poemas*, 124); *Nde morerekoar xe ri, nde pó gûyrype xe nonga.* – Sê tu guardião de mim, sob tuas mãos colocando-me. (Valente, *Cantigas*, I, in Ar., *Cat.*, 1618); *Oîme'eng i pópe-katu...* – Entregou-o bem em suas mãos. (Ar., *Cat.*, 61) • **pó-pytá** – colo da mão (Castilho, *Nomes*, 36); **pó-pyteîkaba** – riscos da palma da mão (Castilho, *Nomes*, 31); **pó-pytera** – palma da mão (Castilho, *Nomes*, 31): *... N'aîasabi pó-pytera...* – Nem me cruzei as palmas das mãos... (Anch., *Teatro*, 160); **pó-pytera'isaba** – riscos da palma da mão (Castilho, *Nomes*, 31); **opá kó mbó...** – ambas estas mãos, o número dez... (Ar., *Cat.*, 3); **pó-boboka** – linhas das palmas das mãos (Castilho, *Nomes*, 36)

> NOTA – Daí, o nome **ITAPÓ** (de localidade do CE) (v. Rel. Top. e Antrop. no final). Daí, também, no P.B., **EMBOABA, EMBOAVA, BOAVA, BOABA** (*mbó + ab + -a*, "mãos peludas"), alcunha que os paulistas davam, nos tempos coloniais, nas Minas Gerais, aos forasteiros portugueses que disputavam consigo a posse das minas de ouro e pedras preciosas ali descobertas, o que ensejaria a Guerra dos **EMBOABAS** (1707-1709). Era nome atribuído, na língua geral meridional, às aves calçudas, isto é, aquelas cujas pernas são cobertas de penas, as quais os portugueses imitavam com seus calções de rolos e por nunca largarem as meias e os sapatos.

pó² (s.) – fibras (de tecido): *pó-ky'a* – fibras sujas (*VLB*, I, 87); *pó-bebé* – fibras esvoaçantes (isto é, fibras finas) (*VLB*, I, 93); *pó-anamusu* – fibras muito grossas (*VLB*, I, 151)

> NOTA – Daí, no P.B. (N), **POAÇU, PUAÇU** (*pó + ûasu*, "fibras grandes"), espécie de tecido de algodão em algumas regiões amazônicas (in *Dicion. Caldas Aulete*).

poanama (etim. – *grossura de fibra*) (s.) – espessura, grossura (de tecido); (adj.: **poanam**) – grosso, áspero (ao tato): *amyniîu-aó-poanama* – roupa de algodão grossa (isto é, malha para a defesa na guerra) (*VLB*, I, 41)

poanamusu (etim. – *grande espessura de fibra*) (s.) – espessura, grossura (de pano) (*VLB*, I, 151)

poaoba (mb) (etim. – *roupa de mãos*) (s.) – luva (*VLB*, II, 25)

poapyîa (m) (s.) – ligeireza de mãos; (adj.: **poapyî**) – ligeiro de mãos (p.ex., para atirar o arco): *Xe poapyî.* – Eu sou ligeiro de mãos. (*VLB*, II, 22)

poasema (m) (s.) – grito, gemido de dor (*VLB*, I, 28); (adj.: **poasem**) **(xe)** – gemer (Marcgrave, *Hist. Nat. Bras.*, 277): *Nebe oronheangerur oré poasemamo.* – A ti suspiramos, gemendo. (Ar., *Cat.*, 14)

poatasaba (m) (s.) – intervalo entre as espáduas (*VLB*, I, 125); as costas entre as duas espáduas (Castilho, *Nomes*, 34)

poatyká (v. tr.) – tapar (como pano) (*VLB*, II, 124)

poban (v. tr.) – fiar, reduzir a fio (puxando, estendendo e torcendo as fibras) (Fig., *Arte*, 119): *Aamyniîu-poban.* – Fiei o algodão. (*VLB*, I, 138) • **pobandara** – o que fia (Fig., *Arte*, 119), fiandeira (*VLB*, I, 138); **pobandaba** – tempo, lugar, modo etc. de fiar (Fig., *Arte*, 119)

pobebuîa (m) (etim. – *mãos leves*) (s.) – ligeireza de mãos; (adj.: **pobebuî**) – ligeiro de mãos (diz-se do que faz tudo com presteza): *Xe pobebuî.* – Eu sou ligeiro de mãos. (*VLB*, II, 22)

pobe'eng (v. intr. compl. posp.) – apontar (com o dedo, por escárnio ou desprezo) (para algo ou alguém: compl. com **supé**): *Apobe'eng (abá) supé.* – Apontei para o homem. (*VLB*, I, 39, adapt.)

pobur (ou **pobu** ou **pubur**) (v. tr.) – revirar; revolver, mexer; (por extensão:) transtornar, agitar, perturbar: *... Xe py'a pobu-pobu. –*

Meu coração ficando a revirar. (Anch., *Poemas*, 132); *Pysaré kó i kere'ymi, apŷaba pobu-pobu!* – Eis que a noite toda ele não dormiu para ficar perturbando os índios! (Anch., *Teatro*, 32); ... *Xe roka pobu-potá*. – Querendo revirar minha casa. (Anch., *Teatro*, 42); ... *Kó taba aîpobu memẽ.* – Esta aldeia transtorno sempre. (Anch., *Teatro*, 128); ... *T'aîpobu kori ygasaba.* – Hei de mexer hoje as igaçabas. (Anch., *Poesias*, 262)

pobura (ou **pubura**) (s.) – agitação; transtorno: ... *O îosuí pubura pe'a potá.* – Querendo afastar de si mesmo o transtorno. (Anch., *Doutr. Cristã*, II, 79)

po'e (mb) (s.) – quebranto (do que está triste e melancólico); (adj.) – quebrantado, entorpecido; (xe) ter quebranto: *Xe po'e-po'e* (ou *Xe po'e nhẽ*). – Eu tenho quebranto. (*VLB*, II, 92)

po'ẽ[1] (ou **po'em**) (v. intr.) – meter a mão, enfiar a mão: *Erepo'ẽpe nde rapixara rapupé resé?* – Meteste a mão nas partes erógenas de teu companheiro? (Ar., *Cat.*, 105v); *Nd'opo'ẽî xûé-tepe asé o îuru pupé i mbo'iragûama reséne?* – Mas não enfiará a gente a mão em sua boca para parti-lo? (Anch., *Doutr. Cristã*, I, 217); *Ikó îandé ratá pupé asé po'ema biã iî abaeté, memetaé a'epe...* – Se meter a mão neste nosso fogo é terrível, quanto mais ali... (Ar., *Cat.*, 163v)

po'ẽ[2] (s.) – tipo de armadilha (Vasconcelos, *Crônica (Not.)* I, §122, 99); pinguela de esteira, isto é, tipo de esteirinha ou grade feita de varinhas delgadas que toma quase todo o vão da armadilha. Quando se arma, fica essa esteirinha dois ou três dedos levantada do chão e, assim que a caça põe os pés para passar por cima dela, faz desarmar o pinguelo que se apoiava em uma das varinhas da extremidade. (*VLB*, II, 77)

poekar (v. tr.) – revolver, revirar, trasfegar (*VLB*, II, 135)

poekûabo (adv.) – segundo o costume: *O poekûabo ipó Tupã nhyrõnamo ndebe ko'yténe.* – Segundo seu costume, certamente Deus perdoará a ti, afinal. (Anch., *Doutr. Cristã*, II, 94)

poekyî (etim. – *puxar as fibras*) (v. tr.) – estender (p.ex., pano) (*VLB*, I, 128)

poepyk (v. tr.) – 1) revidar, replicar (o que dizem), responder nos mesmos termos a, pagar na mesma moeda a (O objeto deste verbo pode ser uma coisa ou uma pessoa.): *Abá nhe'enga poepyka tirũape asé Tupã nhe'enga abyû?* – Mesmo replicando as palavras de alguém a gente transgride a palavra de Deus? (Ar., *Cat.*, 74); *Aîpoepyk Pero.* – Replico a Pero (isto é, *respondo-lhe nos mesmos termos*). *Aînhe'ẽ-poepyk Pero.* – Replico as palavras de Pero. (*VLB*, II, 101); **2)** retribuir: *nde raûsuba poepyka...* – retribuindo o amor a ti (Valente, *Cantigas*, VI, in Ar., *Cat.*, 1618); *Aîpoepyk semikûatiara.* – Retribuí o que ele escreveu (isto é, *escrevi-lhe como ele fez a mim*). (*VLB*, I, 90); **3)** vingar, desagravar: *Xe anama poepyka ké ixé aîkó.* – Para vingar minha família aqui eu estou. (Staden, *Viagem*, 157); **4)** ter questões com (*VLB*, II, 94) • **poepykaba** – tempo, lugar, modo etc. de replicar, de revidar, de retribuir etc.; réplica, resposta (*VLB*, II, 102); paga na mesma moeda ou de uma coisa por outra da mesma espécie (p.ex., ouro por ouro, punhada por punhada, carta em resposta a carta etc.) (*VLB*, II, 62); **poepykara** – o que replica, o que retribui etc.: ... *Tupã o aûsuba poepykareté...* – o que retribui verdadeiramente o amor de Deus a si (Ar., *Cat.*, 166v)

poepyka (m) (s.) – desagravo, revide, vingança: *Xe anama poepyka a'e.* – Isso é o desagravo a minha família. (Staden, *Viagem*, 157)

poesãîa (etim. – *mãos alegres*) (s.) – ligeireza de mãos; (adj.: **poesãî**) – ligeiro de mãos, ágil, presto: *Xe poesãî.* – Eu sou ligeiro de mãos. (*VLB*, II, 22)

poesemõ (etim. – *encher as mãos*) (v. tr.) – encher, abarrotar, repletar: *Ereîmoîebyrype kaûî nde poesemõneme?* – Vomitaste cauim quando te encheu? (Anch., *Doutr. Cristã*, II, 103) [v. tb. **esemõ**] (*VLB*, I, 17)

poî (-îo-) (v. tr.) – **1)** alimentar, dar de comer a, sustentar: *Ambyasybora poîa.* – Dar de comer aos famintos. (Ar., *Cat.*, 18); ... *I poîa-mirĩ nde kama pupé.* – Alimentando-o um pouco em teu seio. (Anch., *Poemas*, 118); *Eîori xe poîkatûabo.* – Vem para me alimentar bem. (Anch., *Poemas*, 134); *Aruretá kó reri, i pupé nde poî-potá.* – Trouxe muitas destas ostras, com elas querendo alimentar-te. (Anch., *Poemas*, 150); **2)** fazer oferendas a: ... *Îatyby-poî ma'e amõ nonga...* – Fazemos oferendas às sepulturas, pondo algumas coisas (nelas). (Ar., *Cat.*, 8v); **3)** convidar para comer (Anch., *Arte*, 52v);

po'i

4) repartir com (alguma coisa: compl. com pupé): *Aîopoî ahẽ so'o pupé.* – Reparti com ele a carne. (*VLB*, II, 66) • **emipoîa (t)** – o que alguém alimenta, o que alguém convida para comer etc.: *xe remipoîangaîbara* – o magro que convido para comer (Anch., *Arte*, 52v); *xe remipoîmembeka* – o fraco que convido para comer (Anch., *Arte*, 52v); **i poîpyra** – o que é (ou deve ser) alimentado, sustentado etc. (Fig., *Arte*, 107); **poîtara** – o que alimenta etc. (Fig., *Arte*, 119); **poîtaba** – tempo, lugar, modo etc. de alimentar, de sustentar etc. (Fig., *Arte*, 119)

NOTA – Daí provém, no P.B., POIA, o pão que se dá em retribuição a quem os assou.

po'i (s.) – finura; (adj.) – fino (p.ex., corda, linha etc.) • **po'i'i** – fininho (*VLB*, I, 93)

NOTA – Daí, no P.B., CAPIM (*ka'a* + *po'i'ĩ*, "mato fininho").

poîababa (m) (etim. – *mãos fugidias*) (s.) – diligência, destreza, presteza, ligeireza de mãos; (adj.: **poîabab**) – destro, ligeiro (de mãos), habilidoso, que faz as coisas com destreza: *Xe poîabab.* – Eu sou destro. (*VLB*, I, 101)

poîoybyra (etim. – *fibras ao longo de outras*) (s.) – dobra (de fios) (*VLB*, I, 105) • **i poîoybyryba'e** – o que é dobrado (como fio) (*VLB*, I, 105)

poîoybyri (adv.) – de modo dobrado (como fio) (*VLB*, I, 105)

po'ir[1] (v. intr. compl. posp.) – deixar, partir, afastar-se, separar-se, apartar-se (como, p.ex., os cônjuges, os amancebados etc.), desaferrar-se (de algo ou de alguém: compl. com **suí**): *E'ikatupe o îosuí opo'i?* – Podem deixar um do outro? (Ar., *Cat.*, 94v); *Pepo'i xe remiarõ suí!* – Afastai-vos daquele que eu guardo! (Anch., *Teatro*, 180, 2006)

po'ir[2] (etim. – *desprender-se a mão*) (v. tr.) – parar de, deixar de, "largar a mão de": *A'e remebépe erimba'e Tupã abá raûsupo'iri?* – Por ocasião disso Deus deixou de amar o homem? (Anch., *Doutr. Cristã*, I, 162); *Asaûsupo'ir.* – Deixei de amá-lo. (*VLB*, I, 96); *Ta xe rerobîapo'ir umẽ.* – Que não deixem de crer em mim. (Ar., *Cat.*, 160)

poîuîy (s.) – POJUJI, toninha, mamífero cetáceo do gênero *Inia*. Habita os rios da bacia amazônica. (Sousa, *Trat. Descr.*, 278)

pok (v. intr.) – **1)** estalar, arrebentar (*VLB*, I, 127) ESPOCAR, PIPOCAR, PAPOCAR; **2)** disparar (p.ex., tiro) (*VLB*, I, 100); **3)** estourar, dar estouro, ESPOCAR (*VLB*, I, 129)

NOTA – Daí, no P.B., POCAR, estourar, bater com força em; rebentar; PIPOCA, "pele estourada" (de milho) – v. **pira**. ESPOCAR também pode ser usado figurativamente no sentido de *desabrochar, desabotoar com força*: "espocar para a vida".

poka (s.) – estouro, estalo, arrebentamento, disparo; (adj.: **pok**) – estourado, estalado: *Xe pé-pok.* – Eu tenho casca (isto é, de ferida prestes a sarar) estalada. (*VLB*, I, 60)

NOTA – Daí, no P.B., PIPOCA (v. **pok**); JURUPOCA ("boca arrebentada"), peixe pimelodídeo de boca com prognatismo acentuado, também chamado *boca-de-colher*; MAIPOCA ("estouro de mani") (AM), replantação de roça de mandioca, arrancando-se os pés da planta pela raiz. Daí, também, os nomes geográficos IBITIPOCA, IPOPOCA (MG) etc. (v. Rel. Top. e Antrop. no final).

poká (v. tr.) – **1)** espremer (p.ex., com prensa); **2)** retorcer, torcer (como camisa lavada ou cipó) (*VLB*, I, 127) • **pokasara** – prenseiro, o que prensa (*VLB*, II, 85)

pokanga (etim. – *mão ossuda*) (s.) – raleamento; raridade; coisa rala (*VLB*, II, 95); (adj.: **pokang**) – ralo (p.ex., pano); raro • **i pokãba'e** – o que é ralo; o que é raro, poucas vezes visto ou que não se acha a cada passo (*VLB*, II, 96); **pokãngatu** – muito ralo, sutil: *... I angaturamba'e reté i pokãngatu kûarasy sosé oberapa...* – Os corpos dos que são bons serão sutis, brilhando mais que o sol. (Ar., *Cat.*, 161); **pokangi nhõte** – raro (*VLB*, II, 96)

pokarugûara (s.) – **1)** sagacidade (*VLB*, II, 111); **2)** habilidade; (adj.: **pokarugûar**) – **1)** sagaz, sutil: *Xe nhe'ẽpokarugûar.* – Eu tenho palavras sagazes. (*VLB*, II, 111); **2)** hábil, destro, hábil de mãos: *Xe pokarugûar.* – Eu sou hábil. (*VLB*, I, 18)

pokasaba (etim. – *instrumento de espremer*) (s.) – prensa (de espremer): *u'ubae'ẽ pokasaba* – prensa de cana-de-açúcar (*VLB*, II, 85)

pokek (v. tr.) – embrulhar, envolver: *Peîori, perasó muru, supi... i pokeka...* – Vinde, levai os malditos, erguendo-os, embrulhando-os. (Anch., *Teatro*, 90)

NOTA - Daí, no P.B., **BEIJU-POQUECA**, var. de **BEIJU**; **MOQUECA**, 1) (AM) o peixe moqueado envolto em folha de bananeira; 2) (SP) espécie de cataplasma de folhas de mangueira e de fumo, que se coloca sobre a cabeça para tirar sua dor; **MOQUECAR-SE, AMOQUECAR(-SE)**, ficar abrigado, em lugar coberto ou escondido, ficar pouco visível.

pokesara (etim. - *o que envolve, o que embrulha*) (s.) - envoltório, invólucro, embrulho (amarrado com fio): *Aîpokesá-rab.* - Solto o embrulho dele. (*VLB*, I, 98)

pokirik (v. tr.) - fazer cócegas em: *Aîpokirik.* - Fiz-lhe cócegas. (*VLB*, I, 76)

pokok[1] (etim. - *apoiar a mão*) (v. intr. compl. posp.) - 1) tocar, passar a mão; apalpar (*VLB*, I, 37) [compl. com **esé (r, s)** ou **ri**]: *I potá nhote, sesé opokoka abé.* - Somente desejando-a, nela tocando também. (Ar., *Cat.*, 71); ... *Opokok asé akanga resé...* - Tocam na cabeça da gente. (Ar., *Cat.*, 82); 2) furtar [compl. com **esé (r, s)**]: *Apokok mba'e resé.* - Furto coisas (lit., *toco nas coisas*). (Fig., *Arte*, 124) ● **pokokaba** - tempo, lugar, modo etc. de tocar; o toque, o passar a mão: *Ereîmombe'upe... kunhã resé nde pokó-pokokagûera abá supé?* - Contaste para alguém que tu ficaste passando a mão em mulheres? (Ar., *Cat.*, 104v); **pokok mba'e resé** - aplicar-se ao trabalho, pôr a mão na massa (Fig., *Arte*, 124)

pokok[2] (v. intr. compl. posp.) - dar combate, fazer ataque [a alguém: compl. com **esé (r, s)** ou **ri**]: *Kûesé, karaíba ri i pokoki...* - Ontem, aos brancos deram combate. (Anch., *Teatro*, 140); *Apokok (abá) resé.* - Dou combate aos homens. (*VLB*, I, 53, adapt.)

pokok[3] (etim. - *apoiar a mão*) (v. tr.) - guiar: *Memẽ-te, nipó, pe 'anga amotá, ... i pokoka.* - Mas sempre, com certeza, a vossas almas querem bem, guiando-as. (Anch., *Teatro*, 54); *Eîori oré pokoka.* - Vem para nos guiar. (Anch., *Poemas*, 144)

pokoka (m) (etim. - *apoio da mão*) (s.) - toque, sentido do tato: *Mba'e resé mokoka anduba.* - Sentir o toque nas coisas. (Ar., *Cat.*, 20)

pokokaba (m) (etim. - *lugar de apoiar a mão*) (s.) - bordão, bengala (*VLB*, I, 58)

pokopy (xe) (v. da 2ª classe) - render, dar bom rendimento (p.ex., a obra, a comida, o caminho etc.) (*VLB*, I, 144)

pokosub[1] (ou **pokosu**) (v. tr.) - surpreender: ... *Angaîpaba aîpokosu.* - Surpreendi os pecadores. (Anch., *Teatro*, 46); *Penheangerekó amõ 'ara pupé te'õ pe rokena motaka turagûama resé é... pe pokosupa.* - Pensai que, algum dia, a morte virá mesmo para bater em vossas portas, surpreendendo-vos. (Ar., *Cat.*, 158)

pokosub[2] (v. tr.) - prender: *Irõ, oropokosub!* - Portanto, prendo-te! (Anch., *Teatro*, 48)

pokuab (ou **pokuá** ou **pokugûab**) (etim. - *conhecer a mão*) (v. tr.) - estar acostumado com, ter por costume, estar prático em, ter a prática de: *Aîpokugûab.* - Tenho-o por costume. (*VLB*, I, 84); *Apŷaba xe pokuá...* - Os homens estão acostumados comigo. (Anch., *Teatro*, 22) ● **emipokuaba (t)** - o que alguém torna costumeiro, o que alguém pratica: *moropotara semipokuabe'yma* - o desejo sensual que ele não torna costumeiro (Ar., *Cat.*, 88v)

pokuba'ũ (m) (s.) - vão entre os dedos da mão (Castilho, *Nomes*, 36)

pokupé (m) (s.) - costas da mão (Castilho, *Nomes*, 30): *Aîpokupé-petek.* - Esbofeteio as costas de suas mãos. (*VLB*, I, 73)

pokyram (v. tr.) - excitar, estimular: ... *nde rapixara ku'a îubana, nde poropotá-pokyramamo* - abraçando a cintura de teu companheiro, estimulando teu desejo sensual (Anch., *Doutr. Cristã*, II, 96-97)

pokytã (etim. - *nó das fibras*) (s.) - nó (de fio ou corda) (*VLB*, II, 50); (adj.) - nodoso; **(xe)** ter nós (*VLB*, II, 50)

pomobybyk (etim. - *fazer as mãos ficarem tocando*) (v. intr.) - andar às apalpadelas (*VLB*, II, 63)

pomogûab (etim. - *abrandar as mãos*) (v. tr.) - escapulir das mãos de: *Aîpomogûab.* - Escapuli das mãos dele. (*VLB*, I, 123)

pomoîyb (etim. - *lavar as fibras*) (v. tr.) - fazer lixívia para (a lavagem de roupa), lavar com lixívia (a roupa) (*VLB*, I, 52)

pomombyk (etim. - *atar as fibras*) (v. tr.) - torcer (como corda) ● **i pomombykypyra** - o que é (ou deve ser) torcido: *yby-pomombykypyra* - estopa torcida (*VLB*, I, 82)

pomonga (etim. - *visgo das mãos*) (s.) - viscosidade; visgo, grude; (adj.: **pomong**) - visco-

pong so, grudento (*VLB*, I, 53); **(xe)** grudar, pegar como grude (*VLB*, II, 69)

> NOTA – Daí, no P.B., **CAAPOMONGA** ("folhas grudentas"), trepadeira ornamental da família das plumbagináceas.

pong (v. intr.) – soar, bater, soar por percussão • **pongaba** – tempo, lugar, modo, instrumento etc. de soar, de bater: *pó-pongaba* (m) – lugar de bater das mãos, atabaque (*VLB*, I, 46)

> NOTA – Daí, no P.B. (AM), **MOPONGA, MUPUNGA**, batição, *processo de pesca que consiste em bater a água de um rio com uma vara, ou com a mão, a fim de afugentar o peixe na direção desejada*. Há a locução bater **MOPONGA** (in *Novo Dicion. Aurélio*).

ponga (s.) – batida, percussão; (adj.: pong) – que bate, que percute: *gûyrá-ponga* – "pássaro que bate"; **ARAPONGA**. Seu canto parece os sons metálicos do bater de ferro em bigorna. (Marcgrave, *Hist. Nat. Bras.*, 201)

> NOTA – Daí, no P.B. (AM), **GAPONGA** (*ybá + pong + -a*, "fruto que bate"), *bola feita de osso de peixe-boi, presa por uma linha à ponta de um caniço, para se bater na água, imitando a queda de um fruto e, assim, atrair o peixe* (in *Novo Dicion. Aurélio*).

pongoby – o mesmo que **gûyrapongoby** (v.) (*Brasil Holandês*, vol. III, 90)

ponhang (v. tr.) – encher (*VLB*, I, 114)

ponheaʼĩ (v. intr.) – encolher-se (como o pano depois de molhado) (*VLB*, I, 114)

po'o (v. tr.) – **1)** arrancar (p.ex., cabelos); **2)** desfolhar (árvore): *Aîpo'o.* – Desfolhe-a. (Anch., *Arte*, 28); **3)** colher (p.ex., frutas) (*VLB*, I, 41; 99); **4)** pelar (*VLB*, II, 70) • **po'oara** – colhedor, o que colhe: '*Ybá-po'oarûera ké aîut.* – Colhedor de frutas, aqui venho. (isto é, *Venho, depois de colher frutas; acabo de colher frutas.*) (D'Evreux, *Viagem*, 144)

> NOTA – Daí, **SABOÓ** (nome de bairro de Santos, SP) (v. Rel. Top. e Antrop. no final).

po'ok (etim. – *tirar a mão*) (v. intr.) – parar (de chorar, de chover, de mamar etc.) (*VLB*, I, 63)

popeba (etim. – *largura da mão*) (s.) – largura (como de fita etc.) (*VLB*, II, 19); (adj.: **popeb**) – largo (como fita, tira etc.): *I popebusu.* – Ela é muito larga. (*VLB*, II, 18, adapt.)

> NOTA – Daí, **PARAOPEBA** (nome de rio de MG) (v. Rel. Top. e Antrop. no final)

popesûara (m) (etim. – *o que está na mão*) (s.) – **1)** objeto de mão: – *Mba'e-mba'epe i popesûaramo?* – *Mimuku-katupabẽ...* – Que havia como seus objetos de mão? – Muitíssimas lanças... (Ar., *Cat.*, 54); **2)** arma (*VLB*, I, 41); (adj.: **popesûar**) – armado: *Pa'i, marãpe guarinĩme na nde popesûari?* – Padre, por que, na guerra, tu não estás armado? (Cardim, *Trat. Terra e Gente do Brasil*, 204)

popetekaba (m) (etim. – *instrumento de golpear as mãos*) (s.) – palmatória (*VLB*, II, 63)

popiaba (m) (etim. – *instrumento de picar as mãos*) (s.) – **1)** aguilhão (para picar) (*VLB*, I, 27); **2)** punhal, adaga (*VLB*, II, 89)

popongaba (m) (etim. – *lugar de bater das mãos*) (v. tr.) – atabaque (*VLB*, I, 46)

popûar (ou **popûá**) (v. tr.) – atar as mãos de, amarrar pelas mãos, manietar: *Rorẽ-ka'ẽ xe popûá...* – Lourenço tostado atou minhas mãos. (Anch., *Teatro*, 50); *Memẽ anhanga popûari...* – Sempre atam as mãos dos diabos. (Anch., *Teatro*, 54)

popûasaba (m) (s.) – atadura, grilhão das mãos, algemas (*VLB*, II, 87): *Aîpopûasá-rab.* – Soltei as algemas dele. (*VLB*, II, 120); ... *I popûasaba resebé serasoû.* – Levou-o com suas ataduras. (Ar., *Cat.*, 82, 1686)

popy (mb) (s.) – ponta, cabo, extremidade (de qualquer coisa) (*VLB*, I, 61): ... *Nde resá-popybo ema'ẽmo...* – Olhando na ponta dos teus olhos. (Anch., *Doutr. Cristã*, II, 111-112)

popyatã (xe) (etim. – *ponta firme*) (v. da 2ª classe) – resistir, ser forte de braços, ser firme, ser resistente: *Eresugûykápe kunhataĩ amõ? Semimotara rupipe koîpó i popyatã-mbápe?* – Desvirginaste alguma menina? Segundo tua vontade ou ela resistiu completamente? (Ar., *Cat.*, 103v); *Na xe popyatãî.* – Eu não sou resistente, eu não sou firme. (*VLB*, I, 143)

popy'i (m) (etim. – *mãos rápidas*) (s.) – ligeireza, habilidade, destreza de mãos; (adj.) – ligeiro, destro, hábil de mãos: *Xe popy'i.* – Eu sou ligeiro de mãos. (*VLB*, II, 22); *Xe popy'i emonã gûitekóbo.* – Eu sou hábil em assim agir. (*VLB*, I, 34)

popysyk (etim. – *tomar a mão*) (v. tr.) – **1)** receber: *Oroîopopysyk.* – Recebemo-nos uns aos outros.

(*VLB*, II, 98); **2)** casar-se com • **oîpopysykyba'e** - o que se casa com: *Oîoaûsu-katupe amẽ oîopopysykyba'epûera?* - Devem amar-se muito os que se casaram um com o outro? (Ar., *Cat.*, 95)

popytera (m) (etim. - *meio da mão*) (s.) - palma da mão (Castilho, *Nomes*, 31): *N'asasabi i popytera...* - Não cruzei suas palmas das mãos. (Anch., *Teatro*, 162, 2006)

popytuna (etim. - *escurecimento das fibras*) (s.) - fechamento (de pano); (adj.: **popytun**) - fechado, tapado (como pano, isto é, nem fino nem tênue) (*VLB*, II, 124)

popytybõ (etim. - *ajudar a mão*) (v. tr.) - ajudar (*VLB*, I, 29): *Ereîpopytybõpe nde ruba nde sy abé?* - Ajudas teu pai e tua mãe? (Ar., *Cat.*, 100v)

por[1] (xe) (v. da 2ª classe) - cumprir-se, realizar-se, haver de ser, acontecer: *Mosaûsuba rerobîasara, "i por irãne" 'îara.* - Os que acreditam em sonhos e os que dizem: *"Cumprir-se-ão futuramente"*. (Ar., *Cat.*, 66v) • **i poryba'e** - o que se cumpre; o que se realiza, o que acontece; o que cumpre, o que é cumpridor: *I pore'ymba'e... "Emonã kó Tupã resé" o'îabo tenhẽ.* - O que, dizendo em vão *"Eis que é assim, por Deus"*, não o cumpre. (Ar., *Cat.*, 67)

por[2] (v. intr.) - saltar, pular: *São João pitangĩ, tygépe o endápe... opor-oporĩ...* - São João criancinha, ao estar no ventre, ficou saltando. (Anch., *Poemas*, 118); *Toryba suí apó-por gûitekóbo.* - Estou saltando de alegria. (*VLB*, II, 112)

NOTA - Daí, **PIRAPORA** (nome de município de MG) (v. Rel. Top. e Antrop. no final).

por[3] (v. intr.) - faltar (Fig., *Arte*, 92)

pora[1] (mb) (s.) - habitante: *Oroîeruré bé nde resé t'oîeme'eng apŷabangaturama oré retama pora ri...* - Pedimos também a ti que se deem homens bons para habitantes de nossa terra. (D'Abbeville, *Histoire*, 342); *Abápe 'ara pora oîkó nde îabé?* - Que habitante do mundo há como tu? (Anch., *Poemas*, 116); *kunhãmuku taba pora...* - as moças habitantes das aldeias (Anch., *Teatro*, 150)

NOTA - Daí, no P.B., **BORBOREMA** (*yby + mbor + e'ym + -a*, "terra sem habitantes"), lugar despovoado, estéril (in *Dicion. Caldas Aulete*), donde o nome da Serra da **BORBOREMA**, no Nordeste; **CAIPORA** (*ka'a + pora*, "habitante da mata"),

nome de entidade mitológica do Brasil, mas não mencionado nos textos quinhentistas; **CAAPORA** (Amaz.), homem do mato, roceiro.

pora[2] (s.) - o que é feito, conseguido, ganho por algo, a consequência, o fruto, a obra, o efeito de algo: *îyapá-pora* - a obra da foice, p.ex., o alimento produzido com ela; *pindá-pora* - o conseguido pelo anzol, isto é, o peixe; *xe pó-pora* - a obra de minhas mãos, o que é conseguido por minhas mãos; *itangapema pora* - coisa ganha com a espada (Anch., *Arte*, 31v)

pora[3] (s.) - **1)** conteúdo, o que está contido, o que está em ou dentro de: *Eresópe abá... îeky-'ye'ẽ supa, i pora rá?* - Foste para revistar os covos de água doce de alguém, tomando seu conteúdo? (Ar., *Cat.*, 107v); *Nd'aruri amõ parati; oîepé xe pysá pora.* - Não trouxe nenhum parati; um só é o conteúdo de minha rede. (Anch., *Poemas*, 152); *ikó 'ara pora* - o que está neste mundo (Ar., *Cat.*, 141); *kamusi pora* - o que está no pote (Anch., *Arte*, 31v); *paranã pora* - o que está no mar (Anch., *Arte*, 31v); **2)** componente: *... Te'õ abé reîkéû ikó 'ara poramo oîá.* - Da mesma forma, como componente deste mundo, a morte também entrou. (Ar., *Cat.*, 155); (adj.: **por**) - **1)** cheio, pejado, carregado; (xe) ter conteúdo; conter coisas: *... N'i pori be'ĩ xe aîó.* - Não contém mais nada minha bolsa. (Anch., *Teatro*, 46); *N'i tybangâî setãmbûera. Opá... akûeîme n'i poretáî.* - Não existem mais as suas antigas terras. Todas, desde então, não contêm muita coisa. (Anch., *Teatro*, 52); *... I por nde rygé.* - Está cheio teu ventre. (Anch., *Poemas*, 116); *muru'a-pora* (lit., *carregada de feto*) - grávida (Ar., *Cat.*, 77v); **2)** saciado; (xe) saciar-se: *Tekoangaîpaba pupé pore'yma.* - Com o pecado não se saciar. (Bettendorff, *Compêndio*, 17)

NOTA - Daí, no P.B. (AM), **TUCUPIPORA** ("o que está dentro do tucupi"), a comida que fica de molho no tucupi, isto é, no caldo de manipueira.

pora[4] (mb) (s.) - marca (de pancada ou golpe, que fica no lugar onde se deu); sinal (de cortadura de faca, dentada, unhada etc.); marca de ferimento, sinal de ferimento, de golpe: *kysé-pora* - sinal de facada; *îyapá-pora* - sinal de ferimento com foice; *itangapẽ-mbora* - marca de espada, sinal de ferimento com espada (Anch., *Arte*, 31v); *mina pora* (ou *mĩ-mbora*) - marca de lança, sinal de ferimento com lança (Anch., *Arte*, 32); *taĩ-mbora* - marca de

porabyky[1]
dentes, sinal de dentada (*VLB*, I, 94); *itá-pora* – sinal de golpe com pedra (*VLB*, II, 63); *ahẽ pûapẽ-mbora* – a unhada de fulano, a marca das unhas de fulano (*VLB*, II, 118) ● **porûera** – marca antiga, sinal de antigo ferimento ou golpe: *itá-kysé-porûera* – marca antiga de facada (*VLB*, II, 118); *itá-porûera* – marca antiga de pedrada (*VLB*, II, 63)

NOTA – Daí, no P.B., **CATAPORA(S)**, **TATAPORA(S)** (*marcas de fogo*), varicela, doença infecciosa que se caracteriza por febre acompanhada de marcas que se transformam em bolhas, formando-se, depois, crostas.

porabyky[1] (v. intr.) – trabalhar, fazer ou produzir com as mãos (*VLB*, II, 53): *N'îaporabykyî kó 'ara pupé...* – Não trabalhamos neste dia... (Ar., *Cat.*, 7); *Ûiporabykŷabo gûixóbo...* – Indo eu para trabalhar... (Anch., *Teatro*, 46) ● **oporabykyba'e** – o que trabalha: *Domingo pupé... oporabykyba'e.* – O que trabalha no domingo. (Ar., *Cat.*, 68); **porabykŷara (m)** – o que produz com as mãos, o que trabalha, trabalhador (*VLB*, II, 53; 134): – *Abá bépe n'oîabyî oîekuakube'yma? – Ko'arapukuî morabykŷara...* – Quem também não o transgride, não jejuando? – Os trabalhadores de dia todo. (Ar., *Cat.*, 77v); **porabykysaba** (ou **porabykŷ aba**) **(m)** – tempo, lugar, modo, instrumento etc. de trabalhar; trabalho; obra feita com as mãos: *A'e o porabykysaba pupé... oîpytybõ...* – Ele, com seu trabalho, ajudou-o. (Ar., *Cat.*, 123, 1686)

porabyky[2] **(m) (s.)** – trabalho: *Morabykye'yma kó 'ara îaîmoeté...* – Sem trabalho, comemoramos este dia... (Ar., *Cat.*, 5)

porakar[1] (ou **poraká**) (v. tr.) – procurar alimento para; pescar ou caçar para: *Eresaûsubarype... i poraká?* – Compadeceste-te deles, procurando-lhes alimento? (Anch., *Doutr. Cristã*, II, 86); *T'i poraká apó abá.* – Procuremos alimentos para aqueles homens. (Léry, *Histoire*, 355); ... *T'oroporaká...* – Hei de pescar para ti. (Anch., *Poemas*, 152) ● **porakasara** – o que procura alimento; o pescador; o caçador: *xe porakasara* – meu pescador (Léry, *Histoire*, 368)

NOTA – Daí, no P.B. (RJ), **PORACÁ**, *cesto grande para pescaria* (in *Dicion. Caldas Aulete*).

porakar[2] (ou **poraká**) (v. tr.) – encher: *Tupã raûsuba resé i 'anga porakari.* – Do amor a Deus encheu suas almas. (Ar., *Cat.*, 45v); *Moraseîa rerobîara i py'a îaîporaká.* – A crença na dança enche os corações deles. (Anch., *Teatro*, 30); ... *Muru rokysyma îandé ratá poraká.* – Cercando os miseráveis para encher nosso fogo. (Anch., *Teatro*, 158)

porakar[3] (ou **poraká**) (v. tr.) – realizar, cumprir, obedecer a: *Ereîporakápe taba rerekoara nhe'enga koîpó nde mbo'esara...?* – Obedeceste às palavras do governante da aldeia ou a teu mestre? (Ar., *Cat.*, 101); *Xe nhe'enga nhõ ereîporaká.* – Minhas palavras somente cumprirás. (Ar., *Cat.*, 159v)

poraké – o mesmo que **puraké** (v.) (Lisboa, *Hist. Anim. e Árv. do Maranhão*, fl. 172v-173)

porambyrambyka (s.) – qualidade do que é agradável; (adj.: **porambyrambyk**) – agradável, deleitoso: *I porambyrambyk xe rekó ixébo.* – São-me agradáveis meus afazeres. *I porambyrambykĩ xe nhemosaraîa ixébo.* – Estava-me agradável meu jogo. (*VLB*, I, 71)

porandub[1] (ou **porandu**) (etim. – *ouvir gente*) (v. intr. compl. posp.) – perguntar, informar-se, fazer pergunta [a alguém: compl. com **supé**; sobre, por, de alguém ou algo: compl. com **esé (r, s)**]: *Oporandu benhẽpe Îandé Îara i xupé...?* – Perguntou novamente a eles Nosso Senhor? (Ar., *Cat.*, 54v); *Nde ranhẽ eporandub.* – Pergunta tu, primeiro. (Léry, *Histoire*, 361); *Aporandub Pero supé tuba resé.* – Perguntei a Pero por seu pai. (*VLB*, II, 84); *Ixé sesé gûiporandupa, xe roka suí aîu.* – Eu, dele perguntando, vim da minha casa. (Anch., *Poemas*, 194) ● **porandupaba (m)** – tempo, lugar, modo etc. de perguntar; pergunta (*VLB*, II, 73)

porandub[2] (ou **porandu**) (etim. – *ouvir gente*) (v. intr. compl. posp.) – ouvir dizer, saber por fama [sobre algo ou alguém: compl. com **esé (r, s)**]: *Aporandub (abá) resé.* – Ouço dizer do homem. (*VLB*, II, 61, adapt.)

poranduba (m) (s.) – novidade, notícia, história, **PORANDUBA**: *Marã-pipó moranduba?* – Quais as novidades, por acaso? (Anch., *Teatro*, 22)

NOTA – Daí, o título da obra de João Barbosa Rodrigues (século XIX), **PORANDUBA** AMAZONENSE.
Em Cavalcanti Proença lemos "... parou no remanso para escutar minha **PORANDUBA**." (in *Manuscrito Holandês*, apud *Novo Dicion. Aurélio*.

poranga (m) (s.) – 1) beleza, formosura, coisa bela: *Onhemomotá xe 'anga nde 'anga poranga ri.* – Atraiu-se minha alma pela beleza de tua alma. (Anch., *Poemas*, 140); **2)** sorte, dita; (adj.: **porang**) - **1)** belo, bonito; gracioso: *I porangype pe retama?* - É bonita vossa terra? (Léry, *Histoire*, 363); *I porãngatu nde rera.* - É muito belo teu nome. (Anch., *Poemas*, 104); *Xe rekó i porangeté.* - Minha lei é muito bela. (Anch., *Teatro*, 6); **2)** ditoso, que funciona bem, que dá sorte, que tem sorte; **(xe)** ter sorte: *Xe pindá-porang.* - Eu tenho um anzol que dá sorte (isto é, *um anzol que pesca muito, ditoso*). *Xe pysá-porang.* - Eu tenho uma rede que dá sorte (*isto é, uma rede que apanha muitos peixes*). *Xe mba'e-porang.* - Eu tenho sorte com animais (isto é, *eu caço ou pesco muito*). (*VLB*, I, 104); (adv.) - bem, belamente: *Emonã serekopyra rakó abá obasẽ-porang...* - Assim tratada, uma pessoa certamente chega bem. (Ar., *Cat.*, 85v); ... *Sory-porang...* - Estão bem felizes. (Ar., *Cat.*, 123, 1686)

> NOTA - Daí, no P.B., **MORANGA** ("coisa bela"), certa variedade de abóbora; **MUTUM-PORANGA** ("mutum bonito"), ave cracídea. Daí, também, os nomes geográficos **ITAPORANGA**, **NUPORANGA** etc. (v. Rel. Top. e Antrop. no final).

porangu (m) (s.) - mentira, falácia, ilusão, fantasia; (adj.) - mentiroso, falaz, ilusório, fantasioso: ... *Nhe'ẽ-porangu... ereîapi ko'arapukuî.* - Atiras nele, o dia todo, as palavras mentirosas. (Anch., *Doutr. Cristã*, II, 112); *Na xe poranguî gûitekóbo.* - Eu não estou sendo fantasioso. (*VLB*, I, 131)

porapitîaba (m) (etim. - *instrumento de assassinar gente*) (s.) - arma ofensiva (*VLB*, I, 41)

porapitîara (m) (s.) - matador (*VLB*, II, 12); trucidador, assassino: *anhangaíba, morapitîara...* - diabo mau, assassino (Anch., *Poemas*, 90); *Ahẽ morapitîarûera tatenhẽ anhẽ ybŷá oîuká.* - Mataram erradamente a fulano em lugar do assassino. (*VLB*, II, 12); (v. tb. **apiti**)

porará (v. tr.) - **1)** sofrer, padecer, suportar, defrontar-se com: ... *Te'õ ereîporá.* - Sofreste a morte. (Anch., *Teatro*, 120); *T'oré pyatã, angá, mba'easy porarábo.* - Que sejamos corajosos, sim, suportando as coisas dolorosas. (Anch., *Teatro*, 120); *Putunusu porarábo, oroîkotebẽngatu.* - Suportando a grande noite, estamos muito aflitos. (Anch., *Poemas*, 142); **2)** levar, passar (fal. de vida, situação etc.); gozar (o que dá grande gosto) (*VLB*, II, 62): *Tekó-katu aîporará.* - Levo uma vida boa. (*VLB*, II, 145) ● **emiporará (t)** - o que alguém sofre: *Mba'epe sasyeté a'epe tekoara supé opakatu semiporará sosé?* - Que pesa mais ao que está ali do que tudo o que sofre? (Ar., *Cat.*, 63, 1686); **porarasara** - o que sofre, o que padece, o que suporta, o que se defronta com, o sofredor: ... *Tekokatu resé mba'e porarasara...* - Os que sofrem algo pela justiça. (Ar., *Cat.*, 19); *Tegûama porarasara...* - o que se defronta com a morte (Ar., *Cat.*, 219, 1686); **porarasaba** - tempo, lugar, modo, causa etc. de sofrer, de suportar etc.; sofrimento, paixão: *Ereîerobîarype... i porarasagûera resé bé...?* - Tens esperança na sua paixão também? (Bettendorff, *Compêndio*, 123); **i porarapyra** - o que é (ou deve ser) sofrido, o que se sofre etc.: *Penhemoma'enduá Anhanga ratápe i porarapyra resé.* - Lembrai-vos do que se sofre no inferno. (Ar., *Cat.*, 156v)

poraseî (v. intr.) - dançar, bailar: *Aîmomba'eté nde roka, i pupé gûiporaseîa.* - Honro tua casa, dentro dela dançando. (Anch., *Poemas*, 170); *Oporaseî pysaré...* - Dançaram a noite toda. (Anch., *Teatro*, 14)

poraseîa (m) (s.) - dança ritual, **PORACÉ**, dança exclusivamente masculina: *Moraseîa é i katu...* - A dança é que é boa. (Anch., *Teatro*, 6); *Moraseîa rerobîara i py'a îaîporaká...* - A crença na dança enche os corações deles. (Anch., *Teatro*, 30); *T'oroîtyk oré poxy, paîé rerobîare'yma, moraseîa, mbyryryma...* - Que lancemos fora nossa maldade, não acreditando nos pajés, em danças e rodopios. (Anch., *Teatro*, 118); *Ererobîápe... maraká poraseîa?* - Acreditas na dança do maracá? (Ar., *Cat.*, 98v) ● **poraseî-tapuîa** - dança tapuia, tipo de dança realizada pelos tupinambás do Maranhão no séc. XVII, caracterizada por muitos deslocamentos, movimentos da cabeça e das mãos, por batidas dos pés na terra ao som da voz e do maracá. (D'Evreux, *Viagem*, 173)

> NOTA - Olavo Bilac, em seu poema *Música Brasileira*, escreveu:
> "*Mas, sobre essa volúpia, erra a tristeza / Dos desertos, das matas e do oceano: / Bárbara **PORACÉ**, banzo africano, / E soluços de trova portuguesa.*" (in *Poesia e Prosa Completas*, , Rio de Janeiro, Nova Aguilar, 1998).
> Daí provém o nome do município de BORACEIA (SP) (v. Rel. Top. e Antrop. no final).

poraseîtara

PORACÉ (dança ritual) (fonte: De Bry)

poraseîtara (m) (s.) – dançador, dançarino (*VLB*, I, 89)

poraûsuba – o mesmo que **poreaûsuba** (v.) (Anch., *Poemas*, 130)

poraûsubara (ou **poroaûsubara**) (m) (s.) – **1)** compadecedor, clemente, misericordioso, compassivo: *Eîori xe poraûsubara...* – Vem, compadecedor de mim. (Valente, *Cantigas*, VIII, in Ar., *Cat.*, 1618); **2)** compaixão, misericórdia (*VLB*, II, 38); piedade (*VLB*, II, 76): *Salve Rainha, moraûsubara sy...* – Salve Rainha, mãe de misericórdia. (Ar., *Cat.*, 14); *moroaûsubara 'yba...* – princípio da compaixão (Valente, *Cantigas*, VIII, in Ar., *Cat.*, 1618); [adj.: **poraûsubar** (m)]: *Nde resá-poraûsubara erobak ixé koty.* – Teus olhos misericordiosos volta em minha direção. (Anch., *Poemas*, 146); *I poraûsubá-katu Tupã sy...* – É muito misericordiosa a mãe de Deus. (Anch., *Poemas*, 182); *pitangĩ-moraûsubara* – neném compadecedor (Anch., *Poemas*, 160)

poraûsubarerekosara (m) (etim. – *o que tem compaixão, piedade*) (s.) – piedoso (Ar., *Cat.*, 14v)

poraûsubare'yma (ou **poroaûsubare'yma**) (m) (etim. – *falta de compaixão*) (s.) – crueldade (*VLB*, I, 86)

poreaûsuba (ou **poraûsuba**) (m) (s.) – **1)** miséria, infortúnio (*VLB*, II, 38); sofrimento, infelicidade, aflição: *tekó poreaûsuba* – misérias da vida (*VLB*, II, 38); **2)** aflito: *... moreaûsuba rerekoara* – protetora dos aflitos (Valente, *Cantigas*, IV, in Ar., *Cat.*, 1618); (adj.: **poreaûsub**) – miserável, aflito, infeliz, coitado: *Xe poreaûsukatu gûitekóbo.* – Estou sendo muito miserável. (*VLB*, II, 38); *Pe poreaûsu korine.* – Estareis aflitos hoje. (Anch., *Teatro*, 42); *Abá-poreaûsubĩ.* – Homem coitadinho. (*VLB*, I, 76);

I poreaûsubĩ mã! (ou *I poreaûsubetéʼĩ mã!* ou *I poreaûsubĩ ra'u mã!*) – Ah, coitadinho dele! *Xe poreaûsubĩ mã!* (ou *Xe poreaûsubetéʼĩ ra'u mã!*) – Ah, coitadinho de mim! (A mulher diz também **amaeîu** – v.) (*VLB*, I, 76; II, 53; Ar., *Cat.*, 155v)

poreaûsuberekó (etim. – *ter compaixão*) (v. tr.) – compadecer-se de: *... T'oîporeaûsuberekó îudeus...* – Que se compadeçam dele os judeus. (Ar., *Cat.*, 59v) • **poreaûsuberekosara** (m) – compadecedor, o que se compadece de: *Nd'oîkóîpe abá amõ... i poreaûsuberekosaramo?* – Não havia nenhuma pessoa que se compadecesse dele? (Ar., *Cat.*, 61v)

poreaûsubĩ (m) (s.) – miserável, coitado: *Moreaûsubĩ ra'u mã!* (ou *Moreaûsubĩ mã!*) – Miserável! Coitado! (como diz o que se compadece); *I poreaûsubĩ ra'u mã!* (ou *I poreaûsubĩ mã!*) – Coitado dele! (*VLB*, II, 38); (adj.): *abá-poreaûsubĩ* – homem miserável (*VLB*, II, 38)

poreaûsubok (ou **poraûsubok**) (etim. – *arrancar a aflição; tirar a miséria*) (v. tr.) – compadecer-se de: *Eporeaûsubok xe 'anga* – Compadece-te de minha alma. (Valente, *Cantigas*, in Ar., *Cat.*, 1618) • **poreaûsubokara** – o que se compadece: *îandé poreaûsubokara* – os que se compadecem de nós (Léry, *Histoire*, 356)

porekobîara (m) (s.) – o filho que há de ficar por chefe por morte do pai; o substituto, o sucessor (*VLB*, II, 122)

porenonhandara (m) (etim. – *o que faz correr consigo as pessoas*) (s.) – **1)** corredor na guerra que vai por negaça e põe os inimigos em cilada (*VLB*, I, 82); **2)** negaça, isca (na guerra) (*VLB*, II, 48)

porenonhena (m) (etim. – *castigar gente*) (s.) – repreensão, admoestação (*VLB*, I, 68)

porenonhendaba (m) (etim. – *castigo de gente*) (s.) – repreensão, admoestação (*VLB*, I, 68)

porenotara (m) (s.) – o que vai adiante preparar as coisas para os que chegarão mais tarde, o preparador: *Asó morenotaramo.* – Vou como preparador. (*VLB*, I, 39)

porenotarûera (m) (s.) – o maior ou o mais velho filho ou filha (*VLB*, II, 28)

porepenhana (m) (etim. – *atacar gente*) (s.) – briga (*VLB*, I, 59)

porepenhang (etim. – *atacar gente*) (v. intr. compl. posp.) – brigar [com alguém: compl. com **esé** (**r**, **s**)]: *Aporepenhang (abá) resé.* – Briguei com o homem. (*VLB*, I, 59, adapt.)

porepîakaba (m) (etim. – *lugar de ver gente*) (s.) – miradouro, mirante (*VLB*, I, 46; II, 38)

porepîaka'uba (m) (etim. – *ver gente na imaginação*) (s.) – saudades (*VLB*, II, 113)

porepy[1] (m) (s.) – refém (*VLB*, I, 42): *morepy me'engara* – o que entrega os reféns, o redentor (*VLB*, II, 99)

porepy[2] (m) (s.) – tributo (*VLB*, II, 65)

porepŷan[1] – **1)** (v. intr.) – fazer resgate (contratar o que estava escravizado após pagar pela sua libertação): *Asó gûiporepŷana.* – Vou para fazer resgates. (*VLB*, II, 102); **2)** (v. tr.) – resgatar: *Aporepŷan apŷaba.* – Resgatei os índios. (*VLB*, II, 102); *Asó apŷaba porepŷana.* – Vou para resgatar os índios. (*VLB*, I, 81)

porepŷan[2] (v. intr.) – **1)** mercadejar, fazer comércio (*VLB*, II, 36); **2)** comutar (Marcgrave, *Hist. Nat. Bras.*, 277)

porepŷana (m) (s.) – contrato com alguém que estava cativo, após seu resgate (*VLB*, I, 81)

porero'ar (etim. – *derrubar gente*) (v. intr.) – saltear (no mar), piratear, ser salteador: *Aporero'ar.* – Salteio. (*VLB*, II, 112) • **porero'asara** (m) – salteador (pelo mar) (*VLB*, II, 112)

porero'ara (m) (etim. – *o que derruba gente*) (s.) – agressor: *Memeté a'e morero'arupîara.* – E, principalmente, eles são adversários de agressores. (Léry, *Histoire*, 357)

porerobîare'yma[1] (m) (etim. – *não acreditar em gente*) (s.) – soberba, altivez, denodo (em coisas de guerra ou briga), orgulho: *Morerobîare'yma robaîxûara nhemoetee'yma.* – O contrário da soberba é a humildade. (Bettendorff, *Compêndio*, 15); (adj.: **porerobîare'ym** ou **morerobîare'ym**) – soberbo, altivo (*VLB*, II, 118), orgulhoso: *Abá-porerobîare'yma ixé.* – Eu sou um homem soberbo. (*VLB*, II, 118)

porerobîare'yma[2] (m) (etim. – *não acreditar em gente*) (s.) – **1)** pertinácia (*VLB*, II, 74); contumácia, obstinação; **2)** reincidência (no desprezo das leis da Igreja) (*VLB*, II, 81)

porerokara (m) – o mesmo que **porerokarûera** (v.)

porerokarûera (m) (etim. – *o que retirou o nome de pessoas*) (s.) – padrinho, madrinha (de batismo ou crisma) (*VLB*, II, 27): *Abaré koîpó amõ abá pyri morerokarûera nd'e'ikatuî omendá gûemierokûera resé...* – Os padrinhos junto ao padre ou a outra pessoa não podem casar-se com o que batizaram. (Ar., *Cat.*, 129)

porero'yasapara (m) (etim. – *o que faz as pessoas atravessarem um rio consigo*) (s.) – barqueiro (*VLB*, I, 52)

pore'ymbara (m) (etim. – *o que dá de beber à gente*) (s.) – copeiro, o que serve vinho; a que serve cauim; a que tem a função de dar de beber (*VLB*, I, 81)

poro- (m) (pref. que indica objeto em sentido indeterminado, podendo traduzir-se por *gente, pessoas*): *Xe îara Îesu sosang poresé.* – Meu senhor Jesus sofre pela gente. (Anch., *Poemas*, 122); *Mboîa oporosu'u.* – A cobra morde a gente. (Fig., *Arte*, 6); *Aporomondó.* – Mando gente. (Fig., *Arte*, 86); *Aporoîuká.* – Mato gente. (Fig., *Arte*, 86); *Marã eré-p'amẽ eporombo'ebo?* – Que dizes, de costume, ensinando as pessoas? (Ar., *Cat.*, 55v)

NOTA – Daí, o nome do famoso quadro de Tarsila do Amaral, **ABAPORU** (*abá + por-u*, "índio comedor de gente", "antropófago"), de 1928, um dos símbolos da primeira fase do Modernismo brasileiro. Daí, também, no P.B., **MORUBIXABA** (*moro-ubixaba*, "o chefe das pessoas"), cacique, chefe de povo indígena.

ABAPORU (quadro de Tarsila do Amaral)

poro'aîubykatyba (m) (etim. – *o que enforca gente de costume*) (s.) – algoz, enforcador (*VLB*, I, 31)

poroamotare'yma (m) (etim. – *não querer bem as pessoas*) (s.) – cólera; (adj.: **poroamotare'ym**)

poroapindara

- colérico, encolerizado: *Xe poroamotare'ym.* - Eu estou encolerizado. (D'Evreux, *Viagem*, 147)

poroapindara (m) (etim. - *o que tosquia as pessoas*) (s.) - barbeiro; tosquiador (*VLB*, I, 52)

poro'asypara (m) (etim. - *o que limpa o cabelo das pessoas*) (s.) - barbeiro; tosquiador (*VLB*, I, 52)

poroaûsubara - v. poraûsubara

porogûykutukaba (m) (etim. - *instrumento de sangrar as pessoas*) (s.) - lanceta (*VLB*, II, 18)

porogûymombukaba (m) (etim. - *instrumento de sangrar as pessoas*) (s.) - lanceta (*VLB*, II, 18)

poroîukaíba¹ (m) (etim. - *matar gente não completamente*) (s.) - **1)** braveza, fereza (*VLB*, I, 59); **2)** pessoa exaltada, feroz, arrebatada, brava (*VLB*, I, 45)

poroîukaíba² (m) (etim. - *o matar gente não completamente*) (s.) - soberba; (adj.: **poroîukaíb**) - soberbo: *abá-poroîukaíba* - homem soberbo (*VLB*, II, 118)

porok (etim. - *arrancar o conteúdo*) (v. tr.) - despejar, arrancar o conteúdo de (p.ex., vaso, caixa etc.); esvaziar, tirar tudo de (p.ex., vasilha, arca, casa etc.); descarregar (p.ex., o navio): *Ereîosubype abá îeke'a i poroka?* - Visitaste o covo de alguém, esvaziando-o? (Anch., *Doutr. Cristã*, II, 99)

NOTA - Daí, no P.B. (ES), **CABOROCA** (*ka'a + poroka*, "arrancar o conteúdo da mata"), corte da vegetação do sub-bosque, isto é, da vegetação herbácea ou lenhosa que cresce sob as árvores, para o plantio de cacaueiros.

porokutukaba (m) (etim. - *instrumento de furar gente*) (s.) - **1)** lanceta (*VLB*, II, 18); **2)** punhal, adaga (*VLB*, II, 89)

porombo'esara (m) (etim. - *o que faz as pessoas dizerem*) (s.) - mestre; professor (*VLB*, II, 36); (adj.) (**xe**) - ter mestre: *Xe porombo'esar.* - Eu tenho mestre. (Anch., *Arte*, 48)

poromborybe'yma (m) (etim. - *o que não se compraz com as pessoas*) (s.) - intolerante, pessoa seca, que não suporta as pessoas; (adj.: **poromborybe'ym**): *abá-poromborybe'yma* - homem intolerante (*VLB*, II, 114)

poromoaîu (m) (etim. - *molestar gente*) (s.) - importunação, incômodo (*VLB*, II, 10)

poromoîarusûera (m) (etim. - *o que zomba de gente, de costume*) (s.) - gozador, brincalhão, zombeteiro (*VLB*, I, 59)

poromoîasukaba (m) (etim. - *lugar de lavar gente*) (s.) - pia batismal, pia de batismo (*VLB*, II, 76): *Moromoîasukaba pupé onhemongaraípa...* - Santificando-se na pia batismal. (Anch., *Doutr. Cristã*, I, 133)

poromombab (etim. - *fazer acabar a gente*) (v. intr.) - fazer matança (apenas de pessoas) (*VLB*, II, 33)

poromongaraipaba (m) (etim. - *lugar de batizar as pessoas*) (s.) - pia batismal, pia de batizar (*VLB*, II, 76)

poromonhang (etim. - *fazer gente*) (v. intr.) - gerar, gerar filhos (também se pode dizer de animais) (Anch., *Arte*, 49v); - *Mba'erama resépe abá mendari?* - *O poromonhanga potá.* - Por que alguém se casa? - Querendo gerar filhos. (Ar., *Cat.*, 95) ● **oporomonhangyba'e** - o que gera: ... *Oito anhõ o nhe'enga rupi tekoara oporomonhangyba'erama raûsubá...* - Compadecendo-se somente de oito que viviam segundo suas palavras e que gerariam filhos. (Ar., *Cat.*, 106v)

poromonhangaba (m) (etim. - *consequência do fazer gente*) (s.) - filho, filha, filhos (com relação ao pai e à mãe): *T'oroîopytybône oré poromonhangagûera mongakuapa...* - Havemos de nos ajudar um ao outro para criarmos nossos filhos. (Ar., *Cat.*, 95)

poromonhemombegûaba (m) (etim. - *lugar de confessar gente*) (s.) - confessionário (*VLB*, I, 79)

poromotare'yma (m) (etim. - *não querer bem à gente*) (s.) - ódio (*VLB*, II, 54)

poropokuab (etim. - *conhecer a mão das pessoas*) (v. intr.) - ser manso (*VLB*, II, 31)

poropotara (m) (etim. - *desejar gente*) (s.) - lascívia, luxúria, desejo sensual, concupiscência: *Ereîtykype kunumĩ amõ... nde 'arybo moropotara suí?* - Lançaste algum menino sobre ti por desejo sensual? (Anch., *Doutr. Cristã*, II, 95); (adj.: **poropotar**) - lascivo, lúbrico, desejoso de sexo, concupiscente, luxurioso: *Nde resá-poropotápe amõ resé ema'ẽmo?* - Tu tens olhos concupiscentes, olhando para alguém? (Ar., *Cat.*, 104v); *abá-poropotara* - homem lu-

xurioso (*VLB*, II, 25) ● **i poropotaryba'e** – o que é luxurioso: *sesá-poropotaryba'e...* – o que tem olhos que são luxuriosos (Ar., *Cat.*, 71v); **poropotarixûera (m)** – o que tem tendência à luxúria, luxurioso (*VLB*, II, 25)

poropoûsuba (m) (s.) – medo, receio; (adj.: **poropoûsub**) – medroso, receoso: *Na xe poropoûsubi.* – Eu não sou medroso. (*VLB*, I, 47)

poropûaîxûera (m) (s.) – o que manda; mandão, mandador, o que gosta de mandar; (adj.: **poropûaîxûer**): *Xe poropûaîxûer.* – Eu sou mandão. (*VLB*, II, 30)

poropytasokara (m) (etim. – *o escorador das pessoas*) (s.) – retaguarda na guerra (*VLB*, II, 104) (v. **pytasok**)

pororok (v. intr.) – explodir (v. **pororoka**)

pororoka (s.) – POROROCA, **1)** explosão, rebentamento; **2)** fenômeno de encontro das águas dos grandes rios com a água do mar durante as marés de sizígia, produzindo ondas muito grandes que provocam destruição ao se deslocarem. Acontece particularmente na foz do rio Amazonas. (Figueira, *Missão do Maranhão*, in Leite, *Luiz Figueira* (1940), 189-190; Heriarte, *Descr. Maranhão, Pará*, in Varnhagen, *Hist.*, (III, 176)

> NOTA – *"A corrente [...] he taõ arrebatada, que encontrando-se vinte leguas da sua boca, Nordeste, Sudueste, com a enchente do mar, a suspende de forte, que por largo tempo lhe disputa o triunfo; resultando deste fatal combate, por causa da repreza da maré, ou fluxo e refluxo das mesmas aguas, humas ondas taõ fortes, e encapelladas, (a que os naturaes chamaõ POROROCA) que depois de vencidas [...] quasi nove horas, enche em menos de hum quarto, ficando a maré caminhando ainda para cima tres horas completas com taõ rapido curso, que parece que voa."* (Bernardo Pereira de Berredo [1718], 12-13).
> **POROROCA** (PA) pode ser, também, sinônimo de **PIPOCA** (v. **pok**).
> Daí, também, **ITAPOROROCA** (nome de município da PB) (v. Rel. Top. e Antrop. no final).

poroŷrõ (v. intr.) – **1)** encruar-se (p.ex., pela ingratidão de alguém), encruecer-se; **2)** ficar cru (p.ex., o que se assa ou se coze) (*VLB*, I, 115)

poru¹ (ou **puru**) (v. tr.) – **1)** usar, empregar (Anch., *Arte*, 2v; Fig., *Arte*, 111): *Mosangape ereîpuru...?* – Usaste feitiço? (Anch., *Teatro*, 12); **2)** praticar, exercitar: *Eîporu nde nhembo'eagûera.* – Pratica o que tu aprendeste. (*VLB*, I, 131); *Eîori sa'anga... t'oîpuru tekó-poxy.* – Vai para prová-los, para que pratiquem maus atos. (Anch., *Teatro*, 16); *Anhandu beémo erimba'e angûama mã, pe 'erama purûabo!* – Ah, se eu tivesse percebido outrora isso, praticando o que dizíeis! (Ar., *Cat.*, 165v); **3)** tomar emprestado: *Aîporu aoba karaíba suí.* – Tomei emprestada a roupa do homem branco. *Aîporu abá ygara.* – Tomei emprestada a canoa do índio. (*VLB*, I, 113); **4)** aproveitar, usufruir, gozar de (*VLB*, II, 24) ● **oîporuba'e** – o que usa, o que pratica etc.: *Tamyîa rekopûera oîporubyteryba'e...* – O que pratica ainda os velhos hábitos dos avós. (Ar., *Cat.*, 66v); **emiporu (t)** – o que alguém usa, pratica etc.: *Eresepyme'engype nde remiporupûera?* – Pagaste aquilo que tu usaste? (Ar., *Cat.*, 107v)

poru² (v. tr.) – revezar-se com [em algo: compl. com **esé (r, s)**]: – *Setápe i nupã-nupãsara?* – *Setá, sesé oîporu-porûabo...* – Eram muitos os que estavam a castigá-lo? – Eram muitos, ficando a revezar-se uns com os outros nisso. (Ar., *Cat.*, 60); *Oroîoporu.* – Revezamo-nos uns com os outros. (*VLB*, II, 104)

poru³ (s.) – uso, emprego (Anch., *Arte*, 2v)

poru⁴ (v. intr.) – comer gente, comer carne humana, ser antropófago: *Ereporupe?* – Comeste gente? (Ar., *Cat.*, 102v); *Eroporueté raka'e oré anama ri.* – Comias muito carne humana em nossa nação (isto é, *a carne de nossa gente*). (D'Abbeville, *Histoire*, 350)

poru⁵ (s.) – antropofagia, ato de comer gente; (adj.) – antropófago, comedor de gente: *Xe îagûareteporu!* – Eu sou um jaguaretê comedor de gente! (Anch., *Teatro*, 66)

> NOTA – Daí provém o nome do famoso quadro da pintora Tarsila do Amaral, **ABAPORU** (v. **poro-**).

porupi (posp.) – ao longo de (falando-se, p.ex., de dois que dormem em redes diferentes); paralelo a (mas sem estar colado), ao lado de: *I porupy aîub.* – Paralelo a ele eu estava deitado. (*VLB*, I, 106); *Eké xe porupi.* – Dorme ao lado de mim. (Anch., *Arte*, 43v); *Eîotî nde kesaba xe porupi.* – Amarra tua rede de dormir ao longo de mim. (Anch., *Arte*, 44); *Xe porupi xe ra'yra keri.* – Paralelo a mim meu filho dorme. (Fig., *Arte*, 123)

poruukar

poruukar (etim. - *mandar usar*) (v. tr.) - emprestar: *Aîporuukar (abá) supé.* - Emprestei-a ao homem. (*VLB*, I, 113, adapt.)

porypab (xe) (etim. - *esgotar o conteúdo*) (v. da 2ª classe) - absorver (como o vaso novo ao líquido) (*VLB*, I, 111)

posaká (m) (s.) - valentia; (adj.) - valente, respeitado na aldeia por ser forte guerreiro, MOÇACARA: *Xe posaká, xe ratã.* - Eu sou moçacara, eu sou forte. (Anch., *Teatro*, 162)

posakara (m) (s.) - sobrecarga; (adj.: **posakar**) - sobrecarregado, com grande peso: *Xe posakar.* - Eu estava sobrecarregado. (*VLB*, I, 68)

posanga[1] (m) (s.) - remédio, PUÇANGA, mezinha; antídoto; poção, beberagem, feitiço; remédio preparado pelos pajés; purgante, unguento (*VLB*, II, 12): *mosãngatu* - remédio bom (*VLB*, II, 34); ... *Mosanga ra'ã-ra'anga...* - Ficando a experimentar poções. (Anch., *Teatro*, 36); ... *mosanga mûeîrabyîara.* - remédio portador de cura (Anch., *Teatro*, 38); *Nde îepi oré posanga.* - Tu és sempre nosso remédio. (Valente, *Cantigas*, VI, in Ar., *Cat.*, 1618); *mboîasy-posanga* - remédio contra dor de picada de cobra, antídoto contra veneno de cobra (*VLB*, II, 137); ... *ka'a mosanga ra'anga...* - experimentando poções de ervas (Anch., *Poesias*, 268)

posanga[2] (m) (s.) - 1) enfeite: *tobá posanga* - enfeites do rosto (*VLB*, I, 22); 2) cosméticos de rosto (*VLB*, II, 83)

> NOTA - Daí, no P.B., a palavra MIÇANGA, contas de vidro, multicolores e pequenas; enfeite feito com essas contas.

posanga[3] (m) (s.) - feitiço, prodígio: *Ererobîápe paîé-aíba mosangyîaramo sekó?* - Crês que o pajé ruim é o que tem o dom dos prodígios? (Ar., *Cat.*, 98v); *Mosangape ereîpuru ture'ymagûama ri?* - Usaste feitiço para que não viessem? (Anch., *Teatro*, 12)

posangaíba (m) (etim. - *poção ruim*) (s.) - feitiço (para afastar o mal). "São algumas coisas com que se untam, como o escravo, para que o senhor não o açoute, e a mulher, com medo do marido etc." (*VLB*, I, 137)

posangu'u (ou **mosangu'u**) (v. intr.) - tomar remédio, purgante, feitiço, veneno etc.: *Ereposangu'upe nde puru'apotare'ymamo?* - Tomaste remédio, não querendo ficar grávida? (Ar., *Cat.*, 102); *Eremosangu'upe nde membyra akyrara potá?* - Tomaste veneno, querendo abortar teu filho? (Anch., *Doutr. Cristã*, II, 88)

posangygûaba (m) (s.) - 1) veneno: - *Ereîme'engype... mosangygûaba kunhãmuru'abora supé...?* - Deste veneno para uma mulher grávida? (Ar., *Cat.*, 102); 2) remédio, poção: *Sarûab amõme asé posangygûaba...* - Não faz efeito, às vezes, nosso remédio. (Anch., *Doutr. Cristã*, II, 78)

posangyîara (m) (etim. - *o que domina os feitiços*) (s.) - 1) feiticeiro, PUÇANGUARA, aquele a quem pertencem as poções, o que leva as poções (Léry, *Histoire*, 351); 2) mulher feiticeira ou que é possuída por um mau espírito (Léry, *Histoire*, 351)

posanong[1] (etim. - *pôr remédio*) (v. tr.) - remediar, medicar, curar: *T'oú îandé posanonga...* - Que venha para nos curar. (Anch., *Poemas*, 166); *Oîposanongype Îandé Îara a'e i nambi-mondokypyra?* - Curou Nosso Senhor aquela sua orelha arrancada? (Ar., *Cat.*, 55) • **posanongara** (m) - o que cura, o que dá remédios: *Sorybeté rakó abá tegûama porarasara moroposanongara... supé ogûasema.* - Fica muito feliz, de fato, o homem que se defronta com a morte, encontrando o que cura. (Ar., *Cat.*, 219, 1686); **posanongaba** (m) - tempo, lugar, modo, instrumento etc. de remediar, de curar, cura, remédio: *Marãpe amoaé îandé 'anga posanongaba?* - Qual é o outro meio de curar nossa alma? (Anch., *Doutr. Cristã*, I, 207)

posanong[2] (v. tr.) - pôr enfeites em: *Asobá-posanong.* - Pus-lhe enfeites no rosto. (*VLB*, I, 22)

posaûsub (v. intr. compl. posp.) - sonhar [com algo ou com alguém: compl. com **esé (r, s)**]: *Kunhã resé nde posaûsub'iré ereîmborype sesé nde posaûsubagûera?* - Depois que tu sonhaste com uma mulher deleitaste-te no teu sonho com ela? (Ar., *Cat.*, 104) • **posaûsubaba** (m) - tempo, lugar, modo etc. de sonhar; sonho: ... *Ereîmborype sesé nde posaûsubagûera?* - Deleitaste-te no teu sonho com ela? (Ar., *Cat.*, 104)

posaûsuba (m) (s.) - sonho: ... *Mosaûsuba rerobîasara...* - Os que acreditam em sonhos. (Ar., *Cat.*, 66v); ... *Kó mosaûsuba xe remimotaramo sekó kuapaba...* - Este sonho é o modo de se reconhecer que ela é o que eu quero. (Ar., *Cat.*, 7); *Xe posaûsupe asepîak.* – Vi-o em meus sonhos. (*VLB*, II, 121)

posé (m) (posp.) – ao longo de, ao lado de, para o lado de, com (pessoa) (Fig., *Arte*, 121): *Our temõ kunhã xe posé mã!* – Ah, quem me dera uma mulher viesse para o meu lado! (Ar., *Cat.*, 104); *Eîori xe posé.* – Vem para o meu lado! (Anch., *Doutr. Cristã*, I, 227); *O sy posé pitanga ruî.* – Ao lado de sua mãe a criança está deitada. (Anch., *Arte*, 44); *Xe posé i keri.* – Dormiu comigo. (*VLB*, I, 106); *... mosé esó-potá...* – querendo ir tu para o lado de gente (Anch., *Doutr. Cristã*, II, 91)

posem (v. intr. compl. posp.) – gritar, bradar [de indignação, de raiva, para o ataque etc. Não se refere ao grito de dor ou de pedido de socorro, que é **asema (t)** – v.]; urrar [a alguém, com alguém, a algo: compl. com **esé (r, s)**]: *Aposem (abá) resé.* – Grito ao homem. (*VLB*, I, 39, adapt.); *Oposẽ-posé pabenhẽ sesé...* – Ficaram todos gritando com ele... (Ar., *Cat.*, 60v) • **oposemba'e** – o que grita, o que brada: *Quatro tekoangaîpaba ybaka resé oposẽ-posemba'e.* – Quatro são os pecados que ficam bradando ao céu. (Bettendorff, *Compêndio*, 17)

posema (s.) – grito de guerra dos índios, **POCEMA** (Vieira, *Cartas*, I, 562)

NOTA – No P.B., **POCEMA** pode ser, também, algazarra, brado, vozearia, grito: *"Soam festivos gritos, e as POCEMAS / Dos guerreiros, que sôfregos escutam / Do piaga os ditos, e o feliz augúrio / Da próxima vitória."* (Gonçalves Dias, *Os Timbiras*. In *Poesia e Prosa Completas*. Rio de Janeiro, Nova Aguilar, 1998).

posub (v. intr.) – fazer visitas (Fig., *Arte*, 86) • **posubixûera** (m) – o que visita a todos, visitador: *Xe posubixûer.* – Eu sou visitador. (*VLB*, I, 35; II, 146)

posuban (v. intr.) – fazer sucção (de doentes, isto é, chupar a parte doente de seus corpos para curá-los, como faziam os pajés): *Erenhemopaîépe... eposubana?* – Tornaste-te pajé, fazendo sucções? (Ar., *Cat.*, 98v)

posyîa (m) (s.) – peso, carga: *Nd'e'i te'e sero'a-ro'a... i posyîa suí.* – Por isso mesmo ficava caindo com ela por causa do seu peso. (Ar., *Cat.*, 61v); (adj.: **posyî**) – pesado, grave: *Xe rekoposyîkatu.* – Eu tenho atos muito graves (isto é, *muito sérios*); *Xe nhe'ẽposyî.* – Eu tenho palavras pesadas (isto é, *sérias, com pesadas reflexões*). (*VLB*, I, 74); *Na xe rekoposyî.* – Eu não sou grave nos meus atos. (*VLB*, II, 21)

posykyîê[1] (v. intr. compl. posp.) – tratar com cuidado, cuidar, ter afabilidade, ser afável [compl. com **esé (r, s)**]: *E'ikatupe abá o emirekó resé oposykyîee'yma?* – Pode o homem não cuidar de sua esposa? (Ar., *Cat.*, 166, 1686)

posykyîê[2] (s.) – 1) cuidado; 2) afabilidade; (adj.) – 1) cuidadoso: *Na xe îuruposykyîêî.* – Eu não tenho boca cuidadosa (isto é, *sou destemido em falar*). (*VLB*, I, 86); 2) afável: *Na xe posykyîêî.* – Eu não sou afável. (*VLB*, I, 86)

posykyîê[3] (v. tr.) – temer, recear: *Tupã rerobîara mombe'u posykyîee'yma resé, angaîpaba São Mateus... îukáû.* – Por não recear proclamar a fé em Deus, os pecadores mataram São Mateus. (Ar., *Cat.*, 7v)

posykyîe'yma (etim. – *falta de afabilidade*) (s.) – severidade, rigor (*VLB*, II, 105); (adj.: **posykyîe'ym**) – severo, rigoroso: *abaposykyîe'yma* – homem severo (*VLB*, II, 117)

potaba[1] (m) (etim. – *objeto do querer*) (s.) – 1) porção, parte, **POTABA**, quinhão, o que cabe a: *I py'apûera xe potabamo t'oîkó.* – Seus fígados hão de ser minha porção. (Anch., *Teatro*, 64); *Xe potaba nde!* – Meu quinhão és tu! (Anch., *Teatro*, 76); *Xe potaba kaûî rá.* – O que me cabe é tomar cauim. (Anch., *Teatro*, 25, 2006); 2) herança: *xe potaba* – minha herança (*VLB*, I, 121); 3) ração (*VLB*, II, 95) • **Tupã potaba** – quinhão de Deus, dízimo (*VLB*, I, 104): *O emitymbûerypy pupé Tupã potá-me'engano.* – Dar também o dízimo naquilo que plantou primeiro. (Ar., *Cat.*, 17)

NOTA – No P.B., **POTABA** é 1) *dádiva, presente*; 2) *legado*; 3) *gorjeta* (in *Dicion. Caldas Aulete*).

potaba[2] (m) (s.) – engodo, isca (*VLB*, I, 71)

NOTA – No P.B. (NE), **POTABA** (ou **POTAVA**) é isca própria para apanhar pitu (in *Dicion. Caldas Aulete*).

potãîa[1] (m) (s.) – 1) fecho, aldrava: *okena potãîa* – aldrava da porta (*VLB*, I, 30); 2) botão (de roupa), colchete: *aoba potãîa* – botão da roupa (*VLB*, I, 58)

potãîa[2] (m) (s.) – pinguelo de armadilha, isto é, peça, vareta da armadilha que, sendo tocada

potãîgûara

pela caça, faz desmanchar o laço e a prende (*VLB*, II, 77)

> NOTA – Daí, no P.B., **BOTARA** (*mbotãî + ar + -a*, "prende pinguelo"), armadilha para caça graúda ou para animais bravios (in Novo Dicion. Aurélio) [**mopotãîar** é *armar trampa de (armadilha)* (*VLB*, I, 41].

potãîgûara (m) (etim. – *buraco de botão*) (s.) – ilhós, buraco da roupa para o fecho com botões ou colchetes (*VLB*, II, 10)

potãîmoín[1] (etim. – *pôr fecho*) (v. tr.) – trancar, aldravar (*VLB*, I, 30)

potãîmoín[2] (v. tr.) – armar a trampa (de armadilha) (*VLB*, I, 41)

potakatu (etim. – *desejar muito*) (v. tr.) – folgar com, folgar em: *Asendu-potakatu.* – Folgo muito em ouvi-lo. (*VLB*, I, 141)

potar (v. tr.) – **1)** querer, desejar: *Nde akanga îuká aîpotá korine.* – Tua cabeça quererei quebrar hoje. (Staden, *Viagem*, 156); *N'aîpotari nde só.* – Não quero tua ida. (Fig., *Arte*, 157); *Aîuká-potar.* – Quero matá-lo. (Fig., *Arte*, 157); *N´asó-potari mamõŷ.* – Não quero ir para longe. (Anch., *Poemas*, 100); *Ma'epe ereîpotar?* – Que queres? (Léry, *Histoire*, 347); **2)** desejar sensualmente: *Eporopotar umẽ ...* – Não desejes gente. (Ar., *Cat.*, 70v); *Kunhã potá nhote...* – Só desejando mulher. (Ar., *Cat.*, 71); **3)** ter propensão para, ser propenso a: *Xe resaraî-potar.* – Eu tenho propensão a esquecer, eu sou esquecidiço. (*VLB*, I, 127); *Xe mba'easy-potar* (ou *Xe mba'easy-potar îá*). – Eu sou enfermiço, doentio (isto é, *eu tenho propensão para doenças*). (*VLB*, I, 105) ● **oîpotaryba'e** – o que quer, o que deseja: ... *omendá-potaryba'e...* – os que querem casar-se (Ar., *Cat.*, 132); **potasara** – o que quer, o que deseja, o desejoso: ... *Tekokatu potasara* – a que deseja a virtude (Valente, *Cantigas*, V, in Ar., *Cat.*, 1618); **potasaba** (ou **potaraba**) – lugar, tempo, causa etc. de querer, de desejar (inclusive sensualmente); vontade; desejo: *O'ẽpe erimba'e nde membyra nde i potasápe?* – Poluiu-se outrora teu filho por tu o desejares? (Anch., *Doutr. Cristã*, II, 97); ... *I angaîpab-eté... kó pe rembiá potasaba.* – É muito má a vontade destas vossas presas. (Anch., *Teatro*, 156, 2006); ... **i potarypyra** – o que é (ou deve ser) desejado: *A'e anhõ opakatu i pota-rypyra sosé.* – Só isso está acima de tudo o que deve ser desejado. (Ar., *Cat.*, 47); *i îuká-potarypyra* – o que se deseja matar (*VLB*, I, 79); **emimotara (t)** – o que alguém quer ou deseja; vontade: *Îesu, xe remimotara.* – Jesus, o que eu desejo. (Valente, *Cantigas*, I, in Ar., *Cat.*, 1618)

potarĩ (etim. – *querer, sem mais*) (v. tr.) – preferir: *Oîpotarĩ-p'amẽ abá erimba'e... o îuká?* – Preferiam outrora as pessoas que as matassem? (Ar., *Cat.*, 83)

potasábo (adv.) – voluntariamente, por vontade (*VLB*, II, 147): ... *Perekó potasábo é, perekó i îukábo...* – Tende-o por vontade, tende-o para matá-lo. (Ar., *Cat.*, 61)

potegûama (etim. – *futura morte de gente*) (s.) – insalubridade; (adj.: **potegûam**) – insalubre (p.ex., um lugar, uma terra) (*VLB*, I, 105)

poti[1] / **epoti (t)** (v. intr. irreg.) – defecar: *Apoti.* – Defeco. (Anch., *Arte*, 58); *sepotireme* – quando ele defeca (Anch., *Arte*, 58) ● **potîara** – o que defeca; **potîaba** – tempo, lugar, modo etc. de defecar (Fig., *Arte*, 63)

poti[2] – v. **epoti (t)** ou **(e)poti (r, s)**

potĩ (s.) – camarão, POTI, nome comum a crustáceos decápodes, peneídeos, macruros, sejam de água doce, sejam de água salgada (Sousa, *Trat. Descr.*, 303; *VLB*, I, 64; Lisboa, *Hist. Anim. e Árv. do Maranhão*, fl. 169v)

> NOTA – Daí, no P.B., **POTIMIRIM** ("poti pequeno"), **POTIÚNA** ("poti escuro"), variedades de camarão. Daí, também, o nome do rio **POTENGI**, que banha Natal, capital do Rio Grande do Norte (v. Rel. Top. e Antrop. no final).

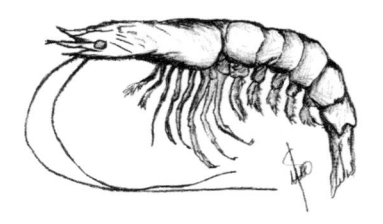

POTI (ilustração de C. Cardoso)

poti'a (m) (s.) – peito (Castilho, *Nomes*, 34): *Marãnamope asé o poti'ape i moíni?* – Por que a gente a põe em seu próprio peito? (Ar., *Cat.*, 21v); ... *Amõ amõ o poti'a resé opûá-pûá...* –

Alguns ficavam batendo no peito. (Ar., *Cat.*, 64) • **poti'a-aba** – pelos do peito (Castilho, *Nomes*, 34)

poti'atinga (etim. – *camarão da cabeça branca*) (s.) – espécie de camarão da família dos peneídeos (Marcgrave, *Hist. Nat. Bras.*, 188)

potigûara¹ (etim. – *comedor de camarões* ou, menos possivelmente, *o que fuma tabaco* <pitiguara>) (s.) – POTIGUARA, POTIGUAR, PETIGUAR, PITAGUAR, PITIGUAR, PITIGUARA, nome de grupo indígena que habitava a costa que ia da foz do rio Paraíba ao Rio Grande do Norte (Cardim, *Trat. Terra e Gente do Brasil*, 121)

> NOTA – No P.B., POTIGUAR também significa 1) o natural do Rio Grande do Norte; 2) (adj.) relativo àquele estado brasileiro, rio-grandense-do-norte.

Potigûara² (etim. – *comedor de camarões*) (s. antrop.) – nome de um chefe do qual tomaram nome os índios potiguaras (Vasconcelos, *Crônica (Not.)* I, §149, 109)

potĩgûasu¹ (ou **potĩûasu**) (etim. – *camarão grande*) (s.) – espécie de camarão da família dos peneídeos (Marcgrave, *Hist. Nat. Bras.*, 188; *VLB*, I, 64)

Potĩgûasu² (etim. – *camarão grande*) (s. antrop.) – nome de índio tupi (Vasconcelos, *Crônica (Not.)* II, §2, 114)

potĩkukuma – o mesmo que **potĩkykyîa** (v.) (*Theat. Rer. Nat. Bras.*, I, 75)

potĩkykyîa (s.) – POTIQUEQUIÁ, espécie de crustáceo da família dos palinurídeos (Marcgrave, *Hist. Nat. Bras.*, 185; *VLB*, II, 17)

potĩkykyîxé (s.) – espécie de crustáceo, conhecido vulgarmente como *lagostim* (Marcgrave, *Hist. Nat. Bras.*, 186; *Theat. Rer. Nat. Bras.*, I, 79)

potĩpema (etim. – *camarão anguloso*) (s.) – variedade de camarão do litoral (Marcgrave, *Hist. Nat. Bras.*, 187; *Theat. Rer. Nat. Bras.*, I, 76)

potiry (s.) – 1) PATURI, PATURÉ, ave da família dos anatídeos (D'Abbeville, *Histoire*, 241v); 2) ganso (*VLB*, I, 21)

potirygûasu (etim. – *paturi grande*) (s.) – ganso, ave da família dos anatídeos, introduzida no Brasil com a colonização (*VLB*, I, 146)

potisoba (etim. – *merda-folha*) (s.) – erva-púlgera ou erva-do-bicho, planta poligonácea (*Polygonum punctatum* Elliott), de muitas aplicações na medicina popular brasileira, como vermífugo, antifebril e excitante geral. É também chamada *cataia* ou *persicária-do-brasil*. (Piso, *De Med. Bras.*, IV, 196)

potiûasu (etim. – *poti grande*) – o mesmo que **potigûasu** (v.) (Sousa, *Trat. Descr.*, 297)

potuká (v. tr.) – lavar (p.ex., roupa) batendo • **i potukapyra** – lavado, batido: *Morotĩngatu nde 'anga, aoba i potukapyra rame'ĩ* ... – Tua alma está muito branca, como roupa lavada. (Ar., *Cat.*, 81v)

potyra¹ (mb) (s.) – abano da camisa (*VLB*, I, 17)

potyra² (mb) (s.) – flor; (adj.: **potyr**) – florido; **(xe)** ter flor; florescer, estar em flor (*VLB*, I, 140): *Xe potyr.* – Eu tenho flores. (*VLB*, I, 144)

> NOTA – Daí provém o nome próprio de mulher POTIRA, *flor*, sendo, também, o da personagem da obra indianista de Machado de Assis, *Americanas*. Dela disse o escritor, nessa obra, referindo-se ao significado de seu nome: *Moça cristã das solidões antigas, / Em que áurea folha reviveu teu nome?* (in *Poesias Completas*. Rio de Janeiro, Ed. Civilização Brasileira, 1977).

potyrõ (m) (v. intr.) – trabalhar em conjunto, em grupo: ... *Serobîasare'yma potyrõû iî ybõîybõmo...* – Os que não acreditavam nele trabalharam em conjunto, ficando a flechá-lo. (Ar., *Cat.*, 3v); *Erepotyrõpe 'aretéreme?* – Trabalhaste em conjunto por ocasião dos feriados? (Anch., *Doutr. Cristã*, II, 85)

> NOTA – Daí provêm, no P.B., MUTIRÃO (ou MUTIRUM, MUXIRÃO, MUXIRÃ, MUXIROM, MUQUIRÃO, PUTIRÃO, PUTIROM, PUTIRUM, PIXURUM, PONXIRÃO, PUNXIRÃO, PUXIRUM, MUTIROM), que é o auxílio gratuito que prestam uns aos outros os membros de uma determinada comunidade, reunindo-se todos em proveito de um de seus membros e trabalhando em grupo para ele, que deve oferecer, no final, uma refeição e bebida aos trabalhadores.

poungá (etim. – *apertar as fibras*) (v. tr.) – fiar, reduzir a fio adelgaçando as fibras onde elas ficam muito volumosas e bastas, igualando-as com as outras (*VLB*, I, 138; II, 9)

pouru (mb) (etim. – *envoltório das mãos*) (s.) – luva (*VLB*, II, 25)

poûsub¹

poûsub¹ (v. tr.) – temer, recear: ... *I mena nd'o'u-poûsubi...* – O marido dela não temeu comê-lo. (Anch., *Poemas*, 178); *Peîpoûsub ymẽ...* – Não o temais. (Ar., *Cat.*, 4); ... *Nde momburu, nde robá repîá-poûsupa.* – Amaldiçoa-te, temendo ver tua face. (Anch., *Poemas*, 142); *Arasó-poûsub.* – Receio levá-lo. (Anch., *Arte*, 52) • **i poûsubypyra** – o que é (ou deve ser) temido: ... *Asé oîpoûsubeté opakatu i poûsubypyra sosé.* – A gente o teme mais do que tudo o que deve ser temido. (Ar., *Cat.*, 83)

poûsub² (v. tr.) – recusar, rejeitar; opor-se a (*VLB*, II, 99): *Peîpoûsub ymé, ta pe raûsubar Tupã...* – Não o rejeiteis para que Deus tenha compaixão de vós. (Ar., *Cat.*, 4)

poxy (m) (s.) – 1) torpeza, abjeção, maldade, desonestidade: ... *Oré 'anga poxy reîa.* – Lavando a maldade de nossa alma. (Anch., *Poemas*, 172); 2) feiura; 3) estrago, deterioração (fal. de alimentos): *Nd'ere'uî xûémo; ... i angaîbaratã moxy suí!* – Não o comerás; ele está duramente ressequido por deterioração. (Anch., *Poemas*, 152); 4) maldito, malvado: *Eîerok moxy resé...* – Arranca-te o nome por causa dos malditos. (Anch., *Teatro*, 46); *Onharõ moxy; xe 'une!* – Está bravo o maldito; comer-me-á! (Anch., *Teatro*, 62); (adj.) – 1) torpe, nojento, abjeto, mau; asqueroso (p.ex., uma ferida ou chaga; um guardanapo, por estar muito sujo), desonesto, imprestável (para se comer): *pirá-poxy* – peixe imprestável (isto é, que não é bom para se comer) (Léry, *Histoire*, 297, 1994); "... dão frutos parecidos com as nossas nêsperas, mas muito perigosos; por isso, os selvagens, quando veem os estrangeiros aproximando-se para colhê-los, repetem muitas vezes seu '*i poxy*', e advertem-nos para que se abstenham." (Laet, *Novus Orbis, Livro XV*, cap. IX, §6); *Eîori, mba'enem, mba'e-poxy!* – Vem, coisa fedorenta, coisa nojenta! (Anch., *Teatro*, 44); *Peteumẽ pe poxyramo angiré...* – Guardai-vos de serdes maus doravante. (Anch., *Teatro*, 54); *Nde poxype nde remirekó asykûereté amõ resé...?* – Tu foste desonesto com alguma irmã verdadeira de tua esposa? (Anch., *Doutr. Cristã*, II, 94); 2) feio, disforme: *– Emonã abépe i angaîpaba'e reténe?* – *Aani, i poxy-katune.* – Assim também serão os corpos dos que são maus? – Não, eles serão muito feios. (Ar., *Cat.*, 46v); (adv.) – torpemente, abjetamente, mal: *Penhe'eng poxype pe îoupé...?* – Falastes torpemente para vós mesmos? (Ar., *Cat.*, 233); *Aîkó-poxy.* – Vivo mal. (Anch., *Arte*, 10v) • **i poxyba'e** – o que é torpe, o que é feio, o que é mau etc.: – *Îarekó é rakó mba'e-katu i poxyba'e suí i mouruébo.* – Tenhamos as coisas boas, apartando-as do que é torpe. (Ar., *Cat.*, 89); **poxŷaba** – torpeza, feiura, abjeção, maldade etc.: ... *o nhe'enga poxŷagûera* – a maldade de suas palavras (Ar., *Cat.*, 90)

NOTA – Daí, no P.B., **CAABOPOXI** (*ka'a* + *oba* + *poxy*, "folhas feias do mato"), nome de uma planta trepadeira convolvulácea, com folhas partidas.

po'ypuku (m) (etim. – *colar comprido*) (s.) – fio de contas (*VLB*, II, 113)

po'yra (m) (s.) – contas; colar, joia (*VLB*, II, 14): *Aîpo'y-rung.* – Coloquei colar nele. *Aîepo'y-rung.* – Coloquei-me colar. (*VLB*, I, 116); *itaîu-po'yra* – colar de ouro (*VLB*, I, 76); *mo'yrobyeté* – colares azuis (Léry, *Histoire*, 346); *mbo'ykaraíba* – conta benta, conta de rosário ou de terço; *mbo'ypiranga* – contas vermelhas, contas de coral (*VLB*, I, 81)

pu¹ (mb) (s.) – barulho forte, som (do que se toca), estrondo, trom (p.ex., de chuva, de qualquer outra coisa) (*VLB*, II, 131): *maraká pu* – barulho de maracá (nome de pessoa) (D'Abbeville, *Histoire*, 188); (adj.) – barulhento; (xe) fazer barulho, soar (p.ex., o instrumento musical) (*VLB*, I, 131): *Xe pugûasu.* – Eu sou muito barulhento. (*VLB*, II, 118)

NOTA – Daí, no P.B., **ABU** (pref. *a-* do port. + *pu*), usado no Amazonas com o sentido de *silêncio, falta de ruído*.
Daí, também, os nomes geográficos **IPU** (CE), **ITAIPU** (PR) etc. (v. Rel. Top. e Antrop. no final).

pu² (v. intr.) – cessar (tb. a chuva); estiar (*VLB*, I, 122)

pûã (m) (s.) – dedo da mão (Castilho, *Nomes*, 34) • **pûã-îepotasaba (m)** – as juntas dos dedos das mãos (Castilho, *Nomes*, 34); **pûã-mirĩ (m)** – dedo mínimo da mão, dedo mindinho (Castilho, *Nomes*, 34); **pûã-myterybyrixûara (m)** – dedo anular da mão (Castilho, *Nomes*, 34); **pûã-mytera** (ou **pûã-mbytera**) **(m)** – dedo médio da mão (Castilho, *Nomes*, 34); **pûãgûasu (m)** – dedo polegar da mão (Castilho, *Nomes*, 34); **pûã-kytaba (m)** – sinais dos dedos das mãos, impressões digitais (Castilho, *Nomes*, 34); **pûã-kytã (m)** – os nós dos dedos das mãos (Castilho, *Nomes*, 34); **pûãbe'engaba (m)** – dedo indicador da mão

(Castilho, *Nomes*, 36); **pûãpyra** (m) - pontas dos dedos das mãos (Castilho, *Nomes*, 34)

NOTA - Daí, no P.B., **PUÃ**, a pata do siri.

pûaî (-îo-) (v. tr.) - **1)** dar ordens a, mandar, ordenar, mandar fazer [aquilo que se manda ou se ordena pode vir com **esé (r, s)**]: *Xe îara é xe pûaî sesé.* - Meu senhor é que me mandou fazê-lo. (*VLB*, II, 30); *Santa Madre Igreja... îekuaku-pûaîa îabi'õ îekuakuba.* - Jejuar cada vez que a Santa Madre Igreja mandar jejuar. (Ar., *Cat.*, 17); *Ereîmorype i nhe'enga mba'e--katu resé nde pûaîme?* - Aceitaste suas palavras ao dar ordens a ti para alguma coisa boa? (Ar., *Cat.*, 100v); *Apindó-pûaî.* - Mandei fazer palma. (*VLB*, I, 114); *Asó u'i pûaîa.* - Vou para mandar fazer farinha. (*VLB*, II, 30); **2)** encomendar a, mandar ir em busca [de algo: compl. com **esé (r, s)**]: *Ereîopûaîpe nde remirekó kunhã resé?* - Mandaste tua esposa ir em busca de mulheres? (Ar., *Cat.*, 236); *Aîopûaî amõ abá pindoba resé...* - Mandei um homem ir em busca de palma. (*VLB*, I, 114); **3)** ocupar (mandando fazer alguma coisa), encarregar [de algo: compl. com **esé (r, s)** ou **ri**]: *Xe pûaî îepé.* - Ocupa-me tu. (*VLB*, II, 30); *Aîopûaî Pedro îepeaba resé.* - Encarreguei Pedro da lenha. (*VLB*, I, 21, adapt.); *Osapîá-katupe kunhã o mena tekó-katu resé o pûaîme?* - Obedece bem a mulher a seu marido ao encarregá-la de boas coisas? (Ar., *Cat.*, 95v); **4)** apregoar: *Amarã-mbûaî* (ou *Agûarinĩ-mbûaî*). - Apregoo a guerra. (*VLB*, I, 39) • **pûaîtaba** (ou **pûaîaba**) - tempo, lugar, modo etc. de ordenar, de mandar etc.; ordem, mandado; encomenda; encargo: *Sepyrama xe pûaîtaba...* - Sua remissão foi meu encargo. (Anch., *Teatro*, 170); *E'ikatupe asé... abaré o pûaîtagûera rupi oîkoe'yma?* - Pode a gente não proceder conforme o mandado do padre? (Ar., *Cat.*, 90v); **pûaîtara** - o que ordena, o que dá ordens a, o que manda fazer, o que encomenda etc.: *karaibebé pûaîtara*: a que dá ordens aos anjos (Valente, *Cantigas*, III, in Ar., *Cat.*, 1618); *A'e-te kaûî pûaîtara.* - Mas são eles os que mandam fazer cauim. (Anch., *Teatro*, 34); *Karaibebé a'e, moroîubyka pûaîtara.* - Ele é o anjo que encomenda o enforcamento. (Anch., *Teatro*, 62); **emimbûaîa (t)** - o que alguém ordena, aquele em quem alguém manda etc.: *Kó nde remimbûaîetá t'oîtyk pá tekopoxy.* - Que estes em quem mandas lancem fora toda a maldade. (Anch., *Poemas*, 158)

pûãîobaî (xe) (v. da 2ª classe) - usar de ambas as mãos (o ambidestro) (*VLB*, II, 16)

pûakatu (m) (etim. - *dedos bons*) (s.) - boa pontaria, destreza no tiro, nos golpes, na flechada; (adj.) - destro, certeiro, bom flecheiro: *I pûakatu kó muru.* - É certeiro esse maldito. (Anch., *Teatro*, 132); *Xe pûakatu.* - Eu sou certeiro. (*VLB*, I, 71)

pu'am¹ (ou **pu'ã**) (v. intr.) - estar levantado ou de pé; levantar-se (o que estava deitado), empinar-se, erguer-se: *... Pepu'am, t'îasó sapépe sobaîtîamo...* - Levantai-vos, vamos em seu caminho para encontrá-lo. (Ar., *Cat.*, 53v); *Koromõ ybytu pu'amine.* - Logo o vento se levantará. (*VLB*, II, 143)

NOTA - Daí, no P.B., **MUIRAPUAMA** (*ybyrá + pu'am + -a*, "árvore empinada"), planta da família das olacáceas, de matas pluviais.

pu'am² (v. intr. compl. posp.) - investir, fazer assalto, opor-se, ficar contra [a alguém, contra alguém: compl. com **esé (r, s)** ou **ri**]: *Eîori muru mondyîa, t'opu'am umẽ oré ri...* - Vem para espantar o maldito, para que não invista contra nós. (Anch., *Poemas*, 146); *Pé ku'ape, kunumĩ pu'ama'ubi xe ri.* - No meio do caminho, meninos fizeram assalto a mim. (Anch., *Poemas*, 150); *Xe mopyatã îepé, t'apu'am muru resé...* - Faze-me tu valente para que eu me oponha ao maldito. (Anch., *Poemas*, 144)

pu'ama (m) (s.) - assalto, ataque: *N'oîpotari îandé ri îandé sumarã pu'ama...* - Não quis em nós o assalto de nosso inimigo. (Anch., *Poemas*, 184)

NOTA - Daí, no P.B., **MUAMBA**, 1) *roubo feito no mar;* 2) *furto de mercadorias de navios ancorados e de armazéns aduaneiros;* 3) *negócio escuso; fraude, velhacaria, roubo;* 4) *compra e venda de objetos furtados* (in *Dicion. Caldas Aulete*). Há outros sentidos dessa palavra (*cesto para transporte, carga contrabandeada* etc.) que devem provir de termo do quimbundo de Angola.

pu'amagûera (m) (etim. - *objeto de assalto*) (s.) - presa, coisa ou pessoa capturada na guerra, prisioneiro: *xe pu'amagûera* - minha presa (o que eu capturei na guerra) (*VLB*, II, 130)

pûan (ou **pûã**) (-îo- ou **-nho-**) (v. tr.) - passar à frente de; adiantar-se a, ultrapassar, passar (fal. de navio: um cabo, uma ponta de terra, uma ilha); levar vantagem sobre (na corrida, na caminhada, na estatura): *Anhopûan.* -

pûapẽ
Adiantei-me a ele; passei-o. (*VLB*, I, 21; II, 67); ... *Opá ereîopûã, oré sumarã reîtyka memẽ.* – Passaste à frente de tudo, nosso inimigo vencendo para sempre. (Anch., *Poemas*, 126)

pûapẽ (m) (etim. – *crosta do dedo*) (s.) – **1)** unha (de dedo da mão) (Castilho, *Nomes*, 34); **2)** garra, tenaz: ... *Kó bé xe pûapẽ...* – Eis aqui também minhas garras. (Anch., *Teatro*, 40) • **pûãpẽgûasu** (m) – unhas dos dedos polegares (Castilho, *Nomes*, 34); **pûãpẽ-apyra** (m) – pontas das unhas dos dedos das mãos (Castilho, *Nomes*, 34)

NOTA – Daí, o nome da planta bignoniácea **ANDIRAPUAMPÉ** (*andyrá + pûapé*, "garras de morcego").

pûapẽîara (m) (etim. – *o que porta unhas*) (s.) – unha de fome, sovina; (adj.: **pûapẽîar**): *abá-pûapẽîara* – homem sovina (*VLB*, II, 139)

pûapendaba (m) (etim. – *lugar de entortar os dedos*) (s.) – articulações dos dedos (Marcgrave, *Hist. Nat. Bras.*, 276)

pûar¹ (ou **pûá**) (-îo-) (v. tr.) – amarrar, atar: *Aîakã-mbûar.* – Amarrei-lhe a cabeça (isto é, *fiz-lhe tranças no cabelo, com fita*). (*VLB*, I, 113); ... *Peîpûá muru!* – Amarrai os malditos! (Anch., *Teatro*, 42); *Aîpepó-pûar.* – Atei-lhe penas. (*VLB*, I, 112) • **pûasaba** (m) – tempo, lugar, instrumento etc. de atar; atadura, atilho (*VLB*, I, 46)

pûar² (v. intr. compl. posp.) – bater, dar punhada, dar pancada [em alguém: compl. com **esé (r, s)** ou **ri**]: *Kunhã muru'abora resé opûá...* – Batendo numa mulher grávida. (Ar., *Cat.*, 70v); *Marãpe erepûar xe resé?* – Por que bates em mim? (Ar., *Cat.*, 56); ... *T'opûar anhanga ri...* – Que bata no diabo. (Anch., *Poemas*, 88) • **pûaraba** (ou **pûasaba**) (m) – tempo, lugar, modo, objeto etc. de bater, de dar pancada; golpe, pancada: ... *Nde resé i pûaragûera moasŷabo.* – Arrependendo-se ele de ter batido em ti. (Ar., *Cat.*, 106v); ... *Nde remirekó resé epûá tenhẽmo, mûasá-mbururamo serekóbo îepi...* – Batendo sem motivo na tua esposa, tratando-a sempre como objeto maldito de pancada... (Anch., *Doutr. Cristã*, II, 103); *Na xe pûasabi.* – Eu não tenho com que bater. (*VLB*, II, 69); *pûasá-bora* – marca de pancada, de porrada; o sinal de uma batida, de um golpe (*VLB*, II, 82; 144)

pûaratã (etim. – *amarrar fortemente*) (v. tr.) – reatar (*VLB*, II, 97)

puba¹ (s.) – brandura (*VLB*, I, 59); (adj.: **pub**) – **PUBA, PUBO**, mole, maduro, brando, macio: *Ereî'useîpe u'i-puba?* – Queres comer farinha puba? (Anch., *Teatro*, 44); *Xe pub.* – Eu sou mole; eu sou puba. (*VLB*, II, 40)

NOTA – No P.B. (N, NE), **PUBA** também significa 1) *a mandioca enterrada em lama ou posta na água até amolecer e fermentar*; *mingau de puba*; 2) *terreno úmido, coberto de capim* (in *Dicion. Caldas Aulete*). Daí, também, **CAPIM-PUBA** ("capim brando"), erva da família das gramíneas; **PUBAR**, *pôr (mandioca) a curtir na água ou na lama*; (N) *apodrecer, fermentar* (in *Dicion. Caldas Aulete*).

puba² – o mesmo que **mandi'opuba** (v.) (Nieuhof, *Mem. Viag.*, 287)

pubuîereb (v. tr.) – **1)** despejar, emborcar (um recipiente noutro), virar de boca para baixo (p.ex., barco, vaso etc.); **2)** fazer ir a pique, fazer naufragar, afundar (p.ex., o navio, a embarcação) (*VLB*, I, 100)

pubur – o mesmo que **pobur** (v.)

pûeîrab – o mesmo que **pûerab** (v.)

pûer (adj. – Em ambiente nasal assume a forma **mbûer**. Embora seja tema nominal, comporta-se, muitas vezes, como sufixo. Apresenta os alomorfes **ûer, er, gûer** etc. Expressa o passado nominal.) – **1)** antigo, velho, extinto, passado, acabado, que foi, **ACUERA**: *miapepûera* – o que foi pão (Ar., *Cat.*, 87); *mîukapûera* – o que foi morto (Anch., *Arte*, 19v); *Aroŷrõ xe rekopûera.* – Detesto minha lei antiga. (Anch., *Poemas*, 104); *xe retãmbûera* – minha antiga região (Anch., *Poemas*, 152); *irũmbûera* – os que foram seus companheiros, seus ex-companheiros (Anch., *Teatro*, 46); *T'a'u kori i îybapûera...* – Hei de comer hoje seus braços (fora do corpo, isto é, *o que foram seus braços*). (Anch., *Teatro*, 64); **2) (xe)** – passar, acabar, extinguir-se: *I pûer tekoaíba.* – Passou a aflição. (Anch., *Arte*, 33v); (v. tb. **ûer**).

NOTA – Daí se originam muitas palavras no P.B.: **ACUERA** (s. e adj.), coisas antigas, abandonadas ou extintas; **TAPERA** (*taba + pûer + -a*, "taba que foi"), casa ou aldeia abandonada; casa em ruínas; fazenda totalmente abandonada e em ruínas; **CAPOEIRA**, terreno em que o mato foi roçado ou queimado; mato que cresceu onde a mata virgem foi derrubada; **QUIRERA** (*kuruba + -ûer + -a*, "o que foi grão"), milho ou arroz quebrado; **CATANGUERA, CATAM-**

BUERA (*ka'a* + *atã* + *mbûer* + *-a*, "o que foi folha dura"), fruto atrofiado. Daí provêm, também, muitos nomes de lugares: **ANHANGUERA, CANGUERA, IBIRAPUERA, PARIQUERA, PIAÇAGUERA, TABATINGUERA** etc. (v. Rel. Top. e Antrop. no final).

pûerab (ou **pûeîrab**) (v. intr.) – sarar, curar-se; convalescer, tornar a si (o esmorecido) (*VLB*, II, 103): *Abá 'anga mara'ara i pupé opûeîrá-katu...* – As doenças da alma do homem com ela saram bem. (Anch., *Teatro*, 38); *opûerab é ipó xe 'anga nde nhe'enga pupé nhote.* – Sara mesmo minha alma somente com tuas palavras. (Ar., *Cat.*, 86v) • **pûerasaba** (ou **pûerapaba**) – tempo, lugar, meio, instrumento etc. de sarar, de curar-se; cura: *Îarekópe mosanga amõ îandé pûerasabamo?* – Temos algum remédio como meio de nos curarmos? (Ar., *Cat.*, 79v)

pûeraba (ou **pûeîraba**) (m) (s.) – cura: *... mosanga mûeîrab-yîara* – ... remédio portador de cura (Anch., *Teatro*, 38)

pûerabaíb (etim. – *sarar não completamente*) (v. intr.) – convalescer (*VLB*, I, 81)

pûeraba'ub (ou **pûeraeraba'ub**) (v. intr.) – convalescer (*VLB*, I, 81)

pûeraîa (m) (s.) – enfadamento, fadiga, cansaço (do corpo) (*VLB*, I, 115; 133); (adj.: **pûeraî**) – cansado: *Xe pûeraî mbyté...* – Eu estava ainda cansado. (Anch., *Teatro*, 136); *Xe pûeraî, xe ropesyî!* – Eu estou cansado, eu estou com sono! (Anch., *Teatro*, 44)

pûeram (adj. – Em ambiente nasal, assume a forma **mbûeram**. Embora seja tema nominal, comporta-se, muitas vezes, como sufixo.) – o que terá sido, o que deixará de ser: *Omonhe'enguká temõ Tupã te'õmbûera kóbo i tỹmbûerama...* – Oxalá Deus mandasse os cadáveres de toda parte falarem o que terá sido o seu enterro. (Ar., *Cat.*, 156v)

pu'ĩ (s.) – nome de uma planta (*Theat. Rer. Nat. Bras.*, II, 108)

puk (v. intr.) – **1)** furar-se, estar com furos, estar furado, esburacado; fender-se; arrebentar-se (*VLB*, I, 42); romper-se (p.ex., o dia), arrombar-se (*VLB*, I, 44): *Apu-puk.* – Estou com muitos furos, estou esburacado. (*VLB*, I, 124); **2)** desvirginar-se: *... I puke'ỹme nhẽ o'a oúpa.* – Estava nascendo sem ela se desvirginar. (Anch., *Poemas*, 88); **3)** ter polução: *Apu-apuk.* – Estou tendo polução. (*VLB*, II, 80)

puka (mb) (s.) – fissão, fenda; abertura, furo, buraco (*VLB*, I, 60): *paranã-mbuka* – fenda de mar (Staden, *Viagem*, 32); (adj.: **puk**) – aberto, fendido, furado: *... Asé apysakûá-puka potá.* – Querendo abertos os buracos das orelhas da gente. (Ar., *Cat.*, 81v) • **pu-puk** – esburacado (com muitos furos): *Xe robá-pu-puk.* – Eu tenho o rosto esburacado (com varíola). (*VLB*, I, 55)

NOTA – Daí se origina o nome do estado brasileiro de **PERNAMBUCO** (v. Rel. Top. e Antrop. no final).
Lemos na epopeia de Bento Teixeira, *Prosopopeia*, de 1601, uma bela definição dessa palavra:

"Em o meio desta obra alpestre, e dura,
Uma boca rompeu o Mar inchado,
Que, na língua dos bárbaros escura,
Paranambuco de todos é chamado.
De *Paranã*, que é Mar, *Puca*, rotura,
Feita com fúria desse Mar salgado,
Que, sem no derivar cometer míngua,
Cova do Mar se chama em nossa língua."

(in *Prosopopeia* [Prefácio de Afrânio Peixoto]. Rio de Janeiro, Álvaro Pinto Editora, 1923)

Como substantivo comum, **PARANAMBUCA** *é passagem entre recifes costeiros, ou entradas de um lagamar* (in *Novo Dicion. Aurélio*).
Daí, também, **ARAPUCA, URUPUCA** (*ûyrá* + *puka*, "buraco de aves"): *"Apanham-se vivos (...) com u'a espécie de gaiolas feitas de canas, ou de paozinhos, a que os naturaes chamam **guira puca**, que lhe põe nos caminhos estreitos, e caem nelas com facilidade."* (Pe. João Daniel, [1757], 128); (*uru* + *puka*, "buraco de urus"), armadilha para apanhar aves pequenas, e por extensão, *cilada, armadilha; engodo, logro, embuste;* **IPUCA** (*'y* + *puka*, "furo d'água"), furo no igapó; **POPUCA** (*pó* + *puk* + *-a*, "mão furada"), *de pouca resistência; frágil, fraco.*

puká (v. intr.) – rir: *Apuká-puku* (ou *Apuká-atã*). – Ri alto, dei alta risada. (*VLB*, II, 106)

NOTA – Daí, no P.B., **PIRAPUCÁ** ("peixe que ri"), nome comum a certos peixes caracídeos de grandes dentes.

pukamirĩ (etim. – *rir um pouquinho*) (v. intr.) – sorrir: *Ereîeîuru-mopiningype, abá supé epukamirĩamo?* – Pintaste-te a boca, sorrindo para os homens? (Anch., *Doutr. Cristã*, II, 95)

pukasûera (etim. – *o que tem propensão a rir*) (s.) – o risonho; (adj.: **pukasûer**): *Xe pukasûer.* – Eu sou risonho. (*VLB*, II, 106)

puku¹

puku¹ (m) (s.) – extensão, longitude; comprimento, compridão (*VLB*, I, 78); (adj.: **puku** ou **muku**) – extenso, comprido, longo; alto (fal. de pessoas): *Xe puku.* – Eu sou alto. (*VLB*, I, 33); ... *Kó bé... xe rûaî-puku.* – Eis aqui também meu rabo comprido. (Anch., *Teatro*, 40); *Xe 'anga rekó-puku.* – Vida longa de minha alma. (Valente, *Cantigas*, VII, in Ar., *Cat.*, 1618); (adv.) – longamente, por longo tempo; prolixamente (*VLB*, II, 87): *Eîmoingó-puku-katu kó taba Tupã resé.* – Faze estar muito longamente esta aldeia em Deus. (Anch., *Poemas*, 174); ... *nde... ate'ÿ-muku*ramo – estando tu por longo tempo preguiçoso (Anch., *Doutr. Cristã*, II, 105)

> NOTA – Daí, no P.B., **PIRAPUCU** ("peixe comprido"), nome de um peixe caracídeo; **ACARAPUCU** ("acará comprido"), nome de um peixe balistídeo.

puku² (s.) (metátese de **kupy³** – v.) (*VLB*, II, 74) – parte delgada da perna: *Aîpukuîurar.* – Lacei a perna dele. (*VLB*, I, 41)

puku'ê'ok (v. tr.) – encovar, fazer concavidades, tornar côncavo, escavar (p.ex., tronco de madeira para se fazer canoa), fazer covinhas (no rosto, no chão etc.) (*VLB*, I, 84)

pukuî¹ (etim. – *na extensão*) (loc. posp.) – durante, enquanto, no decorrer de, durante o tempo de, ao longo de: *Oré raûsubá îepé oré rekobé pukuî.* – Tem tu compaixão de nós durante nossa vida. (Anch., *Teatro*, 122); ... *ture'yma pukuî* – enquanto ele não vem (*VLB*, I, 118); *Nd'e'ikatuî sesé omendá mimbápe serekó pukuî...* – Não pode com ela casar-se enquanto a mantiver em esconderijo. (Ar., *Cat.*, 128v); ... *xe só pukuî* – enquanto eu vou (Fig., *Arte*, 126); ... *ixé i monhanga pukuî* – enquanto eu o faço (*VLB*, I, 118); *pé pukuî* – ao longo do caminho, todo o caminho (*VLB*, II, 130); *'ara pukuî* – ao longo do dia, todo o dia (*VLB*, II, 130)

pukuî² (v. tr.) – **1)** mexer com pá (p.ex., a farinha no alguidar): *Aîpukuî u'i* ou *Au'i-pukuî.* – Mexo com pá a farinha. (*VLB*, II, 37); **2)** remar: *Sasy nakó ygá-pukuîa.* – Eis que é penoso, certamente, remar canoa. (*VLB*, II, 134); *Aygá-pukuî.* – Remo a canoa. (*VLB*, II, 100)
● **pukuîtara** – o que rema; remador (*VLB*, II, 101): *ygá-pukuîtara* – remador de canoa (*VLB*, II, 101)

> NOTA – Daí, no P.B. (AM), pelo nheengatu, **APECUITÁ**, **APUCUITAUA** (*ygá-pukuî-t-aba*, "instrumento de remar canoas"), remo das canoas indígenas; **IGAPUITARIIARA** ("os que têm o dom de remadores de canoas"), nome de um povo indígena extinto.

pukusam (v. tr.) – amarrar pelos pés (*VLB*, I, 46)

pukusama (m) (etim. – *corda de perna*) (s.) – peia (*VLB*, II, 68); prisão ou trava dos pés ou das pernas (*VLB*, II, 87): *Aîpukusamb-ok.* – Soltei as peias dos pés dele. (*VLB*, II, 120); (adj.: **pukusam**) – peado, preso com peia: *Xe pukusam.* – Eu fui peado. (*VLB*, II, 68) ● **i pukusamba'e** – o que está preso em ferros, o que está peado (*VLB*, II, 85)

pukusãmoín (etim. – *pôr cordas de pernas*) (v. tr.) – amarrar pelos pés (*VLB*, I, 138); prender em ferros, aferrolhar com prisões (*VLB*, I, 23); pear: *Aîpukusãmoín.* – Amarrei-o pelos pés. (*VLB*, I, 46; II, 68) ● **i pukusãmoinymbyra** – o que está (ou deve ser) preso em ferros, o que está (ou deve ser) amarrado pelos pés (*VLB*, II, 85)

pukusĩ (s.) – boto, nome comum a certos mamíferos cetáceos de mar ou de rios, do grupo dos golfinhos ou das toninhas (*VLB*, I, 58; 149)

pumĩ (v. tr.) – afundar (na água), mergulhar, alagar, meter debaixo d'água (*VLB*, I, 29)

pun (ou **pũ**) (-**îo**- ou -**nho**-) (v. tr.) – avivar, reavivar, renovar (chagas velhas, inimizades etc.) (*VLB*, II, 101): ... *T'aîopũne marandûera.* – Hei de reavivar a velha guerra. (Anch., *Poesias*, 57)

punaré (ou **punari**) (s.) – PUNARÉ, mamífero roedor da família dos equimídeos, do gênero *Thrichomys*, rato silvestre dotado de grande cauda peluda e escura (D'Abbeville, *Histoire*, 251v)

punari – o mesmo que **punaré** (v.) (Brandão, *Diálogos*, 254)

punaru (s.) – PUNARU, peixe marítimo da família dos blenídeos (Marcgrave, *Hist. Nat. Bras.*, 165)

pungá (m) (s.) – **1)** hidropisia (*VLB*, II, 8); **2)** inchamento, intumescimento; (adj.) – **1)** hidrópico (*VLB*, II, 8); **2)** intumescido, cheio (p.ex., a vagem com feijões); inchado, quando molhado (p.ex., a farinha, o livro): *Xe pungá.* – Eu estou inchado. (*VLB*, II, 11); *Topé-pungá* – vagem cheia (*VLB*, II, 140, adapt.)

NOTA – Daí se origina o nome geográfico **URUBUPUNGÁ** (v. Rel. Top. e Antrop. no final).

pupé (posp.) – **1)** dentro de: *Mba'epe ererur nde karamemûã pupé?* – Que trouxeste dentro de tua caixa? (Léry, *Histoire*, 342); **2)** com (instr.): *Oîeypyî 'y-karaíba pupé.* – Asperge-se com água benta. (Ar., *Cat.*, 24); *... Opîá o akangaobĩ pupé.* – Cobrindo-o com seu véu. (Ar., *Cat.*, 62); *itá pupé* – com uma pedra (*VLB*, I, 77); **3)** em (temp.): *kó semana pupé...* – nesta semana (Ar., *Cat.*, 4); **4)** em, para, para dentro de: *... Apŷaba... mondóbo xe retama pupé.* – Enviando homens para minha terra. (D'Abbeville, *Histoire*, 341v); *Mba'e-tepe peseká kó xe retama pupé?* – Mas que é que procurais nesta minha terra? (Anch., *Teatro*, 28); *... Ybyrá pupé omanõmo...* – Morrendo na cruz. (Anch., *Poemas*, 90); *... Purgatório pupé osoba'e...* – as que vão para o purgatório (Ar., *Cat.*, 136, 1686); **5)** dentro do mesmo lugar de; no mesmo lugar de; com (de companhia): *A'ar nde pupé.* – Embarco contigo. (Anch., *Arte*, 40v); *A'a nde pupé.* – Caí no mesmo lugar de ti (isto é, *caí em teus costumes*); **6)** entre, no meio de, junto com: *Arasó nde mba'e xe mba'e pupé.* – Levei as tuas coisas entre as minhas coisas. (Anch., *Arte*, 40v) ● **pupé-ndûara** (ou **pupé-sûara**) – o que está dentro de; o que é interior, o interno (*VLB*, II, 13)

pupîara o mesmo que **pupé-ndûara** (v. **pupé**) – o que está em, o que está dentro de: *... Opakatu ikó 'ara pupîara mba'easy sosé.* – Mais que todas as coisas dolorosas que estão neste mundo. (Anch., *Doutr. Cristã*, I, 221)

NOTA – Daí, **IPUPIARA** ('y + *pupîara*, "o que está dentro d'água"), nome de entidade sobrenatural dos antigos índios tupis do Brasil.

pupirar (v. tr.) – v. **pypirar**

pupoí-pupoí (s.) – nome de ave noturna de plumagem parda que faz barulho durante toda a noite (D'Abbeville, *Histoire*, 239v)

pupuk (xe) (etim. – *ficar a romper-se*) (v. da 2ª classe) – masturbar-se, poluir-se ● **I pupukyba'e** – o que se masturba (Ar., *Cat.*, 72)

pupuka (m) (s.) – masturbação, poluição; (adj.: **pupuk**) – expelido, ejaculado: *... nde ra'y-pupuka...* – teu sêmen ejaculado (Anch., *Doutr. Cristã*, II, 90)

pupur (v. intr.) – ferver (como a água no fogo) (*VLB*, I, 138)

purá – o mesmo que **puraké** (v.), outra designação de peixe-elétrico da família dos eletroforídeos (Cardim, *Trat. Terra e Gente do Brasil*, 56)

puraké¹ (ou **poraké**) (s.) – POROQUÊ, PORAQUÊ, PURAQUÊ, enguia-elétrica, **1)** nome comum a peixes-elétricos da família dos eletroforídeos. Realizam descargas elétricas, em sua defesa e para facilitar a captura de outros peixes. "Quem quer que o toca, logo fica tremendo... Morto, come-se e não tem peçonha." (Cardim, *Trat. Terra e Gente do Brasil*, 56); **2)** gênero de raia conhecida como *peixe-viola*, da família dos rinobatídeos, peixe cartilaginoso com a parte anterior do corpo em forma de coração e que também produz descargas elétricas (Marcgrave, *Hist. Nat. Bras.*, 151-152)

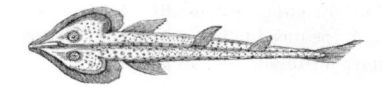

PORAQUÊ (fonte: Marcgrave)

puraké² (m) (s.) – cotovelo (entre os tupis de São Vicente) (*VLB*, I, 84; Castilho, *Nomes*, 37)

puraké³ (m) (s.) – disfarce, engano; (adj.) – disfarçado, enganoso, falso; (**xe**) disfarçar-se: *... I poranga nhẽ o purakéramo i xupé...* – Sua beleza disfarçando-se para eles. *Xe nhe'ẽ-puraké.* – Eu tenho palavras enganosas, falsas. (*VLB*, II, 99; 122)

purepuk (xe) (v. da 2ª classe) – ter poluição: *Nde purepukype?* – Tu tens poluição? (Ar., *Cat.*, 104)

puru – o mesmo que **poru¹** (v.)

puru'a (s.) – feto: *O puru'a îuká-potá mosanga o'uba'e.* – A que ingere uma poção, querendo matar seu feto. (Anch., *Diál. da Fé*, 209); (adj.) – grávida; (**xe**) engravidar, emprenhar, estar prenhe, ter feto: *Ereposangu'upe nde puru'a-potare'ymamo?*

puru'ã¹

- Tomaste remédio, não querendo ficar grávida? (Ar., Cat., 102); *Oîmombe'u umã karaibebé i pyky'yra pé i **puru'a**ramo sekó.* - Já anunciara o anjo a sua prima estar ela grávida. (Ar., Cat., 6v) ● **i puru'aba'e** - a que está grávida: *Kunhã i puru'aba'e resé opûá...* - Batendo numa mulher que está grávida. (Ar., Cat., 104)

puru'ã¹ (m) (s.) - nó de madeira: *i puru'ã* - o nó dela (da madeira) (VLB, II, 50)

puru'ã² (m) (s.) - umbigo (Castilho, Nomes, 34) ● **puru'ã-sama** - cordão umbilical (Castilho, Nomes, 34); **puru'ã-apyra** - a ponta do umbigo (Castilho, Nomes, 35); **puru'ã kûara** - o buraco do umbigo (Castilho, Nomes, 35); **puru'ã-pora** - umbigo saltado, o que sai muito fora por falta das parteiras (Castilho, Nomes, 35)

puruk (v. intr.) - estalar (como a árvore ou a viga da casa quando caem) (VLB, I, 127) ● **pururuk** (redupl.) - ficar estalando: *kapi'ĩ-pururuka* - capim que fica estalando, junco (VLB, II, 16)

> NOTA - Daí, no P.B., **PURURUCA**, 1) toicinho frito em pequenos pedaços; 2) pessoa irritadiça, arrelienta; **TAPURURUCA** (*itá + pururuk + -a*, "pedras que ficam estalando"), cascalho, terra misturada com areia e pedra.

purukeré (s.) - nome de uma lagarta (VLB, II, 17)

purung - v. **pyrung**

pururé (s.) - enxó, instrumento usado por carpinteiros, com cabo de pau curvo e chapa cortante para desbastar tábuas ● **pururé-pygûaîa** (ou **pururé-nhemanga**) - enxó goivada, que corta fazendo a feição de uma porção de círculo ou de uma meia-cana côncava (VLB, I, 109)

pusá (s.) - PUÇÁ, rede de pesca, o mesmo que **pysá** (v.) (Heriarte, Descr. Maranhão, Pará, in Varnhagen, Hist., III, 185)

pusu'ã (m) (s.) - espinha, espinhela, espinhaço (Castilho, Nomes, 34): *pusu'ã-apyra* - ponta da espinhela (Castilho, Nomes, 34); *Aîpusu'ã-mogûyr.* - Ergui a espinhela. (VLB, I, 126); *pusu'ã-'ara* - espinhela caída ou derrubada (Castilho, Nomes, 36)

pusu'umukaîa (m) (s.) - azia (Castilho, Nomes, 37); (adj.: **pusu'umukaî**) **(xe)** - ter azia: *Xe pusu'umukaî.* - Eu tenho azia. (VLB, I, 49)

putu - o mesmo que **pytu** (v.)

putuẽ (ou **pytuẽ**) **(xe)** (etim. - *fôlego parado*) (v. da 2ª classe) - 1) resfolegar, recobrar o fôlego, tomar alento, tomar refrigério (VLB, II, 99): *Ta pe putuẽngatuté irã... pe îemokane'õ ré.* - Haveis de bem recobrar o fôlego após vos cansardes. (Ar., Cat., 170); *Xe putuẽ-tuẽ.* - Eu estou resfolgando. (VLB, I, 50); 2) descansar, sossegar: *Nde pytuẽ. Na satãngatuî maíra!* - Descansa. Não é muito forte o maíra. (Anch., Teatro, 16)

putumimbyka (s.) - escuridão: *... Ysysaý putumimbyka rupi pé resapébo.* - Fachos de luz para iluminar o caminho pela escuridão. (Ar., Cat., 54)

putumuîû (s.) - PUTUMUJU, árvore da família das leguminosas (*Centrolobium robustum* (Vell.) Mart. ex Benth.). "... A cor desta madeira é amarela, com umas veias vermelhas; é pesada e dura." (Sousa, Trat. Descr., 210)

putumuku (m) (etim. - *fôlego longo*) (s.) - paciência; tolerância; (adj.) - paciente, tolerante (que não responde logo ao mal que fazem ou dizem): *Xe putumuku.* - Eu sou paciente. (VLB, II, 119)

putuna (ou **pytuna** ou **pyxuna**) (s.) - noite; escuridão: *O'ar pytuna.* - Caiu a noite; anoiteceu. (VLB, I, 36); *Kûarasy, nipó, oberá, putunusu kûab'iré.* - O sol brilha, certamente, após passar a grande noite. (Anch., Poemas, 142); *... Putuna rupi okagûabo...* - Bebendo cauim durante a noite. (Anch., Teatro, 150); (adj.: **putun, putũ** ou **pytun**) - escuro: *T'amoberab Tupã robá-pytuna xe 'anga supé...* - Que eu faça brilhar a face escura de Deus para minha alma. (Ar., Cat., 128, 1686); *I pytũ-pytun 'ara.* - O dia está muito escuro (como que para chover). (VLB, I, 71); *I pytun xe roka.* - Minha casa está escura. (VLB, I, 124); **(xe)** ser ou estar noite (VLB, II, 50); (adv.) - de noite, à noite: *... putũ gûixóbo...* - indo eu de noite (Anch., Teatro, 160) ● **putunybo** - toda a noite, pelas noites (Anch., Arte, 42v); **putunyme** - de noite (não costumeiramente) (Anch., Arte, 42v); *Tiá nde putuna!* - Boa noite! (D'Evreux, Viagem, 143); **Pytũ 'ã** (ou **Pytun iã**). - Eis que é noite. (VLB, II, 50); **pytuneme** - de noite, às noites (isto é, habitualmente) (Fig., Arte, 128); **pytunĩneme** (ou **pytũ-pytunĩneme**) - ao anoitecer (VLB, I, 36)

NOTA – Daí, no P.B., **PIXUNA**, espécie de pequeno rato; camundongo selvagem; **INHAMBUPIXUNA** (*inhambu* + *pyxun* + *-a*, "inhambu escuro"), nome de uma ave. Daí, também, o nome geográfico **IPIXUNA** (MA) (v. Rel. Top. e Antrop. no final)

putunara (s.) – nome de uma ave de hábitos noturnos (Soares, *Coisas Not. Bras.* (ms. C), 1464-1468)

putunusu (etim. – *grande escuridão*) (s.) – limbo: *Umãmepe a'e putunusu pitanga nhemongaraibypyre'yma rekoaba rekóû?* – E onde está aquele limbo, morada das crianças que não foram batizadas? (Ar., *Cat.*, 48)

putupaba[1] (m) (etim. – *fôlego esgotado*) (s.) – admiração, espanto; abalo; (adj.: **putupab** ou **putupá**) – admirado, espantado, maravilhado: *Xe putupab nhẽ nde ri.* – Eu estou admirado contigo. (Léry, *Histoire*, 353)

putupaba[2] (m) (etim. – *fôlego esgotado*) (s.) – preocupação, interesse [compl. com **esé (r, s)**]: *... Îandé 'anga rekorama resé îandé putupaba potá.* – Querendo nossa preocupação com o futuro estado de nossa alma. (Ar., *Cat.*, 154); (adj.: **putupab** ou **putupá**) – preocupado, interessado; (**xe**) interessar-se, preocupar-se, importar-se: *O a'yra resé oputupabe'ymamo...* – Com seu filho não se importando. (Ar., *Cat.*, 69); *Nde putupápe nde ra'yra resé...?* – Tu te importas com teu filho? (Ar., *Cat.*, 101); *Apŷaba raûsupa nhẽ... oré putupá sesé.* – Amando os homens, nós nos preocupamos com eles. (Anch., *Teatro*, 28)

putupaba[3] (m) (s.) – provimento, abastecimento; (adj.: **putupab** ou **putupá**) – provido, abastecido; (**xe**) prover-se, abastecer-se [de algo: compl. com **esé (r, s)**]: *Xe putupab (mba'e) resé.* – Eu estou provido das coisas. (VLB, I, 40, adapt.)

putupabe'yma (m) (etim. – *falta de provimento*) (s.) – negligência ou descuido (VLB, II, 49)

putupor (xe) (v. da 2ª classe) – reviver, tornar a si (o esmorecido): *Xe putupor.* – Revivi; tornei a mim. (VLB, II, 105; 132)

putupyk (etim. – *cessar o fôlego*) (v. tr.) – tapar a boca a: *Aîputupyk.* – Tapei-lhe a boca. (VLB, II, 124)

putusok (ou **pytusok**) (xe) (etim. – *bater o fôlego*) (v. da 2ª classe) – perder o fôlego, perder o alento, acalmar-se (p.ex., o vento) (VLB, I, 19): *Akó Îagûanharõ îá i nharõ; n'i pytusoki.* – Aquele Jaguanharõ está bravo como de costume; não perde o alento. (Anch., *Teatro*, 154)

putu'u[1] (m) (etim. – *o ingerir alento*) (s.) – descanso: *Mutu'u resé Tupã îekosu-berame'ĩ...* – Deus parece obter o descanso. (Ar., *Cat.*, 11v) • **putugûaba** (m) – tempo, lugar, modo etc. de descanso (VLB, I, 96)

putu'u[2] (etim. – *ingerir alento*) (v. intr.) – descansar, repousar; ficar descansado; ficar tranquilo; tomar ou ter refrigério (VLB, II, 99): *Tapuîpe gûaîbĩ aru amõ Magûeá suí... A'ereme aputu'u.* – Aos tapuias trouxe as velhas de além de Maguéa. Então, fiquei descansado. (Anch., *Teatro*, 12); *Ta soryb, oputugûabo.* – Que se alegrem, descansando. (Anch., *Teatro*, 58); *Erĩ, aûîé, peputu'u!* – Ah, muito bem, ficai tranquilos! (Anch., *Teatro*, 166, 2006); *Aîosub Itaokaîa; i pupé kó aputu'u.* – Visito Itaocaia; eis que nela descanso. (Anch., *Poesias*, 269)

putu'uma (m) (s.) – miolo, tutano: *kanga putu'uma* – miolo, tutano de osso (VLB, II, 138); *'a-putu'uma* – miolos de cabeça (VLB, II, 37)

py[1] (-îo-) (v. tr.) – tocar (flauta ou instrumento de sopro); soprar (buzina etc.): *Aîopy.* – Toco-a. (VLB, II, 124; Anch., *Arte*, 6v)

NOTA – Daí, no P.B., **MEMBI** (*mi-* + *py*, "o que alguém sopra"), flauta indígena.

py[2] (mb) (s.) – 1) interior, vão, centro; parte de dentro, fundo: *Îori sekyîa taûîé i py suí...* – Vem para arrancá-lo logo do interior dela. (Anch., *Poemas*, 136); *ygá-pype* – na parte de dentro da embarcação (isto é, *sob a cobertura dela*) (VLB, I, 110; 154); *'y pype* – no fundo da água (VLB, I, 110); **2)** avesso (p.ex., de pano): *i py* – o avesso dele (VLB, I, 48)

py[3] (mb) (s.) – largura (como de casa, rua, barca etc.) (VLB, II, 19); (adj.) – largo (VLB, I, 130; II, 18); espaçoso (VLB, I, 125)

py[4] (mb) (s.) – pé (de pessoa), pata (de animal): *Îaîpó-asá-sá i py resebé...* – Atravessam suas mãos juntamente com seus pés. (Anch., *Poemas*, 122); *Mba'erama resépe i nongi... asé pype?* – Por que o coloca nos nossos pés? (Ar., *Cat.*, 92); *py-apyra* – ponta do pé (Castilho, *Nomes*, 35) • **py resé** – a pé: *Xe py resé nhẽ asó.* – Vou a pé. (VLB, I, 35)

pyá

NOTA – Daí, no P.B., **JUÇANA-BIPIIARA** (*îusana* + *mby-pe* + *îara*, "laço que pega nos pés"), certa armadilha para apanhar pássaros pelos pés.

pyá (s.) – parede (*VLB*, II, 101): *ó-pyá* – parede de casa (*VLB*, II, 101)

py'a (mb) (s.) – **1)** fígado (Castilho, *Nomes*, 30): *I py'apûera xe potabamo t'oîkó*. – Seus fígados hão de ser minha porção. (Anch., *Teatro*, 64); **2)** entranhas, estômago (Léry, *Histoire*, 365); **3)** coração (no sentido de *sede dos sentimentos*. O fígado era considerado pelos índios tupis a sede das emoções e dos sentimentos.): *Omboasy-katu o angaîpaba o py'ape*. – Arrepende-se muito de seus pecados em seu coração. (Ar., *Cat.*, 24); **4)** interior, íntimo do ser: *... Xe nhy'ãme t'ereîké, xe py'a moingatûabo*. – Que entres em meu coração, guardando meu interior. (Anch., *Poemas*, 130); **5)** mente (sede da consciência) ● **xe py'ape** (ou **xe py'ape-katu** ou **xe py'ape nhote**) – cá comigo, em minha mente, por vontade (*VLB*, II, 13; 36); comigo mesmo, interiormente, de coração (*VLB*, I, 91): *Îé t'asóne xe mondoápe. Memeté ixé, xe py'ape, emonã tekó potá...* – Hei de ir para onde me mandam. Mesmo porque eu, por vontade, assim quero fazer... (Anch., *Teatro*, 22); *"Our temõ mã!", a'é xe py'ape*. – Disse em meu coração: *"Ah, oxalá ele venha!"* (*VLB*, II, 72)

NOTA – Daí, no P.B., **PACUERA** (*py'a* + *pûer* + *-a*, "o que foram as entranhas"), as vísceras mais grossas, arrancadas de alguns animais como boi, porco etc.

pyaba (mb) (etim. – *pés de penas*) (s.) – calçuda (diz-se de aves que têm as pernas ou as patas cobertas de penas) (*VLB*, I, 63); (adj.: **pyab**) – calçudo (*VLB*, I, 63)

py'aká (etim. – *romper o estômago*) (v. tr.) – embaçar (batendo na boca do estômago) (*VLB*, I, 110)

py'anhemongetá (mb) (etim. – *conversa do fígado; conversa do coração*) (s.) – pensamento (*VLB*, II, 72); (adj.) – pensante; (xe) pensar, ter pensamentos [compl. com esé (r, s)]: *Nde py'anhemongetápe kunhã amõ resé?* – Pensaste nalguma mulher? (Anch., *Doutr. Cristã*, II, 92; *VLB*, II, 72)

pyaoba (mb) (etim. – *roupa dos pés*) (s.) – sapato, calçado (*VLB*, I, 63)

pyaopuku (mb) (etim. – *roupa dos pés comprida*) (s.) – bota (var. de calçado) (*VLB*, I, 58)

pyapasaba[1] (m) (etim. – *instrumento de entortar os pés*) (s.) – sapato, calçado: *Aîpyapasá-mondeb*. – Pus o sapato. (*VLB*, I, 63); (adj.: **pyapasab**) (xe) – ter sapato: *Na xe pyapasabi*. – Eu não tenho sapatos. (*VLB*, I, 96) ● **mbyapasá-puku** (ou **kunhã-pyapasaba**) – sapatas de mulher, sapato largo e grosso de mulher, sem salto ou de salto baixo (*VLB*, I, 66)

pyapasaba[2] (m) (etim. – *instrumento de entortar a pata*) (s.) – ferradura (*VLB*, I, 138)

pyapasabapûã (m) (etim. – *sapato pontudo*) (s.) – sapato de salto alto de mulheres (*VLB*, I, 72)

pyapasabybaté (m) (etim. – *sapato alto*) (s.) – sapato de salto alto de mulheres (*VLB*, I, 72)

pyapasamoîar (etim. – *pregar ferradura*) (v. tr.) – ferrar (p.ex., cavalo) (*VLB*, I, 138)

pyapasamoín (etim. – *pôr ferradura*) (v. tr.) – ferrar (p.ex., cavalo): *Aîpyapasamoín*. – Ferrei-o. (*VLB*, I, 138)

pyapasapuku (m) (etim. – *sapato comprido*) (s.) – bota (*VLB*, I, 58)

pyapyrá (xe) (etim. – *tomar a ponta dos pés*) (v. da 2ª classe) – levantar-se nas pontas dos pés (*VLB*, II, 21)

py'arĩ (etim. – *tomar, sem mais, o coração*) (v. tr.) – saber perfeitamente, entender completamente, ser mestre em (*VLB*, II, 131; 110)

pyasab (v. tr.) – tecer (p.ex., pano, rede etc.): *Aaó-pyasab*. – Teço roupas. (*VLB*, II, 125) ● **pyasapaba** – tempo, lugar, modo etc. de tecer; teçume (*VLB*, II, 125)

py'aso'o – o mesmo que **pyîaso'o** (v.) (D'Evreux, *Viagem*, 159)

pyatã (m) (etim. – *pé firme*) (s.) – força (*VLB*, I, 141), valentia, coragem; firmeza, força de espírito (*VLB*, I, 142): *Myatã... ogûeru...* – Trouxe a coragem. (Ar., *Cat.*, 5); *Tupã myatã-eté-eté...* – A imensa força de Deus. (Bettendorff, *Compêndio*, 62); (adj.) – corajoso, valente, forte (de saúde, de boa nutrição), firme: *T'oré pyatã, angá...* – Que sejamos corajosos, sim. (Anch., *Teatro*, 120); *kunhã-pyatã* – mulher corajosa (Anch., *Poemas*, 126); *Eporeaûsubok xe 'anga, t'i pyatã nde resé*. – Arranca a miséria de minha alma para que esteja firme em ti. (Valente, *Cantigas*, I, in Ar., *Cat.*, 1618); *Epu'ã, nde pyatã!* – Levanta-te, sê valente! (Anch., *Teatro*, 162); *Na xe pyatãî.* – Eu não estou forte (isto é, estou debilitado pela doença, pela fome etc.). (*VLB*, I, 143); (adv.) – fortemente (*VLB*, I, 143)

py'aûpîara (m) (etim. – *adversário do fígado*) (s.) – fel; bílis; (adj.: **py'aûpîar**) – féleo, amargo: *Mba'e-py'aûpîara kaûîaîasy resé i monani...* – Uma coisa amarga com vinagre misturaram. (Ar., *Cat.*, 63v)

pybo'ir (etim. – *pés afastados*) (v. intr.) – **1)** pernear (como o animal que está morrendo) (*VLB*, II, 74); **2)** fazer mesura com o pé (*VLB*, II, 36)

pybo'ira (m) (etim. – *afastamento dos pés*) (s.) – mesura com o pé (*VLB*, II, 36)

pyeî (etim. – *lavar o interior*) (v. tr.) – lavar (p.ex., louça): *Aîpyeî.* – Lavo-a. (*VLB*, II, 19)

pyendaba (mb) (etim. – *lugar de estarem os pés*) (s.) – estribos (*VLB*, I, 131)

pygûaîa (ou **pyûaîa**) (m) (s.) – concavidade, depressão suave, ondulação, covinhas (do rosto, da nuca, da terra etc.); (adj.: **pygûaî**) – côncavo; (xe) ter covinhas: *Xe pygûaî.* – Eu tenho covinhas. (*VLB*, I, 84)

pygûará-gûará (v. tr.) – escarafunchar, esgaravatar, cutucar o interior de (*VLB*, II, 37)

py'i[1] (m) (s.) – rapidez, destreza, habilidade; (adj.: **py'i**) – rápido, destro, hábil, atilado: *Xe pó-py'i emonã gûitekóbo.* – Eu tenho mãos rápidas para assim agir. (*VLB*, I, 34); *Xe nhe'ẽ- -mby'i.* – Eu tenho fala rápida. (*VLB*, I, 133)

py'i[2] (adv.) – frequentemente, muito, demais: *Asó py'i.* – Vou frequentemente. (*VLB*, I, 34); *Oîmongetá-py'i-py'ipe asé Santa Maria...?* – Reza a gente muito frequentemente para Santa Maria? (Ar., *Cat.*, 34); *Xe nhe'ẽ-mby'i.* – Eu falo demais. (*VLB*, I, 150)

pyîaso'o (mb) (s.) – **1)** lombo, parte carnosa dos lados da espinha (*VLB*, II, 24); lombo da parte de fora (Castilho, *Nomes*, 36): *Xe kori i pyîaso'o.* – Eu hoje (quero) o lombo deles. (Anch., *Teatro*, 64); **2)** espinhaço (*VLB*, I, 126)

pyk[1] (v. intr.) – **1)** calar-se: *Opyk o'ama, i nhe'engobaîxûare'yma.* – Estava-se calando, não respondendo as palavras deles. (Ar., *Cat.*, 56); **2)** acalmar-se (o vento etc.); amai-nar (p.ex., a fúria) (*VLB*, I, 19); aquietar-se: *Mba'epe ké tuî opyka?* – Que aqui está deitado, aquietando-se? (Anch., *Teatro*, 42); **3)** cessar, cessar de, parar de, deixar de ser: *N'opyki i nhe'engatã...* – Não cessam suas palavras duras. (Anch., *Teatro*, 148); *Opyk amana.* – Cessou a chuva. (*VLB*, I, 122); *Nde angaturama n'opyki.* – Tua bondade não cessa. (Valente, *Cantigas*, V, in Ar., *Cat.*, 1618); ... *Marã 'é n'opyki xóne...* – Não cessarão de dizer maldades. (Anch., *Teatro*, 36); *Îandé-te îapyk umẽ senõîa...* – Mas que nós não paremos de chamá-la. (Anch., *Poemas*, 186); *N'opyki nhemombegûara îandé pó suí sembiara.* – Não deixam de ser presas de nossas mãos os que se confessam. (Anch., *Teatro*, 158, 2006); **4)** ficar pensativo, ficar absorto: *Apyk gûitekóbo.* – Eu estou ficando pensativo. (*VLB*, II, 72); (v. tr.) calar: *Aîîuru-pyk.* – Calei a boca dele. (*VLB*, II, 124); *Aîopyk xe nhe'enga.* – Calei minhas palavras. (*VLB*, I, 19) • **pykaba** – tempo, lugar, modo etc. de calar, de cessar etc.; cessação: ... *Aîpó sábado pysyrõû i pupé ybýá morabyky suí o pykápe...* – Eis que o sábado reservou para a cessação do trabalho nele. (Ar., *Cat.*, 11v)

pyk[2] (v. tr.) – **1)** apertar, oprimir, entalar, pôr em aperto: *Aîopyîopyk.* – Fiquei-o oprimindo. (*VLB*, I, 68); *Oîopyk muru akanga...* – Aperta a cabeça do maldito. (Anch., *Poemas*, 180); ... *Oré py'a-pyk.* – Oprime-nos o coração. (Anch., *Teatro*, 184, 2006); **2)** cobrir (o macho a sua fêmea): *T'oropyk.* – Hei de cobrir-te. (Anch., *Doutr. Cristã*, II, 98)

pyka (s.) – cessação, sossego; (adj.: **pyk**) – sossegado, cessante, estagnado, parado: *Na xe îuru-pyki.* – Eu não tenho boca sossegada (isto é, *eu sou comilão*). (*VLB*, I, 146); *'ye'ẽ-mbyka* – água salgada estagnada (Léry, *Histoire*, 359)

pykasu (s.) – pomba-legítima, PICAÇU, PUCAÇU, PICAÚ, ave da família dos columbídeos (D'Abbeville, *Histoire*, 242v): *Mokõî pykasy ra'yra i xy ogûerasó îetanongabamo.* – Dois filhotes de pomba sua mãe levou como oferenda. (Ar., *Cat.*, 3v); **2)** rola (*VLB*, II, 108)

pykasueté

PICAÇU (ilustração de C. Cardoso)

pykasueté (etim. - *pomba verdadeira*) (s.) - var. de rola (*VLB*, II, 108; *Theat. Rer. Nat. Bras.*, I, 173)

pykasuroba (etim. - *pomba amargosa*) (s.) - PICUÇAROBA, nome de uma ave columbídea (Marcgrave, *Hist. Nat. Bras.*, 204)

pykasutinga (etim. - *pomba branca*) (s.) - var. de pomba (*VLB*, II, 80)

pyko'ẽ (s.) - cova, depressão suave, concavidade (no rosto, na nuca, no chão mal igualado etc.): *atuá-pyko'ẽ* - concavidade da nuca, depressão na parte inferior da nuca (*VLB*, I, 84); (adj.) - côncavo, encovado: *nha'ẽ-pyko'ẽ* - prato côncavo, prato fundo (*VLB*, II, 128)

pyko'ẽ'ok (v. tr.) - tornar côncavo (como uma colher) (*VLB*, I, 30)

pykõîa (etim. - *gêmeo do pé*) (s.) - peia para trepar, para subir (*VLB*, II, 68), **PECONHA** (N), *laço de corda ou de embira preso ao tronco das árvores sem ramos para nele se colocarem os pés a fim de subir* (in *Novo Dicion. Aurélio*)

pykopy (m) (s.) - durabilidade; resistência; (adj.) - duradouro, resistente, tenaz, demorado (dizendo-se tb. de caminho) (*VLB*, I, 20); (xe) render, dar bom rendimento (p.ex., a obra, a comida, o caminho etc.) (*VLB*, I, 144)

pyku - metátese de **kupy** (v.) (*VLB*, II, 74)

pykûaba (s.) - atolamento; (adj.: **pykûab**) - atolado: *Xe pykûab.* - Eu estou atolado. (*VLB*, I, 47)

pykuba'ũ (mb) (s.) - vão entre os dedos dos pés (Castilho, *Nomes*, 30)

pykûepeba (s.) - nome de uma ave da feição das rolas. "... Tem as penas vermelhas e o bico preto." (Sousa, *Trat. Descr.*, 230; Soares, *Coisas Not. Bras.* (ms. C), 1358-1361)

pykupé (mb) (etim. - *costas dos pés*) (s.) - peito do pé (Castilho, *Nomes*, 30; *VLB*, II, 70)

pykutuk (etim. - *cutucar o interior*) (v. tr.) - escarafunchar, esgaravatar (*VLB*, II, 37)

pykyra (m) (s.) - rabadilha ou rabadela (da galinha etc.) (*VLB*, II, 95)

pyky'ymena (ou **pykyîymena**) (m) (s.) - 1) cunhado, marido da irmã mais moça (de m.); 2) marido da sobrinha mais moça (de m.); 3) marido da prima mais moça (de m.) (Ar., *Cat.*, 271)

pyky'yra (m) (s.) - 1) irmã mais moça (de m.): *O me'engabeté pyky'yra koîpó tykera... resé obykyba'e n'e'ikatuî omendá o me'engabeté resé tiruã...* - O que tocou na irmã mais moça ou na irmã mais velha de sua noiva não pode casar-se nem mesmo com sua noiva. (Ar., *Cat.*, 131); 2) prima mais moça (de m.): *Oîmombe'u uman karaibebé i pyky'yra pé i puru'aramo sekó.* - Já anunciara o anjo a sua prima estar ela grávida dele. (Ar., *Cat.*, 6v); 3) sobrinha mais moça (de m.) (Ar., *Cat.*, 270)

pym[1] (v. intr.) - endurecer-se, entesar-se, arrebitar-se, enrijecer-se (*VLB*, I, 153) (Diz-se do que comumente fica frouxo, derrubado ou mole, como rabo de pássaro ou de veado, a orelha do asno, o pênis.) (*VLB*, I, 113)

pym[2] (v. intr.) - desarmar-se (p.ex., o laço) (*VLB*, I, 96)

pyma (s.) - endurecimento, arrebitamento (do que é, comumente, frouxo ou mole); (adj.: **pym**) - duro, entesado, arrebitado, enrijecido: *"Oú temõ ké kunhã xe posé", erépe, nde mba'e-pymamo?* - "Oxalá viesse aqui uma mulher para o meu lado", disseste, tendo o teu membro ereto? (Anch., *Doutr. Cristã*, II, 93)

NOTA - Daí, no P.B., **PIMBA**, **BIMBA**, pênis; **PIMBAR**, dar socos em, socar.

pymondyk (etim. - *queimar os pés*) (v. intr.) - patear, bater os pés no chão (como o cavalo, ou bailando) (*VLB*, II, 67)

pynekûab (v. tr.) - desviar de, desencontrar-se de: *Ereîpynekûápe abá i amotare'yma nhẽ sepîaka suí?* - Desviaste de alguém, detestando-o, para não o ver? (Ar., *Cat.*, 102); *Oroîopynekûab.* - Desencontramo-nos. (*VLB*, I, 98)

pynhũã (m) (s.) - dedo do pé, artelho (Castilho, *Nomes*, 30)

pynhûãkanga (m) (etim. – *osso do artelho*) (s.) – tornozelo (*VLB*, I, 60)

pynõ¹ / **epynõ** (t) (v. intr.) – emitir ventosidade, peidar: *Apynõ.* – Peido. (Anch., *Arte*, 58); *sepynõneme* – quando ele peida (Anch., *Arte*, 58) • **pynõsara** – o que peida (Fig., *Arte*, 63); **pynõsaba** – tempo, lugar, modo etc. de peidar (Fig., *Arte*, 63)

pynõ² (s.) – PINÔ, var. de palmeira da Amazônia cujo fruto se come (*VLB*, II, 60)

NOTA – Daí, no P.B., **PINOGUAÇU**, mamoeiro, papaieira.

pynõ³ (s.) – nome de uma planta (*VLB*, II, 59; *Theat. Rer. Nat. Bras.*, II, 222)

pypaîa (mb) (s.) – gordura das tripas (*VLB*, I, 149); teagem das tripas (*VLB*, II, 125)

pype – o mesmo que **ypype** (v.)

pypeká¹ (v. tr.) – carmear, desfazer os nós de (algodão ou lã) (*VLB*, I, 67)

pypeká² (v. tr.) – escarrapachar, abrir, alargar (*VLB*, I, 123)

pypirar¹ (ou **pupirar**) (v. tr.) – abrir (p.ex., a mão, os olhos, o arco, o saco de farinha, a vagina etc.), alargar, abrir estendendo: *Erepokokype nde rapopé resé i pekábo,... i pypirá?* – Passaste a mão nas tuas pudendas, abrindo-as, alargando-as? (Anch., *Doutr. Cristã*, II, 95)

pypirar² (v. tr.) – carmear (desfazer os nós do algodão ou da lã) (*VLB*, I, 67)

pypora (mb) (etim. – *marca do pé*) (s.) – pegada, rastro (*VLB*, II, 69); ... *Îasepîak îepi i pypora...* – Vemos sempre as suas pegadas. (Ar., *Cat.*, 138, 1686)

pypupypuba (s.) – nome de uma ave de hábitos noturnos (Soares, *Coisas Not. Bras.* (ms. C), 1464-1468)

pypytera (mb) (etim. – *meio do pé*) (s.) – **1)** palmilha da meia, parte inferior da meia onde assenta o pé (*VLB*, II, 63); **2)** planta do pé, sola (D'Evreux, *Viagem*, 159; Castilho, *Nomes*, 30)

pyr (xe) (v. da 2ª classe) – desarmar-se por si (p.ex., uma armadilha de laço) (*VLB*, I, 96)

-pyr(a)¹ [ou **-ypyr(a)**] (suf. nominalizador. Forma deverbais passivos. Pode incluir a ideia de dever. Suas formas nasalizadas são **-mbyr** e **-ymbyr**.): *i nambi-mondokypyra* – sua orelha arrancada (Ar., *Cat.*, 55); *i moetepyra* – os que devem ser honrados (Ar., *Cat.*, 5v); *serobîarypyra* – aquele em quem se deve acreditar (Anch., *Teatro*, 6); *i îukapyra* – o que é morto, o que deve ser morto, o morto (Anch., *Arte*, 19v); *Tupã syrama ri i monhangymbyra...* – Para mãe de Deus é que é feita. (Anch., *Poemas*, 88)

NOTA – Daí, o nome de pessoa **JUPIRA** e o nome do poema de Gonçalves Dias **I-JUCA-PIRAMA** (v. Rel. Top. e Antrop. no final).

pyra² (s.) – crueza; (adj.: **pyr**) – cru (p.ex., carne etc.): *I pyr.* – Ela está crua. (*VLB*, I, 86, adapt.)

pyri (etim. – *no pé*) (loc. posp.) – na parte próxima de, ao pé de, perto de (Anch., *Arte*, 41); com, para junto de (fal. de pessoas e não de lugares): ... *Xe pyri marãtekoara...* – O que trabalha perto de mim. (Anch., *Teatro*, 8); ... *I abaeté muru supé São Sebastião ru'uba, São Lourenço pyri bé.* – Foram terríveis contra os malditos as flechas de São Sebastião, com São Lourenço também. (Anch., *Teatro*, 52); *T'asó nde pyri kori.* – Hei de ir contigo hoje. (Anch., *Teatro*, 66); *Asó xe ruba pyri.* – Vou para junto de meu pai. (*VLB*, II, 14); *Tapi'ira osó ogûapixara pyri.* – O boi foi para junto dos seus companheiros. (Fig., *Arte*, 126)

pyru'ã (mb) (v.) – calos dos pés (*VLB*, I, 63)

pyrung (ou **purung**) (etim. – *pôr o pé*) (v. intr. compl. posp.) – pisar [compl. com **esé** (r, s) ou **ri**]: *Muru ri opurũ-purung.* – Fica pisando o maldito. (Anch., *Poemas*, 190) • **purungaba** – tempo, lugar, modo etc. de pisar: *Nd'e'i te'e yby asé purungaba tiruã aîpoba'e re'õmbûera reroŷrõmo...* – Por isso mesmo, até a terra que a gente pisa detesta os cadáveres daqueles. (Ar., *Cat.*, 179-179v)

pyryb¹ (forma nasal: **mbyryb**) (adv.) – **1)** pouco, um pouco: ... *korite'ĩ-mbyryb* – agora há pouco (*VLB*, I, 24); *Xe retobapé-pyryb.* – Eu sou um pouco bochechudo. (*VLB*, I, 56); *Karaíba, ipó, n'oîkoangaîpá-pyrybi.* – Os cristãos, na verdade, não pecam pouco. (Anch., *Teatro*, 20); **2)** um pouco mais, um tanto mais (*VLB*, I, 154); **3)** algum tanto, um tanto: *Turusu-pyryb.* – É algum tanto grande. (*VLB*, II, 35); **4)** muito (tb. com adjetivos que levem o pref. **moro**-): *Moroũ-mbyry nakó.* – Isto era muito preto, de fato. (*VLB*, II, 128); *I katu-pyryb.* – Ele é muito bom. (*VLB*, II, 35) • **pyrybĩ** – um pouquinho mais (*VLB*, I, 154); um tanto mais (*VLB*, I, 31);

pyryb²

pyrybĩ nhote – mais um pouco; algum tanto (*VLB*, II, 28)

NOTA – Daí provém o nome **CATUPIRI** ("muito bom"), de uma marca e de uma variedade de requeijão.
Daí, também, no P.B., **BIRIBA**, 1) sinôn. de *caipira*, *tropeiro*, homem simples e rude do campo; 2) égua pequena.

pyryb² (forma nasal: **mbyryb**) (adv.) – tirante a, com um ar de, como que: *Gûyrá pepóbo pyryb*. – Como que em asas de pássaro. (*VLB*, II, 17); *pyrã-mbyryb* – tirante a vermelho (*VLB*, II, 128)

pyryba (s.) – proximidade (fal. de parentesco); (adj.: **pyryb**) – próximo (fal. de parentes): *Nde poxype nde remirekó asykûereté amõ resé koîpó i mũ-mbyryba?* – Tu foste torpe com alguma irmã de tua esposa ou com sua parente próxima? (Anch., *Doutr. Cristã*, II, 94)

pyrybé (adv.) – um pouco mais: *... I pyrybé perobîá...* – Acreditai um pouco mais nele. (Anch., *Teatro*, 56)

pyrykytỹ'i (m) (s.) – rim (Castilho, *Nomes*, 36)

NOTA – Daí, no P.B., **PIRIQUITI**, nome de uma erva canácea.

pyryrym (v. intr.) – rodar (como um pião), rodopiar, fazer corrupio (p.ex., a ventoinha) (*VLB*, I, 35)

pyryryma (mb) (s.) – **1)** pião (espécie de jogo) (*VLB*, II, 76); **2)** rodopio: *T'oroîtyk oré poxy, paîé rerobîare'yma, moraseîa, mbyryryma...* – Que lancemos fora nossa maldade, não acreditando nos pajés, em danças e rodopios. (Anch., *Teatro*, 118)

NOTA – Daí, no P.B., **PIRIRI**, transtorno, convulsão: "Ele teve um piriri".

pysã (m) (s.) – dedo do pé: *... mosapyr mysã...* – três dedos dos pés... (Ar., *Cat.*, 3) • **pysã-apyra (m)** – as pontas dos dedos dos pés (Castilho, *Nomes*, 33); **pysãgûasu (m)** – dedo polegar do pé (Castilho, *Nomes*, 33); **pysãgûasu-ybyrixûara (m)** – dedo indicador do pé (Castilho, *Nomes*, 33); **pysã-kytã (m)** – nós dos dedos dos pés (Castilho, *Nomes*, 33); **pysã-mirĩ (m)** – dedo mínimo do pé (Castilho, *Nomes*, 33); **pysã-mytera (m)** – dedo médio do pé (Castilho, *Nomes*, 33); **pysã-myterybyrixûara (m)** – dedo anular do pé (Castilho, *Nomes*, 33)

pysá (ou **pusá**) (s.) – PUÇÁ, var. de rede de pesca (D'Evreux, *Viagem*, 130): *... Oîepé xe pysá pora.* – Um só é o conteúdo de minha rede. (Anch., *Poemas*, 152); *Apysá-îtyk.* – Lanço puçá. (*VLB*, II, 18)

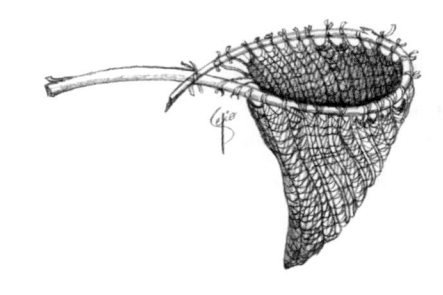

PUÇÁ (ilustração de C. Cardoso)

pysãgûasu (m) (etim. – *dedo grande do pé*) (s.) – unheiro, tumor na raiz da unha ou entre a unha e o dedo de pé doente, que era comum entre os índios (*VLB*, II, 139)

pysagûasu (ou **pysaûasu**) (etim. – *puçá grande*) (s.) – PUÇÁ-GUAÇU, rede para apanhar peixe, como chinchorro (*VLB*, II, 99) • **pysagûasu-eîtykara** – pescador com puçá-guaçu (*VLB*, II, 75); **pysagûasu-eîtykaba** – pescaria com puçá-guaçu (*VLB*, II, 75)

pysaîé (s.) – **1)** alta noite (Fig., *Arte*, 128; *VLB*, II, 145); **2)** meia-noite: *Asé n'omba'e-'u-angaí pysaîé bé...* – A gente não come absolutamente nada desde a meia-noite. (Bettendorff, *Compêndio*, 87); (adv.) – a altas horas: *A'e ré, moxy rekóû pysaîé okybỹîa asá-asapa...* – Depois disso, os malvados estão, a altas horas, atravessando o interior das ocas. (Anch., *Teatro*, 150) • **pysaîé-katu ké-gûyrybo** – "sob o sono da bem alta noite", isto é, nas horas mortas da noite, em que todos dormem (*VLB*, I, 32); **pysaîe'ĩ** (ou **pysaîekatu'ĩ**) – horas mortas da madrugada, modorra (*VLB*, II, 40)

pysakang (xe) (v. da 2ª classe) – tropeçar, dar topada, dar tropeçada: *Xe pysakang.* – Eu dou tropeçada. (*VLB*, I, 112)

pysamirĩ (etim. – *puçá pequeno*) (s.) – var. de rede de pescar de mão (*VLB*, II, 99)

pysãpẽ (m) (s.) – unha de dedo do pé (Castilho, *Nomes*, 33) • **pysãpẽgûasu** – unha de dedo polegar do pé (Castilho, *Nomes*, 33)

pysapy'i (s.) – rede de pesca para piquitingas (*VLB*, II, 99)

pysaré (adv.) – a noite toda, por toda a noite (*VLB*, II, 50): *Oporaseî pysaré...* – Dançaram a noite toda. (Anch., *Teatro*, 14); *Pysaré serã ereîkó arinhama mokanhema...?* – Será que a noite toda ages para fazer sumir as galinhas? (Anch., *Teatro*, 30); ... *Pysaré n'aker-angáî...* – A noite toda não durmo, absolutamente... (Anch., *Teatro*, 30)

pysarébo (adv.) – **1)** cada noite (Fig., *Arte*, 128); **2)** toda a noite (*VLB*, II, 130)

pysasu (s.) – novato, principiante em algo: *Aîkó pysasuramo.* – Sou um novato. (*VLB*, II, 51); (adj.) – **1)** novo; fresco: *Xe moaîu-marangatu... aîpó tekó-pysasu.* – Importuna-me bem aquela lei nova. (Anch., *Teatro*, 4); *Xe pysasu.* – Eu sou novo. (*VLB*, II, 51); **2)** recente; de há pouco: *nde rekó-pysasu* – teus atos recentes (Anch., *Doutr. Cristã*, II, 78)

pysaûasu – o mesmo que **pysagûasu** (v.) (Léry, *Histoire*, 360)

pysa'ybusu (etim. – *puçá de cabo grande*) (s.) – var. de rede de pesca de varas compridas para rios muito fundos, nos quais se pesca da embarcação (*VLB*, II, 99)

pysa'ypeba (etim. – *puçá de cabo chato*) (s.) – var. de rede de pescar de mão (*VLB*, II, 99)

pysebo'i (etim. – *verme dos pés*) (s.) – frieira (dos pés) (*VLB*, I, 144)

pyse'õ (ou **pyse'ong**) – o mesmo que **pese'õ** (v.)

pysó (ou **pysok**) (v. tr.) – **1)** estender (o que estava dobrado, enrolado ou encolhido); estirar (*VLB*, I, 128-129): *Oîpysó ybyraîoasaba 'arybo...* – Estiraram-no sobre a cruz... (Ar., *Cat.*, 62); **2)** alastrar pelo chão, acamar (p.ex., a cana, a erva que estava em pé) (*VLB*, I, 19; 29)

pysok – o mesmo que **pysó** (v.) (*VLB*, I, 19)

pysyk (v. tr.) – pegar, capturar, prender, agarrar, apanhar, segurar com as mãos, tomar às mãos: *Xe pysyk kó makaxera!* – Prendeu-me este macaxera! (Anch., *Teatro*, 48); ... *Anhanga îandé pysyki.* – O diabo nos capturou. (Anch., *Poemas*, 178); *Aîpysyk-atã.* – Segurei-o fortemente; apertei-o. (*VLB*, I, 38) ● **pysykaba** – tempo, lugar, modo, objeto etc., de apanhar, de pegar; presa: ... *Putuna îudeus i pysykagûeramo sekóreme, ... cristãos rorybe'ymamo.* – A noite em que estava ele como presa dos judeus, os cristãos não estavam felizes. (Ar., *Cat.*, 5v)

NOTA – Daí provém, no P.B., o nome da árvore **GUARAPICICA** ("pega-guará"), além da palavra **TIPISCA** (*ty* + *pysyka*, "segura água") (AM), *lagoa que se forma na época da enchente, no rio Amazonas e em seus afluentes ocidentais, dum lado pela sinuosidade do leito fluvial e de outro pelo impulso da água, que tende a correr em linha reta, convertendo em lençóis de água as curvas forçadas que as margens apresentam* (in *Novo Dicionário Aurélio*).

pysykaba (m) (etim. – *lugar de pegar*) (s.) – **1)** asa (de xícara) (*VLB*, I, 44); **2)** alça (de cesto) (*VLB*, I, 44); **3)** empunhadura (*VLB*, I, 113)

pysyrõ¹ (v. tr.) – livrar, libertar; salvar, socorrer (*VLB*, II, 119): *Oré pysyrõ-te îepé mba'e-aîba suí.* – Mas livra-nos tu das coisas más. (Ar., *Cat.*, 13v); ... *Nde erimba'e xe pysyrõ îepé.* – Tu outrora me salvaste. (Ar., *Cat.*, 86v) ● **pysyrõana** (ou **pysyrõsara**) – o que livra, libertador; salvador: *Iesu moropysyrõana* – Jesus salvador da gente. (Valente, *Cantigas*, in Ar., *Cat.*, 1618); **pysyrõaba** (ou **pysyrõsaba**) – tempo, lugar, modo etc. de libertar, de salvar; libertação; salvação, livramento: ... *Oromoeté-katu... nde xe pysyrõagûera resé...* – Louvo-te muito por tu me teres salvado. (Ar., *Cat.*, 87)

pysyrõ² (v. tr.) – apossar-se de, ficar dono de, tomar, saquear: *Aîmba'e-pysyrõ-mbab.* – Saqueei-lhe as coisas completamente. (*VLB*, I, 100); *Ereîpysyrõpe abá resaraîagûera...?* – Ficaste dono daquilo que alguém esqueceu? (Anch., *Doutr. Cristã*, II, 99)

pysyrõ³ (v. tr.) – impedir, tornar defeso, proibir ● **emipysyrõ** (t) – o que alguém impede, proíbe: *'ybá Tupã remipysyrõ* – o fruto que Deus proíbe (Ar., *Cat.*, 84)

pysyrõ⁴ (v. tr.) – escolher (entre muitos) (*VLB*, I, 123), acolher, aceitar: ... *I pysyrõû o syrama resé.* – Escolheu-a para sua futura mãe. (Ar., *Cat.*, 133, 1686) ● **emipysyrõ** (t) – o que alguém escolhe; o que alguém aceita etc.: ... *Og ere'yma pupé abá remipysyrõ oîabé sere'yme?* – O que alguém aceita no seu paganismo, no paganismo dele está igualmente? (Ar., *Cat.*, 95v)

pysyrõama (s.) – instrumento de defesa (*VLB*, I, 91)

pytá[1]

pytá[1] (v. intr.) – **1)** ficar, permanecer: *Akûeîme apytá memẽ nde pyri...* – Antigamente eu ficava sempre junto de ti. (Anch., *Poemas*, 154); *Osobá-syb aó-tinga pupé; a'e resé sobá ra'angaba pytáû.* – Limpou seu rosto com um pano branco; nele ficou a imagem de seu rosto. (Ar., *Cat.*, 89, 1686); *Abápe opytá a'epe?* – Quem ficou ali? (Ar., *Cat.*, 64); **2)** agasalhar-se, hospedar-se: *Apytá Pero resé.* – Hospedo-me com Pedro. (*VLB*, II, 59); **3)** parar: *Apytá.* – Parei. (*VLB*, II, 65) ● **opytaba'e** – o que fica, o que para etc.: ... *Ybakype... opytaba'epûera rubixaba.* – Chefe dos que ficaram no céu. (Ar., *Cat.*, 134, 1686); **pytasaba** – tempo, lugar, causa, finalidade etc. de ficar, de parar, de permanecer etc.; permanência, parada: *Nd'e'i te'e og orybamo, Tupão-pyri i pytasagûera resé.* – Por isso mesmo eles estão felizes, pela permanência dele junto à casa de Deus. (Ar., *Cat.*, 5v)

pytá[2] (v. intr. compl. posp.) – enfrentar (p.ex., inimigos), fazer face (a alguém: compl. com **supé**): *Apytá (abá) supé.* – Fiz face aos homens. (*VLB*, I, 114, adapt.)

pytá[3] (m) (s.) – calcanhar (Castilho, *Nomes*, 36): *Aîpytá-pûar.* – Amarrei-lhe os calcanhares. (*VLB*, I, 46)

pyta'am (xe) (etim. – *calcanhar erguido*) (v. da 2ª classe) – manquejar nas pontas dos pés, levantar-se nas pontas dos pés: *Xe pyta'ã-ta'am.* – Eu me fico levantando nas pontas dos pés. (*VLB*, II, 21)

pytaî (etim. – *no calcanhar*) (posp.) – atrás de (Anch., *Arte*, 41): *Xe pytaî turi.* – Veio atrás de mim. (Anch., *Arte*, 41v)

pytanga[1] (s.) – cor pastel, cor baça, cor parda, cor fosca (*VLB*, I, 50); cor cinzenta (*VLB*, I, 74); cor de trigo (*VLB*, II, 137); cor morena (*VLB*, II, 42); louro (*VLB*, II, 24); entre branco e preto (*VLB*, II, 24); rosa; (adj.: **pytang**) – baço, pardo, cinzento, trigueiro, moreno, louro, cinza, rosado*: *Xe pytang.* – Eu sou pardo. (*VLB*, I, 50); **ybyrá-pytanga** – árvore rosada, pau-rosado (isto é, *o pau-brasil*) (Marcgrave, *Hist. Nat. Bras.*, 101)

*OBSERVAÇÃO – Como se viu, **pytanga** designa qualquer cor clareada pelo branco; cor pastel.

NOTA – Daí provém, no P.B., **PITANGA** (*ybá-pytanga*, "fruto avermelhado", nome de árvore da família das mirtáceas e de seu fruto.

Daí, também, a expressão CHORAR AS **PITANGAS**, lamuriar-se, chorar perdidamente; pechinchar algo recusado.

pytanga[2] – o mesmo que '**ybapytanga** (v.) (Cadornega, *Hist. Guerras Angolanas*, III, 37)

pytapuku (etim. – *ficar longamente*) (v. intr.) – demorar-se: ... *Opytapuku-mirĩ bé Tupãokype...* – Demora-se um pouco na igreja, também. (Bettendorff, *Compêndio*, 89)

pytasaba (m) (etim. – *lugar de ficar*) (s.) – pouso, pousada: *Eîpytybyrok xe roka, nde pytasaba îepi.* – A poeira dos pés arranca de minha casa, tua pousada sempre. (Valente, *Cantigas*, VIII, in Ar., *Cat.*, 1618)

pytasama (m) (etim. – *corda de calcanhar*) (s.) – jarreto ou nervo; tendão: *Aîpytasã-mondok.* – Cortei seus nervos. (*VLB*, II, 7)

pytasok (etim. – *socar o calcanhar*) (v. tr.) – escorar, apoiar (para que não caia); firmar (*VLB*, I, 123) ● **pytasokaba** – tempo, lugar, modo etc. de escorar; escora (*VLB*, I, 123); tranca (de porta, janela etc.) (*VLB*, II, 135)

pyte'em (ou **pyte'ẽ**) (xe) (v. da 2ª classe) – manquejar (pondo só a ponta dos pés); ser aleijado, ser coxo (que pisa com a ponta dos pés): *Xe pyte'em.* – Eu sou coxo. (*VLB*, I, 85; II, 31)

pyter (ou **pyté**) (v. tr.) – **1)** chupar: *tatá-pytera* – "o chupa-fogo" (nome próprio) (Anch., *Teatro*, 130, 2006); **2)** beijar: *A'e ipó asetobapé-pyténe...* – A ele, certamente, beijarei suas faces. (Ar., *Cat.*, 54); *Aîpyter.* – Beijei-o. (*VLB*, I, 54); **3)** sorver (Marcgrave, *Hist. Nat. Bras.*, 277)

pytera (mb-) (s.) – meio, centro de um círculo [não de coisa esférica ou com volume, que é **apytera** (v.)]: ... *Karaibebé pyterype supiri...* – Para o meio dos anjos fê-la subir. (Ar., *Cat.*, 132); ... *Amõ 'yba gûemityma pyterype o'amba'e kuabe'enga.* – Mostrando-lhe certa árvore que estava no meio do seu jardim. (Ar., *Cat.*, 40); ● **pyteri** – no meio de (Anch., *Arte*, 41); **pyterybo** – pelo meio de (sentido difuso) (Anch., *Arte*, 42v); **mbyterype** – pela metade, pelo meio: *Îaîemonhã-mbyterype.* – Fizemo-nos pela metade (i.e., dividimo-nos). (Camarões, *Cartas*, 17 de outubro de 1645)

NOTA – Daí, **CAPUTERA** (localidade de SP) (v. Rel. Top. e Antrop. no final).

pyti'u (m) (s.) – PITIÚ, PITIUM, cheiro de peixe fresco cru; (adj.) **(xe)** – ter cheiro de peixe, ter PITIÚ: *Xe pyti'ugûasu.* – Eu tenho muito pitiú. (*VLB*, I, 73)

> NOTA – Daí, no P.B., **CAAPITIÚ** (*planta de pitiú*), arvoreta da família das monimiáceas, que exala forte odor. Daí, também, o nome geográfico **BITIÚ** (MA) (v. Rel. Top. e Antrop. no final).

pytu (ou **putu** ou **pytuba**) (m) (s.) – hálito, bafo, sopro, respiração, fôlego: ... *O pytu pupé nhote tekobé me'enga i xupé.* – Com seu sopro somente dando vida a ele. (Ar., *Cat.*, 48, 1686); (adj.) **(xe)** – respirar, ter fôlego: *Xe pytu-muku.* – Eu tenho fôlego comprido. (*VLB*, I, 141); *Xe pytubapûan.* – Eu tenho fôlego apressado, eu tenho muito fôlego. (*VLB*, I, 141)

> NOTA – Daí, no P.B., **BITUCA** (*mbytu* + morfema não identificado), a parte que resta do charuto, do cigarro depois de fumados, a parte deles pela qual se aspira a fumaça.

pytũaroana (etim. – *o que guarda a respiração*) (s.) – 1) vigia da noite; 2) espião que age à noite (*VLB*, II, 145)

pytubar **(xe)** (etim. – *prender fôlego*) (v. da 2ª classe) – cansar-se, cansar-se de: ... *N'oîeruré-pytubari Tupã supé...* – Não se cansam de rezar a Deus. (Ar., *Cat.*, 8v)

pytubara (m) (etim. – *o prender o fôlego*) (s.) – 1) cansaço (*VLB*, I, 133); 2) aborrecimento (*VLB*, I, 23); 3) melancolia, "uma que quebranta o corpo sem que se possa fazer nada, nem falar" (*VLB*, II, 29); (adj.: **pytubar**) – cansado, aborrecido, melancólico: *Xe pytubarusu.* – Eu estou muito melancólico. (*VLB*, II, 29)

> NOTA – Daí, no P.B., **PITUBA**, pessoa fraca, medrosa, covarde.

pytuẽ – o mesmo que **putuẽ** (v.) (*VLB*, I, 141)

pytumimbyka (s.) – escuridão: ... *Sesaý pytumimbyka rupi pé resapébo.* – Fachos para iluminar o caminho pela escuridão. (Ar., *Cat.*, 74, 1686); (adj.: **pytumimbyk**) – muito escuro (*VLB*, I, 124): *O pytumimbykamo nhẽ nhemongaraibypyre'yma 'anga rekóû.* – Muito escura é a alma do que não é batizado. (Ar., *Cat.*, 187, 1686)

pytuna – o mesmo que **putuna** (v.)

pytunarõ (etim. – *guardar a noite*) (v. intr.) – 1) vigiar de noite; 2) fazer espionagem à noite (*VLB*, II, 145)

pytuura (ou **putuura**) (etim. – *bafo que vem*) (s.) – vento, bafo contínuo, sem parar (p.ex. de furacão, o bafejar produzido por furo na barriga etc.) (*VLB*, II, 143); (adj.: **pytuur** ou **putuur**) **(xe)** – ventar, bafejar continuamente, sem parar (*VLB*, II, 143)

pytybõ (v. tr.) – ajudar, auxiliar: ... *T'oropytybõne...* – Hei de te ajudar. (Anch., *Teatro*, 36); *T'oú îandé pytybõmo xe rybyra...* – Que venha para nos ajudar meu irmão mais moço. (Anch., *Teatro*, 130); ... *Ereîpytybõpe abá mondá resé?* – Ajudaste alguém num roubo? (Ar., *Cat.*, 107); *Aînhe'ẽ-pytybõ.* – Ajudei-o em suas palavras (isto é, ajudei-o naquilo que dizia, argumentando a favor dele). (*VLB*, I, 134) • **pytybõsara** (ou **pytybõana**) – o que ajuda, o ajudante: ... *São Lourenço pytybõana.* – ... ajudante de São Lourenço. (Anch., *Teatro*, 40); – *Mba'erama resépe Tupã semirekorama monhangi? – I pytybõsarama resé...* – Para que Deus criou a esposa dele? – Para sua ajudante... (Ar., *Cat.*, 48, 1686); **pytybõsaba** – tempo, lugar, meio etc. de ajudar; ajuda, auxílio: *Tupã asé pytybõsaba amõ...* – algum auxílio de Deus à gente (Bettendorff, *Compêndio*, 76); *Îandé pytybõagûama resé oîeruré-bo.* – Pedindo para nos ajudarem (etim. – *pela nossa futura ajuda*). (Ar., *Cat.*, 125)

pytym (v. tr.) – fazer engasgar, produzir engasgamento (a comida é o sujeito e a pessoa que se engasga é o objeto) (*VLB*, I, 116)

> NOTA – Daí, no P.B., **PITIMBA**, mal-estar, achaque; **PITIMBADO**, que tem pitimba; achacado, indisposto.

pyûaîa – v. **pygûaîa**

pyuru (m) (etim. – *envoltório dos pés*) (s.) – sapato (*VLB*, I, 66)

pyxanga – alomorfe de **pytanga** (v.) (Marcgrave, *Hist. Nat. Bras.*, 152)

pyxuna – alomorfe de **pytuna** (v.) (Soares, *Coisas Not. Bras.* (ms. C), 1154-1156)

R

r- (pref. de relação usado com alguns substantivos, adjetivos, verbos e posposições para indicar dependência entre estes e os termos que os precedem): *Nde porãngatu raûsupa...* – Amando tua grande beleza (Anch., *Poemas*, 84); *... Xe roryb nde só resé.* – Eu estou feliz por tua ida. (Anch., *Arte*, 27)

rá[1] – gerúndio de **îar / ar(a) (t, t)** (v.)

rá[2] (part.) – já; outra vez: *Nde ma'enduar ... nde rekó pabagûama resé rá.* – Lembra-te já do término de tuas coisas. (Ar., *Cat.*, 154) ; *... Xe moú rá ... pe resé ké Paraípe* – Fazendo-me vir outra vez aqui à Paraíba por vossa causa. (Camarões, *Cartas*, 21 de outubro de 1645)

raá (part.) – já: *Ekûá ké suí raá!* – Vai-te daqui já! (Anch., *Teatro*, 32)

rab[1] (-îo-) (v. tr.) – desatar (p.ex., o nó) (*VLB*, II, 50); desligar, soltar (p.ex., as velas da embarcação); desembaraçar (p.ex., fios): *Aîpopûasá-rab.* – Soltei as algemas dele. (*VLB*, II, 120)

rab[2] (-îo-) (v. tr.) – arrancar (o que está enrolado), desenrolar: *Aînhubã-rab.* – Arranquei o invólucro dele. *Aîorab.* – Desenrolei-o. (*VLB*, I, 98)

rab[3] (-îo-) (v. tr.) – desfiar (o tecido), destecer (trança, teia etc.): *Aîorab.* – Desfiei-o. (*VLB*, I, 99)

ra'e[1] (part.) – dizem, conforme dizem, dizem que, diz-se que, parece que: *Asó ra'e.* – Diz-se que vou. (Anch., *Arte*, 57v); *Osó ra'e.* – Dizem que foi. (*VLB*, I, 104); *Osó ra'ene.* – Dizem que irá. (Anch., *Arte*, 57v); *Osómo ra'emo.* – Diz-se que iria. (Anch., *Arte*, 57v); *... Maria, kunhãngatu, o puru'aramo, ra'e, tekopoxy oîmomburu.* – Maria, mulher bondosa, engravidando, conforme dizem, o vício amaldiçoa. (Anch., *Poemas*, 184); *Emonã erimba'e ra'e.* – Assim diziam outrora. (Ar., *Cat.*, 40) (Pode expressar maravilhamento ou o cair em si, com *-ne*, que, nesses casos, não expressa futuro.): *Asó serãne ra'e?* – Dizem que fui? (Anch., *Arte*, 57v) • **i'e ra'e** – diz-se que, dizem que: *Emonã i'e ra'e.* – Dizem que é assim. (*VLB*, I, 104)

ra'e[2] (part.) – portanto, na verdade, então: *Tupã tekomonhangaba i abŷaramo ra'e.* – Dos mandamentos de Deus eu era transgressor, na verdade. (Anch., *Teatro*, 160); *Tó, inã îepé ra'e!* – Oh, então assim é, na verdade! (Anch., *Poesias*, 269); *Iang-y-te-pe ixé asaûsub ra'e?...* – Mas, então, eu amei isto? (Ar., *Cat.*, 169)

ra'e?[3] (part.) – por acaso? será que? então?: *Osó-tepe ra'e é?* – Mas será que foi mesmo? (Anch., *Arte*, 36); *Mba'epe asé ogûeroŷrõ ra'ene?* – Que será que a gente detestará? (Anch., *Doutr. Cristã*, I, 204)

raẽ (adv.) – antes, primeiro, primeiramente, em primeiro lugar: *Emonã îé abá rekóû raẽ...* – Dizem que o homem fez assim antes. (Anch., *Doutr. Cristã*, II, 100); *Abápe îa'u raẽne?* – Quem devoraremos primeiro? (Anch., *Teatro*, 64) [o mesmo que **ranhẽ** (v.)]

raka'e (adv.) – **1)** outrora, antigamente:... *raka'e 'ara nhemonhang'iré...* – antigamente, após a criação do mundo (Ar., *Cat.*, 84); **2)** (Expressa o imperfeito do indicativo.): *Ixé raka'e.* – Era eu. (*VLB*, I, 121); *Oroîo'u raka'e.* – Comíamo-nos uns aos outros. (D'Abbeville, *Histoire*, 341v)

rakó[1] (adv.) – na verdade, é verdade que, certamente, é certo: *Kûeîsé, rakó, amõ kanhemi...* – Ontem, é verdade que alguns sumiram. (Anch., *Teatro*, 12); *A'e, rakó, i angaîpá...* – Elas, certamente, são más. (Anch., *Teatro*, 14); *Emonã rakó sekóû nde suí.* – Assim agiu, na verdade, longe de ti. (Ar., *Cat.*, 74, 1686)

rakó[2] (part. que expressa o imperfeito do indicativo): *Ixé rakó.* – Era eu. (*VLB*, I, 121); *Akûeîme rakó pirá asekyî-marangatu...* – Antigamente pescava bem os peixes. (Anch., *Poemas*, 152)

rakó[3] (conj.) – se, já que: *Kype rakó ereín nde raûsupara koîpó nde mũ rapirõmo... marãpe nde rekoangaîpagûera resé é nd'ereîase'o-mirĩngatutenhẽ-motari?* – Se longamente ficas pranteando teus amigos ou teus parentes, por que não queres chorar nem um pouquinho por causa de teus antigos pecados? (Ar., *Cat.*, 157)

rakó[4] (part.) – mais: *Nd'oîkóî rakó miapéramo...* – Não é mais pão. (Ar., *Cat.*, 84v)

rakó[5] (conj.) – algumas vezes ... outras vezes (tb. com **amõ**): *Okuî rakó amũme 'ybarambûera o 'yba suí 'ybotyramo oîkóbo bé, amõ rakó ogûakyra pupé i kuî, amõ rakó ogûaîtub'iré i kuî.* – Caem algumas vezes os frutos de suas árvores, sendo ainda flores, outras vezes em seu estado verde, outras vezes caem após seu amadurecimento. (Ar., *Cat.*, 157v)

rakûé (adv.) – de fato, na verdade: *Tekatunheté rakûé endé hegûy!* – Ah, que enfadonho és tu, de fato! (*VLB*, II, 54)

ram

ram (adj. – Em ambiente nasal, assume a forma **nam**. Embora seja tema nominal, comporta-se, muitas vezes, como sufixo. Apresenta também os alomorfes **ûam, gûam, am**. Expressa o futuro nominal.) – futuro, que será, que há de ser, que deverá ser: *Aîune ixé, pe remi'urama!* – Venho eu, a vossa futura comida! (Staden, *Viagem*, 67); *Abá supépe asé îeruréû... o 'anga rekokaturama resé...?* – Para quem a gente reza pela felicidade futura de sua alma? (Ar., *Cat.*, 23); *Arobîar tekobé opaba'erame'yma*. – Creio na vida que não acabará. (Anch., *Doutr. Cristã*, I, 142); *miîukarama* – o que será morto (Anch., *Arte*, 19v); *Xe ram*. – Hei de ser. *Nde ram*. – Hás de ser. (Anch., *Arte*, 33v); *Tupã syrama ri i monhangymbyraŷ* – Para ser a futura mãe de Deus ela foi feita. (Anch., *Poemas*, 88)

rambûer[1] [(adj.) – É uma composição de **ram** (v.) e **pûer** (v.). Apresenta também os alomorfes **ûambûer, ambûer** etc.] – o que seria: *miîukarambûera* – o que seria morto (Anch., *Arte*, 19v)

rambûer[2] **(xe)** (v. da 2ª classe) – frustrar-se, não se realizar, não ter efeito, impedir-se, não dar certo, esvanecer-se: *Xe rambûer.* – Frustrei-me. (*VLB*, II, 10); *T'i rambûer iã xe remimborarama.* – Que se impeça esse meu futuro sofrimento. (Ar., *Cat.*, 53); ... *O sorambûera resé ... sekotebeû.* – Afligiu-se por se ter frustrado sua ida. (Ar., *Cat.*, 84); *I rambûer xe só.* – Não deu certo minha ida. (Anch., *Arte*, 34); ... *N'i rambûé-mirĩ xûé aîpó tekorama resé xe nhe'engane...* – Não se hão de esvanecer nem um pouco minhas palavras acerca daqueles futuros fatos. (Ar., *Cat.*, 161)

rame'ĩ (conj.) – 1) igual a, semelhante a, como, como que, semelhantemente a (Fig., *Arte*, 149): *A'e rame'ĩpe ybŷá i py rerekóû itapygûá pupé i moîáno?* – Semelhantemente a isso fizeram com seus pés, pregando-os também com cravos? (Ar., *Cat.*, 62v); *Îagûara rame'ĩ xe repenhani.* – Como um cão, atacou-me. (*VLB*, I, 45); ... *Oporomoingobébo rame'ĩ, na supi ruã-te.* – Como que fazendo as pessoas viverem, mas não de verdade. (Ar., *Cat.*, 160); *Kokoty paranã aé rame'ĩ o abaetéramo erimba'e gûekoagûera sosé...* – E por outra parte, semelhantemente, o próprio mar será mais terrível do que era seu costume. (Ar., *Cat.*, 159v); ... *Pe apysykĩ serã peîkóbo... te'õ repîakare'yma rame'ĩ...?* – Será que estais sossegados, como os que não veem a morte? (Ar., *Cat.*, 166); 2) como quando: *Pema'ẽ rame'ĩ ybaka resé, pesepîak i poranga...* – Como quando olhais para o céu, vedes sua beleza. (Ar., *Cat.*, 168)

rame'ĩbé (conj.) – assim como, do mesmo modo que: *Kûesenhe'ym xe porapitiagûera o'ar xe resápe, ko'y abé rame'ĩbé i apiti arekó...* – Minhas matanças de outrora caíram diante de meus olhos, assim como agora, também, o assassinato delas guardo comigo. (D'Abbeville, *Histoire*, 350)

ramõ (ou **amõ**) (adv.) – 1) há pouco, ainda agora: *Aîu ramõ.* – Vim ainda agora. (*VLB*, I, 28); 2) de novo, novamente: *Aîkugûab amõ.* – Novamente o soube. (*VLB*, II, 51); ... *Oú ramõ nde resé...* – Veio novamente por tua causa. (Anch., *Teatro*, 138); 3) agora de primeiro: *'Aramõ.* – Foi agora de primeira vez. (*VLB*, II, 51) • **ikó ramõ** – ser novato: *Aîkó ramõ anga resé.* – Sou novato nisto. (*VLB*, II, 51); **ramo'ĩ** – ainda agorinha (*VLB*, I, 28)

-(r)amo (posp. átona – sua forma nasalizada é **-namo**) – 1) como, na condição de; em [Com o verbo **ikó / ekó (t)** forma locução correspondente ao verbo *ser* do português.]: ... *Ybyramo i moingó-ukare'yma.* – Em terra não os fazendo transformar. (Ar., *Cat.*, 179v); ... *Serekoaramo ûitekóbo...* – Estando como seu guardião (ou sendo seu guardião). (Anch., *Teatro*, 4); *Pitangamo seni Maria îybápe.* – Como criança está sentado nos braços de Maria. (Anch., *Poemas*, 108); *Nde manhanamo t'oîkóne!* – Ele há de ser (ou há de estar na condição de) teu espião! (Anch., *Teatro*, 32); ... *Xe boîáramo pabẽ xe pópe arekó-katu.* – Como meus súditos em minhas mãos bem os tenho a todos. (Anch., *Teatro*, 34); *Pitangĩnamo ereîkóŷ.* – Uma criancinha és (ou *na condição de uma criancinha estás*). (Anch., *Poemas*, 100); 2) segundo, conforme: *Xe anama, erimba'e, tekó-ypyramo sekóû.* – Minha nação, outrora, estava segundo a lei primeira. (Anch., *Poemas*, 114); 3) forma o gerúndio de predicados nominais: ... *o mba'epûeramo...* – sendo coisa antiga (Ar., *Cat.*, 74); *O angaîpabamo...* – Sendo mau. (Ar., *Cat.*, 27); *Xe katuramo.* – Sendo eu bom. *Nde katuramo.* – Sendo tu bom. (Anch., *Arte*, 29); 4) Forma o modo indicativo circunstancial dos verbos da segunda classe: *Koromõ xe rorybamo.* – Logo eu estou feliz. (Anch., *Arte*, 40)

rana (s.) – **1)** coisa grosseira, grosseria; rudeza, rusticidade, bruteza; (adj.: **ran**) – grosseiro, rude, malfeito: *Xe ran.* – Eu sou grosseiro. *Xe ranusu.* – Eu sou muito grosseiro, eu sou grosseirão. (*VLB*, I, 20); *I ranusu nhẽ kûé nde remimonhanga.* – É muito malfeito aquilo que fazes. (*VLB*, II, 29); **2)** parecença, semelhança; (adj.: **ran**) – parecido com, semelhante a; o que parece; **(xe)** parecer (o que não é) (*VLB*, II, 115): *abá-rana* – o que parece pessoa (mas não o é); *upá-rana* – o que parece lago (mas não o é): brejo (*VLB*, I, 59); *îuky-rana* – o que parece sal (mas não o é): salitre (*VLB*, II, 112), *okaî-rana* (t) – o que parece choça ou curral (*VLB*, II, 121); *Xe ran* (ou *Xe rã-xe-ran*). – Pareço o que não sou. (*VLB*, II, 65)

> NOTA – Daí, o sufixo -**RANA**, presente em mais de uma centena de palavras do P.B.: **CAJURANA** (*akaîu + ran + -a*, "falso caju"), nome de uma planta; **TATARANA** ou **TATURANA** (*tatá + ran + -a*, "falso fogo", isto é, o que queima sem ser fogo), lagarta de certos insetos lepidópteros; **TUPINAMBARANA** (*tupinambá + ran + -a*, "falso tupinambá"), nome de povo indígena extinto; **COIRANA** (*kuîẽ + ran + -a*, "falsa pimenta"), nome de certas plantas solanáceas; **CUIARANA** ("cuia falsa"), árvore da família das combretáceas etc.
> O escritor Guimarães Rosa usou tal sufixo para a criação do nome de uma obra sua: **SAGARANA** ("o que parece uma saga").

ranhẽ¹ (adv.) – ainda (na negativa e na interrogativa, com o verbo auxiliar **'i** / **'é**): *Nd'a'éî saûsupa ranhẽ.* – Não o amo ainda. (Anch., *Arte*, 56); *Nd'eréîpe esóbo ranhẽ?* – Não foste ainda? (Fig., *Arte*, 144); *Nd'a'éî gûixóbo ranhẽ.* – Ainda não vou. (Fig., *Arte*, 162); *Nd'eréîpe mba'e monhanga ranhẽ?* – Ainda não fizeste nada? (Fig., *Arte*, 162)

ranhẽ² (adv.) – primeiro, antes, primeiramente (na afirm.): ... *Ereîkuá ranhẽ meémo emonã nde rekorama...* – Deverias ter sabido antes do teu agir assim. (Ar., *Cat.*, 57v); *Pedro ranhẽ osó.* – Pedro foi primeiro. (Anch., *Arte*, 45v); *T'asóne ranhẽ.* – Hei de ir primeiro. (Fig., *Arte*, 144) ● **ranhẽ... ypy** – primeiro, em primeiro lugar, pela primeira vez: *Kó santo ranhẽ ypy og ugûy mo'ẽ-ukar.* – Esse santo, pela primeira vez, fez verter seu sangue. (Ar., *Cat.*, 139); *Abá ranhẽpe erimba'e Tupã oîmonhang-ypy ybaka porama?* – Quem Deus fez primeiro como habitantes do céu? (Ar., *Cat.*, 44)

ranhẽ³ (adv.) – por enquanto, enquanto isso: *Eîpysyk ranhẽ.* – Segura-o por enquanto. (*VLB*, I, 118)

ranhẽ⁴ (adv.) – um pouco (referente a tempo): *Enhambé ranhẽ.* – Espera um pouco. (*VLB*, I, 126)

rasó – v. **erasó**

raú (s.) – bicho-de-taquara, larva de uma var. de borboleta. Era comido assado ou torrado. (Anch., *Cartas*, 131)

ra'u (part.) – **1)** (expressa desprezo ou enfado) – Vamos ver! Vê lá!: ... *Eîkuá ra'u nde ri opûaryba'e!* – Adivinha, vamos ver, o que bateu em ti! (Ar., *Cat.*, 56v); *Erasóne ra'u!* – Leva-o, vamos ver! Vamos ver se o levas! (*VLB*, II, 58); **2)** (expressa dúvida) – será?: *Pesaûsu ra'upe pe pysyrõana...?* – Será que amais vosso salvador? (Ar., *Cat.*, 86); *Marãeté'ĩ ra'umope amõ Anhanga ratá pora rekóû ikó 'ara pupé...?* – Como será que um habitante do inferno viveria neste mundo? (Ar., *Cat.*, 156v); **3)** (expressa ordem, determinação) – ora: *Esa'ang ra'u.* – Ora, experimenta-o. (*VLB*, I, 126); **4)** (expressa desgosto): *Xe angaîpabeté'ĩ ra'u mã!* – Ah, eu fui muito pecador! (Anch., *Doutr. Cristã*, I, 195); *Ixé tekatu-eté'ĩ ra'u anhanga ratápe akaîmo mã!* – Ah, eu haveria de queimar verdadeiramente no fogo do diabo! (Ar., *Cat.*, 249); **5)** (expressa algo imaginário): *Peîmo'ang ra'u xe ra'yrĩ gûé, peîmo'ang pe re'õ pupé pe ruba...* – Imaginai, ó meus filhinhos, imaginai que estais deitados em vossa morte. (Ar., *Cat.*, 155v)

ré (posp.) – **1)** depois, após; o mesmo que **riré** (v.): *São Lourenço îuká ré, t'okaî nde ratá pupé...* – Após matarem a São Lourenço, que queimem em teu fogo. (Anch., *Teatro*, 60); ... *A'e ré t'asepenhan!* – Depois disso, hei de atacá-los. (Anch., *Teatro*, 74); *Marã e'ipe o boîá mosapyr supé mitỹme o iké ré?* – Como disse aos seus três discípulos após sua entrada no horto? (Ar., *Cat.*, 52v); **2)** além de: *Ygasápe kaûî-tuîa a'e ré îamomotá...* – Além disso, atrai-os o cauim transbordante nas igaçabas. (Anch., *Teatro*, 30, 2006)

re'a (part. de h.) – **1)** (expressa desprezo) – vamos ver! vê lá!: *Oîmonhang ipó kori milagre amõ xe robakéne re'a...* – Vamos ver se fará hoje realmente algum milagre diante de mim. (Ar., *Cat.*, 58v); **2)** (expressa expectativa, pro-

re'ĩ¹
jeção de futuro) – há de ser, se Deus quiser, com certeza, queira Deus, tomara: ... *Nd'e'i ipó xe re'õnama ranhẽ re'a.* – Minha morte não há de ser ainda. (Ar., *Cat.*, 157v); ... *N'aîkóî ipó irã tuîba'eramo ranhẽne re'a...* – Tomara não seja eu o que jazerá primeiro... (Ar., *Cat.*, 157v); *Oîeruré-pytubaramo kûesenhe'ym, "re'a" o'îabo...* – Estando cansados de pedir, havia muito tempo, dizendo: "*Queira Deus*". (Ar., *Cat.*, 7); *Xe irũ ã re'a.* – Esta há de ser minha companheira, com certeza. (Anch., *Doutr. Cristã*, I, 228); **3)** (expressa alívio, regozijo): *Aûîeteramo rimba'e Tupã xe pysyrõ Anhanga suí re'a...* – Ainda bem que Deus me livrou do diabo! (Ar., *Cat.*, 168v); **4)** (expressa temor ou má expectativa) – dever, haver de: *Omanõ îepémo oîemongaraíb'e'ymebé re'a...* – Haveria de morrer, na verdade, antes de se batizar. (Ar., *Cat.*, 81); *Emonã ipó sekóû re'a.* – Deve certamente ter agido assim. (Anch., *Doutr. Cristã*, II, 100); *Akanhem kó ixé re'a.* – Eis que agora eu hei de perecer! (Ar., *Cat.*, 156); **5)** (expressa repúdio, ódio) – Maldito! Miserável!: *Mendûera kó re'a nd'e'i oîeakakapa.* – Os ex-maridos, esses, malditos, não se repreendem. (Anch., *Teatro*, 154, 2006)

re'ĩ¹ (part. de m.) – **1)** (expressa expectativa, projeção de futuro) – haver de ser, dever ser: ... *Xe ruba rekobîara é re'ĩ...* – Há de ser o substituto de meu pai. (Ar., *Cat.*, 95v); ... *Sesápe xe rekóû re'ĩ...* – A seus olhos eu hei de estar. (Ar., *Cat.*, 32); **2)** (expressa temor ou má expectativa) – dever, haver de: *Omanõ îepémo pitanga xe suí ixé so'o 'useî tenhẽ roîrémo re'ĩ...* – Haveria de morrer certamente a criança de mim após eu querer comer caça. (Ar., *Cat.*, 77v); *Xe mendûera ipó re'ĩ...* – Meu ex-marido há de ser certamente. (Anch., *Teatro*, 8)

re'ĩ² (part. de h. e m.) – **1)** expressa dúvida – talvez, quem sabe, pode ser: *Nd'e'i te'e Tupã aîpó o'îabo "re'ĩ" o'eyma.* – Não em vão Deus disse isso, não dizendo "– pode ser". (Ar., *Cat.*, 85); **2)** expressa dor, lamento, desgosto: *Akûere'õ xe rekóû rimba'e re'ĩ...* – Que mal eu agi outrora... (Ar., *Cat.*, 155v)

reîa (s. – portug.) – **1)** rei; rainha: ... *Tupã sumarã reîa* – os reis inimigos de Deus (Anch., *Teatro*, 122); ... *Arurĩ reîa supé.* – Trouxe-as para a rainha. (Anch., *Poemas*, 154); **2)** realeza: ... *nde reîabaîté pupé...* – com tua realeza temível (Anch., *Poemas*, 158)

rekó – v. erekó

rema (s.) – fedor; (adj.: **rem**) – fedorento: *Xe ybĩî-rem.* – Eu tenho bafo fedorento. (VLB, I, 136) (o mesmo que **nema** – v.)

NOTA – Daí provêm, no P.B., **IBIRAREMA** (*ybyrá* + *rem* + *-a*, "árvore fedorenta"), nome de uma árvore fitolacácea; **SAPOREMA, SAPORÉ** (*sapó* + *rem* + *-a*, "raízes fedorentas"), nome de uma doença que ataca certas plantas, como a mandioqueira; **SAQUAREMA** (*sakurá* + *rem* + *-a*, "caramujo fedorento"), o mesmo que *caipira* (in *Dicion. Caldas Aulete*) e também nome de uma lagoa do Rio de Janeiro. Daí, também, o nome geográfico **GUARAREMA** (SP) (v. Rel. Top. e Antrop. no final).

-reme (posp.) [Possui os alomorfes **-eme**, **-me** e **-neme** (forma nasalizada). Expressa condição, causa e tempo.] – **1)** (condicional) no caso de, se: *Aîpó xe re'õnama rambûera abaíme, t'onhemonhang umẽ xe remimotara.* – No caso de ser difícil frustrar-se essa minha morte, que não se faça minha vontade. (Ar., *Cat.*, 53); *Tupã i potare'ỹme, n'aîpotari.* – Se Deus não o quiser, não o quero. (D'Abbeville, *Histoire*, 351v); *Nd'îasóî xûê-tepemo ybakype se'õe'ỹmemo?* – Mas não iríamos para o céu se ele não morresse? (Ar., *Cat.*, 43v); *mboîa kunhã îukáreme...* – se a cobra matar a mulher... (Fig., *Arte*, 8); *'yreme* – se houver água; *emonãneme* – se for assim (VLB, II, 114); **2)** (causal) por causa de, por, porque: *Pedro osó o mondóreme.* – Pedro vai porque o mandam. (Fig., *Arte*, 84); *Asaûsub Pedro og uba raûsume.* – Amo Pedro por amar a seu pai. (Anch., *Arte*, 16v); *Omanõ o îukáreme.* – Morre porque o matam. (Fig., *Arte*, 84); **3)** (temporal) por ocasião de, no momento de, quando; sempre que, sempre quando: *Oîerokype asé Jesus 'ereme?* – Inclina-se a gente sempre quando diz Jesus? (Ar., *Cat.*, 23); *Xe îekyîme, t'ereîu...* – Quando eu morrer, que venhas. (Anch., *Poemas*, 102); *I kambuneme, sory.* – Quando ele mama, ela fica alegre. (Anch., *Poemas*, 162); ... *Oito 'ara sykeme, ... i 'apira mondoki...* – Quando chegou o dia oito, cortaram seu prepúcio. (Ar., *Cat.*, 3); *A'epe... 'aretéreme eresó.* – Ali ias por ocasião dos feriados. (Anch., *Poemas*, 154)

remebé (posp.) – durante, enquanto: *O sy rygépe sekó remebé Tupã i mongaraíbi.* – Durante a estada dele no ventre de sua mãe,

Deus o santificou. (Ar., *Cat.*, 6); *Ixé serasó remebé.* – Enquanto eu o levo. (*VLB*, I, 118)

reri (s.) – GUERIRI, GURERI, ostra, nome genérico de moluscos bivalves da família dos ostreídeos (D'Abbeville, *Histoire*, 204; Marcgrave, *Hist. Nat. Bras.*, 188; *VLB*, II, 59): *Aruretá kó reri.* – Trouxe muitas destas ostras. (Anch., *Poemas*, 150) • **reri ku'i** – cal de ostra (*VLB*, I, 63)

> NOTA – Daí, os nomes geográficos **ITARIRI** (SP) e **RERITIBA** (ES) (v. Rel. Top. e Antrop. no final).

reriapỹîa (ou **reriapynha**) (etim. – *ostra de argola*) (s.) – nome comum a crustáceos cirrípedes, frequentes no território brasileiro, da família dos lepadídeos e dos balanídeos, que aderem a substratos sólidos (p.ex., madeira). Aparecem debaixo do costado dos navios ou nos rochedos e também nas carapaças das tartarugas e na casca dos crustáceos decápodos. (*VLB*, I, 85; Marcgrave, *Hist. Nat. Bras.*, 188)

rerieté (etim. – *ostra verdadeira*) (s.) – variedade de ostra da família dos ostreídeos (Marcgrave, *Hist. Nat. Bras.*, 188)

rerigûara (etim. – *comedor de ostras*) (s. etnôn.) – nome de nação indígena (Vasconcelos, *Crônica (Not.)* I, §151, 110)

rerimirĩ (etim. – *ostra pequena*) (s.) – nome de ostra pequena que se cria nos mangues, da família dos ostreídeos (Sousa, *Trat. Descr.*, 291)

reripeba (etim. – *ostra achatada*) (s.) – var. de ostra (*VLB*, II, 18; Soares, *Coisas Not. Bras.* (ms. C), 2235-2236)

reriûasu[1] (etim. – *ostra grande*) (s.) – variedade de ostra grande da família dos ostreídeos (Sousa, *Trat. Descr.*, 291)

Reriûasu[2] (etim. – *ostra grande*) (s. antrop.) – nome tupi dado ao francês Jean de Léry (Léry, *Histoire*, 341)

reruba (s.) – var. de coelho (Brandão, *Diálogos*, 254)

ri?[1] (part. que expressa dúvida, de h. e m.) – será? por acaso: *Asóp'ixéne ri?* – Será que eu irei? (*VLB*, II, 58); *Marãngatupakó... xe agûasá rekóû ri...?* – Como será que estão minhas amantes? (Ar., *Cat.*, 155v); *Marãba'ep'iã ri?* – Que tipo de coisa será que é isto? (Anch., *Teatro*, 162, 2006); *Îu, anhangap'ikó ri?!* – Oh, por acaso isto é o diabo?! (Anch., *Teatro*, 164, 2006)

ri[2] [posp. – o mesmo que **esé (r, s)**, não usada com o pron. pess. i] – **1)** por, por causa de: *Pe rory, xe ra'yretá, xe ri.* – Alegrai-vos, meus filhos, por minha causa. (Anch., *Teatro*, 50); *Ema'ẽngatu oré ri...* – Vela por nós. (Anch., *Poemas*, 102); **2)** para (final.): *Tupã syrama ri i monhangymbyra...* – Foi ela feita para ser a futura mãe de Deus. (Anch., *Poemas*, 88); **3)** em (locat. não geográfico):... *Marãpe xe ri erepûá?* – Por que bates em mim? (Anch., *Teatro*, 32); **4)** em (temp.): ... *Eresó, kó 'ara ri.* – Vais, neste dia. (Anch., *Poemas*, 94); **5)** em, na pessoa de: *Ereporu-eté raka'e oré anama ri.* – Comias muito carne humana nas pessoas de nossos parentes. (D'Abbeville, *Histoire*, 350); ... *Kunhã ri i moreká.* – Sua busca de gente nas pessoas das mulheres. (Anch., *Teatro*, 150, 2006); **6)** a respeito de, acerca de, de: ... *Nde ri xe nhemboryryîa.* – Ocupando-me de ti. (Anch., *Poemas*, 98); **7)** com (comp.): *Nde resé i îeruréû nde remimbûaîa ri t'oroîkó.* – Pede a ti que estejamos com teus súditos. (D'Abbeville, *Histoire*, 342); **8)** com (instr.): *Xe abá nhe'enga ri.* – Com minha palavra de homem. (Anch., *Teatro*, 154, 2006); **9)** contra: *T'irekó ikó apŷaba îandé robaîara ri.* – Que tenhamos estes homens contra nossos inimigos. (Léry, *Histoire*, 357) • **mba'e ri?** (o mesmo que **mba'e resé?**) – por quê? **mba'erama ri?** – por quê?; (referente a algo posterior a um determinado marco temporal): *Mba'erama ri bépe asé santos 'ara kuabi?* – Por que mais a gente reconhece o dia dos santos? (Ar., *Cat.*, 24)

ri'a (s.) – homem que parece mulher; mulher que tem testículos (*VLB*, II, 40)

rimba'e – o mesmo que **erimba'e** (v.)

riré (posp. – com temas terminados em consoante assume a forma **iré**) – após, depois de: ... *Saraûaîa rur'iré, îamombá taba îandune.* – Após vir Sarauaia, destruiremos a aldeia, como de costume. (Anch., *Teatro*, 24); ... *O manõ riré toryba rerekóbo...* – Tendo alegria após sua morte. (Anch., *Teatro*, 54); *Mamõpe i xóû o mba'e-u-pab'iré?* – Aonde ele foi após acabar de comer? (Ar., *Cat.*, 52v); *Kûarasy nipó oberá, putunusu kûab'iré.* – O sol certamente brilha, após passar a grande noite. (Anch., *Poemas*, 142) • **riré bé** – logo que,

riremẽ

logo em: ... *'Ara mosapyra **riré bé** sekobeîebyri.* – Logo no terceiro dia voltou a viver. (Ar., Cat., 58, 1686)

riremẽ (posp.) – logo depois que, logo depois de, assim que: *O manõ **riremẽ** serã emonã nungara sóû ybakypene?* – Logo depois que morrerem irão para o céu os que foram semelhantes a algo assim? (Anch., *Doutr. Cristã*, I, 208)

-ro- – alomorfe de -ero- (v.)

rõ (part.) – pois, então; eia pois, finalmente, enfim: *Aûîebeté, **rõ**! T'oú.* – Muito bem, então! Que venha. (Anch., *Teatro*, 132); *Ekûãî **rõ**.* – Vai, pois. (VLB, II, 80); *Eîori sa'anga **rõ**...* – Vem para prová-los, pois. (Anch., *Teatro*, 16); *Nde poxy-potar-a'ub. T'eresó **rõ** nde ratápe...* – Tu queres ser mau. Hás de ir, pois, para teu fogo. (Anch., *Teatro*, 48)

ró (s.) – caolho; cego (VLB, I, 70; II, 133); vesgo (Fig., *Arte*, 38); (adj.): *pirá-**ró**-oba* – peixe vesgo folha * (*Theat. Rer. Nat. Bras.*, I, 39)

> NOTA – Daí, no P.B., **PIRAROBA** *, nome de um peixe com os dois olhos de um mesmo lado do corpo; **GUIRARÓ** (*gûyrá* + *ró*, "pássaro vesgo"), nome de uma ave tiranídea.

PIRAROBA (fonte: *Brasil Holandês*)

roba (s.) – amargor; (adj.: **rob**) – amargo, amargoso: ... *Mba'e-**rob**-eté tuku-tuku okûapa...* – Estando a destilar coisa muito amarga. (Ar., Cat., 164); *Xe **rob**.* – Eu estou amargo. (VLB, I, 34; Fig., *Arte*, 38)

> NOTA – Daí provêm muitas palavras no P.B.: **ANDIROBA** (*nhandy* + *rob* + *-a*, "óleo amargo"), nome de uma árvore; **CAROBA** (*ka'a* + *rob* + *-a*, "folha amarga"), nome comum a certas árvores bignoniáceas; **GOROROBA** [*karu* + *rob* (reduplicado: *rorob*) + *-a*, "refeição muito amarga"], refeição malfeita etc.; **GUARIROBA** (*ûakury* + *rob* + *-a*, "guacuri amargo"), coqueiro-amargoso, nome de uma palmácea.

roîré (posp.) – após, depois de (o mesmo que **riré** – v.): *Xe só **roîré** t'eresó.* – Irás após minha ida. (Fig., *Arte*, 125); ... *Îurupari ra'yra xe rekó **roîré**.* – ... depois de eu ter sido filho de Jurupari. (D'Abbeville, *Histoire*, 353)

rorẽ (s.) – qualidade do que é encovado; (adj.) – encovado: *Xe resakûá-**rorẽ**.* – Eu tenho as cavidades dos olhos encovadas. (VLB, II, 56)

> NOTA – Daí, no P.B. (S), **ITARARÉ** (*itá* + *rorẽ*, "pedra encovada"), curso subterrâneo das águas dum rio através de rochas calcárias.

ro'y[1] (s.) – **1)** frio: *Îaîmomboreaûsu **ro'y**.* – Fá-lo sofrer o frio. (Anch., *Poemas*, 162); **2)** época fria; inverno (VLB, II, 13); (adj.) – frio: *Xe **ro'y**.* – Eu estou frio; eu tenho frio. (Léry, *Histoire*, 367); *kûarasy-**ro'y*** – sol frio, isto é, sol encoberto, tempo nublado (VLB, II, 121)

> NOTA – Daí provém o nome geográfico **IBITIRUÍ** (*ybytyra* + *ro'y*, "morro frio"), antigo nome tupi do Serro Frio, em Diamantina (MG), onde viveu a famosa Chica da Silva, personagem histórica do século XVIII.

ro'y[2] (s.) – ano: *Ro'y îabi'õ onhemombe'ue'ymba'e.* – O que não se confessa a cada ano. (Ar., Cat., 76); *Kunhãmbuku doze **ro'y** rerekoare'yma, kunumĩgûasu abé catorze **ro'y** resé i xyke'yma nd'e'ikatuî abá resé omendá.* – Uma moça, não tendo doze anos, e um rapaz também, não chegando aos catorze anos, não podem casar-se com ninguém. (Ar., Cat., 277)

ro'yîukyra (etim. – *sal do frio*) (s.) – geada; neve (VLB, II, 8)

ro'ynhemoapysanga (etim. – *frio coalhado*) (s.) – geada; neve (VLB, II, 8)

ro'yrypy'aka – v. **ro'yrypy'oka**

ro'yrypy'oka (os tupinambás diziam **ro'yrypy'aka**) (etim. – *frio coalhado*) (s.) – geada; neve (VLB, II, 49): ... *O akanetá-beraba **ro'yrypy'aka** sosé morotingyba'e reroína.* – Estando com seus cocares brilhantes que são mais brancos que a geada. (Ar., Cat., 168v)

ro'ysanga (s.) – frio intenso; (adj.: **ro'ysang**) – muito frio: *Xe **ro'ysang**.* – Eu estou muito frio. (Fig., *Arte*, 38)

> NOTA – Daí, o nome geográfico **URUÇANGA** (RJ) (v. Rel. Top. e Antrop. no final).

ruã[1] (part. de neg. Nega partes da oração que não são o predicado. Nega, também, substantivos. É acompanhada pela partícula **na** (**nda**), que precede o termo ao qual **ruã** se pospõe.) – **1)** não: *N'asé ruba **ruã**-tepe asé reté oîmonhang?* – Mas não foi nosso pai que fez nosso corpo? (Ar., *Cat.*, 25); *Na abaré **ruã** ixé.* – Eu não sou padre. (Anch., *Arte*, 46v); *Na ixé **ruã** asó.* – Não sou eu que vou. (Anch., *Arte*, 47v); *Na xe ruba supé **ruã** aîme'eng.* – Não foi a meu pai que o dei. (Anch., *Arte*, 47v); *Na ixé sóreme **ruã** turi.* – Não porque eu fui veio ele. (Anch., *Arte*, 47v); *Na mba'e 'u potá **ruã** aîur.* – Não querendo comer, venho. (Anch., *Arte*, 47v); *Xe resaraî é gûitekóbo, n'aseîá-potá **ruã**!* – Eu estava-me, mesmo, esquecendo e não querendo omiti-lo. (Anch., *Teatro*, 180, 2006); **2)** após uma negativa significa *não deixando de, não que*: "*Mba'epe pesekar?" e'i, na semiekara kuabe'yma **ruã**.* – Disse: "*Que procurais*", não que não soubesse o que eles procuravam. (Ar., *Cat.*, 75)

ruã?² [part. – Aparece geralmente com a ênclise -**te**. Os homens podiam dizer também **ruãpe é**, **ruã-tepe** ou **ruã-tepe é** e as mulheres, **ruãpe rĩ** (*VLB*, I, 153)] – **1)** (interr.) – de fato? porventura? será certo que? é certo que? será que?: *Kaûî aé **ruã**-tepe ybŷá onong i pupé?* – Mas vinho mesmo, de fato, colocam dentro dele? (Ar., *Cat.*, 82); *Osó **ruã**-tepe é?* – Mas foi, porventura? (Anch., *Arte*, 36); *Andyrá **ruãpe é...?*** – Será que é um morcego? (Anch., *Teatro*, 42); *Osó **ruãpe é?*** – É certo que foi? (*VLB*, I, 153); **2)** (afirm.) – provavelmente, deve ser, deve de ser: *Emonã **ruãpe é.*** – Assim deve ser. (*VLB*, I, 80; 102); *Emonã **ruãpe** rĩ.* – Assim deve de ser. (*VLB*, I, 102)

rub – v. **erub**

ruî – forma do modo indicativo circunstancial do v. **îub / ub(a) (t, t)** (v.)

rumby (part. – Leva o verbo para o gerúndio.) – enfim; eis que enfim, então (contando alguma coisa) (*VLB*, I, 118); depois disso (Anch., *Arte*, 57); finalmente (*VLB*, I, 139): *Rumby, ... xe rapîá.* – Enfim, obedeceram-me. (Anch., *Teatro*, 140); *Ybyoka asapekóne, Itaoka abé aîpobu, **rumby**, Îupaogûaóne.* – Hei de frequentar Ibioca, revirarei também Itaoca e, enfim, Jupaoguaó. (Anch., *Teatro*, 182); *Rumby Tupã Ta'yra... îandé rekomonhangane...* – Enfim, o Filho de Deus nos julgará. (Ar., *Cat.*, 162); *Rumby gûixóbo.* – Enfim eu vou. (*VLB*, I, 111); *Rumby xe ruba obasema.* – Eis que, enfim, chega meu pai. (*VLB*, I, 109) • pode ser acompanhado no período por **ko'yté**: *Rumby ahẽ oú ko'yté.* – Finalmente ele vem. (*VLB*, II, 115)

rumõ (v. tr.) – aumentar: ... *Nde rekomemûã rumõ-rumõmo nhẽ.* – Teus pecados estando a aumentar, com efeito. (Ar., *Cat.*, 157) (o mesmo que **irumõ** – v.)

rung (v. irreg. Só usado com objeto incorporado nas formas verbais propriamente ditas. Nas formas nominais, comporta-se como qualquer outro verbo regular.) – pôr, estabelecer, arranjar, preparar, fazer (no sentido de *estabelecer*): *Aîkó-**rung** xe ruba.* – Fiz a roça de meu pai. (Fig., *Arte*, 145); *T'îasó mundé **runga**.* – Vamos para pôr armadilha. (Fig., *Arte*, 145); *Aîypy-**rung**.* – Pus-lhe início (isto é, *comecei-o*). (Fig., *Arte*, 145); *Atupá-**rung** abati.* – Estabeleci uma plantação de milho. (*VLB*, II, 81)

rur – v. **erur**

ruru (s.) – **1)** inchamento; **2)** gravidez: – *Erimba'epe i xóû i xupa?* – *I membyra São João **ruru**reme.* – Quando foi para visitá-la? – Por ocasião da gravidez de seu filho São João. (Ar., *Cat.*, 35); (adj.) – **1)** inchado, embebido: *Xe ruru.* – Eu estou inchado. (Fig., *Arte*, 38); **2)** prenhe, grávida (*VLB*, II, 11)

rurunhynga (etim. – *o murchar do inchamento*) (s.) – ato de desinchar; (adj.: **rurunhyng**) – desinchado: *Xe rurunhyng.* – Eu estou desinchado. (*VLB*, I, 99)

ryryî (v. intr.) – tremer, abalar-se: ... *Yby abé a'ereme... o**ryryî**ane.* – Tremendo, então, a terra também. (Ar., *Cat.*, 160); *A**ryryî**, opá xe uba îesyî.* – Tremo, ambas as minhas coxas adormeceram. (Anch., *Teatro*, 26); ... *Asykyîé, a**ryryî**!* – Tenho medo, tremo! (Anch., *Teatro*, 62); *O**ryryî** nde îuká ré...* – Tremeram após te matarem. (Anch., *Teatro*, 122); *Nde rera rendupa abé, anhanga **ryryî** okûapa.* – Tão logo ouvindo o teu nome, o diabo está tremendo. (Anch., *Poemas*, 132)

> NOTA – Daí provêm, no P.B., **BARIRI** (SP) (*ma'e + ryryî + -a*, "coisa que treme"), corrente veloz e precipitada das águas dos rios em trechos acentuadamente declivosos; **SIRIRINGA** (*ty + ryryî + -a*, "água que treme"), *ar expirado do fundo da água e que sobe em bolhas à superfície; água tremente em consequência da passagem dos peixes* (in *Novo Dicion. Aurélio*). Daí, também, os nomes dos municípios de **BARIRI** (SP) e **BARUERI** (SP) (v. Rel. Top. e Antrop. no final).

S

s- (pref. usado com alguns temas nominais, verbais e posposições, indicando a 3ª p.) - **1)** ele (s, a, as), dele (s, a, as), o (s, a, as): *Santa Maria sera...* - Santa Maria é o nome dela. (Anch., *Poemas*, 88); *T'asepîáne...* - Hei de vê-lo. (Anch., *Poemas*, 98); *Soryb.* - Ele está feliz. (Anch., *Arte*, 21); *N'osapîari.* - Não obedecerá a ela. (Ar., *Cat.*, 95v); **2)** isso, aquilo: ... *Sesé nhõ Tupã i moingóû Anhangamo...* - Por causa disso, somente, Deus os fez ser diabos. (Ar., *Cat.*, 112); *N'aîpotari abá seîara.* - Não quero que os índios deixem isso. (Anch., *Teatro*, 10, 2006)

-sab(a) (suf. nominalizador) - **1)** nominalizador de complemento circunstancial. Traduz-se por *tempo, lugar, companhia, modo, causa, instrumento, finalidade* etc. Tem os alomorfes **-ab(a)**, **-b(a)**, **-á**, **-ndab(a)** etc.: *îukasaba* - tempo, lugar, instrumento, causa, modo, companhia etc. de matar (Anch., *Arte*, 19); ... *N'i papasabi.* - Não há modo de contá-los. (Ar., *Cat.*, 38); ... *i 'ekatûaba kotysaba é...* - o que estava à sua direita (isto é, *a companhia do lado da sua mão direita*) (Anch., *Diál. da Fé*, 190); *Xe 'angorypaba.* - A causa da alegria de minha alma. (Anch., *Poemas*, 106); **2)** forma substantivos abstratos: *angaipaba* - maldade (lit., *qualidade da alma ruim*) (Anch., *Teatro*, 34)

NOTA - Esse sufixo aparece em inúmeros nomes de lugares no Brasil: **BAREQUEÇABA, CAÇAPAVA, GUARAPUAVA, GUARAQUEÇABA, IGARAPAVA, PARANAPIACABA, PIAÇAGUERA, PINDAMONHANGABA, PIRACICABA, POTIRENDABA** etc. (v. Rel. Top. e Antrop. no final).

saba - v. **aba (s, r, s)**

sabaã (s.) - variedade de pimenta comprida e delgada (Sousa, *Trat. Descr.*, 186)

sabeypor (ou **sabeypó**) (v. intr.) - ficar bêbado, embebedar-se: *T'asabeypó!* - Hei de embebedar-me! (Anch., *Teatro*, 60); *Eresabeyporype kaûî suí, 'ara mokanhema?* - Ficaste bêbado de cauim, perdendo o juízo? (Ar., *Cat.*, 111v) • **sabeyporaba** - tempo, lugar, modo etc. de embebedar-se, de embriagar-se; bebedeira: ... *O karûagûera, o sabeypó-ypoagûera repyramo...* - Como pagamento de suas antigas comilanças, de suas antigas bebedeiras. (Ar., *Cat.*, 164)

sabeypora (s.) - **1)** bebedeira, embriaguez: ... *Sabeypora suí bé oîoapixá-pixapa.* - Também por embriaguez ficando a ferirem-se uns aos outros. (Anch., *Teatro*, 34); ... *Sabeypora suí 'ara mokanhema...* - Perdendo o entendimento por causa de bebedeira. (Ar., *Cat.*, 78); **2)** bêbado, o que bebe: *Xe-te, xe rembiá-potá sabeypora amõ resé...* - Eu, em vez disso, quero presas nas pessoas de alguns bêbados. (Anch., *Teatro*, 148)

sabeyporaíb (etim. - *embriagar-se não completamente*) (v. intr.) - ficar alterado por bebida (mas sem se embriagar de todo, nem ficar fora de si) (*VLB*, II, 131)

sabîá (s.) - SABIÁ, nome genérico de certos pássaros da família dos turdídeos, apreciados por seu canto e de grande distribuição territorial (D'Abbeville, *Histoire*, 238v)

SABIÁ (fonte: *Brasil Holandês*)

sabîagûasu (etim. - *sabiá grande*) (s.) - nome de uma ave (*Theat. Rer. Nat. Bras.*, I, 146)

sabîapoka (etim. - *sabiá estourado*) (s.) - SABIAPOCA, pássaro da família dos mimídeos (Sousa, *Trat. Descr.*, 237)

sabiapytanga (etim. - *sabiá alaranjado*) (s.) - variedade de sabiá, pássaro da família dos turdídeos, também conhecido como *sabiá-laranjeira*, inconfundível pela intensa cor ferrugínea-laranja da barriga (Sousa, *Trat. Descr.*, 234; *Theat. Rer. Nat. Bras.*, I, 147)

sabîatinga (etim. - *sabiá branco*) (s.) - SABIATINGA, pássaro da família dos traupídeos (Sousa, *Trat. Descr.*, 236)

sabîaúna (etim. - *sabiá preto*) (s.) - SABIAÚNA, SABIÁ-PRETO, pássaro da família dos turdídeos (Sousa, *Trat. Descr.*, 238)

sabiîeitá (s.) - nome de uma árvore amarela, muito rija, que dá tinta da mesma cor, talvez o mesmo que **sabiîuîuba** (v.) (Brandão, *Diálogos*, 171)

sabiîeîuba

sabiîeîuba – o mesmo que **sabiîuîuba** (v.) (Sousa, *Trat. Descr.*, 211)

sabiîuîuba (ou **sabiîeîuba**) (s.) – SABIJUJUBA, vinhático-amarelo, planta vinhática da família das leguminosas-mimosoídeas (*Plathymenia reticulata* Benth.) (*VLB*, II, 146)

sagûasu (s.) – SAGUIGUAÇU, var. de macaco com barba, semelhante ao sagui (*VLB*, I, 56)

sagûi (s.) – SAGUI, SAGUIM, nome genérico de pequenos símios de pelo cinzento-prateado e cauda longa, da família dos hapalídeos e da família dos calitriquídeos (D'Abbeville, *Histoire*, 252v; Marcgrave, *Hist. Nat. Bras.*, 227)

SAGUI (fonte: Marcgrave)

sagûiá – o mesmo que **saûiá** (v.) (Soares, *Coisas Not. Bras.*(ms. C), 1154-1156)

sagûiapyxuna (etim. – *sauiá escuro*) (s.) – nome de uma espécie de coelho-do-mato de tamanho grande (Soares, *Coisas Not. Bras.* (ms. C), 1154-1156)

sagûiîuba (etim. – *sagui amarelo*) (s.) – var. de bugio (*VLB*, I, 56)

sa'i (s.) – SAÍ, nome comum a vários pássaros das famílias dos cerebídeos e dos traupídeos (Soares, *Coisas Not. Bras.* (ms. C), 1328-1331)

NOTA – Daí, o nome da localidade de BARRA DO SAÍ (ES) (v. Rel. Top. e Antrop. no final).

sa'ĩ (part.) – apenas, tão só (*VLB*, I, 38); escassamente (*VLB*, I, 123): *Sa'ĩ xe îukae'ymi...* – Apenas não me matou. (Anch., *Teatro*, 126); *Sa'ĩ na xe momanõî!* – Apenas não me faz morrer. (Anch., *Teatro*, 174, 2006)

saîimbe'yba (s.) – SAMBAÍBA, árvore da família das dileniáceas (*Curatella americana* L.), também conhecida como *caiveira branca*, *caimbé* (na Amazônia) etc. (Marcgrave, *Hist. Nat. Bras.*, 111)

saîimbe'yembó (etim. – *sambaíba de vergôntea*) (s.) – nome de uma planta (*Theat. Rer. Nat. Bras.*, II, 172)

sa'ikupeûkaîa (s.) – nome de uma ave (*Brasil Holandês*, vol. III, 21)

sa'ikuriba (s.) – nome de um pássaro, variedade de saí (Monteiro, *Rel. da Província do Brasil*, in Leite, *Hist.*, VIII, 424)

sa'ioby'i (etim. – *saí azul pequeno*) (s.) – SAIUBUÍ, nome de um pássaro pequeno, de cor azul e bico preto (Sousa, *Trat. Descr.*, 236)

sa'iûasu (etim. – *saí grande*) (s.) – SANHAÇO, ASSANHAÇO, SAÍ-AÇU, nome comum a certos pássaros da família dos traupídeos (Marcgrave, *Hist. Nat. Bras.*, 193)

sa'iysysyka (s.) – nome de um pássaro do tamanho de um pica-pau (*Libri Princ.*, vol. I, 44)

sakûaîba'e (etim. – *o que tem pênis*) (s.) – macho (*VLB*, II, 27)

sakûaîba'egûyra (etim. – *macho inferior; abaixo do que tem pênis*) (s.) – mulher de modos masculinos; machona, mulher-macho (que não conhece homem e tem mulher e fala e peleja como homem) (*VLB*, II, 27)

sakûaritá (s.) – SACURITÁ, SAGUARITÁ, caramujo, nome comum a crustáceos da família dos pagurídeos, que vivem em conchas de moluscos, mudando de habitação conforme crescem (*VLB*, I, 66)

sakurá (s.) – var. de caramujo (*VLB*, I, 66)

sakuraúna (s.) – var. de búzio marinho (*VLB*, I, 60)

sama (s.) – corda; trela (p.ex., do cão), fio: *Opá sama pupé i apytĩû...* – Com toda uma corda amarraram-no... (Ar., *Cat.*, 62v); *I xama ri arasó.* – Levo-o na sua trela. (*VLB*, II, 136); *urapá-sama* – corda de arco; *inĩ-xama*; *upá-sama* – corda de rede (*VLB*, I, 82); (adj.: **sam**) **(xe)** – ter corda; formar fios (p.ex., o visgo, a clara de açúcar etc.) (*VLB*, I, 139)

NOTA – Daí, no P.B., SAMAMBAIA (*sama + paî + -a*, "corda de pesos", i.e., *corda de brincos, corda de pingentes*, pelo aspecto de suas folhas), nome comum a plantas da família das gleicheniáceas.

SAMAMBAIA (foto de C. Cardoso)

samambaîa (etim. – *corda de pesos*, i.e., corda de brincos, de pingentes) (s.) – SAMAMBAIA, SAMAMBAIA-DO-MATO-VIRGEM, gleiquênia, 1) planta bromeliácea, *Tillandsia usneoides* (L.) L., segundo a Flora de Martius; 2) fetos xerófilos da família das gleiqueniáceas, do gênero *Dicranopteris*, muito ornamentais (Marcgrave, *Hist. Nat. Bras.*, 46)

sambok (etim. – *tirar a corda*) (v. tr.) – desatar, desencabrestar (p.ex., o animal): *Aîuru-sambok.* – Desatei a boca dele (isto é, do cavalo), desencabrestei-o. (*VLB*, I, 96; 98)

samburá (ou **samurá**) (s.) – SAMBURÁ, cesto feito de vergas delgadas em que os índios recolhiam os caranguejos que tomavam (Sousa, *Trat. Descr.*, 290)

NOTA – Há, em português, a expressão: PESCAR PARA O SEU **SAMBURÁ**, cuidar somente de seus interesses.

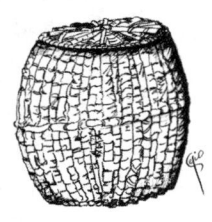

SAMBURÁ (ilustração de C. Cardoso)

samoín (etim. – *pôr cordas*) (v. tr.) – amarrar (com corda); encabrestar (p.ex., a besta) (*VLB*, I, 47)

samongy (etim. – *untar penas*) (v. intr.) – grudar penas no corpo, emplumar-se (colando no corpo penas delicadas de várias cores com goma, mel silvestre etc.) (Marcgrave, *Hist. Nat. Bras.*, 271)

samysyk (etim. – *segurar a corda*) (v. tr.) – amarrar com corda; puxar por corda: *Oîxamysyk sero'ama...* – Amarraram-no com corda, fazendo-o estar em pé. (Ar., *Cat.*, 56v)

sananang (xe) (v. da 2ª classe) – estar largo (como a bota, o sapato, o anel etc., jogando no pé ou no dedo) (*VLB*, II, 18)

sandok (xe) (v. da 2ª classe) – desunir-se, separar-se: *N'i xandoki marana ri.* – Não se separam na guerra. (Anch., *Teatro*, 156, 2006)

sapaîu (s.) – SAPAJU, pequena espécie de macaco da família dos cebídeos (D'Abbeville, *Histoire*, 252v; D'Evreux, *Viagem*, 216)

sapé (s.) – SAPÉ, SAPÊ, JUÇAPÉ, nome comum a plantas gramíneas do gênero *Imperata* (*I. brasiliensis* Trin. e *Imperata contracta* (Kunth) Hitchc.), esta última conhecida como SAPÉ-MACHO. Suas folhas são muito utilizadas para a cobertura de habitações rústicas. Cresce em terrenos pobres e é mal aceito pelo gado como alimento. (Piso, *De Med. Bras.*, IV, 194)

NOTA – Daí, os nomes geográficos **SAPETIBA** (RJ), **SAPETUBA** (SP) etc. (v. Rel. Top. e Antrop. no final).

sapikaretá (s.) – caramujo de água doce, o mesmo que **sakûaritá** (v.) (Sousa, *Trat. Descr.*, 297)

sapinhagûá (s.) – SAPINHANGUÁ, espécie de molusco comestível (Brandão, *Diálogos*, 244)

sapiúna (s.) – nome de um peixe (*Libri Princ.*, vol. II, 76)

sapoaîobaîa (s.) – lombriga (*VLB*, II, 24)

sapopyra (etim. – *raiz crua*) (s.) – SAPOPIRA, o mesmo que **sebypyra** (v.) (Brandão, *Diálogos*, 171)

saporema (etim. – *raiz fedorenta*) (s.) – SAPOREMA, doença que ataca as plantas, principalmente a mandioca, e se caracteriza por suberização anormal (Anch., *Arte*, 3v)

sapotaîa (etim. – *raiz ardida*) (s.) – SAPOTAIA, feijão-de-boi, nome comum a várias plantas da família das caparidáceas (como *Capparis flexuosa* (L.) L.), cujo fruto é uma vagem muitas vezes oleaginosa (Brandão, *Diálogos*, 197)

sapuka'i[1] (s.) – nome de árvore, o mesmo que **sapukaîa** (v.) (Sousa, *Trat. Descr.*, 213; Brandão, *Diálogos*, 171)

sapuka'i[2] (s.) – nome de um peixe carangídeo. "É alvacento, muito delgado e largo, com uma boca pequena e faz na cabeça uma feição como crista." (Sousa, *Trat. Descr.*, 285)

sapukaî¹

sapukaî¹ (v. intr.) – bradar, gritar, cantar (o galo etc.): *Ndebe orosapuká-pukaî*. – A ti ficamos bradando... (Ar., *Cat.*, 14); *Mosapy ipó xe boîáramo nde rekó ereîkuakub mokõî gûyrá sapukaî' e'ymebéne...* – Na verdade, três vezes negarás ser meu discípulo antes de o galo cantar duas vezes. (Ar., *Cat.*, 57-57v); *Karaíba osapukaî tenhẽ "terre, terre". Ybakuna supinhẽ.* – Os homens brancos gritam, por engano: *"Terra, terra"*. Na verdade, são nuvens escuras. (D'Abbeville, *Histoire*, LI)

> NOTA – Daí, no P.B., **SAÍ-SAPUCAIA** ("saí que grita"), nome de uma ave traupídea.

sapukaî² (v. intr.) – enfurecer-se (Marcgrave, *Hist. Nat. Bras.*, 277)

sapukaîa (ou 'ybasapukaîa) (s.) – **SAPUCAIA, SAPUCAIEIRA**, nome comum de plantas lecitidáceas do gênero *Lecythis*. Uma das sapucaias, de fruto grande e achatado, e talvez a mais comum, é a *Lecythis pisonis* Cambess., que se distingue da *Lecythis lanceolata* Poir., a sapucaia-branca, que é uma espécie que tem o fruto oblongo. (Sousa, *Trat. Descr.*, 192) "A madeira da árvore é muito rija, não apodrece e é de estima para os eixos dos engenhos." (Cardim, *Trat. Terra e Gente do Brasil*, 39)

sapumim (etim. – *mergulhar os olhos*) (v. intr.) – pestanejar, piscar: *Asapumim.* – Pisco. (D'Evreux, *Viagem*, 158); *Eresapumimype amõ supéno?* – Piscaste para alguma, também? (Anch., *Doutr. Cristã*, II, 90)

sapupeybyra (etim. – *casca tenra de raiz*) (s.) – raspas, como de cascas, da parte de dentro, como as da figueira-do-inferno para as feridas (*VLB*, II, 97)

sapy'a (adv.) – de repente, repentinamente, logo, cedo, de súbito, rápido (o mesmo que **esapy'a** – v.): *... Asé rerasó sapy'a potá.* – Querendo logo levar-nos. (Anch., *Diál. da Fé*, 231); *Ogûerasó temõ sapy'a ybakype Tupana xe ruba mã.* – Oxalá Deus levasse cedo a meu pai para o céu. (Fig., *Arte*, 99)

-sar(a) [suf. nominalizador. Forma deverbais ativos, com o sentido de *agente*. Tem os alomorfes -ar(a), -an(a). Corresponde, geralmente, aos sufixos *-or*, *-dor*, do português.]: *Pesaûsu pe monhangara...* – Amai vosso criador. (Anch., *Teatro*, 54); *so'ombo'isara* – retalhador de carne, açougueiro (*VLB*, II, 28); *moroîtykara* – vencedora (Anch., *Poemas*, 88); *... Îandé rekobé me'engara...* – Doador de nossa vida. (Anch., *Poemas*, 90); *morapitîara...* – trucidador (Anch., *Poemas*, 90)

> NOTA – Daí provém o nome de um povo indígena extinto, os **BIRAPAÇAPARAS** (*ûyrapara* + *asab* + *-ara*, "os que cruzam os arcos"), que habitavam a bacia do rio Juruena (MT). Daí, também, o nome geográfico **JAIBARAS** (CE) (v. Rel. Top. e Antrop. no final).

sarakoma (s.) – variedade de abelha (Sousa, *Trat. Descr.*, 241)

sarakupytanga (etim. – *saracura avermelhada*) (s.) – var. de **SARACURA**, ave da família dos ralídeos, de plumagem esbranquiçada e manchada de vermelho (D'Abbeville, *Histoire*, 238v)

sarakura (s.) – **SARACURA**, nome comum a certas aves gruiformes da família dos ralídeos (Cardim, *Trat. Terra e Gente do Brasil*, 62)

sarapó (s.) – **SARAPÓ, SARAPÓ-TUVIRA, CARAPÓ**, nome comum a peixes de água doce, da família dos gimnotídeos, que aparecem em todo o Brasil. Produz pequenas descargas elétricas. (D'Abbeville, *Histoire*, 247v; Marcgrave, *Hist. Nat. Bras.*, 170; *VLB*, II, 12): *sarapó 'y* – rio dos sarapós (Léry, *Histoire*, 349)

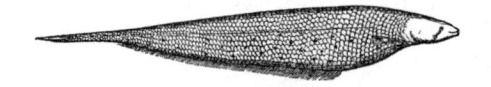

SARAPÓ (fonte: Marcgrave)

sarapopeba (etim. – *sarapó achatado*) (s.) – nome de um peixe (*Libri Princ.*, vol. II, 103)

sarará¹ (s.) – **SARARÁ, SARARAU, SARASSARÁ**, nome de um inseto himenóptero, formicídeo, de coloração geral castanho-escura, com as pernas ruivo-avermelhadas (Sousa, *Trat. Descr.*, 239)

> NOTA – **SARARÁ**, no P.B., assumiu outros significados: 1) diz-se da cor alourada ou arruivada do cabelo muito crespo, característico de certos mulatos; 2) diz-se do cabelo crespo e dessa cor: *cabelo* **SARARÁ**; 3) diz-se de mestiço com cabelo sarará: *mulata* **SARARÁ** (in *Novo Dicion. Aurélio*).

sarará² (s.) – **SARARÁ**, pequeno crustáceo decápode, de água salobra, variedade de caranguejo pequeno que sobe em árvores (*VLB*, I, 67)

saraûaîa (s. portug.) – selvagem: *Xe rapixá saraûaîa...* – Eu sou semelhante aos selvagens. (Anch., *Teatro*, 22)

sariama (s.) – SERIEMA, SARIEMA, SIRIEMA, ave da família dos cariamídeos (*Cariama cristata* L.), que vive nos descampados, comendo insetos, répteis e pequenos roedores. Dorme empoleirada em árvores, em que faz ninhos. É ave típica dos cerrados e das caatingas do Brasil. (D'Abbeville, *Histoire*, 242; Marcgrave, *Hist. Nat. Bras.*, 203)

> OBSERVAÇÃO – O nome da família dessa ave é fruto de uma leitura errônea da obra de Marcgrave pelo sábio sueco Lineu: **CARIAMA** (em vez de **ÇARIAMA**, com cedilha).
>
> NOTA – Essa ave, por muito tempo, foi o símbolo dos sertões do centro-oeste brasileiro. Nhô Pai e Mário Zan compuseram, na década de 1940, uma famosa canção que fala dela:
> *"Ó SIRIEMA de Mato Grosso / Teu canto triste me faz lembrar / Daqueles tempos que eu viajava / Tenho saudade do teu cantar."*

sarigûé – SARIGUÊ, o mesmo que **sarigûeîa** (v.) (Cardim, *Trat. Terra e Gente do Brasil*, 27)

sarigûeîa (ou **sarigûé**) (s.) – SARIGUEIA, SARIGUÊ, SARUÊ, SAURÊ, gambá, nome comum a mamíferos marsupiais da família dos didelfídeos, do gênero *Didelphis* L., que aparecem em quase toda a América. São placentários, tendo a fêmea uma bolsa marsupial em que amamenta e protege seus filhotes que aí permanecem durante algum tempo. São onívoros e de vida noturna. (Marcgrave, *Hist. Nat. Bras.*, 222): *Erĩ, sarigûeîa é!* – Irra, gambá! (Anch., *Teatro*, 42)

SARIGUÊ (fonte: Marcgrave)

sarigûeîmbeîu (etim. – *sarigué biju*) (s.) – carnívoro aquático da família dos mustelídeos (Marcgrave, *Hist. Nat. Bras.*, 234; *VLB*, II, 32); o mesmo que **ybyîa** (v.)

sarinambi – o mesmo que **serinambi** (v.) (*VLB*, I, 81)

sarinambigûara (etim. – *comedor de cernambis*) (s.) – CERNAMBIGUARA, var. de peixe da família dos carangídeos (*VLB*, I, 81)

sarinambitinga (etim. – *cernambi branco*) (s.) – CERNAMBITINGA, variedade de molusco bivalve da família dos venerídeos (Sousa, *Trat. Descr.*, 292)

sariûé – o mesmo que **sarigûeîa** (v.) (Staden, *Viagem*, 172)

saruîagûasu (s.) – var. de búzio marinho (*VLB*, I, 60)

sasãĩ (v. intr.) – dispersar-se, espalhar-se (*VLB*, I, 125)

sasura (s.) – var. de búzio marinho (*VLB*, I, 60)

saûasu (etim. – *olhos grandes*) (s.) – nome de peixe de mar da família dos carangídeos (Brandão, *Diálogos*, 238)

saûgûerĩ (ou **saûgûerĩote**) (adv.) – escassamente (*VLB*, I, 123)

saûí – o mesmo que **sagûi** (v.)

saûîá (ou **sagûiá**) (s.) – 1) SAUIÁ, nome de um pequeno mamífero roedor. *"... Criam em covas no chão; mantêm-se das frutas silvestres."* (Sousa, *Trat. Descr.*, 255): *... Xe resemõ sauîá.* – Sobram-me sauiás. (Anch., *Poemas*, 156); 2) rato doméstico ou do mato (Sousa, *Trat. Descr.*, 254)

> NOTA – Daí provém o nome de uma família de mamíferos, os **CAVÍDEOS**, fruto de uma errônea leitura da palavra *ÇAVIA*, feita pelo sábio sueco Lineu, da obra de Marcgrave (v. observação em **saûîasobaîa**).

Saûîaeté (etim. – *sauiá verdadeiro*) (s. antrop.) – nome de índio tupi (Anch., *Poemas*, 156)

saûîakoka (s.) – variedade de SAUIÁ, do tamanho de um coelho, de pelo vermelho (Sousa, *Trat. Descr.*, 255)

saûîasobaîa (etim. – *sauiá da banda de além*) (s.) – SAUIÁ-COBAIA, COBAIA, porquinho-da-índia, mamífero da família dos caviídeos (*Cavia porcellus* L.), originário da América Andina (as Índias Ocidentais) (Marcgrave, *Hist. Nat. Bras.*, 224)

> OBSERVAÇÃO – O nome da família desse animal é fruto de uma leitura errônea da obra de Marcgrave pelo sábio sueco Lineu. Com efeito, na *Historia Naturalis Brasiliae*,

saûîatinga

de Marcgrave, está escrito **CAVIA** (o que deveria ter sido lido **ÇAUIÁ**). Foi, também, de uma errônea leitura do naturalista Lineu que se originou a palavra **COBAIA**, que aparece, naquela obra, junto de **ÇAVIÁ**, e que entrou para o léxico de muitas línguas do mundo [v. a nota do verbete **sobaîa**].

saûîatinga (etim. – *sauiá branco*) (s.) – variedade de roedor do tamanho de coelho, de pelo branco. "... Criam em covas e comem frutas cuja carne é muito boa, sadia e saborosa." (Sousa, *Trat. Descr.*, 254)

saúna (etim. – *olhos escuros*) (s.) – **SAÚNA**, nome comum a certos peixes mugilídeos (Brandão, *Diálogos*, 238)

saybi (v. intr.) – chuviscar; cair lentamente (a chuva): *Osaybi amana*. – A chuva caiu lentamente. (*VLB*, I, 74)

sé (interj. usada somente pela 1ª p.) – sei lá! não sei (*VLB*, II, 47): – *Abá ra'yrape ûî?!* – *Sé!* -Filhos de quem eram esses?! – Sei lá! (Anch., *Teatro*, 48); – *Marãba'e oka?* – *Sé!* – Que tipo de casa? – Sei lá! (Léry, *Histoire*, 352) • **Sé ruã!** – Sei lá! (*VLB*, II, 8)

seba (s.) – ato de entremostrar-se; (adj.: **seb**) – descoberto parcialmente, entremostrado: *Xe robá-seb*. – Eu tenho o rosto parcialmente descoberto. *Xe pó-seb*. – Eu tenho a mão parcialmente descoberta. (*VLB*, I, 46)

seba'e (etim. – *o que é gostoso*) (s.) – **1)** mantimento (Fig., *Arte*, 72); qualquer tipo de manjar (*VLB*, II, 31): *i xeba'e* – seu mantimento (Fig., *Arte*, 72); **2)** aquilo que se come habitualmente com pão; conduto (*VLB*, I, 79); **3)** legumes (*VLB*, II, 19)

sebitu (s.) – **SABITU, IÇABITU, CABITU, SAVITU, BITU, VITU**, nome comum a certas formigas, insetos himenópteros formicídeos do gênero *Atta*, do sexo masculino, dotados de asas (*VLB*, I, 142)

sebo'i (s.) – sanguessuga, verme anelídeo, da classe dos hirudíneos, que vive nas águas doces e suga o sangue dos animais: *Eîori, mba'enem, mba'e-poxy, mborá, miaratakaka, sebo'i, tamarutaka!* – Vem, coisa fedorenta, coisa nojenta, borá, maritacaca, sanguessuga, tamarutaca! (Anch., *Teatro*, 44)

sebo'inhanga (etim. – *sanguessuga que corre*) (s.) – var. de sanguessuga (v. **sebo'i**) (*VLB*, I, 64)

sebo'ipeba (etim. – *sanguessuga achatada*) (s.) – var. de sanguessuga (v. **sebo'i**) (Léry, *Histoire*, 375)

sebuí (s.) – nome de uma ave (Soares, *Coisas Not. Bras.* (ms. C), 1358-1361)

sebypyra (ou **sepepyra** ou **sapopyra**) (s.) – **SIBIPIRA, SUCUPIRA**, designação comum a três árvores da família das leguminosas (*Bowdichia virgilioides* Kunth., *Diplotropis racemosa* (Hoehne) Amshoff e *Diplotropis brasiliensis* (Tul.) Benth.), da floresta densa e úmida, que se caracterizam pela madeira castanho-escura, de fibras amarelas, muito dura e pesada, utilizada em construção e marcenaria. São também conhecidas como **SAPUPIRA-DA-MATA, SAPUPIRA** e **SICOPIRA**. (Marcgrave, *Hist. Nat. Bras.*, 100)

sebypyragûasu (etim. – *sucupira do fruto grande*) (s.) – variedade de **SUCUPIRA**, planta leguminosa faboídea do gênero *Bowdichia* (Piso, *De Med. Bras.*, IV, 188) (v. tb. **sebypyra**)

sebypyramirĩ (etim. – *sibipira do fruto pequeno*) (s.) – variedade de **SUCUPIRA** (v. **sebypyra**) (Piso, *De Med. Bras.*, IV, 188)

segûé (interj. de h.) – expressa espanto ou zombaria: veja isto! (*VLB*, II, 53); olha só! (*VLB*, II, 56)

seî (v. tr.) – querer, desejar (usado só com temas verbais incorporados): *I kamu-seî kunumĩ...* – Deseja o menino mamar. (Anch., *Poemas*, 162)

seîxu (s. astron.) – **1)** a constelação das plêiades ou setestrelo, que, quando começava a ser vista pelos índios, em meados de janeiro, fazia, segundo eles, chegar as chuvas (D'Abbeville, *Histoire*, 316v); **2)** ano: *Seîxu îabi'õ nhemombe'u* – confessar-se a cada ano (Ar., *Cat.*, 17); ... *mosapyr koîpó oîoirundyk seîxu ybŷá o tym'iré...* – ... três ou quatro anos após os enterrarem. (Ar., *Cat.*, 179v)

seîxuîurá (etim. – *jirau das plêiades*) (s. astron.) – constelação com nove estrelas dispostas em forma de grelha, que, segundo os índios, anunciava a chuva (D'Abbeville, *Histoire*, 316v)

seîxupirá (etim. – *peixe das plêiades*) (s.) – nome de um peixe (Marcgrave, *Hist. Nat. Bras.*, 158)

seîxutatá (etim. - *plêiades de fogo*) (s.) - ano: ... *Tupã oîmonhyrõ o îoupé setá nhẽ **seîxutatá** tekoangaîpaba repy-mondykápe...* - Fazem aplacar a Deus a si mesmos, ao eliminarem a dívida dos pecados de muitos anos. (Ar., Cat., 142v)

sekoabanhẽ (ou **sekoabaé**) (adv.) - **1)** de costume, costumeiramente: *Sekoabanhẽ nanymẽ xe gûatae'ym* (ou *Sekoabaé ixé nanymẽ n'agûatáî*). - De costume, eu não ando. (VLB, I, 84); **2)** naturalmente, sempre, para sempre (VLB, I, 84)

sekyîé - o mesmo que **sykyîé** (v.) (VLB, I, 46)

sem (ou **sẽ**) (v. intr.) - **1)** sair: *Osem oîkobébo o tym-y roîré...* - Saiu vivendo após o enterrarem. (Anch., Poemas, 124); *T'osẽ anhanga i xuí...* - Que saia o diabo dela. (Anch., Poemas, 146); *Osem okarype...* - Saiu para o pátio. (Ar., Cat., 57v); **2)** mudar (a casa, indo para outra parte); mudar-se (para longe): *Asem.* - Mudo-me. (VLB, II, 44); **3)** despontar; nascer (o sol): *Otĩ kûarasy osema nde beraba robaké.* - Envergonha-se o sol, nascendo, diante de teu brilho. (Valente, Cantigas, IV, in Ar., Cat., 1618) • **sembaba** - tempo, lugar, modo etc. de sair; saída: *kûara sembaba* - lugar de sair do sol, o nascente; *kûarasy sembaba* - a saída do sol, o nascer do sol (VLB, II, 46); *Oîkuá-katupe a'e suí o semagûama?* - Sabem bem de sua futura saída dali? (Ar., Cat., 48v)

sema (s.) - saída: *Mba'epe te'õ? - Asé reté suí asé 'anga sema.* - Que é a morte? - A saída de nossa alma de nosso corpo. (Ar., Cat., 43v)

> NOTA - Daí, no P.B., **PIRACEMA** (*pirá + sema,* "saída dos peixes"), a saída dos peixes para as nascentes dos rios para desovarem; **GURICEMA**, nome de um peixe carangídeo de espécie migradora. Daí, também, o nome geográfico **IRACEMA** (AM) (v. Rel. Top. e Antrop. no final).

sembiararaîybo'ira (etim. - *colar da filha da sua presa*) (s.) - constelação que, segundo os índios, anunciava a chuva (D'Abbeville, Histoire, 316v)

senemby (s.) - SENEMBI, SENEMBU, SINIMBU, SINUMBU, designação comum a répteis lacertílios da família dos iguanídeos, que vivem em árvores e mudam de cor; uma variedade de lagarto (D'Abbeville, Histoire, 248v; Marcgrave, Hist. Nat. Bras., 236)

senembyîuba (etim. - *senembi amarelo*) (s.) - var. de lagarto (Libri Princ., vol. I, 161)

senembyúna (etim. - *senembi escuro*) (s.) - nome de um réptil da família dos iguanídeos; uma variedade de lagarto (Theat. Rer. Nat. Bras., II, 53)

sepenika (s.) - nome de uma árvore de madeira muito rija e forte (Soares, Coisas Not. Bras. (ms. C), 1976-1980)

sepîakypypabẽ (etim. - *o que é visto totalmente*) - v. **epîak (s)** (VLB, II, 89)

sepytanga (s.) - coral, formação coralígena (VLB, I, 81)

serã (adv.) - **1)** talvez, porventura, quiçá: *Xe pysy-potar-y bé serã kó gûyragûasu...* - Talvez queira agarrar-me novamente este pássaro grande... (Anch., Teatro, 58); **2)** sem dúvida, certamente (geralmente com certas partículas): *Anhẽ serã îasepîak îepi i py-pora...* - Certamente vemos sempre as marcas de seus pés. (Ar., Cat., 138, 1686); *Supikatu serã uîba'e ûyrá-memûã mbouri* - Certamente esse fez vir o pássaro mau. (D'Abbeville, Histoire, 353); *Nde ro'o xe moka'ẽ serã...* - Tua carne será, certamente, meu moquém. (Staden, Viagem, 157); *Itá a'e serã.* - Aquilo é pedra, certamente. (Vasconcelos, Crônica (Not.) I, §149, 253); *Ké suí serã i asabi India tapyîtinga retãme...* - Daqui, certamente, passou para a Índia, terra dos indianos. (Ar., Cat., 9v); **3)** (na interr.) por acaso? será?: *Aîpó tekó-pysasu abá serã ogûeru...?* - Aquela lei nova, quem será que a trouxe? (Anch., Teatro, 4); *Pysaré serã ereîkó arinhama mokanhema?* - Será que a noite toda ages para fazer sumir as galinhas? (Anch., Teatro, 30); *Ererueretá serã?* - Por acaso trouxeste muitas coisas? (Anch., Teatro, 44); *Mamõ serã xe sóûne...?* - Para onde será que eu irei? (Anch., Doutr. Cristã, I, 221); *Marã serã ture'ymi?* - Por que será que ele não vem? (VLB, II, 8) • **serã re'a** (de h.) ou **serã re'ĩ** (de m.) - provavelmente, acaso, quiçá, talvez (VLB, I, 87)

serãmona'ẽ (part.) - como se, como que: *Xe só serãmona'ẽ...* - Como se eu fosse... (Anch., Arte, 26)

serãmona'ẽmo - o mesmo que **serãmonaẽ** (v.)

serã-serã (adv.) - **1)** muito mal, pessimamente: *Aîmonhang serã-serã.* - Fi-lo muito mal. (VLB, I,

sera'yba

20); **2)** muito: ... *gûaîbĩ-marã serã-serã...* – velha muito maldosa... (Anch., *Teatro*, 46)

sera'yba (etim. – *planta dos siris*) (s.) – **1)** SEREÍBA, SIRIBA, SIRIÚVA, SIRIÚBA, SARAÍBA, mangue-branco, nome de árvore do mangue da família das verbenáceas (*Avicennia germinans* (L.) L.); **2)** planta combretácea (*Laguncularia racemosa* (L.) C.F. Gaertn.), também conhecida como *canapaúba, mangue canapomba, mangue-branco* e *mangue-rasteiro* (Sousa, *Trat. Descr.*, 218; *VLB*, II, 30; Marcgrave, *Hist. Nat. Bras.*, 127; 135)

sere'yba (etim. – *planta dos siris*) (s.) – SEREÍBA (v. **sera'yba**) (Sousa, *Trat. Descr.*, 218)

sere'ybuna (etim. – *planta escura dos siris*) (s.) – SEREIBUNA, mangue-amarelo (*Avicennia germinans* (L.) L.), planta verbenácea dos manguezais, também conhecida como *sereitinga, guapirá, mangue-guapirá, mangue-branco* e MANGUE-SERIVA (Piso, *De Med. Bras.*, IV, 200)

sere'ytinga (etim. – *planta clara dos siris*) (s.) – nome de uma planta verbenácea dos manguezais (*Theat. Rer. Nat. Bras.*, II, 126)

seri – o mesmo que **siri** (v.) (Lisboa, *Hist. Anim. e Árv. do Maranhão*, fl. 169v)

seriema (s.) – ave cariamídea, o mesmo que **sariama** (v.) (Brandão, *Diálogos*, 230)

serigûaîá (s.) – SIRIGOIÁ, var. de crustáceo marítimo decápodo, da família dos portunídeos (*VLB*, I, 70)

serikó (s.) – SERICOIA, SERICORA, nome de uma ave, espécie de saracura (Brandão, *Diálogos*, 234)

serinambi (etim. – *siri de orelha*) (s.) – CERNAMBI, nome comum a algumas espécies de moluscos, muito usados pelos índios do passado para sua alimentação. A maior parte dos sambaquis é constituída por eles. "... Tem a casca muito redonda e grossa e tem dentro grande miolo de cor pardaça, que se come assado e cozido." (Sousa, *Trat. Descr.*, 292)

> NOTA – **CERNAMBI** ou **SARNAMBI**, no Pará, podem ser sinônimos de **SAMBAQUI**, acúmulo de conchas, restos de cozinha e cerâmica feito por tribos que habitaram a costa em épocas pré-históricas. Daí, também, o nome do peixe carangídeo **CERNAMBIGUARA** ("comedor de cernambis").

Serobabé (s. antrop.) – nome de índio tupi (Vasconcelos, *Crônica (Not.)* II, §2, 114)

serokypyre'yma (etim. – *o que não tem nome retirado*) (s.) – pagão (*VLB*, II, 62)

serubu (s.) – diabo, tinhoso: *Îori sekyîa taûîé, i py suí, serubu.* – Vem para arrancar logo, de dentro dela, o tinhoso. (Anch., *Poemas*, 136); ... *Serubu rá, muru ri opurũ-purung.* – Tomando o diabo, o maldito fica pisando. (Anch., *Poemas*, 190)

seruru (s.) – SURURU, mexilhão (v. **sururu**) (*VLB*, II, 37)

setá (adv.) – **1)** muitas vezes: *Setápe asé nhemongaraíbi?* – A gente se batiza muitas vezes? (Anch., *Doutr. Cristã*, I, 202); *Anhemombe'u... ndebe, pa'i abaré setá nhẽ xe angaîpagûera resé...* – Confesso-me a ti, senhor padre, por causa do meu pecar muitas vezes. (Ar., *Cat.*, 20-20v); **2)** de diversos, de muitos, em muitos, por muitos: ... *Tupã oîmonhyrõ o îoupé setá nhẽ seîxutatá tekoangaîpaba repy-mondykápe...* – Fazem aplacar a Deus a si mesmos para eliminar a dívida dos pecados de diversos anos. (Ar., *Cat.*, 142v); *Nde moingobé Tupã, nde rerekóbo n'oîepé îasy nhõ ruã, n'oîepé seîxu nhõ ruã, setá nhẽ seîxu-te...* – Deus te fez viver, guardando-te, não somente por uma semana, não somente por um ano, mas por muitos anos. (Ar., *Cat.*, 157); **3)** muito, bastante: *Xe asykyîé setá.* – Tenho muito medo. (D'Evreux, *Viagem*, 147); *Nde angaîbar setá.* – Tu estás muito magro. (D'Evreux, *Viagem*, 152) ● **setá setá-eté** – muitíssimos (Fig., *Arte*, 4)

setatupabẽ (adv.) – muitíssimo: *Îuraragûaî setatupabẽ.* – Mentiu muitíssimo. (D'Evreux, *Viagem*, 88)

seté (s.) – força vital, natural, poder natural: *ka'a seté* – a força da mata; *'Ybá seté kó sekóû.* – A força vital das frutas aqui está. (*VLB*, I, 141)

sîesîé (s.) – CIECIÉ, XIÉ, chama-maré, var. de caranguejo, o mesmo que **sîesîeeté** (*VLB*, I, 67)

sîesîeeté (etim. – *ciecié verdadeiro*) (s.) – CIECIÉ, chama-maré, nome comum a pequeninos caranguejos da família dos ocipodídeos, que apresentam uma das pinças muito maior que a outra. É também chamado *siri-patola, caranguejinho-dos-mangues, chora-maré* etc. (Marcgrave, *Hist. Nat. Bras.*, 185)

sîesîepanema (etim. – *ciecié imprestável*) (s.) – CIECIÉ-PANEMA, crustáceo da família dos ocipodídeos (Marcgrave, *Hist. Nat. Bras.*, 185)

sinimbu (s.) – SINIMBU, o mesmo que **senemby** (v.) (Sousa, *Trat. Descr.*, 263)

sining (v. intr.) – retinir (como metal) (*VLB*, II, 104)

NOTA – Daí, no P.B., **BOICININGA** (*mboîa* + *sining* + *-a*, "cobra que retine"), a cascavel, que tem um chocalho na cauda.

sioba (s.) – CIOBA, CARANHO, peixe da família dos lutjanídeos (Piso, *De Med. Bras.*, 154)

siri (ou **seri**) (s.) – SIRI, nome genérico de várias espécies de crustáceos decápodes braquiúros da família dos portunídeos (D'Abbeville, *Histoire*, 248; *VLB*, I, 67): *Auîebeté kó aîkó, ndébo ko siri reru.* – Muito bem, eis que aqui estou, trazendo para ti estes siris. (Anch., *Poemas*, 154)

NOTA – Daí, o nome do estado de **SERGIPE** (v. Rel. Top. e Antrop. no final).

siriaie'yma (s.) – var. de crustáceo (*Theat. Rer. Nat. Bras.*, I, 79)

siriapûã (etim. – *siri pontudo*) (s.) – SIRIPUÃ, espécie de crustáceo da família dos portunídeos. Devora cadáveres e apanha peixes. (Marcgrave, *Hist. Nat. Bras.*, 183)

siriema – v. **sariama**

sirigûasu (etim. – *siri grande*) (s.) – SIRIAÇU, crustáceo da família dos portunídeos, a espécie de maior tamanho da família (*VLB*, I, 67)

sirimirĩ (etim. – *siri pequeno*) (s.) – SIRIMIRIM, crustáceo da família dos portunídeos (*VLB*, I, 67)

sirinema (etim. – *siri fedorento*) (s.) – var. de SIRI (v.) (*VLB*, I, 67)

sirioby (etim. – *siri verde*) (s.) – espécie de crustáceo da família dos portunídeos (Marcgrave, *Hist. Nat. Bras.*, 184)

só[1] (v. intr.) – ir: *Asó-potá nde retãme...* – Quero ir para tua terra. (Anch., *Poemas*, 92); *N'asó-potari mamõ...* – Não quero ir para longe. (Anch., *Poemas*, 100); *Gûixóbo asó.* – "Vou para ir" (isto é, *vou para morar*). (*VLB*, II, 41); *Asó ka'abo.* – Vou pelos matos. (Fig., *Arte*, 7); *Korite'ĩ i xóû.* – Agora ele foi. (Fig., *Arte*, 94); *Nd'a'éî gûixóbo ranhẽ.* – Ainda não vou. (Fig., *Arte*, 162); *Mamõpe eresó?* – Aonde vais? (D'Evreux, *Viagem*, 143); *T'îasó, t'îasó!* – Vamos, vamos! (Carder, *The rel.*, 1188) • **osoba'e** – o que vai: ... *Opakatu ybakype osoba'erama repyramo...* – Como resgate de todos os que irão para o céu. (Ar., *Cat.*, 84v); **soara** – o que vai (Fig., *Arte*, 64): *ybakype soarama...* – o que irá para o céu (Ar., *Cat.*, 31v); **soaba** – tempo, lugar, modo etc. de ir; ida (Fig., *Arte*, 64, 1686): *Ogûatá îepé serã i îybá mokõîa itapygûá soarama resé?* – Por acaso não chegava seu segundo braço ao lugar de irem os pregos? (Ar., *Cat.*, 62v); ... *Ybakype i xoagûera rerobîá.* – Crendo na sua ida para o céu. (Ar., *Cat.*, 12v); ... *A'epe xe soagûama...* – Ali é o lugar aonde eu vou. (Anch., *Teatro*, 162, 2006)

só[2] (part.) (somente no tupi de São Vicente) – quase, por pouco que (*VLB*, I, 19): *Asó só.* – Quase que fui. (Anch., *Arte*, 25v)

soaba (etim. – *finalidade da ida*) (s.) – destino, lugar de chegada: *Pekûâî pe soápe.* – Ide para o vosso destino. (Depoimento de Pero Leitão, apud Viotti, 1980, 207); *Xe soaba Tupã retama...* – Meu destino é a terra de Deus. (Anch., *Teatro*, 162, 2006)

sobaîa (s.) – o lado de além, a banda de além; (adj.: **sobaî**) – d'além, que é doutras partes, de outras bandas: *saûîá-sobaîa* – sauiá doutras partes (*cobaia* ou *coelho-da-índia*) (Marcgrave, *Hist. Nat. Bras.*, 224); (adv.: **sobaî**) – para o lado de além, para a banda de além: *Asó sobaî.* – Vou à banda de além. (Fig., *Arte*, 131)

NOTA – Foi de uma errônea leitura deste termo pelo naturalista Lineu que se originou a palavra **COBAIA**, que entrou no léxico de muitas línguas do mundo. Com efeito, em Marcgrave lê-se CAVIA COBAIA (a grafia correta deveria ser ÇAUIÁ ÇOBAIA, isto é, *o sauiá que é da banda de além*, ou seja, que não é originário do Brasil, o porquinho-da-índia, oriundo da América Espanhola Andina (as *Índias Ocidentais*). Lineu pensou que **COBAIA** fosse o nome do animal, quando, na verdade, significava outra coisa, como vimos.

sobaúra (s.) – nome de uma planta. "Serve para chagas velhas, que já não têm outro remédio: deita-se moída e queimada na chaga, logo come todo o câncer e cria couro novo." (Cardim, *Trat. Terra e Gente do Brasil*, 49; Soares, *Coisas Not. Bras.* (ms. C), 1583-1587)

sogûabo

sogûabo – ger. de **so'o** (v.)

sok¹ (-îo-) (v. tr.) – **1)** ferir (com coisa que não entra pela carne ou entra quase nada); dar pancadas de ponta (sem furar) (*VLB*, II, 63); picar, aguilhoar (p.ex., bois), calcar (sem furar): *Aîosok.* – Feri-o. (*VLB*, I, 137); *Xe sok îõte.* – Deu-me pancada de ponta, somente (isto é, sem me furar). (*VLB*, I, 129); *Pedro nde sok.* – Pedro te pica. (Fig., *Arte*, 151); *Pedro osok îagûara.* – Pedro aguilhoa a onça. (Fig., *Arte*, 153); **2)** moer, pisando (*VLB*, II, 40); **3)** socar, pilar; (fig.) fustigar: *'Ara yby sokeme, xe ruri.* – Quando fustigava o sol a terra, eu vim. (*VLB*, I, 112); *Aporosok.* – Soco gente. (Fig., *Arte*, 89); *abati soka* – pilar milho (Fig., *Arte*, 73) • *i xokypyra* – o que é (ou deve ser) pilado, socado (Fig., *Arte*, 108); o que é moído, coisa moída (*VLB*, II, 40)

> NOTA – Daí, no P.B., além do verbo SOCAR, também provêm as palavras SOCO, SOQUE (o mesmo que SOCO), SOQUEAR (o mesmo que SOCAR), SOQUETE (1. utensílio para socar pólvora dentro de canhões; 2. ferramenta para comprimir terra em torno de postes, mourões etc., ou para firmar a pedra nos calçamentos; 3. socador).

sok² (v. intr.) – quebrar-se, partir-se (como corda, linha, espada, serra etc.) (*VLB*, II, 93; Anch., *Arte*, 53v): *Osó-osok.* – Quebra-se muitas vezes. (Anch., *Arte*, 53v)

> NOTA – Daí, no P.B. (AM), SOÇOCA, certa forma de pescar nas lagoas de águas turvas da Amazônia, como que socando o arpão até ferrar o peixe.

soka – o mesmo que **ysoka** (v.) (Sousa, *Trat. Descr.*, 266)

sokaúna – o mesmo que **ysokaúna** (v.) (Sousa, *Trat. Descr.*, 266)

sokó (s.) – SOCÓ, SAVACU, nome comum a aves ciconiformes da família dos ardeídeos, que vivem em lugares pantanosos ou perto de rios ou lagoas (Marcgrave, *Hist. Nat. Bras.*, 199): *Xe îyboîa, xe sokó, xe tamuîusu Aîmbiré...* – Eu sou uma jiboia, eu sou um socó, eu sou o grande tamoio Aimbirê. (Anch., *Teatro*, 28)

soko'i (s.) – SOCOÍ, ave ciconiforme da família dos ardeídeos, a maior das espécies brasileiras (*Theat. Rer. Nat. Bras.*, I, 117)

SOCOÍ (fonte: Marcgrave)

sokopinima (etim. – *socó pintado*) (s.) – nome de uma ave (*Theat. Rer. Nat. Bras.*, I, 118)

sokuri (s.) – SUCURI, SICURI, CAÇÃO-SICURI, SICURI-DE-GALHA-PRETA, variedade de cação, peixe da família dos galeorrinídeos. Vive perto da água salgada e alimenta-se de peixe e caranguejos dos mangues. (Sousa, *Trat. Descr.*, 282; *VLB*, I, 62)

somana (s. – portug.) – semana: ... *kó somana pupé...* – nesta semana (Ar., *Cat.*, 126)

so'o¹ (s.) – **1)** animal (quadrúpede), bicho, caça: ... *So'o, pirá, gûyrá retãme'engaba é ikó 'ara...* – Este mundo é a terra prometida dos animais quadrúpedes, dos peixes e dos pássaros... (Ar., *Cat.*, 166v); *Okûabépe irã so'o...?* – Escaparão futuramente os animais quadrúpedes? (Ar., *Cat.*, 46); **2)** carne de caça, carne vermelha de animal: *Nd'o'uî asé so'o îekuakuba 'ara pupé.* – A gente não come carne de caça no dia de jejum. (Ar., *Cat.*, 10v); *Aîeruré so'o resé.* – Peço por carne (de caça). (D'Evreux, *Viagem*, 144); *So'o resé aîkó.* – Estou em busca de caça. (*VLB*, II, 41) • *so'o-Îurupari* – animais com que Jurupari convive, que só andam à noite, soltando gritos horríveis, servindo àquele sexualmente, ativa ou passivamente (D'Evreux, *Viagem*, 293); *so'o-aíba* – animal quadrúpede que não se come (*VLB*, I, 36); *so'o-kugûaba* – conhecedor de animais, bom de caça (fal. de cão) (*VLB*, I, 62)

so'o² (v. tr.) – convidar (em geral ou para festa): *Aporoso'o.* – Convido gente. (Fig., *Arte*, 89); ... *apŷaba sogûabo pá...* – convidando os homens todos (Anch., *Teatro*, 34); ... *Pabẽ t'îaîxo'o.* – Todos havemos de convidar. (Anch., *Teatro*, 64) • **sogûaba** – tempo, lugar, causa etc. de convidar: *Nd'e'i te'e kunumĩgûasu, morubixaba o sogûápe, oîkébo memẽ kagûápe...* – Por isso mesmo os moços, por os convidarem os chefes, entram sempre no lugar de beber cauim. (Anch., *Teatro*, 34); **i xo'opyra** - o que é (ou deve ser) convidado (*VLB*, I, 81)

so'ogûasurãîgûera (etim. - *dente do animal grande*) (s.) - marfim, dentes de elefante (*VLB*, II, 32)

so'oîukasara (etim. - *o que mata animais*) (s.) - açougueiro (*VLB*, II, 28)

so'oma'e'ĩndaba (etim. - *lugar de vender carne*) (s.) - açougue (*VLB*, I, 21)

so'ombiara (etim. - *o que traz caça*) (s.) - açougueiro (*VLB*, I, 67)

so'ombo'isaba (etim. - *lugar de retalhar carne*) (s.) - açougue (*VLB*, I, 21) (v. **mbo'i**)

so'ombo'isara (etim. - *o que retalha carne*) (s.) - açougueiro; carniceiro (*VLB*, II, 28) (v. **mbo'ir**)

so'omimbaba (etim. - *animal de criação*) (s.) - gado (manso) (*VLB*, I, 146)

so'oragûera (etim. - *o que foi pele de animal*) (s.) - **1)** pano de couro (*VLB*, II, 64); **2)** lã (*VLB*, I, 136)

so'orupîara (etim. - *adversário de caça*) (s.) - cão caçador (*VLB*, I, 62)

sorok (v. intr.) - romper-se, rasgar-se ● **sorokaba** - tempo, lugar, modo etc. de romper-se, de rasgar-se; rompimento, fissura: *Opakatu serã sygeapûá-kuîamo i ku'a sorokaba rupi?* - Por acaso ele teve seu intestino caído totalmente pelo lugar em que se rasgou sua cintura? (Ar., *Cat.*, 57v)

NOTA - Daí, no P.B., **SOROCABA, VOÇOROCA, BOÇOROCA, SOROCABUÇU**, fenda cavada pelas enxurradas. Daí, também, o nome do município de **SOROCABA** (SP) (v. Rel. Top. e Antrop. no final).

soroka (s.) - rompimento, rasgadura; (adj.: **sorok**) - rompido, rasgado: *I ku'a-sorok serã moxy...?* - Porventura tinha o maldito sua cintura rompida? (Anch., *Diál. da Fé*, 177)

NOTA - Daí, no P.B., **SOROCA**, 1) toca de onça; 2) (SP) rasgão ou desmoronamento de terras em consequência da infiltração da água no subsolo.

sororok (v. intr.) - irromper, romper: *Mbegûé é ko'yté abá tekokuá kanhemi, ... ĩu u'u osororoka...* - Lentamente, enfim, o homem perde entendimento, sua tosse irrompendo. (Ar., *Cat.*, 156)

NOTA - Daí, **SOROROCA** (*ruptura*), rumor produzido pela voz do moribundo, estertor: "... *As vozes do responso pareciam a* **SOROROCA** *da morte, o arquejo do moribundo.*" (Amadeu de Queirós, in *Os Casos do Carimbamba*, apud *Novo Dicion. Aurélio*).

sororoka (s.) - **SOROROCA**, peixe teleósteo da família dos tunídeos (Sousa, *Trat. Descr.*, 284; *VLB*, I, 69; II, 113)

sosé (posp.) - **1)** acima de: *Ixé nde sosé* (ou *Nde sosé ixé*). - Estou acima de ti. (*VLB*, II, 119); **2)** em cima de, sobre: *xe sosé* - em cima de mim; *itá sosé* - sobre a pedra (Anch., *Arte*, 43v); ... *Krusá sosé nhẽ xe îara moîá.* - Sobre a cruz pregando meu senhor. (Anch., *Poemas*, 122); **3)** mais que (comparativo), mais de; melhor que, maior que: ... *Kûarasy sosé o poranga kuabe'enga...* - Mostrando sua própria beleza mais que o sol. (Ar., *Cat.*, 4v); *Nde sosé ixé.* - Eu sou mais que tu. (*VLB*, I, 48); *Kó oka sosé.* - Maior que esta casa. (*VLB*, II, 28); *Ixé nde sosé.* - Eu sou maior que tu. (*VLB*, II, 28); *vinte sosé* - mais de vinte (*VLB*, II, 67); *I xosémo nã ky xe re'õ.* - Melhor que isso me seria, pois, morrer. (*VLB*, II, 38); *Aîkuab mba'e nde sosé.* - Sei mais que tu. (Fig., *Arte*, 121)

sosok (v. tr.) - socar continuamente; esbofetear: ... *Setobapé sosoka.* - Esbofeteando suas faces. (Anch., *Doutr. Cristã*, II, 112)

NOTA - Daí, no P.B. (AM), **SOÇOCA**, certa forma de pescar nas lagoas de águas turvas da Amazônia, como que socando o arpão até ferrar o peixe.

sũ (s.) - instrumento de pesca onde o peixe entra e do qual não consegue sair; nassinho de rede, côvão (*VLB*, II, 48)

-sûar (suf. nominalizador. Tem o alomorfe **-xûar**, após **i** ou **y**.) - o que está, o que é: *T'oîkó pabẽ ybypesûara nde remimotara rupi...* - Que esteja tudo o que está na terra segundo a tua vontade. (Ar., *Cat.*, 27); *xe ybyrixûara* - o que está à minha ilharga (Fig., *Arte*, 139); ... *kó Yby'apapesûara...* - estes que estão em Ibiapaba (Anch., *Poesias*, 269)

suãrã (s. astron.) - a estrela sírio, "a mais clara e resplandescente do firmamento, a qual aparece antes das chuvas" (D'Abbeville, *Histoire*, 317)

NOTA - Daí, **SUARÃO**, localidade do litoral paulista (v. Rel. Top. e Antrop. no final).

sûasu

sûasu (ou **sygûasu**) (s.) - SUAÇU, nome comum a vários animais da família dos cervídeos, do grupo dos cervos e veados (D'Abbeville, *Histoire*, 249; Sousa, *Trat. Descr.*, 246)

> NOTA - Daí, o nome próprio SUASSUNA (v. Rel. Top. e Antrop. no final).

Sûasuakanga (etim. - *cabeça de veado*) (s. antrop.) - nome de índio tupi (D'Abbeville, *Histoire*, 182)

sûasuapara (ou **sûgûasuapara**) (etim. - *veado arqueado*) (s.) - SUAÇUAPARA, SUÇUAPARA, AÇUÇUAPARA, veado-galheiro, quadrúpede ruminante da família dos cervídeos. (Sousa, *Trat. Descr.*, 246; D'Abbeville, *Histoire*, 249)

sûasuarana (ou **sugûasuarana**) [etim. - **sûasu** + **aba** (t) + **ran** + -**a**: *falso pelo de veado*] (s.) - SUÇUARANA, SUAÇURANA, felino americano (*Puma concolor*, L.), de pele malhada, também conhecido como onça-vermelha, onça-parda e puma (D'Abbeville, *Histoire*, 251v)

sûasueté - o mesmo que **sygûasueté** (v.) (Soares, *Coisas Not. Bras.* (ms. C), 945-946)

Sûasuka'ẽ (etim. - *veado assado*) (s. antrop.) - nome de índio tupi (D'Abbeville, *Histoire*, 186v)

sûasukanga (etim. - *osso de veado*) (s.) - nome de uma árvore pequena, de "madeira alvíssima como marfim... Serve para marchetar em lugar de marfim." (Sousa, *Trat. Descr.*, 214)

sûasumandi'yba (etim. - *mandioca de veado*) (s.) - variedade de mandioca silvestre, de crescimento espontâneo, arbusto arborescente muito semelhante à mandioca comum. Talvez seja a *Manihot pusilla* Pohl ou a *Jatropha sylvestris* Vell. (Piso, *De Med. Bras.*, IV, 178)

sûasupytanga - o mesmo que **sygûasupytanga** (v.) (Soares, *Coisas Not. Bras.* (ms. C), 945-946)

sûasutinga (etim. - *veado branco*) (s.) - SUAÇUTINGA, mamífero da família dos cervídeos, dos descampados do Brasil, que tem barriga e rabo claros e olhos circundados por anel branco (Monteiro, *Rel. da Província do Brasil*, in Leite, *Hist.*, VIII, 416)

sub (-îo-) (v. tr.) - **1)** visitar: ... *Asé 'anga ereîosub.* - Nossa alma visitas. (Anch., *Poemas*, 102); ... *Nde rokype oîkébo, nde supa aûnhenhẽ.* - Entrando em tua casa, visitando-te imediatamente. (Anch., *Poemas*, 124); ... *Aîosub abá koty...* - Visito os aposentos dos índios. (Anch., *Teatro*, 8); ... *Our kó xe yby supa rimba'e.* - Veio para visitar esta minha terra outrora. (Ar., *Cat.*, 9v); **2)** revistar, passar busca a, esquadrinhar, examinar: *Opá ahẽ xe subi.* - Completamente ele me revistou. (VLB, I, 123); *Abá mundé supa, i pora rá.* - Examinando a armadilha de alguém, tomando o seu conteúdo. (Ar., *Cat.*, 72v) ● **supara** - o que visita, o visitador: ... *O supara rapirõmo.* - Pranteando o que o visita. (Ar., *Cat.*, 77)

suban (v. tr.) - chupar, sugar (a parte molesta do corpo de um doente, para retirar-lhe o mal, prática comum entre os feiticeiros): *Kûesé paîé mba'easybora subani.* - Ontem o feiticeiro sugou o enfermo. (Fig., *Arte*, 96); *Aporosuban.* - Chupo gente. (Fig., *Arte*, 89) ● **oîxubanyba'e** - o que chupa, o que suga: *Paîê-a'uba supé... amõ abá oîxuban-ukaryba'e...* - O que manda um falso pajé sugar outra pessoa. (Ar., *Cat.*, 66v); **i xubanymbyra** - o que é (ou deve ser) chupado, sugado (Fig., *Arte*, 107)

sûé (v. tr.) - atrair: ... *Tupã nhemoŷrõ nhẽ ereîxûé nde îoupéne.* - A ira de Deus atrairás para ti mesmo. (Ar., *Cat.*, 157)

-sûer[1] (suf.) (Tem os alomorfes -**sûé**, -**ixûer** e -**xûer**.) - **1)** quase, por pouco que: *A'arixûer.* - Quase caí. (Fig., *Arte*, 140); *Amanõsûer.* - Quase morri. (Fig., *Arte*, 140); *Aîukasûer.* - Quase o matei. (VLB, I, 19); *Asosûé.* - Quase fui. (Anch., *Arte*, 25v); **2)** haveria de: *Aîukaxûer.* - Haveria de o matar. *A'arixûer.* - Haveria de cair. (VLB, II, 61) ● -**sûerĩ** - por um triz que não... (VLB, I, 19)

-sûer[2] (suf.) (Tem os alomorfes -**sûé**, -**ixûer**, -**ixûé**, -**xûer** e -**ndûer**.) (Expressa propensão, tendência, costume ou inclinação para realizar o processo descrito pelo verbo.) - ter inclinação a, ter propensão a, ter o costume de: *Nde pu'amixûé... nde ruba... pé?* - Tu costumas levantar-te diante de teu pai? (Anch., *Doutr. Cristã*, II, 86); *Xe poropoîxûer.* - Costumo alimentar gente. (Anch., *Arte*, 51v); *Xe îerueresûer.* - Eu tenho inclinação a pedir. (Anch., *Arte*, 51v); *Xe nhemoŷrõndûer.* - Eu tenho inclinação a me irritar. (Anch., *Arte*, 51v); *Aîababixûer.* - Sou fujão (sou inclinado a fugir). (VLB, II, 11)

sugûabo – ger. de **su'u** (v.)

sugûaraîy[1] (s.) – **1)** prostituta: *Ereîkópe kunhã amõ resé... nde sugûaraîyramo?* – Tiveste relações sexuais com alguma mulher como tua prostituta? (Anch., *Doutr. Cristã*, II, 91); **2)** prostituição: *Nde serã i poepyka... sugûaraîy... ereîapi ko'arapukuî.* – Tu, talvez para retribuir, atiras nele, o dia todo, a prostituição. (Anch., *Doutr. Cristã*, II, 112)

sugûaraîy[2] (s.) – namorado: *I xugûaraîy.* – Seu namorado. (Fig., *Arte*, 73)

sugûasu – o mesmo que **sygûasu** (v.) (*Libri Princ.*, vol. I, 33)

sugûasuapara (s.) – SUAÇUAPARA, var. de veado, animal cervídeo (v. **sûasuapara**) (Marcgrave, *Hist. Nat. Bras.*, 235; Cardim, *Trat. Terra e Gente do Brasil*, 26)

sugûasuarana – o mesmo que **sûasuarana** (v.) (*Libri Princ.*, vol. I, 16)

sugûasueté (ou **sygûasueté**) (etim. – *veado verdadeiro*) (s.) – var. de veado, mamífero da família dos cervídeos (Marcgrave, *Hist. Nat. Bras.*, 235)

sugûasuremi'u (etim. – *comida de veado*) (s.) – nome de raízes silvestres semelhantes à mandioca (Piso, *De Med. Bras.*, IV, 178; *Theat. Rer. Nat. Bras.*, II, 170)

suí[1] (posp.) – **1)** de (origem): *Ybaka suí ereîur...* – Do céu vieste. (Anch., *Poemas*, 100); *Aîur xe kó suí.* – Venho da minha roça. (Fig., *Arte*, 9); *Aîur xe roka suí.* – Vim de minha casa. (Anch., *Poemas*, 102); *Îaîu kûepe suí.* – Viemos de longe. (Anch., *Poemas*, 96); **2)** entre: *I mombe'ukatupyramo ereîkó kunhã suí.* – Bendita és entre as mulheres. (Anch., *Doutr. Cristã*, I, 139); *... Oîoîá te'õ rekóû kunumĩgûasu suí tuîba'e suí bé.* – A morte está igualmente entre os moços e entre os velhos. (Ar., *Cat.*, 157v); **3)** de (expressando a matéria): *nha'uma suí i monhangymbyra* – o que é feito de barro (Ar., *Cat.*, 15); **4)** para não, para que não: *... Îori, anhanga mondyîa, oré moaûîé suí!* – Vem, espantando o diabo, para não nos vencer. (Anch., *Poemas*, 102); *O emiamotare'yma rekoápe osó-potare'ymba'e sepîaka suí.* – O que não quer ir para onde está o que ele detesta para não o ver. (Ar., *Cat.*, 70-70v); **5)** longe de, para longe de, fora de: *Emonã rakó sekóû nde suí.* – Esta agia assim, longe de ti. (Ar., *Cat.*, 74); *... Obebé îandé suí.* – Voa para longe de nós. (Anch., *Poemas*, 186); **6)** por (causa de), de (causa): *Oker okûapa tekotebẽ suí nhẽ.* – Estavam dormindo por causa da aflição. (Ar., *Cat.*, 53); *Sabeypora suí bé oîoapixá-pixapa.* – Também por embriaguez ficando a ferirem-se uns aos outros. (Anch., *Teatro*, 34); *Eresabeyporype kaũĩ suí, 'ara mokanhema?* – Ficaste bêbado de cauim, perdendo o juízo? (Ar., *Cat.*, 111v); **7)** desde, a partir de, de... em diante: *... Taba moapaîugûá-îugûábo Galilea suí-katu...* – Confundindo as aldeias desde a Galileia. (Ar., *Cat.*, 83, 1686); *Eîpe'a Îurupari kó 'ara suí...* – Afasta o diabo deste dia em diante. (Valente, *Cantigas*, III, in Ar., *Cat.*, 1618); **8)** em vez de, afora, que não, a não ser, e não: *Nd'e'ikatuîpe amoaé abá oporomongaraípa abaré suí?* – Não pode outra pessoa batizar em vez do padre? (Ar., *Cat.*, 81); *... I xuí amõ resé omendá...* – Casando-se com alguém que não seja ele. (Ar., *Cat.*, 280, 1686); *Ahẽ nhõ ikó i mba'e-katu, xe suí mã!* – Eis que somente ele tem coisas boas, em vez de mim! (Anch., *Doutr. Cristã*, II, 102); **9)** além de: *... aîpó nde remimombe'uagûera suí...* – além daqueles que tu mencionaste (Bettendorff, *Compêndio*, 74); **10)** indicando pertença a um todo que não participa da ação ou do processo descritos pelo verbo: *Erepûarype kunhã muru'abora resé, pitanga îukábo i xuí?* – Bateste numa mulher grávida, matando o feto dela? (Isto é, só o feto é que foi morto, não a mãe.) (Ar., *Cat.*, 101v); *Sasy xe akanga xe suí.* – Dói-me a cabeça (e não o corpo no qual ela está, que não participa do processo descrito pelo verbo). (*VLB*, I, 105); **11)** mais que, do que, que, mais do que (no comparativo): *Marãmo ahẽ rekóû o mba'e-katuramo xe suí?* – Por que ele vive tendo coisas boas mais que eu? (Ar., *Cat.*, 109v); *Ybakype i pyri o só îanondé Anhanga ratápe o só suí.* – Antes sua ida para junto dele no céu que sua ida para o inferno. (Ar., *Cat.*, 110); *Xe katu-eté nde suí.* – Eu sou melhor que tu. (Anch., *Arte*, 43); *Aîkuab-eté nde suí.* – Sei mais que tu. (Anch., *Arte*, 43); **12)** sem: *Amba'e-'u nde suí.* – Como sem ti. (Anch., *Arte*, 43)

suí[2] (s.) – peixe da família dos ranfictídeos (Lisboa, *Hist. Anim. e Árv. do Maranhão*, fl. 175)

suindara (s.) – SUINDARA, SUINDÁ, SUINARA, SONDAIA, TUIDARA, TUINDÁ, var. de coruja, ave estrigiforme da família dos titonídeos, também chamada *coruja-de-igreja* (*VLB*, I, 88)

suîriri

suîriri (s.) – SUIRIRI, SIRIRI, pássaro da família dos tiranídeos, de hábitos migratórios (Sousa, *Trat. Descr.*, 234; *Theat. Rer. Nat. Bras.*, I, 140)

sukuriîu (s.) – SUCURI, SUCURIJU, SUCURIÚ, nome comum a certos répteis ofídios da família dos boídeos (*VLB*, I, 76); "... Aferra em uma pessoa, vaca, veado ou porco e, dando-lhes algumas voltas com a cauda, engole a tal cousa inteira." (Cardim, *Trat. Terra e Gente do Brasil*, 64): ... *Xe tamuîusu Aîmbiré*, **sukuriîu**... – Eu sou o grande tamoio Aimbirê, uma sucuriju. (Anch., *Teatro*, 28)

sukuriú – o mesmo que **sukuriîu** (v.) (Sousa, *Trat. Descr.*, 259)

sukuriúba – o mesmo que **sukuriîu** (v.) (Anch., *Cartas*, 121)

sumarã (s.) – inimigo (pessoal) (*VLB*, II, 12; Fig., *Arte*, 73): *Anhanga* **sumarã** – inimiga do diabo (Anch., *Poemas*, 88); *Abápe asé* **sumarã**? – Quem é o inimigo da gente? (Ar., *Cat.*, 21v); *Esarõ oré retama oré* **sumarã** *suí*. – Guarda nossa terra de nossos inimigos. (Anch., *Teatro*, 118)

sumaúma (s.) – SUMAÚMA, SUMAUMEIRA, árvore da família das bombacáceas (*Ceiba pentandra* (L.) Gaertn.), de grande altura (Ferreira, *América Abreviada*, in *RIH*, LVII (1894), 138)

> NOTA – Daí, o nome geográfico SUMAÚMA (PA) (v. Rel. Top. e Antrop. no final).

Sumé (s. antrop.) – nome de uma entidade da mitologia dos tupis da costa, que teria ensinado aos índios a agricultura: *Pa'i*, **Sumé** *pypûera'angaba a'e*. – Padre, aquele é o sinal dos pés de Sumé. (Vasconcelos, *Crônica (Not.)* II, §20, 123)

> NOTA – Sumé foi identificado a São Tomé, no Brasil colonial, e isso por muitos séculos: "Dizem eles que S. Tomé, a quem eles chamam Zomé, passou por aqui, e isto lhes ficou por dito de seus antepassados e que suas pisadas estão sinaladas junto de um rio; as quais eu fui ver por mais certeza da verdade..." (Manuel da Nóbrega, in Leite, *Cartas dos Primeiros Jesuítas do Brasil*).

sunung (v. intr.) – **1)** zunir, soar: *Ybytu îabé osunung*... – Zune como o vento. (Anch., *Poemas*, 190); **2)** fazer barulho forte, estrondear, rugir (*VLB*, I, 131); **3)** tocar (*VLB*, II, 118)

sununga (s.) – barulho forte; estrondo (p.ex., de chuva que está por vir) (*VLB*, I, 131; II, 107)

> NOTA – Daí, **PIRASSUNUNGA** (nome de município de SP) (v. Rel. Top. e Antrop. no final).

supé (posp.) (após **i** ou **y** assume a forma **xupé**) – **1)** diante de, perante, junto de, junto a: ... *Ybyrá* **supé** *nhêpe asé îerokyû?* – Diante de uma madeira a gente se inclina? (Ar., *Cat.*, 22); *Ta sasy muru* **supé**! – Que eles sofram junto dos malditos! (Anch., *Teatro*, 56); *Mbype erebasê i* **xupé**? – Chegaste perto junto a eles? (ou *Achaste-os por perto?*) (Anch., *Teatro*, 46); **2)** para, a (dat.): *Irũmbûera... aîme'eng abá* **supé**. – Seus antigos companheiros dei aos índios. (Anch., *Teatro*, 46); *A'e iî abaíbymo abá* **supé** *xe ro'o 'u*... – Mas seria difícil para as pessoas comer minha carne. (Ar., *Cat.*, 84v); *Enhe'eng nde ruba* **supé**. – Fala a teu pai. (Fig., *Arte*, 6); *Aporombo'eukar Pedro* **supé**. – Faço a Pedro ensinar gente. (Fig., *Arte*, 146); **3)** contra: *Anhanga* **supé** *Tupã asé mopyatãgûama resé*. – Para Deus nos encorajar contra o diabo. (Ar., *Cat.*, 82v); ... *I abaeté muru* **supé** *São Sebastião ru'uba*... – Foram terríveis contra os malditos as flechas de São Sebastião. (Anch., *Teatro*, 52); **4)** para junto de: ... *Karaibebé reîkéû i* **xupé**. – O anjo entrou para junto dela. (Ar., *Cat.*, 30v); **5)** por, em busca de: *Xe ruba* **supé***pe eresó?* – Vais em busca de meu pai? (Anch., *Arte*, 36); *Kûaî nde ruba* **supé**. – Vai em busca de teu pai. (Fig., *Arte*, 122). [Tal posp. usa-se apenas com a 3ª p.: *Pero* **supé** – a Pedro (ou *para Pedro*). Pode ocorrer com outras pessoas, o que não é errado, mas passa por licença poética: *Ixé* **supé** – a mim (ou *para mim*). (*VLB*, II, 64)] ● *mba'e* **supé**? – para quê? para que coisa? a quê? (*VLB*, I, 39); *Mba'e* **supé***pe asé graça i 'eû?* – A que coisa chamamos graça? (Ar., *Cat.*, 31); *abá* **supé**? – para quem? a quem?: *Abá* **supé***pe asé îeruréû...?* – Para quem a gente reza? (Ar., *Cat.*, 23)

supi[1] (adv.) – de verdade, verdadeiramente, legitimamente, com razão, de fato: **Supi** *aîpó a'é*. – Digo isso com razão. (*VLB*, II, 105); ... *Abá resápe nhote... na* **supi** *ruã-te*. – Aos olhos dos homens somente, mas não de verdade, (Ar., *Cat.*, 160); **Supi** *é, ereîuká-potar é São Lourenço-angaturama*. – De fato, quiseste matar mesmo o bondoso São Lourenço. (Anch., *Teatro*, 90) ● **supindûara** – o que é verdade: *A'epe* **supindûare***'yma resé Tupã renõîndara, marã?* – E o que evoca a Deus pelo que não é verdade, que acontece? (Ar., *Cat.*, 67v)

supi² (s.) – verdade, bem: *Supi oîmombe'u...* – Conta a verdade. (Bettendorff, *Compêndio*, 94); *Supi é.* – É mesmo verdade. (Anch., *Teatro*, 170, 2006)

NOTA – Daí, no P.B., **SUPIMPA** (*supi* + *pá*, "toda a verdade", "totalmente bom"), excelente, muito bom, superior: *"Que mulher, que corpo* **SUPIMPA!** (José Lins do Rego, in *Pedra Bonita*. Rio de Janeiro, Livraria José Olympio Editora, 1956).

supiara (etim. – *o que domina a verdade*) (s.) – mestre (em qualquer arte ou ciência), perito (*VLB*, I, 72); o que é máximo em qualquer arte ou habilidade (*VLB*, II, 33)

supibé (conj.) – **1)** logo então (Fig., *Arte*, 128); **2)** da mesma maneira (Fig., *Arte*, 149)

supikatu¹ (adv.) – na verdade, verdadeiramente, legitimamente, com razão: *Aîpó eré supikatu...* – Isso dizes com razão... (Anch., *Teatro*, 32); *Supikatu serã uîba'e ûyrá-memûã mbouri* – Na verdade, esse certamente fez vir o pássaro mau. (D'Abbeville, *Histoire*, 353)

supikatu² (s.) – verdade, justiça: *Supikatu i kuabypyra supé "aan nhẽ" o'îabo tenhẽ.* – Dizendo *"não"* para a verdade conhecida. (Bettendorff, *Compêndio*, 16) • **supikatundûara** – o que é verdade, o que é justo, o que é verdadeiro: *...Marana* **supikatundûara***mo sekóreme é.* – Quando a guerra for aquilo que é justo. (Ar., *Cat.*, 103)

supikatu³ (interj.) – Muito bem! (Fig., *Arte*, 136)

sura (s.) – altibaixos (*VLB*, I, 33); lombada; lombo (*VLB*, II, 24); (adj.: **sur**) **(xe)** – ter lombada (*VLB*, II, 24)

suraîú (s.) – variedade de escorpião (Sousa, *Trat. Descr.*, 268)

surubi (s.) – SURUBI, SURUBIM, nome de alguns peixes grandes da família dos pimelodídeos, com pintas ou faixas escuras pelo corpo (D'Abbeville, *Histoire*, 247)

NOTA – Daí, o nome geográfico **SURUBIÚ** (rio do PA) (v. Rel. Top. e Antrop. no final).

SURUBI (fonte: *Brasil Holandês*)

surukuá (s.) – nome de uma ave (*Libri Princ.*, vol. I, 63)

suruku'i (s.) – SURUCUÍ, SURUCUÁ, ave da família dos trogonídeos (Marcgrave, *Hist. Nat. Bras.*, 211)

surukuku (s.) – SURUCUCU, a maior cobra venenosa do Brasil, da família dos crotalídeos, que vive nas matas ou capoeirões (*VLB*, I, 76; Knivet, *The Adm. Adv.*, 1230)

sururu (s.) – SURURU, SURURU-DE-ALAGOAS, molusco comestível da família dos mitilídeos, que vive na lama de certas lagoas (Sousa, *Trat. Descr.*, 292)

SURURU (ilustração de C. Cardoso)

NOTA – Daí, no P.B., PAPA-**SURURU**, alcunha que se dá aos alagoanos.

susu'a (s.) – inchaço (com pus) (*VLB*, II, 11); (adj.) – inchado; **(xe)** ter inchaço: *Xe susu'a.* – Eu sou inchado. (*VLB*, II, 11)

susuarana – o mesmo que **sûasuarana** (v.) (Sousa, *Trat. Descr.*, 246)

susurana – o mesmo que **sûasuarana** (v.) (Brandão, *Diálogos*, 263)

su'u (v. tr.) – **1)** morder, abocanhar mordendo; mastigar: *Aîxu'u.* – Mastigo-o. (D'Evreux, *Viagem*, 158); *Aî'asu'u.* – Eu lhe mordo a cabeça. (*VLB*, II, 42); *Mboîa oporosu'u.* – A cobra morde as pessoas. (Fig., *Arte*, 6); **2)** picar: *Xe su'umo marigûi.* – Picar-me-ia o marigui. (Anch., *Teatro*, 62) • **emindu'u** [ou **emixu'u (t)**] – o que alguém morde, mastiga ou pica: *... Mboîa o emindu'u rekobé mokanhemukary îanondé, o ekobé reîari o akanga patukasagûerype.* – A cobra, antes de fazer destruir a vida daquele que morde, deixa sua própria vida, ao pisarem sua cabeça. (Ar., *Cat.*, 241, 1686); *... Nd'ere'uî xó kori xe remindu'une!* – Não beberás hoje o que eu mastigo. (Anch., *Teatro*, 10)

su'uagûera

su'uagûera (etim. – *lugar de mordida que foi*) (s.) – sinal deixado por mordida (*VLB*, II, 42)

su'uame'eng (etim. – *dar mordida*) (v. tr.) – morder (Marcgrave, *Hist. Nat. Bras.*, 277)

sy (s.) – **1)** mãe: *Tupã sy-porangeté...* – Mãe de Deus muito bela (Anch., *Poemas*, 82); *Xe syramongatu t'oîkó...* – Que seja minha mãe, de fato. (Anch., *Poemas*, 86); *O sy ogûerekó o irũnamo.* – Tem sua mãe consigo. (Fig., *Arte*, 83); (adj.) **(xe)** – ter mãe: *Xe sy.* – Eu tenho mãe. (Fig., *Arte*, 67); **2)** origem, início: *Kó pytuna ri sy-ari.* – Nesta noite tomou início. (Anch., *Poesias*, 344-345)

NOTA – Daí, o nome geográfico **TUPANACI** (localidade de PE) (v. Rel. Top. e Antrop. no final). Daí, também, **CI**, nome de personagem da obra *Macunaíma*, de Mário de Andrade.

syb (-îo-) (v. tr.) – limpar: *Aîosyb.* – Limpo-o. (Fig., *Arte*, 73); *Osobá-syb aó-tinga pupé...* – Limpou seu rosto com um pano branco. (Ar., *Cat.*, 62)

sybá (s.) – testa (Castilho, *Nomes*, 37): *Marãna-mope asé o sybápe îoasaba moíni?* – Por que a gente põe a cruz na testa? (Ar., *Cat.*, 21)

sybyamumbyaré (adv.) – no planalto, na chapada, no barranco (*VLB*, I, 72) (v. tb. **yby'ama** e **yby'amumbyaré**)

sye'yma (etim. – *sem mãe*) (s.) – órfão (de mãe) (*VLB*, II, 59)

syge'oka (s.) – pequena almadia, pequena canoa de madeira (*VLB*, I, 32)

sygûaraîybora (s.) – prostituta: *Na xe reroŷ rôî ... sygûaraîybora...* – Não me detestam as prostitutas. (Anch., *Teatro*, 150)

sygûasu – o mesmo que **sûasu** (v.) (*VLB*, I, 81; II, 142; Léry, *Histoire*, 347-348)

sygûasuapara – o mesmo que **sûasuapara** (v.) (*VLB*, I, 71; 81; II, 142)

sygûasuarana – o mesmo que **sûasuarana** (v.) (*VLB*, II, 56)

sygûasueté (ou **sûasueté** ou **sugûasueté**) (etim. – *veado verdadeiro*) (s.) – var. de veado pequeno do mato, animal mamífero da família dos cervídeos (*VLB*, I, 81)

sygûasumẽ (s.) – cabra, mamífero ruminante:... *Sygûasumẽ rerekoara oîosu-potá o îara...* – Os guardadores de cabra querem visitar seu Senhor. (Anch., *Poemas*, 164)

sygûasupytanga (etim. – *veado avermelhado*) (s.) – var. de veado pequeno do mato, animal mamífero da família dos cervídeos (*VLB*, I, 81)

sygûasutinga – v. **sûasutinga** (*VLB*, I, 81)

syî¹ (v. intr.) – **1)** tremer, sentir arrepios; estremecer: *Mokõîbé osyî kori, xe repîaka rupibéne.* – Ambos tremerão hoje, assim que me virem. (Anch., *Teatro*, 18); *Ybytu îabé osunung, î abaeté suí osyîa.* – Como o vento zune, tremendo por causa de sua bravura. (Anch., *Poemas*, 190); *Asy-syî.* – Fiquei estremecendo. (*VLB*, I, 130); **2)** espantar-se; sobressaltar-se (*VLB*, II, 119)

NOTA – Daí, no P.B. (NE, pop.), **JIÇUÍ** (*îe-* + *syî*, "arrepiado") (falando-se da epiderme) (in *Dicion. Caldas Aulete*) (v. tb. **îesyîa**).

syî² (v. intr.) – recuar (fugindo de todo, virando as costas para o inimigo) (*VLB*, II, 99; 104)

syk¹ (v. intr. compl. posp.) – **1)** chegar [a certo tempo: compl. com **esé (r, s)**; a certo lugar: compl. com **-pe**; a certa pessoa: compl. com **esé (r, s)** ou **ri**]: *Mokõî oîoirundyk oito 'ara sykeme... i 'apira mondoki.* – Ao chegar o oitavo dia, cortaram seu prepúcio. (Ar., *Cat.*, 3); *Osyk oré ri sendy îepinhẽ.* – Chegou a nós sua luz para sempre. (Anch., *Poemas*, 124); ... *Kunumĩgûasu... catorze ro'y resé i xyke'yma, nd'e'ikatuî abá resé omendá.* – Um rapaz, não chegando aos catorze anos, não pode casar-se com ninguém. (Ar., *Cat.*, 277, 1686); *T'osyk esapy'a o îukaagûãme.* – Que chegue logo ao lugar de o matarem. (Ar., *Cat.*, 88, 1686); *Orosy-syk.* – Chegamos sucessivamente. (*VLB*, I, 72); **2)** achegar-se, aproximar-se [de alguém: compl. com **esé (r, s)** ou **ri**]: *Nde resé te'õ n'osyki...* – De ti a morte não se aproximou. (Anch., *Poemas*, 148); *N'aîpotari pe ri i xyka.* – Não quero que ele se achegue a vós. (Anch., *Teatro*, 188, 2006); **3)** tocar (como o barco no fundo) (*VLB*, II, 130); **4)** equiparar-se, atingir, chegar (isto é, quantidade, número, como em "os visitantes chegam a mil") (*VLB*, I, 134) [compl. com **esé (r, s)** ou **upi (r, s)**]: ... *'Y berame'ĩ ikó îandé ratá rasy; n'osyki Anhanga ratá rasy resé.* – Eis que a dor de nosso fogo parece a da água; não se equipara à dor do fogo do diabo. (Ar., *Cat.*, 163v); – *Mbobype a'e asé rekomonhangaba?* – *Mokõî asé pó papasaba rupi i*

xyki. – Quantos são os mandamentos d'Ele à gente? – Eles equiparam-se aos números das duas mãos da gente. (Ar., *Cat.*, 95, 1686)

> NOTA – Daí provém, no P.B. (SP), a palavra **PIRACICABA**, *lugar que, tendo uma cachoeira ou qualquer outro acidente natural, impede a passagem dos peixes, sendo, assim, excelente pesqueiro* (in *Novo Dicion. Aurélio*). Tal palavra surgiu mais tardiamente, na fase da língua geral meridional (século XVIII), pois, em tupi antigo, *chegar por água*, como fazem os peixes, é **îepotar** e **syk** é *chegar por terra*. No século XVIII tal distinção não existia mais. Foi justamente nesse século que foi fundada a povoação de **PIRACICABA** (SP), em 1767, que recebeu esse nome em referência às grandiosas quedas que bloqueiam a piracema no rio que por lá passa. Daí, também, no P.B., **MUCICA** (*mo-* + *syk* + *-a*, "o fazer aproximar-se", "puxada") (NE), *empuxão que o pescador dá à linha, quando sente que o peixe mordeu a isca; puxão dado ao boi pela cauda para o derrubar; empuxão dado à linha do papagaio de papel* (in *Dicion. Caldas Aulete*).

syk² (v. tr.) – esfregar; tocar: *T'asóne nde ropé syka...* – Hei de ir tocar tuas pálpebras. (Anch., *Poemas*, 96) • **osyba'e** – o que esfrega: ... *Tupinambá... i Tupã osyba'epûera opakatu îamombá.* – Os tupinambás que esfregavam a seu Deus arrasamos todos. (Anch., *Teatro*, 14)

> NOTA – Daí, no P.B. (CE), **PICICA** (*py* + *syk* + *-a*, "toca o pé"), 1) fedelho, meninote; 2) (N) pessoa muito baixa; 3) coisa insignificante (in *Dicion. Caldas Aulete*).

syk³ (v. intr.) – **1)** acabar: ... *Ikó îope'asagûera syk'irê esepîá-ukar orébe...* – Após acabar este desterro comum, faze-nos vê-lo. (Ar., *Cat.*, 14v); *A'epe ikó 'ara pupé sepy syke'ỹme?* – E no caso de não acabar sua dívida neste mundo? (Anch., *Diál. da Fé*, 229); **2)** completar-se: ... *O membyra Maria rerasóû... mosapyr ro'y sykeme.* – Levou sua filha Maria quando se completaram três anos. (Ar., *Cat.*, 8v); **3)** transcorrer • **sykaba** – tempo, lugar, modo etc. de acabar, de completar-se, de transcorrer: ... *Oîoirundyk îeapyká sykápe.* – No transcorrer de quatro gerações. (Ar., *Cat.*, 129)

syk⁴ (adv.) – no total, na totalidade, totalmente: *I angaturam sykype erimba'e Tupã o monhang-ypyreme?* – Eram bons na totalidade quando Deus começou a criá-los? (Anch., *Doutr. Cristã*, I, 160); *mokõ-mokõî syk* – dois e dois no total (isto é, *quatro*) (VLB, I, 154)

syka (s.) – **CICA, SABIACICA**, pássaro da família dos psitacídeos, de bela cor verde (Sousa, *Trat. Descr.*, 236)

sykaba (s.) – limite, fim, término, o último: *Oîoirundy tekó sykaba...: og orypápe Tupã asébe tekobé opaba'erame'yma me'enga i xykaba.* – Quatro são os últimos dos fatos: o último deles é Deus dar para a gente, em seu paraíso, a vida que não acabará. (Ar., *Cat.*, 154v); *xe kó sykaba* – o limite de minha roça (VLB, II, 22); (adj.: **sykab**) **(xe)** – ter limite, ter término: *N'i sykabi, n'i papabi.* – Não tem limite, não tem fim. (Ar., *Cat.*, 165)

> NOTA – Daí, **PIRACICABA** (nome de município de SP) (v. **syk¹** e v. Rel. Top. e Antrop. no final).

sykyîê¹ (s.) – medo, temor (VLB, II, 34)

sykyîê² (v. intr. compl. posp.) – temer, ter medo [de algo ou de alguém: compl. com a posp. **suí** ou com o gerúndio]: *Anhanga nde moabaîté, nde suí osykyîébo.* – O diabo te agasta, de ti tendo medo. (Anch., *Poemas*, 144); *"Jesu" 'éreme, moxy sykyîéû...* – Ao dizer *"Jesus"*, o maldito tem medo. (Anch., *Poemas*, 186); ... *Îudeus suí osykyîébo...* – Tendo medo dos judeus. (Ar., *Cat.*, 55); ... *T'osykyîê umẽ Îesu Cristo... mombegûabo.* – Que não tenha medo de anunciar a Jesus Cristo. (Ar., *Cat.*, 81) • **sykyîaba** (ou **sykyîéba**) – tempo, lugar, modo, causa de se ter medo, de temer; temor: *Tupã anhõ... Anhanga sykyîabamo t'oîkó.* – Deus somente seja a causa de temor ao diabo. (Ar., *Cat.*, 141v); *Morapitîara ixé, angaîpaba sykyîéba...* – Eu sou um assassino, causa de se ter medo dos pecados. (Anch., *Teatro*, 90); **sykyîébora** – medroso (VLB, II, 35)

syma (s.) – escorregadura; (adj.: **sym**) – escorregadio (VLB, I, 123); liso: *Xe sym.* – Eu estou liso. (VLB, II, 23)

> NOTA – Daí, no P.B., **CIPÓ-SUMA** ("cipó escorregadio"), cipó da família das violáceas (*Anchietea salutaris*), nativo da floresta atlântica, também chamado **PIRIGUARA** e de propriedades medicinais. Daí, também, **TATUXIMA** ("tatu liso"), var. de tatu, tatu-de-rabo-mole.

symena (etim. – *marido da mãe*) (s.) – padrasto (de h. e m.) (Ar., *Cat.*, 114)

sypó – o mesmo que **ysypó** (v.) (Brandão, *Diálogos*, 205)

sypotingapé (etim. – *cipó claro de casca*) (s.) – nome de uma planta (*Theat. Rer. Nat. Bras.*, II, 197)

syra

syra (s.) – enxada (Anch., *Arte*, 15v): *itá-syra* – enxada de ferro (*VLB*, I, 109); *i xyra* – sua enxada (Fig., *Arte*, 73)

> NOTA – Daí, o nome geográfico **ITACIRA** (MG) (v. Rel. Top. e Antrop. no final).

syryk¹ (v. intr.) – escorrer, correr (o líquido); escorregar, deslizar; vazar (p.ex., a maré) (*VLB*, II, 142): *Sugûy turusu... ybype osyryka...* – Seu sangue era muito, escorrendo no chão. (Anch., *Poemas*, 120); *... Aûnhenhẽ 'y sugûy abé i xuí i 'emi, osyryka.* – Imediatamente, água e sangue dele vazaram, escorrendo. (Ar., *Cat.*, 93)

> NOTA – Daí provém o nome do município de **ITAPECIRICA** (SP) (v. Rel. Top. e Antrop. no final).

syryk² (ou **tyryk**) (v. intr.) – afastar-se, arredar-se, recuar, retirar-se (*VLB*, II, 99): *Tupã robaké eîkóbo, xe suí nd'eresyryki.* – Estando diante de Deus, de mim não te afastas. (Valente, *Cantigas*, VI, in Ar., *Cat.*, 1618)

syryka (s.) – escorrimento; escorregadura; (adj.: **syryk**) – escorrido; escorregadio: *itá-pé-syryka* – pedra achatada e escorregadia; laje de rio (*VLB*, I, 24); *Xe rugûy-syryk.* – Eu tenho o sangue escorrido. (Anch., *Arte*, 51); **(xe)** escorrer; escorregar: *Xe py-syryk.* – Meus pés escorregaram. (*VLB*, I, 123)

> NOTA – Da reduplicação de **syryka** (**syryryka**), provém, no P.B. (AM), PINDÁ-**SIRIRICA** ("anzol escorregadio"), 1) disfarce do anzol com penas de cores; 2) anzol com isca artificial e linha curta. Daí, também, pela língua geral meridional, a palavra XIRIRICA (ou PIRIRICA), *trecho de rio onde as águas, dada a inclinação do terreno, correm céleres, e que, muitas vezes, corresponde à última etapa de uma queda-d'água; cachoeira, carreira, correntada, corrida, corredeira, rápido* (in *Novo Dicion. Aurélio*). **PIRIRICA** pode ser, também, *ligeira ondulação ou tremura à superfície da água, produzida pelos peixes* (in *Dicion. Caldas Aulete*). Daí, também, o nome geográfico **BIRIRICAS** (ES) (v. Rel. Top. e Antrop. no final).

syryryk (v. intr.) – arrastar-se, esfregar-se (p.ex., a roupa comprida) (*VLB*, I, 42)

> NOTA – Daí, no P.B., o termo chulo **SIRIRICA**, masturbação feminina; **TIRIRICA** ("que se arrasta"), erva daninha, ciperácea, que invade rapidamente terrenos cultivados, sendo difícil de ser erradicada. **TIRIRICA** (PA) pode ser, também, uma agitação incessante das águas do rio Pará, com ondas desencontradas e mais altas que em outras partes dele.

sysyîa (s.) – estremecimento; (adj.: **sysyî**) – trêmulo, que treme: *Xe ro'o-sysyî.* – Eu tenho a carne trêmula. (*VLB*, I, 130); *Xe ropé-py-sysyî.* – Eu tenho o interior das pálpebras trêmulo. (*VLB*, II, 136)

syûasumẽ (s.) – cabra, o mesmo que **sygûasumẽ** (v.) (*VLB*, I, 62)

syûasumimbaba (etim. – *veado de criação*) (s.) – cabra (*VLB*, I, 62)

sy'yra (etim. – *semente de mãe*) (s.) – **1)** tia (irmã ou prima da mãe) (*VLB*, II, 127): *i xy'yra* – sua tia (Fig., *Arte*, 73); **2)** madrasta (de h. e m.) (Ar., *Cat.*, 114); **3)** a companheira da mãe, isto é, a outra mulher do pai, a outra mulher que vive com ele junto com a mãe de alguém: *xe sy'yra* – a companheira de minha mãe (Léry, *Histoire*, 369)

T

-t-¹ (consoante de ligação entre certos afixos e temas verbais, aparecendo após **î** ou **i**): *poîtara* - o alimentador; o que alimenta (Anch., *Arte*, 30); ... *gûitekóbo* - estando eu (Anch., *Poemas*, 100)

t-² (pref. usado com certos temas e que marca o estado absoluto, de não determinação): *Te'õ rupîara nhẽ, tekobé îara.* - Adversária da morte, senhora da vida. (Anch., *Poemas*, 88); *Tupã Tuba* - Deus-Pai (Anch., *Poemas*, 100); ... *Aroŷ rõ tekó-poxy.* - Detesto a vida má. (Anch., *Poemas*, 102)

t-³ (pref. núm.-pess. de 3ª p.) - ele (s, a, as); o (s, a, as): *Kó tuî kó.* - Eis que aqui ele está deitado. (*VLB*, I, 109); ... *Tupã tari...* - Deus o tomou. (Anch., *Poemas*, 88); *Xe pytaî turi.* - Atrás de mim ele veio. (Anch., *Arte*, 41v); *Tynysẽ memẽ...* - Elas estão sempre cheias. (Anch., *Teatro*, 34)

tá¹ - gerúndio de **îar** / **ar(a)** (**t, t**) (v.) (Anch., *Arte*, 58v)

tá² (interj.) - expressa dó, dor ou lamento (de h. e m.) (*VLB*, II, 53)

ta (part. do modo permissivo) - **1)** que (exprimindo desejo, permissão etc.): *Xe syramongatu t'oîkó...* - Que seja minha mãe, de fato. (Anch., *Poemas*, 86); *Ta xe pysyrõ marãtekó suí...* - Que me livre das dificuldades... (Ar., *Cat.*, 23); *T'omanõ!* - Que morra! (Ar., *Cat.*, 56v); *Ta nde sok.* - Que te pique. (Fig., *Arte*, 152); *Ta xe îuká Pedro.* - Que Pedro me mate. (Fig., *Arte*, 152); **2)** para que (em orações subordinadas adverbiais finais): *Ikó abá arur iké... ta peîkuab...* - Este homem trago aqui para que o reconheçais... (Ar., *Cat.*, 60v); *Eîerok... ta nde rerapûãngatu.* - Arranca-te o nome para que sejas muito famoso. (Anch., *Teatro*, 46); *Eru pirá t'a'une.* - Traze peixe para que o coma. (Anch., *Arte*, 23); **3)** exprimindo ordem, como marca de imperativo: *T'îasó xe irũnamo.* - Vamos comigo. (Anch., *Arte*, 23v); *T'îaîuká xe mena...* - Matemos meu marido. (Ar., *Cat.*, 279); **4)** corresponde a *haver de*, a exprimir determinação (sempre com a partícula -**ne** posposta ao verbo que **ta** acompanha): *T'aîybõne!* - Hei de flechá-lo! (Anch., *Teatro*, 32); *T'aîpápáne i angaîpaba...* - Hei de contar os pecados deles. (Anch., *Teatro*, 34); *T'ame'ẽne pirá ruba endébo.* - Hei de dar ovas de peixe para ti. (Anch., *Teatro*, 44)

tabaraba

ta'a¹ (pron. tratam.) - senhor: *Nd'oîkuabipe ta'a kagûaramo xe rekó?* - Não sabe o senhor que eu sou um beberrão? (Anch., *Teatro*, 134)

ta'a² (s. voc. de h. e m.) - mano! (como diz um homem a outro ou uma mulher ao irmão) (*VLB*, II, 31)

ta'anga - v. **a'anga (t)**

ta'angaba - v. **a'angaba (t)**

taba¹ (s.) - **1)** TABA, aldeia (de índios) (Fig., *Arte*, 76): ... *Xe mosẽ memẽ taba suí abaré...* - Faz-me sair sempre da aldeia o padre. (Anch., *Teatro*, 126); *Xe anhõ kó taba pupé aîkó...* - Eu somente nesta aldeia morava. (Anch., *Teatro*, 4); **2)** cidade, vila; povoação (*VLB*, II, 145): *Taba Roma 'îápe...* - Na cidade chamada *Roma*. (Ar., *Cat.*, 6v); *Opukubo taba amoín.* - Assento a vila de comprido. (Anch., *Arte*, 43); **3)** lugar (*VLB*, II, 25): - *Umãmepe i momendari?* - *Paraíso Terreal tá-porãngatu pupé.* - Onde os casou? - No Paraíso Terreal, lugar muito belo. (Anch., *Doutr. Cristã*, I, 226)

NOTA - Daí, no P.B. (PR), **TABIJARA** (*tabyîara*, "o que domina a aldeia", "o senhor da aldeia"), valentão.

TABA (fonte: Staden)

taba² - v. **aba (t)**

tabaîara (etim. - *os que dominam as aldeias*) (s. etnôn.) - **TABAJARA**, tribo indígena que habitava o Nordeste do Brasil (D'Abbeville, *Histoire*, 158v)

tabapîasaba (etim. - *abrigo da aldeia*) (s.) - muro (alto) (*VLB*, II, 45)

tabaraba - v. **abaraba (t)**

tabatinga

tabatinga (s.) - TABATINGA, TAUATINGA, TOBATINGA, argila esbranquiçada usada para caiar casas; o mesmo que **tobatinga** (v.) (Monteiro, *Rel. da Prov. Bras.*, in Leite, *Hist.*, VIII, 411, 1949; Brandão, *Diálogos*, 208)

> NOTA - Daí se originam os nomes geográficos **TABATINGUERA**, antiga rua de São Paulo (SP) e **TABATINGA** (AM), este último pelo nheengatu (v. Rel. Top. e Antrop. no final). **TABATINGA**, no P.B. (GO), pode ser também *terra argilosa de cores variegadas* (in *Dicion. Caldas Aulete*).

tabebira (etim. - *traseiro de aldeia*) (s.) - fim, extremidade de um lugar, de um povoado (*VLB*, I, 61)

tabeté (etim. - *aldeia enorme*) (s.) - cidade (*VLB*, I, 74)

tabe'yma (etim. - *sem aldeias*) (s.) - ermo (*VLB*, I, 121); o que é despovoado (*VLB*, I, 100)

tabiîu - v. **abiîu (t)**

Tabirá (s. antrop.) - nome de índio tupi (Vasconcelos, *Crônica (Not.)* II, §1, 113)

taboka - o mesmo que **îataboka** (v.) (Heriarte, *Descr. Maranhão, Pará*, in Varnhagen, *Hist.*, III, 184)

tabuîaîá (s.) - TABUIAIÁ, TABUJAJÁ, TAPUCAIÁ, TUBAIAIÁ, ave da família dos ciconídeos, do grupo das cegonhas (*VLB*, I, 70)

tabura'a (s.) - var. de verme que nasce dentro do coco de palmeira (*VLB*, I, 55)

tabusu (etim. - *aldeia grande*) (s.) - cidade: ... *akûé tabusu Îerusalém 'îaba...* - aquela cidade chamada *Jerusalém* (Ar., *Cat.*, 61v-62)

taby'aka - v. **aby'aka (t)**

taé (adv.) - de modo encaixado, com justeza, no tamanho certo, na medida: *Taé a'e.* - Estou na medida. (*VLB*, I, 113)

tagûá (s.) - TAUÁ, TAGUÁ, 1) barro amarelo com que se dá cor à louça (*VLB*, I, 52); 2) barro vermelho (Fig., *Arte*, 77)

> NOTA - TAUÁ ou TAGUÁ, no P.B., também podem ser adjetivos, com o sentido de *amarelo*. Daí, IPECUTAUÁ, *pica-pau-amarelo*, UIRATAUÁ (*ûyrá* + *tauá*, "pássaro amarelo"), nome comum a certas aves passeriformes, icterídeas da Amazônia.

Daí, também, os nomes geográficos **TAGUÁ** (CE), **TAGUATINGA** (serra de GO) etc. (v. Rel. Top. e Antrop. no final).

Tagûaí (s. antrop.) - o mesmo que **Tagûaíba** (v.) (Marcgrave, *Hist. Nat. Bras.*, 278)

Tagûaíba (s. antrop.) - 1) nome de uma entidade da mitologia dos antigos índios tupis da costa do Brasil: *Eresykyîpe Anhanga, Tagûaíba, Kurupira, Îurupari koîpó te'õ abá supé?* - Invocaste o Anhanga, o Taguaíba, o Curupira, o Jurupari ou a morte para alguém? (Ar., *Cat.*, 102v); 2) fantasma (Fig., *Arte*, 76)

tagûapiranga (etim. - *tauá vermelho*) (s.) - barro vermelho com que se pintava (*VLB*, I, 52)

tagûaranha (s.) - var. de lontra, mamífero da família dos mustelídeos (Soares, *Coisas Not. Bras.* (ms. C), 2353-2355)

tagûató (ou **taûató** ou **tûató**) (s.) - TAUATÓ, TANATAU, TANATÓ, ave de rapina da família dos falconídeos (*VLB*, I, 134; 147; D'Abbeville, *Histoire*, 233): ... *Xe tamuîusu Aîmbiré, sukuriîu, tagûató...* - Eu sou o grande tamoio Aimbirê, uma sucuriju, um tauató. (Anch., *Teatro*, 28)

tagûatogûasu (etim. - *tauató grande*) (s.) - var. de tauató (v. **tagûató**) (*VLB*, I, 134)

tagûato'ĩ (ou **taûato'ĩ**) (etim. - *tauatozinho*) (s.) - var. de tauató (v. **tagûató**) (*VLB*, I, 134; 147)

tagûatomirĩ (etim. - *tauató pequeno*) (s.) - var. de tauató (v. **tagûató**) (*VLB*, I, 134)

tagûé - v. **agûé (t)**

Tagûypytanga (s.) - nome de uma entidade da mitologia dos antigos índios tupis da costa do Brasil (Soares, *Coisas Not. Bras.* (ms. C), 676-683)

tagûyrõ - v. **agûyrõ (t)**

taîa[1] (s.) - ardor, requeimação (p.ex., da pimenta); travo (Fig., *Arte*, 75; Anch., *Arte*, 14); (adj.: **taî**) - ardido (fal. de pimenta etc.) (Anch., *Arte*, 14); travoso; **(xe)** requeimar (como a pimenta, a mostarda etc.): *Taî.* - Ela requeima. (*VLB*, II, 93); *ka'a-taîa* - "*folha ardida*" (Piso, *De Med. Bras.*, 199)

> NOTA - Desse termo se originam muitas palavras no P.B.: CIPOTAIA ("cipó ardido"), planta medicinal caparidácea; SAPOTAIA ("raiz ardida"), planta caparidácea; JIQUITAIA ("sal

ardido"), pimenta reduzida a pó, misturada com sal; **MANGARATAIA** (*mangará* + *taî* + *-a*, "mangará travoso"), nome de uma planta, *açafrão-da-terra*.

taîa² – v. **aîa** (t)

tãîa – v. **ãîa** (t)

taîá (s.) – TAIÁ, 1) nome comum a várias plantas da família das aráceas, que possuem raízes comestíveis "as quais se comem cozidas na água, mas sempre ficam tesas" (Sousa, *Trat. Descr.*, 181); 2) a raiz dessas plantas (Marcgrave, *Hist. Nat. Bras.*, 35)

Taîaapûá (etim. – *taiá pontudo*) (s. antrop.) – nome de índio tupi (D'Abbeville, *Histoire*, 185)

taîaoba (ou **taîoba**) (etim. – *taiá folhudo*) (s.) – TAIOBA, TAIOVA, 1) nome comum a plantas herbáceas alimentícias tropicais da família das aráceas, como, por exemplo, a *Xanthosoma sagittifolium* (L.) Schott (também chamada *arão*, *aro*, *jarro* etc.) e a *Colocasia esculenta* (L.) Schott (taioba-de-são-tomé); 2) as folhas dessas plantas, comidas como couve (Marcgrave, *Hist. Nat. Bras.*, 35; Brandão, *Diálogos*, 198); 3) couve (Fig., *Arte*, 77)

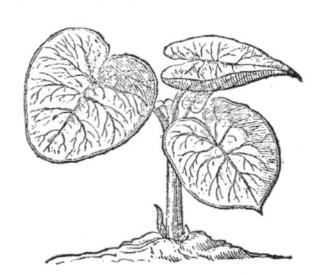

TAIOBA (fonte: Marcgrave)

taîaobusu (etim. – *tajá folhudo grande*) (s.) – TAIOBUÇU, tipo de taioba, planta da família das aráceas, semelhante à couve (Sousa, *Trat. Descr.*, 181)

taîasu¹ (etim. – *dentes grandes*) (s.) – TAIAÇU, TAJAÇU, TANHAÇU, animal mamífero da família dos taiaçuídeos (*Tayassu pecari*), espécie de porco silvestre que tem no dorso uma glândula que produz forte cheiro almiscarado. Tem cor escura e pelos longos nas costas (D'Abbeville, *Histoire*, 249; Sousa, *Trat. Descr.*, 249; Staden, *Viagem*, 171); 2) porco (em geral) (*VLB*, II, 82): *Endé-te, nde resemõ arinhama, taîasu.* – Mas a ti, sobram-te galinhas e porcos. (Anch., *Poemas*, 152); *Pedro taîasu.* – O porco de Pedro. (Fig., *Arte*, 77)
• **taîasu-kunhã** – porca fêmea (*VLB*, II, 82); **taîasua'yra** (ou **taîasua'yrusu**) – bacorinho (*VLB*, I, 50); leitão (*VLB*, II, 20) (v. tb. **taîasugûaîa**).

NOTA – Daí, **TAIAÇUTUBA** (nome de ilha do AM) (v. Rel. Top. e Antrop. no final).

TAIAÇU (fonte: Marcgrave)

taîasu² – o mesmo que **taîaûasu** (v.) (Sousa, *Trat. Descr.*, 173)

taîasueté (etim. – *taiaçu verdadeiro*) (s.) – o TAIAÇU selvagem, não o porco doméstico (ver observação abaixo) (D'Abbeville, *Histoire*, 249v; Sousa, *Trat. Descr.*, 249)

OBSERVAÇÃO – Com a colonização, o porco doméstico foi trazido para o Brasil, passando a receber o mesmo nome dado a um animal silvestre, que os tupis caçavam e não criavam, o **taiaçu**. Para se diferenciar um animal do outro, passou-se a utilizar, muitas vezes, o adjetivo **eté** (*verdadeiro, genuíno*) com referência ao taiaçu do mato (**taîasueté** – *o taiaçu verdadeiro*). Isso aconteceu também com outras palavras: **tapi'ira** (v.) (anta ou vaca), **îagûara** (v.) (onça ou cão).

taîasugûaîa (etim. – *taiaçu de rabo*) (s.) – porco doméstico (*VLB*, II, 82): *Xe abé taîasugûaîa...* – Eu também sou um porco... (Anch., *Teatro*, 44) (v. tb. **taîasu**).

taîasuká (s.) – cepilho, instrumento para alisar a madeira, usado por marceneiros e carpinteiros, plaina pequena (*VLB*, I, 70)

taîasupytá (etim. – *porco que fica*, i.e., que não foge) (s.) – espécie de porco selvagem da família dos taiaçuídeos (Cardim, *Trat. Terra e Gente do Brasil*, 26)

taîasutirika (etim. – *dentes grandes que estalam*) (s.) – espécie de porco selvagem da família dos taiaçuídeos. "... Os índios que os flecham hão de ter, prestes, aonde se acolham, porque, se se não põem em salvo com mui-

taîasyka

ta presteza, não lhes escapam, os quais são muito ligeiros e bravos..." (Sousa, *Trat. Descr.*, 249) "... Com seus dentes atassalham quantos animais acham." (Cardim, *Trat. Terra e Gente do Brasil*, 26)

taîasyka (s.) – TAJACICA, peixe marinho da família dos gobiídeos (Marcgrave, *Hist. Nat. Bras.*, 144)

taîaûasu (etim. – *taiá grande*) (s.) – TAIAGUAÇU, 1) espécie de raiz redonda e branca de plantas da família das aráceas e das dioscoreáceas; o inhame; 2) as plantas dessas raízes (D'Abbeville, *Histoire*, 229v)

taîbarana (s.) – TABARANA, peixe da família dos caracídeos (Soares, *Coisas Not. Bras.* (ms. C), 2282-2283)

taibĩ (s.) – nome de um mamífero didelfídeo marsupial; o mesmo que **taîyby** (v.) (*Theat. Rer. Nat. Bras.*, II, 27)

taîbu (s.) – TAIBU, TIMBU, mamífero marsupial da família dos didelfídeos, parecido ao gambá (Frei Vicente do Salvador, *História do Brasil*, I, cap. IX)

tãíbyra – v. ãíbyra (t)

tãĩiuara – v. ãĩiuara (t)

taîkuîu[1] (s.) – nome de um pequeno pássaro (D'Abbeville, *Histoire*, 183v)

Taîkuîu[2] (s. antrop.) – nome de índio tupi (D'Abbeville, *Histoire*, 183v)

tãímbora – v. ãímbora (t)

tãînhoba'ũ – v. ãînhoba'ũ (t)

taîoba – o mesmo que **taîaoba** (v.) (Sousa, *Trat. Descr.*, 181)

taîtaty – v. aîtaty (t)

taîteté (s.) – cateto (v. **taîtetu**) (Brandão, *Diálogos*, 251)

taîtetu (s.) – TATETO, CATETO, CAITITU, CAITATU, CAITETU, TAITITU, porco-do-mato pequeno, mamífero da família dos taiaçuídeos (*Tayassu tajacu* L.) (*VLB*, II, 82)

taîu (ou **taîy**) – v. aîu (ou aîy) (t)

taîuîá (s.) – TAJUJÁ, TAIUIÁ, caiapó, purga-de-gentio, planta da família das cucurbitáceas (*Cayaponia tayuya* (Vell.) Cogn.), trepadeira herbácea de grande porte, de propriedades medicinais (Marcgrave, *Hist. Nat. Bras.*, 27)

taîupara (s.) – TIJUPÁ, TIJUPABA, TAJUPÁ, TAJUPAR, TIJUPAR, TUJUPAR, AJUPÁ, TIUPÁ, choupana feita para abrigo durante as viagens pela floresta (Sousa, *Trat. Descr.*, 321); v. **te'yîupaba**

taîxó – v. aîxó (t)

taîyba – v. aîyba (t)

tãîyba – v. ãîyba (t)

taîyby (s.) – sarigué macho, que não tem a bolsa marsupial de que a fêmea é dotada (v. **sarigûeîa**) (Marcgrave, *Hist. Nat. Bras.*, 223)

taîyka – v. aîyka (t)

taîyra – v. aîyra (t)

tak (v. intr.) – soar, estalar, fazer barulho, fazer ruído seco [conhecido pela sua forma causativa **motak** (v.) (*VLB*, I, 53)

> NOTA – Daí, no P.B., **TACA**, pancada, bordoada (in *Dicion. Caldas Aulete*).

takã – v. akã (t)

takamby – v. akamby (t)

takãpyra (ou **takãmbyra**) – v. **akãpyra** (ou **akãmbyra**) (t)

takapé – v. akapé (t)

takaranha (s.) – nome de uma planta (Silveira, *Relação do Maranhão*, fl. 11v)

takó[1] (part.) – haver de (com um verbo no indicativo ou no gerúndio): *Nã takó îomomoranga re'a...!* – Assim havemos de nos acariciar! (Ar., *Cat.*, 234); *Abá-angaîpabĩ takó mba'e-katu ogûerekó xe suí mã!...* – Ah, um homem pecador há de ter mais coisas boas que eu! (Anch., *Doutr. Cristã*, II, 102); *... Emonã takó aîkó...* – Hei de viver assim. (Anch., *Diál. da Fé*, 211)

-takó?[2] (part. interr.) – mesmo?: *Marã-takó ahẽ rera?* – Qual era, mesmo, o nome dele? (*VLB*, I, 77); *Mba'e-takó?* – Que era, mesmo, aquilo? (como quem se esquece do que passou) (*VLB*, II, 92)

takó[3] – v. akó (t)

takûaba – v. akûaba (t)

takûãîa – v. akûãîa (t)

takûãînha'a (etim. – *fita do pênis*) (s.) – fita com que os homens tapuias amarravam o pênis (Marcgrave, *Hist. Nat. Bras.*, 270)

takûaîûsara (etim. – *taquara-juçara*) (s.) – var. de TAQUARA (v. **takûara**) (*VLB*, I, 65)

takûakysé (etim. – *taquara-faca*) (s.) – nome de uma variedade de TAQUARA, TAQUARA-FACA, isto é, usada para se fazerem facas (Nieuhof, *Ged. Reize*, 219-220)

takûapembyra (etim. – *cercado de taquaras*) (s.) – esteira de TAQUARA com que se armavam os navios por causa das flechas (*VLB*, I, 128)

takûapinima (etim. – *taquara pintada*) (s.) – var. de TAQUARA (v. **takûara**) (*VLB*, I, 65)

takûapoka (etim. – *taquara estourada*) (s.) – var. de TAQUARA (v. **takûara**) (*VLB*, I, 65)

takûara[1] (ou **tokûara**) (s.) – TAQUARA, bambu, **1)** nome comum a plantas da família das gramíneas, dos gêneros *Merostachys* e *Guadua*, como *Guadua tagoara* (Nees) Kunth, de longos colmos (D'Abbeville, *Histoire*, 289; Marcgrave, *Hist. Nat. Bras.*, 278; *VLB*, I, 65); **2)** cana: *Mba'epe oîme'eng i 'ekatuápe? – Takûara...* – Que deram em sua mão direita? – Uma cana. (Ar., *Cat.*, 60v) • **takûá-kysé** – faca de taquara (*VLB*, I, 133)

takûara[2] (ou **tokûara**) (s.) – flechas indígenas de caniço resistente, com um pé de comprimento, três dedos de largura, aguçadas como um chuço, possuindo caniços à guisa de ponta (D'Abbeville, *Histoire*, 289)

takûare'ẽ (etim. – *taquara doce*) (s.) – cana-de-açúcar, planta da família das gramíneas (*Saccharum officinarum* L.) (Marcgrave, *Hist. Nat. Bras.*, 82) • **takûare'ẽ-ndyba** – canavial (*VLB*, I, 65)

takûare'ẽ-eíra (etim. – *mel de taquara doce*) (s.) – melado de cana-de-açúcar (*VLB*, II, 35)

takûare'ẽypy'oka (etim. – *coalhada de cana-de-açúcar*) (s.) – açúcar (*VLB*, I, 21)

takûari (etim. – *taquarinha*) (s.) – TAQUARI, TAQUARINHA, nome de muitas plantas da família das gramíneas (entre as quais várias espécies dos gêneros *Merostachys* e *Olyra*), usadas para a fabricação de cestos (*VLB*, I, 65)

NOTA – **TAQUARI**, no P.B., pode também significar: 1) canudo de cachimbo; 2) uma var. de cachimbo feito de bambu; 3) (adj.) de pequeno calibre (fal. de espingarda).

takûarusu (etim. – *taquara grande*) (s.) – TAQUARUÇU, taboca-gigante, bambu da família das gramíneas (*Guadua superba* Huber), com colmos muito grandes e largos (*VLB*, I, 65): *takûarusu-tyba* – ajuntamento de taquaruçu (Léry, *Histoire*, 349)

NOTA – Daí, **TAGUARASSU** (nome de localidade de GO) (v. Rel. Top. e Antrop. no final).

takûã'ynha (etim. – *caroço do pênis*) (s.) – íngua na virilha (*VLB*, II, 12)

takuba – v. akuba (t)

takuîkoîsyka (s.) – material usado para fazer linha de pesca (Marcgrave, *Hist. Nat. Bras.*, 273)

takupapirema (s.) – nome de um peixe (Sousa, *Trat. Descr.*, 283)

takura (s.) – TUCURA, TICURA, gafanhoto, o mesmo que **tukura** (v.) (Sousa, *Trat. Descr.*, 239)

takurandá (s.) – TARACUÁ, TACUÁ, TRACUÁ, TRAGUÁ, nome comum a certas formigas que fazem formigueiros nas árvores e que, ao serem tocadas, fazem barulho característico de sopro forte e prolongado (Sousa, *Trat. Descr.*, 239)

takypûera – v. akypûera (t)

takypûeri (etim. – *no rastro*) (adv.) – na parte posterior, após, atrás (Anch., *Arte*, 41; *VBL*, II, 135)

takyra (s.) – nome de uma planta (Brandão, *Diálogos*, 211)

Tamandiba (s. antrop.) – nome de índio tupi (Anch., *Cartas*, 457)

tamandûá (s.) – TAMANDUÁ, nome genérico de animais mamíferos desdentados da família dos mirmecofagídeos e, principalmente, do *Myrmecophaga tridactyla* (D'Abbeville, *Histoire*, 249v): *Akó xe îubykarûera, tataûrana, tamandûá ...!* – Esse é meu antigo enforcador, uma taturana, um tamanduá. (Anch., *Teatro*, 62)

NOTA – Daí provém o nome do rio **TAMANDUATEÍ**, que atravessa São Paulo (SP) (v. Rel. Top. e Antrop. no final).

tamandûabeba

tamandûabeba (etim. - *tamanduá achatado*) (s.) - nome de um animal mamífero (Col. Niedenthal, *Brasil Holandês*, vol. II, 58)

tamandûagûasu (etim. - *tamanduazão*) (s.) - TAMANDUÁ-AÇU, TAMANDUÁ-BANDEIRA, mamífero desdentado da família dos mirmecofagídeos (*Myrmecophaga jubata* L.), de cauda muito peluda. É dócil e alimenta-se de cupins. (Marcgrave, *Hist. Nat. Bras.*, 225)

TAMANDUÁ-AÇU (fonte: Marcgrave)

tamandûa'i[1] (etim. - *tamanduazinho*) (s.) - TAMANDUAÍ, 1) espécie de TAMANDUÁ, mamífero desdentado que habita as matas, da família dos mirmecofagídeos (*Cyclopes didactylus* L.), com cauda preênsil, vivendo sobre as árvores, enrolando a cauda em seus galhos. Tem dois dedos na mão e quatro nos pés; 2) TAMANDUÁ-MIRIM, espécie de tamanduá arborícola (*Tamandua tetradactyla* L.) (Marcgrave, *Hist. Nat. Bras.*, 225)

Tamandûa'i[2] (etim. - *tamanduazinho*) (s. antrop.) - nome de índio tupi (D'Abbeville, *Histoire*, 188)

tamandûapitinga (etim. - *tamanduá pintado*) (s.) - var. de TAMANDUÁ, animal mamífero da família dos mirmecofagídeos (*Theat. Rer. Nat. Bras.*, II, 36)

Tamandûaré (s. antrop.) - nome de um grande pajé da mitologia dos antigos tupis da costa (Vasconcelos, *Crônica (Not.)* I, §75, 80)

NOTA - Daí provém o nome próprio de pessoa e de lugar TAMANDARÉ (v. Rel. Top. e Antrop. no final).

tamandûasu - o mesmo que **tamandûagûasu** (v.) (Brandão, *Diálogos*, 255)

tamari (s.) - TAMARI, espécie de sagui (v. **sagûi**) (D'Abbeville, *Histoire*, 252v)

tamaru (s.) - nome de um animal crustáceo (*Theat. Rer. Nat. Bras.*, I, 74)

tamarugûasu (ou **tamarûasu**) - o mesmo que **tamarutaka** (v.) (Marcgrave, *Hist. Nat. Bras.*, 186; Griebe, *Brasil Holandês*, vol. III, 67)

tamarutaka (ou **tamburutaka**) (s.) - TAMARUTACA, TAMBURUTACA, nome comum a algumas espécies de crustáceos marinhos carnívoros, parecidos à lagosta, com patas anteriores preênseis: *Eîori, mba'enem, mba'e-poxy..., tamarutaka!* - Vem, coisa fedorenta, coisa nojenta, tamarutaca! (Anch., *Teatro*, 44)

tamatîá (ou **tamatîã**) (s.) - TAMATIÁ, ave ciconiforme dos mangues, das beiras dos rios e lagos, da família dos coclearídeos, de bico largo e achatado (D'Abbeville, *Histoire*, 241; Marcgrave, *Hist. Nat. Bras.*, 208)

NOTA - Daí TAMATIATUBA (nome de localidade do RN) (v. Rel. Top. e Antrop. no final).

tamatîãgûasu (etim. - *tamatiá grande*) (s.) - ave de belíssimas penas, provavelmente da família dos ardeídeos. "Voa sempre muito por alto, por onde vai formando umas vozes que parecem humanas." (Brandão, *Diálogos*, 229)

tambaky (s.) - TAMBAQUI, peixe da família dos caracídeos (Bettendorff [1698], *Crôn. do Maranhão*, in *RIH*, LXXII (1909), 355)

tambeaoba (etim. - *roupa de concha*) (s.) - var. de musgo (*VLB*, II, 45)

tambeaobubaubagûasu (s.) - calções de rocas, vestimenta do século XVI (*VLB*, II, 107)

tambeíba (s.) - var. de inseto (*Theat. Rer. Nat. Bras.*, II, 63)

tamburutaka - o mesmo que **tamarutaka** (v.)

tambyagûá - v. **ambyagûá (t)**

tameîuá (s.) - nome de uma planta; coentro (entre os tupis) (*VLB*, I, 79)

Tamendonara (s. antrop.) - nome de entidade mitológica dos antigos tupis da costa (Thevet, *Cosm. Univ.*, 914v)

tamotarana - o mesmo que **tamûatarana** (v.) (Brandão, *Diálogos*, 198)

tamûatá (s.) - TAMUATÁ, TAMBUATÁ, CAMOATÁ, TAMBOATÁ, nome comum a certos peixes da família dos caliquitídeos (D'Abbeville, *Histoire*, 247v; Marcgrave, *Hist. Nat. Bras.*, 151; Gândavo, *Hist.*, VIII, fl. 28v-29)

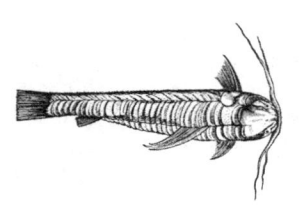

TAMUATÁ (fonte: Marcgrave)

tamûatarana (etim. - *falso tamuatá*) (s.) - variedade de planta marantácea, do gênero *Saranthe*, muito provavelmente *Saranthe marcgravii* Pickel, de "bulbo branco... formado de túnicas triangulares, da figura e conformação da tulipa" (Marcgrave, *Hist. Nat. Bras.*, 53)

tamũîa[1] (ou **tamuîa** ou **tamỹîa**) (etim. - *os avós*) (s. etnôn.) - TAMOIO, nação indígena que habitava a Baía da Guanabara e o Vale do Paraíba (Cardim, *Trat. Terra e Gente do Brasil*, 122): ... *Xe tamũîusu Aîmbiré...* - Eu sou o grande tamoio Aimbirê. (Anch., *Teatro*, 28); *São Sebastião... tamũîa, kyre'ymbagûera, omombab erimba'e...* - São Sebastião destruiu os tamoios, os valentes. (Anch., *Teatro*, 52)

tamũîa[2] - v. **amũîa (t)**

tamỹîa - o mesmo que **tamũîa** (v.)

tamỹîpagûama (t, t) - v. **amỹîpagûama (t, t)**

tang (s. de voc. de m.) - mano! (como diz uma mulher ao irmão) (*VLB*, II, 31)

tanga (s.) - moleza, tenrura, frescor; (adj.: **tang**) - mole, tenro, fresco: *gûyrá-tange'yma* (lit., *pássaro sem moleza*, isto é, *pássaro aprumado*) - nome de um pássaro da família dos icterídeos (Marcgrave, *Hist. Nat. Bras.*, 192); *pitanga* (**pir** + **tang** + **-a**: lit., *pele tenra*) - criança (*VLB*, II, 12)

tangará (s.) - TANGARÁ, ATANGARÁ, nome comum a certos pássaros da família dos piprídeos (Marcgrave, *Hist. Nat. Bras.*, 214)

NOTA - Daí provém o nome do município de **TANGARÁ** DA SERRA (MT) (v. Rel. Top. e Antrop. no final).

TANGARÁ (fonte: Marcgrave)

tangaraká (lit., *folha de tangarás*) (s.) - TANGARACÁ, erva-de-rato, nome dado a várias ervas rubiáceas dos gêneros *Psychotria* e *Palicourea*, todas elas caracterizando-se pela elevada toxidez; suas flores e frutos são venenosos e têm como antídoto suas próprias raízes. Também designa uma pequena erva da família das nictaginácceas (*Boerhavia hirsuta* Jacq.) (Piso, *De Med. Bras.*, IV, 193; Marcgrave, *Hist. Nat. Bras.*, 60; *Theat. Rer. Nat. Bras.*, II, 224)

tangarakagûasu (etim. - *tangaracá grande*) (s.) - nome de uma planta poligonácea (*Coccoloba crescentiaefolia* Cham.) (*Theat. Rer. Nat. Bras.*, II, 119)

tanha - v. **anha (t)**

tanhẽ - v. **anhẽ (t)**

tanimbuka (s.) - cinza: *Quarta-feira-tanimbu-karaíba rasápe îekuakupabusu, Quaresma 'îaba nheypyrungi.* - Ao passar a quarta-feira das cinzas sagradas, começa o grande jejum chamado Quaresma. (Ar., *Cat.*, 122)

tanimbuky (etim. - *água de cinzas*) (s.) - lixívia, água de lavagem de roupa onde entram cinzas e outros elementos de limpeza e branqueamento (*VLB*, I, 91)

taoka (s.) - TAOCA, var. de formiga migratória, inseto himenóptero da família dos dorilíneos (*VLB*, I, 142)

tapakurá (s.) - TAPACORA, **1)** enfeite de fio de algodão tingido de vermelho usado pelas moças indígenas nas pernas, por baixo do joelho, tecido de maneira que não os podiam tirar, tendo três dedos de largura; liga feita com fio de algodão, com aproximadamente dois pés de comprimento, adornada com penas, sendo colocada pelos índios em torno da perna (D'Abbeville, *Histoire*, 274); **2)** faixa utilizada para atar as pernas dos recém-nascidos (Marcgrave, *Hist. Nat. Bras.*, 269; Sousa, *Trat. Descr.*, 306)

tapapinhûã (s.) - TAPINHOÃ, árvore da família das lauráceas (*Mezilaurus navalium* (Allemão) Taub. ex Mez), de madeira dura e resistente, muito usada em construção civil no Brasil colonial (Vasconcelos, *Crônica (Not.)* II, §81, 153)

tapé (s. voc. de m.) - minha senhora! senhora! (Anch., *Arte*, 14v)

tapena

tapena (s.) – var. de andorinha grande e cinzenta (*VLB*, I, 36)

tapera (etim. – *aldeia que foi*) (s.) – aldeia em ruínas, aldeia extinta; aldeia destruída, TAPERA (Fig., *Arte*, 76; Anch., *Arte*, 14)

> NOTA – O sentido antigo de TAPERA é, hoje, menos conhecido. Em nossos dias, essa palavra é mais usada com o sentido de *casa em ruínas, casebre abandonado*.
> Daí, no P.B., TAPERI, TAPIRI, choça. Daí, também, o nome geográfico TAPERA (localidade de SE) (v. Rel. Top. e Antrop. no final).

taperá (s.) – TAPERÁ, andorinha-do-campo, pássaro da família dos hirundinídeos (Marcgrave, *Hist. Nat. Bras.*, 205; *VLB*, I, 36)

> NOTA – Daí, no P.B., TAPERAL, lugar de abrigo de andorinhas.

taperana (s.) – lavor da linha ou da empenhadura da flecha (*VLB*, II, 19)

Taperiri (s. antrop.) – nome de índio tupi (Vasconcelos, *Crônica (Not.)* II, §1, 113)

Taperoaba (s. antrop.) – nome de índio tupi (Vasconcelos, *Crônica (Not.)* II, §1, 113)

Taperusu (etim. – *grande tapera*) (s. antrop.) – nome de índio tupi (D'Abbeville, *Histoire*, 184v)

Taperybyra (s. antrop.) – nome de índio tupi (Vasconcelos, *Crônica (Not.)* II, §1, 113)

tapesyma (s.) – var. de mandioca (Piso, *De Med. Bras.*, IV, 177)

tapeti[1] (ou **tapiti**) (s.) – TAPITI, coelho-do-mato, nome comum a roedores leporídeos americanos (Marcgrave, *Hist. Nat. Bras.*, 223; *VLB*, I, 76; Léry, *Histoire*, 347-348)

TAPITI (fonte: Marcgrave)

tapeti[2] (ou **tapiti**) (s.) – TIPITI, cilindro feito de folha de palmeira, usado pelos índios para espremer a massa da mandioca ralada (Piso, *De Med. Bras.*, IV, 177) (o mesmo que **tepiti** – v.)

tapi'a[1] (s.) – TAPIÁ, pau-d'alho, **1)** árvore da família das caparidáceas (*Crateva tapia* L.), espécie encontrada desde o Ceará até o Rio Grande do Sul e empregada na medicina popular; **2)** nome de várias árvores da família das euforbiáceas, do gênero *Alchornea* (Marcgrave, *Hist. Nat. Bras.*, 98)

tapi'a[2] (s. de voc. de m.) – mano! (como diz uma mulher ao irmão) (*VLB*, II, 31)

tapiĩa'i (s.) – TAPIAÍ, TAPIÍ, TAPICUIM, formigão, inseto himenóptero da família dos formicídeos, de cor preta e que pode chegar até 3 cm de comprimento (Marcgrave, *Hist. Nat. Bras.*, 252)

tapiĩara (etim. – *o que domina na aldeia*) (s.) – morador de um lugar, morador antigo ou que está de assento em algum lugar (*VLB*, II, 41); habitante de aldeia; natural de alguma terra (*VLB*, II, 48), TAPIJARA: ... *Opakatu tapiĩara... osaûsu.* – Ama a todos os moradores do lugar. (Anch., *Teatro*, 184); *Tapiĩara... xe pópe arekó-katu.* – Os habitantes da aldeia tenho-os bem em minhas mãos. (Anch., *Teatro*, 34)

> NOTA – TAPEJARA (ou TAPIJARA) tem, também, o sentido de 1) *prático, conhecedor de caminhos ou de uma região*: "Naquela escuridão fechada nenhum TAPEJARA seria capaz de cruzar pelos trilhos do campo" (Simões Lopes Neto, in *Contos Gauchescos e Lendas do Sul*); 2) (RS) *aquele que conduz embarcação com segurança, firme ao leme; pessoa hábil e entendida*; 3) (adj.) *valentão* (in *Novo Dicion. Aurélio*); TAPIARA (SP, pop.) *estradeiro, velhaco, espertalhão, trapaceiro*, donde o verbo TAPEAR, agir como um tapiara, enganar, iludir, lograr.

tapi'ikuruba (etim. – *caroço de anta*) (s.) – nome de uma planta (*Theat. Rer. Nat. Bras.*, II, 156)

tapi'ira (s.) – **1)** TAPIIRA, TAPIRA, TAPIR, anta, o maior mamífero terrestre do Brasil (*Tapirus terrestris* L.), o mesmo que **tapi'ireté** (v.); **2)** vaca, boi, gado bovino em geral: *Xe reîmbaba tapi'ira* – Minha vaca que crio. (Anch., *Arte*, 2v); *Tapi'ira osó ogûapixara pyri.* – O boi foi para junto dos seus companheiros. (Fig., *Arte*, 26) ● **tapi'i-kaba** – gordura de vaca (*VLB*, II, 31)

> OBSERVAÇÃO – Com a colonização, o boi foi trazido para o Brasil, passando a receber o mesmo nome dado a um animal silvestre, que os tupis caçavam e não criavam,

a **tapira**. Para se diferenciar um animal do outro, passou-se a utilizar, muitas vezes, o adjetivo **eté** (*verdadeiro, genuíno*) com referência à tapira do mato (**tapi'ireté** – *a tapira verdadeira*). Isso aconteceu também com outras palavras: **taîasu** (v.) (taiaçu ou porco doméstico), **îagûara** (v.) (onça ou cão).

NOTA – A palavra **TAPIR**, de origem tupi, entrou no léxico de muitas línguas do mundo, passando a designar, também, certos animais tapirídeos da Malásia e da Indonésia.
Muitos nomes de lugares também provêm daquela palavra: **TAPIRAÇÁ** (riacho de PE), **TAPIRAÍ** (SP) etc. (v. Rel. Top. e Antrop. no final).

TAPIRA (fonte: Marcgrave)

tapi'irakûãînana (s.) – **TAPIRÁ**-CAIENA, **1)** canafístula, cana de cor preta, cheia de polpa, medicinal, da família das leguminosas (*Senna affinis* (Benth.) H.S. Irwin & Barneby); **2)** o fruto dessa planta (Marcgrave, *Hist. Nat. Bras.*, 134-135; *VLB*, I, 65)

tapi'irapé (etim. – *caminho de anta*) (s.) – via-láctea, caminho-de-Santiago (*VLB*, I, 64)

NOTA – Daí, no P.B., o nome do povo indígena **TAPIRAPÉ**, que vive no MT.

tapi'irapekũ (etim. – *língua de vaca*) (s.) – **TAPIRAPECU**, língua-de-vaca (*Chaptalia nutans* (L.) Pol.), planta composta empregada na medicina popular como tônico abstergente e emoliente, sendo que as folhas aquecidas são colocadas sobre as têmporas para combater as cefaleias e provocar sono. Era também chamada *erva-do-fígado*. (Piso, *De Med. Bras.*, 200)

NOTA – Daí, o nome geográfico **TAPIRAPECÓ** (AM) (v. Rel. Top. e Antrop. no final).

tapi'iraraîygûera (etim. – *filhota de anta*) (s. astron.) – nome de certa estrela de primeira magnitude do signo de Touro (*VLB*, II, 56)

tapi'irarepanakũ (etim. – *panacu de bois*) (s.) – carreta, carroça (*VLB*, I, 68)

tapi'irarõana (etim. – *guardador de vacas*) (s.) – vaqueiro (*VLB*, II, 141)

tapi'ira'yrusu (etim. – *filhote grande de vaca*) (s.) – vitela, novilho (*VLB*, II, 51; 147)

Tapi'irebira (etim. – *traseiro de vaca*) (s. antrop.) – nome de índio tupi (D'Abbeville, *Histoire*, 184)

tapi'irerekoara (etim. – *guardião de vacas*) (s.) – vaqueiro (*VLB*, II, 141)

tapi'iresá (etim. – *olho-de-boi*) (s.) – **TAPIREÇÁ**, olho-de-boi, peixe da família dos carangídeos (Sousa, *Trat. Descr.*, 283)

tapi'ireté (etim. – *tapira verdadeira*) (s.) – **TAPIRETÊ**, anta, mamífero perissodáctilo da família dos tapirídeos (*Tapirus terrestris* L.) de grande parte da América do Sul. É o maior animal da fauna silvestre do Brasil, atingindo até 180 quilos. (o mesmo que **tapi'ira**, n. 1 – v.) (Marcgrave, *Hist. Nat. Bras.*, 229; D'Abbeville, *Histoire*, 250; Anch., *Cartas*, 459)

tapi'irusu (etim. – *tapira grande*) (s.) – **1)** anta (Léry, *Histoire*, 347) (v. **tapi'ireté**); **2)** boi, vaca, gado bovino em geral: *Kapi'ĩ sosé kó tuî, tapi'irusu karuápe*. – Eis que sobre o capim ele está deitado, no lugar de comer da vaca. (Anch., *Poemas*, 164) • **tapi'irusu 'aka** – chifre de boi (Léry, *Histoire*, 344)

tapinhûã (s.) – **TAPINHOÃ**, árvore da família das lauráceas, o mesmo que **tapapinhûã** (v.) (*Manifesto de utilidades do Brasil* [1687], VII, 184)

tapi'oka (s.) – **1) TAPIOCA**, fécula alimentícia da mandioca (Sousa, *Trat. Descr.*, 174); **2)** bolo ou pão indígena feito dessa fécula (*Denunciações de Pernambuco*, 80) (o mesmo que **typy'oka** – v.)

NOTA – Daí, no P.B. (AM), **TAPIOCUÍ**, farinha de tapioca.

tapi'opuba (etim. – *tapioca mole*) (s.) – tipo de pão que se fazia de mandioca; "bolos mui brandos" (Fig., *Missão do Maranhão*, in Leite, *Luiz Figueira*, 195)

tapîora (s.) – remédio feito da raiz do **îetikusu** (v.) (Marcgrave, *Hist. Nat. Bras.*, 41)

tapiti[1] – o mesmo que **tapeti**[1] (v.) (Cardim, *Trat. Terra e Gente do Brasil*, 30)

tapiti[2] (etim. – *lebre*) (s. astron.) – nome de uma constelação (D'Abbeville, *Histoire*, 251)

tapitigûasu

tapitigûasu (etim. – *tapiti grande*) (s.) – asno (VLB, I, 44)

tapiuîa (s.) – TAPIÚ, TAPIÚJA, nome comum a certos insetos himenópteros da família dos vespídeos. São vespas sociais muito temidas. "... São grandes e criam em ninhos que fazem nas pontas dos ramos das árvores, com barro." (Sousa, *Trat. Descr.*, 240)

tapiukaba (s.) – TAPIUCABA, TAPIOCABA, var. de vespa, inseto da família dos vespídeos (VLB, I, 55)

tapixara – v. apixara (t)

taposoka (s.) – nome de uma planta (*Theat. Rer. Nat. Bras.*, II, 206)

tapotĩ (s.) – TAPITI, coelho silvestre, o mesmo que **tapeti**[1] (v.) (Sousa, *Trat. Descr.*, 254)

tapûá – v. apûá (t)

tapuîa[1] (ou **tapyîa**) (s.) – 1) choupana (Fig., *Arte*, 76); choça: *Aîtapuî-mongaturõ xe sy.* – Arrumo a choupana à minha mãe. (Fig., *Arte*, 88); 2) ramada, latada, cobertura de plantas para abrigo contra o calor ou contra as chuvas (VLB, II, 96)

> NOTA – Daí, no P.B. (PA, MA), **TAPUÍSA**, choça ou rancho improvisado por caçadores ou exploradores (in *Dicion. Caldas Aulete*).

tapuîa[2] (ou **tapu'yîa** ou **tapy'yîa**) (s.) – 1) TAPUIA, indígena de grupo tribal não tupi; índio não falante do tupi da costa (Anch., *Arte*, 14; Knivet, *The Adm. Adv.*, 1226); 2) cativo (VLB, I, 69); escravo (VLB, I, 124): ... *tapuîa rara* – prender escravos (Anch., *Teatro*, 8)

> NOTA – Daí, no P.B., **TAPUIO**, que, além de ser sinônimo de **TAPUIA**, no primeiro sentido apresentado acima, também significa: 1) índio em geral; 2) mestiço de índio; 3) (BA) qualquer mestiço de pele morena e cabelos escuros e lisos; caboclo. Daí, também, **TAPUITAPERA** (nome de localidade do MA), **TAPUIÚ** (nome de localidade do CE) etc. (v. Rel. Top. e Antrop. no final).

tapuîa[3] (s. etnôn.) – nome de um grupo indígena do Maranhão (D'Abbeville, *Histoire*, 131): *tapuî-tapera* – tapera dos tapuias (D'Abbeville, *Histoire*, 186)

tapuîpera (s.) – escrava (VLB, I, 124): *Tapuîpé--poxy mborypa, tupotare'ymi iké...* – Deleitando--se com as escravas ruins, não quiseram vir aqui. (Anch., *Teatro*, 14)

tapupira – v. apupira (t)

tapura'ybá (etim. – *fruta da anta* < *tapi'ira* + *'ybá*) (s.) – TAPIRIBA, TAPEREBÁ, nome de árvore do norte do Brasil, o mesmo que **CAJÁ** (v. **akaîá**) (Piso, *De Med. Bras.*, IV, 178)

tapuru (s.) – TAPURU, TAPICURU, TAPERU (N e NE), bicheira, bicho-de-vareja, nome comum às larvas vermiformes de certos insetos dípteros que põem ovos nas frutas podres, na carne em decomposição etc. É também chamado *bicho-da-fruta*. (Marcgrave, *Hist. Nat. Bras.*, 67)

> NOTA – Daí, **TABURUJI** (nome de rio do RJ) (v. Rel. Top. e Antrop. no final).

tapusu (s.) – TAPUÇU, variedade de molusco gastrópode da família dos ampularídeos, de água doce (Sousa, *Trat. Descr.*, 293)

tapŷaba – v. apŷaba (t)

tapyîa – o mesmo que **tapuîa**[1] (v.)

tapyîtinga (ou **tapuîtĩ**) (etim. – *tapuia branco*) (s.) – 1) alcunha dada pelos tupinambás do Maranhão aos ingleses e a outros europeus inimigos dos franceses e daqueles índios (D'Abbeville, *Histoire*, 298): *Tapuîtĩ i poxy, sekate'ŷngatupabẽ.* – O tapuia branco é mau; ele é muito avaro. (D'Abbeville, *Histoire*, L); 2) indiano: *Ké suí serã i asabi India tapyîtinga retãme.* – Daqui, certamente, passou para a Índia, terra dos indianos. (Ar., *Cat.*, 9v)

tapy'yîa – v. tapuîa[2]

tapy'yîuna (ou **tapy'yînhuna**) (etim. – *tapuia negro*) (s.) – homem negro; escravo africano (VLB, II, 49), TAPANHUNO, TAPANHUNA

> NOTA – As palavras **TAPANHUNO** e **TAPANHUNA** entraram no P.B. por meio das línguas gerais coloniais:
> *Serviu-lhes para isso não pouco o aviso e notícia que de tudo lhes tinha dado um TAPANHUNO, escravo do capitão mór de Tepecorú, João de Souza Soleima...*
>
> (Bettendorff [1698], *Crôn. do Maranhão*, in *RIH*, 516)

Daí, também, no P.B. (MG), **TAPUNHUNA-CANGA** ("cabeça de negro") (ou **TAPANHOACANGA**, **ITAPANHOACANGA**, **TAPIOCANGA**, **GANGA**, **CANGA**), concentração de hidróxidos de ferro na superfície da terra sob a forma de uma carapaça dura, aproveitada, muitas vezes, para se fazerem tijolos; laterita.

tapy'ymirĩ (etim. - *tapuia pequeno*) (s. etnôn.) - nome de nação indígena. "É gente pequena, anã, baixos do corpo... A estes chamam os portugueses *pigmeus*." (Cardim, *Trat. Terra e Gente do Brasil*, 126)

t-ara - v. îar / ar(a) (t, t) (Anch., *Arte*, 58v)

tara - v. ara (t)

taraba (s.) - nome de um pássaro (Brandão, *Diálogos*, 230)

tarabé (s.) - TARABÉ, ave da família dos psitacídeos, do grupo dos papagaios (Marcgrave, *Hist. Nat. Bras.*, 207)

Taragûaí (s. antrop.) - nome de índio tupi (Anch., *Cartas*, 460)

taragûyboîa (etim. - *taraguira cobra*) (s.) - nome de um lagarto (D'Abbeville, *Histoire*, 253v)

taragûykoaîkuraba (s.) - var. de lagarto da família dos iguanídeos (Marcgrave, *Hist. Nat. Bras.*, 238)

taragûypirá (s.) - peixe da família dos anablepídeos (Lisboa, *Hist. Anim. e Árv. do Maranhão*, fl. 166v)

taragûyra (s.) - TARAGUIRA, TARAUIRA, TERAÍRA, var. de lagarto da família dos iguanídeos (*Tropidurus torquatus* Spix) (Marcgrave, *Hist. Nat. Bras.*, 238; *VLB*, II, 17)

tarakoba (s.) - TARIOBA, TARCOBA, molusco acéfalo bivalve, comestível, da família dos donacídeos (Sousa, *Trat. Descr.*, 292)

tarakûagûasu (s.) - nome de uma planta (*Theat. Rer. Nat. Bras.*, II, 118)

tarakutinga (s.) - TRACUTINGA, TRACUXINGA, SARACUTINGA, formiga com aguilhão de cor preta e picada muito dolorosa, da família dos formicídeos, que pode chegar a mais de 2 cm de comprimento. Constrói formigueiro subterrâneo. (*VLB*, I, 142)

taramîarana (s.) - TAMEARAMA, URTIGA-TAMEARAMA, trepadeira da família das euforbiáceas (*Dalechampia scandens* L.) (*VLB*, II, 59)

Tarapaponga (s. antrop.) - nome de índio tupi (Vasconcelos, *Crônica (Not.)* II, §1, 113)

tararoky - o mesmo que **tareroky** (v.) (Soares, *Coisas Not. Bras.* (ms. C), 1531-1544)

tararuku (s.) - TARARUCU, planta da família das leguminosas do gênero *Cassia* ou *Senna*, também conhecida como *fedegoso* (Sousa, *Trat. Descr.*, 209)

tarasanga (s.) - TRAÇANGA, CRAUÇANGA, formiga que possui aguilhão como vespas e picada dolorida (*VLB*, I, 142)

tare'imboîa (etim. - *traíra cobra*) (s.) - TRAIRABOIA, TRAIRAMBOIA, cobra-d'água, réptil ofídio da família dos colubrídeos, de uma braça de comprimento e da grossura de uma perna (D'Abbeville, *Histoire*, 253v; Piso, *De Med. Bras.*, III, 171); "... Criam nos rios, sem saírem à terra... São amarelas e muito compridas e grossas." (Sousa, *Trat. Descr.*, 260)

tare'ira - (s.) - TRAÍRA, peixe de água doce da família dos caracídeos, com muitas variedades regionais, muito espinhoso e com dentes cortantes (D'Abbeville, *Histoire*, 247)

NOTA - Daí, **TRARIPE** (nome de rio da BA) (v. Rel. Top. e Antrop. no final).

TRAÍRA (fonte: Marcgrave)

tareriaîa (s.) - variedade de planta caparácea (*Cleome spinosa* L.) (Marcgrave, *Hist. Nat. Bras.*, 33)

tareroky (s.) - TAREROQUI, TAREROQUE, mata-pasto, arbusto da família das leguminosas (*Senna uniflora* (Mill.) H.S. Irwin & Barneby), de propriedades medicinais. "É grande remédio; serve para matar os bichos dos bois e porcos e para postemas." (Cardim, *Trat. Terra e Gente do Brasil*, 48; Marcgrave, *Hist. Nat. Bras.*, 10)

tarõaba - v. arõaba (t)

tarõana - v. arõana (t)

tarûaba - v. arûaba (t)

taruré (s.) - var. de lagarto grande (D'Evreux, *Viagem*, 207)

taryba - v. aryba (t)

tasapaba - v. asapaba (t)

tasapé - o mesmo que **atasapé** (v.) (Soares, *Coisas Not. Bras.* (ms. C), 2353-2355)

tasema

tasema – v. asema (t)

tasoka – v. asoka (t)

tasy – v. asy (t)

tasyaí (s.) – variedade de formiga grande e preta (Sousa, *Trat. Descr.*, 272)

tasyba (s.) – TACIBA, var. de formiga minúscula e avermelhada, inseto da família dos formicídeos cuja picada dolorida provoca uma coceira insuportável (D'Abbeville, *Histoire*, 256)

NOTA – Daí, **TACIBA** (nome de localidade de SP) (v. Rel. Top. e Antrop. no final).

tasybura (etim. – *taciba erguida*) (s.) – TACIBURA, variedade de formiga pequena, inseto da família dos formicídeos. "... Tem grande cabeça, tem dois corninhos nela; são pretas e mordem muito." É também chamada *formiga-lava-pés*. (Sousa, *Trat. Descr.*, 272)

tasypytanga (etim. – *taciba avermelhada*) (s.) – TACIPITANGA, variedade de formiga pequena, inseto da família dos formicídeos (Sousa, *Trat. Descr.*, 272)

tasysema (s.) – inseto himenóptero da família dos formicídeos. São formigas que "se criam nos mangues... as quais são pequenas e fazem ninho da terra nestas árvores". (Sousa, *Trat. Descr.*, 272)

tatá – v. atá (t)

tatã – v. atã (t)

tataeíra (etim. – *abelha de fogo*) (s.) – TATAÍRA, abelha da família dos meliponídeos, também chamada *caga-fogo* por picar forte, sendo muito agressiva (*VLB*, I, 55)

NOTA – Daí, **TATAÍRA** (nome de localidade de SP) (v. Rel. Top. e Antrop. no final).

tataendy[1] (etim. – *luz de fogo*) (s.) – chama, lume: *Tataendy-etá, asé apekũ abýare'yma anhõ osepîak.* – Viram somente muitas chamas, parecidas com as línguas da gente. (Ar., *Cat.*, 45)

tataendy[2] (etim. – *luz de fogo*) (s. astron.) – nome de uma estrela brilhante (D'Abbeville, *Histoire*, 319v)

tataendyuru (etim. – *recipiente de chama*) (s.) – candeeiro (*VLB*, I, 65)

Tatagûasu (etim. – *fogo grande*) (s. antrop.) – nome de índio tupi (D'Abbeville, *Histoire*, 183v)

tataîuba (s.) – TATAJUBA (v. **tataîyba**) (Brandão, *Diálogos*, 207)

tataîyba (etim. – *pau de fogo*) (s.) – **1)** TATAJUBA, TATAÚBA, árvore morácea (*Bagassa guianensis* Aubl.), de madeira amarela e frutos do tamanho de laranjas, também chamada AMOREIRA-**TATAÍBA**, ESPINHEIRO-BRANCO, **JATAÍBA**, **JATAÚBA**, MOREIRA, **TAGUAÚVA**, **TAÚBA**, **TUIJUBA** etc. Serviam-se os índios dessa árvore para fazer fogo, donde seu nome; **2)** o fruto dessa árvore (*VLB*, I, 34; 126; Marcgrave, *Hist. Nat. Bras.*, 119; 273)

tataka[1] (s.) – ato de tiritar; tremor (com o frio); (adj.: **tatak**) – tiritante; (xe) tiritar, tremer (com frio) (Anch., *Arte*, 14): *Xe rãîtatak.* – Meus dentes tiritam (isto é, batem com o frio). *Xe rembé-tatak.* – Meu beiço tirita. (*VLB*, I, 53)

tataka[2] (s.) – variedade de rã (Fig., *Arte*, 76)

tatãngatu – v. atãngatu (t)

tatapeîuaba (etim. – *instrumento de abanar o fogo*) (s.) – foles de ferreiro (*VLB*, I, 141)

tatapekûaba (s.) – TATAPECOABA, abano, abanador para fogo (*VLB*, I, 17)

tatapu'i (etim. – *pó de fogo*) (s.) – pólvora: *Ererupe tatapu'i setá?* – Trouxeste muita pólvora? (D'Evreux, *Viagem*, 246)

tatapuîasu (s.) – var. de sardinha (Lisboa, *Hist. Anim. e Árv. do Maranhão*, fl. 166v)

tatapyasyka (etim. – *carvão cortado*) (s.) – tição (*VLB*, II, 128)

tatapynha (ou **tatapyĩa**) (etim. – *ventas de fogo*) (s.) – brasa (acesa ou apagada) (*VLB*, I, 59); morrão de candeia; carvão: *Tatapynha n'oîabyî...* – As brasas não falham. (Anch., *Teatro*, 88); *Asapy tatapynha.* – Queimei carvão. (*VLB*, I, 68)

tatapynhapŷara (etim. – *o que queima carvão*) (s.) – carvoeiro (*VLB*, I, 68)

Tatapytera (etim. – *chupa-fogo*) (s. antrop.) – nome de índio tupi (Anch., *Teatro*, 130, 2006)

tatatinga – v. atatinga (t)

tata'u (etim. - *come-fogo*) (s.) - arcabuz: *Ererupe tata'u?* - Trouxeste arcabuzes? (D'Evreux, *Viagem*, 246)

tataupaba (etim. - *lugar de estar o fogo*) (s.) - lareira, fogão (Thevet, *Cosm. Univ.*, 915; *VLB*, I, 140)

bataûrana[1] (etim. - *falso fogo escuro*) (s.) - TATURANA, TATARANA, nome comum a lagartas de insetos lepidópteros que causam sensação urticante, de queimadura, quando tocam a pele; é também conhecida como *lagarta-de-fogo*: *Akó xe îubykarûera, tataûrana...!* - Esse é meu antigo enforcador, uma taturana... (Anch., *Teatro*, 62)

Tataûrana[2] (etim. - *falso fogo escuro*) (s. antrop.) - nome de índio tupi (Anch., *Teatro*, 64)

tatauru (etim. - *repositório de fogo*) (s.) - braseiro (*VLB*, I, 59)

tatau'uba[1] (etim. - *flecha de fogo*) (s.) - flecha incendiária com que se queimam as casas durante as guerras (*VLB*, I, 141)

tatau'uba[2] (etim. - *flecha de fogo*) (s.) - foguete, fogo de artifício (*VLB*, I, 141)

tataûyramirĩ (etim. - *pequeno pássaro de fogo*) (s.) - nome de um pássaro (D'Abbeville, *Histoire*, 238v)

tataûyraûasu (etim. - *grande pássaro de fogo*) (s.) - nome de um pássaro (D'Abbeville, *Histoire*, 239)

tata'yba[1] (etim. - *planta de fogo*) (s.) - TATAÚBA, árvore da família das moráceas (v. **bataîyba**) (Piso, *De Med. Bras.*, I, 151)

tata'yba[2] (etim. - *haste de fogo*) (s.) - fuzil, antiga peça de aço, feridor movediço que, nas armas de fogo, sendo percutido com força pela pederneira, fazia cintilar fogo que, caindo em uma pequena porção de pólvora, incendiava-a, produzindo a detonação e a explosão dos projéteis com que a arma estava carregada (*VLB*, I, 143)

taté[1] (interj.) - cuidado!: *Taté, taté, kunumĩ, na nde nupãî karaíba...* - Cuidado, cuidado, menino, para que não te castigue o homem branco. (Anch., *Poemas*, 194)

NOTA - Deve ter origem na interjeição *tate* do castelhano, que também existe em português.

taté[2] (posp.) - (para) outra pessoa que não; (para) outra parte que não, (para) outra coisa que não: *Aîme'eng mba'e xe ruba taté nhẽ.* - Dei coisas para outra pessoa que não a meu pai. (Anch., *Arte*, 40v); *Gûyrá taté u'uba sóû.* - Para outra coisa que não o pássaro a flecha foi. (Anch., *Arte*, 40v); *Ahẽ morapitîarûera taté nhẽ anhẽ ybŷá oîuká.* - Mataram, na verdade, a outra pessoa que não aquele assassino. (*VLB*, II, 12) ● **taté é** - fora de, a não ser em; muito longe de, fora ou ao revés do que é: *N'i aîarõî Îesu Cristo taté é te'õ suí i îepirapûana...* - Não parece bem fazer ele a defesa da morte fora de Jesus Cristo... (Ar., *Cat.*, 4); *I taté é* (ou *I taté-taté é*). - Fora disso. Longe disso. Ao contrário disso. Tudo menos isso. (*VLB*, II, 51)

tatĩapyra (s.) - entrada de lugar povoado, onde começam as casas (*VLB*, I, 119)

tatobapy (s.) - 1) entrada de lugar povoado, onde começam as casas (*VLB*, I, 119); 2) fronteira (de territórios) (*VLB*, I, 144) ● **tatobapyygûara** - habitante de fronteira (*VLB*, I, 144)

tatu (s.) - TATU, nome comum a mamíferos desdentados da família dos dasipodídeos, com muitos gêneros e espécies diferentes. Têm o corpo coberto por uma couraça, formada por placas justapostas. Vivem em galerias abertas no chão. Têm de 4 a 6 filhotes em cada ninhada, em que todos eles têm o mesmo sexo. Têm hábitos noturnos. (D'Abbeville, *Histoire*, 96v; Marcgrave, *Hist. Nat. Bras.*, 231; Cardim, *Trat. Terra e Gente do Brasil*, 28)

NOTA - Daí, **TATUAPÉ** (nome de bairro de São Paulo, SP); **TATUOCA** (localidade do PA) etc. (v. Rel. Top. e Antrop. no final).

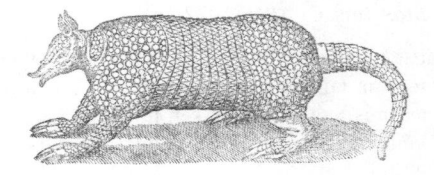

TATU (fonte: Marcgrave)

tatuapara (etim. - *tatu curvo*) (s.) - TATUAPARA, APARA, APAR, tatu-bola, mamífero da família dos dasipodídeos, que se encurva por ocasião de perigo, ficando como uma perfeita bola (Marcgrave, *Hist. Nat. Bras.*, 232)

tatueté

TATUAPARA (fonte: Marcgrave)

tatueté (etim. – *tatu verdadeiro*) (s.) – TATUE-TÊ, TATU-VERDADEIRO, TATU-GALINHA, TATU-DE-FOLHA, nome de um animal mamífero desdentado da família dos dasipodídeos (Marcgrave, *Hist. Nat. Bras.*, 231)

tatugûaxima (s.) – espécie de TATU, animal mamífero desdentado da família dos dasipodídeos (Soares, *Coisas Not. Bras.* (ms. C), 1069-1072)

tatu'i (etim. – *tatuzinho*) (s.) – TATUÍ, animal mamífero desdentado da família dos dasipodídeos, *Dasypus septemcinctus*, conhecido também como TATU-GALINHA PEQUENO, TATU-MULITA, TATU-MIRIM. Ocorre na Colômbia, Venezuela e Brasil. (Monteiro, *Rel. da Prov. do Brasil*, in Leite, *Hist.*, VIII, 420)

tatumirĩ (etim. – *tatu pequeno*) (s.) – variedade de TATU de tamanho pequeno (v.) (Sousa, *Trat. Descr.*, 251)

tatupeba (etim. – *tatu achatado*) (s.) – TATUPEBA, TATUPOIÚ, TATU-CASCUDO, mamífero desdentado da família dos dasipodídeos, que aparece em todo o Brasil, tendo seis cintas de placas móveis no corpo (Marcgrave, *Hist. Nat. Bras.*, 231; Sousa, *Trat. Descr.*, 252)

tatupebusu (etim. – *grande tatu achatado*) (s.) – var. de TATU, mamífero desdentado da família dos dasipodídeos (Soares, *Coisas Not. Bras.* (ms. C), 1069-1072)

taturama (s.) – TATURANA, inseto himenóptero da família dos vespídeos. "... Criam nas árvores altas, fazendo seu ninho de barro ao longo do tronco delas..." (Sousa, *Trat. Descr.*, 240)

taturana – o mesmo que **taturama** (v.) (*VLB*, I, 55)

tatuûasu (etim. – *tatu grande*) (s.) – TATUAÇU, variedade de tatu de tamanho avantajado, mamífero da família dos dasipodídeos. "Mantêm-se de frutas silvestres e minhocas, andam devagar e, se caem de costas, têm trabalho para se virar." (Sousa, *Trat. Descr.*, 251)

tatu'uba – v. **atu'uba (t)**

taty (s. – só usado em compos.) – esposa: ... *Ta'y-taty abé.* – E também as esposas de seus filhos. (Ar., *Cat.*, 41v)

tatybe'yma (etim. – *sem ocorrência de aldeias*) (s.) – ermo (*VLB*, I, 121); lugar despovoado (*VLB*, I, 100)

taûató – o mesmo que **tagûató** (v.)

taûato'i – o mesmo que **tagûato'i** (v.) (D'Abbeville, *Histoire*, 233)

Taúba (s. antrop.) – nome de entidade da cosmologia dos antigos índios tupis habitantes da costa do Brasil (*VLB*, I, 102)

Taubymana (etim. – *o antigo Taúba*) (s.) – nome de entidade sobrenatural da cosmologia dos antigos tupis da costa (Marcgrave, *Hist. Nat. Bras.*, 278)

taûgûapé (s.) – nome de um peixe (Lisboa, *Hist. Anim. e Árv. do Maranhão*, fl. 174)

taûîé (adv.) – logo, depressa, rapidamente: *Aîmbiré, îarasó muru taûîé...* – Aimbirê, levemos os malditos logo. (Anch., *Teatro*, 40); *Ne'ĩ, taûîé i aîubyka!* – Eia, enforca-os logo! (Anch., *Teatro*, 60); *T'asepîak taûîé!* – Que as veja logo. (Léry, *Histoire*, 345); *Xe py'a xe 'anga eîar nde mba'eramo taûîé.* – Toma logo meu coração e minha alma como coisas tuas. (Valente, *Cantigas*, II, in Ar., *Cat.*, 1618) ● **taûîé bé** – logo mais (Fig., *Arte*, 128)

taûpé[1] (s. voc. de h.) – minha senhora! senhora! (Anch., *Arte*, 14v)

taûpé[2] (s. voc. de h. e m.) – mana! (como diz um homem a uma mulher ou uma mulher a outra, por modo de reverência e acatamento) (*VLB*, II, 30)

taûsuba – v. **aûsuba (t)**

taûsupara – v. **aûsupara (t)**

taŷaíba (ou **taŷgaíba**) (s.) – terribilidade (*VLB*, II, 127); coragem; força: *Oîkó bé xe taŷaíba.* – Minha coragem ainda existe. (Anch., *Teatro*, 22); *Xe 'anga taŷaíba...* – Força de minha alma. (Valente, *Cantigas*, VIII, in Ar., *Cat.*, 1618); (adj.: **taŷaíb** ou **taŷgaíb**) – terrível, corajoso, forte: *Xe taŷgaíb.** – Eu sou terrível. (*VLB*, II, 127)

*OBSERVAÇÃO – Era como os índios se chamavam quando se consideravam grandes e bravos guerreiros (D'Abbeville, *Histoire*, 293v).

ta'ynha – v. **a'ynha (t)**

ta'yra – v. **a'yra (t, t)**

ta'ysé – v. **a'ysé (t)**

tayty – v. **ayty (t)**

-te?[1] (part.) – **1)** pois? porventura? por acaso? mas? (Negando, como quando se diz: *Porventura ele foi?*, sabendo-se que não foi.) (*VLB*, II, 82): *Abá-tepe osó?* – Quem foi, pois? (como que perguntando: *Não foi ninguém?*) (Anch., *Arte*, 36); *Asó-tepe ixé?* – Fui eu, pois? (como que dizendo: *Eu não fui.*); *Osó ruã-tepe é?* – Foi, porventura? (Anch., *Arte*, 36); **2)** (expressa admiração) então?: *Osó-tepe ra'e é?* – Então foi? (Anch., *Arte*, 36)

-te[2] (part.) – **1)** mas, no entanto: *Abá-tepe erimba'e, pe mba'erama resé apŷaba me'enga'ubi?* – Mas quem entregou os índios como coisas vossas? (Anch., *Teatro*, 28); *A'e-te kaũĩ pûaîtara...* – Mas são eles os que mandam fazer cauim. (Anch., *Teatro*, 34); *Pero-te t'osó.* – Mas que vá Pero. (*VLB*, I, 36); *... Oré pysyrõ-te îepé mba'e-aíba suí.* – Mas livra-nos tu das coisas más. (Ar., *Cat.*, 13v); **2)** por outro lado, ao contrário, em vez disso, não obstante, contudo: *Xe-te, xe rembiá-potá sabeypora amõ resé.* – Eu, em vez disso, quero presas em alguns bêbados. (Anch., *Teatro*, 150, 2006); – *A'epe a'e kunhã n'onherani?* – *Oîmbory-te...* – E aquelas mulheres não resistem? – Ao contrário, comprazem-se com eles. (Anch., *Teatro*, 154, 2006); *Reîamo ereîkó tenhẽ, setá tenhẽ nde boîá, xe-te t'oroporaká...* – Apesar de que sejas rainha, apesar de que sejam muitos os teus servos, eu, não obstante, pesco para ti. (Anch., *Poemas*, 152)

-te[3] (part.) – como (no sentido de *quão intensamente, quão grandemente*): *Aîpotá-te kûe kunhã-mendara mã!* – Ah, como desejo aquela mulher casada! (Anch., *Doutr. Cristã*, II, 101); *Xe moaîu-te i nema mã!* – Ah, como me importuna o fedor dele! (Anch., *Teatro*, 8)

-te[4] (part.) – não... senão, não faz senão...: *Peró-te.* – Não é (outro) senão Pedro. *Kó ygara ruri. Osó-te.* – Cá vem um barco. Não faz senão ir. (*VLB*, II, 47); *T'îaîkuá-te Tupã, îandé mo-nhangagûera...* – Que não conheçamos senão a Deus, nosso criador. (Ar., *Cat.*, 167) • **-te nakó** – mas antes (*VLB*, II, 32)

té[1] (adv.) – enfim, finalmente; até que enfim, eis que (quando se conta alguma coisa) (*VLB*, I, 109; 111): *Té osyka.* – Enfim chegou. (Anch., *Arte*, 57); *Îandé té t'îabebé Tupãrorypápe nhẽ...* – Nós, enfim, havemos de voar para o paraíso. (Anch., *Teatro*, 186, 2006) ... *Kó té mi'u-eté...* – Eis que este é o pão verdadeiro. (Ar., *Cat.*, 85); *Té ixé gûixóbo.* – Eis que eu vou. (*VLB*, I, 109) • *té... ko'yté* – finalmente: *Té ahẽ serasóbo ko'yté.* – Finalmente ele a levou. (*VLB*, I, 139); *Tépe?* – E finalmente? (*VLB*, I, 139); E enfim? (Como quem diz: *acaba o que estavas contando.*) (*VLB*, I, 111)

té[2] (interj.) – ah! oh! eta! (expressa prazer, satisfação): *Té, xe resemõ toryba...* – Ah, sobra-me alegria. (Anch., *Teatro*, 10); *Té, aûîé-katutenhẽ!* – Ah, excelente! (Anch., *Teatro*, 24); *Té, aûîé nipó!* – Oh, muito bem! (Léry, *Histoire*, 341); *Té, temõ oú mã!* – Oh, oxalá viesse! (Anch., *Arte*, 57)

té[3] (s.) – diferença, mudança; desfiguramento; (adj.) – desfigurado; diferente, mudado (*VLB*, I, 93): *Xe té xe té.* – Eu estou muito desfigurado. (*VLB*, I, 99); *I te i té xe robá.* – Está muito desfigurado meu rosto. (*VLB*, I, 99)

te[4] – v. **e**[9] **(t)**

tebira – v. **ebira (t)**

Tebiresá (etim. – *olho das nádegas*) (s. antrop.) – **TEBIRIÇÁ, TEBIREÇÁ, TIBIRIÇÁ**, nome de índio tupi, de famoso chefe de Piratininga, que muito auxiliou os portugueses nos primeiros tempos da vila de São Paulo (Vasconcelos, *Crônica (Not.)* I, §158, 256)

tebiró (etim. – *tapa-bunda* < *tebir* + *'o*) (s.) – sodomita, homossexual passivo. Termo conhecido indiretamente pelo topônimo quinhentista **ACAJUTIBIRÓ** (PB) (v. Rel. Top. e Antrop. no final) (v. tb. **tebira**).

NOTA – Tal termo estava presente nas línguas gerais coloniais: *[...] Disse: – vai-te já, já daqui, patife – Equen uan yke cui **tibiró**.* (Pe. João Daniel [1757], 223).

teburusu – v. **eburusu (t)**

teé (part.) – próprio: *Xe mba'e teé.* – Minhas próprias coisas. (*VLB*, II, 88); *Amanõ teé.* –

te'e

Morro eu próprio (isto é, sem que me matem). (*VLB*, II, 42)

te'e (adv.) – sem razão, sem causa, sem motivo, à toa, em vão, por engano, por erro, por modo diverso. Com o verbo '**i** / '**é** como auxiliar significa *não é à toa que, por isso mesmo, por essa causa mesma, não por outra razão* (seguindo-se o verbo principal no gerúndio): *Nd'a'éî te'e gûixóbo*. – Por isso mesmo vou (lit., não estou indo sem razão). (Fig., *Arte*, 161); *Nd'e'i te'e moxy onhana...* – Por isso mesmo as malditas correm. (Anch., *Teatro*, 128); *Nd'e'i te'e omanõmo.* – Por essa causa mesma morreu. (Fig., *Arte*, 161)

te'ẽ – v. **e'ẽ (t)**

tegûama (etim. – *futura causa de morte*) (s.) – veneno; peçonha; (adj.: **tegûam**) – peçonhento; (**xe**) ter peçonha (como cobra etc.): *Xe tegûam.* – Eu tenho peçonha. (*VLB*, II, 69)

tegûyrõ – v. **egûyrõ (t)**

te'ĩ (interj. que expressa espanto. Leva a part. **mã** no final do período.) – que! quanto! que grande! (*VLB*, II, 91): *Te'ĩ pirá mã!* – Oh, que peixe! (ou Oh, quanto peixe!); *Te'ĩ kó ahẽ mã!* – Oh, que fulano este! (*VLB*, II, 57)

te'ĩé (part.) – pelo menos: *Asó-potá ixé te'ĩé.* – Eu, pelo menos, quero ir. (*VLB*, I, 30); *Ixé te'ĩé.* – Pelo menos eu. (*VLB*, I, 131)

teîké – v. **eîké (t)**

teîkeaba (etim. – *lugar de entrar*) (s.) – porta (Fig., *Arte*, 61)

teîkûara – v. **eîkûara (t)**

teîkûaratĩ (etim. – *extremidade de nádegas*) (s.) – rabo de tiro, como de certas armas de fogo antigas (*VLB*, II, 95)

teîkûare'ẽ (etim. – *sesso doce*) (s.) – nome de uma ave (Brandão, *Diálogos*, 230)

teîkûare'yma (etim. – *sem ânus*) (s.) – var. de caramujo (*VLB*, I, 66)

teîkûarugûy – v. **eîkûarugûy (t)**

teîkûatatina (etim. – *ânus fumegante*) (s.) – nome de uma pequena lombriga (*VLB*, II, 24)

te'inhẽ (part.) (Leva o verbo para o gerúndio ou para o permissivo.) – deixa, deixai, deixar, deixa isso (Fig., *Arte*, 135): *Te'inhẽ osóbo.* – Deixa-o ir. (Fig., *Arte*, 162); *Te'inhẽ oupa.* – Deixai-os estar deitados. (*VLB*, I, 92); *Te'inhẽpe oîkóbo ká* (ou *Te'inhẽne oîkóbo ká*). – Hei de deixá-lo estar. (*VLB*, I, 92); *Te'inhẽ t'orosóne.* – Deixai que vamos. (Fig., *Arte*, 160); *Te'inhẽ t'osó.* – Deixa que vá. (Anch., *Arte*, 56v)

teînhẽa (ou **tenhẽa**) (s.) – fábula (Fig., *Arte*, 76); lorota, bravata, patranha (*VLB*, II, 68), ficção: *Tenhẽngatupabẽ osykyî i xupé.* – Muitíssimas lorotas invocaram contra ele. (Anch., *Diál. da Fé*, 180); (adj.: **tenhẽ**) – fictício, vão: *îerobîá-tenhẽa* – glória vã (*VLB*, I, 148); *nhe'ẽ-tenhẽa* – palavras vãs (*VLB*, II, 54)

teîpó (conj.) – finalmente, enfim (Fig., *Arte*, 148) (Leva o verbo para o gerúndio.): *... Teîpó yby oîe'apa, i mokona, ... teîpó Anhanga irũnamo i angaîpaba'e osóbo...* – Finalmente abre-se a terra engolindo-os, finalmente com o diabo vão os que pecam. (Ar., *Cat.*, 162v)

te'ĩra'umã (interj. de espanto) – que grande! (*VLB*, II, 91)

teîteî (s.) – TEITEI, TIETÊ, TEM-TEM, pássaro da família dos traupídeos. É pássaro pequeno, de belo canto e de cores ornamentais. (Marcgrave, *Hist. Nat. Bras.*, 212)

te'itenhẽumẽ (part.) – que se guarde de, que se abstenha de (aconselhando ou ameaçando); que não aconteça de; para que não aconteça. Somente é empregado com a 3ª pessoa. (Fig., *Arte*, 135): *Te'itenhẽumẽ ahẽ onhe'enga.* – Que se guarde fulano de falar. (*VLB*, I, 151); *Te'itenhẽumẽ mba'e amõ nde motekokuabe'yma...* – Que não aconteça de algo te deixar ignorante. (Ar., *Cat.*, 157v); *Te'itenhẽumẽ ahẽ aîpó o'îabo.* – Que se abstenha ele de dizer isso. (*VLB*, II, 47)

teîú (s.) – TEIÚ, TEJU, TIÚ, TIJU, nome genérico para os lagartos, répteis lacertílios da família dos teídeos (D'Evreux, *Viagem*, 207; *VLB*, II, 17)

teîugûasu (ou **teîuûasu**) (etim. – *teju grande*) (s.) – TEIUAÇU, réptil lacertílio da família dos teídeos, o maior lagarto do Brasil, que pode atingir cerca de 2 metros de comprimento. Sua carne é muito saborosa e sua pele tem grande preço. (D'Abbeville, *Histoire*, 248v; Marcgrave, *Hist. Nat. Bras.*, 237; *VLB*, II, 17)

NOTA – Daí, **TEJUÇUOCA** (nome de localidade de SP) (v. Rel. Top. e Antrop. no final).

teîunhana (etim. - *teju corredor*) (s.) - espécie de lagarto da família dos teídeos (Marcgrave, *Hist. Nat. Bras.*, 238)

TEÎUNHANA (fonte: Marcgrave)

teîupara (s.) - TEJUPÁ, choupana para abrigo durante viagens; o mesmo que **te'yîupaba** (v.) (Sousa, *Trat. Descr.*, 321)

tekatu[1] (adv.) - muito: ... *I nhe'enga abŷabo-tekatu, i momburûabo...* - Suas palavras transgredindo muito, amaldiçoando-o. (Ar., *Cat.*, 85v)

tekatu[2] (part.) - todo: *Og ugûy-tekatu... i mo'ẽ-uká...* - Todo seu sangue fazendo derramar. (Ar., *Cat.*, 43)

tekatu[3] (adv.) - de verdade: ... *o moîangara tekatu...* - seu criador de verdade (Ar., *Cat.*, 88v)

tekatueté[1] (ou **tekatunheté**) (interj.) - que atrevido! que enfadonho!: *Tekatueté mã!* - Ah, que atrevido! (*VLB*, II, 123); *Tekatunheté kó ahẽ mã!* - Ah, que atrevido é esse fulano! (*VLB*, II, 118); *Tekatunheté rakûê endé hegûy!* - Ai, que enfadonho és tu, de fato! (*VLB*, II, 54)

tekatueté[2] (adv.) - 1) muitíssimo: *I abaeté-tekatueté Tupã... pópe abá 'ara.* - É muitíssimo terrível cair o homem nas mãos de Deus. (Ar., *Cat.*, 159v); 2) totalmente; verdadeiramente: *Emonã-tekatuetépe... nde 'eagûera nd'ereîmopori?* - Assim, verdadeiramente, não cumpriste o que disseste? (Ar., *Cat.*, 111v)

tekatueté[3] (ou **tekatunheté** ou **tekatuete'ĩ**) (part.) - que pena que...! ai de! (acompanhada de **mã** no final do período): *Omanõ tekatunheté xe ruba mã!* - Oh, que pena que meu pai morreu! (*VLB*, II, 54); *Ixé tekatuete'ĩ ra'u, Anhanga ratá aîporará aûîeramanhẽne mã...!* - Ah, ai de mim, o fogo do diabo sofrerei para sempre! (Ar., *Cat.*, 161)

tekatunhẽ[1] (adv.) - muito; muitíssimo: *Gûy i katu-tekatunhẽ kaûîtatá.* - Oh! É muito boa a aguardente! (D'Evreux, *Viagem*, 364); *Aîmomba'eté-tekatunhẽ.* - Honrei-o muitíssimo. (*VLB*, I, 113)

tekatunhẽ[2] (adv.) - até mesmo: *Xe aká tekatunhẽ.* - Até mesmo gritou comigo. (*VLB*, I, 46)

tekatunheté - v. tekatueté

teké (part.) - olha que te aviso! (que faças ou não faças algo). Acrescenta-se aos verbos e faz a negação com **umẽ** - v. (*VLB*, II, 55-56)

tekehẽ - o mesmo que **teké** (v.)

tekenhandu - o mesmo que **teké** (v.)

tekenhanduruã (ou **tekenhanduruãhẽ**) (part.) - olha que te aviso! guarda-te de... Junta-se aos verbos e faz a negação com **umẽ**. (*VLB*, II, 55-56): *Erasó umẽ tekenhanduruã!* - Não o leves; olha que te aviso! (*VLB*, I, 151)

tekó - v. ekó (t)

tekoaba - v. ekoaba (t)

tekoaíba - v. ekoaíba (t)

tekoara - v. ekoara (t)

tekoaraíba (etim. - *o que mora mal*) (s.) - homiziado, fugitivo (Anch., *Arte*, 14)

tekoaraibora (s.) - fugitivo (Fig., *Arte*, 77); homiziado, o que anda embrenhado pelos matos; (adj.: **tekoaraibor**) (xe) - homiziar-se, viver fugido: *Xe tekoaraibor gûitekóbo.* - Eu estou-me homiziando, eu estou vivendo fugido. (*VLB*, I, 140)

tekoate'yma - v. ekoate'yma (t)

tekobé - v. ekobé (t)

tekobîara - v. ekobîara (t)

tekoeté - v. ekoeté (t)

tekokatu - v. ekokatu (t)

tekokuaba (ou **tekokugûaba**) (etim. - *conhecimento dos fatos*) (s.) - prudência; sabedoria, entendimento, conhecimento, compreensão, juízo, saber natural [à diferença de **mba'ekuaba** (v.), que é o saber adquirido], instinto natural, razão. (Neste termo, o **t-** é forma fixa e não um prefixo de relação. Ele nunca é substituído por **r-** ou **s-**.): *Xe tekokuaba opá amokanhem.* - Meu entendimento todo fiz desaparecer. (Anch., *Poemas*, 106); (adj.: **tekokuab** ou **tekokugûab**) - ajuizado, entendido, que tem discernimento, prudente, sábio: *abá-tekokugûá-katu* - homem muito entendido (*VLB*, I, 48); (xe) saber, ser conhecedor (das coisas): *Na xe tekokuabi.* - Eu não sei (sou ignorante). (*VLB*, II, 48); *Anhẽ, n'i tekokuabi...* - Na verdade, não são conhecedores das coisas. (Anch., *Teatro*, 38)

tekokuabar

tekokuabar (xe) (etim. – *tomar conhecimento dos fatos*) (v. da 2ª classe) – voltar à razão, retomar o juízo, recuperar o bom senso: *Xe tekokuabar.* – Eu retomei o bom senso. (*VLB*, II, 133)

tekokuabe'yma (ou **tekokugûabe'yma**) (etim. – *falta de conhecimento dos fatos*) (s.) – **1)** ignorância (*VLB*, II, 8); falta de entendimento; parvoíce (*VLB*, II, 48); **2)** o ignorante, o bruto, o que não sabe nada; o sem juízo, o desatinado (*VLB*, I, 60) (Neste termo, o **t** é forma fixa e não um prefixo de relação. Ele nunca é substituído por **r-** ou **s-**.); (adj.: **tekokuabe'ym** ou **tekokugûabe'ym**) – ignorante, desatinado, parvo: *abá-tekokuabe'yma* – homem ignorante (*VLB*, II, 8); *nhe'ẽ-tekokugûabe'yma* – palavras desatinadas (*VLB*, I, 96); *O tekokuabe'ym*amo *nhẽ emonã xe rerekóû...* – Sendo ignorantes, sem mais, assim me tratam. (Ar., *Cat.*, 63); *abá-tekokuabe'ym*usu – homem parvoeirão, ignorantão (*VLB*, II, 66) ● **i tekokuabe'ymba'e** – o que é ignorante: *I tekokuabe'ymba'e motekokuaba.* – Instruir os que são ignorantes. (Ar., *Cat.*, 18v)

tekokuapara (etim. – *o que conhece os fatos*) (s.) – juiz, chefe: *... Cristãos i mongaraibypyra tekokuaparamo Cristo remieîara...* – O que Cristo deixa como chefes dos cristãos batizados. (Ar., *Cat.*, 6-6v)

tekomemûã – v. ekomemûã (t)

tekomonhangaba – v. ekomonhangaba (t)

tekopotasaba – v. ekopotasaba (t)

tekopoxy – v. ekopoxy (t)

tekori (adv.) – depois: *Sesé nde nhemomotaragûera ranhẽ t'ereîmombe'u; mendasara resendûara tekori.* – Hás de confessar primeiro tua atração por eles. O que diz respeito aos casados, depois. (Ar., *Cat.*, 103v)

tekotebẽ – v. ekotebẽ (t)

tekotenhẽ – v. ekotenhẽ (t)

temapara (s.) – TEMAPARA, réptil lacertílio da família dos iguanídeos (Marcgrave, *Hist. Nat. Bras.*, 237)

tembé – v. embé (t)

tembekûaritá (etim. – *pedra do buraco do beiço*) (s.) – pedra usada como enfeite nas bochechas pelos índios homens (Marcgrave, *Hist. Nat. Bras.*, 271)

tembe'yba – v. embe'yba (t)

tembiara – v. embiara (t)

tembiarirõ – v. embiarirõ (t)

tembi'u – v. embi'u (t)

tembyra – v. embyra (t)

temiaûsuba – v. emiaûsuba (t)

temimbaba – v. emimbaba (t)

temimbo'e – v. emimbo'e (t)

temiminó (ou **temiminõ**) (etim. – *os netos*) (s. etnôn.) – TEMIMINÓ, TIMIMINÓ, nome de nação indígena que falava a língua brasílica; indígena da tribo dos temiminós, do Espírito Santo (Cardim, *Trat. Terra e Gente do Brasil*, 122): *Kó temiminó-poxy îandé rekó ogûeroŷ rõ...* – Esses temiminós malvados nossa lei detestam... (Anch., *Teatro*, 16)

> OBSERVAÇÃO – Os temiminós do Espírito Santo deviam considerar-se geneticamente relacionados aos tamoios do Rio de Janeiro: com efeito, se o significado do termo **temiminó** é *neto*, o de **tamoio** é *avô*...

temiminõ – v. emiminõ (t)

temimondó – v. emimondó (r, s)

temimonhanga – v. emimonhanga (t)

temimotara – v. emimotara (t)

temindypyrõ – v. (e)mindypyrõ (r, s)

temirekó – v. emirekó (t)

temirekó-membyra – v. emirekó-membyra (t)

temityma – v. emityma (t)

temiuru – v. emiuru (t)

temõ (part. usada com o optativo. É acompanhada geralmente por **mã** ou **mûã** no final do período.) – oxalá, quem me dera, que bom seria se: *Asó temõ ybakype mã!* – Ah, quem me dera eu fosse para o céu! (Anch., *Arte*, 24); *Ogûerasó temõ sapy'a ybakype Tupana xe ruba mã!* – Oxalá Deus levasse logo a meu pai para o céu! (Fig., *Arte*, 99); *Ikatupe nhẽ temõ mûã!* – Oxalá ela estivesse nua! (Ar., *Cat.*, 72); *Anhẽ temõ turi mã.* – Oxalá ele viesse, de fato. *Anheté temõ!* – Oxalá fosse verdade! (*VLB*, II, 59); *Apûar temõ sesé mã!* – Ah, quem me dera bater nele! (Ar., *Cat.*, 101v); *Asó temõ kori ahẽ* *irũmo mã!* – Ai, quem me dera ir com ele hoje! (*VLB*, II, 94)

temo'emiîara – v. emo'emiîara (t)

temone[1] (part. que indica o modo optativo. Leva o verbo para o gerúndio. Pode ser acompanhada por -*mo* no final do período.) – oxalá (*VLB*, II, 53); ah se... (*VLB*, II, 59): *Temone a'ereme osykamo* – Oxalá chegasse então. (Anch., *Arte*, 57); *Temone ko'yr Anhanga ratá pora, abá amõ opu'ama iké îandé re'yîpemo...* – Oxalá agora alguma pessoa, habitante do fogo do inferno, levantasse aqui na nossa multidão. (Ar., *Cat.*, 165v); *Temone xe gûixóbo...* – Ah, se eu fosse... (Fig., *Arte*, 143)

temone[2] (part. que expressa obrigação, dever, probabilidade) – dever: *Asó temonemo.* – Deveria ir. (Anch., *Arte*, 25); *Kori temone asómo.* – Hoje eu deveria ir. (Anch., *Arte*, 25); *"Penhemoma'enduá te'õ resé", e'i temone i nhe'enga.* – *"Lembrai-vos da morte"*, deverão dizer suas palavras. (Ar., *Cat.*, 156v); *Ahẽ ranhẽ temonemo.* – Deveria ser ele, primeiro. (*VLB*, II, 64)

Temoti (s.) – nome de entidade sobrenatural da cosmologia dos antigos tupis da costa (Marcgrave, *Hist. Nat. Bras.*, 278)

ten (adv.) – com firmeza, de modo fixo (p.ex., como o prego): *Ten e'i.* – Mostra-se com firmeza, está fixo. (Anch., *Arte*, 57); *Ten amo'e.* – Faço-o ficar com firmeza. (Anch., *Arte*, 57); *Xe ypy ten.* – Eu estou com a base com firmeza. (*VLB*, I, 140)

tenangupy – v. enangupy (t)

tenanhẽ (part.) – ainda mais, tanto mais (*VLB*, I, 28)

tendaba – v. endaba (t)

tendy – v. endy (t)

tendybá – v. endybá (t)

tendybaaba – v. endybaaba (t)

tendybagûyaîa – v. endybagûyaîa (t)

tendybagûyra – v. endybagûyra (t)

tendybangã – v. endybangã (t)

tendypy'ã – v. endypy'ã (t)

tendyra – v. endyra (t)

tendysyryka – v. endysyryka (t)

-tene[1] (part.) – ainda mais, mais ainda, tanto mais, mas (*VLB*, I, 36); mas antes (*VLB*, II, 32): *Ixé-tene...* – Ainda mais eu... (*VLB*, I, 28); *Ybaka porá-tene... sory-porang...* – Os habitantes do céu, mais ainda, estão bem felizes. (Ar., *Cat.*, 123, 1686); *Xe-tene asó.* – Mas antes eu vou. (Fig., *Arte*, 143)

-tene[2] (part.) – enfim, finalmente (quando se conta alguma coisa) (*VLB*, I, 109; Fig., *Arte*, 148): *Aîpoba'e-tene n'oîabyî mboîa.* – Esse, enfim, não é diferente da cobra. (Ar., *Cat.*, 108v); *Nde nhyrõ-tene xébo...* – Tu, finalmente, perdoa a mim. (Ar., *Cat.*, 11-12, 1686)

tenhẽ[1] (adv.) – **1)** em vão, debalde, à toa, sem resultados, sem motivos, sem razão, de graça, por engano: *Oú tenhẽ xe pe'abo...* – Vêm em vão para me afastar. (Anch., *Teatro*, 8); *T'asendu tenhẽ...* – Hei de ouvir em vão... (Anch., *Teatro*, 34); *Agûatá-gûatá tenhẽ.* – Fico andando à toa. (*VLB*, II, 140); *Îandé ramŷîa remiepîá-potá tenhẽ our é.* – O que nossos avós quiseram ver, sem resultado, veio mesmo. (Léry, *Histoire*, 356); *Aîme'eng tenhẽ.* – Dei-o de graça. (*VLB*, I, 105); *Aîuruîuba mokaba ogûeru tenhẽ...* – Os franceses trouxeram pólvora em vão. (Anch., *Teatro*, 52); *Ereîar tenhẽpe abá mba'e amõ...?* – Tomaste, sem razão, alguma coisa de alguém? (Anch., *Doutr. Cristã*, II, 99)
• **marã... 'é-tenhẽ** (ou **marã... 'é-tenhẽ-tenhẽ** ou **'é tenhẽ-tenhẽ marã**) – dizer ociosidades, falar parvoíces, asneiras (*VLB*, II, 54): *A'é tenhẽ marã gûi'îabo.* – Dizendo, digo asneiras (isto é, quando digo algo, digo asneiras). (*VLB*, II, 54)

tenhẽ[2] (conj.) – ainda que, não importa que, apesar de que: *Reîamo ereîkó tenhẽ, setá tenhẽ nde boîá, xe-te t'oroporaká...* – Apesar de que sejas rainha, apesar de que sejam muitos os teus servos, eu, não obstante, pesco para ti. (Anch., *Poemas*, 152)

tenhẽ[3] (adv.) – mesmo, antes do que imaginas, de fato, muitíssimo: *Og uba îakatu tenhẽpe asé i moetéû?* – A gente o honra mesmo como a seu próprio pai? (Ar., *Cat.*, 82); *Setá tenhẽ erimba'e opab aîpó 'îarûera...* – Eram muitos, mesmo, todos os que diziam isso. (Ar., *Cat.*, 157v); *...I mara'a tenhẽ...* – Eles estarão muitíssimo doentes. (Ar., *Cat.*, 161); *A'e tenhẽ nde nupãmone.* – Vou mesmo castigar-te. (*VLB*, II, 110)

tenhẽ[4] (part. que indica permissão) – deixa que, deixai que: *T'asó sa'anga tenhẽ...* – Deixa que eu vá para tentá-los. (Anch., *Teatro*, 20)

tenhẽ⁵

tenhẽ⁵ (adv.) - injustamente (*VLB*, II, 12); indevidamente (*VLB*, II, 11)

tenhẽa - o mesmo que **teînhẽa** (v.)

tenhengatupabẽ¹ (adv.) - em vão, debalde (*VLB*, I, 90)

tenhengatupabẽ² (adv.) - muito injustamente (*VLB*, II, 12); indevidamente (*VLB*, II, 11)

tenhenhẽ (adv.) - ociosamente, sem porquê (*VLB*, II, 54)

tenhunhanha (s.) - espécie de lagarto; o mesmo que **teîunhana** (v.) (*VLB*, II, 17)

tenipó (conj.) - mas antes (*VLB*, II, 32): ... *Opá yby rupi te'õmbûera rekobé-îebyri ko'yténe. Oîkoé-koé tenipó o îosuí: i angaturamba'e reté i pokangatu kûarasy sosé oberapa...* - Por toda a terra os cadáveres voltarão a viver, enfim; mas, antes, estarão diferindo uns dos outros: os corpos dos que são bons serão sutis, brilhando mais que o sol. (Ar., *Cat.*, 160v-161)

tenondé¹ (adv.) - adiante, para a frente: *Akûabĩ tenondé.* - Segui adiante. (*VLB*, II, 14)

tenondé² - v. enondé (t)

tenondeara - v. enondeara (t)

tenotara - v. enotara (t)

te'õ - v. e'õ (t)

te'õmbûera - v. e'õmbûera (t)

tepenhandaba - v. epenhan (s)

tepîaka'uba - v. epîaka'uba (t)

tepiti (s.) - TIPITI, cesto feito de folhagem de palmeira para tirar o suco de raízes já raladas; prensa (Staden, *Viagem*, 141); espremedor de mandioca (*VLB*, I, 127) (o mesmo que **tapeti²** - v.)

NOTA - Há, no P.B. (S, pop.), a expressão NO TIPITI, *em dificuldades, em apuros.*

TIPITI (fonte: Instituto Socioambiental)

tepoti - v. epoti (t)

tepy - v. epy (t)

tera - v. era (t)

terapûana - v. erapûana (t)

tera'umo (part.) - ah se! vamos ver se! que bom seria se! (Leva o verbo para o gerúndio.): *Tera'umo oú!* - Vamos ver se vem! (Anch., *Arte*, 57)

tera'ute (part.) - ah se! vamos ver se! que bom seria se! (Leva o verbo para o gerúndio.): *Tera'ute oú.* - Ah, se viesse! (Anch., *Arte*, 57); *Tera'ute xe gûixóbo!* - Que bom seria se eu fosse! (Fig., *Arte*, 163)

tere'ira (s.) - traíra, o mesmo que **tare'ira** (v.)

terekoara - v. erekoara (t)

terematẽ (s.) - planta da família das asteráceas, do gênero *Vernonia* (Marcgrave, *Hist. Nat. Bras.*, 81)

terepomonga (s.) - sanguessuga, verme da família dos hirudinídeos (Cardim, *Trat. Terra e Gente do Brasil*, 57); "... Os animais que a tocam se colam tão firmemente nela que dificilmente se desprendem e é deles que ela se alimenta..." (Laet, *Novus Orbis*, Livro XV, cap. XII, §21)

teringûá (s.) - TERINGOÁ, espécie de vespa (Sousa, *Trat. Descr.*, 241)

teroapy'ambaba - v. eroapy'ambaba (t)

terobîara - v. erobîara (t)

tesá - v. esá (t)

tesabanga - v. esabanga (t)

tesaetá - v. esaetá (t)

tesagûyrumbyka - v. esagûyrumbyka (t)

tesagûyryba - v. esagûyryba (t)

tesãîa - v. esãîa (t)

tesaîyra - v. esaîyra (t)

tesakytã - v. esakytã (t)

tesaraîa - v. esaraîa (t)

tesa'y - v. esa'y (t)

teseîa - v. eseîa (t)

tesemõ - v. esemõ (t)

tetama - v. etama (t)

teté¹ - v. eté (t)

teté² (interj. que indica enfado, desgosto ou decepção) - ah! ai!: *Teté marã e'îabo mã!?* - Ah, que dizes!? (Anch., *Teatro*, 50)

NOTA - Daí, no P.B, **TEITÉ** (PA), interjeição que exprime compaixão.

tetemõ (part.) - quão bom seria se... (Fig., *Arte*, 163)

tetimixyra - o mesmo que **aîpĩmixyra** (v.)

tetiruã (part.) - 1) qualquer, quaisquer: *Oporandupe Herodes mba'e tetiruã resé i xupé?* - Perguntou Herodes sobre qualquer coisa para ele? (Ar., *Cat.*, 59); 2) todos (as): *Mba'e tetiruã asé saûsuba sosé, asé Tupã raûsubi.* - Ama a gente a Deus mais do que ama a todas as coisas. (Fig., *Arte*, 96)

tetobapé - v. etobapé (t)

tetobapy - v. etobapy (t)

tetymã - v. etymã (t)

teumẽ (adv.) (É usado no imper. neg., levando o verbo para o gerúndio.) - guarda-te de, guardai-vos de, não: *Aûîé! Teumẽ xe mombaka!* - Basta! Não me despertes! (Anch., *Teatro*, 44); *Akaî! Teumẽ xe rapŷabo!* - Ai! Guarda-te de me queimar! (Anch., *Teatro*, 44); *Ahẽ, teumẽ serobîá!* - Oh, guarda-te de acreditar neles! (Anch., *Teatro*, 62); *Teumẽ abá mba'e resé é mondarõmo.* - Não te apropries das coisas de ninguém. (Ar., *Cat.*, 107v) ● **teumẽ ké** (ou **teumẽ teké** ou **teumẽ teké... nhandu ruã**) - guarda-te de (avisando, admoestando ou ameaçando) (*VLB*, I, 151): *Teumẽ teké serasóbo nhandu ruã.* - Guarda-te de o levares. (*VLB*, I, 151); *Teumẽ ké serasóbo rá.* - Guarda-te de o levares. (*VLB*, II, 55-56)

te'yîa - v. e'yîa (t)

te'yîpe (etim. - *na multidão*) (adv.) - publicamente, em público: *Te'yîpe memẽ nhẽ ixé aporombo'e.* - Sempre eu ensinei publicamente as pessoas. (Ar., *Cat.*, 55v)

te'yîupaba (etim. - *lugar de estar deitada a multidão*) (s.) - **TIJUPÁ, TIJUPABA, TAJUPÁ, TAJUPAR, TIJUPAR, TUJUPAR**, choupana feita para abrigo durante as viagens pela floresta; pequena cabana coberta de folhagem e aberta por todos os lados (D'Evreux, *Viagem*, 77; Sousa, *Trat. Descr.*, 321; *VLB*, I, 74)

NOTA - A palavra **TIJUPÁ**, hoje, também designa qualquer palhoça ou rancho feitos em meio a uma roça, um seringal, uma mata, para proteger e abrigar pessoas provisoriamente.

ti - o mesmo que **eti** (v.) (*VLB*, II, 56)

tĩ¹ (s.) - 1) nariz (Castilho, *Nomes*, 39); focinho: *tĩgûasu* - nariz grande, narigão; *abá-tĩgûasu* - homem do nariz grande; *tĩpema* - nariz anguloso; *tũmbeba* - nariz achatado (*VLB*, II, 48); *Mba'erama ripe asé tĩme o endy moíni?* - Por que põe sua saliva no nariz da gente? (Ar., *Cat.*, 81v); *tĩ-apyra* - ponta do nariz (Castilho, *Nomes*, 39); 2) bico de ave (*VLB*, I, 140); 3) tromba (*VLB*, II, 137): *tũmuku* - lit., *tromba comprida*, gorgulho, inseto coleóptero (*VLB*, I, 149); 4) crista: *ypekatĩapûá* - *pato da crista pontuda*, ave anatídea (Marcgrave, *Hist. Nat. Bras.*, 218) ● *tĩmbûera* - bico de pássaro fora do corpo (*VLB*, I, 55)

NOTA - Daí, no português do Brasil, **MUTUTI** (*mutũ* + *tĩ*, "bico de mutum"), nome comum a certas árvores da família das leguminosas. Daí, também, **TOCANTINS** (nome de estado brasileiro) (v. Rel. Top. e Antrop. no final).

tĩ² (s.) - 1) ponta, saliência: *Kuîa nhẽ i tĩ-ngá-tĩ-ngábo...* - Das cuias quebrando as pontas. (Anch., *Teatro*, 168); 2) proa (de embarcação) (*VLB*, II, 87); 3) esporão (de barco, de navio) (*VLB*, I, 127)

NOTA - Daí, no P.B., **CANGATĨ** (*akanga* + *tĩ*, "cabeça pontuda"), nome de um peixe siluriforme.

tĩ³ (s.) - vergonha, pudor: *Marã e'ipe Tupã i tĩîeraba repîaka?* - Que disse Deus, vendo seu frouxo pudor? (Ar., *Cat.*, 41)

tĩ⁴ (v. intr. compl. posp.) - envergonhar-se [de algo ou de alguém: compl. no gerúndio ou com **esé (r, s)** ou **suí**]: *Otĩ nhẽmo serã i angaîpaba'e...* - Envergonhar-se-ia, talvez, o que é mau. (Ar., *Cat.*, 25v); *T'otĩ umẽ... Îesu Cristo... mombegûabo.* (Ar., *Cat.*, 81) ou *T'otĩ umẽ Îesu Cristo mombe'u resé...* - Que não se envergonhe de proclamar a Jesus Cristo. (Ar., *Cat.*, 83v); *Otĩ kûarasy osema, nde beraba robaké...* - Envergonha-se o sol de nascer, diante de teu brilho. (Valente, *Cantigas*, IV, in Ar., *Cat.*, 1618); *Etĩ nde îosuí.* - Envergonha-te de ti mesmo. (Anch., *Doutr. Cristã*, II, 111) ● *otĩba'e* - o que se envergonha (*VLB*, II, 144)

tĩ⁵ (v. tr.) – atar, amarrar, armar (p.ex., a rede): *Eîotĩ nde kesaba xe porupi.* – Amarra tua rede ao lado de mim. (Anch., *Arte*, 44); *Asupá-tĩ xe ruba.* – Armo a rede a meu pai. (Fig., *Arte*, 88)

tiá! (interj.) – Vai! Ide! Sus! Vai adiante! (Anch., *Arte*, 23v) • *Tiá nde ko'ema!* – Bom dia! (D' Evreux, *Viagem*, 143)

tĩapyra (etim. – *ponta de bico*) (s.) – **1)** dianteira (*VLB*, I, 103); guia, o que vai à frente, vanguarda (Anch., *Arte*, 14); o dianteiro na ordem (*VLB*, I, 152): *marana tĩapyra* – a vanguarda da guerra, o que vai à frente dos outros na guerra (para obter informações do campo inimigo) (*VLB*, II, 141); **2)** espião: *Tupinakyîa, keygûara, tĩapyra moroupîara.* – Tupiniquins, habitantes daqui, espiões inimigos. (Anch., *Teatro*, 140)

tîaté (part.) – atenção! cuidado!: *Tîaté i mĩme i xupé marã oîkóbo.* – Cuidado ao esconder-lhe o que faz. (Anch., *Doutr. Cristã*, I, 228)

NOTA – Deve ter origem na interjeição *tate* do castelhano.

tié (s.) – TIÊ, TIÉ, nome comum a pássaros da família dos traupídeos (Vasconcelos, *Crônica (Not.)* II, §99, 163)

tie'apyragûyra (etim. – *tiê da moleira baixa*) (s.) – variedade de TIÊ, pássaro da família dos traupídeos (Soares, *Coisas Not. Bras.* (ms. C), 1337-1347)

tiegûaîsyka (etim. – *tiê-esfrega-cauda*) (s.) – variedade de TIÊ, pássaro da família dos traupídeos (Soares, *Coisas Not. Bras.* (ms. C), 1337-1347)

tiegûasu (etim. – *tiê grande*) – o mesmo que **tiîegûasu** – v. (Soares, *Coisas Not. Bras.* (ms. C), 1337-1347)

tieimbu (s.) – variedade de TIÊ, pássaro da família dos traupídeos (Soares, *Coisas Not. Bras.* (ms. C), 1337-1347)

tiemirĩ (etim. – *tiê pequeno*) (s.) – variedade de TIÊ, pássaro da família dos traupídeos (Soares, *Coisas Not. Bras.* (ms. C), 1337-1347)

tieoby (etim. – *tiê verde*) (s.) – variedade de TIÊ, pássaro da família dos traupídeos (Soares, *Coisas Not. Bras.* (ms. C), 1337-1347)

tieobygûasu (etim. – *tiê verde e grande*) (s.) – variedade de TIÊ, pássaro da família dos traupídeos (Soares, *Coisas Not. Bras.* (ms. C), 1337-1347)

tiepiranga (etim. – *tiê vermelho*) (s.) – variedade de TIÊ, pássaro da família dos traupídeos (Soares, *Coisas Not. Bras.* (ms. C), 1337-1347) (o mesmo que **tiîepiranga** – v.)

tieté (ou **tiete'ĩ**) [part. que expressa desgosto, arrependimento. Emprega-se com o verbo 'i / 'é como auxiliar, traduzindo-se por *estou desgostoso (em), tenho desgosto (por)*]: *Arasó tieté a'é.* – Tenho desgosto por o ter levado. (*VLB*, I, 43) • **tieté (kó)... maniîabo!** – Irra! (*VLB*, II, 15); Que mau!: *Tieté kó angaîpaba maniîabo mã!* – Ah, que mau é o pecado! *Tieté kó ahẽ maniîabomã!* – Que mau que é fulano! (*VLB*, II, 65); *Tieté maniîabo a'e!* – Que mau é ele! (*VLB*, II, 103); *E'i tieté ahẽ maniîabo niã!* – Eis que ele é mau! (*VLB*, II, 142)

tieúna (etim. – *tiê escuro*) (s.) – variedade de TIÊ, pássaro da família dos traupídeos (Soares, *Coisas Not. Bras.* (ms. C), 1337-1347) (o mesmo que **tiîeúna** – v.)

tîe'yma (etim. – *sem vergonha*) (s.) – falta de vergonha, sem-vergonhice (*VLB*, I, 96)

tiîeakãpiranga (etim. – *tiê da cabeça vermelha*) (s.) – nome de um pássaro (*Theat. Rer. Nat. Bras.*, I, 136)

tiîegûasu (etim. – *tiê grande*) (s.) – TIÉ-GUAÇU, pássaro da família dos traupídeos (Marcgrave, *Hist. Nat. Bras.*, 212)

tiîegûasuparûara (s.) – TIÉ-GUAÇU-PAROARA, cardeal, PAROARA, PARAUARA, cabeça-vermelha, nome comum a pássaros da família dos fringilídeos, que aparecem em todo o Brasil (Marcgrave, *Hist. Nat. Bras.*, 214; *Theat. Rer. Nat. Bras.*, I, 146)

tiîeîuba (etim. – *tié amarelo*) (s.) – espécie de TIÉ, pássaro da família dos traupídeos. "... São passarinhos pequenos que têm o corpo amarelo, as asas verdes, o bico preto." (Sousa, *Trat. Descr.*, 236; *VLB*, I, 65)

tiîepiranga (etim. – *tiê vermelho*) (s.) – TIÊ-PIRANGA, pássaro da família dos traupídeos. É também chamado TAPIRANGA, TIÉ-FOGO, TIÉ-VERMELHO etc. (Marcgrave, *Hist. Nat. Bras.*, 192; Sousa, *Trat. Descr.*, 236)

tiîepytanga (etim. – *tiê cinza*) (s.) – nome de um pássaro (*Libri Princ.*, vol. I, 75)

tîieúna (etim. – *tiê preto*) (s.) – nome de um pássaro da família dos traupídeos (*Theat. Rer. Nat. Bras.*, I, 130; 131; 132; 133)

tikûaã (s.) – nome de um gato-do-mato, "... mui agourento para os índios" (Brandão, *Diálogos*, 258)

tikûarã (s.) – nome de uma ave (Brandão, *Diálogos*, V, 230)

tikûarapûã (s.) – variedade de búzio (Sousa, *Trat. Descr.*, 293)

tikûeraúna (s.) – var. de caramujo (Sousa, *Trat. Descr.*, 294)

tĩkupeara (s.) – esporão: *ygá-tĩkupeara* – esporão de embarcação (*VLB*, I, 127)

timbeba (etim. – *nariz chato*) (s.) – obesidade; (adj.: **timbeb**) – obeso: *Xe timbeb.* – Eu estou obeso. (D'Evreux, *Viagem*, 157)

timbó (s.) – TIMBÓ, nome comum a certas plantas das leguminosas (especialmente a *Dahlstedtia pinnata* (Benth.) Malme e espécies dos gêneros *Derris* e *Lonchocarpus*) e das sapindáceas (dos gêneros *Magonia* e *Serjania*) que, por suas propriedades tóxicas, são utilizadas para induzir entorpecimento em peixes e, por isso, usadas para pescar. São lançadas na água após serem maceradas, fazendo que os peixes possam ser apanhados à mão. (Cardim, *Trat. Terra e Gente do Brasil*, 50; Piso, *De Med. Bras.*, IV, 201)

NOTA – Daí, o nome geográfico **TIMBOPEBA** (SE) (v. Rel. Top. e Antrop. no final). **TIMBÓ**, no P.B. (SP, fig. pop.) é também *lassidão, moleza, entorpecimento dos membros* (in *Dicion. Caldas Aulete*).

TIMBÓ (fonte: Marcgrave)

timbogûasu (etim. – *timbó grande*) (s.) – TIMBÓ-AÇU, variedade de barbasco, grande cipó da floresta de várzea, nome comum às plantas *Magonia pubescens* A. St.-Hil., da família das sapindáceas, e *Deguelia scandens* Aubl., da família das leguminosas (Piso, *De Med. Bras.*, IV, 201)

timbopeba (etim. – *timbó achatado*) (s.) – var. de **timbó** (v.) (*VLB*, II, 145)

timbopiriana (etim. – *timbó listrado*) (s.) – var. de **timbó** (v.) (*VLB*, I, 51; II, 145)

timbopotiana (s.) – var. de **timbó** (v.) (Marcgrave, *Hist. Nat. Bras.*, 272)

timbor (v. intr.) – fumegar, soltar fumaça (p.ex., o fogo), soltar vapor, bafejar (com a boca): *Atimbor.* – Bafejo. (*VLB*, I, 144)

timbora (etim. – *conteúdo das ventas*) (s.) – vapor, bafo, fumaça (de coisa quente) (*VLB*, I, 50): *O îuru timbora pupé asé robá peîuû.* – Com o bafo de sua boca sopra-nos o rosto. (Ar., *Cat.*, 81); (adj.: **timbor**) – enfumaçado, abafado; (xe) fumegar, vaporar, soltar fumaça ou vapor (*VLB*, I, 50)

timborana (etim. – *falso timbó*) (s.) – TIMBORANA, fava-de-rosca, timbó-da-mata, árvore da família das leguminosas (*Enterolobium schomburgkii* (Benth.) Benth.) (Sousa, *Trat. Descr.*, 224; *VLB*, II, 145)

tĩmondepyka (s.) – gurupé, var. de mastro que se lança nos navios do bico de proa para a frente, no plano longitudinal, com uma inclinação de cerca de 35° acima do plano horizontal (*VLB*, I, 151)

tĩmuku[1] (etim. – *tromba comprida*) (s.) – gorgulho, nome comum a várias espécies de insetos coleópteros, dos quais alguns se criam entre os grãos de cereais, que vão roendo e destruindo (*VLB*, I, 149)

tĩmuku[2] (etim. – *focinho comprido*) (s.) – TIMUCU, TIMBUCU, TIMICU, peixe da família dos belonídeos, de cabeça muito alongada e boca rostriforme (Marcgrave, *Hist. Nat. Bras.*, 168)

tĩmukuûasu (etim. – *focinho muito comprido*) (s.) – nome de um peixe do mar (D'Abbeville, *Histoire*, 246)

timuna (etim. – *bico preto*) (s.) – nome de um passarinho pequeno e preto (Sousa, *Trat. Descr.*, 238)

tĩmusy (s.) – tromba (*VLB*, II, 137)

tinã (s.) – var. de farinha que se espreme às mãos e não se peneira (*VLB*, I, 135)

tinga[1] (s.) – 1) brancura: *Akó aoba i putukapyra sosé o 'anga tinga.* – Mais que a roupa

tinga²

batida é a brancura de sua alma. (Ar., *Cat.*, 188, 1686); **2)** coisa branca: *Mba'e-tepe kûé tinga asé remiepîaka abaré hóstia rupireme...?* – Mas que é aquela coisa branca que vemos quando o padre ergue a hóstia? (Bettendorff, *Compêndio*, 84); **3)** claridade; (adj.: **ting**) – **1)** branco [irregular: *xe ting* – eu (sou) branco; *ting* – ele é branco (O **t-** vale pelo pronome de 3ª p.)]: *Osobá-syb aó-tinga pupé.* – Limpou seu rosto com um pano branco. (Ar., *Cat.*, 62); *... ybyku'i-tinga gûyri...* – sob a areia branca (Anch., *Teatro*, 170); *... Ûyrá-tinga our xebe.* – Um pássaro branco veio a mim. (D'Abbeville, *Histoire*, 353); **2)** claro: *Xe resá-ting.* – Eu tenho olhos claros. (*VLB*, I, 147)

> NOTA – No P.B., -**TINGA** é um elemento de composição presente em dezenas de palavras: **CAATINGA**, **CAMARATINGA**, **COUVETINGA**, **CAPINTINGA**, **GAVIÃOTINGA**, **GUIRATINGA**, **JABUTITINGA**, **JACUTINGA** etc. Aparece também em inúmeros nomes de lugares no Brasil: **CARATINGA** (MG), **CURURUTINGA** (BA), **ITATINGA** (SP) etc. (v. Rel. Top. e Antrop. no final).

tinga² (s.) – coisa enjoativa, coisa que enfastia (Anch., *Arte*, 14; Fig., *Arte*, 77); enjoo; (adj.: **ting**) – enjoativo: *I ting xe remi'u.* – É enjoativa minha comida (*VLB*, I, 135); *I ting pirá ixébo.* – O peixe é-me enjoativo. (*VLB*, I, 115)

tingaíba (etim. – *claro não completamente*) (s.) – cor trigueira; cor tirante a pardo, moreno (*VLB*, II, 137)

tingakanga (s.) – **JAPECANGA**, cipó do gênero *Smilax*, da família das esmilacáceas, cuja raiz tem propriedades medicinais (Soares, *Coisas Not. Bras.* (ms. C), 1647-1649)

tingasu¹ (s.) – **TINGUAÇU**, ave da família dos cuculídeos, das matas e capoeiras do sul da América (*Theat. Rer. Nat. Bras.*, I, 179)

tingasu² (s. astron.) – estrela que aparece quinze dias antes das Plêiades (D'Abbeville, *Histoire*, 316v)

tingy (ou **tingyry**) (etim. – *líquido de enjoo*) (s.) – **1) TINGUI**, arbusto da família das sapindáceas (*Magonia pubescens* A. St.-Hil. ou *Paullinia trigona* Vell.) que, lançado à água doce, serve para pescar o peixe, envenenando-o, sem, porém, fazer dano a quem o come. É também conhecido como *titim*. [O mesmo que **timbó** – v.] (Marcgrave, *Hist. Nat. Bras.*, 272); **2)** o sumo do barbasco (v. **timbó**) (*VLB*, I, 51)

> NOTA – **TINGUI** é, também, outro nome dado, no sul do Brasil, ao que nasce no estado do Paraná; paranaense (in *Dicion. Caldas Aulete*).

tingyîar – **1)** (v. intr.) – **TINGUIJAR**, dar barbasco (para entorpecer os peixes); **2)** (v. tr.) **TINGUIJAR**, embarbascar (o rio, o peixe) (*VLB*, I, 52)

> NOTA – No P.B., o verbo **TINGUIJAR** pode também significar *ser envenenado pelo tingui*: "*O peixe tinguijou*".

tingyry (s.) – outro nome para o **TINGUI**; o mesmo que **tingy** (v.) (Marcgrave, *Hist. Nat. Bras.*, 272)

tining¹ (v. intr.) – ser seco; ser ou estar mirrado (*VLB*, II, 38); secar (*VLB*, II, 114): *Atining-atã.* – Sequei muito, sequei duramente. (*VLB*, II, 114)

tining² (v. intr.) – sofrer de tísica, de héctica (*VLB*, I, 131)

tininga¹ (s.) – coisa seca (*VLB*, II, 114); coisa mirrada ou muito seca (*VLB*, II, 38); (adj.: **tining**) – seco: *Nd'e'i te'e... opá abá tiningamo...* – Por isso mesmo todos os homens estarão secos. (Ar., *Cat.*, 160); *Xe ase'o-tining.* – Eu tenho garganta seca. (*VLB*, II, 114); *Topé-tininga* – vagem seca (pronta para ser colhida) (*VLB*, II, 140) ● **tining-atã** – coisa mirrada ou muito seca (*VLB*, II, 38)

> NOTA – Daí provêm muitos nomes de lugares no Brasil: **ITAPETININGA**, **PIRATININGA** etc. (v. Rel. Top. e Antrop. no final).

tininga² (s.) – héctica, doença em que se manifesta diminuição progressiva das forças; tísica (*VLB*, I, 131)

tîopurana (s.) – nome de uma cobra não venenosa (Sousa, *Trat. Descr.*, 262)

tipi (s.) – **TIPI, PIPI**, planta fitolacácea (*Petiveria alliacea* L.), de cheiro forte. Também é chamada *erva, guiné* ou *raiz-da-guiné*. (Piso, *De Med. Bras.*, 201)

tipirati (s.) – **TIPIRATI**, farinha de mandioca crua com que se faziam bijus (Marcgrave, *Hist. Nat. Bras.*, 67; Vasconcelos, *Crônica (Not.)* II, §74, 149)

tipoîa (s.) – **1) TIPÓI**, espécie de saco, feito de fios de algodão, aberto em cima e embaixo, que as mulheres vestiam (Staden, *Viagem*, 132); **2) TIPOIA**, pano com que as mulheres traziam amarrados aos corpos os bebês (Cardim, *Trat. Terra e Gente do Brasil*, 107)

TIPOIA (ilustração de C. Cardoso)

tipoîrana (etim. – *falsa tipoia*) (s.) – rede tapada de dormir (*VLB*, II, 99)

Tipoîusu (etim. – *grande tipoia*) (s. antrop.) – nome de índio tupi (D'Abbeville, *Histoire*, 184v)

tiriba (s.) – **TIRIBA, TIRIVA, TIRIBAÍ, TIRIBINHA**, nome comum a certos pássaros da família dos psitacídeos; espécie de papagaio (Heriarte, *Descr. Maranhão, Pará*, in Varnhagen, *Hist.*, III, 188)

tirik (v. intr.) – estalar (como a árvore ou a viga da casa para cair) (*VLB*, I, 127)

> NOTA – Da forma reduplicada de **tirik** provém a expressão FICAR **TIRIRICA**, *irritar-se, enfurecer-se, encolerizar-se*.

tiruã[1] (part.) – **1)** mesmo, ainda, até, até mesmo: *Abá-tepe oîkó xe oîá, Tupã tiruã momburûabo?* – Mas quem há semelhante a mim, desafiando até mesmo a Deus? (Anch., *Teatro*, 18); *Ixé tiruã asó.* – Até eu vou. (*VLB*, I, 46); *Tupã resé tiruã kó nhe'enga reîtyki...* – Até mesmo em Deus este lança palavras. (Ar., *Cat.*, 56v); **2)** nem sequer, nem mesmo, ao menos (com o verbo na forma negativa): *I xy na sugûyî tiruã...* – Sua mãe nem sequer sangrou. (Anch., *Poemas*, 184); *Oîepé tiruã abá nd'e'ikatuî oîepysyrõmo te'õ suí.* – Nem sequer um só homem pode livrar-se da morte. (Ar., *Cat.*, 155); *Oîepé tiruã nd'aruri.* – Não trouxe nem mesmo um só. (*VLB*, II, 49); *'Y tiruã n'arekóî.* – Nem mesmo água eu tenho. (*VLB*, II, 124)

tiruã[2] (part.) – qualquer, quaisquer: – *Ma'epe ereîpotar?* – *Ma'e tiruã.* – Que queres? – Qualquer coisa. (Léry, *Histoire*, 347); – *Ma'e resé* *îandé mongetáû?* – *Sé, ma'e tiruã resé.* – A respeito de que conversamos? – Sei lá, a respeito de qualquer coisa. (Léry, *Histoire*, 358) (o mesmo que **tetiruã** – v.)

tĩsaba (etim. – *lugar de vergonha*) (s.) – os órgãos sexuais, as vergonhas (*VLB*, II, 144)

titinga (s.) – **TITINGA**, mancha branca na pele; impigem, erupção cutânea (*VLB*, II, 29); (adj.: **titing**) (xe) – ter impigem, ter **TITINGA**: *Xe titing.* – Eu tenho impigem. (*VLB*, II, 10); *Xe tĩ-titing.* – Meu nariz tem titinga. *Xe py-titing.* – Meus pés têm titinga. *Xe pi-titing.* – Minha pele tem titinga. (*VLB*, II, 29)

titó (s. voc.) – minha sobrinha! (Anch., *Arte*, 14v)

tixarimbó (s.) – nome de uma planta da qual se faziam cestas e açafates (Brandão, *Diálogos*, 206)

tó (interj. que expressa espanto, admiração, surpresa) – **1)** É mesmo! (*VLB*, II, 7); Ah, sim! (como que entendendo, afinal, alguma coisa ou lembrando-se dela. Diz isso o que se espanta ou cai na realidade.) (*VLB*, II, 117; Fig., *Arte*, 147); **2)** Que grande! (*VLB*, II, 91); **3)** Oh! Eh! Que! Oh quanto! Que multidão!: *Tó te'ĩ kó pirá rekóû mã!* – Oh! Que multidão estes peixes são! (ou *Quanto peixe é este!*) (*VLB*, II, 57); *Tó! Mamõpe ahẽ rekóû?* – Eh! Onde ele está? (Anch., *Teatro*, 10); *Tó! Aîpó n'i papasabi!* – Oh! Não há modo de contar isso. (Anch., *Teatro*, 38) • **tó eẽ** – Ah, sim! Ah, já entendi! (*VLB*, I, 17)

toba – v. oba (t)

tobá – v. obá (t)

tobaîa – v. obaîa (t)

tobaîara[1] – v. obaîara (t)

tobaîara[2] (s. etnôn.) – **TABAJARA**, nome de nação indígena (Staden, *Viagem*, 54)

tobaké (adv.) – manifestamente (*VLB*, II, 31); em público, diante de gente (*VLB*, I, 113)

tobara'angaba – v. obara'angaba (t)

tobatinga (s.) – **TOBATINGA, TABATINGA**, var. de barro branco como cal (*VLB*, I, 52; Anch., *Arte*, 14v)

tobeba – v. obeba (t)

tobi (s.) – peixe da família dos gimnotídeos (Lisboa, *Hist. Anim. e Árv. do Maranhão*, fl. 172v)

to'ĩ

to'ĩ (s. voc. de m.) - mana (como diz uma mulher a outra) (*VLB*, II, 30)

tokaîa - v. okaîa (t)

Tokaîusu (etim. - *galinheiro grande*) (s. antrop.) - nome de índio tupi (D'Abbeville, *Histoire*, 185)

to'o - v. o'o (t)

topé - v. opé (t)

topeaba - v. opeaba (t)

topesyîa - v. opesyîa (t)

toputá - o mesmo que topytá (v.)

topytá - v. opytá (t)

tororoma (s.) - jorro, jato, borbotão: *'y-tororoma* - jorro d'água, ITORORÓ, bica d'água (*VLB*, I, 55)

> NOTA - Daí, no P.B., TORÓ, jorro d'água, chuvada violenta; TOROROMA, corrente forte e ruidosa de um rio.
> A palavra ITORORÓ, bica d'água, (MT) pequena cachoeira ou salto, aparece também numa famosa canção folclórica do Brasil:
> "*Eu fui ao ITORORÓ / Beber água e não achei / Achei bela morena / Que no ITORORÓ deixei.*"
> Daí, o nome geográfico ITORORÓ (município da BA) (v. Rel. Top. e Antrop. no final).

toryba - v. oryba (t)

torypaba - v. orypaba (t)

tûaîa - v. ûaîa (t)

tûató - o mesmo que tagûató (v.), ave falconiforme da família dos falconídeos (Sousa, *Trat. Descr.*, 233)

tuatuî (v. intr.) - entornar, extravasar (o líquido, por estar cheio demais o recipiente) (*VLB*, II, 142)

tuba[1] - v. îub / ub(a) (t, t) (Anch., *Arte*, 58)

tuba[2] - v. uba (t)

tubixaba[1] - v. ubixaba (t)

tubixaba[2] (s. irreg.) - coisa grande; o que é grande, o muito maior (superlativo) (*VLB*, II, 28): ... *Oîmombe'u o angaîpá-mirĩ anhõ. Tubixabeté oseîâ, abaré suí i mima.* - Confessam seus pecadilhos somente. Os que são muito grandes deixam-nos, escondendo-os do padre. (Anch., *Teatro*, 160, 2006); (adj.: **tubixab**) - grande, imenso; enorme; principal; grosso (p.ex., o mato); membrudo: ***Tubixabeté****.* - Ele é muito grosso. (*VLB*, I, 151); *abá-**tubixaba*** - homem membrudo (*VLB*, II, 35); ... *Xe angaîpá-**tubixagûera** amosẽne.* - Meus antigos e grandes pecados farei sair. (Anch., *Teatro*, 38)
• **tubixabeté** - (o) muito maior (superlativo) (*VLB*, II, 28)

tubuna (s.) - nome de uma abelha da família dos meliponídeos (Piso, *De Med. Bras.*, IV, 178)

> NOTA - Daí, **TUBUNA** (nome de salto no rio Itararé, SP) (v. Rel. Top. e Antrop. no final).

tubura (s.) - var. de rola (Soares, *Coisas Not. Bras.* (ms. C), 1361)

tubyra (ou **tybyra**) (s.) - pó, poeira (Anch., *Arte*, 14; Fig., *Arte*, 76): *Eîpy**tybyr**ok xe roka...* - Arranca de minha casa a poeira dos pés. (Valente, *Cantigas*, VIII, in Ar., *Cat.*, 1618); *yby **tubyra*** - poeira da terra (*VLB*, II, 80)

tugûy - v. ugûy (t)

tugûygûasu (etim. - *muito sangue*) (s.) - sanguessuga (*VLB*, II, 112)

tugûypabe'yma (etim. - *sangue que não acaba*) (s.) - sanguessuga (*VLB*, II, 112)

tuî[1] - forma de 3ª p. do modo indicativo circunstancial de îub / ub(a) (t, t) (v.) (Anch., *Arte*, 58)

tuî[2] (v. intr.) - regurgitar, transbordar, extravasar: *Atuî.* - Regurgitei. (Anch., *Arte*, 4)

tu'i (s.) - TUIM (v. tu'ĩ)

tu'ĩ (s.) - TUIM, TUIETÊ, TIÚ, TUIUTI, o menor periquito do Brasil, pássaro da família dos psitacídeos, que vive em grandes bandos que atacam as plantações (Marcgrave, *Hist. Nat. Bras.*, 206; Sousa, *Trat. Descr.*, 231)

tuîa (s.) - transbordamento; (adj.: **tuî**) - transbordante, que transborda: *Ygasápe kaûĩ-**tuîa** a'e ré îamomotá...* - Depois disso, o cauim transbordante nas igaçabas atrai-os. (Anch., *Teatro*, 28)

> NOTA - Daí provém o nome do município maranhense de **TUTOIA** (v. Rel. Top. e Antrop. no final).

tu'ĩakãpiranga (etim. - *tuim da cabeça vermelha*) (s.) - nome de um pássaro (*Theat. Rer. Nat. Bras.*, I, 167) tu'î'aputeîuba (etim. – *tuim do cocuruto amarelo*) (s.) – nome de um periquito largamente espalhado em todo o Nordeste, pássaro da família dos psitacídeos (Marcgrave, *Hist. Nat. Bras.*, 206)

tu'îatî'yba (etim. – *planta do tuim de penas brancas*) (s.) – árvore "de casca cinzenta, madeira frágil, que cresce até atingir a amplidão da macieira silvestre" (Marcgrave, *Hist. Nat. Bras.*, 136)

tuîba'e[1] (ou tunhãba'e) (s.) – 1) o que é velho, homem velho, ancião (D'Abbeville, *Histoire*, 318v): ... *Oîoîá te'õ rekóû kunumĩgûasu suí tuîba'e suí bé...* – Igualmente a morte está entre os moços e entre os velhos. (Ar., *Cat.*, 157v); *Xe pó gûyrype arekó kunumĩgûasu-angaîpaba, tunhãba'e-kakuaba.* – Sob minhas mãos tenho os moços pecadores, os velhos crescidos. (Anch., *Teatro*, 150); 2) velhice, estado de velho: ... *Tuîba'epe se'õû.* – Morreu na velhice. (D'Evreux, *Viagem*, 133); ... *O tuîba'e pupé te'õ kuapa.* – Conhecendo a morte em sua velhice. (Ar., *Cat.*, 157v); ... *o tunhãba'e e'ymebé...* – antes de sua velhice (Ar., *Cat.*, 157v); (adj.) – velho, envelhecido (como pron. de 3ª p. usa-se o t): *Xe robá tuîba'e.* – Meu rosto é envelhecido. (*VLB*, I, 119); *Amõ îudeu-tuîba'e i tymagûera kuabe'engi...* – Um certo judeu velho mostrou o lugar em que ela fora enterrada. (Ar., *Cat.*, 5v)

Tuîba'e[2] (s. astron.) – nome de uma constelação formada por muitas estrelas, semelhante a um homem velho pegando um cacete (D'Abbeville, *Histoire*, 318v)

tuîba'epaûama (s.) – antepassado (*VLB*, I, 36)

tu'îeté (etim. – *tuim verdadeiro*) (s.) – TUIETÊ, provavelmente o macho do pássaro conhecido genericamente como *tuim*, da família dos psitacídeos (v. tu'î) (Marcgrave, *Hist. Nat. Bras.*, 206)

tu'îiuparaba (etim. – *tuim manchado de amarelo*) (s.) – nome de uma ave (*Theat. Rer. Nat. Bras.*, I, 171)

tu'imirĩ (s.) – nome de uma ave (*Libri Princ.*, vol. I, 101)

tuindara (s.) – TUINDARA, SUINDARA, ave estrigiforme da família dos titonídeos, do grupo das corujas (v. suindara) (Marcgrave, *Hist. Nat. Bras.*, 205; *VLB*, I, 88)

tukana

tu'ipara (s.) – ave psitaciforme da família dos psitacídeos, do Pará e do norte do Maranhão (Marcgrave, *Hist. Nat. Bras.*, 206)

tu'îtyryka (etim. – *tuim arisco*) (s.) – TUITIRICA, periquito da família dos psitacídeos, provavelmente a fêmea do pássaro conhecido genericamente como *tuim* (v. tu'î) (Marcgrave, *Hist. Nat. Bras.*, 206)

tuîuba (s.) – TUJUBA, TUJUVA, TUIUVA, var. de abelha da família dos meliponídeos (Piso, *De Med. Bras.*, IV, 178)

tuîuîu (s.) – TUIUIÚ, TUJUJU, ave da família dos ciconídeos, que vive à beira dos rios (D'Abbeville, *Histoire*, 241v; *VLB*, I, 70)

tuîuk (v. intr.) – apodrecer (o que tem sangue, sumo, isto é, a carne, o peixe, a fruta etc.): *Atuîuk.* – Apodreci. (*VLB*, I, 38)

tuîuka[1] (s.) – podridão; (adj.: tuîuk) – podre: ... *I nem-eté, i tuîuketé, tasoka, ura remimongûyamone.* – Serão fedorentos, serão muito podres, corroídos de vermes e de bernes. (Ar., *Cat.*, 164)

tuîuka[2] (s.) – TIJUCO, TIJUCA, atoleiro; charco, pântano, lama (*VLB*, II, 17), TIJUCAL • tuîukusu – tijucal, grande atoleiro, pântano (*VLB*, I, 47); lamaçal (*VLB*, II, 18)

> NOTA – Daí, no P.B. (N), TIJUCUPAUA, TIJUCUPAVA (*tuîuka* + *upaba*, "lago de tijuco"), *tijucal*. Daí se originam nomes geográficos: ARRAIAL DO TIJUCO (MG), BARRA DA TIJUCA (RJ), TEJUCUPAPO (PE) etc. Há também a expressão popular FAZER TIJUCO EM, *passar diversas vezes em (um lugar); frequentar (esse lugar)*.

tuîumumuna (s.) – lama alta em que se atola muito (como em lagoa de água doce) (*VLB*, II, 17)

tuîxaba (s.) – coisa grande (Fig., *Arte*, 75); o mesmo que tubixaba (v.)

tukãmbyra (s.) – papo do tucano de pena amarela (*VLB*, II, 64)

tukana (s.) – TUCANO, nome comum a diversas aves trepadoras da família dos ranfastídeos, de grande porte. É ave com bico enorme, desproporcional ao corpo, de belas cores. Vive em pequenos bandos. (D'Abbeville, *Histoire*, 237v; Marcgrave, *Hist. Nat. Bras.*, 217)

> NOTA – Daí, o nome do estado brasileiro do TOCANTINS (v. Rel. Top. e Antrop. no final).

tukanusu¹

tukanusu¹ (etim. – *grande tucano*) (s.) – TUCANUÇU, TUCANAÇU, ave da família dos ranfastídeos (Brandão, *Diálogos*, 230)

tukanusu² (etim. – *grande tucano*) (s. etnôn.) – nome de uma nação de índios tapuias do sertão nordestino (Laet, *Novus Orbis, Livro XV*, cap. III, §14)

tukũ¹ (s.) – TUCUM, nome comum a várias espécies de palmeiras dos gêneros *Astrocaryum* e *Bactris*, dentre as quais a espécie *Astrocaryum vulgare* Mart. (Sousa, *Trat. Descr.*, 225; Staden, *Viagem*, 139). A *Astrocaryum aculeatum* G. Mey. era utilizada pelos índios na fabricação de arcos e flechas e das cordas dos arcos. (D'Abbeville, *Histoire*, 222; Léry, *Histoire* [1580], 340)

> NOTA – Daí, TUCUNDUBA (nome de localidade do PA) (v. Rel. Top. e Antrop. no final).

tukũ² (s. astron.) – nome de estrela parecida com o fruto do tucum (D'Abbeville, *Histoire*, 319v)

tukũkurûatá (etim. – *tucum-croatá*) (s.) – nome de uma planta (*Theat. Rer. Nat. Bras.*, II, 189)

tukuma (s.) – TUCUMÁ, TUCUMÃ, espécie de palmeira, o mesmo que **tukũ** (v.)

Tukumusu (etim. – *tucuma grande*) (s. antrop.) – nome de índio tupi (D'Abbeville, *Histoire*, 188v)

tukunaré (s.) – TUCUNARÉ, peixe da família dos ciclídeos (Lisboa, *Hist. Anim. e Árv. do Maranhão*, fl. 50)

tukupá (s.) – TICOPÁ, peixe da família dos pomadasídeos, da costa leste do Brasil (Sousa, *Trat. Descr.*, 286)

tukura (s.) – TUCURA, TICURA, gafanhoto, nome genérico de insetos da ordem dos ortópteros, da família dos tetigonídeos (*VLB*, I, 146)

> NOTA – Daí, no P.B., TUCURUVA (SP) cupinzeiro abandonado pelas formigas que o construíram (in *Dicion. Caldas Aulete*). Daí, também, os nomes geográficos TUCURUÍ (AM), TUCURUVI (bairro de São Paulo, SP) etc. (v. Rel. Top. e Antrop. no final).
> No P.B. (AM), TUCURA pode ser, também, *beijo curto e repetido*.

tukurasu (etim. – *gafanhoto grande*) (s.) – espécie de gafanhoto, inseto tetigonídeo (Marcgrave, *Hist. Nat. Bras.*, 245)

tukuroby (etim. – *gafanhoto verde*) (s.) – espécie de gafanhoto, inseto tetigonídeo (Marcgrave, *Hist. Nat. Bras.*, 246)

> NOTA – Daí provém o nome do bairro paulistano do TUCURUVI (v. Rel. Top. e Antrop. no final).

tukurusu – o mesmo que **tukurasu** (v.) (*Libri Princ.*, vol. I, 159)

tukutukur – o mesmo que **tykytykyr** (v.)

tukũ'yba – o mesmo que **tukũ** (v.) (D'Abbeville, *Histoire*, 222)

tumbek (v. intr.) – estar desleixado, desleixar; enfraquecer (*VLB*, I, 116): *Atumbé-tumbek.* – Estou desleixando. (*VLB*, I, 93)

tumung (v. intr.) – estremecer: *Yby obu-obur, otumu-tumung*a... – A terra ferve, ficando a estremecer... (Ar., *Cat.*, 64)

tunga (s.) – TUNGA, ZUNGE, ZUNGA, bicho-do-pé, inseto sifonáptero da família dos tungídeos, cuja fêmea penetra na pele do homem ou dos animais, produzindo ulcerações (D'Abbeville, *Histoire*, 256; Marcgrave, *Hist. Nat. Bras.*, 249)

tungasu – o mesmo que **tungusu** (v.) (Sousa, *Trat. Descr.*, 274)

tungusu (etim. – *tunga grande*) (s.) – pulga, inseto da família dos pulicídeos. "... São compridos, com feição de pernas, como os piolhos-ladros, e fazem grande comichão no corpo." (Sousa, *Trat. Descr.*, 274; *VLB*, II, 89)

tunungaîuba (s.) – alfinete (*VLB*, I, 31)

tupã¹ (s.) – trovão (Léry, *Histoire*, 359)

Tupã² (s. antrop.) – 1) entidade que faz chover ou trovejar (Thevet, *Les Sing. de la France Antarct.*, 52v); 2) nome pelo qual os missionários e os índios cristianizados designavam a Deus (D'Abbeville, *Histoire*, 65): *Arekó Tupã xe îopupé.* – Tenho a Deus dentro de mim. (Fig., *Arte*, 81); *Pedro t'oîmonhyrõ Tupã o îoupé...* – Pedro há de aplacar a Deus para si. (Fig., *Arte*, 81)

> NOTA – Daí, muitos nomes geográficos no Brasil: TUPÃCIRETAMA (PE), TUPANACI (PE) etc. (v. Rel. Top. e Antrop. no final).

tupã³ (s.) – divindade, caráter divino: *I pupépe i tupã rekóû?* – Dentro dela está sua divindade? (Ar., *Cat.*, 87)

tupãar (etim. – *tomar Deus*) (v. intr.) – comungar, tomar a hóstia: *Mobype erenhemombe'u koîpó eretupãar...?* – Quantas vezes te confessaste ou comungaste? (Ar., *Cat.*, 98)

tupaba – v. **upaba (t)**

tupãberaba (etim. – *brilho de trovão*) (s.) – raio; clarão que antecede o trovão (Léry, *Histoire*, 359); relâmpago (Marcgrave, *Hist. Nat. Bras.*, 278)

tupãerogûatá¹ (etim. – *caminhada com Deus*) (s.) – procissão (*VLB*, II, 87)

tupãerogûatá² (etim. – *caminhar com Deus*) (v. intr.) – fazer procissão: *Orotupãerogûatá.* – Fizemos procissão. (*VLB*, II, 87)

tupãîoapyra (s.) – **1)** festas religiosas ou os oito dias que se seguem a elas (as oitavas) (*VLB*, I, 138); **2)** muitos dias santos juntos (*VLB*, II, 55) (v. tb. '**areteîoapyra**)

tupãmongetá¹ (etim. – *conversa com Deus*) (s.) – oração: *... tupãmongetá pupé...* – por meio da oração (Ar., *Cat.*, 48v)

tupãmongetá² (etim. – *conversar com Deus*) (v. intr.) – orar, rezar (para Deus ou em geral) (*VLB*, II, 39)

tupãmongetasaba¹ (etim. – *instrumento de oração*) (s.) – missal (*VLB*, II, 39)

tupãmongetasaba² (etim. – *companhia de oração*) (s.) – ornamentos da missa (*VLB*, II, 59)

tupana¹ (s.) – dia santo, dia de festa: *Tupãneme nhêpe eresó kûepe?...* – Por ocasião de um dia santo foste para longe? (Ar., *Cat.*, 110v)

Tupana² (s.) – Deus, Tupã: *Tupana kuapa...* – conhecendo a Deus (Anch., *Poemas*, 106); *Ogûerasó temõ sapy'a ybakype Tupana xe ruba mã!* – Ah, oxalá Deus levasse logo a meu pai para o céu! (Fig., *Arte*, 99)

tupãoka (etim. – *casa de Tupã*) (s.) – igreja, templo: *Marãngatupe asé rekóû... tupãokype oîkŷabo?* – Como a gente faz, entrando na igreja? (Ar., *Cat.*, 24); (adj.: **tupãok**) **(xe)** – ter igreja: *I tupãok îepé... aîmomoxy pabenhẽ...* – Embora eles tenham igrejas, a todos arruinei. (Anch., *Teatro*, 132); *Oré tupãoketá...* – Nós temos muitas igrejas. (Anch., *Poemas*, 114)

TUPÃOKA (Guaraparim – ES) (foto de J. Pedrosa)

tupãomirĩ (etim. – *igreja pequena*) (s.) – ermida (*VLB*, I, 121)

tupãrara (etim. – *tomar a Deus*) (s.) – eucaristia; comunhão: *Páscoa îabi'õ tupãrara.* – Comunhão a cada Páscoa. (Ar., *Cat.*, 17)

tupãrasara (etim. – *o que toma a Deus*) – comungante: *Oîaby bépe abá Tupã nhe'enga o a'yra tupãrasarymana supé tupãrarukare'yma?* – Transgride também alguém a palavra de Deus não mandando comungar a seu filho que é comungante antigo? (Ar., *Cat.*, 76v)

tupãrerobîasare'yma (etim. – *o que não crê em Deus*) (s.) – infiel, descrente, ateu (*VLB*, II, 12)

tupãrorypaba (etim. – *lugar da alegria de Deus*) (s.) – paraíso: *Endé tupãrorypápe aûîeramanhẽ ereîkó.* – Tu no paraíso para sempre estás. (Anch., *Teatro*, 122)

tupãsununga (etim. – *barulho de Tupã*) (s.) – trovão, "o estrondo causado pela suprema perfeição" (Marcgrave, *Hist. Nat. Bras.*, 278)

tupãypy¹ (etim. – *primícias de Deus*) (s.) – cebola-albará, variedade de canácea, provavelmente a *Canna glauca* L. (Marcgrave, *Hist. Nat. Bras.*, 32)

tupãypy² – o mesmo que **urukatu** (v.) (Piso, *De Med. Bras.*, IV, 202)

tupeir (v. intr.) – varrer • **tupeisaba** – tempo, lugar, instrumento etc. de varrer (Piso, *De Med. Bras.*, IV, 199)

tupeisaba (etim. – *instrumento de varrer*) (s.) – **TUPIXABA**, **TUPIÇABA**, **TAPIXABA**, vassourinha, planta escrofulariácea (*Scoparia dulcis* L.), de cujos ramos enfeixados se fazem vassouras simples, úteis para se varrerem terreiros. É muito empregada na medicina popular como emoliente, béquica e febrífuga. (Piso, *De Med. Bras.*, IV, 199)

tupi¹

tupi¹ (s. etnôn.) – TUPI, **1)** nome de povo indígena da capitania de São Vicente (Anch., *Arte*, 1v); **2)** designativo genérico dos índios falantes da língua brasílica: – *Asó tupi moangaîpapa.* – *Mba'e apŷabap'aîpó?* – *Tupinakyîa keygûara.* – Vou para fazer os tupis pecarem. – Que índios são esses? – Os tupiniquins, habitantes daqui. (Anch., *Teatro*, 140)

> NOTA – Daí, no P.B. (SP), **TUPINA**, valente, decidido; **TUPIANA**, *nome proposto por Herman von Ihering para designar a região zoogeográfica que abrange o litoral brasileiro e suas matas.* (in *Dicion. Caldas Aulete*).

Tupi² (s. antrop.) – nome de um personagem mítico "que dizem ser donde procede toda a gente do Brasil". Dele "... umas nações tomaram o nome de Tupinambás, outras de Tupinaquis, outras de Tupiguaés e outras Tupiminós". (Vasconcelos, *Crônica (Not.)* I, §149, 109-110)

tupi'a – v. upi'a (t)

tupiana (s.) – nome de um passarinho, de "peito vermelho, barriga branca e o mais azul" (Sousa, *Trat. Descr.*, 236)

tupîara – v. upîara (t)

tupi'atinga – v. upi'atinga (t)

tupigûaé (etim. – *tupis diferentes* < **tupi** + **aé²**) (s. etnôn.) – TUPIGUAÉ, nome de nação indígena que habitava do sertão de São Vicente até Pernambuco (Cardim, *Trat. Terra e Gente do Brasil*, 122)

tupiîó (s. etnôn.) – nome de nação indígena tapuia (Cardim, *Trat. Terra e Gente do Brasil*, 125)

tupiminó [etim. – *netos dos tupis* < **tupi** + **eminõ (t)**] (s. etnôn.) – TUPIMINÓ, nome de nação indígena falante da língua brasílica (Vasconcelos, *Crônica (Not.)* I, §151, 110)

tupinakyîa (etim. provável – *os que invocam Tupi* < **Tupi²**, nome de um personagem mítico + **ekyî (s)** ou **ykyî (s)** + suf. **-a**] (s. etnôn.) – TUPINIQUIM, TUPINAQUI, nome de nação indígena ou indivíduo dessa nação: *Soryb, xe îabé, xe ruba tupinakyîa.* – Está alegre, como eu, meu pai tupiniquim. (Anch., *Poemas*, 110)

tupinambá [etim. provável – *todos da família dos tupis* < **tupi** + **anam**/a + **mbá** (nasal. de **pá**)] (s. etnôn.) – TUPINAMBÁ, nome de nação indígena ou indivíduo dessa nação (Cardim, *Trat. Terra e Gente do Brasil*, 122; D'Abbeville, *Histoire*, 61): *Ma'ẽne, **tupinambá** Paragûasupendarûera ... opakatu îamombá.* – Olha, arrasamos todos os tupinambás que estavam no Paraguaçu. (Anch., *Teatro*, 14)

TUPINAMBÁS (fonte: Staden)

tupinikĩ (s.) – TUPINIQUIM (o mesmo que **tupinakyîa** – v.) (Staden, *Viagem*, 43)

Tuputapuku [etim. – *tronco comprido* < **toputá** + **puku**)] (s. antrop.) – nome de índio tupi (D'Abbeville, *Histoire*, 82)

tura – v. ura (t)

turari (s.) – nome de uma planta (*Theat. Rer. Nat. Bras.*, II, 150)

turumumbu (s.) – mexilhões-de-água-doce, grandes e pintados (*VLB*, II, 37)

turusã (s.) – TURUÇÃ, variedade de formiga. "São ruivas e têm o corpo tamanho como grão de trigo e grande boca... Roem... o que acham pelo chão." (Sousa, *Trat. Descr.*, 271)

turusu – v. eburusu (t)

turuygûera (etim. – *turu de pau velho*) (s.) – TURU, verme que se cria na madeira e a destrói, da família dos teredinídeos (*VLB*, I, 60)

> NOTA – Daí, o nome geográfico **TURIASSU** (v. Rel. Top. e Antrop. no final).

tutuka – o mesmo que **tytyka** (v.) (Fig., *Arte*, 76)

tuturubá – o mesmo que **tytyrybá** (v.) (Silveira, *Relação do Maranhão*, fl. 11v)

tutyra (s.) – **1)** tio materno; **2)** primo da mãe; **3)** primo, filho de tio materno (Ar., *Cat.*, 117)

ty¹ (s.) - urina (Anch., *Arte*, 14; Castilho, *Nomes*, 39)

ty² - v. **y²** (t, t)

tyabor (v. intr.) - estar na penúria, padecer miséria, sofrer falta de mantimentos: *Atyabor.* - Estou na penúria. (*VLB*, I, 128)

tyabora (s.) - penúria, miséria, falta de mantimentos (*VLB*, I, 128)

tyãîa (s.) - 1) croque, bicheiro, anzol de ferro engastado em uma haste para pescar; vara de barqueiro com gancho e ponta de ferro (*VLB*, I, 55); 2) gancho: *Îé, kó bé xe pûapê, xe rûaîpuku, xe tyãîa...* - Sim, eis aqui também minhas garras, meu rabo comprido, meus ganchos... (Anch., *Teatro*, 40)

tyaîa - v. **yaîa** (t)

tyamĩsaba (etim. - *instrumento de espremer caldo*) (s.) - instrumento utilizado para prensar a mandioca (Marcgrave, *Hist. Nat. Bras.*, 66)

tyapira - v. **yapira** (t, t)

tyapûana - v. **yapûana** (t)

tyapyî (v. tr.) - esgotar a água de (algum lugar ou algum recipiente que a contenha): *Aîtyapyî.* - Esgotei a água dele. (*VLB*, I, 125)

tyarõ (v. intr.) - amadurecer, estar no ponto (como a fruta ou qualquer coisa que chegou a sua perfeição) (*VLB*, I, 102; II, 11)

tyaruru (s.) - folhagem ou ciscos que se ajuntam por baixo do mato ou pelos rios (*VLB*, I, 141)

tyb (xe) (v. da 2ª classe) - haver, existir (usado apenas com a 3ª pessoa: *i tyb*): *N'i tybi xe rasapaba ogûataba'e supé.* - Não há como passar por mim para os que caminham. (Anch., *Poemas*, 158); *N'i tybi a'epe îase'o, mba'easy n'i tybi, n'i tybi ambyasy, 'useîa bé n'i tybi...* - Não há ali choro, não há doença, não há fome, sede também não há. (Ar., *Cat.*, 167)

tyba¹ (s.) - forma nominal que expressa o aspecto frequentativo, indicando ação costumeira, frequente, contínua. É usada com nomes deverbativos: *xe rekoatyba* - lugar onde eu comumente estou; *xe soatyba* - lugar aonde eu comumente vou; minha ida costumeira (*VLB*, I, 78; II, 7); *xe pindaeîtykatyba* - lugar costumeiro de minha pescaria (*VLB*, II, 75); *mba'e o emimboraratyba...* - coisas que costuma sofrer (Anch., *Diál. da Fé*, 231); *... Eboûî abá 'anga rupîatyba a'e...* - Eis que ele é o adversário costumeiro das almas dos homens. (Ar., *Cat.*, 89); *... Opakatu mba'e-aíba rasy-abaeté porarasatyba...* - Lugar de sofrimento contínuo de dores terríveis de todas as coisas más. (Bettendorff, *Compêndio*, 49); *xe remi'utyba* - o que eu como costumeiramente (*VLB*, I, 78)

tyba² (s.) - 1) ajuntamento, reunião, multidão, **TIBA**, **TUBA**, conjunto, abundância: *Pa'igûasu irũndyba...* - a multidão de companheiros do provincial (Anch., *Poemas*, 114); *takûarusutyba* - ajuntamento de taquaras grandes (Staden, *Viagem*, 116); *tá-tyba* - ajuntamento de aldeias (*VLB*, II, 84); *Rerityba* - "ajuntamento de ostras", nome de um lugar (Anch., *Poemas*, 112); 2) existência, ocorrência: - *Nd'e'ikatupe amoaé abá oporomongaraípa abaré suí?* - *E'ikatu, abaré tybe'ỹme é.* - Não pode outra pessoa batizar em vez do padre? - Pode, no caso de não existência, mesmo, de padre. (Ar., *Cat.*, 80v)

NOTA - No P.B., **TIBA** pode ser, também, adjetivo, assim como **TIBI** ou **TUBI** (formas populares): 1) cheio, abarrotado: *uma casa TIBA*; *um carro TIBI*; 2) (NE) grande, grosso, considerável.

Daí provêm, também, muitos nomes de lugares no Brasil: **ARAÇATUBA**, **CARAGUATATUBA**, **CURITIBA**, **ITAMARATI**, **ITATIBA**, **SAPETUBA**, **SEPOTUBA** etc. (v. Rel. Top. e Antrop. no final).

tyby - v. **yby²** (t, t)

tybyra - v. **ybyra⁶** (t, t)

tybyrok (v. tr.) - limpar de pó, arrancar a poeira de (*VLB*, II, 22): *Eîpy-tybyrok xe roka...* - Arranca de minha casa a poeira dos pés... (Valente, *Cantigas*, VIII, in Ar., *Cat.*, 1618)

tybytaba (s.) - sobrancelhas (Fig., *Arte*, 76; Castilho, *Nomes*, 40)

tyeté (etim. - *rio verdadeiro*) (s.) - leito do rio dentro das margens, que às vezes fica descoberto (*VLB*, II, 27)

NOTA - Daí, no P.B. (SP), **TETEQUERA** (*ty + eté + pûer + -a*, "o que foi rio verdadeiro", "o que foi leito de rio"), nome comum a depressões que foram, no passado, trechos do leito do rio Paraíba do Sul, um rio meândrico.

tygé

TETEQUERA (ilustração de C. Cardoso)

tygé – v. ygé (t)

tygeapûá – v. ygeapûá (t)

tygûera (s.) – assolamento, arrasamento (p.ex., de uma aldeia, de um campo de cultivo etc.), TIGUERA; (adj.: **tygûer**) – acabado, arrasado, consumido, assolado, destruído: *Oré tygûer.* – Nós estamos arrasados. *Oré tygûé-katu.* – Nós estamos bem arrasados. (*VLB*, I, 45)

> NOTA – Daí, no P.B., TIGUERA, roça de milho ou de outras plantações anuais depois de efetuada a colheita (in *Dicion. Caldas Aulete*).

tygûyrõ – v. ygûyrõ (t)

tygynõ – v. ygynõ (t)

tyîuîa – v. yîuîa (t, t)

tyîuîar (etim. – *tirar espuma*) (v. intr.) – espumar (como a panela etc.) (*VLB*, I, 124)

tyîuîok (etim. – *arrancar espuma*) (v. intr.) – espumar (como a panela etc.) (*VLB*, I, 124)

tyk (adv.) – em multidão; em grande número, em muitos (com o v. no pl.): *Tyk oro'é* (ou *Tyk oro'é nhẽ*). – Em grande número estamos. (*VLB*, II, 44; Anch., *Arte*, 57); *Tyk e'i.* – Estão em grande número, são muitos. (Anch., *Arte*, 57)

tykera – v. ykera (t, t)

tyke'yra – v. yke'yra (t, t)

tyku – v. yku (t, t)

tykûar (v. tr.) – juntar água (ao vinho, à panela que seca etc.): *Atykûar.* – Junto água. (*VLB*, I, 24)

tykyr (v. intr.) – gotejar, dividir-se em gotas: ... *Îandé Îara rugûy bé tykyreme... i tyky-tykyra bé îabi'õ Îandé Îara Jesus Cristo rekóû...?* – E ao dividir-se em gotas o sangue de Nosso Senhor, em cada uma das gotas dele também está Nosso Senhor Jesus Cristo? (Bettendorff, *Compêndio*, 86)

tykyra[1] (etim. – *água tenra*) (s.) – gota, pingo (de qualquer líquido): *Tugûy tykyrûera abŷ are'yma.* – Semelhante a gotas de sangue. (Ar., *Cat.*, 53v); (adj.: **tykyr**) – gotejante: *Xe resa'y-tykyr.* – Eu tenho lágrimas gotejantes. (*VLB*, II, 17)

> NOTA – Daí, no P.B., TIQUINHO, pouquinho, poucadinho, bocadinho. Daí, também, o nome da serra da MANTIQUEIRA (v. Rel. Top. e Antrop. no final).

tykytykyr (ou **tukutukur**) (v. intr.) – destilar (*VLB*, I, 129): ... *Mba'e-akuba, mba'e-robeté tukutuku okûapa.* – Estando a destilar coisa quente, coisa muito amarga. (Ar., *Cat.*, 164)

> NOTA – Daí, no P.B., TIQUIRA, aguardente de mandioca (isto é, a que foi destilada no alambique): "A sua tentação não era... a cerveja, nem o conhaque...: era a aguardente nacional, o parati indígena, a cachaça cabocla, a TIQUIRA maranhense." (Humberto de Campos, in *Memórias Inacabadas*, apud *Novo Dicion. Aurélio*).

tyky'yra – v. yky'yra (t, t)

tym (-îo- ou -nho-) (v. tr.) – 1) enterrar, sepultar: ... *Tekopoxypûera tyma...* – Enterrando os antigos maus hábitos. (Anch., *Teatro*, 58); *Marãpe serekóû i tym-y îanondé?* – Que fizeram com ele antes de o enterrarem? (Ar., *Cat.*, 64v); 2) plantar, semear (*VLB*, II, 115): *Ereîkó kopira resé kó tyma.* – Estiveste no roçado para plantar roça. (Anch., *Teatro*, 166) ● **tymara** (ou **tymbara**) – o que sepulta, o sepultador; o que enterra, o que planta: *Abá abépe i pyri i tymbaramo?* – Quem mais junto deles foram seus sepultadores? (Ar., *Cat.*, 64v); **tymaba** (ou **tymbaba**) – lugar, tempo, modo etc. de enterrar, de plantar: ... *Itá karamemûã abá tymagûere'yma pupé i mondepa.* – Colocando-o dentro de um túmulo de pedra em que ninguém estava enterrado. (Ar., *Cat.*, 64v); **i tymbyra** (ou **i tymymbyra**) – o enterrado, o que é (ou deve ser) enterrado, sepultado; o plantado: *Ybyraîoasaba resé i moîarypyrûeramo sekóû, i îukapyrûeramo, i tymbyrûeramo.* – Foi pregado na cruz, foi morto, foi sepultado. (Ar., *Cat.*, 15); **emityma** (t) – o que alguém enterra, o que alguém planta; a plantação, a sementeira (*VLB*, II, 115): *O emitymbûerypy pupé Tupãpotá-me'engano.* – Dar também o dízimo naquilo que plantou primeiro. (Ar., *Cat.*, 17) [Pode-se omitir o pronome incorporado -îo-: *Otym.* – Enterra-o. (Fig., *Arte*, 14)]

> NOTA – Daí, no P.B., TIMBIRA (*i tymbyra*, "os enterrados"), nome de um povo indígena tapuia, extinto. Alusão ao fato de não construírem eles

casas como os tupis da costa. Deviam fazer buracos no chão, onde se abrigavam. O Pe. Fernão Cardim e Gabriel Soares de Sousa dizem a mesma coisa a respeito de outros povos indígenas: *"Obacoatiáras − estes vivem em ilhas no Rio de São Francisco, têm casas como cafuas debaixo do chão."* (Pe. Fernão Cardim [1585], 104); sobre os índios Guaianás: *"Não vive este gentio em aldêas com casas arrumadas, como os Tamoyos seus visinhos; mas em covas pelo campo debaixo do chão..."* (Sousa, *Trat. Descr.*, LXIII).

TYMBABA (sepultamento de um índio) (fonte: Thevet)

tymakambira (s.) − **MACAMBIRA**, planta da família das bromeliáceas, de folhas espinhosas e duras, comum na caatinga nordestina (*Libri Princ.*, vol. II, 27)

MACAMBIRA (fonte: *Brasil Holandês*)

tymãkanga − v. **ymãkanga (t)**

tynysema − v. **ynysema (t, t)**

typa'ama (etim. − *obstrução de urina*) (s.) − cálculo renal (*VLB*, II, 69); (adj.: **typa'am**) − doente de cálculos renais; (xe) ter cálculos: *Xe typa'am.* − Eu tenho cálculos renais. (*VLB*, II, 69)

typoîa (s.) − lenço ou tira de pano que se prendia ao pescoço para se carregarem os filhos junto ao corpo (Cardim, *Trat. Terra e Gente do Brasil*, 107) (v. **tipoîa**)

typûera − v. **ypûera (t, t)**

typy'abyka (etim. − *fécula apertada* − v. **pyk**) (s.) − fécula de mandioca espremida (Marcgrave, *Hist. Nat. Bras.*, 67)

typy'aka (s.) − fécula resultante de mandioca espremida (Marcgrave, *Hist. Nat. Bras.*, 67)

typy'asy (s.) − variedade de bebida fermentada feita de farinha de mandioca (Marcgrave, *Hist. Nat. Bras.*, 274)

typy'asyka (s.) − bolo feito de **tipioku'i** (v.) (Marcgrave, *Hist. Nat. Bras.*, 67)

typy'oîa (s.) − fécula resultante da mandioca espremida (Marcgrave, *Hist. Nat. Bras.*, 67)

typy'oka (s.) − **TAPIOCA**, subproduto da mandioca (Piso, *De Med. Bras.*, III, 173)

typy'okaẽ (s.) − subproduto da mandioca (Piso, *De Med. Bras.*, III, 171)

typy'oketõ (s.) − bolo feito com a água da farinha depositada pela manipueira (Piso, *De Med. Bras.*, IV, 177)

typy'oku'i (s.) − farinha feita de **typy'oîa** (v.) (Marcgrave, *Hist. Nat. Bras.*, 67)

typy'oky (etim. − *água de tapioca*) (s.) − var. de bebida (Vasconcelos, *Crônica (Not.)* I, 106)

typyraty (s.) − farinha de mandioca crua, de qualidade inferior (*VLB*, I, 135)

typyrõ (v. tr.) − ensopar, pôr de molho, amolecer pondo em líquido, migar (um caldo) (*VLB*, II, 37)

tyra (s.) − acompanhamento (aquilo que se come com outros alimentos); conduto (Fig., *Arte*, 76): ... *U'i tyrama resé ekotebẽmo...* − Tendo falta do acompanhamento da farinha (isto é, da carne ou do peixe). (*Ar., Cat.*, 111)

NOTA − Daí, no P.B., **TIRIÚMA** (*tyre'yma*, "sem acompanhamento"), solitário, só, desacompanhado (in *Dicion. Caldas Aulete*).

tyrá (s.) − arrepio (Anch., *Arte*, 14); arrepiamento (p.ex., dos cabelos, dos pelos ou das penas) (Fig., *Arte*, 76); eriçamento (p.ex., de fibras de madeira); (adj.) − arrepiado, eriçado: *'a-tyrá-tyrá* − cabelos muito arrepiados, grenha (*VLB*, I, 150); *Xe 'a-tyragûasu.* − Eu tenho cabelos muito arrepiados. (*VLB*, I, 150)

NOTA − Daí se origina, no P.B., a palavra **ABATIRÁ** (*'aba + tyrá*, "cabelos arrepiados"), nome de um antigo grupo indígena de Porto Seguro.

tyryk (v. intr.) − o mesmo que **syryk** (v.)

tyryka

tyryka (s.) – recuo, afastamento, fuga; (adj.: **tyryk**) – arredio, arisco, que foge, que se afasta: *tu'i-tyryka* – tuim arisco, TUITIRICA, periquito da família dos psitacídeos (Marcgrave, *Hist. Nat. Bras.*, 206)

> NOTA – Daí também provém, no P.B., a palavra **JAGUATIRICA** ("onça que se afasta"), nome de um animal felídeo que não ataca o homem, como o faz a onça. Frei Arronches confirma tal etimologia na língua geral setentrional: "APARTAR, afastando – *moteric*". Cardim (*Trat. Terra e gente do Brasil*, 26), por outro lado, fala-nos sobre o "Tayaçutirica, sc., *porco que bate e trinca os dentes*", termo que inclui o verbo **tirik** (v.) e não a forma nominal **tyryk**.

tyrygûara (s.) – verme que se infiltra em materiais como madeira, abrindo cavidades enormes a partir de um pequeno furo quase imperceptível (D'Abbeville, *Histoire*, 258)

tyryryk – o mesmo que **syryryk** (v.).

tyryryka (s.) – TIRIRICA, erva daninha da família das ciperáceas, do gênero *Cyperus*, que é uma praga nos campos cultivados, alastrando-se rapidamente (Matos, *Obras*, II, 282)

tysy – v. **ysy (t)**

tytyî (xe) (v. da 2ª classe) – ter urina presa (*VLB*, II, 12)

tytyka (ou **tutuka**) (s.) – palpitação (Fig., *Arte*, 76); (adj.: **tytyk**) – palpitante; **(xe)** palpitar, tremer, estremecer (como faz algumas vezes o olho, alguma parte do corpo, a carne morta etc.): *Xe py'a-tytyk*. – Eu tenho o coração palpitante. (*VLB*, I, 53); *Xe ro'o-tytyk*. – Eu tenho a carne palpitante. (*VLB*, I, 130)

> NOTA – Daí, no P.B., o verbo **TUTUCAR**, *produzir som surdo* e o substantivo **TUTUQUE**, *som surdo*: "*Ouvia-se o TUTUCAR dos atabaques.*" (Júlio Ribeiro, in *A Carne*, apud *Novo Dicion. Aurélio*).

tytyrybá (s.) – planta da família das sapotáceas (Vieira, *Cartas*, I, 375-376)

tyuru[1] (etim. – *recipiente de urina*) (s.) – bexiga (Castilho, *Nomes*, 40)

tyuru[2] (etim. – *recipiente de urina*) (s.) – urinol, penico (*VLB*, II, 60)

tyurutyba (etim. – *recipiente costumeiro de urina*) (s.) – urinol, penico (*VLB*, II, 60)

U.e Û

-û (suf. que marca o modo indicativo circunstancial): ... *I kangûerĩ tiruã momba'etéû...* – Até mesmo seus ossinhos cultua. (Ar., *Cat.*, 12v); *Kó xe rekóû nde reká...* – Eis que aqui estou, procurando-te. (Anch., *Poemas*, 104); *Kori i îukáû.* – Hoje o matou. (Anch., *Arte*, 39v)

'u (v. tr. irreg.) – ingerir (comida, bebida, donde "*comer*", "*beber*"), inalar (fumo): *A'y-'u.* – Bebi água. (*VLB*, I, 53); *Nd'ere'uî xó kori xe remindu'une!* – Não beberás hoje o que eu mastigo. (Anch., *Teatro*, 10); *Ereîpotápe nde 'u?* – Queres que ele te coma? (Anch., *Teatro*, 32); *I aputu'uma t'a'u.* – Hei de comer seus miolos. (Anch., *Teatro*, 66) • *o'uba'e* – o que come, o que bebe, o que ingere: *O puru'a îuká potá mosanga o'uba'e.* – A que ingere uma poção, querendo matar seu feto. (Anch., *Diál. da Fé*, 209); **'ûara** (ou **gûara**) – o que ingere, o que come, o que bebe: ... *mosangygûaba gûara* – a que ingere veneno (Ar., *Cat.*, 70); *i 'upyra* – o que é (ou deve ser) comido, bebido, ingerido: *Îasy mba'e i 'upyra.* – A lua foi comida (isto é, *a lua eclipsou-se*). (*VLB*, I, 108); **'ûaba** (ou **gûaba**) – tempo, lugar, modo, instrumento etc. de ingerir, de comer, de beber; a ingestão: *usá-'ûaba* – lugar de comer caranguejos-uçás (D'Abbeville, *Histoire*, 184); *'Ara nde i gûaba pupé bé o'a te'õ nde reséne...* – No mesmo dia em que a comeres, cairá a morte em ti. (Ar., *Cat.*, 40); *Oîmoasype a'e riré a'e 'ybá 'uagûera?* – Arrependeu-se, depois disso, de ter comido aquele fruto? (Anch., *Doutr. Cristã*, I, 163); *Ere'upe so'o i gûabe'yma pupé?* – Comeste carne no tempo de não a comer? (Anch., *Doutr. Cristã*, II, 107); *N'i gûabi.* – Não tem modo de comer. (Anch., *Arte*, 48)

NOTA – O verbo **'u**, no deverbal **'ûara / gûara**, do tupi, está presente em muitas palavras no P.B.: **POTIGUAR** (*potĩ + gûara*, "comedor de camarões"), o natural do Rio Grande do Norte; **CERNAMBIGUARA** (*serinambi + gûara*, "comedor de cernambis"), nome de um peixe; **BURITIGUARA** ("comedor de buritis"), nome de povo indígena extinto; **PACAGUARA** ("comedor de pacas"), nome de povo indígena extinto; **MANIUARA** ("comedor de manis"), saúva, var. de formiga; **PIRAGUARA** ("comedor de peixes"), outro termo para designar o caipira etc.
O verbo **'u**, no deverbal **'ûaba / gûaba**, está presente em nomes geográficos: **ARARITAGUABA** (nome antigo de Porto Feliz, SP), **JACAREGUABA** (localidade de SP) etc. (v. Rel. Top. e Antrop. no final).

uã (adv.) – já: *Oín uãpe Tupã Santa Maria rygépe...?* – Estava já Deus no ventre de Santa Maria? (Ar., *Cat.*, 35, 1686) (o mesmo que **umã** – v.)

ûá (t) (s.) – 1) canto (p.ex., de parede, sempre do lado de dentro da casa): *sûáĩ* – cantinho dela (*VLB*, I, 66); 2) fundo (de qualquer vaso ou recipiente, do lado de dentro) (*VLB*, I, 145)

u'ã (t) (s.) – 1) talo (p.ex., de couve, alface etc.) (*VLB*, II, 123); 2) palmito (usa-se com o nome da palmeira da qual ele foi extraído): *pindobu'ã* – palmito de pindoba; *paty ru'ã* – o palmito da palmeira pati; *îeîsaru'ã* – palmito de juçara (*VLB*, II, 63)

u'ãgûana (t) (s.) – frechal, a viga que se põe sobre as paredes e na qual se pregam os barrotes e caibros para o teto da casa (*VLB*, I, 143)

ûaîa[1] (t) (s.) – rabo, cauda (de animal, de ave): *Aîmobabak xe rûaîa.* – Balanço meu rabo. (*VLB*, II, 95); *Îé, kó bé xe pûapé, xe rûaîpuku...* – Sim, eis aqui também minhas garras, meu rabo comprido. (Anch., *Teatro*, 40); [adj.: *ûaî* (r, s)] – caudato; **(xe)** ter rabo, ter cauda: *Xe rûaîasyk.* – Eu tenho o rabo cortado. (*VLB*, I, 95)

NOTA – Daí, no P.B., **TUAIÁ**, termo usado na Amazônia, que designa a região mais distante de seringais do Alto Xingu e, por extensão, um lugar longínquo, rio acima; **CUTIAIA**, **CUTIUAIA** (*akuti + ûaî + -a*, "cutia de rabo"), nome de um mamífero dasiproctídeo.

ûaîa[2] (t) (s.) – prisioneiro, o que deve servir a outrem: *xe rûaîa* – meus prisioneiros (i.e., aqueles que são inferiores a mim e que devem servir-me) (Léry, *Histoire*, 368)

ûaîanã (s. etnôn.) – GUAIANÁ, o mesmo que **gûaîanã** (v.) (Staden, *Viagem*, 133)

ûaîanaûasu (etim. – *grande guaianá*) (s. etnôn.) – GUAIANÁ-GUAÇU, nome de nação indígena tapuia (Knivet, *The Adm. Adv.*, 1230)

ûaîaûasu (etim. – *guajá grande*) (s.) – espécie de caranguejo encontrado nos mangues (D'Abbeville, *Histoire*, 248)

ûaîbabak (r, s) (xe) (v. da 2ª classe) – rabear, balançar o rabo (como o cão) (*VLB*, II, 95)

ûaîeroba (s.) – nome de uma árvore muito grande e alta, com folhas semelhantes às do carvalho, porém um pouco maiores (D'Abbeville, *Histoire*, 218v)

ûaînumby

ûaînumby – o mesmo que **gûaînumby** (v.) (D'Abbeville, *Histoire*, 239v)

Ûaîupîá – o mesmo que **Gûaîupîá** (v.)

ûaîxó (s.) – variedade de **TUCANO**, ave da família dos ranfastídeos (D'Abbeville, *Histoire*, 237v)

ûaîyru (s.) – **GUAJARU**, árvore crisobalanácea (v. **gûaîeru**) (D'Abbeville, *Histoire*, 224)

ûaká (s.) – **UACÁ**, planta da família das sapotáceas (*Ecclinusa ramiflora* Mart.). "Depois de derrubadas, as fendem os índios de alto a baixo... para fazerem os remos." (Sousa, *Trat. Descr.*, 222)

ûakará (s.) – nome de um peixe de mar (D'Abbeville, *Histoire*, 244)

ûakaraúna (s.) – nome de um pássaro de plumagem negra (D'Abbeville, *Histoire*, 241)

ûakaré (s.) – variedade de búzio (Sousa, *Trat. Descr.*, 294)

ûakary – o mesmo que **gûakary** (v.) (Lisboa, *Hist. Anim. e Árv. do Maranhão*, fl. 175v)

ûakûakûá (s.) – nome de uma ave (Brandão, *Diálogos*, 233)

ûakury (s.) – **GUACURI**, var. de palmeira (*Attalea phalerata* Mart. ex Spreng.), com cujas palmas os índios faziam cabanas, possuindo frutos parecidos com nozes, de onde se extrai um óleo doce e muito bom (D'Abbeville, *Histoire*, 221) • **ûakury ru'ã** – o palmito do guacuri (D'Abbeville, *Histoire*, 221)

ûam – alomorfe de **ram** (v.)

ûanandi – o mesmo que **gûyraundi** (v.) (Sousa, *Trat. Descr.*, 238)

ûanhumy[1] (ou **ûanhumỹ**) – o mesmo que **gûanhumỹ** (v.) (D'Abbeville, *Histoire*, 248)

Ûanhumy[2] (ou **Ûanhumỹ**) (s.) – nome de uma constelação (D'Abbeville, *Histoire*, 248)

ûapakari (s.) – raiz com a qual se produz uma espuma branca, que era utilizada pelos índios para limpar os cabelos, a cabeça e tudo o mais (D'Abbeville, *Histoire*, 267v)

ûapiku (s.) – var. de pica-pau, ave da família dos picídeos. "... Têm o corpo preto e as asas pintadas de branco e bico comprido, tão duro e agudo que fura com ele as árvores... e quando dão as picadas no pau, soa a pancada a oitenta passos e mais." (Sousa, *Trat. Descr.*, 238)

> NOTA – Daí, no P.B., **GUAPICOBAÍBA** [*ûapiku* + '*ybá* + *aíb* + -*a*, "fruto ruim (i.e., *que não se come*) do pica-pau"], nome de uma planta leguminosa e de seu fruto.

ûapûasu (s.) – **VAPUAÇU**, búzio de três quinas que servia de buzina aos índios (Sousa, *Trat. Descr.*, 293)

ûará[1] (s.) – **GUARÁ** (v. **gûará**[1]) (D'Abbeville, *Histoire*, 240v; Staden, *Viagem*, 62)

ûará[2] (s.) – **GUARÁ**, nome de peixe (o mesmo que **gûará**[2] – v.): – *Setápe pirá seba'e? – Nã: kurimã, parati, ... ûará, kamurupyûasu*. – São muitos os peixes que são gostosos? – Ei-los: curimã, parati, guará, camurupi-guaçu. (Léry, *Histoire*, 348-349)

ûarakapá – o mesmo que **gûarakapá** (v.) (D'Abbeville, *Histoire*, 289)

ûarapiranga (etim. – *guará vermelho*) (s.) – **GUARAPIRANGA**, talvez o mesmo que **gûará**[1] (v.) (Staden, *Viagem*, 175)

> NOTA – Daí provém o nome da represa de **GUARAPIRANGA**, em São Paulo (SP) (v. Rel. Top. e Antrop. no final).

ûaraûã (s.) – **GUARAGUÁ**, peixe-boi (v. **gûaragûá**) (D'Abbeville, *Histoire*, 243v)

ûariba (s.) – **GUARIBA** (v. **gûariba**) (D'Abbeville, *Histoire*, 252)

ûarûá – o mesmo que **gûarugûá** (v.) (D'Abbeville, *Histoire*, 283)

ûarumaûasu[1] (s.) – **GUARUMAGUAÇU**, planta marantácea (*Ischnosiphon arouma* (Aubl.) Körn.) com a qual se faziam peneiras para farinha (D'Abbeville, *Histoire*, 182)

Ûarumaûasu[2] (s. antrop.) – nome de índio tupi (D'Abbeville, *Histoire*, 182)

-ûasu (ou **-gûasu**) (suf.) – **1)** *-ão* (suf. aumentativo, como em *matão*); grande, **GUAÇU**, **AÇU**: *Osokendab a'e karamemûã itagûasu pupé.* – Fecharam aquele túmulo com uma pedra grande. (Ar., *Cat.*, 64v); *piragûasu* – peixão, peixe grande (Anch., *Arte*, 13); *Xe tupinambagûasu.* – Eu sou o grande tupinambá. (Anch., *Poemas*, 114); *Oîké îugûasu, i akanga kutuka...* – Entram grandes espinhos, espetando sua cabeça. (Anch., *Poemas*, 122); *Mba'e-eté* *ka'ugûasu...* – Coisa muito boa é uma grande bebedeira. (Anch., *Teatro*, 6); ... *andyragûasu-bebé...* – morcegão voador (Anch., *Teatro*, 26); *Reriûasu* – Ostra Grande, nome de pessoa (Léry, *Histoire*, 341); **2)** muito (em quantidade): *I kaûĩgûasu-pipó xe ramũîa Îagûaruna?* – Tem muito cauim, porventura, meu avô Jaguaruna? (Anch., *Teatro*, 60); **3)** muito (em intensidade): *Xe kerambugûasu.* – Eu ronco muito. (*VLB*, II, 108) (v. tb. **-usu**)

NOTA: **-GUAÇU** e **-AÇU** aparecem como elementos de composição em muitas palavras do P.B.: **ABARÉ-GUAÇU** (termo usado na quimbanda), grande feiticeiro; **ANDIRÁ-GUAÇU**, nome de um morcego; **CAMBARÁ-GUAÇU**, nome de uma planta; **SABIÁ-GUAÇU**, nome de uma ave; **TIMBÓ-AÇU**, nome de uma planta etc. **AÇU** também é usado como adjetivo: "... No Catete ... pontifica o chefe AÇU." (Graciliano Ramos, in *Linhas Tortas*, apud *Novo Dicion. Aurélio*).
Há muitos nomes geográficos em que esse sufixo aparece: **IGUAÇU, IGARAÇU** etc. O nome **AÇU** designa vários acidentes geográficos no Brasil (v. Rel. Top. e Antrop. no final).

ûatapu (s.) – **UATAPU, GUATAPI**, búzio grande. Serve de trombeta aos jangadeiros do Pará para chamar os companheiros ou fregueses. Os índios criam ter ele a virtude de atrair o peixe. (Sousa, *Trat. Descr.*, 293; Staden, *Viagem*, 148)

ûatapy – o mesmo que **ûatapu** (v.)

ûatukupá – v. **guatucupá** (D'Abbeville, *Histoire*, 244)

ub – v. **îub / ub(a)** (t, t) (Anch., *Arte*, 57v)

ubá¹ (s.) – **CANA-UBÁ**, nome de cana nativa, o mesmo que **u'ubá** (v.) (Sousa, *Trat. Descr.*, 208)

ubá² (s.) – **UBÁ, IUÁ**, var. de canoa, de embarcação indígena [Sotomaior, *Jornada ao Pacajá*, in *DAP*, VIII (1945), 2]

uba¹ (s.) – coxa, da parte dianteira (Castilho, *Nomes*, 40); coxa da perna (*VLB*, I, 85): *Aryryî, opá xe uba îesyî...* – Tremo, ambas as minhas coxas adormeceram. (Anch., *Teatro*, 26) • **ugûera** – quarto traseiro que se parte de um animal ou de uma pessoa (*VLB*, II, 91); coxa arrancada do corpo: *T'a'u kori i îybapûera, Îagûarusu, i ugûera...* – Hei de comer hoje seus braços, Jaguaruçu, suas coxas. (Anch., *Teatro*, 64)

ubangaba

uba² (t) (s.) – pó, cinza (do que se queimou ou se chamuscou): *nha'ẽpesẽ-uba* – cinzas do alguidar, cinzas da bacia (feitas pelas chamas) (*VLB*, II, 79); [adj.: **ub (r, s)**] – cinéreo; **(xe)** ter cinza, virar cinza: *Sugûé-katu.* – Ele virou cinza completamente. (*VLB*, II, 79)

uba³ (t, t) (s.) – **1)** pai: *Enhe'eng nde ruba supé.* – Fala a teu pai. (Fig., *Arte*, 6); *Asopatĩ xe ruba.* – Armo a rede a meu pai. (Fig., *Arte*, 88); *Koriteĩ Pedro xe ruba mongetáû.* – Agora Pedro com meu pai falou. (Fig., *Arte*, 96); **2)** tio paterno (Ar., *Cat.*, 116v); **3)** primo paterno (Ar., *Cat.*, 116v); **4)** padrinho de pia (*VLB*, II, 62); **5)** os pais, os progenitores (Marcgrave, *Hist. Nat. Bras.*, 276); [adj.: **ub (r, t)**] **(xe)** – ter pai: *Xe rub.* – Eu tenho pai. *Nde rub.* – Tu tens pai. *Tub.* – Ele tem pai. (Fig., *Arte*, 39) • **tugûera** – o que foi pai (*VLB*, II, 62); o pai extinto, antigo (Anch., *Arte*, 33v); **xe ruba xe monhangara** – meu pai, o que me gerou (para não haver confusão com outros parentes que também eram chamados **tuba**) (Anch., *Cartas*, 459); **xe membyra ruba** – o pai de meus filhos (isto é, meu marido legítimo) (Anch., *Cartas*, 459)

OBSERVAÇÃO – Pode formar vocativo com **-p**: *xe rup!* – Meu pai! (Anch., *Arte*, 8v).

uba⁴ (t) (s.) – ova (p.ex., de peixe) (*VLB*, II, 60): *T'ame'ẽne pirá ruba endébo...* – Hei de dar ova de peixe para ti. (Anch., *Teatro*, 44); [adj.: **ub (r, s)**] **(xe)** – ter ova (o peixe) (*VLB*, II, 60)

ubaeaîa (etim. – *fruta gostosa e azeda*) (s.) – **UVAIA, 1)** planta mirtácea, do gênero *Eugenia*; **2)** nome de seu fruto (*Theat. Rer. Nat. Bras.*, II, 114)

ubakupari (s.) – **UVACUPARI, BACUPARI-DO-CAMPO, VACAPARI**, arbusto da família das hipocrateáceas (*Salacia campestris* Cambess. ex Walp.), também chamado *capicuru, japicuru, laranjinha-do-campo, saputá* (Brandão, *Diálogos*, 217)

uban (v. tr.) – envolver, embrulhar: *Aobybĩ pupé sobá ubana...* – Envolvendo seu rosto com véus. (Ar., *Cat.*, 79, 1686); *Aó-tinga pupé i nhubani...* – Em roupas brancas envolveram-no... (Ar., *Cat.*, 64v)

ubandaba (etim. – *instrumento de envolver*) (s.) – envoltório (*VLB*, I, 120)

ubangaba (t, t) (etim. – *imagem do pai*) (s.) – padrinho *****: *Oîkobé xe rubangaba, tupi moan-*

ubapeba

gaîpaparûera. – Há um padrinho meu, velho pervertedor dos tupis. (Anch., *Teatro*, 136); *Erobîá, xe rubangaba, ta nde moembiá kori.* – Acredita, meu padrinho, hão de te apresar hoje. (Anch., *Teatro*, 142)

> * NOTA – O sentido apropriado de *padrinho*, aí, pode ser entendido neste texto de Cardim: *"As mulheres parindo (e parem no chão), não levantam a criança, mas levanta-a o pai ou alguma pessoa que tomam por seu compadre e na amizade ficam como os compadres entre os cristãos."* (Cardim, *Trat. Terra e Gente do Brasil*, 107).

ubapeba (s.) – GUAPEBA, trepadeira da família das cucurbitáceas (*Fevillea passiflora* Vell.). "É cipó que trepa por riba das árvores; ... a fruta é tamanha como uma laranja... e tem dentro três ou quatro castanhas." (Lisboa, *Hist. Anim. e Árv. do Maranhão*, fl. 181)

ubapûã (etim. – *extremidade da coxa*) (s.) – a ponta da coxa junto ao joelho (Castilho, *Nomes*, 41)

ubapûãa'yĩa (s.) – lagarto da perna, a parte mais carnuda da coxa (Castilho, *Nomes*, 41)

'ubapytanga – o mesmo que 'ybapytanga (v.) (Marcgrave, *Hist. Nat. Bras.*, 293)

ubarana (etim. – *falsa ubá*) (s.) – UBARANA, OBARANA, peixe de corpo cilíndrico e alongado, da família dos elopídeos (Marcgrave, *Hist. Nat. Bras.*, 154)

ubaranasagûasu (etim. – *ubarana dos olhos grandes*) (s.) – nome de um peixe elopídeo (Griebe, *Brasil Holandês*, vol. III, 71)

ubatĩ[1] (s.) – variedade de milho, o milho-da-guiné ou zaburro. "A cor geral deste milho é branca." (Sousa, *Trat. Descr.*, 182)

ubatĩ[2] (etim. – *fruto pontudo*) (s.) – nome de uma planta (*Theat. Rer. Nat. Bras.*, II, 218)

ubaubagûasu (s.) – roca, tiras estreitas que se colocavam ao comprido das mangas dos vestidos e que deixavam entrever o tecido sobre o qual se assentavam (*VLB*, II, 107)

ubaxa'ynha (s.) – GRUMIXAMA, planta da família das mirtáceas (*Eugenia brasiliensis* Lam.) (Lisboa, *Hist. Anim. e Árv. do Maranhão*, fl. 179)

ube'yma (t, t) (etim. – *sem pai*) (s.) – órfão (de pai): ... *tube'yma i mene'õba'e bé asé sereko memûãmo.* – ... tratando-se mal os órfãos e as viúvas. (Bettendorff, *Compêndio*, 17)

ubĩ (s.) – UBIM, UBI, nome comum a várias palmeiras dos gêneros *Bactris*, *Calyptrogyne* e *Geonoma* (Vieira, *Cartas*, I, 373)

ubixaba (t, t) ou (t) (s.) – 1) TUXAUA, TUXAVA, cacique, chefe (de homens ou animais): ... *Og ubixaba abé... asé osapîá.* – A gente obedece também a seu próprio chefe. (Ar., *Cat.*, 68v); 2) rei, imperador: ... *Îudeus rubixabapiã nde?* – Acaso tu és o rei dos judeus? (Ar., *Cat.*, 58) ● **ubixá-katu** – grande chefe, chefe principal, chefe maior; maioral; rei: *Oú tubixá-katu...* – Veio um grande chefe. (Anch., *Poemas*, 138); *Mobype tubixá-katu kybõ?* – Quantos são os chefes principais por aqui? (Léry, *Histoire*, 350) [Pode-se verter *chefe dele* ou *chefe deles* por **tubixaba** ou **subixaba** (Anch., *Arte*, 13)] (v. tb. **morubixaba**)

TUXAUAS (chefes indígenas) (fonte: Staden)

ubixakatu'ĩ (t, t) – o mesmo que **ubixaba** (t, t) (v.) (*VLB*, II, 100)

uboîara – o mesmo que **ybyîara** (v.) (Sousa, *Trat. Descr.*, 261-262)

ububoka – o mesmo que **ybyboboka** (v.) (Sousa, *Trat. Descr.*, 260-261)

ubukaba (ou **ybykaba**) (s.) – UBACABA, planta da família das mirtáceas (*Psidium radicans* O. Berg). Sua madeira é mole e "... dá umas frutas pretas e miúdas como murtinhos, que se comem..." (Sousa, *Trat. Descr.*, 194)

ubupûãîa (s.) – bíceps da perna (*VLB*, II, 17)

uburu (etim. – *envoltório das coxas*) (s.) – ceroulas (*VLB*, I, 59)

ubypy (etim. – *começo da coxa*) (s.) – a raiz da coxa junto à virilha (Castilho, *Nomes*, 41)

ubyraîara – o mesmo que **ybyraîara** (v.) (Sousa, *Trat. Descr.*, cap. CLXXXI)

ubyrataîa – o mesmo que **ybyrataîa** (v.) (Sousa, *Trat. Descr.*, 221)

ûer [alomorfe de **pûer** (v.)] – antigo, passado, que foi: *Xe Îetu'u ra'yrûera...* – Eu sou antigo filho de Jetuú. (Anch., *Poemas*, 152); *aîuruîubupîarûera* – adversário antigo de franceses (Anch., *Teatro*, 44)

> NOTA – Daí, os nomes geográficos **ANHANGUERA**, **TABATINGUERA** etc. (v. Rel. Top. e Antrop. no final).

ugûan (adv.) – o mesmo que **umûã** e **umã** (v.) – já: *Our ugûan...* – Já veio. (Ar., *Cat.*, 160v)

ugûapara (t) (s.) – perseguidor, apresador (p.ex., um cão perdigueiro, um caçador) (*VLB*, II, 73)

ugûy (t) (s.) – 1) sangue: ... *Og ugûy pupé xe reî...* – Com seu sangue me lavou. (Anch., *Teatro*, 172); *Opá og ugûy me'engi...* – Todo seu sangue deu. (Anch., *Poemas*, 108); *N'i tyby tugûy nde membyrasápe.* – Não houve sangue em teu parto. (Anch., *Poemas*, 118); **2)** sangue menstrual, menstruação [após a segunda delas. A primeira e a segunda menstruações tinham nomes diferentes: **nhemondy'ara** (v.) e **îeporero'ypoka** (v.), respectivamente (*VLB*, I, 84)]; [adj.: **ugûy (r, s)**] – sangrado; **(xe)** ter sangue; estar menstruada: *Xe rugûy.* – Eu estou menstruada. (*VLB*, I, 84) • **tugûygûasu** (ou **tugûy-pabe'yma**) – fluxo de sangue (*VLB*, I, 140)

ugûyká (s) (etim. – *romper o sangue*) (v. tr.) – **1)** desvirginar: *Eresugûykápe kunhataĩ amõ?* – Desvirginaste alguma menina? (Ar., *Cat.*, 103v)

ugûykutuk (s) (etim. – *espetar o sangue*) (v. tr.) – dar sangria; sangrar (*VLB*, II, 112)

ugûymombuk (s) (etim. – *furar o sangue*) (v. tr.) – dar sangria; sangrar: *Asugûymombuk.* – Sangro-o. (*VLB*, II, 112)

uî – forma irreg. do verbo **îub, ub(a) (t, t)** (v.), no modo indicativo circunstancial

ûi- (ou **gûi-**) (pref. da 1ª p. do sing. usado com o gerúndio): ... *Tupã supé ûiîerurébo...* – Orando eu para Deus. (Anch., *Teatro*, 40); ... *Nde robaké ûigûapyka...* – Diante de ti sentando-me eu. (Anch., *Poemas*, 96); *Karaibokype ûi-tekóbo...* – Estando eu em casa de cristãos... (Anch., *Teatro*, 46)

u'i (s.) – farinha (feita pelos índios com raspas espremidas de raízes como a mandioca ou a macaxeira) (D'Abbeville, *Histoire*, 305): *Ere'upe so'o... u'i rerekóbo nhẽpe...?* – Comeste carne de caça, tendo farinha? (Ar., *Cat.*, 111); *Aîeruré u'i resé.* – Peço por farinha. (D'Evreux, *Viagem*, 144) • **u'i-abiruru** – farinha feita de mandiopuba (Marcgrave, *Hist. Nat. Bras.*, 67); **u'i-atã** (ou **u'itã**) – farinha dura de raízes, principalmente de mandioca, feita com a mistura da mandioca apodrecida, antes de seca, com a mandioca seca e com a fresca; farinha de guerra, isto é, a que se levava para as batalhas para nutrir os índios (Staden, *Viagem*, 142); farinha de mandioca seca (Marcgrave, *Hist. Nat. Bras.*, 67); **u'i-apu'a** – pelouros grandes que se faziam da mandioca curtida, com que depois davam cor à farinha de guerra (*VLB*, II, 71); **u'i-esakûatinga** – var. de farinha menos torrada e durável que a **u'i-atã**, por ser menos cozida (*VLB*, I, 135; Vasconcelos, *Crônica (Not.)* II, §73, 148); farinha de mandioca quase seca (Marcgrave, *Hist. Nat. Bras.*, 67); **u'i-îará** – var. de farinha: *Eîori u'i-îará gûabo.* – Vem para comer farinha. (Fig., *Arte*, 141); **u'ipeba** – farinha fresca retirada da mandiopuba (Piso, *De Med. Bras.*, IV, 177); **u'i-puba** – farinha puba, farinha-d'água, ou seja, de mandioca curtida, que se espremia no tipiti e que se passava pela urupema (*VLB*, I, 135); **u'i-puku** – var. de farinha de mandioca (*VLB*, I, 114); farinha feita de mandiopuba; bolas de farinha puba feitas com as mãos e secadas ao calor do sol (Marcgrave, *Hist. Nat. Bras.*, 67); **u'i-syka** – farinha de mandioca seca (Marcgrave, *Hist. Nat. Bras.*, 67); **u'i-tinga** – farinha de mandioca ainda mole, meio cozida (Marcgrave, *Hist. Nat. Bras.*, 67)

uî (-**îo-s-** ou -**nho-s-**) (v. tr. irreg. Incorpora -**îo-** e -**s-**. Nas formas nominais é pluriforme.) – **1)** queimar, abrasar: *Anhosûî.* – Queimo-o. *Aporoûî.* – Abraso gente. (Fig., *Arte*, 89); **2)** escaldar: *Xe rũî îepé.* – Tu me escaldaste. (*VLB*, I, 122)

ûĩ[1] (adv. – Marca o presente com a 2ª p.) – eis que; eis que esse (s, a, as): *Eresó ûĩ.* – Eis que vais. Vais (agora). (Anch., *Arte*, 21v); *Pesó ûĩ.* – Eis que ides. Ides (agora). (Anch., *Arte*, 21v)

ûĩ[2] (adv.) – como!: *Nde poxy ûĩ!* – Como tu és mau! (Anch., *Teatro*, 10)

ûĩ³

ûĩ³ (adv.) – ali, acolá: *Oîkotebẽ abaré uĩ gûasapaûama ri.* – Fica aflito o padre por passar ali. (Anch., *Poemas*, 156) ● **ûĩ suí** – de acolá, dali (VLB, I, 89)

ûĩ⁴ (dem. pron.) – esse (s, a, as) (Fig., *Arte*, 85); aquele (s, a, as); isso, aquilo: *Abá ra'yrape ûĩ?!* – Filhos de quem eram esses?! (Anch., *Teatro*, 48); ... *Emonã ûĩ sekóû...* – Essa fez assim. (Ar., *Cat.*, 74); *Tabusupe ûĩ?* – Essa é uma cidade? (Léry, *Histoire*, 361); *Emonã ûĩ re'a...* – Isso é assim, certamente. (VLB, II, 16)

ûianã (s. etnôn.) – nação indígena que habitava o Maranhão no início do século XVII (D'Abbeville, *Histoire*, 189)

u'iatã (etim. – *farinha dura*) (s. etnôn.) – nome de grupo indígena que vivia, no século XVI, próximo dos potiguaras da costa nordestina (Cardim, *Trat. Terra e Gente do Brasil*, 121)

ûĩba'e (dem. pron.) – essa coisa; esse (s, a, as), isso (VLB, II, 15): *Supikatu serã uîba'e ûyrá-memûã mbouri.* – Na verdade, esse fez vir o pássaro mau. (D'Abbeville, *Histoire*, 353)

ûĩé (dem. pron.) – esse (s, a, as), aquele (s, a, as), isso, aquilo: *Anhẽpe ûĩé?* – É verdade isso? (Ar., *Cat.*, 85)

ûĩĩ – v. ûĩinga

ûĩinga (adv.) – ali; acolá ● **ûĩinga suí** – dali, daquele lugar (VLB, I, 89)

ûimbyryb (adv.) – longe (VLB, II, 24)

uĩme (adv.) – ali, acolá (lugar que se vê ou quase se vê) (VLB, I, 20; 32)

u'imogûapaba (etim. – *instrumento de joeirar farinha*) (s.) – peneira (VLB, II, 72)

u'imoîypaba (etim. – *lugar de assar farinha*) (s.) – vaso utilizado para secar a farinha de mandioca (Marcgrave, *Hist. Nat. Bras.*, 67)

u'ipeba (etim. – *farinha achatada*) (s.) – farinha delicada e de melhor qualidade, preparada a partir da mandiopuba (Piso, *De Med. Bras.*, 62)

u'ipukuîtaba (etim. – *instrumento de mexer farinha*) (s.) – pá utilizada na produção de farinha de mandioca (Marcgrave, *Hist. Nat. Bras.*, 67)

ûiti (s.) – **OITI, GOITI, OITIZEIRO**, árvore da família das crisobalanáceas, de flores brancas e amarelas (*Licania tomentosa* (Benth.) Fritsch) (D'Abbeville, *Histoire*, 225)

u'itinga¹ (etim. – *farinha branca*) (s.) – farinha de mandioca meio seca e meio úmida, **VITINGA** (Nieuhof, *Mem. Viag.*, 282)

U'itinga² (etim. – *farinha branca*) (s. antrop.) – nome de índio tupi (D'Abbeville, *Histoire*, 187)

ûiûiá (s.) – espécie de lontra (Sousa, *Trat. Descr.*, 250-251)

ukar (v. tr.) – **1)** fazer (no sentido de *obrigar*): ... *aîuká-ukar îagûara Pedro supé.* – Fiz a Pedro matar uma onça. (Fig., *Arte*, 146); *Aîe'apin-ukar.* – Fiz-me rapar a cabeça. (Fig., *Arte*, 146); *Aporombo'e-ukar Pedro supé.* – Faço a Pedro ensinar gente. (Fig., *Arte*, 146); *Abá-abápe Tupã rera oîmoeté-ukar?* – Quem faz louvar o nome de Deus? (Ar., *Cat.*, 26v); **2)** mandar: ... *Eîmoîar-ukar ybyraîoasaba resé...* – Manda pregá-lo na cruz... (Ar., *Cat.*, 60v); *Ema'enãngatu xe ri, xe mbo'are'ymuká.* – Vela bem por mim, mandando que não me façam cair. (Anch., *Poemas*, 142); *Aîuká-ukar.* – Mando matá-lo. (VLB, II, 30); **3)** deixar: *Arasó-ukar.* – Deixo-o levar. (VLB, I, 92) ● **ukasara** – o que manda, o que faz fazer algo, o mandante: ... *i îuká-ukasara...* – o que manda matá-lo (Ar., *Cat.*, 279, 1686); **ukasaba** (ou **ukaraba**) – tempo, lugar, modo etc. de mandar, de fazer alguém fazer; o ato de mandar: *Pitanga mokõî ro'y omoaûîeba'e mombab-ukaragûera 'ara îaîmoeté ko'yr...* – Agora comemoramos o dia em que mandou eliminar as crianças que completavam dois anos. (Ar., *Cat.*, 139, 1686)

uke'i (s.) – **1)** cunhada (de m.), mulher de seu irmão; **2)** mulher de primo (de m.) (filho de tio materno); **3)** concunhada (Ar., *Cat.*, 117)

uke'imena (s.) – **1)** o marido da cunhada (de m.), ou seja, o irmão; **2)** o irmão casado do marido; **3)** primo casado (de m.), filho de seu tio materno (Ar., *Cat.*, 116v)

ukûakûara (s.) – asma (VLB, I, 44); arquejo; (adj.: **ukûakûar**) (xe) – ter asma, arquejar: *Xe ukûakûar.* – Eu arquejo. (VLB, I, 44)

ukûara (s.) – resfôlego; (adj.: **ukûar**) – resfolegante; **(xe)** resfolegar; ofegar sem ruído: *Xe ukûar* (ou *Xe ukûá-kûar*). – Eu resfolego. (VLB, II, 54; 102)

umã¹ (adv.) - já: *I membyra o'ar **umã**... -* Seu filho já nasceu. (Anch., *Poemas*, 184); *Opá **umã** tamũîa sóû. -* Já todos os tamoios foram. (Anch., *Teatro*, 16); *Tynysẽ **umã** kaũĩ... -* Já transborda o cauim. (Anch., *Teatro*, 24); *Aîuká **umã**. -* Já matei. (Fig., *Arte*, 13); *Aîuká **umã** a'ereme. -* Já eu, então, tinha matado. (Fig., *Arte*, 14); *Aîur **umã**. -* Já venho. (Fig., *Arte*, 13)

umã?² (interr.) - **1)** onde? que é de? (prescinde do emprego do verbo *estar*): ***Umã**pe Tatapytera? **Umã**pe Ka'umondá? -* Onde (está) Tatapitera? Onde (está) Caumondá? (Anch., *Teatro*, 128); ***Umã**pe xe raperama? -* Onde está meu caminho? (Anch., *Teatro*, 160); ***Umã**-pakó? **Umã**-takó?* ou ***Umã**-pakó akûea? -* Que é, porventura, daquele? (*VLB*, II, 93); **2)** qual?: ***Umã**? Akó Rorẽ-ka'ẽ...? -* Qual? Aquele Lourenço tostado? (Anch., *Teatro*, 16) • ***umã suí? -* de onde? donde? (*VLB*, I, 106); ***umã** suí-katu? -* de que parte de, de que lugar específico? (P.ex., perguntando a alguém que vem de Paraguaçu de qual das fazendas ali situadas ele vem.) (*VLB*, I, 95); ***umã** rupi? -* por onde? (Fig., *Arte*, 127)

umāba'e? (interr.) - qual? quais?: ***Umãba'e** ranhẽpe erimba'e oîkó? -* Qual foi o primeiro? (Anch., *Doutr. Cristã*, I, 158); ***Umãba'e** 'ara pupé asé nhemombe'uû...? -* Em quais dias a gente se confessa? (Anch., *Doutr. Cristã*, I, 212); ***Umãba'e** kunhã resépe abá nd'omendari xûéne? -* Com quais mulheres um homem não se casará? (Anch., *Doutr. Cristã*, I, 226)

umãme? (interr.) - em que lugar? onde? (*VLB*, II, 57); aonde? (Fig., *Arte*, 127): ***Umãme**pe amoaé reîari? -* Onde deixou os outros? (Ar., *Cat.*, 52v); *Nde remimimbûera, anhẽ, **umãme**pe nde mondá? -* O que tu escondeste, na verdade, onde tu roubaste? (Anch., *Teatro*, 44)

uman - o mesmo que **umã¹** (v.)

umanĩ¹ (adv. - Leva o verbo para o gerúndio.) - devagar: *A'é **umanĩ** mba'e monhanga. -* Faço as coisas devagar. (Anch., *Arte*, 56v); *Eré **umanĩ** mba'e monhanga. -* Fazes as coisas devagar. (Fig., *Arte*, 160); *A'é **umanĩ** mba'e gûabo. -* Como as coisas devagar. (Anch., *Arte*, 56v)

umanĩ² (part. - Leva o verbo para o gerúndio. É usada com verbos na forma negativa.) - acabar de começar: *Nd'a'éî **umanĩ** mba'e gûabo.* (ou *A'é **umanĩ** mba'e'ue'yma.*) - Não acabei de começar a comer. (Anch., *Arte*, 56v)

umari (s.) - **UMARI, 1)** nome comum a duas plantas da família das icacináceas, *Poraqueiba paraensis* Ducke e *P. cericea* Tul.; **2)** nome da árvore leguminosa *Geoffroea spinosa* Jacq.; **3)** o fruto dessas árvores (Marcgrave, *Hist. Nat. Bras.*, 121)

NOTA - Daí, **UMARITUBA** (nome de localidade do CE) (v. Rel. Top. e Antrop. no final).

umberi (s.) - **UMIRI**, planta da família das humiriáceas; o mesmo que **umeri** (v.) (*VLB*, I, 64)

umbu (s.) - **UMBU, IMBU, 1)** nome de duas árvores da família das anacardiáceas (*Spondias purpurea* L. e *Spondias tuberosa* Arruda), também chamadas **UMBUZEIRO, IMBUZEIRO, AMBUZEIRO**; **2)** o fruto dessas árvores, o qual tem casca e polpa muito amarelas, quando maduro. É muito empregado no Norte do Brasil para o preparo de uma bebida, a **UMBUZADA** ou **IMBUZADA**. "Dá-se esta fruta ordinariamente pelo sertão, no mato que se chama a caatinga." (Sousa, *Trat. Descr.*, cap. LIII)

umbûá (s.) - almofariz de madeira utilizado para pilar a mandioca (o mesmo que **ungûá** - v.) (Marcgrave, *Hist. Nat. Bras.*, 67)

umby¹ - o mesmo que **umbu** (v.) (*Theat. Rer. Nat. Bras.*, II, 143)

umby² (r, s) (xe) (v. da 2ª classe) - torcer-se (como o lagarto que, quando o matam, revira o rabo ou a metade do corpo para cima, em arco) (*VLB*, II, 132)

umby³ (t) (s.) - ancas, quadris (Castilho, *Nomes*, 40); lombos, pela parte inferior deles, a que chamam *cadeiras* (*VLB*, II, 24): - *Mba'e-mba'epe asé suí i pitubypyra? - Asé **rumby**. -* Que é ungido de nós? - Nossas ancas. (Ar., *Cat.*, 92)

umby'ab (s) (v. tr.) - alombar (com pancadas) (*VLB*, I, 32)

umbykyra (t) (s.) - **1)** rabadilha, uropígio **SAMBIQUIRA**; **2)** pequeno osso que termina inferiormente à coluna vertebral do homem, cóccix (Castilho, *Nomes*, 40)

NOTA - Daí, no P.B. (S), **CAMBUQUIRA** (*ka'a* + *umbykyra*, "rabadilhas de folhas"), grelos de aboboreira que se comem guisados com outras ervas (in *Dicion. Caldas Aulete*).

umẽ (part. usada para a negativa dos modos imperativo e permissivo) - não: *Eporapiti*

umeké

umẽ. – Não mates gente. (Ar., *Cat.*, 69v); *Xe pe'a umẽ îepé.* – Não me desterres tu. (Anch., *Poemas*, 102); *Îori anhanga mondyîa, ta xe momoxy umẽ.* – Vem para espantar o diabo, para que não me dane. (Anch., *Poemas*, 132); (Pode separar-se do verbo e vir após partículas.): *Nde nhõ umẽ eîuká.* – Não o mates tu sozinho. (Anch., *Arte*, 22v); *T'osepîak-y bé umẽ kûarasy!* – Que não vejam mais o sol! (Anch., *Teatro*, 60)

umeké (part.) – guarda-te de (avisando, admoestando ou ameaçando) (*VLB*, I, 151)

umẽngatutenhẽ (part.) – de modo nenhum, de maneira alguma: *Penhemoma'enduá Anhanga ratápe i porarapyra resé... ta pe angaîpab umẽngatutenhẽ...* – Lembrai-vos do que se sofre no inferno para que, de modo nenhum, pequeis. (Ar., *Cat.*, 156v)

umeri (s.) – **UMIRI, MERI, UMIRIZEIRO,** árvore alta da família das humiriáceas (*Humiria floribunda* (Mart.) Cuatr.), de flores brancas, fruto comestível. Verte óleo ao chão no princípio do inverno, sendo de aroma excelente e de propriedades medicinais e usado também como perfume e aromatizante. (D'Abbeville, *Histoire*, 225)

umûã (ou **umûan**) (adv.) – já: *Aîuká umûã tupi.* – Matei já os tupis. (Anch., *Teatro*, 142); *Ixé aé ã a'é umûã nakó peẽme.* – Eu mesmo, como se viu, já vos disse isso. (Ar., *Cat.*, 54v); *Nde rureme aîuká umûan.* – Quando tu vieste, já o tinha matado. (Anch., *Arte*, 21v)

umûana (s.) – antiguidade; (adj.: umûan) – antigo, velho: *Nainanĩ temiminõ... o erumûana mombó.* – De modo nenhum os temiminós tiram seus nomes antigos. (Anch., *Teatro*, 142); *Mairumûana* – o velho Maíra, nome de personagem mítico dos primitivos índios tupis da costa (Staden, *Viagem*, 147)

una¹ (s.) – espécie de **MARACUJÁ** (Piso, *De Med. Bras.*, IV, 197)

una² (t) (s.) – negror, cor preta; [adj.: **un (r, s)**] – negro, preto: – *Aoba.* – *Marãba'e?* – *Sobyeté,... sun.* – Roupas. – De que tipo? – Elas são azuis, elas são pretas. (Léry, *Histoire*, 342-343); *Xe run tatatinga suí.* – Eu estou preto de fumaça. (*VLB*, I, 92); *Xe run.* – Eu sou preto. (*VLB*, II, 49)

NOTA – Daí, no P.B., **ITAÚNA** ("pedra preta"), nome dado às pedras pretas como o basalto, o diorito etc.; **CABIÚNA** (*ka'a* + *oby* + *un* + -*a*, "folhas verdes-escuras"), nome de uma árvore da família das leguminosas-papilionáceas; **BRAÚNA** (*ybyrá* + *un* + -*a*, "madeira preta"), árvore da família das leguminosas; **SABIAÚNA** ("sabiá preto"), ave turdídea; **GRAÚNA** (*gûyrá* + *un* + -*a*, "pássaro preto"), pássaro icterídeo.

Daí, também, provêm muitos nomes de lugares: **IBIÚNA** (SP), **ITAÚNA** (MA) etc. (v. Rel. Top. e Antrop. no final).

una'u (ou **yna'y**) (s.) – **UNAU,** var. de preguiça, da família dos megaloniquídeos (*Choloepus didactylus*), que vive na Colômbia e também em áreas do Norte do Brasil. É uma espécie que apresenta pelos longos e ásperos, tendo uma cor predominantemente marrom-acinzentada e face branca. (D'Abbeville, *Histoire*, 251v) (v. **a'y**)

unaúna (s.) – var. de besouro. "Têm asas e são negros, com a cabeça, pescoço e pernas muito resplandecentes." (Sousa, *Trat. Descr.*, 243)

una'uûasu (ou **yna'yûasu**) (etim. – *unau grande*) (s.) – var. de preguiça, mamífero desdentado da família dos bradipodídeos (D'Abbeville, *Histoire*, 252)

ungá (s) (v. tr.) – apalpar, apertar com os dedos: *Eres**ungá**pe nde rygé nde membyra îukábo...?* – Apalpaste teu ventre para matar teu filho? (Ar., *Cat.*, 102); *Nde rorype... nde kama abá sungáreme?* – Tu te alegras quando um homem apalpa teus seios? (Ar., *Cat.*, 234, 1686)

NOTA – Daí, no P.B. (PE, pop.), **MAPIRONGA** (*ma'e* + *pi(r)* + *ungá*, "coisa que aperta a pele"), espinha; furúnculo; **MUÇUNGA,** beliscão (in *Dicion. Caldas Aulete*).

unguá (s.) – **1)** almofariz (Anch., *Arte*, 4v); socador de pilão (*VLB*, I, 150); **2)** pilão (*VLB*, II, 77)

UNGUÁ (pilão) (ilustração de C. Cardoso)

unguaobaîara (s.) – mão de pilão (*VLB*, II, 32)

unhẽ (s.) - impigem; erupção cutânea (*VLB*, II, 10) (o mesmo que **titinga** e **mbititinga** - v.)

unûanã (s.) - var. de tartaruga (*VLB*, II, 125)

upaba[1] (etim. - *lugar em que jaz a água* < '**y** + **ub** + **-aba**) (s.) - lago; lagoa (*VLB*, II, 17)

NOTA - Daí, no P.B. (NE), **IGUPÁ** ('*y* + *upaba*, "lugar em que jaz a água"), *brejo ou lagoeiro produzido pelas águas pluviais*; **OPABA** (BA), *terreno arenoso, à beira-mar, que se torna alagado no inverno*; **PAVUNA** (S.), *vale profundo e escarpado* (in *Dicion. Caldas Aulete*); **ITAIPAVA** (*itá* + *upaba*, "lagoa das pedras") (ou **ITAUPABA, ITAUPAVA, ITAIPABA, ENTAIPAVA, ITUPAVA**), *rocha que atravessa um rio de margem a margem, causando turbulência na corrente* (in *Dicion. Caldas Aulete*). Palavra que tem origem na língua geral meridional, do século XVIII: "*Este primeiro rio, a que chamam Tieté, é o mais cheio de cachoeiras e das peores. O fundo d'elle é quasi todo pedra, quando esta é assentada por igual, mas com pouco fundo, de modo que algumas partes era calháo, onde roçam as canoas; chamam a isto ITAUPABA...*" (D. Antonio Rolim [1751], *Relação da Viagem que fez o Conde de Azambuja, D. Antonio Rolim, da Cidade de São Paulo para a Villa de Cuyabá em 1751*).
Daí, também, o nome geográfico **VUPABUSSU** (lagoa de MG) (v. Rel. Top. e Antrop. no final).

upaba[2] (t, t) (s.) - carreta de tiro (peça de artilharia) (*VLB*, II, 101)

upaba[3] (t, t) (etim. - *lugar de estar deitado*) (s.) - leito, cama, rede: *Kó xe 'anga, nde rusaba, nde rupabamo t'oîkó.* - Eis que minh'alma, à qual tu vens, há de estar como teu leito. (Anch., *Poemas*, 128) ● **upagûera** (t) - leito que já foi usado (onde se deitou pessoa ou animal que já se foi) (*VLB*, II, 7)

NOTA - Daí, no P.B. (N), **TUPÉ**, *esteira geralmente feita de talas de purumã, na qual se espalham os produtos da lavoura, para secarem, e empregada também como tolda de canoa, além de ter uso doméstico* (in *Novo Dicion. Aurélio*): "*Rosinha... sentou-se num TUPÉ, no chão, junto da sua almofada de renda.*" (José Veríssimo, in *Cenas da Vida Amazônica*, apud *Novo Dicion. Aurélio*).

upaba[4] (t, t) (etim. - *lugar de estar deitado*) (s.) - pousada (de caminhantes, de viajantes) (*VLB*, II, 84): ... *Ybyrá itá monhangymbyra kupépe so'o mimbaba roka ogûar og upabamo...* - Atrás de uma cerca feita de pedras, tomou a casa dos animais de criação como sua pousada. (Ar., *Cat.*, 9v)

NOTA - Daí, **TIJUPABA** (*te'yî* + *upaba*, "pousada da multidão"), 1) cabana improvisada de índios, aberta dos lados, para abrigo de muitos deles durante suas travessias pela floresta; 2) palhoça que os trabalhadores constroem no meio da mata, nos seringais, roças etc.

upaba[5] (t, t) (etim. - *lugar de estar estendido*) (s.) - campo (limpo) para plantação: *Atupárung abati.* - Estabeleci uma plantação de milho. (*VLB*, II, 81)

uparana (etim. - *falso lago*) (s.) - brejo (*VLB*, I, 59)

upeka (s.) - var. de caniço (Léry, *Histoire*, 377)

upi (r, s) (posp.) - 1) segundo, de acordo com, conforme: *Tupã remimotara rupi...* - Segundo a vontade de Deus... (Ar., *Cat.*, 23v); *Supi nhẽ aîkó.* - Estou de acordo com ele. (*VLB*, II, 114); '*ara rupi* - conforme o dia (Anch., *Arte*, 43v); *aîpó rupi* - de acordo com isso; dessa forma (*VLB*, II, 16); *Xe ruba rupi é emonã aîkó.* - Assim ajo conforme meu pai. (*VLB*, II, 115); **2)** à semelhança de, como: ... *Gûupi-katupe i monhangi?* - Bem à sua semelhança o fez? (Ar., *Cat.*, 39); *Og uba rupi ahẽ resatingamo.* - Ele tem olhos claros como seu pai. (*VLB*, II, 131); *Xe ruba rupi é xe angaîpabamo.* - Eu sou pecador como meu pai. (*VLB*, II, 111); *Supi bé eremombûeîrá mara'abora...* - Como ele, também, curaste os doentes. (Anch., *Teatro*, 122, 2006); **3)** por, per, através de: ... *T'oîkó umẽ oka rupi oré 'anga monguébo.* - Que ele não esteja pelas ocas a agitar nossas almas. (Anch., *Teatro*, 120); *pé rupi* - pelo caminho (*VLB*, II, 81); *Yby rupi bépe sugûy syryki?* - Pelo chão também escorreu seu sangue? (Ar., *Cat.*, 60); '*ara rupi* - pelos dias, a cada dia (Anch., *Arte*, 43v); ... *ikó 'ara rupi oîkoba'e...* - os que estão por este mundo (Bettendorff, *Compêndio*, 53); *Nhũ rupi agûatá.* - Ando pelo campo. (Fig., *Arte*, 123); *Kamusi ku'a rupi nhote kaûî reni.* - O cauim está pela metade da vasilha, somente. (*VLB*, II, 34); ... *Mosapy reîâ reru îasytatá rupi é.* - Vindo com os três reis pela estrela. (Anch., *Poesias*, 272); **4)** com ✱: *T'orosóne nde rupi.* - Havemos de ir contigo. (Valente, *Cantigas*, III, in Ar., *Cat.*, 1618); **5)** ao longo de, durante: ...'*ara rupi...* - ao longo dos dias (Ar., *Cat.*, 7); *Abaré nd'ogûerobîari, putuna rupi okagûabo.* - Não creem no padre, bebendo cauim ao longo da noite. (Anch., *Teatro*, 136-150); **6)** em (temp.):

upi'a

Domingo anhõ i pytera rupi okûaba'e... – Somente o domingo que está no meio dela (isto é, da Quaresma). (Ar., *Cat.*, 122); *Eîori oré retama 'ara rupi nhẽ, i xupa.* – Vem no dia de nossa terra, para visitá-la. (Anch., *Poemas*, 146) ● **'ara rupindûara** – o que é de cada dia, o que está ao longo dos dias (*VLB*, I, 91)

*OBSERVAÇÃO – Anchieta diz que o uso de **upi** (r, s) com o sentido de *com*, de companhia, era próprio dos carijós, índios do Paraguai (*Arte*, 43v).

upi'a (t) (s.) – ovo (Anch., *Arte*, 6v): *Oîoupi'a-erub.* – Choca seus ovos; está deitada com seus ovos. (*VLB*, I, 73, adapt.); *ysá rupi'a* – ovos de içá (*VLB*, I, 142) ● **upi'a-tinga** (t) – clara de ovo (*VLB*, I, 75); **upi'a-îuba** (t) – gema de ovo (*VLB*, I, 147)

NOTA – Daí, no P.B. (NE), **URUPIAGARA** (*uru + upi'a + 'ûara*, "comedora de ovos de urus"), nome de uma cobra, também chamada **ARABOIA**.

upîara (t) (s.) – 1) adversário, inimigo: *São Lourenço rupîarûera.* – Os antigos inimigos de São Lourenço. (Anch., *Teatro*, 64); *Marã e'ipe supîarûera osóbo?* – Que disseram seus adversários, indo? (Ar., *Cat.*, 64); 2) matador (*VLB*, II, 33); perseguidor (p.ex., o cão perdigueiro); caçador: *paka rupîara* – caçador de pacas (*VLB*, II, 73); 3) presa, prisioneiro: *Ikó îu'i, xe rupîara, t'ere'u...* – Estas rãs, minhas presas, que as comas. (Anch., *Poemas*, 158); 4) armadilha, tudo o que serve para a destruição ou para a captura de alguém ou de algo (*VLB*, II, 97): *gûabiru rupîara* – armadilha de ratos, ratoeira (*VLB*, II, 97) [v. tb. **obaîara** (t) e **sumarã**]

NOTA – Daí, no P.B. (Amaz.), **JUPIÁ** ('y + *upîa(ra)*, "água inimiga"), *redemoinho de água num rio; voragem;* **MARUPIARA** (*marã + upîara*, "inimigo de coisa má"), 1) *pessoa feliz na caça ou na pesca*; 2) *pessoa afortunada em negócios ou amores* (in *Dicion. Caldas Aulete*).

upibé¹ (r, s) (posp.) – logo que, logo depois de, assim que, logo em: – *A'e rupibépe gûyrá sapukaî? – Supibé.* – Logo depois disso o galo cantou? – Logo depois disso. (Ar., *Cat.*, 55v); *xe rura rupibé* – logo que vim (Anch., *Arte*, 43v)

upibé² (r, s) (posp.) – conforme, de conformidade com: *Supibé eremombûeîrâ mara'abora...* – Conforme ela, curaste os doentes. (Anch., *Teatro*, 120); *... i nhe'enga pabẽ rupibé îandé rekó potá.* – Querendo que nós estejamos conforme todas as suas palavras. (Bettendorff, *Compêndio*, 54)

upir (ou **upi**) (s) (v. tr.) – levantar, erguer, fazer subir: *Karaibebé pyterype supiri...* – No meio dos anjos fê-la subir. (Ar., *Cat.*, 132); *Endé, nde îybápe, Îesu eresupi.* – Tu, em teus braços, Jesus ergueste. (Anch., *Poemas*, 118); *O ati'yba ri krusá osupi.* – No seu próprio ombro levanta a cruz. (Anch., *Poemas*, 122); *... Îesu nde rupiri...* – Jesus fez-te subir. (Anch., *Poemas*, 126)

NOTA – Daí, no P.B., **TUPIA** (*t- + upir + -a*, "levantador", "o que faz subir"), *aparelho para levantar pesos, macaco*; **TUPIEIRO**, *operário que trabalha com tupia* (in *Dicion. Caldas Aulete*).

upixûara (t) (s.) – TUPUXUARA, demônio ou espírito familiar; espírito protetor; [adj.: **upixûar** (r, s)] (xe) – ter espírito protetor: *Supixûar ikó paîê-angaîba...* – Este pajé ruim tem espírito protetor. (Ar., *Cat.*, 98v)

upytyk (s) (v. tr.) – alcançar (o que caminha): *Asupytyk.* – Alcancei-o. *Asó Pero rupytyka 'ype.* – Fui para alcançar Pedro no rio. (*VLB*, I, 30)

ura¹ (s.) – URA, berne, verme de carne ou peixe podre; (adj.: **ur**) (xe) – ter berne: *Xe ur.* – Eu tenho berne. *Xe u-xe ur.* – Eu tenho muitos bernes. (*VLB*, I, 54); *... I ur, sasok abá-angaîpaba, kunhã-angaîpaba retê-a'ubane.* – Terão bernes e terão vermes os corpos miseráveis dos homens pecadores e das mulheres pecadoras. (Ar., *Cat.*, 164)

ura² (t, t) (s.) – vinda: *... Pesepîak irã... ybytinga 'arybo xe rura béne...* – Vereis também, futuramente, minha vinda sobre as nuvens... (Ar., *Cat.*, 56v); *Osepîakype i boîá tura?* – Viram seus discípulos a vinda dele? (Ar., *Cat.*, 45)

urandi – o mesmo que **gûyraundi** (v.) (Sousa, *Trat. Descr.*, 237)

urapara (s.) – arco (*VLB*, I, 40): *Aurapá-pirar.* – Estendi o arco. (*VLB*, I, 41) (o mesmo que **ûyrapara** – v.)

uraparyba – o mesmo que **gûyraparyba** (v.) (Marcgrave, *Hist. Nat. Bras.*, 278)

urapegûasu (s.) – jito, planta meliácea (*Guarea macrophylla* subsp. *tuberculata* (Vell.) T.D. Penn.), de cuja raiz é extraído um remédio de efeito purgativo (Piso, *De Med. Bras.*, IV, 188)

uraruba (s.) – var. de caranguejo (D'Abbeville, *Histoire*, 248v)

urende'yba (s.) – URUNDEÚVA, URINDEÚVA, URIUNDUBA, árvore da família das anacardiáceas (*Myracrodruon urundeuva* Allemao), também chamada *aroeira-do-campo* e *lentisco* (Brandão, *Diálogos*, 171)

uribakó (s.) – URIBACO, nome de um peixe (Marcgrave, *Hist. Nat. Bras.*, 177)

uriîuba (s.) – GURIJUBA, GUARIJUBA, GURUJUBA, GARAJUBA, GURIBU, GURUJUVA, GRIUJUBA, GRUIJUBA, nome de um peixe (D'Abbeville, *Histoire*, 244)

uru¹ (r, s) (s.) – 1) envoltório: ... *Ogûeté suí, o uru suí, asé 'anga sẽme bé, Tupã sekomonhangi...* – Tão logo ao sair a alma da gente de seu próprio corpo, seu envoltório, Deus a julga. (Ar., *Cat.*, 159); 2) repositório, depósito, receptáculo, recipiente: *Mba'e-poxy-katupabẽ ruru-a'ub-y gûê!* – Ó mesquinho repositório de muitíssimas coisas más! (Ar., *Cat.*, 165); *mokaku'i-uru* – recipientes de pólvora (Léry, *Histoire*, 343-344); ... *Abá opo'ẽ tenhẽ 'y-karaíba ruru pupé.* – Uma pessoa em vão enfia a mão num recipiente de água benta. (Ar., *Cat.*, 352, 1686); 3) vasilha (com relação à coisa que está dentro dela): *suru* – a vasilha dele (i.e., do milho, do cauim, do mingau etc., mas não de uma pessoa) (Fig., *Arte*, 79); *îukyruru* – vasilha de sal (*VLB*, II, 112); 4) bainha: *Eîmondeb itangapema surupe.* – Põe a espada na bainha dela. (Ar., *Cat.*, 54v)

NOTA – Daí provém o nome do município de **BAURU** (SP) (v. Rel. Top. e Antrop. no final). Daí, também, no P.B., **MATURU**, *vaso de barro em que se fabrica azeite de peixe* (in *Dicion. Caldas Aulete*); **URUÇACANGA**, grande cesto cilíndrico de cipó, alto, usado para o transporte de cargas, levado às costas e suspenso por alça em torno da cabeça.

uru² (s.) – URU, nome comum a certas aves galiformes (D'Abbeville, *Histoire*, 238; Cardim, *Trat. Terra e Gente do Brasil*, 37)

NOTA – Daí, no P.B. (SP), **URUMBEBA**, **URUMBEVA** (*uru* + *peb* + *-a*, "uru da perna curta" – v. **peba**, nota), *sujeito crédulo, fácil de ser enganado* (in *Dicion. Caldas Aulete*).

uru³ (r, s) (s.) – embarcação (enquanto algo que contém coisas e pessoas): *Xe ruru.* – Minha embarcação (isto é, a que me contém, não aquela que me pertence). (*VLB*, I, 110)

uru⁴ (r, s) (s.) – URU, cesto com tampa feito de folhas de palmeiras ou pequenos juncos (D'Abbeville, *Histoire*, 283; *VLB*, I, 76)

NOTA – A palavra URU designa hoje, no P.B., cesto de palha de carnaúba, dotado de alça; bolsa, saco. No romance *Iracema*, José de Alencar utilizou o termo: "... *Iracema colheu sua alva rede de algodão com franjas de penas, e acomodou-a dentro do URU de palha trançada*".

uru⁵ (r, s) (s.) – URU, cesto fechado, feito de varas ou tábuas com grades, onde se põem capões, galinhas e outras aves (*VLB*, I, 66); gaiola: *Asuru-monhang.* – Fiz-lhe uma gaiola. (*VLB*, I, 146)

uruana (s.) – espécie de tartaruga do mar (Lisboa, *Hist. Anim. e Árv. do Maranhão*, fl. 169v)

urubitinga (etim. – *urubuzinho branco*) (s.) – URUBITINGA, cancã, gavião da família dos falconídeos. "Ave semelhante à águia, do tamanho de um pato de seis meses." (Marcgrave, *Hist. Nat. Bras.*, 214)

urubu¹ (s.) – URUBU, nome comum a aves da família dos catartídeos, que se alimentam de carniça (D'Abbeville, *Histoire*, 316v; Marcgrave, *Hist. Nat. Bras.*, 207)

NOTA – Daí, **URUBURETAMA** (nome de serra do CE) (v. Rel. Top. e Antrop. no final).

URUBU (ilustração de C. Cardoso)

urubu² (s.) – var. de musgo (*VLB*, II, 45)

Urubu³ (s. antrop.) – nome de índio tupi (Anch., *Teatro*, 64)

urubu⁴ (s. astron.) – nome de uma constelação com forma de um coração e que aparece no tempo das chuvas (D'Abbeville, *Histoire*, 316v)

urubu'anga (etim. – *imagem de urubu*) (s.) – var. de ave de rapina (Soares, *Coisas Not. Bras.* (ms. C), 1422-1424)

Urubutĩgûaba (etim. – *bebedouro dos urubutingas*) (s. antrop.) – nome de índio tupi (D'Abbeville, *Histoire*, 187)

urubutinga (etim. – *urubu branco*) (s.) – URUBUTINGA, var. de URUBU, ave da família dos catartídeos (Sousa, *Trat. Descr.*, 234)

urugûá

urugûá (s.) – URUÁ, ARUÁ, FUÁ, ARURÁ, var. de caracol d'água doce, molusco da família dos ampularídeos. Vive na água ou em locais muito úmidos, sendo também chamado ARUÁ-DO-BANHADO ou ARUÁ-DO-BREJO. (*VLB*, I, 66)

> NOTA – Em guarani antigo também existia tal palavra, donde proveio o nome do rio URUGUAI, que banha o sul do Brasil, sendo, também, nome de um país sul-americano (v. Rel. Top. e Antrop. no final).
>
> No Nordeste do Brasil há a expressão *BESTA COMO ARUÁ*, isto é, *tolo* ou *ingênuo em demasia*: "Muito ingênuo, emprenha pelos ouvidos, inteligência de peru novo, besta como ARUÁ." (Graciliano Ramos, in *S. Bernardo*, apud *Novo Dicion. Aurélio*).

urugûapupé (s.) – chaga, ferida, cancro (*VLB*, I, 67)

urugûyboandipîá[1] (s.) – variedade de cana com que se faziam cestos para pesca (Marcgrave, *Hist. Nat. Bras.*, 272)

urugûyboandipîá[2] (s.) – espécie de covo usado para pescarias (Vasconcelos, *Crônica (Not.)* I, §124, 99)

uru'i (etim. – *uruzinho*) (s.) – nome de uma ave (Brandão, *Diálogos*, 226)

uruká (s.) – instrumento musical, variedade de trombeta (Marcgrave, *Hist. Nat. Bras.*, 278)

urukapi (s.) – 1) modo de saltar (Marcgrave, *Hist. Nat. Bras.*, 278); 2) nome de uma dança (Nieuhof, *Ged. Reize*, 217)

urukatu (s.) – URUCATU, planta da família das amarilidáceas, de espécie indeterminada, que nasce sobre outras árvores e também no chão. Tem um bulbo muito grande e útil. Secreta uma seiva, que é potável. Segundo Piso, é o mesmo que **tupãypy** (v.). (Piso, *De Med. Bras.*, IV, 202; Marcgrave, *Hist. Nat. Bras.*, 35; 104)

uruku (ou **urukũ**) (s.) – URUCU, URUCUM, 1) árvore bixácea (*Bixa orellana* L.), planta das matas tropicais e subtropicais do continente americano. Das sementes de seus frutos os índios produziam uma tinta vermelha com que se tingiam para se protegerem do sol e dos insetos e coloriam sua cerâmica e suas peças de algodão. Também é conhecida como URUCUZEIRO, URUCUEIRO, URUCUUBA, *bixe*; 2) nome da tinta que se extrai do urucuzeiro (D'Abbeville, *Histoire*, 226; Knivet, *The Adm. Adv.*, 1228)

NOTA – Daí provêm o nome da localidade de URUCUIA (v. Rel. Top. e Antrop. no final) e a palavra PIRARUCU ("peixe-urucu"), peixe clupeídeo da Amazônia.

urukũ – o mesmo que **uruku** (v.) (D'Abbeville, *Histoire*, 208v)

urukurana (etim. – *falso urucu*) (s.) – URUCURANA, URUCUANA, URICURANA, ARICURANA, LICURANA, árvore da família das euforbiáceas (*Hieronyma alchorneoides* Allemão), que fornece boa e pesada madeira (Sousa, *Trat. Descr.*, 215)

urukure'a (s.) – URUCURIÁ, var. de coruja (Sousa, *Trat. Descr.*, 234)

urukure'aûasu (etim. – *urucuriá grande*) (s.) – nome de uma ave de rapina (D'Abbeville, *Histoire*, 233)

urukuri (s.) – URUCURI, OURICURI, ARICURI, ALICURI, ARICUÍ, IRICURI, URICURI, LICURI, URUCURIIBA, LICURIZEIRO, NICURI, nome comum a duas palmáceas: 1) *Syagrus coronata* (Mart.) Becc., palmeira mediana da costa leste do Brasil. Dá a farinha de pau, bom alimento aos que andavam pelo sertão. "Não são muito altas e dão uns cachos de cocos muito miúdos... Têm o tronco fofo, cheio de um miolo alvo e solto como o cuscuz e mole." (Sousa, *Trat. Descr.*, 198-199); 2) palmeira de grande porte, *Attalea phalerata* Mart. ex Spreng., que atinge mais de 30 metros de altura e encontrada nos estados do Amazonas, Pará e Maranhão. (Piso, *De Med. Bras.*, IV, 181)
• **urukuri 'ybá** – fruto do urucuri (Marcgrave, *Hist. Nat. Bras.*, 274); **urukuri u'i** – farinha de urucuri (Marcgrave, *Hist. Nat. Bras.*, 104)

urukuri'yba – o mesmo que **urukuri** (v.) (Marcgrave, *Hist. Nat. Bras.*, 274)

urumaru (s.) – lixa (*VLB*, II, 23)

urumasá – o mesmo que **aramasá** (v.)

urumbeba (s.) – URUMBEBA, URUMBEVA, nome comum a plantas cactáceas dos gêneros *Opuntia* Tournefort e *Nopalea* Salm. Dyck., conhecidas vulgarmente também como *palmatória*, IURUMBEBA, URURUMBEBA e IURUROBEBA. No Brasil as espécies mais comuns são a *O. brasiliensis* (Willd.) Haw. e a *O. monocantha* (Willd.) Haw. (Piso, *De Med. Bras.*, IV, 195)

uruparyba – o mesmo que **gûyraparyba** (v.) (Marcgrave, *Hist. Nat. Bras.*, 118)

urupé (s.) – URUPÊ, orelha-de-pau, var. de cogumelo grande e não comestível da família das poliporáceas (*Pycnoporus sanguineus* (L. ex Fr.) Murr.) (*VLB*, I, 86)

> NOTA – *URUPÊS* é o nome de uma obra de Monteiro Lobato, que queria designar, com tal palavra, os caipiras, os que vivem escondidos no mato como cogumelos.

urupeba – o mesmo que **urupema** (v.) (Piso, *De Med. Bras.*, IV, 177)

urupe'i (etim. – *urupê pequeno*) (s.) – var. de cogumelo comestível que cresce na terra (*VLB*, I, 86)

urupema (s.) – URUPEMA, URUPEMBA, GURUPEMA ou JURUPEMA, espécie de peneira com que os índios coavam mandioca, também utilizada para outros fins culinários (Marcgrave, *Hist. Nat. Bras.*, 67); joeira (*VLB*, II, 14) • **urupemusu** – var. de peneira (*VLB*, I, 74); **urupẽ-mby'i** – var. de peneira (*VLB*, I, 86; II, 14); **urupẽ-mokanga** – peneira rala (*VLB*, II, 14)

> NOTA – *URUPEMA* também passou a designar, no P.B., *vedação de teto, paredes, janelas etc., feita com esteira semelhante à urupema*: "... as balas dos assaltantes já sibilavam pelas *URUPEMAS* do sobrado de João da Cunha." (Franklin Távora, in *O Matuto*, apud *Novo Dicion. Aurélio*).

ururá (s.) – URURAU, ARURÁ, var. de jacaré (*VLB*, II, 17)

ururukuri (s.) – OURICURI, espécie de palmeira (o mesmo que **urukuri** – v.)

ururumbeba (s.) – var. de planta espinhosa; o mesmo que **urumbeba** (v.) (Piso, *De Med. Bras.*, IV, 196; *VLB*, I, 67)

urusu (t) – v. **eburusu** (t)

urutagûi – o mesmo que **urutaû'i** (v.) (*VLB*, I, 88)

urutaû'i (etim. – *urutauzinho*) (s.) – URUTAUÍ, URUTAÍ, nome de um pássaro (D'Abbeville, *Histoire*, 240)

urutaûrana (etim. – *falso urutau*) (s.) – URUTAURANA, ave falconiforme de grande porte e carnívora (Marcgrave, *Hist. Nat. Bras.*, 203; *VLB*, I, 27): *Ké urutaûrana ruri!* – Aqui vem um urutaurana. (Anch., *Teatro*, 180, 2006)

urutaûranusu (etim. – *grande urutaurana*) (s.) – nome de uma ave (v. **urutaûrana**) (*VLB*, I, 27)

urutu (s.) – var. de bagre-do-mar, de couro amarelo (*VLB*, I, 50; Sousa, *Trat. Descr.*, 282)

urutueíra (etim. – *urutu-abelha*) (s.) – nome comum a várias espécies de abelhas da família dos meliponídeos (Piso, *De Med. Bras.*, IV, 178)

usá (s.) – UÇÁ, AUÇÁ, UAÇÁ, var. de caranguejo-dos-mangues, crustáceo da família dos gecarcinídeos (D'Abbeville, *Histoire*, 248; *VLB*, I, 67): *Ausá-'ok.* – Apanho caranguejos. (*VLB*, I, 66)

usaeté – o mesmo que **ysaeté** (v.) (D'Abbeville, *Histoire*, 255v)

usagûasu (etim. – *uçá grande*) (s.) – espécie de caranguejo, da família dos ocipodídeos (Marcgrave, *Hist. Nat. Bras.*, 185)

usapeba (etim. – *uçá achatado*) (s.) – espécie de caranguejo (D'Abbeville, *Histoire*, 248v)

usaúba – o mesmo que **ysaúba** (v.) (Sousa, *Trat. Descr.*, 269)

usaúna (etim. – *uçá escuro*) (s.) – UÇAÚNA, var. de caranguejo, crustáceo da família dos gecarcinídeos, que vive nos mangues (Marcgrave, *Hist. Nat. Bras.*, 184)

'useî (v. tr.) – 1) querer comer; querer beber; querer ingerir; ter sede (Fig., *Arte*, 2): *Marãba'e so'o ereî'useî?* – Que tipo de caça queres comer? (Léry, *Histoire*, 347); *Ereî'useîpe u'i-puba?* – Queres comer farinha puba? (Anch., *Teatro*, 44); *Kaũîaîa 'useîa é, opakatu amboapy.* – Querendo beber vinho, tudo esgotei. (Anch., *Teatro*, 46); 2) desejar: *T'oî'useî-katu Tupã rekó...* – Que ele deseje muito a lei de Deus. (Ar., *Cat.*, 81v) • **'useîtara** – o que quer comer; o que quer beber; o que deseja: *... tekokatu 'useîtara...* – o que deseja a justiça (Ar., *Cat.*, 19); **'useîtaba** – tempo, lugar, modo etc. de querer comer, de querer beber, de desejar; desejo: *A'epe muru'apora 'y 'useîtápe... marã?* – E as grávidas ao quererem beber água, que acontece? (Ar., *Cat.*, 77v); **'useîbora** – sedento: *'Useîbora mbo'y'u.* – Dar de beber aos sedentos. (Ar., *Cat.*, 18)

'useîa (s.) – sede (*VLB*, II, 114); (adj.: **'useî**) – sedento; (xe) ter sede: *Xe 'useî ã.* – Eis que eu tenho sede. (Anch., *Diál. da Fé*, 191)

'useîmogûab (etim. – *saciar o desejo de comer, de beber*) (v. tr.) – fartar-se de comer, de beber: *Aî'useîmogûab.* – Fartei-me de comê-lo. (*VLB*, II, 33)

-usu¹

-usu¹ (suf. de temas terminados em consoante) – expressa o aumentativo: *Pytun**usu**pe émo i xóûmo.* – Para uma grande escuridão é que iriam. (Ar., *Cat.*, 80); *ok**usu*** – casarão, casa grande (Anch., *Arte*, 13v); *Xe, anhang**usu**-mixyra...* – Eu, o diabão assado... (Anch., *Teatro*, 6); *Kó xe 'ak**usu**...* – Eis meus chifrões... (Anch., *Teatro*, 40); *Kó xe musuran**usu**.* – Eis aqui minha grande muçurana. (Anch., *Teatro*, 64)

> NOTA – Daí, inúmeras palavras no P.B.: **ACANGUÇU, BOIUÇU, CABUÇU** etc. Daí, também, inúmeros nomes de lugares no Brasil: **BUTURUÇU** (SP), **IGARAÇU** (PE) etc.

-usu² (suf. de temas terminados em consoante) – muito, muitos; (com o sujeito): *Oroîur**usu**.* – Viemos muitos. (*VLB*, II, 146); (com o objeto): *Arur**usu**.* – Trago muitos. (Anch., *Arte*, 13v); *Aîopoîusu.* – Alimento muitos. (Anch., *Arte*, 13v); (com o predicativo do sujeito): *Xe ran**usu**.* – Eu sou muito grosseiro; eu sou grosseirão. (*VLB*, I, 20) [v. tb. -(g)ûasu]

usũî (v. tr.) – atormentar: *Xe usũî îepé.* – Tu me atormentas. (*VLB*, I, 122)

uti (s.) – nome de uma árvore (Marcgrave, *Hist. Nat. Bras.*, 120)

u'u (s.) – 1) tosse (*VLB*, II, 133); 2) escarro (*VLB*, I, 123); (adj.) (**xe**) – tossir; escarrar (*VLB*, I, 123): *Xe u'u.* – Eu tusso. (*VLB*, I, 62)

u'ubá¹ (s.) – CANA-**UBÁ**, **UBÁ**, cana-de-flecha, planta que produz canas para flechas, espécie de gramínea (*Gynerium sagittatum* (Aubl.) P. Beauv.) (Marcgrave, *Hist. Nat. Bras.*, 4) • **u'ubá-tyba** – ajuntamento de canas-de-flecha (*VLB*, I, 65; Staden, *Viagem*, 67)

> NOTA – Daí provém o nome do município de **UBATUBA** (SP) (v. Rel. Top. e Antrop. no final).

u'ubá² (t) (s.) – tiras estreitas que se faziam nas mangas dos vestidos, das calças; rocas (*VLB*, II, 106)

u'uba¹ (r, s) (s.) – flecha (feita pelos índios com caniços sem nós, onde se prendiam duas penas de cores diferentes, tendo ponta de madeira dura) (D'Abbeville, *Histoire*, 288v): ... *U'uba mongûâ-potá.* – Querendo fazer passar as flechas. (Anch., *Teatro*, 132); *su'uba* – sua flecha (Fig., *Arte*, 78); ... *I abaeté muru supé São Sebastião ru'uba...* – Foram terríveis contra os malditos as flechas de São Sebastião. (Anch., *Teatro*, 52) • **atá-u'uba (t)** – flecha de fogo (com que se queimavam as casas durante as guerras) (*VLB*, I, 141); **u'ubanhã (r, s)** – entalhe de flecha (*VLB*, I, 113); u'ubasy (r, s) – flecha envenenada ou ervada (*VLB*, I, 121); **u'u-tapûá-etá (r, s)** – espécie de flecha com muitas pontas (Marcgrave, *Hist. Nat. Bras.*, 278); **u'ubora** – flechado, cheio de flechas: *I maranirũ abé Bastião u'uborûera.* – Seu companheiro de guerras também é Bastião, o flechado. (Anch., *Teatro*, 18)

u'uba² (r, s) (s. fig.) – pênis (Castilho, *Nomes*, 41)

u'ubae'ẽ (etim. – *ubá doce*) (s.) – cana-de-açúcar, planta da família das gramíneas (*Saccharum officinarum* L.) (Marcgrave, *Hist. Nat. Bras.*, 82) • **u'ubae'ẽndyba** – ajuntamento de cana-de-açúcar, canavial (*VLB*, I, 65); **u'ubae'ẽ eíra** – melado ou mel de cana-de-açúcar (*VLB*, II, 35)

u'ubae'ẽypy'oka (etim. – *coalhada de ubá doce*) (s.) – açúcar (*VLB*, I, 21)

u'ubapé (r, s) (s.) – talo (p.ex., de folha de palmeira, de couve etc.); o pé de um ramo sem as folhas (*VLB*, II, 72)

u'ubapegûasu (r, s) (s.) – casca grossa que cobre os pés dos ramos e toma toda a palmeira à roda (*VLB*, II, 72)

u'ubapûaetá (etim. – *flecha de muitas pontas*) (s.) – espécie de flecha com extremidade de muitas pontas (Marcgrave, *Hist. Nat. Bras.*, 278)

u'ubarana (etim. – *falso ubá*) (s.) – planta herbácea da família das alismatáceas (*VLB*, I, 125)

u'uberekoara (etim. – *o que cuida das flechas*) (s.) – flecheiro (*VLB*, I, 143)

u'ubeté (etim. – *ubá verdadeiro*) (s.) – nome de uma planta (*VLB*, I, 65)

u'uburu (r, s) (etim. – *repositório de flechas*) (s.) – aljava: *itá-u'uburu* – aljava de ferro (*VLB*, I, 32)

u'ukûar (**xe**) (v. da 2ª classe) – arquejar: *Xe u'ukûar.* – Eu arquejo. (*VLB*, I, 44)

u'uma (r, s) (s.) – 1) lama, barro: – *Mba'epe oîmonhang setéramo? – Yby-u'uma nhẽ.* – De que fez seu corpo? – Do barro da terra. (Ar., *Cat.*, 38v); **2)** (fig.) sujeira: *Nd'e'i te'e nde ru'umusu abá 'anga momoxŷabo.* – Por isso mesmo tua grande sujeira estraga as almas dos índios. (Anch., *Teatro*, 44); **3)** borra de um líquido, isto é, a parte sólida de algum líquido que se deposita no fundo de uma garrafa; sedimento (*VLB*, I, 58); [adj.: **u'um (r, s)**] – 1) enlameado, borrado, sujo:

Mba'e-u'uma, taîasu...! – Coisa enlameada, porco...! (Anch., *Teatro*, 44); *Xe ru'um.* – Eu estou enlameado. (*VLB*, I, 117); **2)** (fig.) espesso, compacto, viscoso (p.ex., a papa) (*VLB*, I, 53)

> NOTA – Daí, o nome geográfico **TAQUIRUMA** (MG) (v. Rel. Top. e Antrop. no final).

u'usama (etim. – *corda de flecha*) (s.) – farpão para arpoar peixes (*VLB*, I, 135)

u'yba – o mesmo que **u'uba** (v.)

ûyrá – o mesmo que **gûyrá** (v.) (D'Abbeville, *Histoire*, 353)

ûyraîuba (etim. – *ave amarela*) (s.) – **GUARUBA**, ave psitacídea, espécie de papagaio amarelo, salvo nas extremidades das asas e da cauda, que são verdes (D'Abbeville, *Histoire*, 234)

Ûyrapapeba (etim. – *arco achatado*) (s. antrop.) – nome de índio tupi (D'Abbeville, *Histoire*, 184v)

ûyrapara (ou **ybyrapara**) (etim. – *pau torto*) (s.) – **URAPARÁ**, arco de madeira vermelha ou preta, de cordas de algodão bem trançadas, utilizado pelos índios como arma (D'Abbeville, *Histoire*, 288v)

> NOTA – Daí provém o nome de um povo indígena extinto, os **BIRAPAÇAPARAS** (*ûyrapara* + *asab* + *-ara*, "os que cruzam os arcos"), que habitavam a bacia do rio Juruena (MT).

Ûyrapasama (etim. – *corda de arco*) (s. antrop.) – nome de índio tupi (Léry, *Histoire*, 431-432, 1994)

ûyraraso'i (s.) – ave psitacídea de plumagem verde predominante, além de outras cores (D'Abbeville, *Histoire*, 233v)

ûyraroka'ĩ (etim. – *cercadinho de pássaros*) (s.) – **1)** gaiola de pássaros; **2)** galinheiro (D'Abbeville, *Histoire*, 283v)

ûyrasapukaîa – o mesmo que **gûyrasapukaîa** (v.) (D'Abbeville, *Histoire*, 242v)

ûyrasu – o mesmo que **ûyraûasu** (v.) (Sousa, *Trat. Descr.*, 233)

ûyratãûyrã (s.) – nome de uma ave de rapina (D'Abbeville, *Histoire*, 232v)

ûyrate'õ (etim. – *pássaro-morte*) (s.) – **GUIRA-TÉU**, nome de uma ave do mangue (Sousa, *Trat. Descr.*, 232)

ûyrate'õte'õ (etim. – *ave-morte-morte*) (s.) – **GUIRATEUTÉU, TERÉU-TERÉU, TERO-TERO, TETÉU, TÉU-TÉU**, ave da família dos caradriídeos, que vive nas várzeas, praias, beiras de rios, lagoas, brejos, pastagens. Era considerada capaz de ressuscitar: "pássaro que tem acidentes de morte e que morre e torna a viver." (Cardim, *Trat. Terra e Gente do Brasil*, 62). "Esses pássaros andam no mar, perto da terra e voam ao longo da água tanto, sem descansar, até que caem como mortos; e assim descansam até que se tornam a levantar e voam." (Sousa, *Trat. Descr.*, 232)

ûyratĩ – o mesmo que **ûyratinga** (v.) (D'Abbeville, *Histoire*, 241)

ûyratinga – o mesmo que **gûyratinga** (v.)

ûyraûasu (etim. – *passarão*) (s.) – nome comum a certas aves de rapina, de grandes garras e possuidoras de grande fúria e força (D'Abbeville, *Histoire*, 232)

Ûyraûasupinima (etim. – *passarão pintado*) (s. antrop.) – nome de índio tupi (D'Abbeville, *Histoire*, 182v)

ûyraûasupytanga (etim. – *passarão cinza*) (s.) – nome de uma ave de rapina de plumagem cinza e manchada de amarelo (D'Abbeville, *Histoire*, 232v)

ûyraûasuúna (etim. – *passarão preto*) (s.) – nome de uma ave de rapina (D'Abbeville, *Histoire*, 232v)

ûyraupi'a (etim. – *ovos de pássaro*) (s. astron.) – nome de duas estrelas não identificadas (D'Abbeville, *Histoire*, 319)

ûyraupi'agûara – o mesmo que **gûyraupi'agûara** (v.) (Sousa, *Trat. Descr.*, 263)

ûyrĩ – o mesmo que **gûyrĩ** (v.) (D'Abbeville, *Histoire*, 244)

X

xe (pron.) - **1)** (pron. pess. de 1ª p. do sing.) - **a)** (pron. suj.) - eu: *Abá será xe îabé?* - Quem será como eu? (Anch., *Teatro*, 6); *Xe katupe ká...* - Eu hei de ser bom. (Anch., *Teatro*, 38); *Xe pûeraî, xe ropesyî!* - Eu estou cansado, eu estou com sono! (Anch., *Teatro*, 44); **b)** (pron. obj.) - me, mim: *Xe resé oîerobîá...* - Em mim confiam. (Anch., *Teatro*, 40); *Xe mĩ-te îepé i xuí!* - Mas esconde-me dele! (Anch., *Teatro*, 32); *Xe îuká xe îara.* - Meu senhor me mata. (Anch., *Arte*, 12v); **2)** (pron. poss. de 1ª p. do sing.) - meu **(s)**, minha **(s)**: *Xe moanhẽ kó xe boîá...* - Apressam-me estes meus súditos. (Anch., *Teatro*, 32); *... Xe pópe arekó-katu.* - Em minhas mãos bem os tenho. (Anch., *Teatro*, 34); *Kó xe 'akusu, xe rãnha...* - Eis meus chifrões, meus dentes. (Anch., *Teatro*, 40); *Xe irũ a'e ã...* - Eis que ela é minha companheira. (Ar., *Cat.*, 95)

> NOTA - De **xe** originaram-se, no P.B., as palavras **XARÁ** (*xe rera*, "meu nome"), pessoa que tem o mesmo nome que outra (ou **XARAPA, XARAPIM, XERA, XERO**); **XERIMBABO** (*xe reîmbaba*, "minha criação"), qualquer animal de criação ou estimação; **XIRU, CHIRU** (S) (*xe irũ*, "meu companheiro"), índio ou caboclo; (adj.) acaboclado.

xebe (pron. pess. dat. de 1ª p. do sing.) - **1)** a mim, para mim: *... Ûyrá-tinga our xebe.* - Um pássaro branco veio a mim. (D'Abbeville, *Histoire*, 353); *... Tupã îepîakukari xebene...* - Deus revelar-se-á a mim... (Ar., *Cat.*, 38); **2)** para junto de mim: *... xebe teîkeara...* - o que entra para junto de mim (Ar., *Cat.*, 85v)

xebo (pron. pess. dat. de 1ª p. do sing.) - a mim, para mim: *Xe rybyt, nde nhyrõ xebo...* - Meu irmão, perdoa tu a mim. (Anch., *Teatro*, 46); *I abaí xebo sa'anga.* - É difícil para mim tentá-los. (Anch., *Teatro*, 16) (o mesmo que **xebe** - v.)

xe-pó-xe-py (num.) - vinte (isto é, os dedos de meus pés e minhas mãos) (Fig., *Arte*, 4)

xerorõ (s.) - **NHAMBUXORORÓ, INHAMBU-XORORÓ, NAMBUXORORÓ**, ave da família dos tinamídeos, parecida com a perdiz (*VLB*, II, 73)

> NOTA - Daí provém o nome próprio **XORORÓ** (v. Rel. Top. e Antrop. no final).

xeruru (s.) - SURURU, var. de molusco (v. **sururu**) (D'Abbeville, *Histoire*, 204v)

xó![1] (interj.) - irra! (*VLB*, II, 15)

xó[2] (part. que acompanha a forma negativa do futuro do indicativo, do condicional e do optativo): *Nd'oromombe'uî xóne.* - Não te denunciarei. (Anch., *Teatro*, 32); *... Marã 'é n'opyki xóne...* - Não cessarão de dizer maldades. (Anch., *Teatro*, 36) (o mesmo que **xûé** - v.)

xororó (s.) - nome de uma ave (v. **xerorõ**) (*Theat. Rer. Nat. Bras.*, I, 151)

xosé (posp.) - alomorfe de **sosé** (v.), usado após o pronome **i**

-xûar - alomorfe de **-sûar** (v.), usado após **i** ou **y** (Fig., *Arte*, 139)

xûé (part. que acompanha a forma negativa do futuro do indicativo, do condicional e do optativo): *N'orogûeruri xûémo ndebe i angaîpabe'ŷmemo...* - Não o teríamos trazido a ti se ele não tivesse pecado... (Ar., *Cat.*, 58); *N'aîabŷî xûé temõ erimba'e nde nhe'enga mã!...* - Ah, quem me dera não ter transgredido outrora tuas palavras! (Ar., *Cat.*, 141v); *Nd'oré poreaûsubi xûéne.* - Não seremos miseráveis. (Anch., *Poemas*, 146); *N'aîukáî xûéne.* - Não o matarei. (Fig., *Arte*, 34); *N'i ma'enduari xûéne.* - Eles não se lembrarão. (Fig., *Arte*, 40)

-xûer - alomorfe de **-sûer** (v.).

xuí (posp.) - alomorfe de **suí** (v.), usado após o pronome **i**

xupé (posp.) - alomorfe de **supé** (v.), usado após o pronome **i**

Y

-y-¹ (vogal de ligação epentética): ... *mosanga mûeîrabyîara...* – remédio portador de cura (Anch., *Teatro*, 38); *nhemim-y îanondé* – antes de te esconderes (Anch., *Teatro*, 44)

y² (t, t) (s.) – 1) água; líquido (Fig., *Arte*, 75); 2) umidade (*VLB*, I, 154); 3) sumo (ainda na fruta), caldo (Anch., *Arte*, 13); 4) rio; [adj.: y (r, t)] – úmido: *Xe ry.* – Eu estou úmido. *Xe rygûasu.* – Eu estou muito úmido. (*VLB*, I, 154)

NOTA – Daí, no P.B. (AM), **TIPUCA** (*ty + puk + -a*, "líquido arrebentado"), o último leite que sai da teta das vacas, muito grosso e gorduroso; apojo; **TIQUARA** (*ty + pûar + -a*, "caldo batido"), *bebida preparada com água, farinha de mandioca, açúcar ou mel e, às vezes, com um pouco de cachaça; qualquer bebida refrigerante* (in Dicion. Caldas Aulete). Daí provêm, também, os nomes geográficos **TIETÊ** (SP), **TIJUCA** (RJ) etc. (v. Rel. Top. e Antrop. no final).

'y (s.) – 1) água: *Oîeypyî 'y-karaíba pupé.* – Asperge-se com água benta. (Ar., *Cat.*, 24); *Erur 'y ixébe.* – Traze água para mim. (Léry, *Histoire*, 367); *Asó 'y gûabo.* – Vou para beber água. (*VLB*, I, 154); *Aîeruré 'y resé.* – Peço por água. (D'Evreux, *Viagem*, 144); 2) rio: *Xe parati 'y suí aîu...* – Eu vim do rio dos paratis. (Anch., *Poemas*, 110); 3) fonte: *Kûâî 'ype.* – Vai à fonte. (Léry, *Histoire*, 367) • *'y-e'ẽ* – água salgada (do mar) (*VLB*, I, 24); *'y-eté* – água doce (*VLB*, I, 24); madre do rio, o leito dentro de suas margens, que às vezes fica descoberto (*VLB*, II, 27); fonte, água perene (*VLB*, II, 73); *'y-katu* – águas tranquilas, bonança (*VLB*, I, 57); *'y anhẽ* – água sem mistura (*VLB*, II, 123); *'y rapé* – rego-d'água (*VLB*, I, 65); *'y-embe'yba* – margem de rio, praia, ourela de mar ou rio (*VLB*, II, 60); *'y-apé 'arybo* – à flor d'água, na superfície da água (*VLB*, I, 144); *'y-apyra* – cabeceiras de rio (*VLB*, I, 61); *'y-kûabapûana* – corrente d'água (no rio ou no mar); *'y-syryka* – água corrente (*VLB*, I, 82); maré descendente; vazante de maré (*VLB*, I, 91; II, 142); *'y-îebyra* – remanso d'água (*VLB*, II, 100); *'y-pabe'ymba'e* – fonte, água perene (*VLB*, II, 73); *'y-pytera* – meio das águas, alto-mar: *'Y-pytera koty asó.* – Fui em direção ao meio das águas; fui para o alto-mar. (*VLB*, I, 112); *'y-akã* – braço de rio (*VLB*, I, 58); *'y-anhangoty* – rio acima, a montante (*VLB*, II, 106); *'y-ape'ara* – tona d'água, superfície d'água; *'y-ape'ara rupi* – à tona d'água, na superfície da água (*VLB*, I, 50); *'y-apyrakoty* – rio acima, a montante (*VLB*, II, 106); *'y-embykoty* – rio abaixo, a jusante (*VLB*, II, 106); *'y-mombukaba* – sangradouro de rio (*VLB*, II, 112); *'y-aíba* – água ruim, água turva, água velha (D'Abbeville, *Histoire*, 182v)

NOTA – Daí, no P.B., **IGAPÓ** (*'y + apó*, "raízes d'água"), parte da floresta amazônica sempre alagada; **JACUBA** (*'y + akub + -a*, "água quente"), bebida preparada com água, farinha de mandioca, açúcar ou mel e, às vezes, com um pouco de cachaça. Daí, pelo nheengatu, **IARA**, **UIARA** (*'y + îara*, "a que domina as águas"), nome de uma entidade mitológica da Amazônia, a mãe-d'água e também nome próprio de mulher. Daí, centenas de nomes na geografia brasileira: **ARAÇAÍ** (PB), **PIRAÍ** (RJ), **TATUÍ** (SP) etc. (v. Rel. Top. e Antrop. no final).

yá (ou **ygá**) (etim. – *pega água*) (s.) – cabaça ou cabaço inteiros, sem serem cortados (*VLB*, I, 61); cabaça que serve para buscar água (D'Abbeville, *Histoire*, 283)

yaîa (t) (etim. – *água azeda*) (s.) – suor: – *Marã sekó resépe i angekoaíba îekûabi? – Syaîa resé.* – Por qual estado seu aparecia sua angústia? – Por seu suor. (Ar., *Cat.*, 53); [adj.: **yaî (r, s)**] – suado; (xe) suar, estar suado: *Xe ryaî.* – Suo. (Léry, *Histoire*, 367); *Te'õ rerobyka, syaî-tekatu.* – Aproximando-se da morte, suou bastante. (Anch., *Poemas*, 120)

yaíba (r, t) (etim. – *água má*) (s.) – tormenta do mar bravo; tempestade do mar: *O'ar yaíba ixébo.* – Caiu-me uma tormenta. (*VLB*, II, 125); [adj.: **yaíb (r, t)**] – tempestuoso (*VLB*, II, 126); (xe) – fazer ondas (o mar, quando em tormenta) (*VLB*, II, 57) • **yaíbusu (r, t)** – grande tormenta do mar (*VLB*, II, 132)

yaîká (s) (etim. – *arrancar suor*) (v. tr.) – fazer suar: *Asyaîká.* – Fi-lo suar. (*VLB*, II, 122)

'yaipuka (etim. – *rompimento de água ruim*) (s.) – saída de água do útero da mulher que está para dar à luz, também chamada *dianteira* (*VLB*, I, 103)

yamĩsaba (t, t) (etim. – *instrumento de espremer líquido*) (s.) – prensa de espremer: *u'ubae'ẽ-yamĩsaba* – prensa de cana-de-açúcar (*VLB*, II, 85)

yanhurĩ (etim. – *cabaça-pescocinho*) (s.) – var. de cabaça em forma de pescoço, com estreitamento entre duas partes mais largas, isto é, estreita no meio e grossa nas pontas (*VLB*, I, 93) (v. **yganhurĩ**)

'yapé

'yapé (ou **'yrapé**) (etim. – *caminho de água*) (s.) – rego para água (*VLB*, II, 100)

yãpema (s.) – espada de madeira (*VLB*, I, 125) (o mesmo que **ygapema** – v.)

yapenunga (ou **ygapenunga**) (r, t) (s.) – onda: *Kokoty paranã aé rame'ĩ o abaetéramo erimba'e gûekoagûera sosé... yapenunga ryapugûasuramo...* – E por outra parte, semelhantemente, o próprio mar será mais terrível do que é seu costume, as ondas fazendo grande estrondo. (Ar., *Cat.*, 159v-160); [adj.: **ygapenung (r, t)**] – undoso (o mar); **(xe)** fazer ondas (o mar) (*VLB*, II, 57)

yapira (t, t) (s.) – mel (*VLB*, II, 35); mel líquido (Fig., *Arte*, 77); [adj.: **yapir (r, t)**] **(xe)** – ter mel (p.ex., a colmeia) (*VLB*, II, 35)

yapogûasu (t, t) (etim. – *água cheia e grande*) (s.) – maré alta, águas vivas (*VLB*, I, 24)

yapopeba (t, t) (etim. – *largura das águas cheias*) (s.) – largura (de rio) (*VLB*, II, 19); [adj.: **yapopeb (r, t)**] – largo (o rio) (*VLB*, II, 18)

yapoypaba (t, t) (etim. – *água cheia esgotada*) (s.) – maré baixa, águas mortas (*VLB*, I, 24)

yapu (t) (s.) – barulho forte, estrondo (*VLB*, II, 107): *Kokoty paranã aé rame'ĩ o abaetéramo erimba'e gûekoagûera sosé... yapenunga ryapugûasuramo.* – E por outra parte, semelhantemente, o próprio mar será mais terrível do que é seu costume, fazendo as ondas grande estrondo. (Ar., *Cat.*, 159v-160); [adj.: **yapu (r, s)**] – barulhento, estrondoso; **(xe)** soar ou tocar; rugir, fazer barulho ou estrondo: *Xe ryapu.* – Eu sou barulhento. (*VLB*, I, 131; II, 107)

yapûana (t) (s.) – bom cheiro, perfume; [adj.: **yapûan (r, s)**] – cheiroso; **(xe)** cheirar bem, ser cheiroso, recender: *Ta syapûãngatu Tupã rekó i xupé.* – Que cheire muito bem a palavra de Deus a ele. (Ar., *Cat.*, 188, 1686) • **syapûanyba'e** – o que cheira bem, o que recende: *I xupé ogûeru îetanongabamo itaîuba, ysykatã syapûãba'e, mirra.* – Para ele trouxeram, como oferendas, ouro, resina dura que recende (isto é, *incenso*) e mirra. (Ar., *Cat.*, 3)

NOTA – Daí, no P.B., o nome da erva **TIPUANA** (de *tyapûana*, "bom cheiro").

yapûanusu (t) (s.) – mau cheiro, fedor; [adj.: **yapûanusu (r, s)**] – fedorento; **(xe)** cheirar a fartum, feder: *Xe ryapûanusu.* – Eu fedo. (*VLB*, I, 73)

yapyĩ (v. intr.) – dar um tombo, dar cambalhota, dar um trambulhão; voltear (*VLB*, II, 147): *Ayapyĩ.* – Dei um tombo. (*VLB*, I, 64)

'yapyra (etim. – *extremidade de rio*) (s.) – cabeceiras, nascentes de rio (*VLB*, I, 61)

NOTA – Daí, no P.B. (SP), **GUAPIRA** (ou **GAPIRA**), lugar em que um vale começa, i.e., onde começa um rio. Daí, também, o nome geográfico **GUAPITUBA** (em Mauá, SP) (v. Rel. Top. e Antrop. no final).

'yaroba (etim. – *planta amargosa*) (s.) – **JAROBA**, arbusto escandente da família das bignoniáceas (*Tanaecium jaroba* Sw.). Seu fruto serve como cabaça. (Marcgrave, *Hist. Nat. Bras.*, 25; Nieuhof, *Ged. Reize*, 219-220)

yarybé (t, t) (etim. – *água tranquila*) (s.) – bonança no mar; água calma (*VLB*, I, 57)

yasoka (s.) – nome de um inseto (*Libri Princ.*, II, 129)

yasyka (etim. – *cabaça cortada*) (s.) – var. de cabaço partido ao meio (*VLB*, I, 61)

y'aupîara (s.) – fel (*VLB*, I, 137)

'yba[1] (s.) – guia (p.ex., na dança) (*VLB*, I, 152); regente (de canto, dança etc.) (*VLB*, I, 66); mestre, dirigente, comandante: *Apŷaba nd'e'i te'e o 'ybamo nde mo'ama.* – Por isso mesmo os homens erigem-te em dirigente deles. (Valente, *Cantigas*, IV, in Ar., *Cat.*, 1618)

NOTA – Daí, no P.B., **JACUMAÍBA**, **JACUMAÚBA** (PA e MA, pela língua geral setentrional) (*îakumã* + *'yba*, "comandante do jacumã", i.e., do lugar de guiar a canoa), *piloto de canoa que navega pelas baías e lagos onde a navegação é arriscada* (in Dicion. Caldas Aulete): "*O JACUMAÚBA amazonense... ficou largo tempo constrangido entre as barracas dos rios*" (Euclides da Cunha, in *À Margem da História*. São Paulo, Martins Fontes, 1999); **CÃIBA** (*akang* + *'yba*, "comandante de cabeça"), cada uma das partes laterais do freio dos animais de montaria.

'yba[2] (s.) – 1) pé (de planta), planta; pau, árvore: *Okuî rakó amũme ybarambûera o 'yba suí ybotyramo oîkóbo bé.* – Caem, às vezes, os frutos das suas árvores, sendo ainda flores. (Ar., *Cat.*, 157v); *Aî'ybab.* – Cortei o pé dela (isto é, da parreira, da mandioca etc.). (*VLB*,

I, 83); *'ybotyra* – flor de planta, flor (em geral) (*VLB*, I, 144); **2)** haste, caule; talo (p.ex., de couve, de alface), vergôntea (*VLB*, II, 62; 123):
- **'ygûera** – haste sem os grãos (*VLB*, II, 63)

> NOTA – Daí se originam centenas de nomes de plantas, geralmente palavras terminadas em **iba, iva, uba, uva**: **CABREÚVA** ("planta de caburé"), **JACAREÚBA** ("planta de jacaré"), **SIRIÚBA** ("planta de siri"), **ARAÇAÍBA** ("pé de araçá"), **JABUTIBA** ("planta de jabuti"), **BUÇU** (de *'ybusu*, "planta grande"). Muitas delas têm etimologia obscura: **AIJUBA, AIUBA, EMBAÚBA, ANINGAÚBA, ANIBA, CARNAÚBA, CAÚBA, MAÇARANDUBA, PAXIÚBA, COPAÍBA, MACAÚBA, BOCAIUVA, PINDAÚVA** etc.

'yba³ (s.) – origem, princípio (*VLB*, II, 59): *Moroaûsubara 'yba...* – Princípio da compaixão... (Valente, *Cantigas*, VII, in Ar., *Cat.*, 1618); *amanyba* (ou *amandyba*) – começo de chuva (Anch., *Arte*, 3)

> NOTA – Daí, o nome do chefe **TAMANDIBA** (*ita + aman + 'yba*, "começo de chuva de pedras"), um dos morubixabas aliados dos portugueses quando da fundação de São Paulo de Piratininga, em 1554.

'yba⁴ (etim. – *água ruim*) (s.) – planta cuja raiz era utilizada para embriagar os peixes; uma variedade de **TIMBÓ** (D'Abbeville, *Histoire*, 182)

'yba⁵ (s.) – cabo (como de foice ou qualquer ferramenta ou instrumento) (*VLB*, I, 61): *'Yba ting.* – Os cabos são brancos. (Léry, *Histoire*, 346) • **'y-pûá** – cabo de espada (lit., *cabo de dedos*) (*VLB*, I, 62)

'yba⁶ (s.) – baixo, a parte de baixo: ... *Ybaté koty ogûetymã moîarukari, 'yba koty o akanga.* – Para cima mandou pregar suas pernas e, para baixo, sua cabeça. (Ar., *Cat.*, 9)

'ybá (etim. – *fruto de planta '****yba*** + *****a*** <) (s.) – fruta, fruto: *Eva, îandé sy-ypy, onhemomotare-té 'ybá-porang resé...* – Eva, nossa mãe primeira, atraiu-se muito pelo belo fruto. (Anch., *Poemas*, 178); *Okuî rakó amũme 'ybarambûera o 'yba suí ybotyramo oîkóbo bé.* – Caem, às vezes, os frutos das suas árvores, sendo ainda flores. (Ar., *Cat.*, 157v); *E'u ymẽ ikó 'ybá...* – Não comas este fruto... (Anch., *Doutr. Cristã*, I, 162)

> NOTA – Daí se originam inúmeras palavras no P.B.: **GUAPEVA** (*'ybá + peb + -a*, "fruto achatado"), nome de uma planta; **GUAPORANGA** (*'ybá + poranga + -a*, "fruto bonito"), nome de árvore da família das mirtáceas e de seu fruto; **UVAIA**,

UBAIA (*'ybá + aî + -a*, "fruta azeda"), nome de árvore mirtácea e de seu fruto, muito azedo etc.

ybá – o mesmo que **ybŷá** (v.)

'ybaaîa (etim. – *fruta azeda*) (s.) – **1)** laranja (*VLB*, II, 18); **2)** limão (*VLB*, II, 22)

'ybab (etim. – *cortar a planta*) (v. tr.) – podar: *Aî'ybab.* – Podei-a. (*VLB*, II, 79)

'ybabiraba – o mesmo que **gûabiraba** (v.) (Marcgrave, *Hist. Nat. Bras.*, 87)

-yba'e – v. -ba'e

'yae'ẽ (etim. – *fruta doce*) (s.) – melancia, planta cucurbitácea (o mesmo que **'ybae'ẽ** – v.) (Marcgrave, *Hist. Nat. Bras.*, 22)

'ybae'ẽ (ou **'yae'ẽ**) (etim. – *fruta doce*) (s.) – **UBAÉM, 1)** cabaça; **2)** espécie de melancia, planta da família das cucurbitáceas (*Citrullus lanatus* (Thunb.) Matsum. & Nakai) (D'Abbeville, *Histoire*, 228v)

'ybagûasu (etim. – *fruta grande*) (s.) – cidra (*VLB*, I, 74)

> NOTA – Dessa palavra origina-se, também, o nome de uma palmácea, o **BABAÇU**, que produz frutos com sementes oleaginosas e comestíveis, das quais se extrai um óleo, usado principalmente na alimentação. Das suas folhas e espatas são fabricados cestos, esteiras, chapéus etc., sendo também chamada **BAUAÇU, BAGUAÇU, OAUAÇU, AUAÇU, AGUAÇU, GUAGUAÇU, UAUAÇU**.

'ybaîuba (etim. – *fruta amarela*) (s.) – laranja (*VLB*, II, 18)

ybaka (s.) – céu (tb. no sentido de *paraíso cristão*): *Ybaka suí ereîur...* – Do céu vieste. (Anch., *Poemas*, 100); *Ybaka rasapa, osó, nde reîá...* – Atravessando o céu, foi, deixando-te. (Anch., *Poemas*, 124); *Xe asó-potar ybakype sepîaka...* – Eu quero ir para o céu para vê-los. (D'Abbeville, *Histoire*, 357v); *... n'ikatuî ybaka; yby nhõ i katu...* – Não é bom o céu; a terra, somente, é boa. (Bettendorff [1698], *Crôn. do Maranhão*, in *RIH*, LXXII (1909) 318) • **ybakygûara** – habitante do céu: *Xe rarõana ybakygûara...* – O que me guarda é o habitante do céu. (Valente, *Cantigas*, V, in Ar., *Cat.*, 1618)

> NOTA – Daí, **UBAPORANGA** (nome de localidade de MG) (v. Rel. Top. e Antrop. no final).

'ybakaba (s.) – **UBACABA**, árvore mirtácea (*Psidium radicans* O. Berg) de flores amare-

'ybakamusi

ladas, fruto amarelo alongado, cujo caroço é pequeníssimo (D'Abbeville, *Histoire*, 223v)

'ybakamusi (etim. – *fruta-pote*) (s.) – CAMBUCI, **1)** árvore da família das mirtáceas (*Campomanesia phaea* (O. Berg) Landrum); **2)** o fruto dessa árvore, "semelhante ao limão, com uma casca fina, muito suco, acre como a uva brava" (Marcgrave, *Hist. Nat. Bras.*, 141)

CAMBUCI (ilustração de C. Cardoso)

ybakuna (s.) – nuvem escura, nuvem cerrada (*VLB*, II, 52): *Karaíba osapukaî tenhẽ* "Terre, terre". *Ybakuna supinhẽ*. – Os homens brancos gritam, sem motivo, "Terra, terra". Na verdade, são nuvens escuras. (D'Abbeville, *Histoire*, cap. LI)

'ybakurapari – o mesmo que **'ybakurupari** (v.) (Marcgrave, *Hist. Nat. Bras.*, 114)

'ybakurupari (etim. – *fruta de caroço torto*) (s.) BACURI, **1)** árvore da família das clusiáceas (*Platonia insignis* Mart.), também chamada BACURIZEIRO; **2)** o fruto dessa planta, grande e carnoso, de polpa amarela e comestível (Marcgrave, *Hist. Nat. Bras.*, 119; Brandão, *Diálogos*, 217)

'ybamembeka (etim. – *fruta mole*) (s.) – nome de uma árvore de fruto amarelo e caroço amargo (D'Abbeville, *Histoire*, 222v)

'ybametara (etim. – *pau-tembetá*) (s.) – árvore anacardiácea (*Spondias purpurea* L.) (Marcgrave, *Hist. Nat. Bras.*, 129)

'ybamirĩ (etim. – *fruta pequena*) (s.) – nome de uma fruta semelhante ao limão (Brandão, *Diálogos*, 217)

'ybamoîybypyra (etim. – *fruto cozido*) (s.) – conserva (*VLB*, I, 80)

'ybamyxuna (etim. – *fruto escuro*) (s.) – **1)** murta, gênero de plantas da família das mir-

táceas; **2)** árvore melastomatácea do norte do Brasil (*Mouriri guianensis* Aubl.) (*VLB*, II, 45)

'ybanemixama (s.) – GRUMIXAMA (v. komixã) (Vasconcelos, *Crônica (Not.)* II, §88, 155)

'ybapaar (etim. – *tirar todos os paus*) (v. intr.) – roçar (*VLB*, II, 107)

'ybapaara (etim. – *o tirar todos os paus*) (s.) – lavoura, roça, roçado (*VLB*, II, 19) ● **kopisaba 'ybapaara** – (lit., *o arrancar todos os paus do lugar de carpir*) roçado antes de se queimar (*VLB*, II, 107)

'ybapeba (etim. – *fruto achatado*) (s.) – nome de uma planta (*Theat. Rer. Nat. Bras.*, II, 212)

NOTA – Daí, no P.B., **GUAPEVA** (*'ybá + peb + -a*, "fruto achatado"), nome de uma planta.

'ybapekanga (etim. – *planta da casca ossuda*) (s.) – salsaparrilha, **JAPECANGA**, nome comum a duas plantas esmilacáceas, *Smilax papyracea* Duhamel e *Smilax officinalis* Kunth (*VLB*, II, 62)

'ybapiranga (etim. – *fruta vermelha*) (s.) – nome de uma fruta (Piso, *De Med. Bras.*, I, 11)

'ybapiroba (etim. – *fruto da pele amarga*) (s.) – nome de uma planta (D'Abbeville, *Histoire*, 224v)

'ybapurunga (s.) – IBAPURINGA, árvore cecropiácea do gênero *Pourouma*, de fruto "como uvas bastardas pequenas, que dão mostras de nésperas" (Brandão, *Diálogos*, 218; Marcgrave, *Hist. Nat. Bras.*, 116; *Theat. Rer. Nat. Bras.*, II, 147)

NOTA – Daí, o nome do antigo quilombo de **IVAPORUNDUVA**, no Vale do Ribeira do Iguape (SP) (v. Rel. Top. e Antrop. no final).

'ybapytanga (ou **'ubapytanga**) (etim. – *fruta avermelhada*) (s.) – **PITANGA, 1)** árvore mirtácea *Eugenia uniflora* L., de fruto avermelhado, também chamada **PITANGUEIRA**. Suas folhas são aromáticas e antirreumáticas; **2)** o fruto dessa árvore (Marcgrave, *Hist. Nat. Bras.*, 109; 116; Piso, *De Med. Bras.*, IV, 203; Brandão, *Diálogos*, 218; *Theat. Rer. Nat. Bras.*, II, 146; Lourenço, *Carta* (1554), in Leite, *Cartas*, II (1957), 43)

'ybarema (etim. – *fruto fedorento*) (s.) – alho (Anch., *Arte*, 3v; *VLB*, I, 32)

'ybaremusu (etim. – *fruto grande fedorento*) (s.) – cebola (*VLB*, I, 69) '**ybaruba** (s.) – IBIRUBÁ, pitangueira-do-mato (Vasconcelos, *Crônica (Not.)* II, §88, 156)

'**yba-sapé** (etim. – *planta-sapé*) (s.) – SAPÉ (v. **sapé**) (Piso, *De Med. Bras.*, IV, 194; *VLB*, II, 62)

'**yasapukaîa** (ou '**ybasapukaîa**) – o mesmo que **sapukaîa** (v.) (Cardim, *Trat. Terra e Gente do Brasil*, 39)

'**ybasyka-kuîmbuka** (etim. – *cabaço de cumbuca*) (s.) – árvore que dá a CUITÉ (v. **kuîeté**) (*VLB*, I, 61)

'**ybatatã**[1] (etim. – *pau duríssimo*) (s.) – cerne (de madeira, de árvore) (*VLB*, I, 70)

'**Ybatatã**[2] (etim. – *pau duríssimo*) (s. antrop.) – nome de índio tupi (Vasconcelos, *Crônica (Not.)* II, §2, 114)

ybaté[1] (s.) – **1)** o alto, a altura, as alturas: *Ybaté suí oú...* – Veio das alturas. (Anch., *Poemas*, 160); **2)** parte de cima, cima, cimo: ... *Ybaté koty ogûetymã moîarukari...* – Para cima suas pernas mandou pregar. (Ar., *Cat.*, 9); (adj.) – elevado, alto (ref. a coisas ou lugares): *Îybaté-katupe?* – Elas são muito altas? (Léry, *Histoire*, 363)

NOTA – Daí, os nomes geográficos BATÉ (PI), TAUBATÉ (SP) etc. (v. Rel. Top. e Antrop. no final).

ybaté[2] (etim. – *o alto*) (s.) – sobrado, casa assobradada (*VLB*, II, 119)

ybaté[3] (adv.) – **1)** no alto (Fig., *Arte*, 130); para o alto; para cima (Fig., *Arte*, 132); para as alturas; às alturas, ao alto: *Xe îekyîme, t'ereîu ybaté xe rerasóbo.* – Ao morrer eu, que tu venhas para levar-me para o alto. (Anch., *Poemas*, 102); *Tupã moîoîapa, sekóû ybaté.* – Sendo igual a Deus, está nas alturas. (Anch., *Poemas*, 124); ... *Ybaté t'orobasẽ...* – Que cheguemos ao alto. (Anch., *Poemas*, 148); **2)** no sobrado (*VLB*, II, 119) • **ybaté-pyryb** (ou **ybaté-pyrybĩ**) – mais para o alto (Fig., *Arte*, 131)

'**ybatĩ** (etim. – *fruto pontudo*) (s.) – nome de planta, provavelmente uma asclepiadácea do gênero *Ibatia*. Tem um fruto acuminado na extremidade, com muitas proeminências como espinhos, que derrama um suco lácteo, glutinoso. (Marcgrave, *Hist. Nat. Bras.*, 19-20)

ybatinga (etim. – *brancura do céu*) (s.) – nuvem: – *Marãpe irã turine?* – *Ybatinga 'arybo.* – Como virá futuramente? – Sobre as nuvens. (Ar., *Cat.*, 46v; *VLB*, II, 52)

NOTA – Daí, o nome geográfico BATINGA (BA, SE) (v. Rel. Top. e Antrop. no final).

'**ybatitara** – o mesmo que **atitara** (v.)

'**ybaûasurana** (etim. – *falsa cidra*) (s.) – árvore grande e grossa, com flores brancas, fruto grande de casca muito amarela e polpa muito doce (D'Abbeville, *Histoire*, 222v)

'**ybaûîîu** (s.) – GUABIJU, **1)** árvore mirtácea (*Eugenia guabiju* O. Berg.) grande e grossa, de folhas longas e flores azuis; **2)** o fruto dessa árvore (D'Abbeville, *Histoire*, 224v)

'**ybesẽ** (s.) – ralo, ralador para mandioca (*VLB*, II, 96)

'**ybesembabaka** (etim. – *ralo que vira de um lado e do outro*) (s.) – roda utilizada na produção de farinha de mandioca (Marcgrave, *Hist. Nat. Bras.*, 66)

ybĩîa (s.) – bafo; (adj.: **ybĩî**) – bafejante; **(xe)** ter bafo: *Xe ybĩî-rem.* – Eu tenho bafo fedorento. (*VLB*, I, 136)

ybõ (v. tr.) – **1)** flechar: *T'aîybõne!* – Hei de flechá-lo! (Anch., *Teatro*, 32); ... *Serobîasare'yma potyrõû, iî ybõîybõmo...* – Os que não criam nele trabalharam em conjunto, ficando a flechá-lo. (Ar., *Cat.*, 3); **2)** espinhar (*VLB*, I, 126); **3)** arpoar (*VLB*, I, 41); fisgar (*VLB*, I, 140) • **iî ybõmbyra** – o que é (ou deve ser) flechado: *Xe abé iî ybõmbyrûera Bastião xe moaûîé.* – A mim também o flechado *Bastião* derrotou-me. (Anch., *Teatro*, 48); **emiybõ (t)** – o que alguém flecha: *Akó xe remiybõmbûera?* – Esse é o que eu flechei? (Anch., *Teatro*, 18); **moro-ybõ** – flechar gente (Anch., *Teatro*, 172, 2006)

ybobõ (t) (s.) – o que é hábil em trepar, o que trepa bem; (adj.) – trepador: *Xe rybobõ.* – Eu sou trepador. (*VLB*, II, 136)

'**ybotyra** (etim. – *flor de planta* < '**yb** + **potyra**) (s.) – flor (*VLB*, I, 144): *Okuî rakó amũme 'ybarambûera o 'yba suí 'ybotyramo oîkóbo bé.* – Caem, às vezes, os frutos das suas árvores, sendo ainda flores. (Ar., *Cat.*, 157v)

OBSERVAÇÃO – Com um determinante diz-se **potyra** (v.), como *xe* **potyra**, "minha flor", ou *paranã-***potyra**, "flor do mar" (D'Evreux, *Viagem*, 181)

NOTA – Daí, o nome BARTIRA, "a flor", a mulher de João Ramalho, personagem da história quinhentista de São Paulo de Piratininga.

yby¹

yby¹ (s.) – **1)** terra; **a)** (no sentido de *mundo, região, pátria*): *Yby îar, nde angaturameté erimba'e...* – Senhor da terra, tu foste muito bondoso. (D'Abbeville, *Histoire*, 341v); ... *Asé i angaîpaba'e ipó ikó ybype Tupã remimotara n'oîmonhangi*. – Os que, de nós, são maus são os que não fazem nesta terra a vontade de Deus. (Ar., *Cat.*, 27); ... *Our kó xe yby supa rimba'e*. – Veio para visitar esta minha terra outrora. (Ar., *Cat.*, 9v); **b)** (no sentido de *solo, matéria rochosa decomposta*): *Ere'upe yby?* – Comeste terra? (Anch., *Doutr. Cristã*, II, 88); *yby-pytanga* – terra avermelhada, barro (*VLB*, I, 52); *yby-oka* – casa de terra (Anch., *Teatro*, 184, 2006); **2)** chão: *Sugûy turusu... ybype osyryka...* – Seu sangue era muito, no chão escorrendo. (Anch., *Poemas*, 120); *O'ar ybype*. – Caiu no chão. (*VLB*, I, 72); **3)** terra firme (em oposição a mar): *Opá ybaka ereîmopó, paranã, yby abé*. – Todo o céu preenches, o mar e a terra firme também. (Anch., *Poemas*, 128) • *mba'e ybybondûara* – coisa que costuma estar no chão (Fig., *Arte*, 139); **ybype** – em baixo, na lájea (*VLB*, I, 110)

NOTA – Daí, no P.B., **BIBOCA, BABOCA, BOBOCA** (*yby* + *bok* + *-a*, "terra rachada"); 1) buraco, cova, grota, fenda da terra, feitos pelas enxurradas; 2) baixada profunda e de acesso difícil; 3) casa pequena, pobre, modesta, afastada, remota; baiuca, toca: "*Em torno de mim, as velhas taperas, as medonhas BIBOCAS do morro, fechadas, silenciosas, fúnebres, desfaziam-se em miasmas.*" (Olavo Bilac, in *Crítica e Fantasia*, apud *Novo Dicion. Aurélio*); 4) pequena venda ou botequim modesto; bodega. Daí, também, os nomes geográficos **IBIAPABA** (serra entre o CE e o PI), **IBITINGA** (município de SP) etc. (v. Rel. Top. e Antrop. no final).

yby² (t, t) (s.) – **1)** sepulcro, túmulo, sepultura: *tyby* – a sepultura dele; (*VLB*, II, 59); *Osepyî bépe asé tyby 'y-karaíba pupé?* – Asperge também a gente as sepulturas com água benta? (Ar., *Cat.*, 24v); **2)** ossada humana enterrada ou sepultada (*VLB*, II, 59) • **yby-pykaba (t, t)** [ou **yby-aso'îaba (t, t)**] – campa de sepultura (*VLB*, I, 64)

ybŷá (ou **ybá** ou **bŷá**) (part. que expressa indeterminação do sujeito ou do objeto. Como sujeito, equivale ao *se* do português em "*Come-se bem aqui*" ou à 3ª p. do plural em "*falaram bem dele*". Como objeto, aparece com partículas de sentido indefinido.): *Marãpe ybŷá serekóû aîpó i 'ereme?* – Como o trataram ao dizer ele isso? (Ar., *Cat.*, 55v); *Kó 'ara nungara pupé Santa Maria sóû o ykera amõ ybá Santa Isabel supa*. – Num dia semelhante a este, Santa Maria foi para visitar uma certa prima sua, Santa Isabel. (Ar., *Cat.*, 6v)

yby'ab (s) (etim. – *abrir a terra*) (v. tr.) – arar: *Asyby'ab*. – Arei-o. (*VLB*, I, 40)

ybyakytã (s.) – torrão, pedaço de terra endurecido (*VLB*, II, 133)

yby'ama (etim. – *terra levantada*) (s.) – **1)** barranco (*VLB*, I, 52); **2)** ladeira (*VLB*, II, 17); **3)** costa (*VLB*, I, 83); **4)** planalto, chapada; superfície plana e alta (*VLB*, I, 72) • **yby'ã-by'ama** – barrancos (*VLB*, I, 52)

NOTA – Daí, **IBIAMA** (nome de ladeira de Salvador, BA) (v. Rel. Top. e Antrop. no final).

yby'amumbyaré (s.) – planalto, chapada; superfície plana e alta (*VLB*, I, 72)

yby'apaba (etim. – *fenda da terra*) (s.) – **1)** cava, cova, buraco, vala, fosso, barreiro (v. **'ab**) (*VLB*, I, 69; II, 135); **2)** valado, vala pouco funda, guarnecida de tapume ou sebe (*VLB*, II, 140)

NOTA – Daí, o nome da CHAPADA DO **IBIAPABA** (v. Rel. Top. e Antrop. no final).

ybyapetekypyra (etim. – *parede de terra batida* < *yby* + *pyá* + *petek* + *pyr* + *-a*) (s.) – taipa de mão ou francesa (isto é, parede que se barreia à mão) (*VLB*, II, 123)

ybyaryba – o mesmo que **andyrá-ybyaryba** (v.)

ybyasura (etim. – *lombada de terra*) (s.) – barranco (*VLB*, I, 52); ladeira (não muito grande) (*VLB*, II, 17)

ybyboboka (etim. – *fende-terra*) (s.) – **IBIBOBOCA, IBIBOCA, IBIOCA**, coral-verdadeira, nome de vários répteis ofídios da família dos elapídeos. "Não somente os campos e matos, mas até as casas andam cheias delas." (Cardim, *Trat. Terra e Gente do Brasil*, 33) "... Elas, no rojarem, fendem a terra à maneira de toupeiras...", donde seu nome. (Anch., *Cartas*, 124)

ybybo'í (s.) – baixura; (adj.) – baixo (fal. de coisas, como de uma casa etc.) (*VLB*, I, 50)

ybybura (etim. – *saliência da terra*) (s.) – **ABIBURA**, var. de cogumelo que cresce na terra (*VLB*, I, 86; *Theat. Rer. Nat. Bras.*, 183)

ybyesapykanga (s.) – ribanceira (*VLB*, II, 105); v. tb. **esapykanga** (*VLB*, I, 52)

ybyeté (etim. – *terra verdadeira*) (s.) – terra firme, em oposição ao mar ou ao que está no mar: *T'iasó ybyetépe*. – Vamos à terra (diz o que está no navio). (*VLB*, II, 127)

ybygûá (s.) – ventre, barriga, do umbigo para baixo (Castilho, *Nomes*, 32)

ybyîa (s.) – nome de um carnívoro aquático (Marcgrave, *Hist. Nat. Bras.*, 234)

ybỹîa (ou **ybỹnha**) (s.) – **1)** interior, vão, parte de dentro: *Tupã-eté rerobîara îaîporaká xe ybỹîa*. – A crença no Deus verdadeiro encheu meu interior. (Anch., *Teatro*, 166); ... *Opá okybỹnha supa*. – Visitando o interior de todas as ocas. (Anch., *Teatro*, 20); **2)** entranhas (Castilho, *Nomes*, 32): ... *Nde ybỹîa pupé pitangamo oúpa*. – Dentro de tuas entranhas como criança estando (deitado). (Anch., *Poemas*, 116); (adj.: **ybỹî**) – oco, vão por dentro: *Xe kûarybỹî*. – Eu tenho um buraco oco. (*VLB*, II, 53)

NOTA – Daí se origina, no P.B. (SP), **BUJIGUARA** (*ybỹî* + *yguar* + *-a*, "o que está no interior"), espécie de sapinhos na mucosa bucal, i.e., aftas brancas ou amareladas que ali aparecem (in *Dicion. Caldas Aulete*).

yby'îaba (etim. – *indicação da terra*) (s.) – limite (p.ex., entre roças) (*VLB*, I, 130); margem que divide as roças (comumente uma carreira de erva ou mato que não se limpava) (*VLB*, II, 32)

ybỹîagûyra (etim. – *parte de baixo do interior*) (s.) – concavidade (*VLB*, I, 78)

ybyîara (etim. – *a que domina a terra*) (s.) – **IBIJARA**, cobra-de-duas-cabeças, cobra-cega, nome genérico de répteis lacertílios da família dos anfisbenídeos. Têm corpo com a mesma grossura da cabeça à cauda. Daí, o nome popular. (Marcgrave, *Hist. Nat. Bras.*, 239; *VLB*, I, 76)

ybyîa'u (s.) – **IBIJAÚ**, nome comum a várias aves da família dos caprimulgídeos. Têm hábitos noturnos. Seu canto era considerado um agouro. (Marcgrave, *Hist. Nat. Bras.*, 195; *VLB*, II, 50)

ybyku'yba

IBIJAÚ (fonte: Marcgrave)

ybỹîme (adv.) – interiormente; de forma entranhada (*VLB*, I, 119)

ybỹîmengatu (adv.) – interiormente; de forma entranhada (*VLB*, I, 119)

ybykaba – o mesmo que **ubukaba** (v.) (Sousa, *Trat. Descr.*, 194)

ybykasy (t) (s.) – diarreia; [adj.: **ybykasy (r, t)**] – diarreico; (**xe**) ter diarreia: *Xe rybykasy*. – Eu tenho diarreia. (*VLB*, I, 101)

ybykoî (s) (v. tr.) – cavar; desenterrar, escavar; lavrar (com sacho, cavando a terra para afofá-la e arrancando as más ervas) (*VLB*, II, 110): *Asybykoî-atã*. – Cavei-o duramente. (*VLB*, I, 107); *Ayby-ybykoî*. – Cavei a terra. (*VLB*, I, 69)

ybykûaba (s.) – produtividade; [adj.: **ybykûab (r, s)**] – produtivo, de bom rendimento (p.ex., terra) (*VLB*, I, 144) • **ybykûabusu (r, s)** – muito produtivo, de mui bom rendimento (p.ex., terra) (*VLB*, I, 144)

ybykuapaba (etim. – *instrumento de conhecimento da terra*) (s.) – instrumento de mensuração de terras; marco de terras (*VLB*, II, 32)

ybykûara (etim. – *buraco da terra*) (s.) – mina (*VLB*, II, 38)

ybykûarusu (etim. – *grande buraco da terra*) (s.) – caverna, furna: *Mbobype ybykûarusu yby apyterype sekóû...?* – Quantas furnas há no meio da terra? (Bettendorff, *Compêndio*, 48)

ybyku'i (etim. – *farinha de terra*) (s.) – areia: ... *Ybyku'i-tinga gûyri...* – Sob a areia branca. (Anch., *Teatro*, 170); *ybyku'i-una* – areia preta (*VLB*, I, 41)

ybyku'yba (s.) – **IBICUÍBA, BICUIBEIRA, BICUÍBA, BICUÍBA**-DE-FOLHA-MIÚDA, árvore da família das miristicáceas (*Myristica bicuhyba* Schott ex Spreng.), de boa madeira, usada para a marcenaria e de caule e casca com propriedades medicinais. É também chamada **BICUÍBA**-VERMELHA, **BOCUBA, BOCUUVAÇU, BOCUIABÁ, BUCUUVA** (Soares, *Coi-*

ybykyra

ybykyra sas *Not. Bras.* (ms. C), 1872-1883; Vasconcelos, *Crônica (Not.)* II, §81, 153)

ybykyra (t, t) (s.) - irmão caçula (de h.) (Ar., *Cat.*, 116v)

ybynaîaîa (s.) - var. de inseto; cabra-cega (*VLB*, I, 62)

ybyokamonhangara (etim. - *o que faz casas de terra*) (s.) - taipeiro de pilão, isto é, aquele que constrói casas de barro socado entre tábuas paralelas (*VLB*, II, 123)

ybypeba (etim. - *terra plana*) (s.) - **1)** várzea (Marcgrave, *Hist. Nat. Bras.*, 82); **2)** planície (*VLB*, I, 134)

ybypiara (s.) - baceira, doença do baço; (adj.: **ybypiar**) (xe) ter baceira: *Xe ybypiar.* - Eu tenho baceira. (*VLB*, I, 50)

ybypypûera (etim. - *o que foi um tronco da terra*) (s.) - cepo, toco (da árvore que foi cortada) (*VLB*, I, 70) (v. **ypy**)

ybyra[1] (s.) - espécie de raia de grande tamanho (*VLB*, II, 70)

ybyra[2] (s.) - **1)** estopa: *yby-pomombykypyra* - estopa torcida (*VLB*, I, 82); [adj.: **ybyr (r, s)**] - estopento: *Tukũ sybyr.* - O tucum é estopento (isto é, fibroso como a estopa). (*VLB*, I, 129); **2)** linho: *ybyraoba* - pano de linho (*VLB*, II, 64)

ybyra[3] (s.) - EMBIRA (v. **embyra**) (Marcgrave, *Hist. Nat. Bras.*, 99)

ybyra[4] (s.) - frescor (p.ex., de carne, peixe) (*VLB*, I, 144); verdor; (adj.: **ybyr**) - fresco, verde (o contrário de *seco*, como pau, madeira etc.) (*VLB*, II, 144)

ybyra[5] (s.) - margem, ourela; parte ao longo de algo (de rio, mar, terra etc.) (*VLB*, II, 60)

ybyra[6] (t, t) (s.) - irmão mais novo (de h.) (*VLB*, II, 14): *T'oú îandé pytybõmo xe rybyra...* - Que venha para nos ajudar meu irmão mais moço. (Anch., *Teatro*, 130); *Aîtyby-nupã.* - Açoutei-lhe o irmão. (Anch., *Arte*, 50v); (no vocativo, a consoante final **-r** do tema pode mudar-se em **-t**): *Xe rybyt, nde nhyrõ xebo...* - Meu irmão, perdoa tu a mim. (Anch., *Teatro*, 46)

ybyrá[1] (s.) - **1)** madeira, pau (Fig., *Arte*, 69); vara: *Aînupã xe ra'yra ybyrá pupé.* - Açoitei meu filho com uma vara. (Fig., *Arte*, 125); *Ybyrá karamemûã, ygarusu nungara... pupé i mo'ar-uká.* - Mandando fazê-los embarcar numa arca de madeira, semelhante a um navio... (Ar., *Cat.*, 41v); ... *Ereropûar ybyrá nde remirekó resé!* - Bateste com o pau na tua esposa! (Anch., *Teatro*, 168); **2)** árvore: *Aybyrá-'ab.* - Corto a árvore. (Fig., *Arte*, 145); **3)** madeiro (*VLB*, II, 27); cruz: ... *Ybyrá pupé omanõmo...* - Morrendo na cruz. (Anch., *Poemas*, 90) ● **ybyrá-ypypûera** - cepo, o toco da árvore que foi cortada (*VLB*, I, 70); **ybyrá'ĩ** - vara (*VLB*, II, 141); **ybyrá-pararanga** - roda de madeira (de carro etc.); **ybyrá-nhatimana** - roda de madeira, como mó de barbeiro, engenho de algodão (que não toca o chão) etc.; **ybyrá-babaka** - roda de madeira (para algodão) (*VLB*, II, 107)

NOTA - Daí, no P.B., um grande número de palavras: **ABARAÍBA** ("madeira ruim"), nome de uma árvore anacardiácea; **BURATEUA** (PR) ("ajuntamento de madeira"), *trecho de um braço de mar ou de um manguezal onde se amontoam... vegetais..., formando um emaranhado de galhos e raízes* (in *Novo Dicion. Aurélio*); **BRAÚNA, BARAÚNA** ("madeira escura"), árvore leguminosa; **IBIRAREMA** ("madeira fedorenta"), outro nome do pau-d'alho etc. Daí, também, os nomes próprios (de pessoas e de lugares) **IBIRAPUERA** (bairro de São Paulo, SP); **IBIRACATU** (MG); **IBIRANGA** (PE); **UBIRAJARA** (nome de pessoa); **UBIRATÃ** (nome de pessoa) etc. (v. Rel. Top. e Antrop. no final).

ybyrá[2] (s.) - cerca; cerca de moirões em torno de aldeia indígena para a defesa contra os inimigos e contra os animais perigosos; estacada (Staden, *Viagem*, 67): ... *Ybyrá itá monhangymbyra kupépe so'o mimbaba roka ogûar gûupabamo...* - Atrás de uma cerca feita de pedras tomou a casa dos animais de criação como sua pousada. (Ar., *Cat.*, 9v); *Aybyrá-monhang.* - Fiz uma cerca de moirões. (*VLB*, I, 142) ● **ybyrá-patagûy** - cerca de redes; **ybyrá-pokanga** - cerca feita de ramas (*VLB*, I, 70)

ybyraapûaîara (etim. - *os que portam paus agudos* < **ybyrá** + **apûá** + **îara**) (s. etnôn.) - nome de nação indígena tapuia. "Pelejam com paus tostados, agudos; são valentes." (Cardim, *Trat. Terra e Gente do Brasil*, 125)

ybyraba (s.) - árvore lecitidácea (*Eschweilera ovata* (Cambess.) Miers) (Marcgrave, *Hist. Nat. Bras.*, 136)

ybyrababaka[1] (etim. - *madeira que se move para um lado e para o outro*) (s.) - pedaço de pau para atirar a alguma coisa, como para derrubar alguma fruta da árvore etc. (*VLB*, II, 69)

ybyrababaka² (etim. - *madeira que se move para um lado e para o outro*) (s.) - roda de engenho (*VLB*, II, 98); máquina de moagem da cana, engenho (Marcgrave, *Hist. Nat. Bras.*, 83)

ybyrae'ẽ (etim. - *madeira doce*) (s.) - **1)** nome de uma árvore sapotácea nativa (*Pradosia lactescens* (Vell.) Radlk.), também chamada *guaco*, cujo fruto "é produzido cada quatriênio" (Piso, *De Med. Bras.*, I, 6); **2) IVURANHÊ, BURANHÉM, GURANHÉM, EMIRAÉM, BURAÉM** ou **IVURAÉM**, árvore da família das sapotáceas, de boa madeira, muito usada nos séculos XVI e XVII para a construção de navios (Marcgrave, *Hist. Nat. Bras.*, 101; Brandão, *Diálogos*, 171)

ybyragûyba¹ (s.) - lugar onde há ramos ou madeira que alguém toma para si; lugar onde há madeira ou frutas cuja extração é reservada a alguém; coutada: *Morubixaba ybyragûype ahẽ soû ybyrá-'apa*. - Para a coutada do rei ele foi para cortar madeira. (*VLB*, II, 141)

ybyragûyba² (s.) - var. de planta com vara fina de que, depois de seca, são cortados pauzinhos da grossura de um dedo, que esfregam um no outro para produzir um pó que o calor da fricção acende, produzindo fogo (Staden, *Viagem*, 137; *VLB*, I, 68)

YBYRAGÛYBA (planta com a qual se fazia fogo)
(fonte: Staden)

ybyraîaka (s.) - nome de uma árvore (*ABN*, LXXXII (1962), 207)

ybyraîara (etim. - *o que porta pau*) (s. etnôn.) - **UBIRAJARA**, nome de grupo indígena que habitava para além dos carijós (Vasconcelos, *Crônica (Not.)* I, §169, 262)

NOTA - Daí provém o nome próprio de pessoa **UBIRAJARA**, celebrizado pelo romance do escritor José de Alencar (v. Rel. Top. e Antrop. no final).

ybyraîpu (s.) - IBIRAIPU, variedade de formiga. "São pardas e pequenas, mas mordem muito." (Sousa, *Trat. Descr.*, 272)

ybyraitá (etim. - *árvore pedra*) (s.) - pau-ferro, árvore de madeira muito dura, da família das leguminosas (*Caesalpinea ferrea* Mart.) (Sousa, *Trat. Descr.*, 217)

ybyrakûá (s.) - **UBIRAQUÁ**, nome de uma serpente. "Em mordendo a uma pessoa, logo lhe faz deitar o sangue por todos os meatos que tem." (Cardim, *Trat. Terra e Gente do Brasil*, 33; *VLB*, I, 76)

ybyrakûara¹ (s.) - andaimo do açúcar nos engenhos coloniais (*VLB*, I, 35)

ybyrakûara² (etim. - *toca de madeira*) (s.) - prisão (*VLB*, II, 137)

ybyrakûatiara - o mesmo que **kûatiara**² (v.) (Frei Vicente do Salvador, *História do Brasil*, IV, cap. XXXVIII)

ybyraku'i (etim. - *madeira-pó*) (s.) - **BRACUÍ, GUARACUÍ**, nome de uma árvore (Brandão, *Diálogos*, 171)

ybyrakytã (etim. - *nó de árvore*) (s.) - **MUIRAQUITÃ**, pedra verde com que índios da Amazônia compravam mulheres; pedra verde que servia como amuleto (Heriarte, *Descr. Maranhão, Pará*, in Varnhagen, *Hist.*, III, 172)

NOTA - O termo **MUIRAQUITÃ** é do nheengatu, que Mário de Andrade estudou e empregou em sua obra *Macunaíma*.

ybyrakytîaba (etim. - *instrumento de cortar madeira*) (s.) - serra (para madeira) • **ybyrakytîabusu** - serra braceira (*VLB*, II, 117)

ybyrakytîara (s.) - serrador de madeira (*VLB*, II, 117)

ybyranha'ẽ (etim. - *prato de madeira*) (s.) - gávea (de navio) (*VLB*, I, 147)

ybyranupã (etim. - *os bate-paus*) (s. etnôn.) - nome de nação indígena tapuia. "Quando justam com os contrários, fazem grandes estrondos, dando com uns paus nos outros." (Cardim, *Trat. Terra e Gente do Brasil*, 126)

ybyraoby (etim. - *árvore verde*) (s.) - pau-ferro, o mesmo que **ybyrapyteruna** (v.). "É uma das árvores brasileiras que mais crescem, cujo material é duríssimo e vermelho por dentro; não é sujeita à corrupção; não dá fruto; nasce em bosques altíssimos e vales." (Marcgrave, *Hist. Nat. Bras.*, 141)

ybyrapandara

ybyrapandara (etim. – *o que lavra a madeira*) (s.) – carpinteiro (*VLB*, I, 67)

ybyrapara – o mesmo que **ûyrapara** (v.)

ybyraparanga (etim. – *madeira que resvala*) (s.) – nome que designava a máquina de moagem da cana, o engenho de açúcar (Marcgrave, *Hist. Nat. Bras.*, 83)

ybyrapararanga[1] (etim. – *madeira que roda*) (s.) – carreta, carroça (*VLB*, I, 68)

ybyrapararanga[2] (etim. – *madeira que roda*) (s.) – pequeno engenho de açúcar, movido por animais; trapiche (*VLB*, I, 116)

ybyraparyba (etim. – *planta de arco*) (s.) – árvore grande, muito dura, "... de que os índios fazem os seus arcos... cuja madeira se não corrompe" (Sousa, *Trat. Descr.*, 217)

ybyrapeaponha (s.) – nome de uma árvore (*ABN*, LXXXII (1962), 318)

ybyrapeasoka (etim. – *verme da casca das árvores*) (s.) – inseto negro alado, coleóptero, da família dos escarabeídeos. "Devora as raízes, seguindo-se, daí, a destruição total da cana." (Marcgrave, *Hist. Nat. Bras.*, 83)

ybyrapeba (etim. – *madeira chata*) (s.) – tábua (*VLB*, II, 125)

ybyrapema (etim. – *pau anguloso*) (s.) – **IVIRAPEMA, IVIRAPEME**, tacape (Staden, *Viagem*, 70) (v. tb. **ingapema** e **ygapema**)

IVIRAPEMA (tacape) (fonte: Staden)

ybyrapesẽ (etim. – *colher de madeira*) (s.) – var. de colher com que as índias mexiam suas bebidas e mingaus (*VLB*, I, 76)

ybyrapinima (etim. – *pau pintado*) (s.) – **IBIRAPINIMA, IBURAPINIMA**, nome de uma árvore (Bettendorff [1698], *Crôn. do Maranhão*, in *RIH*, LXXII (1909), 33). "... É o pau mais precioso que se tem descoberto em toda a América Portuguesa." (Pe. José de Moraes [1759], *Memórias*, livro IV, 502)

ybyrapiroka (etim. – *árvore arranca-pele*) (s.) – **IBIRAPIROCA**, árvore da família das mirtáceas, comprida, muito direita, de madeira pesada. "... Têm estas árvores a casca lisa, a qual pela cada ano e vem criando outra nova por baixo daquela pele." (Sousa, *Trat. Descr.*, 218; Brandão, *Diálogos*, 171)

ybyrapoká (s.) – nome de uma árvore (*ABN*, LXXXII (1962), 200)

ybyrapokaba (etim. – *pau instrumento de estouro*) (s.) – arcabuz; espingarda (*VLB*, I, 40; 126)

ybyraporomakasi (s.) – nome de uma árvore (Soares, *Coisas Not. Bras.* (ms. C), 1666)

ybyrapûã (etim. – *pau pontudo*) (s.) – estaca pontuda utilizada na cultura da mandioca (Marcgrave, *Hist. Nat. Bras.*, 66)

Ybyrapûé (etim. – *árvore distante*) (s. antrop.) – nome de índio tupi (D'Abbeville, *Histoire*, 12v)

Ybyrapuku (etim. – *pau comprido*) (s. antrop.) – nome de índio tupi (D'Abbeville, *Histoire*, 186v)

ybyrapytanga (etim. – *árvore avermelhada, árvore rosada*) (s.) – **IBIRAPITANGA, ARABUTÃ**, pau-brasil, pau-rosado, árvore da família das leguminosas (*Caesalpinia echinata* Lam.), de madeira vermelho-alaranjada e, depois, vermelho-violácea, pesada e dura. É também chamada *pau-de-tinta*, *sapão* etc. O Brasil deve seu nome a essa árvore. (Marcgrave, *Hist. Nat. Bras.*, 101; *VLB*, I, 59)

IBIRAPITANGA (pau-brasil) (fonte: De Bry)

ybyrapyteruna (etim. – *árvore de cerne escuro*) (s.) – pau-ferro, árvore da família das leguminosas (*Caesalpinia ferrea* Mart.) (Marcgrave, *Hist. Nat. Bras.*, 120)

ybyrarema (etim. – *madeira fedorenta*) (s.) – IBIRAREMA, nome comum às seguintes plantas fitolacáceas: **1)** a *Gallesia integrifolia* (Spreng.) Harms, chamada também GORAREMA, GURAREMA, GUAREMA, UARAREMA, GUARAREMA ou *pau-d'alho*. Quando cortada sua madeira, exala fedor terrível. (Sousa, *Trat. Descr.*, 222); **2)** o cipó-d'alho, *Seguiera americana* L. Essas plantas "a tal ponto rivalizam com as qualidades do alho que, tocadas ainda de mui leve, recendem de acentuadíssimo cheiro bosques e casas inteiros..." (Piso, *De Med. Bras.*, 201)

ybyrarerekoara (ou **ybyraerekoara**) (etim. – *guardião da cerca de moirões*) (s.) – **1)** alcaide (*VLB*, I, 29); **2)** governador, governante: *Pilatos ybyrarerekoara supé i popûasaba resebé serasóû.* – Levaram-no, com suas ataduras, para Pilatos, o governador. (Ar., *Cat.*, 58); **3)** juiz (*VLB*, II, 16)

ybyrasoka (etim. – *verme de madeira*) (s.) – UBIRAÇOCA, gusano, teredo, verme que fura a madeira dos navios (Sousa, *Trat. Descr.*, 295)

ybyrasosé (s.) – instrumento de podar, podão (*VLB*, II, 79)

ybyrasyka (etim. – *pau de resina*) (s.) – UBIRACICA, árvore anacardiácea (*Protium icicariba* (DC.) Marchand) que lança grande quantidade de resina, que os índios usavam como mezinha (Sousa, *Trat. Descr.*, 204)

ybyrataîa (etim. – *madeira ardida*) (s.) – planta da família das anonáceas, árvore de tamanho mediano, "de madeira mole, de cor parda, que cheira muito bem" (Sousa, *Trat. Descr.*, 221)

ybyratimbó (etim. – *árvore-timbó*) (s.) – var. de barbasco, planta cujo veneno entorpece ou mata os peixes (*VLB*, I, 51)

ybyratinga (etim. – *pau branco*) (s.) – IBIRATINGA, árvore da família das apocináceas, com cuja madeira se faziam hastes de lança e dardos (Sousa, *Trat. Descr.*, 222)

ybyratingyîara (etim. – *o que porta pau branco*) (s.) – **1)** alcaide (*VLB*, I, 29); **2)** juiz (*VLB*, II, 16)

ybyraty (t, t) (s.) – cunhada (do h.), mulher do irmão ou do primo mais moço (de h.) (Ar., *Cat.*, 116v; *VLB*, I, 87)

ybyraúna (etim. – *madeira preta*) (s.) – BRAÚNA (*Melanoxylon brauna* Schott), árvore grande da família das leguminosas, de madeira preta, duríssima e pesada, também chamada BARAÚNA, GARAÚNA, *maria-preta* etc. (Sousa, *Trat. Descr.*, 218)

ybyrayá (ou **ybyraygá**) (etim. – *cabaça de madeira*) (s.) – barril (de madeira) (*VLB*, I, 52)

ybyrayagûasu (etim. – *grande cabaça de madeira*) (s.) – cuba (*VLB*, I, 86)

ybyrayamirĩ (etim. – *pequena cabaça de madeira*) (s.) – var. de barril de madeira (*VLB*, I, 52)

ybyraygara (etim. – *madeira de canoa*) (s.) – IBIRAIGARA, árvore nativa do sertão da Bahia, da qual "... fazem umas embarcações para pescarem pelo rio e navegarem." (Sousa, *Trat. Descr.*, 220)

ybyraypy (etim. – *tronco de árvore*) (s.) – variedade de abelha (*VLB*, I, 18)

ybyraŷsanga (s.) – maça, clava (do tipo aimoré): (*VLB*, II, 64): – *Mba'e-mba'epe i popesûaramo? – Mimuku-katupabê... ybyraŷsanga...* – Que (havia) como suas armas? – Muitíssimas lanças, maças... (Ar., *Cat.*, 54)

ybyraysyka (etim. – *resina de árvore*) (s.) – incenso (*VLB*, I, 114)

ybyri[1] (adv.) – ao longo da costa, ao longo do rio: *Ybyri-pyryb t'îasó.* – Vamos um pouco mais ao longo da costa. (*VLB*, II, 24)

ybyri[2] (loc. posp.) – ao longo de (Anch., *Arte*, 41); ao lado de: ... *O îoybyri se'õmbûera paranã ybyri i kûaî.* – Ao lado uns dos outros seus cadáveres estavam, ao longo do mar. (Anch., *Teatro*, 52); *O îoybyri aîmoín.* – Prendi-os um ao lado do outro. *O îoyby-ybyri aîmoín.* – Prendi-os uns ao lado dos outros. (*VLB*, II, 85); *Xe ybyri tuî.* – Jazia ao lado de mim. (*VLB*, I, 106); *itá ybyri* – ao longo das pedras (*VLB*, I, 106)

ybyribé (adv.) – juntamente, ao mesmo tempo (*VLB*, II, 16)

ybyrinhẽ (conj.) – em vez de, ao contrário, em vez de ser (*VLB*, I, 101)

ybyryba (s.) – BIRIBÁ, BERIBÁ, BIRIBAZEIRO, BIRIBA, **1)** árvore mirtácea (*Eugenia ligustrina* (Sw.) Willd.) (Marcgrave, *Hist. Nat. Bras.*, 132); **2)** nome comum a várias plantas da família das anonáceas. "Servem-se os índios das achas desta madeira como candeias com que se servem de noite à falta delas." (Sousa, *Trat. Descr.*, 216)

ybyryby'apaba
NOTA – Daí, os nomes geográficos **BIRIBA** (AM, PA), **BORIBI** (SP) etc. (v. Rel. Top. e Antrop. no final).

ybyryby'apaba (etim. – *instrumento de abrir covas da terra*) (s.) – arado (*VLB*, I, 40)

ybysó (t) (s.) – boa produtividade, bom rendimento; [adj.: **ybysó (r, s)**] – produtivo, de bom rendimento (p.ex., terra) (*VLB*, I, 144)

ybysokaba (s.) – pilão (de socar o barro dentro dos taipais para se fazerem paredes) (*VLB*, II, 77)

NOTA – Daí, o nome da localidade de **BUSSOCABA** (Cotia, SP) (v. Rel. Top. e Antrop. no final).

ybysopuku (t) (s.) – boa produtividade, bom rendimento; [adj.: **ybysopuku (r, s)**] – produtivo, de bom rendimento (p.ex., terra) (*VLB*, I, 144)

ybysosok (etim. – *ficar socando terra*) – **1)** (v. tr.) – pilar taipas (p.ex., de uma casa): *Aîybysosok.* – Pilei-lhe as taipas. (*VLB*, II, 77); **2)** (v. intr.) – fazer taipa de pilão: *Aybysosok.* – Fiz taipa de pilão. (*VLB*, II, 123) • **ybysosokaba** – tempo, lugar, modo, instrumento etc. de pilar taipas; pilão de socar o barro dentro dos taipais para se fazerem paredes (*VLB*, II, 77)

ybysosokara (etim. – *o que fica socando terra*) (s.) – taipeiro de pilão, isto é, aquele que constrói paredes de barro socado entre tábuas paralelas (*VLB*, II, 123)

ybysosokypyra (etim. – *terra socada*) (s.) – **1)** entulho de terra (*VLB*, I, 119); **2)** taipa de pilão, isto é, parede de barro socado entre duas tábuas paralelas, que lhe servem de molde e que são retiradas quando seca o barro (*VLB*, II, 123)

ybytimbora (etim. – *fumaça da terra*) (s.) – poeira (que se levanta da terra seca) (*VLB*, II, 79)

ybytinga¹ (etim. – *brancura da terra*) (s.) – **1)** nuvem: ... *Pesepîak irã... ybytinga 'arybo xe rura béne...* – Vereis também futuramente minha vinda sobre as nuvens. (Ar., *Cat.*, 56v); **2)** névoa, nevoeiro (*VLB*, II, 49; Léry, *Histoire*, 359); **3)** neve: *Yby opá ybytinga ybaka suí o'aryba'e i aso'iûne.* – A terra, toda a neve que cai do céu cobri-la-á. (Ar., *Cat.*, 7).

NOTA – Daí, o nome geográfico **IBITINGA** (SP) (v. Rel. Top. e Antrop. no final).

Ybytinga² (etim. – *brancura da terra*) (s. antrop.) – nome de índio tupi (Vasconcelos, *Crônica (Not.)* II, §1, 113)

Ybytingapeba (s. antrop.) – nome de índio tupi (Vasconcelos, *Crônica (Not.)* II, §1, 113)

ybytu (s.) – vento: *Ybytu îabé osunung...* – Zune como o vento. (Anch., *Poemas*, 190); *Abebé kó ybytu îá...* – Voo como este vento... (Anch., *Teatro*, 40) • **ybytuûasu** (ou **ybytu-aíba**) – ventania; tempestade de vento (*VLB*, II, 125); tormenta de vento (*VLB*, II, 132); trovoada (*VLB*, II, 133): *Aîpó maíra... ybytuûasu oîmoú.* – Aquele homem branco fez vir a ventania. (Staden, *Viagem*, 91)

ybytuura (etim. – *vento que vem*) (s.) – furacão (*VLB*, I, 145)

NOTA – Daí, o nome geográfico **IBITIÚRA** (MG) (v. Rel. Top. e Antrop. no final).

ybytygûaîa¹ (ou **ybytyûaîa** ou **ybytyngûaîa**) (etim. – *cauda de montanha*) (s.) – passagem, caminho estreito entre montes (*VLB*, I, 82); vale: *Ikó ybytygûaîa îasegûaba pupé.* – Neste vale, lugar de choro. (Ar., *Cat.*, 14v); *Ybytygûaîa Îosafat seryba'epe.* – No vale que tem nome *Josafat*. (Ar., *Cat.*, 46v)

ybytygûaîa² (etim. – *cauda de montanha*) (s.) – córrego (*VLB*, II, 141)

ybytyra (r, t) (etim. – *amontoado de terra* < **yby** + **atyra**) (s.) – **1)** montanha, morro; monte; cabeço, lugar alto (*VLB*, I, 61); outeiro (*VLB*, II, 55): *Akûeîme apytá memẽ nde pyri, ybytyrapûápe.* – Antigamente eu ficava sempre junto de ti, no alto do morro. (Anch., *Poemas*, 154); – *Mamõpe gûá Îandé Îara rerosyki ko'yté? – Ybytyra Monte Calvário 'îápe.* – Aonde chegaram com Nosso Senhor, finalmente? – Ao outeiro chamado *Monte Calvário.* (Ar., *Cat.*, 89, 1686); **2)** serra: *Taba supa, ybytyrype xe soû...* – Para visitar a aldeia, eu fui à serra. (Anch., *Teatro*, 10); [adj.: **ybytyr (r, s)**] – serrano, montanhoso; **(xe)** ter outeiros (a terra ou o caminho) (*VLB*, II, 60) • **ybyty-bytyra** – muitos outeiros, serrania (*VLB*, II, 60; 117)

NOTA – Daí provêm muitos nomes geográficos: **BOTUCATU, VOTORANTIM, VOTUPORANGA** etc. (v. Rel. Top. e Antrop. no final).

Ybytyrapé (etim. – *superfície de montanha*) (s. antrop.) – nome de índio tupi (Anch., *Poemas*, 156)

ybyupaba (t, t) (s.) – sepultura (*VLB*, II, 116)

ybyuru (t, t) (s.) – sepultura (*VLB*, II, 116)

ybyu'uma (s.) – lama (*VLB*, II, 17)

ybyxuma (s.) – IBIXUMA, fedegoso, arbusto de caule herbáceo (*Senna occidentalis* (L.) Link), da família das leguminosas, de propriedades medicinais, também chamado *lava-pratos, maioba, mamangá* etc. "Serve de ótimo sabão, tendo os mesmos usos que sabão espanhol." (Marcgrave, *Hist. Nat. Bras.*, 131; *Theat. Rer. Nat. Bras.*, II, 177)

yby'y (r, s) (etim. – *água da terra*) (s.) – umidade; [adj.: **yby'y (r, s)**] – úmido: *Xe ryby'y.* – Eu estou úmido. (*VLB*, I, 154; II, 20)

ybyyby'ab (etim. – *abrir terras e terras*) (v. tr.) – arar, fazer aração: *Aîybyyby'ab.* – Arei-a. (*VLB*, I, 40)

ybyyby'apaba (etim. – *instrumento de arar*) (s.) – arado (*VLB*, I, 40)

ye'ẽ (etim. – *água doce*) (s.) – fojo, buraco no chão para apanhar caça (*VLB*, I, 141). Também servia para acumular água doce

'ye'ẽkûaba (ou **'yekûaba**) (etim. – *água doce que passa*) (s.) – ribeirão; água corrente (Léry, *Histoire*, 360); ribeiro, regato (*VLB*, II, 100) ● **'yekûabusu** – riacho (*VLB*, II, 105)

'ye'embyka (s.) – água salgada estagnada, água que os marinheiros franceses do século XVI chamavam "*sommaque*" (Léry, *Histoire*, 359)

'yekobé (etim. – *água viva*) (s.) – manancial, fonte d'água (*VLB*, II, 30); fonte, água perene (*VLB*, II, 73)

'yemby (etim. – *pé de rio [de água doce ou salgada]*) (s.) – esteiro de mar ou rio, braço muito estreito de mar ou rio, que entra pela terra (*VLB*, I, 128)

> NOTA – Daí provêm os nomes geográficos **PACAEMBU** e **TAQUAREMBÓ** (v. Rel. Top. e Antrop. no final).

'yembyîeîa (s.) – praia (*VLB*, II, 84)

ygá – v. **yá**

yganhurĩ (ou **yanhurĩ**) (etim. – *cabaça pescocinho*) (s.) – cabaça de gargalo (*VLB*, I, 77); cabaça de colo, cabaça em forma de pescoço, estreita no meio e bojuda nas pontas (*VLB*, I, 61)

'ygapé (etim. – *caminho d'água*) (s.) – corrente de água que se desviava de um rio para regar ou mover algum engenho (*VLB*, II, 20)

ygapeba (etim. – *canoa chata*) (s.) – jangada (Marcgrave, *Hist. Nat. Bras.*, 272; *VLB*, II, 7)

ygapebusu (etim. – *canoa chata grande*) (s.) – barca, como de engenho, que leva cana-de-açúcar (*VLB*, I, 52)

ygapema (s.) – tacape ● **ygapẽ-nambi** – bago de tacape (*VLB*, I, 50) (o mesmo que **ybyrapema** – v.)

ygapenunga (r, t) – o mesmo que **yapenunga** (r, t) (v.) (*VLB*, II, 56)

ygaporaîa (s.) – var. de vasilha: *T'arasó kó ygaporaîa...* – Hei de levar esta vasilha. (Anch., *Teatro*, 22)

ygapotitinga (t, t) (etim. – *manchas brancas da água cheia*) (s.) – ovelhas do mar (*VLB*, II, 60); [adj.: **ygapotiting (r, t)**] **(xe)** – fazer ovelhas (o mar) (*VLB*, II, 60)

ygapukuî (etim. – *mexer a canoa*) (v. intr.) – remar: *Aygapukuî.* – Remo. (*VLB*, II, 100)

ygapukuîtaba (etim. – *instrumento de mexer a canoa*) (s.) – remo (*VLB*, II, 101)

ygapukuîtara (etim. – *o que mexe a canoa*) (s.) – remeiro, o que rema (*VLB*, II, 101)

> NOTA – Daí, no P.B., **IGAPUITARIIARA** ("os que têm dom de remadores de canoas"), nome de um povo indígena extinto.

ygara (s.) – canoa, IGARA, barco, barca, embarcação (que pode conter trinta ou quarenta homens), almadia, navio (*VLB*, II, 48): *Îarybobõ omonguî, ygara kuabĩ potá.* – A ponte derrubam, querendo que a canoa passe. (Anch., *Poemas*, 154); *Ygara setá-katu.* – As canoas eram muitíssimas. (Anch., *Teatro*, 18) ● **ybyrá-ygara** – canoa de madeira; **ypé-ygara** – almadia de casca, canoa de casca; **piripiri-ygara** – canoa de junco (*VLB*, I, 32); **ygara rokabytera** – convés da embarcação (*VLB*, I, 81); **ygara rerekoara** – barqueiro, condutor de embarcação; **ygá-membyra** – barco de navio, barco salva-vidas (*VLB*, I, 53); **ygarosara** (ou **ygá-'osara**) – pessoa que calafeta embarcações; calafetador (*VLB*, I, 63)

> NOTA – Daí, no P.B. (Amaz.), **GARERA** (*ygar-ûera*, "o que foi canoa"), utensílio de madeira,

ygarapé

parecido a um cocho, no qual se rala mandioca: "... *os apetrechos da fabricação da farinha, os ralos, as gurupemas, os tipitis, as **GARERAS** ou cochos, umas como ubás a que houvessem cortado as extremidades, onde ralam a mandioca.*" (José Veríssimo, in *Cenas da Vida Amazônica*, apud *Novo Dicion. Aurélio*). Daí, também, **IGARUANA** (*ygara + -ygûana*, "morador de canoa"), canoeiro navegador.
Daí, os nomes geográficos **GAROPABA** (SC), **IGARAPAVA** (SP) etc. (v. Rel. Top. e Antrop. no final).

ygarapé (etim. – *caminho de canoas*) (s.) – **IGARAPÉ**, pequeno rio da bacia amazônica; canal natural que une dois trechos de um mesmo rio; rio pequeno que se aparta dos grandes, retalhando terras e florestas [Ferreira, *América Abreviada*, in *RIH*, LVII (1894), 55]

OBSERVAÇÃO – Os **IGARAPÉS** são um elemento hidrográfico típico da bacia amazônica e são mais seguros para pequenas embarcações, dado o seu menor volume d'água, além de servirem como atalho para se chegar a muitos lugares.

NOTA – Daí, no P.B. (Amaz.), **IGARAPÉ-AÇU**, o de grande tamanho, e **IGARAPÉ-MIRIM**, o de pequeno tamanho.

ygara'ykytĩaba (etim. – *instrumento de cortar a água da canoa*) (s.) – talha-mar, peça sólida angular que se punha na proa dos barcos ou dos navios para penetrar a água e diminuir a resistência que ela exerce contra a embarcação (*VLB*, II, 123)

ygarembé (etim. – *beiço de canoa*) (s.) – bordo de canoa, postiças, obras exteriores no costado de uma embarcação para protegê-la e evitar a fácil abordagem (*VLB*, I, 58)

ygareté (etim. – *canoa verdadeira*) (s.) – **IGARITÉ**, almadia, var. de canoa de madeira (*VLB*, I, 32)

NOTA – Em Inglês de Souza lemos: "*Canoa havia, uma bela **IGARITÉ** grande, com tolda de japá, fixa e cômoda.*" (in *O Missionário*. Rio de Janeiro, José Olympio, 1946). Daí, também, no P.B. (Amaz.), **IGARITEIRO**, canoeiro.

ygarupaba (etim. – *lugar de estarem fundeadas as canoas*) (s.) – ancoradouro de canoas (*VLB*, II, 83) • **ygarupá-tyba** – ancoradouro usual de canoas (*VLB*, II, 83)

NOTA – Daí, o nome do município de **IGARAPAVA** (SP) (v. Rel. Top. e Antrop. no final).

ygarusu (etim. – *canoa grande*) (s.) – navio, **IGARUÇU**: ... *Ygarusu nungara*... – Algo semelhante a um navio. (Ar., *Cat.*, 41v); *Onhemombe'upe abá ... **ygarusu**pe o 'ar-y îanondé?* – Confessa-se alguém antes de embarcar num navio? (Anch., *Doutr. Cristã*, I, 212)

NOTA – Daí, o nome da localidade de **IGARAÇU DO TIETÊ** (SP) (v. Rel. Top. e Antrop. no final).

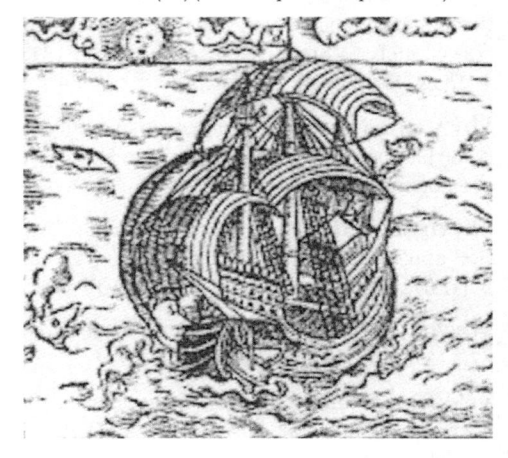

IGARUÇU (fonte: Staden)

ygarusuetá (etim. – *muitos navios*) (s.) – armada (*VLB*, I, 41)

ygarusumirĩ (etim. – *navio pequeno*) (s.) – caravelão, var. de embarcação (*VLB*, I, 67)

ygasaba (etim. – *lugar de tomar água*) (s.) – **IGAÇABA, GAÇABA, QUIÇABA**, pote de barro, geralmente de boca larga, para água e outros líquidos; talha de fazer cauim: ... *Setá nhẽ **ygasabu**su...* – São muitas as grandes igaçabas. (Anch., *Teatro*, 24); *Ygasápe kaũĩ-tuîa, a'e ré, îamomotá...* – O cauim transbordante nas igaçabas, depois disso, os atrai. (Anch., *Teatro*, 28); *Tynysẽ memẽ **ygasaba**...* – Estão sempre cheias as igaçabas... (Anch., *Teatro*, 34)

NOTA – No P.B., **IGAÇABA** assumiu, também, o sentido de *urna funerária*: "*As urnas funerárias de barro (**IGAÇABAS**), lisas, de forma globular assentada em fundo cônico, de paredes grossas de um dedo, sem ornamentação gravada ou pintada, arrumadas e enterradas em linhas paralelas no terreno raso, marcavam, na face do solo, inúmeros círculos.*" (Raimundo Morais, in *País das Pedras Verdes*, apud *Novo Dicion. Aurélio*).

IGAÇABA (fonte: De Bry)

ygaybyrá (etim. - *árvore de canoa*) (s.) - nome de uma árvore, de cuja casca, destacada de cima a baixo, faziam-se canoas (Staden, *Viagem*, 156)

ygé (t) (s.) - ventre, barriga (D'Evreux, *Viagem*, 159): *Kunhãmuku... rygépe pitangamo onhemonhanga.* - No ventre de uma moça gerando-se como uma criança. (Ar., *Cat.*, 42); *T'aîpobu sygé-aponga!* - Hei de revirar seu ventre opilado! (Anch., *Teatro*, 172); *... I por nde rygé.* - Está cheio teu ventre. (Anch., *Poemas*, 116)

ygeaíba (t) (etim. - *ventre ruim*) (s.) - diarreia (forte, perigosa); [adj.: **ygeaíb (r, s)**] - diarreico; (xe) ter diarreia: *Xe rygeaíb.* - Eu tenho diarreia. (*VLB*, I, 64)

ygeapûá (t) (etim. - *extremidade do ventre*) (s.) - intestino: *Opakatu serã sygeapûá-kuîamo i ku'a sorokaba rupi?* - Acaso todo o seu intestino caiu pela fissura de sua cintura? (Ar., *Cat.*, 57v)

ygeasypu'ãpu'ama (t) (etim. - *ataques de ventre dolorido*) (s.) - puxo, esforço com dores que a mulher faz para dar à luz; dores de parto; [adj.: **ygeasypu'ãpu'am (r, s)**] (xe) - ter puxos: *Xe rygeasypu'ãpu'am.* - Eu tenho puxos. (*VLB*, II, 90)

ygegûasu (ou **ygeûasu**) (t) (etim. - *barriga grande*) (s.) - 1) estômago; bucho (Castilho, *Nomes*, 40); 2) barriga (D'Evreux, *Viagem*, 159)

ygepo'ĩ (etim. - *ventre fino*) (s.) - tripas (Castilho, *Nomes*, 40); tripas delgadas (*VLB*, II, 137)

ygûã - o mesmo que **umã** ou **umûã** (v.)

'ygûá (s.) - limo d'água; musgo de árvore (*VLB*, II, 22; 45)

'ygûaba (s.) - vasilha de beber água (*VLB*, II, 89)

'ygûaburu (s.) - vasilha d'água (em relação a quem bebe por ela): *xe 'ygûaburu* - minha vasilha d'água (isto é, *aquela em que bebo*) (Fig., *Arte*, 79)

-ygûan - nasalização do suf. **-ygûar** (v.)

-ygûar (suf. que expressa procedência, naturalidade, estância) - o que é de, o que está em; o habitante de, o natural ou o morador de (*VLB*, II, 48) (A forma nasalizada é **-ygûan**.): *ybakygûara* - os habitantes do céu (Ar., *Cat.*, 27); *... opá Paraibygûara...* - todos os habitantes do Paraíba (Anch., *Teatro*, 12); *... Kó tabygûara xe pó gûyrybo sekóû.* - Estes habitantes da aldeia sob minhas mãos estavam. (Anch., *Teatro*, 126); *keygûara* - os daqui (Anch., *Teatro*, 136); *Erenhomimype erimba'e Tupãokygûara mba'e amõ?* - Escondeste alguma coisa que estava na igreja? (Anch., *Doutr. Cristã*, II, 99); *N'asepîaki kybõygûara.* - Não vi os de cá. (Léry, *Histoire*, 347); *Mba'e-katu amõ asé 'anga pupeygûara...* - Alguma coisa boa que está dentro da alma da gente. (Bettendorff, *Compêndio*, 75); *Pakataygûara* - morador de Pacatá (*VLB*, II, 41); *nhũygûana* - cria dos campos (animal ou planta) (*VLB*, II, 41); *... kó Paranambukygûara* - estes habitantes de Pernambuco (Anch., *Poesias*, 269); *'ygûara* (*'y* + **-ygûar** + **-a**) - morador do rio: *Eîmonhangukar 'ygûara...* - Faze transformar os moradores do rio... (Anch., *Poemas*, 158)

NOTA - Daí, no P.B., pelo nheengatu ou pela língua geral meridional, **MANAUARA** ("o morador de Manaus", AM); **MARAJOARA**, pertencente ou relativo à ilha de Marajó (PA); **PARNANGUARA**, pertencente ou relativo a Paranaguá (PR); **XINGUARA**, o que é do Xingu ou nele mora. Daí, também, **IGARUANA** (*ygara* + **-ygûana**, "morador de canoa"), canoeiro navegador.

'ygûara (etim. - *habitante da água*) (s.) - tartaruga de água doce (Thevet, *Cosm. Univ.*, 918v)

ygûaragûá - o mesmo que **gûaragûá** (v.) (*VLB*, II, 70)

ygûyrõ (t) (s.) - ciúmes (*VLB*, I, 75): *Tygûyrõ rasype é kunhã eremondá-mondá?* - Na dor dos ciúmes ficaste suspeitando das mulheres? (Anch., *Teatro*, 168); [adj.: **ygûyrõ (r, s)**] - cioso, enciumado; (xe) ter ciúmes: *Sygûyrõpe kunhã o mena resené?* - Terá a mulher ciúmes de seu marido? (Anch., *Doutr. Cristã*, I,

ygynõ

228) • **ygûyrõbora** – cioso, ciumento: *Xe rygûyrõbor.* – Eu sou ciumento. (*VLB*, I, 74)

ygynõ (t) (s.) – bafio; cheiro desagradável das axilas, da boca, de suor, de mofo; [adj.: **ygynõ (r, s)**] – bafiento; malcheiroso; **(xe)** ter bafio, ter mau cheiro: *Xe rygynõ.* – Eu tenho bafio. (*VLB*, I, 50)

yîa (s.) – poeira; (adj.: **yî**) – empoeirado, poento (fal. de pessoa que se deitou ou se assentou pelo chão): *Xe yî.* – Eu estou poento. (*VLB*, II, 79)

'yîararar (v. intr.) – fazer reservatório de água; fazer aguada (como o navio) (*VLB*, I, 24)

yîereba (s.) – nome de uma ave, do tamanho de uma grande gaivota (*Libri Princ.*, vol. I., 48)

yîerebasaba [etim. – *a que atravessa os rios que se reviram*, i.e., meândricos < **'y** + **îereb** + **asab (s)** + -**a**] (s.) – nome de uma ave rincopídea, a talha-mar, dos grandes rios do Norte e da costa atlântica do Brasil. Costuma voar junto da água, alimentando-se de peixes. (*Theat. Rer. Nat. Bras.*, I, 102)

yîuîa (t, t) (s.) – escuma, espuma (*VLB*, I, 124)

NOTA – Daí, o nome geográfico **PIRAJUÍA** (BA) (v. Rel. Top. e Antrop. no final).

'ykaraiuru (s.) – pia d'água benta (*VLB*, II, 76)

'Ykatu (etim. – *água boa*) (s. antrop.) – nome de índio tupi (D'Abbeville, *Histoire*, 184v)

yké (s.) – flanco, lado, costado, ilharga: *O pó, o py o yké kutukagûera bépe erimba'e ogûeropu'am?* – Ergueu-se com as feridas de suas mãos, de seus pés e de seu flanco? (Ar., *Cat.*, 44v); *Minusu pupé îî yké kutuki...* – Com uma lança espetaram seu flanco. (Anch., *Diál. da Fé*, 192) • **o ykébo** – de lado, de ilharga (*VLB*, II, 17)

ykemena (t, t) (s.) – 1) cunhado (de m.), marido de sua irmã mais velha; 2) marido de sobrinha mais velha (de m.); 3) marido de prima mais velha (de m.) (Ar., *Cat.*, 116v)

ykepuba (etim. – *flanco mole*) (s.) – ilhargas (*VLB*, II, 142); ilhais dos bois, isto é, cada uma das duas partes situadas entre a última costela, a ponta da alcatra e o lombo da rês (*VLB*, II, 10)

ykera (t, t) (s.) – 1) irmã mais velha (de m.): *O me'engabeté pyky'yra koîpó tykera... resé obykyba'e n'e'ikatuî omendá o me'engabeté resé tiruã...* – O que tocou na irmã mais moça ou na irmã mais velha de sua noiva não pode casar-se nem mesmo com sua noiva. (Ar., *Cat.*, 131); 2) prima mais velha (de m.): *Kó 'ara nungara pupé Santa Maria sóû o ykera amõ ybá Santa Isabel supa.* – Num dia semelhante a este, Santa Maria foi para visitar uma certa prima sua, Santa Isabel. (Ar., *Cat.*, 6v)

yke'yra (t, t) – o mesmo que **yky'yra** (t, t) (v.) (*VLB*, II, 14)

yke'yraty (t, t) (s.) – cunhada (de h.), primeira mulher de seu irmão ou primo mais velhos (Ar., *Cat.*, 116v; *VLB*, I, 87)

yku (t, t) (s.) – 1) líquido; coisa líquida (Fig., *Arte*, 75); 2) coisa rala como polme (*VLB*, II, 95); [adj.: **yku (r, t)**] – líquido, ralo; derretido; **(xe)** derreter-se: *Xe ryku.* – Eu me derreti. (*VLB*, II, 95; Anch., *Arte*, 13) • **tykuba'e** – o que é líquido, o que é ralo (*VLB*, II, 95)

'ykûapaba (etim. – *lugar de passar a água*) (s.) – rego-d'água (*VLB*, II, 100)

'ykûara (etim. – *buraco d'água*) (s.) – 1) cisterna (*VLB*, I, 75); 2) fonte (*VLB*, I, 141); 3) poço (*VLB*, II, 79)

'ykûarypyre'yma (t) (s.) – vinho puro (*VLB*, II, 90)

'ykutukaba (etim. – *instrumento de perfurar a água*) (s.) – bomba de navio (*VLB*, I, 57)

yky (v. tr.) – 1) debulhar (p.ex., o milho) (*VLB*, I, 90); 2) colher (*VLB*, I, 77) (Tem o gerúndio irregular: **ykyébo**.): *Eva... onhemomotareté 'ybá-poranga resé... îî ykyébo...* – Eva atraiu-se muito pelo belo fruto, colhendo-o. (Anch., *Poemas*, 178)

ykyî (s) – o mesmo que **ekyî** (s) (v.)

'ykytĩaba (etim. – *corte da água*) (s.) – veia d'água, um vinco que, às vezes, se vê pelo meio do mar (*VLB*, II, 142)

yky'yra (ou **yke'yra** ou **eky'yra**) (t, t) (s.) – 1) irmão mais velho (de h.): *... Xe ryky'yra pyri.* – Junto de meu irmão. (Fig., *Arte*, 131); *Gûixóbo asobaîî nde ryke'yra.* – Indo eu, encontrei teu irmão. (Fig., *Arte*, 164); 2) primo mais velho (de h.); filho do irmão do pai (de h.); 3) sobrinho mais velho, filho do irmão (de h.) (Ar., *Cat.*, 116v)

yky'yraty (t, t) – o mesmo que **yke'yraty** (t, t) (v.)

ymã (ou **ymûã**) (adv.) – já: *Eresem ymã putunusuí...* – Já saíste da grande escuridão... (Ar., Cat., 82); *Osó ymûã.* – Já ia. (VLB, II, 7)

'yma (s.) – fuso de fiar (VLB, I, 145)

ymãkanga (t) (s.) – canela da perna (VLB, I, 65)

ymana¹ (ou **ymûana**) (s.) – espaço de tempo, intervalo de tempo (VLB, I, 125)

ymana² (ou **ymûana**) (s.) – velho (VLB, II, 104); (adj.: **yman** ou **ymûan**) – velho, antigo, que tem muita idade: *Îesu, xe posangymana...* – Jesus, meu antigo remédio... (Valente, Cantigas, I, in Ar., Cat., 1618); *... I mendarymana kuaba potá.* – Querendo conhecer seus casamentos antigos. (Ar., Cat., 94v); *Xe ymûan.* – Eu sou velho. (VLB, II, 8)

NOTA – Daí, no P.B., **TAMUANA** (taba + ymûan + -a, "aldeia antiga"), povo indígena extinto que habitava a margem direita do rio Amazonas (AM).

ymãoba (t) (etim. – *roupa das pernas*) (s.) – meias-calças (VLB, I, 63)

ymão'o (t) (etim. – *polpa da perna*) (s.) – barriga da perna (VLB, I, 52)

'ymbîasaba (etim. – *lugar de se abrigar da água*) (s.) – barra de porto (VLB, I, 52)

ymẽ – o mesmo que **umẽ** (v.)

'ymombîasaba (etim. – *lugar de desviar a água*) (s.) – sangradouro (VLB, II, 112)

ymûã – o mesmo que **ymã** (v.)

ymûana – o mesmo que **ymana** (v.)

ymûanĩ¹ (adv.) – finalmente, enfim; nunca acabar de, nunca terminar de (como que gastando muito tempo); muito devagar (É usado com o verbo **'i / 'é** na negativa, levando sempre o verbo principal para o gerúndio.): *Nd'e'i ymûanĩ ahẽ aoba moaûîébo.* – Ele nunca acaba de completar as roupas (lit., não se mostra ele, enfim, completando as roupas). *Nd'e'i ymûanĩ osóbo.* – Nunca acaba ele de ir (lit., não se mostra finalmente indo). (VLB, II, 52); *Nd'e'i ymûanĩ ahẽ i îukábo.* – Muito devagar ele o mata (lit., não se mostra ele finalmente matando-o). (VLB, II, 140)

ymûanĩ² (adv.) – por longo tempo, em muito tempo, por longo intervalo de tempo: *Ymûanĩ ahẽ rekóû.* – Por longo tempo ele se deteve. (VLB, I, 125); *Ymûanĩ xe rekóû.* – Estive por longo tempo. (VLB, II, 13); *Nd'a'éî ymûanĩ.* – Não estou por longo tempo; não tardo. (VLB, II, 124); *Nd'a'éî ymûanĩ i monhanga* (ou *A'é ymûanĩ i monhange'yma*). – Não o estou fazendo em muito tempo; não estou tardando em fazê-lo. (VLB, II, 125); *E'i ymuanĩ ahẽ i monhanga.* – Ele o faz em muito tempo. (VLB, II, 81)

ynhusu (s.) – esbugalhamento; (adj.) – esbugalhado: *Xe resá-ynhusu.* – Eu tenho olhos esbugalhados. (VLB, II, 56)

'yno'onga (etim. – *água que se ajunta*) (s.) – charco, lagoa (VLB, I, 72); poça d'água (VLB, II, 79)

'yno'ongaba (etim. – *lugar de ajuntar-se a água*) (s.) – cisterna (VLB, I, 75)

ynysema (t, t) (s.) – 1) coisa cheia (Fig., Arte, 75); 2) transbordamento; 3) abundância; repleção; [adj.: **ynysem** ou **ynysẽ (r, t)**] – cheio, repleto, abundante; (xe) estar cheio, transbordar; abundar [recebe complemento com a posposição **esé (r, s)**]: *Tynysẽngatupe Santa Maria aîpó mba'e-eté "graça" 'îaba resé?* – Está muito cheia Santa Maria daquela coisa muito boa chamada *"graça"*? (Ar., Cat., 31v); *... Tynysẽ umã kaûî...* – Já transborda o cauim. (Anch., Teatro, 24); *Tynysẽ memẽ ygasaba.* – Estão sempre cheias as igaçabas. (Anch., Teatro, 34); *Tynysẽ Tupã raûsuba nde nhy'ãme erimba'e.* – Abundava o amor de Deus em teu coração outrora. (Anch., Teatro, 120) • **tynysemba'e** – o que está cheio, o que está repleto: *Ave Maria, graça resé tynysemba'e...* – Ave Maria, a que está cheia de graça. (Anch., Doutr. Cristã, I, 139)

ypab (r, t) (xe) (etim. – *água acabada*) (v. da 2ª classe) – secar, esgotar-se a água de (p.ex., rio, vaso etc.): *Typab.* – Ele secou. (VLB, I, 111); *Xe rypab.* – Eu seco. (VLB, II, 114)

NOTA – Daí, no P.B. (AM), **TIPACOEMA, TEPACUEMA** (typab + ko'em + -a, "o seca-água matutino"), *fenômeno lunar de que provém a parada do fluxo e refluxo das marés, descobrindo trechos do rio por vezes nunca vistos; a parada da maré, ao amanhecer, no final da vazante; baixa-mar matutina* (in Novo Dicion. Aurélio).

'ypa'ũ (etim. – *intervalo das águas*) (s.) – ilha: *'Ypa'ũgûasu* – Ilha Grande (antigo nome de ilha das costas do Rio de Janeiro) (VLB, II,

ypé

9); **'Ypa'ũ-mirĩ** – Ilha Pequena (nome que davam os indígenas à ilha de Santana, no Maranhão) (D'Abbeville, *Histoire*, 57) • **'ypa'ũmendûara** – o que está na ilha, o que é da ilha: ... *opá 'ypa'ũmendûara...* – todos os que estão nas ilhas (Anch., *Teatro*, 12)

> NOTA – Daí, no P.B., as palavras **CAPÃO, CAPUÃO, CAAPUÃ** (*ka'a + pa'ũ*), "ilha de mata" em meio a um descampado. Daí, também, os nomes geográficos **CAPÃO** BONITO (SP), **CAPÃO** GRANDE (MT) etc. (v. Rel. Top. e Antrop. no final).

ypé (s.) – casca (de árvore) (*VLB*, I, 68)

'ype'asaba (etim. – *lugar de afastar a água*) (s.) – levada d'água, corrente de água que se desviava de um rio para regar ou mover algum engenho (*VLB*, II, 20)

ypebebuîa (etim. – *casca leve*) (s.) – cortiça (*VLB*, I, 83)

ypeka (s.) – IPECA, espécie de ganso ou pato (D'Abbeville, *Histoire*, 242v; Sousa, *Trat. Descr.*, 229); "... É preto pelas costas e pardo pela barriga e as asas pintadas de branco e alguns são todos pretos e é um dos pássaros melhores de comer desta terra e fazem os filhos em buracos de pau e fazem nove e dez filhos." (Lisboa, *Hist. Anim. e Árv. do Maranhão*, fl. 186)

> NOTA – Daí, no P.B. (CE), **PECAPARA** (*ypek + apar + -a*, "pato torto"), pipa pequena e estreita, de uma única haste horizontal, que a torna côncava e sem rabada.

ypekakûãîa (etim. – *pênis de pato*) (s.) – IPECACUANHA, poaia, raiz-do-brasil, planta trepadeira da família das rubiáceas (*Psychotria ipecacuanha* (Brot.) Stokes), de propriedades medicinais (Marcgrave, *Hist. Nat. Bras.*, 17)

IPECACUANHA (fonte: Marcgrave)

> NOTA – "*É ũa raiz delgada, cheia de nós, e do feitio do genital dos patos, e daqui vem o chamarem-lhe os naturaes peċacuenha, que quer dizer na sua língua genital do pato.*" (Pe. João Daniel [1757], (414).

ypekapara (etim. – *ipeca torta*) (s.) – filhote de ave d'água que ainda não sai fora (*VLB*, I, 21)

ypekatĩapûá (etim. – *pato da crista ressaltada*) (s.) – pato-de-crista, pato crestudo, ave da família dos anatídeos, de coloração branca e preta, com tuberosidade sobre o bico. Habita regiões pantanosas. (Marcgrave, *Hist. Nat. Bras.*, 218)

YPEKATIAPÛÁ (fonte: Marcgrave)

ypekũataîrana (s.) – nome de uma árvore (*VLB*, II, 113)

ypekuta'yra (s.) – nome de uma planta (*Theat. Rer. Nat. Bras.*, II, 153)

yperoba (etim. – *casca amarga*) (s.) – PEROBA, PEROBEIRA, nome comum a várias árvores das famílias das apocináceas e das bignoniáceas, de boa madeira (Marcgrave, *Hist. Nat. Bras.*, 97)

> NOTA – No português do Brasil, PEROBA pode também significar 1) *trabalho, serviço*; 2) (fam.) *pessoa maçante*; 3) *pessoa de elevada estatura* (in *Novo Dicion. Aurélio*).

yperu (ou **iperu**) (s.) – tubarão, nome genérico de grandes peixes carnívoros elasmobrânquios, pleurotremados, com fendas branquiais laterais, havendo deles centenas de espécies. São extremamente agressivos e atacam as pessoas nas praias. Entram também na foz de rios, subindo-os alguns quilômetros. (Marcgrave, *Hist. Nat. Bras.*, 172)

> NOTA – Daí, os nomes geográficos **IPEROIG**, a famosa praia em que Anchieta ficou refém dos índios tamoios, no atual município de Ubatuba; **PERUÍBE** etc. (v. Rel. Top. e Antrop. no final).

yperukyba (etim. – *piolho de tubarão*) (s.) – PIRAQUIBA, piolho-de-tubarão, rêmora, espécie de peixe da família dos equenídeos, conhecido também como *peixe-pegador, pegador, peixe-piolho*. Ele adere a outros peixes para se locomover, inclusive aos tubarões, por meio de um disco adesivo que tem na cabeça, mas não é um parasita. (Marcgrave, *Hist. Nat. Bras.*, 180; *VLB*, II, 69)

yperupinima (etim. - *tubarão pintado*) (s.) - nome de um peixe (*VLB*, II, 128)

yperuûasu (etim. - *tubarão grande*) (s.) - var. de tubarão (Staden, *Viagem*, 68)

'ypîasaba (etim. - *lugar de desviar-se a água*) (s.) - rego-d'água (*VLB*, II, 20)

'ypîasó (v. intr.) - ir buscar água (à fonte): *A 'ypîasó*. - Vou buscar água (à fonte). (*VLB*, II, 14) • **'ypîasoara** - o que vai buscar água (à fonte) (*VLB*, II, 14)

'yporu (etim. - *água que come gente*) (s.) - dilúvio: - *Mba'e pupépe i mokanhemi?* - *'Yporu pupé.* - Com que os destruiu? - Com um dilúvio. (Ar., *Cat.*, 41-41v)

OBSERVAÇÃO - A ideia de um dilúvio em tempos imemoriais, que teria destruído quase todos os seres humanos, fazia parte da cosmologia dos tupis antes da chegada dos portugueses.

ypûera (t, t) (s.) - suco extraído (de fruta, planta, cana etc.) (*VLB*, I, 63); água que sai daquilo que se cozeu (*VLB*, I, 24)

NOTA - Daí, no P.B., **MANIPUEIRA, MANIPUERA** (*mani* + *ypûera*), suco leitoso e venenoso da mandioca ralada.

'ypûera (etim. - *rio que foi*) (s.) - **IPUEIRA**, terreno alagado; charco formado nas áreas baixas pela junção de rios que transbordaram e onde as águas se conservam muitos meses, tornando indistintos os canais fluviais que lhe deram origem [*ABN*, LXXXII (1962), 220]

'Ypupîara (etim. - *o que está dentro d'água*) (s.) - **IPUPIARA**, nome de entidade sobrenatural dos antigos índios tupis da costa do Brasil (*VLB*, I, 85). "Eram homens marinhos que atacavam as pessoas, comendo partes de seus corpos." (Cardim, *Trat. Terra e Gente do Brasil*, 57). Era também chamado "homem-marinho", o qual, segundo certos relatos da época colonial, teria sido morto por Baltazar Ferreira no litoral da capitania de São Vicente em 1564. (Sousa, *Trat. Descr.*, 277)

ypy[6]

IPUPIARA (fonte: Gândavo)

NOTA - Daí, o nome geográfico **IPUPIARA** (BA) (v. Rel. Top. e Antrop. no final).

ypy[1] (v. tr.) - começar a (com verbo incorporado): ... *sa'ang-ypÿabo* - começando a pronunciá-lo (Ar., *Cat.*, 25v); *Osepîápe karaibebé Tupã o monhangara o monhang-ypyreme?* - Viram os anjos a Deus, seu criador, quando ele começou a criá-los? (Ar., *Cat.*, 37v)

ypy[2] (s.) - começo, origem, início, princípio, o primeiro: *N'i xyî, na setéî, n'i ypyî...* - Não teve mãe, não tem corpo, não teve começo... (Ar., *Cat.*, 22v); *Kó xe ypy.* - Este é o meu princípio. (*VLB*, II, 87); *Marã e'ipe iÿpy?* - Como diz o primeiro deles? (Ar., *Cat.*, 26); *Ixé iîypy.* - Eu fui o primeiro deles. (*VLB*, II, 87); (adj.) - primeiro, original, inicial: *tekó-ypy* - a lei primeira (Anch., *Poemas*, 114); *Adão, oré rubypy...* - Adão, nosso primeiro pai (Anch., *Poemas*, 130); *ta'yrypy* - primeiro filho do homem, primogênito (*VLB*, II, 87); (adv.) - primeiramente, em primeiro lugar, primeiro: *O emitymbûerypy pupé Tupã potá-me'engano.* - Dar também o quinhão de Deus naquilo que plantou primeiro. (Ar., *Cat.*, 17)

ypy[3] (s.) - base; (adj.) **(xe)** - ter base: *Xe ypy-ten.* - Eu tenho a base fixa. (*VLB*, I, 140)

ypy[4] (s.) - topo: *mytamytá-ypy* - topo da escada (*VLB*, II, 132)

ypy[5] (s.) - tronco, pé (de árvore): *Ybyrá-ypype aín.* - Estive assentado no tronco de uma árvore. (*VLB*, II, 68) • **ypypûera** - resto do tronco de árvore que fica na terra após o seu corte (*VLB*, II, 68); tronco de pau ou árvore que fica na terra depois que perdeu os ramos (*VLB*, II, 137)

ypy[6] **(r, t)** (s.) - fundura, profundeza (de rio, mar etc.) (*VLB*, I, 145; II, 63); o fundo: *typy* - fundura dele (*VLB*, I, 33); *Ypy suí berame'ĩ abur* (ou *Abur-berame'ĩ ypy suí*). - Como que do fundo

ypy'abyka

emergi (diz quem saiu de algum grande aperto em que estava). (*VLB*, I, 31; II, 103); *Atypy-a'ang*. - Medi a profundidade dele. (*VLB*, II, 121); [adj.: **ypy (r, t)**] - fundo, profundo (p.ex., rio, mar, qualquer água): *Typy*. - Ele é fundo. (*VLB*, I, 33; 145); *Na typyî*. - Ele (isto é, o mar, o rio) não é fundo. (*VLB*, I, 51)

> NOTA - Daí, no P.B., **IPU**, vale, baixada: "*Nós guardamos as serras, donde manam os córregos, com os frescos **IPUS** onde crescem a maniva e o algodão.*" (José de Alencar, in *Iracema*. São Paulo, FTD, 1996). Daí, também, o nome geográfico **TUPIASSU** (rio do MA) (v. Rel. Top. e Antrop. no final).

ypy'abyka (t, t) (s.) - borra de um líquido, isto é, a parte sólida dele que se deposita no fundo de uma garrafa; sedimento (*VLB*, I, 58)

ypy'aka (t, t) (s.) - **1)** borra de um líquido, isto é, a parte sólida dele que se deposita no fundo de uma garrafa; sedimento (*VLB*, I, 58); **2)** água com matéria coalhada (como, p.ex., mandioca crua); caldo ou líquido coalhado, isto é, que perdeu a fluidez; coalhada, **TIPIACA**: *Typy'a-ku'i* - farinha de tipiaca, isto é, feita da mandioca crua coalhada em suspensão na água (*VLB*, I, 135)

ypyapyambaba (t, t) (s.) - encapeladura de mar ou de rio (*VLB*, I, 38)

'ypyasó (v. intr.) - ir buscar água (a uma fonte ou a um rio) (*VLB*, II, 14) • **'ypyasoara** - o que vai buscar água (*VLB*, II, 14)

ypybo (loc. posp.) - perto de, nas proximidades de: ... *T'oîkó umẽ moxy xe ypybo...* - Que não esteja o maldito perto de mim. (Ar., *Cat.*, 141)

ypybyribé (adv.) - juntamente, ao mesmo tempo: *I potare'yma ypybyribé "aûîebeté" a'é*. - Eu disse: "*muito bem*", ao mesmo tempo não o querendo. (*VLB*, II, 16)

ypye'yma (t, t) (etim. - *sem fundura*) (s.) - baixio no mar (*VLB*, I, 51)

ypygûaîa (t) (etim. - *cauda do fundo*) (s.) - canal do fundo de rio, talvegue (*VLB*, I, 65)

ypygûara (etim. - *habitante das profundezas*) (s.) - alma (Thevet, *Cosm. Univ.*, 915v)

ypygûyra (r, t) (s.) - fundo, profundezas (de mar, rio etc.) (*VLB*, I, 145)

> NOTA - Daí, o nome geográfico **IGUIRA** (BA) (v. Rel. Top. e Antrop. no final).

ypyî (s) (ou **epyî) (s)** (v. tr.) - regar (*VLB*, II, 99), aguar, aspergir, borrifar (Fig., *Arte*, 2) • **epyîaba (t)** [ou **epyîtaba (t)**] - tempo, lugar, modo, finalidade etc. de regar, de aspergir, de borrifar; borrifo, aspersão: *O koty og o'o repyîagûama resé...* - Para a aspersão de seu aposento e de seu próprio corpo. (Ar., *Cat.*, 93)

> NOTA - Daí, no P.B., **GAPUIA** (AM), *modo de pescar em que se faz a moponga, i.e., se bate a água do rio para que o peixe vá para junto da mucuoca* (in *Novo Dicion. Aurélio*); **GAPUIAR**, *pescar nos baixios, usando o arpão ou a flecha e um tanto ao acaso* (in *Dicion. Caldas Aulete*).

ypykyryrá (t, t) (s.) - borra de um líquido, isto é, a parte sólida dele que se deposita no fundo de uma garrafa; sedimento (*VLB*, I, 58)

ypymoín (etim. - *pôr começo*) (v. tr.) - começar: *Aîypymoín*. - Comecei-o. (*VLB*, I, 77)

ypymonhang (etim. - *fazer o começo*) (v. tr.) - **1)** introduzir, começar; **2)** inventar: *Aîypymonhang*. - Inventei-o. (*VLB*, I, 77; II, 13)

ypyó (s.) - grande quantidade, multidão; (adj.) - numerosos: *Oré ypyó* (ou *Oré ypyó nhẽ*). - Nós somos numerosos. (*VLB*, I, 81; II, 12)

> NOTA - Daí, os nomes geográficos **ARAPIJÓ** (PA), **CAJAPIÓ** (MA), **TIJIPIÓ** (PE) etc. (v. Rel. Top. e Antrop. no final).

ypy'oka (t, t) (s.) - líquido ou caldo coalhado, isto é, que perdeu a fluidez, com matéria em suspensão; coalhada (*VLB*, I, 75): *typy'o-ku'i* - farinha da mesma água da mandioca crua coalhada (*VLB*, I, 135)

ypype (loc. posp.) - perto de, junto a: ... *T'oroîkó nde ypype nhẽ...* - Que estejamos perto de ti. (Anch., *Teatro*, 122); ... *Tatá ypype oîepegûabo*. - Aquecendo-se perto do fogo. (Ar., *Cat.*, 57)

-ypyr(a) - v. **-pyr(a)**

ypyrung (etim. - *pôr começo*) (v. tr.) - **1)** começar: *Aîypyrung*. - Comecei-o. (Fig., *Arte*, 145); ... *Taûîé iîypyrunga*. - Começando-os logo. (Ar., *Cat.*, 165); **2)** fundar: *Atabypyrung*. - Fundei uma aldeia. (*VLB*, II, 84); **3)** introduzir, inventar (*VLB*, II, 13) • **ypyrungaba** - tempo, lugar, modo etc. de começar; começo, início: *Erenhemosaînanype... nde rambyagûá missa iîypyrungápe sendubagûama ri?* - Tu te preocupaste com que teus vizinhos ouvissem a missa ao começar ela? (Anch., *Doutr. Cristã*, II, 105)

ypyrunga (etim. – *pôr começo*) (s.) – começo, início, origem: *Galilea suí katu, i ypyrunga...* – Desde a Galileia, sua origem... (Ar., *Cat.*, 83, 1686)

ypytym (s) (etim. – *enterrar o fundo*) (v. tr.) – entulhar (como a parede que a água dos beirais descarnou) (*VLB*, I, 119)

ypyu'uma (t, t) (etim. – *barro do fundo*) (s.) – borra de um líquido, isto é, a parte sólida dele que se deposita no fundo de uma garrafa; sedimento (*VLB*, I, 58)

yribaîá (s.) – nome de uma ave (*Theat. Rer. Nat. Bras.*, I, 169)

'yryapokytĩaba (s.) – veia d'água, vinco que, às vezes, se vê pelo meio do mar (*VLB*, II, 142)

'yrypya'angaba (s.) – sonda, prumo com que os marinheiros examinavam a fundura do mar (*VLB*, II, 121)

yrypy'aka (t, t) – caramelo (*VLB*, I, 66)

ysá (s.) – IÇÁ, a fêmea da saúva, inseto himenóptero da família dos formicídeos. "A estas formigas comem os índios torradas sobre o fogo e fazem-lhe muita festa... Têm asas... e se saem dos formigueiros depois que chove muito, a enxugar-se ao sol; e têm grande boca e tão aguda que cortam com ela como tesoura o fato a que chegam." (Sousa, *Trat. Descr.*, 271) • *ysá rupi'a* – ovos de içá (*VLB*, I, 142)

ysaeté (ou **ysaúba**) (etim. – *içá verdadeira*) (s.) – espécie de formiga. Vivem em grandes montes de terra que elas edificam, possuem asas e voam aos bandos. (D'Abbeville, *Histoire*, 255v). "É a praga do Brasil... pois se dá nele tudo o que se pode desejar, o que esta maldição impede." (Sousa, *Trat. Descr.*, 269)

ysãîa (s.) – ganchos em que os índios penduravam seus samburás (*VLB*, I, 64)

ysakãkanga (ou **ysakã**) (s.) – chamiço, tudo o que pode servir para acender o fogo (*VLB*, I, 72)

ysapuku (s.) – compridez; (adj.) – comprido: *Îysapuku sama amõ.* – Eram compridas algumas cordas. (Anch., *Teatro*, 48)

ysapy (s.) – orvalho • **ysapygûasu** – orvalho grande; orvalhada (*VLB*, II, 59)

ysaúba (s.) – SAÚVA, SAÚBA, o mesmo que **ysaeté** (v.) (D'Abbeville, *Histoire*, 255v)

ysaubẽ (s.) – SAUVEIRO, formigueiro de içás, montes de terra que ajuntam (*VLB*, I, 142)

'ysoka (etim. – *fere pau* < **'yb** + **sok** + -**a**) (s.) – nome comum a vários insetos ou vermes que atacam carne, madeira etc. (*VLB*, I, 55; II, 17)

NOTA – Daí, **SOCATINGA** (nome de localidade do CE) (v. Rel. Top. e Antrop. no final).

'ysokapé (etim. – *verme de casca*) (s.) – traça, nome comum às larvas de lepidópteros, quase todas de origem europeia, e que atacam roupas (*VLB*, II, 134)

'ysokarenimbó (etim. – *fio de lagarta*) (s.) – seda em fio; seda tecida (*VLB*, II, 114)

'ysokaúna (etim. – *lagarta do pelo preto*) (s.) – nome de uma lagarta preta "... de cor muito fina, todas cheias de pelo tão macio como veludo e tão peçonhento que faz inchar a carne se lhe tocam, com cujo pelo os índios fazem crescer a natura (isto é, o pênis)" (Sousa, *Trat. Descr.*, 266)

'ysokó[1] (s.) – nome comum a certas lagartas de borboletas (Griebe, *Brasil Holandês*, vol. III, 48)

'ysokó[2] – o mesmo que **sokó** (v.) (Griebe, *Brasil Holandês*, vol. III, 40)

'ysokoba (etim. – *lagarta das folhas*) (s.) – nome de uma lagarta que come as plantas (*VLB*, II, 17)

'ysoko'ĩ (etim. – *pequeno socó da água*) (s.) – nome de uma ave (*Theat. Rer. Nat. Bras.*, I, 120)

'ysoku (s.) – nome aplicado às lagartas de diversas borboletas (Marcgrave, *Hist. Nat. Bras.*, 252)

'ysokusu (s.) – nome de um inseto (Marcgrave, *Hist. Nat. Bras.*, 252)

ysy (ou **esy**) (t) (s.) – 1) carreira, fila, fileira: *Asesy-rung.* – Ponho-o em fila. (Fig., *Arte*, 145); *Asysy-mondok.* – Cortei a fila deles. (*VLB*, I, 83; 68); 2) fio, cordão (de contas, de se pôr algo enfiado e enfileirado, como, p.ex., os peixes apanhados pelos pescadores): *mbo'yrysy* – cordão de contas (*VLB*, I, 139); [adj.: **ysy** ou **esy** (r, s)]: enfileirado; (xe) estar em fila ou em fileira: *Oré rysy.* – Nós estamos enfileirados. (*VLB*, I, 139)

NOTA – Daí, **IBIRACI** (MG), **ITAICI** (nome de município de SP), **URUBUCI** (SC) etc. (v. Rel. Top. e Antrop. no final).

ysybõ

ysybõ (s) (v. tr.) – pôr em fileira, em fila, em enfiada (p.ex., peixes, contas etc.): *Asysybõ*. – Pu-los em enfiada. (*VLB*, I, 116)

ysyka[1] (s.) – goma (*VLB*, I, 149); leite de algum pau ou folha (*VLB*, II, 20); resina: *kabure'ybysyka* – resina de cabreúva (Piso, *De Med. Bras.*, IV, 179); (adj.: **ysyk**) – resinoso: *ysypó-ysyka* – cipó resinoso (*Theat. Rer. Nat. Bras.*, II, 215); (xe) ter leite, goma, resina (a árvore, a planta etc.) (*VLB*, II, 20)

> NOTA – Daí, no P.B., as palavras **CICA**, adstringência peculiar a certas frutas; travo, travor (in *Dicion. Caldas Aulete*); **ACAJUCICA** ("resina de cajueiro"); **CURURUCICA** ("goma de sapo"), certa resina medicinal; **JAUARICICA** ("goma de onça"), espécie de resina escura, empregada como breu ou betume; **OITICICA** ("oiti resinoso"), árvore da família das rosáceas etc.

ysyka[2] (s.) – **ICICA, 1) ICICARIBA**, árvore da família das anacardiáceas (*Protium icicariba* (DC.) Marchand), de madeira mole, o mesmo que *almécega-verdadeira*. "Onde está, cheira muito bem por um bom espaço... Estila um óleo branco que se coalha. Serve para emplastos... e em lugar de incenso." (Cardim, *Trat. Terra e Gente do Brasil*, 42); **2)** a resina extraída dessa árvore (Piso, *De Med. Bras.*, IV, 180; *VLB*, I, 32)

ysykapûangatu (etim. – *resina muito cheirosa*) (s.) – incenso (*VLB*, I, 114)

ysykaryba – **ICICARIBA**, o mesmo que **ysyka**[2] (v.) (Marcgrave, *Hist. Nat. Bras.*, 98)

ysymbo'ir (s) (v. tr.) – desenfiar, fazer sair da fila, da fileira, do fio: *Asysymbo'ir*. – Desenfiei-o. (*VLB*, I, 98)

ysypó (s.) – **CIPÓ, ICIPÓ**, designação comum às plantas sarmentosas ou trepadeiras que pendem das árvores e nelas se trançam (Marcgrave, *Hist. Nat. Bras.*, 14; Staden, *Viagem*, 35; *VLB*, II, 145): *Aîmaman okytá ysypó pupé*. – Amarrei o esteio com cipó. *Aîmaman ysypó okytá resé*. – Enrolei o cipó no esteio. (*VLB*, I, 117) • *ysypó-tyba* – ajuntamento de cipós (Léry, *Histoire*, 349)

> NOTA – Daí, **SEPOTUBA** (rio de MT) (v. Rel. Top. e Antrop. no final).

ysypoimbé (s.) – **CIPÓ-IMBÉ, GUEMBÊ, CIPÓ--DE-IMBÉ, UMBÊ, IMBEZEIRO**, nome comum a plantas da família das aráceas, cipós muito grossos usados para puxar madeira na mata, para embarcações etc. (Sousa, *Trat. Descr.*, 224)

ysypopytanga (etim. – *cipó avermelhado*) (s.) – raiz avermelhada utilizada pelos índios para fazer a farinha que lhes servia de matéria--prima para a fabricação do pão (D'Abbeville, *Histoire*, 230)

ysypoysyka (etim. – *cipó resinoso*) (s.) – nome de uma planta (*Theat. Rer. Nat. Bras.*, II, 215)

ysyrung (s) (etim. – *pôr em fila*) (v. tr.) – enfileirar: *Oroîoysyrung*. – Enfileiramo-nos. (*VLB*, I, 139); *Asysyrung*. – Enfileirei-o. (*VLB*, II, 101)

ysysaý (s.) – facho de luz; círio, vela, tocha, candeia (de cera ou de sebo) (*VLB*, I, 65): ... *Ysysaý putumimbyka rupi pé resapébo*. – Fachos de luz para iluminar o caminho pela escuridão. (Ar., *Cat.*, 54)

ysysay'ambaba (etim. – *lugar de estar a candeia*) (s.) – haste fincada num cepo com pé, na qual se pendurava a candeia (*VLB*, I, 65); tocheiro (*VLB*, II, 130)

ysysayendaba (etim. – *lugar de estar a candeia*) (s.) – castiçal (*VLB*, I, 68); tocheiro (*VLB*, II, 130)

ysysaygûasu (s.) – var. de círio ou tocha (*VLB*, I, 74)

ytá[1] (s.) – esteio, coluna, armação; peças principais em que se sustenta uma máquina ou qualquer coisa (*VLB*, I, 41); partes essenciais de um edifício; estrutura: *okytá* – esteio, alicerce de casa (Anch., *Arte*, 9); *inimbebytá* – armação de leito (*VLB*, II, 20); (adj.) – estrutural, fundamental, cardeal: ... *Quatro tekokatu-ytá* – Quatro são as virtudes cardeais. (Ar., *Cat.*, 19v); *îurá-ytaûasu* – grandes esteios de um jirau (D'Abbeville, *Histoire*, 188)

ytá[2] (s.) – tear: *aobytá* – tear de roupas; *inĩ-ytá* – tear de redes (*VLB*, II, 125)

'ytab (v. intr.) – nadar: *A'ytab*. – Nado. (Anch., *Arte*, 51v)

'ytaba (s.) – nado; (adj.: **'ytab**) – nadador: *Xe 'ytab*. – Eu sou nadador (ou *sei nadar*). (Anch., *Arte*, 51v)

ytarõ (v. tr. irreg. – não recebe o pronome -î- incorporado) – fartar: *Aytarõ*. – Farto-o. (Anch., *Arte*, 39); *Xe ytarõ pirá*. – Farta-me o peixe. (*VLB*, I, 135)

ytatina (s.) – var. de inseto de pântanos (*VLB*, I, 55)

'ytororoma (etim. – *jorro d'água*) (s.) – bica d'água (*VLB*, I, 55)

> NOTA – Daí, no P.B. (MT), *pequena cachoeira ou salto*. Daí, também, **ITORORÓ** (nome de localidade da BA) (v. Rel. Top. e Antrop. no final). V. tb. **tororoma** – nota.

'ytororombaba (etim. – *lugar de jorro d'água*) (s.) – valeta d'água (*VLB*, I, 55)

ytu (s.) – cachoeira (*VLB*, I, 62): *O îara opeá ytupe é...* – Desembarcando seu senhor na própria cachoeira. (Anch., *Poesias*, 269)

> NOTA – Daí, os nomes geográficos **ITU** (município de SP), **ITUMBIARA** (município de MG) etc. (v. Rel. Top. e Antrop. no final).

yty (s.) – cisco (p.ex., que se varre); lixo (*VLB*, II, 23), sujeira, imundície: *Aytypeir.* – Varri os ciscos. (*VLB*, I, 75); (adj.) – sujo, imundo: *piryty* – pele imunda (isto é, *lepra*) (*VLB*, II, 20)

ytyapyra (s.) – monturo: – *Onhotymype asé Tupãokype? – N'onhotymi. – Umãme-etépe? – Ytyapyrype nhẽ.* – Enterra-os a gente na igreja? – Não os enterra. – Onde, na verdade? – Num monturo. (Ar., *Cat.*, 50)

ytykyr (r, t) (xe) (etim. – *água gotejante*) (v. da 2ª classe) – destilar-se (o líquido) (*VLB*, I, 129)

ytymãmbûera (etim. – *o que foi perna*) (s.) – castanha-de-caju (Marcgrave, *Hist. Nat. Bras.*, 95)

'yura (etim. – *água que vem*) (s.) – crescente da maré, enchente do mar (*VLB*, I, 85)

Relação de topônimos e antropônimos com origem no tupi antigo, nas línguas gerais coloniais e no nheengatu da Amazônia

Dada a magnitude da influência do tupi antigo na onomástica brasileira, julgamos importante apresentar uma relação, ainda que limitada, de topônimos e antropônimos que tenham origem naquela língua e nas que se desenvolveram historicamente dela, a saber, a língua geral setentrional, a língua geral meridional (uma variante desta, com influências guaranis) e o nheengatu, ainda falado no Vale do Rio Negro, no estado do Amazonas. Daí provêm mais de 95% dos nomes geográficos brasileiros de origem indígena. As outras línguas indígenas brasileiras têm reduzida participação no sistema toponímico do Brasil.

Se traçarmos uma linha cronológica desde 1500 até os dias de hoje, podemos dizer que, em termos gerais, o tupi antigo foi falado até o final do século XVII, após o que foi perdendo terreno para a língua geral em seus dois ramos, o do Norte e o do Sul. A língua geral do Norte transformou-se no nheengatu e a do Sul desapareceu completamente no início do século XX.

Esquematicamente teríamos:

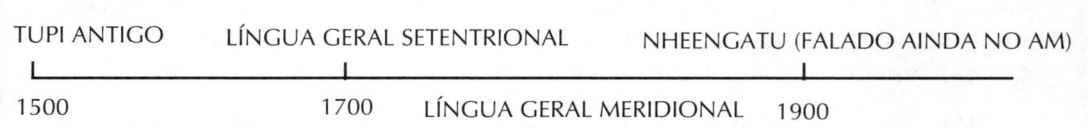

```
TUPI ANTIGO     LÍNGUA GERAL SETENTRIONAL        NHEENGATU (FALADO AINDA NO AM)
|_____|_____|
1500            1700      LÍNGUA GERAL MERIDIONAL   1900
```

A maior parte dos topônimos que apresentamos nesta relação foi tomada do *Índice dos Topônimos contidos na Carta do Brasil 1:1 000 000 do IBGE*, publicado por Vanzolini e Papavero em 1968. Selecionamos cerca de 2 200 topônimos e também alguns antropônimos e demos suas etimologias. As etimologias de muitos nomes são muito evidentes. Alguns não podem ser mais etimologizados, pois foram muito alterados ao longo dos séculos. Alguns são artificiais, composições incorretas e sem nenhum valor histórico. Outros foram atribuídos artificialmente, mas são nomes pré-existentes à atribuição do nome oficial. A etimologia destes nomes tem interesse histórico pela sua antiguidade.

Não tivemos a pretensão, no âmbito deste trabalho, de apresentar um número maior de topônimos, pois isso implicaria uma pesquisa detida em cartas de escala bem maior (por exemplo, 1: 50 000), nas quais aparecem nomes de córregos, de morros etc. que não figuram na carta do Brasil na escala 1:1 000 000. Pretendemos, contudo, numa outra oportunidade, realizar tal tarefa, tão importante quanto descurada.

As palavras do tupi antigo que originaram nomes próprios no Brasil serão apresentadas no interior dos verbetes a seguir tal como se acham no *Dicionário Tupi-português*. Assim, dispensamo-nos de traduzi-las sempre, podendo o consulente ali procurá-las, se o desejar. Se citarmos palavras do nheengatu ou das línguas gerais coloniais, elas serão escritas em itálico ou com asterisco (*) quando forem hipotéticas e conhecidas somente por sua presença no léxico do português do Brasil.

A busca de etimologias de topônimos pode ser uma importante ferramenta do estudo histórico quando eles foram atribuídos naturalmente por índios, caboclos ou quaisquer colonos falantes do tupi ou das línguas gerais coloniais. Revelam-nos aspectos do ambiente físico e humano do passado. Os topônimos continuam a existir, muitas vezes, mesmo depois que esse ambiente já se modificou. Com efeito, o topônimo é um verdadeiro fóssil linguístico, segundo o geógrafo Jean Brunhes. Muitos topônimos têm fácil etimologia. Outros, contudo, necessitam, para se compreender seu perfeito significado, de estudo dos mais antigos documentos históricos disponíveis para se averiguar a motivação de sua atribuição, sua mais antiga grafia ou, ainda, explicações etimológicas daqueles que falavam tupi ou as línguas gerais. Isso foi feito quando possível, neste trabalho, com emprego de grande documentação.

A etimologização de tais topônimos enriquece nosso conhecimento do passado do Brasil, revela-nos fatos que escapam às narrativas de outras épocas. Muitas vezes estaremos diante de nomes pré-cabralinos como *Anhangabaú*, *Paraguaçu* etc., de nomes que acompanharam o avanço das entradas, bandeiras e monções como *Uberaba*, *Cuiabá*, *Piracicaba* etc., de nomes que acompanharam o avanço das missões católicas às margens dos rios amazônicos, como *Surubiú* (atual Alenquer), *Arucará* (atual Portel) etc. Analisá-los é penetrar na história do nosso país.

Há, contudo, topônimos atribuídos artificialmente e que datam de poucas décadas, em ambientes em que já não mais havia falantes das línguas em que o topônimo foi atribuído. Com efeito, no século XX a frente pioneira do Brasil passou pelo oeste paulista, pelo norte e oeste paranaenses, pelo centro-oeste do país, para onde se deslocou a própria capital do Brasil. Getúlio Vargas apregoou, na década de 1940, a *Marcha para o Oeste*, tendo havido a fundação de centenas de municípios nas sobreditas regiões. Pujantes cidades nelas surgiram muito tempo depois que a língua geral meridional desapareceu. Por outro lado, a primeira metade do século XX foi marcada, no Brasil, por forte nacionalismo político, econômico e cultural. O Modernismo, surgido com a Semana de 1922, a Revolução de 1930, a Era de Vargas, tudo conduzia a uma busca de referenciais da pátria brasileira. Surgem tupinistas nas universidades brasileiras, alguns dos quais passarão a ter a incumbência de dar nomes aos novos municípios que se fundavam nessa época. Aparecem, assim, muitos topônimos de origem tupi no século XX. Alguns são composições corretas, da índole do tupi antigo, das línguas gerais coloniais ou do nheengatu. Outros são fruto da elaboração fantasiosa de amadores, que resolveram embrenhar-se por um campo de estudo sem conhecimento suficiente das línguas. Em alguns casos, etimologizar tais palavras é uma tarefa inútil, a de tentar atinar com significados, quando eles não existem. É o caso do nome *Umuarama*, cidade do Paraná, criado por Silveira Bueno a pedido de seus fundadores. Tal palavra não significa absolutamente nada. Perderia o seu tempo o pesquisador que tentasse procurar a sua etimologia. O próprio Silveira Bueno mostra-nos por quê:

> **Umuarama** – *Cidade do Paraná. Neologismo feito por nós, com elementos tupis, e significa: lugar ensolarado para o encontro de amigos. A primeira forma foi EMBUARAMA, de embu, lugar; ara, cheio de luz, de claridades, bom clima. Depois suavizamos (sic) para Umuarama. A terminação ama é um coletivo, equivalendo a muitos, reunião etc. A palavra cunhada por nós agradou tanto que há hotéis, cinemas, parques, clubes. Mas designa especialmente a progressista cidade do Estado do Paraná.*

As etimologias aí dadas por Silveira Bueno não têm nenhum fundamento. *Embu* não significa "lugar" nem em tupi, nem em guarani, nem nas línguas gerais coloniais. Consultando o próprio *Vocabulário Tupi-Guarani-Português*, vemos que nem o próprio Silveira Bueno o consigna... Ademais, em que vocabulário antigo ou moderno de tupi, guarani, língua geral ou nheengatu teria Silveira Bueno visto que "ama" é um coletivo? Em português isso acontece (como em *dinheirama*, por exemplo). Mas em tupi também seria assim? O autor não o esclarece.

Finalmente, lemos na citação que UMUARAMA significa "*lugar ensolarado* **para o encontro de amigos**". Onde aparece nesse nome o correspondente *a encontro de amigos*? Onde teria ele aprendido isso?

Vemos, além disso, que ele "suavizou" o nome de EMBUARAMA para UMUARAMA. Isto é, o que não significava nada passou a significar menos ainda...

Etimologias fantasiosas e sem fundamento como essa que demonstramos são abundantes em todo o *Vocabulário* de Silveira Bueno.

Finalmente, ao pedir as bênçãos do Padre Anchieta, na contracapa da 5ª edição de seu livro, ele, além de admitir que misturou duas línguas no mesmo dicionário, comete um grave erro histórico:

> "*Rogamos ao beato Padre José de Anchieta as suas bênçãos para que os nossos esforços sejam frutíferos como foram os seus de homem santo:* **lidamos com as línguas tupi e guarani que ele cristianizou e santificou.**"
> (grifos nossos)

Ora, Anchieta não "santificou" a língua guarani, pois ela era falada no Paraguai e não no Brasil. O grande gramático do guarani antigo foi o Padre Montoya e não Anchieta...

Assim, corremos o risco de dar etimologias de nomes criados artificialmente há poucas décadas. Procuramos, contudo, sempre que possível, identificar tais nomes em nossa relação de topônimos. Eles aparecem, principalmente, a nomear municípios de regiões colonizadas no século XX: *Potirendaba, Piacatu, Ecatu* etc. Figuram, também, na nomeação de algumas ruas e praças de grandes cidades. Dificilmente incidem na microtoponímia, i.e., nos nomes dos cursos d'água, dos acidentes de relevo etc., o que torna nosso trabalho bem mais simples, mormente com as facilidades trazidas pela rede internacional de computadores (internet), que faculta fácil identificação de topônimos dessa natureza, principalmente quando nomeiam municípios.

Contudo, se tiverem sido corretamente formados ou, dependendo de suas fontes, saber seu significado não é algo desprezível. Muitas vezes, o que é artificial é o ato de nomear, não o nome em si. É o caso, por exemplo, do nome *Moema*, bairro de São Paulo. Foi atribuído há poucas décadas, porém tomado da obra de Santa Rita Durão, *Caramuru*, publicada em 1781. Esse nome é do tupi antigo e significa *mentira*. O autor assim chamou a uma das amantes do herói dessa epopeia, Diogo Álvares Correia, a qual morreu nas águas do mar quando tentava alcançar o navio em que seu amado partia para a Europa. Ela simbolizava o amor "mentiroso" de uma amante em oposição ao amor conjugal da heroína Paraguaçu, que se casara com Diogo. Assim, saber o significado do nome do bairro Moema, fora dessa contextualização, resultaria inútil, algo desprovido de interesse algum. Dentro daquele contexto, porém, é um rico mergulho na literatura do Brasil colonial e na língua tupi.

Às vezes houve dificuldades em se saber se uma palavra provinha do tupi antigo ou se era herança das línguas gerais coloniais ou do nheengatu. Quando o termo passou inalterado do tupi quinhentista e seiscentista para aquelas outras línguas, somente um estudo histórico poderia, talvez, dirimir tais dúvidas. Com relação à língua geral meridional, escassíssimos são os textos escritos nela. O que podemos dela saber provém principalmente dos nomes geográficos e dos brasileirismos meridionais. Assim, muitas tentativas de resgate de seus vocábulos não poderiam passar do plano da hipótese.

Um bom préstimo do estudo toponímico é o de aumentar nosso conhecimento do léxico do tupi antigo e das línguas gerais coloniais. Somente a toponímia revela-nos, por exemplo, que o substantivo **pará** designava *rio*, em tupi antigo. Gabriel Soares de Sousa informa, inclusive, que **Pará** era nome dado ao rio São Francisco. Vemos, ademais, centenas de nomes no Nordeste do Brasil que incluem o morfema **ji** (ou **gi**): *Araçaji, Sergipe* etc. Ele é, na verdade, um alomorfe da palavra 'y (rio). Nenhum vocabulário nô-lo informa, mas a toponímia o faz. Assim, o estudo toponímico é um apêndice indispensável do estudo gramatical e lexical do tupi antigo.

OBSERVAÇÃO

Ocorrem na toponímia de origem tupi muitos nomes que incluem a posposição **-pe**: **Iguape** ('y + kûá + -pe: *na enseada do rio*), **Peruíbe** (iperu + 'y + -pe: *no rio dos tubarões*), **Sergipe** (seri + 'y + -pe: *no rio dos siris*) etc. Embora pareça estranho para nós, esse era um fenômeno comum naquela língua indígena e de difícil explicação.

A

Abaeté, Lagoa do (BA). De **abaîté** – *terror, horror* (Anch., *Teatro*, 126), *terrífico, horroroso*.

Abaetetuba (PA). De **abaeté** – *homem muito bom, homem valente*, **abaeté + tyba**: *ajuntamento de abaetés*. O nome original, segundo o IBGE, era só *Abaeté*.

Abaiara (CE). De **abá + îara**: *o senhor dos homens*. Nome atribuído artificialmente para homenagear D. Pedro II: "*O município foi denominado primitivamente São Pedro, depois Pedro Segundo com o Decreto-Lei nº 448, de 20 de dezembro de 1938 e, posteriormente denominou-se Abaiara, pelo Decreto-Lei nº 1.114, de 31 de dezembro de 1943*". (Fonte: IBGE)

Abaíba (MG). De **abá + aíb/a + -a**: *índios maus*, i.e., ferozes (o mesmo que **apŷabaíba**, índio sem contato com os brancos – *VLB*, II, 112)

Abaíra (BA). De **abá + a'yra (t)**: *filhos de índios*.

Abaitinga (SP). De **abá + a'yra (t) + ting + -a**: *filhos claros de índios*, i.e., caboclos, mamelucos.

Abaré (BA). De **abaré**: *padre*. Nome atribuído em 1891, "*o mesmo que os indígenas davam ao rio em cujo vale se achava a localidade*". (Fonte: IBGE)

Abaremandoava (cachoeira do rio Tietê, SP). De **abaré + ma'enduar + -aba**: *lembrança do padre*. É uma referência a um episódio da vida do padre José de Anchieta: "*[...] tem várias cachoeiras, e algumas perigosas, e entre elas um salto Abaremanduaba, por cair nele o venerável Padre José de Anchieta, e ser achado dos índios debaixo da água rezando no Breviário.*" (desconhecido [n.d.], *XX – Cartografia das Monções dos Séculos XVII e XVIII – Notícias Práticas*, 118)

Acaã (BA). De **akaûã**, ave falconídea.

Acajaíba (BA). De **akaîá + 'yba**: *pés de cajá*.

Acajutiba (BA). De **akaîu + tyba**: *ajuntamento de cajueiros*.

Acajutibiró (antigo nome da Baía da Traição, PB). De **akaîu** – caju + **tebiró** – sodomita; (fig.) estéril, que não gera: *cajueiro estéril*: "*Chama-se esta Bahia pelo gentio Pitiguar Acajutibiro, e os portuguezes, da Traição, por com ella matarem uns poucos de castelhanos e portuguezes que n'esta costa se perderam.*" (Sousa, *Trat. Descr.*, XI)

Acangapiranga (rib. de RO). De **akanga + pirang/a + -a**: *cabeças vermelhas*.

Acapu (rio do AM). De **'aka + pu**: *som de chifre*.

Acará (rio do PA). De **akará** – *carás*, peixes caracídeos.

Acarabu (ilha do AM). De **akará** – cará, peixe caracídeo + **pu** – barulho: *barulho dos carás*.

Acaraí (BA). A mesma etimologia de **Acaraú**.

Acaraípe (CE). De **akará + 'y + -pe**: *no rio dos carás*.

Acarapé (CE). De **akará + (a)pé (r, s)**: *caminho dos carás*.

Acarapirera (PA). De **akará + pir-era**: *couro de cará*, var. de peixe.

Acaraú (CE). De **akará** – cará + **'y** – rio: *rio dos carás*.

Acarembó (rio do RS). De **akará + 'yemby**: *córrego dos carás*.

Acari (MG). Segundo Câmara Cascudo (apud IBGE) "*o topônimo do município originou-se dos acaris, peixes de escamas ásperas e carne branca, cujo habitat era o 'poço do Felipe'*".

Acariquara (CE). De **gûakary** – acaris, peixes loricariídeos + **kûara** – buraco, toca: *toca dos acaris*.

Acarituba (lago do AM). De **gûakary + tyba**: *ajuntamento de acaris*, peixes loricariídeos.

Acauã (PI). De **akaûã** – aves falconídeas.

Açu (lg. do AM). Do sufixo **-ûasu** combinado com o termo **ygarapé**, omitido com o tempo: *(igarapé) grande*.

Acupe (rio da BA). Nome registrado já no começo do século XIX: "*[...] corre a costa da Saubara pela parte da Aratella athé o rio Arariba, chamado hoje Acupe [...]*" (Luiz dos Santos Vilhena [1802], *Carta Primeira*, 32). Pode provir de **'y + akub + -pe**: *na água quente*.

Acuraú (paraná do AM). De **akura'a** – poço, remanso + **'y** – rio, água: *rio dos poços*.

Acutiacanga (cachoeira do AM). De **akuti** – cutia + **akanga** – cabeça: *cabeça de cutia*.

Acutianga (ilha do AM). De **akuti** + **'anga**: *abrigo das cutias*.

Aguaçaí (Cotia, SP). De **Agûasaí**, nome de uma entidade da cosmologia dos tupis.

Aguaí (ribeirão de SP). De **agûaí**, planta apocinácea.

Aguapeí (MG). De **agûapé** + **'y**: *rio dos aguapés*.

Aguapeú (SP). A mesma etimologia de **Aguapeí** (v.).

Aiquara (BA). De **a'y** + **kûara**: *toca das preguiças*.

Airi (PA). De **aîry** – palmeiras silvestres.

Airituba (ES). De **aîry** + **tyba**: *ajuntamento de airis*.

Aitinga (BA). De **a'y** + **ting**/a + -a: *preguiças brancas*.

Ajuruoca (MG). De **aîuru** + **oka (r, s)**: *casa de papagaios*: "[...] *Aiuruóca, vocábulo de língua brasílica, quer dizer no nosso idioma: **Casa de Papagaios**, aludindo a um penhasco redondo, e elevado aos ares, sobre um dos mais altos montes daquele lugar, em que os papagaios faziam morada, naquele tempo em que os gentios habitavam aqueles lugares.*" (Manuel José Pires da Silva Pontes [n.d.], 47)

Amanaiara (CE). Homenagem ao padre Francisco Pinto, trucidado na chapada da Ibiapaba em 1608: "*Foi tão grande o conceito que os Indios fizerão da santidade do Venerável Padre (Francisco Pinto), que dali por diante lhe não derão outro nome que o de **Amanayára**, que quer dizer, **Senhor da Chuva**.*" (Pe. José de Moraes [1759], *Memoria*, 85). É nome de um distrito de Reriutaba (CE), atribuído em 1943.

Amanari (CE). De **amana** + **y (t, t)**: *água de chuvas*. Nome atribuído artificialmente por decreto-lei de 1943, substituindo o nome de *Pocinhos* (Fonte: IBGE). Esse topônimo também existe há séculos no Amazonas, mas não deve ter origem na língua geral: "*Dos rios e riaxos, que dezagão nas suas margens, até a dita caxoeira, sei eu, porque vi, na austral os dous riaxos Cubaticuni, e o **Amanari**.*" (Alexandre Rodrigues Ferreira [n.d.], 249)

Amandaba (SP). De **amana** + **-sab** + -a: *lugar de chuvas*.

Amaniú (BA). De **amynyîu**: *algodoeiros*.

Amaniutuba (BA). De **amynyîu** + **tyba**: *ajuntamento de algodoeiros, algodoal*.

Amapá. Na língua geral setentrional, nome de uma árvore apocinácea.

Ambaíua (ig. do AM). De **amba'yba**, planta cecropiácea, *imbaúba*.

Ambuitá (Itapevi, SP). De **ambu** + **itá**: *pedra do ronco*.

Anagé (BA). De **inaîé** – aves falconiformes.

Anajateua (PA). A mesma etimologia de **Anajatuba** (v.).

Anajatuba (PA). De **anaîá** + **tyba**: *ajuntamento de anajás*, var. de palmeiras.

Ananatuba (PA). De **naná** + **tyba**: *ajuntamento de ananases*.

Andaraí (BA). De **andyrá** + **'y**: *rio dos morcegos*.

Andirá (PR). De **andyrá**: *morcegos*.

Andiratuba (ig. do AM). De **andyrá** + **tyba**: *ajuntamento de morcegos*.

Andiroba (MG). De **îandyroba**, planta cucurbitácea (de **îandy** – óleo + **rob**/a – amargo + suf. -a: *óleo amargo*).

Angatuba (SP). De **ingá** + **tyba**: *abundância de ingás*. Em 1908, o município de Espírito Santo da Boa Vista passou a denominar-se *Angatuba*. O topônimo indígena, que significa "*abundância de ingás foi adotado, segundo crônica local, em virtude da existência de ingazeiros no local, na época da fundação*". (Fonte: IBGE)

Angaturama (RS, SP). De **angaturama** – *bondade, virtude*. Nome atribuído artificialmente no século XX.

Anguera (BA). De **'anga** + **-ûera**: *almas (dos mortos)*.

Anhangabaú (rio de SP). De **anhanga** + **obá (t)** + **'y**: *água do rosto do diabo*. (Anônimo [c. 1620], *Mapa da Capitania de São Vicente*)

Anhangacanhima (MG). De **anhanga** + **kanhima** (da língua geral paulista): *sumidouro do diabo*.

Anhangaí (córr. de SP). De **anhanga** + **'y**: *rio do diabo*.

Anhangoara (SP). De **anhanga** + **kûara**: *buraco do diabo*.

Anhanguera (rodovia de SP). De **anhanga** – diabo + -**ûer** – velho + suf. -**a**: *diabo velho*. Alcunha atribuída a bandeirante paulista, traficante de escravos: *"Sahi da Cidade de S. Paulo a tres de Julho de 1722 em companhia do Capitão Bartholomeu Bueno da Silva, o **Anhanguera** de alcunha..."* (José Peixoto da Silva Braga [1722], *A Bandeira do Anhanguéra a Goyas em 1722*, 10)

Anhembi (rio de SP). De **anhuma** – ave pernalta que habita a beira de rios + **'y** – rio, água: *rio das anhumas*.

Anhumaí (ribeirão do PR). A mesma etimologia de **Anhembi** (v.).

Aninga (lagoa de PE). Planta da família das aráceas.

Aningal (ig. do PA). De **aninga** – planta da família das aráceas + o suf. do port. -**al**.

Anum (AL). De **anũ**: *anu, anum*, ave cuculídea.

Anutiba (ES). De **anũ**: *anu*, ave cuculídea + **tyba** – ajuntamento: *ajuntamento de anuns*.

Apecum (BA). De **apekũ**[2] – brejo de água salgada à beira-mar; limite da terra-firme com o mangue. (*ABN*, LXXXII, 257)

Apereatuba (SP). De **apereá** + **tyba**: *ajuntamento de preás*.

Apetumbu (PE). De **abá** – homem + **petymbu** – fumar; fumante: *homens que fumam*.

Apeú (rio do PA). De **apé** + **'y**: *rio dos apés*, árvores moráceas.

Apiaí (rio de SP). De **apŷaba** + **'y**: *rio dos índios*.

Apiapitanga (ES). De **apŷaba** + **pytang** + -**a**: *homens morenos*.

Apiteribi (SP). De **apytera** + **yby**: *terra do meio*.

Apuá (PE). De **apu'a**: *redondeza, coisa redonda*.

Aquiqui (paraná do PA). De **akyky** – guicó, macaco cebídeo.

Araberi (rio de PE). De **araberi** – var. de peixe + **'y** – rio: *rio dos araberis*.

Araçá (bairro de SP). De **arasá** – plantas mirtáceas.

Araçagi (PB). De **arasá** – araçá + **îy** – rio: *rio dos araçás*.

Araçahi (MG). A mesma etimologia de **Araçaí** (v.).

Araçaí (MG). A mesma etimologia de **Araçagi** (v.).

Araçaíba (ilha do RJ). De **arasá** – planta silvestre + **'yba** – pé, planta: *pés de araçá, araçazeiros*.

Araçajá (ilha do MA). De **arasá** – araçá, planta mirtácea + **îá** – repleção, o que está repleto de: *o que está repleto de araçás*.

Araçaji (MA). A mesma etimologia de **Araçagi** (v.).

Aracaju (capital de SE). É nome de um povo indígena do Pará: *"Vieram logo os principaes dos Aracajus dar-nos as boas vindas em casa do sargento-mór da aldêa onde nos tinhamos agasalhado."* (Bettendorff [1698], Crôn. do Maranhão, in RIH, LXXII (1909) 339). A ocorrência desse topônimo em Sergipe é bem mais recente, do século XIX. Talvez de **ará** + **akaîu** – caju, cajueiro: *cajueiro dos arás*, aves psitacídeas.

Aracanga (cach. do rio Tietê). De **arara** + **akanga**: *cabeça de arara*.

Aracapá (PE). De **ûarakapá** – escudo para defesa das flechas inimigas.

Araçariguama (SP). De **arasari** + **'y** + **'u** + -**aba**: *lugar em que os araçaris bebem água*.

Aracati (CE). A mesma etimologia de **Aracatu** (v.).

Aracatiara (CE). De **îarakatîá** – jaracatiá, nome comum a várias plantas da família das caricáceas.

Araçatiba (ES). A mesma etimologia de **Araçatuba** (v.).

Aracatu (BA). De **'ara** + **katu**: *ar bom, tempo bom*. A composição correta seria **Acatu**. Nome artificial, dado em 1933. (Fonte: IBGE)

Araçatuba (SP). De **arasá** + **tyba**: *ajuntamento de araçás*.

Araçauava (Santo André, SP). De **arasá** + **'u** + -**aba**: *lugar de comer araçás*.

Araçaubatuba (SC). De **arasá** + **'yba** + **tyba**: *ajuntamento de pés de araçás*.

Araci (personagem de *Ubirajara*, de Alencar). De **'ara** + **sy**: *mãe do dia*.

Araciaba (CE). De **kûarasy** + **aba (t)**: *penas de sol*.

Aracitaba (MG). De **eirasy** (< *mãe do mel, abelha*) + suf. **-(s)ab** + **-a**: *lugar de abelhas*.

Araçoiaba (PE). De **ûará** – guará + **aso'îaba** – manto de penas: *manto de penas de guarás*.

Aracu (ig. do AM). De **aracu** – nome de um peixe na língua geral setentrional.

Araçuaí (rio de MG). De **araso'iá** + **'y**: *rio das araçoias*.

Aracuí (ES). De *aracu** – nome de um peixe na língua geral meridional + **'y** – rio: *rio dos aracus*.

Aragipe (recifes da BA). De **ará** – nome de ave psitacídea + **îy** – rio + posp. **-pe** – em, para: *no rio dos arás*.

Araguaba (PE). De **ará** + **'y** + **'u** + suf. **-aba**: *lugar de beber dos arás*.

Araguaia (rio brasileiro). Alguns textos coloniais usam as variantes **Araguai** e **Araguay**, o que nos permite supor a origem desse nome na língua geral da Amazônia. Stradelli (379) diz que **Arauay** – **Araguaí** é uma "casta de maracanã".

Araim (MA). De **ará** – ave psitacídea + **-ĩ** – suf. de dimin.: *arazinhos*.

Aramá (PA). Do nheengatu **aramã** (Stradelli, 375), var. de abelhas muito agressivas.

Aramari (BA). De **aramari**, uma espécie de peixe.

Aramirim (MG). De **ará** + **mirĩ**: *arás pequenos*, aves psitacídeas.

Aranaí (ilha do PA). Do termo da língua geral setentrional *araná* – nome de um peixe + **'y** – rio: *rio dos aranás*.

Aranaquara (ig. do PA). Do termo da língua geral setentrional *araná* – nome de um peixe + **kûara** – buraco, refúgio: *buraco dos aranás*.

Aranaú (CE). A mesma etimologia de **Aranaí** (v.).

Arapari (CE, PA, AM). Do nheengatu (Stradelli, 375), nome duma árvore leguminosa de grande porte.

Arapijó (rio do PA). De **ará** – ave psitacídea + **ypyó** – multidão: *multidão de arás*.

Arapiraca (PE). De **arupare'aka** – farpas, abrolhos, estrepes. (*VLB*, I, 51)

Arapiranga (BA). De **ará** + **pirang** + **-a**: *arás vermelhos*.

Araporã (MG). Hibridismo de 1938. De '**ara** (do tupi) + **porã** (do guarani): *sol bonito*. (Fonte: IBGE)

Araponga (nome de localidades de vários estados). De **gûyrá** – pássaro, ave + **ponga** – som de coisa oca, som cavo: *pássaro do som cavo*. O sentido de **ponga** é conhecido indiretamente: Montoya, em seu *Tesoro* (314), dá-nos essa informação que apresentamos.

Araporanga (CE). De **ará** + **porang** + **-a**: *arás bonitos*.

Arapoti (PR). De **ará** + **epoti**: *fezes de arás*. Arapoti foi cacique de uma tribo tupi catequizada pelos jesuítas e que constituiu a redução de São Francisco Xavier, às margens do Rio Tibagi. (Fonte: IBGE)

Arapuá (MG). De **eirapu'a** – abelha da família dos meliponídeos (< **eíra** + **apu'a** – *abelha de bola*, pela forma de seu ninho).

Araquã (PA). De **arakûã** – aves cracídeas.

Araquara (PE). De **ará** + **kûara**: *toca dos arás*.

Araraí (rio do PA). De **arará** – var. de formiga + **'y** – rio: *rio das ararás*.

Araranguá (SC). De **arara** + **kûá**: *enseada das araras*. O nome original era *Campinas*, mudado para *Araranguá* pela lei provincial nº 901, de 03 de abril de 1880. (Fonte: IBGE)

Araraquara (SP). De **arará** – var. de formiga + **kûara** – buraco, toca: *buraco das ararás*, ou ainda, pela língua geral meridional, **arara** + **kûara**: *toca das araras*. Distrito criado com a denominação de São Bento de Araraquara por alvará de 30 de outubro de 1817 no Município de Piracicaba. É também nome de morro próximo de Piracicaba: *"[...] pouzo no mato perto do morro de Arara coara, onde tem gentio, porèm tratão de sua lavoira, e naõ fazem mal algum aos viajantes [...]"* (desconhecido [1754], *Relação da chegada que teve a gente de Mato Groço...*, 246)

Araraú (morro de Itanhaém, SP). A mesma etim. de **Araraí** (v.).

Araré (serra do ES). Nome de um peixe. (Brandão, *Diálogos*, 239)

Ararendá (CE). De **arara** + **ena** – estar pousado, sentado [v. **in / en(a) (t)**] + **-aba**: *lugar de estarem pousadas as araras, pouso das araras*. Era o nome de uma antiga aldeia dos tabajaras, quase no pé da serra de Ibiapaba, onde foram hospedados os jesuítas missionários Francisco Pinto e Luís Figueira. Chamou-se, inicialmente, *Canabrava* e *Canabrava dos Mourões*, substituído o nome por *Ararendá* por decreto-lei de 1943. (Fonte: IBGE)

Arari (MA). De **arara** + **'y**: *rio das araras*.

Araripe (chapada do CE). De **arara** + **'y** + **-pe**: *no rio das araras*.

Araripina (PE). Em 1943, o município de São Gonçalo teve seu nome mudado para *Araripina*, talvez por sua proximidade da Chapada do Araripe. (Fonte: IBGE)

Araritaguaba (antigo nome de Porto Feliz, SP). De **arara** + **itá** + **'u** + **-aba**: *lugar de as araras comerem pedras* (paredão salitroso à beira do rio Tietê, onde se encontram essas aves à procura de salitre).

Araru (rio do PA). Mesma etimologia de **Arari** (v.).

Araruama (lagoa do RJ). De **arara** + **'y** + **'u** + **-aba**: *lugar de as araras beberem água*.

Araruna (PB). De **arara** + **un** + suf. **-a**: *araras escuras*.

Ararunaquara (PA). De **araruna** + **kûara**: *toca das araras escuras*.

Araruva (PR). De **arara** + **'yba**: *planta das araras*, araribá, nome de árvore leguminosa e de seu fruto.

Arataca (BA). De **arataka** – variedade de beija-flor, de "azul e verde muito finos". (Soares, *Coisas Not. Bras.* (ms. C), 1315-1317)

Aratanji (rio de PE). De **aratue'ẽ** (lit., *aratu sápido, que tem muito sabor*) – aratanha, var. de camarão de rio + **îy** – rio: *rio das aratanhas*.

Araticu (PA). Nome de uma árvore anonácea.

Araticum (BA). A mesma etimologia de **Araticu** (v.).

Aratingaúba (SC). De **aratinga** – ave psitacídea + **'yba** – *planta das aratingas*.

Aratinguara (MG). De **aratinga** – ave psitacídea + **kûara** – *toca das aratingas*.

Aratuba (CE). De **ará** + **tyba**: *ajuntamento de arás*.

Aratuípe (BA). De **aratu** – var. de crustáceo + **'y** – rio + **-pe** – em: *no rio dos aratus*.

Aratum (ig. do PA). De **aratu** – var. de crustáceo.

Araxá (MG). Não é palavra tupi: "*Os primeiros relatos sobre a região em que se encontra a cidade de Araxá, iniciam no ano de 1669, onde foram encontrados os primeiros habitantes, Índios Arachás, descendentes dos Cataguás que viviam nas cercanias de Bambuí.*" (Fonte: IBGE)

Aricanduva (córrego de SP). O nome **aricá** aparece registrado em Libanio Augusto da Cunha Mattos ([1786], *Diario*, 324): "*Enfim com quatro legoas e meia de viagem pousámos defronte da boca do Aricá-assú, rio pequeno que entra no Cuyabá pelo lado de nascente [...]*". Deve ser o nome, na língua geral meridional, de um peixe. Assim, *Aricanduva* significaria *ajuntamento de aricás*.

Ariranha (GO). Nome de um mamífero mustelídeo carnívoro. De **eîrara** – irara + **anha (t)** – dente: *iraras dentadas*.

Ariroba (RJ). Variante de **araroba**, **araruba** (etim. – *pau da arara*), planta da família das leguminosas: "*Da casca da Araroba, que não só se acha no Pará e Maranhão, como em diversas outras partes, se tira optima tinta encarnada*". (Luiz dos Santos Vilhena [1801], 764)

Aritaguá (BA). De **aritara** – nome de um pássaro + **kûá**: *enseada das aritaras*.

Aruaru (CE). Reduplicação de **aru** – var. de sapo.

Arujá (ribeirão de SP). De **aru** – var. de sapo + **iá** – repleção, fartura, abundância: *abundância de arus*.

Arumã (AM). Da língua geral setentrional *arumã* * – planta marantácea com que se fazem balaios, paneiros, cestos etc.

Arumanduba (AM). Da língua geral setentrional *arumã* * + **tyba**: *ajuntamento de arumãs*. (v. **Arumã**).

Atibaia (SP). De **atybaîa** – cabelo crescido que os índios tinham sobre as orelhas (*VLB*,

I, 151). Talvez uma referência a índios da região, que tinham essa característica.

Atininga (rio do AM). Talvez de '**a** + **tining** + **-a**: *cabeça seca* (de animal morto).

Atins (MA). De **aty** – aves larídeas; gaivotas.

Aturiaí (PA). Do nheengatu *aturiá* (Stradelli, 382) – arbusto da família das leguminosas + **y** – *água dos aturiás*.

Auaí (ilha do AM). No nheengatu, uma planta apocinácea.

Auati-Paraná (rio do AM). Do nheengatu *auati* + *paraná*: *rio do milho*.

Avaí, São Pedro do (MG). De **abá** + '**y**: *rio dos índios*.

Avanhandava (SP). De **abá** – homem, índio + **nhan** – correr + suf. **-aba** – lugar: *lugar da corrida dos homens*: "[...] às onze passamos Itaupabas da Cachoeira *Abanhandava merim*, que quer dizer homem que corre, ou gente que corre por ser Cachoeira grande, em que todos vão por terra, por isso tem este significado [...]" (desconhecido [1754], *Relação da chegada que teve a gente de Mato Groço...*, 247)

Avaré (SP). De **abaré** – *padre*. Nome antigo de rio que banha a região, atribuído artificialmente ao município no final do século XIX. "[...] Nome de um monte avistado ao longe onde, segundo a lenda, fora encontrado um monge quando os posseiros ali penetraram." (Fonte: IBGE)

Axixá (MA). De **araxaxá**, planta da família das esterculiáceas (Lisboa, *Hist. Anim. e Árv. Maranhão*, fl. 178)

B

Bacabaituba (BA). Da língua geral setentrional *bacabaí**, var. de palmeira, *bacabinha* + **tyba**: *ajuntamento de bacabaís*.

Bacaetava (córrego de SP). De língua geral colonial *bacaba* + **y** + **-tab** (alomorfe de **-sab**) + **-a**: *lugar de bacabas*.

Bacajá (rio do PA). De língua geral colonial *bacaba* – var. de palmeira + *ia* – fruto: *bacabas (i.e., seus frutos)*.

Bacajaí (rio do PA). De língua geral colonial, *bacaba* + *iá* + **y**: *rio repleto de bacabas*.

Bacatu (MA). De '**ybá** + **katu**: *frutos bons*.

Bacatuba (MA). Da língua geral setentrional *bacaba* + **tyba**: *ajuntamento de bacabas*, var. de palmeiras.

Bacu (lago do AM). De **baku**, peixes doradídeos.

Bacuí (rio do RJ). De **baku** + '**y**: *rio dos bacus*.

Bacupari (cabo do RN). De **baku** + **pari**: *pari dos bacus*, i.e., barragem de rio feita para apanhar bacus.

Bacuri (MA). Da língua geral setentrional *bacuri* – planta clusiácea.

Bacuriteua (PA). Da língua geral setentrional *bacuri* – planta clusiácea + *téua*: *ajuntamento de bacuris*.

Bacurituba (MA). Da língua geral setentrional *bacuri* – planta clusiácea + **tyba**: *ajuntamento de bacuris*.

Bacururu, Barra de (AM). A mesma etimologia de **Baquirivu** (v. **Baquirivu-Guaçu**).

Baependi (MG). De **mba'eapin**/a + '**y** + **-pe**: *no rio do baeapina*. Sobre o que era o *baeapina*, v. **Mapendipe** e **Baepina**. A primeira datação de que dispomos é de 1749: "*Contrato da passagem de Baependi* – Teve princípio este contrato em mil setecentos e dezesseis, e não teve subsistência alguma mais que o primeiro ano, por não concorrer mais gente pela tal passagem." (Caetano da Costa Matoso [1749], *Relação dos Contratos e Rendas que sua Majestade tem nesta Capitania das Minas*, 620)

Baepina (nome de vários acidentes geográficos do Brasil). De **mba'eapina**: *coisa tosquiada*, homem marinho, monstro marinho que os índios supunham existir: "*Baéapina* – Estes são certo genero de homens marinhos do tamanho de meninos, porque nenhuma differença têm delles; destes ha muitos, não fazem mal." (Pe. Fernão Cardim [1585], *I – Do Clima e Terra do Brasil – E de algumas Cousas Notaveis que se Achão assi na Terra como o Mar*, 56)

Baeté (BA). De **mba'eeté**: *coisa ótima* (*VLB*, I, 129). Talvez a mesma etimologia de **Abaeté** (v.).

Baguaçu (MT, SP). De '**ybaguasu** – babaçu, planta palmácea.

Baguari (MG, SP). De **magûari** – ave ciconiforme.

Baquari (MG). A mesma etimologia de **Baguari** (v.).

Baquirivu-Guaçu (Guarulhos, SP). Da língua geral meridional, designando uma árvore da família das leguminosas, também chamada **guapiruvu** e **baquerubu**.

Baraúna (RN). De **ybyrá** + **un (r, s)** + -**a**: *madeira escura*.

Barequeçaba (praia de SP). De **abaré** – padre + **ker** – dormir + -**aba** – lugar: *lugar de dormir do padre*.

Bariri (SP). De **ma'e** + **ryryî**: *coisa que treme*, i.e., corrente veloz e precipitada das águas dos rios em trechos de sensível desnivelamento (*PD-BLP*, 161). É termo da língua geral meridional: *"...pouco adiante da boca do pequeno rio Baruri."* (Sampaio [**1774**], *Diário*, p. 154). O *VELGB* (1936) consigna *Barueri* ou *Bariri* como *espécie de cacto de flor vermelha e sementes pretas*.

Bartira (nome de mulher). De **mbotyra**: *flor*.

Barueri (SP). A mesma etimologia de **Bariri** (v.).

Baruri (ig. do AM). Talvez a mesma etimologia de **Bariri** (v.).

Baté (PI). De **ybaté**: *altura*.

Batinga (SE). De **'yba** + **ting** + -**a**: *pau branco*, arbusto da família das mirtáceas.

Batovi (SP). Da língua geral meridional *matuim, mutuí, batovi, batuíra*, aves caradriiformes.

Batrapoã (morro de Itanhaém, SP). De **ybytyra** – morro, montanha + **apûã (t)**: *montanha pontuda*.

Batuba (BA). A mesma etimologia de **Ubatuba** (v.).

Batuquara (Guararema, SP). Da língua geral meridional *batura*, votura** – montanha + *quara**: *buraco da montanha*.

Bauru (SP). De **'ybá** – fruta + **uru** – cesto; celeiro: *cesto de frutas*. Há etimologias antigas controvertidas: *"Sahimos huma hora Itaupaba de cima isto baixio, e logo a Cachoeira de Baurú, que quer dizer que Baú cahio na agoa por ser Cachoeira grande, em que antigamente sempre se perdia canôa, e tem sua sirga por ser baixio por baixo da dita."* (desconhecido [1754], *Relação da chegada que teve a gente de Mato Groço...*, 246). O nome deve referir-se a uma concavidade produzida pelo turbilhonar das águas sobre pedras do rio, forma comum da morfologia fluvial.

Beberibe (rio de PE). De **îabebyra** – arraia + **'y** – rio + -**pe** – em: *no rio das arraias*.

Berigui (PR). A mesma etimologia de **Birigui** (v.).

Bertioga (SP). De **mbyryki** – macaco buriqui + **oka (r, s)** – casa, refúgio: *casa de buriquis*: *"[...] O territorio d'esta barra distinguião os Indios com o appellido Buriquioca, que quer dizer casa de Buriguis (Buriquis são uma especie de macacos)."* (Frei Gaspar da Madre de Deus [1767], 119)

Betari (rio de SP). De **betara** + **'y**: *rio das betaras*, var. de peixe.

Biapina (CE). De **yby** + **apin** + -**a**: *terra pelada*.

Biboca (RS). De **yby** + **bok** + -**a**: *terra rachada*.

Bicuíba (MG). Na língua geral meridional, nome de árvore da família das miristicáceas.

Biguá (MG). De **migûá**, corvo-marinho, ave falacrocoracídea.

Biguaçu (SC). De **migûá** + suf. -**ûasu**: *grandes biguás*.

Biguatinga (MG). De **migûá** + **ting** + -**a**: *biguás claros*.

Biriba (AM). De **ybyryba**, nome de uma árvore.

Biribiri (MG). A mesma etimologia de **Peri-Peri** (v.).

Birigui (SP). De **mberu** – nome comum a moscas grandes e azuladas da família dos muscídeos + **ugûy (t)** – sangue: *birus de sangue, birus que têm sangue*.

Biriricas (ES). Da língua geral meridional *Piririca** (ou *Xiririca**) – *corredeiras*.

Biritiba-Mirim (SP). De **ybyryba** + **tyba** + **mirĩ**: *pequeno ajuntamento de biribas* (v. **Biriba**).

Biritiba-Ussu (Mogi das Cruzes, SP). De **ybyryba** + **tyba** + -**ûasu**: *grande ajuntamento de biribas*.

Biritinga (BA). De **ybyryba**, nome de uma árvore + **ting** + suf. **-a**: *biribas claras* (v. **Biriba**).

Bitiú (rio do MA). De **pyti'u** – *cheiro de peixe fresco*. (*VLB*, I, 73)

Bitu (RN). De **sebitu**, nome comum a certas formigas dotadas de asas. (*VLB*, I, 142)

Biturana (MG). Da língua geral *bituba*★, nome dado a um peixe loricariídeo + **ran** + **-a**: *pseudobitubas, falsos bitubas*.

Bituva (rio de SC). Da língua geral meridional *bituba*★, nome dado a certos peixes loricariídeos.

Boacica (lagoa de Itanhaém, SP). De **mboîa** – cobra + **syka** – chegada: *chegada das cobras*.

Boaçu (BA). De **mboîusu**, cobra boídea.

Boapaba (ES). De **mboîa** + **upaba (t)**: *lugar de estarem deitadas as cobras*.

Bocaiuva (nome de pessoa). De **mokaie'yba**, palmeira apocínea muito alta. (D'Abbeville, *Histoire*, 224)

Bocajá (MT). Variante de *mucajá*, de **mokaîe'yba**, nome de uma palmeira.

Boçoroca (RS). De **yby** + **sorok** + **-a**: *terra rasgada, voçoroca*.

Boiaçu (ilha do PA). A mesma etimologia de **Boaçu** (v.).

Boiçucanga (SP). De **mboîa** + **-usu** + **kanga**: *esqueleto de cobra grande*.

Boipeba (ilha da BA). De **mboîa** + **peb** + **-a**: *cobra achatada*.

Boitaraca (serra da BA). De **mboîa** – cobra + **tarakûá** – tracuá, planta arácea: *tracuá das cobras*.

Boituva (SP). De **mboî**/a + **tyba**: *ajuntamento de cobras*.

Boiuçu (PA). Mesma etimologia de **Boaçu** (v.).

Boiuçucanga (PA). Mesma etimologia de **Boiçucanga** (v.).

Bonhu (CE). De **mboîa** + **nhũ**: *campo das cobras*.

Bopeba (distrito de Praia Grande, SP). De **mboîa** + **peb** + **-a**: *cobra achatada*, boipeva, cobra não peçonhenta da família dos colubrídeos. (*VLB*, I, 76)

Boquira (BA). De '**yba** + **okyra (t)**: *renovos de plantas, brotos*, ou, ainda, de **yby** + **kyr** + **-a**: *terra chuvosa*. Topônimo artificial de 1943.

Borá (MA). De **mborá** – abelha meliponídea.

Boraceia (SP). De **poraseîa (m)** – *danças*.

Borborema (serra da PB). De **yby** + **mbor(a)** (v. **pora**) + **e'ym** + **-a**: *terra sem habitantes*; lugar despovoado, estéril. (in *Novo Dicion. Aurélio*)

Boribi (SP). De **ybyryba** – nome de uma árvore + **'y** – rio: *rio das biribas*.

Bossoroca (BA). A mesma etimologia de **Boçoroca** (v.).

Botovi (rio de MT). A mesma etimologia de **Batovi** (v.).

Botucatu (SP). De **ybytyra** (na língua geral meridional **botura**) – montanha, serra + **katu** – bom: *serra boa*.

Botucoruvu (morro de Santana de Parnaíba, SP). Da língua geral meridional **botura**★, morro, montanha + **kuruba** – seixo + **oby (r, s)** – verde: *morro dos seixos verdes*.

Botujuru (morro entre Jundiaí e Itatiba). De **ybytyra** (na língua geral meridional *botura*★) – montanha, serra + **îuru** – boca: *boca da serra*.

Botumirim (MG). De **ybytyra** (na língua geral meridional **botura**★) – montanha, morro + **mirĩ**: *morro pequeno*.

Botuporã (BA). Nome híbrido e inadequado. V. **Votuporanga**.

Botuquara (BA). De **ybytyra** + **kûara**: *buraco do morro*.

Botuquera (Guararema, SP). De **ybytyra** (na língua geral meridional **botura**★) + **ker** + **-a**: *morro dormente*.

Boturoca (ribeirão de SP). De **ybytyra** (na língua geral meridional **botura**★) + **oka (r, s)** – casa, refúgio: *refúgio da montanha*.

Boturuçu (morro de Itanhaém, SP). De **ybytyra** (na língua geral meridional **botura**★) + **-usu** (suf. aument.): *morro grande; montanhão*.

Boturuna (SP). De **ybytyra** (na língua geral meridional **botura**★) + **un (r, s)** + suf. **-a**: *montanha escura*.

Botuverá (Itapecerica da Serra, SP). Da língua geral meridional, *montanha brilhante* (***botura**** + ***verá****).

Braúna (BA). De **ybyrá** + **un (r, s)** + -**a**: *madeira escura*, nome de uma árvore leguminosa.

Brejatuba (PR). Talvez, pela língua geral meridional, ***brejaúba*** + ***tyba***: *ajuntamento de brejaúvas* (v. **Brejaúba**).

Brejaúba (MG). De **maraîa'yba**, var. de palmeira. (*VLB*, II, 63)

Brejaubinha (córrego de MG). De **maraîa'yba**, var. de palmeira (*VLB*, II, 63) + suf. do port. -inho. V. **Brejaúba**.

Brejaúva (SP). A mesma etimologia de **Brejaúba** (v.).

Brejetuba (ES). A mesma etimologia de **Brejatuba** (v.).

Bu (rio da BA). De **mbu** – *barulho*.

Buçuituba (BA). De **'yb-usu**: *árvore grande*, buiuçu, árvore da família das leguminosas-papilionáceas; boiaçu, boiuçu, boçu + **tyba**: *ajuntamento de buiuçus*.

Bucuri (rib. de SP). De **mukury** – *bacuri*, nome de planta gutífera.

Buerarema (BA). De **ybyrá** + **rem** + -**a**: *madeira fedorenta, ibirarema*.

Bugi (córrego de MG). Talvez a mesma etimologia de **Mogi** (v.) ou, ainda, pela língua geral meridional, nome de uma erva que brota às primeiras chuvas. (in *Dicion. Caldas Aulete*, 538)

Buji (PI). A mesma etimologia de **Bugi** (v.).

Buiçu (ig. do AM). De **'yb-usu**, *árvore grande*, buiuçu, árvore da família das leguminosas-papilionáceas; boiaçu, boiuçu, boçu.

Buíra (BA). De **po'yra (m)**: *miçangas*.

Buiuçu (ig. do PA). A mesma etim. de **Buiçu** (v.).

Bujuí (cach. de SP). De **myîu'i**: *andorinhas*. (*VLB*, I, 28)

Bupeva (SC). A mesma etimologia de **Boipeba** (v.).

Buquira (rio de SP). A mesma etim. de **Boquira** (v.).

Buquira-Guaçu (rio de São Paulo). V. **Boquira**.

Buracica (BA). De **ybyrá** + **ysyk** + -**a**: *árvores resinosas*.

Buranhém (BA). De **ybyrá** + **e'ẽ (r, s)**: *pau doce*, árvore da família das sapotáceas; guranhém, guaranhém.

Burarama (ES). Nome dado ao distrito de Floresta, em 1943. De **ybyrá** + **rama** [variante de (r)**etama (t)**]: *A terra das árvores*.

Buri (SP). De **buri**, var. de palmeira.

Buritama (SP). De **buri** + **etama (t)**: *região de palmeiras*.

Buriti (MA). De **meriti('yba)** – miriti, buriti, meriti, var. de palmeira.

Buritirana (MA). De **meriti** + **ran** + -**a**: *falsos miritis*.

Buruti da Cachoeira (MG). A mesma etim. de **Buriti** (v.).

Bussocaba (bairro de Osasco, SP). De **ybysokaba**: *pilão de terra (para fazer casas de taipa)*. (*VLB*, II, 77)

Bussutuba, Ponta do (PA). De **'yba** + -**usu**: *planta grande*, buçu, palmeira amazônica + **tyba**: *ajuntamento de buçus*, pela língua geral setentrional.

Butantã (bairro de SP). De **yby** – terra, chão + **atã (r, s)** – duro, firme (reduplicação: **atã-atã**) – duríssimo: *terra duríssima, terra firmíssima*, pela língua geral meridional.

Butuí-Mirim (arroio do RS). De **abutua** – plantas trepadeiras menispermáceas + **'y** – rio + **mirĩ** – pequeno(a): *rio pequeno das abutuas*.

Buturuçu (serra de Itanhaém, SP). Da língua geral meridional **botura*** (de **ybytyra**) + -**usu**: *montanhão*.

C

Caá Iari (rio do RS). De **ka'aîar-'y**: *rio do louva-a-deus*. Pode ser ainda uma entidade mitológica guarani (a protetora dos ervais).

Caaguaçu (rio de SP). De **ka'a** + -**ûasu**: *matão*.

Caapiranga (AM). De **ka'a** + **pirang** + -**a**: *folhas vermelhas*.

Caaporã (PB). Nome artificial dado em 1943 (Fonte: IBGE). É de origem guarani. Em tupi antigo tal composição deveria ser **ka'a-poranga > Caaporanga**.

Caapora (PE). De **ka'a + pora**: *habitantes da mata*.

Caatiba (BA). De **ka'a + tyba**: *ajuntamento de mata*.

Caatinga (morro de Itanhaém, SP). De **ka'a + ting + -a**: *mata clara*.

Cabiúnas (RJ). De **ka'a + oby + un + -a**: *folhas verde-escuras*, cabiúna, nome de uma árvore da família das leguminosas-papilionáceas.

Caboclo (serra do MA). De **kuriboka** – mestiço de índio e branco.

Caboré (BA). De **kaburé** – var. de coruja.

Cabreúva (SP). De **kaburé + 'yba**, *planta do caburé*, nome de duas espécies de árvores. Os portugueses do século XVI chamavam-nas *bálsamo*. (Cardim, *Trat. Terra e Gente do Brasil*, 41)

Cabuçu (Guarulhos, SP). De **kaba** – caba, vespa (*VLB*, I, 55) + **-usu**: *cabas grandes*.

Cabugi (RN). De **kaba + ŷy**: *rio das cabas* (v. **Cabuçu**).

Caburé (MA). O mesmo que **Caboré** (v.).

Caburi (rio do AM). De **kaburé + 'y**: *rio dos caburés*.

Caburu (MG). De **kaba + uru (r, s)**: *cesto de vespas*, ou do port. **kabaru**, *cavalos*. (*VLB*, II, 115)

Caburunema (BA). De **kabaru** (*VLB*, II, 115) + **nem + -a**: *cavalo fedorento*.

Cacaia (PA). De **ka'a + kaî + -a**: *mata queimada*.

Caçapava (SP). De **ka'a + asab (s) + -aba**: *lugar de atravessar a mata*.

Cacatu (PR). De **ka'a** – mata + **katu** – limpo (*VLB*, II, 22): *mata limpa*.

Cacatuba (riacho de PE). De **ka'a + katu** – limpo (*VLB*, II, 22) + **tyba**: *ocorrência de mata limpa*. No guarani também existe **caá catu**, com esse sentido (Nogueira, 63) e, igualmente, no Tembé-Tenetehar (Boudin, I, 92).

Caçu (GO). De **ka'a** – mata + suf. aumentativo **-ûasu**: *matão, grande mata*.

Cacunduva (rio de SP). De **kakũ** – nome de uma ave + **tyba**: *ajuntamento de cacus*.

Caem (BA). De **ka'a + e'ẽ (r, s)**: *folha doce*, nome de uma planta.

Caepupu (fazenda de Peruíbe, SP). De **kapupuba**, erva da família das gramíneas, var. de capim.

Caetá (BA). De **ka'a + -etá (r, s)**: *muitas matas*.

Caeté (serra do MT). De **ka'a + eté (r, s)**: *mata verdadeira* (i.e., mata virgem ou que nunca foi roçada) (*VLB*, II, 33). *"[...] melhor que efte he o **Caytè** (que na lingoa da terra quer dizer mata Real) porque na verdade o he de grandes frutaes e arvoredos [...]"* (Cap. Symão Estacio da Sylveira [1624], *Relação*, 11); *"**Caetê** quer dizer: Mato verdadeiro e sem mescla de campo algum."* (Manuel José Pires da Silva Pontes [n.d.], 26)

Caeté-Açu (BA). De **ka'a-eté** + suf. **-ûasu**: *grande mata legítima* (i.e., a que nunca foi roçada). (*VLB*, II, 33)

Caetés (PE). De **ka'aeté** – nome de povo indígena do Nordeste, extinto. A mesma etim. de **Caeté** (v.).

Caetetu (córrego de MT). De **taîtetu**, *porco-do-mato, caititu*.

Caetetuba (SP). De **ka'a + eté (r, s) + tyba**: *ajuntamento de matas verdadeiras* (v. **Caeté**).

Caetité (BA). De **ka'a + eté-eté (r, s)** [v. **eté (r, s)**] – *imenso, grandioso*: *mata grandiosa*.

Caguaçu (córr. do MT). Mesma etim. de **Caaguaçu** (v.).

Caí, Barra do (BA). De **ka'i**: *caí*, nome de um macaco.

Caiacanga (PR). De **ka'i + akanga**: *cabeça de macaco caí*. O *VELGB* registra *caiacanga* como *polvo*. Com efeito, tal nome aparece também em regiões praianas.

Caiaçu (PR). De **ka'i + -ûasu**: *grandes (macacos) caís*.

Caiaí (rio de PE). De **kaîá + 'y**: *rio dos cajás*.

Caiambé (ig. do AM). De **ka'i + ambé (t)**: *ventre de (macaco) caí*.

Caiapiá (Cotia, SP). De **ka'api'a** (*folha-testículo*), capiá, caapiá, caiapiá, plantas moráceas.

Caiapó (Jandira, SP). Nome, talvez da língua geral meridional, de uma trepadeira herbácea, da família das cucurbitáceas, também chamada *purga-de-gentio*.

Caibaté (RS). De **ka'a** + **ybaté**: *mata alta*.

Caibiriaçu (CE). De **ka'a** + **ybyri** + **'y** + **-ûasu**: *rio grande ao longo de matas*.

Caiçara (CE). De **ka'aysá** – cerca rústica feita de galhos e ramos entrelaçados para defesa e proteção. (*VLB*, I, 143)

Caicira (SC). O nome consta dos *Annaes do Rio de Janeiro*, de Balthazar da Silva Lisboa, de 1834 (157), sendo o de uma ilha do Arquipélago de Angra dos Reis. Deve provir de **ka'a** + **asyra**: *corcova de mata; mata corcovada*, i.e., mata que cobre um morro de curvas salientes.

Caiguatá (arroio do RS). De **ka'i** + **gûatá**: *caminhada de macacos*.

Caiobá (pico do MT). Do guarani e, talvez, da língua geral paulista, **ka'a** + **ygûá**: *habitante da mata*.

Caiobi (nome de pessoa). De **ka'i** – variedade de macaco + **oby** – verde; azul: *caí verde*.

Caipira (MG). De **kopira**: *roçado; roçador*.

Caipora (PE). De **ka'a** + **porá**: *habitante do mato* (nome de uma entidade mitológica do Brasil colonial).

Caipu (CE). De **ka'i** + **pu**: *barulho de (macacos) caís*.

Caipuna (Juquitiba, SP). De **ka'i** + **pó** + **un** + **-a**: *macaco caí da mão preta*, macaco-prego. (Boudin, 93)

Caipuru (ig. do PA). Da língua geral setentrional *caí* + *puru*: *caí enfeitado*.

Cairu (ilha da BA). De *cairu** – nome de uma planta. Pode ser, também, proveniente de **ka'i** + **ry** (de **y, t, t**): *rio dos caís*.

Caité (PR). De **ka'aeté**: *folha muito boa*, designação de várias plantas da família das marantáceas e das canáceas. (Sousa, *Trat. Descr.*, 225)

Caiteuara (MA). De **ka'aeté** + **'ûara** (v. **'u**): *comedores de caité* (nome de uma planta).

Caititu (SP). De **taîtitu**, mamífero taiaçuídeo.

Caiuá (SP). A mesma etimologia de **Caiobá** (v.).

Caiubá (PR). A mesma etimlogia de **Caiobá** (v.).

Caiubi (BA). A mesma etimologia de **Caiobi** (v.).

Cajá (BA). De **akaîá**, árvores anacardiáceas.

Cajaí (rio do PA). De **akaîá** + **'y**: *rio dos cajás*.

Cajaíba, Ponta da (RJ). A mesma etim. de **Acajaíba** (v.).

Cajaíbas (BA). De **akaîá** + **'yba**: *pés de cajá*.

Cajapió (MA). De **akaîá** + **ypyó**: *multidão de cajás*.

Cajati (SP). Nome da língua geral meridional, designando uma árvore laurácea.

Cajobi (SP). Da língua geral meridional, designação comum de certas aves galiformes, cracídeas: *cajubi, cajubim*.

Cajuaçu (cach. do PA). De **akaîu** + **-ûasu**: *grandes cajueiros*.

Cajuapara (MA). De **akaîu** + **apar** + **-a**: *cajueiro torto*.

Cajuba, Furo do (PA). De **akaîu** + **'yba**: *pés de cajus*.

Cajubi (MG). A mesma etimologia de **Cajobi** (v.).

Cajubim (PA). A mesma etimologia de **Cajobi** (v.).

Cajuí (BA). De **akaîu** + **'y**: *rio dos cajus*.

Cajupiranga (RN). De **akaîu** + **pirang** + **-a**: *cajus vermelhos*.

Cajuri (MG). De **akaîu** + **y (t, t)**: *rio dos cajueiros*.

Cajuru (SP). De **ka'a** – mata + **îuru** – boca: *boca da mata*.

Cajuuba (ilha do PA). A mesma etim. de **Cajuba** (v.).

Camacã (BA). Não é palavra de origem tupi. É nome de povo indígena extinto que habitava a margem esquerda dos rios Pardo e Colônia, no sul da BA.

Camacagi (BA). De *kamakã** (v. **Camacã**) + **îy**: *rio dos camacãs*.

Camacaoca (MA). De *kamakã** (v. **Camacã**) + **oka**: *oca dos camacãs*.

Camaçari (BA). De *kamasary*, espécie de árvore combretácea que produz líquido branco resinoso [de **kama** – seio + **esá (t)** – olho + **y (t, t)** – líquido]: *líquido do olho do seio*.

Camamu (BA). *"A villa pois do **Camamú**, ... hé o ponto de reunião de tres grandes rios quaes são Marahú, Serinhaem e **Camamú**, assim como de sinco outros mais pequenos [...] os quaes todos se juntão naquella villa, motivo por que os Indios formarão o nome de **Camamú**, vocabulo que na lingua Brasilica quer dizer "agoa do peito da mulher" pela semelhança dos esguichos de leite que reunidos no bico do peito se difundem para diversas partes [...]"* (Luiz dos Santos Vilhena [1802], 521). De **kama** – seio + **y (t, t)** – água, líquido: *água do seio*.

Camandocaia (SP). De **komandá** – fava + **kaî** – queimar, queimado + suf. **-a**: *favas queimadas*.

Camanducaia (MG). A mesma etim. de **Camandocaia** (v.).

Camapu, Lagoa (PA). De **kamapu**, planta solanácea.

Camapuã (rio e município de MS). De **kama + apûã**: *ponta do seio; bico de seio (VELGB)* ou, ainda, **kama + apu'a**: *seios redondos*. Em Stradelli (p. 391) vemos que é *morro, colina de forma arredondada*.

Camará (AM). De **kamará**, nome genérico de certas plantas verbenáceas.

Camaraci (BA). Metátese de **kamasary**, espécie de árvore combretácea.

Camaragibe (rio de PE). De **kamará** – plantas verbenáceas + **îy** – rio + **-pe**: *no rio dos camarás*.

Camaratuba (serra de PE). De **kamará + tyba**: *ajuntamento de camarás* (v. **Camará**).

Camaru (cach. do PA). De **kamaru**, árvore do sertão nordestino.

Camarugi (BA). De **kamaru + îy**: *rio dos camarus*.

Camarugipe (rio do PI). De **kamaru + îy + -pe**: *no rio dos camarus* (v. **Camaru**).

Cambaquara (SP). De **cambá**, palavra guarani que passou para a língua geral meridional, designando os negros brasileiros durante a guerra do Paraguai (1865-1870) + **kûara**: *refúgio dos negros*.

Cambará (SP). De **kamará**, nome genérico de certas plantas verbenáceas.

Cambaratiba (SP). A mesma etim. de **Camaratuba** (v.).

Cambari (Mairiporã, SP). De **kamará + 'y**: *rio dos camarás*.

Cambaúba (GO). Nome de uma variedade de taquara, termo das línguas gerais coloniais: *"Tacoára – Hé planta sim^e a Cana; [...] as especies mais comuns são Tacoarusu, Jateboca, Taquapeni, Tacoaboca, Tacoaobú, Tacoaquise, **Cambaiuba**, Tacoarí [...]"* (Anônimo – muito provavelmente Joseph Barbosa de Sáa [1765], *Noticia*, 36)

Cambira (PR). Da língua geral meridional, designando um peixe mugilídeo.

Camboim (AL). De **kambu'i**, planta mirtácea.

Camboriú (SC). De **kamuri + 'y**: *rio dos robalos*.

Cambu (rio do PA). A mesma etimologia de **Camu** (v.).

Cambucá (PE). De **kambuká**, árvore mirtácea.

Cambuci (RJ). De **kamusi**: *camucim, pote, jarro, talha*. Também era o nome de uma planta mirtácea e de seu fruto, que tem a forma de uma talha indígena. Era, também, a cova, a caverna onde eram postas as urnas que continham a ossada dos índios mortos (Brandão, *Diálogos*, 67) ou a própria urna funerária.

Cambuí (MG). De **kambu'i**, planta mirtácea.

Cambuquira (MG). De **ka'a + umbykyra**: *rabadilhas de folhas*, grelos, brotos dos bulbos, rizomas e tubérculos.

Camburi (praia de Guarujá, SP). De **kamuri**, peixe centropomídeo.

Camburiú (rio de SP). A mesma etim. de **Camboriú** (v.).

Cambuti (BA). A mesma etim. de **Cambuci** (v.).

Cametá (PA). De algum termo da língua geral setentrional, designando o *cavintau, cametaú, cuintau*, outro nome dado à ave anhuma, *Anhuma cornuta*.

Camiranga (PA). De **akanga + pirang + -a**, pela língua geral setentrional: *cabeça vermelha*, o urubu-de-cabeça-vermelha, ave falconiforme.

Camirim (BA). De **ka'a + mirĩ**: *mata pequena*.

Camu (rio do PA). De **kamu**, panela de barro redonda para cozer alimentos. (Marcgrave, *Hist. Nat. Bras.*, 273)

Camuari (rib. de SP). Da língua geral meridional *camuá** – nome de uma palmeira + **y (t, t)**: *rio dos camuás.*

Camucim (CE). A mesma etimologia de **Cambuci** (v.).

Camurubim (PI). De **kamurupy** – peixe elopídeo.

Camurugi (rio da BA). De **kamuri** + **îy**: *rio dos camuris.*

Camurupe (BA). De **kamuri** + **'y** + **-pe**: *no rio dos camuris.*

Camurupim (rio do RN). De **kamurupy** – peixe elopídeo.

Camutanga (PE). De **akanga** + **pytang** + **-a**: *cabeça parda*, nome de uma ave, acamatanga, acamutanga.

Camuti (PA). A mesma etimologia de **kamusi** (v.).

Canapi (AL). De *canabi, conabi*, arbusto da família das euforbiáceas, tida por medicinal. Devia ser termo da língua geral meridional e da setentrional.

Candiba (BA). Talvez de **anakã** + **tyba**: *ajuntamento de anacãs*, aves psitacídeas.

Candoí (PR). De **kûandu** + **'y**: *rio dos cuandus.*

Cangaíba (bairro de SP). De **kanga** + **aíb** + **-a**: *ossos ruins*, i.e., esqueleto de animal morto.

Cangati (CE). Nome de um peixe siluriforme. De **akanga** + **tĩ**: *cabeça pontuda.*

Cangonhal (MG). A mesma etim. de **Congonhal** (v.).

Canguaretama (RN). De **kangûer** + **etama (t)**: *região de esqueletos.* "A história de *Canguaretama* registra o episódio denominado 'Martírio de Cunhaú', em 1645, durante o domínio holandês, quando o judeu alemão Jacob Rabi, delegado do Conde Maurício de Nassau junto a tribo dos Janduís, ali chegou, convocando os moradores para um encontro pacífico, após a missa dominical. Nesse domingo, por ocasião da elevação da hóstia, mandou que os índios invadissem a capela, matando todos os presentes, e até os que se encontravam na casa grande do engenho foram massacrados." (Fonte: IBGE)

Canguçu (ilha do MT). De **akanga** + suf. **-usu**: *cabeça grande*, outro nome dado à onça.

Cangueira (PR). A mesma etim. de **Canguera** (v.).

Canguera (cachoeira do rio Tietê, SP). De **kanga** + **-ûer** + suf. **-a**: *ossos velhos, esqueleto.*

Cangueri (rio do MT). De **kanga** + **-ûer** + **'y**: *rio dos ossos velhos, rio dos esqueletos.*

Canhema (lugar de Diadema, SP). A mesma etim. de **Canhima** (v.).

Canhima (arroio do RS). De **kanhema**: *sumiço, sumidouro*, abertura por onde um rio desaparece terra adentro, ressurgindo em outros sítios mais baixos; escoadouro. Termo do tupi antigo que assumiu tal sentido na língua geral meridional. No nheengatu, *sumidouro* é **mucanhemotyua**, termo que também inclui o verbo **kanhem** (*sumir*), do tupi (Stradelli, 333).

Canhuma (AM). A mesma etim. de **Canhima** (v.).

Canindé (bairro de SP). De **kanindé** – nome de uma ave psitacídea.

Canindé-Açu (cach. do MA). De **kanindé** + **-ûasu**: *grandes canindés.*

Canitar (SP). De **akanetá** – *cocar indígena.*

Capanema (MT). De **ka'a** + **panem** + **-a**: *mata imprestável, mata azarada* (i.e., que não tem caça).

Capão (BA). Mancha de mata em meio a um descampado [de **ka'a** – mata + **'ypa'ũ** – ilha: *ilha de mata*]. "[...] outras vezes se vão esconder em alguãs ilhas de matos fechados, que de quando em quando se acham nestas campinas, a que chamam **caapões**, que quer dizer *ilhas de mato* [...]" (Pe. João Daniel [1757], 75)

Capão-Açu (ilha do AM). De **ka'a** + **'ypa'ũ** + **-ûasu**: *grande ilha de mata.*

Caparão, Serra do (ES). De **kapara** – planta de folhas largas, usadas para cobrir casas (Sousa, *Trat. Descr.*, 225) + suf. do port. **-ão**: *caparas grandes.*

Capetinga (MG). De **kapi'i** + **ting** + **-a**: *capim claro*, var. de gramínea que só medra à sombra das matas.

Capeva (SP). De **ka'apeba**: *erva achatada*, nome comum a plantas trepadeiras menispermáceas.

Capiá (AL). De **ka'api'a**: *folha-testículo*, nome comum a várias espécies de plantas moráceas.

Capiau (ilha do AM). A mesma etim. de **Capuava** (v.).

Capibaribe (rio de PE). De **kapibara** + **'y** + **-pe**: *no rio das capivaras*.

Capim Açu (BA). De **kapi'i** + **-ûasu**: *capim grande*.

Capintuba (lago do PA). De **kapi'i** + **tyba**: *ajuntamento de capim, capinzal*.

Capiranga (lago do AM). De **ka'a** + **pirang** + **-a**: *mata vermelha*.

Capitari (ig. do PA). Árvore bignoniácea, nativa da Amazônia.

Capituva (SP). A mesma etim. de **Capintuba** (v.).

Capivari (SP). De **kapibara** + **'y**: *rio das capivaras*.

Capivari Mirim (MG). De **kapibara** + **'y** + **mirĩ**: *rio pequeno das capivaras*.

Capixaba (BA). De **kopir** – carpir + suf. **-sab** + **-a**: *lugar de carpir, roçado*.

Capoeira (GO). De **ka'a** + **pûer** + suf. **-a**: *mata extinta*.

Capoeirana (MG). De **ka'a** + **pûer** + **ran** + **-a**: *o que parece mata extinta, falsa capoeira*.

Caporanga (SP). De **ka'a** + **porang** + **-a**: *mata bonita*.

Capuava (Santo André, SP). De **kapŷaba** – casa na roça, quinta (*VLB*, I, 68); herdade onde há caça. (*VLB*, I, 121; Anch., *Arte*, 6v)

Capuba, Lagoa de (ES). De **kapupuba**, *capim-puba* < *capim macio*, planta gramínea.

Caputera (bairro de Mogi das Cruzes, SP). De **ka'a** – mato + **pytera** – meio: *meio do mato*.

Caputira (MG). De **ka'a** + **potyr (mb)** + **-a**: *mata florida*.

Cará (ilha do PA). De **akará**, nome de várias plantas discoreáceas.

Caracará (CE). De **karakará**, nome de duas aves da família dos falconídeos, carcará.

Caracaru, Santo Antônio do (PA). De **karakará** + **'y**: *rio dos carcarás* (v. **Caracará**).

Caracuanha (lagoa da BA). De **akarapuku** (*cará comprido*), peixe gerrídeo + **ãî/a (r, s)** + **-a**: *carapucus dentados*.

Caracuí (rio de PE). De **akarapuku** + **'y**: *rio dos carapucus*.

Caraguatá (Cotia, SP). De **karagûatá** – gravatá, planta bromeliácea.

Caraguataí (RS). De **caraûatá** + **'y**: *rio dos gravatás*.

Caraguatatuba (SP). De **caraûatá** + **tyba**: *ajuntamento de gravatás* (v. **Caraguatá**). Topônimo dos tempos coloniais: *"Que passei a Villa de S.^m Vicente, e a de S.^m Sebastião proseguindo até Craguatatuba [...]."* (Franca e Horta [1803], *Para o exmo. snr. Visconde de Anadia*, 103)

Caraí (MG). A mesma etim. de **Caraíba** (v.). *"Distrito criado com a denominação de Caraí [...] pela lei estadual nº 556, de 30-08-1911, subordinado ao município de Arussaí."* (Fonte: IBGE)

Caraíba (BA). De **karaíba**, *homens brancos*. Podia ser, também, o profeta-santidade dos antigos tupis.

Caraibuna (BA). De **karaíba** – profeta-santidade dos tupis + **un (r, s)** + **-a**: *caraíba negro, caraíba escuro*.

Caraíva (BA). A mesma etim. de **Caraíba** (v.).

Carajeru (ig. do AM). De **karaîuru**, *grajuru*, planta da família das bignoniáceas, que fornecia tinta para se pintar o corpo.

Carajuru (AM). A mesma etim. de **Carajeru** (v.).

Caramuru (PR). De **karamuru**, *enguia, lampreia*, var. de peixes murenídeos.

Caraná (PA). De **karaná** – *carandá*, var. de palmeira.

Caranaíba (MG). De **karana'yba** – carnaúba, var. de palmeira.

Caranandiua (PA). A mesma etim. de **Carananduba** (v.).

Carananduba (PA). De **karana'yba** + **tyba**: *carnaubal*.

Caranaúna (BA). De **karaná** + **un (r, s)** + **-a**: *caranás escuros*.

Carandá (MT). A mesma etim. de **Caraná** (v.).

Carandaí (MG). De **karaná** + **'y**: *rio dos carandás*.

Carandiru (bairro de SP). De **karaná**, *carandá*, var. de palmeira + **-'i**: *carandaí**, na língua geral meridional + **ry** [de **y (t, t)**]: *rio dos carandaís*.

Carapanã (cach. do AM). Na língua geral setentrional, nome de uma variedade de mosquito (v. **Carapanatuba**). Pode ser também o nome de um grupo indígena da família tucano.

Carapanatuba (AM). Da língua geral setentrional, *carapaná* (Martius, *Glossaria*, 38) + **tyba**: *ajuntamento de carapanás*.

Carapeba (ilha da BA). De **karapeba** (*cará achatado*), peixe da família dos gerrídeos.

Carapeva (SP). A mesma etim. de **Carapeba** (v.).

Carapi (AL). A mesma etim. de **Carapina** (v.).

Carapicuíba (SP). De **karapuku** – carapucu ou peziza, cogumelo da família das marasmiáceas (*VLB*, I, 86) + **aíb** – *mau, ruim, desprezível, vil* (*VLB*, I, 100; II, 80) + suf. **-a**: *carapucu ruim* (para comer), não comestível. Também pode ser composição de **akará** + **puku** + **aíb** + **-a**: *carás compridos e ruins, carapicus ruins* (para comer), peixes gerrídeos. Também há o arbusto *carapicu*, talvez nome da língua geral meridional, podendo, então, **Carapicuíba** significar *pé de carapicu*: *carapicu ** + **'yba**.

Carapina (ES). De **karapina***, nome de uma variedade de pica-pau. No Brasil colonial, o termo *carapina* foi muito usado no sentido de *carpinteiro*.

Carapiranga. De **akará** + **pirang** + **-a**: *acarás vermelhos*.

Caratinga (MG). De **akará** + **ting** + **-a**: *carás claros*, var. de peixes.

Caratuba (rio do PR). De **akará** – cará, var. de peixe + **tyba** – ajuntamento: *ajuntamento de carás*.

Caratuva (rio do PR). A mesma etim. de **Caratuba** (v.).

Caraú (rio do RN). De **akará** + **'y**: *rio dos carás*.

Caraúbas (PB). A mesma etim. de **Caraíba** (v.).

Caraúna (riacho do CE). De **akará** + **un (r, s)** + **-a**: *carás escuros*.

Carcanha (BA). De **akaraãîa**: *cará dentado*, caranha, peixe lutjanídeo.

Cariacica (ES). De **ûakary**, *acari*, peixe loricariídeo + **asyk** + **-a**: *acari pitoco, acari de rabo cortado*.

Carimã (PE). De **karimã**, massa de mandioca-puba.

Carinhanha (BA). De **ûakary** + **aî (r, s)** + **-a**: *acaris dentados*.

Carioca (ribeirão do RJ e nome de antiga aldeia indígena da Guanabara, a mais próxima da vila de São Sebastião, fundada por Estácio de Sá). De **kariîó**, *carijó*, nome de grupo indígena com origem no Paraguai + **oka (r, s)**: *casa de carijós*: "Yaupa Moçupiroka, Yequej, guatapitiba, [...] *Carijo oca*, Pacucaya, Araçatiba." (Anchieta, *Poemas* [*Auto de São Lourenço*], versos 147-151). Os carijós também estavam na costa: "[...] destes ha infinidade e correm pela *costa* do mar e sertão até o Paraguay." (Pe. Fernão Cardim, [1585], *Do principio e origem dos Indios do Brasil*, 103). De nome de lugar passou a designar, ainda no período colonial, também os que nascem no Rio de Janeiro: "[...] os *Cariocas* e Americanos eram fracos, vis, patifes e pusillanimes" (Jeronymo de Castro e Souza [1789], *Carta do Alferes Jeronymo de Castro e Souza, Denunciando o Tiradentes*, 266-267)

Cariucanga (AM). Da língua geral setentrional, **cariú** – povo indígena extinto + **kanga**: *ossos de cariús*.

Cariutaba (CE). Da língua geral setentrional, **cariú** – povo indígena extinto + **taba**: *aldeia dos cariús*.

Carnaíba (BA). A mesma etimologia de **Caranaíba** (v.).

Carnaúbas (CE). A mesma etimologia de **Caranaíba** (v.).

Carpina (PE). A mesma etimologia de **Carapina** (v.).

Caruá (BA). A mesma etimologia de **Caraguatá** (v.).

Caruara (Santos, SP). De **Karûara**, nome de uma entidade sobrenatural dos tupis da costa.

Caruaru (PE). Yves D'Evreux (*Viagem*, 157), diz que **karûarabora** significava *gotoso*, epiléptico, donde se conclui que **karûara** era *epilepsia*. Anchieta, contudo, dá o nome **Karûara** a um pajé (*Na Aldeia de Guaraparim*, v. 289) que era invocado pelas velhas que buscavam sortilégios. Na Amazônia ocorre o sentido de *mal ou enfermidade causada por feitiço; quebranto, mau-olhado*. Talvez o termo já tivesse esse sentido no século XVI. Assim, cremos que *Caruaru* deva compor-se de **karûara** + 'y: *rio dos feitiços*. Outro sentido possível é o que tomamos nos modernos dicionários da língua portuguesa: nome (oriundo da língua geral setentrional) comum a certos répteis lacertílios, também chamados *jacuaru, jacuruaru, jacruaru*.

Caruataí (CE). De **karagûatá** + 'y: *rio dos caraguatás*.

Carumbé (MT). Da língua geral setentrional, o macho do jabuti, *jabuti-carumbé*.

Cassununga (MT). De **kasunununga** – var. de vespa.

Catanduva (SP). De **ka'a** + **atã (r, s)** + **tyba**: *ajuntamento de mata dura*, i.e., de cerrado: "[...] Fomos pousar em um *catanduba*, ou mato carrasquenho". (S. Paio e Sousa [1769], 205)

Cataporas (riacho do PI). De **tatá** + **pora**: *marcas de fogo*.

Categipe (MG). De **kûati** + **ŷ** + **-pe**: *no rio dos quatis*.

Catete (MA). De **ka'a** + **eté-eté**: *mata imensa*. Catete (ou *cateto* ou *batité*) designa, também, uma variedade de milho miúdo. Primeira datação: "Dada neste Arrayal do *Cathete* aos 15 dias do mez de Janeiro de 1711." (Antônio de Albuquerque Coelho de Carvalho [1710], *III – Cartas De Sesmaria*, 261)

Cati (ribeirão de GO). Da língua geral meridional, designando uma erva aromática ciperácea.

Catiguá (SP). Da língua geral meridional, nome de várias árvores da família das meliáceas.

Catinga (BA). De **katinga** (de **aby'aka** + **ting** + **-a** – *nhaca enjoativa*): *mau cheiro*. Pode provir, também, de **ka'atinga** (*mata clara*), formação vegetal do semiárido nordestino.

Catu (rio da BA). De **katu**: *bom, limpo*.

Catuaba, Serra da (BA). De **katûaba**: *virtude, bondade*; designa também uma planta bignoniácea tida por afrodisíaca, termo de língua geral colonial.

Catupiri (nome próprio). De **katu** – bom + **pyryb** – algum tanto, um tanto, muito: *muito bom*. [I *katu-pyryb*. – Ele é muito bom. (VLB, II, 35)]

Cauaçu (RN). De **ka'a** + **-ûasu**: *folhas grandes*, nome de certas plantas arbustivas.

Caubi (nome de pessoa). De **ka'a** + **oby (r, s)**: *mato verde*, caubi (Amaz.) (*PDBLP*, 262)

Caucaia (CE). De **ka'a** + **kaî** + **-a**: *mata queimada*.

Cauçu (PA). A mesma etimologia de **Cauaçu** (v.).

Caúna (RS). De **ka'a** + **un (r, s)** + **-a**: *mata escura*.

Cauvi (rio de SP). A mesma etimologia de **Caubi** (v.).

Cavaru (RJ). Do port. **kabaru**: *cavalos*.

Cavoçu (rio de SP). Da língua geral meridional **kabusu★**, arbusto da família das poligonáceas.

Caxambu (MG). De **kaxabu** – o mesmo que *mandacaru*, planta xerófita. (Marcgrave, *Hist. Nat. Bras.*, 126)

Caxinduba (ig. do PA). Da língua geral setentrional *caxinga* + *tyba*: *ajuntamento de caatingas*.

Chitãozinho (nome de pessoa). De **xintã**, uma variedade de nambu, o **nhambu-xintã** ou *chitão* (*Cripturellus tataupa*). (Marcgrave, *Hist. Nat. Bras.*, 192)

Chororó (Embu-Guaçu, SP). V. **Xororó**.

Cipaúba, Serra da (CE). De **ysypó** + **'yba**: *planta de cipó*, nome de um arbusto da família das combretáceas.

Cipó-Guaçu (Embu-Guaçu, SP). De **ysypó** + **-gûasu**: *cipó grande*.

Cipotuba (ilha do PA). A mesma etim. de **Sepotuba** (v.).

Coaçu (rio do CE). De **kó** + **-ûasu**: *roça grande*.

Coaraci (BA). De **kûarasy**: *sol*.

Cocaia (SP). De **kó** + **kaî** + **-a**: *roça queimada*.

Cocuera (Mogi das Cruzes, SP). De **kó** + **pûer** + **-a**: *roça extinta*.

Coité (PB). De **kuîeté** – cuité, cuitezeira, cuieira, árvore bignoniácea (*Crescentia cujete* L.), que dá cuias, cabaças ou cuités.

Coivara (MA). De **kó** + **'yb/a** + **ar** + **-a**: *cata-paus de roça*, técnica indígena de plantio; ramagens empilhadas para queimada após limpeza da terra.

Colomis, Serra dos (BA). De **kunumĩ**: *meninos*.

Columbis, Chapada dos (MG). De **kunumĩ**: *meninos*.

Comandacaia (BA). De **komandá** + **kaî** + suf. **-a**: *favas queimadas*.

Comandaí (RS). De **komandá** + **'y**: *rio das favas*.

Comandatuba (BA). De **komandá** + **tyba**: *ajuntamento de favas*.

Comoci (PI). A mesma etimologia de **Camuci** (v.).

Conduru (ES). De **konduru**, grande árvore da família das moráceas.

Congonha (riacho da BA). Da língua geral meridional, por influência guarani, nome de vários arbustos cujas folhas servem para chás; mate-falso; (no Sul) erva-mate: *"Foraõ esperallo ao sitio das Congonhas, assim chamado por huma herva, que produz deste nome, da qual fazem os Paulistas certa potagem, em que achaõ os mesmos effeitos do xâ."* (Rocha Pitta [1730], 376)

Congonhal (São Lourenço da Serra, SP). Da língua geral meridional *congonha* * + suf. **-al** do port.: *ajuntamento de congonhas*.

Congonhas (bairro de São Paulo, SP). A mesma etimologia de **Congonha**.

Conhamuco (PA). De **kunhamuku**: *moças*.

Copiara (riacho de PE). De **kó** + **pîara**: *caminho da roça*.

Coraçu (córrego de Rio Grande da Serra, SP). De **akará** + **-ûasu**: *carás grandes*.

Coreaú (CE). De **kuruá** + **'y**: *rio dos curuás*, ratos-de-espinho, roedores equimiídeos.

Coriaí (rio do PA). A mesma etimologia de **Coreaú** (v.).

Coribe (BA). Nome equivocado, atribuído em 1938 à Vila do Rio Alegre, na Bahia. O nome com origem no tupi antigo que significaria *Rio Alegre* deveria ser *Ioriba, Tioriba*. O nome **Coribe** só pode significar *no rio do curi*, uma variedade de argila vermelha (v. **kori**).

Coroara (MA). De **Karûara**, entidade sobrenatural da cosmologia dos antigos tupis da costa.

Coroatá (PI). A mesma etimologia de **Caraguatá** (v.).

Corumbaíba (GO). De **kurimã** + **aíb** + **-a**: *curimãs ruins*, var. de tainhas.

Corumbataí (SP). De **kurimatá** – peixe da família dos caracídeos + **'y** – rio: *rio dos corimbatás*.

Corumbaú (rio da BA). De **kurimã** + **'y**: *rio dos curimãs*, var. de tainhas.

Corumiquara, Ponta (CE). De **kunumĩ** + **kûara**: *toca dos meninos*.

Coruripe (AL). De **kururu** + **'y** + **-pe**: *no rio dos sapos*.

Corutuba (rio de MG). De **kori** + **tyba**: *ajuntamento de curi*, i.e., de argila vermelha.

Cotegipe (BA). De **akuti** + **îy** + **-pe**: *no rio das cutias*.

Cotejuba (ilha do PA). De **akuti** + **îub** + **-a**: *cutias amarelas*.

Cotia (SP). De **akuti** – cutia, nome genérico de diversos mamíferos roedores da família dos caviídeos ou dasiproctídeos.

Cotindiba, Ilha (MA). De **akuti** + **-'ĩ** + **tyba**: *ajuntamento de cutiazinhas*.

Cotinga, Ilha Rasa da (PR). Capim de folhas largas, aproveitadas pelos tropeiros para palha de cigarros (de **ka'a** + **tinga**: *folhas claras*).

Cresciúma, Córrego (SP). Mesma etim. de **Criciúma** (v.).

Criciúma (SC). – Da língua geral meridional, nome comum a várias plantas gramináceas cujo colmo tem largo emprego na fabricação de balaios e cestos; *gurixima, quixiúna* etc.

Croatá (CE). A mesma etimologia de **Caraguatá** (v.).

Cuiabá (capital de MT). De **kuîaba** – var. de cuia. Segundo Barboza de Sá [1775], *"Destes o primeiro que subiu o rio Cuyabá asim chamado dizem huns que por acharem em suas margens cabaços plantados de que faziam cuias para seus usos, outros que o nome de Cuyabá procedeu de huma cuia que os primeiros que subiram este rio acharam sobre as águas que ia rodando, por donde inferiram que havia gente por ele acima e por esta inferência subiram em procura dela, outros disseram que o nome de Cuyabá é apelido do gentio que nas margens deste rio habitava e cada qual siga a opinião que quiser, que não é ponto de fé nem pragmática de Rei, que eu sempre estou que a nomeação foi derivada dos cabaceiros ou da cuia, que gentio deste nome nunca achei nem tive dele notícia, sendo dos segundos que cultivaram estes sertões e examinei tudo o que neles havia."* (in *Relação das Povoaçoens do Cuyabá em Mato Grosso de Seos Principios thé os Prezentes Tempos*, 6-7)

Cuiambuca (PE). De **kuîmbuka**: *cuias fendidas* (**kuîa + puk + -a**).

Cuíca, Ponta da (RS). De **gûaîkuíka** – nome comum a certos mamíferos marsupiais.

Cuieté, Ribeirão (MG). De **kuîa + eté (r, s)**: *cuias a valer*; árvore bignoniácea que dá cuias.

Cuipéua (PA). De **kuîa + peb + -a**: *cuias chatas*, cabaças compridas partidas pelo meio.

Cuipiranga (CE). De **kuîa + pirang + -a**: *cuias vermelhas*.

Cuité (PB). A mesma etimologia de **Cuieté** (v.).

Cuitegi (PA). De **kuîeté + îy**: *rio dos cuités*.

Cuiucuiú, Ig. (AM). De **kuîukuîu**, cuiú-cuiús, aves da família dos psitacídeos.

Cujubá, Ilha (PA). De **kuîuîuba**, cuiúbas, ave da família dos psitacídeos.

Cujubim (AM). A mesma etimologia de **Cajobi** (v.).

Cumaru (AM). De **kumaru**, árvore da família das leguminosas.

Cumbaúbas (PI). Nome de uma árvore, de língua geral colonial.

Cumuruxatiba (BA). De **komixã** – grumixama, planta mirtácea + **tyba**: *ajuntamento de grumixamas*.

Cunhambebe (RJ). Era o nome de um famoso chefe tamoio do século XVI: *"Foi continuando a derrota até á Ilha dos Porcos, a que uma sesmaria antiga chama Tapéra de Cunhambéba, por nella ter existido uma aldêa, de que era cacique Cunhambéba, aquelle indio, que na sua canôa conduzio para S. Vicente ao veneravel Padre José de Anchieta, quando voltava de Iperoyg."* (Frei Gaspar da Madre de Deus [1767], *Memorias para a Historia da Capitania de S. Vicente hoje Chamada de S. Paulo*, 118). De **kunhã + mbeb** (forma nasalizada de **peb**) + -a: *mulher achatada* (i.e., sem seios, de seios muito pequenos). Tal etimologia não parecerá estranha se se lembrar que há o termo **kambeba** (**kama + peb + -a**: *seio achatado*), que designa uma fêmea estéril (*VLB*, II, 31). Cunhambeba devia ter um peito bem desenvolvido e musculoso.

Cunhangi (BA). De **kunhã + îy**: *rio das mulheres*.

Cunhaporanga (PR). De **kunhã + porang + -a**: *mulheres bonitas*.

Cunhaú (RN). De **kunhã + 'y** – rio: *rio das mulheres*.

Cupari (rio do PA). De **kupá** – nome de um peixe, provavelmente da família dos cianídeos + **y (t, t)**: *rio dos cupás*.

Cupim, Cachoeira do (PA). De **kupi'ĩ**: *cupins*, insetos isópteros. (*VLB*, I, 142)

Cupira (PE). De **kupy**, variedade de abelha.

Cupuba (BA). De **kupy'yba**: *planta da abelha "kupy"*, cupiúba, pequena árvore cunoniácea.

Curaçá (BA). De **kurusá**: *cruz*, termo tupi de origem portuguesa.

Curaçatuba (ilha do AM). De **kurusá + tyba**: *ajuntamento de cruzes*, i.e., cemitério.

Curauaí (rio do PA). De **kuragûá** – curauá, planta bromeliácea + **'y**: *rio dos curauás*.

Curê (MT). Talvez, pela língua geral meridional ou pelo guarani, *porcos* (v. **kuré**).

Curi (rio do PA). De **kuri**, var. de bagre.

Curica, Ig. (RO). De **kurika**, nome de uma ave psitacídea.

Curicaca (GO). De **kurikaka**, ave ciconiforme dos brejos e pantanais.

Curimá (PA). De **kurimã**, nome comum a vários peixes mugilídeos.

Curimatá (PI). De **kurimatá**: *curimã duro*, nome comum a certos peixes caracídeos.

Curimataí (rio de MG). A mesma etimologia de **Corumbataí** (v.).

Curimataú (rio do PA). A mesma etimologia de **Curimataí** (v.).

Curimaú, Lago (RR). De **kurimã** + 'y: *rio dos curimãs*.

Curité (PA). De **kori** – argila vermelha + **eté (r, s)**: *curi a valer, curi muito bom*.

Curitiba (capital do PR). Da língua geral meridional ***kuri**** – pinheiro, araucária + **tyba** – ajuntamento, jazimento: *ajuntamento de pinheiros*. "Igual remeça faço agora dos **Pinheiros de Curitiba**; oxalá cheguem em termos, e ã. prosigaõ avante nesse Clima." (Franca e Horta [1803], *Para o ex.mo snr. d. Rodrigo – Nº 16*, 192). "Anno de nascim.^to de nosso Senhor Jesus christo de mil e sette centos e vinte e seis annos aos nove dias do mes de Sbr.^o do d.^o anno nesta v^a de nossa Senhora da Luz dos **Pinhais de Curitiba**". (Manuel de Sam Payo et al. [1726], *Cap.os de correição que faz o cap.am Manuel de Sam Payo juiz ordinario*, 51)

Curituba, Ilha (AM). De **kori** + **tyba**: *ajuntamento de curi*, i.e., argila vermelha.

Curiú (riacho do CE). De **kori** + 'y: *rio do curi*, i.e., da argila vermelha.

Curiuaú (rio do AM). De **kuragûá** – curauá, planta bromeliácea + 'y: *rio dos curauás*.

Curiúva (PR). Da língua geral meridional ***kuri'yba****: *pé de pinheiro*, i.e., de araucária.

Curuá (PA). De **keîruá**, queiroá, rato-de-espinho.

Curuapanema (rio do PA). De **keîruá** + **panem** + -a: *curuá imprestável* (v. **Curuá**).

Curuatinga (PA). De **keîruá** + **ting** + -a: *curuás claros*.

Curuaú (ilha do AM). De **keîruá** + 'y: *rio dos curuás*.

Curuçá (bairro de SP). De **kurusá** (port.): *cruz*.

Curuçu, Arroio (RS). A mesma etim. de **Curuçá** (v.).

Curuí (cachoeira do PA). De **kuri** + 'y: *rio dos guris*, designação genérica dos bagres marinhos.

Curuípe (rio de AL). De **kuri** + 'y + -pe: *no rio dos guris* (v. **Curuí**).

Curumiuara (ilha do AM). Da língua geral setentrional **kurumĩ** + y + **'ûara**: *devorador de meninos*, talvez uma entidade sobrenatural.

Curupá (SP). Das línguas gerais coloniais, nome de um peixe.

Curupaí (rio de MT). De ***curupá****, nome de um peixe + y: *rio dos curupás* (v. **Curupá**).

Curupari (PA). A mesma etimologia de **Curupaí** (v.).

Curupi (rio de MT). De **kuruba** + 'y: *rio dos seixos*.

Curupira (CE). Nome de um ente sobrenatural das matas do Brasil (v. **Kurupira**).

Curupu, Ponta do (MA). De **kuruka** + **pu**: *barulho de resmungo*, agitação de peixes que vêm à flor da água na época da desova.

Curuquara (Santana de Parnaíba, SP). De **kuri** + **kûara**: *toca dos guris*, var. de peixes.

Cururipe (AL). A mesma etimologia de **Cururupe** (v.).

Cururu (RN). De **kururu**: *sapos*.

Cururuaçu (rio do PA). De **kururu** + -ûasu: *sapos grandes*.

Cururupe (BA). De **kururu** + 'y + -pe: *no rio dos sapos*.

Cururupu (MA). De **kururu** + pu: *barulho de sapos*.

Curururi (rio do PA). De **kururu** + y (t, t): *rio dos sapos*.

Cururutinga (BA). De **kururu** + **ting** + -a: *sapos brancos*.

Cutapé (MT). De **akuti** + **(a)pé (r, s)**: *caminho de cutias*.

Cuxiauaia (ig. do AM). Pelo nheengatu, de **akuti** + **ûaîa (t)**: *cotias de cauda*. (Stradelli, 144)

E

Ecatu (SP). Nome atribuído artificialmente, no século XX. Do verbo tupi **'ikatu / 'ekatu** – *poder*, nominalizado: *poder, força*.

Embaré (Santos, SP). Árvore da família das bombacáceas, de tronco muito grosso, com grande reserva de água e flores vermelhas. Talvez seja um nome da língua geral meridional, sendo a primeira datação de 1767, de Frei Gaspar da Madre de Deus (in *Memorias para a Historia da Capitania de S. Vicente hoje chamada de S. Paulo*, 139)

Embaúba (GO). V. **Ambaíua**.

Embaúva (rib. do MT). V. **Ambaíua**.

Embiacica (morro de São Paulo, SP). De **yby** – terra + **asyk** – cortado, decepado + -**a**: *terra cortada*.

Embira (AM). A mesma etimologia de **Imbira** (v.).

Embiruçu (córr. de SP). De **embyrusu** – variedade de embira de tamanho avantajado (Sousa, *Trat. Descr.*, 216)

Emboabas (MG). Nome que receberam no período colonial, nas Minas Gerais, os portugueses e forasteiros doutras origens. Era nome antes dado, na língua geral meridional, às aves calçudas, isto é, aquelas cujas pernas são cobertas de penas: de **mbó** (forma absol. de **pó**) – mão, pata + **ab/a (r, s)** – peludo + -**a**: *patas peludas*. Veja-se a explicação para isso nos seguintes textos coloniais: *"E voltando dom Fernando as costas com toda a sua comitiva, os reinóis, chamados pelos paulistas emboabas por desprezo, que na sua língua quer dizer galinhas calçudas, o que imitavam pelos calções que usavam de rolos, seguiram-nos em distância que não fossem vistos."* (Caetano da Costa Matoso [1749], 206); *"... eoropeos chamados emboabas, nome dirivado das gallinhas calsudas por naó largarem as meyas e sapatos em todo o serviso..."* (Barboza de Sá [1775], *Relação das Povoaçoens do Cuyabá em Mato Groso de seos Principios thé os Prezentes Tempos*, 5)

Emboraí (PA). De **mborá** + **'y**: *rio dos borás*, var. de abelhas.

Embu (SP). De **mboîa**: *cobras* ou, ainda, **mboîa** + **'y**: *rio das cobras*. É corruptela de **Mboy**, nome da aldeia jesuítica que lhe deu origem: *"Os Jezuitas q̃. tiveraõ Sempre o maior Cuidado em possuir Indios, deraõ Origem as Aldeas de Carapucuyba, **Mboy**, Itapecirica, Taquaquecetyba, e S. Joze."* (Joze Arouche de Toledo Rendon [1802], *Plano em que se Propoem o Melhoramento da Sorte dos Indios*, 92)

Embu-Guaçu (SP). De **mboî** + **'y** + **gûasu**: *rio da cobra grande* (v. **Embu**).

Embu Mirim (SP). De **mboî** + **'y** + **mirĩ**: *rio da cobra pequena* (v. **Embu**).

Embura (SP). A mesma etimologia de **Imbira** (v.).

Envira (ilha do AM). A mesma etimologia de **Imbira** (v.).

Enxu (BA). De **eîxu** – var. de vespa. (Piso, *De Med. Bras.*, IV, 178)

Ererê (PA). De **aîriré**: *irerês*, aves anatídeas

G

Gabiroba (SC). V. **Guabiroba**.

Gandu (SE). De **kûandu**: *cuandus*, ouriços-cacheiros.

Garajuba (BA). De **gûyrá** + **îub** + -**a**: *aves amarelas*.

Garanhuns (PE). De **aguará** – lobo-guará + **nhũ** – campo: *campo dos guarás*.

Garapu (MT). De **guará** + **pu**: *barulho dos lobos-guarás*.

Garapuá (BA). A mesma etim. de **Guarapuava** (v.).

Garapuava (MG). A mesma etim. de **Guarapuava** (v.).

Garaú (rio de SP). De **gûará** + **'y**: *rio dos guarás*.

Gargaú (RJ). De **gûarugûaru**, nome comum a certos peixes das famílias dos ciprinodontídeos e dos rivulídeos.

Garopaba (SC). De **ygarupaba** [**ygar**/a – canoa + **upaba** – lugar de estar quedo, de estar deitado]: *remanso das canoas*.

Garuva (PR). De **ygara** + **yba**: *pau de canoa*, i.e., árvore com madeira apropriada para se fazerem canoas.

Genipapo (córr. de MT). De îanypaba, planta rubiácea.

Gereraú (CE). De îareré + 'y: *rio dos jererés*, var. de rede de pescar camarões.

Geriva, Rib. do (MT). De îara'yba – jerivá, jeribá, jeribazeiro, espécie de palmeira.

Geru (SE). De aîuru – ajuru, ajeru, jeru, juru, ave psitacídea.

Giçaras (MG). V. **Juçara**.

Ginimbu (AL). De îy + 'yemby: *esteiro de rio*.

Giqui (CE). De îeky: *covo, cisterna*.

Gongogi (BA). De akyky + îy: *rio dos guigós*, var. de macacos.

Gragoatá (RJ). De karagûatá: *gravatás, caraguatás*, plantas bromeliáceas. (Brandão, *Diálogos*, 203)

Graíba (AL). A mesma etimologia de **Caraíba** (v.).

Grajaú (SP). De karaîá – carajá, nome de nação indígena tapuia. "*Vivem no sertão da parte de São Vicente. Foram do Norte, correndo para lá; têm outra língua.*" (Cardim, *Trat. Terra e Gente do Brasil*, 126) + 'y – rio: *rio dos carajás*.

Grapuitã (RN). De ybyrá + pytang + -a: *pau-rosado, madeira avermelhada*, o pau-brasil.

Graúna (rio do RJ). De gûyrá + un (r, s) + -a: *pássaros pretos*, nome de certas aves icterídeas.

Gravatá (PA). A mesma etimologia de **Caraguatá** (v.).

Groatá (rib. de GO). A mesma etim. de **Caraguatá** (v.).

Grupiara (MG). De kuruba + piara: *caminho do cascalho*, i.e., cascalho ralo nas faldas inclinadas das montanhas e donde se extrai ouro.

Grupiúna (ribeirão da PB). De kuruba + 'y + un (r, s) + -a: *rio escuro dos cascalhos*.

Guabiraba, Barra de (PE). De gûabiraba, planta mirtácea.

Guabiroba (córr. de MT). V. **Guabiraba**.

Guabiruparaná (rio do AM). Da língua geral setentrional, *guabiru* + *paraná*: *rio dos gabirus*.

Guaciara (nome de mulher). De kûarasy + 'ara: *dia de sol*.

Guaecá (São Sebastião, SP). Da língua geral meridional *guaicá* *, designando uma pequena árvore laurácea; canela-guaicá.

Guaíba (ilha do RJ). De kûá + aíb + -a: *enseada ruim* (i.e., pantanosa).

Guaibim (BA). De gûaîbĩ: *velha*.

Guaicuí (rio de MG). De gûaîaku – baiacu + 'y – rio: *rio dos baiacus*.

Guaimbé (SP). Termo da língua geral meridional que designa uma planta trepadeira arácea; imbé.

Guaió (Suzano, SP). É nome de índios tapuias extintos: "*Outros que chamão Guayó, vivem em casas, pellejão com frechas ervadas, comem carne humana, têm outra lingua.*" (Pe. Fernão Cardim [1585], *Do Principio e Origem dos Indios do Brasil*, 104)

Guaiquica (SP). De gûaîkuíka, *quaiquica*, cuíca, mamífero didelfídeo.

Guaiúba (praia de SP). Nome de um peixe não registrado nos séculos XVI e XVII.

Guajaí (RN). De guaîá – guaiás, guajás + 'y: *rio dos guajás*, var. de crustáceos.

Guajará (rio e baía do PA). De gûaîará: *guajarás*, plantas sapotáceas. (Silveira, *Rel. do MA*, fl. 11v)

Guajará-Mirim (RR). De gûaîará + mirĩ: *guajarás pequenos*, plantas sapotáceas.

Guajaratuba (praia do AM). De gûaîará + tyba: *ajuntamento de guajarás*, plantas sapotáceas.

Guajaraúna (PA). De gûaîará + un/a (r, s) + -a: *guajarás escuros*.

Guajeritiua, Barra de (MA). De abaîeru + tyba: *ajuntamento de guajerus*, plantas crisobalanáceas.

Guajeru (BA). De abaîeru, planta crisobalanácea.

Guajiru (RN). A mesma etimologia de **Guajeru** (v.).

Guajuru, Furo do (PA). A mesma etim. de **Guajeru** (v.).

Guajuvira (PR). De **gûaraembira**, peixe da família dos gimnotídeos. Pode ser também uma palavra da língua geral meridional que designa um arbusto da família das poligonáceas.

Guamiranga (PR). De **'ybá + pirang + -a**, talvez pela língua geral meridional: *frutos vermelhos*; nome de uma planta.

Guamirim (PR). De **'ybá + mirĩ**, talvez pela língua geral meridional: *frutos vermelhos*, nome de uma planta melastomácea.

Guanambi (BA). De **gûaînumbi**, var. de beija-flor.

Guanandi (MT). De **gûanandi**, árvore clusiácea.

Guandu (AL). A mesma etimologia de **Gandu** (v.).

Guandu-Mirim (rio do RJ). De **kûandu + mirĩ**: *cuandu (ouriço-cacheiro) pequeno*.

Guanumbi (PE). A mesma etimologia de **Guanambi** (v.).

Guaperuvu (serra de Itanhaém, SP). De *gûapurubu**, nome de uma árvore da família das leguminosas, termo da língua geral meridional.

Guapeva (Juquitiba, SP). Da língua geral meridional, nome de uma trepadeira da família das cucurbitáceas. De **'ybá + peb + -a**: *frutos achatados*.

Guapiaçu (rio do RJ). Da língua geral meridional, *guapira** (em tupi, **'yapyra**) + **-ûasu**: *grandes cabeceiras*.

Guapiara (Cajamar, SP). Mesma etim. de **Grupiara** (v.).

Guapimirim (localidade do RJ). *"Nossa Senhora D'Ajuda de Aguapeí Mirim foi seu primeiro nome, quando fundada em 1674."* (Fonte: IBGE). De **agûapé + 'y + mirĩ**: *rio pequeno dos aguapés*.

Guapitangui (arroio do RS). De **'ybá-pytanga + 'y**: *rio das pitangueiras*.

Guapituba (SP). Da língua geral meridional, *guapira** (em tupi, **'yapyra** – *VLB*, I, 61) + **tyba**: *abundância de nascentes de rios*.

Guará (SP). De **gûará**, aves ciconiformes. *"Em 1903 a Companhia Mogiana de Estrada de Ferro [...] inaugurou uma estação na região, denominando-a Guará. Escolheu esse nome devido à existência de uma lagoa próxima à parada ferroviária, onde havia uma grande quantidade de aves pernaltas de plumagem rósea, chamadas Guarás."* (Fonte: IBGE)

Guarabira (PB). De **gûaraembira** – guaraviras, peixes da família dos gimnotídeos.

Guaraçaí (SP). Árvore leguminosa, groçaí-azeite, termo da língua geral meridional.

Guaraci (SP). De **kûarasy**: *sol*. Nome atribuído artificialmente em 1921. (Fonte: IBGE)

Guaraciaba (nome de pessoa). De **gûarasŷ aba** – uma das espécies de beija-flor, guaraciaba (Cardim, *Trat. Terra e Gente do Brasil*, 35). De **kûarasy** – sol + **aba (t)** – pena: *penas de sol*.

Guaraí (ig. do PA). De **gûará + 'y**: *rio dos guarás*.

Guaramana (arroio do RS). De **guará + uman + -a**: *guarás velhos*, pela língua geral meridional.

Guaramiranga (CE). De **guará + pirang + -a**: *guarás vermelhos*.

Guarandi (MT). De **gûyraundi**, pássaro da família dos traupídeos.

Guarani (riacho de PE). De **gûarinĩ**: *guerreiro*, nome de povo indígena da América do Sul.

Guarantã (rio de SP). De **ybyrá** – árvore, madeira + **atã (r, s)** – duro, rijo: *madeira dura* (nome de uma árvore).

Guarapari (ES). De **gûará** – nome de ave + **apar** – aleijado + suf. **-ĩ**: *guará aleijadinho*.

Guarapina (RJ). De **gûará + apin + -a**: *guarás pelados*.

Guarapiranga (represa de SP). De **guará**, ave tresquiornitídea + **pirang** – vermelho + suf. **-a**: *guarás vermelhos*: *"E como naquele tempo havia muito pássaro vermelho no rio, e pequenos, intitularam ao rio Guarapiranga [...]"* (Caetano da Costa Matoso / Luís José Ferreira de Gouveia [1749], *Informação das Antiguidades da Freguesia de Guarapiranga*, 257). Dizer que um guará é vermelho pode parecer redundância, mas a questão é que a cor dessas aves varia ao longo de suas vidas: *"[...] Guará – Nasce preto, e depois vae manxando athé q' fica todo encarnado [...]"*. (Anônimo – muito provavelmente Barbosa de Sáa [1765], 171)

Guarapó (ribeirão de SP). De **sarapó**, peixes gimnotídeos. (*VLB*, II, 12)

Guarapuá (SP). A mesma etim. de **Guarapuava** (v.).

Guarapuava (PR). A primeira referência aos *Campos de Guarapuava* é de 1768: *"Por baixo do Salto Grande se acham os Campos de Guarapava [...]"* (S. Paio e Sousa [1768], 71). Essa região do atual Paraná não é o *habitat* das aves chamadas *guarás*, como imaginou Martius (*Glossaria*, 500). Estas vivem nas regiões alagadiças dos litorais e nos manguezais. Essas terras eram, sim, *habitat* do *aguará*, também conhecido como *lobo-guará* ou somente *guará*, mamífero canídeo das regiões abertas do Norte da Argentina, do Paraguai e do Brasil. Assim, a etim. do nome *Guarapuava*, da língua geral meridional, deve ser: **agûará + pu** + suf. **-aba**: *barulho dos (lobos) guarás ou lugar do barulho dos (lobos) guarás*.

Guaraqueçaba (PR). De **guará + ker + -sab + -a**: *lugar de dormir dos guarás*, aves tresquiornitídeas.

Guarará (MG). De **gûarará**: *tambores*.

Guararapes (colinas de PE). De **guarara*** – nome de uma ave + **(a)pé (r, s)**: *caminho das guararas*. "Enfeitavãose de diversas maneiras [...].ornandose de vistozas, e lustrosas pennas de araras, *guararas*, canindés, e outros pássaros [...]" (Fr. Domingos de Loreto Couto [1757], 62)

Guararema (SP). De **ybyrá + rem + -a**: *árvore fedorenta* (o pau-d'alho).

Guararu (serra de Guarujá, SP). De **gûará + ry** [de **y (t, t)**]: *rio dos guarás*.

Guaratiba (RJ). De **gûará + tyba**: *ajuntamento de guarás*, ave da família dos tresquiornitídeos.

Guaratinga (BA). De **gûaratinga**: *garças*.

Guaratinguetá (SP). De **gûaratinga** – garça + **etá (r, s)** – muitos (as): *muitas garças*.

Guaratira, Ig. da (RO). De **guará + atyra**: *monte de guarás*.

Guaratuba (rio de SP). A mesma etim. de **Guaratiba** (v.).

Guaraú (estrada de SP). De **gûará + 'y**: *rio dos guarás*.

Guaraúna (PR). A mesma etimologia de **Braúna** (v.).

Guaretá (PR). De **gûará + etá (r, s)**: *muitos guarás*.

Guariba (MA). De **gûariba** – macacos cebídeos.

Guaribe (rio do AM). De **guará + 'y + -pe**: *no rio dos guarás*.

Guaricanga (SP). Planta da família das palmáceas. Talvez uma palavra da língua geral meridional.

Guaripiranga (SP). De **gûari*** (de língua geral colonial) + **pirang + -a**: *guariúba vermelha*, árvore morácea.

Guaripu (nome de rio de SP). De **gûariba + pu**: *barulho dos guaribas*, símios da família dos cebídeos.

Guarirama (MA). De **gûariba + ama (t)**: *terra de guaribas*.

Guariroba (SP). De **ûakury + rob + -a**: *guacuris amargos, coqueiros-amargosos*, árvores palmáceas.

Guariúba (RR). De **gûari*** (de língua geral colonial) + **'yba**: *pés de guaris*, árvores moráceas.

Guarujá (SP). De **agûarausá**: *guaruçás*, var. de caranguejos.

Guarus (RJ). De **gûarugûaru**, nome de peixes ciprinodontídeos e rivulídeos.

Guatambu (Itaquaquecetuba, SP). Da língua geral meridional, nome comum a árvores apocináceas, de boa madeira.

Guatapará (SP). De **guatapará***, da língua geral meridional, uma espécie de veado.

Guataporanga, Nova (SP). De **guatá** – caminhar, caminhada + **porang** – bonito + suf. **-a**: *caminhada bonita*. Nome atribuído artificialmente em meados do século XX.

Guavirá (MT). De **gûabiraba**, nome aplicado a várias plantas mirtáceas.

Guaviru (MT). De **gûabiru**, nome de mamíferos roedores.

Guavirutuva (SP). De **gûabiru + tyba**: *ocorrência de guabirus*, mamíferos roedores.

Guaviruva (rio de SP). De **gûabiru + 'yba**: *árvore dos guabirus*, nome de uma planta não identificada.

Guaxatuba (serra de SP). De **guaxé** – guaxe, ave icterídea + **tyba**: *ajuntamento de guaxes*.

Guaxima (MG). De **gûaxima**, nome de uma planta.

Guaxindiba (ES). De **gûasunĩ** – guaxinim, animal carnívoro procionídeo + **tyba**: *ajuntamento de guaxinins*.

Guaxini (ilha do AM). De **gûasunĩ** – guaxinim, animal carnívoro da família dos procionídeos.

Guaxuma (BA). A mesma etim. de **Guaxima** (v.).

Guaxupé (MG). Nome de uma abelha da família dos melipunídeos, termo das línguas gerais coloniais: *"Abelhas – Se-tem descoberto 24 especies: Jatíhí, Jatihi merim, Mombuca [...] Uraxupé, q' faz caza nos gr^es arvoredos [...]"* (Anônimo – muito provavelmente Joseph Barbosa de Sáa [1765], 175). Stradelli (385) registra a forma **axupé**, com o mesmo sentido.

Gudiuvira (SP). Nome de peixe, talvez da língua geral meridional.

Guingó (BA). De **gûygó**, macacos cebídeos.

Guiratinga (MT). De **gûyrá** + **ting** + **-a**: *aves brancas*, garças.

Guiricema (MG). De **guiri***, **guri*** (em tupi **kuri**) nome comum aos bagres + **sema**: *saída dos bagres*. *"O povoado, primitivamente chamado Bagres, em virtude da grande quantidade de peixes dessa espécie, que viviam nas águas do rio local, teve o topônimo alterado para Guiricema pela Resolução nº 84, de 20 de novembro de 1895."* (Fonte: IBGE)

Gurijuba (rio do PA). De **kuri** + **îub** + **-a**: *guris amarelos*.

Gurinhatã (MG). De **gûyranhe'engetá**: *pássaros dos muitos cantos*, grunhatás, pássaros tiranídeos.

Guriri (RJ). Planta palmácea, termo da língua geral meridional.

Guriú (CE). De **kuri** + **'y**: *rio dos guris*, var. de peixes.

Gurupá (PA). Gurupá foi nome de uma antiga capitania do Norte, localizada no nordeste do Pará, na boca do rio Amazonas, *"na zona fisiográfica do Marajó e Ilhas. Primitivamente era habitado por índios, até que, em época desconhecida, os holandeses ali se estabeleceram, construindo feitorias e portos fortificados"* (Fonte: IBGE) A forma mais antiga é **Corupá**: *"O que de prezente se deve procurar, he o descobrimento do Rio Corupá, onde está a força do gentio [...]"* (Souza Deça [1619], *Diversos Documentos sobre o Maranhão e o Pará*, 345). De **kurub**/a + suf. **-aba**: *lugar de seixos*.

Gurupi (rio do PA). Gurupi foi uma capitania do Norte: *"Também deixei dois padres no Gurupi, que é outra capitania, sita entre o Maranhão e Pará, onde há duas aldeias de índios"*. (Pe. Antônio Vieira [1655], *Carta LXXIV – Ao rei D. João IV*, 448). De **kurub**/a + **'y**: *rio dos seixos*.

H

Humaitá (SP). Da língua geral meridional, por influência do guarani antigo, **mbaitá**, nome de pássaro verde. (Montoya, *Tes.*, 212)

I

Iacaia (MG). De **yá** + **kaîa**: *cabaças queimadas*.

Iacanga (SP). De **'y** + **akanga**: *cabeça do rio* (nome atribuído artificialmente, no século XX, em 1909).

Iacaré (cachoeira do AM). De **îakaré**: *jacarés*.

Iaci (ig. do AM). De **îasy**[2]: *jacis*, var. de palmeiras amazônicas. (Sousa, *Trat. Descr.*, 217; 299)

Iaçu (BA). De **'y** + **-ûasu**: *rio grande*.

Iaçurana (ig. do AM). De **'y** + **-ûasu** + **ran** + **-a**: *o que parece um rio grande*.

Iandara (SP). Do nheengatu **iandára**: *meio-dia* (Stradelli, 453). Nome atribuído artificialmente, no século XX.

Iapi (CE). De **îapĩ**: *japins*, pássaros icterídeos.

Iapó (rio do PR). De **'y** + **apó (s, r, s)**: *rio de raízes*.

Iapu (MG). De **îapu**: *japus*, pássaros icterídeos.

Iaquirana (AM). De **îakyrana**: *cigarras*, insetos cicadídeos.

Iara (nome de mulher). Do nheengatu *y* + *iára*: *senhora das águas*. Mito amazônico surgido no século XIX, não havendo referência a ele nos textos coloniais.

Iararaca, Ig. (AM). De îararaka, réptil crotalídeo.

Iaciara (GO). Nome atribuído artificialmente no ano de 1887. É termo de língua geral, provindo, talvez, de îeîsara: *juçara*, var. de palmeira.

Iauareté (AM). De îaûareté, mamífero felídeo.

Ibagaçaba (rio de SP). De 'ybá + ygasaba: *vasilha de frutas*, referência a uma forma produzida por erosão fluvial.

Ibaiti (PR). De 'yba + ayty (t): *ninhos das árvores*. Nome atribuído artificialmente em 1943 por um decreto-lei. (Fonte: IBGE)

Ibarama (RS). Nome atribuído artificialmente no ano de 1945. De 'yba + ama (t), corruptela de etama (t), usado no nheengatu (Stradelli, 657): *região de árvores*.

Ibaté (Araçariguama, SP). De ybaté: *o alto, as alturas*.

Ibateguara (AL). Por decreto-lei estadual de 1943, o distrito de Piquete passou a denominar-se *Ibateguara*. Foi D. Ranulfo de Farias, então Arcebispo de Maceió, quem sugeriu o topônimo (Fonte: IBGE). De ybaté + ygûara: *habitantes das alturas*.

Ibatiba (ES). Nome dado ao distrito do Rosário em 1944. De 'ybá + tyba: *ajuntamento de frutas; pomar*.

Ibatuí (BA). De 'y + matu'ĩtu'ĩ: *batuíras do rio*.

Ibiaçu (BA). De yby + -ûasu: *terra grande*. É nome artificial, atribuído em 1943.

Ibiama (ladeira de Salvador, BA). De yby-'ama: *terra levantada*. (*VLB*, I, 52)

Ibiapaba (serra entre o CE e o PI). De yby + 'apaba [do verbo 'ab + suf. -ab + -a]: *terra fendida, terra talhada*. "O nome **Ibiapaba** na lingua dos naturaes, vai o mesmo que **Terra talhada**." (Luiz dos Santos Vilhena [1801], 690)

Ibiapina (chapada do CE). De yby + 'apin + -a: *terra pelada*.

Ibicaba (SP). De ybykaba: *ubacaba*, planta mirtácea.

Ibicatu (CE). De yby + katu: *terra boa*.

Ibiciritaba (CE). De yby – terra + syryk – escorregadio + suf. -(t)ab + -a: *lugar de terra escorregadia*.

Ibicoara (BA). De yby + kûara: *buraco da terra*.

Ibicuã (CE). De yby + pu'am[1] (ou pu'ã): *terra erguida*. (A substituição de *pwa* por *kwa*, *pwe* por *kwe* é comum em muitas línguas da família tupi-guarani.) É nome atribuído artificialmente à estação de Miguel Calmon (Piquet Carneiro, CE).

Ibicuara (arroio do RS). A mesma etim. de **Ibicoara** (v.).

Ibicuí (RJ). De yby + ku'i: *farinha de terra, areia*.

Ibicuitaba (CE). De yby + ku'i + -t- + -aba: *lugar de farinha de terra, lugar de areia*.

Ibicuitinga (CE). De yby + ku'i + ting + -a: *areia branca*. Nome atribuído artificialmente na década de quarenta ao distrito cearense de Areia Branca, no município de Morada Nova (CE).

Ibipeba (BA). De yby + peb + -a: *terra achatada, terra plana*.

Ibipira (BA). De yby + byr + -a: *terra erguida*.

Ibipitanga (BA). De yby + pytang + -a: *terra parda*.

Ibiporanga (BA). De yby + porang + -a: *terra bonita*.

Ibiquera (BA). De yby + ker + -a: *terra dormente*.

Ibirá (SP). De ybyrá: *árvores*. Nome atribuído artificialmente em 1906.

Ibiraba, Lagoa da (PI). De ybyraba – árvore lecitidácea.

Ibiracatu (MG). De ybyrá + katu: *árvores boas*, nome atribuído artificialmente ao povoado de Gameleiras, em 1925.

Ibiraci (MG). De ybyrá + ysy (t): *fileira de árvores, árvores enfileiradas*. Nome atribuído em 1923.

Ibiracica (MG). De ybyrá + ysysk/a + -a: *árvores resinosas*.

Ibiraçu (ES). De ybyrá + -ûasu: *árvore grande*. Só "em 1943 o município passou a chamar-se **Ibiraçu**, que significa Pau Gigante.*"* (Fonte: IBGE)

Ibirajá (BA). De **ybyrá** + **îá**: *repleção de árvores, repleto de árvores*.

Ibirajuba (PE). De **ybyrá** + **îub** + **-a**: *árvore amarela*. *"Em 1933, por sugestão do escritor Mario Melo, a povoação de Gameleira passou a se chamar **Ibirajuba** [...]"*. (Fonte: IBGE)

Ibirama (SC). De **ybyrá** + **ama (t)**, variante de **etama (t)**, usada no nheengatu (Stradelli, 657): *região de árvores*. Nome dado em 1943.

Ibiranhém (BA). De **ybyrá** + **nha'ẽ**: *prato de madeira*. Nome dado em 1944 ao distrito de Aimorés. (Fonte: IBGE)

Ibirapitanga (BA). De **ybyrá** + **pytang** + **-a**: *pau-rosado*, o pau-brasil.

Ibirapuera (SP). De **ybyrá** + **pûer** + **-a**: *árvores velhas*.

Ibirarema (SP). A mesma etim. de **Guararema** (v.).

Ibirataia (BA). De **ybyrataîa**: *madeira ardida, plantas anonáceas*. (Sousa, *Trat. Descr.*, 221)

Ibiratinga (PE). De **ybyrá** + **ting** + **-a**: *árvore branca, pau branco*. *"Pelo decreto-lei estadual nº 235, de 09-12-1938, o município passou a ser grafado Sirinhaém e o distrito de Pau Branco passou a denominar-se **Ibiratinga**."* (Fonte: IBGE)

Ibiraúna (BA). De **ybyrá** + **un (r, s)** + **-a**: *madeira escura*, braúna, árvore leguminosa.

Ibiriba (BA). De **ybyryba**: *biribá, biriba*, árvore mirtácea.

Ibirité (MG). De **ybyra**[4] – verdor, frescura (*VLB*, II, 144) + **eté (r, s)**: *muito verdor*. Nome dado em 1923.

Ibirubá (RS). De **ybyryba**: *biribá, biriba*, árvore mirtácea.

Ibitiguaia (MG). De **ybytyra** + **ûaîa (t)**: *cauda do morro, vale*.

Ibitimirim (MG). De **ybytyra** + **mirĩ**: *morro pequeno*.

Ibitinema (RJ). De **ybytyra** + **nem** + **-a**: *morro fedorento*.

Ibitinga (SP). De **yby** + **ting** + **-a**: *terra branca*. É nome do século XIX: a família Landim fundou a *"Vila do Senhor Bom Jesus de Ibitinga"* por volta de 1860, ainda na época em que a língua geral meridional era usada na província de São Paulo. (Fonte: IBGE)

Ibitipoca (MG). De **ybytyra** – montanha + **pok** – estourar + suf. **-a**: *montanhas estouradas* (i.e., com grutas). O Parque Estadual do Ibitipoca possui a segunda maior gruta de quartzito do planeta. É nome do século XVIII: *"Neste dia se me mostrou para a parte de oeste uma altíssima serra chamada da **Ibitipoca**, de que nasce o rio Paraibuna [...]"* (Caetano da Costa Matoso [1749], 894)

Ibitira (BA). De **ybytyra**: *serra; morros*.

Ibitirama (ES). De **ybytyra** + **ama (t)**, variante de **etama (t)**, usada no nheengatu (Stradelli, 657): *região de montanhas*. *"Pelo decreto-lei estadual nº 15177, de 31-12-1943, o distrito de Caparaó passou a denominar-se **Ibitirama**."* (Fonte: IBGE)

Ibitiruí (antigo nome do Serro Frio, em Diamantina, MG). De **ybytyra** + **ro'y**: *serro frio, morro frio*. *"Antônio Soares [...] chegou ao Serro do Frio, nome que os portugueses traduziram em língua própria: sendo que na gentílica é **Hyvituruhy**, que quer dizer **Serro do Frio**, aludindo ao muito enregelado frio, que faz pelo cume daquela Serra, com frigidíssimos ventos [...]"* (Manuel José Pires da Silva Pontes [n.d.], 47)

Ibitiruna (MG). A mesma etimologia de **Ibituruna** (v.).

Ibitiúra (MG). De **ybytuura**: *vinda de ventos, furacão, ventania*. (*VLB*, I, 145)

Ibitu (SP). De **ybytu**: *ventos*. Nome dado em 1944.

Ibitupã (BA). De **yby** + **tupã**: *terra divina*. Nome atribuído artificialmente no século XX.

Ibituporanga (RJ). De **ybytyra** + **porang** + **-a**: *morro bonito; serra bonita*.

Ibituruna (MG). De **ybytyra** + **un (r, s)** + **-a**: *serra escura*. É nome que deve remontar ao século XVII: *"[...] olhando para o Sul vimos ao longe uma Serra que nos disseram ser da **Ibituruna**."* (desconhecido [1704], *Encontrando quilombos*, 98)

Ibiúna (SP). De **yby** + **un (r, s)** + **-a**: *terra escura*. Em 1811 recebia o nome de *Nossa Senhora das Dores do Una*. *"A tradição simplificou a denominação do povoado para Una, por localizar-se a capela nas proximidades do rio* *de igual nome.*" (Fonte: IBGE). Só em 1944 foi adotado o nome *Ibiúna*.

Iboiaçu (ig. do AC). De **'y + mboîa + -ûasu**: *cobra grande do rio*.

Ibotirama (BA). De **'ybotyra + ama (t)**, corruptela de **etama (t)**: *região de flores*. Nome atribuído artificialmente em 1943 para o arraial *Bom Jardim*.

Ibuaçu (CE). De **'yba + -ûasu**: *paus grandes*.

Ibuguaçu (CE). De **yby + -ûasu**: *terra grande*.

Iburá (SE). De **ybyrá**: *árvores*.

Içá, Rio do (AM). De **ysá**, a fêmea da saúva.

Icaiçara (PE). De **'y + kaysá**: *caiçara do rio*.

Icatu (rio do MA). De **'y + katu**: *águas boas*. Entre os anos de 1757 e 1759, confirmado por lei provincial de 1835, transfere-se o nome da sede da antiga vila de Águas Boas para *Icatu*.

Iconha (ES). De **'y + kõî/a + -a**: *rios gêmeos*. Nome surgido em meados do século XIX. (Fonte: IBGE)

Ieiú, Lagoa (PI). De **îeîu**: *jiju, jeju*, peixes de mar.

Igaçaba (SP). De **ygasaba**, talha indígena.

Igaci (AL). Nome atribuído artificialmente em 1904 à localidade de *Olho D'Água do Acioli*. Quis-se verter *olho d'água* para o tupi e pôs-se o nome *Igaci*, que significa, na verdade, *água ruim* [**'y + asy (r, s)**]. Cremos que se tentou homenagear o antigo povoador *Acioli*.

Igapó (PE). A mesma etimologia de **Iapó** (v.).

Igara (BA). De **ygara**: *canoas*.

Igaraçu (PE). De **ygara + -usu**: *canoa grande, navio*. A primeira datação é do século XVI: "*Na capitania de Pernabuco alem da villa principal chamada Olinda ha outra que se chama Igaraçú que dista della cinco léguas [...]*" (Anchieta [1584], *Enformaçaõ do Brasil e de Suas Capitanias*, 427)

Igaraí (SP). De **ygara + 'y**: *rio das canoas*.

Igarapava (SP). De **ygara + ub/a + -aba**: *lugar de estarem deitadas as canoas, porto de canoas*.

Igarapé (MG). De **ygara + (a)pé (r, s)**: *caminho de canoas*: "*[...] o mar se comunica com os ditos esteiros, que os naturaes chamam garapés, que quer dizer caminho de canoas, como na verdade o são: porque os navegantes, temendo a braveza do mar no descuberto das costas, buscam sempre o asilo dos garapés, por mais seguros.*" (Pe. João Daniel [1757], 80)

Igarapé-Açu (PA). De **ygara + (a)pé (r, s) + -ûasu**: *caminho grande de canoas*.

Igarapé-Mirim (PA). De **ygara + (a)pé (r, s) + mirĩ**: *caminho pequeno de canoas*. "*Chama-se o furo – iguarapé merim – que soa na língua brasílica – pequeno caminho de canoas.*" (Pe. João Daniel [1757], 46). "*[...] o conduzio outro novo eftreito, a que daõ o nome de Igarapémirim (que quer dizer caminho apertado de canoas) [...]*" (Bernardo Pereira de Berredo [1718], 321)

Igarapeba (PE). De **ygara + peb + -a**: *canoa achatada*.

Igarité (BA). De **ygara + eté (r, s)**: *canoa muito boa*, var. de embarcação.

Igatiquira (BA). De **ygá ou yá + tykyra**: *gotas de cabaça*.

Iguá (BA). De **'y + kûá**: *enseada de rio*.

Iguaba (BA). De **'y + 'u + -ab(a)**: *lugar de beber água*, bebedouro.

Iguaçu (PR). De **'y + -ûasu**: *rio grande*. Primeira datação: "*Êste assento, de que falo, principia logo acima do Rio Mourão, e vem acabar defronte do Salto do Iguaçu, mediando a cordilheira, que o acompanha.*" (S. Paio e Sousa [1769], *Diário*, 200)

Iguaguaçu (SP). De **'y + kûá + -ûasu**: *grande enseada de rio*.

Iguaíba (MA). De **'y + kûá + aíb + -a**: *enseada ruim de rio*, i.e., que não se presta para porto de canoas.

Iguape (SP). De **'y + kûá + -pe**: *na enseada do rio*.

Iguara (denominação de várias localidades do Brasil). De **'y + kûara**: *buraco da água*, i.e., *fonte*.

Iguaraci (PE). De **'y + kûara + asy (r, s)**: *fonte ruim, fonte pestilenta*. Nome atribuído em 1948.

Iguatama (MG). Nome atribuído artificialmente em 1943 a partir das palavras tupis **'y + kûá + etama (t)**: *terra da enseada do rio*, para se referir a um remanso do rio São Francisco. (Fonte: IBGE)

Iguatemi (rio de MT e de MG). De **ygara** – canoa + **tĩ** – proa, ponta + **'y** – rio: *rio das canoas emproadas*: "[...] *ygatimy, Rio de proa ajuda.*" (Taunay, *Relatos Monçoeiros*, 100)

Iguatu (MA). De **'y + katu**: *água limpa*.

Iguira (BA). De **'y + gûyr + -a**: *águas fundas*. Topônimo artificial de 1943.

Ii-Tapuia (AM). De **'y + tapuia**: *cabana do rio*, da língua geral setentrional.

Ijucapirama (RS). De **i îuká-pyr-ama**: *os que serão mortos* (v. **îuká**). Nome de um poema de Gonçalves Dias.

Imbaúba (córr. de MT). A mesma etim. de **embaúba** (v.).

Imbé (MG). Nome de uma planta arácea (**ysypoimbé**). (Sousa, *Trat. Descr.*, 224)

Imbetiba (RJ). De **imbé + tyba**: *ajuntamento de imbés*.

Imbira, Baixa da (BA). De **embyra** – var. de árvores.

Imbiruçu (catarata de MT). De **embyrusu**: *grandes embiras*, plantas bombáceas. (Sousa, *Trat. Descr.*, 216)

Imbituba (PR). De **imbé** (de **ysypoimbé**) + **tyba**: *ajuntamento de cipós-imbés*.

Imbituva (PR). A mesma etimologia de **Imbituba** (v.).

Imboacica (lagoa do RJ). De **'yemby + asyk + -a**: *esteiro cortado*.

Imbuí (ES, BA, RJ). De **imbu + 'y**: *rio dos imbus*, árvores fitolacáceas ou, ainda, de **mboî/a + 'y**: *rio das cobras*.

Imburana (GO). De **imbu + ran + -a**: *falsos imbus*.

Imburi (RJ). De **embyr/a + 'y**: *rio das embiras*.

Imburuçu (rib. de GO). Mesma etim. de **Imbiruçu** (v.).

Imbutuva (rio do PR). De **mboî/a + tyba**: *ajuntamento de cobras*.

Imirim (SP). De **'y** – rio + **mirĩ** – pequeno: *rio pequeno*.

Inajá (GO). A mesma etimologia de **Indaiá** (v.).

Inajatuba (ilha de RR). Mesma etim. de **Indaiatuba** (v.).

Inambu (AM). De **îambu**, aves tinamídeas.

Indaiá (Bertioga, SP). De **inaîá**, espécie de palmeira.

Indaiabira (MG). De **inaîá + byr + -a**: *indaiás empinados*.

Indaiaçu (RJ). De **inaîá + -ûasu**: *indaiás grandes*.

Indaiatuba (SP). De **inaîá + tyba**: *ajuntamento de indaiás*, var. de palmeiras.

Inema (BA). De **'y + nem + -a**: *água fedorenta*.

Ingá, Boa Vista do (Santana de Parnaíba, SP). De **ingá**, árvores leguminosas. (D'Abbeville, *Histoire*, 226)

Ingaí (rio de MG). De **ingá + 'y**: *rio dos ingás*.

Inhacuru (rio do MT). Variedade de milho nativo: "*Há porém ainda nesta mesma espécie outras castas de milho [...] já bem conhecidos. Além do graúdo, há o segundo, a que os naturaes chamam mapira inhacuro [...]*" (Pe. João Daniel [1757], 311)

Inhaí (rio de MG). Da língua geral meridional *inhaíba* ★ – grande árvore lecitidácea + **'y**: *rio das inhaíbas*.

Inhambu (ig. do AM). De **îambu**, aves tinamídeas.

Inhambupe (rio da BA). De **îambu + 'y + -pe**: *no rio dos inhambus*.

Inhamum, Ilha do (BA). De **îambu**, aves tinamídeas.

Inhamuns (CE). Mesma etimologia de **Inhamum** (v.).

Inhanduba (riacho do CE). De **îandu + 'yba**: *planta dos nhandus*.

Inhanduva (rio do RS). Mesma etim. de **Inhanduba** (v.).

Inhangá (MG). De **'y + anhanga**: *diabo do rio*.

Inhapi (AL). De **îapĩ**, *japim, japi*, pássaros icterídeos.

Inhapim (MG). A mesma etimologia de **Inhapi** (v.).

Inhatá (BA). De **'y-atã**: *rio direito*. (Anch., *Arte*, 6v)

Inhatium, Banhado do (RS). De **îati'ũ** – inseto culicídeo.

Inhaúma (PE). De **'y + nhau'uma**: *rio enlameado*. Pode também provir de **anhyma**: *anhima, inhaúma*, ave anhimídea. (Marcgrave, *Hist. Nat. Bras.*, 215)

Inhobi (rio do MT). De **'y + oby (r, s)**: *água azul*.

Inhombim (BA). A mesma etimologia de **Inhobi** (v.).

Inhomirim (rio do RJ). Provavelmente de **anhuma + mirĩ**: *pequenas inhaúmas, aves das regiões pantanosas tropicais e subtropicais*. "*Chegamos à boca do rio de **Inhomirim** pelas nove e meia. Tem este rio dois tiros de mosquete de largura, com bastante profundidade, entrando por ele embarcações do alto [...]*" (Caetano da Costa Matoso [1749], 884)

Inhuma (PI). A mesma etimologia de **Inhaúma** (v.).

Inhuporanga (CE). De **anhuma + porang + -a**: *belas anhumas*.

Intãs (BA). De **itã**, *itã, intã*, concha bivalve de mexilhões que era usada como cuia pelos índios.

Iobi (BA). De **'y + oby (r, s)**: *rio azul (ou verde)*.

Ipaba (MG). De **upaba**: *lagoa*.

Ipaguaçu (CE). De **upaba + ûasu**: *lagoa grande*.

Ipameri (GO). De **upaba + mirĩ**: *lagoa pequena*.

Ipanema (bairro do RJ). De **'y + panem + -a**: *rio aziago, rio azarado* (i.e., sem peixes).

Ipanguaçu (RN). De **ypa'ũ + ûasu**: *ilha grande*. "... *Nome de um pajé, guerreiro potiguar, que decisivamente auxiliou a fixação colonizadora dos portugueses no Potengi [...]*" (Fonte: IBGE)

Ipaporanga (CE). De **upaba + porang + -a**: *lagoa bonita*.

Ipatinga (MG). De **upaba + ting + -a**: *lagoa clara*.

Ipauçu (SP). De **'ypa'ũ + -usu**: *ilha grande*.

Ipaupixuna (cachoeira do PA). De **'ypa'ũ + pyxun + -a**: *ilha escura*.

Ipecaetá (BA). De **ypeka + etá (r, s)**: *muitos patos*.

Iperó (SP). De **yperoba**: *casca amarga*, árvores apocináceas ou bignoniáceas.

Iperoig (SP). De **iperu + 'y**: *rio dos tubarões*. Nome da localidade onde Anchieta e Nóbrega ficaram reféns dos tamoios em 1562-1563.

Ipeúna (SP). Nome atribuído artificialmente em 1944, significando *ipê escuro*. A palavra *ipê*, por sua vez, deve provir das línguas gerais coloniais. A primeira datação conhecida é de 1765. (Anônimo – muito provavelmente Joseph Barbosa de Sáa, 221)

Ipiaçava (ig. do PA). De **'y** – rio + **peasaba**[1] – peaçaba, peaçava, caminho que vai do sertão para a praia (*VLB*, II, 83): *rio-peaçava*, i.e., rio que serve de caminho.

Ipiaçu (MG). Nome atribuído em 1953 ao *Fundão*, distrito de Ituiutaba. De **ypy (r, t) + -ûasu**: *muito fundo*.

Ipiaú (BA). Nome atribuído artificialmente em 1944 ao município de *Rio Novo*, desmembrado de Jequié. Em tupi antigo seria *Ipiçaçu* ('y – rio + **pysasu** – novo). A forma **Ipiaú** é do guarani.

Ipiíba (RJ). Da língua geral meridional, *ipeúba**: "*Madeira de grande duração, e só o fogo a pode extinguir [...]*" (Anônimo – muito provavelmente Joseph Barbosa de Sáa [1765], 221)

Ipiranga (rib. de SP). De **'y + pirang + -a**: *rio vermelho, água vermelha*. "*No seguinte dia passei as celebres cachoeiras Caracol e Funil, e os Sete Peccados, que são sete pequenas cachoeiras, até entrar pelo ribeirão de **Ipiranga** á direita.*" (Martim Francisco Ribeiro de Andrada [1805], *Diario de uma Viagem Mineralógica*, 541)

Ipitanga (BA). De **'y + pytang + -a**: *rio pardo*.

Ipitinga (cachoeira do AP). De **'y + piting + -a**: *rio pintado*.

Ipiúna (BA). De *ipeúna**, árvore bignoniácea: *ipê escuro*. Termo da língua geral setentrional.

Ipixuna (MA). De **'y + pyxun + -a**: *rio escuro*.

Ipoca (ig. do AM). De **'y + poka**: *estouro d'água*.

Ipoeira (MT). De **'y + pûer + -a**: *o que eram rios*, *ipueira*, lagoeiro formado nos lugares baixos pelo transbordamento dos rios.

Ipojuca (PE). De 'y + apó + îuk + -a: *água das raízes podres*. Nome do século XVI: "*... mistura-se ao entrar do salgado com o rio de Ipojuca [...]*" (Sousa, *Trat. Descr.*, XVII)

Ipomonga (PA). De 'y + pomong + -a: *água viscosa*.

Ipopoca (rio da PB). De 'y + pok (na forma reduplicada: popok) + -a: *água que estoura*.

Iporanga (SP). De 'y + porang + -a: *rio bonito*.

Ipu (CE). De 'y + pu: *rio barulhento*. Nome dado por lei de 1840, *Vila Nova do Ipu Grande*. (Fonte: IBGE)

Ipuã (SP). Nome atribuído artificialmente em 1944 ao distrito de *Olho d'Água*. A bem dizer, isso seria, em legítimo tupi clássico, **Icuara** (de 'y + kûara) ou **Itororoma**.

Ipuama, Cachoeira do (PA). De 'y + pu'am + -a: *água que se levanta*.

Ipuca (RJ). De 'y + puk + -a: *rio esburacado*.

Ipucaba (BA). De 'y + puk + suf. -aba: *fenda d'água*.

Ipuçaba (CE). De 'y + pu + -sab + -a: *lugar de água barulhenta*.

Ipueira (lago de GO). De 'y + pûer + -a: *o que foi rio, ipueira*, i.e., lagoeiro formado pelo transbordamento dos rios nos lugares baixos.

Ipupiara (BA). De 'y + pupé + yûara: *o que mora dentro do rio*, nome de uma entidade sobrenatural dos antigos tupis: "*Estes homens marinhos se chamão na lingua Igpupiára; têm-lhe os naturaes tão grande medo que só de cuidarem nelle morrem muitos, e nenhum que o vê escapa [...]*" (Pe. Fernão Cardim [1585], 50)

Iquiririm (rua de SP). De 'y + kyrirĩ: *rio silencioso*.

Iracema (AM). Do nheengatu irá + sema: *saída de abelhas, enxame* (Stradelli, 475). A etimologia *lábios de mel*, dada por José de Alencar, não procede.

Iraci (PE). De eíra + sy: *mãe do mel*, var. de abelha.

Iraí (BA). De eíra + 'y: *rio das abelhas*.

Iraietê (ig. do AM). De eíra – abelha + 'y-eté – rio de água doce (*VLB*, I, 24): *rio das abelhas*.

Iraípe (BA). De eíra + 'y + -pe: *no rio das abelhas irás*.

Iraiti (ig. do AM). Do nheengatu, "*cera, breu, o mel que se usa para conservar úmido o tabaco em corda*". (Stradelli, 475)

Irajá (CE). De eíra + îá: *repleto de mel; repleto de abelhas*.

Irajaí (BA). De eíra + îá + 'y: *rio repleto de abelhas*.

Irajuba (BA). De eíra + îub + -a: *mel amarelo*. Nome artificial do século XX.

Iramaia (BA). Do nheengatu ira + mãia (de mãe, do português): *mãe do mel*, i.e., *abelha(s)*.

Irapara (rio do PA). De ûyrapara ou ybyrapara (*pau torto*): *tacape*.

Irapé (MG). De eíra + (a)pé (r, s): *caminho das abelhas*.

Irapoã (PI). A mesma etimologia de **Irapuã** (v.).

Iraporanga (BA). De gûyrá + porang + -a: *aves bonitas*.

Irapuã (SP). De eirapu'a – *abelhas meliponídeas*.

Irapuru (PA). Do nheengatu uirá + puru: *ave enfeitada*.

Irara (MG). De eîrara – *animal mustelídeo*.

Irateua (PA). Do nheengatu irá + téua ou tyua: *abundância de mel*.

Iratinga (CE). De ûyrá + ting + -a: *aves brancas*, garças.

Irauçuba (CE). Nome atribuído artificialmente em 1899: "*A partir de junho de 1899, o desembargador Álvaro de Alencar, de acordo com o povo, conseguiu mudar o topônimo para Irauçuba, que na língua indígena significa "amizade"*" (Fonte: IBGE). Na verdade, o nome correto deveria ser **Ioauçuba**. (*VLB*, I, 34)

Irecê (BA). Nome atribuído artificialmente em 1896. "*É um nome indígena, dado pelo Tupinólogo Teodoro Sampaio, em substituição ao nome Carahybas. Irecê significa 'pela água, à tona d'água, à mercê da corrente'.*" (Fonte: IBGE). Nome incorreto: em tupi antigo, "*pela água*" é 'y rupi e não 'y resé.

Iretama (PR). Nome artificial, atribuído em 1954, da composição de eíra + etama (t): *terra do mel*. (Fonte: IBGE)

Iriri (rio do ES). De **'y** + **reri**: *rio de ostras*. *"Da villa de Benavente em distancia de uma legua encontrei o rio Iriri pequeno, que dá passagem em maré vasia."* (Navarro de Campos [1808], 456)

Iriritiba (ES). De **'y** + **reri** + **tyba**: *jazida de ostras de rio*.

Irituia (PA). É nome do tupi antigo. De **eíra** – mel + **tuîa** – transbordamento: *transbordamento de mel*. Distrito criado em 1839. (Fonte: IBGE)

Itabapoana, Bom Jesus do (RJ). De **'y-kûaba-pûana** – corrente d'água (no rio ou no mar). (*VLB*, I, 82)

Itaberaba (MG). De **itá** + **berab** + **-a**: *pedras brilhantes, pedras luzentes*: *"[...] Acharam mostras de ouro na povoação que hoje é chamada Itaverava, e já então assim a denominava o gentio; é vocábulo de língua brasílica que quer dizer: **Pedra luzente**"*. (Manuel José Pires da Silva Pontes [n.d.], 25)

Itaberaí (GO). De **itá** + **berab** + **'y**: *rio das pedras brilhantes*.

Itabira (serra de MG). De **itá** + **byr** + **-a**: *pedras erguidas*.

Itabiraçaba (MG). De **itá** + **byr** + **asaba (t)**: *travessia de pedras empinadas*.

Itaboca (RJ). De **itá** + **bok** + **-a**: *pedras rachadas*.

Itaboraí (RJ). De **itá** + **berab/a** + **'y**: *rio das pedras brilhantes*.

Itabuna (BA). De **itá** + **abuna** – homem vestido de preto, padre (Vieira, *Cartas*, I, 382): *padre de pedra*, referência à formação rochosa que semelha um padre.

Itacaiuna (rio do PA). De **itá** + **ka'i** + **un** + **-a**: *macaco caí escuro de pedra*.

Itacambira (MG). De **itá** + **akanga** + **apyr** + **-a**: *pedra da cabeça pontuda*.

Itacarambi (MG). De **itá** + **karaî** + **'y**: *rio das pedras arranhadas*.

Itacaré (BA). De **itá** + **îakaré**: *jacaré de pedra*.

Itacatu (PE). De **itá** + **katu**: *pedras limpas*.

Itacava (BA). De **itá** + **ká** + suf. **-aba**: *lugar de quebrar pedras*.

Itaci (MG). A mesma etimologia de **Itaici** (v.).

Itacima (CE). De **itá** + **sym** + **-a**: *pedras escorregadias*.

Itacira (BA). De **itá** + **syra**: *enxada de ferro*.

Itacoatiara (AM). *"Nas margens do Amazonas há ũa paragem, entre Pauxiz, e a foz do Rio Madeira, chamada na língoa dos índios naturaes – Itacotiara – que quer dizer – **pedra pintada ou debuxada**; vem-lhe o nome de várias figuras, e pinturas delineadas naquelas pedras; e pouco mais acima estão estampadas em outras pedras algũas pegadas de gente."* (Pe. João Daniel [1757], 61-62). De **itá** + **kûatiar** + **-a**: *pedras pintadas*. São marcas do homem pré-histórico brasileiro.

Itacoca (rib. do PR). De **itá** + **kok** + **-a**: *encosto da pedra*.

Itacoera (rio do PA). De **itá** + **pûera**: *pedras velhas*.

Itacolomi (MG). De **itá** + **kunumĩ**: *menino de pedra*, formação rochosa que semelha um menino.

Itaçu (ES). De **itá** + **-ûasu**: *pedra grande*.

Itacuaí (rio do AM). Do nheengatu *itacuã* – pedra amarelada com que se alisa a louça de barro feita à mão (Stradelli, 477) + **y**: *rio do itacuã*.

Itacuaxiara (SP). Mesma etimologia de **Itacoatiara** (v.).

Itacuru (SP). Mesma etimologia de **Itacuruba** (v.).

Itacuruba (PE). De **itá** + **kuruba**: *grãos de pedra, seixos*.

Itacurubi (BA). De **itá** + **kurub/a** + **'i**: *seixinhos de pedra*.

Itacuruçá (RJ). De **itá** + **kurusá**: *cruz de pedra*.

Itaetá (arroio do RS). De **itá** + **etá (r, s)**: *muitas pedras*.

Itaeté (BA). De **itá** + **eté (r, s)**: *pedra a valer*.

Itagi (BA). De **itá** + **îy**: *rio das pedras*.

Itagibá (BA). De **itá** + **îybá**: *braço de pedra*.

Itaguá (praia de Ubatuba, SP). De **itá** + **ku'a**: *pedras bojudas* ou **itá** + **kûá**: *enseada de pedras*.

Itaguaba (MG). De **itã** + **'y** + suf. **-aba**: *lugar de comer ostras.*

Itaguacira (pico de Mogi das Cruzes, SP). De **itá** – pedra + **ku'a**³ – grosso, bojudo (*VLB*, I, 150) + **asyr** – corcovado (*VLB*, I, 30) + suf. **-a**: *pedra grossa corcovada.*

Itaguaçu (Atibaia, SP). De **itá** + **-ûasu**: *pedra grande.*

Itaguá-Guaçu (SP). De **itá** + **ku'a**³ – grosso, bojudo (*VLB*, I, 150) + **-ûasu**: *pedra muito bojuda.*

Itaguaí (rio do RJ). De **itá** + **kûá** + **'y**: *rio da enseada de pedra.*

Itaguara (MA). De **itá** + **kûara**: *buraco das pedras.*

Itaguaré (Bertioga, SP). Da língua geral meridional, **itá** + **jaguaré** * – um animal carnívoro: *jaguaré de pedra.*

Itaguari (rio da BA). De **itá** + **kûara** + **'y**: *rio do buraco das pedras.*

Itaguira (BA). De **itá** + **gûyr** + **-a**: *pedras baixas.*

Itaí (SP). De **itá** + **'y**: *rio das pedras.*

Itaiacoca (PR). De **itá** + **îekok** + **-a**: *pedras encostadas.*

Itaíba (PE). *"Pelo decreto-lei nº 92, de 31-03-1938, o distrito de Pau Ferro, aparece com a denominação de Itaíba."* (Fonte: IBGE). Houve, aí, uma tentativa malograda de algum tupinista amador e despreparado de traduzir um topônimo em língua portuguesa para o tupi. Acontece que *pau-ferro*, em tupi antigo, é *ybyraitá*, planta da família das leguminosas (*Caesalpinea ferrea* Mart.). (Sousa, *Trat. Descr.*, 217)

Itaiçaba (CE). Nome atribuído artificialmente em 1938: *"Cortado pelo Rio Jaguaribe, num imenso vale, surgiu o lugarejo Passagem das Pedras, onde se situa Itaiçaba."* (Fonte: IBGE). De **itá** + **asab** + **-a**: *passagem das pedras.*

Itaici (SP). De **itá** + **ysy (t)**: *fileira de pedras.*

Itaim (SP). De **itá** + **-ĩ**: *pedrinhas.*

Itaimbé (ES). A mesma etimologia de **Itambé** (v.).

Itaipaba (CE). De **itá** + **upaba**: *lagoa das pedras,* itaupaba, itaupava, barra transversal, recife ou rocha, por cima da qual passam as águas de um rio. *"Este primeiro rio, a que chamam Tietê, é o mais cheio de cachoeiras e das peores. O fundo d'elle é quasi todo pedra, quando esta é assentada por igual, mas com pouco fundo, de modo que algumas partes era calháo, onde roçam as canôas; chamam a isto itaupaba [...]."* (D. Antonio Rolim [1751], *Relação*, 475)

Itaípe (BA). De **itá** + **'y** + **-pe**: *no rio das pedras.*

Itaipu (PR). De **itá** + **'y** + **pu**: *rio barulhento das pedras.*

Itaiquara (SP). De **itá** + **'y** + **kûara**: *rio esburacado das pedras.*

Itaitá (rio do PA). De **itá** + **etá (r, s)**: *muitas pedras.*

Itaitu (BA). De **itá** + **ytu**: *cachoeira de pedras.*

Itaituba (SP). De **itá** + **-ĩ** + **tyba**: *ajuntamento de pedrinhas, de pedregulhos.*

Itaiuba (BA). De **itá** + **îub** + **-a**: *pedras amarelas, ouro. "[...] naquela serra havia muito itaiúba – que quer dizer ouro [...]"* (Caetano da Costa Matoso [1749], 931)

Itajá (GO). De **itá** + **îá**: *repleto de pedras.*

Itajacu (PR). De **itá** + **îaku**: *jacu de pedra* (i.e., formação rochosa que lembra essa ave).

Itajaí (SC). De **itá** + **îá** + **'y**: *rio repleto de pedras.*

Itajaí Mirim (SC). De **itá** + **îá** + **'y** + **mirĩ**: *rio pequeno repleto de pedras.*

Itajibá (BA). Era um antropônimo tupi: *"no anno de feifcẽtos, & dez, hũ Carlos de Vóhus Frances, que fe criàra antre eftes Indios,& hera grande tapijar, & practico na fua lingoa (à que o Gentjo pos nome ITÀJUBÀ, que quer dizer braço de ferro) veyo a França"* (Cap. Symão Estacio da Sylveira [1624], *Relação*, 7). Nome dado a uma localidade da Bahia em 1947, alusão à coragem de seu povo... (Fonte: IBGE)

Itajobi (SP). Nome artificial: distrito criado com a denominação de *Itajubi* em 1906. Poderia ser um topônimo com significado se proviesse da composição de **itá** + **îá** + **oby**: *repleto de pedras verdes.* Mas parece que foi Teodoro Sampaio quem criou o nome, dando-lhe outra significação, que não procede.

Itajubá (MG). De **itá** + **îub** + **-a**: *pedras amarelas,* i.e., ouro. O nome original era "Soledade de Itajubá". (Fonte: IBGE)

Itajubaquara (BA). De **itá** + **îub** + **-a** + **kûara**: *buraco das pedras amarelas*, i.e., mina de ouro.

Itajubatiba (PB). De **itá** + **îub** + **-a** + **tyba**: *ajuntamento de pedras amarelas*, i.e., de ouro.

Itajuípe (BA). De **itá** + **îub** + **'y** + **-pe**: *no rio do ouro*.

Itajuru (BA). De **itá** + **îuru**: *boca das pedras*.

Itajutiba (MG). A mesma etimologia de **Itajubatiba** (v.).

Itamambuca (rio de SP). De **itá** + **mombuk** + **-a**: *fura-pedras*.

Itamaracá (PE). Segundo o *Vocabulário na Língoa Brasílica*, de 1621, *Itamaracá* significa *sino*. De **itá** – pedra + **maraká** – chocalho, maracá: *chocalho de pedra*.

Itamarandiba (MG). Nome dado em 1923 (Fonte: IBGE). Apesar de o ato de nomeação ser artificial, neste caso, o topônimo é antigo: *"[...] ao mesmo Dom Rodrigo fêz entrega da feitoria do Arraial de São João e das Minas até Itamirindiba."* (Pedro Taques, *Notícias das Minas*, 82); *"[...] deixando descuberto todo aquelle espaço partirão para Itamarandiba que hé Rio muito fertil de peixe e propriamente significa Pedra pequena e buliçosa [...]"* (Luiz dos Santos Vilhena [1801], 677). De **itá** + **mirĩ** + **tyba**: *ajuntamento de pedras pequenas*.

Itamarati de Minas (MG). Caetano da Costa Matoso (1749, 886) escreveu que tal nome significa *pedra pequena*. Tal etimologia, porém, não parece estar correta. Este topônimo deve provir do guarani ou da língua geral paulista. De **itá** – pedra + **morotĩ** – branco (in Montoya, *Tesoro*, 1876): *pedra branca*.

Itambacuri (rio de MG). De **tabacuri**, nome de povo indígena extinto: *"[...] os que com elles confinão pello Norte, nas cabeceiras e visinhanças do rio de S. Matheus, são Capoxi, [...] Curuxú, Tabacuri e o Apinxó."* (Luiz dos Santos Vilhena [1801], 590)

Itambaracá (PR). Nome atribuído artificialmente em 1943 (Fonte: IBGE). De **itá** + **maraká**: *chocalho de pedra* (v. **Itamaracá**).

Itambé (BA). De **itá** + **aeîmbé (r, s)**: *pedras afiadas*.

Itambi (RJ). De **itã** + **'y**: *rio das conchas*.

Itamirim (MG). De **itá** + **mirĩ**: *pedras pequenas*.

Itamirindiba (MG). Mesma etim. de **Itamarandiba** (v.).

Itamuri (MG). Nome atribuído artificialmente a um distrito de **Muriaé** (MG), v.

Itanguá (ribeirão do Serro Frio, MG). De **itã** + **kûá**: *enseada das conchas*. *"Habita em grossas massas no Itanguá do Serro do Frio."* (José Vieira Couto [1801], 143)

Itanhaém (SP). De **itá** + **(e)nha'ẽ (r, s)**: *bacia de pedra*. Deve-se tratar de *marmitas*, i.e., buracos em leito rochoso de rio.

Itanhandu (MG). De **itá** + **nhandu**: *nhandu de pedras* (i.e., formação rochosa que lembra essa ave).

Itanhém (BA). A mesma etimologia de **Itanhaém** (v.).

Itanhentinga (rio da BA). De **itá** + **nha'ẽ** + **ting** + **-a**: *bacia de pedra branca*.

Itanhi (BA). De **itã** + **îy**, na forma nasal **nhy**: *rio das conchas*.

Itaobim (MG). De **itá** + **oby (r, s)**: *pedras verdes*.

Itaoca (RJ). De **itá** + **oka (r, s)**: *casa de pedra*.

Itaocaia (RJ). De **itá** + **okaîa (t)**: *curral de pedras*.

Itaocara (RJ). De **itá** + **okara**: *ocara de pedras*.

Itapacoronha (SC). De **itá** + **peb** + **korõî** + **-a**: *pedras achatadas ásperas*.

Itapacurá (PA). De **y** + **Tapacurá**: *Tapacurás do rio*, povo indígena extinto do PA. Nome da língua geral setentrional.

Itapagipe (rio de Salvador, BA). De **itá** + **peb** + **îy** + **-pe**: *no rio da pedra achatada, no rio da laje*.

Itapaiúna (PA). De **'y** + **tapy'yîuna**: *negro de pedra*.

Itapajé (CE). De **itá** + **paîé**: *pajé de pedra*.

Itapanhaú (SP). De **tapanhuna** + **'y**: *rio dos negros*.

Itapanhoacanga (MG). De **tapy'yîuna** + **akanga**: *cabeça de negro*, var. de rocha.

Itapará (PR). De **itá** + **pará**: *rio das pedras*.

Itaparaná (rio do AM). Do nheengatu *itá + paraná: rio das pedras*.

Itapararoca (RN). De **itá + aparar + oka**: *casa de pedra vergada*. É nome de mais de três séculos: *"[...] S. Joſeph da Itapararocas."* (Dom Sebastião Monteyro da Vide [1707], *Catalago*, 30)

Itaparica (ilha do litoral baiano). De **itá + pirik + -a**, registrado na forma iterativa **piririk** (*VLB*, I, 133): *pedra faiscante*, isto é, *pederneira*. Mas a forma simples **pirik** também era usada com esse sentido: Frei Vicente do Salvador (in *História do Brasil*, livro IV, cap. XXXVIII), menciona o nome *"João Vaz Tataperica"*. *Tataperica* significa *fogo faiscante*.

Itapé (BA). De **itá + (a)pé (r, s)**: *caminho de pedras*.

Itapebi (BA). A mesma etimologia de **Itapevi** (v.).

Itapebussu (CE). De **itá + peb + -usu**: *pedra achatada grande*.

Itapecerica (MG). De **itá + peb + syryk + -a**: *pedra achatada escorregadia*.

Itapecirica (SP). A mesma etimologia de **Itapecerica** (v.).

Itapecoá (ES). De **itá + peb/a + ku'a**: *pedra achatada e grossa*.

Itapecoca (ilha de PE). De **itá + peb/a + îekok + -a**: *pedras chatas encostadas*.

Itapecum (SC). De **itá** − pedra **+ apekũ²** − brejo de água salgada à beira-mar; limite da terra firme com o mangue (*ABN*, LXXXII, 257): *brejo das pedras*.

Itapecuru (serra de PE). A mesma etimologia de **Itapicuru** (v.).

Itapecuru Mirim (MA). De **itá + puku + ry [de y (t, t)] + mirĩ**: *pequeno rio das pedras compridas*.

Itapeim (CE). De **itá + (a)pé (r, s) + suf. -'ĩ**: *caminhozinho de pedra*.

Itapeipu (BA). De **itá** − pedra **+ peypy** (*começo do caminho*) − entrada de um lugar povoado, antes de chegarem as casas (*VLB*, I, 119): *entrada de pedras*.

Itapema (SP). De **itá + pem/a + -a**: *pedras angulosas*.

Itapemirim, Cachoeiro do (ES). De **itá + peb/a + mirĩ**: *pedra achatada pequena, laje pequena*.

Itapera (MA). De **'y + tapera (taba + pûer + -a)**: *tapera do rio*, i.e. *aldeia (ou fazenda) abandonada do rio* (v. **tapera**).

Itaperuçu (PR). De **'y + taper/a + -usu**: *tapera grande do rio*.

Itaperuna (RJ). De **itá + byr + un (r, s) + -a**: *pedra erguida escura*.

Itapetingui (BA). De **itá + piting/a + 'y**: *rio das pedras pintalgadas*.

Itapetininga (SP). De **itá + peb/a + tining/a + -a**: *pedra achatada seca, laje seca*.

Itapeúna (SP). De **itá + peb/a + un (r, s) + -a**: *pedra achatada escura*.

Itapeva (SP). De **itá + peb/a + -a**: *pedra achatada*.

Itapevi (SP). De **itá + peb/a + 'y**: *rio da pedra achatada*.

Itapicuru (rio da BA). Nome que remonta ao primeiro século do Brasil: *"Destes houve muitas insignes victorias ate que ficaram subjeitos todos os Indios comarcãos da Baya desde Camamu ate o Itapucuru [...]"* (Anchieta [1584], *Informação do Brasil e de suas Capitanias*, 14). De **itá + puku + ry [de y (t, t)]**: *rio das pedras compridas*.

Itapicuru-Açu (rio da BA). De **itá + puku + ry [de y (t, t)] + -ûasu**: *grande rio das pedras compridas*.

Itapimerum (AM). Mesma etim. de **Itapemirim** (v.).

Itapina (ES). De **itá + apin/a + -a**: *pedra pelada*.

Itapinima (AM). De **itá + pinim/a + -a**: *pedras pintadas*.

Itapipoca (CE). De **itá + pir/a + pok + -a**: *pedra da pele estourada, pedra estalada*.

Itapira (SP). De **itá + byr + -a**: *pedra erguida*.

Itapirama (BA). De **itá + byr + ama (t)**, variante de **etama (t)**: *região de pedras empinadas*.

Itapiranga (AM). De **itá + pirang/a + -a**: *pedras vermelhas*.

Itapiranguara (CE). De **itá + pirang/a + kûara**: *buraco da pedra vermelha*.

Itapirapuã (serra de SP). De **itá** + **byr** + **apu'a**: *pedra levantada redonda*.

Itapissuma (PE). De **itá** + **pesym** + **-a**: *pedras lisas*.

Itapitanga (BA). De **itá** + **pytang**/a + **-a**: *pedras pardas*.

Itapitangui (morro de Cananeia, SP). De **itá** + **pitangĩ** – crianchinha, bebê: *bebê de pedra*.

Itapixé, Córrego do (MG). De **itá** + **pixé**: *chamusco da pedra* ou *pedra chamuscada*.

Itapixuna (PA). De **itá** + **pyxun**/a + **-a**: *pedra escura*.

Itapó (CE). De **itá** + **pó**: *mão de pedra*.

Itapocu (rio de SC). De **itá** + **puku**: *pedra comprida*.

Itapoim (CE). De **itá** + **po'i**: *pedras finas*.

Itaporanga (SP). De **itá** + **porang** + **-a**: *pedra bonita*.

Itapororoca (PB). De **itá** + **pororok** + **-a**: *pedras explodidas* ou *explosão das pedras*.

Itapuã (praia de Salvador, BA). De **itá** + **pu'ã**: *pedra erguida*.

Itapuca (RS). De **itá** + **puk** + **-a**: *pedra fendida*.

Itapuí (SP). De **itá** + **pu** + **'y**: *rio das pedras barulhentas*.

Itapura (salto do rio Tietê, SP). De **itá** + **byr** + **-a**: *pedra levantada*.

Itapuranga (GO). A mesma etim. de **Itaporanga** (v.).

Itaquaciara (SP). A mesma etim. de **Itaquatiara** (v.).

Itaquandiba (ES). De **itá** + **pu'am** + **tyba**: *jazimento de pedras erguidas*.

Itaquaquecetuba (SP). *"[...] Os Jezuitas q̃. tiveraõ Sempre o maior Cuidado em possuir Indios, deraõ Origem as Aldeas de Carapucuyba Mboy, Itapecirica, **Taquaquecetyba**, e S. Joze [...]"* (Joze Arouche de Toledo Rendon [1802], 92). De **takûara** + **kysé** + **tyba**: *ajuntamento de taquara-faca*: "Há também o ***taquaquicé***, que quer dizer ***taquara de faca***, porque, rachadas, ficam com gume como faca, de sorte que dão golpes penetrantes, e por esse respeito o gentio delas usam [...]" (Caetano da Costa Matoso [1749], 784)

Itaquara (BA). De **itá** + **kûara**: *buraco da pedra*.

Itaquaraí (BA). De **itá** + **kûar**/a + **'y**: *água do buraco da pedra*. A forma correta seria **Itaquari**.

Itaquari (ES). A mesma etim. de **Itaquaraí** (v.).

Itaquatiara (BA). A mesma etim. de **Itacoatiara** (v.).

Itaquaxiara (Itapecirica da Serra, SP). A mesma etimologia de **Itaquatiara** (v.).

Itaquera (bairro de SP). De **itá** + **ker** + **-a**: *pedra dormente*.

Itaqueri da Serra (SP). De **itá** + **ker**/a + **'y**: *rio das pedras dormentes*.

Itaqui (Itapevi, SP). De **itaky** – pedra de afiar. (*VLB*, II, 39)

Itaquiraí (rio de MS). De **itá** + **kyrá** + **'y**: *rio das pedras ensebadas*.

Itaquitinga (PE). De **itá** + *kytyng* ✱ – sujo, manchado, enferrujado (conhecido na composição **kytyngok**) + **-a**: *pedra manchada, pedra enferrujada*.

Itarama (PE). De **itá** + **ama (t)**, corruptela de **etama (t)**: *região de pedras*.

Itarana (ES). De **itá** + **ran** + **-a**: *o que parece pedra*.

Itarapuá (SP). De **ybytyra** + **apu'a**: *morro redondo*. (Há localidade com o mesmo nome em MG, chamada *Itirapuá*.)

Itararé (SP). De **itareré** – água que corre em cima ou embaixo de uma rocha (*VLB*, I, 55). Riacho subterrâneo.

Itarari, Barra do (BA). A mesma etim. de **Itariri** (v.).

Itarema (CE). De **itá** + **rem** + **-a**: *pedras fedorentas*. Nome atribuído artificialmente por lei de 1937.

Itareru (BA). Também conhecida como **Atareru**, provavelmente de **tare'yra** + **'y**: *rio das traíras*.

Itariri (SP). De **itá** – pedra + **reri** – ostra: *ostras das pedras*.

Itariru (rio de SP). A mesma etimologia de **Itareru** (v.).

Itarumã (GO). Nome atribuído a uma localidade de Goiás em 1943 por decreto-lei. Mas é um nome antigo, da língua geral meridional: *"Itaruman – São húas frutas do tamanho e feitio de húa azeitona [...]"*. (Anônimo – muito provavelmente Joseph Barbosa de Sáa [1765], 30, folio 8v.)

Itassucê (BA). É também conhecida como *Itacucê*. Havendo a *Ponta do Itassucê*, conclui-se que a etimologia deva ser *faca de pedra* (de **itá** + **kysé**).

Itatã (SP). De **itá** + **atã (r, s)**: *pedras duras.*

Itataí (rio do PA). De **itá** + **etá (r, s)** + **'y**: *rio das muitas pedras.*

Itati (BA). De **itá** + **atĩ**: *pedras pontudas.*

Itatiaia (RJ). De **itá** + **atîaî**/a **(r, s)** + **-a**: *pedras pontudas.*

Itatiaiuçu (MG). De **itá** – pedra + **atîaî (r, s)** – pontudo, pontiagudo + suf. **-ûasu**: *pedras muito pontudas.*

Itatiba (SP). De **itá** + **tyba**: *ajuntamento de pedras.*

Itatim (BA). De **itá** + **atĩ**: *pedras pontudas.*

Itatinga (SP). De **itá** + **ting** + **-a**: *pedra branca.*

Itatingui (BA). De **itá** + **ting** + **'y**: *rio das pedras brancas.*

Itatins (serra de MT). De **itá** + **atĩ**: *pedras pontudas.*

Itatira (CE). De **itá** + **atyra**: *pilha de pedras.*

Itatuba (SP). A mesma etim. de **Itatiba** (v.).

Itatuíra (arroio do RS). De **itá** + **atyra**: *pilha de pedras.*

Itatupã (PA). Distrito de Gurupá, PA, cujo nome original era *Sacramento*. **Itatupã** deve ter relação com seu nome original: de **itá** + **tupã**: *pedra sagrada.*

Itaú (rio do PA). De **itá** + **'y**: *rio das pedras.*

Itauçu (GO). De **itá** + **-ûasu**: *pedra grande.*

Itaúna (MG). De **itá** + **un (r, s)** + **-a**: *pedra preta.*

Itiguapira (MG). De **ybytyra** + **'yapyra**: *cabeceiras da montanha.*

Itinga (SP). A mesma etimologia de **Utinga** (v.).

Itinguçu (rio de SP). De **'y** + **ting** + **-ûasu**: *rio muito claro.*

Itiquira (MT). De **'y** + **tykyra**: *gotas d'água.*

Itiquiri (SP). De **'y** + **tykyra** + suf. **-'i**: *gotinhas d'água.*

Itirapina (SP). De **ybytyra** – monte, morro + **apin** – depenado, tosquiado, pelado + suf. **-a**: *morro pelado.* Em 1885 a Companhia Paulista de Estradas de Ferro inaugurou a estação de Morro Pelado, próxima ao monte de igual nome (Fonte: IBGE). Em 1900, essa denominação foi alterada para *Itirapina.*

Itirapuã (MG). De **ybytyra** – morro + **apu'a** – redondo: *morro redondo.*

Itiruçu (BA). De **ybytyra** + **-usu**: *morro grande.*

Itiúba (BA). De **ybytyra** + **îub** + **-a**: *montanhas amarelas.* Pode ser, ainda, uma variante de **Itaiuba** (v.).

Itiúca (BA). De **'y** + **tuîuk** + **-a**: *água podre*, uma referência a manguezais.

Itobi (SP). Nome atribuído artificialmente em 1898: *"Rio Verde passou a ser chamada Itobi, que, em tupi-guarani, significa água corrente verde ou rio verde."* (Fonte: IBGE). "Rio verde", em tupi antigo, é **'y-oby**. A localidade deveria chamar-se, pois, *Iobi* e não *Itobi*.

Itororó (SP). De **'y** + **tororoma**: *jorro d'água, bica d'água, fonte*: *"Ha mais na campanha, por detraz do Convento da Lapa, huma Fonte chamada do Tororó."* (Luiz dos Santos Vilhena [1802], 105)

Itororomba (BA). De **'y** + **tororoma**: *jorro d'água, bica d'água* (v. **Itororó**).

Itrapoá (SP). De **ybytyra** + **apu'a**: *morro redondo.*

Itu (SP). De **ytu**: *cachoeira, queda-d'água.* (*VLB*, I, 62)

Ituassu (BA). De **ytu** + **-ûasu**: *cachoeira grande.*

Ituetá (MG). De **ytu** + **etá (r, s)**: *muitas cachoeiras.*

Ituetê (ribeirão de MG). De **ytu** + **eté (r, s)**: *cachoeira a valer.*

Ituguaçu (PE). De **'ytu** + **-ûasu**: *cachoeira grande.*

Ituí (rio do AM). De **ytu** + **'y**: *rio das cachoeiras.*

Ituim (cachoeira do AM). De **ytu** + **-ĩ**: *cachoeirinha*.

Ituiutaba (MG). De **'y** + **tuîuk** + **taba**: *aldeia do rio enlameado*. Da língua geral meridional, em referência a índios do tronco macro-jê que ali viviam às margens do rio Tijuco.

Itumbiara (MG). De **ytu** + **piara**: *caminho da cachoeira*.

Itumirim (MG). De **ytu** + **mirĩ**: *cachoeira pequena*.

Itupeva (SP). De **ytu** + **peb** + **-a**: *cachoeira aplainada*.

Itupiranga (PA). De **ytu** + **pirang** + **-a**: *cachoeira vermelha*.

Ituporanga (SC). De **ytu** + **porang** + **-a**: *cachoeira bonita*.

Itupu (SP). De **ytu** + **pu**: *barulho da cachoeira*.

Itupuraranga (SP). De **ytu** + **pararanga**: *roda de queda-d'água*.

Ituquara (PA). De **ytu** + **kûara**: *buraco da cachoeira*.

Iturama (MG). Nome artificial: de **ytu** + **ama (t)**, corruptela de **etama (t)**: *região de cachoeiras*. O nome passou a ser usado a partir de 1949. (Fonte: IBGE)

Itutinga (SP). De **ytu** + **ting** + **-a**: *cachoeira clara*.

Ituverava (SP). De **ytu** + **berab** + **-a**: *cachoeira brilhante*. Nome dado em 1899, por causa da cascata do Rio do Carmo dentro do perímetro da cidade. (Fonte: IBGE)

Iucaí (AM). Da língua geral setentrional *jucá + y*: *rio dos jucás*, nome de uma árvore (v. **Jucá**).

Iúna (ES). De **'y** + **un** + **-a**: *rio escuro*.

Iuruti (ig. do AM). De **îeruti**, aves columbídeas.

Ivaporunduva (SP). De **'ybapurunga** + **tyba**: *ajuntamento de ibapuringas*, nome de uma árvore

J

Jabaeté, Lagoa de (ES). De **'y** + **abaeté**: *água medonha*.

Jabaquara (bairro de SP). De **îababa** (do v. **îabab** – fugir) + **kûara**: *toca de fugitivos*, i.e., quilombo, reduto de escravos fugidos.

Jabaroca (ilha do PA). De **îababa** + **oka (r, s)**: *casa de fugitivos*.

Jabiberi (rio de SE). De **îabebyra** + **'y**: *rio das arraias*.

Jaboatão dos Guararapes. V. **Japoatã** e **Guararapes**.

Jaboticatubas (MG). De **îabotikaba** + **tyba**: *abundância de jabuticabeiras; jaboticabal*.

Jaburu (CE). De **îaburu**, ave ciconídea.

Jaburuna (CE). De **îabyru** + **un (r, s)** + **-a**: *jaburus escuros*.

Jabuti-Caá (ig. do AM). Do nheengatu, *mata dos jabutis*.

Jabuti Mirim, Lago do (PA). Do nheengatu, *jabutis pequenos*.

Jacamim (serra do AM). De **îakamĩ**, ave psofídea.

Jaçanã (bairro de SP). De **îasanã**, *ave jacanídea*.

Jaçanaú (CE). De **îasanã** + **'y**: *rio dos jaçanãs*.

Jacaracanga (BA). De **îakaré** + **akanga**: *cabeça de jacaré*.

Jacaraci (BA). De **îakaré** + **asy (r, s)**: *jacarés ruins* (i.e., que atacam as pessoas).

Jacaraí (arroio do RS). De **îakaré** + **'y**: *rio dos jacarés*.

Jacaraípe (rio do ES). De **îakaré** + **'y** + **-pe**: *no rio dos jacarés*.

Jacarandapiranga (RJ). De **îakarandá** + **pirang** + **-a**: *jacarandás vermelhos*, árvores leguminosas.

Jacarandaúna (BA). De **îakarandá** + **un (r, s)** + **-a**: *jacarandás escuros*.

Jacarapé (praia da PB). De **îakaré** + **(a)pé (r, s)**: *caminho de jacarés*.

Jacarará, Serra do (PB). Talvez de **îakaré-rara** (de **îar / ar**): *captura de jacarés*.

Jacaraú (PA). A mesma etimologia de **Jacaraí** (v.).

Jacaré Catinga (SP). De **îakaré** + **katinga**: *catinga dos jacarés*.

Jacaré-Guaçu (rio de SP). De **îakaré** + **-gûasu**: *jacarés grandes*.

Jacareacanga (PA). De **îakaré** + **akanga**: *cabeça de jacaré*.

Jacareci (BA). De îakaré + ysy (t): *fileira de jacarés*.

Jacarecica (BA). De îakaré + syka: *chegada de jacarés*.

Jacarecoara (CE). De îakaré + kûara: *buraco de jacarés*.

Jacareguaba (SP). De îakaré + 'y + 'u + -aba: *lugar em que os jacarés bebem água*.

Jacaregueaú (rio do MT). De îakaré + agûeá – dente molar (Castilho, *Nomes*, 28) + 'y: *rio do dente molar do jacaré*.

Jacareí (SP). De îakaré – jacaré + 'y – rio: *rio dos jacarés*.

Jacareípe (ES). De îakaré + 'y + -pe: *no rio dos jacarés*.

Jacaré-Pepira (rio de SP). De îakaré + pepyra: *banquete de jacarés*.

Jacarequara (MA). A mesma etim. de **Jacarecoara** (v.).

Jacaretinga (AM). De îakaré + ting + -a: *jacaré claro*, jacaré do Amazonas e do Parnaíba, de focinho mais comprido que largo.

Jacarutu (riacho do CE). De îakurutu, coruja estrigídea.

Jacarutuoca (CE). De îakurutu – jacurutu, coruja estrigídea + oka (r, s): *refúgio dos jacurutus*.

Jaceguai (rio de SP). Da língua geral meridional, nome de planta da família das cucurbitáceas.

Jaceguava (Itapecirica da Serra, SP). Da língua geral meridional, nome de planta cucurbitácea + -aba: *lugar de jaceguais*.

Jaci (nome de pessoa). De îasy: *lua*.

Jaciara (MT). De îasy + iara, *a senhora da lua*. O nome foi atribuído artificialmente em 1953, tendo sido extraído da obra do escritor Humberto de Campos, *Lenda da Índia Jaciara, a Senhora da Lua*, no texto *Vitória Régia*. (Fonte: IBGE)

Jaciguá (ES). A mesma etimologia de **Jaceguai** (v.).

Jacioba (AL). De îasy² + oba (s, r, s): *folhas de jaci*, var. de palmeira.

Jaci-Paraná (RO). Da língua geral setentrional, paraná + jaci: *rio dos jacis*, var. de palmeiras.

Jaciquara (cachoeira do PA). De îasy + kûara: *buraco da lua*.

Jacira (nome de pessoa). De îasy + a'yra (t, t): *filho da lua*.

Jacirema (nome de pessoa). De 'y + asy (r, s) + rem + -a: *água ruim e fedorenta*.

Jacirendi (SP). De îasy – lua + endy (t) – luz: *luz da lua, luar*.

Jacitara (AM). No nheengatu, nome de uma var. de palmeira: "[...] vai ao tipiti que é um cilindro tecido, ou de casca do talo de guaruman, ou de *jassitara*, que é a melhor, porque dura [...]" (Alexandre Rodrigues Ferreira [n.d.], 693)

Jacu (BA). De îaku, ave cracídea.

Jacu Mirim (rio do RN). De îaku + mirĩ, *jacus pequenos*.

Jacuacanga (nome de baía do RJ). De îaku-akanga (*cabeça de jacu*), plantas zingiberáceas.

Jacuba (rio de SP). De 'y + akub (r, s) + -a: *águas quentes*.

Jacuí (BA). De îaku – aves cracídeas + 'y: *rio dos jacus*.

Jacuí-Mirim (rio do RS). De îaku + 'y + mirĩ: *rio pequeno dos jacus*.

Jacuípe (rio da BA). De îaku + 'y + -pe: *no rio dos jacus*.

Jacumã (CE). De îakumã, 1) andaimo para flechar peixe (*VLB*, I, 35); 2) estaca à qual a canoa é atada enquanto se pesca (*VLB*, I, 51).

Jacundá (GO). De îakûndá, peixes ciclídeos.

Jacupema (BA). De îakupema, aves cracídeas.

Jacupiranga (SP). De îaku – aves cracídeas + pirang + -a: *jacus vermelhos*.

Jacuri, São José do (MG). De îaku + y (t, t): *rio dos jacus*.

Jacurici (BA). De îakuru* – jacuru, ave bucon ídea + ysy (t): *fileira de jacurus*.

Jacuru (ig. do AM). De îakuru*, aves bucon ídeas.

Jacurutu (ilha do AM). De îakurutu, ave estrigídea, a maior coruja da América. (*VLB*, I, 60)

Jacutinga (MG). De îaku + ting + -a: *jacus brancos*.

Jaguacoara (morro de Pirapora do Bom Jesus, SP). De îagûara + kûara: *toca das onças*.

Jaguamimbaba (SP). De îagûara + mimbaba (de mim – esconder): *esconderijo das onças*.

Jaguanambi (CE). De îagûara + nambi: *orelha de onça*.

Jaguanum (ilha do RJ). De îagûara + nhũ: *campo das onças*.

Jaguaquara (BA). De îagûara + kûara: *toca da onças*.

Jaguará (BA). A mesma etimologia de **Jaguaraba** (v.).

Jaguaraba (RJ). De îagûara + suf. -aba: *lugar de onças*.

Jaguaraci (BA). De îagûara + asy (r, s): *onças bravas*.

Jaguaraçu (MG). De îagûara + -ûasu: *onças grandes*.

Jaguarari (rio da BA). De îagûara + y (t, t): *rio das onças*.

Jaguaré (SP). D'Abbeville (*Histoire*, 183v), diz que é "cão fedorento", de îagûara – onça, cão + rem – fedorento. O termo *Jaguaré*, contudo, no século XVIII, designava um outro animal: "*Antonia Gomes, natural do Piancho, acometida de hum ferocissimo Jaquaré, especie de Tigre muy feroz, summamente alentada rebateo a sua fúria*". (Fr. Domingos de Loreto Couto [1757], 174)

Jaguareguava (pico de Cubatão). De îagûara + 'y + 'ûaba (v. 'u): *lugar de as onças beberem água*.

Jaguarembé (RJ). De îagûara + 'yemby: *rego das onças*. Nome atribuído artificialmente em 1904 por lei estadual. Era, antes, o povoado de "Valão da Onça", nome do córrego que corta a vila. (Fonte: IBGE)

Jaguaretama (CE). De îagûara + etama (t): *terra das onças*. Nome atribuído artificialmente por lei de 1956. (Fonte: IBGE)

Jaguari (rio de MT). De îagûara + 'y: *rio das onças*.

Jaguari-Mirim (arroio do RS). De îagûara + 'y + mirĩ: *rio pequeno das onças*.

Jaguariaíva (rio do PR). De îagûara + 'y + aíb + -a: *rio ruim das onças*.

Jaguaribara (CE). De îagûara + 'y + yûara: *moradores do rio das onças*, povo indígena extinto que habitava as margens do rio Jaguaribe, próximo à costa do CE.

Jaguaribe (rio de PE). De îagûara + 'y + -pe: *no rio das onças*.

Jaguaripe (BA). A mesma etimologia de **Jaguaribe** (v.).

Jaguaritira (MG). De îagûara + ybytyra: *morro das onças*.

Jaguariúna (SP). "*Jaguariúna iniciou-se às margens do rio Jaguari [...]. Em 1944 o Distrito de Jaguari alterou seu nome para Jaguariúna [...] que significa 'rio da onça preta', segundo Theodoro Sampaio.*" (Fonte: IBGE). A etimologia acima fere a gramática da língua tupi. *Jaguariúna* só poderia significar *rio preto das onças*. Rio da onça preta, em tupi clássico ou nas línguas gerais dela originárias, seria *Jaguaruni*.

Jaguaruna (SC). De îagûara + un (r, s) + -a: *rio preto; rio escuro*.

Jaguatirica (PR). De îagûara + tyryk + -a: *onça arisca*.

Jaíba, Barreiro do (MG). De 'y-aíba: *água ruim, água turva, água velha*. (D'Abbeville, *Histoire*, 182v)

Jaibaras (CE). De 'yb + 'ari + 'yb + 'ara: *queda de paus sobre paus*, jaibara, jabara, jebara, jaribara, galhada de árvores caídas que ficam presas às ramagens de outras e cobertas de trepadeiras e epífitas. "*Este Supplicante tem descuberto hum riacho, por nome Pirambeba, q fica em numa ilharga do Rio Jaebara [...]*" (Data e Sesmaria do Capitão Manoel Dias Netto [1717], 13)

Jamacaru (CE). De îamakaru – mandacaru, uma cactácea.

Jambuaçu (PA). De îambugûasu (*inhambu grande*), nome de uma ave tinamídea. (D'Abbeville, *Histoire*, 237)

Janaúba (MG). Termo da língua geral meridional, designando um arbusto da família das apocináceas.

Jandaia (MG). De îendaîa: *jandaias*, aves psitacídeas.

Jandaíra (BA). A mesma etimologia de **Jandira** (v.).

Jandiá (rio do PA). A mesma etimologia de **Jundiá** (v.).

Jandiatuba (rio do AM). De **jundi'a + tyba**: *abundância de jundiás*, var. de peixes.

Jandira (SP). Provavelmente é termo da língua geral meridional e designa uma variedade de abelha.

Janduís (RN). Nome atribuído artificialmente em 1943 por decreto-lei estadual. De îandu[2] + **'y**: *rio dos nhandus*, ave reídea. (Fonte: IBGE)

Janga (PE). De **'y + 'anga**[4]: *abrigada do rio*.

Japara (rio da BA). De **'y + apar + -a**: *água torta, rio torto*. O *PDBLP* (874) define **japara** como um "terreno arenoso, à beira-mar, alagado no inverno", sentido este que deve ter assumido o termo no Brasil colonial: *"Entra este rio ou braço de mar pela ilha dentro três léguas, pouco mais ou menos, até os sítios de Aracanga, e se divide em vários braços, a saber: Japara, o rio das Bicas, o rio Itã e o rio que entra para as fazendas do Bonfim."* (Caetano da Costa Matoso [1749], 927)

Japaraíba (MG). De **'y + apar + aíb + -a**: *japara ruim* (v. **Japara**).

Japaratinga (AL). De **'y + apar/a + ting/a + -a**: *japara branca* (v. **Japara**).

Japaratuba (rio de SE). De îaparandyba: *japarandubas*, árvores lecitidáceas.

Japecanga (PE). De îapekanga, salsaparrilha, planta esmilacácea.

Japeim (ig. do PA). De îapĩ: *japim, japi*, nome de um pássaro icterídeo. (D'Abbeville, *Histoire*, 183)

Japeri (RJ). De îapĩ + **y (t, t)**: *rio dos japis* (pássaro icterídeo).

Japi (serra de SP). De îapĩ, pássaro icterídeo.

Japiba (PR). De îapĩ + **'yba**: *planta dos japis*.

Japiim (lago do AM). De îapĩ, pássaro icterídeo.

Japira (BA). Nome de uma ave icterídea, talvez um termo da língua geral setentrional.

Japitaraca (CE). De îapĩ, pássaro da família dos icterídeos + **taraka** – som estridente: *japi do som estridente*.

Japiúba (SP). A mesma etimologia de **Japiba** (v.).

Japó, Barra do (AM). De **'y + apó (s, r, s)**: *raízes d'água*.

Japoatã (SE). De **'y + yapu (r, s)** – barulhento, estrondoso (*VLB*, II, 107) + **atã (r, s)**: *rio fortemente estrondoso*.

Japomirim (BA). De **'y + yapu (r, s) + mirĩ**: *rio de pequeno barulho*.

Japu (MG). De îapu, pássaro icterídeo.

Japuí (bairro de Praia Grande, SP). De îapu + **'y**: *rio dos japus*, pássaros icterídeos.

Japuíba (RJ). De îapu + **'yba**: *árvore dos japus*, pássaros icterídeos.

Jaquaretá (estrada do RS). De îagûara + **etá (r, s)**: *muitas onças*.

Jaquaretê (ribeirão de SP). De îagûaretê[1]: *onça verdadeira*.

Jaquirana (RS). De îakyrana: *cigarra*, inseto cicadídeo.

Jaracatiá (MG). De îarakatiá, planta caricácea.

Jaraguá (GO). Nome de uma planta da família das gramíneas. Em Goiás é também o campo em que tal planta domina. Tal nome remonta ao século XVI: *"[...] ao qual rio chamam os Índios o porto Jaragoá."* (Sousa, *Trat. Descr.*, XVIII)

Jaraguari (MT). De îaragûá + **y (t, t)**: *rio dos jaraguás*.

Jararaca (rio do PR). De îararaka, réptil crotalídeo.

Jararandatã (MG). De îakarandá + **atã (r, s)** – duro, rijo: *jacarandás rijos*.

Jaratimana (BA). Mesma etim. de **Jatimana** (v.).

Jaraueté (AM). A mesma etimologia de **Jaquaretê** (v.).

Jarina (rio do MT). Da língua geral meridional, nome de uma palmeira baixa e de estipe grosso.

Jarinu (SP). De um termo da língua geral meridional, *jarina* *, que designa uma palmeira + **'y** – rio: *rio das jarinas*.

Jataí (GO). De îate'i – jataí, abelha melipônida.

Jataituba (lagoa de SP). De îate'i – jataí, abelha melipônida + **tyba**: *existência de jataís*.

Jatapu (rio do AM). De **'y-atã** – rio direito (Anch., *Arte*, 6v) + **pu** – barulhento: *rio direito barulhento*.

Jataúba (PE). De îata'yba, nome de uma árvore.

Jati (CE). De îate'i, abelhas meliponídeas.

Jatimana (BA). De **'y** + îatiman + -a: *giro, volta, curvas de rio*, i.e., os meandros do rio ou, ainda, *rio meândrico*.

Jatobaí (ilha de GO). De îata'yba + **'y**: *rio dos jatobás*, árvores leguminosas-cesalpinoídeas.

Jatuarana (AM). Do nheengatu, um peixe caracídeo.

Jaú (SP). A cidade tomou o nome do *Ribeirão do Jaú* (Fonte: IBGE). De îa'u, peixe da família dos pimelodídeos. (*VLB*, I, 50)

Jauá (BA). Nome de uma ave psitacídea, *xauá*, talvez uma palavra de língua geral colonial.

Jauacaca, Furo do (AM). Do nheengatu *iauacáca*: *lontra*.

Jauareté (ig. do AM). Do nheengatu *iauareté*: *onça*.

Jauari (ig. do PA). Do nheengatu *iauarí*: javari, var. de palmeira que cresce na Amazônia.

Jauaru (rio do PA). Do nheengatu *iauara* + *y*: *rio dos cães*.

Jauquara (MT). De îa'u + kûara: *toca dos jaús*.

Jauru (rio do MT). De îa'u + ry [de y, (t, t)]: *rio dos jaús*.

Javari (rio do AM). A mesma etimologia de **Jauari** (v.).

Javarimirim (ilha do AM). Do nheengatu *iauarí* + *mirim*: *javaris pequenos*.

Jeju (ig. do AM). De îeîu: *jiju, jeju*, peixes caracídeos.

Jejuí (MA). De îeîu + **'y**: *rio dos jejus*, var. de peixes.

Jenipabu (BA). De îanypaba + **'y**: *rio dos jenipapos*.

Jenipapocu (rio do PA). De îanypaba + **puku**: *jenipapo comprido*, nome de uma árvore rubiácea.

Jenipaú-Açu (rio do PA). Do nheengatu, *rio grande dos jenipapos* (v. **Jenipabu**).

Jenipaú-Mirim (rio do PA). Do nheengatu, *rio pequeno dos jenipapos* (v. **Jenipabu**).

Jenipaúba (MA). De îanypaba + **'yba**: *pés de jenipapos*.

Jenipavaí (BA). De îanypaba + **'y**: *rio dos jenipapos*.

Jequeri (MG). Conta-se que tal nome teve origem no nome de uma planta existente na região (Fonte: IBGE). De îukeri: *juqueri*, ervas leguminosas-mimosoídeas.

Jequi (RN). De îeky: *covo, cisterna*. (Ar., *Cat.*, 107v)

Jequiá (AL). De îeke'a, covo de apanhar peixes.

Jequié (BA). De îeky – covo, cisterna (Ar., *Cat.*, 107v) + **é** – diferente: *cisterna diferente*.

Jequiriçá, Barra do (BA). De îukyra + esá (t): *olhos de sal* (i.e., sal-gema).

Jequitaí (MG). Da língua geral meridional îekytá* – *jequitá*, nome de uma palmeira + **'y**: *rio dos jequitás*.

Jequitaia (BA). De îukyr/a + taî + -a: *sal ardido* (v. îukytaîa).

Jereraú (lagoa do CE). De îururá + **'y**: *rio dos jurarás*, var. de tartarugas.

Jeribá (MG). De îara'ybá – jerivá, jeribá, var. de palmeira.

Jericoaquara (praia do CE). De îurukûá – tartarugas marítimas + **kûara**: *tocas das tartarugas*.

Jerimanduba (ilha do AM). De îarumũ + **tyba**: *ajuntamento de jerimuns*, plantas cucurbitáceas.

Jeriquara (SP). De aîuru + **kûara**: *toca dos papagaios jurus*.

Jerivá, Ribeirão do (PR). A mesma etim. de **Jeribá** (v.).

Jiaquara (RJ). De îu'i + **kûara**: *toca de rãs, toca de jias*.

Jijituba (rio de AL). De îeîu – jiju, jeju, peixe carnívoro + **tyba**: *ajuntamento de jejus*.

Jiju (RR). De îeîu: *jijus, jejus*, peixes caracídeos.

Ji-Paraná (RO). Da língua geral setentrional *jy* + *paraná*: *rio dos machados*.

Jiquiriçá (BA). V. **Jequiriçá**.

Jiquitaí (MG). Provavelmente de termo de língua geral colonial, *jiquitaia* *, variedade de formiga, + 'y: *rio das jiquitaias*.

Jiquitaia (BA). Provavelmente de termo de língua geral colonial, *jiquitaia*, variedade de formiga.

Jiriba (córrego da BA). De îuruba: *juruva, jeruva, jiriba*, var. de papagaio. (Brandão, *Diálogos*, 229)

Jiribatuba (BA). A mesma etim. de **Jurubatuba** (v.).

Jirumirim (RJ). De îuru + mirĩ: *foz pequena*.

Jitaúna (BA). De îy + itá + un (r, s) + -a: *pedra preta do rio*.

Jitirana (PI). Nome de uma planta trepadeira, talvez um termo da língua geral setentrional.

Joaçaba (SC). De îoasaba, *entrecruzamento, cruz*. (Ar., *Cat.*, 59v)

Joatuba (ES). De îuá – juá, planta solanácea + tyba: *ajuntamento de juás*.

Juá, Barra do (PB). De îuá, juazeiro, árvore do sertão nordestino.

Juarana (BA). De îuá + ran + -a: *falsos juazeiros*, nome de árvores não identificadas.

Juari (RJ). De îuá – juá, árvore ramnácea + y (t, t) – rio: *rio dos juazeiros*.

Juaru (rib. de GO). De îuá + y (t, t): *rio dos juás*.

Juatinga (RJ). De îuá + ting + -a: *juazeiros claros*.

Jubaí (MG). Nome de uma árvore, talvez um termo da língua geral meridional.

Jucá (PE). Da língua geral setentrional **jucá** (< aîura + ká: *quebra pescoço*), pau-ferro, árvore da família das leguminosas, de madeira duríssima. *"[...] É pesado como chumbo; e por causa do seu ofício lhe chamam pao de jocá, pao de matar."* (Pe. João Daniel [1757], (227)

Juçara (nome de mulher). De îeîsara, palmeira alta e delgada da Mata Atlântica. (*VLB*, II, 63)

Juçaraí (MA). De îeîsara, var. de palmeira + 'y: *rio das juçaras*.

Jucu (ES). De îuku* – nome de uma planta. Tal palavra aparece em composição no antropônimo *Îukugûasu*, nome de índio tupi. (Vascocelos, *Crônica (Not.)* II, §1, 113)

Jucuruçu (BA). De îukuru* – jucuru, ave buconídea + -usu: *grandes jucurus*.

Jucuruna (BA). De îukuru* – jucuru, ave buconídea + un (r, s) + -a: *jucurus escuros*.

Jucururi (RN). De îakuru* – jucuru, ave buconídea + y (t, t): *rio dos jucurus*.

Jucurutu (BA). A mesma etimologia de **Jacurutu** (v.).

Juerana (BA). A mesma etimologia de **Juarana** (v.).

Jundaí (rio de SP). A mesma etimologia de **Jundiaí** (v.).

Jundiá (BA). De îundi'a – jundiá, nhandiá, jandiá, bagres de rio. (Anch., *Arte*, 6v)

Jundiacanga (lagoa de Sorocaba, SP). De îundi'a – jundiá, nhandiá, bagres de rio + akanga: *cabeça de jundiá*.

Jundiaí (SP). De îundi'a – jundiá, nhandiá, bagres de rio + 'y: *rio dos jundiás*.

Jundiapeba (Mogi das Cruzes, SP). De îundi'a + peb + -a: *jundiás achatados*.

Jundiaquara (rio de Ubatuba, SP). De îundi'a – jundiá + kûara: *toca de jundiás*, peixes pimelodídeos.

Jundiatuba (ilha do AM). De îundi'a – jundiá, peixe pimelodídeo + tyba: *ajuntamento de jundiás*.

Juparanã (lagoa do ES). V. **Ji-Paraná**.

Jupiá (MG). Nome de língua geral que designa redemoinho em meio dos rios e que ameaça as embarcações (*PDBLP*, 714): *"Há nele um célebre passo, que chamam Jopiá, quer dizer covo na língua da terra, o qual é um redemoinho que a água faz nesta figura, bastante largo e fundo; e a água corre com violência para aquela parte de tal sorte que é necessário passar o mais distante que pode ser, e fazendo grande força de remo; porque, se chegam a dar ali as canoas, infalivelmente as sorve [...]."* (D. Antonio Rolim [1751], *Relação*, 202)

Jupira (nome de mulher). De **i** + **'u** + **-pyr** + **-a**: *o que é comido, a comida* (v. **'u**).

Juqueí (São Sebastião, SP). De **îeky** + **'y**: *rio dos covos*.

Juqueri (SP). De **îu** + **ker** + **'i**: *espinhozinhos dormentes*, juqueri (var. de plantas).

Juqueri-Mirim (SP). De **îu** + **ker** + **'i** + **mirĩ**: *rio pequeno dos espinhozinhos dormentes* (var. de plantas).

Juqueriquerê (serra de Salesópolis, SP). De **îukeri-keri** – forma reduplicada de **îukeri**: *muitos juqueris*.

Juqui (rio do AM). A mesma etimologia de **Jequi** (v.).

Juquiá (rio de SP). Na língua geral meridional, covo, aparelho de pescaria (VELGB).

Juquiriçá (BA). De **îukyra** + **esá (t)**: *olhos de sal*, sal-gema.

Juquitiba (SP). De **îukyra** + **tyba**: *ajuntamento de sal*, salina.

Juraci (nome próprio). De **îuru** + **asy (r, s)**: *boca maligna*.

Jurara (AM). De **îurará**, espécie de tartaruga.

Jurariteua (PA). Do nheengatu *iurará* + *téua*: *abundância de jurarás*.

Jurebeba (MA). De **îurebeba**: *jurubebas*, árvores solanáceas.

Jurema (rio da BA). De **îeremary**: *juremaris*, juremas, árvores leguminosas.

Juru (PB). De **îuru**³: *embocadura, foz*.

Juruá (rio do AM). Do nheengatu *iuruã*: *boca alta, boca aberta*, foz desentupida de rio. (Stradelli, 496)

Juruaçu (rio do PA). De **aîuru** + **-ûasu**: *jurus grandes* (var. de papagaios).

Jurubatuba (SP). De **îara'ybá** – jerivá, jeribá, espécie de palmeira + **tyba** – ajuntamento: *ajuntamento de jerivás*.

Jurucê (SP). Do nheengatu *iuru-ceên*: *bocas doces*, i.e., *afáveis* (nome atribuído artificialmente em 1944). (Fonte: IBGE)

Jurucutu (serra do PI). De **îakurutu**, var. de coruja.

Jurujuba (enseada do RJ). De **aîuru**, certas aves psitacídeas, jurus + **îub** + **-a**: *jurus amarelos*.

Jurumirim (SP). De **îuru** + **mirĩ**: *boca pequena*: "... cheguei no quarto dia a um salto a que chamam *Jurumirim*, que na língua da terra quer dizer *boca pequena*; e na verdade assim o é, porque o rio se mete nele e sai por um canal tão estreito, que parece um funil..." (desconhecido [n.d.], XX – *Cartografia das Monções dos Séculos XVII e XVIII – Notícias Práticas*, 118)

Jurupari (ilha do PA). Entidade sobrenatural dos antigos índios tupis. De **îuru** – boca + **parĩ** – torto: *boca torta*.

Jurupeba (SP). De **îurebeba**, árvores solanáceas.

Jurupencém (GO). *Jurupensém** é nome de peixe silurídeo, jurupoca. De **îuru** + **pesẽ**: *boca partida*. Talvez um nome da língua geral meridional.

Juruti, Lago Grande de (PA). De **îuriti**, aves columbiformes.

Juruvaíva (Cajamar, SP). De **îuruba** – ave momotídea + **'yba**: *planta das juruvas*, planta não identificada.

Jussarí (BA). De **îeîsara** + **'y**: *rio das juçaras*.

Jutaí (PE). De **îate'i**, abelhas meliponídeas.

Juti (MT). De **îate'i**, abelhas meliponídeas.

Jutibuca (SP). De **îate'i** + **puka**: *buraco de jataís* (var. de abelhas).

Jutuarana (lago do AM). Do nheengatu *jutuá* + *rana*: *falsos jutuás*, plantas meliáceas

M

Macabu, Dores de (RJ). De língua geral colonial, *bacaba, macaba* + *'y*: *rio das macabas*. "A *bacaba* he huma palmeira cujo fructo tem sua semelhança com as bolotas ciominho, posto que maiores, de côr parda e cheio de huma massa branda muito doce: do gosmo desta se faz hum bom guizado, asim como do palmito." (Luiz dos Santos Vilhena [1801], 758)

Macaé (RJ). Do termo do tupi antigo **mokaîé**, conhecido indiretamente na composição

mokaîe'yba – mocajaíba, bocaiuva, var. de palmeira.

Macaia (MG). Talvez da língua geral meridional *macaia**, tabaco de má qualidade; macaio.

Macaíba (RN). De **makaîuba**: *macaúbas*, var. de palmeira; o mesmo que **mokaîe'yba** (v.).

Macajatuba (MA). Do termo do tupi antigo **mokaîé**, conhecido indiretamente na composição **mokaie'îba** – mocajaíba, bocaiuva, var. de palmeira + **tyba**: *ajuntamento de mocajaíbas*.

Macambira (PI). De **tymakambira**, planta da família das bromeliáceas. (*Libri Princ.*, vol. II, 27)

Macaoca (CE). Da língua geral setentrional, *macaá* + oca*: *refúgio de macaás*, aves falconídeas.

Macapá (capital do Amapá). A primeira datação é de 1642: "[...] debalde se procuraria o estabelecimento das fazendas de gado no Rio Branco, ou em qualquer outra situação, como succede nos campos de Macapá [...]." (Francisco Xavier Ribeiro de Sampaio [1642], *Relação Geographica Historica do Rio Branco*, 269). De *macaba + -aba* > *macapaba*, pela língua geral setentrional: *lugar de macabas*.

Macaquara (cachoeira do AP). Da língua geral setentrional, *macaá* + quara*: *toca de macaás*, aves falconídeas.

Maçaranduba (BA). De **ka'aromosorandyba**, árvore sapotácea.

Macari (rio do AP). Da língua geral setentrional, *macaá* + ry* [de **y, (t, t)**]: *rio dos macaás*, aves falconídeas.

Macaubal (SP). De **makaîuba** – macaúba, var. de palmeira (*Libri Princ.*, vol. I, 23) + o suf. port. *-al*.

Macaúbas, Brotas de (BA). De **makaîuba**: *macaúbas*, var. de palmeiras (*Libri Princ.*, vol. I, 23)

Macaumirim (ilha do AM). De **makaîuba** – macaúba, var. de palmeira (*Libri Princ.*, vol. I, 23) + **mirĩ**: *macaúbas pequenas*.

Macuá (GO). De **makûara** – nome de uma ave. (*Theat. Rer. Nat. Bras.*, I, 127)

Macucuaua (ig. do AM). De **makukagûá** (ou **makukaûá**): *macucuaás*, aves tinamídeas.

Macuco (riacho de Santos, SP). Do nheengatu **macucú**, ave tinamídea. (Stradelli, 508)

Macujé (BA). De **mukuîé**: *mucujês*, plantas da família das apocináceas. (Cardim, *Trat. Terra e Gente do Brasil*, 39)

Maetinga (BA). De **ma'e + ting + -a**: *coisa branca*.

Magé. V. **Majé**.

Maguari (cachoeira do MA). De **magûari**, aves ciconídeas.

Maiara (nome de mulher). De **ma'e + îara**: *a senhora das riquezas*. (Léry, *Histoire*, 362)

Maíra (nome de mulher). De **maíra** – entidade mitológica que serviu para designar os estrangeiros e, em especial, os franceses. Os índios supunham ser os estrangeiros criaturas sobrenaturais.

Mairi (BA). Palavra nheengatu que significa *cidade*. Nome artificial, dado em 1943.

Mairiporã (SP). Nome atribuído em 1948. Das línguas gerais coloniais, **mauri** (Arronches, 96) ou **mayri** (*VELGB*), *cidade + porã*, do guarani e da Língua Geral Meridional: *cidade bonita*.

Majé (RJ). De **maîé**: *pajé*, feiticeiro indígena.

Mamanguape (PB). De **mamangá + kûá + -pe**: *na enseada dos mamangás*, var. de arbusto.

Mambuca, Serra da (MG). O mesmo que **Mombuca** (v.).

Mamorana (rio do PA). Do nheengatu, nome de uma árvore que cresce nos igapós e margens baixas de rios. De **mamô + rana**: *falso mamão*. (Stradelli, 511)

Mamuã (BA). De **mamûã**, variedade de pirilampo. (Sousa, *Trat. Descr.*, 267)

Manacá (Juquitiba, SP). De **manaká**, planta solanácea.

Manacari (lago do AM). De **manaká + y (t, t)**: *rio dos manacás*.

Manaíra (PB). Apareceu tal nome, em substituição ao antigo, *Alagoa Nova*, após 1939: "Conta a lenda que a denominação **Manaíra** [...] foi escolhida em homenagem a uma índia com esse nome, prometida por seu pai Boiassu, como noiva, ao índio Piancó, chefe da tribo dos Coromas." (Fonte: IBGE). Etimologia obscura, podendo não ser nome tupi.

Mandaçaia (MG). V. Mandassaia.

Mandaçari, Vereda do (BA). De **amanasãîa + y (t, t)**: *rio das mandaçaias*, abelhas meliponídeas.

Mandacaru (BA). De **îamakaru**, planta cactácea.

Mandassaia (serra do RJ). De **amanasãîa**: *mandaçaias*, abelhas meliponídeas. (Piso, *De Med. Bras.*, IV, 178)

Mandi (córrego de SP). De **mandi'ĩ**, peixes pimelodídeos.

Mandiú (riacho de SP). De **mandi'ĩ** – mandim, mandi, peixes pimelodídeos + **'y** – rio: *rio dos mandis*.

Manduba (praia de Guarujá, SP). De **mandyba**[1] – árvore grande que dá fruto do mesmo nome.

Mandubim (riacho de PE). De **mandubi**: *amendoins*, plantas leguminosas-papilionoídeas.

Manduri (SP). Abelhas da família dos apídeos, termo da língua geral meridional.

Mangangá (ribeirão de MG). De **mamangá**, arbusto da família das leguminosas-cesalpinoídeas.

Mangaraí (ES). De **mangará**, plantas aráceas + **'y**: *rio dos mangarás*.

Mangarataia (AM). De **mangará + taî + -a**: *mangarás travosos, mangarataias*, plantas zingiberáceas.

Mangaratiba (SP). De **mangará**, plantas aráceas + **tyba** – ajuntamento, ocorrência: *ajuntamento de mangarás*.

Manhana (monte de SE). De **manhana**, *espionagem, espia* (das regiões inimigas): *"A este monte chamam os indios **Manhana**, que quer dizer entre elles **espia**, por se ver de todas as partes, de muito longe."* (Sousa, *Trat. Descr.*, XXI)

Manhuaçu (rio de MG). Distrito criado com a denominação de *São Lourenço do Manhuassu* por lei de 1875 (Fonte: IBGE). Deve provir, talvez, de **amynyîu + -ûasu**: *algodoeiros grandes*.

Manituba (CE). De **mani'yba + tyba**: *ajuntamento de manivas* (var. de mandioca).

Maniva (RJ). De **mani'yba**, var. de mandioca.

Mantiqueira (serra de MG). De **amana** – chuva + **tykyra** – gota: *gotas de chuva*. *"E dahi vem o dizerem, que todo o que paſſou a Serra de **Amantiquira**, ahi deixou dependurada, ou ſepultada a conſciencia."* (André João Antonil [1711], 161)

Mapendipe (BA). De **ma'eapina + 'y + -pe**: *no rio do baeapina*. **Mba'eapina** (i.e., *coisa tosquiada*), no século XVI, era nome dado a um homem marinho, um monstro marinho que os índios supunham existir, mas que passou, com o tempo, a assombrar também outros lugares. O termo **mba'e**[4] (ou **ma'e**), por si só, tem esse sentido: *coisa má* (*VLB*, I, 85). *"**Baéapina** – Estes são certo genero de homens marinhos do tamanho de meninos, porque nenhuma differença têm delles; destes ha muitos, não fazem mal."* (Pe. Fernão Cardim [1585], 56)

Marabá (PA). De **maraba** – filho de francês com índia; bastardo (D'Evreux, *Viagem*, 142-143). O nome foi atribuído artificialmente a cidade do Pará: *"Em 1897, Francisco Coelho da Silva, maranhense residente em Grajaú, acreditando poder enriquecer com o comércio do caucho, transferiu-se para a colônia. Um ano mais tarde, em desavença com o dirigente da colônia, foi estabelecer-se na foz do Itacaiúnas. À sua nova moradia deu o nome de **Marabá**, em lembrança de sua antiga casa comercial em Grajaú."* (Fonte: IBGE). Esse nome, contudo, foi inspirado num poema de Gonçalves Dias intitulado **Marabá**: *Eu vivo sozinha, ninguém me procura! / Acaso feitura não sou de Tupá! / Se algum dentre os homens de mim não se esconde: / – "Tu és", me responde, "Tu és Marabá!"*.

Maracaçumé (MA). Originalmente é nome de um rio, que figura em documentos do século XIX. Refere-se a um elemento da cosmologia de índios da família tupi-guarani. Consta que os próprios índios Ka'apor viveram na região. De **maraká + Sumé**: *Sumé do chocalho*.

Maracaí (rio de SP). De **maraká** – chocalho, maracá + **'y** – rio: *rio dos maracás*.

Maracaípe (rio de PE). De **maraká** – chocalho, maracá + **'y** – rio + **-pe** – em, para: *no rio dos maracás*.

Maracajá (AM). De **marakaîá**, nome de animal felídeo.

Maracajatuba (PA). De **marakaîá** + **tyba**: *ajuntamento de maracajás*.

Maracajaú (RN). De **marakaîá** + **'y**: *rio dos maracajás*, animais felídeos.

Maracanã (MG). De **marakanã**, aves psitacídeas.

Maracanaí (serra do PA). De **marakanã** + **'y**: *rio dos maracanãs*.

Maracanaquara, Planalto (PA). De **marakanã** + **kûara**: *toca dos maracanãs*.

Maracanaú (CE). De **marakanã**, aves psitacídeas + **'y**: *rio dos maracanãs*.

Maracani (RR). De **marakanã** + **'y**: *rio dos maracanãs*.

Maracarana (lago da BA). De **maraká** + **ran** + **-a**: *falsos maracás*.

Maracatuba (lago do AM). De **maraká** – chocalho, maracá + **tyba**: *ajuntamento de maracás*.

Maragogi (AL). De **maragûaó** + **îy**: *rio dos maraguaós*, o mesmo que *maracajás*, animais felídeos.

Maragogipe (BA). De **maragûaó** + **îy** + **-pe**: *no rio dos maracajás*, animais felídeos.

Maraial (PE). De **maraîá**, nome de palmeira (*VLB*, II, 63) + suf. -al do port.: *lugar de muitos marajás*.

Marajá (AM). De **maraîá**, nome de palmeira. (*VLB*, II, 63)

Marambaia, Restinga da (SP). De **kamarambaîa** – *camarambaias*, plantas verbenáceas. (Marcgrave, *Hist. Nat. Bras.*, 30)

Marangatu (RJ). Em tupi antigo significa *bondade*, *virtude*, termo atribuído artificialmente a uma localidade, mas registrado em textos quinhentistas.

Marapé (ES). De **maíra** + **(a)pé (r, s)**: *caminho do maíra*. O nome Marapé foi documentado no século XVI: *"Esta terra faz no cabo uma ponta; e virando d'ella sobre a mão direita vai fugindo a terra para traz, até dar em outro esteiro que chamam Marapé, onde se começam as terras de Mem de Sá."* (Sousa, *Trat. Descr.*, XXIV)

Maraú (BA). De **maíra** + **'y**: *rio do maíra*.

Mari (BA). O mesmo que **Pari** (v.).

Maricá (RJ). De **pariká**, plantas leguminosas.

Mariteua (PA). Mesma etimologia de **Umarituba** (v.).

Maritiapina (ilha do PA). *"[...] atravessando pelas oito horas a bocca do Limão, e meia hora depois a bocca do Muritiapina [...]"* (João Vasco Manoel de Braun [1784], *Roteiro Corographico*, 330). De **muriti** + **apin** + **-a**: *muricis pelados*, i.e., sem folhas.

Marituba (rio de AL). A mesma etimologia de **Umarituba** (v.).

Maroim (rio da BA). A mesma etimologia de **Maruim** (v.).

Marombas (Itatiaia, RJ). O termo *maromba* é, talvez, das línguas gerais coloniais e tem muitos significados (v. **Marumbi**).

Maruiim (ig. do AM). Mesma etim. de **Maruim** (v.).

Maruim (SE). De **marigûi**: *maruins, mariguis, meruís, biriguis*, insetos ceratopogonídeos.

Maruimpanema (PA). De **marigûi** + **panem** + **-a**: *maruins imprestáveis*, insetos ceratopogonídeos.

Marumbi (serra do PR). Talvez de um termo de língua geral colonial, **maromba *** + **'y**: *rio das marombas*, i.e., dos peixes grandes. O *PDBLP*, (786), registra *maromba* com o sentido de *sardinhas grandes*. **Marumbi** pode ser, também (BA), uma *lagoa cheia de taboas*. (*PDBLP*, 788)

Matapiquara (PA). Da língua geral setentrional *matapi*, covo oblongo, feito de jacitara, e com abertura na base + **quara**: *buraco de matapi*.

Matarandiba (BA). Da língua geral setentrional *matarana* + **tyba**: *existência de mataranas*, ervas zingiberáceas.

Matari (rio do PA). De **metara** ou **pirametara** – var. de peixe + **'y** – rio: *rio das metaras*.

Mataripe (BA). De **metara** – var. de peixe + **'y** – rio + **-pe** – em, para: *no rio das metaras*.

Mataruna (rio do RJ). De **metara** – var. de peixe + **un (r, s)** + **-a**: *metaras escuras*.

Matotuí (PA). De **matu'ĩtu'ĩ**: *matuins, mutuís, batovis, batuíras*, aves que vivem nas praias e margens de rios. (Marcgrave, *Hist. Nat. Bras.*, 217)

Mauá (SP). Talvez de **Magûeá**, nome de aldeia tamoia da Baía da Guanabara, no século XVI, de etimologia obscura. (Anchieta, in *Auto de São Lourenço*, v. 124)

Mauriti (CE). Esse nome se deve à presença de índios tapuias pertencentes à tribo dos Buritis. Buriti é uma palmeira (**moretĩ**, em tupi antigo). O primeiro nome foi Buriti Grande. Por lei de 1924, a vila passou a ser chamada **Mauriti**. (Fonte: IBGE)

Mboi Mirim (estrada de SP). De **mboî(a)** + **mirĩ**: *cobra(s) pequena(s)*.

Membeca (rio do MT). Da língua geral setentrional, uma variedade de bacuri, árvore gutiferácea: *"[...] as quatro castas de bacurí, reté, parí, membeca, e curuba [...]"* (Alexandre Rodrigues Ferreira [n.d.]: *Baixo Rio Negro*, 702)

Meriti, São João do (RJ). De **meriti'yba**, var. de palmeira.

Meritiba (MA). De **meriti'yba**, var. de palmeira.

Meru (riacho do CE). De **meru** (ou **mberu**): *birus*, moscas da família dos muscídeos.

Meruim (ilha do PA). A mesma etim. de **Maruim** (v.).

Meruípe (CE). De **meru** (ou **mberu**) – birus, moscas da família dos muscídeos + **'y** + **-pe**: *no rio dos birus*.

Meruoca (serra do CE). De **meru** (ou **mberu**) – birus, var. de moscas + **oka (r, s)**: *refúgio dos birus*.

Meruú (rio do PA). De **meru** – biru, var. de moscas + **'y**: *rio dos birus*.

Minduri (MG). Da língua geral meridional, uma var. de abelhas.

Miracatu (SP). *"A denominação Miracatu... foi adotada em 1944, por ter desaparecido a 'prainha' que originou o antigo nome, e também por existir, no norte do País, outra cidade com a mesma denominação."* (Fonte: IBGE). Da língua geral setentrional *mira* – gente (Frei Arronches, *Caderno da Língua*, 144) + *catu* – bom (ibidem, 83): *gente boa*.

Miracema (RJ). A mesma etimologia de **Piracema** (v.). *"Pela deliberação de 13-04-1883, o distrito de Santo Antônio dos Brotos passou a denominar-se Miracema."* (Fonte: IBGE)

Miracica (PE). De **pirá** + **syka**: *chegada dos peixes*. Nome dado artificialmente em 1938 a um distrito de Garanhuns, PE.

Miragaia (nome de pessoa). De **mirukaîa**, *miragaia, murucaia, miraguaia*, peixe da família dos cianídeos. Pode também ser nome de origem portuguesa, havendo em Portugal a Vila de Miragaia.

Miranga (BA). De **miranga** [v. **piranga**], barro vermelho.

Mirapinima (AM). De **pirá** + **pinim** + **-a**: *peixes pintados, pirapinimas*.

Mirapiranga (ig. do AM). De **pirá** + **pirang** + **-a**: *peixes vermelhos, pirapirangas*.

Mirapirera (ilha do AM). De **pirá** + **pira** + **-ûera**: *pele de peixe*.

Miraporanga (MG). De **pirá** + **porang** + **-a**: *peixes bonitos*.

Mirapuxi (rio do MS). De **pirá** + **poxy**: *peixes ruins*.

Mirim (SC). Nome de uma abelha, termo da língua geral meridional.

Miriti (RJ). V. **Meriti**.

Miroró (MA). Da língua geral setentrional, peixes murenídeos, também chamados *lampreia, enguia, moreia, mororó, tororó*.

Moacyr (nome próprio de pessoa). De **moasy**: *arrependimento; inveja*. A etimologia dada por José de Alencar em *Iracema* não procede.

Mocajuba (PA). De **mokaîe'yba**, var. de palmeira.

Mocó (BA). De **mokó**, mamíferos cavídeos.

Mococa (SP). De **mokó** + **oka (r, s)**: *refúgio de mocós*.

Mocori (PA). De **mukury**, plantas gutíferas.

Mocoripe (rio do CE). De **mukury** – mucuri, plantas gutíferas + **'y** + **-pe**: *no rio dos mucuris*.

Moema (nome de mulher). De **mo'ema** – mentira (nome de uma personagem da epopeia *Caramuru*, de Santa Rita Durão, de 1781). Moema fora amante de Diogo Álvares, simbolizando o amor-concupiscência, donde o nome que recebeu na epopeia.

Mogi-Guaçu (SP). De **moîa, mboîa** – cobra + **'y** – rio + **-ûasu** – suf. de aumentativo: *rio grande das cobras*.

Mogi-Mirim (SP). De **moîa, mboîa** – cobra + **'y** – rio + **mirĩ** – pequeno: *rio pequeno das cobras*.

Mogiquiçaba (BA). De **moîa, mboîa** + **ker** + -sab/a + -a: *lugar em que as cobras dormem*.

Moiporá (GO). Não é nome tupi, mas *"originário da junção do nome dos municípios vizinhos de Moitu, hoje Cachoeira de Goiás, e Iporá."* (Fonte: IBGE)

Moju (rio do PA). De **moîa, mboîa** + **'y**: *rio das cobras*.

Mombuca (MG). De **mumbuka**, abelhas meliponídeas.

Mondubim (MA). De **mandubi**, *amendoins*.

Mongaguá (SP). De **monga** – visgo, grude, pez, substância pegajosa + **kûá** – enseada: *enseada da substância pegajosa*.

Monguba (ig. do AM). De **monguba**: *mungubas, mongubeiras*, árvores bombacáceas.

Mooca (bairro de SP). De **mũ** + **oka (r, s)**: *casa de parentes*. Ou, talvez, do pref. causativo **mo-** + **oka**: *fabricação de casas*.

Moquém, Ilha do (PA). De **moka'ẽ**[1]: *moquém, moqueteiro*, grelha onde, a fogo lento, os índios assavam a carne dos inimigos. (*VLB*, II, 134)

Morangaba (RJ). De **poranga (m)** + suf. -**aba**: *beleza, lugar de belezas*. Não é nome antigo.

Morici (AL). De **murisi** – muricis, plantas malpigiáceas.

Morumbi (bairro de SP). Da língua geral meridional, com a mesma etimologia de **Marumbi** (v.).

Motuca (SP). De **mutuka**, insetos tabanídeos.

Mucajá (AM). Da língua geral setentrional ***mucajá****, var. de palmeira.

Mucajaí (rio de RR). Da língua geral setentrional ***mucajá*** + **'y**: *rio dos mucajás*, plantas palmáceas.

Mucajatuba (rio do PA). Da língua geral setentrional, ***mucajá*** + **tyba**: *ajuntamento de mucajás*.

Mucugê (BA). De **mukuîé**, *mucujês*, plantas apocináceas.

Mucuim (riacho do CE). De **muku'iîy**, *mucuins*, var. de insetos vermelhos do mato. (*VLB*, I, 55)

Mucunã (PA). De **mukunã**, plantas leguminosas.

Mucura (AM). Termo da língua geral setentrional; o mesmo que **sarigûé** (v.).

Mucuri (SE). De **mukury**: *mucuris*, plantas gutíferas.

Mucurici (ES). De **mukury** + **ysy (t)**: *fileira de mucuris*.

Mucuripe (AM). De **mukury** + **'y** + **-pe**: *no rio dos mucuris*, plantas gutiferáceas.

Mucuruna (riacho do MA). De **mukury** – mucuri + **un (r, s)** + **-a**: *mucuris escuros*, plantas gutiferáceas.

Mumbaba (rio da PB). A forma mais antiga do nome é outra: *"Segue-se o Gramame, entra n'este pela parte do Sul, o Iacoca, e pelo poente o **Paranombababa**, ou **Mombaba**."* (desconhecido [n.d.], *Informação Geral da Capitania de Pernambuco*, 475). De **paranã** + **papaba (mb)** (do v. **pab**): *final do mar*.

Mumbuca (ilha do PA). A mesma etimologia de **Mombuca** (v.).

Mundaú (rio de AL). De **mondá** – ladrão; roubo + **'y** – rio: *rio dos ladrões*. *"Alem do referido Putisatuba dezagoa tãobem nesta lagoa o rio **Mundahú**, que nascendo das faldas da serra chamada Barriga vem correndo quasi paralelo aquelle por muitas legoas athé dezaguarem na lagoa..."* (Luiz dos Santos Vilhena [1801], 808). É, certamente, uma referência aos quilombolas de Palmares, na serra da Barriga, onde o dito rio nasce.

Mundaú Mirim (rio de AL). De **mondá** + **'y** + **mirĩ**: *rio pequeno dos ladrões* (v. **Mundaú**).

Mundé (BA). De **mundé**[1]: *mundéu*, var. de armadilha.

Munduri (PE). A mesma etimologia de **Manduri** (v.).

Muquém (GO). A mesma etimologia de **Moquém** (v.).

Murajá (PA). De **maruîá** (termo conhecido indiretamente em **maruîa'yba**) – nome de uma planta. (Sousa, *Trat. Descr.*, 200)

Mureru (ig. do AM). De **mururé**, plantas moráceas.

Muriaé (rio de MG). O rio Muriaé banha região que foi habitada por índios Puris, já extintos. Não é nome tupi.

Murici (PI). De **murisi**, plantas malpighiáceas.

Muricituba (CE). De **murisi** + **tyba**: *ajuntamento de muricis*, plantas malpighiáceas.

Muriqui (RJ). De **mbyryki** – macacos cebídeos.

Muriti (CE). A mesma etimologia de **Buriti** (v.).

Muritiba (BA). De **meriti'yba**, var. de palmeiras.

Muritipucu (serra do PA). De **meriti** + **puku**: *meritis compridos*.

Murituba (ilha do PA). A mesma etim. de **Muritiba** (v.).

Muriú (RN). De **buri**, var. de palmeira + **'y**: *rio dos buris*.

Murutinga (AM). Da língua geral setentrional ***muru*** *****, erva da família das canáceas + ***tinga***: *murus brancos*.

Mussum (RS). De **musũ**, *muçuns*, peixes simbrânquios.

Mussurepé (RJ). De **musũ**, nome de peixe + **(a)pé (r, s)**: *caminho dos muçuns*.

Mutá (MA). De **mytá**: *mutá, mutã, muitá*, andaimo no mato para esperar caça. (*VLB*, I, 35)

Mutuca (PE). A mesma etimologia de **Motuca** (v.).

Mutuí (ig. do PA). De **mutũ** – mutum, ave cracídea + **'y**: *rio dos mutuns*.

Mutuípe (BA). De **mutũ** + **'y** + **-pe**: *no rio dos mutuns*.

Mutum (MA). De **mutũ**: *mutuns*, aves cracídeas.

Mutumparaná (RO). Do nheengatu ***mutum*** + ***paraná***: *rio do mutuns*.

Mutunquara (ilha do PA). Do nheengatu ***mutum*** + ***cuára***: *toca dos mutuns*.

Mutuoca, Baía da (PA). Do nheengatu ***mutum*** + ***oca***: *refúgio de mutuns*.

N

Nambu (riacho de PE). De **nambu**: *inhambus*, aves tinamídeas.

Naná (ilha do AM). Do nheengatu ***naná***, var. de abacaxi.

Nanaú (PB). De **naná** + **'y**: *rio dos ananazes*.

Nhaca (SP). De **aby'aka (t)**: *aca, inhaca, iaca, cheiro de urina, fedor de suor*.

Nhandeara (SP). De **îandé** + **îara**: *Nosso Senhor*. Nome atribuído artificialmente em 1935. (Fonte: IBGE)

Nhanduí (rio de MT). De **nhandu** – ave reídea, ema + **'y**: *rio dos nhandus*.

Nhandutiba (MG). De **nhandu** + **tyba**: *ajuntamento de nhandus*, aves reídeas.

Nhangusu (Guarulhos, SP). De **nhanga** – vertedouro [do verbo **nhang** – verter (Ar., *Cat.*, 353)] + suf. **-usu**: *vertedouro grande*.

Nhumirim (SP). De **nhũ** + **mirĩ**: *campo pequeno*.

Nhunguaçu (RJ). De **nhũ** + **-gûasu**: *campo grande*.

Nuguaçu (BA). A mesma etim. de **Nhunguaçu** (v.).

Nupeba (BA). De **nhũ** + **peb** + **-a**: *campo plano*.

Nuporanga (SP). De **nhũ** + **porang** + **-a**: *campo bonito*.

O

Oacari (AM). De **gûakary**, *guacaris*, peixes loricariídeos.

Ocara (CE). De **okara (r, s)** – área aberta entre as ocas nas aldeias dos índios tupis; pátio, terreiro.

Ocarussu (RJ). De **okara** – terreiro aberto entre as ocas + suf. **-usu**: *ocara grande*.

Oiti, Riacho do (PE). De **gûeti**, nome de uma árvore.

Oiticica (PI). De **oîtysyka**, plantas crisobalanáceas.

Omari (Mairiporã, SP). De **umari**, plantas icacináceas.

Opaba (BA). De **upaba**, *lago, lagoa*.

Orindiúva (SP). Segundo o IBGE, tal localidade *"em 1935, passou a denominar-se Orindiúva [...] devido à grande quantidade, na região, de aroeiras, árvore de lenho muito duro"*. De **urindeúva**, um nome da língua geral meridional.

Orissanga (SP). A mesma etimologia de **Uruçanga** (v.).

Ouricuri (PE). De **urukuri** – var. de palmáceas.

P

Pacaembu (bairro de SP). De **paka** + **'yemby**: *córrego das pacas*.

Pacajá (rio do PA). De **paka** + **îá**: *repleto de pacas*. Nome de grupo indígena extinto que habitava as margens daquele rio.

Pacajaí, Ilha Grande do (PA). De **paka** + **îá** + **'y**: *rio repleto de pacas*.

Pacoba (AM). De **pakoba**, var. de planta.

Pacobaíba (RJ). De **pakoba** + **aíb** + **-a**: *pacovas ruins* (para comer).

Pacovaí (SP). De **pakoba** + **'y**: *rio das pacovas*.

Pacuí (rio de MG). De *paku* * – pacu, var. de peixe + **'y**: *rio dos pacus*. Montoya, em seu *Tesoro*, consigna o termo na página 260. Ele, porém, não é mencionado nos textos dos viajantes e cronistas dos séculos XVI e XVII.

Pacujá (CE). De *paku* * – pacus, var. de peixes + **îá** – totalidade, repleção, o que está repleto de: *o que está repleto de pacus*. Nome dado por lei de 1883 a distrito do município de Ibiapina. (Fonte: IBGE)

Pajeú (rio de AL). De **paîé** + **'y**: *rio dos pajés*.

Paquetá (ilha do RJ). De **paka** – paca + **etá (r, s)** – muitos (as): *muitas pacas*. Nome muito antigo: *"Defronte do rio Macucú está uma ilha, que se chama Caiaiba, e d'esta ilha a uma está outra, que se chama Pacatá."* (Sousa, *Trat. Descr.*, 92)

Pará (estado brasileiro, antigo nome dos rios Amazonas e São Francisco). De **pará**: *rio (grande)*: *"Esta gente multiplicou de maneira que tem senhoreado ao longo d'este rio de S. Francisco, a que o gentio chama o Pará [...]"* (Sousa, *Trat. Descr.*, CLXXX). *"Tem seu princípio esta terra, a respeito do que está hoje em dia povoado dos portuguêses, do Rio das Amazonas, por outro nome chamado o Pará [...]"* (Brandão, *Diálogos*, I)

Paracatu (rio de MG). De **pará** – rio + **katu** – bom, limpo: *rio limpo, rio bom*. *"O rio Paracatu, grande rio [...], porque dele tomaram o nome aquelas famosíssimas minas que enriqueceram a tantos homens."* (Caetano da Costa Matoso [1749], 941)

Paraguaçu, Ponta do (BA). De **pará** + **-gûasu**: *rio grande*.

Paraíba (estado brasileiro e rio que banha sua capital). De **pará** + **aíb** + **-a**: *rio ruim*.

Paraibuna (rio de SP). De **pará** + **aíb**/a + **un (r, s)** + **-a**: *rio ruim e escuro*.

Paraim (rio do PI). De **pará** + **-'ĩ**: *riozinho*.

Paraitinga (rio de SP). De **pará** + **aíb**/a + **ting** + **-a**: *rio ruim e claro*.

Paramirim (rio da BA). De **pará** + **mirĩ**: *rio pequeno*.

Paraná (estado do Brasil). **Paraná** é palavra das línguas gerais coloniais. Em tupi antigo (séculos XVI e XVII), *paranã* significava *mar* (Fig., *Arte*, 130-131) ou *água do mar* (VLB, I, 24). Nos textos setecentistas o termo *paraná* ou *paranã* já aparece, inclusive na toponímia, com o sentido de *rio* (rio Paranapanema, rio Paraná, Ji-Paraná etc.). *"[...] A palavra que significa rio é Paraná"* (Francisco Xavier Ribeiro de Sampaio [1774], 113)

Paranaguá (PR). De **paranã** – mar + **kûá** – enseada: *enseada do mar*.

Paranaíba (rio de GO). Da língua geral meridional *paraná* * + **aíba**: *rio ruim* (v. **Paraná**).

Paranapanema (rio que separa os estados de SP e PR). Da língua geral meridional *paraná* + *panema*: *rio azarado* (v. **Paraná**).

Paranapiacaba (SP). De **paranã** + **epîak** + **-aba**: *lugar de ver o mar*. Nome antigo da Serra do Mar na capitania de São Vicente: *"Subio a escabrosissima serra de Paranapiacaba: (este nome quer dizer, sitio donde se vê o mar.)"* (Frei Gaspar da Madre de Deus [1767], 176)

Paranapitanga (rio de SP). Da língua geral meridional *paraná* * + *pytanga*: *rio avermelhado* (v. **Paraná**).

Paranapucu (RJ). De **paranã** + **puku**: *mar comprido*.

Paranatinga (rio de GO). Da língua geral meridional *paraná* + *tinga*: *rio claro* (v. **Paraná**).

Paraopeba (rio de MG). De **pará** + **popeb** + **-a**: *rio largo*.

Paraqueçaba (praia da ilha de São Sebastião, SP). De **pará** + **ker** + **sab**/a + **-a**: *lugar em que o rio dorme*, remanso do rio.

Parati (RJ). Os textos coloniais de que dispusemos não dão a explicação do nome da localidade. O termo tupi **parati** tem dois sentidos: 1) peixe da família dos mugilídeos, do Atlântico sul (Marcgrave, *Hist. Nat. Bras.*, 181); 2) uma variedade de mandioca, comestível a partir de oito meses de plantio, apta para cultivo em terras fracas e de areia; o mesmo que **mandi'yparati** (v.) (Sousa, *Trat. Descr.*, 173). Uma das ocorrências mais antigas do nome é a que vemos em Antonil: "*Houve atè agora Cafa de quintar em Taubatê, na Villa de Saõ Paulo, em Paratij, & no Rio de Janeiro.*" (André João Antonil [1711], 13). Isso nos permite supor a seguinte etimologia: **parati** + **'y**: *rio dos paratis*.

Paratiguassu (ribeiro do RJ). De **parati** + **ûasu**: *grandes paratis*, peixes mugilídeos.

Paratiji (rio da BA). De **parati** − peixes mugilídeos + **îy** − rio: *rio dos paratis*.

Paratinga (bairro de Praia Grande, SP). De **pará** + **ting** + **-a**: *rio claro*.

Paraúna (rio de MG). De **pará** + **un (r, s)** + **-a**: *rio escuro*.

Pari (bairro de SP; rio de MT). De **pari** − canal para apanhar peixes. (*VLB*, I, 65)

Paricatuba (PA). De **pariká** − paricá, planta leguminosa + **tyba** − ajuntamento, reunião: *ajuntamento de paricás*.

Paripe (rio da BA). De **pari** − canal para apanhar peixes (*VLB*, I, 65) + **'y** + **-pe**: *no rio do pari*.

Pariquera (riacho de AL). De **pari** + **pûer** + **-a**: *pari extinto*.

Patatiba (rio da BA). Nome de um pássaro em língua geral: "*[...] patatibas, coleirinhos, canarios, e outros, que em menos ajustada solfa, tambem agradavelmente cantaõ.*" (Rocha Pitta [1730], 28)

Pati (RJ). De **pati**, var. de palmeira.

Patipe (rio da BA). De **pati** − var. de palmeira + **'y** + **-pe**: *no rio dos patis*.

Patuá, Cachoeira do (AM). De **patûá** (ou **patygûá** ou **patugûá**), canastra, cesta de folhas de palmeira, balaio.

Paupina (CE). De **'ypa'ũ** + **apin** + **-a**: *ilha pelada*.

Pavuçu (PI). De **upaba** + **-usu**: *lagoa grande*.

Pavuna (lagoa e bairro do RJ). De **upaba** + **un (r, s)** + **-a**: *lagoa escura*.

Paxiúba (ig. do AM). Da língua geral setentrional *paxi* + *yba*: *pés de patis*, var. de palmeiras.

Paxuíba (rio do AM). A mesma etim. de **Paxiúba** (v.).

Peba, Pontal do (AL). De **tatupeba**: *tatu achatado*, animal dasipodídeo.

Pegueri (MG). A mesma etimologia de **Piqueri** (v.).

Pejuaba (rio do PI). De **peîu** + **-aba**: *instrumento de abanar*, abano. (*VLB*, I, 46)

Pejuçara (RS). Da língua geral meridional *pé* + *juçara* *: *caminho comprido*.

Pequeá (SP). De **peke'a**: *pequiás*, plantas cariocaráceas.

Pequeri (rio de MT). A mesma etimologia de **Piqueri** (v.).

Pequi, Rib. do (BA). De **peke'i**, árvores cariocaráceas.

Perequê (SP). De **pirá** + **eîké (t)**: *entrada dos peixes*, i.e., para a desova nos altos cursos dos rios. "*Não há dúvida que há na dita Ilha bastante peixe para os moradores que nela moram [...], mas se se povoarem com bastante gente, terão o preciso para o sustento, que para secas só as poderão fazer no tempo do piraquê.*" (Manoel Gonçalves de Aguiar [n.d.], *Notícia*, 214)

Peri (MA). De **piripiri**: *piripiris, piris, peris*, espécie de junco da família das ciperáceas.

Perigara (MT). Talvez um nome da língua geral meridional, ***piriguara*** *, cipó da família das violáceas.

Perimirim (ribeirão de SP). De **piripiri** – espécie de junco + **mirĩ** – pequeno: *piris pequenos*.

Peri-Peri (serra da BA). De **piripiri** ou **piripirĩ** – espécie de junco: *"As embarcações, de que este gentio usava, eram de uma palha comprida como a das esteiras de tabúa, que fazem em Santarem, a que elles chamam **periperí** [...]."* (Sousa, *Trat. Descr.*, XIX)

Periquara (CE). A mesma etimologia de **Perigara** (v.).

Pernambuco (estado brasileiro). De **paranã** – mar + **puka** – fenda: *fenda do mar, mar furado*. *"[...] chama-se de **Pernambuco**, que quer dizer **mar furado**, por respeito de huma pedra furada, por onde o mar entra [...]"* (Frei Vicente do Salvador, *História do Brasil*, II, cap. VIII)

Peropava (rio de SP). De **iperu** + **upaba**: *lagoa de tubarões*.

Persinunga (rio de PE). De **pará** + **sunung** + -**a**: *rio barulhento*. *"[...] principião do rio **Parasinunga** ao Norte."* (Jozé Cezar de Menezes [n.d.], 54)

Peruaçu (rio da BA). De **yperu** + **-ûasu**: *tubarões grandes*. *"[...] escrevo a vosa altesa o que me socedeo na guerra que tive com o gentio do **peroaçu** [...]"* (Mem de Sá [1560], *Carta de Mem de Saa, governador do brazil para El Rey...*, 227)

Peruíbe (SP). De **iperu** + **'y** + -**pe**: *no rio dos tubarões*. *"[...] me pedia mais huma ylha de três que estam defronte da dita terra de **Peroibe** pera seu aposentamento [...]."* (Amtonio d'Oliveira [1553], *Confirmação das terras doadas pelo ir. Pero correia ao colégio de s. Vicente, 22 de março 1553*, 460)

Pessinguaba (praia e enseada de Iguape, SP). Talvez de **petymbûaba**: *lugar de fumar*. Pode ser, também, o cachimbo indígena.

Piabanha (riacho de GO). De **piaba** + **anh**/a **(r, s)** + -**a**: *piabas dentadas, piabanha*, nome de peixes caracídeos.

Piaçaguera (Cubatão, SP). De **peasab**/a + **ûera**: *porto velho, desembarcadouro antigo*.

*"[...] Hoje chamão-lhe **Piassaquéra**, nome composto do substantivo piassaba, que significa porto, e do adjectivo aquéra cousa velha, ou para melhor dizer, antiquada".* (Frei Gaspar da Madre de Deus [1767], 175)

Piacatu (SP). Nome atribuído em 1944 (Fonte: IBGE). Foi tomado do tupi antigo: de **py'a** – fígado, coração + **katu** – bom: *bons corações*.

Piaí (SP). De **piaba** + **'y**: *rio das piabas*.

Piassabussu (AL). De **peasab**/a + -**usu**: *grande porto*.

Piatã (BA). De **pyatã (m)**: *coragem*. Nome atribuído artificialmente no século XX.

Piau, Ig. Grande do (PA). De **piaba** – peixes caracídeos.

Piaugui (ribeirão de MT). A mesma etim. de **Piauí** (v.).

Piauí (Estado brasileiro). De **piaba** – peixes caracídeos + **'y**: *rio das piabas, rio dos piaus*.

Piaúna (BA). De **piaba** + **un (r, s)** + -**a**: *piaus escuros*.

Piavuçu (lagoa de MT). De **piaba** + -**usu**: *piabas grandes, piabuçus*, piabas de porte avantajado.

Picinguaba (SP). V. **Pessinguaba**.

Picuí (PB). De **piku'i**[2], aves columbídeas.

Pindaí (BA). Segundo o IBGE, em *"1945 recebeu o nome de **Pindaí**, pois São João da Gameleira coincidia com o nome de outro município baiano"*. De **pindá** + **'y**: *rio dos pindás*.

Pindaíba (MG). A mesma etimologia de **Pindaúva** (v.).

Pindaituba (rio do MT). De **pinda'yba** + **tyba**: *ajuntamento de pindaíbas*, plantas anonáceas.

Pindaíva (MT). A mesma etimologia de **Pindaíba**.

Pindamonhangaba (SP). De **pindá** + **monhang** + -**aba**: *lugar de fazer anzóis*: *"... padroeira da Matriz da Vila de **Pindamonhangaba**, que significa **lugar de se fazer anzóis**..."* (Manuel José Pires da Silva Pontes [n.d.], 38)

Pindaúva (rio de Iguape, SP). De **pinda'yba** – ouriços-do-mar.

Pindoba (CE). De **pindoba** – palmeiras cocosoídeas.

Pindobussu (BA). De **pindobusu**[1]: *pindobas grandes*, var. de palmeiras.

Pindoguaba (CE). De **pindoba** + **'u** + **-aba**: *lugar de comer pindobas* (i.e., as suas nozes).

Pindoretama (CE). De **pindoba** + **etama (t)**: *região de pindobas*, var. de palmeiras. Nome atribuído por decreto-lei de 1943 ao distrito de *Palmares*. (Fonte: IBGE)

Pindotiba (serra do RJ). De **pindoba** – var. de palmeira + **tyba** – ajuntamento: *ajuntamento de pindobas*.

Pioca (AL). De **pi'ũ** – pium, pinhum, insetos simulídeos + **oka (r, s)**: *refúgio de piuns*.

Pipiri (córrego de GO). Nome de uma erva ciperácea, de brejos. Talvez um termo da língua geral meridional.

Piqueri (SP). De **pikyra** – piquira, peixe miúdo + **'y** – rio: *rio dos peixes miúdos*: *"Ha mais neste mesmo rio huma coiza rara, e digna de notarsse, que hé hum **peixinho pequeno** chamado **piquira**, que costuma sobir todos os annos na vazante..."* (Barboza de Sá et al. [1782], *Anaes do Senado / Atas de Cuiabá*, fol. 97)

Piquerobi (SP). De **pikyra** – piquira, peixe miúdo + **oby (r, s)** – verde; azul: *piquiras verdes*.

Piqui (BA). De **peke'i**: *pequis*, árvores cariocaráceas.

Piquiá (ilha do AM). De **piki'a**, plantas cariocaráceas.

Piquira (SP). De **pikyra**: *pele tenra*, peixes pequenos.

Piquiri (PR). A mesma etimologia de **Piqueri** (v.).

Pirabanha (rib. de GO). Da língua geral meridional, *piraba* * – peixe caracídeo + **anh**/a **(r, s)** + **-a**: *pirabas dentadas*.

Pirabas, São João de (PA). Da língua geral meridional, *piraba* * – peixes caracídeos.

Pirabeiraba (rio de SC). De **pirá** + **berab** + **-a**: *peixes brilhantes*.

Piracacira (lago do PA). De **pirá** + **ka'a** + **asyr**/a + **-a**: *peixes folhas corcovados*.

Piracaia (SP). De **pirá** + **kaî** + **-a**: *peixes queimados*. Nome da língua geral meridional. Foi criada a freguesia *"com a denominação de Piracaia por Lei Provincial nº 44, de 05 de março de 1836, no Município de Atibaia"*. (Fonte: IBGE)

Piracanjuba (rio de GO). De **pirá** + **akang**/a + **îub**/a + **-a**: *peixes das cabeças amarelas*.

Piracema (SP). De **pirá** + **sema**: *saída de peixes*.

Piracicaba (SP). Da língua geral meridional, *pirá* + *sykaba*: *lugar de chegar dos peixes, chegada dos peixes*. "Chegar por rio", como fazem os peixes, em tupi antigo, é **îepotar**. Na língua geral do século XVIII o verbo **syk** passou a ser usado com esse sentido: *"... continuou a penetrar o sertão a parte oriental seguindo o Rio **Piracicaba** que é o mesmo que dizer **lugar onde o peixe chega** vindo das barras do mar e dali não passa a subir para cima, por impedido das cachoeiras mui altas que não podem avançar..."* (Manuel José Pires da Silva Pontes [n.d.], 32)

Piracoara (rib. do RJ). De **pirá** + **kûara**: *buraco dos peixes*: *"[...] Este nome de **Piracuára** em lingua da terra quer dizer na nossa **buraco ou cova de peixe**."* (José Vieira Couto [1801], 49)

Piracuí (PA). De **pirá** + **ku'i**: *farinha de peixe*.

Piracuquara (PA). De **pirakuka** + **kûara**: *toca das piracucas*.

Piracuruca (rio do PI). De **pirá** + **kuruk** + **-a**: *peixes resmungões*.

Piragibe (nome de pessoa). De **pirá** + **îy** + **-pe**: *no rio dos peixes*.

Piraí (RJ). De **pirá** + **'y**: *rio dos peixes*.

Piraí-Mirim (rio do PR). De **pirá** + **'y** + **mirĩ**: *rio pequeno dos peixes*.

Piraíba (cachoeira de RR). De **pirá** + **aíb** + **-a**: *peixes ruins*. A piraíba é o maior peixe de couro do Brasil, sendo que, na Amazônia, corre a lenda de que engole crianças e ataca os adultos, donde seu nome.

Piraim (rio de MT). De **pirá** + **-'ĩ**: *peixinhos*.

Pirajá (BA). De **pirá** + **îá**: *o que está repleto de peixes*. *"Este rio de **Pirajá** é muito farto de pescado e marisco de que se mantem a cidade e fazendas de sua vizinhança..."* (Sousa, *Trat. Descr.*, XX)

Pirajibu (SP). De **pirá** + **îereb**/a + **'y**: *rio dos peixes lisos, rio das pirajebas*, peixes lobotídeos.

Pirajiqui (BA). De **pirá** + **îeky**: *covo dos peixes*.

Pirajuba (MG). De **pirá** + **îub**/a + **a**: *peixes amarelos*, i.e., os dourados, peixes caracídeos.

Pirajuí (SP) Nome guarani dado em 1907 à vila de São Sebastião do Pouso Alegre, atravessada pela EF Noroeste do Brasil, e que significa *rio dos pirajus*, dos dourados. (Fonte: IBGE)

Pirajuía (BA). De **pirá** + **yîuîa (t, t)**: *escuma de peixes*, isto é, espuma produzida pelos peixes que se movem à flor da água. *"Vive de huma fasenda de lenhas, que tem na Pirajuia..."* (desconhecido [1798], *Bahia – Devassas e Sequestros*, 152)

Pirajussara (rio de SP). Nome de língua geral colonial. De **pirá** – peixe + **pajuçara*** (N e NE) – muito grande; de grande corpo ou estatura (*PDBLP*, 890): *peixes muito grandes*.

Pirambu (SE). De **pirambu**: *peixes barulhentos*, peixes hoemulídeos, também conhecidos como *roncadores*.

Pirandira (ig. do AM). De **pirá** + **andyrá**: *peixes morcegos*.

Piranema (rio do RJ). De **pirá** + **nem** + -a: *peixes fedorentos*.

Piranga[1], Rio (MG). De **pirang**/a: *vermelho*. Durante a fase de emprego das línguas gerais coloniais, foi comum o uso de adjetivos tupis com substantivos portugueses: *Monte Piranga, Rio Una* etc.

Piranga[2], Serra da (PA). Da língua geral setentrional, arvoreta bignoniácea com que os índios preparavam um corante vermelho para a pele. O mesmo que *caapiranga*: *"Há também muitas outras tintas roxas; mas como o caa piranga é tão abundante e tinta muito fina, e viva, não fazem caso de outras..."* (Pe. João Daniel, [1757], 431)

Pirangaí (RJ). De **piranga** + 'y: *rio das pirangas* (v. **Piranga**[2]).

Pirangi (SP). Nome artificial de 1913 e incorreto, pois se pretendia traduzir *rio vermelho*. O nome correto deveria ser, pois, **Ipiranga**.

Piranhaquara (ig. do PA). Do nheengatu *piranha* + **kûara**: *toca das piranhas*.

Piranhas (rio da PB). De **pirá** + **ãî (r, s)** + -a: *peixes dentados*.

Pirapanema (MG). De **pirá** + **panem** + -a: *peixes imprestáveis*.

Pirapé (rio do PR). De **pirá** + **(a)pé (r, s)**: *caminho dos peixes*.

Pirapema (rio de PE). De **pirapema**: *peixes angulosos*, peixes marítimos elopídeos.

Pirapetinga (MG). De **pirá** + **piting** + -a: *peixes pintados*.

Pirapitanga (rio de MG). De **pirá** + **pytang**/a + -a: *peixes pardos*.

Pirapitinga (MG). A mesma etim. de **Pirapetinga** (v.).

Pirapitingui (SP). De **pirá** + **piting**/a + 'y: *rio dos peixes pintados*.

Pirapora (MG). De **pirá** + **por** + -a: *peixes que pulam*: *"... fomos a Pirapora Cachoeira grande, peixe que está saltando..."* (desconhecido [1754], *Relação da chegada que teve a gente de Mato Groço*, 245)

Piraputanga, Baía (MT). De **pirá** + **pytang** + -a: *peixes avermelhados*; var. de peixes caracídeos.

Piraquara (ilha de Guarujá, SP). De **pirá** + **kûara**: *buraco de peixes*.

Piraquê (RJ). De **pirá** + **eîké (t)**: *entrada dos peixes*.

Piraquera (ig. do PA). Do nheengatu. Segundo Stradelli (602), *pirakéra* é *"uma casta de lamparina feita de latão e que, no Solimões, serve para fachear"*.

Pirarara (cach. do AM). De **pirá** + **arara**: *peixes araras*, peixes pimelodídeos da Amazônia.

Pirassununga (SP). De **pirá** + **sunung** + -a: *estrondo de peixes*. Freguesia criada em 1842, no Município de Mogi-Mirim, *"a 9 km da Cachoeira das Emas, na realidade uma corredeira à qual os índios de grupos tupis chamavam de pirá cynunga"*. (Fonte IBGE)

Piratigi (BA). De **pirá** + **atyr**/a + **îy**: *rio do amontoado de peixes*.

Piratininga (antigo nome de São Paulo, SP). De **pirá** – peixe + **tining**/a + -a – seco: *peixes secos*.

Piratuba (SC). De **pirá** + **tyba**: *ajuntamento de peixes*.

Piraúba (MG). De **pirá** – peixe + **a'uba** – excremento (*VLB*, II, 135): *excrementos de peixes*, i.e., âmbar.

Piri (BA). De **piripiri**, espécie de junco, planta ciperácea.

Piriguá (MA). De **perigûá** – var. de moluscos marinhos.

Piripucu (rio do MT). De **piri + puku**: *juncos compridos*.

Piriqui (rio do PR). A mesma etim. de **Piraquê** (v.).

Piririca (rio de Iguape, SP). Da língua geral meridional, pequena corredeira ou ondulação à tona da água, produzida pelos peixes.

Piritiba (BA). A mesma etimologia de **Pirituba** (v.).

Pirituba (rio de SP). De **piripiri + tyba**: *ajuntamento de juncos, juncal*.

Piroba (MA). De **'ybapiroba**: *fruto da pele amarga*, nome de uma planta. (D'Abbeville, *Histoire*, 224v)

Pirpirituba (PA). De **piripiri + tyba**: *ajuntamento de piripiris*.

Pirucaia (Mairiporã, SP). Nome de um peixe cianídeo, termo da língua geral meridional.

Pitanga (BA). De **'ybapytanga** – árvore mirtácea de fruto avermelhado.

Pitangui (rio do PR). De **'ybapytanga + 'y**: *rio das pitangas*.

Pitangy (nome de pessoa). De **pitanga** – criança + suf. **-'ĩ**: *criancinha, bebê*.

Pitimbu (rio do RN). De **petyma + 'y**: *rio do tabaco*.

Pititinga (RN). Nome de um peixe. De **pira + titing/a + -a**: *pele de manchas brancas*.

Pitubas, Riacho das (BA). Nome de um peixe não identificado. "... *que nenhuã pessoa o vendesse desde a praia de Itapagipe, até o Rio vermelho, e* ***Pituba*** *inclusive...*" (Ruy Carvalho Pinheiro [1635], 279).

Pituna, Ilha (AM). De **pytun + -a**: *(ilha) escura*. Durante a fase de emprego das línguas gerais coloniais, foi comum o uso de adjetivos tupis com substantivos portugueses: *Monte Piranga, Rio Una* etc.

Piuí (MG). A mesma etimologia de **Piuim** (v.).

Piuim (riacho do RJ). De **pi'ũ** – piuns, borrachudos, insetos simulídeos + **'y**: *rio dos piuns*.

Pium (rio de MG). De **pi'ũ**: *piuns, borrachudos*.

Piunquara (ig. do AP). De **pi'ũ + kûara**: *toca dos piuns*.

Poirí (BA). De **po'yra (m) + 'y**: *rio das miçangas*.

Poranga (CE). De **poranga**: *beleza, formosura*. Por decreto-lei de 1943, o distrito de Formosa passou a denominar-se *Poranga*. (Fonte: IBGE)

Porangaba (SP). Nome criado no século XX. De **porangaba**: *beleza*. Para evitar problemas de endereçamento, por haver um outro distrito de igual nome na capital do estado, foi alterada em 1919 a denominação de Bela Vista para **Porangaba**. (Fonte: IBGE)

Poraquê (ilha do PA). Mesma etimologia de **Piraquê** (v.).

Pororoca (RN). De **pororoka**: *explosão, rebentamento*, macaréu de vários metros e de grande estrondo que acontece próximo à foz de alguns grandes rios do norte do Brasil.

Potengi (rio do RN). De **potĩ + îy**: *rio dos camarões*.

Poti (rio do PI). De **potĩ**: *camarões*.

Potira (PB). De **potyra (mb)**: *flor*.

Potirendaba (SP). De **potyra + endaba (t)** [v. **in / en(a) (t)**]: *assentamento de flores, lugar em que estão as flores*. Nome atribuído artificialmente, em 1919, a distrito do município de Rio Preto (Fonte: IBGE). Em correto tupi antigo dir-se-ia **'ybotyrendaba**.

Potunduva (cach. do rio Tietê, SP). "*As cachoeiras notaveis d'este rio Tieté são as seguintes: Acanguerusú [...], Acanguemirí, [...]* ***Potunduva*** *[...]*." (Francisco de Oliveira Barbosa [1792], *Noticias da Capitania de S. Paulo*, 25). De **potĩ + tyb + -a**: *ajuntamento de camarões*.

Poxim, Riacho do (AL). A mesma etimologia de **Poti** (v.).

Pracajuba, São João do (PA). A mesma etimologia de **Piracanjuba** (v.).

Pracuí (rio do PA). De **piraruku + 'y**: *rio dos pirarucus*.

Priaoca (serra do CE). De **apereá** – preá + **oka** (r, s) – casa, refúgio: *refúgio dos preás.*

Puçá (PI). De **pysá**, var. de rede de pesca.

Puiraçu (PE). De **po'yra** + **-usu**: *grandes miçangas.*

Puraquequara (rio do AM). De **puraké**[1] + **kûara**: *toca dos puraquês*, i.e., das enguias-elétricas.

Putiri (rio do ES). De **potiry** – aves anatídeas.

Putuna (rio do PR). A mesma etimologia de **Pituna** (v.).

Puxiriteua (ig. do AM). Do nheengatu *puxyri*, árvore laurácea + **téua** – ajuntamento: *ajuntamento de puxiris.*

Q

Quajuá (rio do PA). De **kereîuá**: *querejuás, guiruás*, pássaros cotingídeos de cores brilhantes e vistosas.

Quandu (cach. do AM). A mesma etim. de **Gandu** (v.).

Quati (MT). De **kûati**, mamífero procionídeo.

Quatiara, Salto da (SP). A mesma etimologia de **Itaquatiara** (v.)

Quatiguá (PR). A mesma etimologia de **Catiguá** (v.).

Quatiguaba (CE). De **kûati** + **'y** + **'u** + **-aba**: *lugar em que os quatis bebem água.*

Quatituba (MG). De **kûati** + **tyba**: *ajuntamento de quatis.*

Quavirutuba (bairro de Nazaré Paulista, SP). De **gûabiru** – guabiru ou gabiru, mamífero roedor + **tyba** – ajuntamento, ocorrência: *ajuntamento de gabirus.*

Quebo (MT). De **gûeba**: *guebos*, peixes istioforídeos.

Quicé (BA). De **kysé**: *facas.*

Quiriba (BA). De **kiryba**: *quiris, quirins*, plantas da família das borragináceas. (Brandão, *Diálogos*, 171)

Quiririm (rio de Ubatuba, SP). De **kyrirĩ**: *silencioso.*

Quitinduba (PE). É uma composição híbrida: de *quitandê*, termo do quimbundo que designa uma var. de feijão miúdo + **'yba** – planta, pé: *pés de quitandê*. "*Entrando depois de quatro legoas de costa [...] sobe sete legoas até o Engenho Quitinduba [...]*" (Jozé Cezar de Menezes [n.d.], *Resumo das Freguezias da Comarca de Goyana, e Capitania de Itamaracá*, 46)

R

Reritiba (antigo nome de Anchieta, ES). De **reri** + **tyba**: *ajuntamento de ostras*, sambaquis.

Reriutaba (CE). Lembra os índios Reriús que habitavam a região (Fonte: IBGE). De **reriú** + **taba**: *aldeia dos reriús.*

S

Sabará (MG). É forma abreviada de *Sabarabuçu*: "*... apresentavam as primeiras mostras de Ouro deste Sertão chamado até aquêle tempo de Cataguazes e Sabarabuçu, que a corrupção do mesmo tempo fêz o seu nome conhecido pelo de Minas de Sabará.*" (Pedro Taques, *Notícias das Minas*, 89). De (te)**sá** + **berab** + **usu**: *grandes olhos brilhantes*, referência às pepitas de ouro ali encontradas.

Sabaúna (uma das cachoeiras do rio Tietê, SP): "*As cachoeiras notaveis d'este rio Tieté são as seguintes: Acanguerusú [...] Jurumirí, Avaremondoava, [...] Sabauna, Itaguasava [...]*" (Francisco de Oliveira Barbosa [1792], *Noticias da Capitania de S. Paulo*, 25). De **sabîaúna**: *sabiás pretos*, sabiaúnas, pássaros da família dos turdídeos. (Sousa, *Trat. Descr.*, 238)

Sabiaguaba (CE). De **sabîá** + **'y** + **'ûaba**: *lugar em que os sabiás bebem água.*

Saboji (rio do RN). De **sapó** + **îy**: *rio das raízes*, i.e., rio de manguezal.

Saboó (bairro de Santos, SP). De **sapó** + **po'o**: *arranca-raízes.*

Sacuitã (ilha do MA). De **sakûaritá**: *sacuritás*, caramujos.

Saguipe (BA). De **saûî** + **'y** + **-pe**: *no rio dos saguis.*

Saí (São Sebastião, SP). De **sa'i** – pássaros cerebídeos ou traupídeos.

Saimirim (rio de SC). De **sa'i** + **mirĩ**: *saís pequenos*.

Sairi (CE). De **saí** + **ry** [v. **y (t, t)**]: *rio dos saís*.

Sambaíba (CE). De **saîimbe'yba** – árvores da família das dileniáceas.

Sambaituba (BA). De **saîimbe'yba** + **tyba**: *ajuntamento de sambaíbas*, árvores da família das dileniáceas.

Sanharó (BA). Em língua geral colonial, nome de certas abelhas meliponídeas. De (te) **sá** + **nharõ**: *olhos raivosos*. "*[...] Há outra especie chamada 'Sanharon', q' não fabrica mel, e hé corsaria das outras abelhas, q' o fabricão, forma brigas, acomete as suas cazas, mata-as, e lhes rouba o mel.*" (Anônimo – muito provavelmente Joseph Barbosa de Sáa [1765], 175)

Sapé (GO). De **îasapé**, planta gramínea.

Sapetiba (porto do RJ). A mesma etim. de **Sapetuba** (v.).

Sapetinga (BA). De **sapé** + **ting** + -a: *sapé claro*.

Sapetuba (rua de SP). De **sapé** + **tyba**: *ajuntamento de sapé*.

Sapopara (CE). De **sapó** + **apar** + -a: *raízes tortas*.

Sapopema (PR). A mesma etim. de **Sapopemba** (v.).

Sapopemba (SP). De **sapó** + **pem** + -a: *raízes angulosas*. "*[...] as mesmas raízes crescendo fora da terra, e unidas ao tronco umas conchas do feitio de grandes orelhas, a que os naturaes chamam sapopemas [...]*" (Pe. João Daniel [1757], 39)

Sapucaetaba (morro de Itanhaém, SP). De **sapukaîa** – sapucaia, planta lecitidácea + suf. -(t)ab/a + -a: *lugar de sapucaias*.

Sapucaí (MG). De **sapukaîa** – sapucaia, planta lecitidácea + **'y**: *rio das sapucaias*.

Sapucaia, São João da (MG). De **sapukaîa**, planta lecitidácea.

Sapucarana (PE). De **sapukaîa** + **ran** + -a: *falsas sapucaias*.

Sapupará (CE). De **sapó** + **pará**: *rio das raízes*, i.e., rio de manguezal.

Saquarema (lagoa do RJ). De etimologia controvertida. "*Correndo aquela Costa para o Sul, junto a barra de Saquarema, acha-se hua lagôa d'agua turva, e vermelha...*" (Anônimo – muito provavelmente Joseph Barbosa de Sáa [1765], 78). Talvez de **sakurá** – var. de caramujo (*VLB*, I, 66) + **rem** – fedorento + suf. -a: *caramujos fedorentos*.

Saracura (antigo riacho de São Paulo, SP). De **sarakura** – ave gruiforme da família dos ralídeos.

Saracuru (PA). De **sarakura** + **'y**: *rio das saracuras*.

Saracuruna (riacho do RJ). De **sarakura** – ave da família dos ralídeos + **un (r, s)** + -a: *saracuras escuras*.

Sarandi (MG). Arbusto da família das euforbiáceas, um termo da língua geral meridional.

Sarapó (rio do PA). De **sarapó** – peixes gimnotídeos.

Sarapuí (SP). De **sarapó** + **'y**: *rio dos sarapós*.

Sararaí (BA). De **sarará** – mariposa, inseto lepidóptero de coloração fulva + **'y**: *rio das sararás*.

Sassuí (rio de MG). De **sûasu** + **'y**: *rio dos veados*.

Sauípe (rio da BA). De **saûí** + **'y** + -pe: *no rio dos saguis*.

Securi (rio de MT). De **sukuriîu**: *sucuri, sucuriú*, nome comum a certos répteis ofídios da família dos boídeos.

Sepetiba (Baía do RJ). De **sepé** + **tyba**: *abundância de sapé, sapezal*.

Sepotuba (rio de MT). De **ysypó** + **tyba**: *ajuntamento de cipós, cipoal*.

Sergi (BA). De **seri** + **îy**: *rio dos siris*.

Sergipe (estado brasileiro). De **seri** + **îy** + -pe: *no rio dos siris*. Primeira datação: "*[...] pera com elle ordenar as cousas que pertencem ao serviço de Nosso Senhor, como ajuntar os Indios de Cerigipe e Apacé [...]*" (Pe. Francisco Pires [1559], 157)

Serinhaém (rio de PE). De **seri** + **nha'ẽ**: *bacia de siris*, alusão a uma forma de relevo fluvial da região. "*[...] dá a Freguesia o nome de Serinhaem, que na lingoa nacional quer dizer Seri na tigélla [...]*" (Jozé Cezar de Menezes [n.d.],

Resumo das Freguezias da Comarca de Goyana, e Capitania de Itamaracá, 46)

Seritinga (MG). De **seri** + **ting** + -**a**: *siris brancos*.

Sernambi (Iguape, SP). De **serinambi**: *cernambis*, moluscos bivalves. (Sousa, *Trat. Descr.*, 292)

Sernambitiba (RJ). De **serinambi** + **tyba**: *ajuntamento de cernambis*, moluscos bivalves.

Sinimbu (AL). De **senemby**: *sinimbus, sinumbus*, var. de lagartos. (Marcgrave, *Hist. Nat. Bras.*, 236)

Sirigi (PE). A mesma etimologia de **Sergi** (v.).

Sirinhaém, Barra do (PE). V. **Serinhaém**.

Siriri (SE). De **suîriri**, pássaro da família dos tiranídeos.

Sirituba (ilha do PA). De **siri** + **tyba**: *ajuntamento de siris*.

Siriúva (rio do MT). De **siri** + **'yba**: *planta dos siris*, árvores verbenáceas de manguezais.

Socatinga (CE). De **soka** + **ab**/**a** (**r, s**) + **ting**/a + -**a**: *lagartas dos pelos claros*.

Socó (serra de PE). De **sokó** – aves ciconiformes.

Sorocaba (SP). De **sorok** + -**aba**: *rasgadura [da terra]*.

Sorocaba Mirim (Ibiúna, SP). De **sorok** + -**ab**/a + **mirĩ**: *pequena rasgadura [da terra]*.

Sorocabuçu (Ibiúna, SP). De **sorok** + -**ab**/a + -**usu**: *grande rasgadura [da terra]*.

Sororoca (cachoeira do AM). De **sororoka**, peixes tunídeos. (Sousa, *Trat. Descr.*, 284)

Suaçu (cachoeira do AM). De **sûasu** – veado.

Suaçuí (rio de MG). De **sûasu** + **'y**: *rio dos veados*.

Suarão (praia de Itanhaém, SP). De **Suarã**, a estrela Sírius.

Suassuna (rio do RJ). De **sûasu** + **un** (**r, s**) + -**a**: *veado escuro*. "[...] em a qual se mette outro rio, que se diz **Suaçuna** [...]" (Sousa, *Trat. Descr.*, LII)

Suassupe (PB). De **sûasu** + **'y** + -**pe**: *no rio dos veados*.

Sucatinga (CE). A mesma etimologia de **Socatinga** (v.).

Suçuapara (BA). De **sûasuapara**: *veado arqueado*, veado-galheiro, animal cervídeo.

Sucupira (MA). De **sebypyra**, designação comum a três árvores leguminosas (Marcgrave, *Hist. Nat. Bras.*, 100)

Sucuri (SP). A mesma etimologia de **Securi** (v.).

Sucuriju (lago do AM). De **sukuriîu**: *sucuriú, sucuri*, nome comum a certos répteis ofídios boídeos.

Sumaré (bairro de SP). Nome da língua geral meridional, designando uma variedade de orquídea.

Sumaúma (ig. do PA). De **sumaúma**, árvore bombacácea.

Sumé (PB). Entidade da cosmologia dos antigos tupis. Nome dado em 1951 ao antigo distrito de São Tomé, tornado município. (Fonte: IBGE)

Suribi (rio de MG). De **surubi**, peixes pimelodídeos.

Surubiú (rio do PA). De **surubi** + **'y**: *rio dos surubis*.

Suruguá (ribeirão do PA). De *surucuá**, ave da família dos trogonídeos. Deve ser termo da língua geral setentrional.

Sururu (BA). De **sururu** – moluscos mitilídeos.

Sururuí (rio do RJ). De **sururu** + **'y**: *rio dos sururus*.

Sussuanha (CE). De **sûasu** + **anh**/a (**r, s**): *dente de veado*, suçuaia, erva da família das compostas.

Sussuí (SP). A mesma etimologia de **Suaçuí** (v.).

T

Tabajara (rua de SP). De **tobaîara**: *inimigos*, povo indígena do nordeste do Brasil.

Tabaranas (rio de SP). De **taîbarana**, peixes caracídeos.

Tabatinga (AM). De **tobatinga** ou **tabatinga** – var. de barro branco como cal. (*VLB*, I, 52)

Tabatinguera (rua de SP). De **tabatinga** + **-ûer** + **-a**: *barreiro extinto.*

Tabaúna (MG). De **taûá** + **un** + **-a**: *barro escuro.*

Tabocas (morro de PE). De **îataboka** – bambus de colmo muito alto, que alcança muitos metros.

Taboco (rio do MT). A mesma etim. de **Tabocas** (v.).

Taburuji (rio do RJ). De **tapuru** + **îy**: *rio dos tapurus*, larvas vermiformes de certos insetos.

Tacanhuna (rio do PA). Nome de grupo indígena. De **takûãîa** – pênis + **un (r, s)** + **-a**: *pênis escuros.*

Taciba (SP). De **tasyba** – var. de formigas.

Tacima (PA). A mesma etimologia de **Itacima** (v.).

Tacimirim (BA). De **itá** + **asyb/a** + **mirĩ**: *pequenas pedras escorregadias.*

Tacuru (MT). Da língua geral setentrional, designando o ninho de cupins.

Tagaçaba (rio do PR). De **itá** + **ygasaba**: *igaçaba de pedra*, uma forma de relevo fluvial.

Tagi (MA). De **itá** + **îy**: *rio de pedras.*

Taguá (CE). De **tagûá** – var. de barro amarelo.

Taguaí (RJ). De **tagûá** – tauá, taguá, barro amarelo + **'y** – rio: *rio do tauá.*

Taguarassu (GO). A mesma etim. de **Taquaruçu** (v.).

Taguaruçu (córrego do MT). A mesma etimologia de **Taquaruçu** (v.).

Taguatinga (serra de GO). De **tagûá** – tauá, taguá, barro amarelo + **ting** + **-a**: *tauá claro.*

Taiaçu (SP). De **taîasu** – porcos silvestres.

Taiaçutuba (ilha do AM). De **taîasu** + **tyba**: *ajuntamento de taiaçus*, porcos silvestres.

Taim (RS). A mesma etimologia de **Itaim** (v.).

Taioba, Córr. da (GO). De **taîaoba**[1], plantas aráceas.

Taipu, São Miguel de (PB). A mesma etim. de **Itaipu** (v.).

Tairetá (RJ). De **ta'yretá**: *família.*

Tajatuba (MA). De **taîá** + **tyba**: *ajuntamento de tajás*, plantas aráceas de raízes comestíveis.

Tajuaba (MA). De **taîá** + **'u** + **-aba**: *lugar de comer tajás.*

Tamandaré (PE). De **Tamandûaré**, nome de um grande pajé da mitologia dos antigos tupis. Talvez de **tamanduá** + **é**: *tamanduá diferente.* *"As Aldeas, que então o Irmão visitava, erão tres: huma de um principal chamado Simão, [...] a outra chamava-se Tamanduaré [...]."* (Ir. António Blázquez [1557], *Carta [...] ao P. Inácio de Loyola*, 380-381)

Tamanduapava (MG). De **tamandûá** + **upaba**: *lagoa dos tamanduás.*

Tamanduateí (SP). De **tamandûá** + **eté** + **'y**: *rio dos tamanduás verdadeiros*, ou, ainda, **tamandûá** + **tyb** + **'y**: *rio de ocorrência de tamanduás* (Capitania de S. Visente, c. 1620, que o grafa *Tamandoatibi*). Na documentação colonial, o nome se grafa de muitas maneiras: *Tamandoati, Tamãdoatihi, Tamendoatei* etc.

Tamaquaré (ilha do AM). Em nheengatu, *tamacoaré* tem vários sentidos, designando um lagarto iguanídeo, uma planta gutífera, um óleo medicinal etc. (Stradelli, 657-659)

Tamatiatuba (RN). De **tamatîá** – ave ciconiforme dos mangues, das beiras dos rios e lagos + **tyba**: *ajuntamento de tamatiás.*

Tambaqui (AM). De **tambaky** – peixes caracídeos.

Tambaú (SP). *"Legoa e meia acima d'este salto se encontra a cachoeira Avanhandava-mirim, e logo a do Campo, da qual se navega o Tieté pelo espaço de 14 legeas de rio limpo, até à cachoeira Cambayu-voca, a que se seguem as duas Tambaú-mirim, e Tambaú-uassú..."* (Vasconcellos de Drummond [1797], *Descripção geographica da capitania de mato-grosso: anno de 1797*, 240). Da língua geral meridional, *tambá**, concha bivalve + **'y**: *rio das conchas.*

Tambaúba (riacho da PB). Árvore silvestre, não identificada. De *tambá** + *'yba*: *árvore das conchas*, nome devido às listras de sua madeira (v. **Tambaú**).

També (PE). A mesma etimologia de **Itambé** (v.).

Tamboatá (PE). De **tamûatá** – peixes caliquitídeos.

Tamboré (Santana de Parnaíba, SP). *"... veo o juis dos orfãos dõ simão de toledo a paragen* *chamada **tambore** sitio e fazenda de maria leite..."* (Maria da Silva [1655], *Inventário e Testamento de Maria da Silva*, 200). Talvez provenha de **tamburi**, nome de árvore da família das leguminosas; termo das línguas gerais coloniais.

Tamburi (BA). Nome de árvore da família das leguminosas, das língua gerais coloniais.

Tanabi (SP). De **tanambi**, *borboleta*, em guarani antigo, o mesmo que **panambi**: *"Mariposa panambi 1. tanambi [Tes. no tiene este]; esta es la polilla que se convierte en mariposilla blanca [...]"* (Restivo, *Vocabulario de la lengua guarani* [1722] (1893), 378)

Tangará (rio do PR). De **tangará**, pássaros piprídeos.

Tanhaçu (BA). A mesma etimologia de **Taiaçu** (v.).

Tanhenga (ilha do RJ). De **itá** + **nhe'eng** + **-a**: *pedra que fala*.

Tapacorá (serra do RJ). De **tapakurá** – liga feita com fio de algodão e colocada pelos índios em torno da perna.

Tapaiúna (PA). Mesma etimologia de **Tapanhuna** (v.).

Tapanhuna (rio de SP). De **tapy'yîuna** (ou **tapy'yînhuna**): *homem negro; escravo africano*.

Tapanhunacanga (MG). De **tapy'yîuna** (ou **tapy'yînhuna**) + **akanga**: *cabeça de negro*. Nome dado ao minério de ferro: *"O revestimento das muralhas é de uma pedra côr de ferro a que nesse país chamam em língua Tupinambá: **Tapanhu-acanga**, o que quer dizer **Cabeça de Negro**."* (Antônio Pires da Silva Pontes [1781], 380); *"[...] suposto q.' as Minas Geraes sejão quasi todas de ferro, q.' os Naturalistas nomeão por Emathytis, eos naturaes **Tapanhuacanga**, q. ^e quer dizer na língua Brasileira **Cabeça de preto** [...]"* (Pontes Leme [n.d.], *Memorias sobre a Extracção do Ouro na Capitania de Minas Geraes*, 420)

Tapejara (PR). Palavra registrada em textos quinhentistas, mas atribuída artificialmente como nome de uma localidade paranaense: *"Na década de 1950 teve início, por meio da Companhia Imobiliária Tapejara, o processo de colonização na região onde se situa o Município de Tapejara."* (Fonte: IBGE). De **tapiîara** – morador de um lugar, morador antigo ou que está de assento em algum lugar (*VLB*, II, 41); tapijara.

Tapepitanga (BA). De **itá** + **peb**/a + **pytang**/a + **-a**: *pedra achatada avermelhada*.

Tapera (SE). De **taba** + **pûer** + **-a**: *aldeia extinta*. Durante o período colonial, **tapera** passou a significar também, *fazenda abandonada*. É com esse sentido que tal palavra aparece mais comumente na toponímia brasileira: *"Por que cuidaes que se arruinam e desfabricam, e estão feitos **taperas** tantos engenhos?"* (Pe. Antônio Vieira [1657], *3º Sermão da Quarta Dominga da Quaresma*, 69)

Taperaba (AP). De **taperá** + suf. **-ab**/a: *lugar de andorinhas*.

Taperi (BA). De **tapera** + **'y**: *rio da tapera*, i.e., *da aldeia abandonada, da fazenda abandonada*.

Taperoá (BA). A mesma etimologia de **Taperuaba** (v.).

Taperobu (PB). De **taba** + **pûer** + **oby** (**r, s**): *tapera verde*, i.e., fazenda abandonada com casas cobertas por plantas.

Taperuaba (CE). De **tapi'ira** + **'y** + **'u** + suf. **-ab**/a: *lugar em que as antas (ou tapiras) bebem água*.

Tapessirica (rio de PE). Mesma etim. de **Itapecirica** (v.).

Tapeva (córrego de SC). Mesma etim. de **Itapeva** (v.).

Tapiara (AM). Mesma etimologia de **Tapejara** (v.).

Tapiira (cachoeira do AM). De **tapi'ira**: *antas*.

Tapiraçá (riacho de PE). De **tapi'ira** – anta, tapiira + **esá (t)**: *olhos de anta*.

Tapiracuí (rio do PR). De **tapi'irapekũ** – planta medicinal + **'y**: *rio dos tapirapecus*.

Tapiraí (SP). De **taperá** + **'y**: *rio das andorinhas*.

Tapiramutã (BA). De **tapi'ira** + **mytá** – andaimo no mato para esperar caça: *mutã das tapiras*, i.e., mutã para apanhar *tapiras* (ou *antas*).

Tapiranga (BA). De **taba** + **pirang** + **-a**: *penas vermelhas*, nome de pássaro traupídeo.

Tapirapé (GO). De **tapi'ira** – anta, tapiira + **(a)pé (r, s)**: *caminho de antas*, nome tupi para a Via Láctea.

Tapirapecó (serra do AM). De **tapi'ira** + **apekü**: *língua de vaca*, nome de uma planta.

Tapirapuã (rio de MG). De **itá** + **byr**/a + **apu'a**: *pedra erguida redonda.*

Tapiratiba (SP). De **taperá** + **tyba**: *ajuntamento de andorinhas*. Nome atribuído artificialmente: "*Em 6 de dezembro de 1906, por Lei Estadual no 1028, o Distrito Policial de Soledade passou a denominar-se Tapiratiba.*" (Fonte: IBGE)

Tapirema (PE). De **tapi'ira** – anta, tapiira, tapira + **rema** – fedor: *fedor das tapiras.*

Tapiru (AM). De **tapi'ira** + **'y**: *rio das antas.*

Tapiti (rio do AP). De **tapeti** (ou **tapiti**), coelhos-do-mato.

Tapiú (paraná do AM). Do nheengatu *tapiú*, pequenas formigas arbóreas. (Stradelli, 664)

Tapuia, Serra da (RN). De **tapuîa**[1]: *choupana, choça.*

Tapuiara (CE). A mesma etimologia de **Tapejara** (v.).

Tapuitapera (MA). De **tapuîa** ou **tapy'yîa** – o que é de grupo indígena não tupi, tapuia + **tapera** – aldeia abandonada: *aldeia abandonada dos tapuias*. "*Præcipuus pagus et provinciæ velut caput, vocatur provinciæ nomine Tapovytepere, quod ipsorum idiomate significat antiquam Tapuyarum sedem.*" – "*O principal povoado, considerado capital da Província, tem o nome Tapuitapera, que significa, em seu idioma,* **antiga moradia dos tapuias**." (Laet, *Novus Orbis, Livro XVII*, 621)

Tapuiú (CE). De **tapuîa** ou **tapy'yîa** + **'y**: *rio dos tapuias.*

Tapurema (cachoeira do AP). De **tapi'ira** + **rema**: *fedor de antas.*

Tapuru, São Sebastião do (AM). Do nheengatu *itá* + *puru*: *pedras enfeitadas.*

Taquacetuba (SP). De **takûara** + **kysé** + **tyba**: *ajuntamento de taquaras-faca.*

Taquaraçu (MG). A mesma etim. de **Taquaruçu** (v.).

Taquarantã (ribeirão de SP). De **takûara + atã (r, s)**: *taquaras duras.*

Taquarembó (arroio do RS). De **takûara** + **'yemby**: *córrego das taquaras.*

Taquarenduva (SP). De **takûara** + **e'ẽ (r, s)** + **tyba**: *ajuntamento de taquaras doces*, i.e., *de canas-de-açúcar*; canavial.

Taquari (rio da BA). De **takûara** + **'y**: *rio das taquaras.*

Taquari Mirim (rio do MT). De **takûara** + **'y** + **mirĩ**: *rio pequeno das taquaras.*

Taquarichim (RS). De **takûara** + **'y** + **isi'ĩ (r, s)** – miúdo, pequeno (*VLB*, II, 78): *rio pequeno das taquaras.*

Taquaritinga (SP). De **takûara** + **'y** + **ting**/a + -a: *rio claro das taquaras.*

Taquarituba (SP). De **takûar**/a + -**'i** + **tyba**: *ajuntamento de taquarinhas.*

Taquaru (rio de SP). A mesma etim. de **Taquari** (v.).

Taquaruçu (SP). De **takûar**/a + -**usu**: *taquaras grandes.*

Taquiruma (MG). De **itakyru'uma**: *lama da mó, amolada, água suja das mós*. (*VLB*, I, 34)

Tarairi (rio do RN). De **tare'ira** – traíra, peixe caracídeo + **'y**: *rio das traíras.*

Taraquá (AM). Do nheengatu *taraquá*, nome de uma formiga da Amazônia. (Stradelli, 666)

Tararucu (BA). De **tararuku** – tararucu, planta da família das leguminosas, também conhecida como *fedegoso.*

Tareraimbu, Cachoeira do (PA). De **tare'ira** + **'yemby**: *córrego das traíras.*

Tarituba (RJ). De **tare'ira** + **tyba**: *ajuntamento de traíras.*

Taruaçu (MG). De **tare'ira** + -**ûasu**: *traíras grandes.*

Tarumã (MT). Do nheengatu, nome de uma árvore verbenácea. (Stradellli, 667)

Tarumirim (MG). De língua geral colonial, ***tarumã-mirim*** *, árvore da família das verbenáceas, da floresta atlântica, idêntica ao tarumã. (PDBLP, 1173)

Tassiquara (ilha do MT). De **tasyba** + **kûara**: *toca das tacibas*, var. de formigas.

Tassuapina (BA). De **itá** + **-usu** + **apin** + **-a**: *pedra grande e pelada*.

Tatá (ig. do AM). Do nheengatu *tatá*: *fogo*.

Tataíra (SP). De **tatá** + **eíra**: *abelhas de fogo*, abelhas meliponídeas, também chamadas *caga-fogos*.

Tatajiba (rio do RS). A mesma etim. de **Tatajuba** (v.).

Tatajuba (CE). De **tatá** + **îub**/a + suf. **-a**: *fogo amarelo*, nome de uma árvore da família das moráceas.

Tatauí (riacho da BA). De **tata'u** – arcabuz + **'y** – rio: *rio do arcabuz*.

Tatinga (MA). De **itá** + **ting**/a + **-a**: *metal branco*, prata.

Tatuaba (rio do MA). De **tatu** + **-ab**/a (suf.): *lugar de tatus*.

Tatuaia (ig. do PA). De **tatu** + **ûaîa (t)**: *rabo de tatu*.

Tatuapé (SP). De **tatu** + **(a)pé (r, s)**: *caminho de tatus*.

Tatuassu (BA). De **tatu** + **-ûasu**: *tatus grandes*.

Tatuí (rio do PR). De **tatu** + **'y**: *rio dos tatus*.

Tatuoca (PA). De **tatu** + **oka (r, s)**: *refúgio de tatus*.

Tatupeba (rib. do PA). De **tatupeba**: *tatu achatado*, var. de tatu.

Tatuquaru (PR). De **tatu** + **kûara** + **'y**: *rio da toca dos tatus*.

Tauá, Santo Antônio do (PA). Mesma etim. de **Taguá** (v.).

Tauapiranga (PE). De **taûá** + **pirang** + **-a**: *tauá*, barro vermelho.

Taubaté (SP). De **itá** + **ybaté**: *pedras altas*.

Taúna (RJ). De **itá** + **un (r, s)** + **-a**: *pedras escuras*.

Teçaindaba (rua de São Paulo, SP). De **tesaî**/a + **-sab**/a (forma nasalizada: **ndab**/a) + **-a**: *lugar de alegria*. Nome atribuído artificialmente no século XX.

Tejuçuoca (SP). De **teîuûasu** – teiuaçu, réptil teídeo + **oka (r, s)**: *toca dos teiuaçus*.

Tejucupapo (PE). "... foram ao *Tujucupapo*..." (texto apócrifo [1585], 1). De **tyîuk(a)+upab(a)+-pe**: *no lago da água podre, no lago do tijuco*. O *VELGB* consigna *Tijucupáo* como *baixos de rio*.

Tejupá (SP). De **teîupara**, choupana para abrigo durante viagens, *tejupá* (Sousa, *Trat. Descr.*, 321)

Tejuri (córr. do MT). De **teîú** + **ry [y (t, t)]**: *rio dos teiús*.

Tetéu (PI). De **(ûyrá)te'õte'õ** – ave caradriídea.

Tiaia (rio do CE). De **ty** + **aî (r, s)** + **-a**: *água azeda*.

Tianguá (CE). De **ty** + **'anga** + **kûá**: *baía abrigo de rio*.

Tibiri (rio da PB). De **tybyra** + **'y**: *rio da poeira*.

Tibiriçá (nome de h.). De **tebira** + **esá (t)**: *olho das nádegas*.

Ticororó (rib. de MG). De **ty** + **kororõ**: *rio roncador, água que ronca*.

Tiê (MG). De **tié**, pássaros traupídeos.

Tietê (rio de SP). "[...] no dia 28 de Julho de 1767 voltou com as canoas do seu transporte pelo rio Anhambí, que em São Paulo se chama *Tieté* [...]" (Pedro Taques, *Nobiliarquia Paulistana*, 18). De **ty** + **eté**: *rio muito bom, rio a valer*.

Tigipió (SC). A mesma etimologia de **Tijipió** (v.).

Tijipió (PE). De **teîú** – teju, tiú, nome genérico para os lagartos + **ypyó** – grande quantidade, multidão (*VLB*, I, 81): *multidão de tejus*.

Tijoca (PA). Do nheengatu *tejú* (Stradelli, 673) + *oka*: *refúgio dos tejus*.

Tijuaçu (BA). De **teîuûasu**: *tejus grandes, teiuaçus*, répteis teídeos. (*VLB*, II, 17)

Tijuca (rio do RJ). De **ty** + **îuk** + **-a**: *rio podre, água podre*, atoleiro; charco, pântano, lama. (*VLB*, II, 17)

Tijuco (rib. de SP). A mesma etimologia de **Tijuca** (v.). "... é de barro, ou *tijuco*, que assim se chama por cá, é de não dificultosa subida." (Caetano da Costa Matoso [1749], *Diário da*

Jornada que fez o ouvidor Caetano da Costa Matoso..., 895)

Tijucopapo (PE). A mesma etim. de **Tejucupapo** (v.).

Tijucuçu (BA). De **tuîuka** + **-usu**: *tejuco grande*.

Tijucussu (riacho da BA). Mesma etim. de **Tijucuçu** (v.).

Tijuípe (rio da BA). De **teîu** + **'y** + **-pe**: *no rio dos teiús*.

Timbaúba, São Pedro do (açude do CE). Nome de árvore leguminosa, termo da língua geral setentrional.

Timbó, Santa Cruz do (SC). De **timbó**, nome genérico de algumas plantas entorpecentes.

Timbói (rio de Santos, SP). De **ty** + **mboîa**: *cobra d´água*.

Timbopeba (SE). De **timbopeba**, var. de timbó, plantas leguminosas que entorpecem os peixes.

Timboteua (PA). Do nheengatu *timbó* + *téua*: *ajuntamento de timbós*.

Timburi (SP). Planta leguminosa cujo fruto é utilizado como sabão; termo da língua geral meridional.

Timonha (CE). De **ty** + **mõî*** – cozer; cozido (deduzido de **mimõîa**) + suf. **-a**: *águas cozidas, águas quentes*.

Tinguá (RJ). Nome de uma planta não identificada, da língua geral meridional.

Tinguatiba (BA). Nome de plantas rutáceas, *tinguacibas ***, espinhos-de-vintém, de língua geral.

Tingui (rio da BA). De **tingy**: *líquido de enjoo*, arbusto da família das sapindáceas que, lançado à água doce, serve para pescar o peixe, envenenando-o: *"... foram a um rio dar tinguí, sc. barbasco ao peixe, e ficaram bem providos..."* (Pe. Fernão Cardim [1583], *Informação da Missão do P. Christovão Gouvêa ás partes do Brasil* – *anno de 83*, 155)

Tipi (CE). De **tipi**: *tipis, pipis*, plantas fitolacáceas.

Tipoca (ig. do AP). De **ty** + **pok** + **-a**: *água que estoura*.

Tiquaruçu (BA). De **ty** + **kûara** + **-usu**: *buraco grande de rio*.

Tiquira (MT). De **tykyra**: *gotas, pingos*. (*VLB*, II, 17)

Tiribobó (rio do RJ). De **ty** + **îarybobõ**: *rio das pontes*.

Tiririca (BA). Erva daninha graminiforme da família das ciperáceas; termo de língua geral.

Tiúma (riacho de PE). De **ty** + **u'um** + **-a**: *rio enlameado*.

Tobati (MG). A mesma etimologia de **Tabatinga** (v.).

Tocantins (estado brasileiro). *"Chama-se rio dos **Tocantins**, por uma nação de índios dêste nome, que quando os portugueses vieram ao Pará o habitavam [...]"* (Pe. Antônio Vieira [1654], *Carta ao Padre Provincial do Brasil*, 376). De **tukana** + **tĩ**: *bicos de tucanos*.

Topé (CE). De **tope**: *vagens*.

Toriba (SP). De **toryba**: *alegria*. Nome atribuído artificialmente no século XX.

Toritama (PE). De **toryba** + **etama (t)**: *terra da alegria*, nome atribuído artificialmente no século XX.

Traicis, Rochedo das (PE). De **ybytyra** + **ysy (t)**: *fileira de morros*.

Traipu (rio de SE). De **tare'ira** – traíra, peixe caracídeo + **pu** – barulho: *barulho das traíras*.

Trairi, São Bento do (RN). De **tare'ira** + **'y**: *rio das traíras*.

Traitu (SP). De **tare'ira** + **ytu**: *cachoeira das traíras*.

Traituba (MG). De **tare'ira** + **tyba**: *ajuntamento de traíras*.

Tramataia (aldeia potiguara de Baía da Traição, PB). *"[...] fica distante do porto da **Tramataya** 3 leguas e meia [...]"* (Antonio Ferreira Soares Pinto [n.d.], *Relação das Matas da Capitania da Parahyba*, 359). De **taramîa ***, **taramá *** – plantas verbenáceas medicinais + **taî**/a – ardido, que requeima + suf. **-a**: *taramás ardidos*.

Traripe (rio da BA). De **tare'ira** + **'y** + **-pe**: *no rio das traíras*, peixes caracídeos.

Trussu, Rio (CE). De **turusu**: *grande*.

Tubi, Rio do (MG). De **tobi**, peixe da família dos gimnotídeos (Lisboa, *Hist. Anim. e Árv. do Maranhão*, fl. 172v)

Tubuna (salto no rio Itararé, SP). De **tubuna** – var. de abelha.

Tucambira (rio de MG). De **tukãmbyra**: *papo do tucano de pena amarela*. (*VLB*, II, 64)

Tucana (AM). De **tukana**: *tucanos*, aves ranfastídeas.

Tucum (BA). De **tukũ** – var. de palmeiras.

Tucumaí (cach. do AM). De **tukuma** + **'y**: *rio dos tucumãs*, var. de palmeiras.

Tucunduba (PA). De **tukũ** + **tyba**: *ajuntamento de tucuns*, var. de palmeiras.

Tucuruí (AM). A mesma etimologia de **Tucuruvi** (v.).

Tucuruvi (SP). De **tukura** + **oby**: *gafanhotos verdes*.

Tuiutinga (MG). De **tuîuka** + **tinga**: *tejuco claro*.

Tujuguaba (SP). De **teîu** + **'y** + **'u** + **-aba**: *lugar em que os tejus bebem água*.

Tumiritinga, São Geraldo de (MG). De **ytu** + **mirĩ** + **ting** + **-a**: *cachoeira pequena e clara*.

Tupãciretama (PE). De **Tupã** + **sy** + **etama (t)**: *terra da mãe de Deus*. Nome artificial, atribuído no século XX.

Tupanaci (PE). De **tupana** + **sy**: *mãe de Deus*.

Tupantuba (RS). De **Tupã** + **tuba**: *Deus Pai*.

Tupãoca (PE). De **tupãoka**: *casa de Tupã*, igreja.

Tuparetama (PE). De **Tupã** + **etama (t)**: *terra de Deus*.

Tupiassu (rio do MA). De **ty** + **ypy** + **-ûasu**: *rio muito fundo*.

Tupinambarana (ilha do AM). "*A nação Topinambarana é muito parenta da dos topinambases, senão é a mesma com alguma corrupção da língoa pela comunicação de outras nações. Tinha esta nação o seu domicílio em uma grande ilha, que forma o Amazonas na foz do Rio Madeira, que deles tomou o nome de Ilha dos Topinambaranas [...]*" (Pe. João Daniel [1757], 270) De **tupinambá** + **ran** + **-a**: *falsos tupinambás*.

Tupiri (Praia Grande, SP). De **tupi** + **ry [y (t, t)]**: *rio dos tupis*. Pode originar-se, também, de **taperi** [de **tapera** – aldeia abandonada (Fig., *Arte*, 76)] + suf. **-'ĩ**: *taperinha, pequena tapera*.

Turiassu (MA). "*Correndo do Maranhão para a Capitania do Pará se estende a costa a Es-noroeste até chegar ao rio Tury-assú [...]*" (Pe. José de Moraes [1759], *Memorias*, 16). De **turu*** (no tupi antigo, **turuygûera** – v.) + **-ûasu**: *turus grandes*, vermes que crescem na madeira podre: "*... turu, minhoca d'água, peste da madeira por mais dura que seja, e traça das embarcações [...]*". (Pe. João Daniel [1757], 359)

Tutinga (rio de Cubatão). De **ty** + **ting** + **-a**: *rio claro*.

Tutoia (MA). "*[...] nação Trememéa, situada na costa do Maranhão entre o Pereá e a Tutoya [...]*" (Pe. José de Moraes [1759], *Memorias*, 103). De **ty** + **tuî**/a – transbordante, que transborda (Anch., *Teatro*, 28) + suf. **-a**: *rio transbordante, águas transbordantes*.

U

Ubá (MG). De **ubá** – canoa, embarcação indígena.

Ubaí (MG). De **ubá** + **'y**: *rio dos ubás*.

Ubajara (CE). Nome de um cacique que habitou a região. De **ubá** + **îara**: *dono de canoas*. Tal nome foi atribuído quando foi criado o município, em 1915. (Fonte: IBGE)

Ubaporanga (MG). Nome adotado artificialmente no séc. XX: de **u'ubá** + **porang** + **-a**: *belas canas ubás*.

Ubatã (BA). De **'yba** + **atã**: *paus duros, árvores duras*.

Ubatiba (RJ). A mesma etimologia de **Ubatuba** (v.).

Ubatuba (SP). Duas etimologias são possíveis: 1) de **u'ubá** – cana-ubá, cana-de-flecha (da qual se faziam flechas pelos índios) + **tyba**: *ajuntamento de canas-ubás, de canas-de-flecha*. "*As cannas da Bahia chama o gentio ubá, as quaes tem folhas como as de Hespanha.*" (Sousa, *Trat. Descr.*, LXII); 2) de **ubá** – var. de canoa, de embarcação indígena [Sotomaior,

Jornada ao Pacajá, in *DAP*, VIII (1945), 2]: *"Falo aqui só das canoas ordinárias; porque também algũas vezes por algũas conveniências particulares, fazem [outros] a que chamam **ubá** com feitio mais ligeiro quase semelhante ao que costumam os castelhanos."* (Pe. João Daniel [1757], 422).
O nome Ubatuba vem do século XVI, sendo que **ubá**, no sentido de *canoa*, só aparece em textos no final do século XVII, o que faz a primeira etimologia ser mais plausível.

Ubaúna (CE). De **ubá** – canoa, embarcação indígena + **un (r, s)** + **-a**: *canoas pretas*.

Uberaba (MG). De **'y** + **berab** + **-a**: *água brilhante*. É um nome do século XVIII, oriundo da língua geral meridional: *"[...] o território do atual Município de Uberaba foi passagem forçada de todos os exploradores que se encaminhavam aos sertões goianos."* (Fonte: IBGE)

Ubim (ig. do AM). De **ubĩ**, *ubim, ubi*, var. de palmeira.

Ubintuba (ig. do PA). De **ubĩ**, *ubim, ubi*, var. de palmeira (Vieira, *Cartas*, I, 373) + **tyba**: *ajuntamento de ubins*.

Ubiraçu (CE). De **ybyrá** + **-ûasu**: *árvores grandes*.

Ubirajara (nome de h.). *"Pelo sertão da Bahia [...] vive uma certa nação de gente barbara, a que chamam Ubirajaras, que quer dizer senhores dos páos, os quaes se não entendem na linguagem com outra nenhuma nação [...]."* (Sousa, *Trat. Descr.*, CLXXXII). De **ybyrá** + **îara**: *os que portam paus; senhores dos paus*.

Ubiratã (nome próprio de h.). De **ybyrá** + **atã (r, s)**: *madeira dura, madeira firme*.

Ubirataia (BA). De **ybyrá** + **taî** + **-a**: *madeira ardida*.

Ubu (rio da BA). De **'yba** + **'y**: *rio dos paus, rio das árvores*.

Uiraponga (CE). A mesma etimologia de **Araponga** (v.).

Uiraúna (RN). A mesma etimologia de **Graúna** (v.).

Umari (rio do PA). De **umari** – plantas icacináceas.

Umarituba (CE). De **umari** – planta icacinácea + **tyba**: *ajuntamento de umaris*.

Umbaúba (SE). A mesma etimologia de **Embaúba** (v.).

Umburetama (PE). De **umbu** + **etama (t)**: *região de umbus*, árvores da família das anacardiáceas.

Umirim (CE). A mesma etimologia de **Imirim** (v.).

Una, Rio (PE). Em tupi antigo é *preto, escuro*. Durante a fase de emprego da língua geral, foi comum o uso de adjetivos tupis com substantivos portugueses: *Monte Piranga, Rio Una* etc.

Unaí (MG). Tradução incorreta para *Rio Preto*. Nome dado em 1923. O nome correto seria **Iúna**.

Upamirim (BA). De **upaba** + **mirĩ**: *lagoa pequena*.

Upanema, Ponta (RN). A mesma etim. de **Ipanema** (v.).

Upatininga (PE). De **upaba** + **tining** + **-a**: *lagoa seca*.

Uru, Córrego do (SP). De **uru**^{2}, nome de certas aves galiformes. (Cardim, *Trat. Terra e Gente do Brasil*, 37)

Uruá (ilha do AM). De **uru** + **'a**: *fruto do uru*, árvore borraginácea de frutos pequenos.

Uruaçu (RN). De **uru**^{2} + **-ûasu**: *urus grandes*.

Uruba, Serra da (BA). De **uru** + **'yba**, *planta do uru*, nome de uma árvore marantácea.

Urubici (rio de SC). Talvez nome da língua geral meridional, **uruba*** – árvore marantácea + **ysy (t)**: *fileira de urubas*.

Urubucaa (lagoa do PA). De **urubu** + **ka'a**: *folha do urubu*, planta aristoloquiácea, urubucaá.

Urubuci (SC). De **urubu** + **ysy (t)**: *fileira de urubus*.

Urubuçu (MA). De **urubu** + **-ûasu**: *urubus grandes*.

Urubuguaru (arroio do RS). De **urubu** + **'y** + **'uara (v. 'u)** + **'y**: *rio dos urubus que bebem água*.

Urubuí (rio do AM). De **urubu** + **'y**: *rio dos urubus*.

Urubupungá (salto do rio Paraná). *"[...] na altura de 20 gráos e ½ fas o grande salto do*

Urubúpungá [...]." (Azeredo Coutinho (1804) [n.d.], 47. De **urubu** + **pungá**: *urubu inchado*.

Urubuquara (AM). De **urubu** + **kûara**: *toca dos urubus*.

Urubuquessaba (SP). De **urubu** + **ker** + suf. **-sab**/a: *lugar em que os urubus dormem*.

Uruburetama, Serra da (CE). *"[...] tem descuberto emsima da serra da **Uruburetama** hum riacho de lavras chamado posso da Anta [...]"* (Anônimo [1748], *Nº 529* – *Data e Sesmaria de Jozé Coelho Ferreira* [...], 63). De **urubu** + **etama (t)**: *terra dos urubus*.

Uruçanga, Serra de (RJ). De '**y** + **ro'ysang**/a – *muito frio* (Fig., *Arte*, 38) + suf. **-a**: *água muito fria*.

Urucu (rio do PA). De **uruku**, planta bixácea.

Urucuba (PE). De **uruku** + '**yba**: *pés de urucu, urucuzeiros*.

Uruçuca (BA). De **eirusu** – uruçu, iruçu, abelhas meliponídeas (*VLB*, I, 18) + **oka (r, s)**: *toca de uruçus*.

Urucuí Vermelho (rio do PI). De **uruku** – urucu, urucum, árvore bixácea + '**y**: *rio dos urucus*.

Urucuia (MG). De **uruku** – urucu, urucum, urucuzeiro, árvore bixácea + '**yba** – pé, planta: *pés de urucu*.

Urucum, Serra do (MG). A mesma etim. de **Urucu** (v.).

Urucuri (AM). De **urukuri**, urucuri, ouricuri, plantas palmáceas. (Piso, *De Med. Bras.*, IV, 181)

Urucuricaia (ilha do PA). De **urukuri** – plantas palmáceas + **kaî** + **-a**: *urucuris queimados*.

Urucurituba (AM). De **urukuri** – plantas palmáceas + **tyba**: *ajuntamento de urucuris*.

Uruguai (rio do RS). *"Nos entendemos, que estas Aldeias eram as que então estavam a cargo do Jesuíta o Padre Francisco Dias Tanho, Superior de tôdas as Aldeias até o **Uruguai**, e Campos dos Guaianazes."* (Pedro Taques, *Notícias das Minas*, 68) De **urugûá** – var. de caracol d'água doce (*VLB*, I, 66) + '**y**: *rio dos uruguás*. Palavra que deve provir do guarani antigo.

Uruoca (CE). De **uru** + **oka (r, s)**: *toca dos urus, aves galiformes*.

Urupês (SP). De **urupé** – orelhas-de-pau, var. de cogumelos da família das poliporáceas. (*VLB*, I, 86)

Urupu (RS). De **uru** + **pu**: *barulho dos urus*.

Urupuca (rio de MG). De **uru** + **puka**: *fenda dos urus*.

Urussuí (PI). De **eirusu** – uruçus, iruçus, abelhas meliponídeas + '**y** – rio: *rio dos uruçus*.

Urutu, Ribeirão do (MT). De **urutu**, var. de bagres.

Utinga (Santo André, SP). De '**y** + **ting** + **-a**: *rio claro*.

V

Vacanga (morro de Santana de Parnaíba, SP). De '**y** + **akanga**: *cabeça de rio*, i.e., suas nascentes.

Vamicanga, Córrego do (SP). *"Uma legoa mais adiante está a cachoeira Tambatiririca, e com mais 3 legoas de navegação se chega á de **Uamicanga**."* (Vasconcellos de Drummond [1797], 240). Nome da língua geral meridional. De **uaimĩ** * + **kanga**: *osso de velha*, talvez o nome de uma árvore de madeira clara, como é a **sûasukanga** (etim. – *osso de veado*) (v.), que tem *"madeira alvíssima como marfim..."* (Sousa, *Trat. Descr.*, 214)

Vorá (PR). De **mborá**: *borás, vorás*, abelhas meliponídeas.

Votorantim (salto de Sorocaba, SP). Da língua geral meridional **votura** * + **tĩ** *: *morro pontudo*.

Votupari (Santana de Parnaíba, SP). Da língua geral meridional, **votura** * + **parĩ** *: *montanha torta*.

Votupocu (Barueri, SP). Da língua geral meridional, **votura** * + **pucu**: *morro comprido*.

Votuporanga (SP). Nome atribuído artificialmente em 1937, tomado da língua geral meridional: de **votura** * + **poranga** *: *morro bonito*. A etimologia *"bons ares"*, corrente naquela cidade, não tem fundamento.

Voturana (morro de Santana de Parnaíba, SP). Da língua geral meridional ***votura*** * + ***rana*** *: *falso morro*.

Voturuna (morro de Pirapora do Bom Jesus, SP). Da língua geral meridional, ***votura*** * + ***una*** *: *montanha escura*.

Voturuvu (serra do PR). Da língua geral meridional ***votura*** * + ***yvy*** *: *terra de morros*.

Votuverava (PR). Da língua geral meridional ***votura*** * + ***beraba*** *: *montanha brilhante*.

Vupabussu (lagoa de MG). Vupabussu foi um dos grandes mitos do Brasil colonial, o sonho de muitos bandeirantes, a lagoa das esmeraldas e da prata: "... *sulcando por diversas veredas, o mesmo sertão do reino dos Mapáxós, até o lugar da alagoa **Vupavuçu** [...] quiz antes morrer em uma cadea [...] do que declarar o sitio onde tinha achado as esmeraldas e prata.*" (Pedro Taques, *Nobiliarquia Paulistana*, 45). Da língua geral meridional, ***vupaba*** * + *-usu* *: *lagoa grande*.

X

Xororó (nome de pessoa). De **xerorõ** – nhambuxororó, inhambuxororó, ave da família dos tinamídeos.

BIBLIOGRAFIA
(excluídas as obras usadas para a redação dos verbetes do dicionário tupi-português e incluídas as usadas na elaboração da relação de topônimos, p. 537)

ALMEIDA NOGUEIRA, Batista Caetano de. Esboço gramatical do Abáñeê ou língua guarani, chamada também no Brasil *língua tupi* ou *língua geral*, propriamente *Abañeenga*. *Anais da Biblioteca Nacional do Rio de Janeiro*, vol. VI. Rio de Janeiro, 1879. pp. 1-90.

_____. Vocabulário das palavras guaranis usadas pelo tradutor da *Conquista Espiritual* do Padre A. Ruiz de Montoya. *Anais da Biblioteca Nacional do Rio de Janeiro*, vol. VII. Rio de Janeiro, 1879.

_____. Manuscrito guarani da Biblioteca Nacional do Rio de Janeiro sôbre a primitiva catequese dos índios das missões, composto em castelhano pelo Pe. Antônio Ruiz de Montoya, vertido para o guarani por outro padre jesuíta, e agora publicado com a tradução portuguesa, notas, e um esboço gramatical do Abáñeê. *Anais da Biblioteca Nacional do Rio de Janeiro*, vol. VI. Rio de Janeiro, 1879.

ANÔNIMO, mapa da *Capitania de S. Vicente* (c. 1620), croqui, Real Academia de la Historia, Madrid.

ARRONCHES, João de. *O Caderno da Língua ou Vocabulário Português-Tupi*. (Notas e comentários à margem de um manuscrito do século XVIII por Plínio Ayrosa). São Paulo, Imprensa Oficial do Estado, 1935.

AULETE, Francisco Júlio Caldas. *Dicionário Contemporâneo da Língua Portuguesa*. 2. ed. Rio de Janeiro, Delta, 1970. 5 vols.

AYROSA, P. Apontamentos para a Bibliografia da Língua Tupi-Guarani. *Etnografia e Tupi-Guarani*, n. 28, Boletim n. 169. São Paulo, Faculdade de Filosofia, Ciências e Letras/USP, 1954.

BARBOSA, A. L. *Curso de Tupi Antigo*. Rio de Janeiro, Livraria São José, 1956.

_____. *Pequeno Vocabulário Português-Tupi*. Rio de Janeiro, Livraria São José, 1951.

_____. *Pequeno Vocabulário Tupi-Português*. Rio de Janeiro, Livraria São José, 1971.

BARBOSA, Maria Aparecida. Modelos em Lexicologia. In: *Língua e Literatura 9*, São Paulo, FFLCH/USP, 1980. pp. 261-279.

_____. *Léxico, Produção e Criatividade. Processos de Neologismo*. 2. ed. São Paulo, Global, 1981.

_____. Lexicologia, Lexicografia, Terminologia, Terminografia: Identidade Científica, Objeto, Métodos, Campos de Atuação. In: *Anais do II Simpósio Latino-Americano de Terminologia*. Brasília, 1990a.

_____. Considerações sobre a Estrutura e as Funções da Obra Lexicográfica: Metodologia, Tecnologia e Condições de Produção. In: *Actas do Colóquio e Lexicologia e Lexicografia*. Lisboa, Universidade Nova de Lisboa, 1990b. pp. 229-241.

_____. O Léxico e a Produção da Cultura: Elementos Semânticos. In: *Actas do Congresso América 92*. São Paulo, 1992.

BERREDO, Bernardo Pereira de. [1719] *Annaes Historicos do Estado do Maranhão*. Lisboa, Officina de Francisco Luiz Ameno, 1749.

BETTS, La Vera. *Dicionário Parintintín-Português / Português Parintintín*. Brasília, SIL, 1981.

BIDERMANN, Maria T. C. (Org.) A ciência da Lexicografia. In: *ALFA* 28 (supl.). São Paulo, Unesp, 1984.

BOSI, Alfredo. *Dialética da Colonização*. São Paulo, Companhia das Letras, 1992.

BOUDIN, Max H. *Dicionário de Tupi Moderno (Dialeto Tembé Ténêtéhar do Alto Rio Gurupi)*. Conselho Estadual de Artes e Ciências Humanas, (vol. I) 1966; (vol. II) 1978.

BRY, Théodore de. *Peregrinationes in Indiam orientalem et Indiam occidentalem*. Francfort-sur-le--Main, 1590-1634, in-fol.

BUENO, F. S. *Vocabulário Tupi-Guarani Português*. São Paulo, Brasilivros, 1984.

CABRAL, A. V. *Bibliografia da Lingua Tupi ou Guarani, também chamada Lingua Geral do Brazil*. Rio de Janeiro, Tipographia Nacional, 1880.

CARDOSO, A. *O Bem-Aventurado José de Anchieta*. São Paulo, Edições Loyola, 1982.

_____. *Lírica Portuguesa e Tupi*. São Paulo, Edições Loyola, 1984.

CASCUDO, Luís da Câmara. *Dicionário do Folclore Brasileiro*. Rio de Janeiro, Ediouro, 1996.

CAXA, Quirício. Breve Relação da Vida e Morte do Padre José de Anchieta. In: *Primeiras Biografias de José de Anchieta*. São Paulo, Loyola, 1988.

CLASTRES, Hélène. *A Terra sem Mal – o profetismo Tupi-Guarani*. São Paulo, Brasiliense, 1978.

_____. *Estudos sobre Línguas Tupi do Brasil*. Série Linguística, n. 11, Brasília, SIL, 1984.

CORREIA, Manuel Pio. *Diccionário das Plantas úteis do Brasil e das exóticas cultivadas*. Rio de Janeiro, Ministério da Agricultura – IBDF, 1984, 6 vols.

CUNHA, Antônio G. *Dicionário Histórico das Palavras Portuguesas de Origem Tupi*. São Paulo, Melhoramentos, 1982.

DANIEL, Pe. João. [1757] *Tesouro descoberto no rio Amazonas*. Biblioteca Nacional, 1976.

DOOLEY, Robert. *Vocabulário do Guarani*. Brasília, SIL, 1982.

_____. (Org.) *Estudos sobre Línguas Tupi do Brasil*. Série Linguística, n. 11, Brasília, SIL, 1984.

EDELWEISS, F. G. *Tupis e Guaranis. Estudos de Etnonímia e Linguística*. Salvador, Secretaria da Educação e Saúde, 1947.

_____. *O caráter da segunda conjugação tupi*. Salvador, Universidade da Bahia, 1958.

_____. *Estudos Tupis e Tupi-Guaranis. Confrontos e Revisões*. Rio de Janeiro, Livraria Brasiliana Editora, 1969.

FERREIRA FRANÇA, Ernesto. *Crestomatia da Língua Brasílica*. Leipzig, B. G. Teubner, 1859.

FERREIRA, Aurélio Buarque de Holanda. *Novo Dicionário da Língua Portuguesa*. Rio de Janeiro, Nova Fronteira, 1975.

GRANDES PERSONAGENS DA NOSSA HISTÓRIA. São Paulo, Abril Cultural, 1969.

GREGÓRIO, José. *Contribuição Indígena ao Brasil*. Belo Horizonte, União Brasileira de Educação e Ensino, 1980. (3 vols.)

GRENAND, Françoise. *Dictionnaire Wayãpi-Français*. Paris, Peeters/Selaf, 1989.

GUASCH, Antonio. *Diccionario Guarani-Castellano y Castellano-Guarani*. Buenos Aires, Ed. do Autor, 1948.

HAENSCH, Günther et al. *La Lexicografia de la Lingüística Teórica a la Lexicografia Prática*. Madrid, Gredos, 1982.

_____. *Enciclopédia dos Municípios Brasileiros*. Rio de Janeiro, IBGE, 1957-1964.

IHERING, Rodolfo von. *Dicionário dos Animais do Brasil*. São Paulo, Boletim da Agricultura de São Paulo, 1931-1936.

JENSEN, C. J. *O Desenvolvimento Histórico da Língua Wayampi*. Campinas, Editora da Universidade Estadual de Campinas, 1990.

KAKUMASU, James e KAKUMASU, Kiyoko. *Dicionário por Tópicos Urubu-Kaapor-Português*. Brasília, FUNAI/SIL, 1988.

LANDAU, Sidney. *Dictionaries: The Art and Craft of Lexicography*. Cambridge, University of Cambridge Press, 1993.

LEITE, Serafim. *Cartas dos Primeiros Jesuítas do Brasil*. São Paulo, Comissão do IV Centenário da Cidade de São Paulo, 1954. 3 vols.

LORENZI, Harri et al. *Palmeiras no Brasil (nativas e exóticas)*. Nova Odessa, Editora Plantarum, 1996.

_____. *Árvores Brasileiras*. Nova Odessa, Plantarum, 1993.

MATOS, Gregório de. *Obras Completas*. (Edição organizada por James Amado et al.). Salvador, Janaína, 1969. 7 vols.

MARTIUS, Carl Friedrich Phil von. *Glossaria Linguarum Brasiliensium. Glossarios de diversas lingoas e dialectos, que fallao os Indios no imperio do Brazil*. Leipzig, Friedrich Fleischer, 1867.

MELATTI, Julio Cezar. *Índios do Brasil*. São Paulo/Brasília, Editora da Universidade de Brasília/Hucitec, 1993.

MELLO, José A. G. D. *Antônio Felipe Camarão, Capitão-Mor dos Índios da Costa do Brasil*. Universidade do Recife, 1954.

MÉTRAUX, Alfred. *A Religião dos Tupinambás*. São Paulo, Companhia Editora Nacional/Edusp, 1979.

MONTOYA, Antônio Ruiz de. *Arte de la lengua guarani, ó más bién tupi*. Viena-Paris, 1876.

_____. *Vocabulario de la lengua guarani*. Viena-Paris, 1876.

_____. *Tesoro de la lengua guarani*. Viena-Paris, 1876.

_____. *Catecismo de la lengua guarani*. Leipzig, Ed. de Júlio Platzmann, /B. G. Teubner, 1876.

_____. Manuscripto guarani da Bibliotheca Nacional do Rio de Janeiro sôbre a primitiva catechese dos indios das Missões, vertido para o guarani por outro padre jesuita, e agora publicado com a traducção portugueza, notas, e um esbôço grammatical do *Abáñeẽ* por Baptista Caetano de Almeida Nogueira. *Annaes da Bibliotheca Nacional do Rio de Janeiro*, vol. VI. Rio de Janeiro, 1879.

MORAES, Pe. José de. [1759] *Memorias para a historia do extincto estado do Maranhão cujo território comprehende hoje as províncias do Maranhão, Piauhy, Grão-Pará e Amazonas*. Rio de Janeiro, Brito & Braga/J.P. Hildebrant, 1860.

MORAIS SILVA, Antônio de. *Diccionario da Lingua Portugueza*. 2. ed. Lisboa, 1813. 2 vols.

NAVARRO, Eduardo de A. *Método Moderno de Tupi Antigo – A língua do Brasil dos Primeiros Séculos*. 3. ed. São Paulo, Global, 2006.

NÓBREGA, M. *Cartas do Brasil, 1549-1560*. Belo Horizonte, Itatiaia/São Paulo, Edusp, 1988.

OLIVEIRA, José Joaquim Machado de,Vocabulário Elementar da Língua Geral Brasílica (VELGB). In *Revista do Arquivo Municipal de São Paulo*, volume XXV, 1936, pp. 129-171.

ORTIZ-MAYANS, Antônio. *Nuevo Diccionario Español-Guarani e Guarani-Español*. Buenos Aires, Libreria Platero Editorial, 1973.

(*PDBLP*) *Pequeno Dicionário Brasileiro da Língua Portuguesa*. (Organizado por Hildebrando de Lima e Gustavo Barroso). Rio de Janeiro, Editora Civilização Brasileira, 1943.

RESTIVO, Pablo. *Arte de la lengua guarani.* Stuttgart, Ed. de C. F. Seybold/Guilherme Kohlhammer, 1892.

_____. *Vocabulario de la lengua guarani.* Stuttgart, Ed. de C. F. Seybold/Guilherme Kohlhammer, 1893.

REY-DEBOVE, Josete. La Lexicographie. In: *Langages,* n. 19, Larousse, Paris, set. 1970.

RODRIGUES, Aryon Dall'Igna. Diferenças Fonéticas entre o Tupi e o Guarani. In: *Arquivos do Museu Paranaense,* vol. IV, Curitiba, 1945. pp. 333-354.

_____. A categoria da voz em Tupi. In: *Logos,* ano II, n. 6, Curitiba, 1947. pp. 50-53.

_____. A reduplicação em Tupi. In: *Gazeta do Povo,* Curitiba, 31-III-1950.

_____. Esboço de uma introdução ao estudo da Língua Tupi. In: *Logos,* ano VI, n. 13, Curitiba, 1951. pp. 43-58.

_____. A composição em Tupi. In: *Logos,* ano VI, n. 14, Curitiba, 1951. pp. 63-70.

_____. Análise morfológica de um texto Tupi. In: *Logos,* ano VII, n. 15, Curitiba, Tip. João Haupt & Cia. Ltda., 1952. pp. 55-57.

_____. Morfologia do Verbo Tupi. In: *Letras,* n. 1, Curitiba, 1953.

_____. *Phonologie der Tupinambá-Sprache.* Universidade de Hamburgo, 1959. (Tese de Doutorado)

_____. O Sistema Pessoal do Tupinambá. In: *Ensaios Linguísticos,* Belo Horizonte, 1978. pp.167-173.

_____. *Línguas Brasileiras – para o conhecimento das línguas indígenas.* São Paulo, Loyola, 1986. (Coleção Missão Aberta, 11)

_____. Descripción del Tupinambá en el Período Colonial: El Arte de José de Anchieta. In: *Colóquio Internacional sobre a Descrição das Línguas Ameríndias no Período Colonial.* Ibero-amerikanisches Institut, Berlin, 1995.

_____. As Línguas Gerais Sul-Americanas. In: *Papia, Revista de Crioulos de Base Ibérica,* v. 4, n. 2, 1996.

_____. Argumento e Predicado em Tupinambá. *Boletim da Associação Brasileira de Linguística,* n. 19, 1996.

_____. O Conceito de Língua Indígena no Brasil, I: Os Primeiros Cem Anos (1550-1650) na Costa Leste. *ANPOLL, mesa redonda inter-GTs sobre ideias linguísticas no Brasil,* 1996.

_____. *Estrutura do Tupinambá.* Inédito.

RODRIGUES, P. Vida do Padre José de Anchieta. In: *Annais da Biblioteca Nacional,* XIX. Rio de Janeiro, 1897.

ROLIM, D. Antonio. [1751] *Relação da viagem que fez o conde de Azambuja, D. Antonio Rolim, da cidade de São Paulo para a villa do Cuyabá em 1751.* Edição de Francisco Adolfo de Varnhagen, 1866.

SAMPAIO, Teodoro. *O Tupi na Geografia Nacional.* São Paulo, Companhia Editora Nacional, 1987.

SANCEAU, Elaine. *Capitães do Brasil (1500-1572).* São Paulo, Artpress, 2002.

SANTOS, Eurico. *Nossos Peixes Marinhos.* Belo Horizonte, Villa Rica, 1992. (Col. Zoologia Brasílica)

_____. *Peixes da Água Doce.* 4. ed. Belo Horizonte, Itatiaia, 1987. (Col. Zoologia Brasílica)

_____. *Anfíbios e Répteis.* Belo Horizonte, Villa Rica, 1987. (Col. Zoologia Brasílica)

_____. *O Mundo dos Artrópodes.* Belo Horizonte, Itatiaia, 1982. (Col. Zoologia Brasílica)

_____. *Moluscos do Brasil.* Belo Horizonte, Itatiaia, 1982. (Col. Zoologia Brasílica)

_____. *Entre o Gambá e o Macaco*. Belo Horizonte, Itatiaia, 1984. (Col. Zoologia Brasílica)

_____. *O mundo dos artrópodes*. Belo Horizonte, Itatiaia, 1982. (Col. Zoologia Brasílica)

SICK, Helmut. *Ornitologia Brasileira*. Brasília, Editora da UnB/Linha Gráfica Editora, 1984. 2 vols.

STRADELLI, E. Vocabulário da Língua Geral: Português-Nheengatu e Nheengatu-Português. In: *Revista do Instituto Histórico e Geográfico Brasileiro*, 104 (158). Rio de Janeiro, 1929.

SVENSÉN, B. *Practical Lexicography Principles and Methods of Dictionary Making*. Oxford, Oxford University Press, 1993.

VARNHAGEN, Francisco Adolfo de. *História Geral do Brasil antes de sua separação e independência de Portugal*. (Revisão e notas de Rodolfo Garcia). 4. ed. São Paulo, Companhia Editora Nacional, 1951. 5 vols.

VIOTTI, Hélio A. *Anchieta, o Apóstolo do Brasil*. São Paulo, Edições Loyola, 1980.

WEISS, Helga Elisabeth. *Para um Dicionário da Língua Kayabí*. São Paulo, FFLCH/USP, 1998. (Tese de Doutorado)

As obras e manuscritos citados na Relação de Topônimos e Antropônimos com Origem no Tupi Antigo, nas Línguas Gerais Coloniais e no Nheengatu da Amazônia foram consultados da seguinte fonte:

CAMARGO, Maria Teresa de. (Org.) *Dicionário Histórico do Português do Brasil*. Trechos retirados do banco de dados <http://lablex.fclar.unesp.br/philologic/>, pertencente ao Projeto Institutos do Milênio do CNPq – ex Biderman.

E encontram-se relacionados a seguir:

Afonso Botelho de S. Paio e Sousa (1962) [1768], *Ordens para Comprir o Tenente Domingos Lopes Cascais, Comandante da Expedição, que por Ordem do Ilustríssimo e Excelentíssimo Senhor General Vai pelo Rio do Registo Abaixo, preparada a Expedição pelo Ajudante-das-Ordens dêsse Govêrno, Afonso Botelho de S. Paio e Sousa.*

_____ [1769], *Diário e Marcha da Companhia de que É Capitão Estêvão Ribeiro Baião.*

Alexandre Rodrigues Ferreira [n.d.], *2ª Parte: Baixo Rio Negro – Participação Sétima: Participação Geral do Rio Negro.*

Afonso de E. Taunay (1981), *Relatos Monçoeiros.*

Alexandre Rodrigues Ferreira [n.d.], *1ª Parte: Alto Rio Negro – Participação Sexta: de São Gabriel a Marabitanas.*

_____, *2ª Parte: Baixo Rio Negro – Participação Sétima: Participação Geral do Rio Negro.*

Amtonio d'Oliveira (1956) [1553], *Confirmação das Terras Doadas pelo Ir. Pero Correia ao Colégio de S. Vicente, 22 de Março 1553.*

André João Antonil (1711) [1711], *Terceira Parte – pelas Minas do Ouro.*

Anônimo (1920, Obra Impressa / 2006, Reprodução Digital) [1717], *Nº 367 – Data e Sesmaria do Capitão Manoel Dias Netto, de Tres Leguas de Terra no Riacho Pirambeba, em um Olho D'Agua que Nasce no Pé da Serra da Meruoca e Desagoa no mesmo Riacho, Concedida pelo Capitão-Mór Manoel da Fonseca Jayme, em 18 de Novembro de 1717.*

_____ [1748], *Nº 529 – Data e Sesmaria de Jozé Coelho Ferreira de Tres Leguas de Terra no Riacho Posso da Anta, na Serra da Uruburetama, Concedida pelo Capitão-Mór Francisco da Costa, em 29 de Março de 1748.*

Anônimo (muito provavelmente Joseph Barbosa de Sáa) (1999) [1765], [II]. *Noticia de alguns Frutos mais Notaveis q' se Conhecem no Brazil, com a Distinção das suas Diferentes Denominaçoens.*

_____, *[VIII]. Noticia das Aves, q' se Conhecem no Brazil, com a Distinção, e Circunstcas de Cada Húa delas.*

_____, *[IV Sobre Minerais e Metais].*

Ir. António Blázquez (1956) [1557], *Carta do Ir. António Blázquez por Comissão do P. Manuel da Nóbrega ao P. Inácio de Loyola, [Baía] I0 de Junho 1557.*

Antônio de Albuquerque Coelho de Carvalho (1896) [1710], *III – Cartas de Sesmaria.*

Antonio de Menezes Vasconcellos de Drummond (1857) [1797], *Descripção Geographica da Capitania de Mato-Grosso: Anno de 1797.*

Antonio Ferreira Soares Pinto (1865) [n.d.], *Relação das Matas da Capitania da Parahyba, Offerecida pelo mesmo Socio Correspondente.*

Antonio Joze da Franca e Horta (1990) [1803], *Para o Ex.Mo Snr. Visconde de Anadia – [71].*

_____, *Para o ex.mo snr. d. Rodrigo – Nº 16.*

Antonio Pires da Silva Pontes Leme (1896) [n.d.], *Memorias sobre a Extracção do Ouro na Capitania de Minas Geraes.*

Padre Antônio Vieira (1925) [1654], *Carta LXV – ao Padre Provincial do Brasil 1654.*

_____ (1925) [1655], *Carta LXXIV – ao Rei D. João IV 1655 – Dezembro 8.*

_____ (1951) [1657], *3º Sermão da Quarta Dominga da Quaresma.*

Caetano da Costa Matoso (1999) [1749], *4 - [Relação de um Morador de Mariana e de Algumas Coisas Mais Memoráveis Sucedidas].*

_____, *78 – Relação dos Contratos e Rendas que sua Majestade Tem nesta Capitania das Minas, sua Origem, Criação, Aplicação e Consignação na Forma da sua Real Ordem.*

_____, *113 – [Notícias das Taquaras, dos Cipós e das Muitas Comidas que se Fazem].*

_____, *138 – [Diário da Jornada que Fez o Ouvidor Caetano da Costa Matoso Para].*

_____, *143 – Descrição do Bispado do Maranhão.*

_____ / **Luís José Ferreira de Gouveia** (1999) [1749], *11 – [Informação das Antiguidades da Freguesia de Guarapiranga].*

Desconhecido (1988) [1704], *[Encontrando Quilombos] – Transcrição por Maria Filgueiras Gonçalves e Introdução de Ana Lúcia Louzada Werneck – Notícia Diária e Individual das Marchas [,] E Acontecimentos Ma(I)S Condigno(S) da Jornada que Fez o Senhor Mestre de Campo, Regente[,] e Guarda(-)Mor Inácio Corre(I)A Pamplona, desde que Saiu de sua Casa[,] e Fazenda do Capote às Conquistas do Sertão, até se Tornar a Recolher à mesma sua Dita Fazenda do Capote Etc.Etc.Etc.*

Desconhecido (1899) [1754], *Relaçaõ | da Chegada, | que Teve a Gente de Mato Groço, | e Agora se Acha em Companhia do Senhor | D. Antonio | Rolim | desde o Porto de Araritaguaba, até | a esta Villa Real do | Senhor | Bom Jesus | do Cuyaba.*

Desconhecido (1931) [1798], *Bahia –Devassas e Sequestros.*

Desconhecido (1908) [n.d.], *Informação Geral da Capitania de Pernambuco.*

Desconhecido (1981) [n.d.], *XX – Cartografia das monções dos séculos XVII e XVIII – Notícias práticas.*

Frei Domingos de Loreto Couto (1904) [1757], *Livro Primeiro – Pernambuco Conquistado / Cap. IX – Mostra-se Ser Falço que os Índios Conservão Resabios da Gentilidade. N. IOO.*

_____, *Livro Setimo – Pernambuco Illustrado pelo Sexo Femenino.*

Padre Fernão Cardim (1980) [1585], *I – Do Clima e Terra do Brasil – E de algumas Cousas Notaveis que se Achão assi na Terra como o Mar.*

_____, *II – Do Principio e Origem dos Indios do Brasil – E de seus Costumes, Adoração e Ceremonias.*

_____ [1583], *III – Informação da Missão do P. Christovão Gouvêa ás Partes do Brasil – Anno de 83, – Ou Narrativa Epistolar de uma Viagem e Missão Jesuítica.*

Francisco de Oliveira Barbosa (1885) [1792], *Noticias da Capitania de S. Paulo, da America Meridional: Escritas no Anno de 1792, por Francisco de Oliveira Barbosa.*

Francisco Xavier Ribeiro de Sampaio (1872) [1642], *Relação Geographica Historica do Rio Branco da America Portugueza. Composta pelo Bacharel Francisco Xavier Ribeiro de Sampaio.*

_____ (1992) [1774], *Diário da Viagem da Capitania do Rio Negro, Feita por Francisco Xavier Ribeiro de Sampaio em 1774/1775.*

Frei Gaspar da Madre de Deus (1920) [1767], *Memorias para a Historia da Capitania de S. Vicente hoje Chamada de S. Paulo.*

Jeronymo de Castro e Souza (1936) [1789], *Carta do Alferes Jeronymo de Castro e Souza, Denunciando o Tiradentes.*

Sargento-Mór Engenheiro João Vasco Manoel de Braun (1874) [1784], *Roteiro Corographico da Viagem que Martinho de Sousa e Albuquerque, Governador e Capitão General do Estado do Brasil, e Determinou Fazer ao Rio das Amazonas, em a Parte que Fica Comprehendida na Capitania do Grão--Pará: Tudo em Destino de Ocularmente Observar e Soccorrera Praça, Fortalezas e Povoações que lhes São Confrontantes.*

Padre José de Anchieta (1964) [1584], *Informação do Brasil e de suas Capitanias.*

José Joaquim da Cunha de Azeredo Coutinho (1804) [n.d.], *Capitulo IV – Em que se Apontam os Meios de se Aproveitar as Produsoens, e a Agricultura do Continente das Minas que Alias He Já Perdido para o Oiro.*

José Peixoto da Silva Braga (1982) [1722], *A Bandeira do Anhanguéra a Goyas em 1722, segundo José Peixoto da Silva Braga.*

José Vieira Couto (1842) [1801], *Itinerario de Tejuco a Villa Rica pelo Caminho de Mato Dentro – Platina do Brazil.*

_____, *Itinerario de Villa Rica até ao Rio de S. Francisco.*

Joseph Barboza de Sá (1904) [1775], *I – Joseph Barboza de Sá. Relação das Povoaçoens do Cuyabá em Mato Groso de seos Principios thé os Prezentes Tempos.*

_____ (Advogado da Vila de Cuiabá), **Angelo dos Santos** (Secretário do Governo), **Miguel Jozé Rodrigues** (Escrivão da Câmera) [1782], *Anaes do Senado / Atas de Cuiabá.*

Joze Arouche de Toledo Rendon (1990) [1802], *Plano em que se Propoem o Melhoramento da Sorte dos Indios, Reduzindo-se a Freguezias as suas Aldeas, e Extinguindo se este Nome, e esta Antiga Separaçaõ em que Tem Vivido a Mais de Dois Seculos.*

Jozé Cezar de Menezes (1917) [n.d.], *Resumo das Freguezias da Comarca de Goyana, e Capitania de Itamaracá.*

_____, *Mappa dos Habitantes da Commarca de Pernambuco Dividida pelas Classes Abaixo em Virtude da Ordem de Sua Magestade.*

Libanio Augusto da Cunha Mattos (1857) [1786], *Terceiro Trimestre – Diario da Diligencia do Reconhecimento do Paraguay desde o Logar do Marco da Boca do Jaurú até Abaixo do Presidio de Nova*

Coimbra, que Comprehende a Configuração das Lagoas Gaíba, Uberaba, Madioré, e das Serras do Paraguay, e Igualmente o Reconhecimento do Rio Cuyabá até a Villa D'Este Nome, e D'Ella por S. Pedro D'El-Rei até a Villa-Bella; pelo Capitão Engenheiro Ricardo Franco de Almeida Serra, no Anno de 1786.

Luiz dos Santos Vilhena (1921) [1801], *Carta Decima Sexta.*

_____, *Carta Decima Oitava.*

_____, *Carta Vigesima.*

_____, *Carta Vigesima Primeira.*

_____ [1802], *Carta Primeira.*

_____, *Carta Segunda.*

_____, *Carta Decima Quarta.*

Luiz Thomaz de Navarro de Campos (1866) [1808], *Numero 28 – Itinerario da Viagem que Fez por Terra, da Bahia ao Rio de Janeiro, por Ordem do Principe Regente, em 1808, o Desembargador Luiz Thomaz de Navarro. (Ms. Inedito, Offerecido ao Instituto pelo Socio Correspondente o Sr. F, A. de Varnhagen).*

Manoel Gonçalves de Aguiar [n.d.], *Notícias Práticas da Costa e Povoação do Mar do Sul em 26 de Agosto de 1721.*

Manuel de Sam Payo (Juiz Ordinário), **Antonio Alvres Freyre** (Tabelião e Escrivão), **Thome Pacheco e Abreu** (Escrivão) (1921) [1726], *Cap.Os de Correição que Faz o Cap.Am Manuel de Sam Payo Juiz Ordinario e Orphãos da V.A De Pern. e Nella e sua Comr.A Ouvidor Geral Pella Ley.*

Manuel de Souza d'Eça [1619], *Diversos Documentos sobre o Maranhão e o Pará.*

Manuel José Pires da Silva Pontes (1981) [n.d.], *I – Notícia dos Primeiros Descobridores das Primeiras Minas de Ouro Pertencentes a estas Minas Gerais. – Pessoas mais Assinaladas nestas Empresas e dos Mais Memoráveis Casos Acontecidos des seus Princípios.*

_____, *II – Continua-se com as Notícias dos mais Descobridores, que Foram Ampliando os Descobrimentos e das Pessoas mais Assinaladas neste Exercício para tanto Bem Comum, e Aumento de Toda a Monarquia Portuguesa.*

_____, *III – Continua-se com as Notícias dos mais Descobridores, que Foram Ampliando os Descobrimentos e das Pessoas mais Assinaladas neste Exercício para tanto Bem Comum, e Aumento de Toda a Monarquia Portuguesa.*

Maria da Silva [1655], *Inventário e Testamento de Maria da Silva (1655).*

Martim Francisco Ribeiro de Andrada (1869) [1805], *Diario de uma Viagem Mineralogica pela Provincia de S. Paulo no Anno de 1805: pelo Conselheiro Martim Francisco Ribeiro De Andrada.*

Mem de Sá [1560], *Carta de Mem de Saa, Governador do Brazil para El Rey.*

Pedro Taques de Almeida Paes Leme (1954) [1645], *Notícias das Minas.*

_____ (1980) [n.d.], *Nobiliarquia Paulistana.*

Ruy Carvalho Pinheiro (1944) [1635], *Sobre o Vinho de Mel.*

Sebastião da Rocha Pitta (1878) [1730], *Livro Primeiro.*

_____, *Livro Nono.*

Dom Sebastião Monteyro da Vide (1720) [1707], *Catalago dos Bispos que Teve o Brasil até o Anno de 1676.*

Cap. **Symão Estacio da Sylveira** (1624) [1624], *Relação Sv Maria. as Covsas do Maranhão*.

Texto Apócrifo (1996) [1585], *Como Destroida a Capaoba Foram ao Tujucupapo, aonde Tiverão a Maior Briga de Todas - Capítulo 22º*.

FONTES PRIMÁRIAS: EDIÇÕES E MANUSCRITOS UTILIZADOS

As edições e os manuscritos utilizados aparecem a seguir, tendo à frente, entre parênteses, o nome abreviado ou por extenso do autor, da obra ou da instituição que a publica, na forma em que figura no dicionário.

SÉCULOS XVI E XVII

(ABN) *ANAIS DA BIBLIOTECA NACIONAL DO RIO DE JANEIRO*. Rio de Janeiro, 1876.

(Anch.) **ANCHIETA**, Joseph de. *Arte de Grammatica da Lingoa mais usada na Costa do Brasil*. Edição fac-similar da Biblioteca Nacional do Rio de Janeiro. Rio de Janeiro, Imprensa Nacional, 1933.

_____. *Cartas, Informações, Fragmentos Históricos e Sermões*. Rio de Janeiro, Academia Brasileira de Letras/Livraria Civilização Brasileira, 1933.

_____. *Diálogo da Fé*. (Organização, tradução e notas do Pe. Armando Cardoso). São Paulo, Edições Loyola, 1988.

_____. *Poesias*. (Edição documentária de Maria de Lourdes de Paula Martins). São Paulo, Museu Paulista, Comissão do IV Centenário da Cidade de São Paulo, 1954.

_____. *Doutrina Cristã, I (Catecismo Brasílico)*. (Edição fac-similar de manuscrito do Arquivo da Postulação Geral da Companhia de Jesus, n. 29, ms. 1730). (Organização, tradução e notas do Pe. Armando Cardoso). São Paulo, Edições Loyola, 1993.

_____. *Doutrina Cristã, II (Doutrina Autógrafa e Confessionário)*. (Edição fac-similar de manuscrito do Arquivo da Postulação Geral da Companhia de Jesus, n. 29, ms. 1730). (Organização, tradução e notas do Pe. Armando Cardoso). São Paulo, Edições Loyola, 1993.

_____. *Poemas - Lírica Portuguesa e Tupi*. (Organização, tradução e notas de Eduardo de Almeida Navarro). São Paulo, Editora Martins Fontes, 1997. (Cotejado com a edição documentária de Maria de Lourdes de Paula Martins)

_____. *Teatro de Anchieta*. (Organização, tradução e notas de Eduardo de Almeida Navarro). São Paulo, Editora Martins Fontes, 1999. (Cotejado com a edição documentária de Maria de Lourdes de Paula Martins)

(Ar.) **ARAÚJO**, Antônio de. *Catecismo na Lingoa Brasílica no qual se contem a summa da doctrina christã. Com tudo o que pertence aos Mysterios de nossa sancta Fé & bõs custumes*. Reprodução fac--similar da 1ª edição (1618), com apresentação do Pe. A. Lemos Barbosa. Rio de Janeiro, Pontifícia Universidade Católica do Rio de Janeiro, 1952.

_____. *Catecismo Brasílico da Doutrina Cristã*. Edição fac-similar da 2ª edição (1686), corrigida por Bartolomeu de Leão. Leipzig, Julius Platzmann/B. G. Teubner, 1898.

(Bettendorff) **BETTENDORFF**, João Filipe. *Crônica da Missão dos Padres da Companhia de Jesus no Estado do Maranhão*, 1698. (Publicada na *Revista do Instituto Histórico e Geográfico Brasileiro*, LXXII, 1909.)

_____. *Compendio da Doutrina Christãa na Língua Portugueza e Brasilica*. Reimpresso por Frei José Mariano da Conceição Vellozo. Lisboa, Offic. de Simão Thaddeo Ferreira, 1800.

(Brandão) **BRANDÃO**, Ambrósio Fernandes. *Diálogos das Grandezas do Brasil*. Segundo a edição da Academia Brasileira de Letras, corrigida e aumentada, com notas de Rodolpho Garcia e introdução de Jaime Cortesão. Rio de Janeiro, Edições Dois Mundos, 1943. (Utilizaram-se também fotocópias do manuscrito L.Q.14 da Biblioteca da Universidade de Leiden, Holanda)

(*Brasil Holandês*) **BRASIL HOLANDÊS** – Os quadros do "Weinbergschlösschen" de Hoflössnitz, vol. III. Rio de Janeiro, Editora Index, 1997.

(Cadornega) **CADORNEGA**, Antônio de Oliveira de. *História Geral das Guerras Angolanas* [1681]. Revisto e anotado por Manuel Alves da Cunha. Tomo III, Lisboa, Agência Geral das Colônias, 1942.

(Calado) **CALADO**, Frei Manuel. *O Valoroso Lucideno e o Triumpho da Liberdade*. Primeira Parte. Lisboa, Paulo Craesbeeck Impressor, 1648.

(Camarões) **CARTAS DOS CAMARÕES**. Arquivos da Companhia das Índias Ocidentais. Real Biblioteca de Haia, Holanda. (microfilmes)

(Carder) **CARDER**, Peter. The relation of Peter Carder of Saint Verian in Cornwall, within seven miles of Falmouth, which went with Sir Francis in his Voyage about the world begun 1577. In: Purchas, Samuel, *His Pilgrimes*, London, 1625.

(Cardim) **CARDIM**, Pe. Fernão. *Tratados da Terra e Gente do Brasil*. Introduções e notas de Baptista Caetano, Capistrano de Abreu e Rodolpho Garcia. 3. ed. São Paulo, Companhia Editora Nacional/MEC, 1978.

(Castilho) **CASTILHO**, Pero de. *Os Nomes das Partes do Corpo Humano pela Língua do Brasil*. São Paulo, Edição de Plínio Ayrosa/Revista dos Tribunais, 1937.

(Col. Niedenthal) **COLEÇÃO NIEDENTHAL** – "Animaux et Oiseaux". In: *Brasil Holandês* (org. de Dante Martins Teixeira), Petrópolis, Editora Index, 1998.

(Col. Niedenthal) **COLEÇÃO NIEDENTHAL** – "Animaux et Insectes". In: *Brasil Holandês*, vol. II (org. de Dante Martins Teixeira), Petrópolis, Editora Index, 2000.

(D'Abbeville) **D'ABBEVILLE**, Claude. *Histoire de la Mission des Pères Capucins en Isle de Maragnan et Terres Circonvoisines*. Paris, 1614.

(D'Evreux) **D'EVREUX**, Yves. *Viagem ao Norte do Brasil*. Tradução do Dr. César Augusto Marques do original francês *Suitte de l'histoire des choses plus memorables advenues en Maragnan es annéss 1613 et 1614*. Rio de Janeiro, 1929. (Tradução cotejada com a edição de 1864, anotada por Ferdinand Denis, intitulada *Voyage dans le Nord du Brésil fait durant les années 1613 et 1614*, Librairie A. Franck, Leipzig et Paris).

DENUNCIAÇÕES DE PERNAMBUCO (*Primeira Visitação do Santo Offício às Partes do Brasil*. Pelo licenciado Heitor Furtado de Mendonça [1593-1595]). São Paulo, Homenagem de Paulo Prado, 1929.

(*DHA*) ***DOCUMENTOS PARA A HISTÓRIA DO AÇÚCAR***. Instituto do Açúcar e do Álcool. Vol. II. Engenho Sergipe do Conde. Livro de Contas [1622-1653]. Rio de Janeiro, 1956.

(Ferreira) **FERREIRA**, Pe. João de Sousa, *América Abreviada. Suas notícias e de seus naturaes, e em particular do Maranhão* [1693]. Publicada na *Revista do Instituto Histórico e Geográfico Brasileiro*, LVII, 1894. pp. 5-145.

(Fig.) **FIGUEIRA**, Luís. *Arte de Grammatica da Lingoa Brasilica*. Miguel Deslandes, Lisboa, 1687. (Edição fac-similar de Julius Platzmann, sob o título *Gramática da língua do Brasil*). Leipzig, B. G. Teubner, 1878.

_____. *Missão do Maranhão*. In: LEITE, S. *Luiz Figueira – A sua vida heroica e a sua obra literária*. Lisboa, Divisão de Publicações e Biblioteca, Agência Geral das Colônias, 1940.

(Gândavo) **GÂNDAVO**, Pero de Magalhães de. *Historia da província de sãcta Cruz a que vulgarmẽte chamamos Brasil*. Impresso em Lisboa, na Officina de Antonio Gonsalvez, anno de 1576.

_____. *Tratado da Província do Brasil*. Reprodução fac-similar do manuscrito nº 2026 da Biblioteca Sloaniana do Museu Britânico. Edição preparada por Emmanuel Pereira Filho. Vol. 5 da Coleção

Dicionário da Língua Portuguesa – Textos e Vocabulários, do Instituto Nacional do Livro. Rio de Janeiro, 1965. (Foram citados nas trancrições os números das linhas do manuscrito.)

(Griebe) **GRIEBE**, Jacob Wilhelm. Naturalien-Buch. In: *Brasil Holandês*, vol. I (comentários de Dante Martins Teixeira). Rio de Janeiro, Editora Index, 1998.

_____. Naturalien-Buch. In: *Brasil Holandês*, vol. III (comentários de Dante Martins Teixeira). Rio de Janeiro, Editora Index, 1998.

(Heriarte) **HERIARTE** Maurício de. *Descripção do Estado do Maranhão, Pará, Corupá e Rio das Amazonas* [1667]. Publicado por Varnhagen, Francisco Adolfo de. *História Geral do Brasil antes de sua separação e independência de Portugal*. Revisão e notas de Rodolfo Garcia. 4. ed. São Paulo, 1951.

(Knivet) **KNIVET**, Antonie. The admirable adventures and strange fortunes of Master Antonie Knivet which went with Master Thomas Candish in his second Voyage in the South Sea. [1591]. In: Purchas, Samuel, *His Pilgrimes*, London, 1625.

(Laet) **LAET**, Joannes de. *Novus Orbis seu Descriptionis Indiae Occidentalis Libri XVIII*, 1633. Real Biblioteca de Haia, Holanda.

(Leite) **LEITE**, Serafim. *História da Companhia de Jesus no Brasil*. Lisboa, Livraria Portugália/Rio de Janeiro, Ed. Civilização Brasileira, 1938-1950. 10 vols.

_____. *Luís Figueira – a sua Vida Heroica e sua Obra Literária*. Lisboa, Divisão de Publicações e Biblioteca, Agência Geral das Colônias, 1940.

_____. *Cartas dos Primeiros Jesuítas do Brasil* [1538-1563]. São Paulo, Comissão do IV Centenário da Cidade de São Paulo, 1954. 3 vols.

_____. *Novas Cartas Jesuíticas de Nóbrega a Vieira*. São Paulo, Brasiliana, série 5ª, vol. 194. 1940.

(Léry) **LÉRY**, Jean de. *Histoire d'un Voyage fait en la Terre du Bresil autrement dite Amerique*. Paris, Antoine Chuppin, 1578.

_____. *Histoire d'un Voyage fait en la Terre du Bresil autrement dite Amerique. Reveue, corrigee et bien augmentee em ceste seconde edition, tant de figures, qu' autres choses notables sur le sujet de l'auteur*. Genève, Antoine Chuppin, [1580]. (Edição diplomática com texto estabelecido, apresentado e anotado por Frank Lestringant. L.G.F., Le Livre de Poche, Bibliothèque Classique, Paris, 1994.) (Sempre que não for mencionado o ano de publicação, a edição utilizada foi a de 1578.)

(*Libri Princ.*) **LIBRI PRINCIPIS**. In: *Brasil Holandês*, vol. I (org. de Dante Martins Teixeira). Rio de Janeiro, Editora Index, 1995).

_____. **LIBRI PRINCIPIS**. In: *Brasil Holandês*, vol. II (org. de Dante Martins Teixeira). Rio de Janeiro, Editora Index, 1995.

(Lisboa) **LISBOA**, Frei Cristóvão de. *Historia dos animaes e arvores do Maranhão* [1631]. (Fotocópias do manuscrito n. 1660 do Arquivo Histórico Ultramarino de Lisboa)

(*Manifesto*) **MANIFESTO** de utilidades do Brasil [1687]. In: *Brasilia*, Coimbra, VII, 1952.

(Marcgrave) **MARCGRAVE**, George. *História Natural do Brasil*. (Tradução do Mons. Dr. José Procópio de Magalhães da primeira edição latina intitulada *Historia Naturalis Brasiliae*, Ludovicum Elzevirium, Amsterdam, 1648). São Paulo, Imprensa Oficial do Estado, 1942. (Cotejada com a edição original existente na biblioteca do IEB/USP no que tange à grafia das palavras tupis)

(Monteiro) **MONTEIRO**, Pe. Jácome Monteiro. *Relação da Província do Brasil* [1610]. Publicada por Leite, *Hist.*, VIII, 1949. pp. 393-425.

(Nieuhof) **NIEUHOF**, Johan. *Gedenkweerdige Brasilianense Zeen Lant-Reize*. Amsterdam, Jacob Van Meurs, 1682.

_____. *Memorável Viagem Marítima e Terrestre ao Brasil*. (Traduzido do inglês por Moacir M. Vasconcelos. Confronto com a edição holandesa de 1682, introdução, notas, crítica bibliográfica e bibliografia por José Honório Rodrigues). São Paulo, Livraria Martins, 1942.

(Piso) **PISO**, Willem. *De Medicina Brasiliensis Libri Quatuor*. In: Marcgrave, George. *Historia Naturalis Brasiliae*. (Tradução de Alexandre Correa, publicado com o título *História natural do Brasil Ilustrada*. Edição comemorativa do primeiro cinquentenário do Museu Paulista. São Paulo, Companhia Editora Nacional, 1948.)

(Rodrigues) **RODRIGUES**, Pe. Jerônimo. *A Missão dos Carijós. Relação do Pe. Jerônimo Rodrigues* (1607). Publicada por Leite, *Novas Cartas Jesuíticas*, 1940. pp. 196-246.

(Salvador) **SALVADOR**, Frei Vicente do. *Historia do Brasil*, 1627. Códice 49 da Coleção *Livros do Brasil*, do Arquivo Nacional da Torre do Tombo, Lisboa.

(Silveira) **SILVEIRA**, Simão Estácio da. *Relação Sumária das Cousas do Maranhão*. Lisboa, por Geraldo da Vinha, anno de 1624.

(Soares) **SOARES**, Pe. Francisco. *Coisas Notáveis do Brasil*. Vol. I. Reprodução fac-similar dos manuscritos quinhentistas da Biblioteca da Real Academia de Historia de Madrid (ms. M, de 1590) e da Biblioteca da Universidade de Coimbra (ms. C de 1594). Edição preparada por Antônio Geraldo da Cunha, vol. 6 da Coleção *Dicionário da Língua Portuguesa – Textos e Vocabulários*, do Instituto Nacional do Livro. Rio de Janeiro, 1966. (Foram citados nas transcrições os números das linhas do manuscrito.)

(Sotomaior) **SOTOMAIOR**, Pe. João de. *Jornada ao Pacajá* [1656]. Publicada nos *Documentos dos Arquivos Portugueses que importam ao Brasil*, n. VIII, Lisboa, 1945. pp. 1-8.

(Sousa) **SOUSA**, Gabriel Soares de. *Tratado descritivo do Brasil em 1587*. Edição castigada pelo estudo e exame de muitos códices manuscritos existentes no Brasil, em Portugal, Espanha e França, e acrescentada de alguns comentários por Francisco Adolpho de Varnhagen. 5. ed. São Paulo, Companhia Editora Nacional, 1987.

(Staden) **STADEN**, Hans. *Viagem ao Brasil*. (Tradução do texto de Marburgo *Wahrhaftige Historia*, de 1557 por Alberto Löfgren, notas de Teodoro Sampaio). Publicações da Academia Brasileira de Letras. Rio de Janeiro, Oficina Industrial Gráfica, 1930.

(*Theat. Rer. Nat. Bras.*) **THEATRUM RERUM NATURALIUM BRASILIAE**. Org. de Christian Mentzel (1660). Reprodução dos originais pela Editora Index, São Paulo, 1993.

(Thevet) **THEVET**, André. *Les singularités de la France Antarctique, & de plusieurs Terres & Isles decouveuertes de nostre temps*. Paris, Maurice de la Porte, 1557.

_____. *La Cosmographie Universelle*. Paris, Pierre l'Huillier, 1575.

(Travaços) **TRAVAÇOS**, Pe. Simão. *Declaração do Brasil. Livro primeiro em que se declara toda a costa e povoaçõens do estado do Brazil*, 1596. (manuscrito)

(Valente) **VALENTE**, Cristovão. Poemas Brasílicos. In: Araújo, Antônio de. *Catecismo Brasílico da Doutrina Cristã*. Edição fac-similar da 2ª edição (1686), corrigida por Bartolomeu de Leão. Leipzig, Julius Platzmann. B. G. Teubner, 1898.

(Vasconcelos) **VASCONCELLOS**, Pe. Simão de. *Chronica da Companhia de Jesu do Estado do Brasil: [...] e alguãs noticias antecedentes curiosas & necessárias das cousas daquelle Estado*. Lisboa, anno 1663.

(Vieira) **VIEIRA**, Antônio. *Cartas*. Edição de Lúcio de Azevedo, 3 vols. Coimbra, 1925-1928.

(VLB) **VOCABULÁRIO NA LÍNGUA BRASÍLICA**. (2ª edição revista e confrontada com o Ms. fg. 3144 da Biblioteca Nacional de Lisboa por Carlos Drumond). Faculdade de Filosofia, Ciências e Letras, Boletim n. 137, *Etnografia e Tupi-Guarani*, n. 23, São Paulo, Universidade de São Paulo, 1952.

(Wagener) **WAGENER**, Zacharias. *Zoobiblion – Livro de Animais do Brasil*. Brasiliensia Documenta, IV (org. de Edgard de Cerqueira Falcão), 1964.

CONHEÇA TAMBÉM DO AUTOR

Método Moderno de Tupi Antigo
A Língua do Brasil dos Primeiros Séculos

    Esta obra tem a finalidade básica de ensinar a língua indígena clássica do Brasil, a que mais importância teve na construção espiritual e cultural de nosso país, o tupi antigo. O objetivo é capacitar o aprendiz a ler os textos quinhentistas e seiscentistas nessa língua, por meio de vocabulário e muitos exercícios. Teve-se também a preocupação de mostrar a penetração do tupi antigo na toponímia brasileira, na língua portuguesa, em nossa literatura.